BOUQUINS

COLLECTION DIRIGÉE PAR

GUY SCHOELLER

Première édition : 1982
Première réimpression : édition revisée 1985

ISBN : 2-221-50323-6

ALAIN PÂRIS

DICTIONNAIRE DES INTERPRÈTES

ET DE L'INTERPRÉTATION MUSICALE AU XXe SIÈCLE

ROBERT LAFFONT

Cet ouvrage a été réalisé, sous la direction d'Alain PÂRIS, par :

Jean-Yves BRAS	Antoine LIVIO
Pierre BRETON	Michel LOUVET
Martine CADIEU	Alain PÂRIS
Michel CRESTA	Roger-Claude TRAVERS
Pierre FLINOIS	Marcel WEISS
Pierre-Paul LACAS	Jean ZIEGLER

DEUXIÈME ÉDITION

Cette deuxième édition du *Dictionnaire des interprètes et de l'interprétation musicale au XXᵉ siècle* reprend dans son intégralité le texte de la première édition, revu et complété en fonction de l'actualité, ainsi que de nouvelles notices consacrées à :

Walid AKL
Colette ALLIOT-LUGAZ
Nella ANFUSO
Moshe ATZMON
Dmitri BACHKIROV
Claude BARDON
Maria BARRIENTOS
Pierre BARTHOLOMÉE
Yuri BASHMET
Jiří BĚLOHLÁVEK
Igor BESRODNY
Anne-Marie BLANZAT
Franco BONISOLLI
Olivier CHARLIER
Cyril DIEDERICH
Ghena DIMITROVA
Arnold DOLMETSCH
Kurt EQUILUZ
Wilhelmenia FERNANDEZ
Adam FISCHER
Marya FREUND
Hirofumi FUKAI
Célestine Laurence GALLI-MARIÉ
David GERINGAS
Marie-Catherine GIROD
Mariss JANSONS
Neeme JÄRVI
Manfred JUNG
Robert KAJANUS
Jacek KASPRZYK
Dmitri KITAYENKO
Klaus KÖNIG
Gustav KUHN
Rena KYRIAKOU
Henri LEDROIT
Michel LETHIEC
Michaël LEVINAS
Cornell MACNEIL
Julia MIGENES-JOHNSON
Alain MOGLIA
Woldemar NELSSON
Sonia NIGOGHOSSIAN
Aldo PARISOT
Étienne PÉCLARD
Donato RENZETTI
Dennis RUSSELL-DAVIES
Hanna SCHAER
Georg SCHNEEVOIGT
Claude SCHNITZLER
Abbey SIMON
Albert SIMON
Giuseppe SINOPOLI
Maria SLATINARU
Olivia STAPP
Jeffrey TATE
Kurt THOMAS
Maximiano VALDES
Jo VINCENT
Ingvar WIXELL
Lothar ZAGROSEK

Bournemouth Sinfonietta
Cambridge Buskers
Chœur Académique de Chambre de Moscou
Ensemble Instrumental de Picardie
Ensemble Orchestral de Haute-Normandie
Orchestre de l'Angelicum de Milan
Orchestre de Chambre Tchécoslovaque
Orchestre de Louisville
Orchestre Philharmonique de Cluj-Napoca
Orchestre Symphonique d'Atlanta
Orchestre Symphonique d'État du Ministère de la Culture de l'U.R.S.S.
Orféon Donostiarra
Quatuor Arcana
Quatuor Bartholdy
Scottish Chamber Orchestra
Théâtre Musical de Chambre de Moscou
Volksoper de Vienne

L'interprétation d'une œuvre est semblable au flux d'une rivière et l'interprète à l'homme qui, dans son bateau, se laisse porter par le courant. Parfois, l'eau se précipite en torrent vers une gorge étroite, parfois elle repose dans la sérénité d'une large rivière en traversant une terre riche et fertile.

Wilhelm FURTWÄNGLER.

Préface

Qui aurait pu penser, il y a une centaine d'années, que l'interprète occuperait la place qui est la sienne actuellement ? Relégué à l'époque en caractères minuscules sur les affiches, son nom s'impose peu à peu, il se vend et fait parfois oublier celui du compositeur. On ne va plus au concert écouter la *Symphonie héroïque*, on va applaudir tel grand chef, tel grand soliste.

Pourtant, le rôle fondamental de l'interprète est resté le même. Peut-être occupe-t-il une place plus importante dans la musique contemporaine en participant à l'élaboration de l'œuvre ou en se voyant confier des séquences aléatoires. Mais face au répertoire des siècles précédents, au fond, rien n'est changé.

Dans la forme, tout est différent. L'interprète est devenu une figure sociale de la musique qui était mal définie avant le XXe siècle. À de rares exceptions près (Liszt, Clara Schumann, von Bülow, Paganini...), l'interprète était l'obscur serviteur du compositeur, intermédiaire entre le texte et l'auditeur, cet auditeur étant lui-même interprète (amateur) à ses heures. Les frontières étaient floues, le vedettariat quasi inexistant.

Le XXe siècle bouleverse toutes ces données : la pratique amateur tend à disparaître. Un fossé se creuse entre l'interprète et son public : on le connaît moins, il devient mystérieux. Les moyens de reproduction sonore et la facilité des déplacements le font entendre du plus grand nombre. Il n'y a plus qu'à attendre les maîtres du show business pour le transformer en vedette à part entière. Naturellement, c'est l'apanage d'un petit nombre, et, s'ils comptent parmi les plus talentueux, combien d'interprètes tout aussi estimables (parfois davantage !) restent dans l'ombre car, pour des raisons extra-artistiques, il est impossible d'en faire des vedettes ?

La notoriété de ces vedettes est telle que la paternité des chefs-d'œuvre s'en trouve modifiée : tour à tour, l'*Héroïque* appartient à Furtwängler, Böhm ou Karajan, un chef et un metteur en scène se partagent *Faust* ou *Carmen* ! Les données sont renversées.

Cette situation, choquante *a priori,* a pourtant plus d'un aspect positif. L'interprète est devenu une « locomotive » qui tire derrière lui un public de *fans* qui ne viendrait peut-être pas à la musique en d'autres circonstances. Parfois, il est audacieux et ose renoncer à son confort pour entraîner sa cohorte de wagons vers des répertoires méconnus ou même (audace suprême !) vers la musique de son temps. Il sollicite les compositeurs qui trouvent en lui un vecteur inespéré pour garder le contact avec le public de leur temps. Parfois, il tend la main à ses cadets et ne se contente pas de transmettre son savoir par l'enseignement : il associe les jeunes à ses concerts, en duo, en concerto, à l'opéra. Et la musique se renouvelle sans cesse de cette façon.

Naturellement, rares sont ceux qui correspondent à ce profil idéal. Mais ils existent et, grâce à eux, les projecteurs qui inondent de lumière l'interprète ne sauraient être remis en cause.

La démarche de l'interprète, quant à elle, reste toujours la même. Son approche de la musique varie selon les époques, mais son rôle recréateur demeure. À ce titre, il n'a droit qu'à une place limitée dans les ouvrages généraux, encyclopédies, dictionnaires ou histoires de la musique. Jusqu'à l'apparition du disque, son apport ne restait pas. Mais les choses ont changé et on possède à présent des documents échelonnés sur une centaine d'années dont les soixante dernières sont vraiment représentatives. Il fallait donc se livrer à une investigation systématique de ce monde encore ignoré, la forme du dictionnaire étant la mieux adaptée en raison des multiples interférences entre les écoles et les époques.

Un dictionnaire des interprètes : il exclut donc les compositeurs dont on parle abondamment par ailleurs. Il exclut les compositeurs-interprètes qui ne se sont consacrés qu'à leur propre musique. Par contre, il fait une large place à de grands compositeurs qui ont eu une activité d'interprète polyvalente (Mahler, R. Strauss, Maderna, Boulez...).

Un dictionaire du XXe siècle car les bouleversements profonds du monde de l'interprétation correspondent à ce siècle. Cet ouvrage est donc limité dans le temps aux interprètes ayant vécu (fût-ce quelques mois) au XXe siècle. La part réservée aux artistes de notre temps est évidemment plus importante dans la mesure où l'histoire a déjà fait un choix. Mais ce choix n'a pas été entériné systématiquement car il existe des filiations entre les hommes, entre les écoles, que l'histoire a négligées. Certaines personnalités oubliées aujourd'hui ont joué un rôle essentiel dans l'évolution de l'interprétation, et il était normal de les remettre à leur juste place.

Un dictionnaire est un ouvrage d'information : les biographies d'artistes ne retiennent donc que les éléments factuels de leur carrière, en dehors de toute subjectivité, autant que faire se peut. Seuls les éléments concrets ou les appréciations unanimement reconnues ont servi de guides, et il ne faut chercher aucune correspondance entre l'importance des biographies et la notoriété des artistes concernés. De très grands interprètes ont eu des vies sans événements majeurs, d'autres, moins notables, ont connu des carrières fertiles en événements.

Quant au choix des quelque 1 900 interprètes recensés dans la deuxième partie, c'est l'aspect le plus subjectif de ce dictionnaire. Il répond à des critères de notoriété et de cohérence, mais en aucun cas à des critères de qualité. Naturellement, il y a des oublis que des éditions ultérieures pourront réparer. Certains noms sembleront inutiles à première lecture, mais cet ouvrage forme un tout dans lequel chaque biographie se justifie autant par l'activité de l'artiste concerné que par sa situation dans un contexte donné (écoles, générations, interférences d'activités...). Les grands pédagogues aux carrières éphémères ont ainsi leur place car ils jouent un rôle de trait d'union essentiel. Les jeunes interprètes ont rencontré les faveurs des auteurs de ce dictionnaire dès lors que leurs premiers pas permettaient d'envisager raisonnablement un avenir prometteur.

L'exactitude des éléments biographiques est la préoccupation majeure des auteurs d'un dictionnaire. Si nous avons rencontré un excellent accueil auprès de la plupart des artistes, bureaux de concerts, attachés de presse ou autres organismes d'information, certains se sont refusés à communiquer les plus élémentaires données. Et lorsqu'il n'existait aucune autre source d'information, ils s'excluaient ainsi de cet ouvrage ou condamnaient au même sort des artistes qu'ils représentent.

Parfois, les biographes se sont transformés en détectives, vérifiant auprès de l'état civil ou à d'autres sources dignes de foi ce que leur instinct mettait en doute : moisson fertile en erreurs séculaires à présent corrigées, coquetterie déjouée (non par indiscrétion mais par souci d'exactitude), oublis réparés (au moins partiellement).

Le résultat est certainement très incomplet et l'avenir permettra sans doute de l'améliorer. Mais peut-être cet ouvrage aidera-t-il à situer à sa véritable place celui sans qui la musique ne revivrait pas, l'interprète.

Alain PÂRIS

PREMIÈRE PARTIE

Situation et évolution de l'interprétation au XXe siècle

L'interprétation pianistique

par Alain Pâris

A l'aube du XXe siècle, le piano compte encore parmi les plus jeunes des instruments de musique. Son père, le piano-forte, n'a guère plus d'une centaine d'années et la facture a accompli des progrès considérables tout au long du XIXe siècle. Le pianiste est aussi un individu de souche récente. Liszt et quelques autres virtuoses romantiques comme Clementi, Czerny ou Thalberg ont forgé sa personnalité. Ils ont surtout contribué à l'élaboration d'une technique spécifique au nouvel instrument d'où dériveront toutes les écoles du XXe siècle. Avec eux, le pianiste acquiert ses lettres de noblesse. Le récital de piano voit le jour et se démarque des concerts où alternent diverses prestations de plusieurs interprètes (mélodies ou airs d'opéra intercalés entre les mouvements d'une sonate ou d'un concerto).

Si nous possédons toutes les données pour brosser le portrait-robot du pianiste à la fin du XIXe siècle, nous manquons singulièrement d'informations pour apprécier la technique et les qualités d'interprétation des virtuoses issus du romantisme. Les témoignages et les critiques sont des éléments trop subjectifs qu'il est impossible d'isoler de leur contexte. Seules les œuvres écrites par ces virtuoses peuvent constituer des indices, car ils composaient d'abord à leur propre usage : elles révèlent une technique très habile et parfois nouvelle pour l'époque que devaient donc parfaitement maîtriser tous ces instrumentistes. Les progrès de la facture du piano orientent le jeu dans le sens d'une puissance sonore accrue : le nouvel équilibre du concerto romantique en est le témoignage. Les possibilités mélodiques du piano n'en sont pas oubliées pour autant : Chopin et Liszt, à la fin de sa vie surtout, jouent un rôle déterminant en ce domaine.

L'HÉRITAGE ROMANTIQUE

Aux grands virtuoses romantiques (Herz, Litolff, Stamaty, Liszt, Clara Wieck, Thalberg) succède une génération soucieuse d'un certain retour au classicisme (Saint-Saëns, von Bülow, Planté, Diémer, Pugno, les frères Rubinstein). Au début du XXe siècle, ces deux grandes tendances se retrouvent et se diversifient. L'héritage romantique se scinde en deux écoles, les disciples de Liszt et ceux de Leschetitzky. Les premiers semblent avoir conservé la puissance du jeu, une technique de haute envolée et une recherche de l'orchestration du piano (d'Albert, Martin Krause, Siloti, Sauer, Friedheim). L'école de Leschetizky est moins uniforme. Leschetizky n'avait pas de méthode pédagogique *a priori*. Il développait les qualités de chaque élève dans le sens où semblait devoir s'affirmer sa personnalité. Le style était coulant, souple. La recherche de la sonorité était essentielle, tout comme le soin du détail. A ce point de vue, ses disciples ont su tirer du clavier un maximum de nuances et de couleurs. Une telle approche allait révéler des personnalités aussi différentes que Paderewski, Safonov, Friedman, Gabrilovitch, Schnabel, Braïlowski, Ney ou Moïsewitsch qui allaient s'affirmer en dehors de tout esprit d'école. Seul peut-être Josef Lhévinne, disciple de Safonov, fut-il dépositaire de cet enseignement qu'il transmit aux jeunes générations de pianistes américains (Van Cliburn, Browning, Gold, Levine).

En marge de ces deux écoles, la figure de Busoni s'impose par le renouveau qu'il a apporté à l'interprétation pianistique. Sans avoir compté parmi les élèves de Liszt, il s'inscrit dans la même ligne de virtuosité transcendante à laquelle s'adaptent à merveille ses transcriptions et paraphrases. Il redonne vie aux classiques, notamment à J.-S. Bach, mais les modernise en adaptant leur musique aux possibilités du piano moderne.

En France et en Russie, l'esthétique pianistique s'oriente différemment. Bien que formés à Berlin, les deux frères Rubinstein, Anton et Nicolas, se démarquent vite de l'influence lisztienne. Ils se rapprochent du texte du compositeur qui, bien souvent, n'était que prétexte à démonstrations de virtuosité. Joseph Hoffmann est le principal disciple d'Anton : il impose une lecture intègre de la musique qu'il pousse, selon Schönberg, encore plus loin que celle d'un Schnabel. Et parmi les nombreux disciples de Nicolas, on trouve Siloti et Sauer qui ont aussi reçu les conseils de Liszt, le premier devant former Serge Rachmaninov avant d'émigrer aux États-Unis.

En France, la tendance néo-classique s'accentue : par le choix du répertoire (Risler et Blanche Selva imposent le *Clavier bien tempéré* ou les clavecinistes français du XVIIIe siècle) et par le style, dépouillé, plus rigoureux, parfois même un peu sec. La facture française n'est pas étrangère à une telle évolution : nos pianos, plus clairs, plus précis et plus durs que leurs homologues allemands ou viennois, poussent les instrumentistes dans cette voie. La vision enflammée et subjective des postromantiques est écartée au profit d'une lecture qui se veut objective : réaction d'un moment qui annonce un nouveau répertoire et de nouvelles contraintes techniques. Diémer et surtout Viñes puis Marguerite Long deviennent les champions de la jeune musique française. Franck, d'Indy, Lalo et Saint-Saëns trouvent chez le premier un interprète idéal qui s'adapte à un nouveau langage. Avec Fauré, Debussy et Ravel, les moyens d'expression évoluent. Le piano gagne en finesse et en couleurs ce qu'il perd en puissance et en virtuosité apparente. La recherche sonore devient primordiale : le toucher, mais aussi l'usage des pédales, notamment la pédale *una corda* rarement employée auparavant. A la même époque, Isidore Philipp transmet néanmoins un enseignement hérité de Saint-Saëns, fait de rigueur et d'austérité, dont J.-M. Darré, A. Van Barentzen et M. de La Bruchollerie seront les dépositaires.

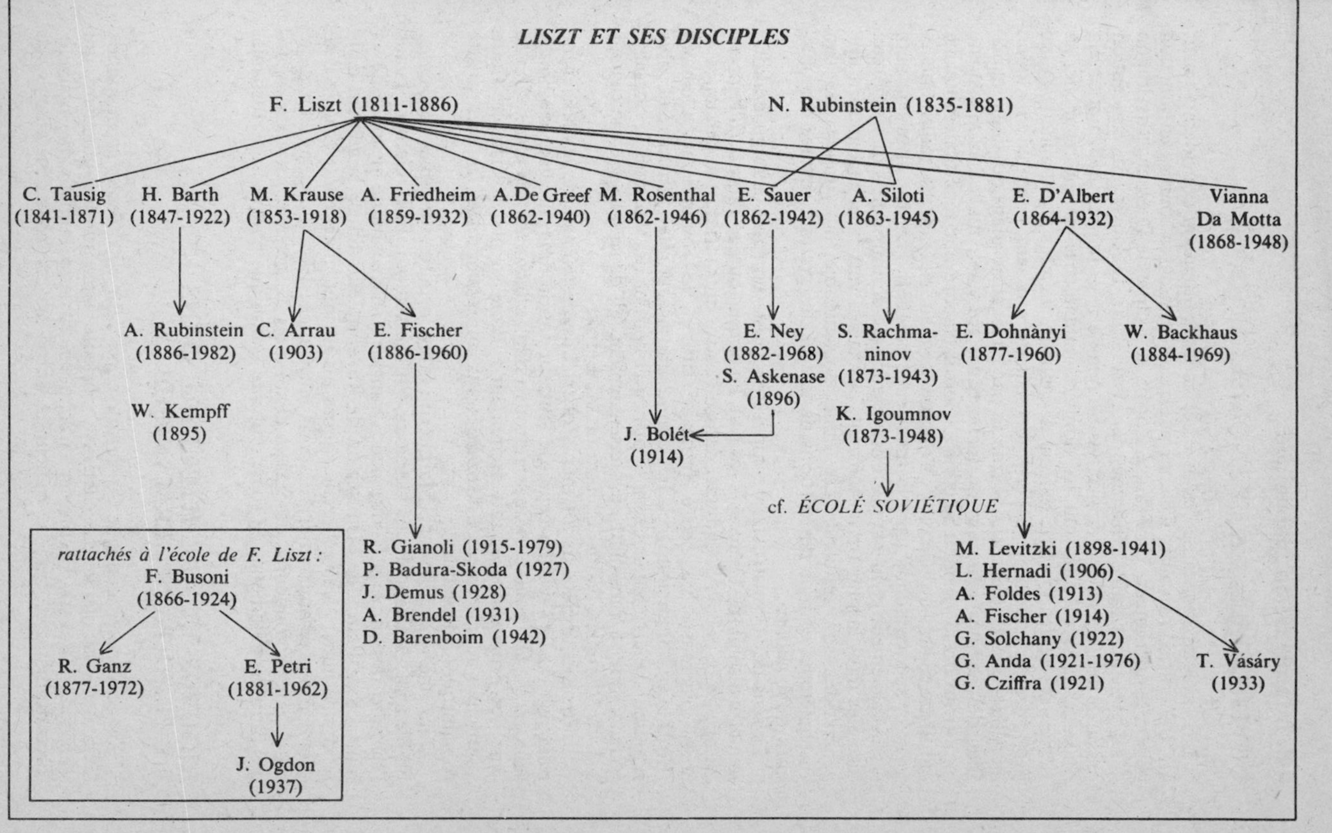
LISZT ET SES DISCIPLES
F. Liszt (1811-1886)
N. Rubinstein (1835-1881)
C. Tausig (1841-1871)
H. Barth (1847-1922)
M. Krause (1853-1918)
A. Friedheim (1859-1932)
A.De Greef (1862-1940)
M. Rosenthal (1862-1946)
E. Sauer (1862-1942)
A. Siloti (1863-1945)
E. D'Albert (1864-1932)
Vianna Da Motta (1868-1948)
A. Rubinstein (1886-1982)
C. Arrau (1903)
E. Fischer (1886-1960)
E. Ney (1882-1968)
S. Askenase (1896)
S. Rachmaninov (1873-1943)
E. Dohnànyi (1877-1960)
W. Backhaus (1884-1969)
W. Kempff (1895)
J. Bolét (1914)
K. Igoumnov (1873-1948)
cf. ÉCOLÉ SOVIÉTIQUE
rattachés à l'école de F. Liszt :
F. Busoni (1866-1924)
R. Ganz (1877-1972)
E. Petri (1881-1962)
J. Ogdon (1937)
R. Gianoli (1915-1979)
P. Badura-Skoda (1927)
J. Demus (1928)
A. Brendel (1931)
D. Barenboim (1942)
M. Levitzki (1898-1941)
L. Hernadi (1906)
A. Foldes (1913)
A. Fischer (1914)
G. Solchany (1922)
G. Anda (1921-1976)
G. Cziffra (1921)
T. Vásáry (1933)

OUVERTURE A LA FRANÇAISE

Les caractéristiques de ces diverses écoles s'atténuent considérablement à la génération suivante. Chacun puise aux différentes sources en fonction de son tempérament. En France, Cortot – disciple de Diémer et de Pugno – se présente comme l'héritier de Liszt et de D'Albert. Sa conception musicale repose sur un subjectivisme poussé à la limite où l'émotion, la sincérité, la sensibilité sont les données fondamentales. En revanche, sa lecture des textes manque parfois de rigueur, même s'il est difficile de ne pas céder au charme et à l'envoûtement de son sens poétique : il donne au rubato une souplesse qui se traduit par un léger décalage des deux mains. Bien des adeptes tenteront de reconstituer cet effet, mais aucun pianiste ne retrouvera le véritable équilibre. Cortot élabore une technique nouvelle qui libère le bras et l'épaule et s'oppose ainsi au jeu français traditionnellement crispé, cantonné dans la main et le poignet. Très tôt, il se consacre à l'enseignement et forme – à l'École normale de musique – de nombreux disciples dont la plupart se tournent, eux aussi, vers la pédagogie. En une génération, son influence est donc considérable, au travers de son enseignement comme des éditions de travail des grandes œuvres romantiques qu'il publie.

Le sens de la construction s'impose progressivement à cette génération : un autre disciple de Diémer, Yves Nat, lui donne toute sa mesure. Il tempère l'usage de la pédale et endigue, dans un cadre plus strict, une passion tout aussi généreuse. La clarté française atteint le romantisme allemand (Beethoven, Schumann) et lui donne un visage plus transparent, plus rigoureux. Pierre Sancan sera le principal héritier de Nat dans le domaine pédagogique et transmettra cet enseignement fait de souplesse et de rigueur à J.-B. Pommier, J.-Ph. Collard et M. Beroff.

Un troisième élève de Diémer, Robert Casadesus, incarne le classicisme français : il a le souci du beau, de l'interprétation finie, précise, équilibrée, sans excès. Un goût parfait se retrouve dans chacun de ses choix. Il a le sens des proportions et sait donner au rythme sa place véritable. Cette approche s'adapte mieux à Mozart et aux impressionnistes français qu'aux romantiques allemands.

Dans une voie différente, Marguerite Long forme ses disciples (J. Doyen, N. Henriot, S. François, L. Descaves, Ph. Entremont, B.-L. Gelber...) dans l'optique des impératifs du piano français : sa technique découle de la musique de Fauré, de Debussy ou de Ravel qu'elle diffuse largement dans le monde entier. La recherche sonore est un but, mais elle refuse le côté efféminé de certaines interprétations fauréennes. Elle donne, au contraire, toute leur profondeur à des basses chantantes et accentue les notes aiguës des phrases mélodiques en soutenant une rythmique parfois imperturbable.

RIGUEUR ET ARCHITECTURE DANS LA TRADITION GERMANIQUE

Une diversité analogue se retrouve au sein de l'école germanique : Schnabel, disciple de Leschetizky, s'oriente vers un dépouillement qui transcende Mozart, Beethoven et Schubert en leur donnant une nouvelle force dramatique, faite de rigueur et de poésie contrôlée. Backhaus part

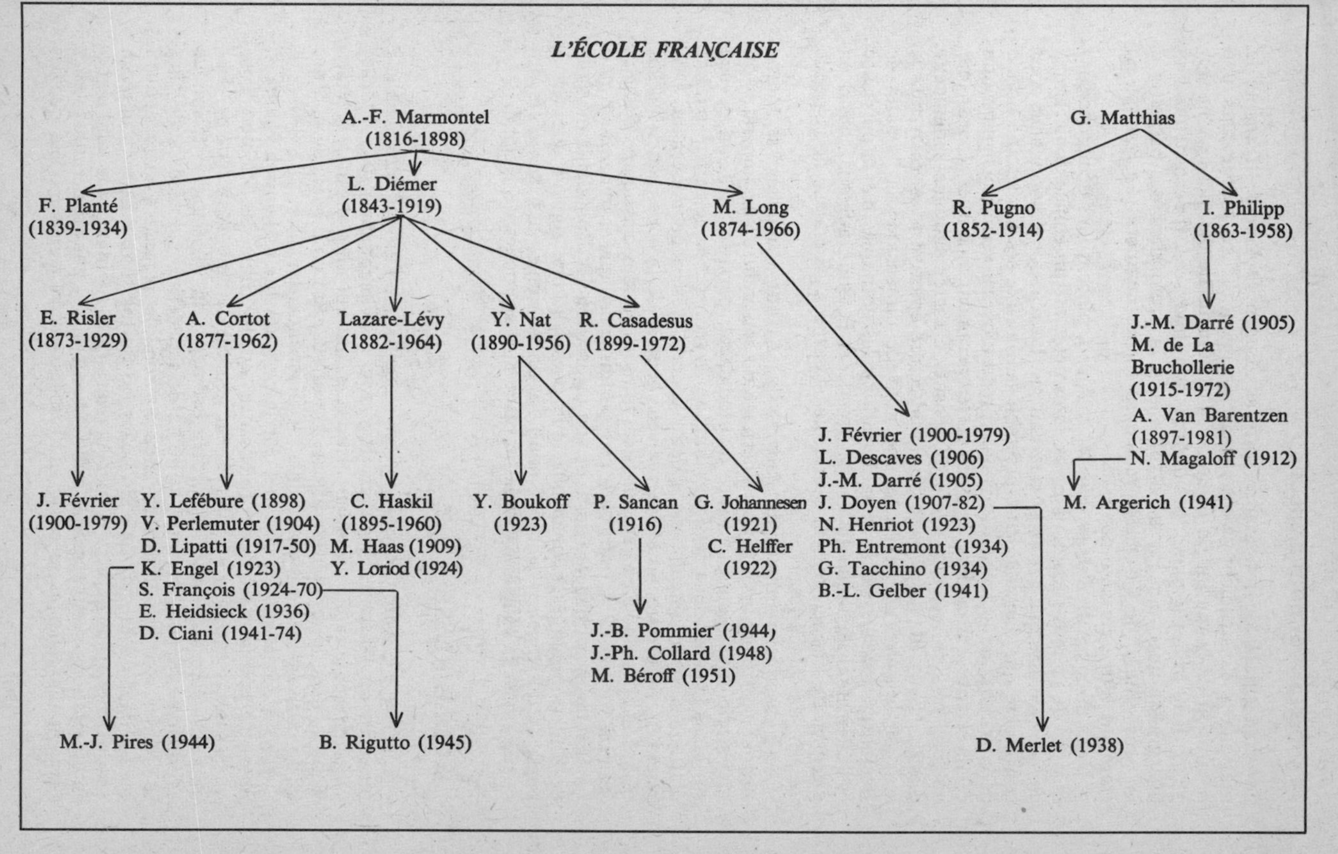
L'ÉCOLE FRANÇAISE
A.-F. Marmontel (1816-1898)
G. Matthias
F. Planté (1839-1934)
L. Diémer (1843-1919)
M. Long (1874-1966)
R. Pugno (1852-1914)
I. Philipp (1863-1958)
E. Risler (1873-1929)
A. Cortot (1877-1962)
Lazare-Lévy (1882-1964)
Y. Nat (1890-1956)
R. Casadesus (1899-1972)
J.-M. Darré (1905)
M. de La Bruchollerie (1915-1972)
A. Van Barentzen (1897-1981)
N. Magaloff (1912)
J. Février (1900-1979)
L. Descaves (1906)
J.-M. Darré (1905)
J. Doyen (1907-82)
N. Henriot (1923)
Ph. Entremont (1934)
G. Tacchino (1934)
B.-L. Gelber (1941)
J. Février (1900-1979)
Y. Lefébure (1898)
V. Perlemuter (1904)
D. Lipatti (1917-50)
K. Engel (1923)
S. François (1924-70)
E. Heidsieck (1936)
D. Ciani (1941-74)
C. Haskil (1895-1960)
M. Haas (1909)
Y. Loriod (1924)
Y. Boukoff (1923)
P. Sancan (1916)
G. Johannesen (1921)
C. Helffer (1922)
M. Argerich (1941)
J.-B. Pommier (1944)
J.-Ph. Collard (1948)
M. Béroff (1951)
M.-J. Pires (1944)
B. Rigutto (1945)
D. Merlet (1938)

des conceptions de son maître spirituel, Eugen D'Albert : il adapte la musique à l'instrument. Mais, progressivement, il se tourne vers une restitution de la musique à l'aide de l'instrument. Le compositeur ne sert plus à faire briller le piano. Les données sont inversées. Il accorde dès lors une grande importance à la polyphonie, à la profondeur des basses et à un sens général de l'architecture sonore encore instinctif. Le résultat est empreint d'une certaine noblesse.

Deux disciples de Krause, Fischer et Arrau, placent leur démarche sous le signe de la construction : l'œuvre interprétée est un édifice dont chaque élément n'existe que par rapport à d'autres. La réaction émotionnelle n'est concevable que dans un cadre préétabli qui lui fixe ses limites. La notion de continuité de la tension artistique prend alors sa véritable signification car la retenue qui modère les excès du tempérament aide à les répartir tout au long de l'œuvre, sans perte d'intensité. C'est en fait une spontanéité relative. Kurt Blaukopf parle d'« architecture émotive ». Avec Arrau, le sens de la construction prend une nouvelle dimension : les sonates de Beethoven sont élevées au rang de cathédrales gothiques par la puissance et l'intensité dramatique du jeu. A. Brendel et P. Badura-Skoda, tous deux disciples de Fischer, tentent de retrouver l'aspect générateur de la poésie au sein de cet héritage.

Seul disciple marquant de Paderewski, Arthur Rubinstein se tourne surtout vers Chopin et adapte l'héritage de son maître aux impératifs du XXe siècle. Gieseking fait figure d'autodidacte, pianiste allemand dévoué surtout à la cause de la musique française. Il recherche une variété extrême d'attaques pour obtenir une palette sonore très riche convenant à la littérature impressionniste. Mais le sens général de la construction lui fait défaut et il est moins à l'aise dans les grandes formes classiques. Wilhelm Kempff, au contraire, transcende ce répertoire classique et romantique qu'il renouvelle en permanence au fil de son inspiration : il dépouille la musique de toute surcharge et lui insuffle une poésie et une rigueur que sert à merveille un toucher délicat. Rudolf Serkin se range aussi aux côtés des poètes, mais sa fougue naturelle le place aux antipodes de Kempff.

L'ÉCOLE RUSSE

L'héritage d'Anton Rubinstein est recueilli par l'un des plus fabuleux pianistes de l'histoire, Vladimir Horowitz : sa technique, son immense répertoire et la rareté de ses apparitions en ont fait un pianiste de légende. Mais au-delà de ces considérations, Horowitz reste un modèle de maîtrise et de connaissance des possibilités de l'instrument.

L'école soviétique est dominée par la personnalité d'Heinrich Neuhaus, immense pédagogue qui a formé, entre autres, Guilels et Richter. Tous deux s'inscrivent dans un mouvement général de renouveau tant par leur approche musicale que par l'élargissement du répertoire : technique prodigieuse, dépouillement à la limite de l'austérité, pureté de style chez le premier, sonorités étonnantes chez le second, leurs mains s'adaptant aussi bien à Bach ou Mozart qu'à Prokofiev ou Bartók. Lazar Berman offre un tempérament plus passionné, mais derrière cette spontanéité le fond de ses interprétations semble moins riche. Quant aux jeunes générations, elles révèlent d'excellentes mécaniques formées sur le même modèle que les

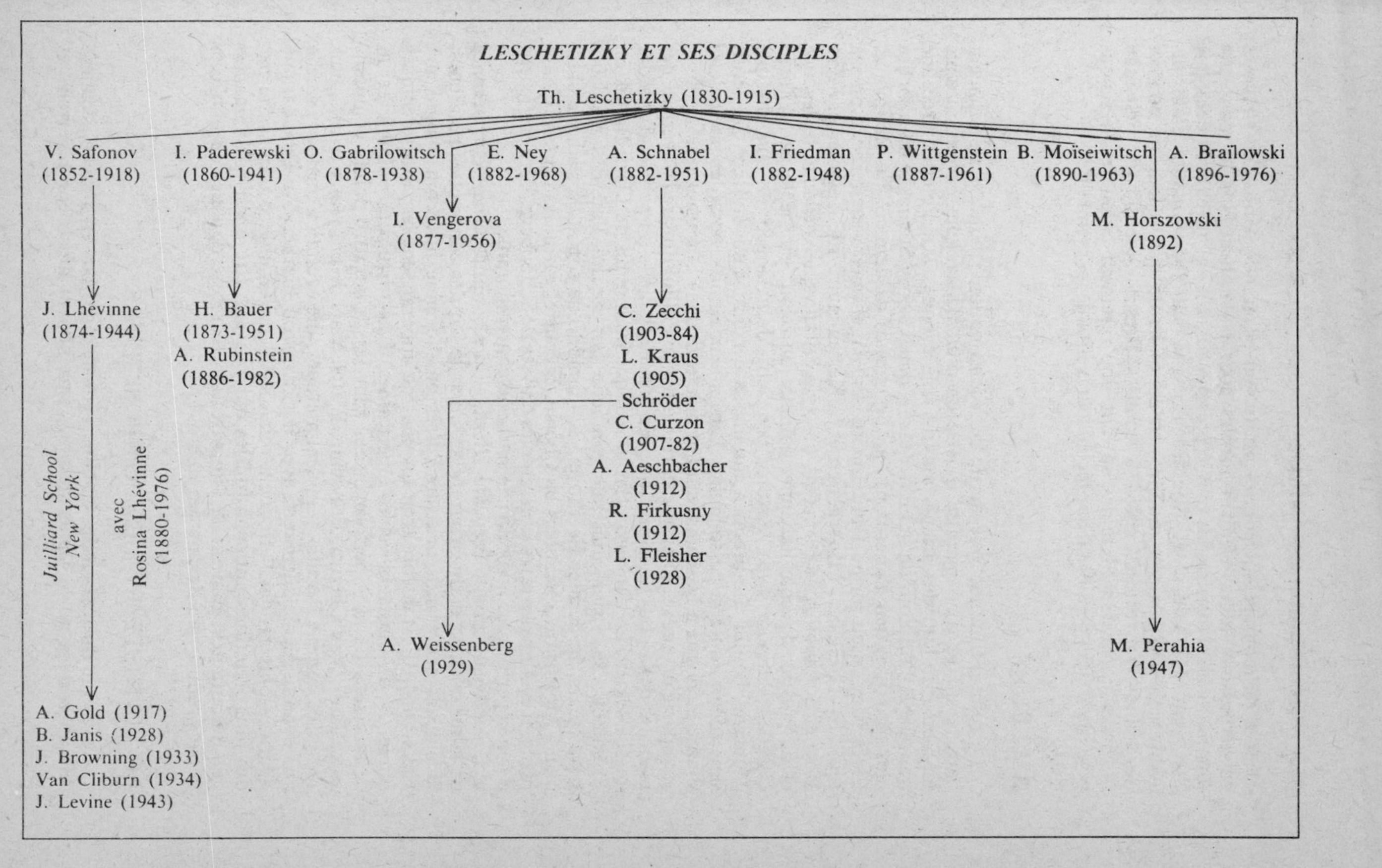
LESCHETIZKY ET SES DISCIPLES
Th. Leschetizky (1830-1915)
V. Safonov (1852-1918)
I. Paderewski (1860-1941)
O. Gabrilowitsch (1878-1938)
E. Ney (1882-1968)
A. Schnabel (1882-1951)
I. Friedman (1882-1948)
P. Wittgenstein (1887-1961)
B. Moïseiwitsch (1890-1963)
A. Braïlowski (1896-1976)
I. Vengerova (1877-1956)
M. Horszowski (1892)
J. Lhévinne (1874-1944)
H. Bauer (1873-1951)
A. Rubinstein (1886-1982)
C. Zecchi (1903-84)
L. Kraus (1905)
Schröder
C. Curzon (1907-82)
A. Aeschbacher (1912)
R. Firkusny (1912)
L. Fleisher (1928)
Juilliard School New York
avec Rosina Lhévinne (1880-1976)
A. Weissenberg (1929)
M. Perahia (1947)
A. Gold (1917)
B. Janis (1928)
J. Browning (1933)
Van Cliburn (1934)
J. Levine (1943)

chaînes de montage soviétiques produisent en grande série. Ces virtuoses en herbe sont admirablement formés pour triompher dans les concours internationaux, mais on les oublie presque aussitôt car rares sont ceux que l'on peut réentendre en Occident lorsque leur personnalité s'affirme. Ashkenazy s'expatrie et modifie son approche de la musique au contact des grands maîtres qu'il côtoie à Londres. Eresco, Slobodjanik, Feltsman Novitskaïa, Alexeiev, Krainev se font trop rarement entendre chez nous pour qu'il soit possible d'apprécier leur véritable personnalité.

AILLEURS

Le reste du monde voit surgir des écoles nationales qui se développent dans le sillage d'un pianiste illustre ou d'un pédagogue, parfois disciple lui-même de l'un des grands maîtres déjà évoqués. La Pologne crée une nouvelle école autour de Jan Ekier et d'Halina Czerny-Stefanska d'où sortira plus tard Krystian Zimerman, l'un des grands de demain. En Roumanie, Flora Muzicescu forme Dinu Lipatti. En Argentine, Vicente Scaramuzza révèle B.-L. Gelber, M. Argerich et S. Kersenbaum. En Angleterre, Myra Hess et Solomon sont les reflets du style britannique, mélange d'élégance et de pudeur. L'école italienne, dominée au début du siècle par Alfredo Casella, s'impose avec Arturo Benedetti-Michelangeli et son disciple Maurizio Pollini. Le premier entoure sa carrière d'un mystère qui ternit sans aucun doute sa personnalité. Personne ne semble posséder une palette sonore analogue à la sienne, qui fait merveille dans la musique de Debussy et apporte un nouvel éclairage au romantisme. Pollini illustre l'ouverture des pianistes de la nouvelle génération : sa virtuosité facile lui permet d'aborder aussi aisément les danses de *Pétrouchka* que les œuvres de Liszt, Bartók ou Prokofiev ; sa vision musicale profonde fait de lui l'un des meilleurs traducteurs du dernier Beethoven, la limpidité de son style s'adapte aussi bien à Mozart qu'à Schubert ou Chopin. En outre, parmi les « grands » du piano, il est l'un des rares à intégrer les œuvres de Schönberg, Berg et Webern à son répertoire et à aborder la musique contemporaine.

Le nouveau monde recueille l'héritage des grandes écoles européennes de la fin du XIXe et du début du XXe : par le jeu des contraintes politiques, la plupart des grands pianistes russes ou d'origine juive ont émigré aux États-Unis. Il est encore trop tôt pour qu'apparaissent les caractéristiques d'une ou de plusieurs écoles américaines. Une virtuosité brillante et un certain sens de la « performance » sont les principaux points communs entre Janis, Van Cliburn, Browning, Watts. Mais de nouveaux talents, plus sensibles, comme Perahia, semblent marquer une évolution analogue à celle que connut l'école allemande avec Backhaus ou Fischer. Au Canada, une figure insolite retient l'attention, celle de Glenn Gould : il déconcerte par des interprétations anticonformistes qui peuvent être aussi passionnantes que déroutantes. Ennemi de l'imperfection, il refuse de jouer en public et ne se produit que devant des micros !

LE PIANISTE ET LES COMPOSITEURS

Au début du XXe siècle, certains pianistes, surtout en France, s'étaient mis au service de la jeune musique, enrichissant ainsi leur répertoire et

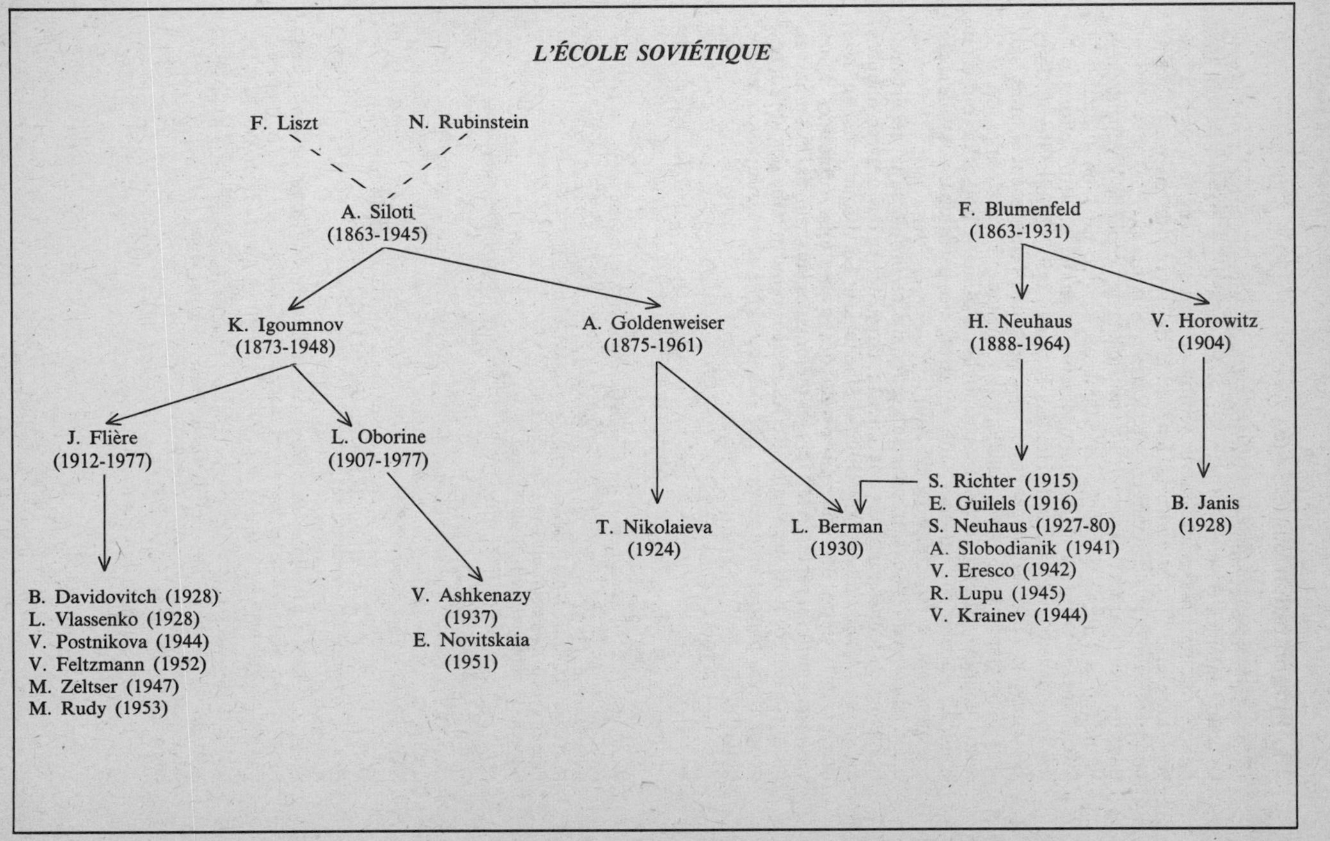
L'ÉCOLE SOVIÉTIQUE
F. Liszt
N. Rubinstein
A. Siloti (1863-1945)
F. Blumenfeld (1863-1931)
K. Igoumnov (1873-1948)
A. Goldenweiser (1875-1961)
H. Neuhaus (1888-1964)
V. Horowitz (1904)
J. Flière (1912-1977)
L. Oborine (1907-1977)
T. Nikolaieva (1924)
L. Berman (1930)
S. Richter (1915)
E. Guilels (1916)
S. Neuhaus (1927-80)
A. Slobodianik (1941)
V. Eresco (1942)
R. Lupu (1945)
V. Krainev (1944)
B. Janis (1928)
B. Davidovitch (1928)
L. Vlassenko (1928)
V. Postnikova (1944)
V. Feltzmann (1952)
M. Zeltser (1947)
M. Rudy (1953)
V. Ashkenazy (1937)
E. Novitskaia (1951)

leurs possibilités techniques. Les disciples de Viñes, Cortot ou M. Long se sont contentés d'assimiler les découvertes de leurs maîtres. Au fil des années, la curiosité des interprètes semble se tarir : ils servent tous le même répertoire et il faut attendre la génération de la seconde guerre mondiale pour voir s'opérer un changement. Bartók, Stravinski, Prokofiev entrent dans les programmes de concert. Les musiciens de l'école de Vienne doivent beaucoup à Pollini qui met son talent au service de Nono, Boulez et Stockhausen. D'autres artistes consacrent l'essentiel de leurs efforts à la musique de leur temps (Claude Helffer, Yvonne Loriod, Michel Beroff, John Browning...). D'une façon générale, les répertoires s'élargissent et rares sont les jeunes pianistes qui n'abordent pas la musique de leur temps. Mais le piano manque encore d'un Rostropovitch, d'une Chojnacka ou d'un Rampal, capable de susciter une moisson de partitions nouvelles qui constitueront le répertoire de demain.

Un phénomène nouveau vient se greffer sur ce problème de répertoire : beaucoup de jeunes pianistes cherchent à faire revivre des œuvres oubliées du passé (Alkan, Clementi, Dukas, Sibelius...). Le disque joue un rôle majeur dans cette attitude qui révèle des aspirations profondes à un renouvellement du répertoire. Mais les mélomanes suivront-ils ces tentatives ou se contenteront-ils de réentendre les mêmes œuvres dans des approches de plus en plus standardisées par les moyens de reproduction et de diffusion ?

BIBLIOGRAPHIE

Bachmann, R. : *A l'écoute des grands interprètes.* Payot (1977).
Badura-Skoda, E. & P. : *L'Art de jouer Mozart au piano.* Buchet-Chastel (1974).
Badura-Skoda, P. et Demus, J. : *Les Sonates de Beethoven.* Lattès (1981).
Blaukopf, K. : *Les Grands Virtuoses.* Buchet-Chastel (1955).
Brendel, A. : *Réflexions faites.* Buchet-Chastel.
Cooper, P. : *Style et piano,* Henri Veyrier (1984).
Cortot, A. : *Cours d'interprétation.* Slatkine (1980).
Deschaussées, M. : *L'Homme et le piano,* Van de Velde (1983).
Gavoty, B. : *Alfred Cortot.* Buchet-Chastel (1977).
Gill, D. : *Le Grand livre du piano.* Van de Velde (1981).
Gould, G. : *Le Dernier Puritain,* Fayard (1983).
Kentner, L. : *Piano.* Hatier (1978).
Locard, P. et Stricker, R. : *Le Piano.* « Que sais-je ? » P.U.F. (1948-74).
Moore, G. : *Faut-il jouer moins fort ?,* Buchet-Chastel (1982).
Nat, Y. : *Carnets,* Flûte de Pan (rééd. 1983).
Neuhaus, H. : *L'Art du piano.* Van de Velde (1971).
Pâris, A. : *Histoire de l'interprétation pianistique,* in Le Guide du piano. Mazarine (1979).
Payzant, G. : *Glenn Gould, un homme du futur,* Fayard (1983).
Philipp, I. : *Réflexions sur l'art du piano.* Durand (1927).
Pincherle, M. : *Le Monde des virtuoses.* Flammarion (1961).
Range, H.-P. : *Die Konzertpianisten der Gegenwart.* Moritz Schauenburg Verlag (1964).
Roes, P. : *La Technique fulgurante de Busoni.* Henry Lemoine (1941).
Schonberg, H. : *The Great Pianists.* New York (1963).
Wolters, K. : *Le Piano.* Payot (1971).

Les instruments à archet

par Roger-Claude TRAVERS

Tracer en quelques pages l'évolution de l'interprétation des instruments à archet au cours de ces cent dernières années relève de la plus haute témérité. Le recul nous manque encore pour esquisser avec clarté les grands traits du cheminement, lent mais inexorable, suivi par plusieurs générations de musiciens, conditionnés par les bouleversements de l'enseignement des instruments et de la technique, par la désagrégation de la notion d'école, rendant aléatoire toute tentative de filiation de maître à élève, par la notion récente de concours, par l'avènement de l'audiovisuel et en particulier du disque, sans oublier le cloisonnement souvent hermétique entre interprètes d'œuvres contemporaines et ceux qui défendent le répertoire traditionnel. Tous ces éléments s'intriquent inévitablement au concept même d'interprétation.

LE VIOLON

Il pose bien sûr les problèmes les plus complexes, les plus tragiques aussi, ne serait-ce que parce que sa supériorité théorique dans l'orchestre classico-romantique a vécu. Le progrès de la facture des cuivres au milieu du siècle dernier devait amener de profonds changements dans son emploi, avec un rôle subitement accru des percussions, des vents, des cuivres, au moment où survint, vers 1910, un changement d'orientation radical dans l'orchestration, impliqué par la pénurie économique de l'époque, comme Stravinski et Schönberg (*Symphonie de chambre op. 9*, 1906) en montrent d'excellents exemples, et avec l'avènement aux États-Unis de l'orchestre de Jazz ne comportant aucun archet, mais suggérant néanmoins un foisonnement de coloris qui ne pouvait laisser les compositeurs insensibles. Le violon, instrument de mélodie, expression du chant à l'italienne, ne trouvait plus sa place. Sort cruel pour l'instrument chéri par les plus grands compositeurs pendant deux siècles. Que cette situation ait abouti, jusqu'à une période fort récente, à une pénurie de violonistes n'est donc pas étonnant.

Cette désaffectation touche par bonheur à sa fin, grâce au renouveau de l'enseignement et à l'extension de la culture européenne au monde entier. Il y a toujours eu de grands professeurs, des écoles nationales ou des filiations prestigieuses. En cette pénurie du début de siècle, ce furent les professeurs moyens, qui faisaient défaut, des enseignants capables de mener une classe, de trouver dans une pépinière d'élèves ceux qui, un jour, seraient l'élite de demain. L'Angleterre, la France, l'Allemagne, l'U.R.S.S. l'ont bien compris. Les U.S.A. également. Mais l'événement considérable de ces dix dernières années s'est produit en Extrême-Orient, où la musique européenne, comme la technique et les sciences, est un écho, un miroir de la civilisation que tout le monde cherche à imiter, la somme d'une emprise intellectuelle et matérielle sur l'univers. Suivant l'exemple donné par la classe de Suzuki au Japon, les Coréens, et surtout les Chinois développent dans leur considérable potentiel humain les dons musicaux les plus divers. Le violon y tient une bonne place. D'ici à quelques années, plusieurs milliers de violonistes chinois naîtront et écraseront peut-être les autres écoles. Leur participation aux concours internationaux augmente d'année en année de façon exponentielle. Le statut du violon a-t-il son fondement dans le brassage des cultures ? En tout cas, il vivra tant que la voix humaine conservera de l'attrait pour nos contemporains et descendants. C'est sans doute la fascination de la voix qui a guidé tant de générations de violonistes. La mobilité tonale de la musique moderne, source de cruelles épreuves pour l'interprète ne pouvant plus s'ancrer autour des « quintes à vide », et l'abandon délibéré du chant « à l'italienne » ont suscité chez beaucoup de violonistes un divorce entre leur répertoire et la musique de leur temps. De glorieuses exceptions confirment la règle. David Oïstrakh est le dédicataire d'œuvres de Chostakovitch, Miaskovski, Khatchaturian, Prokofiev ; Henryk Szeryng d'œuvres de Chávez, Maderna, Martinů, Penderecki, Ponce ; Menuhin de compositions signées Bloch, Bartók, Milhaud, Dorati. Mais l'arbre ne doit pas masquer la forêt. Le répertoire traditionnel s'arrête aujourd'hui encore à Prokofiev ou Berg. Les œuvres contemporaines ont leurs serviteurs attitrés, spécialistes audacieux friands de recherches techniques nouvelles et servant rarement la musique du passé. Depuis la dernière guerre, l'afflux considérable de concertos du XVIIIe siècle, en particulier italiens, a séduit une grande majorité de violonistes, qui puisent allégrement dans le répertoire de Vivaldi (250 concertos édités chez Ricordi !), Tartini ou Leclair. Sans oublier cette recherche récente dans le domaine de l'archéologie de l'instrument, avec un nombre important de violonistes retournant aux sources « baroques » et jouant sur des violons au manche modifié, cordes en boyau et archet allégé, de courbure évoquant les modèles de facture ancienne, et avec une technique inspirée des traités de Tartini ou de Quantz. Eduard Melkus, Alice Harnoncourt, Jaap Schröder, Sigiswald Kuijken ou Simon Standage sont les plus célèbres d'entre eux, maîtrisant à merveille les difficultés réservées en leur temps aux virtuoses d'une technique encore artisanale, mais à la portée aujourd'hui d'interprètes correctement formés par les pédagogues modernes. Les grands responsables de cette évolution furent certainement les créateurs de la période romantique, rarement violonistes eux-mêmes, qui suscitèrent des difficultés absentes chez les violonistes-compositeurs du siècle précédent qu'il fallut résoudre, puis enseigner jusqu'à assimilation. Bénéficiant de cette constante progression, nous pouvons dire que le violon n'a jamais été aussi bien enseigné qu'aujourd'hui. La facilité des déplacements « permet à quiconque en a les moyens de chercher dans une capitale les doigtés de tel grand professeur, dans telle autre les coups d'archet de tel maître »,

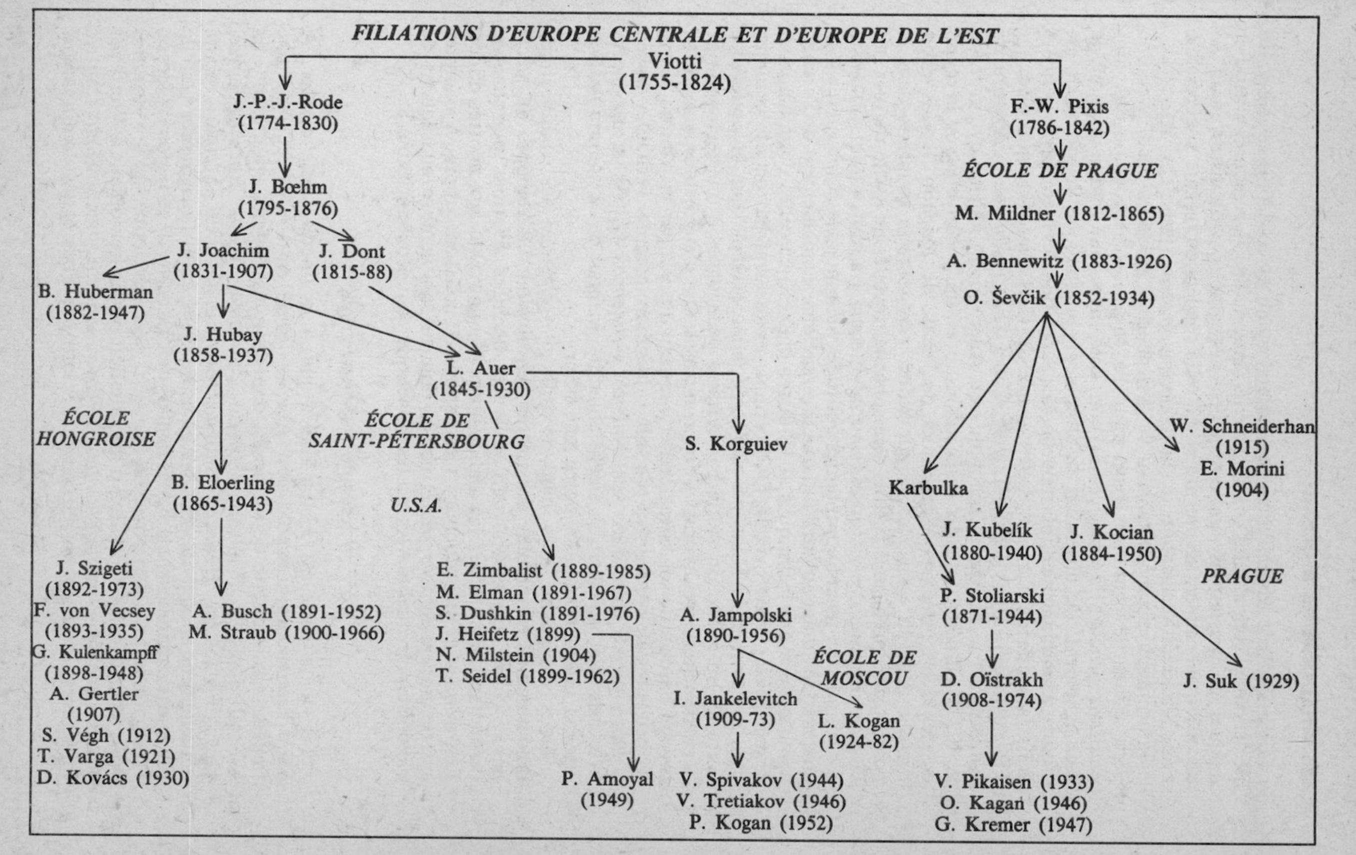

FILIATIONS D'EUROPE CENTRALE ET D'EUROPE DE L'EST
Viotti (1755-1824)
J.-P.-J.-Rode (1774-1830)
J. Bœhm (1795-1876)
J. Joachim (1831-1907)
J. Dont (1815-88)
B. Huberman (1882-1947)
J. Hubay (1858-1937)
L. Auer (1845-1930)
ÉCOLE HONGROISE
ÉCOLE DE SAINT-PÉTERSBOURG
B. Eloerling (1865-1943)
U.S.A.
J. Szigeti (1892-1973)
F. von Vecsey (1893-1935)
G. Kulenkampff (1898-1948)
A. Gertler (1907)
S. Végh (1912)
T. Varga (1921)
D. Kovács (1930)
A. Busch (1891-1952)
M. Straub (1900-1966)
E. Zimbalist (1889-1985)
M. Elman (1891-1967)
S. Dushkin (1891-1976)
J. Heifetz (1899)
N. Milstein (1904)
T. Seidel (1899-1962)
P. Amoyal (1949)
S. Korguiev
A. Jampolski (1890-1956)
ÉCOLE DE MOSCOU
I. Jankelevitch (1909-73)
L. Kogan (1924-82)
V. Spivakov (1944)
V. Tretiakov (1946)
P. Kogan (1952)
F.-W. Pixis (1786-1842)
ÉCOLE DE PRAGUE
M. Mildner (1812-1865)
A. Bennewitz (1883-1926)
O. Ševčik (1852-1934)
Karbulka
J. Kubelík (1880-1940)
J. Kocian (1884-1950)
W. Schneiderhan (1915)
E. Morini (1904)
PRAGUE
P. Stoliarski (1871-1944)
D. Oïstrakh (1908-1974)
J. Suk (1929)
V. Pikaisen (1933)
O. Kagan (1946)
G. Kremer (1947)

comme le disait Marc Pincherle. Actuellement, et ce depuis le début du siècle, on collectionne les enseignements, sans oublier la ressource d'étudier disques et prestations audio-visuelles des grands violonistes pour en découvrir tel élément d'interprétation, telle conception unique, inaccessible avant l'internationalisation de la technique et des styles.

Point obscurcissant le tableau, la discipline de groupe a vécu, avec une perte d'identité peut-être triste pour l'avenir. Les aspects positifs font pourtant pencher la balance du bon côté, avec une rationalisation de l'enseignement. De nos jours, la physiologie anatomique du violoniste est étudiée scientifiquement, et en particulier la position des membres supérieurs dans la tenue de l'archet. Les travaux de Carl Flesch (*Die Kunst des Violinspiels*, 1923 et 1928), Lucien Capet (*La Technique supérieure de l'archet*, 1916), Eberhardt, Leopold von Auer (*Violin playing as I teached it*, 1921) ont défini les rôles respectifs du bras, de l'avant-bras, de la main, et récusé les principes tyranniques de l'école de Joachim : coude droit presque collé au corps, les doigts raides, avec toute la souplesse dans le poignet. Les problèmes relatifs à la sonorité, récoltés au siècle dernier par la seule intuition des virtuoses, sont maintenant transmis à tout violoniste d'orchestre, en tenant compte des aptitudes anatomiques et mécaniques de chacun. On admet aujourd'hui une diversité dans le maniement de l'archet, aboutissant à des techniques aussi dissemblables que celles d'un Thibaud, d'un Kreisler, d'un Szigeti. Que certains excès aient parfois été commis, c'est une évidence. Nous ne citerons comme exemple que la préférence accordée au milieu du siècle par certains pédagogues à une technique de la partie supérieure du bras et de l'avant-bras, afin d'augmenter la sonorité, privant l'archet de son caractère, et compensant cela par un vibrato accru, le privant par conséquent de son utilisation comme véritable moyen d'expression. Szigeti, dans son *Violonist's Notebook* (1964), le dénoncera avec raison et sera heureusement entendu : bienfait de la communication aisée et internationale en notre XXe siècle.

Nous évoquions plus haut la difficulté d'établir les ramifications innombrables et touffues des arbres généalogiques développés au siècle passé. Nous devons pourtant présenter quelques filiations marquantes, permettant de rattacher les grands noms d'aujourd'hui aux maîtres d'hier. Les disques et les concours internationaux nous ont appris à compter systématiquement avec deux écoles donnant un nombre conséquent de violonistes de qualité : les écoles soviétique et judéo-américaine.

L'école russo-soviétique

Le violon russe est né en milieu juif à la fin du siècle dernier. A Saint-Pétersbourg, Leopold von Auer a formé entre 1868 et 1918 une impressionnante série de virtuoses, dont les plus célèbres émigrèrent aux U.S.A., après la révolution. Efrem Zimbalist, Misha Elman, Samuel Dushkin, Jascha Heifetz, Nathan Milstein, le seul héritier encore actuellement en activité. Ces virtuoses de génie étaient originaires pour la plupart des marches du sud, des confins de l'Ukraine, de la région d'Odessa. C'est là que le violon russe est né, qu'il s'est développé, qu'il a essaimé. Auer était le dernier maillon d'une filiation royale, remontant à Viotti par Rode – Boehm – Joachim – Dont. L'école purement soviétique eut d'autres initiateurs, se rattachant eux aussi à Viotti par Pixis et ses continuateurs de l'école de Prague du XIXe siècle : Pixis – Mildner – Bennewitz – Ševčik – Karbulka. Les véritables fondateurs nationaux furent Peter Stoliarsky (1871-1944), Abram Jampolsky (1890-1936), Yuri Eidlin (1895-1958) parmi d'autres, qui devaient initier de prestigieux interprètes : David Oïstrakh, Leonid Kogan, Elisabeth Guilels, puis Igor Oïstrakh, Michael Vayman et cette nouvelle génération aux innombrables talents, qui collectionnent les prix et disparaissent souvent à jamais des scènes occidentales après avoir laissé une impression fulgurante. A leur sujet, on évoque souvent la notion de virtuosité transcendante, de volonté expressive permanente, de culte de la performance, de fantaisie débridée. Les plus connus sont actuellement Viktor Pikaisen, Gidon Kremer, Oleg Kagan, Vladimir Spivakov, Peter Zazofski, en rappelant qu'il y a dix ans à peine, on évoquait Andrei Korsakov, Zinovj Vinnikov, Mikhail Bezverkhny (1er lauréat du Concours Reine Elisabeth en 1976). Qui connaît leur carrière aujourd'hui ?

L'école judéo-américaine

Quant à l'excellente école judéo-américaine, elle remonte au début du siècle et bénéficia de la fixation de pédagogues comme Auer, qui se fixa à New York en 1918, Louis Persinger (élève d'Ysaÿe en suivant la filiation Vieuxtemps – Beriot – Robberecht – Viotti !) qui forma Yehudi Menuhin, Isaac Stern ou Ruggiero Ricci. Elle profita également de la création d'écoles supérieures de musique comme la Juilliard School à New York (1919), l'Eastman School à Rochester, le Curtis Institute à Philadelphie (1921), la Mannes Music School à New York, etc., où de prestigieux professeurs se sont succédé. La Juilliard School reste actuellement la plus illustre, cas presque unique actuellement d'école cohérente, autonome, transmettant de maître à élève un enseignement comme on le concevait au XIXe siècle dans les écoles nationales. Pinchas Zukerman, Itzhak Perlman en sont issus, comme élèves du célèbre professeur et théoricien Galamian, dont il faut souligner les liens avec l'école française. Galamian eut comme maître Louis Capet, par lequel on remonte à J.-P. Maurin, – F. Habeneck – P. Baillot et l'éternel Viotti.

Si un parallèle pouvait être fait entre ces deux grands courants violonistiques actuels, une notion simple servirait à l'exprimer : l'idée de compétition, introduite systématiquement dans les mentalités artistiques, aux dépens parfois, peut-être, de la motivation intérieure. A titre d'anecdote, un film américain de 1980 intitulé *The Competition* (!) traçait assez justement le conditionnement des jeunes interprètes aux États-Unis face aux concours. Il s'agissait, il est vrai, de pianistes...

Les écoles asiatiques

Au cours des années soixante, apparaissaient déjà les premiers virtuoses japonais : Txoji Toyada, Masuko Ushioda, Hiderato Suzuki. Puis on parla de Kyung-Wha Chung, la coréenne, qui siégeait en 1981 dans le jury du Concours Reine Elisabeth, où Yusuko Horigome, Takashi Scimizo et Rivuko Tsukahura, Japonais tous les trois, occupaient les quatre premières places, avec un Soviétique. Voici une sorte toute nouvelle d'interprètes, étrangers primitivement à la culture occidentale, mais assimilant, digérant à une vitesse incroyable, pour enfin créer ce qui deviendra très vite, sans doute, des courants nationaux. Et « quand la Chine s'éveillera... », attendons-nous à une grande révolution dans le monde du violon.

Et les grandes filiations du passé, que deviennent-elles ?

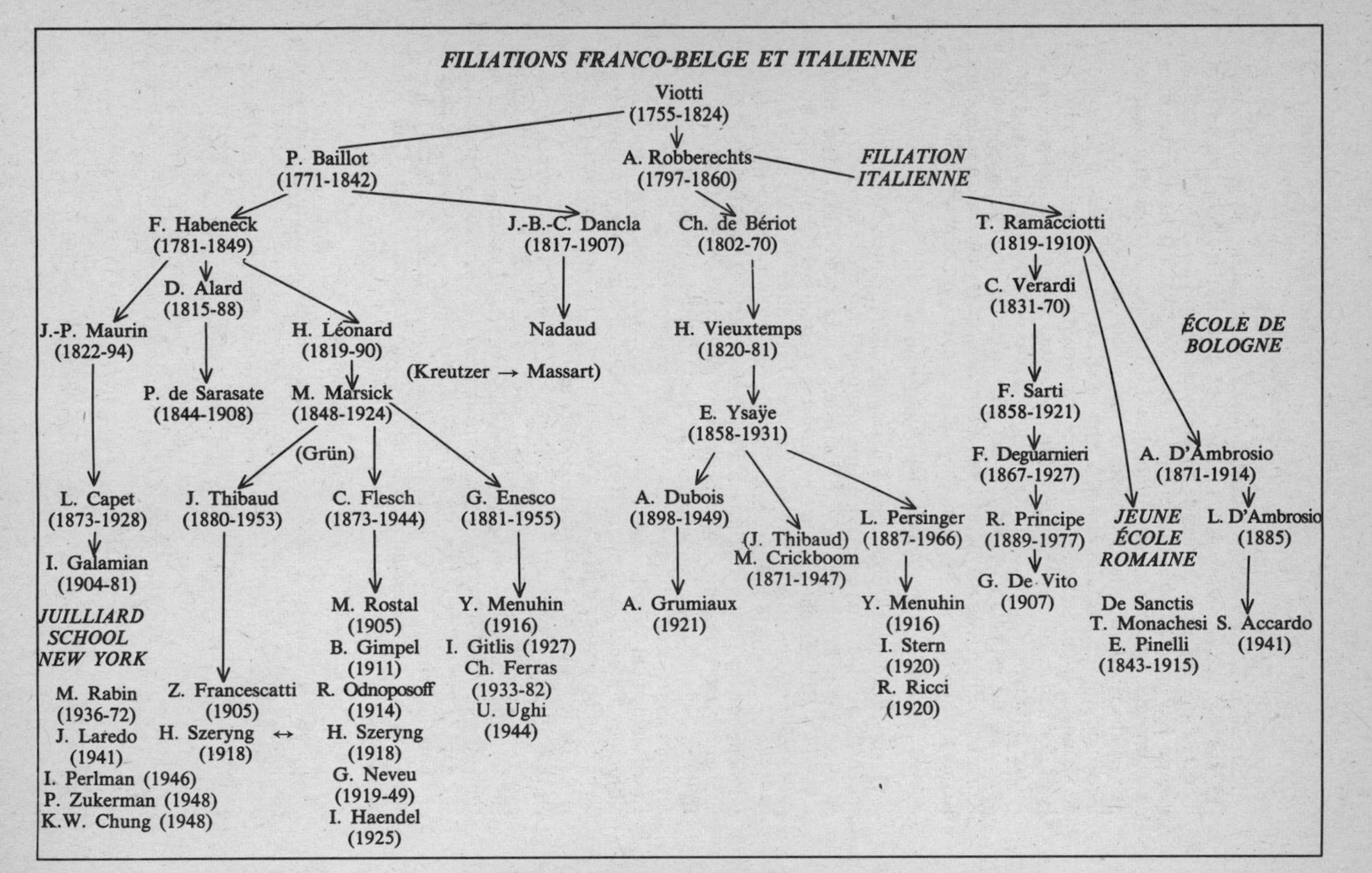
FILIATIONS FRANCO-BELGE ET ITALIENNE
Viotti (1755-1824)
P. Baillot (1771-1842)
A. Robberechts (1797-1860)
FILIATION ITALIENNE
F. Habeneck (1781-1849)
J.-B.-C. Dancla (1817-1907)
Ch. de Bériot (1802-70)
T. Ramacciotti (1819-1910)
D. Alard (1815-88)
C. Verardi (1831-70)
J.-P. Maurin (1822-94)
H. Léonard (1819-90)
Nadaud
H. Vieuxtemps (1820-81)
ÉCOLE DE BOLOGNE
(Kreutzer → Massart)
P. de Sarasate (1844-1908)
M. Marsick (1848-1924)
F. Sarti (1858-1921)
E. Ysaÿe (1858-1931)
(Grün)
F. Deguarnieri (1867-1927)
A. D'Ambrosio (1871-1914)
L. Capet (1873-1928)
J. Thibaud (1880-1953)
C. Flesch (1873-1944)
G. Enesco (1881-1955)
A. Dubois (1898-1949)
L. Persinger (1887-1966)
R. Principe (1889-1977)
JEUNE ÉCOLE ROMAINE
L. D'Ambrosio (1885)
(J. Thibaud)
M. Crickboom (1871-1947)
I. Galamian (1904-81)
G. De Vito (1907)
M. Rostal (1905)
Y. Menuhin (1916)
A. Grumiaux (1921)
Y. Menuhin (1916)
De Sanctis
T. Monachesi
E. Pinelli (1843-1915)
S. Accardo (1941)
JUILLIARD SCHOOL NEW YORK
B. Gimpel (1911)
I. Gitlis (1927)
I. Stern (1920)
Ch. Ferras (1933-82)
R. Ricci (1920)
M. Rabin (1936-72)
Z. Francescatti (1905)
R. Odnoposoff (1914)
U. Ughi (1944)
J. Laredo (1941)
H. Szeryng (1918) ↔
H. Szeryng (1918)
I. Perlman (1946)
G. Neveu (1919-49)
P. Zukerman (1948)
K.W. Chung (1948)
I. Haendel (1925)

L'école franco-belge

Splendide au XIXe siècle, elle renaît de ses cendres. Ces cent dernières années ont bénéficié d'artistes exceptionnels. Pour la France, Jacques Thibaud, maître de Zino Francescatti et Henryk Szeryng, Louis Capet, maître de Galamian et fondateur du Quatuor Capet, Ginette Neveu, élève de Carl Flesch et de Boucherit, Joseph Calvet, fondateur du Quatuor Calvet, ont illuminé l'aube de cette période. Pour la Belgique, Eugène Ysaÿe, dédicataire des sonates de Franck, Lekeu, du *Poème* de Chausson et du *Quatuor* de Debussy, fut le maître de Mathieu Crickboom, William Primrose et Louis Persinger, sans oublier Arthur Grumiaux, par l'intermédiaire de son professeur Dubois. Un enseignement excellent et les déplacements internationaux ont permis à cette vieille école de présenter après la guerre des artistes de qualité, comme Pierre Amoyal, Patrice Fontanarosa, Jean-Jacques Kantorow, Emmanuel Krivine, Michel Schwalbé, Gérard Poulet, Jean-Pierre Wallez ou Jean Estournet.

Les écoles italiennes

Leur dramatique déclin, survenu au XIXe siècle, semble enfin stoppé. Les jeunes écoles romaine, bolonaise, ou vénitienne donneront des fruits prometteurs. Uto Ughi, Giancarlo Carmignola ou Marco Fornacciari sont de ceux-là. Parmi les grands virtuoses actuels, signalons Franco Gulli, enseignant à la Juilliard School de New York, Pina Carmirelli et surtout Salvatore Accardo, élève de Luigi d'Ambrosio, à la technique exceptionnelle.

L'Europe centrale

Héritière de Viotti par Pixis, l'école de Prague voit en Josef Suk, élève de Ševčik par l'intermédiaire de Kocian, son meilleur virtuose. Avant guerre, il y avait, bien sûr, Ján Kubelik.

L'illustre école hongroise connaît une certaine stagnation, après avoir vécu les fastes de la filiation de Hubay, avec André Gertler, Josef Szigeti, von Vecsey et Georg Kulenkampff. Denes Kovacs tient en ce moment le devant de la scène, sans oublier le merveilleux Sandor Vegh. Reste la filiation de Mannheim, qui regroupe les héritiers de Kreutzer, Mayseder et Ludwig Spohr. Si la fin du siècle précédent vit triompher Wieniawski, notre époque fut dominée par l'Autrichien Fritz Kreisler, qui joua jusqu'en 1947. Son jeu alliait charme et puissance, au service d'un phrasé simple et direct. Comme Wieniawski, il se rattachait à Kreutzer par l'intermédiaire de Massart. Son maître fut J. Hellmesberger junior, qui enseigna également Enesco. Dans l'école autrichienne contemporaine, on mentionnera particulièrement Eduard Melkus, serviteur attentionné des instruments « baroques », Max Rostal, maître de Brainin, Peinemann et Brandis en Angleterre et Wolfgang Schneiderhan, qui tous trois se rattachent à Mayseder par l'intermédiaire de Hellmesberger et K. Heisser. La rigide école allemande de Spohr – David – Wihelmj a eu en Adolf Busch le digne continuateur de cette ligne rigoureuse du haut style allemand. Reinhold Barchet a laissé, lui aussi, un souvenir inoubliable.

Somme toute, en dressant cette esquisse fort incomplète des filiations et en examinant les perspectives d'avenir, nous devons constater que le

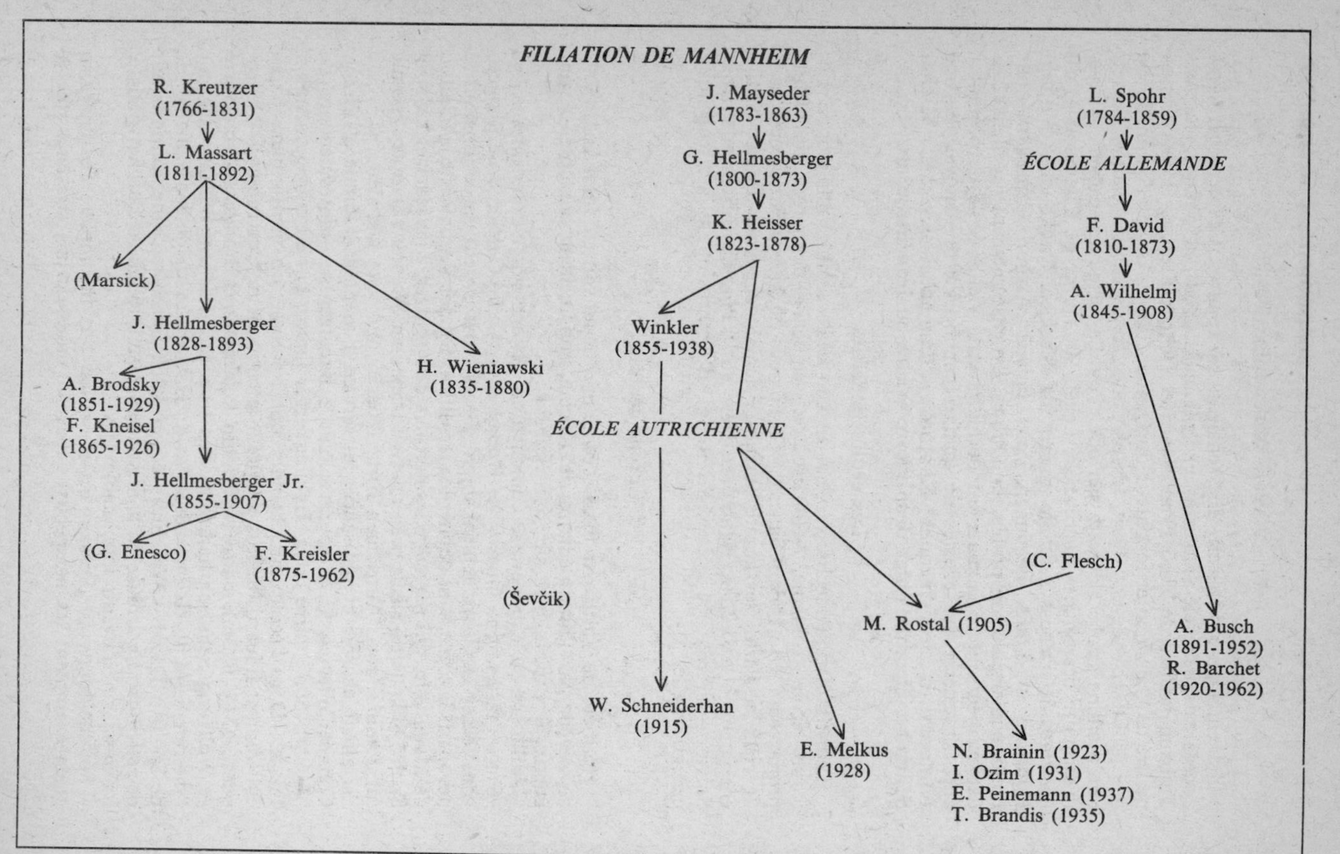
FILIATION DE MANNHEIM
R. Kreutzer (1766-1831)
L. Massart (1811-1892)
(Marsick)
J. Hellmesberger (1828-1893)
A. Brodsky (1851-1929)
F. Kneisel (1865-1926)
J. Hellmesberger Jr. (1855-1907)
(G. Enesco)
F. Kreisler (1875-1962)
H. Wieniawski (1835-1880)
(Ševčik)
J. Mayseder (1783-1863)
G. Hellmesberger (1800-1873)
K. Heisser (1823-1878)
Winkler (1855-1938)
ÉCOLE AUTRICHIENNE
W. Schneiderhan (1915)
E. Melkus (1928)
M. Rostal (1905)
(C. Flesch)
N. Brainin (1923)
I. Ozim (1931)
E. Peinemann (1937)
T. Brandis (1935)
L. Spohr (1784-1859)
ÉCOLE ALLEMANDE
F. David (1810-1873)
A. Wilhelmj (1845-1908)
A. Busch (1891-1952)
R. Barchet (1920-1962)

violon ne se porte pas si mal. Les filiations dominantes changent, la technique se modifie, le style également mais le répertoire est plus étendu qu'il ne l'a jamais été. En fait, comme le rappelle Yehudi Menuhin : *L'homme a besoin de la voix humaine, or le violon est son double, c'est pourquoi il n'est pas prêt de mourir.*

L'ALTO

Longtemps considéré comme un parent pauvre, celui qui joue les utilités, refuge des violonistes médiocres, l'*alto* ne s'est vu offrir le devant de la scène qu'à la période romantique, qui se reconnaissait dans ses qualités sonores spécifiques, sa mélancolie. Avec Beethoven, il avait acquis, surtout dans le quatuor à cordes, un rôle égal à celui des autres instruments concertants. Berlioz et Wagner contribuèrent à sa réhabilitation, particulièrement au sein de l'orchestre. Le XXe siècle poursuivit le travail amorcé. Après Debussy, Ravel et Franck, Hindemith s'en fit le défenseur acharné, à la fois comme compositeur et comme interprète. Avec Kodály, Milhaud, Stravinski, Bartók, il eut enfin une situation privilégiée, couronnée après la guerre avec *Le Marteau sans maître* de Boulez, où il tenait une place de choix parmi des instruments (dont une voix) cantonnés dans le médium. Par la suite, Berio (*Sequenza*, dédiée à Serge Collot), Jolivet ont écrit pour lui des compositions exigeantes au point de vue technique. Instrument de facture longtemps indécise (on voyait encore des altos de 45 cm au début du siècle !), il atteint enfin à notre époque sa taille idéale : 41 à 42 cm environ. Soutien capital de cette renaissance : l'enseignement et la diffusion. Dès 1894, une classe d'alto naissait au Conservatoire de Paris, confiée initialement à Laforge. Elle bénéficia par la suite de l'enseignement de Maurice Vieux, qui forma de nombreux élèves de 1929 à 1951. Rigueur, souci de perfection technique, respect littéral de la partition étaient les règles professées par le maître.

Parallèlement, Lionel Tertis, en Angleterre, posait certains principes au jeu de l'alto, en définissant une personnalité propre à l'instrument, le différenciant absolument du violon par les doigtés et la tenue de l'archet ; Tertis, virtuose émérite, créa des concertos et sonates d'Arnold Bax, Frank Bridge et York Bowen, dont il était le dédicataire. En France, dès 1950, une seconde classe d'alto voyait le jour. Deux autres sont depuis apparues à Lyon.

Les grands noms de l'alto furent, à notre époque, Paul Hindemith, Vadim Boussorski, Ernst Walfisch, Ulrich Koch, Walter Trämpler, Bruno Giuranna. Récemment, une race nouvelle d'altistes militants, défendant crânement leur instrument dans son caractère, est apparue en France. Nous citerons Serge Collot, soliste de l'Orchestre de l'Opéra, professeur au Conservatoire de Paris, Gérard Caussé, qui créa le *Concerto* de René Koering, Jean Dupouy, Micheline Lemoine et Colette Lequien, tous regroupés au sein de l'« Association internationale des amis de l'alto », fondée en 1979, avec en perspective la création d'un Concours international Maurice Vieux. Suivant une autre démarche, de grands violonistes se sont mis à l'alto, révélant au public les capacités d'un tel instrument entre des mains si prestigieuses. Nous citerons William Primrose, élève au violon d'Eugène Ysaÿe et partenaire privilégié de Heifetz et Rubinstein, Arrigo

Pelliccia, Yehudi Menuhin, David Oïstrakh et Pinchas Zukerman. Ce passage d'un instrument à un autre laisse les altistes circonspects. Comme le souligne Serge Collot, Maurice Vieux exigeait de ses élèves, passant du violon à l'alto, de ne plus toucher au violon jusqu'à la sortie du Conservatoire. Nous retrouvons aujourd'hui cette même exigeance aux conservatoires de Moscou ou de Leningrad, où les violonistes doivent obligatoirement, à un certain niveau, faire un an d'alto, avec interdiction de toucher au violon au cours de cette période. L'avenir de l'alto semble désormais assuré. L'apport du disque et de la télévision fait connaître le répertoire romantique (Mendelssohn, Glinka, Bruch), classique (Telemann, Mozart), tandis que dans la musique contemporaine, les œuvres sont nombreuses et d'une haute difficulté parfois, ce qui impose à l'interprète d'enrichir la technique de base ; l'instrument progresse évidemment. Littérature et interprètes poursuivent ainsi une ascension vertigineuse, qui ne fera sans doute que se confirmer pendant longtemps.

LE VIOLONCELLE

La situation du violoncelle est un peu particulière dans la mesure où il a acquis ses lettres de noblesse plus tard que le violon, et où son répertoire est moins grand. Au début du XXe siècle, au début de sa carrière, même Pablo Casals ne faisait pas salle comble. A l'époque, comme l'explique Paul Tortelier, on aimait, dans l'ordre : le chant, le piano, le violon ; le violoncelle venant loin derrière. Les concerts avec violoncelle soliste étaient peu nombreux et le premier concours international fut celui de Vienne, dans les années 30, gagné alors par André Navarra. Dès cette époque, l'école française de violoncelle rayonnait, avec Paul Bazelaire, professeur de 1919 à 1957 au Conservatoire, Anton Hekking, interprète d'élection de Lalo, Saint-Saëns et Fauré, Maurice Maréchal, créateur de nombreuses œuvres contemporaines qui lui étaient dédiées (Honegger, Milhaud, Ferroud, Ibert). La littérature du violoncelle s'amplifia considérablement en cette période privilégiée pour les Français ; entre 1915 et la dernière guerre : *Sonate pour violoncelle seul* de Kodály (1915), qui bouleversa la technique en réalisant une polyphonie où les pizzicatos viennent se superposer à un double chant ; les deux concertos de Saint-Saëns ; la *Sonate op.84* de d'Indy ; sans oublier de nombreuses pages signées Fauré, Emmanuel, Koechlin en France, *Schelomo* (1931) de Bloch, Martinů, Prokofiev, Elgar à l'étranger... Affirmant la supériorité de l'école française, vinrent ensuite André Navarra, Pierre Fournier, Maurice Gendron, créateur à Londres du *Concerto op.58* de Prokofiev, puis enfin Paul Tortelier, élève de Feuillard et Hekking, qui assume aujourd'hui l'héritage de l'école.

Dans le même temps, Emanuel Feuermann entreprenait dès 1919 une carrière exceptionnelle de soliste et de pédagogue, alors que le catalan Gaspar Cassado, élève de Casals, faisait entendre sa chaude sonorité entre les deux guerres. Pablo Casals s'imposait déjà comme le maître incontesté de l'école moderne de violoncelle, en créant une technique exceptionnellement neuve, exposée dès 1922 dans un traité intitulé *l'Enseignement du violoncelle*, et caractérisée par la précision de l'attaque, autorisant des articulations d'une netteté incomparable, les doigts de la main gauche frappant la corde avec une force de marteau. Casals possédait de surcroît une justesse infaillible en matière de style et une virtuosité qui, à force d'aisance, dissimulait les difficultés. Interprète insurpassé des *Suites* de Bach, qu'il réimposa, musicien de chambre sublime en compagnie de Thibaud et Cortot. Il représente le grand interprète du demi-siècle.

Après Casals, des noms célèbres allaient se succéder : Antonio Janigro, violoncelliste et chef d'orchestre italien élève de Casals, János Starker, Américain d'origine hongroise, promoteur de la *Sonate* de Kodály et considéré aux États-Unis comme l'héritier de Casals et Feuermann, Gregor Piatigorsky, Américain d'origine russe, élève de Glehn à Moscou et merveilleux chambriste en compagnie de Horowitz, Milstein, Rubinstein ou Schnabel, qui forma des virtuoses réputés de la jeune génération, comme Christine Walevska, Américaine d'origine russe élève également de Maurice Maréchal, et comme Zara Nelsova, peu connue en Europe, mais à la sonorité éblouissante. Mais le plus grand violoncelliste de notre temps est sûrement Mstislav Rostropovitch, élève lui aussi de Casals, et interprète privilégié du répertoire romantique de Beethoven au temps présent. Sa création du concerto *Tout un monde lointain* d'Henri Dutilleux (1970) est à l'image de son style lyrique, chaleureux, communicatif, techniquement exigeant. Sa carrière à l'impact prodigieux le conduit du violoncelle au piano, en passant par la direction d'orchestre.

Dans la toute jeune génération, il faut citer, en plus de Christine Walevska, Lynn Harrell, partenaire privilégié de Zukerman et James Levine aux États-Unis, Frédéric Lodéon et Roland Pidoux, espoirs de l'école française, David Geringas et Natalia Gutmann, prodiges de l'école moderne soviétique, reposant sur une éducation musicale remarquable dès le tout jeune âge. Ces quelques noms ne sont qu'un échantillon représentatif d'un nombre bien plus conséquent de violoncellistes de haut niveau, ne demandant qu'à s'imposer sur les scènes internationales. Si Rostropovitch s'est penché sur des concertos de Dutilleux et Lutoslawski, il faut cependant rendre un particulier hommage au violoncelliste qui s'est consacré presque exclusivement à la création d'un répertoire contemporain, souvent écrit spécifiquement à son intention : Siegfried Palm, élève d'Enrico Mainardi et partenaire privilégié des frères Kontarsky. Xenakis (*Nomos alpha* pour violoncelle seul, 1965), Zimmermann (*Intercommunicazione*, 1967 ; *Études ; Concerto en forme de pas de trois*, 1966), Penderecki (*Concerto per violine grande*, 1967), Kagel, Isang Yun, Blacher ont écrit pour lui, expérimentant toutes sortes de modifications de timbres et de couleurs sonores. Son rôle est celui d'un catalyseur. Il a provoqué la naissance d'un langage nouveau pour le violoncelle, que les compositeurs n'auraient peut-être pas osé créer si Palm ne leur avait pas promis qu'il les jouerait. Il mérite, pour la singularité de son approche du violoncelle en cette fin de siècle, une place à part des serviteurs illustres du répertoire traditionnel.

LA CONTREBASSE

On ne peut parler des instruments à cordes sans évoquer l'élément le plus grave et le plus volumineux du quintette à cordes de l'orchestre moderne, où il joue le rôle de 16 pieds : la contrebasse.

Le XIXe siècle avait applaudi J. Hindle, virtuose viennois, Dragonetti, à la technique étonnante et Giovanni Bottesini. Au XXe siècle, les grands contrebassistes concertants se comptent également sur les doigts d'une seule main : Koussevitzky, technicien stupéfiant du début de notre époque qui jouait sur une contrebasse de petite taille, est resté le plus admiré. Actuellement, on connaît de réputation Luccio Buccarella, bassiste de l'ensemble I Musici, et virtuose occasionnel, Zubin Mehta, qui délaisse parfois la baguette pour s'intégrer dans un ensemble de musique de chambre... à la contrebasse, et surtout Jean-Marc Rollez, qui fait découvrir au public des sonorités insoupçonnées tirées à ce géant, lui apportant ainsi des lettres de noblesse grâce à une dextérité remarquable et une musicalité enthousiasmante. Il reste cependant un cas isolé, servant un répertoire restreint comme soliste. La technique de la contrebasse vise, il faut l'avouer, avant tout la robustesse. Sa taille impose à la main gauche des écarts et des déplacements considérables, avec limitation des possibilités de sauts de cordes ou figurations rapides, en raison du poids de l'archet. Les prestations de Rollez restent donc des performances exceptionnelles, confinant au domaine de l'exploit, sortant la contrebasse, le temps d'un concert ou d'un disque, de l'ombre qu'elle a rarement quittée dans toute l'histoire de la musique.

BIBLIOGRAPHIE

BLUM, D. : *Casals et l'art de l'interprétation.* Buchet-Chastel (1980).
CAMPBELL, M. : *The great Violinists,* Granada (1980).
CAPET, L. : *La Technique supérieure de l'archet.* Paris (1916).
FLESCH, C. : *Die Kunst des Violinspiels.* Ries & Erler, Berlin (1923).
GREILSAMER : *Le Violon, l'alto, le violoncelle.* Éd. d'Aujourd'hui, reprint (1979).
HOPPENOT, D. : *Le Violon intérieur.* Van de Velde (1981).
MELKUS, E. : *Le Violon.* Payot (1977).
MENUHIN, Y. et PRIMROSE, W. : *Violon et alto.* Hatier (1978).
PINCHERLE, M. : *Le Violon.* P.U.F. (1966).
PINCHERLE, M. : *Les Instruments du quatuor.* P.U.F. (1970).
SZIGETI, J. : *A Violonist's Notebook.* Gerald Duckworth & Cie, Londres (1964).

Les instruments à vent

par Jean-Yves BRAS

L'histoire des instruments à vent se distingue de celle des instruments à cordes dans la mesure où elle remonte à la plus haute antiquité et connaît jusqu'à nos jours une évolution continue. La facture, liée à des données acoustiques très précises sur lesquelles on travaille encore aujourd'hui, fournit un éventail extraordinaire d'objets, de machines sonores barbares, rustiques, dans toutes les matières possibles et épousant les formes les plus insolites. Les grands musées instrumentaux nous étonnent encore en exposant les fruits de l'imagination des facteurs. Au fur et à mesure que les instruments sont entrés dans l'orchestre symphonique, certains membres de familles instrumentales ont été largement privilégiés dans leur emploi, l'enrichissement de leur répertoire ou leurs améliorations successives. Les autres ont survécu dans les fanfares ou harmonies militaires ou ont simplement disparu.

Les instruments sélectionnés ont ainsi gardé la faveur d'un triumvirat désormais inséparable : le facteur, l'instrumentiste et le compositeur. Aux XVIIe et XVIIIe siècles, ce dernier les traitait encore en marge des instruments à cordes considérés alors comme base de l'orchestre. Au XIXe siècle, il semble qu'en raison des possibilités nouvelles offertes par les facteurs et les instrumentistes eux-mêmes, les compositeurs aient eu avant tout le souci de les fondre dans la masse orchestrale désormais polychrome tout en servant à renforcer la dynamique, enrichir l'écriture et trouver de nouveaux plans sonores. Il en est ainsi de Berlioz jusqu'à Strauss. Mais le courant néoclassique du début du XXe siècle donne aux instruments à vent une place importante, tant dans le domaine concertant que dans le cadre de la musique de chambre. Ils prennent – avec les percussions – une large revanche sur l'hégémonie des cordes. L'attitude de compositeurs tels que Stravinski (*Symphonie d'instruments à vent*), Varèse (*Hyperprisme*), Hindemith (*Symphonie en si b*), Messiaen (*Et expecto resurrectionem mortuorum*), Xenakis (*Akrata*), pour ne s'en tenir qu'à quelques exemples bien connus, est révélatrice. Les compositeurs du XXe siècle sortent de l'anonymat les instrumentistes à vent liés à leur pupitre au sein de l'orchestre depuis plus d'un siècle.

UNE ÈRE NOUVELLE

Dès lors, les rapports facteur-interprète-compositeur sont à nouveau déterminants dans l'évolution des instruments à vent et donc de leurs praticiens. Nombre d'interprètes de renom sont à la recherche d'un répertoire nouveau qu'ils enrichissent par des commandes. Leur virtuosité technique accrue suscite l'imagination des compositeurs. Ainsi Marcel Moyse, Severino Gazzelloni ou Jean-Pierre Rampal (flûte), Heinz Holliger (hautbois), Michel Portal (clarinette), Dennis Brain (cor), Maurice André (trompette), Vinko Globokar (trombone) et beaucoup d'autres plus ou moins célèbres sont à l'origine d'œuvres marquantes de la littérature de leur instrument. Alors que la technique des instruments à cordes n'a pratiquement pas évolué depuis plus d'un siècle (Paganini), celle des vents s'est considérablement enrichie au cours des cinquante dernières années. L'usage du glissando, du tremolo lingual « flatterzunge », du quart de ton, des sons multiphoniques, l'emploi de nouvelles sourdines empruntées au jazz (wa-wa, Robinson...) sont la conquête technique des instrumentistes avant d'être celle des compositeurs. Le tromboniste Vinko Globokar – également compositeur – est semble-t-il le premier à exiger de l'exécutant qu'il joue en expirant mais aussi en inspirant, en chantant, en parlant comme dans son œuvre *Res/As/Ex/Ins-pirer* (1973). On ne peut passer sous silence l'apport des musiciens de jazz qui exploitent, en marge de la musique écrite, des techniques nouvelles au service d'une expression plus directe, moins réservée. Ils élargissent souvent la tessiture aiguë des instruments (les trompettistes Louis Armstrong ou Maynard Ferguson), modifient la couleur sonore (principe du « Half valve » de Miles Davis), maintiennent la pratique des saxophones (Bechet, Coltrane) et du cornet. Une technique nouvelle employée dans le jazz comme dans la musique contemporaine est l'amplification par microcontact ou le filtrage électronique, permettant de modifier à volonté le timbre naturel des instruments.

LES ÉCOLES NATIONALES

Il existe autant de manières de jouer que d'interprètes. Mais la facture instrumentale, compte tenu de sa relative diversité, propose aux instrumentistes, et à leur demande, des instruments aux caractéristiques très précises et parfois très différentes. Ainsi, les clarinettistes allemands utilisent le système Müller alors que leurs collègues français adoptent le système Boehm-Klosé. Pour l'ensemble des instruments à vent, les écoles allemandes et françaises s'opposent depuis plus de deux siècles non seulement parce que les caractéristiques techniques de leurs instruments sont variables (taille de la perce, épaisseur des anches, doigtés, nombre de clés, de pistons...) mais parce que l'écriture orchestrale de leurs compositeurs réclame des timbres différents. L'école allemande conçoit l'instrument à vent comme appartenant d'abord à l'orchestre. Elle recherche donc avant tout un son homogène qui ne nuira pas à la couleur sonore de l'harmonie. En France, au contraire, l'instrument est recherché pour ses qualités propres, comme un soliste au sein de l'orchestre. L'émission doit être précise, le timbre clair, le détaché fin et léger, la technique très virtuose. Ainsi est-il particulièrement intéressant de comparer les solistes de la Philharmonie de Berlin ou de Munich à ceux de nos orchestres parisiens. L'école austro-allemande de trompette, par exemple, représentée par Hellmut Schneidewind (Radio Cologne), Rolf Quinque (Leipzig, Munich), Franz Dengler (Vienne), Helmut Wobisch (Vienne) et surtout Adolf Scherbaum s'oppose nettement par l'ampleur de la sonorité à l'école française d'Eugène Foveau, Raymond Sabarich, Ludovic Vaillant, Roger Delmotte, Pierre Thibaud et naturellement Maurice André. On pourrait, pour chaque instrument, jouer à ce type de comparaisons. Ainsi pourrait-on opposer les cornistes Hermann Baumann et Georges Barboteu représentant respectivement l'école allemande et l'école française, interprètes à rapprocher des anglais Dennis Brain, Alan Civil et Barry Tuckwell ou des américains Philip Farkas, Masson Jones ou Harold Meck.

Les autres pays, en effet, gardent une relative indépendance dans la mesure où ils se rapprochent tantôt des allemands tantôt des français. Les italiens s'efforcent d'avoir un son qui se marie bien à la voix, les anglais recherchent une sonorité rectiligne dénuée de tout vibrato, les russes qui jouent souvent sur des instruments d'origine allemande obtiennent une sonorité très brillante, très timbrée. Jusqu'à la seconde guerre mondiale les orchestres américains ont eu des premiers pupitres occupés par des allemands, des anglais, des français et quelques italiens. Depuis, une école américaine s'est formée dans un esprit de synthèse qui anime désormais les instrumentistes à vent de tous les pays, chacun cherchant à préserver ses qualités propres en assimilant celles des autres. Les tournées, les disques, le témoignage des chefs et le désir d'affirmer partout une propre couleur sonore spécifique favorisent cet esprit de synthèse et d'uniformité. Est-ce une bonne chose ? Hélas, ce mouvement ne devrait que s'accentuer au cours des années à venir dans la mesure où la facture instrumentale japonaise risque fort d'envahir le marché.

RETOUR A L'ANCIEN

Un fait marquant de ces vingt dernières années est le retour à la pratique des instruments anciens. Il semble qu'au moment où les musiciens disposent des instruments les plus perfectionnés, un courant musicologique pousse certains d'entre eux vers des instruments anciens, soit authentiques, soit sous forme de copies. Ainsi entend-on de plus en plus souvent la flûte à bec, le hautbois baroque, le cor naturel, la trompette naturelle, le clarino, le chalumeau, le cor naturel ou le saqueboute... Une esthétique « archéologique » des instruments anciens, au nom d'une certaine authenticité, a tourné les musiciens vers la facture ancienne – médiévale et baroque – qui, loin de supplanter la facture moderne, est venue la compléter et l'enrichir. La pratique de ces instruments a entraîné une nouvelle technique d'exécution qui, forcément, influence le jeu des musiciens, y compris lorsqu'ils retrouvent leurs instruments modernes. Le public s'enthousiasme : l'authenticité le conforte et il est curieux de sonorités nouvelles plus sécurisantes que celles proposées par la musique contemporaine. De nombreux instrumentistes se spécialisent alors dans la musique ancienne dans le sillage de Thomas Binkley, David Munrow, Gustav Leonhardt, Nikolaus Harnoncourt, René Clemencic, les frères Kuijken, Jean-Claude Malgoire, etc. Parallèlement à ce retour aux instruments anciens, les compositeurs et les interprètes actuels cherchent à renouer avec les familles ou ensembles instrumentaux au complet comme le sextuor de clarinettes, le quatuor de flûtes, l'octuor de cuivres, le trio d'anches, le quatuor et surtout le fameux quintette à vent. Échappés de l'orchestre, les instrumentistes trouvent des formules nouvelles respectant l'alliance des timbres. Ainsi voit-on se constituer des duos flûte et harpe, orgue et trompette, clarinette et orgue... Dans le même temps, il leur faut procéder à de nombreuses transcriptions, parfois contestables dans la lettre comme dans l'esprit, mais dans l'ensemble toujours prisées par le grand public. L'instrumentiste à vent renoue ainsi avec l'esprit de son ancêtre de la Renaissance, du monde baroque et classique. Au-delà de la musique elle-même, il retrouve la prestance de l'artisan qui domine la matière, du technicien capable de prouesses stupéfiantes (virtuosité, endurance) tout en menant une carrière beaucoup plus sage et discrète que ses collègues pianistes ou violonistes. Voilà qui lui assure encore un grand avenir auprès du public d'aujourd'hui et de demain.

BIBLIOGRAPHIE

BARTOLOZZI, B. : *New Sounds for Woodwinds.* Oxford University Press (1967-69).
BRYMER, J. : *Clarinette.* Hatier (1979).
GALWAY, J. : *Ma Vie de flûtiste.* Buchet-Chastel (1981).
JANETZKY, K. et BRÜCHLE, B. : *Le Cor.* Payot (1977).
MEYLAN, R. : *La Flûte.* Payot (1974).
RAMPAL, J.P. : *La Flûte.* Denöel.
TARR, E. : *La Trompette.* Payot (1977).

Les instruments à cordes pincées

par Martine CADIEU

Depuis les origines des temps, les hommes ont appris à tendre des cordes sur des caisses de résonance pour en tirer des sons. De ce principe rudimentaire sont nés des centaines d'instruments différents, selon les époques et selon les pays. Oubliés au cours des siècles derniers, ils retrouvent depuis peu une place d'honneur.

LA GUITARE

Beaucoup de jeunes aujourd'hui choisissent la guitare. Il semble, tout d'abord, que l'on puisse accompagner la voix, la chanson, improviser, sans savoir vraiment le solfège. Le grand renouveau du flamenco, le pop, l'apparition de la guitare électrique attirent les jeunes musiciens amateurs. Côté public et côté compositeurs, la guitare a retrouvé ses lettres de noblesse. On vient l'écouter, on écrit pour elle.

Après les grands précurseurs de la guitare moderne, à la fin du XIXe siècle (Francisco Tarrega, 1852-1909, compositeur et transcripteur ; Miguel Llobet, 1875-1938 ; et Emilio Pujol, rédacteur du traité de guitare moderne) voici le « phénomène Segovia ». Il rénove totalement, par son talent, sa réflexion, sa création personnelle, la littérature de son instrument. Les compositeurs célèbres à leur tour se renouvellent en écrivant pour lui. La guitare n'est plus un instrument d'accompagnement ou de réponse (chant et danse). Des musiciens aussi différents que de Falla, Turina, Torroba, Castelnuovo-Tedesco, Roussel, M. Ponce, Tansman sont inspirés par la guitare. Rodrigo écrit pour Segovia le *Concerto d'Aranjuez* et la *Fantaisie pour un gentilhomme.*

Enseignée dans les écoles de musique et les conservatoires, la guitare classique est devenue un instrument du XXe siècle, enrichi, neuf. Depuis 1969, Alexandre Lagoya est professeur au Conservatoire national supérieur de musique de Paris. Le répertoire, depuis Segovia, est devenu très important.

Le nom de Segovia est lié à la guitare de concert. Il trace la voie à John Williams, à Julian Bream, à Ida Presti et Alexandre Lagoya, à Narciso Yepes et plus près de nous à Alberto Ponce. Aujourd'hui, grâce à l'enseignement, de nombreux instrumentistes de qualité apparaissent en concert, à la radio, au disque. Guitare classique, guitare baroque, guitare flamenca, guitare jazz, guitare électrique, répertoires spécifiques. Rafaël Andia, qui a créé une classe de guitare baroque au Conservatoire, pousse ses élèves à ne pas limiter leur art à une seule spécialisation culturelle. Il tente d'ouvrir leur talent à d'autres répertoires. Et il reflète ainsi un aspect de la musique et de la pensée d'aujourd'hui.

La guitare, que l'on trouve dans beaucoup de pays, « guitare qui est partout », s'est souvent transmise en ses rythmes et mélodies, par voie orale : ainsi la musique folklorique, la musique orientale (instruments proches de la guitare ou du luth), le jazz, qui ne sont presque jamais notés. Contrairement à l'impression d'un adolescent qui choisit la guitare par sentiment, l'étude de la guitare, de son solfège très précis, n'est pas simple. Il faut retrouver aussi le système des tablatures et des grilles d'accords (des éditeurs de jazz ou de folk publient des partitions selon ce système).

En reconstituant un répertoire, au début de notre siècle, les guitaristes ont mis à leur programme des transcriptions, rarement intéressantes. Puis les compositeurs se sont attachés à cet instrument, conservant jusqu'à la révolution sérielle un aspect national et pittoresque (du côté de l'Espagne surtout).

Et soudain, Schönberg, dans sa *Sérénade* (1920-23) intègre la guitare et la mandoline qui prennent une existence toute nouvelle. Webern, Boulez, suivront ce chemin. La guitare vivra dans les œuvres contemporaines, parmi les autres instruments. Sa précision d'attaque, sa souplesse, sa couleur, son pouvoir percutant aussi, intéresseront les compositeurs d'avant-garde. Ceux-ci exigent alors de nouvelles qualités des interprètes. Souvent l'interprète devient acteur et la guitare entre dans le « théâtre musical ». Les facteurs de guitare doivent réviser, enrichir leurs conceptions, concevoir un instrument répondant à cette écriture et à ce jeu. Ils éliminent les « sons parasites » ; ils facilitent la recherche de sons que l'instrument peut produire avec quelques accessoires. Les possibilités d'élargissement ou de manipulation du son coïncident avec l'évolution du goût contemporain.

Sur le plan de l'interprétation, des œuvres comme celles de l'italien Sylvano Bussotti (*Eco seriologico*, par exemple) montrent bien la théâtralisation de la guitare, l'importance du geste. Là encore compositeur et interprète ont une influence réciproque. Dans le « happening », ou « l'œuvre ouverte », le guitariste peut redevenir un improvisateur. Certaines œuvres de Stockhausen ou de Cage l'y poussent.

La facture, la technique de jeu, l'expression elle-même ont évolué dans le répertoire déjà très large de la musique contemporaine. Un autre phénomène, une découverte qui va en s'enrichissant, intervient aussi : l'avènement de l'électroacoustique qui peut s'emparer de la guitare, la métamorphoser, la rendre filante comme un astre dans l'espace.

Les compositeurs d'aujourd'hui s'intéressent aux microsonorités. Le microphone agit sur les sonorités comme un microscope, l'oreille fait des découvertes. Intérêt aussi – parallèle – pour les musiques extra-européennes, les modes de jeux orientaux, la délicatesse et la complexité de certains instruments indiens. Le répertoire de la guitare – avec Maurice Ohana, par exemple – s'arrache au pittoresque, brise la frontière entre Orient et Occident, retrouve son ampleur, sa magie. *Le phénomène le plus curieux,* dit-il, *en ce qui concerne mes relations avec les instruments, est l'approche de la guitare, avec laquelle je n'avais jamais eu aucun contact – sauf la guitare flamenca. Au temps où j'étais lié avec Montoya, j'étais impressionné par de longues séances d'improvisation : il expliquait sa technique instrumentale, aussi. Je crois qu'il y a un* instinct atavique : *Bartók n'était pas violoniste, pourtant personne n'a écrit pour le violon, comme lui.*

Octobre 1963 : Ohana termine *Si le jour paraît* pour la guitare à dix cordes que Narciso Yepes a fait construire. Acuité, tension, désinvolture apparente, ardeur. L'interprète à la création est Alberto Ponce [1]. Maurice Ohana, inspiré par la guitare libre, a aussi confié à la cithare en tiers de ton un commentaire subtil, mystérieux, dans son *Récit de l'an zéro* (1959).

Quant à Pierre Boulez, il fait de la guitare électrique l'un des personnages de sa partition *Domaines* (1968), auprès du hautbois et du cor. La guitare électrique, apparue d'abord en Amérique (« country », jazz, rock, jazz-rock, chanson) a été adoptée, elle aussi, un peu partout, a vu sa technique évoluer avec des artistes jouant en solistes devant d'énormes publics. La vibration de ses cordes (à base d'acier) est amplifiée par des micros magnétiques. Elle a pour privilège un large éventail de couleurs dans la sonorité.

RENAISSANCE DES INSTRUMENTS ANCIENS

Autres passions du XXe siècle : la redécouverte d'instruments et de répertoires anciens (luth, théorbe, vihuela-ancêtre de la guitare-guitare baroque). Mais aussi, attrait pour les musiques traditionnelles : ainsi le flamenco, qui est défendu par des connaisseurs et aimé d'un public moins large que celui du rock, mais tout aussi passionné.

Le luth, lui aussi, réapparaît dans la musique du XXe siècle après la résurrection qu'il doit à Julian Bream, Desmond Dupré et différents ensembles de musique ancienne comme le Deller Consort qui lui redonnent ses lettres de noblesse. Le mouvement « puriste » pousse les interprètes à se servir du luth pour de nombreuses œuvres jusqu'alors jouées à la guitare. De jeunes musiciens comme Michel Amoric et Guy Robert (théorbe) enregistrent l'intégrale des œuvres avec luth de Vivaldi, ce qui ne les empêche pas de créer des œuvres contemporaines et de jouer dans des ensembles d'avant-garde (Musique vivante, Intercontemporain, 2E 2M). Ils établissent d'ailleurs – comme certains chanteurs – des rapports précis entre la musique de la Renaissance et la renaissance d'aujourd'hui. Ils s'attachent, à travers la clarté et la précision de leur instrument, à montrer la possible alliance (dans Vivaldi comme dans Dao) de la maîtrise et de la liberté. Sur le plan de la recherche, le C.N.R.S. a permis d'entreprendre un travail systématique de concordance et de transcription (dépouillement des sources et critères de l'édition, depuis le Colloque de 1957, sur ce sujet).

---

1. Parmi les œuvres pour guitare seule du XXe siècle citons : *Homenaje pour le Tombeau de Claude Debussy* (de Falla), *Segoviana* (Milhaud), *Sarabande* (Poulenc), *Suoni Notturni* (Petrassi), *Tiento* et *Si le jour paraît* (Ohana), *Y despues* (Maderna), *Codex I* (C. Halffter), *Paisaje Grana* (Marco).

La liste des œuvres pour guitare et ensembles serait trop longue à énumérer. Citons : *2e Sérénade-Trio* (Petrassi), *Trois graphiques* (Ohana), *Concerto* (Brouwer).

LA HARPE

Quant à la harpe, elle doit beaucoup à Lily Laskine. Depuis Berlioz (qui recommandait l'emploi des sons harmoniques) elle avait gagné sa place dans l'orchestre. Son aspect aérien, irréel, l'aura de silence qu'elle place autour des sons, la finesse de ses couleurs, ressenties par Claude Debussy et par Maurice Ravel, ont préludé à la place qu'elle occupe aujourd'hui. Accompagnant *Orphée* du temps de Monteverdi, mystérieuse et puissante dans sa suggestion, la harpe nous parle dans le *Concerto en sol* de Ravel (premier mouvement) ; elle devient soliste, en relief et vivace, dans le *Concerto pour harpe* de Jolivet (créé en 1952 à Donaueschingen par Lily Laskine).

Le phénomène Lily Laskine est comparable au phénomène Andrès Segovia. Elle a créé des œuvres de Roussel, Tailleferre, Schmitt. Elle a su déclencher un intérêt nouveau, former des élèves, susciter des œuvres nouvelles.

Pierre Jamet et Nicanor Zabaleta ont joué un rôle analogue, le premier dans le cadre de son quintette instrumental où la harpe était associée à la flûte et au trio à cordes, le second recherchant surtout en Espagne et en Amérique latine l'élargissement du répertoire au travers des formes majeures. Fait nouveau, tous deux sont des hommes et s'imposent avec un instrument jusqu'alors destiné aux femmes.

D'autres interprètes prennent la relève. Ainsi Bernard Galais, Francis Pierre, Marie-Claire Jamet. D'autres compositeurs inventent de nouveaux styles. La harpe peut apparaître « préparée » comme le piano, avec des objets entre ses cordes, percutante, caressante. Elle devient concertante dans la poétique des *Chemins I* de Berio, théâtralisée dans *Fragmentations pour un joueur de harpes* (1962) de Bussotti. Boulez, Holliger, Damase, Miroglio, Rands, s'intéressent à ce personnage, soliste ou glissé dans un ensemble instrumental.

La harpe celtique, dans le réveil d'une musique traditionnelle, prend elle aussi sa place, soliste ou compagne du chant. Des harpistes comme Denise Mégevand font des recherches dans le double domaine de la musique classique et de la musique populaire aujourd'hui.

Curieusement, certains instruments à cordes pincées bien souvent se jouent serrés contre le cœur. Celui qui joue les tient près de lui, de sa vie : *Entre mourir et ne pas mourir, j'ai choisi la guitare* (Pablo Neruda).

BIBLIOGRAPHIE

CHARNASSÉ, H. & VERNILLAT, F. : *Les Instruments à cordes pincées.* « Que sais-je ? » P.U.F. (1970).

EVANS, T. et M.A. : *Le Grand Livre de la guitare.* Albin Michel (1979).

TOURNIER, M. : *La Harpe.* Lemoine (1959).

Le clavecin

par Marcel WEISS

L'historique de l'interprétation du clavecin au XXe siècle est un chemin semé d'embûches de toutes sortes. L'absence d'une tradition stylistique, liée au purgatoire auquel fut condamné l'instrument, empêche que l'on s'y réfère, soit pour la perpétuer, soit pour la contester. Les seuls liens qui nous rattachent à l'âge d'or du clavecin – XVII et XVIIIe siècle – sont les quelques instruments anciens préservés (souvent plus pour leur valeur décorative que musicale) et les traités fondamentaux d'un Couperin (*L'Art de toucher le clavecin*, 1716) et de Carl Philipp Emanuel Bach (*Essai sur la vraie manière de toucher les instruments à clavier*, 1753-62). Nantis grâce à eux des connaissances techniques élémentaires, les clavecinistes abordent les délicats problèmes de style, ou plutôt des styles à respecter, et du choix de l'instrument à effectuer en fonction de chaque musique. Dès le début du XXe siècle, la musicologie, la facture instrumentale et l'interprétation du clavecin suivent des voies parallèles, s'enrichissant mutuellement de leurs acquis respectifs. L'avènement du piano-forte n'a jamais complètement éclipsé le clavecin : au XIXe siècle, des facteurs comme Fleury et Tomasini continuent d'en fabriquer et d'en restaurer, et certaines pages, essentiellement *Le Clavier bien tempéré,* subsistent au répertoire des pianistes, subissant inévitablement les fluctuations de la mode interprétative. Rompant avec les surenchères de la virtuosité romantique, des compositeurs-interprètes reviennent à un certain classicisme, à l'image d'un Saint-Saëns, d'un Anton Rubinstein ou même d'un Busoni, musicien passionné s'il en fut, qui transcrit le Bach des grandes pages d'orgue pour le piano.

WANDA LANDOWSKA

Lors de l'Exposition Universelle de 1889 est présenté un clavecin moderne conçu par Gustave Lyon pour la marque Pleyel. Louis Diémer le fait entendre dans des concerts et donne dessus, deux ans plus tard, un récital entièrement consacré à François Couperin, comblant à moitié l'attente des musiciens et des musicologues qui œuvrent pour la résurrection du répertoire des XVIIe et XVIIIe siècles. En effet, les Écorcheville, Laloy, Prod'homme, de La Laurencie, Pirro et autre Quittard, peu satisfaits des lectures virtuoses et compassées de Diémer, préfèrent au clavecin blafard le piano avec ses possibilités expressives. Le premier mérite de Wanda

Landowska, pianiste polonaise arrivée à Paris en 1900, sera de persuader musicologues et pianistes que seul le clavecin convient à la littérature pour clavier du baroque. A son instigation, Pleyel ajoute à son clavecin, en 1912, un jeu grave de seize pieds, qu'elle inaugure au Festival Bach de Breslau. Dans un livre intitulé *Musique ancienne* paru en 1909, Wanda Landowska polémique avec les détracteurs de l'instrument et esquisse de nouvelles règles d'interprétation : « Jusqu'à maintenant, nous ne connaissions, à de rares exceptions près, que deux genres d'interprétation de la musique ancienne. Ou on la coule dans un moule moderne, en alternant le mouvement, les nuances, en outrant l'expression. Ou on l'exécute dans ce qu'on appelle le *style*, avec cette indifférence blafarde et guindée, lourde, sourde et monotone qui nous produit l'impression d'assister à quelque enterrement d'une personne inconnue : il est indécent de se montrer trop éveillé, et on ne pleure pas non plus, la cérémonie étant peu touchante ». La troisième voie préconisée par Wanda Landowska passe par une étude scrupuleuse du texte même des œuvres et des traités des époques concernées et par une *re-création* inventive, palpitante de vie, de leurs musiques. Ses excès mêmes, articulation entachée de rubatos, sonorité ferraillante de son clavecin, restent liés à l'arrière-plan romantique dont elle ne peut se défaire : enfant, elle côtoie les disciples de Liszt et de Chopin, étudie avec Urban, qui fut également le professeur de Paderewski, et se plaît à des parallèles entre Wilhelm Friedemann Bach et Brahms, Carl Philipp Emanuel et Schumann, ou bien encore Chopin et Couperin. Annulant par son enthousiasme un siècle d'oubli, elle suscite pour son instrument des œuvres nouvelles : *Concerto pour clavecin* de de Falla (1926), *Concert champêtre* de Poulenc (1927), et forme par son enseignement à la Schola Cantorum jusqu'en 1913, à la Hochschule de Berlin de 1913 à 1919, à Saint-Leu-la-Forêt de 1927 à 1939 – plusieurs générations de clavecinistes, parmi lesquels on trouve Ruggero Gerlin, Isabelle Nef, Ralph Kirkpatrick, Rafaël Puyana. Ils se partagent à des degrés divers l'héritage spirituel de la Dame de fer du clavecin, son dynamisme généreux et le goût des architectures grandioses. Ruggero Gerlin s'attache particulièrement à éditer et à interpréter la musique italienne du XVIIIe siècle, notamment Grazioli, Marcello, Galuppi et Cimarosa. Il y déploie des sonorités très épanouies et une sensibilité frémissante. L'art d'Isabelle Nef est beaucoup plus réservé et respectueux d'un sage équilibre. Jouant soit sur des clavecins Dolmetsch-Chickering, très proches par leur timbre limpide des modèles anciens, soit sur des Neupert, beaucoup plus uniformes, Ralph Kirkpatrick s'oriente progressivement vers un lyrisme décanté. Il a dirigé l'édition en fac-similé de l'intégrale des sonates de D. Scarlatti. Pour Rafaël Puyana, la recherche de la vérité expressive passe par une re-création des œuvres, sans souci excessif de l'authenticité du texte. A l'image des nombreux instruments anciens qu'il collectionne, son jeu est haut en relief, rempli de vie.

D'AUTRES CHEMINS

Parallèlement à l'action de Wanda Landowska, celle du musicologue et luthier anglais Arnold Dolmetsch joue également un rôle de première importance dans la redécouverte des instruments anciens et de leur répertoire. Il publie en 1915 un traité d'interprétation de la musique des XVIIe et XVIIIe siècles. Parmi ses élèves, la claveciniste française Pauline Aubert enseigne à Amsterdam et à la Schola Cantorum de Paris. Elle est la première à inscrire à son répertoire des pièces de Duphly, Pancrace Royer, Antoine Dornel, Marin Marais et réalise une édition exhaustive des pièces de Dandrieu. Marcelle de Lacour, premier professeur de clavecin au Conservatoire de Paris (de 1955 à 1967), et Marguerite Roesgen-Champion, son homologue à l'École normale de musique, Marcelle Charbonnier, Robert Veyron-Lacroix (professeur au Conservatoire en 1967), Anne-Marie Beckensteiner transmettent l'héritage des précurseurs à la nouvelle génération de clavecinistes français. Celle-ci possède en commun le goût des instruments anciens authentiques ou copiés et du répertoire baroque français qu'ils défendent de façon très personnelle : registration sobre et recherche d'une expression purifiée chez Huguette Dreyfus, virtuosité colorée et invention permanente chez Blandine Verlet – qui cumule l'enseignement de Ruggero Gerlin et de Gustav Leonhardt – jeu clair et contrasté de Brigitte Haudebourg (auteur du premier enregistrement des pièces de Dandrieu), liberté rythmique et expression chez Laurence Boulay, virtuosité raisonnée de Huguette Grémy-Chauliac.

LES ÉCOLES ÉTRANGÈRES

Tandis que les clavecinistes français, provenant pour la plupart d'un univers pianistique, s'attachent essentiellement au problème des sonorités et des registrations, l'école allemande, en raison de sa familiarité avec l'orgue, recherche davantage dans le clavecin l'unité de style et la forme abstraite. Élèves de Günther Ramin, Karl Richter et surtout Helmut Walcha en sont les meilleurs représentants. Ce dernier a enregistré une intégrale des œuvres pour clavier de Bach d'une rigueur spirituelle exemplaire. On peut situer dans la tradition de Landowska, mais avec moins de génie personnel, Isolde Ahlgrimm : elle a réalisé sur un clavecin à pédalier la première intégrale de l'œuvre de Bach, qui semble aujourd'hui bien maniérée, Rosalyn Tureck, professeur à la Juilliard School de New York et Zuzana Ruzickova, qui enseigne à Prague et à Bratislava.

AUTOUR DE GUSTAV LEONHARDT

Avec l'arrivée de Gustav Leonhardt, le clavecin connaît sa seconde révolution importante. A la vie colorée et palpitante de Landowska succède la quête de la tension interne des œuvres, d'une plastique linéaire du message musical, obtenue par une science du toucher entièrement renouvelée et par une pulsation rythmique subtile. Élève d'Eduard Müller, Gustav Leonhardt est parti de sa double formation d'organiste et de claveciniste pour inventer une nouvelle architecture de la musique baroque, bâtie sur un subtil mélange d'ordre et de liberté. Sa profonde connaissance des instruments, qu'il restaure lui-même, et du répertoire (il commente dès 1952 *l'Art de la fugue* et les œuvres ultimes pour clavecin de Bach et, à partir de 1968, celle de Sweelinck) nourrit l'interprète qui, aux côtés d'un Harnoncourt, contribue fortement au renouveau actuel de la musique ancienne. Il démontre que rien n'est définitivement fixé dans l'esthétique baroque : les notes écrites ne sont qu'une partie de l'œuvre, au musicien d'improviser ce qui n'est pas chiffré. Il remet à l'honneur les techniques anciennes de doigté et de toucher que vont utiliser ses élèves, Bob Van Asperen, Alan Curtis, Ton Koopman, etc.

Spécialistes de la musique baroque française, Kenneth Gilbert et son principal élève, Scott Ross, plient l'apport technique d'un Leonhardt – utilisation du tempérament inégal et des ornements – à une conception pure et sensible, subtile et équilibrée de l'œuvre de Couperin.

CLAVECIN CONTEMPORAIN

Parallèlement à la redécouverte de l'héritage ancien se crée une littérature moderne du clavecin basée sur la recherche de nouvelles sonorités et la coopération active des interprètes. Antoinette Vischer et Élisabeth Chojnacka ont ainsi suscité des partitions de Constant, Donatoni, Jolas, Ligeti, Mâche, Ohana, Berio, etc., nécessitant de nouveaux moyens d'attaque (clusters) et de vibrato. La liberté laissée à l'interprète rejoint celle du claveciniste amené à réinventer la musique baroque.

Instrumentiste indépendant, le claveciniste le reste à toutes les époques. Plus que tout autre, il doit traduire la volonté du compositeur, souvent au-delà des notes. Comme l'organiste, il doit improviser mais dans un cadre plus strict. Qu'il accompagne des récitatifs d'opéras, qu'il joue seul la musique des XVIIe et XVIIIe siècles, qu'il se mette au service des compositeurs de son temps, son rôle reste différent. Loin d'être considéré comme un *pianiste de musée*, il a gagné ses lettres de noblesse et imposé à tout jamais la spécificité de son instrument.

BIBLIOGRAPHIE

BACH, C.P.E. : *Essai sur la vraie manière de jouer des instruments à clavier.* J.C. Lattès (1979).
DUFOURCQ, N. : *Le Clavecin.* P.U.F. (1949/81).

L'orgue

par Michel LOUVET[1]

Plus que tout autre interprète, l'organiste est tributaire de la facture de l'instrument sur lequel il s'exprime. D'une église à l'autre, les orgues qui lui sont proposés peuvent convenir à un répertoire ou en trahir un autre. Il est donc difficile de dissocier l'évolution de l'interprétation de celle de la facture.

La facture de l'orgue est essentiellement dominée par trois grands courants, trois grandes esthétiques : la facture classique (Schnitger, Silbermann, Thierry, Clicquot par exemple), la facture symphonique (essentiellement figurée par Aristide Cavaillé-Coll), la facture néo-classique (prônée et réalisée avant tout par Victor Gonzalez à qui l'on doit cette difficile synthèse entre l'orgue classique et l'orgue romantique).

Les tendances actuelles sont surtout dominées par un retour à la facture classique et baroque. Les interprètes en sont parfois les instigateurs, mais certains d'entre eux ne suivent pas le mouvement aussi unanimement.

L'EMPRISE DE LA MUSICOLOGIE

Contrairement aux autres instrumentistes, avant tout exécutants, l'organiste se montre le plus souvent improvisateur et compositeur. Ainsi n'interprète-t-il pas seulement la littérature d'autrui, mais également ses propres créations.

Deux phénomènes antagonistes caractérisent et dominent tout le XXe siècle : le développement des techniques et celui de la musicologie, d'où leur lutte continuelle pour servir de guide au musicien. Progressivement, cette lutte a tourné à l'avantage de la musicologie, omniprésente aujourd'hui, qui exalte les vertus d'un orgue purement artisanal, face à une certaine déshumanisation industrielle.

Plusieurs facteurs ont déterminé cette orientation :

– L'essor des moyens de reproduction, au niveau de l'édition (accès aux textes originaux), comme à celui de l'enregistrement sonore (révélation des instruments d'époque).

---

1. Étude réalisée avec le concours de JEAN GALARD, organiste titulaire du grand orgue de la cathédrale de Beauvais et de l'église Saint-Médard à Paris, et FRANÇOIS SABATIER, musicologue et organiste suppléant de la cathédrale de Beauvais et de l'église Saint-Merri à Paris.

– L'essor des moyens de diffusion : multiplicité des associations, des concerts d'orgue, des émissions de radio, des publications discographiques qui ont imposé des répertoires plus vastes et variés, et conduit le public à un goût éclectique.

– Un climat général chez l'auditeur qui, déçu des expériences contemporaines, trouve compensation dans la consommation des époques passées.

– Le changement du rôle de la musique d'orgue : encore liée à la liturgie au début du siècle, elle s'en est graduellement détachée sous la pression des réformes liturgiques, et le développement des concerts.

On constate, la plupart du temps, dans l'histoire de l'orgue un décalage chronologique entre l'apparition d'une esthétique musicale, son application à l'instrument par les facteurs (qui mettent forcément un temps important avant de trouver les solutions techniques appropriées à un langage) et la naissance de la littérature adaptée à cet instrument nouveau. Ainsi, la symphonie d'orchestre née vers 1760 n'a-t-elle donné naissance à l'orgue symphonique que vers 1840, suivie par la littérature symphonique vers 1863 (*Six Pièces* de César Franck) ; ainsi, les recherches orchestrales du début du XXe siècle (élargissement de la palette sonore avec Debussy, Ravel ou Stravinski) n'influencent-elles les facteurs que vers 1920 et une littérature *ad hoc* que vers 1935. L'éclatement de l'orchestre à partir de 1925, avec Varèse puis Webern, aurait dû porter ses fruits dans le domaine de l'orgue vers les années 1950 : l'instrument « propre à cet éclatement » n'a jamais vu le jour, car, dès cette époque, le grand public s'est détourné de la création contemporaine et la musicologie a tout submergé.

Cette évolution a déterminé l'apparition successive de trois courants d'interprétation (aujourd'hui encore à l'état de coexistence), à mesure que le souci musicologique se montrait plus pressant et que les organistes renonçaient aux progrès de leurs instruments [1].

LE COURANT SYMPHONISTE

En France, un premier courant *symphoniste* apparaît comme l'héritage des grands maîtres du XIXe siècle (Franck, Widor). Il poursuit son propre développement jusqu'à nos jours. Favorables à une évolution de l'instrument et à toutes les nouvelles possibilités de jeux (traction électrique, combinateur électronique, claviers expressifs, registration électrique), les tenants de ce mouvement, qui improvisent et interprètent leurs propres œuvres, se sentent dégagés des impératifs musicologiques : en cela, ils appartiennent à la tradition des interprètes-créateurs des siècles passés.

Très à l'aise sur les grands instruments (80 registres et plus), leur articulation reste dans la ligne du *legato* prôné par Lemmens et introduit par Widor, alors que leur registration procède par grands plans qui soulignent les principales structures des œuvres. Leur art, d'une noblesse qui n'admet que peu le pittoresque, apparaît souvent comme visionnaire, sinon mystique. Parmi ces artistes, les plus représentatifs sont : Louis Vierne, Eugène Gigout, Marcel Dupré, Edouard Commette, Pierre Moreau,

1. Il ne faudrait toutefois pas « enfermer » les interprètes à l'intérieur de chacun d'eux, puisqu'ils ne représentent que des tendances. Les formations diverses, les influences réciproques, les changements d'orientation en cours de carrière sont, en effet, monnaie courante. Cette classification a pour seul but une tentative de clarification.

Jean Langlais, Olivier Messiaen, Jeanne Demessieux, Rolande Falcinelli, Pierre Cochereau, Pierre Labric, Jean Guillou.

L'ORGUE NÉO-CLASSIQUE

La deuxième école française se compose d'artistes qui gravitent autour de l'orgue improprement appelé « néo-classique », terme qui lui a été finalement appliqué par opposition au mouvement symphonique. Cet instrument, qui a restitué des couleurs anciennes (mutations, anches fines), conserve le grand clavier de Récit romantique (mais d'une harmonisation plus légère) dans un souci d'élargir le répertoire et donne à l'improvisateur et au compositeur matière à s'exprimer.

A l'imitation d'Alexandre Guilmant qui, par sa publication des *Maîtres anciens* et ses *Concerts du Trocadéro*, ressuscite quantité de compositeurs oubliés, les adeptes de ce mouvement magnifié par André Marchal s'attachent à élargir leur répertoire aux écoles européennes des XVIe, XVIIe, XVIIIe siècles, à retrouver l'esprit de ces époques par le biais d'équivalences (couleurs, phrasés et articulations variées). La musicologie, par la présence d'historiens éminents qui épaulent l'artiste (André Pirro avec Guilmant, Norbert Dufourcq avec Marchal), ne constitue pas cependant une entrave à sa créativité. Elle le guide constamment dans ses choix vis-à-vis des musiques passées, mais ne le paralyse jamais en l'enfermant dans un carcan de théories.

Bien que touchant des instruments de dimensions très variables, ces interprètes ont souvent donné le meilleur d'eux-mêmes sur des orgues d'une soixantaine de jeux aux consoles dotées d'un certain « confort ». Parmi eux, on peut retenir, dans le sillage de Guilmant : Charles Tournemire, Joseph Bonnet, Edouard Souberbielle, André Fleury, et dans celui de Marchal : Maurice et Marie-Madeleine Duruflé, Gaston Litaize, Jean-Jacques Grünenwald, Noëlie Pierront, Jean Bonfils, Jeanne Joulain, Jean Costa, Yves Devernay. Certains d'entre eux semblent évoluer ces derniers temps vers une conception plus « puriste » de l'interprétation, tant pour le classicisme que pour le romantisme : Georges Robert, Marie-Louise Girod, Odile Pierre, Louis Robillard, Daniel Roth.

LES PURISTES

Une troisième tendance se dessine en France, vers 1960. Elle regroupe des exécutants dont le comportement semble plus largement dicté par l'étude et l'observation des traités d'époque et l'usage exclusif d'instruments anciens ou de *leurs copies*. Peu portés à l'improvisation et encore moins à la composition (le peu d'œuvres qu'ils ont écrites n'obéissent à aucune esthétique commune), leur seul souci est de restituer scrupuleusement la musique telle qu'elle était entendue à sa naissance, dans la mesure où l'on peut s'en faire une idée exacte. L'instrument qui leur convient dépasse rarement 40 jeux. On peut qualifier leur registration de « statique », d'où leur aversion pour tout ce qui peut faciliter le maniement de l'orgue. Parmi eux, Michel Chapuis, Marie-Claire Alain, René Saorgin, Xavier Darasse, André Isoir, Louis Thiry, Francis Chapelet, Odile Bailleux...

A L'ÉTRANGER

A l'étranger, on retrouve ces trois composantes de l'interprétation musicale. Au premier courant, se rattachent des organistes comme Fernando Germani (Italie), Flor Peeters (Belgique), Françoise Aubut (Canada), ainsi que les disciples américains de Guilmant, avec en marge Virgil Fox et Power-Biggs.

Au deuxième appartiendraient des artistes tels Kynaston, Jackson et Jennefier Bates (Angleterre), Walter Kraft, Anton Heiller, Michael Schneider (Allemagne fédérale), Montserrat Torrent (Espagne), Pierre Froidebise (Belgique), Piet Kee (Pays-Bas), Reinberger, Klinda, Eben (Tchécoslovaquie), Lehotka (Hongrie), le professeur Roïzman (Russie), Pierre Segond, André Luy, Lionel Rogg (Suisse), Torvald Toren (Suède) et George Baker (USA).

Au troisième courant, que pourrait représenter François Delor (Suisse), semble se substituer dans certains pays une école qui réclame une plus grande rigueur encore dans la restitution des musiques anciennes : doigtés d'époque, recherches d'instruments accordés au tempérament inégal ou dotés d'octaves courtes. Partisans de l'orgue de peu de jeux, mettant en lumière jusqu'à des instruments microscopiques, ils manient souvent l'orgue comme un clavecin. Parmi eux, Gustav Leonhardt, Ton Koopman (Pays-Bas), Kenneth Gilbert, Bernard Lagacé (Canada), Guy Bovet (Suisse).

VERS UNE SYNTHÈSE

En France, la jeune école qui puise son bien dans l'héritage des trois tendances apparaît plus variée, le musicien allant chercher où il croit les trouver dans les meilleures conditions des lumières propres à éclairer ses interprétations de telle ou telle partie du répertoire : Marie-Louise Jaquet-Langlais, Marie-Thérèse Jehan, Marie-José Chasseguet, Jean-Michel Louchart, Anne-Marie Barat, Jean Boyer, Philippe Lefebvre, Jean-Louis Gil, Odile Jutten, François-Henri Houbart.

Le grand mérite des interprètes du XXe siècle a été de révéler à tous les pensées variées des musiciens d'autres époques et d'autres pays, ainsi que l'ensemble de la littérature d'orgue (intégrales de Franck, Bach – par Marcel Dupré dès 1920 –, Grigny, Couperin, Buxtehude, Mozart, Saint-Saëns, *Symphonies* de Widor et de Vierne, *Voluntaries* de Stanley, Messiaen, *Concertos* de Haendel, Mendelssohn, Schumann, Liszt, Jehan Alain, Maurice Duruflé, etc.), mais leur mise en lumière de la pensée d'autrui s'est, hélas, développée au détriment de la leur.

Tout au long du XXe siècle, les centres d'intérêt du public ont varié. On a d'abord applaudi l'artiste pour lui-même et pour son jeu ; dans un deuxième temps, pour la musique qu'il présentait, et l'on a fini par goûter avant tout l'instrument qu'il tentait de mettre en valeur. On est ainsi passé du monde de la *sensibilité* à celui de la *sensorialité.*

BIBLIOGRAPHIE

DUCHESNEAU, C. : *Michel Chapuis.* Le Centurion (1979).
DUFOURCQ, N. : *Le Livre de l'orgue français.* Picard (1969).
L'Orgue. « Que sais-je ? » P.U.F. (1948-1970).
DUPRÉ, M. : *Marcel Dupré raconte.* Bornemann (1972).
GAVOTY, B. : *Louis Vierne.* Buchet-Chastel.
GOLÉA, A. : *Rencontres avec Olivier Messiaen.* Julliard (1961).
GUILLOU, J. : *L'Orgue, souvenir et avenir.* Buchet-Chastel (1978).
JAKOB, F. : *L'Orgue.* Payot (1970).
VIDAL, P. : *Bach et la machine-orgue.* Stil (1973).
VIERNE, L. : *Mes Souvenirs.* (1970).

La musique de chambre

par Pierre Breton

Est-il un mot qui, en matière musicale, recouvre un domaine plus vaste que celui de musique de chambre ? N'appelait-on pas au début du XVIIe siècle *musica da camera* tout ce qui n'était ni opéra, ni musique religieuse, ni partitions destinées à des festivités solennelles ? Bientôt cependant, la musique de chambre reçoit une définition plus précise : musique jouée par un petit nombre de musiciens dans un cadre intime. Plus précise certes, mais encore bien floue. Comment donc caractériser la musique de chambre ? Par la forme musicale de ses partitions ? Certes non ! Suites, sonates, fantaisies, rondos, variations, mélodies et lieder, toutes formes largement illustrées par la musique de chambre l'ont été tout autant par la symphonie. Le petit nombre de musiciens ne nous est pas d'un plus grand secours. Les formations de musique de chambre comprennent bien sûr les participants des séances de sonates ou de quatuor, mais aussi des octuors, nonettes et même ce que l'on appelle les orchestres de chambre qui atteignent une vingtaine de musiciens. La musique de chambre est peut-être le genre qui offre le plus de variété au royaume de la musique : le piano s'y associe aux cordes, aux vents ou à la voix, les cordes se marient entre elles, les vents entre eux, cordes, vents et piano s'y assemblent en des configurations d'une étonnante diversité. Quant au cadre intime, nous avons quelque mal à le retrouver dans nos vastes salles de concert modernes. Pourtant, malgré l'étonnante diversité des partitions de musique de chambre, ces dernières présentent de nombreux points communs. La musique de chambre est née de l'association de la monodie et de la basse continue. L'utilisation de techniques contrapuntiques diverses au fil des années ne saurait masquer l'importance primordiale de l'aspect mélodique de cette musique. La musique de chambre saura le préserver même dans les écritures les plus heurtées et les expériences les plus avancées. A l'origine, la musique de chambre était destinée à des amateurs pour une utilisation domestique. D'où une simplicité d'écriture et une absence de virtuosité recherchée. Bien sûr la complexité des partitions s'est accrue au cours des siècles et les enrichissements techniques sont venus aggraver la difficulté de pièces qui, dès le début du XIXe siècle, sont confiées à des professionnels. Il n'en reste pas moins vrai que ce qu'elles valorisent n'est ni la performance du compositeur, ni celle des interprètes, mais bien autre chose. Ce qui est privilégié, c'est le dialogue entre les instrumentistes, c'est cet « esprit de conversation », ce naturel hérité en droite ligne des origines, des séances familiales de musique.

La beauté de l'interprétation ne tient pas ici à la réussite individuelle ou à l'addition de plusieurs d'entre elles mais à l'instauration d'une véritable communion des sensibilités. Il existe un « esprit musique de chambre » fait de discrétion des effets, d'humilité devant la partition, d'effacement individuel. L'émotion n'est monopolisée par personne mais circule d'instrumentiste en instrumentiste. L'évolution de l'interprétation de la musique de chambre est, bien sûr, liée aux modifications de jeu qu'ont subies les instruments pris isolément. Elle l'est bien plus encore aux tribulations de cet « esprit musique de chambre », à la qualité de son rayonnement. Après avoir connu au début de ce siècle une période de total épanouissement, il semble perdre toute vitalité jusqu'au début des années 1970, époque à laquelle paraît commencer une marche vers le renouveau.

L'ÂGE D'OR

Quand on examine les traces sonores, les récits et les souvenirs qui nous sont parvenus, on ne peut qu'être frappé par une évidence : la musique de chambre a connu, du début du siècle à la deuxième guerre mondiale, un véritable âge d'or. Lorsque l'on se penche sur les versions enregistrées des grandes œuvres du répertoire – qu'il s'agisse de sonates, trios, quatuors ou quintettes, pour ne citer que les formes de musique de chambre les plus usitées – force est bien de constater que les plus achevées, les plus émouvantes appartiennent à cette époque. Les noms se bousculent sous la plume : Alfred Cortot, Jacques Thibaud, Pablo Casals (en sonates et trios), Adolf Busch, son frère Hermann et Rudolf Serkin (trios et sonates), les associations Backhaus/Fournier, Schnabel/Fournier, Yehudi/Hephzibah Menuhin, Ysaÿe/Pugno, Ysaÿe/Nat, Feuermann/Hess, Szigeti/Bartók, Kreisler/Rachmaninov et tant d'autres encore. Au royaume du quatuor l'abondance est plus grande encore si faire se peut : les quatuors Joachim, Rosé, Geloso, Poulet, Busch, Capet, Calvet, Budapest, Flonzaley, Hollywood, Lener, Roth, Pro Arte, Tchèque, etc. Bien longue serait la liste de tous ces ensembles dont l'ombre plane encore sur la musique de chambre comme le souvenir d'un paradis perdu. Tous semblaient détenir le secret d'une perfection aujourd'hui oubliée, d'un accord des tempéraments et des sensibilités. Les conditions de vie de l'époque, la liberté avec laquelle on abordait la musique, l'existence d'un public sensibilisé à la musique de chambre, paraissent être les principales raisons de cet état de grâce.

Tempo : Andante

Bien différentes de celles d'aujourd'hui sont les conditions de vie des artistes d'alors. La réputation des instrumentistes se construit lentement. Les études sont longues et, à de rares exceptions près, les carrières ne sont guère précoces. Il est admis – mis à part les fulgurantes envolées d'enfants prodiges du type Menuhin ou Horowitz – qu'un grand talent doit arriver, comme un grand vin, prudemment à maturité. L'esprit du temps ignore encore cette course contre la montre que nous observons trop souvent aujourd'hui. On travaille le temps nécessaire au conservatoire local, avant de monter – pour les meilleurs – à la capitale (Vienne, Paris ou Berlin) pour s'imprégner de l'esprit des grands maîtres du temps. La religion du jeune espoir ne sévit pas au degré que nous connaissons. Il ne faut pas jeter tous les ans de jeunes prodiges ou supposés tels en pâture au public, aujourd'hui célèbres, demain oubliés. Ce serait même plutôt l'inverse, l'âge avancé étant plus ou moins consciemment perçu comme un indice de talent. La maturation des talents se fait donc à un rythme raisonnable. De plus, les débuts sont souvent difficiles. Le passage dans les orchestres est quasi obligatoire pour les violonistes et violoncellistes. Il leur faut parfois accepter de jouer dans les cafés et les restaurants comme l'ont fait Thibaud ou Casals. Se distinguer de la foule des instrumentistes est malaisé. La radio est balbutiante, la télévision inexistante. Les médias modernes ne sont pas suffisamment efficaces pour souligner, surestimer ou, au besoin, créer de toutes pièces les réputations. Ils sont plus incapables encore de promouvoir rapidement les talents hors de leurs frontières. Les carrières sont donc d'abord nationales. Les voyages – par train ou bateau – sont lents. Les tournées à l'étranger ne sont guère nombreuses. Les grands solistes sont donc plus disponibles qu'aujourd'hui. Il leur est facile de se réunir et de pratiquer la musique de chambre. Rassembler aujourd'hui pour des séances régulières trois solistes internationaux de la stature de Cortot, Thibaud et Casals tiendrait du miracle. Il était à l'époque tout à fait concevable de mener ce type d'activité sans rien sacrifier de sa carrière personnelle. La composition des quatuors nous paraît avec le recul du temps d'une étonnante stabilité, ce qui est le meilleur gage de la qualité. On prend le temps de se connaître, d'aller au fond des choses, de jouer très souvent ensemble, ce qui donne aux grandes formations du temps ce jeu d'ensemble inimitable.

Des familiarités avec la musique

Il faut bien admettre que les frontières séparant musique savante et musiques populaires de consommation courante étaient beaucoup moins nettes et étanches que de nos jours. L'Orchestre Philharmonique de Berlin est né dans une brasserie ; Casals, Joachim, Thibaud et tant d'autres jouaient dans les cafés et les salons. Qu'y jouaient-ils ? Essentiellement ce qu'il est convenu d'appeler de « la musique de genre », c'est-à-dire des mélodies assez racoleuses, hésitant entre un exotisme de bazar et une sentimentalité de presse du cœur, dans des arrangements à la fois clinquants et sirupeux. C'est bien souvent entre *La Prière d'une vierge* et une *Sérénade andalouse* que se glissent Mozart, Beethoven ou Brahms. Les grandes partitions sont abordées avec la même absence de complexe que les romances à la mode. On n'hésite pas à adapter, dans des transcriptions parfois incongrues, les grandes œuvres pour les formations en vogue (piano/violon, violoncelle/piano, orchestres de salon). On ajoute, on retaille pour se mettre en harmonie avec la sensibilité du temps. On ne craint pas de placer une partie de piano en accompagnement des sonates pour violon seul de Bach, ni de jouer Chopin au violon, ni d'orchestrer Brahms... Bref une liberté que nous qualifierons aujourd'hui de licence et dont les résultats prêtent souvent à sourire. Certes les grands ensembles de musique de chambre ne se livraient guère à de tels excès mais se distinguaient plutôt par la rigueur avec laquelle ils abordaient les partitions. Il n'en reste pas moins vrai que l'air du temps et le voisinage de ces œuvres légères et pièces de virtuosité facile n'ont pas été sans influence sur leur jeu. On n'hésite pas à souligner certains effets, à accentuer l'expression. La rigueur du tempo n'est pas considérée comme une fin en soi. On préfère lui donner de la souplesse pour mieux laisser s'épanouir la mélodie. On use – et parfois on abuse... – du ralenti. Pour les cordes, c'est le règne du glissando. Les grandes partitions classiques et romantiques sont abordées sans respect stérilisant, mais au contraire, avec une liberté créatrice qui nous étonne encore aujourd'hui. L'important est de transmettre l'émotion, fût-ce au prix de quelques fausses notes et de quelques menues privautés. Le disque – privé des possibilités de retouches que nous connaissons aujourd'hui – est compris comme un prolongement du concert et non comme un produit de laboratoire. C'est l'époque des premiers enregistrements des sonates de Beethoven, des quatuors de Brahms. Et ces « premières fois » ont une liberté d'allure, une fraîcheur d'inspiration, une sorte de regard émerveillé sur la musique qui les rendent inestimables. Des familiarités avec la musique ? Peut-être ! mais quel triomphe pour l'esprit de musique de chambre !

Un public séduit

Entre la musique de chambre et son public, c'est une vraie lune de miel. Les raisons en sont nombreuses. La musique « sérieuse » et celle qui l'est moins sont intimement mêlées dans les programmes. On passe sans difficulté de *Schön Rosemarin* à la *Sonate à Kreutzer*, de Kreisler à Brahms, de Desplanes à Mozart. Ce coktail au goût sucré plaît à tous les palais. Et, pour de bonnes ou mauvaises raisons, la séduction opère. Le public musical de l'époque est infiniment plus restreint que le nôtre. Il se recrute essentiellement dans les couches aisées de la population. Dans les salons de la noblesse parisienne, dans ceux de la petite bourgeoisie de province, trône le piano, instrument pivot de bien des formations de musique de chambre. On se réunit fréquemment – les distractions étant plus rares qu'aujourd'hui – pour jouer romances ou sonates. Car c'est un public de pratiquants qu'a trouvé la musique de chambre. D'où une compréhension plus immédiate des partitions, un accord plus intime des sensibilités. Et les artistes répondent à cet appel du public. Le genre se valorise. Rares sont les interprètes qui, comme un Horowitz ou un Rubinstein, ne le pratiquent que rarement. Il n'est guère de grands solistes qui ne tiennent à y affirmer leur talent. Pierre Monteux fait partie d'un quatuor. Edwin Fischer, Walter Gieseking, Alfred Cortot et même des chefs d'orchestre comme Wilhelm Furtwängler ou Bruno Walter se font une gloire de tenir la partie de piano dans les lieder. La musique de chambre a déjà émigré dans les salles de concert, mais elle habite encore les salons. Elle conserve encore le charme chaleureux qu'elle avait acquis dans ce cadre intime où il n'était nul besoin de grossir les effets ou de faire assaut de virtuosité pour susciter l'émotion. Décidément, l'air du temps a bien la couleur de la musique de chambre.

LA TRAVERSÉE DU DÉSERT

La deuxième guerre mondiale constitue, dans bien des domaines, une fracture importante. Désormais les choses ne seront plus semblables. Un monde s'écroule. Un autre prend son essor. La musique de chambre ne va pas s'y reconnaître. Le terrain fertile sur lequel elle avait pu se développer s'appauvrit brutalement. Pendant une trentaine d'années, elle va s'épuiser à tenter de retrouver son âme. L'air du temps n'est plus au charme discret de la musique de chambre, aux sortilèges de l'intimité. Pendant près d'une génération, il ne se forme quasiment plus d'ensembles permanents. Les séances de sonates sont livrées aux équipes de rencontre ou aux associations nées de contrats avec les maisons de disques. Il est bien loin le temps où seule l'affinité des sensibilités et des tempéraments avait la parole. L'esprit « musique de chambre » semble subir une éclipse définitive. Seuls quelques grands anciens – Menuhin, Casals – veillent sur le feu sacré et protègent sa flamme vacillante. Prades est l'une de ces oasis dans le désert. Que s'est-il donc passé ?

Le progrès, hélas !

Le monde se met subitement à tourner à une vitesse accrue. Le rail, la route et surtout l'avion rapprochent considérablement les capitales. On accumule les concerts, on mène les carrières à un rythme démentiel. Les tournées qui se multiplient aux quatre coins du monde transforment les artistes en d'éternels voyageurs. Où trouver le temps de pratiquer la musique de chambre lorsqu'il faut être le lendemain à Rome, à New York ou à Tokyo ? Où trouver la force de s'astreindre aux obscurs efforts qu'elle exige alors que tant de succès individuels vous sont promis pour peu que l'on se montre capable de quelque virtuosité ? Parallèlement, on assiste au développement considérable des médias qui diffusent les noms et les performances dans tout le globe. Les valeurs sûres, certes, mais aussi les talents en herbe, happés par une épuisante vie de soliste international, brillante peut-être mais si souvent superficielle. Les talents résistent mal à cette croissance forcée. Ce d'autant que la gloire d'un jour est le plus souvent éphémère et que des générations entières de jeunes prodiges ou supposés tels retombent immanquablement dans l'oubli avec au cœur l'amertume d'une carrière individuelle manquée. Ce n'est certes pas le meilleur passeport pour la musique de chambre !

Les techniques d'enregistrement progressent également à pas de géant. Le disque devient, par sa remarquable qualité, le moyen essentiel de se faire connaître. Et ses exigences sont tout autres que celles du concert. La fausse note devient le crime majeur, intolérable car revenant à chaque écoute du disque. Il se développe un amour du son pour le son qui privilégie l'éclat et la virtuosité par rapport à l'émotion. Pour ce faire, les enregistrements sont réalisés par petits bouts afin d'éviter toutes les scories qui paraissaient une génération plus tôt insignifiantes. Il est, dans ces conditions, bien plus difficile de conserver une conception d'ensemble de l'œuvre, une finesse de sentiment.

La chape de plomb de l'exactitude

Les excès de l'âge d'or ne pouvaient manquer de susciter un choc en retour. Il se produit donc, avec une rigueur brutale. On revient au texte, mais au texte seul, perdant un peu l'esprit en route. Plus d'adaptations douteuses, de transcriptions bizarres, de ralentis systématiques, de tempos fluctuants, de glissandos permanents. La précision prend le pas sur l'expression. Le mot même de sentiment fait peur. On imagine sans peine les dégâts opérés par cet état d'esprit dans la musique de chambre. Il était certes utile de revenir à plus de rigueur. Mais pas au prix d'une telle sécheresse. Maintenant, la « musique classique » n'a plus rien à voir avec les musiques populaires. Elle a tendance à se renfermer sur elle-même, à ne plus rechercher le contact avec son public.

Musique sans auditeurs

Le public musical s'élargit. Mais c'est un public vierge. Peu formé, non pratiquant, il est tout d'abord attiré par le spectaculaire des symphonies, le brillant des concertos. Les arcanes de la musique de chambre lui sont étrangers. Il n'a plus de tradition d'interprétation. Ces nouveaux amateurs le sont plus d'oreille que de doigts. Immédiatement séduits par la virtuosité, par la performance technique, ils sont venus à la musique par le disque et la radio bien plus que par le concert. La musique de chambre a perdu ce contact direct qu'elle avait avec son public.

EN MARCHE VERS UN RENOUVEAU ?

Pourtant, vers le milieu des années 1970, la vie semble renaître. Les efforts consentis en matière d'éducation musicale, notamment à l'école, commencent à porter leurs fruits. L'exigence en matière musicale s'accroît. On ne se satisfait plus des produits stérilisés, de la « musique en boîte ». L'oreille est faite maintenant à la plus-value sonore offerte par la technique moderne. Ce qui est alors demandé, c'est un supplément de vie. La virtuosité, l'exactitude, le brillant ne suffisent plus. On voit se multiplier les enregistrements en direct, au cours d'un concert. Reparaissent sur le marché en rangs serrés rééditions de l'avant-guerre. Toute une partie du public musical accepte bruits de surface et prise de son d'époque s'ils permettent d'accéder à l'émotion. Le succès même de certains enregistrements pirates, pourtant réalisés le plus souvent dans des conditions techniques déplorables, consacre le succès de l'âme musicale sur les contingences matérielles de la reproduction sonore.

Parallèlement, les jeunes interprètes réfléchissent sur le profil de carrière qui leur est offert. Le sort des produits bien ficelés que lancent les maisons de disques sur le marché ne leur paraît que fort peu enviable. Ils souhaitent, eux aussi, trouver leur maturité à leur rythme. Ils souhaitent, eux aussi, des carrières qui durent au-delà d'une saison. La musique de chambre n'est plus considérée comme une perte de temps dans la course aux honneurs, mais comme une liberté reconquise. D'ailleurs, une certaine liberté créatrice de l'interprète se redécouvre grâce au développement des recherches dans le domaine de la musique ancienne. Et l'on voit les formations de musique de chambre se multiplier à nouveau. C'est surtout le quatuor qui bénéficie de ce début de renaissance : Quatuor Alban Berg, Via Nova, Aeolian, Bartók, Janáček, Kodály, Cleveland, Tokyo, Lindsay, etc. Les ensembles de sonates et de trios bénéficient moins directement de ce courant ascendant. Mais le goût pour la musique de chambre retrouve une seconde jeunesse, tant côté public que côté interprète. Longue est encore la route. Mais qu'importe quand on marche vers la lumière !

BIBLIOGRAPHIE

Blum, D. : *Pablo Casals et l'art de l'interprétation.* Buchet-Chastel (1980).
Dukas, P. : *Chroniques musicales sur deux siècles.* Stock (1980).
Finscher, L. : *Studien zur Geschichte des Streichquartetts.* Bärenreiter (1974).
Menuhin, Y. : *Le Voyage inachevé.* Seuil (1977).
Pincherle, M. : *Les Instruments du quatuor.* « Que sais-je ? », P.U.F. (1948).
Snowman, D. : *Le Quatuor Amadeus.* Buchet-Chastel (1981).

L'orchestre

par Alain Pâris

Les musiciens s'accordent à reconnaître Berlioz comme le père de l'orchestre moderne. Il en a jeté les bases, exploitées, prolongées, totalement ou partiellement, par ses successeurs, Wagner, Liszt, Rimski-Korsakov, Brahms, Mahler... Au début du XXe siècle, l'orchestre arrive au point d'équilibre de son évolution et les changements qu'il connaîtra seront très différents de ceux qu'il a subis au siècle précédent.

STABILISATION

Wagner a porté l'effectif de l'orchestre à son apogée et rares seront les compositeurs qui iront beaucoup plus loin que lui (Mahler, Schönberg, Stravinski) : les cordes sont généralement au nombre de 70 (18 violons I, 16 violons II, 14 altos, 12 violoncelles, 10 contrebasses), les bois par 5, 6 à 12 cors, 3 à 6 trompettes, 3 à 5 trombones, 1 ou 2 tubas, la percussion et 2 harpes. Mais si l'effectif reste stable (entre 100 et 135 musiciens), des variantes apparaissent au sein des familles instrumentales : les compositeurs ne se contentent plus de 5 flûtes identiques, ils font appel à tous les membres de la famille, du plus aigu au plus grave. Apparaissent ainsi à l'orchestre, de façon régulière ou occasionnelle, la flûte en sol, la petite clarinette et la clarinette basse, l'heckelphone (hautbois baryton) [1], la petite trompette en ré, les saxophones et même des instruments jusqu'alors étrangers à l'orchestre ou nouveaux, comme la mandoline (Mahler, *Symphonie n° 7*, 1908), le piano (en remplacement ou en complément de la harpe), l'orgue (R. Strauss, *Ainsi parla Zarathoustra*, 1896), le cymbalum (Kodály, *Hary János*, 1927), les ondes Martenot (Honegger, *Jeanne au bûcher*, 1935...).

Sous l'influence du jazz, la percussion prend une importance accrue : limitée à un ou deux instrumentistes à la fin du XIXe siècle, elle en réclame jusqu'à 16 (Varèse, *Hyperprisme*, 1923) voire 40 (Varèse, *Ionisation*, 1931). En outre, son rôle se modifie radicalement : elle n'est plus un simple support rythmique mais un partenaire à part entière des cordes et des vents. Elle se voit même confier des parties solistes et constitue un horizon vierge pour les compositeurs avides de nouveautés sonores.

---

1. Dans *Salomé* de R. Strauss (1905).

L'orchestre accueille également un certain nombre d'effets qui viennent s'adjoindre aux parties instrumentales : machines à écrire, sirènes (Satie, *Parade*, 1916). Enfin, la musique électroacoustique entre dans le domaine symphonique sous la forme de bandes magnétiques enregistrées en studio qui se déroulent, comme des parties instrumentales, tout au long de l'œuvre.

Mais dans toutes ces situations, la formation de base de l'orchestre reste identique et les adjonctions instrumentales sont mineures. L'effectif orchestral est arrivé à un maximum et les compositeurs en sont conscients. Ils cherchent à le diversifier par des ajouts occasionnels ou par un traitement radicalement différent, en faisant appel à un nombre limité de musiciens.

LES PETITES FORMATIONS

Cette nouvelle attitude peut s'expliquer de deux façons, soit par la volonté du compositeur d'utiliser une palette sonore différente, soit par des impératifs financiers.

Le XXe siècle voit disparaître le grand mécénat et se modifier les conditions de rémunération des musiciens, vers la hausse. Le coût global des concerts symphoniques ne fait que croître et, si l'on tient compte de la désaffection progressive du public pour la musique de son temps, on se trouve devant un choix : continuer à susciter des œuvres pour grand orchestre qui seront jouées une fois ou deux, ou inciter les compositeurs à se tourner vers des effectifs réduits, moins coûteux, avec des espoirs d'exécutions accrus.

Naturellement, ces impératifs matériels n'ont pas présidé d'emblée aux choix des compositeurs qui ont trouvé dans ces effectifs réduits la possibilité de recherches instrumentales nouvelles (Stravinski, *Noces* pour 4 pianos, percussion et chœur, 1917 ; Schönberg, *Symphonie de chambre n° 1* pour 15 instruments, 1906...).

La redécouverte du répertoire classique et baroque entraîne la constitution de nombreux orchestres à cordes, avec ou sans chef (de 11 à 25 musiciens). Certains d'entre eux s'ouvrent à la musique du XXe siècle. Avant la dernière guerre, l'orchestre féminin de Jane Evrard suscite la composition de plusieurs œuvres dont la *Sinfonietta* de Roussel. Paul Sacher agit dans le même sens avec son Orchestre de Chambre de Bâle ou le Collegium Musicum de Zürich (*Musique pour cordes, percussion et célesta* et *Divertimento* de Bartók, *Symphonie n° 2* de Honegger, *Concerto pour cordes* de Stravinski). Puis vient une période où seuls des orchestres spécialisés dans la musique contemporaine commandent des œuvres pour petites formations. Un renouveau se dessine à la fin des années 60 et Vivaldi voisine avec Boucourechliev, Bussotti, M. Constant ou Ligeti grâce aux commandes de Louis Auriacombe ou Claudio Scimone. Il est intéressant de remarquer que l'Amérique découvrira l'orchestre de chambre plusieurs décennies après l'Europe.

La diversification de l'orchestre se traduit aussi par un usage partiel : dans une même œuvre, un mouvement s'adresse aux cordes, un autre aux vents et aux percussions, le dernier à l'ensemble (*Concerto pour piano n° 2* de Bartók, 1931). Dans sa *Symphonie de psaumes* (1930), Stravinski n'utilise ni violons ni altos. Certaines œuvres pour cordes dépassent le cadre des petites formations évoquées ci-dessus et s'adressent aux cordes d'un orchestre symphonique (*Thrène* de Penderecki, 1960, pour 52 instruments). D'autres sont écrites pour les seuls instruments à vent (*Symphonie pour instruments à vent*, Stravinski, 1920, *Concerto pour violon et orchestre d'harmonie*, K. Weill, 1924). Toutes ces partitions sont destinées à une formation symphonique mais utilisée partiellement et leur exécution modifie le fonctionnement habituel des orchestres.

Une dernière tendance voit le jour après la deuxième guerre mondiale, la spatialisation de l'orchestre. Reprenant l'idée exploitée par Berlioz dans son *Requiem* ou Bartók dans sa *Musique pour cordes, percussion et célesta* [1], plusieurs compositeurs divisent l'orchestre en groupes différents dont la répartition varie. Dutilleux (*Symphonie n° 2*, 1959) adopte le principe du *Concerto grosso* en opposant un ensemble de solistes à l'orchestre lui-même, Stockhausen (*Gruppen*, 1955) écrit pour 3 orchestres dirigés chacun par un chef différent, Boulez (*Domaines*, 1968) réunit 6 groupes d'instrumentistes qui dialoguent avec la clarinette solo, la formule la plus fréquemment utilisée étant celle du double orchestre de chambre, dans la tradition de Vivaldi (Bartók, Tippett, F. Martin...).

UNE NOUVELLE ORGANISATION DE TRAVAIL

A toutes ces initiatives correspond une réforme en profondeur du travail d'orchestre adaptée aux nouveaux impératifs et à une préparation minutieuse des œuvres du répertoire. L'orchestre devient une véritable entreprise, avec son encadrement, son personnel administratif, technique, la direction générale étant en principe assurée par le chef permanent (sauf dans le cas des orchestres de radio où un tel cumul est assez rare). A la centaine de musiciens d'un orchestre symphonique s'ajoutent donc 20 à 30 personnes, régisseurs, garçons d'orchestre, bibliothécaire, attachés de presse, secrétaires, comptables, administrateur, délégué général... qui assurent la vie quotidienne de l'orchestre : programmation, location de salles, de matériels d'orchestre ou d'instruments, engagement d'artistes supplémentaires, promotion... En Europe, la plupart des orchestres sont passés sous le contrôle de l'État ou d'organismes publics qui les subventionnent. En Angleterre et aux États-Unis surtout, le financement est assuré par des entreprises et quelques mécènes privés.

Les conditions de préparation des concerts ont beaucoup évolué : nombre accru des répétitions (jusqu'à 10 ou 12 si le programme le requiert), répétitions de détail avec les chefs de pupitres ou des assistants. Dans certains orchestres, le travail des partitions les plus difficiles commence plusieurs semaines, voire plusieurs mois avant le concert afin de permettre aux instrumentistes de se familiariser avec l'œuvre. Naturellement, le nombre et le style des répétitions ne sont pas identiques pour un orchestre récemment formé et pour la Philharmonie de New York. Mais le temps des concerts préparés à la hâte est révolu.

Dans le même esprit, les responsables artistiques des orchestres cherchent à placer les musiciens dans les meilleures conditions acoustiques. Le choix des salles est essentiel : Karajan fait reconstruire la Philharmonie de Berlin en fonction d'un équilibre acoustique et visuel précis, la Salle Pleyel est entièrement rénovée pour accueillir l'Orchestre de Paris...

1. Et Charles Ives dans la plupart de ses œuvres, mais alors pratiquement inconnu en Europe.

L'emplacement des musiciens joue aussi un rôle important. Jusqu'à la dernière guerre, deux grandes dispositions prévalaient : à la française (seconds violons à la droite du chef), à l'allemande (violoncelles à la droite du chef). La première a pratiquement disparu car elle mettait au premier plan des parties musicales d'importance secondaire. La seconde s'est imposée en Europe jusqu'à ce que certains chefs importent la disposition américaine (altos à droite) que l'on doit à Koussevitzky : les violoncelles sont tournés vers la salle (comme dans la disposition à la française) et leur sonorité « passe » de façon plus homogène. Mais l'ensemble des violons restent groupés. Pour les instruments à vent, les positions sont généralement stables. Seul varie l'emplacement des cors, en fonction de l'acoustique de la salle. Quant aux percussions, leur place les unes par rapport aux autres est essentielle et toujours déterminée par les musiciens eux-mêmes qui doivent souvent passer très rapidement d'un instrument à un autre en cours d'exécution.

COULEURS D'ORCHESTRES ET ÉCOLES INSTRUMENTALES

On parle souvent de la « couleur » de tel ou tel orchestre dont les cordes sont plus moelleuses, les bois plus limpides... Il est exact que des différences considérables existent entre les formations de même niveau, selon les pays. A une certaine époque, elles n'étaient que le reflet des différences entre les écoles instrumentales. Cet aspect tend à s'atténuer avec la standardisation des écoles, mais les orchestres dotés d'une certaine tradition conservent des caractéristiques personnelles qu'ils doivent aussi aux chefs qui les ont dirigés pendant de longues périodes.

Au début du XXe siècle, lorsque les orchestres américains commencent à se former, ils recrutent les cordes en Italie, les bois en France et les cuivres en Allemagne. Après une ou deux générations, des musiciens américains prennent la relève tout en conservant la tradition venue de ces différents pays. Ainsi s'explique la polyvalence et les étonnantes facultés d'adaptation des orchestres américains. Tout n'est pas resté statique, loin de là : les cuivres ont acquis une sonorité plus brillante, très ouverte, les bois n'ont pas toujours conservé le vibrato qui enrichit le son, les cordes ont gagné en homogénéité grâce à la discipline très stricte qui règne dans ces formations.

En Europe, deux grandes familles d'orchestres (allemande et française) ont longtemps vécu sur leur passé, chacune avec son répertoire national et les qualités qui en découlaient : densité sonore germanique parfois synonyme de lourdeur, transparence française frôlant la légèreté. Cette attitude a heureusement disparu depuis quelques années et les orchestres français savent à présent s'adapter à Brahms ou Bruckner : tenue d'archet plus soutenue, sonorité des vents très ouverte... A cet égard, les progrès de la facture des instruments à vent ont été déterminants. Outre-Rhin, on constate une évolution analogue même si quelques problèmes subsistent avec les bois dont la sonorité s'adapte mal à la musique impressionniste.

Certes, des différences subsistent. Heureusement, d'ailleurs, car la monotonie est le pire ennemi de l'art ! Ainsi, les Français, plus vifs et surtout mieux formés en ce sens, sont des lecteurs incomparables, qualité précieuse pour la musique contemporaine. Ils savent également faire preuve d'un individualisme de bon aloi dès que la partition le réclame. Mais ont-ils le même sens de la discipline et de l'intérêt général que leurs confrères germains ou anglo-saxons ?

En Angleterre, l'évolution a été comparable à celle des États-Unis, mais depuis une date plus récente. Les musiciens des orchestres britanniques sont tous, à présent, sujets de Sa Majesté. Leurs cuivres comptent parmi les meilleurs du monde, même si l'emploi systématique des sons *cuivrés* dans les nuances *forte* (un peu nasillards) limite leur éventail sonore.

Malgré ces différences, la tendance générale actuelle est à l'uniformisation : les musiciens ont de nombreux contacts entre eux et les chefs permanents exigent une polyvalence de leurs orchestres très bénéfique. Tous enfin commencent à connaître une certaine mutation venue du Soleil Levant : de petits hommes et de petites femmes aux yeux bridés s'intègrent progressivement à eux, signe d'ouverture certes, mais signe de pénurie grave, surtout pour les cordes.

BIBLIOGRAPHIE

AUBERT, L. et LANDOWSKI, M. : *L'Orchestre.* « Que sais-je ? », P.U.F. (1951).
HOLLAND, J. : *Percussion.* Hatier (1980).
HURD, M. : *Le grand livre de l'orchestre,* Bordas (1981).
KUSKIN, K. : *Les dessous de l'orchestre,* Flammarion (1984).
LOUVIER, A. : *L'Orchestre.* « Que sais-je ? », P.U.F. (1978).
PINCHERLE, M. : *L'Orchestre de chambre.* « Que sais-je ? », P.U.F. (1948).

La direction d'orchestre

par Alain PÂRIS

Art énigmatique, la direction d'orchestre semble devenir le point de mire de nombreux musiciens, une étape essentielle de leur carrière artistique, même s'ils ont reçu une tout autre formation qui ne les prédispose pas *a priori* à monter au pupitre. Le prestige dont est auréolé le chef d'orchestre attire, et l'apparente simplicité de son métier ne fait qu'augmenter le nombre des vocations. Pourtant, nous sommes bien en face d'une discipline qui s'apprend, comme tout autre instrument. Le chef d'orchestre ne jouerait-il pas de l'orchestre, de ces hommes et de ces femmes qu'il doit aider à donner le meilleur d'eux-mêmes, dont il doit coordonner les efforts en leur insufflant sa propre conception ? Comment alors imaginer un chef d'orchestre *professionnel* qui n'ait pas reçu une formation gestique de base, qui n'ait pas un minimum de connaissances instrumentales pour guider les musiciens ? Le chef d'orchestre doit savoir ce qu'il veut obtenir, comment l'obtenir et comment le demander. Sans cette connaissance, combien difficile à acquérir, il ne dirige pas l'orchestre, il est dirigé par lui, situation malheureusement fréquente de nos jours. En outre, le chef doit rester parfaitement maître de lui-même en toutes circonstances et savoir créer un contact avec les instrumentistes, autant de choses qui, elles, ne s'apprennent pas. Ce sont les dons, les qualités fondamentales, et la modification des rapports entre chefs et orchestres les rend tout aussi indispensables que l'apprentissage.

Le chemin parcouru depuis les *Konzertmeister* du XVIIIe siècle, qui dirigeaient des orchestres de chambre en tenant la partie de violon solo, est considérable. L'augmentation progressive du nombre de musiciens impose la présence d'un chef d'orchestre dégagé de toute obligation instrumentale : il sert de guide aux autres musiciens. Ludwig Spohr semble avoir été le premier chef d'orchestre de l'histoire, mais le premier directeur d'orchestre fut Johann-Christian Cannabich (1731-98), le Konzertmeister de l'Orchestre de Mannheim. On lui doit les bases de l'organisation de l'orchestre moderne, l'augmentation du nombre des cordes, la création d'un véritable travail d'ensemble pour équilibrer les différentes parties, régler les coups d'archet, assurer la justesse...

Le XIXe siècle rend indispensables la présence et l'autorité du chef d'orchestre. Berlioz, en France, Mendelssohn et Schumann, en Allemagne, définissent sa véritable fonction. Diriger un orchestre devient une spécialité, la direction un art véritable. Wagner et Hans von Bülow réagissent contre un certain laxisme des chefs d'orchestre et, à l'image de François Habeneck, le fondateur de la Société des Concerts du Conservatoire, s'attachent à améliorer le travail d'orchestre, à faire respecter les nuances et les mouvements mais aussi à faire exécuter toutes les notes. Le véritable travail d'orchestre sous la direction d'un chef est né, et avec lui l'aspect primordial de l'activité du chef d'orchestre, son rôle au cours des répétitions. Depuis la fin du XIXe siècle, cette tendance à approfondir le travail d'orchestre n'a cessé de s'affirmer et la technique des chefs d'orchestre s'est forgée progressivement en fonction de cet impératif.

LE XXe SIÈCLE NAISSANT

Le XXe siècle musical commence après la Première Guerre mondiale lorsque ont été assimilés les deux événements importants qui l'introduisent, la création de *Pelléas et Mélisande* (1902) et celle du *Sacre du printemps* (1913). Tous les grands chefs d'orchestre de la première moitié du XXe siècle reçoivent donc une formation qui correspond aux exigences de la musique romantique. Il n'y a pas de classes de direction d'orchestre dans les conservatoires. Les aspirants-chefs d'orchestre apprennent d'abord un instrument tout en recevant une solide formation théorique. Puis ils entrent dans un orchestre ou, s'ils sont pianistes, deviennent répétiteurs dans un théâtre. Suit une phase d'observation qui permet d'assimiler les rudiments de la direction d'orchestre. Parfois, le chef en titre a besoin d'un assistant : c'est l'occasion de monter au pupitre et de commencer à gravir les marches qui mèneront aux responsabilités véritables.

Ce profil de carrière correspond surtout à l'Allemagne et à l'Europe centrale où abondent les théâtres lyriques. En France, les chefs d'orchestre sont plus généralement des instrumentistes sortis du rang (Lamoureux et Colonne étaient violonistes, Taffanel et Gaubert flûtistes). Ils sont familiarisés au travail symphonique et prolongent la tradition de Habeneck qui repose sur une préparation minutieuse des exécutions, réalisable seulement dans le cadre symphonique. Mais, très vite, de nouveaux impératifs s'imposent aux chefs d'orchestre : des contraintes financières limitent le nombre des répétitions. La musique moderne se fait plus rare dans les programmes. Les orchestres vivent autour d'un certain répertoire et le chef permet d'*assurer* l'exécution.

La direction d'orchestre en France s'adapte à ce contexte et la plupart de nos chefs d'orchestre sont alors des baguettes virtuoses, capables de monter un programme en quelques heures de répétition. Ils sont précis, vont droit à l'essentiel et font confiance aux instrumentistes. Mais ils ont peu le loisir d'approfondir leur travail et aucune grande figure ne marque un orchestre français comme Nikisch ou Furtwängler à Berlin et Leipzig. Cette notion de travail en profondeur n'émerge qu'au moment de la guerre, lorsque Charles Münch est à la tête de la Société des Concerts.

La tradition germanique est très différente. La formation des chefs étant essentiellement tournée vers le théâtre, le travail symphonique s'en ressent.

Une certaine confusion règne dans les orchestres allemands, et il faut attendre Hans von Bülow et ses successeurs (Nikisch, Mahler, Hans Richter, Weingartner, Furtwängler et Bruno Walter) pour que la situation se clarifie et qu'un véritable travail d'orchestre s'instaure. Pendant les longs séjours qu'ils effectuent à la tête des formations qu'ils dirigent, ces grands chefs forgent les orchestres à leur image et leur donnent un style propre.

Les pays anglo-saxons et surtout les États-Unis construisent toute leur politique musicale en matière symphonique sur cette notion de permanence du chef d'orchestre. L'Orchestre de Philadelphie en est le meilleur exemple puisqu'il n'a connu que deux directeurs musicaux en plus de soixante ans, Leopold Stokowski et Eugene Ormandy qui a « régné » sur cet orchestre pendant quarante-quatre ans ! Les orchestres de Chicago, Cleveland, Boston ou de la N.B.C. ont connu des périodes analogues avec respectivement Reiner, Szell, Koussevitzky et Toscanini. De nos jours, le principe subsiste toujours.

En Italie, l'art lyrique occupe une place souveraine et les chefs d'orchestre consacrent l'essentiel de leurs activités au théâtre. Leur formation correspond à cet impératif et il faut attendre la venue de Toscanini à la Scala de Milan pour que l'orchestre sorte de son rôle d'accompagnateur et soit considéré comme l'un des principaux protagonistes des réalisations lyriques.

L'INFLUENCE DE L'ÉCRITURE

Au début du XXe siècle, les transformations que connaît l'écriture symphonique vont jouer un rôle déterminant dans l'évolution de la direction d'orchestre. L'effectif orchestral arrive à un plafond (100 à 120 musiciens). Mais l'usage des instruments se modifie : les compositeurs diversifient les interventions instrumentales en subdivisant les parties. L'époque des doublures est révolue. Le chef d'orchestre doit éclairer ces partitions en réalisant un équilibre souvent difficile à obtenir. La mélodie ne s'impose pas toujours d'elle-même : elle est parfois masquée. Il faut la deviner. La notion de couleur sonore s'impose et la diversité des écoles instrumentales ne fait qu'accroître le rôle de coordination du chef d'orchestre.

Stravinski et Bartók bouleversent les données fondamentales de la rythmique. Jusqu'alors, les œuvres suivaient un rythme constant dans lequel l'unité de base ne variait pas. Si une mesure à $\frac{2}{4}$ se glissait au sein d'un mouvement à $\frac{4}{4}$, l'unité restait la même, la noire. Dès 1911, avec *Petrouchka,* et surtout 1913, avec *Le Sacre du printemps*, Stravinski abolit ces notions. Les enchaînements rythmiques les plus complexes se succèdent et posent au chef d'orchestre des problèmes auxquels il n'avait encore jamais été confronté. L'habileté de Monteux ou d'Ansermet permet de les résoudre, mais, si l'on réécoute les disques anciens des chefs de cette génération, on prend conscience des difficultés d'adaptation qu'ils ont dû surmonter. La rythmique est loin d'être aussi précise qu'elle l'est à présent, car ces chefs – et les musiciens qu'ils dirigeaient – avaient été élevés dans une tradition où la rigueur passait après l'expression. Il était naturel de varier le tempo au sein d'un même mouvement de symphonie pour contraster les thèmes (deuxième thème plus lent que le premier) ou pour accentuer certaines nuances (accélérations dans les crescendos, ralentis dans les diminuendos).

La notion d'unité de mouvement était encore très subjective. Comment imaginer alors une adaptation rigoureuse aux impératifs rythmiques de la jeune musique ?

L'APPARITION D'UN ENSEIGNEMENT DE LA DIRECTION D'ORCHESTRE

Dans le sillage de Stravinski, la plupart des compositeurs contemporains confient au chef d'orchestre de nouvelles missions qui iront jusqu'à la musique semi-aléatoire. La nécessité d'un enseignement spécifique se fait sentir. Les premières classes de direction d'orchestre apparaissent entre les deux guerres (dès 1914 au Conservatoire de Paris), mais ce ne sont que des annexes des classes d'orchestration ou de composition : les étudiants ne sont jamais confrontés à l'orchestre lui-même. Ils travaillent la gestique autour d'un piano et reçoivent des conseils d'ordre général.

Après la Deuxième Guerre mondiale, de véritables classes de direction d'orchestre voient le jour, avec un orchestre d'étudiants que dirigent les apprentis chefs d'orchestre. En dehors des classes permanentes qui se créent dans les conservatoires et écoles spécialisées, de nombreux stages internationaux permettent aux jeunes chefs de prendre contact avec l'enseignement d'autres écoles.

Mais la création d'un enseignement de la direction d'orchestre se traduit par l'apparition d'une nouvelle donnée : la technique de direction. On apprécie les chefs à leur perfection technique comme on juge des gammes d'un pianiste ou de la tenue d'archet d'un violoniste. Cet élément, qui jouait déjà un rôle inavoué en France en raison du manque de répétitions, se généralise dans le monde entier, accentué par la radio et par le disque : face au micro, la précision est capitale car l'enregistrement doit être parfait. En outre, la mission de la radio est de faire connaître une musique rarement jouée au concert, surtout la musique contemporaine. Là encore, les répétitions manquent et, bien souvent, il faut enregistrer après quelques heures de travail. Un chef habile peut gagner un temps précieux et de nombreuses carrières s'effectuent en fonction de ces nouveaux impératifs.

Peu après, un bouleversement capital intervient dans l'évolution de la direction d'orchestre : on voit apparaître à la tête des orchestres de jeunes chefs qui possèdent des connaissances souvent plus développées que leurs aînés lorsqu'ils montaient au pupitre pour la première fois. Mais leur manque d'expérience modifie les rapports entre le chef et l'orchestre et il est certain qu'au cours des premières années de leur carrière, les jeunes chefs apprennent plus des orchestres qu'ils ne leur apportent. Nombreux sont ceux qui commencent dans l'ombre d'un grand maître auquel ils servent d'assistant en effectuant souvent pour lui les répétitions préliminaires. Si cette situation n'aide pas l'autorité à se développer, elle permet par contre d'acquérir très rapidement un « métier » de haut niveau que reconnaîtront et respecteront les exécutants. Les carrières sont plus longues et les moyens de communication permettent des contacts accrus avec des orchestres d'esthétiques très différentes. Les chefs enrichissent leur direction d'éléments spécifiques à d'autres écoles, phénomène qui va d'ailleurs en s'accentuant car les jeunes chefs franchissent bien souvent les frontières pour aller travailler avec de grands maîtres étrangers.

L'ÉCOLE GERMANIQUE

Si les orchestres possèdent des esthétiques différentes selon les pays, les chefs sont un peu le reflet de ces grandes tendances, du moins pendant les deux premiers tiers de ce siècle. En Allemagne et en Autriche, une génération de personnalités marquantes impose un style où règne l'ombre de Wagner : Richter, Nikisch, Hausegger, Muck, Weingartner, Furtwängler, Walter, Knappertsbusch... Ils ont tous été formés à l'école de l'opéra et ne sont venus au concert que par la suite. Détenteurs d'une tradition, ils la transmettent intacte (Muck, Knappertsbusch) ou la font revivre en l'adaptant à leur époque (Weingartner, Walter). Mais la musique nouvelle les attire peu. Le souci d'authenticité passe après l'expression personnelle, qui ne connaît plus, néanmoins, les excès démesurés du passé. Certains chefs s'attachent à un orchestre pendant de longues années et se livrent à un travail en profondeur qui consolide les bases établies par Hans von Bülow, Mahler ou Richard Strauss (Nikisch et Furtwängler à Berlin, les deux mêmes et Bruno Walter à Leipzig, Weingartner à Vienne, Mengelberg à Amsterdam).

Leurs héritiers s'inscrivent dans la même tradition mais les orchestres symphoniques se développent. A leur tête, le chef permanent est souvent directeur musical, responsable aussi du fonctionnement quotidien de l'orchestre, une sorte de chef d'entreprise. Les qualités que l'on attend de cet homme vont donc évoluer au fil des années : ses compétences seront strictement limitées au domaine artistique dans un premier temps, puis s'étendront à la gestion, à la promotion, au show-business... le chef devenant le symbole de l'orchestre aux yeux du public. Ainsi, Böhm s'attache à la Staatskapelle de Dresde (1934-42), Schmidt-Isserstedt « construit » l'Orchestre Symphonique de la N.D.R. à Hambourg (1945-70), Jochum celui de la Radiodiffusion Bavaroise à Munich (1949-60), Fricsay celui de la R.I.A.S. à Berlin (1948-63), Karajan, qui succède à Furtwängler à la Philharmonie de Berlin en 1955, étant l'archétype de ce directeur d'orchestre moderne. Il est d'ailleurs nommé « à vie ».

Derrière ces personnalités marquantes règne un grand vide. L'Allemagne cherche les chefs de l'« après-Karajan ». Seuls Wolfgang Sawallisch et Christoph von Dohnányi semblent s'imposer à leur génération et tous deux se tournent vers le théâtre, cumulant les responsabilités artistiques et administratives, les postes de directeur général de la musique et d'intendant. Et, à la génération suivante, cette pénurie de talents s'amplifie.

LES PAYS LATINS

Dans le monde latin, l'évolution est différente. Chevillard, Messager, Gaubert, Pierné, Rhené-Bâton sont avant tout des chefs de concert qui dirigent aussi – avec bonheur – dans la fosse. Ils s'enferment progressivement dans le répertoire français et s'éloignent de la tradition d'exécution des grandes œuvres romantiques allemandes. A la génération suivante, Inghelbrecht, Paray, Bigot et Wolff marchent dans leur sillage. Ils se dévouent à la cause de la musique de leur temps. Monteux et Münch se situent en marge : le premier voyage beaucoup et son approche artistique s'enrichit au contact des orchestres américains ou de celui du Concertgebouw d'Amsterdam qu'il dirige fréquemment. Münch a été le violon solo de Nikisch à Leipzig et il réalise une synthèse unique entre les traditions française et allemande.

Après la dernière guerre, rares sont les chefs français d'envergure qui s'imposent : Cluytens, Martinon, Fournet, Dervaux. Mais tous les quatre sont de remarquables pédagogues et forment une pépinière de disciples qui, après avoir complété leur éducation auprès de maîtres étrangers, apporteront à la France le renouveau et l'ouverture artistique indispensables. Baudo, Lombard, Plasson, Casadesus sont les artisans de la résurrection des orchestres français en dehors de la capitale. Ils imposent un nouveau mode de travail, permanent et approfondi, qu'ils ont pu observer hors de nos frontières. Ils font école à présent et la jeune génération des chefs français s'attache à construire des orchestres, à leur donner un style, un répertoire, à les façonner. En marge de cette évolution, se situe Pierre Boulez : sa personnalité, son répertoire en font l'une des figures majeures de la direction d'orchestre en France. Mais il ne s'y produit que comme chef invité apportant un éclairage nouveau, celui d'un rationalisme poussé à l'extrême.

L'Italie est dominée par la figure de Toscanini. Son exigence légendaire et son tempérament hors du commun ont contribué au plus profond renouveau qu'ait connu l'histoire de l'interprétation. Il impose une rigueur alors ignorée et donne au rythme sa véritable place qui permet à la mélodie d'évoluer dans son cadre naturel et non plus au gré de l'inspiration de l'interprète. Il maîtrise les couleurs de l'orchestre et peut être considéré comme le premier chef de l'histoire moderne de la direction. Il faudra attendre Giulini, puis Abbado et Muti pour retrouver des personnalités d'une telle envergure. Comme Toscanini à la fin de sa carrière, tous trois vont chercher hors de leur pays des conditions de travail propices à leurs aspirations, car le tempérament méditerranéen se prête mal à ces impératifs.

Une autre grande personnalité domine la direction d'orchestre en Italie par le biais de la pédagogie : Franco Ferrara. Atteint d'une maladie nerveuse qui l'empêche de se produire en public, ce chef compte parmi les plus talentueux de notre époque et possède un pouvoir d'analyse exceptionnel qui lui permet de détecter la moindre erreur chez l'instrumentiste comme chez l'élève.

Autre Latin, le Roumain Sergiu Celibidache s'impose comme une personnalité en marge de toute école, amoureux fou de la perfection, capable d'obtenir un travail d'orchestre hors du commun, mais de caractère trop difficile pour rester longtemps à la tête d'une même formation.

LES AUTRES ÉCOLES

En Europe centrale, la direction d'orchestre évolue dans un contexte proche de celui de l'Allemagne et de l'Autriche. Mais les bouleversements politiques dispersent les écoles, les grands chefs choisissant souvent l'exil aux États-Unis (Reiner, Ormandy, Dorati, Szell), en Angleterre (Solti) ou en Allemagne (Fricsay, Kubelík, Kertesz). En Tchécoslovaquie, Václav Talich a formé un orchestre d'élite, la Philharmonie Tchèque, et une école de direction dont sont issus Karel Ancerl et Václav Neumann. János Ferencsik joue un rôle analogue en Hongrie. En U.R.S.S., Gaouk,

Samossoud et Mravinski ont jeté les bases d'une esthétique nationale illustrée par Kondrachine, Rojdestvenski et Svetlanov, puis Temirkanov, Ahronovitch et Simonov. Une parfaite connaissance du travail d'orchestre et la recherche du brillant dans un cadre rigoureux caractérisent cette école qui s'épanouit essentiellement dans son propre répertoire.

La Grande-Bretagne et les États-Unis n'avaient pas d'école de direction d'orchestre au début de ce siècle. Ils se tournèrent donc vers l'« importation » de grandes baguettes qui forgèrent leurs orchestres. Seule grande figure britannique de sa génération, Sir Thomas Beecham n'a pas fait école. Après lui, il a fallu attendre Colin Davis pour trouver une personnalité marquante.

Aux États-Unis, la plupart des chefs sont venus d'Europe centrale ou orientale : Damrosch, Mahler, Nikisch, Muck, puis Koussevitzky, B. Walter, Szell, Ormandy, Rodzinski, Leinsdorf, Dorati. Quelques Français ont apporté une touche de notre culture : Rabaud, Caplet, puis Monteux, Paray, Münch – essentiellement à Boston, d'ailleurs. Les conditions de travail, excellentes, permettent aux chefs de forger les orchestres à leur image, de leur donner un style. Après la Deuxième Guerre mondiale apparaît la première génération de chefs américains (Bernstein, Maazel, Schippers) : mélange des genres et des cultures, tempéraments très différents, absence de caractéristiques unitaires qui formeraient une école proprement dite. A la seconde génération, on retrouve ces traits chez Michael Tilson-Thomas ou James Levine.

Après avoir confié leurs orchestres à des chefs « nationaux », les Américains se tournent à nouveau, en cette fin de siècle, vers des chefs venus d'ailleurs. L'éventail des cultures est plus large : Boulez (France), Mehta (Inde), Ozawa (Japon), Rostropovitch (U.R.S.S.), Giulini (Italie), De Waart (Pays-Bas), Bertini (Israël). Dans des pays autrefois fermés à la musique occidentale, de nouveaux talents s'imposent et, avec eux, de nouvelles approches de la direction d'orchestre : souplesse féline et raffinement d'Ozawa, maîtrise des formes et des couleurs de Mehta, force dramatique pudique de Bertini...

LE DISQUE ET LA VIE MODERNE

Avec le disque, les interprétations tendent à une standardisation d'où n'émergent que les personnalités marquantes ou des prestations réalisées dans un certain contexte. La notion d'école semble appelée à disparaître même si la fibre nationale subsiste encore pour certains répertoires précis. Toutefois la direction d'orchestre est très en retard sur les autres disciplines à l'égard de la musique moderne qui reste, trop souvent, l'apanage de spécialistes initiés aux secrets du langage. Rares sont les grands chefs qui inscrivent des partitions contemporaines à leurs programmes car, pour la plupart d'entre eux, ils n'ont pas le temps de les étudier. Certains cumulent la direction de deux ou trois orchestres auxquels ils consacrent quelques mois par an. Ils acceptent très peu d'invitations au dehors et le profil de leur carrière se rapproche de celle de leurs aînés, il y a près d'un siècle ; mais ce sont des exceptions. D'autres vivent dans les avions et dans les chambres d'hôtels ; ils exploitent un répertoire quasi immuable et répètent pendant des années le même ronron qui a étonné au début. Rares parmi ces derniers sont ceux qui aiment travailler avec les orchestres : ils envoient leurs assistants et ne dirigent que des orchestres « qui marchent tout seuls ».

Une réaction devrait se faire sentir tôt ou tard car on peut s'interroger sur les mobiles artistiques de certains. Mais d'énormes intérêts financiers se cachent souvent derrière cette *overdose* qu'atteignent quelques chefs : les imprésarios, les éditeurs de disques, les sociétés de radio ou de télévision ne sont pas étrangers à cette situation qui nuit à la musique, à long terme.

La terre devient de plus en plus aride et un tel contexte est bien peu propice à la naissance de futurs talents, de vrais musiciens qui aient le goût de vivre, la force de résister au tourbillon, le désir de chercher en profondeur ce qui faisait la grandeur d'un Furtwängler, d'un Münch ou d'un Bruno Walter. Si la direction d'orchestre a évolué jusqu'à ce jour, si les talents se sont renouvelés, toujours plus parfaits, c'est parce qu'il y a eu une continuité entre les générations, les aînés sachant rester disponibles pour entrer en contact avec leurs cadets. Mais cette situation a pratiquement disparu : les contacts sont occasionnels, superficiels, trop brefs, et rares sont les jeunes chefs qui peuvent réellement profiter de l'expérience de leurs aînés. Les années futures verront-elles surgir des autodidactes de la direction d'orchestre ? Cette éventualité paraît difficile à admettre car elle correspondrait à un retour en arrière de plus d'un siècle et entérinerait la destruction, par les chefs eux-mêmes, de certains progrès dont ils ont été les premiers bénéficiaires. La direction d'orchestre a connu en peu de temps la plus profonde évolution de toute l'histoire de l'interprétation musicale. Il y a deux siècles, elle était inexistante. Maintenant, elle souffre de trop exister. Qui saura la soigner et comment ?

BIBLIOGRAPHIE

BERLIOZ, H. : *Le Chef d'orchestre, théorie de son art*, in Traité d'instrumentation et d'orchestration. Cayrol (1843).
BÖHM, K. : *Ma Vie.* Lattès (1980).
BOULT, A. : *A Handbook on the Technique of Conducting.* Paterson (1968).
FURTWÄNGLER, W. : *Musique et verbe.* Albin Michel (1979).
FURTWÄNGLER, W. : *Entretiens sur la musique*, Albin Michel (1979).
GOLDBECK, F. : *Le parfait chef d'orchestre*, P.U.F. (1952).
HOLMES, J.-L. : *Conductors on record*, Greenport Press, Westport (Conn.) (1982).
INGHELBRECHT, D.-E. : *Le Chef d'orchestre et son équipe.* Julliard (1949).
LORCEY, J. : *Herbert von Karajan.* PAC (1979).
MÜNCH, Ch. : *Je suis chef d'orchestre.* Conquistador (1954).
PIGUET, J.-C. : *La pensée d'Ernest Ansermet*, Payot, Lausanne/Van de Velde (1983).
SACHS, H. : *Arturo Toscanini.* Van de Velde (1980).
SCHERCHEN, H. : *Lehrbuch des Dirigierents.* Schott (1929).
SCHONBERG, H. : *The Great Conductors.* Gollancz (1968).
TETAZ, N.F. : *Ernest Ansermet, interprète*, Payot, Lausanne/Van de Velde (1983).
WAGNER, R. : *Sur la direction d'orchestre.* Fischbacher (1869).
WEINGARTNER F. : *Sur l'art de diriger.* Breitfkopf et Härtel (1911).

L'art lyrique

par Antoine Livio

Est-il nécessaire de revenir sur les liens entre la musique et le sentiment religieux, dès l'instant où il est question de la voix. Instrument privilégié, la voix est avec le piétinement et le battement des mains la traduction première de toute émotion.

Or, sans remonter à l'aurore des civilisations, force est de constater que ce qui s'est passé en Italie au XIXe siècle va se répéter au XXe siècle, mais aux États-Unis. Si le résultat est presque identique, le cheminement ne sera évidemment pas le même : ni les lieux, ni le contexte, ni surtout les personnages en présence offrent une quelconque ressemblance. Le petit enfant de chœur italien chantait dans la maîtrise, avant de s'approcher des orgues et ainsi entrer dans le *cursus honorum* de la musique d'église, puis de la musique tout court, et le plus souvent de la musique de théâtre, de l'opéra. Aux États-Unis, ce sont les chants des plantations, les chorals religieux que psalmodient les Noirs, ceux-là mêmes qui furent à l'aube du jazz, qui vont inciter les Noirs, et tout particulièrement les filles, à entrer dans les chorales des diverses églises, s'y faire remarquer et bientôt se diriger vers telle ou telle école de musique, le plus souvent la Juilliard School de New York.

Le jazz sera donc un des facteurs puissants de la grande mutation de l'art lyrique au XXe siècle, mais il n'est pas le seul : l'invention des moyens de reproduction mécanique (le disque, le magnétophone) et le développement des moyens de communication de masse (la radio, la télévision, le cinéma) seront déterminants. La musique ne peut rester indifférente au bouleversement technologique et va, au contact de ces moyens nouveaux, s'enrichir certes (pour certains perdre de sa transparence originelle), gagner en puissance et en mobilité, en rayonnement surtout.

Enfin la vie même, de par son intensité (donc sa trépidation), grâce aux inventions multiples (donc à une pollution grandissante), va modifier les conditions de travail des artistes lyriques et, par voie de conséquence, transformer la qualité de leur voix – et le mode même d'émission – jusqu'à la fragilité de leurs nerfs : le chanteur va connaître, amplifié, tout ce qui marque, traumatise, mais exalte l'homme en général et celui qui parle en particulier. N'y a-t-il pas jusqu'à l'avion qui, en supprimant les distances, va faciliter la carrière des chanteurs, mais par contrecoup rendre d'autant plus fragile la résistance de leurs cordes vocales et de leur système nerveux.

Sans parler de la pressurisation et de la dépressurisation qui mettent à rude épreuve leur système auditif.

Certes la médecine ne cesse de faire des progrès, et les otorhinolaryngologues disposent désormais d'un matériel hypersophistiqué pour enrayer la moindre défaillance ; mais en même temps la pollution envahissante – aussi bien la poussière dans les coulisses des théâtres que l'air conditionné dans les divers studios d'enregistrement – met à mal l'état général de l'artiste, quand elle n'atteint pas son appareil respiratoire et, en fin de compte, son appareil phonateur.

LES COMPOSITEURS ET LA VOIX

Si le XXe siècle a débuté le 1er janvier 1900, qu'en est-il du XXe siècle musical ?

Debussy vivra jusqu'en 1918, Puccini jusqu'en 1924 et Richard Strauss jusqu'en 1949 ! Mais Dukas et Nielsen, qui, l'un et l'autre, sont nés en 1865, appartiennent-ils au XIXe siècle ou sont-ils parmi les premiers représentants du XXe siècle ? On peut évidemment faire débuter le XXe siècle à la création du dodécaphonisme, mais ce serait se trouver en grande difficulté devant la production d'un Bartók (sauf si on le range volontairement parmi les « nationalistes », ce que font d'aucuns pour simplifier les choses), d'un Florent Schmitt, d'un Elgar, d'un Delius, voire d'un Stravinski. Car ce sont les compositeurs en premier qui vont modifier la technique vocale au XXe siècle. Bellini avait commencé, Wagner et Verdi ont poursuivi, chacun dans son style et dans sa volonté, de transformer la matière sonore pour la soumettre à sa conception de l'univers... sonore.

Jusqu'à la Seconde Guerre mondiale, la technique vocale est demeurée quasi inchangée. Chaque pays avait développé, pour sa propre musique et, avant tout, pour sa propre langue, une technique d'émission qui pouvait satisfaire le plus grand nombre de compositeurs.

Il est en effet certain que la langue, à partir de sa phonétique, de sa prononciation (donc de la pose de la voix et de l'émission), exige des techniques vocales fort différentes, dans les pays slaves, en Allemagne, en Italie et en France... pour ne songer qu'aux idiomes principaux : l'allemand, l'italien, le français et le russe sont les quatre langues les plus importantes de l'univers lyrique, d'où découlent du reste certaines autres, comme l'anglais et l'espagnol. Le seul grand problème s'est situé sur la langue allemande, entre les interprètes de Mozart et ceux de Wagner (la différence, pour l'italien, entre le bel canto et le vérisme n'est pas aussi essentielle). Jusqu'aux années 40, et même pourrait-on dire jusqu'aux années 50, on continuera donc d'interpréter les ouvrages lyriques comme on le faisait au début du siècle. A l'exception évidemment du Sprechgesang que Schönberg codifie en quelque sorte à partir du *Pierrot Lunaire.*

A L'AUBE DU SIÈCLE

Il n'est pas aisé de se faire une idée précise de ce que furent les grandes voix du début du XXe siècle. Il y a d'une part les écrits, mais on sait la subjectivité de qui écoute et ensuite tente de traduire avec des mots une sensation, une émotion. Quant aux premiers enregistrements, ils donnent une idée toute relative de la puissance des voix d'alors car les seuls points de repère que nous possédons sont la capacité, la sonorité et la réverbération des théâtres d'alors, qui pour la plupart sont encore ceux d'aujourd'hui, et la composition des orchestres. Or depuis Wagner, nous savons que le nombre des exécutants ne va plus guère varier. Si l'on songe que les voix enregistrées ont fait vibrer le vieux Metropolitan Opera, le Colón de Buenos Aires, Covent Garden, l'Opéra de Vienne et l'Opéra de Paris, il faut en déduire qu'à cette époque déjà on ne chantait pas de la même façon devant un micro que devant une salle.

En effet, Theodor Bertram, enregistrant, en 1904, l'air de Wotan (« Abendlich strahlt der Sonne Auge »), ne fait guère preuve d'une puissance nécessaire pour ce rôle de grand baryton. Si l'on reste dans le répertoire wagnérien, on peut également s'en référer à deux interprétations de 1907, Lilli Lehmann en Sieglinde et Ernest Kraus en Siegfried, pour l'air de la forge. Les aigus sont pénibles, tendus chez le ténor, alors qu'ils sont aériens, légers chez Lilli Lehmann, mais d'une fragilité telle qu'on les imagine difficilement dans le grand vaisseau de Bayreuth, où elle a pourtant participé à la création de la *Tétralogie*. Évidemment, elle a cinquante-neuf ans lors de cet enregistrement (Odéon 50 393) mais elle chantera encore trois ou quatre ans, jusqu'en 1910-11.

Faut-il en déduire qu'Ernest Kraus ne fut pas l'exceptionnel ténor de Berlin et de Vienne, créateur du rôle d'Hérode dans la *Salomé* de Strauss ? Certes non. Nous devons nous méfier de ces enregistrements de collection qui nous permettent de remonter le temps, mais guère de juger la qualité d'une interprétation.

On peut évoquer quatre paliers dans l'évolution de l'interprétation wagnérienne à Bayreuth (qui demeure sur le plan musical, et pour le sujet qui nous occupe, un exemple à nul autre pareil) : l'ère de Cosima (1886-1906), celle de Siegfried Wagner (1908-30), celle de Winifred Wagner (1931-44) et enfin le renouveau bayreuthien grâce à Wieland et à Wolfgang Wagner. Mais il s'agit bien davantage de conception scénique, de visualisation de l'univers wagnérien que de technique vocale. Car tout commencera réellement, en 1951, lorsque le Festival de Bayreuth va réouvrir ses portes ; à partir de cet instant l'univers lyrique européen, pour ne pas dire mondial, va se modifier entièrement et vocalement, musicalement et scéniquement.

En effet, on ne peut concevoir d'évolution lyrique, de transformation de l'interprétation si l'on isole la voix du jeu, et le jeu de toute la dramaturgie. Car c'est à partir d'une analyse toute particulière du jeu de Violetta par Lucchino Visconti que soudain l'on spécifie avec Carlo-Maria Giulini que dans *La Traviata* il faut au premier acte un soprano colorature, au deuxième acte un soprano lyrique et au troisième un soprano dramatique. Et plus tard, on arrivera à la même conclusion pour le rôle de Marguerite de *Faust* (colorature, dramatique et liricospinto).

UN RENOUVEAU TARDIF

Le milieu du siècle marque en réalité les vrais débuts du XXe siècle musical. C'est non seulement le renouveau de Bayreuth, mais ce sont les débuts de Maria Callas ; Karajan dirige à la Scala puis à Vienne dont il devient le directeur ; Strehler, Visconti et Zeffirelli abordent la mise en scène lyrique ; Berio et Maderna fondent le Studio de Phonologie de Milan et c'est la réalisation du disque 33 tours, longue durée. A quelques années près, tout se tient, concorde et joue en influence : en 1947, Walter Legge, alors directeur artistique de la Columbia, engage Elisabeth Schwarzkopf et l'épouse six ans plus tard : ainsi deux mariages vont marquer la transmutation de l'interprétation lyrique au XXe siècle : Maria Callas épousant l'industriel G.B. Meneghini et Elisabeth Schwarzkopf Walter Legge ! Serait-il étrange de songer qu'aucun des grands chefs d'orchestre qui ont sculpté les phalanges de Vienne, Berlin, Milan, New York... voire Paris, n'ont réellement, profondément révolutionné l'interprétation lyrique. Furtwängler et Toscanini, De Sabata et Karajan, Böhm et Giulini ont conféré un sens et une impulsion à cette révolution phonique, vocale, scénique ; mais ce ne sont pas eux qui furent les artisans, à la fois inspirateurs et exécutants, de ce bouleversement dont nous avons connu l'épanouissement le plus total dans les années 70-80.

Or il ne faut pas oublier ce qui s'est passé dans l'ombre du second conflit mondial, l'exode massif, vers les pays anglo-saxons, de tous ceux qui fuyaient le nazisme, le fascisme... pour des raisons diverses. Professeurs, chanteurs, chefs d'orchestre se sont retrouvés aussi bien dans les mégapoles riches d'une grande scène lyrique, que dans les petites villes universitaires. Ainsi, de la chorale paroissiale à la leçon de chant, voire à la scène... la voie fut aisée. Les exilés d'Europe apportaient une tradition dont la richesse décuplerait grâce au travail et sur ces voix neuves, mais si généreuses, voix en friche des chanteurs noirs. Plusieurs de ces pédagogues, dont l'histoire ne retiendra pas le nom, n'ont-ils pas reconnu que c'était face à l'étudiante noire, cantatrice en puissance, qu'ils avaient soudain découvert les vraies racines de la « tradition européenne ». Qu'était-ce que l'art de Vienne ou de Milan, sinon une certaine façon de ressembler à Elisabeth Schumann ou à Adelina Patti, qui n'était morte qu'en 1919 et dont les accents fabuleux étaient restés gravés dans les mémoires. Elisabeth Schumann, comme tant d'autres, avait conquis tous les États-Unis par des séries de concerts. Puis, en 1938, elle quittera l'Autriche pour gagner New York et y enseigner à peu près jusqu'à sa mort, en 1952. Car à New York, à San Francisco, à Los Angeles et dans d'autres villes encore, on retrouve tous les grands noms, toutes les grandes voix. Ignorant tout racisme, ces pédagogues seront les premiers à accueillir les jeunes noirs et à en faire les stars du XXe siècle. Ces mêmes élèves vont se retrouver, dès les années 50, en Europe où les opéras d'Allemagne et d'Angleterre surtout manquaient cruellement de forces vives. Ainsi Martina Arroyo, Marilyn Horne, Leontyne Price, Grace Bumbry acquièrent-elles une notoriété internationale !

L'ÈRE DE L'ENREGISTREMENT

Avant de revenir à une certaine influence de la politique sur l'évolution du chant, il est essentiel de considérer le bouleversement que crée l'invention du microphone, qu'il s'agisse de diffusion instantanée, ce qui fut son premier office, ou de reproduction mécanique, d'enregistrement sur disque ou sur bande magnétique. Le microphone devient très vite une oreille sans indulgence. Dans un premier temps, il sélectionne les chanteurs et oblige à une perfection sans égale ; rien ne lui échappe : l'éclat des aigus doit être irréprochable, les pianissimos impeccables et moelleux, etc. Mais, très vite, on constate que le microphone permet des approximations, des transformations, des approches différentes. Les voix les plus légères peuvent, grâce à certains accommodements techniques, aborder des rôles beaucoup trop lourds normalement pour elles... Ceci aura pour conséquence, assez déplorable, que certains directeurs d'opéras feront des distributions avec pour seule référence une pochette de disque, d'où des catastrophes mémorables !

Le disque – et la radio, par voie de conséquence – crée et propulse des chanteurs, des cantatrices qui n'ont pu tester, sur une scène, dans une salle, donc devant public, la vraie valeur de leur voix, de leur tessiture exacte. Mais il est vrai, à ce propos, que l'exacte tessiture d'un chanteur est un problème. Combien de barytons ne sont-ils devenus ténors, comme Ramon Vinay ou Claude Heater... mais si le premier a retrouvé vingt ans plus tard sa voix de baryton, le second a quitté la scène prématurément.

Anna Moffo est un exemple frappant de ce que le disque, la radio et même la télévision (car elle était fort belle et participa à de nombreux films d'opéras) peuvent faire comme tort à un joli timbre de soprano qui n'aurait jamais dû abandonner les rôles légers. L'épreuve de la scène fut vite cruelle.

L'EUROPE SE REDRESSE

Mais avant de revenir à l'influence du septième art, voire de la télévision, il est essentiel d'envisager ces années cinquante où l'Europe (l'Allemagne surtout)[1] se relève des horreurs de la guerre. Peu à peu les opéras resurgissent des décombres : on reconstruit Hambourg, Berlin, la Scala surtout ! Il faut composer des affiches et susciter des premiers rôles puisque les vedettes d'avant guerre ont pour la plupart cessé de chanter et enseignent aux États-Unis. En Autriche et en Allemagne, on se tourne vers les jeunes artistes des pays de l'est comme Séna Jurinac qui arrive de Zagreb alors que Londres accueille de jeunes voix américaines comme Astrid Varnay. Bientôt Joan Sutherland arrive d'Australie pour étudier avec Clive Carey ; mais il y a d'autres pédagogues dans la capitale britannique, comme Hélène Iseppo qui formera Janet Baker, entre autres. C'est à Londres du reste que Walter Legge réussit à créer un orchestre pour Herbert von Karajan, interdit d'estrade. Ils sont plusieurs à être dans son cas, Karl Böhm en tête ; ainsi le Philharmonia va devenir un instrument de première qualité. Le directeur de la Columbia veut enregistrer des opéras : il réalise autour d'Elisabeth Schwarzkopf des distributions idéales et veut quatre à six semaines pour enregistrer ce qui demeure aujourd'hui encore des versions de références.

En effet, la technique qu'il a mise au point avec celle qui deviendra sa femme permet à Walter Legge de composer une vraie troupe qui, en fait, n'existe que sur le papier... et la pochette des disques, mais qui va répandre à travers toute l'Europe musicale un style qui, parti de l'exécution du Lied, permet d'approfondir la psychologie de tout personnage. Avec Walter Legge, on constate très vite les avantages du micro. Miniaturiste, il peut

1. La quasi-totalité des opéras d'Allemagne est détruite.

amener le chanteur à une simplicité d'exécution qui bientôt lui permet d'approcher la perfection. C'est l'ère des voix rondes et moelleuses qui paraissent ignorer la difficulté, l'effort mais aussi l'outrance et le pathos. Ainsi le vibrato, pour ne prendre que cet exemple, n'est utilisé qu'en dernier ressort, afin de souligner l'exceptionnel d'une situation ou l'état de crise d'un personnage.

C'est également l'époque où Maria Callas met au point, avec Elvira de Hidalgo, l'équilibre d'une voix de soprano qui va recouvrir et découvrir la tessiture la plus étonnante, montant jusqu'à l'aigu du soprano colorature léger et descendant jusqu'au grave profond des grands sopranos dramatiques (Maria Callas chantera même certains rôles jusqu'alors réservés aux mezzos). Or ce travail de recherche pour définir l'espace sonore le plus étendu – avec l'impact le plus spécifique sur le public – sera poursuivi, à l'instigation de G. B. Meneghini (qui sera l'époux de la Callas, de 1949 à 1959), par les metteurs en scène et plus particulièrement Lucchino Visconti et Franco Zeffirelli. On peut s'étonner que, dans cette évolution de l'interprétation lyrique au XXe siècle, les metteurs en scène prennent soudain le pas sur les chefs d'orchestre. Mais ces derniers (Furtwängler, Toscanini, Walter, Böhm, Giulini...), s'ils ne négligeront jamais le chanteur, porteront tous leurs efforts sur la transformation de l'orchestre pour arriver à cette transparence de lecture que Pierre Boulez portera à son paroxysme. Lucchino Visconti, en discussion avec De Sabata, comparait la présentation d'un opéra à certains tableaux de la Renaissance italienne : au chef et à l'orchestre de brosser le décor, de miniaturiser ces arrière-plans de collines et de vallons, avec des tranches de vie étonnamment croquées ; au metteur en scène de dessiner, d'éclairer, de donner vie aux personnages du premier plan.

BOULEVERSEMENTS ESTHÉTIQUES

Si la voix des chanteurs s'est transformée au cours de la seconde moitié du XXe siècle, c'est donc d'abord grâce à l'entente entre le metteur en scène et le chef d'orchestre... pour autant qu'il y ait eu sur scène des artistes de la qualité de la Callas, capables d'effacer l'effort physique surhumain qu'exige l'exécution d'un opéra, pour retrouver la simplicité, l'humanité et la vérité qu'ont imposées d'une part le disque, d'autre part le cinéma, puis la télévision.

La nécessité d'une musicalité totale, d'une voix parfaite (influence du disque ; travail de Walter Legge avec Elisabeth Schwarzkopf, entre autres), l'exigence d'une silhouette crédible, d'une psychologie étudiée en profondeur et traduite avec une sensibilité sans faille mais avec une simplicité totale des moyens (influence du cinéma : travail de Visconti, de Zeffirelli mais aussi de Wieland Wagner ; avec le concours de la Callas d'une part, d'Anja Silja d'autre part). Un enregistrement réunit ces deux efforts, ces deux tendances : *Turandot* avec la Callas et Schwarzkopf. Un homme bientôt établit la synthèse de cette transmutation : Herbert von Karajan. Il a appris de Legge ce qu'exige le disque. Il est à la Scala durant les années où triomphe la Callas. Mais il est aussi du renouveau de Bayreuth, dirigeant des représentations mémorables des *Maîtres chanteurs*, aux côtés de Wieland Wagner.

Le refus d'illogisme, visuel et sonore, du nouveau maître de Bayreuth (jusqu'à sa mort, son frère Wolfgang ne sera qu'un second, admirable administrateur) est contrebalancé par une ouverture totale du champ visuel, repoussant l'espace à l'infini, et abandonnant le tout à l'imaginaire du spectateur. Ainsi les voix deviennent-elles essentielles, dans le jeu de cette abstraction de couleurs et de formes, de projections (dans l'utilisation des couleurs chères à Appia). Avec Martha Mödl, Astrid Varnay et Leonie Rysanek, Wieland Wagner (aidé des chefs d'orchestre Knappertsbuch, Cluytens, Sawallisch...) définit l'allure et la puissance de la nouvelle cantatrice wagnérienne, celle-ci incarnée par Anja Silja, silhouette et voix, puissance dramatique et crédibilité. Malheureusement ces bouleversements esthétiques, s'ils ne sont pas sans lendemain – car les jeunes générations en ont saisi l'exacte portée –, disparaîtront avec leurs auteurs ou leurs réalisateurs : Wolfgang Wagner préférera Birgit Nilsson et le bel canto acceptera pour « incarnation » Montserrat Caballé.

C'est un retour en arrière, mais passager. En effet les pays anglo-saxons, jusqu'alors privés de réelles écoles de chant, ont accueilli tous ceux qui fuyaient le nazisme, et ainsi créé une nouvelle génération de chanteurs qui, pour la plupart, sont avant tout des interprètes. Ils connaissent les possibilités extrêmes du chant, même soumis aux fantaisies extravagantes d'un metteur en scène. On bouge, on danse même, on ne se contente plus de chanter.

Pendant ce temps, à l'Opéra d'État de Hambourg, Rolf Liebermann suscite une autre école, celle des chanteurs de demain, capables d'interpréter la musique que l'on dit du XXIe siècle, pour ne pas avoir à faire l'effort de l'assimiler. Passant commande, chaque année, d'un ou deux ouvrages, Liebermann renouvelle en quelque quatorze années de travail à l'Opéra de Hambourg le répertoire contemporain. En même temps, il suggère – grâce à de jeunes metteurs en scène, le plus souvent d'obédience brechtienne – une nouvelle plastique sonore. L'introduction de l'électro-acoustique et toute la nouvelle technologie théâtrale sera dès lors partie intégrante des productions de pointe de l'Opéra de Hambourg. Cet effort culminera dans la présentation de *Kyldex*[1] de Pierre Henry (1973) ; mais peu auparavant, répondant à une commande de Liebermann, Gian-Carlo Menotti fera sous forme de conte pour enfants la critique de ce nouvel opéra dans son ouvrage *Hilfe, Hilfe, die Globolinks.*

Acceptant le poste d'administrateur de l'Opéra de Paris, Rolf Liebermann se donne pour tâche primordiale de rendre à la première scène lyrique de France son éclat d'antan. Ce faisant, il établit malgré lui un bilan des écoles de chant dans le monde : en les opposant sur un même plateau, il jauge les résultats obtenus, tant à Milan qu'à Moscou[2], à Londres et à New York, en comparaison avec ce qu'il connaît d'Allemagne et entend en France. C'est un vaste remue-ménage, une nouvelle échelle des vraies valeurs. Certes Liebermann n'est pas infaillible. Pourtant il est le premier qui sache rendre à l'école française de chant une place que précédemment elle connaissait peu : car ce n'est qu'à l'échelon international que l'on peut juger de la qualité d'une voix inscrite dans la vision d'un metteur en scène

---

1. *Kyldex 1*, spectacle spatio-lumino dynamique et cybernétique de Nicolas Schöffer, Pierre Henry et Alwin Nikolaïs.

2. Il y eut durant plusieurs saisons des échanges de professeurs entre Moscou et Milan.

(*les opéras ne sont pas des oratorios en costumes* ! proclamait Liebermann, à Hambourg déjà).

C'est Liebermann qui convaincra Patrice Chéreau de s'intéresser à l'art lyrique et lui permettra ainsi de poursuivre la révolution esthétique amorcée par Wieland Wagner. Au-delà des styles et des années, les deux hommes se retrouvent ; et Pierre Boulez, qui a dirigé le *Parsifal* du second et sera l'âme musicale de la *Tétralogie* du premier (pour le centenaire de Bayreuth), le constatera parmi les premiers.

Au XXe siècle, la voix humaine a connu des révolutions sonores, des bouleversements autrement plus essentiels que ceux qu'elle a subis au XIXe siècle. Qu'importe, les muscles des cordes vocales n'en demeurent que plus vaillants. En effet, de même que les sportifs ne cessent d'améliorer leurs prouesses, les chanteurs peuvent dominer sans cesse les embûches et les épreuves auxquelles la musique et l'art de l'opéra les soumettent. Tout est un problème de préparation. L'important est ailleurs et demeure cette ouverture à l'imaginaire.

BIBLIOGRAPHIE

BING, R. : *5 000 Nuits à l'Opéra.* Robert Laffont (1975).
GOLÉA, A. : *La Musique de la nuit des temps aux aurores nouvelles.* Alphonse Leduc (1977).
GOURRET, J. : *Dictionnaire des chanteurs de l'Opéra de Paris,* Albatros (1983).
GOURRET, J. : *Vivre l'opéra,* Albatros (1975).
GOURRET, J. : *Ces hommes qui ont fait l'opéra,* Albatros (1984).
LEIBOWITZ, R. : *Histoire de l'Opéra.* Buchet-Chastel (1957). *Les Fantômes de l'Opéra.* Gallimard (1972).
SCHARBERTH, I. : *Musiktheater mit Rolf Liebermann.* Christians (1975).
STREHLER, G. : *Un Théâtre pour la vie,* Fayard (1980).
TUBEUF, A. : *Le Chant retrouvé.* Fayard (1979).
WOLFF, S. : *L'Opéra au Palais Garnier,* Slatkine (rééd. 1983).

L'oratorio et la mélodie

par Antoine LIVIO

Contrairement à ce que l'on a pu estimer au cours des siècles derniers, où l'oratorio et l'opéra avaient de nombreux points communs, l'interprétation de l'oratorio au XXe siècle se rapproche de plus en plus de l'interprétation de la mélodie (le *Lied* allemand).

Il n'apparaît pas comme nécessaire de différencier, à ce propos (l'interprétation), l'oratorio, la cantate – qu'elle soit profane ou religieuse – voire la messe et le Requiem. Si l'opéra s'est distancié, c'est exclusivement pour des raisons, ou des nécessités, scéniques. Les metteurs en scènes (de Wieland Wagner à Patrice Chéreau, en passant par Felsenstein, Strehler, Visconti, Zeffirelli, etc.) ont tous joué un rôle prédominant sur l'interprétation lyrique. En revanche, pour l'oratorio ou la mélodie, ce sont les compositeurs, mais aussi les pianistes accompagnateurs, les chefs d'orchestre et même les directeurs artistiques des enregistrements (tout spécialement Walter Legge) discographiques ou radiophoniques qui ont joué et jouent encore un rôle jusqu'alors dévolu aux professeurs de chant.

L'HEURE DE GLOIRE DE LA MÉLODIE

Au début du XXe siècle, l'Europe musicale vit l'apogée de la mélodie, aussi bien dans les pays de langue allemande (Mahler, Richard Strauss, Wolf), qu'en Russie (Tchaïkovski, Rimski-Korsakov, Prokofiev...), en Espagne (Falla, Granados...) et en France (Fauré, Dukas, Massenet, Debussy, Poulenc...).

Il est indéniable que les écoles nationalistes, en puisant aux sources du folklore et des mélodies populaires (Bartók, Janácek, Kodály, Enesco, Grieg...), ont réduit la puissance vocale et l'intensité d'interprétation des mélodies. Le romantisme, tout en respectant l'intériorité, avait suscité l'outrance, la peine soutenue à l'excès. Seule l'école italienne, avec le vérisme, et une certaine école germanique, avec le post wagnérisme, conserveront quelques années encore cette enflure vocale, ces effets puissants de contrastes sonores.

L'école française est peut-être une des premières – par réaction évidemment contre le wagnérisme excessif dont l'influence est indubitable sur les compositeurs de la fin du XIXe siècle et du début du XXe – à souhaiter comme une confidence. Ainsi s'établit une sorte de parallélisme entre la légèreté de la musique et l'humour d'une certaine poésie mise en musique par les compositeurs (Satie d'une part, et d'autre part de Ravel à Poulenc).

On chante alors dans un salon, accompagné d'un seul piano, parfois d'une flûte, d'une clarinette ou d'une guitare : la voix doit donc être claire, mais simple et discrète, sans effets ni grandiloquence, sans vibrato surtout. Ce sont en fait les mêmes qualités qu'exigera bientôt le microphone. Les prouesses vocales du bel canto, les vocalises à outrance ont disparu ; mais il subsiste pourtant, en France surtout, un certain souci de la sophistication musicale, accompagnée d'une recherche vocale qui très vite passera de mode.

LA DISPARITION DES ÉCOLES NATIONALES

Faut-il remarquer que le grand héritage du XIXe siècle sera une certaine spécificité des tessitures. L'école russe, l'école slave font preuve d'une prédilection pour les voix graves et tout particulièrement pour la voix de basse, alors que depuis Wagner le chant germanique développe également le registre grave des voix aiguës, chez les femmes surtout ; l'école italienne, avec le bel canto, s'est plu dans les ornements les plus aigus du style colorature des sopranos ; et aussi étrange que cela paraisse au premier abord, l'école française a surtout enrichi le répertoire des ténors. Citer les rôles de Faust, de Werther nous fait sortir du sujet, mais illustre clairement notre propos. Toutefois ce cloisonnement ne satisfait aucunement la jeune génération qui tente de s'affirmer, dès le premier conflit mondial. Nul cloisonnement du reste. Le XXe siècle, avant toute chose, va s'opposer au nationalisme, sur le plan artistique et musical, avant même qu'il ne soit question de positions politiques. Et le seul qui demeurera viscéralement attaché à son pays et à ses sources d'inspiration musicale sera paradoxalement Igor Stravinski qui, ayant quitté la Russie à moins de trente ans, n'y retournera qu'un demi-siècle plus tard afin d'y célébrer ses quatre-vingts ans. Entre-temps, il fut français de passeport, vécut et composa en Suisse, et mourut américain ! Mais si, jusqu'à la fin de sa vie, il resta fidèle aux mélodies et aux vieilles chansons russes, on ne peut en conclure qu'il se soit particulièrement intéressé aux problèmes vocaux. Pourtant une certaine littérature vocale allait lui faciliter l'accès à ce dodécaphonisme qu'il avait d'abord rejeté : la découverte des madrigaux de Carlo Gesualdo da Venosa. Ce ne sont pas tant les brusques contrastes rythmiques qui l'impressionnent mais bien la hardiesse de la richesse harmonique, l'utilisation du chromatisme, des fausses relations, des dissonances qu'il retraduit dans cet étonnant *Monumentum pro Gesualdo* et dont il utilisera enfin toutes les subtilités vocales pour des voix humaines, cette fois dans les *Threni, id est Lamentationes Jeremiae Prophetae.*

Mais Igor Stravinski est un compositeur à part. Il n'appartient à aucun mouvement – même pas au dodécaphonisme qu'il découvre très tard : il est septuagénaire quand il reconnaît les qualités de Webern et accepte la méthode sérielle – mais il cautionne et incite les timorés à le suivre. On pourra dire de lui ce qu'on a dit de Cocteau : « il n'est pas le premier sur les barricades, mais c'est lui qui brandit le drapeau. »

LA VOIX-INSTRUMENT

Alors qu'a-t-on vu (et entendu) avant ces années 50 ? la voix d'abord est devenue un instrument. Elle a perdu sa royauté ; elle est rentrée dans le rang ; elle fait désormais partie intégrante de l'orchestre. Si la mélodie disparaît, se multiplient, en revanche, oratorios, cantates, pièces pour voix et orchestre... Tout comme l'instrumentiste qui doit développer une vélocité nouvelle pour suivre les séries sur toute l'étendue de ses possibilités, le chanteur devra bientôt ignorer quelle est son exacte tessiture. C'est pour son timbre ou son style de voix que le compositeur a écrit, lui demandant de moduler à l'extrême son émission, de fragmenter le son, de le bruiter, de le murmurer ou de le crier, voire de refuser la beauté et la plénitude d'un phrasé, pour rechercher la laideur en tant que telle (« de la laideur considérée comme un des beaux-arts » a-t-on même pu écrire !). Bientôt, les premières exagérations passées, un style est né pour ne pas dire une technique. Les muscles des chanteurs, des cantatrices surtout, ont permis à ces cordes vocales d'effectuer de nouvelles gammes d'effets sonores : on réussit avec la voix ce que John Cage obtient de son piano préparé. Certes, il n'est pas toujours prouvé que la même cantatrice puisse ensuite chanter Monteverdi, Mozart ou Wagner. Mais n'est-il pas difficile, déjà, d'exécuter avec la même perfection ces trois compositeurs ?

RETOUR AUX SOURCES

Si la grande évolution de la voix au XXe siècle oblige les chanteurs à certaines acrobaties, tout un courant musicologique s'est tourné, par réaction peut-être, vers le passé le plus lointain. Evidemment, doit entrer en ligne de compte le besoin constant de renouvellement de la radio, pour ses programmes, et de l'industrie discographique, pour ses catalogues ; il ne faut cependant pas négliger des apports foncièrement désintéressés, comme le travail des moines de Solesmes qui, parmi les premiers, ont permis de retrouver les beautés spécifiques de l'art grégorien. Leurs travaux seront suivis, imités, parfois même contrés. Il est vrai que le chant grégorien réussit alors à régénérer non seulement les chorales, mais aussi l'inspiration de certains compositeurs. Le chant liturgique, la pièce chorale d'inspiration religieuse vont connaître un regain de popularité.

Or, on ne se satisfait plus de la simple exécution, souvent tonitruante, du début du siècle. Le chant grégorien, puis Monteverdi – tout comme Gesualdo pour Stravinski – incitent les chefs de chœur, nouveaux cantors, à obtenir des effets de finesse et de réelle sophistication vocale. Par voie de conséquence, les compositeurs se hasardent à exiger des masses chorales une miniaturisation aboutissant à l'emploi d'un hyperchromatisme qui n'a plus rien à voir avec Liszt ou Wagner. Marcel Landowski, en France, reprend la grande leçon de Honegger, alors qu'en Pologne Krysztof Penderecki va très loin dans les audaces, tant rythmiques qu'harmoniques. L'utilisation des quarts de ton devient même d'un usage courant : ils procurent, aussi bien dans le *Dies Irae* (oratorio à la mémoire des victimes d'Auschwitz) que dans *la Passion selon saint Luc*, un nouvel éclairage des textes choisis par le compositeur. Car c'est là une des grandes constantes du XXe siècle : la musique se doit d'illustrer les textes littéraires, tantôt dans le réalisme le plus absolu, tantôt dans l'éclatement sonore le plus surréaliste, mais toujours avec une fidélité qui nécessite, chez le chanteur, une élocution sans faille.

SCHÖNBERG

Ces rapports avec le texte auront connu, suivant les pays et les écoles, des traitements fort divers. L'influence du « cabaret » allemand n'est pas à négliger. Relativement éloigné du cabaret français, beaucoup plus littéraire et musicalement plus poussé, c'est lui qui amènera Schönberg à structurer en quelque sorte le *Sprechgesang*, dont il fera un si large usage. Mais c'est aussi ce même cabaret qui servira la veine d'un Kurt Weil, étrangement suivi, considéré donc comme maître par toute une portion de la jeune musique allemande (surtout d'Allemagne démocratique, mais plusieurs de ces compositeurs – comme Thilo Medek – ayant émigré à l'ouest, la mode s'en répand sur les rives du Rhin). Quoi qu'il en soit c'est Arnold Schönberg qui peut incarner à lui seul toute l'évolution de la voix au XXe siècle, dans la mélodie et dans l'oratorio.

Ses premiers *Lieder* reprennent le post wagnérisme de Reger, Mahler, Strauss et Wolf ; mais l'érotisme et la sensualité sont décuplés par l'usage de l'hyperchromatisme, dont la grande forme atteint une sorte d'apogée dans les *Gurrelieder*, oratorio aux proportions gigantesques.

On assiste peu à peu à la désagrégation de la tonalité. C'est soudain (1907-08) le *2e Quatuor à cordes* en fa dièse min. op. 10 où, dans les deux derniers mouvements, une voix de soprano vient se superposer aux instruments. C'est la rupture. La tonalité, à partir de cette année 1908, est abolie : « toutes les barrières d'une esthétique du passé sont brisées », écrit Schönberg en marge de son op. 15, les *Quinze Lieder* de Stefan George. Ce langage mélodique concentré à l'extrême lui permet de faire éclater le *Lied* aux dimensions d'un opéra et ce sera *Erwartung* (1909). Il se passionne également à cette époque pour les formes anciennes, tentant d'établir un pont entre le passé perdu et ses recherches dont il perçoit la puissance face à la fragilité des règles imposées par les XVIIIe et XIXe siècles. Ces formes anciennes, on en retrouve l'écho dans les 21 mélodrames d'après le poème d'Albert Giraud (traduit en allemand) le *Pierrot lunaire* (1912). C'est l'apparition du *Sprechgesang* puisqu'il écrit les rythmes, les montées et les descentes de la voix. On pourrait presque dire qu'il « note » la parole de la cantatrice. Ce style lui sied et ne sera pas sans l'influencer grandement par la suite. Il pousse la cantatrice à amplifier et à développer le travail de la comédienne, en l'occurrence Albertine Zehme qui lui avait « demandé » le *Pierrot lunaire*. Il écrira plus tard deux autres mélodrames, dans lesquels il poursuivra cet effort de notation de la voix parlée : *Kol Nidre* (1938) et *Ode à Napoléon Bonaparte* (1942). C'est à la veille et durant la Première Guerre mondiale qu'il va se servir pour la première fois de thèmes composés de douze sons différents, dans les *Quatre Lieder* pour soprano et orchestre (1913-16) sur des poèmes de Rilke et de Dawson, puis dans l'oratorio l'*échelle de Jacob* (1917) dont il écrit également le texte.

Pour calmer l'appréhension des choristes auxquels il dédie son op. 27 (*Quatre Pièces* pour chœur mixte), il choisit des séries pseudo-tonales. Dernier ouvrage composé en Europe, après l'opéra bouffe *Du Jour au lendemain* et l'opéra inachevé *Moïse et Aaron*, les *Six Chœurs* a capella (op. 35) s'inscrivent également dans cet effort de composer à la fois le texte et la musique, comme pour mieux diriger l'érection de cette architecture sonore.

Réfugié aux États-Unis, Arnold Schönberg va peu à peu assouplir la rigidité des règles du dodécaphonisme, pour aboutir à une large plainte – réflexion douloureuse sur les misères humaines – dans la cantate *Un Survivant de Varsovie* et dans trois œuvres chorales (dont la dernière ne sera jamais achevée) qui toutes les quatre seront inspirées, de diverses façons, du testament d'Israël. Schönberg termine ainsi, en explicitant en quelque sorte ses attaques contre un certain « folklorisme », de Stravinski en particulier.

Ses deux disciples, Alban Berg et Anton Webern, consacreront une part importante de leur production à la musique vocale, à la mélodie, à l'oratorio et à la cantate. C'est ainsi que, poursuivant son analyse de Webern, Pierre Boulez composera ses œuvres les plus marquantes, pour voix et instruments (*Le Marteau sans Maître, Pli selon Pli*, etc.). Mais le traitement de la voix, la technique vocale ne subissent plus, chez Boulez, de révolution particulière. C'est peu à peu une plénitude et une sérénité vocale qui rejoint un certain polyphonisme. La voix retrouve l'étrange et beau mystère des madrigaux de Carlo Gesualdo da Venosa.

BIBLIOGRAPHIE

Bernac, P. : *Francis Poulenc et ses mélodies.* Buchet-Chastel (1978).
Boulez, P. : *Penser la musique aujourd'hui.* Gonthier (1963).
Landowski, M. : *Arthur Honegger.* Seuil (1957). *Batailles pour la musique.* Seuil (1979).
Schönberg, A. : *Le Style et l'idée.* Buchet-Chastel (1977).
Stravinski, I. : *Chroniques de ma vie.* Denoël-Médiations (1962). *Poétique musicale.* Janin (1945).

La musique ancienne

par Pierre-Paul LACAS

L'évolution de l'interprétation de la musique des siècles passés, et plus particulièrement de celle qui est antérieure au XIXe siècle, a connu, depuis une vingtaine d'années surtout, une profonde mutation. La polémique qui s'est engagée à ce sujet est loin d'être apaisée et la querelle des Anciens et des Modernes prend nouvelle figure. Cette mutation est due en partie à l'approfondissement des connaissances musicologiques, mais surtout à ce que l'on pourrait considérer comme un réel changement de mentalité face aux œuvres du passé.

Ce qui sera rappelé dans les lignes suivantes ne peut, à l'évidence, qu'être sommaire et, partant, relativement injuste pour les chercheurs et les interprètes antérieurs à la période considérée. Il serait toutefois erroné de croire que nous défendons une thèse qui tendrait à prendre le plus récent pour le meilleur. Gardons-nous du snobisme et de la mode, passagère par définition ! Nous souscririons plus volontiers à la thèse contraire qui pose en principe de philosophie de l'art que le progrès n'existe pas, quelles que soient les découvertes d'ordre technique – mais justement d'ordre seulement technique – qui voient le jour au cours de l'histoire. Un Giotto a-t-il moins de génie qu'un Cézanne, ou un Dufay moins qu'un Debussy ? La question n'a guère de sens.

Méfions-nous aussi des découpages temporels, faciles mais sujets à équivoque. Certes, nous acceptons les expressions telles que Musique du Moyen Age, de la Renaissance ou du Baroque ; toutefois, que de différences essentielles entre l'art monodique du Grégorien, dont la restauration de type solesmien n'a que peu à voir avec ce qui fut chanté dans les monastères des époques mérovingiennes et carolingiennes, et la polyphonie de l'Ars Nova, qui est toujours classée sous la même rubrique historique : musique du Moyen Age ! Près d'un millénaire sépare les chantres solistes antérieurs à Grégoire-le-Grand lui-même et les chœurs savants de la Renaissance franco-flamande, lesquels sont, tant historiquement que stylistiquement, sans nul doute plus proches de nous. Cependant, entre l'art du début de l'époque franco-flamande – celui-là même d'un Guillaume Dufay en qui s'opère la jonction de l'ère moyenâgeuse et de l'ère de la musique de la Renaissance –, et l'art des Chansons polyphoniques de la France du XVIe siècle par exemple, quelle distance stylistique ! Les critères d'interprétation de l'une et l'autre musiques seraient-ils en tous points identiques ?

MOYEN AGE ET RENAISSANCE

La musique du Moyen Age occidental commence avec la musique chrétienne, regroupée sous la dénomination trop simplifiée de Chant grégorien ; elle se termine grosso modo à la fin du XVe siècle, si l'on suit les vues de Jacques Chailley qui estime que le Moyen Age « s'achève avec les derniers remous de la Guerre de Cent ans » (*Histoire musicale du Moyen Age*, p. 285). Au début de notre siècle et jusque vers les années trente, la musique du Moyen Age au concert était quasiment inconnue. C'est ce même J. Chailley qui, à l'instigation de Gustave Cohen, ressuscita le théâtre musical médiéval (*Jeu d'Adam et Ève*, Paris, 1936) ; mais il n'y était pas question d'instruments anciens. On appelait « primitifs » les musiciens antérieurs à J.-S. Bach ; ainsi trouve-t-on des programmes de récitals d'orgue intitulés : « Des primitifs à J.-S. Bach », jusque vers les années cinquante. Qui étaient ces primitifs ? Des compositeurs du XVIIe siècle, tels que Frescobaldi ou Titelouze... Dans les églises, on entendait les œuvres de quelques noms célèbres de grands polyphonistes comme Palestrina, Lassus, Vittoria. Si le mérite des défricheurs du XXe siècle est grand d'avoir progressivement modifié de fond en comble notre vision de la musique antérieure à 1600, c'est toutefois surtout depuis vingt ans, et davantage encore au cours de la dernière décennie, que l'attrait pour une reviviscence de ce répertoire ancien a connu un réel approfondissement.

Le chant grégorien

Prenons le cas du Grégorien. La reconstitution solesmienne, fondée sur des principes musicologiques nés au XIXe siècle, a été tiraillée entre deux finalités : l'une, essentielle pour la vie religieuse conventuelle et monacale, cherchait à assurer un renouveau musical pratique des monodies traditionnelles (à l'encontre de ce qui se faisait par exemple à l'École Niedermeyer) ; l'autre tendait à fonder sur des bases scientifiques solides (paléographie musicale, critique historique) la nouvelle manière d'exécuter les mélodies reconstituées. La controverse, pour l'essentiel, porte encore sur la question rythmique, dans la mesure où la reconstitution a trop uniformément consisté à systématiser l'exécution autour de l'idée d'une unité de temps non décomposable. A cela s'ajoute le style choral né du souci de faire chanter tous les moines et de ne confier qu'à un petit chœur de solistes les chants mélismatiques. Or, surtout depuis une dizaine d'années, apparaissent des essais – encore timides – de chants mélismatiques par des solistes qui tiennent à redonner vie à l'ornementation virtuose, et cela à partir même des neumes réinterprétés : ainsi, les tentatives de Magdalith ou d'Igor Reznikov. Par ailleurs, Konrad Ruhland redonne à l'hymnique antérieure à l'époque grégorienne (hymnes de saint Ambroise) leur battue ternaire, applicable aussi à nombre de Séquences des XIIe et XIIIe siècles. On abandonne donc de plus en plus la pratique d'un chant uniformément traduit en notes d'égale valeur. Comment imaginer qu'il en était ainsi quand, par exemple, certaines vocalises du chant dit Vieux Romain comportaient plus de cent cinquante notes ?... Une autre voie, inaugurée par Alfred Deller, s'attache à ressusciter un répertoire ignoré de la liturgie traditionnelle, mais son interprétation reste sensiblement dans la mouvance solesmienne.

Trouvères et troubadours

C'est aussi vers une plus grande liberté d'interprétation que s'orientent les artistes qui redonnent vie aux chants des trouvères et troubadours. Ce monde musical a été particulièrement à l'honneur au cours des dix dernières années. On ne compte plus les ensembles qui sont nés pour le servir. Avec eux, apparaissent les instruments du Moyen Age. C'est surtout en établissant des analogies avec les musiques populaires traditionnelles toujours vivaces du Bassin méditerranéen, voire d'Amérique latine (cf. David Munrow), que la plupart des interprètes cherchent des fondements plausibles à leur style. Les conceptions d'Aubry et de Beck du début du siècle, qui rattachaient la rythmique de cette littérature à la théorie modale savante (XIIe-XIIIe siècle), ont fait longtemps la loi malgré leurs insuffisances, et cela jusqu'à nos jours. Leur principal mérite n'a-t-il pas été de donner une possibilité concrète de faire entendre ces poèmes anciens sans les couper de leur dimension musicale ? Quoi qu'il en soit, deux courants contemporains se partagent pour l'essentiel la reconstitution vivante de cette musique de chansonniers : l'un s'attache à l'influence arabe, via l'Espagne sarrasine ; le Studio der frühen Musik demeure le principal représentant de cette tendance, et l'on sait la qualité de ses prestations ; l'autre, sans nier la validité de cette influence artistique, ne lui reconnaît pas la primauté partout en Europe, car les pays qui donnèrent naissance aux trouvères et autres Minnesängers ignorèrent la présence arabe sur leur sol. L'attention se porte dès lors sur les indications du rythme verbal et les accents de la métrique poétique.

La reviviscence d'une virtuosité instrumentale de talent est un signe nouveau qui affecte ce répertoire jusque-là méconnu, et cela bien qu'il n'existe pas à proprement parler de composition instrumentale au Moyen Age, mis à part le cas fort marginal des danses populaires (estampies), dont la plus ancienne connue ne date que de la fin du XIIe siècle (*Calenda maïa* de Raimbaut de Vaqueiras). Aussi, l'improvisation est-elle la seule règle quand il s'agit soit d'accompagner le chant, soit de préluder, d'interluder ou de postluder. Cet état de fait, qu'il est difficile d'imaginer substantiellement modifiable dans l'avenir, limite considérablement la recherche de ce que d'aucuns tiennent pour une restitution authentique trop étroitement liée à l'écriture. Mais on comprend en conséquence que des instrumentistes spécialistes du Moyen Age aient de la peine à se confiner dans un répertoire qui n'en est pas un. Beaucoup font parallèlement de la musique contemporaine, parfois même sur les instruments anciens.

MUSIQUE POLYPHONIQUE

Ces constatations sommaires expliquent également pourquoi il existe des différences, parfois considérables, d'interprétation instrumentale pour les œuvres maîtresses de la musique de l'Ars Nova et de la Renaissance. Pour la Renaissance, ce qui vient d'être dit du Moyen Age n'est en effet guère différent. Si notre dernière décennie a quasiment abandonné l'ancienne conception trop systématique d'une musique religieuse a capella, il n'est que de comparer la manière de l'Ensemble Guillaume de Machaut, du Clemencic Consort ou du Early Music Consort of London pour être convaincu à la fois des qualités de ses interprétations et de la marge fort-

grande qui est laissée aux reconstitutions, si belles soient-elles. Dans chacun de ces cas, les interprètes font tout pour restituer à la musique, sa vie, en obéissant aux conditions connues de l'époque choisie.

La connaissance du répertoire accessible dans la pratique, et pas seulement réservée à la lecture en bibliothèque, s'est considérablement enrichie. Certes les musicologues n'en ignoraient rien, mais les amateurs n'en entendaient jamais en concert. Pour ne prendre qu'un exemple, à la charnière du Moyen Age et de la Renaissance, le nom de Guillaume Dufay apparaît de plus en plus souvent aux programmes des enregistrements et des récitals. Il a même donné son nom à un ensemble vocal et instrumental parisien qui sert la musique de son époque.

Les exigences des mélomanes avertis vont s'accroître sans doute encore, et s'il demeure toujours heureux et bénéfique de découvrir une page inconnue de la Renaissance pour luth ou pour orgue positif, interprétée sur des violons ou sur un piano, la singularité des timbres typiques des instruments anciens reconstitués n'est aucunement remplacée par celle des instruments postérieurs plus modernes. L'orgue de style Renaissance construit en 1981 par Marc Garnier pour la cathédrale de Metz en est un témoignage probant et superbe. Notre oreille, depuis dix ou quinze ans, éprouve ainsi des plaisirs raffinés dont elle ignorait l'existence. C'est là une dimension nouvelle du plaisir esthétique musical ; il en va de même des périodes suivantes, le Baroque, le Rococo et le Classicisme.

BAROQUE, ROCOCO ET CLASSICISME

Pour l'essentiel, les principes qui viennent d'être évoqués sont valables pour les XVIIe et XVIIIe siècles où se sont déployés trois grands styles musicaux : le Baroque, le Rococo et le Classicisme viennois. Nous entendons ici par Baroque musical, et sans entrer dans le détail de subdivisions pourtant nécessaires, les compositions nées entre 1600 et 1750. En réaction contre l'art baroque savant s'est peu à peu imposé un style nouveau, à partir du début du XVIIIe siècle : rococo galant et rococo sensible (dont les fils de Bach sont l'une des meilleures illustrations). L'art classique de Haydn, Mozart, Beethoven n'est pas à présenter.

Aujourd'hui, nombre de recherches, qui ont d'abord pris pour terrain d'investigation l'époque baroque, portent de la même manière sur l'époque classique, soit dans le domaine instrumental (instruments anciens et façons de les jouer), soit dans le domaine vocal (voix de haute-contre et assimilées). D'aucuns poussent la recherche subtile des effets sonores à distinguer en préférant un clavecin du XVIIe siècle à un du XVIIIe pour interpréter la littérature d'un Louis Couperin, par exemple.

Les instruments

En matière de facture d'orgue, la dernière décennie a vu se préciser et s'affermir le mouvement déjà clairement annoncé au cours des années soixante. Certes, la polémique continue toujours à propos des restaurations, mais de véritables chefs-d'œuvre ont vu le jour ; un seul exemple : le grand seize pieds de la cathédrale d'Albi, inauguré en 1981 ; le travail effectué sur cet instrument du XVIIIe siècle, comportant cinq claviers manuels, reconstitué avec une mécanique suspendue d'une étonnante précision et d'une remarquable légèreté, alors que la largeur du buffet est la plus grande qui ait été construite alors (15,50 mètres), aurait été à peu près impossible à imaginer il y a seulement une quinzaine d'années, tant était lourd d'emprise d'une conception organologique passe-partout et destructrice. C'est dire que le souci de la restitution des œuvres musicales ne peut être dissocié de celui qui concerne les instruments.

Un patrimoine dont la richesse n'est pas encore entièrement répertoriée, et cela malgré des décennies d'investigation plus ou moins systématique, révèle d'année en année l'existence de témoins précieux de la facture des époques baroque et classique. Alors que très peu d'instruments antérieurs à 1600 sont parvenus jusqu'à nous dans un bon état de conservation, il est en revanche relativement facile d'en connaître, soit pour partie, soit dans leur intégralité, qui datent des XVIIe et XVIIIe siècles. Aussi leur reconstitution à l'authentique ne pose guère de problèmes majeurs aux facteurs compétents qui veulent s'en donner la peine.

Parallèlement, on compte de plus en plus de virtuoses qualifiés qui savent tirer de ces instruments des sons dont on doit vanter la spécificité. Ici encore, les orgues tiennent une place essentielle, mais aussi les cordes, les cuivres et les bois. Bref, l'ensemble de la palette orchestrale d'autrefois. Il faut raisonnablement prévoir un approfondissement artistique des répertoires baroque, rococo et classique comparable à celui qui est en cours ou déjà effectué, au fur et à mesure que seront étudiés et mieux connus les traités de chant, les solfèges anciens. Nous touchons ici à un domaine capital qui bouleverse des pratiques nées au XIXe siècle et dont on mesure davantage la relativité lorsqu'on en suit aveuglément les principes, sans en critiquer la justesse en l'occurrence.

Le style d'exécution

On notera que, dans bien des cas, l'enseignement et la pratique des nouvelles manières de chanter et de jouer se font en dehors des conservatoires ou des écoles officielles, à l'occasion de festivals, de cours d'été, de colloques. La part de la recherche autodidacte est non négligeable, avec ce qu'elle risque de comporter d'amateurisme. Nous avons déjà dénoncé le snobisme qui guette semblable mouvement. Mais nul ne peut, semble-t-il, contester la qualité des résultats, tels que concerts et disques les révèlent. Les voix de haute-contre dans toute la musique baroque ne vont-elles pas devenir indispensables pour Händel, J.-S. Bach, Couperin, comme elles le deviennent pour la polyphonie de la Renaissance ? Le travail original sur les vocalises, les ornements – bref le bel canto à la baroque –, à la fois différent de celui du grand opéra de Verdi ou de Wagner comme de l'art vocal de la Renaissance (voyez à ce sujet l'étonnante leçon de style d'une Esther Lamandier dans le Décaméron !), impose ses règles et délimite son champ d'expression. C'est ici que les courants de recherche animés par des personnalités telles que Gustav Leonhardt, Nikolaus Harnoncourt et, plus près de nous, Jean-Claude Malgoire, Philippe Herreweghe, Ton

Koopman, William Christie – et dans le domaine organistique, toujours pour ce qui concerne l'art baroque, Michel Chapuis, Pierre Vidal, André Isoir, Dominique Merlet – ouvrent des perspectives dont les décennies précédentes n'avaient guère dévoilé la richesse, sauf peut-être en matière d'orgue, après Walcha à la fin des années cinquante. Alors qu'avant 1960 Michel Chapuis était quasiment le seul à interpréter la musique française d'orgue en notes inégales et cela d'une manière souple et convaincante, près de vingt-cinq ans plus tard, la cause est entendue ; non seulement les organistes, mais les clavecinistes, les chanteurs, les instrumentistes divers sont entrés dans le mouvement. Certes, il est toujours loisible de proposer un concerto pour orgue de Händel sur un Cavaillé-Coll et d'aucuns continuent à s'y employer, mais quand Herbert Tachezi ou Daniel Chorzempa choisissent un instrument mieux adapté, car plus proche de ceux que toucha le compositeur du *Messie* et que, de surcroît et comme il est naturel, ils reconstituent un style de jeu plus probable que celui qui continue d'obéir aux canons du XIXe siècle, nul ne s'y trompe.

On ne saurait conclure là où continue la vie. Des apports restent toujours à prévoir, et des affinements à espérer. Contentons-nous de citer quelques lignes principielles qui orientent la recherche et font revivre l'art de J.-S. Bach dans son corpus de cantates enregistré par N. Harnoncourt : « Les expériences recueillies ces dernières années de l'interprétation et de l'enregistrement d'oratorios et de cantates de Bach ont prouvé que c'est en s'en tenant le plus possible aux conditions d'exécution originales que l'on pouvait le mieux servir les intentions du compositeur. Cela vaut avant tout pour les problèmes extrêmement complexes d'équilibre sonore entre parties vocales et parties instrumentales, mais aussi au sein même des différentes parties instrumentales. Un équilibre sonore naturel capable de faire justice à la musique n'a pu jusqu'ici être atteint qu'avec les instruments originaux de l'époque de Bach, ce qui rendait en outre superflues, à l'enregistrement, les multiples manipulations techniques qui permettent habituellement d'obtenir artificiellement une balance musicalement acceptable. Mais, indépendamment de ces questions purement techniques et acoustiques, la meilleure connaissance des instruments baroques acquise au cours de ces dernières années découvre de nouveaux aspects, les musiciens exécutants ne choisissant plus aujourd'hui les instruments anciens pour des raisons historiques, par exemple dans le but de reconstituer l'image sonore de l'époque de Bach, mais bien pour des raisons artistiques. Les instruments du XVIIIe siècle ne sont plus considérés comme les précurseurs imparfaits des instruments « parfaits » de nos jours, mais on a au contraire reconnu que bien des exigences posées par l'exécution musicale quant à l'articulation, la sonorité, la technique instrumentale sont plus aisément et plus naturellement réalisables sur les instruments originaux que sur des instruments datant des époques ultérieures et construits à de tout autres fins (...). Il n'existe pas d'orchestre idéal permettant une interprétation adéquate de la musique de toutes les époques » (Harnoncourt, in vol. 1, intégrale des cantates de Bach, Telefunken).

De tels principes sont de plus en plus souvent invoqués à propos du répertoire classique de la fin du XVIIIe siècle et ils commencent aussi à influencer les interprètes de la musique romantique, ainsi Paul Badura-Skoda dans Beethoven ou Schubert. Notre époque semble donc ouvrir au maximum l'éventail des possibilités artistiques d'interprétation. N'est-ce pas là une richesse dont on ne peut guère dénier la valeur de représentation et le souci de la qualité ?

BIBLIOGRAPHIE

ANTHONY, J.-R. : *La musique en France à l'époque baroque, de Beaujoyeulx à Rameau,* Flammarion (1981).

BEAUSSANT, Ph. : *Dardanus de Rameau.* Albin Michel (1980). *Versailles, opéra.* Gallimard (1981).

BLUME, F. : *Renaissance and baroque Music. Norton* (1967). *Classic and romantic Music.* Faber (1970).

BORREL, E. : *L'interprétation de la musique française de Lully à la Révolution.* « Les Introuvables », Éd. d'Aujourd'hui (Alcan, 1934).

BUKOFZER, M. : *La musique baroque de Monteverdi à Bach, 1600-1750* (Éd. Lattes, 1982).

CHAILLEY, J. : *Histoire musicale du Moyen Age.* P.U.F. (1950).

HARNONCOURT, N. : *Le Discours musical,* Gallimard (1984).

MUNROW, D. : *Instruments of the Middle Age and the Renaissance.* Oxford University Press (1976). *Musique de l'époque gothique.* Pochette du disque Archiv Produktion.

VEILHAN, J.-C. : *Les Règles de l'interprétation musicale à l'époque baroque.* Alphonse Leduc (1977).

REVUE, *Les Goûts réunis,* publiée par l'Institut de Musique et de danse ancienne de l'Ile-de-France.

SAINT-ARROMAN, J. : *L'Interprétation de la musique française,* Champion (rééd. 1984).

L'interprète et la musique d'aujourd'hui

par Martine CADIEU

Ma musique n'est pas difficile, elle est mal jouée, dit un jour Arnold Schönberg.

L'interprète et la musique nouvelle, sa médiation entre le compositeur et le public, sa responsabilité dans la diffusion et la connaissance d'une œuvre, sa part d'imagination dans une forme ouverte, face à l'aléa, l'influence enfin qu'il peut avoir sur le compositeur avec lequel il entretient aujourd'hui des liens de plus en plus étroits... Nous n'avons pas fini de réfléchir et de nous interroger sur ces thèmes, nous souvenant de rencontres et d'expériences précises.

Celui qui a écouté beaucoup de musique du XXe siècle et en connaît une part s'étonne des différences entre les exécutions et, regardant autour de lui les réactions du public – qui la plupart du temps se plaint « d'une absence de discours », d'une gratuité ou d'un chaos –, ne peut s'empêcher de douter : les interprètes ont-ils eu le temps de mûrir cette musique difficile, parce que souvent nouvelle dans son langage, sa construction ? Ont-ils disposé d'un nombre suffisant de répétitions ? Ont-ils eu les moyens nécessaires pour travailler dans la clarté ? (rapports avec le compositeur ou le chef). Ne se sont-ils pas lancés avec gourmandise et ferveur (besoin d'être dans leur temps) un peu trop vite dans l'aventure ? Dans cette hâte, souvent imposée, l'interprète a parfois du mal à juger l'exactitude de son propre travail. Souvent le chef se plaint d'un nombre trop restreint de répétitions. Alors le public se perd – et comment lui en vouloir ? –, intimidé souvent, à l'approche d'une musique inconnue, persuadé parfois que la musique contemporaine n'a aucun sens et tend à sa propre destruction ; il sort d'un concert et quitte des interprètes de qualité, désorienté. Il lui arrive d'accuser le compositeur d'imposteur et l'œuvre de plaisanterie, mais quelle œuvre a-t-il réellement entendue ? Le rapport entre la partition et l'exécution n'a-t-il pas été faussé ?

Les grands interprètes d'aujourd'hui, chefs, musiciens, chanteurs, ont une conscience très précise de leur responsabilité. Lorsque Boulez dirige Webern, Abbado Nono, lorsque Pollini ou Claude Hellfer jouent Berg ou Xenakis, la musique devient intelligible, claire. Bien sûr il faudra réentendre l'œuvre plusieurs fois, comme le conseillait Edgar Varèse, mais déjà sa forme se dessine, son sens apparaît. La voie est tracée : *Le sérieux et la rigueur que l'interprète emploie à faire ressortir l'unité d'une œuvre garantissent simultanément à l'auditeur le sérieux et la rigueur de la composition, brisant ainsi le préjugé qui la veut arbitraire et chaotique, si bien qu'il n'importerait plus qu'une note soit jouée en place d'une autre.* (Adorno.)

Dans la musique contemporaine (depuis Wagner et les Viennois), les structures mélodiques n'ont cessé de se différencier, de devenir, allégées, de plus en plus subtiles. L'interprète doit non seulement sentir cette polychromie (riche chez Messiaen et Boulez), mais en prolonger les résonances, créer un état sensible d'un passage à l'autre, réunir les différences. Plus de « degrés d'accords », de paliers, facilitant la tenue du fil conducteur de l'œuvre, d'où la difficulté : la continuité de la mélodie, secrète, immergée puis réapparue, peut faire les délices de l'auditeur, elle peut aussi se perdre et *le* perdre. Cette musique exige, de ce fait, une profonde et longue réflexion. Plus les voix sont nombreuses et diverses (Nono, Berio, Bussotti, Schnebel), plus il faut les différencier, les rendre lumineuses.

Schönberg et Berg recommandaient de jouer les œuvres dans un tempo plus lent afin de faciliter l'approche de ces chants multiples aux instruments : ainsi celui qui jouait et celui qui écoutait se familiarisaient-ils avec la complexité, découvrant, au-delà, le sens profond.

Le besoin de jouer le plus de musique possible, au rythme des commandes, des festivals joyeux et nombreux, la stimulation des jeunes groupes est positif, mais cela met aussi l'interprète dans un climat fiévreux, dans cette hâte dont Dante disait qu'elle abîme toute chose.

L'INTERPRÈTE MÉDIATEUR

L'interprète est notre ami, le médiateur sans qui nous n'entrerions pas dans ce monde sonore « inouï », puisque bien souvent il crée devant nous la dernière composition en date des musiciens de notre temps. Ceux qui lisent la musique pourraient déjà connaître l'œuvre, bien que les graphismes divers et les notations soient difficiles. Mais le paysage sonore nous entoure soudain, grâce au pianiste, au chanteur, aux instrumentistes, aux chefs. Donc l'interprète peut tout. Après être souvent venu à Paris jouer Chopin et Schumann, Maurizio Pollini remplit la salle du Théâtre des Champs-Élysées avec Schönberg et Berg. Le même public se laissa conquérir par des œuvres qui ne lui étaient pas encore, en ce temps, familières, et il en saisit tout à coup l'essentiel. La passion – lucide et réfléchie – animait ce pianiste : le son du piano, plein, riche, rendant le son intime de chaque musique, n'était pas un phénomène isolé. Produit, articulé dans la transparence, il dégageait pour nous – comme lorsqu'on lève un voile cachant une sculpture – la construction intérieure ; le sens musical transparaissait à travers la polychromie. Pas le moindre effet gratuit mais une vérité, une réalité, recréées devant nous par l'interprète : l'essentiel de l'œuvre, l'essentiel de l'esprit de Berg, de Schönberg, de Nono, de Boulez. L'interprète attire et draine un très large public lorsqu'il sert, à ce point de rigueur et d'amour, la musique de son temps : elle ne semble plus inaccessible.

L'INTERPRÈTE INSTIGATEUR

Mstislav Rostropovitch suscite des œuvres, les commande, Cathy Berberian a inspiré Berio ; Bussoti et Stravinski ont écrit pour elle. Elle donne sa voix aux meilleures musiques d'aujourd'hui. *« La relation* compositeur-interprète *est actuellement très étroite et très passionnante. Cette personnalité de l'interprète – telle Cathy – et son importance dans l'évolution créatrice d'un compositeur, son influence portent vers un art total. En cours de travail le compositeur non seulement songe à l'interprète mais écrit pour lui, l'interroge. »* (Bussotti.)

Severino Gazzelloni, flûtiste, fait lui aussi rayonner les œuvres les plus diverses des compositeurs de tous pays. Elisabeth Chojnacka provoque des créations pour le clavecin moderne, de Cage à Donatoni. Les instrumentistes du *Domaine Musical*, de l'*Ensemble Musique Vivante*, d'*Ars Nova* ont découvert et révélé les musiques des plus jeunes. Attitudes d'ardeur, ou temps de réflexion, selon les personnalités, et l'on ne saurait les citer toutes.

Svjatoslav Richter n'aborde une œuvre que lorsqu'il en ressent le besoin impérieux et encore ne le fait-il qu'avec trac et longue patience : *« Je veux jouer Messiaen. Je ne tiens pas à avoir une œuvre écrite pour moi. Une œuvre qui vous est dédiée, vous cause une certaine contrainte. Les problèmes de l'interprétation sont basés sur la sincérité : élément primordial. Il faut jouer une œuvre écrite en lui apportant, certes, son sentiment personnel, mais avec une grande humilité. Il faut retrouver la vérité nue de l'auteur. »*

Pour Guilels, interpréter ressemble à l'acte de restauration en peinture : *« Le travail de l'interprète, lorsqu'il s'agit d'une œuvre souvent jouée, est de la débarrasser de tout le superflu que le temps et les diverses interprétations y ont ajouté ».* Face au présent : l'intuition, la réflexion, la recherche patiente.

Lorsqu'il ne s'agit pas de Messiaen, de Dallapiccolla, de Petrassi, de Dutilleux ou d'Ohana, déjà souvent interprétés, mais d'un personnage tout nouveau qui écrit de façon toute neuve, l'interprète est un décrypteur. Il lui faut travailler proche du compositeur. D'où la vie active, aujourd'hui, des ateliers chers à Boulez (l'IRCAM), à Xenakis (le CEMAMU), à Paul Méfano (l'Ensemble 2E 2M) ou à Aperghis, des groupes d'improvisation (le New-Phonic Art), d'où la nécessité du travail collectif.

LE COMPOSITEUR-INTERPRÈTE

Les compositeurs sont souvent chefs d'orchestre (Maderna, Lutoslawski, C. Hallfter, Brown, G. Amy, Boulez, Maxwell Davies, etc.) ; parfois instrumentistes (Globokar au trombone, Messiaen, Zacher et Guillou à l'orgue...). Jadis les maîtres, à la fois compositeurs et interprètes, ne jouaient pratiquement que leurs œuvres. Franz Liszt fut l'un des premiers à faire rayonner les œuvres des autres. A y penser on retrouve la fraîcheur, la démarche toujours nouvelle – révolutionnaire – de l'art, de la musique en particulier. Les musiques que nous aimons – que nous avons l'impression de connaître par cœur – Monteverdi, Bach, Mozart, Schumann, ou Liszt –, qui font partie de la tradition, furent révolutionnaires en leur temps : en naissant elles mettaient à la lumière ce qui manquait à leur époque. Peut-être était-il plus simple, lorsque Bach interprétait lui-même ses toccatas et fugues à l'orgue, de révéler en toute clarté ce qui jaillissait justement de lui ?

Les interprètes-compositeurs demandent à d'autres compositeurs de composer pour leurs instruments, intéressés par des problèmes qu'ils n'ont pas résolus eux-mêmes (Zacher joue Ligeti et Isang Yun, Globokar joue Berio) et ils élargissent leur répertoire. L'interprète-compositeur est à la fois lucide et irrationnel, il est son propre critique. L'interprète fait « sonner » l'œuvre, dégage d'une composition ce qui n'y apparaissait pas, et, comme il s'engage avec ses désirs, ses émotions, sa rigueur, il donne une vision différente de celle d'un autre interprète.

Plus encore lorsqu'il s'agit, comme de notre temps, d'une *œuvre ouverte.*

FORMES OUVERTES ET MUSIQUE ALÉATOIRE

« Mallarmé disait qu'il voulait abandonner l'initiative aux mots eux-mêmes... Ce qui ne signifie nullement qu'il entendait bannir toute pensée, à quelque extrémité du processus que ce soit. Pour ce qui est plus particulièrement de la forme, *dans mes œuvres de* forme ouverte, *j'ai principalement demandé* (aux interprètes) *que la forme soit maintenue ouverte jusqu'à ce qu'on la doive nécessairement fermer et que le matériau soit mis en forme par les réponses et actions du processus d'exécution lui-même... Performer, plutôt que pré-former. »* (Earle Brown.) Earle Brown n'empêche jamais cependant une réflexion préalable, des choix, des programmations différentes. L'éventail du possible est large devant les interprètes.

Les partitions dans lesquelles une marge de liberté est laissée à l'interprète sont nombreuses dans la musique d'aujourd'hui. Liberté dans le choix des parcours, liberté de tempo ou de timbre. Le *Klavierstück pour piano n° XI* de Stockhausen souhaite libérer la forme : l'exécutant opte pour un parcours toujours remis en cause, *la pièce ne se développant pas linéairement vers une fin*, selon l'auteur, indifférent aussi à la liaison des moments musicaux. Les impulsions et l'imagination de l'interprète sont mises à l'épreuve. Pour Morton Feldman – dont la musique comprend le silence, la méditation –, l'interprétation est une éclosion : l'interprète sort la semence musicale – à peine doucement posée – de sa gangue. Interpréter, c'est donner naissance : il n'y a rien avant, l'avant a été oublié, le terrain est vierge, et rien ne se répète.

Quant à Boucourechliev, poète de la musique – l'âme de Mallarmé passe dans son œuvre *Thrène* –, il aime les cartes marines, les « amers », les réservoirs de sons dans lesquels les interprètes vont puiser et surtout cette complicité immédiate, elle aussi toujours vierge et vivace, entre les exécutants. Ainsi sa série *Archipels. Archipel I,* Royan 1967 : deux pianos, les pianistes ne se voient pas. Les signes sont uniquement musicaux. Ils sont obligés de s'écouter. Ce que fait l'un conditionne ce que va faire l'autre : c'est une musique de communication, une collaboration étroite par l'oreille. Toutes sortes de structures, depuis la plus informelle jusqu'à la plus rigoureuse. Une note d'*appel* établit la communication. Le renouvellement est constant. Aucune durée fixe. L'auteur propose des possibilités de choix et n'impose rien. D'où le besoin d'interprètes inventifs et unis.

Pierre Boulez dans *Éclat* (créé à Los Angeles en 1965) : le chef d'orchestre joue des instruments comme d'un clavier. Temps d'action et temps de méditation. Mobilité implicite au début. « Neuf instrumentistes sont dépendants de la volonté du chef, mais ils sont complètement indépendants en ce sens qu'ils réalisent eux-mêmes les figures. Elles sont écrites, *« car je crois,* dit Boulez, *qu'il faut donner un texte à l'imagination pour qu'elle puisse se greffer d'une façon impérative et convaincante, mais une fois que les musiciens ont reçu le signal, ils sont libres de donner une interprétation au fragment ».* C'est une poétique de l'instant, ensemble.

Mais la rigueur, qui semble aller de pair avec la liberté, devient clarté pure, transparence, dans les *Improvisations selon Mallarmé,* dans *Pli selon Pli.* Boulez est exigeant envers ses interprètes (et lui-même). Il ne « joue » pas, comme joue John Cage, esprit ironique qui dénonce « la cristallisation des œuvres aléatoires en objet musical ». Cage d'ailleurs applique avec humour cette critique à lui-même, peut-être parce que « nous n'avons pas besoin de musique » et que ses instants de musique pure (*Sonates et interludes* pour piano préparé, par exemple) n'ont pas de racines. Aux yeux de Cage – et de certains interprètes rebelles à l'aléa – il n'y a aucune liberté de jeu dans ce hasard domestiqué par le compositeur et l'on retombe vite dans des schémas préétablis.

LA NOTATION

Difficultés encore pour l'interprète d'aujourd'hui : les notations différentes d'un compositeur à l'autre, et le graphisme de certaines partitions. Citons celles de Cardew, de Stockhausen, de Brown. De ce dernier : *Four Systems,* par exemple. Au départ, si l'on regarde le dessin de *December 1952* et les notes préliminaires du compositeur, il n'y avait que des rectangles de dimensions inégales, distribués sur une grande feuille, et on pouvait les lire comme des symboles d'intervalles et d'intensités. On pouvait tourner la feuille (comme la partition de *Rounds* pour clavecin de Berio) et l'interprète regardant cet « instantané de l'espace sonore », lisant dans les quatre sens de la page inversée, devait avoir une approche mobile, une conception immédiate.

Dans *Sternklang* de Stockhausen, la partition reflétait la carte du ciel, le mouvement des étoiles. A La Rochelle, le public couché dans l'herbe regardait la voûte nocturne. Des porteurs de torches allaient, en courant, donner des messages aux groupes de musiciens, séparés dans le parc. Ces messages – graphiques – étaient « à interpréter ». Parfois ce sont des mots, un poème. L'interprète ne devient-il pas alors le créateur ? Avec Kagel, il doit aussi se montrer acteur...

Les partitions de Bussotti sont, elles, émaillées de dessins, données esthétiques, mirages. On lit les notes au travers, les portées s'écartent, se rejoignent, lignes fuyantes dans l'espace. L'écriture, elle, est parfaitement rigoureuse et tout est prévu. L'interprète peut cependant s'abandonner à sa poésie intérieure, car cette œuvre nouvelle est poétique dans sa forme ; poétique et picturale.

Ainsi le rôle de l'interprète devient-il toujours plus grave et important.

Parfois l'interprète, aujourd'hui, dialogue avec lui-même : ainsi Maurizio Pollini dans *Sofferte onde serene (Sereines ondes souffertes)* de Luigi Nono

(1976). Conçue pour le jeu particulier de ce pianiste, l'œuvre révèle le pianiste vivant devant nous, et le pianiste enregistré sur bande. Il dialogue avec son double et s'amplifie. C'est la créativité de Pollini dans ses rapports avec le son qui a poussé le compositeur. *« L'usage du piano semble avant tout dirigé sur l'analyse de son potentiel sonore, analyse qui, dans la dialectique constante entre le matériel proposé et sa décomposition interne, est accomplie en profondeur et jusqu'à une analyse épuisant tout. »* (Luigi Pestalozza.)

LA PRISE DE SON

En passant du côté de la musique électroacoustique, on peut aussi se demander si le preneur de son, le manipulateur sont des interprètes. Sans doute. Iannis Xenakis aima un jour projeter dans l'espace d'un théâtre son œuvre *Bohor*. François Bayle – plus expérimenté en ce domaine par une longue pratique au groupe de recherches – demeure à la console lors de l'écoute publique de ses œuvres.

Pierre Henry produit tout lui-même, depuis la conception de l'œuvre jusqu'à sa dernière réalisation en public. Il va plus loin encore, dans son expérience avec Roger Lafosse, en captant les ondes cérébrales.

« Musicien metteur en ondes », « régisseur du son », « preneur de son ou ingénieur du son », « Tonmeister », en Allemagne : ne s'agit-il pas d'un nouvel interprète ? L'interprétation se passe à plusieurs niveaux : basée sur des instructions du compositeur et fidèle ; semi-libre avec l'accord et le désir du compositeur ; ou totalement libre. Il existe aussi des cocompositions. Le directeur de la prise de son a une influence sur la réalisation artistique, aussi dans l'enregistrement du disque. Ce que l'on nomme manipulation (répondant à la médiation par des moyens électroacoustiques d'un phénomène acoustique complexe ne possédant pas les qualités physiologiques et mécanique de l'oreille humaine) suppose une action d'interprète, des choix, des modifications réfléchies, des corrections dans l'instant et après coup...

L'ORDINATEUR

Il resterait à parler de l'ordinateur (le 4 X de l'IRCAM a récemment permis l'œuvre *Répons* de Boulez, créée à Donaueschingen, progrès technique, au service d'une musique humaine). On dit que l'ordinateur entrera bientôt dans la salle de concert. Pour l'instant, le musicien n'abdique pas ses responsabilités, tentant de ne pas s'abandonner ni à la fascination ni à la facilité. Il joue – si l'on écoute Xenakis, Barbaud et Boulez – de l'ordinateur au gré de son intelligence, de ses désirs. Les interprètes trouvent leur place à côté de l'ordinateur, s'il existe des entrées par claviers ou capteurs. L'ordinateur réduit cependant la médiation d'un interprète et perd cette qualité irremplaçable : la variation sensible de l'interprète, différente chaque jour dans ce qu'il ressent et ce qu'il transmet, la vie source et richesse de toute interprétation.

BIBLIOGRAPHIE

BOULEZ, P. : *Relevés d'apprenti.* Seuil (1966).
CHION, M. : *Guide des objets sonores,* Buchet-Chastel (1983).
COTT, J. : *Conversations avec Stockhausen.* Lattès (1979).
COUCHOUD, J.-P. : *Lutoslawski et la musique polonaise.* Stock (1981).
DONATONI, F. : *Questo.* « Adelphi », Milan (1970).
LEVAILLANT, D. : *L'Improvisation musicale.* Minkoff/Lattès (1981).
MARCO, T. : *Musica española de vanguardia.* Guadarrama. Madrid (1970).
SCHÖNBERG, A. : *Le Style et l'idée.* Buchet-Chastel (1977).

Musicologie et interprétation

par Pierre FLINOIS

En 1863, Friedrich Chrysander inventait le mot *Musikwissenschaft* – qu'on traduisit bientôt en français par *Musicologie* – pour désigner la science de la musique. Sous-entendue, toute activité musicale qui n'est pas musique elle-même, et donc production de la musique.

On a pris coutume de diviser – et ce souvent pour la restreindre – cette science en plusieurs disciplines, à savoir la méthode historique (soit la recherche du cadre temporel) avec ses subordonnés (sociologie, ethnologie, histoire...), l'analyse théorique (soit la recherche du phénomène et non plus de l'événement), la critique textuelle (avec ses sous-disciplines que sont la paléographie, la bibliographie, l'édition et la collation), la recherche en archives (soit l'appel aux témoins impartiaux), la lexicographie (pour clarifier le vocabulaire terminologique) et la critique esthétique, de fait la plus délicate de toutes puisque la plus difficile à faire entrer dans le cadre de lois bien définies (ce qui explique l'apparition récente de la sémiologie musicale). La notion de pratique musicale est longtemps restée exclue de ce répertoire. Et longtemps la musicologie – du fait même de nombreux musicologues – s'est ainsi définie aux yeux du grand public comme le domaine restreint d'archivistes poussiéreux, sinistres et pontifiants. La limiter ainsi encore aujourd'hui serait oublier la formidable résurrection de pans entiers de notre héritage musical dans la pratique musicale quotidienne. Car, si ce mouvement prend ses sources au XIXe siècle avec un Mendelssohn faisant exécuter l'ancêtre Bach, ou Wagner écrivant sur Beethoven, c'est véritablement à partir du milieu du XXe siècle que se développe ce goût pour une musique qui n'est pas contemporaine et cet essor irrésistible pour la reconnaissance et l'exécution de tant de musiques oubliées : qui de nos grands-parents a seulement entendu jouer dans sa jeunesse des ouvrages de Monteverdi, Vivaldi, Telemann ou Campra ? Cet essor eut naturellement été impossible sans le support actif de la musicologie. Mais il est également le fait incontestable d'un développement inaccoutumé d'une demande de la part du public, que celui-ci soit de plus en plus coupé d'une création contemporaine trop réservée, ou qu'il ne puisse plus se contenter des limites d'un répertoire qui fit le bonheur d'un certain type d'associations symphoniques au début du siècle. Or le public, pour « cultivé » qu'il soit, n'en est pas moins dans sa majeure partie ignorant du mystère de la technique musicale, si pourtant il se montre sensible à celui de sa réception : contrairement à ce qu'affirme un certain pédantisme, l'incapacité de lire une partition n'empêche en rien d'en goûter les beautés à l'écoute. Comment expliquer sinon l'engouement pour certaines œuvres, les cent versions discographiques des *Quatre Saisons* ou la puissance commerciale du *Boléro* de Ravel ?

Pour nombre d'auditeurs, l'important dans ce plaisir ne sera donc que l'exécution, sinon même l'exécutant, puisque notre siècle, plus que tout autre, a inscrit l'interprète au premier rang du panthéon musical. Ce qui lui donne le rang envié de moteur de la recherche musicale. Ainsi, qui oserait aujourd'hui contester à Maria Callas non pas l'initiative mais bien l'effet de catalyse dans le regain certain pour l'opéra bel-cantiste qui apparaît presque vingt ans après ses célèbres réévaluations – devant le public – des partitions belliniennes, donizettiennes ou rossiniennes ? Pourtant, sur le strict plan musicologique, Callas ne chanta jamais que d'infâmes partitions inauthentiques et ne se servit pour leur insuffler une vie nouvelle, et, stylistiquement parlant, authentique que de la rigueur de son propre instinct musical, ouvrant le chemin à ces études, éditions et représentations « critiques » qui apparaissent aujourd'hui.

Aussi quand il fête une Marilyn Horne au soir d'une triomphale représentation d'un *Orlando Furioso* de Vivaldi ou d'une *Italienne à Alger* de Rossini, le public d'aujourd'hui songe-t-il vraiment à ce qu'il doit aux véritables recréateurs de l'œuvre, c'est-à-dire à ceux qui en ont rétabli la partition dans une version qui soit exécutable dans le présent, selon les deux critères d'authenticité et d'actualité sans lesquels l'œuvre ne peut nous parler ?

LA DÉCOUVERTE DU TEXTE

On est ainsi amené à distinguer trois phases chronologiques dans la recherche de la vérité musicologique actuelle. La première est celle de la redécouverte musicologique et l'établissement du texte. Qu'il s'agisse d'un manuscrit hispano-arabe du XIIIe siècle, d'une des symphonies inachevées de Schubert, de l'achèvement de la *Lulu* de Berg, ou naturellement de l'étude de toute œuvre nouvelle. On estimera donc aussi fondamentale, la redécouverte de la 2e page du scherzo de la *8e Symphonie* de Schubert en 1969 que les 115 pages consacrées par J. J. Nattiez à l'analyse de *Densité 21,5* de Varèse. Cette phase, qui passe nécessairement par l'édition, se doit, selon les critères d'aujourd'hui, d'être d'une rigueur scientifique absolue. Ce qui nous mène d'ailleurs loin de la musicologie « littéraire » qui lança le mouvement d'intérêt général au début de ce siècle, musicologie d'érudits amateurs éclairés dont nous restent des ouvrages qui demeurent fondamentaux par leur impact historique sans plus être aujourd'hui des bases définitives : hommage donc aux Courcheville, Sainte-Foix, Tiersot, ou Romain Rolland... Non, la musicologie enseignera donc à présent les résultats d'une étude scientifique où le mot d'ordre est authenticité. Reste toutefois à faire circuler l'information, à ne pas l'enfermer dans un cercle restreint : combien d'ouvrages de référence ou de présentations ignorent encore qu'on a (enfin) établi avec précision voici vingt ans la date de naissance de Vivaldi ! Reste surtout à éviter le piège de la tour d'ivoire, de la musicologie perdant sa finalité, c'est-à-dire se détachant du contact avec l'auditeur. Les littérateurs d'autrefois étaient accessibles à tous, ce que ne sont pas toujours les théoriciens d'aujourd'hui. A l'interprète alors de prendre le relais du lyrisme et de l'émotivité. Sur un plan pratique, la finalité de la musicologie sera donc d'offrir à celui-ci non seulement un texte définitif, mais encore les moyens de savoir comment délivrer ce texte de façon historiquement authentique.

L'EXÉCUTION DE L'ŒUVRE

Apparaît ainsi la seconde phase qui est celle de la livraison de l'œuvre au public par le biais de l'interprétation. Car qui peut raisonnablement prétendre que sans l'intérêt du public on aurait envisagé des études critiques aussi monumentales que celles de l'œuvre entier de Telemann, d'un Vivaldi, d'un Charpentier, ou même la rénovation du catalogue des auteurs les plus usés du répertoire (Bach, Mozart, Wagner...). Le médium est ici l'interprète qui, s'il peut être d'une importance fondamentale pour ce mouvement, peut aussi se moquer éperdument de toute recherche. Intervient en contrepoint un épiphénomène fondamental de notre temps : la mode ! Notre société, consommatrice à l'extrême, poussera donc à la roue sitôt trouvé un créneau : qui penserait vraiment que les centaines d'exécutions de la sempiternelle *5e Symphonie* de Beethoven répondent toutes au désir d'en préciser l'authenticité historique et la justesse d'expression ? Combien de versions rabâchées, de contre-uts ou de fortissimos répétés bien que non écrits, et ce parfois par les plus grands noms ? Comment admettre que tel brucknerien célèbre ne tienne toujours pas compte, après la publication des *Urfassungen* (versions primitives) des *3e, 4e,* et *8e Symphonies* du maître de Linz (édition Nowak), d'acquis définitifs dans ce domaine et leur préfère des versions anciennes entachées d'erreurs maintenant démontrées, sans le sacro-saint prétexte de la tradition. Car voici le grand mot lâché : tradition, source de toutes les facilités. Prenons l'exemple frappant d'une œuvre laissée inachevée par son auteur, *Les Contes d'Hoffmann* d'Offenbach, qui vivent depuis près d'un siècle par la seule version Choudens dont la musicologie a démontré à plusieurs reprises que près de 500 de ses mesures n'étaient pas de la main d'Offenbach mais simplement la fixation sous le vocable tradition d'une exécution devenue courante en un lieu et un temps donné. Antonio de Almeida puis Fritz Oeser ont tenté de rétablir un texte original basé sur les esquisses, le « particell » et tous les fragments utilisables, un texte qui soit beaucoup plus proche de ce que pouvait désirer Offenbach. Depuis sa création en 1980, la version Oeser suscite naturellement querelles, critiques enthousiastes ou méfiance absolue, et l'on assiste – pour respecter les « droits » de la tradition – à la naissance de versions bâtardes qui empruntent à chaque source ce qui convient à l'interprète du moment.

Gardons-nous de n'y voir qu'un côté négatif : ces libertés autorisent public et spécialistes à se faire une idée précise de la valeur du travail réalisé et permettront sans doute dans un laps de temps encore indéterminé de proposer une version plus valable encore de la partition. De même, seules de nombreuses exécutions de ces symphonies inachevées et fragmentaires de Schubert, Mendelssohn, ou encore de *La Chute de la maison Usher* de Debussy amèneront ces œuvres à une vie autre que la simple existence sur le papier. On accède ainsi à la troisième phase chronologique, celle de l'action en retour, celle de l'affinement du goût et de la connaissance de l'œuvre, donc de l'influence de la pratique sur la théorie.

L'INFLUENCE DE LA PRATIQUE SUR LA THÉORIE

L'exemple comparé de Bach et de Vivaldi va nous permettre d'en éclairer la méthodologie. Pour Bach, la phase I est aussi le premier monument de la musicologie, la Bach-Ausgabe qu'on mit 50 ans à réaliser (1851-1900). La seconde phase correspond historiquement à l'exécution de ses œuvres par des interprètes des écoles de Ramin à Richter, exécution basée essentiellement sur la connaissance précisée du texte et le respect d'une tradition. La troisième phase correspond à la révolution prônée par les Leonhardt, Harnoncourt et leurs épigones qui, par leurs recherches au plan interprétatif, en refusant la tradition, ont remis en question les bases mêmes de l'interprétation et surtout les connaissances musicologiques – après plus de 100 ans ! –, ramenant ainsi le cycle à la phase I. Vivaldi, quant à lui, est en situation moins claire : la recherche vivaldienne remonte à peine aux années 40, et pour ce qui est de la phase I, des centaines d'œuvres, instrumentales, chorales, ou encore ses 44 opéras restent à étudier ou simplement à publier. Pourtant le miracle Vivaldi, au niveau du public, est bien connu. Certes, pendant 20 ans, on a fait ce que l'on voulait de Vivaldi – alors que l'on n'osait plus toucher à une note de Mozart : interdites les notes d'ornementation par exemple ! Il a fallu attendre ces toutes dernières années pour que des interprètes (Harnoncourt, Malgoire) osent lire les *Quatre Saisons* autrement et avec d'autres moyens que Karajan et la Philharmonie de Berlin, ou seulement les déjà traditionnels Solisti Veneti, Virtuosi di Roma..., suscitant une soudaine renaissance de la recherche. Car la recherche « vivaldienne » souffre encore actuellement – phase I donc – de sa dépendance de la technique musicologique attachée aux recherches sur Bach alors qu'elle devrait être originale. Ainsi, Bach n'ayant jamais écrit d'opéra, comprendra-t-on mieux le désastreux niveau de connaissance de la musique théâtrale du Prêtre Roux. On retrouve là l'une des plaies de la musicologie : la trop grande spécialisation de la recherche : quel interprète pourrait oublier en jouant la *1re Symphonie* de Mahler qu'elle reprend le texte d'un de ses Lieder avec orchestre, ou que le *Concerto à la mémoire d'un ange* de Berg cite textuellement le *Symphonie lyrique* de Zemlinsky ? De ce fait, on a vu apparaître une nouvelle génération d'interprètes musicologues prêts non seulement à utiliser les matériels les plus récents, mais encore à les établir eux-mêmes, et surtout à les expliquer au public pour justifier leurs options esthétiques. Badura-Skoda, Verlet, Leohnardt révèlent en scène ou à travers livres et plaquettes les arcanes de leur chemin au service de l'œuvre avant tout. Un travail vivant, qui se base sur la détermination des moyens d'exécution les plus conformes à l'origine. On a découvert ainsi l'importance de l'effectif orchestral (comparer pour ce faire une passion de Bach enregistrée par Klemperer ou Harnoncourt) ou choral (un Coro, au XVIIe siècle, est-ce un chœur véritable, ou les solistes chantant ensemble ?), la recherche de l'instrument original, dans sa facture d'époque (la sonorité pure d'une flûte moderne s'avérant un peu restreinte quand Vivaldi connaissait à la fois flauto, flautino, flauto traversier, flasolet...), sans oublier alors que l'art consiste

– et consistait à l'époque des auteurs – à utiliser jusqu'aux faiblesses des instruments, la détermination de la dynamique propre à l'époque (celle du XIXe siècle s'avérant basée sur le legato quand celle du XVIIe l'est sur la nuance et l'impulsion), le rôle et le rapport à la masse des solistes, la recherche de l'ornementation qui fut l'un des principes majeurs de liberté donnée aux interprètes jusqu'à ce que Rossini en réglemente les abus, la restitution des basses chiffrées, ou la découverte que dans l'opéra baroque, le recitativo secco n'était pas accompagné par le seul clavecin...

Encore a-t-on cru ces actions limitées. Mais après Monteverdi, Harnoncourt révèle les rythmes de Mozart, après Mozart Badura-Skoda éclaire Beethoven au piano-forte... Le domaine s'élargit chaque jour : ainsi, symptomatiquement, le Festival de Saintes, jusqu'à présent consacré à la musique ancienne, a-t-il décidé l'étude sur trois ans du répertoire romantique jusqu'à Schubert.

On n'oubliera pas non plus qu'interpréter c'est rendre le message d'un compositeur à une sensibilité actuelle – le contraire étant simple muséologie. Ce propos à lui seul condamne toute actualité à une perpétuelle remise en question : citons Nikolaus Harnoncourt qui loue ces *exigences toujours nouvelles... la palette expressive que l'on réclame de nous s'avère sans cesse encore plus grande, encore plus vaste – c'est une compréhension toujours renouvelée et pourtant cela restera à jamais une nouvelle quête.* Là est le vrai travail de l'interprète, par des essais sans nombre, pour diminuer peu à peu les énigmes, les insuffisances, les contradictions de la musicologie. Si en plus il lui est donné le génie...

BIBLIOGRAPHIE

Cf. les articles *Musique ancienne* et *Interprétation pianistique.*

L'interprète dans la société du XXe siècle

par Jean-Yves BRAS

L'HÉRITAGE DU XIXe SIÈCLE

Les histoires de la musique se limitent généralement à l'histoire des compositeurs et des œuvres, reléguant celle des interprètes – traits d'union indispensables entre ceux-ci et celles-là – à quelques considérations hâtives. Ceci tient au fait qu'il existe très peu d'études sérieuses sur le sujet, étant entendu qu'il appartient tout autant au musicologue qu'au sociologue. Les travaux universitaires tendent actuellement à devenir interdisciplinaires et l'on peut souhaiter que, dans quelques années, un ouvrage général traite le sujet en profondeur à la fois sur les plans historique et géographique. Assurément, un grand nombre de livres et d'articles traitent des grands interprètes, soulignant parfois à plaisir les curiosités biographiques et s'efforçant de dégager les grandes lignes de leur technique et de leur style. La critique depuis deux siècles ne s'est plus seulement limitée à porter un jugement sur les œuvres mais, de plus en plus, sur les interprètes au point qu'aujourd'hui une certaine partie d'un public avisé ne vient plus écouter la partition mais l'interprétation d'une œuvre qu'il en connaît déjà. Ainsi, l'interprète se substitue au compositeur quand il joue la musique du « répertoire », ce qui explique peut-être en partie la raison pour laquelle les grands solistes ou grands chefs se refusent à faire de la musique contemporaine : ils ne veulent pas partager les lauriers.

Le succès des disques pirates montre clairement la place prise par les grands interprètes dans la consommation musicale. Un disque de ce type n'est presque jamais consacré à une œuvre rare mais généralement à un document estimé exceptionnel sur le seul plan de l'interprétation. C'est aussi le cas de bien des rééditions.

Jusqu'au XVIIIe siècle et encore durant une bonne partie du XIXe siècle, le compositeur et l'interprète ne faisaient qu'un, l'un servant l'autre, l'un et l'autre confondus répondant aux exigences d'une chapelle, d'une cour, d'un mécène ou d'un salon. A partir du milieu du XIXe siècle, quand le compositeur interprète a dû vivre par ses propres moyens, il a dû se composer un répertoire en dehors de sa production personnelle. Ne jouant jusqu'alors que de la musique contemporaine, il s'est mis à la recherche d'œuvres du passé susceptibles de le mettre en valeur et de plaire à un public désormais à conquérir. L'interprète est devenu une valeur artistique mais aussi un produit commercial dont les imprésarios se sont rapidement emparés. Le musicien compositeur sédentaire cède la place peu à peu au musicien interprète itinérant, homme de musique, mais aussi homme de spectacle. Liszt, qui est le premier à avoir inauguré la formule du récital de soliste, ne dédaigne pas les prouesses d'estrade sans grand rapport avec son art. De là, la naissance d'une littérature musicale appropriée, adaptée aux besoins de l'interprète, du type paraphrases, transcriptions, études de virtuosité...

Les conditions de vie du musicien d'aujourd'hui sont-elles si différentes de celles de l'interprète du siècle précédent ?

LA CARRIÈRE : DU CONCOURS FAMILIAL AU CONCOURS INTERNATIONAL

La lecture suivie d'un dictionnaire tel que celui-ci permet d'établir aisément la formation type de l'interprète actuel : il débute très jeune, remarqué par un musicien « ami de la famille », il entre au conservatoire de sa ville natale puis au conservatoire supérieur de la capitale de son pays d'origine [1] ; 1er prix dans sa discipline, il se perfectionne auprès d'un grand maître qui le présente aux concours internationaux : débuts d'une carrière nationale puis internationale, émissions radiophoniques, disques, puis enfin professorat, bien souvent au conservatoire dont il est lui-même issu.

En fait, les choses ne sont pas toujours aussi simples et un grand nombre d'interprètes s'arrêtent au début d'une carrière qu'ils croyaient prometteuse. Il est relativement facile de commencer, il est plus difficile de poursuivre. Bien souvent, les contraintes ou charges familiales obligent le jeune interprète à se stabiliser. Il entre alors comme musicien du rang ou chef de pupitre dans un orchestre symphonique, augmentant ses revenus par des « affaires » extérieures (studio de variétés, de cinéma, de télévision, disques...) ou par le professorat, d'État ou privé. Il va sans dire qu'il gardera sa vie durant le regret d'une carrière de soliste, ce qui l'entraîne parfois à mal supporter les contraintes de la collectivité orchestrale.

Un autre élément déterminant dans le lancement d'un interprète est, après sa réussite aux grands concours internationaux, sa prise en charge par un bureau de concert, étant entendu que celui-ci est privé des droits de producteur qui faisaient les beaux jours de l'imprésario clairvoyant.

MUSICIEN ET MILIEU SOCIAL

Dans une enquête relative aux conditions de vie et de travail des musiciens, menée à la demande de la Société des Nations, le rapporteur William Martin écrivait : « Les musiciens sont au carrefour du prolétariat et des professions libérales. Leur situation illustre bien la difficulté de définir nettement le travail intellectuel et de le distinguer du travail manuel... Les musiciens des grands orchestres ont, dans une certaine mesure, les intérêts collectifs que crée le syndicalisme. Ils ressemblent à certains ouvriers qualifiés actionnant une machine de précision qui est leur instrument. »

1. On ne peut s'empêcher de souligner dans ce domaine la suprématie d'établissements tels que la Juilliard School, le Curtis Institute, l'Académie de Vienne ou le Conservatoire de Paris.

Une enquête plus récente, menée en 1977 [1] parmi les 996 élèves du Conservatoire de Paris, montre que ceux-ci appartiennent pour l'essentiel à des familles d'intellectuels et de cadres... Cette enquête réalisée en France est à corriger pour des pays voisins comme l'Allemagne ou l'Angleterre. La pratique musicale, y étant plus répandue, fait que le musicien se considère comme un prolétaire et non pas comme un « artiste », ce qui entraîne un comportement très différent, sur le plan de la discipline par exemple... De même, une enquête très intéressante réalisée par Jacqueline De Clercq [2] portant sur un échantillon de musiciens belges tend à montrer que chefs d'orchestres et de chœurs, musiciens d'église et d'orchestre sont issus de milieux socioprofessionnels assez modestes. Il en ressort que « les milieux aisés de la société éprouvent quelques réticences à orienter leurs enfants vers les carrières musicales ». Dans le même temps, il est intéressant de constater que le musicien qui réussit une grande carrière, comme chef d'orchestre ou comme soliste, accède le plus souvent à un niveau social qui n'est pas celui de son milieu d'origine. C'est aussi le cas d'une grande partie des instrumentistes à vent au sein d'une grande formation symphonique (le choix de l'instrument à vent étant parfois dicté par son prix d'achat, presque toujours moins onéreux qu'un instrument à cordes). Ils accèdent alors très jeunes à un salaire qui peut être comparé à celui d'un ingénieur. Ceci tient aussi au fait que la décision d'entrer dans la carrière musicale par vocation reste relativement faible par rapport à celles dues à des influences extérieures (familles, professeurs...) qui entraînent le jeune à se faire une situation valorisante sur le plan social. Notons au passage qu'une carrière musicale exige une formation commencée dès le plus jeune âge et que l'enfant qui se révèle doué est orienté de ce fait un peu malgré lui. 50 % des musiciens débutent la musique entre cinq et huit ans.

DE LA FORMATION A LA DÉFORMATION

Les contraintes de la discipline instrumentale privent bien souvent le futur interprète d'une éducation générale poussée. 25 % des musiciens ont le niveau du baccalauréat. La grande majorité estime avoir une culture générale nulle. Les statistiques belges [3] tendent à montrer que plus la qualification musicale est grande, plus le niveau de culture est faible. Depuis une vingtaine d'années, il semble tout de même que les éducateurs aient pris conscience de ce problème puisqu'ils proposent des formules dites à « horaires aménagés » qui permettent en partie de pallier ces déficiences. Par ailleurs, il apparaît qu'une nouvelle génération d'interprètes tend à prendre plus de distance par rapport à la discipline instrumentale, et l'on

---

1. *Musique en jeu n° 33. La constitution du goût musical*, par François Mariet : « Sur 824 réponses exploitables, on compte 336 étudiants dont le père (ou la mère) appartient aux cadres supérieurs ou professions libérales et 199 dont le père appartient aux cadres moyens soit, si l'on y ajoute 66 étudiants enfants d'artistes, 581 étudiants, c'est-à-dire 70,50 % des réponses exploitables. Ce n'est plus une représentation, c'est un monopole. (Les cadres moyens, cadres supérieurs et professions libérales représentent moins de 20 % de la population active française.) Les étudiants fils d'ouvriers, d'employés, de personnels de services et d'agriculteurs qui représentent 70 % de la population française ne représentent que 17,74 % des élèves du Conservatoire ».

2. Jacqueline De Clercq : *La profession de musicien*, Université libre de Bruxelles (Ed. de l'Institut de Sociologie, 1970).

3. Voir note ci-dessus.

voit désormais avec sympathie de jeunes interprètes se passionner pour le sport ou d'autres violons d'Ingres. Ils attachent ainsi à leurs qualités spécifiquement musicales une discipline parallèle qui concourt à parfaire leur image de marque.

Il n'empêche que pour plus de 60 % des interprètes, les activités dites secondaires par rapport à l'emploi principal sont encore d'ordre musical, 13 % seulement avouent s'adonner à d'autres disciplines, 24 % n'ont pas d'autres activités.

On voit ainsi apparaître, notamment au sein des grandes formations symphoniques, le type de musicien fonctionnaire qui ne pratique plus son instrument qu'à son pupitre, celui-là même magnifiquement dépeint par Federico Fellini dans son film *Prova d'orchestra,* ou encore, récemment, par un membre de l'Orchestre de Paris [1]. N'est-ce pas là la conséquence d'un enseignement sanctionnant les études par voie de concours uniquement – et non pas d'examens : sur mille musiciens de dix ans, à peine une dizaine de « surdoués » résisteront à une sélection sans pitié. « A force d'aller au fond des choses, on y reste », a écrit Pascal. Le comportement égocentrique du musicien fonctionnaire conforté par la sécurité de l'emploi, protégé par l'action syndicale, s'enlise dans la routine au sein d'un orchestre devenu micro-société avec ses rites, ses tensions, sa hiérarchie (déclarée mais aussi secrète). Il faut revoir Fellini, mais aussi Wajda, *Le Chef d'orchestre...*

Et pourtant « les prestations que doivent fournir les musiciens d'un orchestre forment un total moyen inférieur d'environ 30% aux horaires professionnels habituels » [2].

SOLISTES EN LIBERTÉ SURVEILLÉE

Le soliste, chanteur ou instrumentiste, le chef d'orchestre, le musicien d'orchestre, même dans la mesure où il appartient à un ensemble de chambre, échappent en grande partie à cette fonctionnarisation. Un 1er Prix de Conservatoire ne débouche sur rien [3]. Il doit être suivi d'autres récompenses à un niveau international permettant à l'interprète de se mesurer aux autres, de travailler un répertoire de concert [4], de se produire en public et non plus seulement devant un jury, de se forger et de révéler une personnalité, un tempérament musical qui doit, par nature, être exceptionnel. Mais les récompenses internationales ne suffisent pas. Pour réussir, l'artiste musicien doit être pris en charge par un bureau de concert, voire plusieurs, qui le représente dans divers pays. En France, les différentes lois relatives au placement des artistes du spectacle [5] régentant l'obtention d'une licence d'agent artistique entraînent celui-ci à agir sans aucune responsabilité et en tant qu'intermédiaire entre le producteur organisateur et l'interprète. Il ne partagera donc aucun des risques courus par le

---

1. François Dupin : *L'Orchestre nu* (Hachette, 1981).
2. Voir note ci-dessus.
3. Il donne seulement le droit à l'inscription au Concours du Certificat d'Aptitude à l'Enseignement dans les écoles nationales de musique. Il n'a aucune équivalence avec d'autres diplômes techniques.
4. On a connu des 1er prix de clarinette n'ayant jamais travaillé au Conservatoire de Paris le *Concerto* de Mozart. Le cycle de perfectionnement a, en grande partie, remédié à cette lacune.
5. Lois du 24 mai 1945, 26 décembre 1969, décret du 3 décembre 1971.

producteur organisateur et par le musicien. Il en résulte que par un souci de rentabilité les grands solistes ou chefs d'orchestre proposent aux organisateurs des programmes très traditionnels. De leur côté, les organisateurs proposent au public les artistes susceptibles d'attirer le plus large auditoire. De là, l'engagement dans le monde entier d'une centaine de musiciens qui tournent à longueur d'année avec un répertoire relativement restreint.

Le fait que les moyens modernes de locomotion permettent aux interprètes de renouveler constamment leur auditoire ne les incite pas à enrichir leurs programmes. Quand peut-on travailler de nouvelles œuvres lorsque l'on se produit une centaine de fois par an ?

Les cachets des grands solistes sont en général équivalents à la recette maximum de la salle utilisée. Il faut donc, pour les produire, de grandes salles, ce qui les entraîne à jouer presque exclusivement dans les capitales ou certains grands festivals. Le musicien de second ordre est relégué à faire ses preuves en province.

Les festivals [1] offrent depuis une vingtaine d'années une possibilité nouvelle de se produire dans des conditions parfois difficiles, mais souvent profitables à la carrière.

L'ARTISTE ET L'ARGENT

Dans l'ensemble, le musicien d'orchestre est bien payé particulièrement dans les associations ou formations symphoniques constituées. Il faut cependant savoir que son échelle de salaire est relativement plate par rapport à d'autres formations. L'ancienneté joue peu. Un jeune musicien affecté à un poste de chef de pupitre après concours est censé mieux jouer qu'un musicien du rang en place depuis vingt ans ; et il n'est pas prévu qu'il puisse s'améliorer au bout de quelques années dans l'exercice de sa fonction. En marge d'un poste occupé au sein d'un orchestre, il y a le monde aléatoire des « affaires ». Celles-ci sont évidemment plus nombreuses dans les grandes capitales : le musicien répugne à vivre en province où, en outre, il est moins bien rémunéré à fonction égale.

Les artistes qui gagnent les cachets les plus substantiels sont les chefs d'orchestre et les grandes voix du monde lyrique. Il faut ouvrir ici une parenthèse au sujet des chanteurs pour souligner que leur carrière commence souvent plus tard et finit beaucoup plus tôt que celle des instrumentistes ou chefs d'orchestre.

Le professorat présente les avantages de la stabilité de l'emploi mais n'est pas toujours très bien rémunéré. Les cours particuliers viennent souvent compléter ces revenus. Il est tentant pour un jeune interprète de suivre les cours d'un artiste de renom. Le *curriculum vitae* s'en trouve enrichi. Hélas ! la pédagogie n'est pas toujours le lot des plus grands interprètes et certains pédagogues, tel Franco Ferrara, ne sont pas forcément les plus à l'aise au concert.

1. On dénombre actuellement en France à peu près 600 festivals dont un peu plus d'une centaine est subventionnée par l'Etat.

QUI SERA L'INTERPRÈTE DE DEMAIN ?

L'interprète d'un certain niveau porté par les moyens de la diffusion sonore (radio, télévision, disque, cassettes) et par les mass médias jouit aujourd'hui de prestige et de considération. Il ressort cependant que le soliste est mal protégé, à la merci de n'importe quel accident, mode, engouement ou désaffection du public. C'est notamment vrai pour les chanteurs, mais aussi pour les organistes qui souffrent d'un isolement par rapport à leur public et font preuve, de surcroît, d'un esprit rarement confraternel. Chez eux, l'instrument passe souvent avant l'instrumentiste. En ce sens, ne préfigurent-ils pas un peu l'avenir des autres instrumentistes ?

Les compositeurs d'aujourd'hui – c'est-à-dire ceux qui font la musique de demain – écrivent de moins en moins pour les instruments dont la lutherie est adaptée à un langage qu'ils considèrent comme dépassé, voire usé. Peut-on encore écrire quelque chose de neuf pour le piano ? La machine va, non seulement en l'imitant mais en dépassant et accroissant ses possibilités, se substituer à l'instrument. Le compositeur, ou plus exactement sans doute le groupe « compositeur-acousticien-technicien-informaticien », est appelé à avoir une relation directe avec son auditoire sans l'intermédiaire de l'interprète. Celui-ci sera alors relégué à jouer le répertoire de trois siècles de musique au même titre que le clavecin ou la viole de gambe correspondent à des périodes très précises de l'histoire.

Par ailleurs, on assiste à une vulgarisation de la musique qui sort enfin de la salle de concert et gagne le cadre touristique des festivals, le plein air, la rue, le métro,... le Palais des Sports. Il est permis de penser que demain, après toute une génération subjuguée par l'audition passive offerte grâce à la haute fidélité, une autre génération découvrira le plaisir de faire par soi-même la musique, laissant aux professionnels les œuvres d'un accès trop difficile. Cela pourrait entraîner un changement radical dans la manière de composer la musique qui, aujourd'hui encore, pour s'imposer, se doit d'être complexe.

BIBLIOGRAPHIE

CARSALADE, H. de : *Les Conditions de vie des musiciens en France.* Revue ETDES, tome 311 (oct. 1961).

DUMESNIL, R. : *L'Envers de la musique.* La Nouvelle Edition (1948).

HELM, E. : *Le compositeur, l'interprète, le public.* Florence (1972).

HONEGGER, A. : *Le Musicien dans la société moderne.* U.N.E.S.C.O., « Conférence internationale des artistes ». Venise (22-28 septembre 1952).

MENGER, P.-M. : *Le Paradoxe du musicien,* Flammarion (1983).

SILBERMANN, A. : *La Musique, la radio et l'auditeur.* P.U.F. (1954). *Introduction à une sociologie de la musique,* P.U.F. (1955). *Les Principes de la sociologie de la musique.* Droz (1968).

Les concours internationaux : grandeur et servitude

par Michel CRESTA

Le concours est un élément fondamental de la vie musicale. Personne aujourd'hui ne songe sérieusement à remettre en cause l'existence de cette noble institution. On critique les concours, on les raille, certains membres de jurys démissionnent parfois avec fracas, mais nul n'ose vraiment exiger la suppression pure et simple de ce mode de recrutement des talents. Au contraire, il semblerait que les horreurs que l'on colporte sur les concours entretiennent le sentiment de leur nécessité, si l'on en juge d'après la multiplication actuelle de ce type de compétition.

Chaque année, au moment où s'annonce inexorablement la tenue sur les rives du Léman, sur les bords de la Seine ou de la Vistule des grandes cérémonies initiatiques que sont les Concours Clara-Haskil, Long-Thibaud ou Chopin, on en profite pour ajouter de nouveaux noms à une liste déjà fort longue. Il faut savoir que les raisons purement esthétiques ne suffisent pas à la création d'un concours. Un concours international est un excellent moyen de promotion (sur le plan financier et électoral) pour les municipalités qui les accueillent. En outre, cela attire les touristes... Bref, tout le monde s'y retrouve. Néanmoins, le phénomène existe. Il occupe parfaitement sa place. Il répond donc à un besoin social déterminé. On n'a jamais que les institutions que l'on mérite. Il n'est donc pas question, ici du moins, de considérer le concours comme un corps étranger à la vie musicale, ou une aberration contre nature. Au contraire, il s'agit de voir ce qui le constitue jusque dans ses limites, quel genre d'esprit il développe chez les jeunes instrumentistes qui se soumettent par force à sa discipline, quel avantage il représente, et surtout ses conséquences sur l'interprétation en général.

UN ANCÊTRE FRANÇAIS

L'ancêtre des concours internationaux est français et national ! Cela n'est guère étonnant, si l'on considère qu'aujourd'hui encore la France est l'un des rares pays à utiliser aussi souvent la procédure du concours, tant pour recruter des enseignants que des hauts fonctionnaires, ou n'importe quel agent de l'État.

C'est le *Prix de Rome* qui a présenté le premier ce mode particulier de sélection. On pourra toujours objecter que certaines villes allemandes ou italiennes offraient aussi des prix aux artistes les plus talentueux, et ce dès le Moyen Âge. Mais, ce qui caractérise le concours, c'est sa périodicité. C'est une institution à part entière, avec ses structures propres, ses lois et son personnel. Les prix que proposaient par exemple les éditeurs de musique n'offraient pas la même caractéristique. Les variations sur un thème écrit par Diabelli, où Beethoven, Schubert et Liszt devaient s'affronter à Vienne en 1820, sont le type même de compétition sporadique, qui n'offre absolument pas la régularité dans le temps, ni le côté systématique du concours.

Lorsque l'on connaît le nom de celui qui créa le premier concours on ne s'étonne plus de l'ampleur écrasante de certains d'entre eux. C'est Louis XIV qui demanda à l'Académie Royale des Beaux-Arts la constitution d'un *Concours de Rome*, permettant aux peintres, aux sculpteurs et aux architectes français d'aller se perfectionner à Rome pendant quatre ans.

Un siècle plus tard, cette possibilité était offerte aux musiciens, en 1803. Mais c'est surtout à la fin du XIXe siècle et au début du XXe que les concours sont devenus internationaux, et qu'ils ont acquis l'importance que nous leur connaissons aujourd'hui. Les années 50 ont représenté un tournant décisif. Les concours se sont multipliés dans la mesure où proliféraient les jeunes interprètes, au point qu'il existe de nos jours une hiérarchie entre les concours : il y a les grands concours, et puis les autres, boudés par les interprètes de valeur.

CE QUE REPRÉSENTE UN CONCOURS

C'est d'abord un prix : de 25 000 à 40 000 francs en moyenne. Mais il n'y a pas de règle dans ce domaine. Certains concours ne donnent aucune somme d'argent.

Ce qui est plus important, ce sont les engagements de concerts qui attendent le lauréat. Le Prix Long-Thibaud comporte en outre des engagements de festivals, des émissions à la radio et un enregistrement sur disque.

On ne peut comprendre l'importance attachée à cette noble institution par les jeunes interprètes si l'on ne prend pas en considération le nombre incroyable de musiciens que possède notre époque. La palme revenant de plein droit aux pianistes, dont le nombre ne cesse d'augmenter d'année en année. Dans cette mesure, il n'y a pas d'autre manière de « percer » que celle de se faire connaître par un premier prix dans un concours international.

On peut même dire que les concours internationaux ont été le lot de tous les grands musiciens actuels, de Arrau à Brendel, en passant par Ashkenazy et Portal. Après les études au conservatoire, après un premier prix de sortie, le concours représente une sorte de parachèvement de la formation musicale. Parachèvement devenu inévitable à cause de la facilité que représente le concours, pour les médias. En un point donné, il est possible de rencontrer des gens venus des quatre coins du monde. A Varsovie, on rencontre des Japonais, des Vietnamiens, des Anglais, etc.

Car l'enjeu est là : ce sont les médias, c'est-à-dire la diffusion moderne de la musique. Presse, agents artistiques, agents des maisons de disques, télévisions, avec autant de contrats à la clé. Le « sensationnel » est un fait de société. C'est aussi un aspect non négligeable des concours, qu'il faut regarder en face. Les candidats sont un peu des « bêtes curieuses ». Ils suivent la logique de l'information. Dans l'opinion publique, rien n'a davantage servi Ivo Pogorelich, lors du Concours de Varsovie 1980, que la démission de Martha Argerich indignée par l'attitude partiale, selon elle, du jury, dont le jeune pianiste venait d'être la victime.

Il est également de tradition de ne pas être d'accord avec ce qui a fait l'unanimité du jury. Il y a le lauréat de la presse et de la salle, puis le lauréat officiel. Mais le jury est souverain.

Tout cela signifie qu'un premier prix n'apporte pas forcément la célébrité. Le concours représente un événement en soi. Des noms émergent. Mais il faudra bien autre chose pour consolider sa percée, et transformer son image de marque en carrière.

« UN CONCOURS, CELA FAIT TRAVAILLER »

C'est de cette manière que se justifient les candidats. Il est de fait que l'on ne va pas autant travailler son instrument lorsqu'on reste tranquillement chez soi que lorsqu'on est tenaillé par les fièvres du concours. On pense que Rostropovitch sera dans le jury, que la T.V. sera là, etc.

L'effet premier des concours, c'est d'avoir modifié le rapport avec l'instrument. Plus de fausses notes ! La technique est irréprochable. On est horrifié aujourd'hui, lorsqu'on entend Fischer ou Schnabel jouer faux. Ils n'auraient pas passé les éliminatoires de Leeds !

Il faut croire que notre oreille aussi a changé. Nos exigences ne sont plus les mêmes. La musique doit être propre, bien polie. Voilà un effet des concours !

A la sortie du conservatoire, le jeune interprète se jette à corps perdu dans la technique, accumulant souvent des heures de travail qui demandent davantage une santé et des nerfs d'acier, qu'une connaissance experte de l'instrument.

Le reproche qui est fait à ce phénomène indissoluble de la préparation des concours internationaux, c'est de réduire la musicalité, l'art du phrasé, à la seule technique. Le lauréat d'un concours, comme les autres d'ailleurs, ressemble à un virtuose qui aurait mangé son blé en herbe. Le moyen de faire autrement ? Chaque concours a sa limite d'âge. Dès 18 ans, il faut se lancer sur les scènes internationales, sacrifier aux dieux des concours ses heures de détente, sa liberté et ses voyages, ce qui n'est peut-être pas négligeable dans la formation d'un musicien.

Du temps de Fischer ou de Schnabel, on était d'abord professeur de musique, histoire de creuser un peu les mystères du clavier. La maturité seule permettait qu'on se produise devant les salles.

ET APRÈS ?

Des lauréats de concours internationaux disparus corps et biens, il en existe un grand nombre. Un peu comme les vedettes de variétés, dont on ne parle plus au bout de quelques mois. Chargés de prix, ils attendent quelque temps après leur premier disque. On leur en fait faire un second. Et puis, ils sombrent peu à peu dans l'oubli, ne parvenant pas à effacer les déformations acquises lors de la préparation des concours. On dit qu'ils manquent de personnalité.

Encore une fois, les chiffres sont là. Les concours internationaux ne font pas la pluie et le beau temps. On estime qu'il y a place pour trois ou quatre solistes internationaux dans le domaine du piano, tous les deux ans. Chaque année, une vingtaine de prix de piano sont distribués de par le monde.

INÉGALITÉ ENTRE LES CONCOURS

Il est très rare qu'un concours de piano n'offre pas au lauréat un engagement. En outre la presse en fait largement écho. Ce n'est pas le cas des concours de direction d'orchestre. Le lauréat doit se sentir très honoré, et se contenter de cela. Les raisons de ce phénomène sont obscures. On met généralement en avant le fait qu'il y a moins de places pour les chefs que pour les pianistes. Il y a aussi moins de concours de direction d'orchestre...

INÉGALITÉ ENTRE LES CANDIDATS

L'esprit-concours, que les membres du jury, souvent vénérables et chargés d'ans, appellent avec amusement émulation, est également un facteur déterminant. Ce qui se passe dans la tête d'un finaliste oscille le plus souvent entre l'angoisse la plus profonde et la haine farouche des autres concurrents. Ceux-ci le lui rendent bien. Il ne faut pas chercher dans les concours les nobles sentiments, vous risquez d'être déçus. Sur cette toile de fond se découpe tout un cérémonial initiatique qui en a fait fuir plus d'un. Le violoncelliste qui ne sait plus placer son pouce sur l'archet, ou le pianiste qui sent sa main gauche soudain paralysée, cela arrive : élimination logique, en pareil cas. Ce qui ne veut pas dire que le malheureux, victime du trac, est mauvais musicien. Mais souvent sa carrière s'arrête là.

C'est une limite indéniable du concours. L'esprit qu'il distille un peu partout dans le monde musical ne correspond pas à la réalité des interprètes. Après tout, ce n'est pas en triomphant de sa peur que l'on devient musicien. Clara Haskil n'a jamais cessé d'avoir peur avant d'entrer en scène. Pourtant...

LES JURYS

Il y a des jurés astucieux. Lorsque Murray Perahia s'est présenté au Concours de Leeds, son Mozart manquait de technique. Au point que la presse et le public s'attendaient à le voir éliminé dès le premier tour. Ce ne fut pas le cas. Le jury avait su déceler le pianiste de classe internationale sous l'enveloppe précaire, ce jour-là, de sa technique. Il devait remporter le premier prix, la même année.

En fait, il n'y a pas de généralité à propos des jurys. Des bruits courent sur le « piston » de telle interprète allemande, qui aurait signé par avance avec une maison de disques ayant sous contrat plus de la moitié du jury. Mais ce ne sont que des bruits !

Le problème est ici aussi d'ordre psychologique. Comment peut-on soutenir son attention des heures et des heures, en écoutant tous les concurrents ? Et même si cela est possible, n'y a-t-il pas une saturation qui finit par se créer, la fatigue aidant ? Comme l'écrivait un critique britannique, avec tout l'humour d'outre-Manche dont il est capable : *Une banalisation de l'écoute et de la musique a forcément lieu assez rapidement. Le jury entend plus souvent qu'il n'écoute, encore n'entend-il pas tout le temps...*

Par ailleurs, l'idée d'un jury se fonde sur un savoir moyen, sur une attitude moyenne par rapport à la musique, qui lui permet de juger les interprètes. Les libertés de tempo, d'expression en général, de vêtements, sont très mal vues à Varsovie par exemple. Les excentricités vestimentaires de Pogorelich lui ont coûté le prix.

Le choix des œuvres imposées est aussi arbitraire que les critères de jugement. La sacro-sainte *Sonate* de Liszt ou l'*opus 111* de Beethoven ont fait « les beaux jours » de plus d'un concurrent. Les *Études* de Debussy sont plus rares. Mais qu'importe, un vrai musicien doit savoir tout jouer ! C'est du moins ce que semblent penser les jurys de concours.

UN EXEMPLE A MÉDITER !

Maurizio Pollini a remporté à 18 ans le 1er prix de Varsovie. Arthur Rubinstein était alors président du jury. Pollini refusa tous les engagements, pour méditer et oublier les miasmes du concours. Pendant cinq ans, on n'entendit plus parler de lui. Ce n'est que vers le milieu des années 60 qu'il est réapparu sur la scène internationale, confiant à la presse qu'il avait voulu faire autre chose que de la musique, sans l'oublier pour autant.

C'est peut-être ce qu'il faut souhaiter aux finalistes (et aux autres concurrents) des concours internationaux : oublier leurs concours, et, comme disait Edwin Fischer, *se retrouver eux-mêmes*, en laissant les choses se décanter.

Mais laissons conclure un heureux finaliste du Prix de Rome, Claude Debussy : *La Musique ne doit pas porter l'estampille officielle. L'art n'est pas nécessairement borné aux monuments subventionnés par l'État. Il faut l'aimer à travers toutes les visions, toutes les misères, et ne jamais compter sur lui pour se faire une « situation ».*

LES PRINCIPAUX CONCOURS INTERNATIONAUX

CONCOURS CHOPIN DE VARSOVIE (piano). *Lauréats* : Ashkenazy, Harasiewicz, Argerich, Pollini.

CONCOURS DE GENÈVE (piano, clavecin, flûte, cuivres, chant ...). *Lauréats* : Pierlot, Delmotte, Barboteu, Maurice André, Ingrid Haebler, Tacchino, Mildonian, Debost, Michelangeli, Argerich, Merlet, J.-J. Kantorow...

CONCOURS LONG-THIBAUD (piano et violon). *Lauréats* : Samson François, Michèle Auclair, Ciccolini, Ferras, Wayenberg, Erlih, Ringeissen, Badura-Skoda, Gelber, Feltzmann, Eresco, Frankl, Tacchino, Thiollier, Collard, B. Engerer, O. Gardon, S. Marcovici, M.-A. Nicolas, Pikaisen.

CONCOURS TCHAÏKOVSKI DE MOSCOU (piano, violon et violoncelle). *Lauréats* : Van Cliburn, Ashkenazy, Ogdon, Eresco, John Lill, Guttierez, Kremer, Fodor, Tretiakov, Gueorgian, Geringas, Spivakov.

Concours Reine Elisabeth de Belgique (piano et violon). *Lauréats* : David Oistrakh, Guilels, Kogan, Fleischer, Entremont, Boukoff, Ashkenazy, Browning, Vasary, Kremer, Thiollier, Duchâble.

Concours de Besançon (direction d'orchestre). *Lauréats* : Ozawa, Vandernoot, Périsson, Inbal, Kösler, Commissiona, Plasson, Macal, Pâris, Kaltenbach, Cambreling, Soustrot.

Concours de Leeds (piano). *Lauréats* : Krainev, Perahia.

Concours de Radio-France (guitare). *Lauréats* : Ragossnig, Ponce, Ghiglia, Polacek, Santos.

Concours Karajan (direction d'orchestre, Berlin). *Lauréats* : Kamu, Koïzumi, Chmura, Tchakarov.

Concours Mitropoulos (direction d'orchestre, New York). *Lauréats* : Abbado, Kösler, Houtmann, Bender, Capolongo, Garcia-Asencio.

Concours de Munich (chant, piano, violon, cor, trio avec piano, trio à cordes). *Lauréats* : Portal, Graf, Debost, Larrieu, Seifert, Anne Queffélec, Quatuors Bernède et de Tokyo, Bashmet.

Concours Clara-Haskil (Suisse) piano. *Lauréats* : Eschenbach, Varsi.

Concours Rostropovitch (Paris – New York). *Lauréats* : Lodéon, Chiffoleau.

Concours Robert Schumann (piano et chant) de Zwickau (R.D.A.).

Le disque, la radio et la télévision

par Pierre BRETON

Pendant des siècles, la musique n'a eu à sa disposition, pour étendre son influence, que le concert, la pratique individuelle et, pour les amateurs éclairés, la lecture de sa forme chiffrée en partitions. Elle ne pouvait être conservée sous sa forme sonore. La musique vit alors dans l'instant, unique et fugace, où elle s'exprime sous les doigts ou les lèvres des musiciens. Elle n'a d'autres références que celles – imprécises et subjectives – enregistrées dans la mémoire des auditeurs et des interprètes. Les comparaisons ne peuvent se faire qu'à travers ce prisme déformant, qui donne si aisément les couleurs du légendaire à des performances qui – peut-être – n'en sont pas tout à fait dignes. Pour le plus grand nombre, pendant des siècles, la musique n'a d'existence que le temps d'un concert. Le temps musical ne revient pas en arrière : l'œuvre suit son déroulement chronologique de manière irréversible jusqu'à l'accord final. Nul ne peut – sauf en esprit – en interrompre le cours, revenir à son début, en bouleverser l'ordonnance. Faite pour l'écoute en concert ou sa pratique privée, la musique exige la mobilisation de l'attention. Exception faite de ces partitions anciennes destinées à éveiller l'appétit ou à bercer la digestion des princes et des rois, elle est tout le contraire d'un produit banal, d'une toile de fond sonore.

Ce bel édifice va être totalement détruit. Survient un petit événement dont les conséquences ne seront guère mesurées que près d'un demi-siècle plus tard : l'invention du micro. Son influence sur la musique et son interprétation va se révéler considérable. Commence l'ère de la musique diffusée, l'ère de la musique thésaurisée. Désormais on ne composera plus de la même manière, on n'écoutera plus avec la même oreille, on ne jouera plus de façon identique. L'évolution a certes été à la fois progressive et diverse sur le jeu des interprètes. Qu'il s'agisse de l'époque héroïque des débuts ou des raffinements des temps actuels – en attendant les perfectionnements de demain –, le micro ne peut se limiter au rôle de reporter impartial, d'observateur innocent. On joue, à travers lui, pour des millions d'auditeurs inconnus et absents. On joue parfois même pour lui seul, tant il impose de contraintes techniques ou psychologiques. Bref, d'accessoire purement matériel, il en vient à occuper une place centrale – quelquefois prédominante hélas ! – dans les préoccupations des artistes.

LA PRÉHISTOIRE
(jusqu'aux années 1920)

C'est aux États-Unis qu'est inventé, en 1877, le phonographe. Thomas Alva Edison grave à l'origine ses premiers enregistrements sur des cylindres métalliques. La prise de son s'effectue par l'intermédiaire d'un pavillon. Alexander Graham Bell substitue peu après la cire au métal et invente le microphone électrique. Lee de Forest met au point, en 1907, le premier amplificateur. L'enregistrement et la reproduction sonores sont nés.

Pour la première fois dans l'histoire de la musique, l'interprète s'entend. Le chanteur qui ne percevait son chant que par l'oreille « interne » – davantage les vibrations transmises par le corps que les sons recueillis par l'oreille – peut écouter véritablement ce qu'entendent ses auditeurs. L'instrumentiste peut se réécouter, analyser son jeu avec le recul que donne le temps. Cet élément objectif permet de développer le sens critique des musiciens, de remarquer plus aisément les imperfections du jeu et de les éliminer. Certes, on s'entend mal. Dans ces années héroïques, le spectre sonore enregistré est privé d'une bonne partie de ses graves et de ses aigus. La prise de son par pavillon, très rudimentaire notamment lorsqu'il s'agit d'enregistrer un orchestre, impose de sévères contraintes. Les effectifs sont réduits au maximum (moins de 25 musiciens), les cordes étant souvent limitées à un simple quatuor. Il arrive même, la contrebasse étant inaudible, de la remplacer par un tuba... D'où cette sonorité particulière que l'on retrouve dans les premiers enregistrements de Nikisch, Muck, Coppola ou Stokovski, avec une nette prédominance des cuivres et des bois. Les ingénieurs du son proscrivent le plus souvent l'usage de la pédale pour le piano. Les durées d'enregistrement sont extrêmement limitées. D'où la tentation pour les interprètes d'omettre les reprises et de presser le tempo.

Si les chanteurs se laissent assez facilement séduire par cette nouvelle technique – le chanteur est enregistré « le nez dans le pavillon »... – les autres musiciens ne montrent tout d'abord que fort peu d'enthousiasme. Il se crée donc des solutions de remplacement quand elles sont possibles. C'est ainsi que, grâce au piano mécanique fonctionnant avec des fiches de carton perforées (système Welte et Mignon), nous sont parvenues des interprétations signées Debussy ou Granados. Si de tels systèmes sont impuissants à restituer les qualités de toucher et de phrasé des interprètes, du moins donnent-ils de précieuses indications de tempo. L'enregistrement est bien né mais il est encore dans les limbes, il faut le reconnaître.

LA FÉE ÉLECTRICITÉ
(des années 1920 à la fin de la Deuxième Guerre mondiale)

La véritable révolution se produit au début des années 1920 avec la découverte de la radio (1re émission en 1920, émissions régulières à partir de 1922, 32 émetteurs en service en 1939) et celle de l'enregistrement électrique (1926).

Le premier concert radiodiffusé a lieu le 22 juin 1921 dans la Salle des ingénieurs civils. Le rôle de la radio va aller croissant au fil des années. Pour la diffusion de concerts bien sûr – c'est à cette époque l'une de ses activités musicales essentielles – mais pour bien d'autres choses encore. Les radios créent des chœurs et des orchestres – l'Orchestre National est né en 1934, celui de la B.B.C. en 1935 –, elles organisent des concerts, plaident pour la musique de chambre et pour la musique contemporaine. Les radios d'État mais aussi les radios privées : souvenons-nous de l'orchestre offert à Toscanini par la N.B.C. A ses débuts, la radio montre une mentalité de défricheur. Elle explore souvent le répertoire délaissé par les virtuoses. Elle invite fréquemment des musiciens non vedettes. Elle pratique beaucoup l'enregistrement en direct. Bref, elle se montre à la fois imaginative et respectueuse de la vie des interprétations.

De l'enregistrement électrique date le démarrage de l'industrie du disque. Le support commence à atteindre une qualité appréciable qui modifie l'attitude parfois réservée des interprètes. Les disques se multiplient. Certes, on n'enregistre pas à tout va. Un disque se mérite. C'est une consécration, pas un premier essai. On le réserve aux plus grands. Le concert reste encore le moyen essentiel de faire reconnaître son talent. C'est l'époque des débuts discographiques de Menuhin, Schnabel, Kleiber ou Mitropoulos. C'est le temps des premières intégrales. Les contraintes techniques existent toujours, même si elles sont moins pesantes. Les studios ont souvent, hélas ! une acoustique très mate, témoin le fameux studio 8H qu'affectionnait tant Toscanini. Les artistes jouent sans public. Certains ne s'y adaptent qu'avec difficulté et leur jeu y perd parfois chaleur et spontanéité. On ne peut – en cas d'incident ou d'insatisfaction – refaire l'enregistrement que par faces entières. Et, compte tenu du coût, on évite de le faire. On laisse donc le plus souvent passer certaines scories (les fausses notes de Cortot ou de Fischer sont célèbres) mais on préserve, l'interprète jouant le plus souvent l'œuvre d'une seule traite, des qualités de construction et d'émotion qui risqueraient fort d'être perdues. Certes, le disque n'est pas encore suffisamment raffiné pour rendre tout à fait justice au répertoire symphonique et lyrique. Mais il s'y intéresse maintenant activement, parfois avec une qualité qui étonne.

A leurs débuts, disque et radio se montrent soucieux de préserver la vie dans les interprétations. Les choses vont hélas ! bientôt changer.

HAUTE FIDÉLITÉ ?
(1945-1970)

De considérables progrès se produisent au cours des années suivant la fin de la Deuxième Guerre mondiale. Les premières émissions de télévision datent de 1935, mais son véritable essor peut être fixé dans les années 1950-60. Cependant, dans l'immédiat, la musique et ses interprètes n'en profitent que peu. Le magnétophone à fil, puis à bande, délivre l'enregistrement des contraintes nées de la durée des faces. Le microsillon se développe. On peut maintenant retoucher les enregistrements dans le détail (on reprend une mesure, une note). On en vient à réaliser de véritables montages sonores qui n'ont plus que de lointains rapports avec la réalité vivante du concert. L'exactitude – parfois la sécheresse –, le brillant, la qualité du son sont maintenant privilégiés par rapport à l'émotion. On redécouvre, surtout à partir de la diffusion de la stéréo (1968), la couleur instrumentale, l'équilibre des masses. La renaissance de la musique ancienne aurait-elle eu cette vivacité sans la perfection du support qui lui était offert ?

Justice est enfin rendue aux symphonies et aux opéras. Mahler serait-il aussi populaire sans la stéréophonie ? Les prodigieux enregistrements « historiques » de Walter, Mengelberg et Mitropoulos n'avaient guère fait que maintenir en état de survie ses principales œuvres. Toujours dans le même souci de perfection technique, on s'enferme dans les studios. Les enregistrements sur le vif (Bayreuth 1951, les successifs Festivals de Prades) deviennent l'exception. Le résultat sonore est très différent de ce que l'on pourrait entendre au concert. Les ingénieurs du son usent et abusent de la réverbération. Les solistes se retrouvent souvent artificiellement en avant, certains plans sonores excessivement privilégiés. Le triangle lutte parfois victorieusement contre les cuivres... La prise de son se fait très pointilliste, analysant très finement pupitre après pupitre, mais perdant dans ces détails la vision d'ensemble qui demeure malgré tout l'essentiel... La quadriphonie va même jusqu'à placer fictivement l'auditeur au milieu de la formation instrumentale, position que l'amateur de musique aurait, au concert, bien du mal à occuper. Ce que l'on gagne en jouissance sonore, disparaît sur le plan du naturel. Les artistes perdent totalement le contrôle de l'enregistrement de leur jeu tant il est déformé par la technique qui devait se borner à le servir.

Haute fidélité ? Le doute est permis. Pourtant, le disque est devenu le moyen essentiel de se faire un nom, rejetant à l'arrière-plan le concert. C'est maintenant une carte de visite que l'on se procure aux tout débuts de sa carrière. On enregistre, quel que soit l'état de sa préparation et de sa maturité. C'est une véritable inflation galopante qui se développe, dévalorisant le disque et les musiciens, alimentée par la boulimie qui saisit – telle la débauche Monsieur Letrouadec – certains d'entre eux. Ce n'est plus un objet précieux qui est offert aux amateurs mais un produit de consommation courante, lancé dans un esprit proche des productions de variétés. La musique elle-même se banalise, écoutée comme fond sonore jusque dans les super-marchés. Il se crée une classe sociale de maniaques de la haute fidélité qui semble bien peu animée d'un véritable amour de la musique. S'étend alors l'empire des maisons de disques et de leurs contrats d'exclusivité. Les chanteurs dans les opéras, les solistes et les chefs pour les concertos, les instrumentistes pour la musique de chambre ne sont choisis que dans les « écuries » de chaque firme, au mépris le plus souvent de l'accord des tempéraments et des sensibilités. Le culte de la vedette se développe à une vitesse affolante, certains monopolisant les enregistrements alors que d'autres, malgré tout leur talent, ne peuvent y avoir accès. La rentabilité et ses exigences amènent à écarter les partitions audacieuses ou oubliées. Les interprètes réagissent diversement à ce nouvel univers. Certains – un Horowitz, un Gould – abandonnent pratiquement le concert et s'enferment dans les studios pour ne délivrer qu'au disque les secrets de leur art. D'autres, comme un Celibidache, refusent cette prison. Ils n'admettent pas que leur interprétation d'un jour puisse être fixée, pour l'éternité ou presque, alors qu'eux-mêmes évoluent à chaque instant.

La radio, elle aussi, suit le mouvement. De moins en moins audacieuse, elle cède, pour séduire un public élargi mais peu averti, aux charmes pernicieux de la politique de prestige. Le grand répertoire envahit les antennes, les vedettes internationales monopolisent les ondes. En France naît une chaîne spécialisée, France-Musique, qui émet en modulation de fréquence. Elle aussi tombe bien vite dans la facilité. Peu de retransmissions de concerts, peu d'émissions consacrées aux jeunes qui ne puissent être soupçonnées d'arrière-pensées mercantiles, peu d'efforts en faveur de la musique contemporaine et des partitions à découvrir. On se borne hélas ! le plus souvent à mettre les disques bout à bout.

VERS UN RETOUR AUX SOURCES
(à partir des années 1970)

Fort heureusement, de tels excès appellent un choc en retour. Il commence à se produire au milieu des années 1970. La télévision commence à s'intéresser à la musique. Elle consacre des films à des interprètes, à des compositeurs. Elle retransmet davantage de concerts. L'évolution la plus spectaculaire se produit dans le domaine lyrique. La télévision paraît en effet particulièrement bien adaptée à la diffusion des opéras, le sous-titrage permettant de donner les œuvres en version originale sans pour autant créer de problème de compréhension à son nouveau public. La radio, quant à elle, diffuse maintenant les concerts à un rythme élevé et réduit ses enregistrements en studio au bénéfice du direct. On assiste à un effort particulier en faveur des jeunes interprètes, des partitions peu connues (notamment en matière d'art lyrique). Bref, au lieu de demander aux interprètes de s'adapter à elle, elle tente de mieux répondre à leurs besoins. Elle en fait vivre beaucoup d'ailleurs, exigeant de leur part, en contrepartie, une qualité accrue. Depuis peu, elle essaie de se libérer de la dictature du disque et de privilégier toutes les formes de musique vivante. Le disque traverse malaisément la crise économique que connaît le monde occidental. Les productions reviennent à un rythme plus raisonnable. Il mesure alors l'importance du fossé qu'il a creusé entre les produits de laboratoire qu'il met sur le marché et l'expression naturelle de la musique. Les enregistrements sur le vif se multiplient. Ceux qui sont réalisés en studio, eux-mêmes, tentent de recréer les conditions du concert. On réédite les grands enregistrements de l'avant-guerre et le goût du public pour ces grandes interprétations témoigne de l'accroissement de ses exigences en matière de naturel et d'émotion. Se multiplient les disques « pirates » et les « bandes privées », qui, malgré des conditions techniques très médiocres – le mot est parfois faible... – saisissent au vol des équipes qui n'auraient pu, en vertu des contrats, se rencontrer au disque, perpétuant des instants d'exception parfois inappréciables. La prise de son recherche moins le brillant que le naturel, moins la perfection pure que la fidélité. La volupté du son pour le son semble enfin s'éventer. On parle moins de technique, plus de musique. N'est-ce pas l'essentiel ?

BIBLIOGRAPHIE

BANCQUART, A. : *La Diffusion musicale*, in La Musique. Retz (1979).
MIQUEL, P. : *Histoire de la Radio et de la Télévision.* Bordas (1973).
SCHWARZKOPF, E. : *La Voix de mon maître : Walter Legge,* Pierre Belfond (1983).
SILBERMANN, A. : *La Musique, la radio et l'auditeur.* P.U.F. (1954).

DEUXIÈME PARTIE

Instrumentistes, chefs d'orchestre, chanteurs

A

Abbado, Claudio

Chef d'orchestre italien, né à Milan le 26 juin 1933.

Dès l'âge de huit ans, il veut devenir musicien. Il fait ses études au Conservatoire Giuseppe Verdi : direction d'orchestre, composition, piano (jusqu'en 1955). Puis, il travaille à Vienne avec Hans Swarowsky (1957). Il chante dans les chœurs et juge cette expérience fondamentale. En 1958, il obtient le Prix Koussevitzk à Tanglewood, aux États-Unis. Il enseigne ensuite la musique de chambre au Conservatoire de Parme et, en 1960, débute à la Scala à l'occasion du tricentenaire de Scarlatti. En 1963, il remporte le 1er prix au Concours Mitropoulos à New York. Mais il refuse la direction d'un orchestre américain, préférant l'offre de Karajan : un concert à Salzbourg. Il dirige alors la *Deuxième Symphonie* de Mahler. C'est sa première rencontre avec l'Orchestre philharmonique de Vienne, dont il sera l'invité permanent à partir de 1971. Après ce concert, il crée à la Scala l'opéra de Manzoni *Mort atomique* (1965). Deux ans plus tard, il ouvre la saison de ce même théâtre avec *Capulets et Montaigus* de Bellini. On le retrouve à Salzbourg, en 1968, avec *Le Barbier de Séville.* En 1968, il est nommé chef permanent puis, trois ans plus tard, directeur de la musique à la Scala de Milan, poste qu'il cumule, de 1977 à 1979, avec les fonctions de directeur artistique avant de fonder en 1982 l'Orchestre philharmonique de la Scala, formation vouée au concert. En 1977, il prend en outre la direction de l'Orchestre des jeunes de la Communauté européenne.

Aimé dans sa ville natale, Abbado est un homme de son temps. Son alliance avec Paolo Grassi, Luigi Nono, Maurizio Pollini, Giorgio Strehler marque une époque très vivante à Milan. Répétitions publiques, concerts dans les usines et les écoles, fondation d'un atelier, Musica-Realta, avec l'appui du Parti communiste italien, à Reggio Emilia. En 1975, il crée, avec Pollini, l'opéra de Luigi Nono, *Au grand soleil d'amour chargé*, dans une mise en scène de Lioubimov. Non seulement il élargit le répertoire, mais il touche un vaste public.

Il reçoit, en 1971, la Médaille Mozart de la *Mozart Gemeinde* de Vienne, et commence des tournées dans le monde entier, dirigeant Verdi, Rossini, Brahms, Mahler, Bizet, mais aussi Berg (*Wozzeck*), Moussorgski (*Boris Godounov*), Schönberg, Boulez, Stockhausen, Penderecki. Il passe des commandes à de jeunes compositeurs durant sa direction à la Scala. En 1979, il est nommé directeur musical de l'Orchestre symphonique de Londres avec lequel il a déjà réalisé de nombreuses tournées et enregistrements (*Carmen, Le Barbier de Séville, Cendrillon*...). Etroitement associé à l'Orchestre Philharmonique de Vienne depuis 1971, il prendra en 1986, la direction musicale de l'Opéra et de l'Orchestre Philharmonique de Vienne.

Abendroth, Hermann

Chef d'orchestre allemand, né à Francfort le 19 janvier 1883, mort à Iéna le 29 mai 1956.

Après avoir été l'élève de Felix Mottl et de Ludwig Thuille à Munich, il débute en dirigeant l'Orchestervereins de cette ville (1903-04). Puis il s'installe à Lübeck où il est 1er chef d'orchestre au Théâtre et Kapellmeister de la Société des Amis de la Musique (1905-11). En 1911, il est nommé directeur de la musique à Essen puis chef des Concerts du Gürzenich de Cologne et directeur du Conservatoire (1915-34). En 1918, il devient directeur général de la musique et en 1922, chef des Niederrheinischen Musikfestes. Simultanément (1922-23), il dirige les concerts symphoniques de l'Opéra de Berlin. Puis il est appelé à remplacer Bruno Walter au Gewandhaus de Leipzig (1934-45) et enseigne également au Conservatoire. En 1945, il est nommé directeur musical du Théâtre National et de la Musikhochschule de Weimar, postes qu'il conserve jusqu'en 1949 lorsqu'il prend la direction musicale de l'Orchestre de la Radio de Leipzig. De 1953 à 1956, il dirige également l'Orchestre Symphonique de la Radio de Berlin-Est.

Abravanel, Maurice de

Chef d'orchestre grec naturalisé américain, né à Salonique le 6 janvier 1903.

Il effectue ses études générales à Lausanne où sa famille se fixe en 1909. Sur la recommandation de Busoni, il travaille avec Kurt Weill (1922). Il se produit en Allemagne (Neustrelitz, Altenburg, Kassel, Opéra de Berlin), en Australie, à Paris (1932) et à Londres où il est directeur des ballets de la Compagnie Balanchine. Trois mois par an, il est chef invité à Sydney et Melbourne. Bruno Walter et Wilhelm Furtwängler l'incitent à gagner les États-Unis. Il fait sensation au Metropolitan Opera en 1936 en dirigeant, en neuf jours, sept représentations de cinq opéras. En 1940-41, il dirige à l'Opéra de Chicago. A Broadway, il défend notamment l'œuvre de Kurt Weill. A partir de 1947, il est nommé chef permanent de l'Orchestre Symphonique de l'Utah où il contribue fortement à une large diffusion de la musique du XXe siècle. L'été, il est directeur de la Music Academy of the West, à San Barbara (Californie). Il a réalisé de nombreux enregistrements, notamment l'intégrale des symphonies de Gustav Mahler.

Accardo, Salvatore

Violoniste italien, né à Turin le 26 septembre 1941.

Il obtient, en 1956, un 1er prix au Conservatoire de Naples après avoir étudié avec Luigi D'Ambrosio. Il se perfectionne ensuite à l'Académie Chigiana à Sienne, avec Yvonne Astruc. En 1955, il est lauréat du Concours international de Vercelli, en 1956 du Concours international de Genève ; il remporte deux ans plus tard le Concours international de violon à Gênes et le prix de la Radiodiffusion italienne. Il part alors en tournée en Europe et dans les deux Amériques. En 1968, il fonde à Turin l'Orchestra da Camera Italiana de l'Ensemble I Musici (1972-77) avant de devenir violon solo. Son répertoire va de Vivaldi et Bach à la musique d'aujourd'hui. C'est ainsi qu'à Sienne il a créé des œuvres contemporaines, dont les *Caprices* de Sciarrino, sans cesser de jouer pourtant les *Vingt-Quatre Caprices* de Paganini, musicien dont il a enregistré l'intégrale des *Concertos.*

Il contribue au rayonnement de la musique de chambre italienne et organise chaque année une semaine consacrée à la musique d'ensemble, à Naples. Il joue avec l'Orchestre de Chambre Italien et enseigne à l'Académie Chigiana (1973-80). Walter Piston lui a dédié sa *Fantasia* pour violon et orchestre et Xenakis, *Dikhtas,* qu'il a créé en 1980. Il joue sur un Stradivarius de 1717, surnommé l'*ex-Reiffenberg.*

Achron, Joseph

Violoniste et compositeur russe naturalisé américain (1930), né à Losdseje (Pologne) le 13 mai 1886, mort à Hollywood le 29 avril 1943.

Il entreprend ses études musicales au Conservatoire de Saint-Pétersbourg, avec

Leopold Auer pour le violon, et Liadov pour la composition. En 1913, il se retrouve à Kharkov, où il dirige le département musical du Conservatoire. Puis, après avoir servi dans l'armée russe de 1916 à 1918, il devient le professeur de violon et de musique de chambre de l'Union des artistes de Leningrad. En 1925, il s'expatrie aux États-Unis où il débute, en 1927, avec la première américaine de son propre *Concerto n° 1*, avec l'Orchestre Symphonique de Boston. Plus connu comme compositeur que comme violoniste, Joseph Achron compose beaucoup pour son instrument, dont un *2e Concerto* commandé par Jascha Heifetz qui le crée à Los Angeles en 1939. Parmi les pages restées célèbres du musicien, il faut citer, outre trois concertos pour violon, la fameuse *Mélodie hébraïque* (1911), popularisée par le même Jascha Heifetz, et la suite *Golem*, de 1932.

Achucarro, Joaquin

Pianiste espagnol, né à Bilbao le 1er novembre 1937.

Après ses études au Collège Indachu de Bilbao, puis au Conservatoire de Madrid, il quitte l'Espagne pour aller se perfectionner à Sienne, à l'Académie Chigiana, puis à la Hochschule de Sarrebrück.

En 1950, il fait sa première apparition en public à Masaven en Espagne. Trois ans plus tard, il remporte le Prix Viotti (1953), puis le Prix de Liverpool en 1959.

En 1966 et en 1969, il anime le Festival de Cheltenham, en Grande-Bretagne. Il a enregistré par ailleurs le *Concerto pour clavecin* et les *Nuits dans les jardins d'Espagne* de De Falla.

Ackermann, Otto

Chef d'orchestre roumain naturalisé suisse, né à Bucarest le 18 octobre 1909, mort à Berne le 9 mars 1960.

Il entreprend ses études musicales à la Hochschule für Musik de Berlin et à l'Académie royale de Bucarest. Après avoir été Kappelmeister à Düsseldorf (1927-32), il est chef du Théâtre allemand de Brno en 1932. De 1935 à 1947 il se trouve à la tête du Théâtre municipal de Berne, ville qu'il quitte pour exercer les fonctions de directeur de la musique à l'Opéra de Vienne (1947-52) et à l'Opéra de Zürich (1949-53). Puis il retourne en Allemagne et est nommé directeur de la musique de l'Opéra de Cologne (1953-58), tout en dirigeant souvent à Vienne, Monaco, etc. Deux ans avant sa disparition, on le retrouve à l'Opéra de Zürich.

Ackermann a acquis une renommée internationale par ses prestations publiques et les nombreux disques qu'il réalise au cours de son existence. Il est considéré comme l'un des meilleurs chefs d'orchestre des opérettes de Johann Strauss et des opéras de Mozart.

Adam, Theo

Basse allemande (R.D.A.), né à Dresde le 1er août 1926.

A 10 ans, il fait partie du chœur de l'église de la Sainte-Croix, et acquiert une formation musicale. Instituteur après la guerre, il travaille avec Rudolf Dittrich et débute à l'Opéra de Dresde à 23 ans. Knappertsbusch lui conseille de passer des emplois de basse à ceux de baryton héroïque. Il affermit sa voix et apprend le métier au théâtre. En 1953, il fait partie de la troupe de la Staatsoper de Berlin. Mais dès l'année précédente, Wieland Wagner l'a engagé à Bayreuth : il chante le Roi (*Lohengrin*), Amfortas, Sachs, le Hollandais, le Voyageur et Wotan. Il apparaît dans *Le Chevalier à la rose*, à Salzbourg avec Karl Böhm, et dans *Les Maîtres chanteurs* au Met de New York (Hans Sachs).

Dès 1972, il se consacre aussi à la mise en scène : *Les Noces de Figaro, Eugène Onéguine, Capriccio.*

Sa voix de basse élevée explique la largeur de son répertoire : Verdi, Moussorgski, Berg. Theo Adam passe des oratorios de Händel à *Wozzeck* (Salzbourg, 1972), sans oublier Beethoven et Schubert. En 1981, il crée *Baal* de Cehra au Festival de Salzbourg.

Adler, Kurt

Chef d'orchestre tchécoslovaque naturalisé américain, né à Neuhaus le 1er mars 1907, mort à Butler (N.J.) le 21 septembre 1977.

A l'Académie de Vienne, il est l'élève de Ferdinand Foll (piano), Guido Adler et Robert Lach (écritures et composition). Engagé à la Staatsoper de Berlin, il est l'assistant d'Erich Kleiber (1927-29). Il dirige ensuite à l'Opéra allemand de Prague (1929-32), passe une nouvelle année à la Staatsoper de Berlin (1932) avant d'émigrer en U.R.S.S. Il est 1er chef à l'Opéra de Kiev (1933-35) puis directeur de l'Orchestre Philharmonique de Stalingrad (1935-37). En 1938, il se fixe aux États-Unis. Il se fait connaître comme pianiste et comme chef de chœur, dirigeant à New York une importante série de concerts consacrés à J. S. Bach (1938-43). En 1943, il est engagé comme chef de chœur au Met et deviendra chef d'orchestre permanent de 1951 à 1973.

ÉCRITS : *The Art of Accompanying and Coaching* (1965) ; *Phonetics and Diction in Singing* (1967).

Adler, Kurt Herbert

Chef d'orchestre autrichien, naturalisé américain, né à Vienne le 2 avril 1905.

Il fait ses études à l'Académie de musique puis à l'Université de Vienne. Il débute en 1925 au Théâtre Max Reinhardt puis à la Volksoper (1925-28) et à Prague (1928-37). Il assiste Toscanini à Salzbourg en 1936-37 et vient aux États-Unis en 1938 où il est engagé à l'Opéra de Chicago. Il participe aux destinées de l'Opéra de San Francisco en 1943, d'abord comme chef de chœur puis comme directeur artistique en 1953 et enfin comme directeur général (1956-81). Son activité a été marquée par le soin porté aux mises en scène et la découverte de jeunes talents.

Adler, Larry (Lawrence Adler)

Virtuose de l'harmonica américain, né à Baltimore le 10 février 1914.

Il commence à jouer de l'harmonica et du piano dans différentes revues dès l'âge de 13 ans. Ce n'est qu'en 1940 qu'il se décide à apprendre à lire la musique ! Il travaille avec Ernst Toch. Les compositeurs s'intéressent à lui et écrivent des œuvres pour harmonica : Milhaud (*Suite pour harmonica et orchestre*, 1945), Vaughan-Williams (*Romance*), Hindemith, G. Jacob, Arnold...

En 1949 il quitte les États-Unis devant une campagne de presse qui le soupçonne d'activités pro-communistes et se fixe en Angleterre pendant quelques années. Il est le premier virtuose de l'harmonica à avoir fait connaître son instrument dans le milieu de la musique classique.

Adorján, András

Flûtiste hongrois, né à Budapest le 26 septembre 1944.

Après l'insurrection de 1956, sa famille se réfugie au Danemark. Il entreprend à Copenhague des études de chirurgien-dentiste qu'il terminera, avec un diplôme d'excellence, en 1968. Parallèlement il poursuit l'étude de la flûte, notamment avec Jean-Pierre Rampal et Aurèle Nicolet. En cette même année 1968, il remporte le Prix Jacob Gade (Danemark), et celui du Concours international de flûte à Montreux. En 1971, il obtient le 1er prix au Concours international de flûte de Paris. Il est flûte solo à l'Opéra de Stockholm (1970-72), au Gürzenich de Cologne (1972-73), au Südwestfunk de Baden-Baden (1973-74) et à la Radio Bavaroise à Munich (depuis 1974).

Au cours d'une brillante carrière de soliste international, il redécouvre et édite un *Concerto pour deux flûtes* de Franz Doppler qu'il enregistre avec Jean-Pierre Rampal. Le compositeur danois Sven-Erik Werner lui dédie un concerto pour flûte, intitulé *Ground*, qu'il crée en janvier 1981. Depuis 1971 il enseigne tous les étés à l'Académie internationale d'été de Nice.

Aeschbacher, Adrian

Pianiste suisse, né à Langenthal le 10 mai 1912.

Jusqu'à l'âge de 17 ans, il étudie le piano avec son père Carl. Au Conservatoire de Zürich, il a pour professeurs Emil Frey et Volkmar Andreae. Il complète sa formation à Berlin, avec Artur Schnabel. Sa carrière débute réellement en 1934, par une tournée de concerts qui le mène un peu partout en Europe. Il constitue peu à peu un répertoire essentiellement fondé sur la musique classique et romantique. En 1965, il est nommé professeur à l'Académie de musique de Sarrebrück. Il a créé de nombreuses œuvres contemporaines de compositeurs suisses tels que Schœk, Sutermeister et Honegger.

Agosti, Guido

Pianiste et compositeur italien, né à Forli le 11 août 1901.

Au Conservatoire de Bologne il suit l'enseignement de Benvenuti, lui-même élève de Busoni et de Mugellini. Parallèlement il étudie la littérature à l'Université de la ville. En 1945, après avoir enseigné aux conservatoires de Venise et de Milan, il est nommé à l'Académie Sainte-Cécile à Rome, puis à l'Académie Chigiana de Sienne où il est professeur à partir de 1947.

Ses compositions comptent surtout des œuvres pour clavier et voix. Il s'est aussi attaché à la transcription de nombreuses compositions pour clavier. Ernest Bloch lui a dédié sa *Sonate pour piano.*

Aguessy, Frédéric

Pianiste français, né à Paris le 3 avril 1956.

Jacqueline Evstigneef-Roy lui fait commencer l'étude du piano à l'âge de quatre ans. Et un an plus tard, lauréat du Concours du Royaume de la Musique, il joue pour la première fois en concert avec orchestre. En 1968, il est admis au Conservatoire de Paris où il travaille avec Monique de La Bruchollerie, Yvonne Lefébure, Pierre Barbizet, Dominique Merlet et Jeanne Vieuxtemps. En 1974, on lui décerne un 1er prix de musique de chambre dans la classe de Geneviève Joy-Dutilleux.

Lauréat des concours de Genève (médaille d'argent) et de Naples (2e prix), il obtient ensuite un 2e prix à Budapest et à Santander en 1976 et remporte le 1er prix du Concours Long-Thibaud en 1979.

Ahlersmeyer, Matthieu

Baryton allemand, né à Cologne le 29 juin 1896, mort à Garmisch-Partenkirchen le 23 juillet 1979.

Il étudie dans sa ville natale avec Karl Niemann et débute à Mönchengladbach en 1929 (Wolfram). Il chante à la Kroll Oper de Berlin en 1930-31, puis à Hambourg jusqu'en 1934 et enfin à Dresde jusqu'en 1944. Après la guerre, il appartient de nouveau à l'Opéra de Hambourg de 1946 à 1973. A Dresde, il participe aux créations de *La Femme silencieuse* de Strauss (le Barbier) en 1935, et de *Die Hochzeit des Jobs* de Haas (Hieronymous Jobs). A Berlin, à la Staatsoper, il crée le rôle-titre du *Peer Gynt* de W. Egk. A Salzbourg, où il chante Almaviva en 1941, il partage la création de *La Mort de Danton* de G. von Einem avec Paul Schoeffler en 1947. Son répertoire comporte entre autres Don Giovanni, Rigoletto, Iago, Scarpia, Sachs et Mathis.

Ahlgrimm, Isolde

Claveciniste autrichienne, née à Vienne le 31 juillet 1914.

Enfant, elle étudie d'abord le piano puis complète sa formation à l'Académie de Vienne où elle est l'élève de Viktor Ebenstein, Franz Schmidt et Emil von Sauer. En 1935, elle opte pour le clavecin, travaillant par elle-même les traités d'interprétation des XVIIe et XVIIIe siècles. Elle se produit à l'échelle internationale et enregistre de nombreux disques, notamment consacrés à la musique autrichienne, l'œuvre de Johann Fux par exemple. Richard Strauss écrit à son intention en 1944 une suite pour clavecin tirée de son opéra *Capriccio.* A partir de 1945, elle enseigne à l'Académie de Vienne en dehors des années 1958 à 1962 où elle est professeur au Mozarteum de Salzbourg.

Ahnsjö, Claes-H.

Ténor suédois, né à Stockholm le 1er août 1942.

Ayant obtenu son baccalauréat, il se destine à l'enseignement, et ce n'est qu'après avoir réussi tous ses examens universitaires qu'il opte pour le chant et entre à l'École de l'Opéra de Stockholm, en 1967. Deux années plus tard, il chante Tamino (*Flûte enchantée*) pour ses débuts à l'Opéra Royal de Stockholm, où il est engagé comme membre permanent. En 1973, il entre dans la troupe de l'Opéra de Munich, où il tient tous les emplois du répertoire mozartien (Belmonte, Ferrando, Ottavio, Idamantes, Tamino). En 1977, l'État bavarois lui confère le titre de Kammersänger. Il poursuit une double carrière de chanteur d'opéra et de concertiste, tant en Allemagne que dans son pays d'origine et le reste de l'Europe. Les États-Unis et le Japon font bientôt appel à lui. Son répertoire comprend Ernesto (*Don Pasquale*), Armand (*Boulevard Solitude* de Henze), des Grieux (*Manon*), Nicias (*Thaïs*), Almaviva (*Barbier de Séville*), Leukippos (*Daphné*), David (*Maîtres chanteurs*), le duc (*Rigoletto*), Tom (*Rake's Progress*), Fenton (*Falstaff*)... Il chante Don Ottavio à l'Opéra de Paris en 1982.

Ahronovitch, Yuri

Chef d'orchestre soviétique naturalisé israélien, né à Leningrad le 13 mai 1932.

Après des études musicales au Conservatoire de sa ville natale, il étudie la direction avec Nathan Rakhlin et Kurt Sanderling. En 1956, il devient chef de l'Orchestre de Saratov puis de Yaroslav, enfin de l'Orchestre Symphonique de la Radio de Moscou (1964). En 1972, il quitte l'U.R.S.S. et se fixe en Israël dont il dirige l'Orchestre Philharmonique. Dès lors il entame une carrière internationale. De 1975 à 1986, il succède à Günter Wand à la tête de l'Orchestre du Gürzenich de Cologne et, en 1982, il prend la direction de l'Orchestre Philharmonique de Stockholm.

Aimard, Pierre-Laurent

Pianiste français, né à Lyon le 9 septembre 1947.

Il entre à l'âge de sept ans au Conservatoire de sa ville natale et obtient, en 1969, un 1er prix de piano. En 1972, la même récompense lui est attribuée au Conservatoire de Paris, suivie en 1973 d'un prix de musique de chambre. Cette même année, il est lauréat du Concours international Olivier Messiaen à Royan. Il a travaillé le piano avec Yvonne Loriod, la musique de chambre avec Geneviève Joy, l'harmonie avec Roger Boutry, le contrepoint avec Jean-Claude Henry. Depuis 1976, il est pianiste au sein de l'Ensemble Intercontemporain.

Akl, Walid

Pianiste libanais, né à Bikfaya (Liban) le 13 juillet 1945.

Il s'établit en France en 1963, où il fréquente l'Académie Marguerite Long, le Conservatoire et l'École Normale de Musique travaillant avec Yvonne Lefébure, Geneviève Mounier et Jacques Février. Une brillante carrière le conduit dans les principaux pays occidentaux. Il a enregistré l'intégrale des œuvres pour piano de Haydn et Borodine, ainsi que la transcription par Liszt de la *Symphonie héroïque* de Beethoven.

Akoka, Gérard

Chef d'orchestre français, né à Paris le 2 novembre 1949.

Ses études au Conservatoire de Paris (solfège, déchiffrage, piano, musique de chambre, analyse musicale) sont sanctionnées surtout par un 1er prix de direction d'orchestre. De 1975 à 1976, il complète sa formation de chef dans le cadre du

3e cycle de perfectionnement avec Jean Martinon et à l'Académie Santa Cecilia de Rome. En 1975, il remporte la Bourse de la Vocation. Puis il se perfectionne auprès de Markevitch (Monte-Carlo), Celibidache (Bologne), Ferrara (Sienne), remportant de nombreux prix (Prix Respighi, Markevitch, Malko, B.B.C. Rupert Foundation...) Il travaille également comme assistant de Leonard Bernstein et de Daniel Barenboïm. En 1977, il est engagé comme deuxième chef par Pierre Boulez pour la création en Europe de *Star Child* de George Crumb avec l'Orchestre de Paris. En 1983-84, il est directeur musical de l'Orchestre Philharmonique de Lorraine.

Akoka, Pierre

Pianiste français, né à Paris le 17 juillet 1952.

Cousin du précédent, il travaille le piano avec Lucette Descaves, puis au Conservatoire de Paris (1968) il poursuit son enseignement et étudie aussi avec Yvonne Loriod. Il obtient un 1er prix de piano en 1974 ainsi qu'un 1er prix de musique de chambre dans la classe de Guy Deplus. Il travaille également à Vienne avec Dianko Iliev et obtiendra un diplôme du Conservatoire.

Alain, Marie-Claire

Organiste française, née à Saint-Germain-en-Laye le 10 août 1926.

Fille du compositeur Albert Alain et sœur de Jehan et d'Olivier Alain, elle fait ses études au Conservatoire de Paris où elle remporte de nombreux prix. Ses tournées de récitals la mènent dans le monde entier, où elle passe pour être l'une des plus grandes interprètes de Bach.

Partout, en France comme ailleurs, on loue la clarté de son jeu, la perfection de sa registration, la musicalité exceptionnelle de ses interprétations, et non pas seulement dans l'œuvre de Bach, mais aussi dans des pages romantiques (Franck, en particulier) et dans les œuvres de son frère Jehan, qu'elle a fait rayonner dans le monde.

Pédagogue très recherchée, elle fonde ses cours – comme ses interprétations d'ailleurs – sur des études musicologiques approfondies, pas uniquement dans le domaine de la littérature organistique mais, d'une manière générale, dans l'exécution de la musique ancienne, française ou étrangère.

Marie-Claire Alain, que les Américains surnomment « The first Lady of the Organ », docteur *honoris causa* des universités du Colorado et du Texas, très attachée donc à l'orgue classique, sans pour cela mépriser l'orgue d'esthétique néo-classique, demeure en définitive l'une des musiciennes les plus accomplies de notre époque.

Marie-Claire Alain s'est vu dédier le *Concerto pour orgue* de Charles Chaynes.

Albanese, Licia

Soprano italienne, naturalisée américaine (1945), née à Bari le 22 juillet 1913.

Elle étudie d'abord au Conservatoire de Bari, puis avec Giuseppina Baldassare-Tedeschi avant de débuter au Théâtre municipal de Bari (sous le nom d'Alicia Albanese) comme Mimi, dans *La Bohème*. Son talent s'affirme déjà, en 1935, au Festival des Arènes de Vérone, un peu plus tard à la Scala de Milan, où elle est surtout présentée comme la partenaire de Benjamino Gigli.

Après une grande carrière en Italie, le Met l'appelle et elle y débute en 1940 dans *Madame Butterfly*. Elle y connaîtra deux ans plus tard son plus grand succès, comme *Traviata*. Elle restera plus de vingt ans pensionnaire du Met, tout en étant invitée en Europe et en Amérique. En 1951, elle chante à nouveau *Madame Butterfly* à la Scala de Milan. Soprano lyrique à l'intense musicalité, elle connaîtra ses plus grands succès dans les grands rôles de Puccini et de Verdi qu'elle enregistre sous la direction de Toscanini.

Albani, Dame Emma (Marie-Louise Cécile Emma Lajeunesse)

Soprano canadienne, née à Chambly (Québec) le 1er novembre 1847, morte à Kensington (Londres) le 3 avril 1930.

Ses parents sont tous deux musiciens, ce qui explique la carrière précoce de l'enfant qui, à neuf ans, fait sa première apparition publique comme pianiste et chanteuse, au Mechanics' Hall de Montréal. La famille ayant émigré aux États-Unis, Emma est engagée comme soliste, organiste puis chef de chorale à l'église Saint-Joseph d'Albany (New York). L'évêque d'Albany réunit les fonds nécessaires pour qu'elle se rende en Europe. A Paris, elle étudie avec Duprez (1868), puis à Milan avec Lamberti (1869). Elle débute, en 1870, à l'Opéra de Messine, comme Amina de *La Somnambule*. Elle remporte des triomphes à Florence et à Malte dans *Le Barbier de Séville*, *Martha*, *Robert le diable*, *L'Africaine* et *Lucia di Lammermoor*. En 1871, elle travaille *Mignon* à Paris avec Ambroise Thomas et triomphe dans cet opéra à Florence. En 1872, elle débute à Covent Garden dans *La Somnambule*. On la compare à la Patti. Elle chantera sur cette scène presque chaque saison, jusqu'en 1896. En 1873, elle triomphe à Moscou et à Saint-Pétersbourg, et chante à Londres pour la reine Victoria, dont elle devient l'amie et la confidente. Elle se rend aux États-Unis où elle aborde pour la première fois le répertoire wagnérien (*Lohengrin*, puis *Tannhäuser* en 1876 à Nice). En 1877, elle triomphe au Théâtre-Italien de Paris. En 1878, elle revient à Paris pour y aborder *La Traviata* et créer *Alma l'incantatrice* que Flotow a composé pour elle. La même année, elle épouse à Londres Ernest Gye, le fils du directeur de Covent Garden qui succède à son père peu après. En 1880, après de beaux débuts à la Monnaie de Bruxelles, elle est engagée à la Scala de Milan où elle connaît le seul échec de sa carrière. Deux ans plus tard, elle crée *Rédemption* de Gounod, sous la direction du compositeur. Il écrit ensuite pour elle l'oratorio *Mors et Vita* qu'elle crée au Festival de Birmingham, en 1885. La même année, sous la direction de Dvořák, elle chante *La Fiancée du fantôme*, en 1886 elle chante à Londres en présence de Liszt son oratorio *Sainte Élisabeth*. A Berlin, elle chante *Lohengrin* et *Le Vaisseau fantôme* en allemand (1887). Elle effectue des tournées dans toute l'Europe, retourne de nombreuses fois en Amérique du Nord, au Canada et aux États-Unis où elle est engagée au Metropolitan Opera : elle y chantera pour la première fois Donna Anna de *Don Giovanni* (1893). Elle quitte la scène en 1896 mais continue à chanter en oratorio jusqu'à ses adieux définitifs en 1911. Elle se consacre alors à l'enseignement.

ÉCRITS : *40 Years of Song (40 ans de chant)*, autobiographie (1911).

Albert, Eugen d'

Voir à **D'Albert, Eugen**

Alberth, Rudolph

Chef d'orchestre allemand, né à Francfort le 25 mars 1918.

Il fait ses études musicales au Conservatoire de sa ville natale puis occupe successivement des postes de chef d'orchestre à Francfort (1945) (Hessischer Rundfunk), Baden-Baden (1948) (S.W.F.) et Munich (Radio Bavaroise) jusqu'en 1964, date à laquelle il devient chef de la Philharmonie de Basse-Saxe à Hanovre. Il dirige pour la première fois à Paris l'Orchestre National en 1954 (*Turangalîla-Symphonie* de Messiaen). Il a assuré un grand nombre de premières mondiales dans le cadre des concerts du Domaine Musical. A partir de 1968, il est membre du jury du Concours international des jeunes chefs d'orchestre à Besançon.

Il a également composé.

Albin, Roger

Violoncelliste et chef d'orchestre français, né à Beausoleil le 30 septembre 1920.

A six ans, il commence le violoncelle avec Umberto Benedetti à Monte-Carlo. Il perfectionne son instrument au Conservatoire de Paris (classe de Bazelaire, 1er prix en 1936) ainsi que l'écriture (Noël Gallon), la composition (Büsser, Milhaud) et l'analyse (Messiaen). Il débute comme violoncelliste à Monte-Carlo puis à l'Opéra de Paris et à la Société des Concerts du Conservatoire. De 1949 à 1957, il fait duo avec le pianiste Claude Helffer et entame une carrière de chef d'orchestre, conseillé par Roger Désormière, Carl Schuricht et Hans Rosbaud. Il débute en 1957 comme chef des chœurs de l'Opéra-Comique puis fait carrière en province à Nancy (1960), à Toulouse (1962) et surtout à la tête de l'Orchestre de la Radio de Strasbourg (1966-75) où il crée un grand nombre d'ouvrages contemporains. A la dissolution de cet orchestre, lors de l'éclatement de l'O.R.T.F. (1975), il reprend son violoncelle en tant que membre de l'Orchestre National de France de 1978 à 1981, et comme membre du Sextuor à cordes de l'O.N.F. Il est également compositeur. Parmi les œuvres qu'il a créées, *Gam(m)es* de Malec (1971), *Faces* de Boucourechliev (1972).

Albrecht, George-Alexander

Chef d'orchestre allemand, né à Brême le 15 février 1935.

Il se consacre d'abord à l'étude du violon, du piano et de la composition (1942-54). De 1948 à 1956, il est 1er violon de l'Orchestre de Chambre Hermann Grevesmühl. Ses débuts de chef d'orchestre remontent à 1949. En 1954, il obtient le prix d'excellence de l'Académie Chigiana de Sienne. De 1958 à 1961 il est chef de l'Opéra de Brême, avant de devenir, de 1961 à 1965, chef de l'Opéra de Hanovre. Depuis cette date, il occupe les fonctions de directeur général de la musique à l'Opéra de Hanovre et de professeur au conservatoire de cette ville. Il mène parallèlement une carrière de chef invité qui lui permet de diriger, entre autres, la Staatskapelle de Dresde et l'Orchestre Philharmonique de Berlin. Parmi les œuvres qu'il a dirigées en création mondiale la *Symphonie no 1* de Killmayer (1971) et la *Symphonie no 1* de Rihm (1984).

Albrecht, Gerd

Chef d'orchestre allemand, né à Essen le 19 juillet 1935.

Fils du musicologue allemand Hans Albrecht (1902-61). Après des études à Kiel et à Hambourg, il gagne le prix de Besançon (1957) puis celui d'Hilversum (1958). Il occupe successivement les postes de chef assistant à l'Opéra de Stuttgart (1958-61) et de chef permanent à l'Opéra de Mayence (1961-63), à l'Opéra de Lübeck (1963-66) et à l'Opéra de Kassel (1966-72). De 1972 à 1974, il est directeur général de la musique à la Deutsche Oper de Berlin. Ensuite, il est à la tête de l'Orchestre de la Tonhalle de Zürich (1975-81). Il est amené à diriger dans les principaux théâtres lyriques. Il a créé *Telemanniana* (1967) et *Barcarola* (1980) de Henze, *Elisabeth Tudor* (1972) de Fortner, l'opéra de Reimann, *Lear* (1978), ainsi que des œuvres de Huber, Ligeti, Kelemen...

Aldulescu, Radu

Violoncelliste roumain, né à Piteasca-Pasares le 17 septembre 1922.

Etudes au Conservatoire de Bucarest. Il débute à la Radio de Bucarest en 1941, continuant son activité artistique comme instrumentiste et soliste à la Philharmonie d'État Georges Enesco de Bucarest et à l'Orchestre de l'Académie Sainte-Cécile à Rome. Il donne des cours de perfectionnement pour les jeunes violoncellistes à Santiago de Compostelle.

Alix, René

Chef de chœur, organiste et compositeur français, né à Sotteville-les-Rouen le 14 septembre 1907, mort à Paris le 30 décembre 1966.

Elève de Lanquetuit, Caussade et Bertelin, René Alix commence sa carrière comme organiste en l'église Saint-Michel du Havre, où il reste de 1929 à 1939. Après la guerre, en 1945, il est nommé directeur des chœurs de la R.T.F. et, en 1954, codirecteur de l'École César Franck.

Comme compositeur, il laisse des mélodies, des pages pour orgue, pour piano, plusieurs motets, des messes, un quatuor à cordes, un oratorio : *Les Saintes Heures de Jeanne d'Arc* (1954), des poèmes symphoniques (dont *Les Revenants, Danses et Confidences*) ; il nous laisse également une *Grammaire* musicale du plus haut intérêt.

Allard, Maurice

Bassoniste français, né à Sin-le-Noble le 25 mai 1923.

Son oncle a été 1er basson, pendant 25 ans, à l'Orchestre Symphonique de Boston. Après un 1er prix de basson au Conservatoire de Paris en 1940, il est 1er soliste des Concerts Lamoureux et des Concerts Oubradous en 1942. Puis il remporte le 1er prix du Concours international de Genève (1949). Cette même année, il entre à l'Orchestre de l'Opéra de Paris. Depuis 1957 il est professeur au Conservatoire de Paris. Par ailleurs il est président-fondateur de l'association « les Amis du basson français ». Parmi les œuvres qu'il crée, on peut retenir les concertos de Brown, Gotkovski, Jolivet, Landowski, Rivier, Tisné et Tomasi.

Alldis, John

Chef de chœur anglais, né à Londres le 10 août 1929.

Il fait ses études musicales au King's College de Cambridge avant de se spécialiser dans la direction chorale dont il devient vite l'un des chefs de file de l'école britannique. En 1962, il crée le John Alldis Choir à Londres qui aborde aussi bien le répertoire contemporain que les grands ouvrages lyriques. En 1969, il prend la direction du London Philharmonic Choir avec lequel il obtient en 1974 le prix de la meilleure manifestation chorale de l'année. De 1979 à 1983, il dirige le Groupe Vocal de France.

Allen, Thomas

Baryton anglais, né à Seaham Harbour (Durham) le 10 septembre 1944.

Après des études de chant et d'orgue au Royal College of Music de Londres (1964-68), il débute dans les chœurs du Festival de Glyndebourne, puis au Welsh National Opera en 1969 (Figaro du *Barbier de Séville*). En 1971, il chante à Covent Garden (Donald de *Billy Budd*) et en rejoint la troupe l'année suivante. En 1973, il paraît à Glyndebourne en tant que soliste (Papageno), débute à la Scala de Milan en 1976 et à l'Opéra de Paris en 1982 (Ford).

A son répertoire, on trouve les barytons mozartiens (Le Comte, Figaro, Guglielmo, Don Giovanni, Papageno) mais aussi Belcore (*L'Elixir d'amour*), Marcello (*Bohème*), Valentin (*Faust*), Pelléas, Oreste (Gluck).

Il participe à la création mondiale de *The Voice of Ariadne* de Thea Musgrave au Festival d'Aldeburgh en 1974 (Valerio).

Allers, Franz

Chef d'orchestre tchécoslovaque naturalisé américain, né à Carlsbad le 6 août 1905.

Au Conservatoire de Prague, il étudie le violon avec J. Mařák puis à Berlin avec Havemann. Il travaille également la direction d'orchestre avec Prüwer. Pendant un an, il est violoniste à la Philharmonie de Berlin. Mais il commence à diriger les principaux orchestres allemands. L'été, il est assistant à Bayreuth. Chef permanent à l'Opéra de Wuppertal (1926-33), il devient directeur général de la musique à Aussig (1933-38). Il émigre en 1938 et dirige les Ballets Russes de Monte-Carlo : tournées en Amérique du Sud, au Canada, en Angleterre jusqu'en 1945. Fixé aux États-Unis, il dirige à Broadway et pour la télévision. Il se produit à nouveau en Europe en 1954. A partir de 1963, il est invité régulièrement au Met. De 1973 à 1977, il est directeur général de la musique au Théâtre de Gärtnerplatz à Munich. Puis il reprend sa carrière de chef invité, effectuant notamment deux tournées avec le Niederösterreischises Tonkünstler Orchester de Vienne en 1978 et 1980.

Alliot-Lugaz, Colette

Soprano française, née à Notre-Dame-de-Bellecombe le 20 juillet 1947.

Dès ses quinze ans elle aborde l'étude du chant à Bonneville. Elle se perfectionne ensuite à Genève avec Magda Fonay-Besson. Elle achève sa formation au Centre Lyrique de Genève et à l'Opéra-Studio de Paris sous la direction de René Koster et Vera Rosza. 1er prix de chant et 1er prix Mozart au Concours international de l'U.F.A.M., elle obtient une médaille d'or d'art lyrique au Conservatoire de Lyon. Elle est révélée au public dans Pamina (*la Flûte enchantée,* que produit l'Opéra-Studio). Tout en gardant une particulière tendresse pour Mozart (Pamina, Cherubino, Zerlina), elle élargit intelligemment son répertoire à des œuvres de Messager (Véronique), Rossini (Rosine), Monteverdi, Haydn, Rameau, Weber (Annchen). On la remarque dans le rôle de Mélisande à l'Opéra de Lyon (1980). Elle chante également *Opéra* de Berio. L'Opéra de Paris, la Monnaie de Bruxelles, le Festival d'Aix-en-Provence, le Festival de Glyndebourne et les autres grandes scènes internationales font régulièrement appel à elle. Elle a créé *la Passion de Gilles* de Bœsmans (1983).

Almeida, Antonio de

Chef d'orchestre français, né à Neuilly le 20 janvier 1928.

De père portugais et de mère américaine, c'est en Argentine qu'il fait ses études musicales avec Alberto Ginastera (théorie et composition) et Washington Castro (violoncelle). Il est également diplômé de l'Université de Yale où il étudie notamment avec Paul Hindemith. A Tanglewood, il travaille deux saisons avec Serge Koussevitzk puis avec Georges Szell. En 1945, fondateur du MIT Symphony à Boston et, en 1947, de l'Orchestre de Chambre de New Haven, on le retrouve au Mexique puis directeur du département d'opéra de l'Université Occidentale de Los Angeles (1953). Il dirige l'Orchestre Symphonique de la Radio de Lisbonne (1957-60), l'Orchestre Philharmonique de Stuttgart (1963-64), puis il est nommé à l'Opéra de Paris (1965-67) avant d'être 1er chef invité de l'Orchestre Symphonique de Houston (1969-71). De 1976 à 1978, il est directeur général de la musique à Nice. Sa carrière le révèle comme un ardent défenseur de la musique française. Il a réalisé l'enregistrement du *Docteur Miracle* de Bizet. Il a également édité l'intégrale des *Symphonies* de Boccherini et prépare un catalogue thématique de l'œuvre de Jacques Offenbach. Il a créé l'*Éloge de la folie* (1966) et *Chaconne et Marche militaire* (1968) de Marius Constant.

Alonso, Odon

Chef d'orchestre espagnol, né dans le León en 1925.

Il fait ses études musicales au Conservatoire de Madrid et à l'Université des Lettres et de Philosophie. Il travaille également à Sienne, puis à Vienne. En 1952, il est nommé directeur des Solistes de Madrid, ensemble spécialisé dans les œuvres de la Renaissance et de l'époque baroque. En 1956-57 il est directeur du Théâtre de la Zarzuela à l'occasion de sa réouverture officielle A partir de 1960, il devient directeur de l'Orchestre Philharmonique de Madrid. Il dirige alors sur un plan international à la Volksoper de Vienne, au City Center de New York, au Licéo de Barcelone et au Festival d'opéra de Madrid. Depuis 1968, il est directeur musical de l'Orchestre Symphonique de la Radio et de la Télévision Espagnole.

Altmeyer, Janine

Soprano américaine (suisse par son mariage), née à Los Angeles le 2 mai 1948.

Elle étudie le chant avec Martial Singher, Lotte Lehmann et Luigi Ricci. En 1971, elle remporte le 1er prix du concours de chant du Met où elle est engagée. Pour sa première saison (1971-72), elle chante la première Dame (*Flûte enchantée*), la première Fille-Fleur (*Parsifal*) et Frasquita (*Carmen*). En 1972, elle chante Freia (*Or du Rhin*) à Chicago. Elle interprète ce même rôle l'année suivante au Festival de Pâques de Salzbourg, sous la direction de Karajan. Cette même année, elle est engagée à l'Opéra de Zürich, où elle chante Eva (*Maîtres chanteurs*). En 1974, elle reprend le rôle d'Eva ; elle chante également celui d'Elisabeth (*Tannhäuser*) et participe aux productions du *Freischütz* et de *Lohengrin*. En 1975, elle est engagée à l'Opéra de Stuttgart, où elle interprète le rôle-titre de *Salomé*, dans la mise en scène de Ponnelle. Dès lors, elle est invitée dans toutes les grandes capitales musicales. Elle chante Sieglinde (*Walkyrie*) à Stuttgart puis au Festival de Bayreuth, ainsi que Gutrune (*Crépuscule des Dieux*) dans la mise en scène de Patrice Chéreau et sous la direction de Pierre Boulez. Elle participe également à la production filmée de *L'Or du Rhin*, sous la direction de Karajan. Durant la saison 1979-80, elle aborde le rôle de Chrisothémis (*Elektra*) à Stuttgart et chante Sieglinde dans la nouvelle production du San Carlo de Naples.

Altmeyer, Theo

Ténor allemand, né à Eschweiler (Aix-la-Chapelle) le 16 mars 1931.

Après ses études à Cologne, avec Clemens Glettenberg, il remporte le 2e prix du Concours de chant organisé par la Radio Bavaroise, en 1955. Engagé à l'Opéra de Berlin (1956-60), il y chante, entre autres, le rôle principal du *Journal d'un fou* (Humphrey Searle) lors de la création en 1958. En 1960, il est engagé comme premier ténor lyrique par l'Opéra de Hanovre, où il brille tout particulièrement dans les opéras de Mozart, Lortzing et Rossini. Son grand succès demeure le rôle-titre de *Palestrina* (Pfitzner) qu'il va chanter en 1958 à Stuttgart, puis en 1969 à Vienne. Plus importante encore que son activité scénique est sa carrière de concertiste qui l'entraîne en France, en Autriche, en Suisse, en Angleterre, en Italie, en Belgique, en Hollande... Deux grandes tournées de concerts en Amérique du Nord le consacrent comme un des maîtres de l'interprétation des mélodies, voire des cantates du passé comme des créations contemporaines. Depuis 1974, il enseigne au Conservatoire de Hanovre.

Alva, Luigi
(Luis Ernesto Alva Talledo)

Ténor péruvien, né à Lima le 10 avril 1927.

Il travaille sa voix avec Rosa Mercedes, à Lima, où il se produit en concert dès 1949. Il fera ses débuts sur scène, à l'Opéra de sa ville natale, dans le rôle d'Alfredo de *La Traviata*. Il poursuit ensuite ses études en Italie et y chante pour la première fois, en 1954, au Teatro Nuovo de Milan. Deux ans plus tard, il triomphe sur la scène de la Scala où, depuis lors, il est fréquemment invité. En 1957 et 1958, il est Fenton de *Falstaff* au Festival de Salzbourg. En 1960, il est engagé au Festival d'Aix-en-Provence, et, en 1961, à l'Opéra de Vienne. Sa carrière n'est alors qu'une suite de succès, sur les plus grandes scènes d'Europe et des deux Amériques. En 1963, il est membre de la troupe du Metropolitan Opera de New York.

Son élégance naturelle, le charme de sa présence en scène ont fait de Luigi Alva un des ténors légers les plus recherchés pour le répertoire de Rossini, de Cimarosa et parfois de Mozart. Son lyrisme très pur et sa grande culture musicale en ont fait un artiste exigeant, connaissant parfaitement ses limites et refusant de les dépasser. Son meilleur rôle demeure le Comte Almaviva du *Barbier de Séville* de Rossini. Il est considéré par certains critiques comme le successeur de Tito Schipa.

Amaducci, Bruno

Chef d'orchestre suisse, né à Lugano le 5 janvier 1935.

Il travaille à l'École normale de musique à Paris, puis au Conservatoire de Milan. En 1960, il remporte à Trieste un prix au Concours national italien des chefs d'orchestre d'opéra. Il mène une carrière de chef invité consacré essentiellement à l'art lyrique et à la musique ancienne. Il dirige au Met, à l'Opéra de Paris, de Vienne et de Berlin...

ÉCRITS : *L'Amfiparnaso de Orazio Vecchi* (1951) ; *Walter Jesinghaus* (1970) ; *Music of the Five Composers of the Puccini Dynasty* (1973) ; *La Musica nella Svizzera Italiana e la presenza della Radiorchestra* (1973).

Ambrosini, Jean-Claude

Pianiste français, né à Oujda (Maroc) le 7 mai 1916, mort à Paris le 4 août 1984.

Après des études de piano commencées au Maroc à l'âge de 6 ans, il vient se perfectionner à Paris avec Vlado Perlemuter qui lui conseille de mener une carrière de pianiste.

En 1937 il entre au Conservatoire dans la classe de Lazare-Lévy. Mobilisé en 1939 après avoir obtenu un second prix, il reprend ses études avec Marcel Champi en 1940. Premier prix en 1942, il quitte la France clandestinement pour l'Algérie. Engagé volontaire, il est gravement blessé lors de la Campagne d'Italie. C'est Robert Casadesus qui le fait travailler dès la fin de la guerre, puis Jacques Février. En 1948 on lui décerne un 1er prix de musique de chambre dans la classe de Joseph Calvet. Il effectue de nombreuses tournées pour les Jeunesses Musicales. Passionné par la musique de chambre, Pierre Fournier, Christian Ferras et Luben Yordanoff sont ses partenaires les plus fréquents.

Il accompagne également Boris Christoff, Régine Crespin, Ernst Haefliger et Mady Mesplé.

Ameling, Elly (Elisabeth Ameling)

Soprano néerlandaise, née à Rotterdam le 8 février 1934.

Elle est l'élève de Jo Bollekamp et de Jacoba Dresden-Dhont. En 1956, elle gagne le Prix Noordewier au Concours de chant de Hertogenbosch et, deux ans plus tard, le 1er prix du Concours international de Genève. Elle poursuit ses études chez Pierre Bernac à Paris, et dès lors aborde avec beaucoup de bonheur le concert et l'oratorio. Elle s'impose comme une des grandes interprètes de Bach mais chante également avec succès Händel, Mozart, Mendelssohn et surtout la littérature baroque. Elle aborde enfin le répertoire du lied allemand et de la mélodie française, réalisant avec Gérard Souzay le premier enregistrement intégral des mélodies de Fauré. En 1959, elle crée *Le Mystère de la Nativité* de Frank Martin et, au Festival de Salzbourg, chante la partie de soprano de la *4e Symphonie* de Mahler, sous la direction de Kubelik. En 1968, elle fait des débuts fort remarqués au Lincoln Center (New York). En 1973, elle fait ses débuts à l'Opéra d'Amsterdam dans le rôle d'Ilia d'*Idoménée* de Mozart, rôle qu'elle reprend lors du Festival Mozart du Kennedy Center, à Washington.

Amoyal, Pierre

Violoniste français, né à Paris le 22 juin 1949.

Attiré très tôt par la musique, il entre au Conservatoire de Paris où il obtient son 1er prix à l'âge de douze ans, en 1961. Un peu plus tard, il est entendu par Jascha Heifetz qui, séduit par le jeu et l'intelligence du jeune homme, l'invite à venir travailler avec lui aux États-Unis. Il y restera cinq ans, assimilant ses conseils techniques et artistiques, issus directement de l'École Russe de Leopold Auer. Malgré son intimité avec l'illustre violoniste russo-américain, Pierre Amoyal n'en n'a jamais été la « copie » et, à son retour des États-Unis, en 1971, il est invité par Sir Georg Solti à jouer le Concerto d'Alban Berg. Peu après, il grave son premier disque avec Paul Paray : la *Symphonie espagnole* de Lalo.

Depuis, il s'est fait acclamer un peu partout dans le monde et, en quelque endroit que ce soit, on a loué sa splendide sonorité, sa technique sans bavure et son sens musical particulièrement aigu.

Il a été nommé professeur au Conservatoire de Paris en 1977. Il joue sur un Stradivarius fameux : le *Kochanski*, datant de 1717.

Amy, Gilbert

Chef d'orchestre et compositeur français, né à Paris le 29 août 1936.

Attiré par la philosophie, l'architecture, la littérature dans sa jeunesse, il fait ses études musicales au Conservatoire de Paris où il est notamment l'élève de Darius Milhaud et d'Olivier Messiaen. En 1965, il suit les cours de Pierre Boulez à Bâle et, de 1967 à 1972, prend sa succession à la tête du Domaine Musical. Il mène alors parallèlement une activité de compositeur et de chef d'orchestre. En 1973, il devient directeur des programmes musicaux de l'O.R.T.F. et, de 1976 à 1981, il prend la direction du Nouvel Orchestre Philharmonique de Radio-France. Son passage à l'Odéon – directeur de la musique adjoint, à la demande de J.-L. Barrault – lui a révélé les liens entre le théâtre et la musique. C'est à Berlin qu'il a approfondi son travail de création, commençant *Strophe* et *Cycle* en 1964. Créée en 1968 à Royan, son œuvre *Trajectoires* pour violon et orchestre est une œuvre charnière. Dans *Cette étoile enseigne à s'incliner* (1970), Amy trouve sa plénitude. Il a reçu le Grand Prix national de la musique (1979)... Ses œuvres ont été créées et jouées dans les festivals de musique contemporaine. Il a lui-même dirigé en France et à l'étranger, consacrant une part importante de ses programmes à la musique du XXe siècle et créant de nombreuses œuvres nouvelles (Jolas, Haubenstock-Ramati, de Pablo...). En 1984, il est nommé directeur du Conservatoire national de musique de Lyon.

Ančerl, Karel

Chef d'orchestre tchèque, né à Tučapy le 11 avril 1908, mort à Toronto le 3 juillet 1973.

Il étudie le violon, la direction d'orchestre et la composition au Conservatoire de Prague avec J. Křička et A. Hába (1925-29) et devient l'élève de Václav Talich et d'Hermann Scherchen. Celui-ci le prend comme assistant (1929-31) à Berlin puis à Munich. A son retour en Tchécoslovaquie, il dirige le Théâtre Libéré (1930-33) puis l'Orchestre Symphonique de la Radio de Prague (1933-39). La guerre brise sa vie. Déporté dans plusieurs camps de concentration, il échappe à la mort et demeure affaibli. Chef à l'Opéra de Prague (1945-48), 1er chef de l'Orchestre Symphonique de la Radio de Prague (1947-50), professeur à l'Académie des Arts de Prague (1948-52), il redonne vie à la Philharmonie Tchèque (1950-68).

Sa concentration, sa force de réflexion et sa lucidité marquent les enregistrements qu'il a laissés. Brahms, Mahler, Dvořák, Janáček surtout (la *Messe glagolithique*) trouvent leur plénitude sous sa direction.

Après les événements de 1968 à Prague, il s'exile et se fixe au Canada où il prend la direction de l'Orchestre Symphonique de Toronto (1969-73).

Anda, Géza

Pianiste hongrois naturalisé suisse (1955), né à Budapest le 19 novembre 1921, mort à Zürich le 14 juin 1976.

Il naît dans un milieu musical amateur mais passionné. Après des études au Conservatoire de sa ville natale, il remporte le Prix Franz Liszt. Ernst von Dohnányi le prend alors comme élève. En 1941 il donne son premier concert à Berlin, avec l'Orchestre Philharmonique de Berlin sous la direction de Wilhelm Furtwängler. Dès 1942, il se réfugie en Suisse. Clara Haskil le remarque et enregistre avec lui. Il sera en quelque sorte son héritier, notamment pour l'interprétation des œuvres de Mozart. Il enregistre avec Ferenc Fricsay les concertos pour piano de Bartók qui constitueront longtemps une version de référence. Il enseigne à Lucerne (1959-68) puis à Zürich (à partir de 1969) : ses cours sont suivis par de jeunes pianistes venus du monde entier.

A la fin de sa vie, il se consacre surtout aux concertos de Mozart qu'il enregistre intégralement en dirigeant du piano l'Orchestre de Chambre du Mozarteum de Salzbourg.

Anders, Peter

Ténor allemand, né à Essen le 1er juillet 1908, mort à Hambourg le 10 septembre 1954.

Il abandonne la comptabilité pour étudier le chant à la Berliner Hochschule, auprès de Ernst Grenzebach. Il débute en 1932 au Théâtre de Heidelberg. Il est engagé successivement au Landestheater de Darmstadt (1933-35), à l'Opéra de Cologne (1935-36), puis à celui de Hanovre (1937-38). Remarqué par Clemens Krauss, il joue à la Staatsoper de Munich (1938-40) puis à celle de Berlin (1940-48) et achève sa brève carrière à l'Opéra de Hambourg, disparaissant prématurément dans un accident d'automobile. Après avoir tenu les rôles bouffes (Pedrillo, Jaquino), il s'est orienté, sur les conseils de la contralto Lula Mysz-Gmeiner, vers les emplois de ténor lyrique et le répertoire mozartien (il est un Tamino remarqué à Salzbourg en 1943), puis vers les rôles de caractère. L'intelligence du mot, une diction parfaite et un panache sans pathos en font également un grand chanteur de lieder...

Anderson, Marian

Contralto américaine, née à Philadelphie le 17 février 1902.

Élève à New York d'Agnès Reifsneider, de Giuseppe Boghetti et de Frank La Farge, elle remporte le 1er prix d'un concours de chant organisé par l'Orchestre Philharmonique de New York. Elle se produit à partir de 1925 aux États-Unis et fait ses débuts européens à Berlin en 1930. Elle fait deux importantes tournées en Scandinavie (1930-32 et 1933-34), se produit à Paris en 1934 et donne son premier récital new-yorkais en 1936. Interdite en 1939 à Washington, elle y chante le 9 avril suivant devant 7 500 personnes, grâce à l'appui de Mme Roosevelt. Elle est la première chanteuse noire à être engagée par le Metropolitan Opera de New York pour y chanter, en 1955, Ulrica du *Bal Masqué*. Elle met au service du lied schubertien une voix opulente et veloutée (la voix du siècle pour Toscanini), prenante malgré des problèmes de justesse.

Elle a créé en 1942 un prix Marian Anderson et écrit ses *Mémoires* (traduites en français en 1961).

Andia, Rafaël

Guitariste français, né à Mont-de-Marsan le 30 novembre 1942.

Dès l'âge de six ans, il reçoit une formation musicale classique : solfège, violon, harmonie, orchestre. Mais c'est la guitare qui l'attire : à dix-huit ans il parcourt l'Espagne et s'initie au flamenco. Sous l'influence d'Alberto Ponce et plus tard d'Emilio Pujol, il revient à la guitare classique et concilie les deux domaines. Il obtient la licence de concert à l'École normale de musique de Paris et présente une thèse de physique expérimentale à la Sorbonne. Professeur à l'École normale de musique dès 1971, il commence sa carrière de concertiste en 1973, après avoir remporté le 2e prix au XVe Concours international de l'O.R.T.F. En 1974, il enregistre une anthologie pour guitare et, en 1976, crée une classe de guitare baroque à l'École normale de musique de Paris (la première en France). Responsable d'une collection de musique contemporaine pour guitare aux éditions musicales Transatlantiques, il a créé, entre autres, *Solfegietto* de Claude Ballif (œuvre qui lui est dédiée), *Tellur* de Tristan Murail et *Tombeau de R. de Visée*, d'André Jolivet. Il joue sur une guitare classique espagnole Ramires.

ÉCRITS : *La Guitare baroque* (*Les goûts réunis,* 1977) et *Le Flamenco* (*Le Guide de la guitare,* 1981).

André, Franz

Chef d'orchestre belge, né à Bruxelles le 10 juin 1893, mort à Bruxelles le 20 janvier 1975.

Après des études musicales au Conservatoire de Bruxelles (violon avec César Thompson) et à la Hochschule de Berlin (avec Weingartner), il est nommé à 19 ans professeur adjoint de violon au Conservatoire de Bruxelles. Après la guerre, il participe activement à la création de la Radio Belge (1920) : il est membre du Trio de la Station et commence à diriger régulièrement. En 1935, il fonde l'Orchestre de l'I.N.R. (Institut National belge de Radiodiffusion) qui deviendra le Grand Orchestre Symphonique de la R.T.B. Il restera à la tête de cette formation jusqu'en 1958. De 1940 à 1944, il enseigne la direction d'orchestre au Conservatoire de Bruxelles.

Franz André a joué un rôle considérable dans la vie musicale belge en faisant connaître beaucoup de musique de son temps. K.A. Hartmann lui a dédié sa *1re Symphonie.* Il a créé *Les Euménides* (1949) et la *Symphonie n° 7* (1955) de Milhaud, *Le Livre de la jungle* (1946), la *Symphonie n° 1* (1946) et *Le Buisson ardent* (1957) de Koechlin, le *Concerto pour percussion* (1959) de Jolivet, la *Sinfonia I.N.R.* (1955) de Sauguet, le *Concerto pour orchestre* (1955) de Tansman.

Comme compositeur, il a écrit plusieurs poèmes pour violon et orchestre dans la tradition d'Ysaÿe, des musiques de scène et des musiques radiophoniques.

André, Maurice

Trompettiste français, né à Alès le 21 mai 1933.

A 14 ans, Maurice André descend dans la mine et entreprend, durant le même temps, l'étude de la trompette. Il fait preuve de tels dons qu'il peut entrer peu après au Conservatoire de Paris où il reçoit, en première année, le 1er prix d'honneur, non pas de trompette mais de cornet. Il n'obtiendra un 1er prix de trompette qu'un an plus tard. Il est successivement trompette solo des Concerts Lamoureux (1953-60), de l'Orchestre Philharmonique de l'O.R.T.F. (1953-62) et de l'Orchestre de l'Opéra-Comique (1962-67).

Après avoir triomphé au Concours international de Genève (1955) puis à celui de Munich (1963), il entreprend une carrière de concertiste qui le mènera d'Allemagne en Angleterre, dans les pays scandinaves, puis en Amérique du Nord et en Amérique du Sud. Depuis 1967, il est professeur au Conservatoire de Paris.

Maurice André ne s'est pas contenté d'élargir le répertoire de son instrument par des transcriptions (l'une, célèbre et inattendue, est sa version de l'« Air des clochettes » de *Lakmé,* de Léo Delibes), mais il a suscité des créations originales : Concertos de Tomasi, Blacher, *Arioso barocco* et *Heptade* de Jolivet, ainsi que des pages de Landowski, Tisné, Eloy, Krol...

Andreae, Marc

Chef d'orchestre suisse, né à Zürich le 8 novembre 1939.

Petit-fils de Volkmar Andreae, fils du pianiste et claveciniste Hans Andreae et de la pianiste Lis Andreae-Keller, il obtient en 1962 le diplôme de chef d'orchestre et de pianiste au Conservatoire de Zürich. Pendant deux ans (1960-62) il est le chef de l'Orchestre Pro Arte de Zürich. Il travaille ensuite la composition et la direction avec Nadia Boulanger à Paris (1962-63). De 1964 à 1968 il étudie à l'Académie Sainte-Cécile de Rome (avec Franco Ferrarra) et à l'Académie Chigiana de Sienne. En 1966, il remporte le 1er prix du Concours national suisse à Zürich. Sa carrière internationale date du début des années 60. Depuis 1969, il est chef de l'Orchestre de la Radiotélévision Suisse Italienne de Lugano. Marc Andreae a dirigé de nombreuses créations parmi lesquelles on peut citer des pages de Globokar, Beck, Wimberger.

Il se livre par ailleurs à la composition et à des recherches musicologiques qui lui ont permis d'exhumer ou d'enregistrer pour la première fois des œuvres oubliées de Schumann (*Symphonie en sol mineur,* version originale du *Concerto pour piano*), Schubert (*Grand Duo* orchestré par Joachim), Moussorgski ou Rossini.

Andreae, Volkmar

Chef d'orchestre suisse, né à Berne le 5 juillet 1879, mort à Zürich le 18 juin 1962.

Il fait ses études musicales à Berne avec Munzinger et à Cologne avec Wüllner (1897-1900). Après une saison passée à l'Opéra de Munich comme répétiteur (1900-01), il se fixe à Zürich où il prend la direction du Gemischten Chor (1902-49). Il dirige également le Winterthur Stadtsängerverein (1902-04) puis le Zürich Männerchor (1904-19). En 1906, il est nommé à la tête de l'Orchestre de la Tonhalle où il restera jusqu'en 1949. Il sera également directeur du Conservatoire de Zürich (1914-39), chef du Studentengesangverein (1914-16) et directeur de la musique à l'Université (1915). Tout au long de sa carrière, il restera fidèlement attaché à Zürich malgré de nombreux déplacements à l'étranger : tournées régulières avec l'Orchestre Philharmonique de Berlin ou l'Orchestre Philharmonique de Vienne, dont il est l'invité permanent. En 1911, lorsque Mahler quitte New York, il refuse sa succession qu'on lui offre. Fervent défenseur de Reger et de Mahler, c'est surtout vers Bruckner qu'il se tourne le plus volontiers. Il jouera un rôle décisif dans la diffusion de sa musique. C'est lui qui dirigera pour la première fois la *Passion selon saint Matthieu* en Italie (Milan, 1911).

Anfuso, Nella

Soprano italienne, née à Alia (Palerme) le 5 octobre 1942.

Après des études classiques, elle suit parallèlement les cours de l'université et du Conservatoire Cherubini de Florence. Docteur ès lettres, elle perfectionne sa voix auprès de Guglielmina Rosati Ricci à l'Académie Sainte-Cécile de Rome et travaille au Centre National de Recherche de la même ville. Pour sa première apparition publique (1971), elle donne au Palazzo Vecchio de Florence un récital consacré à Caccini. Elle en devient la spécialiste et poursuit une double activité du musicologue-interprète dans toute l'Europe, d'abord à travers le réseau universitaire, puis de plus en plus comme interprète reconnue du public : ses ouvrages sur l'art musical du XVe au XVIIIe siècle, et particulièrement sur la virtuosité vocale en Italie à l'époque de la naissance de l'opéra, comme ses interprétations personnelles et ses enregistrements remettent en question toutes les théories admises. Peu intéressée elle-même par la scène (elle ne s'y produit qu'une fois, en 1974, en Suisse : *Il Combatimento* de Monteverdi), elle travaille à la création d'une compagnie théâtrale basée à Florence qui, à partir de 1985, puisse assurer la mise en application de ses recherches sur un plan interprétatif plus vaste. Elle est également professeur de littérature poétique et dramatique au Conservatoire Boccherini de Lucca.

Angelici, Marta

Soprano française, née à Cargese le 22 mai 1907, morte à Ajaccio le 11 septembre 1973.

Des circonstances familiales la conduisent à faire ses études musicales à Bruxelles sous la direction d'Alfred Mahy et de son épouse. Elle remporte des 1ers prix de solfège, de chant et d'art lyrique, ainsi que la médaille du gouvernement belge.

Dès 1933, sa voix particulièrement phonogénique lui vaut de flatteurs engagements aux radios belge, luxembourgeoise et hollandaise. En 1934, elle donne son premier concert public au Kursaal d'Ostende. Début 1936, elle paraît pour la première fois sur une scène : à Marseille, dans le rôle de Mimi, aux côtés de Gaston Micheletti. Puis c'est, en 1936, la création aux Concerts Pasdeloup, sous la direction d'Albert Wolff, des *Chants de Cyrnos* d'Henri Tomasi. Dès le lendemain, les journaux sont pleins de louanges et de dithyrambes. Jacques Rouché l'engage en 1937. Pendant quelques mois, elle se rode Salle Favart dans de petits rôles, puis, début 1938, elle est Mimi et le public adopte spontanément cette artiste sincère à la voix pure et souple. En 1939, elle part avec la troupe de l'Opéra-Comique en tournée au Brésil.

Elle rentre sur un bateau italien. Mais tandis que le paquebot cingle vers l'Europe, l'Italie déclare la guerre à la France, et c'est grâce à un torpilleur français que Marta ne se retrouve point derrière des barbelés. Elle restera quatorze ans membre de la troupe de l'Opéra-Comique, y chantant Mimi, Nedda, Leïla, Baucis, Micaëla, Mireille, Sophie, Yniold... En 1953, elle entre à l'Opéra pour y chanter Xénia de *Boris Godounov.* Elle y restera sept ans, chantant *Obéron, Les Indes galantes,* Pamina – peut-être le rôle préféré de cette artiste très croyante, qui aimait la montée finale vers la lumière –, *Le Martyre de saint Sébastien,* Tanit-Zerga de *L'Atlantide* d'Henri Tomasi – rôle dont elle avait été la créatrice à Mulhouse en 1954 –, et, bien sûr, Micaëla. Ambassadrice du chant français (et des chants corses, qui lui valent des triomphes), elle se produit beaucoup à l'étranger, notamment à la Scala de Milan où elle est Micaëla, sous la direction de Karajan. Simple, modeste et généreuse, elle fuyait la publicité même au détriment de sa carrière.

Angerer, Paul

Chef d'orchestre autrichien, né à Vienne le 16 mai 1927.

Il effectue ses études musicales à l'Académie de musique et au Conservatoire de Vienne puis remporte une médaille au Concours international de Genève (1948) ; il entre à l'Orchestre de la Suisse romande (1949-52) puis à celui de la Tonhalle de Zürich. De 1953 à 1956, il est alto solo à l'Orchestre Symphonique de Vienne. Il dirige ensuite l'Orchestre de Chambre de Vienne (1956-63). Invité permanent de l'Orchestre Symphonique de Bolzano et Trente (1960), il dirige successivement au Wiener Burgtheater (1960-70), à l'Opéra de Bonn (1964-66), au Théâtre d'Ulm (1966-68), au Landestheater de Salzbourg (1967-72). Il est aussi directeur artistique au Hellbrunner Spiele (1970-71). Depuis 1971, il est directeur du Südwest Deutscheskammerorchester.

Anido, Maria-Luisa

Guitariste argentine, née à Moron le 25 janvier 1907.

Elle fait ses études de guitare au Conservatoire de Buenos Aires où elle deviendra plus tard professeur elle-même. Miguel Llobet formera avec elle le premier duo de guitares, et ils se produiront sur le plan international. Elle a été surnommée « la grande dame de la guitare ». Elle est retirée à Barcelone. Elle fut le professeur du duo Pomponio-Sarate parmi beaucoup d'autres élèves.

Anievas, Agustin

Pianiste américain, né à New York le 11 juin 1934.

Son père et sa mère sont respectivement espagnol et mexicaine. Dès l'âge de 4 ans, sa mère lui enseigne le piano. Il suit les cours de Steuermann et d'Olga Samaroff. Après quelques apparitions en public, en tant qu'enfant prodige, on le retrouve dans la classe d'Adele Marcus, à la Juilliard School of Music (1953-58). En remportant le Concert Artists Guild Award, il fait ses débuts à New York par la même occasion, en 1959. Deux ans plus tard, c'est le Prix Mitropoulos et un prix au Concours Reine Elisabeth de Belgique. En 1964, il s'installe en Belgique. Il y restera dix ans avant qu'une proposition de poste d'enseignant au Collège de Brooklyn ne le ramène aux États-Unis.

Ses interprétations des concertos de Bartók et de Prokofiev lui ont valu de grands succès. Il a enregistré l'intégrale des *Concertos* de Rachmaninov, ainsi que de nombreux cycles de pièces de Chopin.

Anossov, Nicolaï

Chef d'orchestre soviétique, né à Borissoglebsk le 18 février 1900, mort à Moscou le 2 décembre 1962.

Figure marquante de la direction d'orchestre soviétique, il est le père de Guennadi Rojdestvenski. Il a enseigné son art au Conservatoire de Moscou de 1940 à

1962 et a été chef permanent de l'Orchestre Symphonique de Moscou dès la fin des années 40.

Ansermet, Ernest

Chef d'orchestre suisse, né à Vevey le 11 novembre 1883, mort à Genève le 20 février 1969.

Ses parents sont l'un et l'autre musiciens amateurs. Il se sent donc attiré très jeune par la musique et étudie successivement la clarinette, le violon et même tous les instruments de cuivre qui composent une fanfare, ce qui lui permettra plus tard d'écrire un certain nombre de marches (militaires... à l'intention des fanfares de l'armée suisse) auxquelles il n'attachait aucune importance ! Or s'il se passionne pour la musique, il n'en suit pas moins des cours très poussés de mathématiques et reçoit, en 1903, la licence ès sciences mathématiques et physiques, à l'Université de Lausanne. Il enseigne jusqu'en 1906 au Collège de Lausanne, mais tient à poursuivre ses études en Sorbonne, ce qui lui permet de suivre des cours au Conservatoire de Paris. De retour en Suisse, il réussit le concours pour devenir professeur de mathématiques au Collège classique de Lausanne. Mais il n'y enseignera qu'une année car il décide enfin de se vouer totalement à la musique. Le poste de chef d'orchestre du Kursaal de Montreux étant vacant, il l'obtient après concours. Lié d'amitié avec Ramuz, il rencontre Igor Stravinski qui habite Clarens. Il assiste ainsi à l'écriture du *Sacre du Printemps,* de *Petrouchka* et de *L'Histoire du soldat,* de *Noces* et de *Renard.* La rencontre avec Diaghilev, à Genève, est décisive. C'est l'époque où l'Orchestre des Concerts d'abonnement de Genève lui propose d'en être le chef attitré. En même temps, Diaghilev lui offre de diriger l'Orchestre des Ballets Russes. Ainsi le 20 décembre 1915, au Grand-Théâtre de Genève, lors d'un gala pour la Croix-Rouge, Ansermet dirige pour la première fois un spectacle des Ballets Russes, au cours duquel est créé *Soleil de nuit,* réglé par Massine sur des pages de Rimski-Korsakov. Lors de cette même soirée, Stravinski dirige pour la première fois un orchestre en public : la Suite de *L'Oiseau de feu.* En 1916, il se rend aux États-Unis avec les Ballets Russes et commence ainsi une double carrière, entre Genève et les tournées de ballet qui imposent son nom, en une suite ininterrompue de succès. En 1918, il crée *L'Histoire du Soldat,* en 1920, *Le Chant du rossignol* et *Pulcinella,* en 1922, *Renard,* en 1923, *Les Noces.* Ainsi l'amitié qui lie le compositeur et le chef a-t-elle un tel prolongement sur scène que les deux noms paraissent longtemps indissociables. Mais Ansermet dirige d'autres créations : *Parade* de Satie (1917), *Le Tricorne* de de Falla (1919), *Chout* de Prokofiev (1923), *Capriccio pour piano* (1929) et la *Messe* (1948) de Stravinski...

Établi à Genève depuis 1915, il cumule le travail de trois chefs d'orchestre : outre les Ballets Russes il anime la vie musicale de la Suisse romande, tout en créant un orchestre national argentin à Buenos Aires. Pendant dix ans, il passera l'hiver à Genève et l'été en Argentine. Mais les plus grands théâtres et surtout les capitales musicales, tout particulièrement aux États-Unis, le réclament. Il refuse ainsi une carrière qui l'aurait porté au pinacle de la gloire musicale internationale. Karl Boehm du reste le reconnaît quand, pour contrebalancer son style de direction au service de la musique germanique, il choisit le style d'Ansermet pour symboliser le plus pur style de direction française ! Reconnu par ses pairs comme un des plus grands pour le répertoire français et russe, il préférera se heurter à la petitesse, à l'étroitesse d'esprit de certains politiciens suisses dans le but de créer, de fonder réellement dans son pays une tradition musicale. En 1918, il crée un premier Orchestre Romand (O.R.) de 63 musiciens à Genève. Il réussit, en 1932, à ce que soit signée une convention avec Radio-Genève assurant la diffusion de tous les concerts de l'O.R. Mais trois ans plus tard, la Société Suisse de Radiodiffusion fixe l'orchestre à Lausanne. Ansermet réunit tant bien que mal un nouvel orchestre à Genève, dont l'existence est précaire. Et il lui faudra trois ans de démarches pour que la S.S.R. fixe enfin à Genève un orchestre de 84 musiciens, assurant les concerts de Genève, de Lausanne, les services du Grand-Théâtre et les concerts radiophoniques. Cet ensemble débute réellement en 1940. Jusqu'à sa mort, en 1969, il dirigera tout le travail de l'O.S.R. en Suisse et à l'étranger (U.S.A., Pologne, Grèce et Japon) où il remporte de fabuleux succès. En même temps, il invite les meilleurs chefs de l'heure et lui-même dirige plus de 450 concerts dans la salle du studio de la Radio à Genève qui désormais porte son nom. Comme compositeur, son nom est surtout associé à celui de Debussy dont il a orchestré plusieurs pages pour piano, comme *Les Epigraphes antiques.* Défenseur de la musique suisse, il impose Arthur Honegger et Frank Martin. Du premier, il crée *Horace victorieux* (1921), *Chant de joie* (1923), *Rugby* (1928) et reçoit en dédicace *Pacific 231.* Du second, il assure la création de la *Symphonie* (1938), *In terra Pax* (1945), *La Tempête* (1956), *Le Mystère de la Nativité* (1959), *Monsieur de Pourceaugnac* (1963) et *Les Quatre Éléments* (1964) qui lui sont dédiés. Il a aussi créé *Le Viol de Lucrèce* (1946) et la *Cantata misericordium* (1963) de Britten.

ÉCRITS : *Le Geste du chef d'orchestre*, 1943, *Les Fondements de la musique dans la conscience humaine*, 1962.

Appia, Edmond

Chef d'orchestre suisse, né à Turin le 7 mai 1894, mort à Genève le 12 février 1961.

Il étudie le violon à Genève (avec Henri Marteau), à Paris (avec Lucien Capet) puis à Bruxelles, au Conservatoire royal de Belgique, dont il sort en 1920 avec un 1er prix. Violon solo de l'Orchestre de l'Opéra de Genève, dès 1920 il fonde la Société des Musiciens professionnels de Genève (1925) dont il est le premier président (1920-35). Il fait une carrière internationale de concertiste (1932-35). Violon solo de l'Orchestre de la Suisse romande (O.S.R.), il se sent de plus en plus attiré vers la direction d'orchestre et est engagé (1935) comme second chef de l'Orchestre de Radio-Lausanne. Dès 1938, il est chef attitré et permanent de l'Orchestre de Radio-Genève. Il dirige en outre plus de cinquante orchestres, en Europe, en Afrique et en Amérique. Son répertoire est immense, mais sa culture raffinée l'attire spécialement vers la musique française et italienne des XVIIe et XVIIIe siècles. Il s'intéresse également à la musique contemporaine et servira grandement la cause des compositeurs suisses. Parmi ses très nombreuses créations : *Concerto pour violon* (Wladimir Vogel, 1948), *Concerto pour piano* (Raffaele d'Allessandro, 1950), *Aspect d'une série de 12 tons* (Vogel, 1951), *Concerto pour piano nº 2* (Franck Martin, 1960). Correspondant des revues musicales de Paris, de Londres, il a introduit en Suisse les Jeunesses musicales.

Aragall, Giacomo

Ténor espagnol, né à Barcelone le 6 juin 1939.

Il attend sa vingtième année pour entreprendre des études de chant auprès de Francesco Puig à Barcelone. En 1962, il obtient le second prix au Concours de chant de Bilbao et une bourse pour poursuivre ses études avec Vladimiro Badiali, à Milan. En 1963, il est engagé à la Scala de Milan, après avoir remporté le Concours Verdi, à Busseto. Le succès est si grand qu'aussitôt une carrière internationale s'offre à lui. En 1966, il chante Rodolpho dans *La Bohème*, mise en scène par Zeffirelli, à l'Opéra de Vienne. En 1967, il chante *I Lombardi* de Verdi à Venise puis au Théâtre Massimo de Palerme, au San Carlo de Naples, à Rome, Turin et Bologne. Il apparaît aux Arènes de Vérone, retourne au Liceo de Barcelone, est invité à Berlin, à Hambourg et à Covent Garden. Enfin, en 1969, il est appelé au Met. Un grand talent de comédien, soutenu par une réelle beauté physique, tout chez Aragall est mis au service d'une voix puissante, chaude et rayonnante. C'est évidemment dans le répertoire italien qu'il remporte ses plus grands succès.

Araiza, Francisco

Ténor mexicain, né à Mexico le 4 octobre 1950.

Après des études à l'Université de cette ville, il étudie le chant au conservatoire local avec Irma Gonzales et débute à vingt ans à l'Opéra de Mexico (Jaquino dans *Fidelio*). En 1974, il se rend en Europe pour étudier à la Musikhochschule de Munich avec Richard Holm et Erik Werba, et appartient successivement aux opéras de Karlsruhe et de Zürich où il développe son répertoire mozartien. Les étapes de sa carrière internationale passent par Aix-en-Provence (*Cosi* en 1977 et 1980, Idrène dans *Semiramis* en 1980), Bayreuth (le Pilote du *Vaisseau fantôme* en 1978 et 1979), les opéras de Stuttgart, Munich, Vienne et Paris (*Sémiramis* en 1981), ainsi que Salzbourg (*Cosi* en 1982).

Arányi, Jelly d'

Violoniste hongroise naturalisée anglaise, née à Budapest le 30 mai 1893, morte à Florence le 30 mars 1966.

Petite-nièce de Joseph Joachim, Jelly d'Arányi fait ses études musicales auprès de Jenö Hubay à l'Academie Royale de Budapest. Elle débute à Vienne en 1909 et commence une carrière internationale qui la mènera, entre autres pays, en Angleterre où elle se fixe, à Londres. Elle y donne la première audition anglaise des deux *Sonates pour violon et piano* de Bartók (qui lui sont dédiées), en compagnie du compositeur, en 1922 et 1923. Elle reçoit également en dédicace *Tzigane* de Ravel et le *Concerto* de Vaughan-Williams qu'elle crée en 1924 et 1925 ainsi que le *Double Concerto* de Holst écrit pour elle et sa sœur, Adila Fachiri.

Elle a joué en trio, avec Suggia et Fanny Davies, avec Felix Salmond et Myra Hess, cette dernière étant, pendant plus de vingt ans, sa partenaire en sonate.

Arbós, Enrique Fernandez

Chef d'orchestre, violoniste et compositeur espagnol, né à Madrid le 24 décembre 1863, mort à San Sebastián le 2 juin 1939.

Après avoir travaillé au Conservatoire de Madrid avec Jesús de Monasterio, il passe quatre ans à Bruxelles où il est l'élève de Vieuxtemps pour le violon et de Gevaert pour la composition. Puis il séjourne trois ans à Berlin où il se perfectionne avec Joachim et Herzogenberg. Il est nommé professeur au Conservatoire de Hambourg et débute, en 1889, comme violon solo de l'Orchestre de Glasgow. Pendant quelque temps, il occupera les mêmes fonctions à la Philharmonie de Berlin et à l'Orchestre Symphonique de Boston. De retour en Angleterre, il est nommé professeur de violon au Royal College of Music (1894-1916). Il se tourne alors vers la direction d'orchestre et est nommé à la tête du nouvel Orchestre Symphonique de Madrid dont il sera le chef permanent jusqu'à la guerre civile (1904-36). Il enseigne au Conservatoire de Madrid et est nommé maître de musique de la chapelle royale d'Espagne. Fervent défenseur de la musique contemporaine, il crée les *Nuits dans les jardins d'Espagne* de Manuel de Falla (1916) et dirige la première exécution espagnole du *Sacre du printemps* (1932). Président de la section espagnole de la S.I.M.C., il organise la session de 1936 à Barcelone où est notamment créé le *Concerto à la mémoire d'un ange* de Berg. On lui doit plusieurs œuvres, dont un opéra-comique, *El Centro de la Tierra* (1895) et l'orchestration de plusieurs fragments d'*Iberia* d'Albéniz.

Arco, Annie d'

Pianiste française, née à Marseille le 28 octobre 1920.

Elle travaille d'abord le piano au Conservatoire de Marseille avec la mère du flûtiste Alain Marion puis avec Marguerite Long qui l'invite à venir étudier avec elle à Paris. Elle rentre au Conservatoire dans sa classe en 1934 et obtient un 1er prix en 1938. Entre 1938 et 1943, elle est accompagnatrice du violoniste Jules Boucherit au Conservatoire et accompagne également les élèves des classes de chant et d'instruments à vent. Remarquée par Eugène Bigot, elle donne son premier concert sous sa direction à l'Orchestre Lamoureux. Elle se produit alors avec les autres formations parisiennes ainsi qu'à l'étranger. En 1946, elle est lauréate du Concours de Genève. Parallèlement à sa carrière de soliste, elle accompagne régulièrement les grands solistes français et étrangers Henryk Szeryng, André Navarra, Jean-Pierre Rampal, Pierre Pierlot... De 1959 à 1966 elle est collaboratrice de Jean Doyen au Conservatoire de Paris. Depuis 1966, elle enseigne à l'École normale de musique. Elle est mariée avec le corniste Gilbert Coursier.

Arena, Maurizio

Chef d'orchestre italien, né à Messine le 13 mars 1935.

Il fait ses études à Palerme puis à Pérouse où il est l'élève de Franco Ferrara. Il travaille également comme assistant de Tulio Serafin et de Antonino Votto. De 1963 à 1969, il est directeur du Théâtre Massimo de Palerme. A partir de 1969, il dirige en Italie les grands orchestres et les grandes scènes lyriques. Depuis 1968, il assure la création de l'œuvre primée au concours de composition de Trieste. Il dirige pour la Radio Télévision Italienne des opéras peu connus d'Anton Rubinstein, Ricardo Zandonai et Italo Montemezzi.

Argenta, Ataulfo

Chef d'orchestre espagnol, né à Castro Urdiales (Santander) le 19 novembre 1913, mort à Madrid le 21 janvier 1958.

Au Conservatoire de Madrid, où il entre à l'âge de 13 ans, il travaille le piano, le violon et les écritures. Il obtient le prix Kristina Nilsson qui lui permet de poursuivre ses études en Belgique. De retour à Madrid, il est répétiteur puis second chef à l'Opéra (1933). Lors de la guerre civile, il est mobilisé dans l'armée de Franco et ne reprend ses activités qu'en 1939. Il donne alors une série de récitals de piano en Allemagne et rencontre Carl Schuricht qui l'incite à poursuivre ses études. Pendant quatre ans, il suit ses conseils et commence à enseigner à Kassel. En 1944, il fonde l'Orchestre de Chambre de Madrid et, en 1947, il est nommé chef permanent de l'Orchestre National d'Espagne.

Sa carrière se développe très rapidement. Il est l'invité privilégié de la Société des Concerts à Paris et de l'Orchestre de la Suisse romande à Genève. Ansermet voit même en lui son successeur mais sa carrière est interrompue par un accident. Argenta possédait une présence étonnante. Il tirait profit de ses origines méditerranéennes et de sa formation germanique avec beaucoup de subtilité. Son répertoire, tourné d'abord vers l'Espagne, était ouvert à la musique contemporaine.

Argerich, Martha

Pianiste argentine, née à Buenos Aires le 5 juin 1941.

A l'âge de 4 ans, elle donne son premier concert. A 8 ans, elle travaille avec Vincenzo Scaramuzza et joue ensuite chaque année en public. Elle veut devenir médecin, mais la musique ne la lâche pas. Elle vient en Europe avec sa famille en 1955 pour étudier à Vienne avec Friedrich Gulda et à Genève avec Madeleine Lipatti et Nikita Magaloff. En 1957, elle remporte les concours de Bolzano et de Genève et commence une carrière internationale qu'elle interrompt en 1960, ne se sentant pas assez mûre. Revenue en Amérique, elle ne reprendra sa vie de pianiste qu'en 1964 (cours avec Stefan Askenase et sa femme). Lauréate au Concours Chopin de Varsovie, elle épouse – en secondes noces – le chef d'orchestre Charles Dutoit. Horowitz et Michelangeli (qui lui a donné des leçons) l'estiment. Un enregistrement du *3e Concerto* de Prokofiev avec Claudio Abbado la rend soudain célèbre. Dès lors elle travaille avec passion, mais fait parfois silence, dominant son impétuosité, s'imposant des temps de retraite. Elle enregistre de la musique de chambre. Volupté de jouer, sincérité, elle a pour univers Chopin, Liszt, Schumann, Prokofiev, Ravel, Stravinski. Elle a épousé, en troisièmes noces, le pianiste anglais Stephen Bishop.

Arié, Raphael

Basse bulgare, naturalisé israélien, né à Sofia le 22 août 1920.

Il veut d'abord étudier le violon mais découvre sa voix grâce au baryton Cristo

Brambaroff. En 1939, il débute dans *Le Messie* de Händel, à Sofia, où il est engagé à l'Opéra, en 1945. L'année suivante, il obtient le 1er prix au Concours international de Genève, ce qui lui ouvre les portes de la Scala de Milan, en 1947. Le très grand succès qu'il y remporte incite la direction à renouveler son contrat d'année en année. Entre-temps, il se produit à Vérone, à Aix-en-Provence, au Mai musical de Florence, ainsi que dans les plus grands théâtres lyriques d'Allemagne, de France et d'Amérique du Nord. Le 11 septembre 1951, il participe à la création à Venise du *Rake's Progress* de Stravinski avec Schwarzkopf et Kraus. En 1953, il chante, à Salzbourg, le Commandeur de *Don Giovanni*, en 1960 le Grand Inquisiteur de *Don Carlos* et en 1962, pour la réouverture du Grand-Théâtre de Genève, Philippe II.

Sa puissante voix de basse lui a permis d'être un exceptionnel Boris Godounov mais aussi de s'imposer aussi bien dans le répertoire italien que dans la littérature contemporaine.

Arkhipova, Irina

Mezzo-soprano soviétique, née à Moscou le 2 décembre 1925.

Elle étudie d'abord l'architecture en suivant, de 1948 à 1953, les cours de l'Institut d'architecture de Moscou. Ayant opté pour les études de chant, elle entre au Conservatoire dans la classe de Safwranski. Elle fait ses débuts à l'Opéra de Swerdlowsk (1954-56), puis c'est le Bolchoï de Moscou qui l'appelle, lui offrant le rôle de *Carmen*, pour ses débuts. Le succès est immédiat et elle se voit offrir les rôles les plus divers, de Ljubascha (*La Fiancée du Tsar* de Rimski-Korsakov), Marina (*Boris Godounov*), Marfa (*Khovantchina*), Eboli (*Don Carlos*), Charlotte (*Werther*), à Hélène (*Guerre et Paix* de Prokofiev), ainsi que plusieurs rôles dans des ouvrages russes contemporains. Invitée dans le monde entier, partout ses succès la consacrent comme l'alto russe la plus importante de notre époque. Les grands moments de sa carrière se situent à la Scala de Milan : en 1967 comme Marfa et en 1971 comme Marina. En 1972, elle est invitée à San Francisco pour y tenir le rôle d'Amneris (*Aïda*). Sa voix prenante, chaude et ensorcelante a su vaincre la lourdeur d'un certain vibrato traditionnel de l'école russe. Son abattage scénique, son rayonnement en font davantage une cantatrice d'opéra que de concert.

Armengaud, Jean-Pierre

Pianiste français, né à Clermont-Ferrand le 17 juin 1943.

Il aborde la musique dès l'âge de 5 ans et travaille avec Marcel Jacquinot et Pierre Sancan puis, à l'École normale de musique de Paris, avec Jean Micault, où il reçoit, en 1966, sa licence de concert. Il avait été, l'année précédente, diplômé de l'Institut d'Études Politiques de Paris tout en terminant à la Sorbonne un doctorat de musicologie. Il suit des cours de perfectionnement avec Guido Agosti (Sienne), Jacques Février et Reine Gianoli (Paris) et reçoit des diplômes aux concours de Vercelli et Pozzolli (Italie). Il développe rapidement une carrière de conférencier, de producteur d'émissions à la radio et de pianiste au répertoire éclectique, avec un goût marqué pour la musique du XXe siècle.

Fondateur des Fêtes musicales de la Sainte-Baume, il y réalise de nombreuses créations. Il donne la première audition française des *Pièces op. 52* de Prokofiev. En 1970, il fonde avec Alain Sabouret et Michel Arrignon un trio piano, violon et clarinette, et fait partie du groupe Intervalles de Jean-Yves Bosseur. En 1975, il est nommé délégué régional à la musique du ministère de la Culture en Provence-Côte d'Azur et, en 1982, conseiller culturel à l'ambassade de France à Stockholm. Il est l'auteur d'une *Histoire de la musique de Beethoven à nos jours.*

Armstrong, Karan

Soprano américaine, née à Dobson (Montana) le 14 décembre 1941.

Elle étudie le piano et la clarinette au Concordia College Moorhead (Minnesota), puis le chant avec Lotte Lehmann,

Fritz Zweig et Tilly de Garmo. Elle remporte le 1er prix du Concours de l'Opéra de San Francisco, et débute au Met puis au New York City Opera, et enfin en Europe. C'est Salomé qu'elle chante à Francfort, Strasbourg, Hambourg, Toulouse, Oslo et Berlin qui contribue à l'y rendre célèbre, ainsi que ses incarnations des héroïnes contemporaines : Lulu, Marie (*Wozzeck*), qu'elle chante à Covent Garden, Zürich... Elle crée le rôle de « die Tödin » du *Jesu Hochzeit* de von Einem à Vienne en 1980, et le rôle-titre de *Lou Salomé* de Sinopoli à Munich en 1981. Au répertoire de ses débuts (Norina, Adina, Musetta, Gilda...) elle a ajouté Nedda, Mimi, Manon Lescaut, Butterfly, Tosca, Eva, Elsa, qu'elle chante à Bayreuth depuis 1979, et Mélisande qu'elle chante à l'Opéra de Paris en 1980. Elle est l'épouse du metteur en scène Götz Friedrich.

Armstrong, Sheila

Soprano anglaise, née à Ashington (Northumberland) le 13 août 1942.

Après des études effectuées à la Royal Academy of Music de Londres, elle remporte en 1965 le Prix K. Ferrier et le Prix Mozart. Elle débute alors aussitôt au Sadler's Wells (Despina) et entre en 1966 dans les chœurs du Festival de Glyndebourne, où elle chantera plus tard en soliste (Pamina, Zerline, Fiorilla du *Turc en Italie*). En 1973, elle débute à Covent Garden et à New York aux concerts de la Philharmonie. En 1970, elle crée au Three Choirs Festival le *Notturni ed alba* de John McCabe qui lui est dédié.

Arndt, Günther

Chef d'orchestre allemand, né à Berlin-Charlottenburg le 1er avril 1907, mort à Berlin le 25 décembre 1976.

Il fait ses études musicales à l'Académie de Berlin, de 1925 à 1930, tout en suivant des cours de musicologie à l'Université. De 1932 à son appel sous les drapeaux, il enseigne la musique et la direction chorale à la Volkshochschule du Grand Berlin, où il fonde et dirige la Chorale Heinrich Schütz. Après la guerre, il se voit confier la responsabilité du département musique de chambre à la Radio Berlinoise. Il est nommé en 1949 rapporteur du département musique symphonique au R.I.A.S. Il en dirige, à partir de 1955, le chœur de chambre, ainsi que le Berliner Motettenchor qu'il fonde en 1949, ensemble qu'il abandonne en 1964 pour prendre en main le département musical du R.I.A.S. Il dirige également depuis 1965 la section musique de la Freie und Technische Hochschule de Berlin.

A la tête du chœur de chambre du R.I.A.S., qu'il a fait mondialement connaître, Arndt a créé de nombreuses œuvres, signées Henze, Krenek, Schönberg, Reimann, Milhaud, etc., et contribué, par de ferventes interprétations, à faire redécouvrir les prédécesseurs de Bach, Schütz en particulier.

Aronowitz, Cecil

Altiste anglais, né à King William's Town (Afrique du Sud) le 4 mars 1916, mort à Ipswich le 7 septembre 1978.

De parents russes lituaniens, il travaille au Royal College of Music de Londres avec Vaughan-Williams, G. Jacob et, pour le violon, avec A. Rivarde. Il ne se tourne vers l'alto qu'après la guerre. Il joue dans la plupart des orchestres londoniens, étant alto solo de l'Orchestre de Chambre Boyd Neel, des London Mozart Players et de l'English Chamber Orchestra. Il participe à la fondation du Melos Ensemble auquel il appartient (1950). Il s'associe fréquemment à l'Amadeus Quartet pour des séances de quintette. Pédagogue important, il enseigne au Royal College of Music de Londres (1950-75), à celui de Manchester (1975-77) et à la Snape Maltings School (1977-78).

Arrau, Claudio

Pianiste chilien naturalisé américain, né à Chillán le 6 février 1903.

A cinq ans, enfant prodige, il donne son premier récital dans sa ville natale. Il a onze ans quand il donne son premier concert à Berlin. Le gouvernement chilien l'envoie parfaire ses études musicales en

Allemagne. Il devient, de 1913 à 1918, l'élève de Martin Krause, lui-même l'un des derniers élèves de Liszt. A la mort de son maître (1918), Claudio Arrau travaillera sans professeur. Ce qui ne l'empêchera pas de remporter deux années de suite (1919-20) le Prix Liszt qui n'avait pas été décerné depuis 45 ans... C'est le commencement d'une grande carrière internationale. Ses débuts américains datent de 1923. En 1925 il est nommé professeur au Conservatoire Stern de Berlin où il enseigne jusqu'en 1940. A la même époque, il enregistre son premier disque (1926). En 1927 il obtient le 1er prix au Concours international de Genève devant un jury où figurent Cortot et Rubinstein. Il donne son premier concert avec l'Orchestre Philharmonique de Berlin en 1928. En 1935, il donne à Berlin l'œuvre de Bach pour clavier en douze concerts. L'année suivante, il joue l'œuvre de Mozart et, en 1937, se consacre à Schubert. Il épouse la cantatrice Ruth Schneider et fait d'innombrables tournées – plus de 100 concerts par an – offrant un répertoire très vaste, de Bach aux compositeurs contemporains, avec cependant une très nette prédilection pour la musique romantique.

Il réalise de très nombreux disques parmi lesquels on peut citer l'intégrale des sonates pour piano et des concertos de Beethoven. En 1967 il crée le Fonds Claudio Arrau pour les jeunes musiciens. Il entreprend, pour les Éditions Peters, une nouvelle édition des *Sonates* de Beethoven, dont le premier volume paraît en 1973. En 1978 l'Orchestre Philharmonique de Berlin lui décerne la Médaille Hans von Bülow pour fêter le cinquantenaire de son premier concert avec lui. Claudio Arrau est incontestablement l'un des plus grands pianistes de ce siècle, l'un des derniers représentants de la grande tradition de liberté créatrice héritée en ligne directe de Liszt.

Arrauzau, Francine

Mezzo-soprano française, née à Bordeaux le 10 octobre 1935, morte à Tours le 20 avril 1981.

Elle fait ses études au Conservatoire de Bordeaux et y remporte trois 1ers prix. Au Conservatoire de Paris, elle remporte les mêmes récompenses. Après une année de rodage dans de petits rôles à Bordeaux, elle est engagée à l'Opéra de Paris où, après de discrets débuts dans *Les Indes Galantes*, elle s'impose dans une Carmen explosive, son rôle fétiche. Elle le chante régulièrement de 1963 à 1970, y remportant un succès sans cesse croissant. Parallèlement, elle s'intègre à la troupe y chantant avec intelligence et brio des seconds plans, tandis qu'elle se fait connaître en province dans ses vrais emplois tels que Mignon. De cette troupe démantelée, elle est l'une des rares rescapées de l'ère Liebermann, mais pour de tout petits emplois. Elle ronge son frein. Puis un jour de 1976, la troupe part aux États-Unis. Elle est la deuxième demoiselle d'honneur dans *Les Noces de Figaro*. Elle réussit à auditionner. Le New York City Opera l'engage pour chanter Carmen. Puis viendront Washington, Seattle... Mais ce sera pour plus tard. En attendant, il faut rentrer à Paris et retrouver ses petits emplois. Et puis, un beau jour, c'est la chance ! Reprise de *Samson et Dalila*. F. Cossotto, affichée, annule tout. Francine Arrauzau est là et sauve le spectacle. Elle sera désormais Dalila, puis Charlotte. Il y a ensuite cette Périchole de Carpentras, qui achève de faire d'elle une vedette adorée du public. Cette Périchole qu'elle venait de chanter à Tours lorsque, sur le chemin du retour, elle est tuée, renversée par une voiture.

Arroyo, Martina

Soprano américaine, née à Haarlem le 2 février 1935.

Fille d'ingénieur, elle apprend le piano et en même temps, à Hunter College, les langues et la littérature romane, tout en travaillant sa voix avec Marinka Gurewich. Elle est d'abord institutrice, assistante sociale et pédagogue. En 1958, elle débute dans un concert à Carnegie Hall ; mais le commencement de sa carrière est difficile. Il lui faut attendre le Concours des auditions du Metropolitan Opera *of the air* qu'elle gagne et qui lui vaut un engagement au Met. Mais elle n'obtient que de petits rôles, comme la Voix céleste de *Don Carlos* ; elle vient en Europe, est engagée à l'Opéra de Berlin, puis à celui de Vienne, où elle remporte des succès notoires dans le rôle-titre d'*Aïda*. Pendant la saison 1964-65, elle remplace à deux reprises (dont une fois au Met) Birgit Nilsson dans ce même rôle d'Aïda. C'est le triomphe qui la propulse parmi les stars du monde lyrique, sur les plus grandes scènes d'Europe et d'Amérique. Elle se sent à l'aise dans les rôles les plus périlleux des grandes héroïnes italiennes (Amelia du *Bal masqué*, Tosca, Lady Macbeth, Léonore de *La Force du destin*, voire Donna Anna de *Don Giovanni*). Elle se risque même à chanter Wagner (Elsa de *Lohengrin*) mais refuse l'invitation de Herbert Graf qui lui offre de chanter Lucia au Grand-Théâtre de Genève (1972). A Covent Garden, au Colón, à la Scala, à Chicago, à San Francisco, à l'Opéra de Hambourg et à Paris enfin, elle s'impose comme une voix d'or qui sacrifie l'intensité du jeu pour préserver la beauté de l'exécution musicale. Elle entreprend une carrière de concertiste et s'intéresse à la musique contemporaine, créant notamment *Andromache's Farewell* de Barber (1963) et *Momente* de Stockhausen (1965). Elle a épousé le violoniste Emilio Poggioni.

Artaud, Pierre-Yves

Flûtiste français, né à Paris le 13 juillet 1946.

Il remporte un 1er prix de flûte au Conservatoire de Paris en 1969 (classe de G. Crunelle) suivi d'un 1er prix de musique de chambre en 1970 (classe de Chr. Lardé). En 1970-71, il suit le 3e cycle de musique de chambre au Conservatoire et obtient un certificat d'acoustique musicale du G.A.M. (faculté de Paris IV). De 1964 à 1968, il a occupé la place de piccolo à l'Orchestre Philharmonique d'Ile-de-France. En 1971 il est flûte solo à l'Orchestre Laetitia Musica puis, à partir de 1972, flûte solo aux Ensembles l'Itinéraire et 2E 2M. Parallèlement il est nommé, en 1965, professeur au Conservatoire d'Asnières, en 1970 musicien animateur des J.M.F., de 1973 à 1980 il dirige l'atelier de flûte contemporaine aux Fêtes musicales de la Sainte-Baume ; depuis 1978, il est professeur invité aux camps musicaux de Pèces et Csongrad en Hongrie. En 1981, il est responsable à l'I.R.C.A.M. de la cellule de recherche instrumentale et, en 1982, professeur invité à l'Académie de Darmstadt. Il est directeur de collections de musique contemporaine et classique chez différents éditeurs. En 1964 il crée le quatuor de flûtes Arcadie. De 1970 à 1972 il fait partie du Quintette à vent Da Camera et, de 1973 à 1974, du Quintette instrumental Albert Roussel. Depuis 1971, il se produit avec la harpiste Sylvie Beltrando et depuis 1978 avec le claveciniste Pierre Bouyer. Il assure un grand nombre de créations parmi lesquelles des œuvres de Ferneyhough, de Pablo, Jolas, Taïra, Levinas, Murail, Mefano, Donatoni, Boucourechliev, Ohana, Decoust, Tisné...

Ashkenazy, Vladimir

Pianiste et chef d'orchestre soviétique naturalisé islandais (1972), né à Gorki le 6 juillet 1937.

Il suit les cours du Conservatoire de Moscou et travaille en particulier avec Lev Oborine. A l'âge de dix-huit ans, il remporte le second prix du Concours Chopin de Varsovie. L'année suivante il obtient le 1er prix au Concours Reine Élisabeth de Belgique (1956). Ces distinctions lui permettent de faire une grande tournée aux États-Unis et au Canada. En 1962, il se voit décerner le 1er prix du Concours Tchaïkovski, qui lui assure une renommée internationale. En 1963, il passe à l'Ouest et s'installe à Londres avec sa femme et ses enfants. Il joue avec les plus grands interprètes du moment : André Previn, Itzhak Perlman avec qui il enregistre une intégrale des *Sonates pour violon et piano* de Beethoven. Son succès ne cesse de croître en Grande-Bretagne, et il réalise pour la B.B.C. une intégrale des *32 Sonates* de Beethoven. En 1968, il fuit Londres et son agitation, et va s'établir en Islande. Là, il organise tous les deux ans le Festival de Reykjavík. Ennemi du « pianisme », de l'effet pour l'effet, son jeu sobre et raffiné lui ouvre un répertoire immense : de

Mozart à Chostakovitch, en passant par Prokofiev et Chopin bien entendu, pour lequel il a une prédilection.

Ashkenazy se consacre également à présent à la direction d'orchestre. Son répertoire d'élection : Tchaïkovski, Prokofiev et Sibelius. Depuis 1982, il vit principalement en Suisse.

Askenase, Stefan

Pianiste polonais naturalisé belge (1950), né à Lvóv le 10 juillet 1896.

Dans sa ville natale, il commence à étudier le piano avec sa mère, élève de Carl Mikuli, lui-même disciple de Chopin. Après avoir fréquenté le Collège de Lvóv, il suit l'enseignement de Emil von Sauer, élève de Liszt, à l'Académie de musique de Vienne.

Dès ses débuts, on le reconnaît comme un interprète idéal de Chopin. Il multiplie les concerts dans toute l'Europe. Après la Première Guerre mondiale, à laquelle il prend part dans l'armée autrichienne, il se consacre à l'enseignement. En 1922, il accepte un poste de professeur au Conservatoire du Caire. Jusqu'en 1925, Le Caire sera sa résidence. A cette date, il s'installe définitivement à Bruxelles où il sera professeur au Conservatoire (1954-61) après avoir enseigné au Conservatoire de Rotterdam (1937-40).

Parmi ses élèves, on compte M. Argerich et A. Tchaïkovsky. Il a enregistré de nombreuses œuvres du répertoire romantique, et évidemment de Chopin.

Atherton, David

Chef d'orchestre anglais, né à Blackpool le 3 janvier 1944.

Il fait ses études au Trinity College de Cambridge puis à la Royal Academy of Music et à la Guildhall School of Music de Londres où il reçoit une formation de pianiste et de chef d'orchestre. Dès 1967, il fonde le London Sinfonietta dont il est directeur artistique jusqu'en 1973. En 1968, il fait partie du comité directeur de Covent Garden où il est le plus jeune chef invité. Sa carrière prend rapidement de l'essor : il débute à la Scala de Milan en 1976 et à l'Opéra de San Francisco en 1978 avant d'être nommé directeur musical de l'Orchestre Symphonique de San Diego (Californie) et chef permanent du Royal Liverpool Philharmonic Orchestra (1980-83). Son action en faveur de la musique contemporaine a été déterminante dans la vie musicale londonienne. On lui doit la création d'œuvres de Tavener (*The Whale*, 1968), Birtwistle (*Punch and Judy*, 1968, *Verses for Ensembles*, 1969), Hamilton (*Voyage*, 1971), Henze (*We come to the river*, 1976). Il a enregistré pour la première fois l'intégrale de la musique de chambre et de l'œuvre pour petit orchestre de Schönberg.

Atlantov, Vladimir

Ténor soviétique, né à Leningrad le 19 février 1939.

Fils d'un chanteur professionnel et faisant preuve très jeune de dons exceptionnels, il fait ses études musicales au Conservatoire local avec N. Bolotina et en sort diplômé à moins de vingt ans. Il entre dans la troupe du Théâtre Kirov où il remplit toutes sortes d'emplois. De 1963 à 1965, il fait un stage à la Scala de Milan où il travaille avec Barra. Puis il entre par la grande porte dans la troupe du Bolchoï (1967) : il s'y illustre particulièrement en Don José, en Alfredo, en Cavaradossi et, bien sûr, dans les grands emplois de ténors russes. Avec la troupe du Bolchoï, il se fait connaître des publics difficiles de la Scala, du Met, de l'Opéra de Paris ou de l'Opéra de Vienne. Et comme ses amis Obrastzova, Petrov ou Mazourok, il devient une vedette internationale très recherchée. Sa voix large et claire, son tempérament impétueux et son intelligence dramatique en font un Canio impressionnant et, depuis peu (il a débuté dans ce rôle à Munich en 1980), un Othello de très grande envergure. Curieusement, il affectionne certains rôles de baryton, tel le Rodrigo de *Don Carlo* qu'il chante avec une noblesse et une intensité également admirables. Il est Médaille d'or du Concours Tchaïkovski (1966) et lauréat des concours de Montréal et de Sofia (1967).

Atzmon, Moshe (Moshe Groszberger)

Chef d'orchestre israélien, né à Budapest le 30 juillet 1931.

Enfant, il étudie le violoncelle à Budapest avant d'émigrer en Israël (1949) où il travaille le cor et le piano à l'Académie de musique de Tel-Aviv (1958-62). Il se fixe alors à Londres où il étudie la direction d'orchestre à la Guildhall School of Music, sur les conseils d'Antal Dorati (1962-64). Il remporte le 2e prix au Concours Mitropoulos de New York (1963) puis le 1er prix au Concours international de Liverpool (1964). Invité par la plupart des orchestres européens, il débute en 1967 au Festival de Salzbourg à la tête de la Philharmonie de Vienne. Deux ans plus tard, il dirige son premier opéra à Berlin et prend la direction de l'Orchestre Symphonique de Sydney (1969-72). Il est ensuite à la tête de l'Orchestre Symphonique de Bâle et de l'Orchestre Symphonique du N.D.R. de Hambourg (1972-76). On le trouve alors à Tokyo où il est conseiller musical et chef permanent du Tokyo Metropolitan Symphony Orchestra et à New York où il est chef d'orchestre principal de l'American Symphony Orchestra.

Auberson, Jean-Marie

Chef d'orchestre suisse, né à Chavornay (Vaud) le 2 mai 1920.

Parallèlement à des études classiques, il entreprend des études musicales au Conservatoire de Lausanne (violon et alto). Engagé à l'Orchestre de Chambre de Lausanne (O.C.L.), puis à l'Orchestre de la Suisse romande (O.S.R.), il suit des cours de direction musicale et de musique de chambre à l'Académie Chigiana de Sienne, puis à Vienne et à Cologne. Il travaille plus particulièrement la direction d'orchestre avec Ernest Ansermet et Carl Schuricht (1956-60) ; il dirige l'Orchestre de Radio Beromünster (Zürich) et l'Orchestre de la Ville de Saint-Gall. Dès 1961, tout en dirigeant certains grands concerts à Radio Beromünster, il revient en Suisse romande et dirige l'O.S.R. Il est appelé également à la tête de l'Orchestre de la Tonhalle (Zürich), de l'O.C.L. ainsi que des orchestres de Berne, de Bâle... Il fait de nombreuses créations : à Radio-Genève, l'opéra *Faits divers* (Zbinden), au Théâtre des Champs-Élysées, *Pâris* (Henri Sauguet), etc. Appelé par Rolf Liebermann à l'Opéra de Hambourg pour diriger les soirées de ballet et le répertoire français (1968-73), il y réalise entre autres la création mondiale de *Pinocchio* (Bibalo). Il dirige ensuite successivement l'Orchestre de Radio Bâle (répertoire français et compositeurs suisses), et celui de la Ville de Saint-Gall. Au Grand-Théâtre de Genève, il travaille étroitement à la réalisation musicale des ballets montés par Peter Van Dyk et Oscar Araïz. En 1977, il crée le *Concerto pour piano* (Ginastera) et en 1980, *La Folie de Tristan* (Schibler). Il est le père de la cantatrice Audrey Michaël (Lausanne, 1950), soprano à l'Opéra de Düsseldorf.

Auclair, Michèle

Violoniste française, née à Paris le 16 novembre 1924.

Après des études au Conservatoire de Paris avec Boucherit, elle travaille avec Boris Kamenski puis avec Jacques Thibaud. En 1943, elle remporte le Prix Marguerite Long-Jacques Thibaud et commence alors une carrière internationale. En 1945, Michèle Auclair remporte également un prix au Concours international de Genève.

Elle donne, dès lors, de nombreux concerts et récitals dans toute l'Europe et en Amérique du Sud. Sa technique est une synthèse des écoles russe et française. Elle a épousé le compositeur Antoine Duhamel.

Auer, Leopold (von)

Violoniste hongrois, né à Veszprém le 7 juin 1845, mort à Loschwitz (Dresde) le 15 juillet 1930.

Élève de Ridley Kohne à Budapest, de Dont à Vienne et de Joachim à Hanovre (1863-64), premier violon de l'Orchestre de Düsseldorf entre 1863 et 1865, puis de

Hambourg (1866-67), c'est en 1868 qu'il accepte le poste de professeur au Conservatoire impérial de Saint-Pétersbourg, où il succède à Henryk Wieniawski. Il conservera sa classe jusqu'en 1917. Violoniste réputé – en particulier à la cour du Tsar –, Auer devait fonder, en 1899, à Saint-Pétersbourg, un quatuor justement célèbre, en compagnie de Charles Davidov. Leopold Auer est le dédicataire du concerto de Tchaïkovski – qu'il refusa de jouer plusieurs années, avant de le porter à son triomphe mondial. Il est aussi le dédicataire de la *Sérénade mélancolique* de Tchaïkovski et du *Concerto* de Glazounov. Si l'on considère Leopold Auer comme le successeur de Joseph Joachim en tant qu'instrumentiste, c'est avant tout comme pédagogue qu'il reste célèbre : c'est lui qui forma, à Saint-Pétersbourg puis au Curtis Institute de Philadelphie (1928-30), des violonistes tels que Jascha Heifetz, Mischa Elman, Efrem Zimbalist, Toscha Seidel, Nathan Milstein...

ÉCRITS : *My Long Life in Music* (1923).

Augér, Arleen

Soprano colorature américaine, née à Los Angeles le 13 septembre 1939.

Elle fait ses études au Collège de Long Beach (Californie) dont elle est diplômée. Elle se consacre ensuite, de 1963 à 1968, à l'étude du chant. Elle gagne alors plusieurs concours mais se fera connaître grâce à une tournée de concerts qu'entreprend l'Orchestre Philharmonique de Los Angeles. Après avoir obtenu ses premiers succès comme Gilda de *Rigoletto* et la Reine de la Nuit de *La Flûte enchantée*, elle se voit offrir une bourse qui lui permet de poursuivre ses études à Vienne. Dans cette ville, elle reçoit même un contrat à long terme de l'Opéra (1967-74), où elle fera des débuts éblouissants comme Reine de la Nuit. Elle est ensuite invitée au Metropolitan Opera de New York ainsi qu'à l'Opéra de Hambourg (1970), puis à Munich, à Salzbourg...

Soprano colorature aux notes hautes cristallines, elle possède une technique raffinée. Elle enseigne à la Musikhoschule de Francfort.

Auriacombe, Louis

Chef d'orchestre français, né à Paris le 22 février 1917, mort à Toulouse le 12 mars 1982.

Il est d'abord élève au Conservatoire de Toulouse où il remporte des prix de violon (1931), chant et déclamation (1937), harmonie (1939). Puis il étudie la direction d'orchestre avec Igor Markevitch à Salzbourg de 1951 à 1956 et assiste son maître dans ses tournées internationales. En 1953, il fonde l'Orchestre de Chambre de Toulouse (12 cordes et clavecin) qu'il produira dans le monde entier. Il crée *Ombres* de Boucourechliev (1970) et donne la première américaine des *Ramifications* de Ligeti (Washington, 1970). Depuis 1971, la maladie avait réduit Auriacombe à l'inactivité.

Aussel, Roberto

Guitariste argentin, né à la Ciudad de la Plata le 13 juillet 1954.

Après des études dans sa ville natale, il obtient un 1er prix au Concours Porto Alegre au Brésil, un 1er prix à Caracas et, en 1975, le 1er prix au Concours international de Radio-France. Il a travaillé avec Jorge Martínez Zárate et Maria-Luisa Anido. Il se produit aujourd'hui dans le monde entier.

Austbö, Haakon

Pianiste norvégien, né à Kongsberg le 22 octobre 1948.

Il se produit dès l'âge de 14 ans avec l'Orchestre Philharmonique de Bergen et à 15 ans, il donne son premier récital public à Oslo. Il vient se perfectionner au Conservatoire de Paris dans la classe de Lelia Gousseau où il obtient un 1er prix en 1969 ainsi qu'à l'École normale de musique (avec Blanche Bascourret de Gueraldi) où il obtient sa licence de Concert (1970). L'année suivante, il remporte le 1er prix du concours international Olivier Messiaen à Royan et celui du Concours de la Guilde Française des Artistes solistes. Il remporte également des récompenses aux concours Debussy à Saint-Germain-en-Laye (1970), Scriabine à Oslo (1972), Ravel à Paris (1975). En duo avec sa femme Marina Horak, il obtient un prix au Concours international de Munich (1974) et avec le Trio du Nord à la Tribune internationale de Bratislava (1975). Depuis 1974, il est fixé aux Pays-Bas et, depuis 1979, est professeur au Conservatoire d'Utrecht.

Ax, Emmanuel

Pianiste russe naturalisé américain, né à Lvóv le 8 juin 1949.

D'abord élève de son père, à Lvov, Ax se fixe au Canada, dans un premier temps, puis à New York à partir de 1961. Il travaille avec Munz à la Juilliard School puis débute en 1969. Sa carrière devient vite internationale, surtout après son premier concert à New York en 1975. Lauréat du Concours Reine Élisabeth de Belgique en 1972, il remporte le 1er prix du Concours Rubinstein de Tel-Aviv (1973).

Ayo, Felix

Violoniste espagnol naturalisé italien, né à Sestao le 1er juillet 1933.

Il obtient son diplôme de soliste à l'âge de 14 ans et poursuit ses études musicales à Paris et à Rome avec Principe. Membre fondateur de l'ensemble I Musici en 1952, il est 1er violon et soliste du groupe jusqu'en 1967. C'est ainsi qu'il acquiert une renommée internationale. En 1968, il fonde le Quartetto Beethoven avec Marcello Abbado (piano), Cino Ghedon (alto) et Vincenzo Altobelli (violoncelle). Deux ans plus tard, Abbado est remplacé par Carlo Bruno. A partir de 1972, il enseigne le violon au Conservatoire Santa Cecilia. Il joue sur un très beau violon Gennaro Gagliano, fabriqué à Naples en 1768.

Azaïs, Julien

Pianiste français, né à Boynes le 19 juillet 1939.

Il fait ses études au Conservatoire de Paris et remporte des 1ers prix de piano (classe de Jean Doyen, 1959), ensemble instrumental (classe de Jacques Février, 1960) et musique de chambre, en duo avec Marie-José Billard (classe de Joseph Calvet, 1961). C'est la première fois qu'une telle distinction est accordée à un duo de pianistes. A partir de ce moment, il se produit uniquement en duo avec Marie-José Billard : ils remportent un prix au Concours international de Munich (1964), le Prix Jehan Alain pour leur enregistrement des *Concertos* de J.S. Bach (1965), et la Médaille d'argent de la Ville de Paris (1969). Daniel-Lesur, P.M. Dubois et A. Stallaert écrivent à leur intention. Ils donnent leur dernier concert le 16 août 1980 au Festival de Cluny et cessent leur activité en raison d'une ankylose de la main droite de M.J. Billard. Ils gèrent depuis l'Agence B/A Musique.

B

Babin, Victor

Pianiste et compositeur russe naturalisé américain, né à Moscou le 13 décembre 1908, mort à Cleveland le 1er mars 1972.

Après avoir suivi les classes de piano et de composition au Conservatoire de Riga, il achève ses études à la Berliner Musikhochschule, de 1928 à 1931, auprès d'Artur Schnabel (piano) et de Franz Schreker (composition). En 1933, il épouse Vitya Vronsky et forme avec elle un duo de pianos qui fait ses débuts à New York en 1937, après une tournée européenne. La même année, il se fixe aux États-Unis. Il est nommé professeur à l'École de musique d'Aspen en 1950, puis directeur de 1951 à 1954. Il enseigne également au Berkshire Music Center de Tanglewood et dirige de 1961 à sa mort le Cleveland Music Institute. La même année, il est nommé docteur *honoris causa* de l'Université du Nouveau-Mexique. Le compositeur a laissé naturellement de nombreuses pièces et transcriptions pour deux pianos, dont celle de la *Circus Polka* de Stravinski, mais aussi des mélodies, deux concertos pour deux pianos et des pages de musique de chambre. Milhaud a écrit pour le duo Babin-Vronsky son *Concerto pour deux pianos nº 1* (1942).

Baccaloni, Salvatore

Basse italienne, né à Rome le 14 avril 1900, mort à New York le 31 décembre 1969.

Élève de la maîtrise de la chapelle Sixtine, il entreprend à quinze ans des études d'architecture à l'Académie des Beaux-Arts de Rome. Grâce à l'enseignement du baryton Giuseppe Kaschmann, il débute en 1922 dans le rôle de Bartolo (du *Barbier de Séville*) au Teatro Adriano de Rome. En 1925, Toscanini l'engage à la Scala de Milan, où il se produit régulièrement jusqu'en 1940. Sur les conseils du maestro, il s'oriente vers le répertoire buffo. Travailleur acharné, il chantera près de 150 rôles, en plusieurs langues. Il participe à de nombreuses créations : *La Farsa amorosa* de Zandonai (Rome, 1933), *Vigna* de Guerrini (Rome, 1935) et *Filosopho di campagna* de Galuppi (Venise, 1938). Il entre en 1940 dans la troupe du Metropolitan Opera de New York, où il chante jusqu'en 1962. Parmi les témoignages de son art, il nous reste des compositions de Bartolo, Don Pasquale, Falstaff, Varlaam (il fut le partenaire préféré de Chaliapine) et surtout de Leporello, dans le premier enregistrement de *Don Giovanni* (Glyndebourne, 1936, sous la direction de Fritz Busch). La sûreté et la puissance de l'émission vocale et surtout une diction inimitable alimentent une *vis comica* qui trouva un dernier emploi dans une brève carrière de cinéma.

Bachauer, Gina

Pianiste grecque naturalisée anglaise, née à Athènes le 21 mai 1913, morte à Athènes le 22 août 1976.

D'origine austro-italienne, elle suit, parallèlement à ses cours de droit, l'enseignement de Woldemar Freeman au Conservatoire d'Athènes. A Paris, où elle vient se perfectionner, elle travaille avec Cortot à l'École normale de musique. Un peu plus tard, son dernier professeur sera Rachmaninov (1935). Elle a remporté deux ans plus tôt une médaille au Concours international de Vienne. En 1935, elle fait ses débuts en concert avec Mitropoulos, dans sa ville natale. Elle entame une série de tournées en Europe très impressionnante. Mais sa carrière est brutalement interrompue par la guerre. Réfugiée en Égypte, elle donne plus de 600 concerts pour les troupes alliées. Et dès 1947, ses débuts réellement officiels ont lieu à l'Albert Hall de Londres.

En 1950, on la retrouve à Carnegie Hall, pour un concert triomphal. Mariée au chef d'orchestre Alec Sherman, le reste de sa carrière va se dérouler aux États-Unis. Elle donne de multiples concerts de bienfaisance, et inaugure, entre autres, le Centre Kennedy de Washington par un récital.

Gina Bachauer appartenait à cette famille de musiciens capables de jouer beaucoup de choses, sans jamais vraiment se spécialiser pour approfondir un aspect du répertoire. Néanmoins elle se sentait surtout à l'aise dans des œuvres du XIXe et du tout début du XXe siècle.

Bachkirov, Dmitri

Pianiste soviétique, né à Tbilissi le 1er novembre 1931.

Au Conservatoire de Moscou, il travaille avec Alexandre Goldveiser et reçoit son diplôme en 1954. Il poursuit les cycles de perfectionnement jusqu'en 1957. 2e prix au Concours international Marguerite Long-Jacques Thibaud (1955) et Prix Robert Schumann à Zwickau (1970), il commence une carrière internationale dès le milieu des années cinquante. En 1957, il enseigne au Conservatoire de Moscou avant d'être nommé, en 1968, professeur au Conservatoire de Kiev. De 1965 à 1972, il forme un trio avec Igor Besrodny et Mikhail Khomitzer. Il a créé la *Sonate* de Chtchedrine (1968).

Backhaus, Wilhelm

Pianiste allemand, né à Leipzig le 26 mars 1884, mort à Villach le 5 juillet 1969.

Élève d'Alois Reckendorf au Conservatoire de sa ville natale de 1891 à 1898, il se rend ensuite à Francfort pour se perfectionner auprès d'Eugen D'Albert (1899). En 1895, il a rencontré Brahms dont il aimera plus tard être l'interprète. A seize ans, Backhaus donne son premier concert à Londres. Il est nommé professeur au Collège royal de Manchester (1905-08). La même année il remporte le Prix Rubinstein à Paris. En 1910, il réalise le premier enregistrement intégral d'un concerto, le *Concerto en la mineur* de Grieg. Attiré par J.S. Bach depuis l'enfance, il devient aussi l'interprète lucide et rigoureux des œuvres de Beethoven et de Brahms. Sa réflexion, son travail sur la partition tiennent autant de place que sa pratique et sa recherche au clavier. Il voue une extrême fidélité à l'écriture des compositeurs qu'il interprète, comme à la pensée qui se dégage de leur musique. Backhaus échappe à toute école : son approche du piano et de la musique est intemporelle. Ennemi des excès du romantisme, il construit ses interprétations solidement. Ses enregistrements des *32 Sonates* et des *5 Concertos* de Beethoven constituent des monuments de référence. Après la dernière guerre, il s'était fixé à Lugano et avait reçu, en 1953, le Prix Bösendorfer à Vienne. Sa carrière restera un exemple de longévité puisqu'il a joué et enregistré jusqu'à la fin de sa vie.

Bacquier, Gabriel

Baryton français, né à Béziers le 17 mai 1924.

Il fait ses études au Conservatoire de Paris (prix d'opéra, d'opéra-comique et de chant en 1950) et débute dans la compagnie lyrique de José Beckmans (1950-52), puis demeure trois ans au Théâtre royal de la Monnaie à Bruxelles (1953-56). On l'entend dans *Madame Butterfly* (Scharpless) à l'Opéra-Comique en 1956. En 1960, il chante *Don Giovanni* au Festival d'Aix-en-Provence et s'impose dans ce rôle qu'il tiendra plusieurs années. Il est engagé à la Staatsoper de Vienne, après ces succès mozartiens. Il incarne ensuite Scarpia dans la *Tosca*, à Milan, auprès de Renata Tebaldi, puis voyage beaucoup. Dès 1966, il chante au Metropolitan de New York et participe aux grands festivals européens (Glyndebourne, 1962, dans le comte Almaviva, rôle qu'il perfectionnera jusqu'à la production Strehler-Solti, 1973). A Aix, il chante encore Golaud dans *Pelléas et Mélisande*. Il affectionne aussi les rôles bouffes (Falstaff) et la mélodie française (Poulenc, *Les Chansons gaillardes*). On le considère comme l'ambassadeur du chant français.

Badura-Skoda, Paul

Pianiste et musicologue autrichien, né à Vienne le 6 octobre 1927.

Au Conservatoire de sa ville natale, il étudie le piano et la direction d'orchestre (1945-48). Puis il va se perfectionner à Lucerne, dans la classe de Edwin Fischer, où il côtoie Alfred Brendel. Profondément imprégné par l'enseignement de Fischer dont il deviendra l'assistant, il acquiert une ouverture d'esprit telle, que ses centres d'intérêt pour tout élément extra-musical susceptible d'enrichir son art se développent considérablement. Musicologue raffiné, il se passionne pour la littérature et l'architecture, domaines qu'il connaît parfaitement.

Il fait ses débuts en 1948. Furtwängler et Karajan le remarquent d'emblée. Les deux chefs vont contribuer à l'essor de sa carrière. Au cours de multiples tournées dans le monde entier, Paul Badura-Skoda ne dédaignera pas de prendre assez souvent la baguette. Mais sa terre natale reste le piano. Très tôt, il se spécialise dans la musique viennoise (Haydn, Mozart, Beethoven, Schubert). C'est cet aspect du répertoire qui va animer toute sa recherche sur l'interprétation. Il partage avec Jörg Demus la passion des instruments d'époque. Sa collection de piano-forte est considérable. Cette science de la sonorité des *Hammerflügeln* lui a permis de développer toute une théorie de l'interprétation des œuvres de Beethoven et de Mozart, à propos desquelles il devait publier deux livres. En 1966, il est artiste-résident à l'Université du Wisconsin et de Madison, aux États-Unis. Puis il donne des cours annuels réguliers à Édimbourg, à Salzbourg, à Vienne et à Paris.

Malgré sa maîtrise parfaite du pianoforte, il ne dédaigne pas pour autant le piano moderne. Son Bösendorfer fait merveille lorsqu'il joue Brahms ou Chopin.

On lui doit, par ailleurs, l'édition de sonates de Beethoven, d'œuvres de Schubert, de Mozart et de Chopin.

Il a composé une *Messe en ré*, et de nombreuses cadences pour piano et violon, de concertos de Mozart et de Haydn.

ÉCRITS : *L'Art de jouer Mozart au piano* (avec Eva Badura-Skoda, 1957-62) ; *Les Sonates pour piano de Beethoven* (avec Jörg Demus, 1970).

Bailey, Norman

Baryton-basse anglais, né à Birmingham le 23 mars 1933.

Il étudie à l'Université de Rhodes en Afrique du Sud puis à l'Académie de musique de Vienne, ville où il remporte, en 1960, le 1er prix du Concours international de chant.

Il débute en 1959 à l'Opéra de Chambre de Vienne dans *La Cambiale di matrimonio* de Rossini. Entre 1960 et 1967, il appartient aux troupes des opéras de Linz, de Wüppertal et de Düsseldorf, y faisant ses premières armes dans les emplois les plus divers. En 1967, il revient à Londres où il est engagé pour trois ans dans la troupe du Sadler's Wells, s'échappant de temps à autre à l'étranger. En 1967, il chante le rôle-titre de *Job* de Dallapiccola à la Scala. S'il chante tous les grands rôles de baryton, il s'affirme rapidement comme un wagnérien accompli. Il est acclamé dans Hans Sachs à Londres, à Hambourg, à Munich, à Bruxelles et à Bayreuth où il sera également Günther et Amfortas.

Bailleux, Odile

Organiste et claveciniste française, née à Trappes le 30 décembre 1939.

Elle étudie le solfège et le piano au Conservatoire de Versailles. A l'École César Franck (Paris), elle obtient le diplôme supérieur en 1965 dans la classe d'orgue, après avoir suivi les cours de Jean Fellot et d'Édouard Souberbielle. Elle y poursuit ses études de piano, d'harmonie et de contrepoint. En 1969-70, elle va travailler au Conservatoire de Francfort auprès d'Helmut Walcha ; elle est une des rares organistes françaises à avoir suivi directement les conseils de ce maître. En 1964, elle avait participé à l'Académie internationale de l'orgue de Saint-Maximin. Depuis 1966, elle était suppléante d'Antoine Reboulot aux claviers du grand-orgue de Saint-Germain-des-Prés. Depuis 1973, elle partage les fonctions propres à cette tribune avec André Isoir. Chargée de cours d'orgue au Conservatoire de Bourg-la-Reine depuis 1980, elle y a pris la succession d'Arlette Heudron, tragiquement disparue. De nombreux récitals l'ont conduite en France et dans plusieurs pays européens. Elle cultive aussi le clavecin, et tient notamment le continuo dans le groupe Musique-Ensemble (fondé avec Michel Henry, hautbois baroque, en 1973) et le continuo d'orgue ou de clavecin depuis 1977 à la Grande Écurie et la Chambre du Roy. Les styles d'Helmut Walcha, de Gustav Leonhardt, de Scott Ross, de Michel Chapuis sont parmi ceux dont elle reconnaît l'influence.

Baker, George C.

Organiste américain, né à Dallas en 1951.

Initié dès l'âge de quatre ans au piano, puis à l'orgue en 1961, il poursuit ses études sous la direction de Phil Baker, à la Highland Park Methodist Church de Dallas, puis à quinze ans avec le docteur Robert Anderson à la Southern Methodist University, jusqu'en 1973.

Entre-temps, George C. Baker remporte le Concours régional de l'American Guild of Organist (1969) et l'année suivante le même concours, mais au niveau national. Il devient ainsi le plus jeune lauréat de cette importante compétition américaine. Après son diplôme de Bachelor of Music en 1973, il obtient une bourse pour venir travailler en France, avec Marie-Claire Alain et Jean Langlais. Il est nommé, dès cette date, organiste suppléant de l'église anglicane Saint-Georges à Paris. Son premier grand récital dans la capitale française a lieu à Notre-Dame durant l'été 1973. En 1974, il remporte à l'unanimité le Grand Prix d'interprétation du Concours international d'orgue de Chartres. Il a enregistré l'intégrale de l'œuvre de J.S. Bach et de Darius Milhaud.

Baker, Dame Janet

Mezzo-soprano anglaise, née à York le 21 août 1933.

Élève d'Helena Isepp à Londres. En 1956, elle remporte un second prix au Concours Kathleen Ferrier, qui lui vaut une bourse d'études au Mozarteum de Salzbourg ; elle y suit les cours de Lotte Lehmann. En 1960, elle chante Edwige (*Rosalinde* de Händel). L'année suivante deux concerts la révèlent au grand public. De 1961 à 1976, elle travaille avec l'English Opera Group (*Didon* de Purcell, les héroïnes de Britten). Britten lui dédie sa cantate *Phèdre*. En 1966, elle triomphe en Amérique, au Canada et débute à Covent Garden (Didon de Berlioz, Idamante, de Mozart). Elle chante régulièrement à Glyndebourne et contribue avec R. Leppard à la résurrection d'opéras anciens (Cavalli, Monteverdi). Mezzo de couleur claire, sa voix a une homogénéité exceptionnelle. Son phrasé, son expressivité, sa technique pure en font l'une des grandes interprètes d'aujourd'hui. Elle représente bien l'école anglaise : aucun barrage entre le grand répertoire et la musique ancienne, entre l'opéra et le récital. Elle fait ses adieux à la scène en 1982 dans l'*Orphée* de Gluck à Glyndebourne.

ÉCRITS : *Full Circle* (1982).

Balatsch, Norbert

Chef de chœur autrichien, né à Vienne le 10 mars 1928.

Il étudie parallèlement la médecine et la musique à l'Académie de Vienne (musique de chambre, direction de chœurs) mais aussi en privé, le violoncelle et le piano. Ayant appartenu comme enfant au chœur des Petits Chanteurs de Vienne, c'est ce chœur même qu'il dirige d'abord. Il fonde ensuite un chœur de jeunes, avec lequel il remporte certains prix en Autriche ; puis ayant dirigé le Chœur d'Hommes de Vienne, il est engagé en 1952 à l'Opéra, où il suit toute la filière traditionnelle, pour être nommé chef de chœur à l'Opéra (1978-84). En 1972, il succède à Wilhelm Pitz à la tête du chœur du Festival de Bayreuth. Parallèlement, il dirige le Chœur Philharmonia de Londres, de 1974 à 1979. A Vienne, il occupe également les fonctions de maître de chapelle de la Cour et dirige les œuvres maîtresses de la littérature religieuse (messes de Mozart, de Haydn, etc.).

Baldwin, Dalton

Pianiste américain, né à Summit (New Jersey) le 19 décembre 1931.

Après avoir été étudiant à la Juilliard School de New York et au Conservatoire Oberlin (Ohio), il vient en Europe suivre l'enseignement de Madeleine Lipatti et de Nadia Boulanger. Très vite, il s'oriente vers l'accompagnement de la musique vocale, qu'il conçoit en termes de dialogue approfondi avec interprètes et compositeurs. Il a travaillé avec Jennie Tourrel, Pierre Fournier, Elly Ameling, Jessye Norman, Nicolaï Gedda, et surtout Gérard Souzay, dont il est devenu l'inséparable compagnon, aussi bien dans le répertoire français (de Fauré à Poulenc) que dans la mélodie contemporaine, en collaboration étroite avec les créateurs eux-mêmes : Frank Martin, Ned Rorem (pour les *War Scenes*), Alberto Ginastera, etc. L'accompagnateur sensible et discret fut pour un soir le héros d'un concert en forme d'hommage rendu par ses amis chanteurs au Festival de la Roque d'Anthéron 1982. Il dirige tous les ans le Festival de chant de Princeton (U.S.A.) et donne des cours d'interprétation à Genève, Royaumont et aux États-Unis.

Balsam, Artur

Pianiste polonais naturalisé américain, né à Varsovie le 8 février 1906.

Elève des conservatoires de Lódź et de Berlin, il remporte, dans cette ville, en 1930, le 1er prix au concours international et l'année suivante, le Prix Mendelssohn. Malgré des débuts précoces de concertiste à douze ans, il accorde dans sa carrière une place importante à la musique de chambre, accompagnant notamment Yehudi Menuhin, Szymon Goldberg, Erica Morini, Joseph Fuchs, Nathan Milstein, Mstislav Rostropovitch, Zino Francescatti ou les quatuors de Budapest et Kroll. En 1960, il remplace Eric Itor Kahn au sein du Trio Albeneri. Comme soliste, il se consacre essentiellement au répertoire classique et a enregistré près de 250 œuvres, comprenant toutes les sonates de Haydn, de Mozart et de Hummel. Il est chargé de la classe de Piano à l'Académie Kreisel de musique de chambre, à Blue Hill (Maine, U.S.A.) et à l'École de musique de Manhattan, à New York (depuis 1970). Il a enseigné également à l'Université de Boston et à l'Eastman School of Music.

Balslev, Lisbeth

Soprano danoise, née à Abenrade le 21 février 1945.

Après ses études à l'Opernakademie du Théâtre Royal de Copenhague où elle débute dans Jaroslava (*Le Prince Igor*) en 1976, elle est engagée à Hambourg, puis invitée à Berlin, Dresde et Stuttgart où elle chante Senta, rôle qui contribue à sa réputation internationale : elle le chante en effet à Bayreuth depuis 1978. A son répertoire elle compte aussi Élisabeth et Elsa, mais aussi Fiordiligi et la Reine de la Nuit, ainsi que divers rôles classiques (*Iphigénie en Aulis*, qu'elle chante à Munich en 1979) et italiens.

Baltsa, Agnès

Mezzo-soprano grecque, née à Lefkas le 19 novembre 1944.

Elle étudie à Athènes, Munich et Francfort. Puis elle remporte un prix au Concours international de Bucarest et obtient la bourse Maria Callas (1964) avant de débuter dans Chérubin à l'Opéra de Francfort (1968) où elle demeure jusqu'en 1972. Elle entre ensuite dans la troupe de la Deutsche Oper de Berlin, et débute à Covent Garden et à la Staatsoper de Vienne en 1976, au Festival de Salzbourg en 1977 (Eboli), à l'Opéra de Paris en 1980. A son répertoire elle compte Orphée (Gluck), Sextus (*La Clémence de Titus*), Dorabella, Didon (*Les Troyens*), Hérodias, Octavian, le Compositeur (*Ariane à Naxos*), Rosine, Carmen.

Bamberger, Carl

Chef d'orchestre autrichien naturalisé américain, né à Vienne le 21 février 1902.

A l'Université de Vienne, il étudie la théorie et le piano avec Heinrich Schenker, le violoncelle avec Friedrich Buxbaum. Il débute comme chef d'orchestre à l'Opéra de Dantzig (1924-27). Puis il est nommé à l'Opéra de Darmstadt (1927-31) avant de passer quelques années en U.R.S.S. (1931-35). On le trouve ensuite en Egypte (1937), l'année même où il se fixe aux États-Unis. L'essentiel de sa carrière sera alors consacré à l'enseignement : il fonde et dirige l'Orchestre de Mannes College à New York (1938). De 1938 à 1975, il enseigne dans cet établissement où il fait partie du comité de direction. Il dirige également la New School of Music de Philadelphie. De 1942 à 1950, il est directeur musical du Columbia Spring Festival et, de 1940 à 1945, il est à la tête du New Choral Group of Manhattan et de la Brooklyn Oratorio Society. Il est invité à diriger l'Orchestre de la N.B.C., ceux de Chicago et de New York. Entre 1950 et 1952, il assure la direction des Concerts de Chambre de Montréal et, à partir de 1952, il dirige régulièrement au New York City Opera.

ÉCRITS : *The Conductor's Art* (1965).

Barbier, Jean-Noël

Pianiste français, né à Belfort le 25 mars 1920.

Il reçoit une double formation littéraire (licence de lettres grec-latin) et musicale auprès de Blanche Selva et de Lazare-Lévy (1937-39). La guerre l'empêche d'entrer au Conservatoire de Paris. A la fin de celle-ci, il s'oriente vers la littérature publiant *Le Théâtre de minuit* (1945), *Ishtar* (1946), *Les Eaux fourrées* (1951), *Irradiante* (1954) et, en 1961, un *Dictionnaire des musiciens français.* Il écrit un grand nombre d'articles dans *La Revue musicale, Le Journal musical* et la revue *Disques.* A partir de 1950, il se produit comme pianiste, particulièrement au service de la musique française : Séverac, Chabrier, Debussy, Ibert et surtout Erik Satie dont il grave l'intégrale de l'œuvre pour piano seul (1971-72) couronnée par l'Académie du disque français. Il a également enregistré un disque consacré à Wilhelm Rust (Centre de Valprivas). Depuis 1974, il est directeur du Conservatoire de Charenton.

Barbieri, Fedora

Mezzo-soprano italienne, née à Trieste le 4 juin 1920.

Elle étudie d'abord le chant dans sa ville natale auprès de Federico Bugamelli et Luigi Toffolo, puis à Milan chez Giulia Tess. Elle débute en 1940, à Florence, comme Fidalma du *Mariage secret* de Cimarosa. Après des premiers succès en Italie, elle entreprend, dès 1943, des tournées en Allemagne, Belgique et Hollande. La même année, elle épouse Luigi

Barlozzetti et abandonne une première fois sa carrière. En 1945, elle revient à la scène, comme Azucena du *Trouvère*, à Florence. Aussitôt c'est le succès sur toutes les scènes d'Italie. En 1966, elle chante Angelina (*Cenerentola* de Rossini) à la Scala. En 1947, elle est engagée au Colón où elle triomphe. Elle est ensuite invitée à Londres, Paris, Vienne, San Francisco, Chicago. Mais son rôle favori demeure Mrs Quickly de *Falstaff* qui lui permet de jouer à la fois de son tempérament sanguin et de sa voix aux profondeurs impressionnantes. Mais Amnéris et Eboli sont également deux rôles qui lui valent de très grands succès au Met où elle fait partie de la troupe de 1950 à 1954 puis en 1956. De 1955 à 1958, elle est une des cantatrices les plus fêtées du Festival de Vérone. En Italie, elle est également admirée pour ses interprétations de *Carmen* et d'*Orfeo*.

Sa personnalité, ses dons de comédienne, son abattage scénique sont amplifiés par la beauté et la musicalité de sa voix : une des plus importantes altos de son temps.

Barbirolli, Sir John

Chef d'orchestre anglais, né à Londres le 2 décembre 1899, mort à Londres le 29 juillet 1970.

Il voit le jour dans une famille d'origine franco-italienne. Après avoir commencé ses études à Trinity College (1911-12), il travaille à la Royal Academy of Music de Londres (1912-17) où il reçoit une solide formation de violoncelliste. Il entre dans l'Orchestre du Queen's Hall en 1916 et donne son premier récital l'année suivante. Il commence une carrière de soliste et fait beaucoup de musique de chambre, au sein du Quatuor Kutcher. Il fonde son propre orchestre à cordes et commence ainsi à diriger. En 1925, il est à la tête du Chenil Orchestra, à Chelsea. L'année suivante, il est engagé par la British National Opera Company et devient, de 1929 à 1933, 1er chef de la Covent Garden Touring Company. Il prend ensuite la direction du Scottish Orchestra, à Glasgow (1933-36) qu'il cumule avec celle de l'Orchestre Symphonique de Leeds. En 1936, il fait ses débuts aux États-Unis. En 1937, il succède à Toscanini à la tête de la Philharmonie de New York, poste qu'il conserve jusqu'en 1943. Il rentre alors en Angleterre et prend la direction du Hallé Orchestra de Manchester dont il fera l'un des meilleurs orchestres britanniques (1943-70). De 1961 à 1967, il sera aussi à la tête de l'Orchestre Symphonique de Houston. Il mourra subitement au cours d'une répétition avec le Philarmonia Orchestra.

Il a créé de nombreuses œuvres de musique anglaise dont la 2e suite de *Façade* de Walton (1938), la *Sinfonia da requiem* de Britten (1941) et la *Symphonie nº 8* de Vaughan-Williams (1956) qui lui est dédiée ainsi que l'*Ouverture philharmonique* de Milhaud (1962). Il avait épousé la hautboïste Evelyn Rothwell pour qui il a écrit un *Concerto* pour hautbois d'après Pergolese.

Barbizet, Pierre

Pianiste français, né à Arica (Chili) le 20 septembre 1922.

Il fait ses études au Conservatoire de Paris et obtient des premiers prix de piano (1944), d'histoire de la musique et de musique de chambre. Très jeune, il se consacre entièrement à la musique. Il joue beaucoup à l'étranger. Grand Prix du Concours international de Scheveningen (1948), il est aussi lauréat du Concours Marguerite Long-Jacques Thibaud en 1949. Depuis 1963, il est directeur du Conservatoire de Marseille. Pendant plusieurs années, il s'est surtout produit en duo, avec le violoniste Christian Ferras, formant une équipe dans le pur style français. Ensemble ils ont gravé l'intégrale des *10 Sonates* de Beethoven. Pierre Barbizet, dont le répertoire va de Mozart aux contemporains, s'attache à mieux faire connaître Chabrier dont il donne l'intégrale de la musique pour piano. Il place toujours l'élégance de sa technique au service d'une expression sensible, dans l'authenticité.

Barboteu, Georges

Corniste français, né à Alger le 1er avril 1924.

Son père, professeur de cor au Conservatoire d'Alger, lui achète un cor en fa, lorsqu'il a neuf ans. Il obtient un 1er prix du Conservatoire à onze ans et entre dans l'Orchestre Symphonique de la Radio d'Alger trois ans plus tard. En 1938, second soliste pour la saison musicale de Biarritz, il est impressionné par sa rencontre avec Charles Munch. Pendant la guerre, il étudie l'harmonie, le contrepoint, la fugue, la musique de chambre. En 1948, ayant passé le concours de l'Orchestre National, il part en tournée avec cet orchestre au Canada et en Amérique. Second soliste, il se présente en 1950 au Conservatoire de Paris, comme élève, et reçoit la même année le Prix d'honneur. En 1951, il obtient le 1er prix du Concours international de Genève. Il entre à l'Opéra-Comique, puis à l'Opéra, devient cor solo des Concerts Lamoureux, qu'il quittera pour entrer à l'Orchestre de Paris en 1969. Professeur au Conservatoire de Paris, il a fondé le *Quintette Ars Nova* avec lequel il joue. Georges Barboteu compose pour son instrument et cherche à enrichir le répertoire du cor.

Il affirme qu'il faut approcher tous les styles pour être un musicien complet. Il a fait de la variété (utile pour le déchiffrage immédiat, le rythme) mais aussi un stage à Darmstadt avec Stockhausen.

Bardon, Claude

Violoniste et chef d'orchestre français, né à Angers le 20 avril 1942.

Né dans une famille de musiciens, son père a été pendant trente ans violon solo des Concerts Populaires d'Angers. Les sept fils sont tous devenus instrumentistes et se produisent parfois en formation de chambre. Claude Bardon fait d'abord ses études au Conservatoire d'Angers (violon, musique de chambre, harmonie et chant). Il obtient ensuite en 1966 un 1er prix de violon au Conservatoire de Paris. En 1967, Charles Münch l'engage comme premier violon dans l'Orchestre de Paris qu'il vient de fonder. Simultanément il se produit en soliste et avec le Trio Courmont. Il aborde, en 1974, la direction d'orchestre avec Pierre Dervaux. Daniel Barenboim le choisit comme assistant et lui confie ses premiers concerts. Parallèlement se développe sa carrière de chef invité. Il est nommé, en 1984, chef associé à l'Orchestre de Paris. Il a créé *Surgir* de Dufourt (1985).

Barenboim, Daniel

Pianiste et chef d'orchestre israélien, né à Buenos Aires le 15 novembre 1942.

Son père et sa mère sont professeurs de piano et il donne son premier concert à sept ans. En 1951, sa famille revient en Europe et s'établit en Israël. A dix ans, il joue en récital à Vienne et à Salzbourg. Plus tard il rencontre Edwin Fischer (avec qui il prend des leçons) et Furtwängler. Il travaille ensuite la direction d'orchestre avec Markevitch et se perfectionne auprès de Nadia Boulanger. En 1955 il débute à Londres, sous la direction de Josef Krips. Six ans après, il commence une carrière de chef en Israël puis en Autriche. Dès 1964, il donne avec l'English Chamber Orchestra l'intégrale des *Concertos pour piano* de Mozart, à Londres, Paris, New York. En 1973, il dirige à Edimbourg *Don Giovanni* et en 1975 *Les Noces de Figaro*. Cette même année 1975, il succède à Sir Georg Solti à la direction musicale de l'Orchestre de Paris. Il dirige les plus grands orchestres du monde, notamment à Londres où il réside. En 1981, il fait ses débuts à Bayreuth dans *Tristan et Isolde*. Il est marié à la violoncelliste Jacqueline Du Pré depuis 1967. Barenboim a enregistré les *32 sonates* et les *5 Concertos* de Beethoven avec Klemperer, puis, comme chef d'orchestre, avec Rubinstein. Doué d'étonnantes facilités, il joue aussi bien Bach, Chopin ou Brahms que les contemporains, tandis que son répertoire de chef d'orchestre comprend surtout les classiques viennois, la musique française, Bruckner, Tchaïkovski, Elgar. Barenboim est un accompagnateur rêvé pour les grands chanteurs comme Janet Baker et surtout Fischer-Dieskau dont il dit avoir beaucoup appris.

En 1981, il fait ses débuts à Bayreuth dans *Tristan et Isolde*. Depuis 1982, il anime à Paris avec Jean-Pierre Ponnelle et les musiciens de l'Orchestre de Paris un cycle entièrement consacré à Mozart.

Barenboim a créé le *Concerto de piano* (1972) et la *Sinfonia* (1980) d'Alexander Goehr ainsi que l'*Ode pour Jérusalem* de Milhaud (1973), *Notations II* de Boulez (1982), et *La Descente de la courtille* de Wagner (1983).

Barentzen, Aline Van

Voir à **Van Barentzen, Aline.**

Barrientos, Maria

Soprano espagnole, née à Barcelone le 10 mars 1883, morte à Ciboure le 8 août 1946.

Nantie dès son enfance d'un solide bagage musical (piano et violon) elle ne fait que six mois d'études vocales et débute à Barcelone à l'âge de quinze ans. Sa technique de chant se révèle cependant éblouissante et elle stupéfie les connaisseurs par l'aisance et la précision de ses vocalises. Sa voix, pas très grande, « passe » admirablement parce que toujours très exactement « placée ». Elle est aussi à l'aise dans les héroïnes romantiques que dans la pétulante Rosine.

Elle chante beaucoup en Espagne, parfois à la Scala ou à Covent Garden et très peu à Paris, mais c'est sur le nouveau continent qu'elle fait la plus grande part de sa carrière. De 1904 à 1917, les « tournées Barrientos », avec les plus grands noms du gotha lyrique, firent les plus belles soirées des grands théâtres de l'Amérique du Sud. De 1916 à 1920, elle est la vedette des soirées du Metropolitan, qui remonte pour elle *Les Puritains.* Elle y débute dans *Lucia di Lammermoor* et y crée *le Coq d'or.* Pendant trente ans, elle chante tout le répertoire de soprano léger, de Lakmé à Mireille, d'Amina à Gilda.

Après avoir gagné et perdu des fortunes, elle termine paisiblement sa vie dans le sud-ouest de la France, devenant une bridgeuse impénitente.

Barrios, Agustin Pio dit « Mangoré »

Guitariste paraguayen, né à San Juan Baptista de las Missiones le 5 mai 1885, mort à San Salvador le 7 août 1944.

Dans le cadre d'un petit orchestre familial, à huit ans, il joue déjà de la harpe, de la flûte et du violon, puis il se consacre à la guitare. Il travaille avec Gustavo Josa Escalada. En 1910, il travaille en Uruguay avec Antonio Gimenez Manjon. Un mécène, Don Tomas Salomini, lui organise des concerts au Mexique et à Cuba. En 1934, il fait son unique tournée en Europe. En 1936, il revient en Amérique latine. De 1939 à 1944, il enseigne au Conservatoire de San Salvador. Il est également considéré comme un des plus importants compositeurs latino-américains. Le premier, il a joué une suite de Bach transcrite pour la guitare. Il a enregistré une cinquantaine de 78 tours (en cours de réédition) à partir de 1910.

Barrueco, Manuel

Guitariste cubain naturalisé américain (1967), né à Santiago le 16 décembre 1952.

Il fait ses études au Conservatoire de La Havane. En 1974, il obtient le 1er prix de la Concerts Artists Guild Award et fait ses débuts à New York. Dès lors, il se produit sur le plan international. Lauréat du Conservatoire Peabody de Baltimore en 1974, il y est maintenant artiste résident. En 1985, il a donné la première audition américaine du *Concerto* de Takemitsu sous la direction de Seiji Ozawa. Il enseigne également à la Manhattan School of Music où il a participé à la création du département de guitare.

Barshai, Rudolf

Altiste et chef d'orchestre soviétique naturalisé israélien, né à Labinskaia le 28 septembre 1924.

Borissovski qui lui enseigne l'alto au Conservatoire de Moscou et Zeitlin qui dirige la classe de violon sont tous deux très vite convaincus de la réelle vocation musicale de leur élève. Il a alors 14 ans. C'est en 1945 qu'il commence sa carrière de soliste (alto). Pendant dix ans, il se consacre au quatuor (Quatuor Philharmonique de Moscou – aujourd'hui Quatuor Borodine – et Quatuor Tchaïkovski). Lauréat du Concours de Bucarest (Festival de la jeunesse en 1949) il ne cesse d'approfondir le répertoire classique. Il fait de la musique de chambre avec Guilels, Kogan ou Rostropovitch. En 1955, il se tourne vers la direction d'orchestre et fonde l'Orchestre de Chambre de Moscou qui va devenir, sous sa baguette, l'une des meilleurs formations du genre : il ressuscite le répertoire baroque, alors inconnu en U.R.S.S. Il joue les classiques du XXe siècle et suscite des œuvres nouvelles de compositeurs soviétiques. Il transcrit les *Visions fugitives* de Prokofiev et le *8e Quatuor* de Chostakovitch, rebaptisé *Symphonie de chambre.* En 1969, il crée sa *14e Symphonie.* On lui doit aussi une orchestration de l'*Offrande musicale* et de l'*Art de la fugue* de J.S. Bach. Avec D. Oïstrakh, il réalise des enregistrements, maintenant historiques, de la *Symphonie concertante* de Mozart et d'*Harold en Italie* de Berlioz. En 1977, il émigre en Israël où il prend la direction de l'Orchestre de Chambre d'Israël qu'il quitte en 1982 lorsqu'il devient chef permanent de l'Orchestre Symphonique de Bournemouth.

Barstow, Josephine

Soprano anglaise, née à Sheffield le 27 septembre 1940.

Elle étudie à l'Université de Birmingham et au London Opera Center, enseigne l'anglais pendant deux ans, puis apparaît dans la Compagnie Opera for All en 1964. Elle entre en 1967 dans la troupe du Sadler's Wells Opera (Chérubin) et débute à Covent Garden en 1969, où elle participe aux créations mondiales de *The Knot Garden* de Tippett en 1970 (Denise), de *We Come to the River* de Henze en 1976 (Young Woman) et de *The Ice Break* de Tippett en 1977 (Gayle). Au Sadler's Wells, elle crée *The Story of Vasco* de Crosse en 1974 (Marguerite). Son très vaste répertoire comprend d'autres rôles contemporains Antinoe (*Les Bassarides* de Henze), Natasha (*Guerre et Paix* de Prokofiev), Jeanne (*Les Diables de Loudun* de Penderecki), Jenůfa, Emilia Marty (*L'Affaire Makropoulos* de Janáček), ainsi que nombre d'héroïnes du répertoire romantique : Violetta, Lady Macbeth, Alice Ford, Leonore (*Fidelio*), Salomé, les quatre héroïnes des *Contes d'Hoffmann,* Elktra (*Idoménée*)... Elle chante régulièrement au Met, au Festival de Glyndebourne, à Berlin, Genève, Lyon...

Bartholomée, Pierre

Chef d'orchestre et compositeur belge, né à Bruxelles le 5 août 1937.

Il reçoit sa formation musicale au Conservatoire de Bruxelles de (1953-58) et s'affirme d'abord par son talent de pianiste. Il prend des leçons avec Kempff, travaille la musique de Schoenberg et tire profit des conseils de Pousseur. Il fonde, en 1962, le groupe de Musiques Nouvelles et devient professeur d'analyse au Conservatoire de Bruxelles. Depuis 1977, il est chef permanent de l'Orchestre Philharmonique de Liège. Il a créé *Cena* (1979) de Berio, le *Concerto pour violon* (1980) et *la Passion de Gilles* (1983) de Boesmans et la *Symphonie n° 10* de Schubert (1983).

Bartoletti, Bruno

Chef d'orchestre italien, né à Sesto Fiorentino le 10 juin 1926.

Il travaille la flûte (avec Bruscalupi) et le piano (avec Nardi) au Conservatoire de Florence et entre dans l'Orchestre du Mai Musical Florentin comme flûtiste. Rapidement, il se tourne vers la direction d'orchestre et est assistant de 1948 à 1953 : il prépare les productions que dirigent les plus grands chefs (Serafin, Mitropoulos, Rodzinski) au Mai Musical. Puis il débute en 1953 dans *Rigoletto,* à Florence, et est nommé chef permanent au théâtre de cette même ville (1957-64). Il assure également la saison italienne à l'Opéra de Copenhague (1957-60). Sa carrière prend de l'essor : il est invité à Salzbourg et à

Aix-en-Provence. Puis ce sont les États-Unis, le Teatro Colón de Buenos Aires. En 1956, il est nommé 1er chef à l'Opéra de Chicago et, de 1965 à 1973, sera également directeur musical de l'Opéra de Rome puis directeur artistique du Teatro Verdi de Pise. Sa carrière est exclusivement consacrée au théâtre lyrique et, bien que peu connu en France, il compte parmi les figures majeures dans ce domaine, notamment dans le répertoire italien. Il a dirigé la création mondiale de plusieurs opéras dont *Venere prigioniera* (Malipiero, 1957), *Don Rodrigo* (Ginastera, 1964), et *Le Paradis perdu* (Penderecki, 1978).

Barzin, Léon

Chef d'orchestre belge naturalisé américain (1924), né à Bruxelles le 27 novembre 1900.

Il travaille le violon et l'alto avec Pierre Henrotte, Eugène Meergerhin et Eugène Ysaÿe ainsi que la composition avec Lilienthal. Pendant dix ans, il est alto solo à l'Orchestre Philharmonique de New York (1925-29). Puis il se tourne vers la direction d'orchestre : il est assistant à l'American Orchestral Society (1929-30) puis directeur musical de la National Orchestral Association (1930-59 et 1969-76). Il dirige aussi l'Orchestre de Hartford (1940-45) et donne des cours à Tanglewood. Après la guerre, il est chef d'orchestre au New York City Ballet (1948-58). Il se fixe à Paris où il forme la Société Philharmonique (1959), un orchestre qui se produit régulièrement au début des années 60. Il participe à la Fondation des Musicoliers (1968) et du Festival de Baalbeck au Liban. Il a dirigé la création du *Téléphone* de Menotti (1947).

Basarab, Mircea

Chef d'orchestre roumain, né à Bucarest le 4 mai 1921.

Il fait ses études musicales au Conservatoire de Bucarest avec Ioan Chirescu, George Breazul, Mihail Jora, Ion Ghiga, Constantin Bràiloiu et Vasile Popovici. Parallèlement, il poursuit des études générales et obtient une licence à l'Académie commerciale de Bucarest en 1945. Il commence à se faire connaître comme compositeur et comme pédagogue : au Conservatoire de Bucarest, il est successivement assistant (1951-55), lecteur (1955-60) puis conférencier (1960-64). Il est nommé chef permanent à la Philharmonie Georges Enesco de Bucarest en 1954 et en assure la direction musicale de 1964 à 1968. Depuis, il conserve ses fonctions de chef permanent et se consacre à la composition. A partir de 1974, il est en outre directeur général de la musique de l'Orchestre Symphonique d'Etat d'Istanbul.

Bashmet, Yuri

Altiste soviétique, né à Rostov le 24 janvier 1953.

Il effectue ses premières études musicales à Lvov avant de travailler au Conservatoire de Moscou, à partir de 1974, avec Borisovski puis, à sa mort, avec F.S. Drushinine. En 1975, il remporte le 2e prix au Concours international de Budapest et, l'année suivante, le 1er prix au Concours international de Munich.

Bastianini, Ettore

Baryton italien, né à Sienne le 24 septembre 1922, mort à Sirmione le 25 janvier 1967.

Il commence sa carrière comme basse chantante, faisant ses débuts à Ravenne en 1945 dans le rôle de Colline de *La Bohème.* Sa voix ayant rapidement évolué, son professeur, Ricciana Bettarini, lui donne une formation de baryton. Dans ce nouveau registre, où il devait s'illustrer, il fait de nouveaux débuts à Bologne en 1951 dans le rôle de Giorgio Germont de *La Traviata.* Il fait ses débuts à la Scala durant la saison 1953-54 dans le rôle d'Eugène Onéguine. La saison suivante, il incarne Germont aux côtés de Maria Callas dans la fameuse production de Visconti. Et pendant dix ans il y est titulaire de tous les grands rôles de baryton-Verdi. Dans ces mêmes rôles, il est l'une des vedettes du Metropolitan Opera de New York. Atteint d'un cancer des cordes vocales, il luttera avec une énergie farouche contre la mort, qui le fauchera en pleine gloire. Bastianini avait une voix au timbre noir d'une beauté et d'une ampleur également remarquables.

Bastin, Jules

Basse belge, né à Bruxelles le 18 août 1933.

Il suit les cours de Frédéric Anspach au Conservatoire de Bruxelles puis, jusqu'en 1964, sera première basse à l'Opéra de Liège.

Ayant gagné les concours de chant de Verviers, de Toulouse, de Hertogenbosch et de Munich, il est engagé à la Monnaie de Bruxelles, en 1964, où il obtient ses premiers grands succès. Il s'impose très vite dans le répertoire des rôles de basses profondes des opéras français et italiens. Il est invité en Hollande, en Suisse, en Allemagne et en Italie. Rolf Liebermann lui confie quelques beaux rôles à l'Opéra de Paris. En 1979, il participe à la création de la version en trois actes de *Lulu,* dans le rôle du Directeur de Théâtre, puis du Banquier. Mais sa présence imposante et sa riche nature en font aussi un personnage au comique irrésistible, et il n'est pas surprenant de le trouver aussi à l'aise en Grand Inquisiteur de *Don Carlos* qu'en Agamemnon de *La Belle Hélène.*

Bathori, Jeanne (Jeanne-Marie Berthier)

Mezzo-soprano française, née à Paris le 14 juin 1877, morte à Paris le 25 janvier 1970.

Elle étudie au Conservatoire de Paris le piano avec Hortense Parent et le chant avec Marie-Hélène Lamoureux. Après avoir débuté à Nantes en 1900, elle est engagée par Toscanini à la Scala de Milan pour la première italienne de *Hänsel et Gretel* de Humperdinck. Elle crée également *Germania* de Franchetti. A la Monnaie de Bruxelles, elle chante aux côtés du ténor belge Emile Engel qu'elle épouse en 1908. Après avoir rencontré Debussy en 1904, elle évolue vers la mélodie qu'elle va interpréter en s'accompagnant elle-même. Elle fait triompher *Shéhérazade* de Ravel et crée (1907), dans une atmosphère de scandale, les *Histoires Naturelles* (qui lui sont dédiées), puis les *3 Poèmes de Mallarmé* (1914) et les *Chansons madécasses* (1926). Elle fait jouer chez elle les musiciens de son temps (par exemple, la *Sonate pour flûte, alto et harpe* de Debussy, créée en 1914) et dirige pendant la Première Guerre mondiale le Théâtre du Vieux-Colombier où elle fait représenter *Une éducation manquée* de Chabrier, *La Damoiselle élue* de Debussy et *Le Dit des jeux du monde* de Honegger.

Elle crée de nombreuses mélodies de Roussel, Migot, Durey, Martinů, Milhaud (*Poèmes juifs,* 1920, *Poèmes de Francis Jammes,* 1919), Honegger (*6 Poèmes d'Apollinaire,* 1918). Satie lui dédie *La Statue de bronze, Le Chapelier* et *Daphénéo,* Debussy *Le Promenoir de deux amants* et les *Poèmes de Mallarmé,* et Poulenc écrit pour ses 80 ans *Une chanson de porcelaine.* A partir de 1926, elle fait de fréquentes tournées en Argentine : premières latino-américaines du *Roi David* et de *Judith* de Honegger et de *L'Heure espagnole* de Ravel. Exilée à Buenos Aires durant la Seconde Guerre mondiale, elle y dirige la section musicale de l'Institut français des Hautes Études. Rentrée à Paris, elle partage son temps entre l'enseignement et des émissions de radio.

ÉCRITS : *Conseils sur le chant* (1928) et *Sur l'interprétation des mélodies de Claude Debussy* (1953).

Battistini, Mattia

Baryton italien, né à Rome le 27 février 1856, mort à Rieti le 7 novembre 1928.

Son père, professeur d'anatomie à l'Université de Rome, souhaite faire de lui un médecin, mais les dons qui se manifestent très tôt chez le jeune Mattia pour le chant et la comédie l'incitent à avoir pour lui d'autres ambitions. Le jeune homme étudie le chant avec Veneslao Persichini, puis avec Luigi Mancinelli et Augusto Rotoli. Il débute au Théâtre Argentina en 1878 dans *La Favorite,* remplaçant « au pied levé » le premier baryton local. Un épouvantable souvenir du mal de mer lui fermera la route vers les États-Unis où les contrats les plus avantageux lui seront proposés. Mais la route de l'Est lui était ouverte : c'est en Russie qu'il atteint les sommets de la gloire. Il y chante toutes les saisons de 1888 à 1914. La famille impériale et la haute aristocratie le traitent en égal. Le tsar ne lui refuse rien. On dit même qu'il obtint de lui la grâce d'un condamné à mort. Il triomphe non seulement dans ses grands rôles italiens, Rigoletto, Alfonso, Riccardo (*Les Puritains*), Don Carlo (*Ernani*), Giorgio Germont et Simon Boccanegra (que l'on remonte pour lui à la Scala), mais aussi dans Telramund, Nelusko, Athanaël, Werther (que Massenet adapte à sa tessiture) et les grands rôles du répertoire russe. Chanteur noble, il prenait grand soin de sa mise et n'acceptait que des rôles de grande allure. On dit qu'il refusa de chanter Falstaff, chevalier sans doute, mais ivrogne et grossier. Il aimait embellir son chant de maintes fioritures. Même si sa très longue carrière fit de lui le contemporain de Caruso et de Scotti, il reste toujours un « pré-vériste ».

Ses nombreux disques témoignent de la beauté de son timbre, d'une technique vocale si parfaite que près de cinquante ans de scène ne laissèrent aucune trace d'usure, mais aussi d'une certaine liberté, pour ne pas parler d'improvisation, qui ne laisse pas de surprendre parfois.

Baudo, Serge

Chef d'orchestre français, né à Marseille le 16 juillet 1927.

Fils du hautboïste Etienne Baudo, il travaille au Conservatoire de Paris où il remporte des 1ers prix d'harmonie, de musique de chambre, de percussion et de direction d'orchestre (1949, classe de Louis Fourestier). Il débute comme percussionniste aux Concerts Lamoureux ; puis il est nommé directeur musical de l'Orchestre de Radio-Nice-Côte d'Azur (1959-62). A la même époque, il dirige régulièrement au Festival d'Aix-en-Provence. De 1962 à 1965, il est chef permanent à l'Opéra de Paris. Sa carrière internationale commence en 1966 lorsqu'il remplace au pied levé Herbert von Karajan à la Scala dans *Pelléas et Mélisande.* L'année suivante, Charles Münch l'appelle à ses côtés comme 1er chef de l'Orchestre de Paris, poste qu'il conserve jusqu'en 1970. De 1969 à 1971, il est directeur de la musique à l'Opéra de Lyon. En 1970, il débute à l'Opéra de Vienne et au Met, où il retourne régulièrement jusqu'en 1972. En 1971, il est nommé directeur de l'Orchestre Philharmonique Rhône-Alpes qui devient, un an plus tard, l'Orchestre de Lyon. Sous sa direction, l'orchestre devient rapidement l'une des meilleures formations françaises et effectue plusieurs tournées à l'étranger, notamment en Chine et en Corée en 1979. La même année, il fonde le Festival Berlioz à Lyon et à La Côte-Saint-André, dont il assure la direction artistique. Une active carrière de chef invité lui permet de diriger les plus grandes formations mondiales. Il retourne régulièrement en Tchécoslovaquie où il a enregistré de nombreux disques (dont l'intégrale des symphonies d'Honegger et *Jeanne au bûcher*). Son répertoire est très largement tourné vers la musique française et on lui doit de nombreuses créations : *Lavinia* (Barraud, 1961), *Turner* (M. Constant, 1961), *Sinfonia cantata* (Mihalovici, 1965), *Et expecto resurrectionem mortuorum* (1965) et *La Transfiguration* (Messiaen, 1969), *La Mère coupable* (Milhaud, 1967), *Tout un monde lointain* (Dutilleux, 1971), *Fastes de l'imaginaire* (Nigg, 1974), *Symphonie n° 2* (Bailly, 1974), *Le Livre des prodiges* (Ohana, 1979).

Bauer, Harold

Pianiste anglais naturalisé américain, né à Londres le 28 avril 1873, mort à Miami le 12 mars 1951.

On assiste à ses débuts à l'âge de 9 ans, comme violoniste : il a été l'élève de son père et d'Adolf Politzer. En 1892, suivant les conseils de Paderewski, qui lui fait travailler le piano, il prend la décision de faire une carrière pianistique. En 1893, il triomphe à Paris et en Russie. Sa réputation gagne toute l'Europe, où l'on admire en lui non seulement le soliste, mais aussi le spécialiste de musique de chambre de premier plan. On le voit souvent jouer en compagnie de Thibaud et de Casals. Pendant la Première Guerre mondiale, Bauer se réfugie aux États-Unis. Il y fonde la Beethoven Association de New York. C'est une société de musique de chambre très renommée, dont il assurera la direction de 1918 à 1941. De très grands artistes fréquenteront sa société, pour jouer avec lui. Ses préférences allaient à la musique de Brahms, de Schumann, de Franck, mais aussi à Debussy et Ravel, qui étaient ses contemporains. Ravel lui a dédié *Ondine* et Granados une pièce des *Goyescas, El Amor y la Muerte.* Il a créé les *Children's Corner* de Debussy (1908) et le *Quintette nº 1* de Bloch (1923).

ÉCRITS : *Harold Bauer, his Book,* 1948.

Baugé, André

Baryton français, né à Toulouse le 6 janvier 1892, mort à Paris le 25 mai 1966.

Il veut être peintre, fait les Beaux-Arts et arrive même à exposer un portrait à la Société des artistes français. Mais, fils d'une célèbre diva d'opérette, Madame Tariol-Baugé, et d'un professeur de chant, il veut aussi être chanteur et, en définitive, c'est dans cette voie qu'il se dirige malgré les réticences de sa mère. Il débute sous le nom d'André Grillaud en 1912 à Grenoble dans *Hérodiade* (Vitellius), dans *Le Grand mogol* (Joquelet) et dans *Gillette de Narbonne,* où ses notes aiguës franches et claires lui valent le succès qui détermine sa carrière. La saison grenobloise se poursuit alternant l'opéra et l'opérette et lui offrant le rôle de Figaro, le premier d'une longue série qui devait durer tout le long de sa vie ou presque. Viennent ensuite nombre d'engagements, puis l'ordre de rejoindre le 2e R.I.C. à Brest. C'est la guerre. Il est blessé à deux reprises. Encore convalescent, il débute en 1917 à l'Opéra-Comique, dont il restera pensionnaire jusqu'en 1925, le quittant pour chanter *Monsieur Beaucaire* au Théâtre Marigny, préludant ainsi l'une des plus brillantes carrières de chanteur d'opérettes, au Trianon-Lyrique, dont il fut un temps le directeur au Châtelet, à Mogador... et dans de nombreux films. En 1946, il quitte la scène pour s'adonner avec passion à l'enseignement.

Baumann, Hermann

Corniste allemand, né à Hambourg le 1er août 1934.

Il ne pratique son instrument que relativement tard. Lycéen, il dirige des chœurs, joue la batterie, le piano et le violoncelle. Élève pendant deux ans de Fritz Huth à la Musikhochschule de Hambourg, il devient ensuite premier corniste à Dortmund, puis en 1961 à Stuttgart, où il entre dans l'Orchestre Symphonique de la Radio. Il enseigne depuis 1967 à la Folkwang Hochschule à Essen, avec le titre de « Professor » depuis 1969. Il est considéré comme le meilleur corniste allemand contemporain. Sa renommée internationale repose sur le fait qu'il sait parfaitement jouer sur des instruments anciens et qu'il possède à la perfection la technique du cor naturel de l'époque de Mozart aussi bien que celle du cor à piston. Il collabore fréquemment avec Harnoncourt, Leonhardt, Schröder et d'autres spécialistes de la musique ancienne.

Baumgartner, Paul

Pianiste suisse, né à Altstätten le 21 juillet 1903, mort à Locarno le 19 octobre 1976.

A Saint-Gall, il étudie le piano avec Paul Müller, puis à Munich avec Walter Braunfels. Celui-ci étant chargé d'organiser et de diriger, en compagnie d'Abendroth, la Musikhochschule de Cologne, il emmène avec lui son élève en 1925. C'est là que, quelques années, plus tard, Baumgartner va se perfectionner auprès de Edward Erdmann, élève de Ansorge, lui-même dépositaire de l'enseignement de Liszt. De 1927 à 1935 il est professeur à Cologne. Passionné de pédagogie, il est nommé en 1937 chef du département de piano du Conservatoire de Bâle. Il participe à de nombreuses tournées de concerts. Ses partenaires privilégiés pour la musique de chambre seront Casals, Fournier et

Végh. Son intégrale des *32 Sonates* de Beethoven lui vaut l'admiration générale pour sa grande musicalité. De 1953 à 1962, il enseigne à l'Académie néerlandaise de musique. Parallèlement il donne une série de cours très remarquée en 1960, à Bâle. Bien que résolument tourné vers le répertoire du XIXe siècle, il s'est toujours fait le défenseur ardent de la musique contemporaine. Il a reçu en 1962 le Prix pour la Culture de Saint-Gall.

Baumgartner, Rudolf

Chef d'orchestre suisse, né à Zürich le 14 septembre 1917.

Il étudie la musique au Conservatoire de sa ville natale, notamment sous la direction de Stefi Geyer et Paul Müller, et poursuit l'étude du violon à Paris et à Vienne. Il se produit comme soliste, après l'anschluss, dans divers pays européens. Il mène une active carrière de musicien de chambre avec le Quatuor Stefi Geyer, le Trio à cordes de Zürich et le Trio de chambre de Zürich. Après avoir été pendant de longues années premier violon dans divers orchestres de chambre, il fonde, avec Wolfgang Schneiderhan, le Festival Strings de Lucerne (1956) et en assume depuis cette date la direction. Il mènera cet ensemble à la célébrité mondiale. Parmi les premières auditions qu'il réalise avec le Festival Strings de Lucerne on peut citer des pages de Conrad Beck, Jean Françaix, Ernest Krenek, Rafael Kubelík, Ligeti (*Ramifications*, 1970), Mainardi, Malec (*Lumina*, 1968), Frank Martin (*Et la vie l'emporta*, 1975), Martinů, Mayuzumi, Mihalovici, Ohana (*Silenciaire*, 1969), Penderecki (*Capriccio*, 1965), Tcherepnine et Xenakis (*Avrovra*, 1971). Depuis 1960 il est directeur du Conservatoire de Lucerne. De 1968 à 1980 il a été directeur musical du Festival de Lucerne.

Bazelaire, Paul

Violoncelliste et compositeur français, né à Sedan le 4 mars 1886, mort à Paris le 11 décembre 1958.

Élève de Jules Delsart, il obtient, au Conservatoire de Paris un 1er prix de violoncelle à 11 ans, ainsi qu'un 1er prix d'harmonie et de contrepoint et fugue. Il travaille aussi l'orgue avec Louis Viesne. Il poursuit une brillante carrière de virtuose. Professeur au Conservatoire de 1918 à 1957, il publie plusieurs ouvrages pédagogiques sur la technique française du violoncelle. Son œuvre comporte de la musique instrumentale pour divers instruments, dont le violoncelle, des pages pour orchestre, des psaumes avec chœur mixte et diverses pièces profanes. Certaines de ses transcriptions pour violoncelle, d'œuvres de compositeurs anciens sont restées célèbres, comme le *Concerto en mi mineur* d'après Vivaldi.

Beaucamp, Albert

Chef d'orchestre français, né à Rouen le 13 mai 1921, mort à Rouen le 22 septembre 1967.

Fils d'Henri Beaucamp (1885-1937), organiste à la cathédrale de Rouen, il fait ses études au Conservatoire de Paris, dont il sort en 1945 avec plusieurs prix : harmonie, contrepoint et fugue. Après la guerre, il fonde le Conservatoire de Rouen dont il est nommé directeur en 1949. Il crée l'Orchestre de Chambre de Rouen en 1963. Rapidement, il fait de cette formation l'une des meilleures de France et redonne vie à tout un répertoire de musique française ancienne destiné aux cordes.

Beckmans, José

Baryton belge naturalisé français, né à Liège le 4 janvier 1897.

Après avoir fait ses humanités, il commence des études musicales interrompues par la guerre. Pour survivre, il fait un peu tous les métiers, y compris du music-hall, dur apprentissage qu'il n'oubliera jamais par la suite. En 1916, il sort du Conservatoire de Liège avec un 1er prix de chant, non sans avoir étudié parallèlement l'harmonie et la composition. Il fait ses débuts en 1916 à Verviers dans le rôle d'Escamillo. Engagé successivement dans la troupe du Pavillon de Flore puis du

Trianon Lyrique de Liège, il y tient tous les emplois de basse chantante. Après un séjour au Théâtre Royal d'Anvers, il chante (toujours les basses) un peu partout en province. Fin 1925, il débute à l'Opéra-Comique en Escamillo. Il créera sur cette scène *Le Cloître* de Lévy, *Résurrection* de Alfano, *Scémo* de Bachelet et n'y chantera pas moins de 25 rôles, allant de Méphisto au Figaro du *Barbier de Séville* en passant par le baron Scarpia, Golaud, Karnac, Ourrias, le Diable de *Grisélidis* et surtout François du *Chemineau*, l'un de ses rôles préférés. Il est alors invité à Covent Garden de Londres où il chante Escamillo aux côtés de Conchita Supervia et de José Luccioni, à l'Opéra de Rome, à la Monnaie de Bruxelles, à Monte-Carlo où il sera le premier Mandryka français. En 1935, il débute à l'Opéra dans le rôle de Rigoletto – à noter qu'au cours de sa carrière il a chanté successivement dans *Rigoletto* les rôles de Sparafucile, de Monterone et du Bouffon. Il créera sur cette scène *Le Roi d'Ys* (Karnac), *Palestrina* (le Cardinal Borromée), *Le Drac* de Paul et Lucien Hillemacher (Bernhard), *Antigone* de Honegger (Créon) et *Peer Gynt* de Egk (rôle-titre) et y chantera trente rôles allant de Boris Godounov à Mercutio en passant par Pizarro et Iago, deux rôles qu'il a marqués de sa forte personnalité. En 1957, il est nommé directeur de la scène au Palais-Garnier. Depuis, il partage son temps entre l'enseignement et la mise en scène.

Beecham, Sir Thomas

Chef d'orchestre anglais, né à Saint Helens (Lancashire) le 29 avril 1879, mort à Londres le 8 mars 1961.

Il voit le jour dans une famille très riche et reçoit son éducation générale à Oxford. Le musicien est un autodidacte : il n'étudie dans aucun conservatoire et se sert de sa fortune pour faire connaître la musique. De 1902 à 1904, il dirige une petite troupe d'opéra. Puis, en 1905, il fonde le New Symphony Orchestra à Londres. En 1910, soutenu par les capitaux paternels, il prend la direction artistique et financière de Covent Garden : il y présente pour la première fois en Grande-Bretagne *Les Maîtres chanteurs, Elektra, Salomé* et relance la vie musicale de la capitale britannique. Il invite Chaliapine, les Ballets Russes, Furtwängler, Kleiber et toutes les célébrités de l'époque. Pendant la guerre, il fonde la Beecham Opera Company. Mais ces activités sont trop coûteuses et il est réduit à la faillite en 1920. Il revient à le direction de Covent Garden en 1932 et fonde en même temps l'Orchestre Philharmonique de Londres qui assure alors les spectacles lyriques. Pendant la Seconde Guerre mondiale, il effectue une importante tournée en Australie, au Canada et aux États-Unis ; il dirige notamment à Seattle et au Met (1942-44). A son retour en Angleterre, il est congédié de Covent Garden et les musiciens de l'Orchestre Philharmonique de Londres choisissent l'autogestion. Il fonde alors le Royal Philharmonic Orchestra (1947) qu'il dirigera jusqu'à la fin de sa vie.

Beecham était le champion de la musique anglaise, surtout celle de Delius dont il a créé les principales œuvres. Il a imposé la musique de Sibelius en Angleterre sans oublier celle de R. Strauss pour laquelle il avait une affinité particulière. Dans le domaine de la musique ancienne, il dirigeait souvent les oratorios de Händel dans des arrangements aussi personnels que surprenants. La musique française l'attirait beaucoup et on lui doit l'enregistrement des grandes symphonies du XIXe siècle, ainsi qu'une version de référence de, *Carmen*.

L'homme était doué d'un humour légendaire et le chef, plus instinctif que réfléchi, reste le reflet parfait d'une génération d'artistes qui faisait primer l'enthousiasme au détriment de la rigueur.

ÉCRITS : *A Mingled Chine* (autobiographie, 1944) ; *F. Delius*, 1959.

Behrend, Siegfried

Guitariste et compositeur allemand, né à Berlin le 19 novembre 1933.

Au Conservatoire Klindworth-Scharwenka de sa ville natale, il travaille le piano, la guitare, la composition et la direction d'orchestre. Il débute en 1953 à

Leipzig et effectue de nombreuses tournées en Allemagne. Il compose pour son instrument et signe aussi plus de 200 musiques de film. Bussotti, Haubenstock-Ramati, Benguerel, Musgrave, Penderecki, Yun écrivent pour lui, attirés par de nouvelles possibilités instrumentales qu'il sait mettre en valeur. Il fonde et dirige le Festival d'Altmuhtal. Il enseigne à Rosenburg, près de Munich.

Behrens, Hildegard

Soprano allemande, née à Fribourg-en-Brisgau le 9 février 1937.

D'une famille de médecins, elle opte pour les études de droit, mais attend de les avoir terminées pour aborder la carrière de cantatrice, vers laquelle elle se sent irrésistiblement attirée. Chœurs d'étudiants, Ecole de musique de Fribourg, elle est enfin engagée à l'Opéra-Studio de Düsseldorf. Après quelques petits rôles, elle aborde celui de Marie (*Wozzeck*). C'est durant une des répétitions que Karajan l'entend et lui offre le rôle-titre de *Salomé*, qu'elle enregistre (EMI) et chante à Salzbourg durant le Festival de 1977. Dès lors, elle est l'invitée des plus grandes scènes internationales.

Elle avait débuté au Met dans *Il Tabarro (*Puccini), inconnue, en 1975. Elle chante *Fidelio* à Munich avec Karl Böhm, puis elle participe au Festival de Pâques avec Karajan, à Salzbourg et retrouve Karl Böhm pour de vrais débuts étincelants au Met. Dotée d'une très forte personnalité et d'un sens du théâtre et de la psychologie bouleversant, elle est faite pour l'opéra et pour y incarner les personnages les plus divers : de Mozart à Berg, elle chante tout, y compris *Katia Kabanova, La Fiancée vendue, Roussalka, La Femme sans ombre*, où elle incarne une Impératrice spectaculaire sur la scène de l'Opéra de Paris, et *Ariane à Naxos* enfin, à Salzbourg, pour les 85 ans de Karl Böhm. Le grand répertoire wagnérien est une révélation : *Tannhäuser, Lohengrin* précèdent un incroyable *Vaisseau Fantôme* (également à l'Opéra de Paris). Mais son apparition en Sieglinde à Monte-Carlo, dans la mise en scène de Peter Busse (1979) est un tel événement qu'elle reprend ce rôle à Munich et Düsseldorf puis au Met, en 1981. Auparavant, elle aura fait ses débuts comme Isolde à Zürich et à Munich (avec Sawallisch) et l'enregistre avec Leonard Bernstein (1981). En 1982, elle chante *Turandot* et sera ensuite *la Tosca* de Maazel sur disque et Brünnhilde à Bayreuth en 1983 puis au Met en 1984.

Beinum, Eduard Van

Voir à **Van Beinum, Eduard.**

Beirer, Hans

Ténor autrichien, né à Wiener Neustadt le 23 juin 1911.

Après avoir fait des études supérieures de chimie, de médecine et de philosophie, il entre à l'Académie de musique de Vienne et fait ses débuts comme ténor lyrique en 1936 dans une opérette d'un certain Léon Ascher. Viennent ensuite deux saisons à Bâle et Saint-Gall. Puis toujours de l'opérette jusqu'en 1943 : il est engagé à l'Opéra de Berlin où il débute dans *La Fiancée vendue*. Puis c'est la guerre, le front. En 1949, à Rome, il trouve son véritable destin de Heldenténor en chantant *Parsifal* aux côtés de Maria Callas et Cesare Siepi. Ce sont alors tous les rôles de ténors héroïques où sa voix puissante et sa stature impressionnante lui valent les plus beaux succès : Tristan, Tannhäuser, Parsifal (qu'il chante à Bayreuth entre 1958 et 1964), Siegmund, Siegfried, Samson, Florestan, Otello..., mais aussi le Tambour-major de *Wozzeck* ou le Maire de *la Visite de la vieille dame*, sans oublier son formidable Hérode dont la télévision nous a fixé le souvenir.

Belkin, Boris

Violoniste soviétique naturalisé israélien (1975), né à Sverdlovsk le 26 janvier 1948.

Il débute le violon dès l'âge de six ans. Il suit ses premiers cours à l'École centrale de musique à Moscou puis au Conservatoire dans les classes de Jankelevitch et Andrievski. Il se produit en Union soviétique et remporte, en 1972, le 1er prix du Concours national de violon. A partir de 1974, il est autorisé à vivre en Israël et se fait connaître alors des grands chefs occidentaux tels que Zubin Mehta et Leonard Bernstein qui l'invitent aux États-Unis (Los Angeles, New York). Son passage à Paris sous la direction de Leonard Bernstein restera marqué dans les mémoires non seulement pour la qualité de son jeu, mais aussi parce qu'il perdit alors son violon dans un taxi (septembre 1975).

Belliard, Jean

Haute-contre français, né à Hé (Vietnam) le 25 juillet 1935.

Après avoir fait des études musicales avec Jean Giroud à Grenoble, il est organiste dans cette ville (1957-59), puis professeur d'éducation musicale à Rabat (1959-64), et animateur musical au Centre culturel français d'Oran (1964-70). Musicien conférencier de l'Alliance Française depuis 1970, il a œuvré, à cette date, dans 42 pays. En 1973, il fonde l'Ensemble Guillaume de Machaut de Paris, essentiellement tourné vers la musique ancienne, du chant grégorien à la Renaissance, mais qui participe également à des concerts de musique contemporaine (Avignon, 1980).

J. Belliard possède une vraie voix naturelle de haute-contre et n'a pas besoin de transposer la musique écrite pour voix de contralto, contrairement aux chanteurs qui cultivent un registre qui ne leur est pas naturel. Passionné par l'étude du Moyen Âge, il confronte l'apport du monde musulman en Espagne et en Afrique du Nord à la civilisation chrétienne, comme il tente de lancer des ponts entre l'Ars nova (XIVe siècle) et notre époque (Stravinski, Boulez).

Bellugi, Piero

Chef d'orchestre italien, né à Florence le 14 juillet 1924.

Il fait ses études musicales dans cette ville, puis à l'Académie Chigiana de Sienne et au Mozarteum de Salzbourg. Passionné par la direction d'orchestre, il part aux États-Unis se perfectionner auprès de Rafaël Kubelik et Leonard Bernstein. Il obtient en Amérique ses premiers succès de chef d'orchestre. De 1956 à 1958, il est professeur à Berkeley. Puis il est chef permanent de l'Orchestre Symphonique d'Oakland (1958-59) et directeur artistique de l'Orchestre Symphonique de Portland (1959-61). Revenu en Europe en 1961, il dirige à la Scala de Milan et est ensuite invité par la plupart des orchestres importants. Pendant un temps, il est directeur artistique de l'Orchestre Symphonique de la Radio de Lisbonne.

Son répertoire s'étend de Monteverdi à Nono. Chef permanent de l'Orchestre Symphonique de la R.A.I. de Turin (1969-72), il enseigne aussi la direction d'orchestre du Conservatoire de cette ville, puis à Rome à l'Académie Santa Cecilia, à Florence et à Sienne (1977). Il est conseiller artistique du Festival de Barga, et directeur musical de l'orchestre symphonique d'Emilia Romagna (Parme), jusqu'en 1982. Il a créé notamment la *Symphonie n° 10* de Milhaud (1961) et le *Settimo Concerto* de Petrassi (1965).

Bělohlávek, Jiří

Chef d'orchestre tchécoslovaque, né à Prague le 24 février 1946.

Au Conservatoire de sa ville natale, il étudie le violoncelle puis travaille la direction d'orchestre à l'Académie des Beaux-Arts avec Alois Klíma, Bohumír Liška, Josef Veselka et Robert Brock. En 1966, il est à la tête de l'Orchestre Puellarum Pragensis. Lauréat du Concours de jeunes chefs d'orchestre d'Olomouc, il est nommé assistant à la Philharmonie Tchèque. Entre 1972 et 1977, il dirige l'Orchestre Philharmonique de Brno, puis l'Orchestre Symphonique de Prague « Fok ». Depuis 1982, il conduit régulièrement la Philharmonie Tchèque.

Benbow, Charles

Organiste américain, né à Dayton (Ohio) le 28 décembre 1947.

Il fait ses études musicales à l'Université d'Oklahoma où il obtient une bourse d'études pour l'orgue et le clavecin. Il part alors en Allemagne (1970-71) où il travaille l'orgue avec Michel Schneider et le clavecin avec Hugo Ruf, à la Hochschule für Musik de Cologne. Il suit ensuite les cours de Marie-Claire Alain en France (1971). Lauréat du Concours de Prague et du Concours d'orgue de la Radio Bavaroise en 1971, il obtient le 1er prix du Concours international de Chartres en 1972. Charles Benbow, fixé à Londres, fait régulièrement des tournées de concerts en Pologne, en Allemagne, en France et aux États-Unis, où il retourne chaque année.

Bender, Philippe

Chef d'orchestre français, né à Besançon le 25 février 1942.

Il commence ses études au Conservatoire de sa ville natale. A 15 ans, il est admis au Conservatoire de Paris qui lui décerne deux ans plus tard trois 1ers prix (flûte, musique de chambre et solfège). Il est lauréat des concours internationaux de Munich, Genève et Montreux. Il est alors nommé flûtiste à l'Orchestre National de l'Opéra de Monte-Carlo. Aidé par les conseils de Paul Paray, il se présente au Concours des jeunes chefs d'orchestre de Besançon. En 1970 il remporte le 1er prix au Concours Mitropoulos de New York. Il est alors engagé comme chef assistant à l'Orchestre Philharmonique de New York où il travaille pendant un an sous la direction de Leonard Bernstein et de Pierre Boulez. En 1975, il est nommé directeur artistique et chef permanent de l'Orchestre Régional Provence-Côte-d'Azur, formation qui, en 1979, prend le nom d'Orchestre de Cannes-Provence-Côte-d'Azur.

Benedetti-Michelangeli, Arturo

Pianiste italien, né le 5 janvier 1920 à Brescia.

A quatre ans, il commence le piano et le violon. A la suite d'une maladie d'enfance, il opte pour le piano, entre au Conservatoire de Milan, et, durant trois ans, travaille avec G. Anfossi. En 1939, il remporte le 1er prix au Concours international de Genève. Il commence à voyager. L'année du prix, il gagne une course automobile. Champion de ski, pilote d'avion, sa jeunesse est un défi. Durant dix ans il fait des tournées, joue aux États-Unis en 1948, puis la maladie le frappe encore. Il se tourne vers l'enseignement, à Brescia, où en 1964 il fondera le Festival de piano, dont il assurera jusqu'en 1969 la direction artistique. Dès 1959, il peut à nouveau donner des concerts et se forge une légende : celle d'un pianiste énigmatique et lointain, capable d'interrompre un concert s'il ne se sent pas bien. Perfectionniste, au fait de toutes les techniques modernes, il sait monter et démonter son piano; il l'emmène partout avec lui. En passant un an dans un couvent de Franciscains, Michelangeli approfondit toutes les richesses de l'orgue. En 1968, il quitte l'Italie pour vivre en Suisse, à la montagne, et travailler selon son rythme. En 1975 il revient jouer au Vatican, devant 8 000 auditeurs. Son répertoire : Ravel, Debussy, mais aussi les anciens maîtres italiens (Galuppi), Bach, Mozart, Haydn, Beethoven, Chopin, Schumann, Reger et Rachmaninov. Densité sonore, structures lucides, passion contenue, économie de moyens caractérisent son jeu.

Benoît, Jean-Christophe

Baryton français, né à Paris le 18 mars 1925.

Il apprend très jeune les bases de ce qui va solidement établir son talent de chanteur et de musicien, avec sa mère, compositeur (L. Benoît-Granier) et son père, altiste (membre du Quatuor Capet), en compagnie de sa sœur Denise (chanteuse et comédienne trop tôt disparue). Au Conservatoire de Paris, il est l'élève d'Olivier Messiaen (harmonie), Noël Gallon (contrepoint) et Gabriel Dubois (art vocal). Il en sort avec trois 1ers prix.

Il s'essaie à la composition et signe plusieurs partitions à l'intention du Théâtre de Marionnettes d'Yves Joly, mais sa carrière s'oriente très vite vers le théâtre lyrique, le récital, l'oratorio, la radio et plus tard l'enseignement. Par goût autant que par moyens vocaux, il opte pour l'opéra-comique plutôt que pour l'opéra, même s'il s'illustre dans certaines pages de compositeurs français (Massenet, Bizet...) ou dans certains rôles de composition (le Sacristain de *La Tosca*). Son répertoire va de Monteverdi aux compositeurs contemporains, mais toujours avec une option pour les rôles où le jeu dramatique est important. Dans le récital ou l'oratorio, il se spécialise dans l'interprétation des musiciens français. A la Scala il chante l'*Enfant et les sortilèges* de Ravel, à Rome il crée *Pilate*, que Frank Martin écrit pour lui, à Genève il crée le Figaro de *La Mère coupable* de Darius Milhaud. Mais il apparaît surtout à l'Opéra et à l'Opéra-Comique.

A la radio et à la télévision, il participe à près d'un millier d'émissions de tous genres, chantant ou créant de nombreux ouvrages de compositeurs contemporains : Baudrier, Britten, Delerue, Dallapiccola, Nigg, Nono, Ohana, Prokofiev, Semenoff... Professeur d'art lyrique au Conservatoire de Paris, il est l'invité du Centre d'Art (J.M.C.) du Mont-Orford (Québec). Il signe quelques mises en scène.

Benzi, Roberto

Chef d'Orchestre français, né à Marseille le 12 décembre 1937.

Son père, professeur de musique, lui enseigne, très tôt, le piano. Il dirige ses premiers concerts à l'âge de onze ans (juillet 1948, Bayonne ; novembre 1948, Paris, Orchestre Colonne). En 1949 et 1950, on voit cet enfant prodige dans deux films : *Prélude à la gloire*, et *L'Appel du Destin*. Il fait ses études tout en travaillant la musique, jusqu'en 1958. Cluytens est son maître de 1947 à 1950. En 1954, il aborde le répertoire d'opéra et, cinq ans plus tard, obtient un vif succès à Paris avec *Carmen*, représentée pour la première fois au Palais Garnier. Il dirige ensuite cette œuvre en tournée au Japon. Il voyage beaucoup, en Europe, Europe centrale, Afrique du Nord et se rend pour la première fois au Canada en 1966. Il fait ses débuts au Met, à New York, en 1972 avec *Faust*, puis est nommé l'année suivante directeur musical de l'Orchestre de Bordeaux-Aquitaine. Il a épousé la cantatrice Jane Rhodes.

Berberian, Cathy

Mezzo-soprano américaine, née à Attleboro le 4 juillet 1925, morte à Rome le 6 mars 1983.

Elle fait ses études classiques en Amérique, menant de front le chant, la danse, le théâtre et la littérature (New York et Columbia University). Un temps soliste de l'Armenian Folk Group de New York, elle obtient une bourse Fullbright en 1950. Elle vient alors travailler en Italie avec G. Del Vigo. Sa rencontre avec Luciano Berio (dont elle deviendra la femme en 1950 puis se séparera en 1965) lui ouvre les domaines de la musique contemporaine. Elle apprend de lui, elle l'inspire. Cathy Berberian est l'interprète type de la musique de son temps : ses rapports avec le compositeur sont très importants. Sylvano Bussotti (dont elle a créé *La Passion selon Sade*) en témoigne. Un grand nombre de compositeurs ont écrit pour elle : Stravinski (*Elegy pour JFK*), Berio (*Chamber Music, Circles, Epifanie, Visage, Sequenza 3, Folk Songs*). Cage l'admire : elle participe à ses concerts en Amérique et en Europe. On l'écoute dans les plus importants festivals de musique contemporaine du monde ; elle donne des cours à l'Université de Vancouver, à la Reinische Musikschule de Cologne. Elle a l'art de toucher les publics les plus divers. « Diva » en scène, mais simple dans la vie, aimant enseigner, communiquer, donner. Compositeur à ses heures (*Stripsody*, 1966, *Morsicat(h)y*,

1971), elle a une prédilection pour Monteverdi, mais aime aussi découvrir les musiques de tous pays, chante aisément dans un grand nombre de langues et de dialectes, gourmande de toute beauté plastique et poétique. Avec Bruno Canino elle a monté d'inoubliables soirées « proustiennes », portant une robe signée Erté...

Berbié, Jane (Jeanne Bergougne)

Mezzo-soprano française, née à Villefranche-de-Lauragais le 6 mai 1931.

Après des études musicales au Conservatoire de Toulouse, Jane Berbié débute à la Scala dans l'*Enfant et les sortilèges* de Ravel. Elle est engagée en France et à l'étranger : elle débute à Glyndebourne en 1967 mais elle doit attendre le Festival d'Aix-en-Provence en 1969 pour être reconnue comme une interprète idéale de Rossini (Rosine). L'année suivante, à Aix encore, elle chante dans l'*Italienne à Alger* (Rossini) et se rend à Londres à Covent-Garden, à la Scala (Rosine). Mezzo-soprano colorature, elle possède une voix très homogène et un jeu scénique très vif (dans Rossini et Mozart), ce qui lui permet d'aborder aisément le répertoire italien des opéras-bouffes. Elle a chanté récemment dans *Jenůfa* de Janáček au Palais Garnier.

Berchot, Erik

Pianiste français, né à Paris le 14 février 1958.

L'un des plus brillants jeunes pianistes français, Erik Berchot remporte un 1er prix de piano au Conservatoire de Paris dans la classe de Germaine Mounier (1977) puis un 1er prix de musique de chambre en 1978. Il participe par la suite au Concours Long-Thibaud où il obtient un prix en 1979. A l'étranger, il reçoit également de nombreuses récompenses : Prix Senigallia (Italie, 1977), Prix Alex de Vries (Belgique, 1977), 1er prix du Concours Viotti (Italie, 1977), 6e Prix Chopin (Varsovie, 1980).

Berganza, Teresa

Soprano espagnole, née à Madrid le 16 mars 1935.

Elle travaille le piano, l'orgue, l'harmonie et la composition ; à huit ans elle veut étudier le chant. Son professeur, L. Rodriguez Aragon, élève d'Elisabeth Schumann, élargit sa tessiture, lui donne style et technique et lui fait apprendre Rossini et Mozart. Le nom de T. Berganza est longtemps lié au rôle de Chérubin et de Rosine. En 1958, elle interprète Dorabella (*Cosi fan tutte*) au Festival d'Aix-en-Provence ; en 1959 Chérubin à Glyndebourne – elle reviendra souvent sur sa conception du personnage. Sous la direction de Claudio Abbado, Teresa Berganza chante *La Cenerentola* de Rossini et conquiert son public. Dès lors s'ouvre une carrière internationale. Avec vérité, simplicité, elle ressuscite *Carmen*. Elle donne aussi des récitals – parallèlement aux divers engagements dans le domaine lyrique – à la Scala ou à Covent Garden. Son mari, pianiste et compositeur, Felix Lavilla, l'accompagne souvent. Teresa Berganza aime la vie de famille et reste fidèle à l'Espagne : elle chante volontiers des chansons populaires pleines de charme, des zarzuelas, *La Vie brève* de M. de Falla. Il lui plairait d'enseigner. La grâce, le bonheur de vivre, la sobriété de ses interprétations en font une cantatrice accomplie. Au cinéma, elle fut Zerline dans le *Don Juan* mis en scène par Losey, sous la direction de Maazel.

Bergel, Erich

Chef d'orchestre roumain naturalisé allemand, né à Rîŝnov le 1er juin 1930.

Il fait ses premières études musicales à Sibiu puis les poursuit au Conservatoire de Cluj. Il a déjà débuté comme flûtiste dans l'Orchestre Philharmonique de Sibiu (1945-48). A Cluj, il est l'élève de Ciolan et travaille le violon, le piano, la direction, la composition et l'orgue (1950-55). Il exerce une activité d'organiste avant d'être nommé à la tête de l'Orchestre Philharmonique d'Oradea (1955-59). Il dirige ensuite la Philharmonie de Cluj (1959-72). Puis il se fixe en Allemagne où il est nommé directeur de la Nordwestdeutschen Philharmonie (1972-76). Il mène ensuite une carrière de chef invité, étant notamment *principal guest conductor* de l'Orchestre Symphonique de Houston. Il a réalisé des études très approfondies sur l'œuvre de J.S. Bach, notamment l'*Art de la fugue.*

Berger, Erna

Soprano allemande, née à Cossebaude (Dresde) le 19 octobre 1900.

C'est dans cette ville qu'elle étudie le piano et le chant (avec Melita Hirzel) et qu'elle débute à la Staatsoper, engagée en 1925 par Fritz Busch (comme premier enfant dans *La Flûte enchantée*). Elle participe en 1927 à la création de *Hannelies Himmelfahrt* de Graener. Engagée à la Städtische Oper de Berlin en 1929, elle y crée *Christelflein* de Pfitzner. Elle participe aux festivals de Bayreuth (de 1929 à 1933) et de Salzbourg (à partir de 1932). Passée à la Staatsoper de Berlin en 1934, elle y triomphe dans deux rôles mozartiens, la Reine de la Nuit et Constance, qu'elle interprète également à Covent Garden de Londres avec succès (de 1934 à 1938). Elle débute au Met en 1949 et abandonne l'opéra en 1955 pour se consacrer, jusqu'en 1968, au lied. A partir de 1959, elle enseigne à la Musikhochschule de Hambourg. Championne incontestée de l'extrême-aigu, elle est une des rares coloratures dramatiques de son temps.

Berglund, Paavo

Chef d'orchestre finlandais, né à Helsinki le 14 avril 1929.

Il commence ses études musicales à l'Académie Sibelius de sa ville natale avec Kokkonen et les poursuit à Vienne, avec Otto Rieger, puis à Salzbourg. Après avoir débuté comme violoniste dans l'Orchestre Symphonique de la Radio Finlandaise (1949-56), il est nommé chef assistant (1956-62) puis 1er chef de cette formation (1962-71). Il se fait rapidement connaître dans le monde musical anglo-saxon comme l'un des plus éminents spécialistes de Sibelius et de Chostakovitch. De 1972 à 1979, il est à la tête de l'Orchestre Symphonique de Bournemouth, fonctions qu'il cumule avec la direction musicale de l'Orchestre Philharmonique d'Helsinki (1975-79). Berglund est l'un des rares chefs d'orchestre actuels qui tienne sa baguette dans la main gauche. Il a enregistré l'intégrale des *Symphonies* de Sibelius.

Bergonzi, Carlo

Ténor italien, né à Vidalenzo, le 13 juillet 1924.

Il fait ses études au Conservatoire Arrigo Boïto de Parme et débute dans le Figaro de Rossini en 1948 à Lecce. Sa voix est alors celle d'un baryton, il chante Marcello, Rigoletto. Trois ans plus tard il reprend ses études musicales et entre dans une seconde période, trouvant sa voix véritable, sa tessiture montant. Le 12 janvier 1951, il débute à nouveau dans *André Chénier* (Giordano) à Bari. Engagé par la Radio Italienne, pour la commémoration de Verdi, il chante *Jeanne d'Arc, La Forza del Destino* et *Simon Boccanegra*, puis s'impose à Londres, à Chicago (1955), au Met de New York (1956) et chante avec Maria Callas (*Lucia*). Il se produit ensuite sur toutes les scènes lyriques du monde. Son répertoire est très étendu (plus de soixante rôles), de Ponchielli à Massenet. Il possède une grande maîtrise de souffle, le sens des attaques très pures, la souplesse du phrasé. L'Alvaro de *La Forza del Destino* (enregistré avec M. Callas et T. Gobbi) reste l'un de ses ouvrages préférés.

Berkes, Kalman

Clarinettiste hongrois, né à Budapest le 8 mai 1952.

Ayant commencé le piano et le violon dès l'âge de quatre ans, il opte pour la clarinette en 1966 et travaille quatre ans avec István Vécsei au Conservatoire de Budapest. Sous la direction de György Balassa et Béla Kovács, il obtient le diplôme de l'Académie Franz Liszt de

Budapest en 1977. Entre-temps, après une médaille d'argent au Concours international de Genève (1972), il devient clarinette solo de l'Orchestre de l'Opéra National de Budapest et fait partie de l'Ensemble de Chambre de Budapest et du Quintette à vent des Jeunesses Musicales (1973). Sa carrière de soliste prend rapidement de l'essor sur le plan international : il est l'un des premiers instrumentistes à vent d'Europe Centrale à mener une carrière de soliste. En musique de chambre, ses partenaires sont le pianiste Zoltán Kocsis et le violoniste Miklós Szenthelyi.

Berman, Lazar

Pianiste soviétique, né à Leningrad le 26 février 1930.

Enfant prodige, il fait ses débuts en 1937 au Bolchoï, lors d'un festival de jeunes solistes. Le succès est tel qu'on lui fait enregistrer un disque consacré à Mozart. Deux ans plus tard, les portes de l'École Centrale de Musique de Moscou s'ouvrent toutes grandes devant ce virtuose de neuf ans. Alexandre Goldenweiser va assurer sa formation. En 1948, Berman entre au Conservatoire de Moscou, où l'a précédé son maître. Il y restera jusqu'en 1953 en tant qu'élève, puis jusqu'en 1957 pour se perfectionner, travaillant aussi avec Richter et Sofronitski. Ses réels débuts ont lieu en 1940, lors d'un concert avec l'Orchestre Philharmonique de Moscou, dans le *Concerto n° 25* de Mozart. Il triomphe au Festival Hall Recital Room de Londres. En 1956, il remporte un 5e prix au Concours international Reine Elisabeth de Belgique, puis un 3e prix à Budapest. Dans les années 60, il ne fait aucune apparition à l'Ouest. Mais sa réputation grandit en U.R.S.S., où l'on salue en lui l'interprète idéal de Liszt et de Beethoven, et surtout des compositeurs nationaux. Néanmoins ses disques commencent à arriver en Europe et aux États-Unis, de sorte qu'en 1971, il accepte une invitation en Italie. En 1976, à l'occasion de la sortie d'un disque avec Herbert von Karajan, consacré au *1er concerto* de Tchaïkovski, il devient célèbre également à l'Ouest.

Lazar Berman a la réputation d'être hanté par la clarté, la virtuosité et le lyrisme. C'est une personnalité très forte, parfois très contestée, qui voue une admiration sans bornes à Michelangeli et Sofronitski : les seules influences, mis à part Alexandre Goldenweiser, qu'il se reconnaît.

Bernac, Pierre (Pierre Bertin)

Baryton français, né à Paris le 12 janvier 1899, mort en Avignon le 17 octobre 1979.

Encouragé par André Caplet, il travaille à partir de 1923 avec Walter Straram et donne son premier récital en 1925. L'année suivante, il crée les *Chansons gaillardes* de Poulenc. En 1930, il part travailler à Salzbourg auprès de Reinhold von Warlich. C'est là qu'il donne, en 1934, un premier récital accompagné par Poulenc qui va écrire à son intention plusieurs cycles de mélodies : *Les Cinq Poèmes d'Eluard, Tel jour telle nuit, Calligrammes, La Fraîcheur et le Feu, Le Travail du peintre.* C'est le début d'une longue collaboration exemplaire qui va voir Bernac susciter et créer dans le monde entier des pages de Roussel, Honegger (*3 Poèmes de Paul Claudel,* 1941), Jolivet (*Complaintes du soldat,* 1943 *Poèmes intimes,* 1944), Daniel-Lesur, Jaubert, Françaix, Hindemith, Berkeley, Barber, etc. De 1940 à 1960, il est véritablement, dans la lignée de Claire Croiza et de Jane Bathori, le prototype idéal d'un art vocal spécifiquement français, où le mot revêt la même importance que la musique. Art fait de raffinement, sublimant une voix assez mince de nature, parfaitement adapté à la mélodie française, mais paraissant plus affecté dans le répertoire du lied ou du *song* anglais, que Bernac abordera également. Abandonnant en 1961 le concert, il se consacre de plus en plus à l'enseignement au Conservatoire américain de Fontainebleau, à l'Académie d'été de Saint-Jean-de-Luz ou dans des *masterclasses* aux États-Unis. Gérard Souzay est le plus célèbre de ses élèves. Il a consigné son expérience de l'interprétation de la mélodie française dans un livre paru en anglais en 1970, et a consacré aux mélodies de Poulenc un second ouvrage paru en 1978 en France.

Bernard, André

Trompettiste et chef d'orchestre français, né à Gap le 6 avril 1946.

Il travaille d'abord au Conservatoire de Grenoble, où il obtient, en 1964, un 1er prix. Après être passé au Conservatoire de Marseille, il est admis au Conservatoire de Paris où un 1er prix lui est décerné en 1969. L'année précédente, il avait été lauréat du Concours international de Genève. André Bernard est l'un des rares trompettistes solistes à ne pas avoir fait également une carrière de musicien d'orchestre. Il est souvent invité comme soliste par l'Orchestre de Chambre de Heidelberg et se produit fréquemment, dans la formule trompette et orgue, avec Edgar Krapp. En 1982, il est nommé chef permanent du New Symphony Orchestra of London.

Bernard, Claire

Violoniste française, née à Rouen le 31 mars 1947.

Elle fait ses études au Conservatoire de sa ville natale où elle obtient un 1er prix à sept ans. Quatre ans plus tard elle entre au Conservatoire de Paris. En 1959 elle a obtenu le 1er prix dans la classe de Marcel Reynal à l'âge de douze ans ; elle remporte deux ans plus tard un 1er prix d'ensemble instrumental dans la classe de Jean Hubeau. Elle reçoit alors les conseils d'Henryk Szeryng. A 17 ans, elle sort du Conservatoire avec un 1er prix de musique de chambre (classe de Joseph Calvet). Elle s'est déjà produite en France et à l'étranger. En 1964, Szeryng lui remet la Médaille d'or des cours Carl Flesch et elle remporte le 1er prix du Concours international Enesco de Bucarest.

Elle enregistre le *Concerto* de Khatchaturian sous la direction du compositeur (1965). Elle se produit désormais dans le monde entier, joue avec Yehudi Menuhin à Nice, Paris et au Festival de Bath. Membre du jury de différents concours internationaux, elle est violon solo de l'Orchestre de Chambre de Rouen, puis de l'Orchestre de Chambéry. Elle enseigne au Conservatoire d'Asnières. On lui doit la création des *Trajectoires* de Gilbert Amy.

Bernède, Jean-Claude

Violoniste et chef d'orchestre français, né à Angers le 19 septembre 1935.

Il fait ses études musicales avec son père puis obtient, dans sa ville natale, un 1er prix de violon à l'âge de 13 ans, avant d'obtenir celui du Conservatoire de Paris. Disciple, pour la musique de chambre de Joseph Calvet, pour la direction d'orchestre de Pierre Dervaux et d'Igor Markevitch, il entre, en 1958, à la Société des Concerts et devient violon solo à l'Ensemble de Musique contemporaine de Paris. En 1965, il crée le Quatuor qui porte son nom et dont l'essor est rapide. De 1973 à 1982, il assure la direction de l'Orchestre de Chambre de Rouen. Depuis 1977, il est à la tête du Conservatoire d'Evreux, où il crée une vie musicale importante. Il est également, depuis 1977, conseiller artistique de l'Orchestre des Concerts Lamoureux. En 1981, il est nommé directeur du nouvel orchestre de Rennes.

Bernstein, Leonard

Chef d'orchestre, compositeur et pianiste américain, né à Lawrence (Massachusetts) le 25 août 1918.

Sa famille – juifs russes – a émigré aux États-Unis. Leonard commence, dès l'enfance, l'étude du piano, puis travaille à l'Université Harvard avec Helen Coats et Geblard. Diplômé en 1939, après avoir suivi les cours de E.B. Hill, de W. Piston et de A.T. Merritt, il s'inscrit à l'Institut Curtis de Philadelphie où il perfectionne le piano avec Isabella Vengerova, la direction d'orchestre avec Reiner et l'orchestration avec Thompson. Passionné par la direction d'orchestre, il se rend à Tanglewood, en 1940-41, auprès de Koussevitzky qui le choisit comme assistant en 1942. L'année suivante, Rodzinski l'invite comme chef assistant à l'Orchestre Philharmonique de New York. Le 13 novembre 1944, il remplace au dernier moment

Bruno Walter malade à la tête de cet orchestre. L'année suivante il est engagé comme chef du New York City Orchestra (1945-48). En 1947, il dirige l'Orchestre Philharmonique d'Israël, dont il sera conseiller musical jusqu'en 1949. Il se rend, ensuite, en tournée avec Koussevitzky. On le retrouve à Vienne, Milan, Paris et Londres à la tête des grandes formations. A la mort de Koussevitzky en 1951, il enseigne à Tanglewood (1951-55), au département de direction d'orchestre. Il donne aussi des cours à l'Université de Brandeis de 1951 à 1956. L'année suivante, à New York, il dirige, en alternance avec Mitropoulos, l'Orchestre Philharmonique de New York. Devenu directeur musical de cet orchestre (1958-69) puis *laureate conductor* à vie, il effectue de nombreuses tournées : il est le premier chef américain invité à la Scala (1953) pour les représentations de *Médée,* puis de *La Bohème* et de *La Somnambule* en 1955. Il débute au Met en 1964 et à l'Opéra de Vienne en 1966.

Depuis 1969, il mène une carrière de chef invité dans le monde entier ; il s'attache plus particulièrement à la Philharmonie de Vienne (avec laquelle il enregistre sa deuxième intégrale des *Symphonies* de Beethoven), la Philharmonie d'Israël (avec laquelle il enregistre ses propres *Symphonies*), l'Orchestre Symphonique de Londres (qu'il choisit pour Mahler et Stravinski) et l'Orchestre National de France qu'il dirige régulièrement.

Son répertoire est d'un éclectisme étonnant, mais il donne le meilleur de lui-même dans Mahler, Gershwin ou Stravinski. Ouvert à la musique contemporaine, il poursuit l'œuvre de Koussevitzky en faveur des compositeurs américains : il a notamment révélé la *Symphonie n° 2* de Charles Ives en 1951. Parmi les créations figurant à son actif : la *Turangalîla-symphonie* de Messiaen (1949), la *Symphonie n° 5* de Henze (1963), la *Sonate pour clarinette et piano* de Poulenc (1963) ainsi que des œuvres de Ginastera, Copland, Piston, Chávez, W. Schuman, Barber, Bennett, Chtchedrine... Il est dédicataire des *24 Préludes* de Marius Constant.

Sa vitalité et son enthousiasme l'ont très vite rendu populaire. A la télévision, il présente la musique sous un jour nouveau où l'initiation joue un rôle essentiel.

Tournées, enseignement, concerts ne font pas disparaître ses autres activités : le piano et la composition. Depuis son adolescence il écrit aussi bien pour le concert que pour la scène : *Sonate pour clarinette, Je hais la musique* (New York, 1943, cycle de chants), *Jeremiah-symphony* (Boston, 1944). *Fancy-free,* ballet sur une chorégraphie de Robbins, qui deviendra une comédie musicale à grand succès à Broadway, *Sur la ville.* Bernstein travaille aussi pour le cinéma, puis après sa *3e Symphonie* (1960), compose sur des thèmes religieux : *Psaumes de Chichester,* commande de la cathédrale de Chichester pour le Festival 1965. Pour l'inauguration du Centre artistique J.F. Kennedy de Washington, il écrit une *Messe* (1971). Une force mystique habite ses œuvres musicales ; s'appuyant sur des textes bibliques, Bernstein affirme lui-même sa propre recherche.

Bernstein mêle dans le même creuset ce qui constitue sa vie, sans se couper de ses racines et souvenirs. Son style est fait de plusieurs composantes : le jazz, la musique populaire, le choral religieux, les *songs,* les ballades. Il tend à une expression large. La musique de *West Side Story* est un exemple parfait de son aisance à manier ensemble rythmes et mélodies. Il a écrit une opérette, *Candide* (1955), un opéra, *Trouble in Tahiti* (1952), et a illustré musicalement Rilke et Anouilh. La Scala de Milan, l'Opéra de Houston et le Kennedy Center de Washington lui ont passé commande d'un nouvel ouvrage lyrique.

ÉCRITS : *La Joie de la musique* (1954), *La Variété infinie de la musique* (1959), *La Question sans réponse* (1976), *Finding* (1982).

Beroff, Michel

Pianiste français, né à Épinal le 9 mai 1950.

Il fait ses premières études au Conservatoire de Nancy, puis à celui de Paris où il obtient un 1er prix en 1966 et suit le cycle de perfectionnement. En 1967, il donne son premier concert à Paris et obtient à Royan le 1er prix au Concours international Olivier Messiaen. Ce jeune pianiste a eu la sagesse de s'arrêter parfois et de se retirer pour travailler. Sollicité un peu partout, il joue avec de grands chefs comme Boulez et Barenboim. De Messiaen à Debussy en remontant le temps vers Brahms et Mozart, il approfondit les œuvres qu'il aborde depuis dix ans. Il aime aussi la musique de chambre et travaille volontiers avec des musiciens comme Pierre Amoyal ou Augustin Dumay. Qualités d'intuition, d'intelligence, maîtrise des résonances de l'instrument, sens du rythme le caractérisent. Sa discographie est déjà importante. Il excelle dans Bartók, Stravinski et Prokofiev.

Berry, Walter

Baryton-basse autrichien, né à Vienne le 8 avril 1929.

Il entre à la Staatsoper de Vienne en 1960, après avoir étudié à l'Académie de cette ville avec Hermann Gallos. Le rôle du Comte, dans *Les Noces de Figaro,* lui vaut son premier grand succès. En quelques années il choisit et élargit un répertoire qui lui vaut d'être invité en Allemagne et en Amérique. Il chante au Metropolitan Opera de New York, en 1966. Très vite attiré par la musique contemporaine, soliste régulier au Festival de Salzbourg dès 1952, il crée *La Légende irlandaise* de Egk, *Le Procès* de von Einem, *Pénélope* de Liebermann.

Entre 1957 et 1971, il a souvent pour partenaire Christa Ludwig, qu'il a épousée. Son répertoire va de Mozart à Berg, en passant par Wagner, Strauss et Bartók. Il est un Papageno bouillant de vie, un puissant Wotan, un inquiétant Barbe-Bleue (Bartók). Il chante aussi Barak dans *La Femme sans ombre* de R. Strauss. Quant au personnage de Wozzeck (Paris, direction Boulez), il reste, par le talent de Walter Berry, d'une grande vérité.

Bertholon, Louis

Chef d'orchestre français, né à Paris le 11 novembre 1927.

Il étudie au Conservatoire de Paris, où il obtient un 1er prix de direction d'orchestre. Premier prix du Concours international de Besançon en 1955, il est nommé directeur du Conservatoire de Bayonne-Côte basque en 1958. De 1963 à 1973, il assure les mêmes fonctions au Conservatoire de Lyon. En 1973, il est nommé inspecteur principal à la Direction de la Musique du ministère des Affaires culturelles. Il garde ce poste jusqu'en 1977, époque où il décide de se consacrer uniquement à la direction d'orchestre. Un an plus tard, il devient directeur de l'Orchestre de Montpellier, poste qu'il conserve jusqu'en 1983. Il a créé *Profils éclatés,* d'Antoine Tisné, et plusieurs œuvres de Roger Calmel.

Bertini, Gary

Chef d'orchestre israélien, né à Brichevo (U.R.S.S.) le 1er mai 1927.

Enfance en Palestine où il apprend le violon dès l'âge de six ans. Il travaille au Conservatoire de Milan (1946-47) puis au Conservatoire de Paris (1951-54) avec Nadia Boulanger, Jacques Chailley, Arthur Honegger et Olivier Messiaen. Il retourne en Israël où il fonde le Chœur Rinat qui devient le chœur de chambre d'Israël. 1955 marque ses débuts de chef d'orchestre à la tête de l'Orchestre Philharmonique d'Israël avec lequel il fait en 1960 une tournée aux U.S.A. Il entame dès lors une carrière internationale. Il fonde, en 1965, l'Orchestre de Chambre d'Israël qu'il dirige jusqu'en 1975. Il prend ensuite la direction de l'Orchestre Symphonique de Jérusalem. Rolf Liebermann lui confie la reprise, en 1975, d'*Ariane et Barbe-Bleue* de Paul Dukas à l'Opéra de Paris. A la même époque, il est *principal guest* de l'Orchestre National d'Écosse. On lui doit la création d'*Ashmedai* (Opéra de Hambourg, 1971) et de *Masada 967* (Festival de Jérusalem, 1973) de Yoseph Tal, et de *Le favole di Esopo* de Castiglioni (1980). Il a réalisé les premières discographiques des deux symphonies de Kurt Weill et de *Die drei Pintos* de Weber-Mahler.

Outre ses activités de chef d'orchestre, Gary Bertini – qui parle neuf langues – est compositeur d'une cinquantaine d'œuvres (musique de chambre, de ballets, de films). Il enseigne à l'Université de Tel Aviv depuis 1958. Il est directeur du Festival d'Israël et a succédé à Antal Dorati à la direction de l'Orchestre Symphonique de Detroit (1981-84). En 1983, il est nommé à la tête de l'Orchestre Symphonique du W.D.R. de Cologne et deviendra, en 1987, directeur général de la musique à Francfort (Opéra et Museumsorchester). Il a créé des œuvres de Castiglioni et U. Zimmermann.

Berton, Liliane

Soprano colorature française, née à Lille en 1929.

Elle étudie au Conservatoire de sa ville natale avant de suivre les cours du Conservatoire de Paris. En 1952, elle débute à l'Opéra-Comique lors de la création de *Dolorès* de Michel-Maurice Lévy. Le charme indéniable et la légèreté musicale de sa voix font de sa carrière un feu d'artifice. Elle est aussitôt engagée à l'Opéra de Paris et s'impose parmi les sopranos coloratures de sa génération. Elle remporte de grands succès, particulièrement comme Chérubin puis comme Suzanne des *Noces de Figaro,* comme Rosine du *Barbier de Séville,* comme Eurydice de l'*Orphée* de Gluck et Marguerite du *Faust* de Gounod. Elle redonne vie et charme au rôle-titre des *Noces de Jeannette* de Massé. En 1957, elle participe à la création des *Dialogues des carmélites* de Poulenc, dans le rôle de Constance.

Besrodny, Igor

Violoniste et chef d'orchestre soviétique, né à Tbilissi le 7 mai 1930.

Son père l'initie au violon avant d'être l'élève de Abram Yampolski au Conservatoire de Moscou (jusqu'en 1955). En 1949, il remporte le 1er prix au Concours international de Prague et, l'année suivante au concours Bach de Leipzig. En 1957, il commence à enseigner au Conservatoire de Moscou où il sera nommé professeur en 1972. Entre 1965 et 1972, il constitue un trio avec Dmitri Bachkirov et Mikhail Khomitzer. En 1970, il effectue ses débuts de chef d'orchestre à Moscou et prend la succession de Rudolf Barshaï à la tête de l'Orchestre de Chambre de Moscou (1977-83).

Bianco, René

Baryton français, né à Constantine le 21 juin 1908.

Dès son plus jeune âge, il hante les coulisses du théâtre de sa ville natale. On finit par adopter ce petit bonhomme. On en fait un accessoiriste, un figurant, un choriste..., mais alors on s'aperçoit qu'il a une voix. On l'envoie au Conservatoire. Il y glane tous les prix. Alors, il tourne sur toutes les scènes d'Afrique du Nord, jusqu'au jour où Fred Bordon, superbe basse, célèbre Méphisto, présente le jeune phénomène à Georges Hirsch qui l'engage sur le champ. Il débute Salle Favart le 2 mai 1948 dans le rôle de Dappertutto, et dès le lendemain, à l'Opéra, dans Telramund. Ce départ sur les chapeaux de roues sera l'image même de la carrière de ce merveilleux et grand bonhomme tout simple, passionné de son art, fier d'appartenir à la R.T.L.N. au point de refuser les offres les plus flatteuses pour ne pas trahir « sa maison ». Salle Favart, il sera Escamillo, Tonio, d'Orbel, Scarpia, Zurga, Alfio, les quatre rôles des *Contes d'Hoffmann* et crée *Dolorès* de Michel-Maurice Lévy. A l'Opéra, il « est » Amonasro, Iago, Rigoletto, mais aussi, en allemand, Kurwenal et un terrifiant Pizarro. Et qui oubliera ce « père » de Louise qu'il chantait encore mieux que personne à 70 ans passés ? Il exporta le grand, le puissant, le beau chant français à Budapest, à Genève, à Lisbonne, à Florence, à Bologne, outre-Atlantique et, bien sûr, outre-Quiévrain. Homme bon et modeste, artiste accompli, c'est aussi un professeur incomparable.

Bigot, Eugène

Chef d'orchestre français, né à Rennes le 28 février 1888, mort à Paris le 17 juillet 1965.

Après des études au Conservatoire de Paris où il est l'élève de Xavier Leroux, André Gédalge et Paul Vidal, il commence sa carrière comme chef des chœurs au Théâtre des Champs-Élysées où il participe, sous la direction d'Inghelbrecht, à la saison inaugurale (1913-14). Après l'interruption de la guerre, il est nommé chef d'orchestre des Ballets Suédois (1920-23) puis chef d'orchestre attaché à la Société des Concerts du Conservatoire (1923-25). Il revient au Théâtre des Champs-Élysées (1925-28) avant d'être nommé chef d'orchestre à la Radio (1928-34). Il passe une saison à Monte-Carlo (1934-35) et devient président-chef d'orchestre des Concerts Lamoureux (1935-51) où il succède à Albert Wolff. A la même époque, il est nommé 1er chef d'orchestre à l'Opéra-Comique (1936-47). Après la guerre, il participe à la fondation de l'Orchestre Radio-Symphonique (1947) qui deviendra plus tard l'Orchestre Philharmonique de la R.T.F. et dont il sera le chef permanent jusqu'à sa mort.

Eugène Bigot s'est imposé par un métier irréprochable qui lui permettait de diriger tous les répertoires et d'être particulièrement à l'aise dans la musique de son temps. Le compositeur laisse quelques suites d'orchestre, des ballets (*La Princesse d'Elide, Laurenza, Pyrrhique*), de la musique de chambre et des mélodies.

Billard, Marie-José

Pianiste française, née à Joué-les-Tours le 4 septembre 1939.

Elle fait ses études au Conservatoire de Paris et remporte des 1ers prix de piano (classe de Jean Doyen, 1958), ensemble instrumental (classe de Jacques Février, 1959) et musique de chambre, en duo avec Julien Azaïs (classe de Joseph Calvet, 1961). C'est la première fois qu'une telle distinction est accordée à un duo de pianistes. A partir de ce moment, elle se produit uniquement en duo avec Julien Azaïs : ils remportent un prix au Concours international de Munich (1964), le prix Jehan Alain pour leur enregistrement des *Concertos* de J.S. Bach (1965) et la Médaille d'argent de la Ville de Paris (1969). Daniel-Lesur, P.-M. Dubois et A. Stallaert écrivent à leur intention. Ils donnent leur dernier concert le 16 août 1980 au Festival de Cluny et cessent leur activité en raison d'une ankylose de la main droite de M.-J. Billard. Ils gèrent depuis l'Agence B/A Musique.

Biret, Idil

Pianiste turque, née à Ankara le 21 novembre 1941.

Dès l'âge de deux ans et demi, elle manifeste des dons exceptionnels pour la musique. Quelques années plus tard, elle bénéficie d'une loi spéciale votée en son nom par l'Assemblée nationale turque pour venir travailler à Paris. Elle achève ses études au Conservatoire de Paris obtenant trois 1ers prix dans les classes de piano (Jean Doyen), d'accompagnement (Nadia Boulanger) et de musique de chambre (Jacques Février). A l'âge de 11 ans, elle joue à Paris le *Concerto pour deux pianos* de Mozart avec Wilhelm Kempff dont elle reçoit de précieux conseils ainsi que d'Alfred Cortot. A partir de 1957, elle entame une carrière internationale en soliste et sous la direction des plus grands chefs. En 1973, au Festival d'Istanbul, elle joue les *Sonates pour violon et piano* de Beethoven avec Yehudi Menuhin. En 1969 et 1971 elle est membre du jury du Concours de piano Olivier Messiaen à Royan, en 1978 du Concours Reine Élisabeth de Belgique. Son répertoire très vaste englobe la musique classique, romantique et contemporaine (Webern, Bartók, Stravinski, Boucourechliev). Elle présente volontiers des œuvres rarement jouées comme la *Symphonie fantastique* de Berlioz, transcrite par Liszt.

Bishop-Kovacevitch, Stephen

Pianiste américain, né à Los Angeles le 17 octobre 1940.

Ses parents sont yougoslaves. Il étudie dès l'âge de huit ans, avec Lev Schorr, et fait sa première apparition en public à San Francisco en 1951. En 1959, il se fixe à Londres pour se perfectionner avec Myra Hess. En 1961, il donne un récital au Wigmore Hall de Londres, où son interprétation des *Variations Diabelli* de Beethoven lui vaut un succès triomphal. C'est le début de sa carrière. En 1969 et en 1970, il joue l'intégrale des concertos de Mozart, avec le Geraint Jones Orchestra. On lui doit l'édition d'une anthologie de la musique de Schubert. En 1969, il crée le *Concerto* de Richard Rodney Bennett et, en 1979, celui de John Tavener, deux œuvres qui lui sont dédiées. Il a épousé la pianiste Martha Argerich.

Bitetti, Ernesto

Guitariste argentin, né à Rosario le 20 juillet 1943.

Il étudie à Santa Fe avec Graziella Pomponio et Jorge Martinez Zarate. Il se produit dès l'âge de quinze ans dans sa ville natale puis devient professeur à l'École supérieure de musique de l'Université nationale Del Litoral (1964). Il débute en 1956 et, à partir de 1965, se produit sur le plan international. Castelnuovo-Tedesco, Duarte, Gilardino, Rodrigo, Torroba, Valdo de Los Rios ont composé à son intention.

Björling, Jussi
(Johann Jonata Björling)

Ténor suédois, né à Stora Tuna le 5 février 1911, mort à Stockholm le 9 septembre 1960.

Son père, Karl David Björling, était un ténor de bonne renommée qui chanta tant à Vienne qu'à New York et sa mère une excellente pianiste professionnelle. Dès l'âge de cinq ans, il prend ses premières leçons de chant avec son père, puis avec ce dernier et ses deux frères, Olle et Gösta, il forme un quatuor vocal qui se produit dans le monde entier. Le quatuor est entendu par John Forsell, baryton fameux et directeur de l'Opéra de Stockholm, qui prend Jussi comme élève en 1928. Le 11 juillet 1930, il prend son premier contact avec la scène de l'Opéra de Stockholm dans le petit rôle de l'Allumeur de réverbère dans *Manon Lescaut* de Puccini. Ses débuts officiels ont lieu le 20 août de la même année en Don Ottavio, rôle suivi du terrible Arnold de *Guillaume Tell.* Pendant cinq ans, il reste pensionnaire de l'Opéra de Stockholm, s'y construisant un répertoire d'une vingtaine d'opéras (à la veille de sa mort il en aura plus de soixante). A partir de 1950, il quitte peu à peu son pays d'origine, se produisant d'abord en Scandinavie, à Copenhague, Oslo, Helsinki et Riga. En 1936, il est invité à chanter Radamès à l'Opéra de Vienne sous la direction de Victor de Sabata. Il ne chante alors qu'en suédois. Puis c'est Prague et l'Amérique avec Chicago en décembre 1937 dans *Rigoletto* et, le 24 novembre 1938, le Metropolitan Opera dans *La Bohème,* avec Mafalda Favero et John Brownlee. A Lucerne, cette même année, il chante le *Requiem* de Verdi sous la direction de Toscanini. Durant la guerre il revient en Suède et se produit à l'Opéra de Stockholm. Le 29 novembre 1945, il est de retour au Met pour un mémorable *Rigoletto* aux côtés de Bidu Sayão et Leonard Warren, prélude à une nouvelle collaboration avec la première scène nord-américaine qui ne prendra fin qu'avec sa mort prématurée.

La discographie de Jussi Björling est impressionnante : plus de cent-cinquante 78 tours et un nombre important d'intégrales en microsillon, parmi lesquelles *Aïda, La Bohème* (dirigée par Beecham), *Le Trouvère, Turandot, Paillasse* et *Cavalleria Rusticana, Otello, Carmen, Lohengrin...* Acteur plutôt statique, Jussi Björling s'imposait par sa voix, la plus belle depuis celle de Caruso, une voix ronde, ensoleillée, à la fois cuivrée et veloutée, s'épanouissant dans une éblouissante quinte aiguë. Il n'est pour s'en convaincre que d'écouter son air de Pâris de *La Belle Hélène* ou son « *Cujus animam* » du *Stabat Mater* de Rossini.

Björling, Sigurd

Baryton suédois, né à Stockholm le 2 novembre 1907, mort à Helsingborg le 8 avril 1983.

Après des études dans sa ville natale avec Louis Condé et Torsten Lennartson, il débute à l'Opéra royal de Stockholm en 1934 (Billy Jackrabbit dans *La Fille du Far West*). C'est sur les conseils du chef d'orchestre Leo Blech qu'il entreprend l'étude du répertoire wagnérien. Il chante Wotan à Bayreuth pour la réouverture du festival en 1951. Il paraît à Covent Garden de Londres la même année (Kurwenal, Amfortas, Wotan) et au Met de New York en 1952-53. A l'Opéra de Paris, il chante Wotan entre 1955 et 1958.

Bjoner, Ingrid

Soprano norvégienne, née à Kraokstad le 8 novembre 1928.

Elle étudie aux conservatoires de Francfort, avec Paul Lohmann, et de Düsseldorf avec Franziska Martiens-Lohmann avant de débuter à l'Opéra d'Oslo (1957) comme Donna Anna (*Don Giovanni*). Elle est engagée à l'Opéra de Wuppertal (1957-59), à l'Opéra de Düsseldorf (1959-61) puis à l'Opéra de Munich (1961). Dès lors, elle chante à Vienne et Francfort, à Londres et San Francisco où elle remporte de très grands succès. Elle se lie par contrat, ensuite, avec les opéras de Stockholm et d'Oslo. A Bayreuth, elle participe au *Ring* de 1960 (Freia et Gutrune). L'année suivante, elle est engagée à Munich, puis en 1962 au Met. Soprano dramatique, elle s'impose comme une des grandes interprètes de Wagner. Dès 1961, elle est invitée aussi bien à Varsovie qu'à Vancouver. En 1970, elle est Léonore de *Fidelio* au Festival de Salzbourg. La Scala de Milan, l'Opéra de Berlin, celui de Stuttgart lui offrent les grands rôles du répertoire. A Paris, elle est *Tosca.*

Blanc, Ernest

Baryton français, né à Sanary-sur-Mer le 1er novembre 1923.

En 1946, il se présente à l'un de ces concours de chant alors très en vogue dans le midi de la France. Au jury siège le directeur du Conservatoire de Toulon qui le prend immédiatement en charge. Trois ans plus tard, il en sort avec le prix d'excellence. Immédiatement engagé à l'Opéra de Marseille, sa voix superbe, sa prestance et sa noblesse naturelle font de lui une vedette à part entière. En 1954 il « monte » à Paris. Il chante son premier Rigoletto sur la scène du Palais Garnier : succès immense ! Puis Valentin (auquel il donne une dimension oubliée depuis Endrèze), Amonasro, le Grand-Prêtre de *Dagon,* Wolfram de *Tannhäuser,* Renato du *Bal Masqué* et ce Don Juan où sa prestance et sa voix évoquent irrésistiblement Pinza. La Salle Favart le fête en Zurga, en Eugène Onéguine, en Tonio... En 1958 et 1959, il est Telramund aux côtés de Léonie Rysanek et d'Astrid Varnay à Bayreuth. Mais il ne reprendra plus le chemin du haut-lieu wagnérien : « Bayreuth vous mange la moitié de l'été ». Équilibré et modeste, Ernest Blanc estime que pour durer une carrière d'artiste doit comporter des temps pour le repos, pour la réflexion et... pour la famille. Pourtant, il voyage. A la Scala, il fait un « malheur » en Escamillo. Il chante *Don Juan, Les Puritains, Thaïs, Rigoletto, Un bal masqué,* à Glyndebourne, à Edimbourg, à Londres, à Naples, à Chicago, à New York... Sous Liebermann, il reviendra à Paris chanter *Le Trouvère, Samson et Dalila, La Damnation de Faust, Le Château de Barbe-Bleue...* Il a créé le rôle de Théogène dans *Numance* d'Henry Barraud (1955).

Blankenheim, Toni

Baryton allemand, né à Cologne le 12 décembre 1921.

Il fait ses études au Conservatoire de sa ville natale et débute, en 1945, à l'Opéra de Francfort à la troupe duquel il appartient jusqu'en 1950. Depuis, il fait partie de celle de l'Opéra de Hambourg. De 1954 à 1960, il remporte de très grands succès au Festival de Bayreuth en Beckmesser (*Meistersinger*), en Donner (*Rheingold*) et en Klingsor (*Parsifal*). Il se spécialise bientôt dans les rôles de caractère du répertoire contemporain : Alban Berg (il fut un des grands Wozzeck). Il crée en Allemagne *Der Mond* de Orff (1950), *Rake's Progress* de Stravinski (1951), *Le Viol de Lucrèce* de Britten (1953), *El Campiello* de Wolf-Ferrari, *Der Prozess* de von Einem ; il crée *Die Heirat* de Martinů (1954), la nouvelle version de *Die Heimkehr* de Mihalovici (1955), *Le Prince de Hombourg* de Henze, *Der goldene Bock* de Krenek (1964), *Der Zerrissene* de von Einem (1964), *Le Sourire au pied de l'échelle* de Bibalo (1965), *Arden doit mourir* de Goehr (1967), *Hamlet* de Searle (1968), *l'État de siège* de Kelemen (1970), *Candide* de Marius Constant (1971), *Les Aventures de Tartarin de Tarascon* de Niehaus (1977). Il se consacre désormais à la mise en scène.

Blanzat, Anne-Marie (Leïla)

Soprano française, née à Neuilly le 24 novembre 1944.

Issue de la Maîtrise de Radio France, elle commence à onze ans une carrière qui se développe en France et à l'étranger. Au Festival d'Aix-en-Provence 1966, elle chante le rôle d'Yniold dans *Pelléas et Mélisande* et le reprend à Glyndebourne. Mais c'est Mélisande qui deviendra son rôle fétiche. Elle le chantera dans toute l'Europe, atteignant la cinquantième reprise à Nantes en 1974. Aussi à l'aise dans Mozart (Suzanne) que dans le répertoire contemporain (elle participe à la création des *Traverses du temps* de Prodromidès en 1979), elle aborde des pages du répertoire français oublié ou peu joué : *Mârouf, Hippolyte et Aricie, Les Dialogues des carmélites, Les Liaisons dangereuses* (Claude Prey). En 1983, elle incarne Juliette à l'Opéra du Rhin et, l'année suivante, Manon pour le centenaire de l'ouvrage de Massenet.

Blareau, Richard

Chef d'orchestre français, né à Lille le 19 août 1910, mort à Paris le 16 janvier 1979.

Au Conservatoire de Paris, il travaille le violon, les écritures et la direction d'orchestre avec notamment Rabaud et Gaubert. Après un 1er prix de violon et un 1er prix de direction, il se perfectionne avec André Cluytens et remporte le Grand Prix Walter Straram en 1946. Il dirige au Casino de Vichy puis, pendant quatre ans, il est directeur musical à Monte-Carlo. On le trouve ensuite à la tête des Ballets du Théâtre des Champs-Élysées, de l'Orchestre Philharmonique de Nice avant qu'il ne soit nommé directeur musical de l'Opéra de Nice. De 1947 à 1972, il dirige régulièrement à l'Opéra-Comique.

Blech, Leo

Chef d'orchestre et compositeur allemand, né à Aix-la-Chapelle le 21 avril 1871, mort à Berlin le 24 août 1958.

Il fait ses études musicales à la Hochschule de Berlin où il est l'élève de Waldemar Bargiel (composition) et Ernest Rudorff (piano) avant de travailler avec Humperdinck. En 1893, il effectue ses débuts de chef d'orchestre au Théâtre Municipal d'Aix-la-Chapelle où il reste jusqu'en 1899. Puis on le trouve successivement à Prague, au Landestheater (Théâtre allemand) de 1899 à 1906, à Berlin, où il est 1er chef d'orchestre à l'Opéra Royal en même temps que Richard Strauss (1906-18) avant d'être nommé directeur général de la musique (1918-23). Lorsqu'il quitte l'Opéra Royal, il reste à Berlin comme directeur artistique du Deutsches Opernhaus (1923). En 1925, il occupe les mêmes fonctions à la Volksoper de Vienne et revient à Berlin en 1926 où il est nommé chef d'orchestre à l'Opéra d'État, conjointement avec Erich Kleiber. De 1924 à 1929, il dirige également l'Orchestre Philharmonique de Stuttgart. En 1937, il choisit l'exil pour des raisons politiques : il passe quatre ans à Riga avant de s'installer à Stockholm où il trouve une place de chef d'orchestre à l'Opéra Royal

(1941-49). A son retour à Berlin, il est nommé directeur général de la musique à la Städtische Oper (1949-54). Comme sa carrière de chef d'orchestre, l'œuvre de Leo Blech est essentiellement orientée vers le théâtre : on lui doit 6 opéras (dont *Versiegelt,* 1908), 1 opérette (*Die Strohwitwe,* 1920) ainsi que 3 poèmes symphoniques et des mélodies.

Blegen, Judith

Soprano américaine, née à Missoula (Montana) le 22 avril 1941.

Après des études de violon et de chant au Curtis Institute (1959-64), elle remporte le Philadelphia Award, en 1962, et donne son premier récital l'année suivante. En 1964, elle participe au Festival de Spoleto et travaille le répertoire italien avec Luigi Ricci. Ayant décidé de rester en Europe, elle est engagée à l'Opéra de Nuremberg (1963-66). En 1968, elle débute à l'Opéra de Vienne, en Rosine (*Barbier de Séville*). En 1969, elle retourne aux États-Unis à l'appel de l'Opéra de Santa Fe où elle participe à la première américaine de *Help ! Help ! the Globolinks !* de Menotti (rôle d'Emilie) ce qui lui ouvre les portes du Met, où elle débute en Papagena. Son soprano léger, musical et rayonnant lui permet d'aborder avec succès Zerline (*Don Giovanni*), Sophie (*Rosenkavalier*) et Mélisande. Son interprétation du *Pelléas* de Debussy la consacre : elle est invitée à Salzbourg (1974),à Edimbourg (1976), à l'Opéra de Paris (1977).

Blomstedt, Herbert

Chef d'orchestre suédois, né à Springfield (U.S.A.) le 11 juillet 1927.

Il fait ses études musicales à Stockholm jusqu'en 1950 avant de se perfectionner, à Salzbourg, avec Igor Markevitch dont il deviendra l'assistant. Il débute à la tête du Norrköping Symphony Orchestra (1954-62). Puis il prend la direction de l'Orchestre Philharmonique d'Oslo (1962-68). A la même époque, il enseigne la direction d'orchestre au Conservatoire de Stockholm (1965-71). Il est ensuite nommé à la tête de l'Orchestre Symphonique de la Radio Danoise (1968-78). Sa carrière de chef invité se développe sur le plan international, notamment en Allemagne démocratique où il dirige régulièrement avant de prendre la direction de la Staatskapelle de Dresde (1975-85). De 1977 à 1982, il est 1er chef de l'Orchestre Symphonique de la Radio Suédoise et, en 1985, prend la direction de l'Orchestre Symphonique de San Francisco.

Bloomfield, Theodore

Chef d'orchestre américain, né à Cleveland en 1923.

Il fait ses études à Oberli jusqu'en 1944 puis à la Juilliard School avant de se perfectionner avec Pierre Monteux. Dès 1945, il débute à New York et devient, l'année suivante, assistant de George Szell à Cleveland. De 1947 à 1952, il dirige également le Cleveland Little Symphony Orchestra et, à partir de 1949, il est chef d'orchestre au Civic Opera de la même ville. En 1955 il est nommé directeur de l'Orchestre Symphonique de Portland. Puis il est à la tête de l'Orchestre Philharmonique de Rochester (1958-64), chef permanent à l'Opéra de Hambourg (1964-66), directeur général de la musique à l'Opéra de Francfort et directeur du Museumsorchester (1966-68) avant de prendre la direction de l'Orchestre Symphonique de Berlin (1973-82).

Blot, Robert

Chef d'orchestre français, né à Seurre le 14 mai 1907.

Son père lui fait apprendre les notes en même temps que les lettres, dès sa plus petite enfance. Il fait ses études à Reims, apprend les instruments à archet, le cor. A Paris il obtient un 1er prix de cor. Marcel Samuel-Rousseau est son professeur d'harmonie. Il remplace le cor solo à l'Orchestre des Concerts Colonne, sans concours. Son expérience de musicien lui sera utile plus tard. Sur les conseils de Louis Beydts, il travaille la direction d'orchestre. En 1942, il dirige les Concerts Colonne. Trois ans plus tard, il est engagé à l'Opéra, où il débute avec *Faust.* Intéressé par le ballet, il en devient l'accompagnateur fervent au Palais Garnier. Le répertoire lyrique le passionne aussi. Il dirige régulièrement les concerts éducatifs des Musigrains et est chargé d'une classe d'orchestre au Conservatoire de Paris (1957-77).

Blumenthal, Felicja

Pianiste polonaise, naturalisée brésilienne, née à Varsovie en 1915.

Karol Szymanowski lui enseigne la composition au Conservatoire de Varsovie, tandis qu'elle suit les cours de piano de Zdigniew Drzewiecki et de Josef Goldberg. Elle fait ses débuts internationaux juste avant la guerre. Mais en 1942, elle est obligée d'émigrer aux États-Unis. Puis elle s'installe au Brésil et donne un concert triomphal à Rio de Janeiro. C'est là que sa carrière va se consolider. En 1954, Villa Lobos, très impressionné par son interprétation des *Bachianas Brasileiras nº 3,* décide de composer pour elle son *Concerto nº 5 pour piano.* La création de l'œuvre a lieu à Londres en 1955. Dès 1960, sa carrière prend un tournant définitif. Elle se spécialise dans les œuvres « hors répertoire ». Ses compositeurs d'élection sont Ries, Paderewski, Czerny, Kozeluch, Hummel, Clementi et Field. Elle se fait la spécialiste de la version pianistique du *Concerto pour violon* de Beethoven. Elle est aussi la dédicataire et la créatrice de la *Partita pour clavecin et orchestre* de Penderecki (1972).

Bobesco, Lola

Violoniste roumaine naturalisée belge, née à Bucarest le 9 août 1921.

Enfant prodige, elle donne à six ans son premier récital, accompagnée par son père, le professeur Aurel Bobescú, qui lui donne une formation musicale très complète. En 1934, elle remporte un 1er prix de violon au Conservatoire de Paris. La même année, elle débute aux Concerts Colonne sous la direction de Paul Paray. En 1937, elle devient un des plus jeunes lauréats du Concours Eugène Ysaÿe, à Bruxelles. Elle partage dès lors ses activités entre une carrière de soliste, jouant sous la direction de Böhm, Klemperer, Kempe, Ansermet, Paray ou Matačić, et la musique de chambre, soit en duo avec le pianiste français Jacques Genty, soit à la tête des Solistes de Bruxelles, fondés en 1963 et rebaptistés Ensemble d'archets Eugène Ysaÿe, dont elle est violon solo et directeur jusqu'en 1979. Professeur au Conservatoire Royal de Bruxelles, elle concentre désormais l'essentiel de ses activités en Belgique.

Bockelmann, Rudolf

Baryton-basse allemand (R.D.A), né à Bodenteich le 2 avril 1892, mort à Dresde le 9 octobre 1958.

Il étudie le chant à Leipzig avec Oscar Lassner et Karl Scheidemantel, ville où il débute à l'Opéra en 1921 (dans le rôle du Héraut de *Lohengrin*). En 1926, il quitte la troupe de Leipzig pour se produire à Hambourg, en qualité de baryton héroïque, jusqu'en 1932. Il y crée le rôle-titre de *La Vie d'Oreste* de Krenek. De 1932 à 1945, il fait partie de la troupe de la Staatsoper de Berlin. Invité régulier du Festival de Bayreuth de 1928 à 1942 (il y tient les rôles du Hollandais, de Kurwenal, de Hans Sachs, de Wotan), il chante également à Covent Garden (de 1929 à 1938) et à l'Opéra de Chicago (de 1930 à 1932). Fortement compromis pendant la période nazie, il enseigne le chant à Dresde à partir de 1946, puis jusqu'en 1956 au Conservatoire de Leipzig. La beauté et la vaillance de sa voix lui ont permis de briller particulièrement dans les rôles wagnériens, créant notamment un Hans Sachs d'une poésie inégalée.

Boegner, Michèle

Pianiste française, née à Lyon le 12 août 1941.

Élève de Marguerite Long, de Vlado Perlemuter et de Jacques Février, elle obtient à quinze ans les 1ers prix de piano et de musique de chambre du Conservatoire de Paris. En 1958, lauréate du Concours Enesco de Bucarest, elle va se perfectionner avec Wilhelm Kempff et à l'école Scaramuzza de Buenos Aires. Son répertoire, essentiellement romantique, compte également des œuvres du début du XXe siècle. Pierre Amoyal et Frédéric Lodéon jouent souvent avec elle.

Boettcher, Wilfried

Violoncelliste et chef d'orchestre allemand, né à Brême le 11 août 1929.

Il fait ses études à Hambourg, avec Arthur Troester, puis à Paris avec Pierre Fournier. Il suit également les cours de Pablo Casals. De 1956 à 1958 il est violoncelle solo à l'Opéra de Hanovre, puis de 1958 à 1965 professeur de violoncelle à l'Académie de musique de Vienne. En 1959, il fonde les Solistes de Vienne, orchestre de chambre qu'il dirige lui-même. En 1965, il est nommé professeur de violoncelle et de musique de chambre à la Hochschule de Hambourg. Il prend la direction de l'Orchestre Symphonique de Hambourg (1967-71). Puis il est 1er chef invité et conseiller artistique de l'Orchestre Symphonique de la R.A.I. à Turin (1974) et 1er chef invité du B.B.C. Northern Symphony Orchestra (1978).

Boettcher, Wolfgang

Violoncelliste allemand, né à Brême le 30 janvier 1935.

Il travaille d'abord avec Richard Klemm, puis, à la Hochschule de Berlin, avec Hans Mahlke, Pepping et Blacher, jusqu'en 1959. La même année, il est lauréat du Concours international de Munich. Violoncelle solo à l'Orchestre RIAS de Berlin, il entre à la Philharmonie en 1958. La même année, il fonde le Quatuor Westphal (1958-63). Chargé de cours à la Hochschule de Berlin (1970), il y est nommé professeur en 1976, date à laquelle il abandonne ses fonctions de soliste à la Philharmonie. Il participe alors à la fondation du Quatuor Brandis (1976).

Boeykens, Walter

Clarinettiste belge, né à Bornem le 6 janvier 1938.

Il fait ses études au Conservatoire de Bruxelles et, dès 1964, il est engagé comme soliste dans l'Orchestre Symphonique de la Radio Belge, devenu, depuis, l'Orchestre Philharmonique de la B.R.T. Virtuose international, Walter Boeykens a joué sous la baguette des chefs les plus éminents, mais il s'est également produit avec le Quatuor Grumiaux, le Quatuor Via Nova et le Quatuor Amadeus. Il enseigne, depuis 1969, au Conservatoire d'Anvers, au Conservatoire d'Utrecht et à l'Académie d'été de Nice. Pierre Boulez lui confie, en 1968, la création de *Domaines*, dans la version pour clarinette et orchestre et des compositeurs comme Boesmans, Marcel Poot, René Chevreuille, André Laporte lui dédient des œuvres.

Böhm, Karl

Chef d'orchestre autrichien, né à Graz le 28 août 1894, mort à Salzbourg le 14 août 1981.

Fils d'un juriste, il étudie le droit et entre au Conservatoire de Graz puis à celui de Vienne où il travaille avec Eusébius Mandyczewski, l'ami de Brahms. En 1917, il devient répétiteur dans sa ville natale, second chef en 1919, premier en 1920. Bruno Walter l'appelle à Munich en 1921. Directeur général de la musique à Darmstadt dès 1927, il occupe les mêmes fonctions à l'Opéra de Hambourg (1931-34). En 1933, il dirige pour la première fois, à Vienne, *Tristan et Isolde*. Nommé directeur de l'Opéra de Dresde, il remplace Fritz Busch, chassé par les événements politiques (1934-42). Période importante : collaboration avec Richard Strauss : premières mondiales de *La Femme silencieuse* (1935) et de *Daphné*, qui lui est dédié (1938). Il crée également *Romeo und Julia* (1940) et *Die Zauberinsel* (1942) de Sutermeister ainsi que le *2e Concerto pour cor* de R. Strauss (1943). En 1938, Karl Böhm participe au Festival de Salzbourg : *Don Giovanni*. On l'y retrouvera tous les ans. En 1943, il est à la tête de l'Opéra de

Vienne (jusqu'en 1944). Pour les 80 ans de Richard Strauss le 11 juin 1944, voici *Ariane à Naxos.* Puis c'est *Don Giovanni* à la Scala de Milan en 1948, une tournée de l'Opéra de Vienne à Paris en 1949. De 1950 à 1953, Böhm dirige la saison allemande au Teatro Colón à Buenos Aires. Fait marquant : l'apparition de *Wozzeck* (Berg) ; l'œuvre de Büchner sera alors traduite en espagnol. En 1953, il crée *Le Procès* de Gottfried von Einem au Festival de Salzbourg. L'année suivante, il est appelé à diriger pour la seconde fois l'Opéra de Vienne, reconstruit, où il reste jusqu'en 1956. 1957 : *Don Giovanni* au Met, à New York. 1962 : débuts à Bayreuth dans *Tristan* (qu'il dirige jusqu'en 1970). 1964 : *Les Maîtres chanteurs* à Bayreuth. 1965 : *Fidelio* à Tokyo. 1965-67 : *la Tétralogie* à Bayreuth dans l'ultime mise en scène de Wieland Wagner. 1971 : Moscou et *Le Vaisseau fantôme* à Bayreuth. En France, il dirige notamment *La Femme sans ombre, Elektra* et *La Flûte enchantée* à l'Opéra de Paris, *Tristan* à Orange. La rigueur et l'esprit de jeunesse, la sensibilité et l'autorité, un dévouement total à la musique caractérisent ce chef qui a toujours tendu à s'effacer devant l'œuvre qu'il dirige. Son succès dans le monde, son épanouissement sont venus après un long et minutueux travail. Il aime Strauss, Beethoven, Wagner, Bruckner, Berg, mais c'est à Mozart, dont il a enregistré les symphonies en 1974, que va toujours son « grand amour ». Son fils, l'acteur Karlheinz Böhm, a été le partenaire de Romy Schneider dans *Sissi.*

ÉCRITS : *Rencontre avec Richard Strauss* (1964), *Ma Vie* (1974).

Böhme, Kurt

Basse allemande, né à Dresde le 5 mai 1908.

Après des études au Conservatoire de cette ville avec le Dr. Kluge, il débute en 1930 à la Staatsoper de Dresde dans le rôle de Kaspar (*Freischütz*). Une carrière internationale l'amène sur toutes les grandes scènes mondiales (Covent Garden à partir de 1936, Salzbourg de 1941 à 1959, Vienne à partir de 1943, le Met à partir de 1954) dans les rôles mozartiens (Osmin, Sarastro), straussiens (Baron Ochs, Morosus) ou wagnériens (Fafner, Pogner, Henri l'Oiseleur) que Bayreuth lui offre de 1952 à 1967. En 1950 il devient membre résident de la Staatsoper de Munich. Il participe aux premières mondiales d'*Arabella* de Richard Strauss (Dominik) à Dresde en 1932, de *Pénélope* de Rolf Liebermann (Odysseus) en 1954 et de *Irische Legende* de Werner Egk (Aleel) en 1955, toutes deux au Festival de Salzbourg.

Bolét, Jorge

Pianiste cubain naturalisé américain, né à La Havane le 15 novembre 1914.

Élève, au Curtis Institute de Philadelphie, de D. Saperton, F. Reiner, L. Godowski et M. Rosenthal (1926-35), il parachève sa formation musicale à Vienne et à Paris. Emil von Sauer sera son maître le plus influent. C'est aux États-Unis qu'il fait ses débuts. Il est l'assistant de Serkin au Curtis Institute (1939-42). Son répertoire favori compte essentiellement des œuvres de Liszt et de Chopin, avec une prédilection notable pour les *Rhapsodies hongroises* de Liszt.

Parallèlement à sa carrière musicale, il mène une carrière diplomatique qui le conduit au poste d'attaché culturel de l'Ambassade de Cuba à Washington, de 1942 à 1945. En 1946, il est directeur musical au quartier général américain à Tokyo et dirige la première audition japonaise de *The Mikado,* opérette de Gilbert et Sullivan. En 1968, il est nommé professeur à l'Indiana School of Music. Il a incarné Franz Liszt au cinéma dans le film *Song without end* (1960).

Bonaldi, Clara

Violoniste française, née à Dombasle-sur-Meurthe le 9 mars 1937.

Remarquée par René Benedetti au concours du Conservatoire de Nancy, elle entre dans sa classe au Conservatoire de Paris où elle obtient un 1er prix en 1955 ainsi qu'un prix de musique de chambre dans la classe de Joseph Calvet. A 18 ans, elle est lauréate du Concours international Long-Thibaud puis remporte successivement le Prix Jeunes Talents décerné par l'O.R.T.F. et la R.A.I. (1959), un prix au Concours Paganini à Gênes (1961), un prix au Concours Curci à Naples et le 1er prix au Concours international de Munich, en duo avec la pianiste Sylvaine Billier (1963). Elle se produit dans les principaux festivals et enregistre des sonates inédites de Tartini et de Francœur. Elle joue souvent avec Luciano Sgrizzi et, depuis 1980, avec Noël Lee. Son mari, Bernard Bonaldi, a fondé le Festival Estival de Paris dont il assure la direction artistique.

Bongartz, Heinz

Chef d'orchestre allemand (R.D.A.), né à Krefeld le 31 juillet 1894, mort à Dresde le 2 mai 1978.

Après des études musicales effectuées dans sa ville natale et à Cologne (1908-14) avec Otto Neitzel, Fritz Steinbach et Elly Ney, il débute à l'Opéra de Rheinland où il reste jusqu'en 1924. Puis il dirige successivement le Blüthnerorchester à Berlin (1924-27), à l'Opéra de Meiningen (1926-30) et à celui de Gotha (1930-33) avant d'être nommé chef permanent à l'Opéra de Kassel (1933-37), directeur-général de la musique à Sarrebrück (1937-44) et chef permanent à Ludwigshafen (1945). Il se fixe en Allemagne démocratique et enseigne la direction d'orchestre à la Hochschule de Leipzig (1946-47) avant de prendre la direction de la Philharmonie de Dresde (1947-64).

Bonisolli, Franco

Ténor italien, né à Rovereto en 1938.

Lauréat du Concours international de Spolète en 1961, il débute dans le cadre de ce festival dans *La Rondine* de Puccini puis, en 1963, dans *l'Amour des trois oranges.* Sa carrière prend vite un essor international : membre de l'Opéra de Vienne à partir de 1968, il débute au Met en 1970 puis à la Scala et sur les principales scènes mondiales. Il s'impose dans les rôles de ténor du répertoire italien : des Grieux (Puccini), Alfredo, Cavaradossi, Pinkerton, Manrico... Il a enregistré sous la direction de Karajan, Rostropovitch...

Bonnet, Joseph

Organiste français, né à Bordeaux le 17 mars 1884, mort à Sainte-Luce (Canada) le 2 août 1944.

Élève de son père, Georges Bonnet, organiste de Sainte-Eulalie de Bordeaux, de Charles Tournemire et de Louis Vierne, il obtient en 1906 un 1er prix dans la classe d'orgue d'Alexandre Guilmant au Conservatoire de Paris. Mais à cette date il est déjà titulaire, sur concours, de la tribune de Saint-Eustache (Paris, 1905). Partisan d'un orgue où seraient retrouvées les valeurs esthétiques des traditions antérieures au style romantique, il défend la musique française des XVIIe et XVIIIe siècles, à la suite de son maître Guilmant. Outre 3 recueils de *Pièces d'orgue* et 3 *Poèmes d'automne* (Paris), on lui doit la publication de 3 volumes d'*Historian Organ Recitals* (New York) et des *Fiori Musicali* de Frescobaldi (Paris). André Marchal le citait comme l'un de ses maîtres.

Bonynge, Richard

Chef d'orchestre australien, né à Sydney le 29 septembre 1930.

Il étudie d'abord le piano au Conservatoire de sa ville natale, avec Lindley Evans, puis à Londres avec Herbert Fryer. Ayant rencontré la soprano Joan Sutherland en Australie, il l'épouse et devient son conseiller à Londres : son influence sur le développement vocal et esthétique de la cantatrice sera décisive. Il se spécialise peu à peu dans la direction d'œuvres lyriques. Ses débuts dans cette discipline ont lieu à Vancouver, en 1963, avec *Faust.* Il dirige ensuite, à San Francisco, *La Somnambule.* A Londres, il se produit pour la première fois à Covent Garden avec *Les Puritains* en 1964. Richard Bonynge part ensuite aux États-Unis. Il y débute au Metropolitan Opera de New York, en 1970, avec *La Norma* et *Orfeo*. En 1974, il est nommé directeur artistique de l'Opéra de Vancouver et, en 1976, il prend la succession d'Edward Downes à la direction musicale de l'Australian Opera.

Borg, Kim

Basse finlandaise, né à Helsinki le 7 août 1919.

Il étudie d'abord la chimie et obtient son diplôme d'ingénieur avant de travailler sa voix à l'Académie Sibelius de Helsinki, auprès de Heikki Teittinen, puis à Copenhague chez Magnus Andersen et à Stockholm chez Adélaïde von Skilondz. Il débute en concert en 1947. Quatre ans plus tard il s'essaie sur la scène du Théâtre municipal de Aarhus. Dès 1952 il travaille conjointement dans les opéras de Copenhague et de Helsinki. Invité à Vienne, Munich et Berlin, il remporte de très grands succès. Il est ensuite l'hôte des festivals de Glyndebourne, Edimbourg et Salzbourg. En 1959, le Met l'engage. Il y débute comme Comte Almaviva dans *Les Noces de Figaro.* Depuis 1960 il appartient à l'Opéra de Stockholm. De 1965 à 1968, il fait également partie de la troupe de l'Opéra de Hambourg. Il habite à Glostrup (Danemark). Sa voix puissante, sombre, cuivrée et profonde lui permet d'aborder le répertoire le plus varié, aussi bien sur scène qu'en concert, oratorio ou lied. Ces dernières années, sa voix s'étant allégée, il a pu tenir avec aisance certains emplois de baryton.

Borkh, Inge (Ingeborg Simon)

Soprano allemande naturalisée suisse, née à Mannheim le 26 mai 1917.

Elle suit tout d'abord les cours du Reinchardt-Seminar au Burgtheater de Vienne et s'oriente vers une carrière de comédienne qu'elle débute à Linz (Autriche) en 1937 et poursuit à Bâle dès l'année suivante. C'est alors qu'elle étudie le chant à Milan, chez Muratti. Son premier rôle sera celui d'Agathe du *Freischütz*, au Théâtre municipal de Lucerne. Pendant toute la guerre, elle se produit sur les scènes de Lucerne, Bâle et Zürich. Dès 1950 commence une fabuleuse carrière internationale à Munich et Berlin. En 1952 elle est Sieglinde au Festival de Bayreuth. Ses apparitions à Vienne, Hambourg, Stuttgart sont chaque fois des événements. Elle est invitée à Barcelone, Lisbonne et Naples. En 1954, son interprétation d'Églantine de *Euryanthe* au Mai musical florentin est saluée par une presse unanime. En 1955, elle crée au Festival de Salzbourg, dans *La Légende irlandaise* de Werner Egk, le rôle de Cathleen. Invitée par l'Opéra de San Francisco, depuis 1953, par la Scala, Covent Garden et l'Opéra de Berlin-Ouest, elle s'impose comme l'interprète des grands sopranos dramatiques, Salomé, Elektra... C'est du reste en Salomé qu'elle fait ses débuts au Metropolitan Opera de New York, en 1957. Dans le nouveau Met du Lincoln Center, elle sera une des plus pathétiques Färberin de *La Femme sans ombre.*

Son tempérament dramatique, au service d'une voix puissante, chaleureuse, impériale, fait merveille dans les ouvrages les plus périlleux de Richard Strauss et de Richard Wagner. Inge Borkh est l'épouse du baryton Alexander Welitsch.

Boschi, Hélène

Pianiste française, née à Lausanne le 11 août 1917.

Elle fait ses études essentiellement à l'École normale de musique sous la direction d'Yvonne Lefébure qui guide son évolution depuis l'âge de sept ans. Elle reçoit également les conseils d'Alfred Cortot. La guerre interrompt sa carrière et elle ne commence à se produire qu'à partir de 1946. Elle est l'une des premières à jouer les *Préludes* de Frank Martin et se consacre beaucoup à l'œuvre de Jolivet. En 1950, elle joue sous la direction de Georges Enesco. Elle crée un cours d'interprétation à Weimar (1960) où elle prodigue son enseignement pendant une quinzaine d'années. Depuis 1965 elle est professeur au Conservatoire de Strasbourg. Au disque comme au concert, elle se fait l'infatigable défenseur de la musique française.

Boskovsky, Willi

Violoniste et chef d'orchestre autrichien, né à Vienne le 16 juin 1909.

Il entre à neuf ans à l'Académie de musique de Vienne et remporte à dix-sept ans le Prix Kreisler. Engagé à la Philharmonie de Vienne en 1932, il en est le premier violon solo de 1939 à 1971. Chargé d'une classe de violon à l'Académie de musique depuis 1935 et violon solo de l'Orchestre de l'Opéra à la même date, il abandonne peu à peu la carrière de soliste pour la musique de chambre, créant diverses formations, trio en 1937, quatuor et surtout l'Octuor de Vienne en 1948 (où le rejoint son frère Alfred, clarinettiste). Il devient chef d'orchestre en 1954 par amour de Johann Strauss, à l'occasion du traditionnel concert du Nouvel An, qu'il dirigera, digne successeur de Clemens Krauss, jusqu'en 1979. Également grand mozartien, il a enregistré, en compagnie de Lili Kraus et de Wolfgang Hübner, les intégrales des *Sonates pour piano et violon* et des *Trios*, et fut le responsable de la réalisation de l'intégrale des *Danses*, avec l'Ensemble Mozart de Vienne.

Boué, Geori (Georgette Boué)

Soprano française, née à Toulouse le 16 octobre 1918.

Dès l'âge de sept ans, elle entre au Conservatoire de sa ville natale, y suivant les cours de solfège, de piano, de harpe et d'harmonie, et devenant accompagnatrice des classes d'ensemble vocal et de chant. A 15 ans, sa voix déjà exceptionnelle lui permet de se présenter au concours de chant, où elle obtient un 1er accessit. La chance lui vaut alors d'avoir pour professeur Claude Jean qui la conduit à deux 1ers prix. Sur les conseils de son maître, plutôt que de « monter » tout de suite à Paris, elle débute au Capitole dans le Page Urbain puis dans Siebel. Viennent ensuite Hilda de *Sigurd*, Mathilde de *Guillaume Tell*, Micaela, mais aussi toutes sortes d'héroïnes d'opérettes. On la sollicite de toutes parts. Jacques Rouché l'entend et l'engage sur-le-champ. Elle débute Salle Favart dans Mimi. Succès immense, mais c'est la guerre. La vie musicale est interrompue. Geori Boué repart dans le midi. Un soir à Toulon, elle chante *La Traviata* aux côtés de Villabella. Reynaldo Hahn est là, avec le concours de Guy Ferrant et d'Henry Büsser il a reconstitué la version originale de *Mireille.* Il cherche l'interprète qui saura l'imposer contre les habitudes prises. Son instinct lui dit qu'il vient de la trouver, et c'est le miracle, en 1941, au Théâtre antique d'Arles. Elle est Manon, Madame Butterfly, Marguerite, Leïla, Violetta... et même Léonore à l'ouverture de la saison d'hiver de Cannes. A la radio, elle chante Ophélie, Norina, mais aussi Salomé de Richard Strauss, en allemand. De retour à l'Opéra-Comique, sa Mireille soulève l'enthousiasme. Et ce sont, en 1942, ses débuts à l'Opéra dans Marguerite, puis le centenaire de la naissance de Massenet, la reprise du *Roi d'Ys* et surtout de *Thaïs.* La voyant dans ce rôle, Sacha Guitry a le coup de foudre et en fait la vedette de son film *La Malibran.* En 1943, elle est Desdémone, en 1944, Juliette, en 1945, Nedda puis la Salomé de Massenet. A la Scala, elle fait applaudir *Pelléas et Mélisande* aux côtés de son mari, Roger Bourdin, sous la direction de De Sabata. En Russie, elle chante Tatyana d'*Eugène Onéguine*, et *Madame Butterfly.* Ayant quitté l'Opéra, qui s'était opposé à cette tournée russe, elle crée *Mozart* de Sacha Guitry et Reynaldo Hahn. Viendront ensuite au Théâtre Mogador, début 1960, *La Belle Hélène* et *La Veuve joyeuse.* Après ces incursions glorieuses dans le royaume de l'opérette, elle sera de nouveau Mireille, mais aussi Carmen, Tosca, Charlotte... Puis vient le moment d'enseigner, de transmettre le flambeau.

Boukoff, Yuri

Pianiste bulgare naturalisé français, né à Sofia le 1er mai 1923.

Sa mère, cantatrice d'origine russe, l'initie très tôt au piano. Il poursuit ses études avec Brzoniowski et surtout Andrei Stoyanov. A 15 ans, il donne son premier récital à Sofia. Après la guerre, son 1er prix au Concours national de Bulgarie lui vaut une bourse pour la France. Il entre au

Conservatoire de Paris dans la classe d'Yves Nat où il obtient un 1er prix en 1946. Il recueille les conseils d'Enesco, Kostanov, Fischer, M. Long. Lauréat de nombreux concours internationaux, Genève 1947, M. Long 1949, Reine Élisabeth 1952, Diémer 1951, il entame une carrière internationale. Il est le premier pianiste européen à faire une tournée en Chine en 1956. Particulièrement à l'aise dans le répertoire romantique, il a enregistré l'intégrale des sonates de Prokofiev et joue de nombreuses œuvres contemporaines de Menotti, Hossein...

Boulanger, Nadia

Chef d'orchestre, organiste, compositeur et pédagogue française, née à Paris le 16 septembre 1887, morte à Paris le 22 octobre 1979.

Elle est la petite-fille d'une cantatrice, Juliette Boulanger. Son père, Ernest Boulanger, est compositeur et enseigne le violon au Conservatoire. Sa mère est une princesse russe. Sa sœur cadette, Lili (1893-1918) mourra prématurément avant de pouvoir donner toute sa mesure de compositeur.

Nadia étudie au Conservatoire de Paris (1897-1904) : elle remporte des 1ers prix d'harmonie, de contrepoint, de fugue, d'orgue et d'accompagnement. Ses maîtres sont Vierne, Guilmant, Vidal, Fauré et Widor. Dès 1906, elle est assistante de Dallier à l'orgue de la Madeleine à Paris. En 1908, elle remporte le 2e Grand Prix de Rome. Elle commence une carrière de compositeur avec un opéra, *La Ville morte* (1913). Mais elle cesse d'écrire à la mort de sa sœur dont elle se consacre à faire connaître les œuvres. Désormais, ses activités seront partagées entre la pédagogie et la direction d'orchestre. De 1909 à 1924, elle est professeur-assistante d'harmonie au Conservatoire de Paris. De 1920 à 1939, elle enseigne à l'École normale de Musique et, à partir de 1921, au Conservatoire américain de Fontainebleau. Elle est la première femme à conduire des concerts symphoniques à Londres, New York ou Boston. Elle impose le *Requiem* de Fauré et fait revivre l'œuvre de Monteverdi dont elle enregistre deux séries de *Madrigaux* en 1937 et 1950. Grâce à elle, *Médée* de M.A. Charpentier, les opéras de Rameau, les œuvres de Schütz ou les chansons de la Renaissance sortent de l'oubli. Pendant la guerre, elle séjourne aux États-Unis et enseigne au Radcliffe College, au Wellesey College et à la Juilliard School. A son retour en France, en 1946, elle est nommée professeur d'accompagnement au Conservatoire de Paris. Elle prend la direction du Conservatoire américain de Fontainebleau en 1950 et se consacre surtout à un enseignement privé que l'on vient suivre du monde entier. Elle enseignera encore à l'École Yehudi Menuhin, à Stoke d'Abernon. Nommée maître de chapelle du prince de Monaco, elle conservera cette fonction jusqu'à la fin de sa vie.

Pédagogue sans égal, elle exigeait de ses élèves une stricte formation technique. Au-delà, elle ne jouait qu'un rôle de guide, enseignant la musique sous tous ses aspects, guidant compositeurs et interprètes, leur révélant le meilleur d'eux-mêmes. La plupart des compositeurs américains ont travaillé avec elle (Copland, Bernstein, Carter, Harris...) mais aussi Markevitch, Barenboim, Lipatti, Cuénod, Françaix, Berkeley ou Michel Legrand. Elle a créé le concerto *Dumbarton Oaks* de Stravinski (1938).

Boulay, Laurence

Claveciniste française, née à Boulogne-sur-Seine le 19 janvier 1925.

C'est au Conservatoire de Paris qu'elle fait ses études, obtenant des prix d'harmonie, de contrepoint, de fugue, d'esthétique musicale, de clavecin, d'histoire de la musique, et deux diplômes d'enseignement (harmonie, contrepoint, fugue). Elle partage ensuite son activité entre les travaux de musicologie, l'enseignement et les concerts. Elle soutient une thèse de doctorat sur l'interprétation de la musique française du XVIIIe siècle, se passionne pour les partitions des XVIIe et XVIIIe siècles, découvre et met à jour des partitions inédites. En soliste, elle mène une carrière internationale. Depuis 1968, elle enseigne la réalisation de la basse continue au clavecin au Conservatoire de Paris et, depuis 1972, donne des cours d'été – sur le même sujet – à Aix-en-Provence. Elle allie à une connaissance profonde de l'histoire musicale et à une sensibilité toujours fraîche raison et émotion.

Boulez, Pierre

Chef d'orchestre et compositeur français, né à Montbrison le 26 mars 1925.

Il étudie le piano avec sa sœur dès l'âge de sept ans et fait ses études secondaires dans une institution religieuse. Il rencontre des amateurs de musique, fait un peu de musique de chambre et chante dans la chorale du collège. Son père (industriel de l'acier) rêve pour lui d'une carrière scientifique. A Lyon, il prépare Polytechnique puis choisit sans hésitation la musique. Il se rend à Paris et s'inscrit, en octobre 1944, au Conservatoire, dans la classe d'harmonie de Messiaen. Il découvre Stravinski, Bartók et l'École de Vienne. Il étudie aussi le contrepoint avec Andrée Vaurabourg et les techniques sérielles avec Leibowitz.

En 1946, Boulez quitte Messiaen, comme il quittera Leibowitz après avoir approché la musique atonale et sérielle. La même année, il est nommé directeur de la musique de scène à la Compagnie Renaud-Barrault. Il dirige, écrit des articles, attaque le nouveau romantisme de Berg, compose, se nourrit de peinture et de poésie. Il apprend en autodidacte la direction d'orchestre. En 1954, grâce à M. Renaud et J.L. Barrault, il fonde les Concerts du Petit Marigny qui deviennent, en 1955, le Domaine Musical. Il y révèle les musiciens de l'École de Vienne mais aussi tous les nouveaux courants de la musique d'alors.

Dès 1955, Boulez s'affirme comme compositeur (*Le Marteau sans maître*). En 1959, il se fixe à Baden-Baden, répondant à l'invitation du Südwestfunk, et enseigne l'analyse musicale et la direction d'orchestre à Darmstadt et à Bâle. En 1962, il donne des cours à Harvard. Il commence à diriger de plus en plus : au Festival de Salzbourg avec la Philharmonie de Vienne (1962), à Paris avec l'Orchestre National (1963, une révélation du *Sacre du printemps*, aussitôt enregistré), à Paris toujours pour la 1re française de *Wozzeck* à l'Opéra (1963), à Bayreuth pour *Parsifal* (1966). Sa direction apporte quelque chose de neuf, une précision absolue, une recherche de la perfection objective. Parti de la musique contemporaine, Boulez vit l'histoire de la musique en sens inverse. Sa démarche est pleine de contradictions mais il les assume : il a renié Stravinski avant de devenir l'un de ses interprètes préférés, il a renié Bartók, Wagner, Liszt dont il présente des visages nouveaux. De vives polémiques l'opposent à Marcel Landowski dont il critique la politique musicale. A partir de 1967, il choisit de ne plus diriger en France. Il cède la direction du Domaine Musical à Gilbert Amy et commence une carrière internationale. Il est *principal guest conductor* de l'Orchestre de Cleveland en 1969, puis directeur musical de l'Orchestre Symphonique de la B.B.C. (1971-75) et de l'Orchestre Philharmonique de New York (1971-77). Il est invité à Bayreuth pour diriger la *Tétralogie* du centenaire (1976-80). A New York, il crée les Rugs, concerts inspirés des Proms de Londres et destinés à élargir le public. Il revient en France en 1976 pour prendre la direction de l'I.R.C.A.M. et de l'Ensemble Intercontemporain. Il est alors invité régulièrement par l'Orchestre de Paris et dirige à l'Opéra la création mondiale de la version intégrale de *Lulu* (1979). Boulez a actuellement réduit la part de son temps consacrée à la direction d'orchestre au profit de la composition et de ses recherches.

PRINCIPALES ŒUVRES : *Visage nuptial* (1946-52), *Le Marteau sans maître* (1955), *Pli selon pli* (1957-65), *Livre pour cordes* (1948-69), *Rituel* (1975), *3 Sonates pour piano.*

ÉCRITS : *Penser la musique aujourd'hui* (1964), *Relevés d'apprenti* (1967), *Points de repère* (1981).

Boulfroy, Alain

Chef d'orchestre français, né à Amiens le 14 septembre 1937.

De 1949 à 1954, il fait ses études au Conservatoire de Caen où il obtient un

1er prix de piano. Il travaille aussi le violon. A partir de 1960, il étudie le basson avec Maurice Allard au Conservatoire de Versailles, parallèlement au violon et au piano. Pendant quatre années (1952-56), il travaille avec Yves Nat. Au Conservatoire de Paris, il étudie l'harmonie avec Jacques de La Presle, la direction d'orchestre avec Louis Fourestier et Manuel Rosenthal : 1er prix de direction en 1966. Parallèlement, il suit les cours d'Édouard Lindenberg de 1963 à 1968. En 1967, il remporte le Concours international de Besançon. Il fonde, en 1971, l'Ensemble Instrumental Alain Boulfroy devenu en 1978 Orchestre de Chambre de France. A partir de 1974, il dirige régulièrement l'Orchestre de Chambre Tchécoslovaque avec lequel il enregistre six disques. Depuis 1978, il est régulièrement invité comme chef de chœur à Radio-France. En 1970, il a été nommé directeur du Conservatoire de Mantes-la-Jolie.

Boult, Sir Adrian

Chef d'orchestre anglais, né à Chester le 8 avril 1889, mort à Farnham le 24 février 1983.

Il fait ses études à Westminster School et à la Christ Church à Oxford notamment avec Sir Hugh Allen. Il parachève sa formation musicale au Conservatoire de Leipzig avec Reger (1912-13) et a la chance d'observer Nikisch. De retour en Angleterre, il donne des concerts à Covent Garden. En 1919, il dirige à la demande du compositeur une création partielle des *Planètes* de Gustav Holst. De 1919 à 1930, il fait partie du corps enseignant du Royal College of Music de Londres. Il dirige un peu partout en Angleterre et à l'étranger avant de prendre la direction du City of Birmingham Symphony Orchestra (1924-30). En 1926, il est assistant du directeur musical de Covent Garden. De 1928 à 1931, il assure la direction du Bach Choir puis, de 1930 à 1950, de l'Orchestre Symphonique de la B.B.C., poste qui lui fait acquérir une réputation internationale et qui l'amène à diriger dans les plus grandes capitales musicales : Vienne (1933), Boston et Salzbourg (1935), New York (1938-39). Il est chef associé des Concerts Promenades (Proms) de 1942 à 1950. En 1936, il est chargé de diriger la musique qui précède la cérémonie du couronnement de George VI. A partir de 1950, il est directeur de l'Orchestre Philharmonique de Londres. En 1957, il se retire de cette charge ne dirigeant plus que comme chef invité, enregistrant de nombreux disques dont beaucoup sont consacrés à la musique anglaise. En 1968, il dirige *Gerontius* d'Elgar pour la télévision dans la cathédrale de Canterbury. En 1959 et 1960, il reprend la direction musicale du City of Birmingham Symphony Orchestra et retourne enseigner au Royal College of Music (1962-66). En 1979, il cesse de diriger.

Figure marquante de la vie musicale britannique, Sir Adrian Boult a contribué à faire connaître la musique de son pays chez lui comme à l'étranger. Vaughan-Williams lui a dédié *Job, a masque of dancing*, Howells son *Concerto pour cordes*, Williamson son *Concerto pour orgue*. Il a créé *Music for strings* (1935) et le *Concerto pour piano* (1939) de Bliss, *A Pastoral Symphony* (1922) et les *Symphonies n° 4* (1935) et *n° 6* (1948) de Vaughan-Williams.

ÉCRITS : *The Point of the stick* (1920, rév. 1968) qui a fait l'objet d'un film en 1971, *Thoughts on conducting* (1963), *My own trumpet, Autobiographie* (1973).

Bour, Ernest

Chef d'orchestre français, né à Thionville le 20 avril 1913.

Il étudie le piano, l'orgue et la théorie au Conservatoire de Strasbourg où il travaille avec Fritz Münch et surtout Hermann Scherchen (1933-34). Il débute comme chef de chœur à la Radio de Genève puis à celle de Strasbourg, puis il dirige à celle de Strasbourg. En 1941, il est chef de l'Orchestre de Mulhouse et assure la direction du Conservatoire de cette ville (1945). En 1950, il revient à Strasbourg comme chef de l'Orchestre Municipal puis, en 1955, de l'Opéra de Strasbourg en collaboration avec Fritz Adam avec lequel il organise des manifestations consacrées à la musique contemporaine. De 1964 à 1979, il dirige l'Orchestre du Südwestfunk de Baden-Baden. Puis il est invité permanent de l'Orchestre de Chambre de la Radio Néerlandaise à Hilversum. Il enseigne également au Conservatoire de Paris (1978-79). Poursuivant l'œuvre de Hans Rosbaud en faveur de la musique contemporaine, il a dirigé un nombre considérable de créations. On peut retenir : *Cosmogonie* (Jolivet, 1947), *Apparitions* (1960) et *Lontano* (1967, Ligeti), *Etude III* (Eloy, 1962), *Réak* (Yun, 1966), *Fantasia elegiaca* (Serocki, 1972), *Epicycle* (Ferneyhough, 1974), *Opus cygne* (Bussotti, 1979), *Diapason* (Schnebel, 1977).

Bourdin, Roger

Baryton français, né à Levallois le 14 juin 1900, mort à Paris le 14 septembre 1973.

Élève d'André Gresse et de Jacques Isnardon, il obtient ses premiers prix au Conservatoire en 1922. Il fait cette même année ses débuts à l'Opéra-Comique dans le rôle de Lescaut. Il débutera à l'Opéra en 1942 en Marouf. Pensionnaire de ces deux théâtres pendant plus de trente ans, il y chantera plus de cent rôles, dont trente créations. Sur d'autres scènes, il chante plus de vingt opérettes et donne de nombreux récitals. Il se produit dans toutes les grandes capitales allant même jusqu'à chanter Onéguine sur la scène du Bolchoï. D'une grande prestance, excellent musicien et remarquable tragédien, il a marqué profondément des rôles tels qu'Athanael, Metternich, Valentin, Bolivar ou Lheureux, tandis que nul mieux que lui ne savait joindre l'élégance à la plus franche gaieté dans *Marouf* ou *Le Roi malgré lui.* Il avait épousé la cantatrice Geori Boué.

Bourdin, Roger

Flûtiste français, né à Mulhouse le 27 janvier 1923, mort à Paris le 23 septembre 1976.

Au Conservatoire de Paris, il est l'élève, pour la flûte, de Marcel Moyse et de Fernand Caratgé ; pour l'harmonie et le contrepoint, il travaille avec Claude Delvincourt, Henri Challan et Paul Bédouin. En 1939, il remporte un 1er prix de flûte et en 1943, un 1er prix d'harmonie au Conservatoire de Versailles. En 1938, il est soliste à la Radio et en 1939 – il a seize ans –, il devient flûte solo des Concerts Lamoureux, poste qu'il occupe pendant vingt-sept ans. Ses fonctions ne l'empêchent pas de se produire avec les plus grands orchestres, aussi bien en France, aux États-Unis qu'en Afrique. Professeur de flûte, dès 1943, à l'École nationale de musique de Versailles, il crée en 1945 un Quatuor de flûtes (avec Pol Mule, Rampal et Masson) et fonde, en 1967, le Trio de Versailles, avec Annie Challan et Colette Lequien, Annie Challan avec laquelle il fonde également un duo flûte et harpe.

Roger Bourdin a écrit plusieurs œuvres, dont des quatuors pour flûtes, un quintette de clarinettes, un concerto pour harpe, et une trentaine de musiques de films. Il est également le créateur d'ouvrages qui lui sont dédiés, dont : le *Concerto pour quatre flûtes successives* (flûte basse, en sol, en ut, piccolo) de Pierre Ancelin (1964), *Ascèces* pour flûte seule d'André Jolivet (1969), le *Concerto* de Marischal et la *Rhapsodie* de Wal-Berg. A partir de 1971, il occupe les fonctions de directeur du Conservatoire de Marly-le-Roi.

Bourgue, Daniel

Corniste français, né à Avignon le 12 janvier 1937.

Son père, instituteur, est également félibre (écrivain de langue provençale) et violoniste amateur. Après des études de violoncelle et de cor au Conservatoire d'Avignon, il remporte un 1er prix de cor au Conservatoire de Paris (classe de Jean Devemy, 1959). Il continue alors ses études en autodidacte tout en donnant des concerts pour les J.M.F. avec le Quintette à vent Musica (1961 à 1967) et le pianiste Jean-Claude Ambrosini. Parallèlement, il occupe les fonctions de cor solo à Cannes (1958), à la Garde Républicaine (1963), aux Concerts Pasdeloup (1964), à l'Opéra-Comique (1967), à l'Opéra de Paris (depuis 1969), à l'Ensemble Intercontemporain (depuis sa fondation), à l'Ensemble Orchestral de Paris (depuis sa fondation). Depuis 1965, date de sa création, il est membre de l'Octuor de Paris. Daniel Bourgue donne de nombreuses premières auditions : *Pièce pour cor seul* de Messiaen qui deviendra plus tard l'*Appel interstellaire* dans *Des Canyons aux Étoiles* (Royan, 1971), *Divertimento* de Françaix, *Anaktoria* de Xenakis (Avignon, 1965), *Concerto pour cor* de Delerue dont il est le dédicataire. Au sein de l'Octuor de Paris, il participe également à la création de pages signées Bancquart, Betsy Jolas, Ballif, et Françaix. Sa carrière professorale n'est pas moins remplie : professeur de cor et de musique de chambre au Conservatoire de Champigny, aux académies d'Albi, Orvietto, Wallonie et à l'Université de Los Angeles. Il est président fondateur de l'Association nationale des cornistes français et directeur de la Revue du corniste. Sa discographie n'hésite pas à sortir des sentiers battus avec des pages oubliées de Dauprat, Gounod, d'Indy, Mercadante, Dukas, Chabrier, Corette ou Breval.

Bourgue, Maurice

Hautboïste français, né à Avignon le 6 novembre 1939.

Il fait ses études au Conservatoire de Paris avec Etienne Baudo et Fernand Oubradous, recevant un 1er prix de hautbois (1958) et un 1er prix de musique de chambre (1959). Lauréat du Concours international de Genève (1963), il remporte le 1er prix de toutes les autres compétitions auxquelles il se présente : Birmingham (1965, ex acquo avec James Galway), Munich (1967), Prague (1968), Budapest (1970). En 1967, il entre à l'Orchestre de Paris comme hautbois solo : il y restera jusqu'en 1979, conciliant ses activités de musicien d'orchestre et une carrière de soliste. En 1979, il est nommé professeur au Conservatoire de Paris. Depuis 1972, il consacre une part importante de ses activités à la musique de chambre au sein de l'Octuor à vent qui porte son nom et dont il est le fondateur, constitué de musiciens de l'Orchestre de Paris. Il joue fréquemment des œuvres pour 2 hautbois avec Heinz Holliger. Il a créé *Chemins IV* de Berio et le *Double concerto* de Ligeti (avec K. Zöller).

Boutard, André

Clarinettiste français, né à Auxonne le 30 juin 1924.

Il étudie le piano d'abord, puis la clarinette. En 1937, il remporte le prix de la confédération musicale de France. Il entre au Conservatoire de Toulouse en 1939 et en sort, en 1940, nanti d'un 1er prix de clarinette et d'une médaille de piano. Admis au Conservatoire de Paris en 1942, il y travaille avec Auguste Perier et Henri Challan. Il remporte un 1er prix de clarinette (1944). Clarinette solo de la Musique des équipages de la Flotte, il est nommé à l'Orchestre de la Garde Républicaine (1946), à la Société des Concerts du Conservatoire (1948), dans l'Orchestre de l'Opéra-Comique (1949). Puis les postes de clarinette solo se multiplient : à la Société des Concerts du Conservatoire (1956), à l'Orchestre de l'Opéra-Comique (1961) et, depuis 1973, à l'Orchestre de l'Opéra. Depuis 1944, il fait partie de l'Ensemble Instrumental à Vent de Paris, formation qui prendra le nom de Quintette à Vent de Paris en 1964. En 1962, il crée, avec Jacques Castagnier, la *Sonatine pour flûte et clarinette* de Jolivet. En 1963, il donne la 1re audition de la *Sonate pour clarinette et piano* de Poulenc. Il est professeur au Conservatoire de Rueil-Malmaison, au Conservatoire Européen et au Conservatoire de Versailles.

Boutry, Roger

Pianiste, chef d'orchestre et compositeur français, né à Paris le 27 février 1932.

Après des études extrêmement brillantes, il obtient au Conservatoire de Paris la bagatelle de six premiers prix, dont un de piano en 1948, et un de direction d'orchestre en 1953 (dans la classe de Louis Fourestier). Non content de cela, il est en 1954 1er Grand Prix de Rome. Il entreprend avec succès une carrière internationale de pianiste. Puis, en tant que compositeur, il obtient en 1963 le Grand Prix musical de la Ville de Paris. Il entame alors une carrière de chef d'orchestre, qui le conduit à sa nomination comme chef permanent de l'Orchestre de la Garde Républicaine (1972), orchestre dont il fait, nonobstant les galons et les épaulettes, l'une des meilleures formations symphoniques, d'ailleurs beaucoup plus prisée à l'étranger qu'en France.

Bouvier, Hélène

Mezzo-soprano française, née à Paris le 20 juin 1905, morte à Paris le 11 mars 1978.

Elle débute en province et chante très rapidement au Colón de Buenos Aires. Engagée à l'Opéra de Paris en 1939 et à l'Opéra-Comique en 1945, elle est invitée au Théâtre Colón de Buenos Aires, à Milan et à New York. Interprète des grandes œuvres du répertoire lyrique : *Aïda, Othello, Faust, Samson et Dalila*, le *Roi d'Ys, Ariane à Naxos*, elle se passionne pour Wagner. Sa voix au timbre chaud, son expressivité, ont trouvé leur épanouissement dans les œuvres d'Arthur Honegger (*Antigone)* à l'Opéra de Paris, de Darius Milhaud (*Bolivar*), d'Henri Büsser (*Les Noces corinthiennes*). Hélène Bouvier a aussi beaucoup chanté en récital, mettant son art au service des musiciens contemporains. Elle a créé le *Requiem* de Maurice Duruflé à la radio puis en concert en 1947.

Bowman, James

Haute-contre anglais, né à Oxford le 6 novembre 1941.

Abordant le chant très tôt, il est l'un des jeunes choristes de la cathédrale d'Ely. Et ce n'est qu'en 1960, alors qu'il apprend l'histoire au New College d'Oxford, qu'il commence à travailler sérieusement sa voix dans ce registre de haute-contre, où il va rapidement affirmer de surprenantes possibilités. Une audition suffit à convaincre Benjamin Britten qui l'engage aussitôt dans son English Opera Group, et le fait débuter à Londres lors du concert qu'il dirige pour l'inauguration du Queen Elisabeth Hall. Jusqu'à sa mort, Britten continuera à travailler avec James Bowman. Il a composé à son intention le *Canticle IV « The Journey of the Magi »*, et la voix d'Apollon dans *Mort à Venise*. Bowman a étudié particulièrement les rôles de castrat-alto dans les opéras de Händel : *Alcina, Ariodante, Giulio Cesare*, etc. Mais il chante aussi Monteverdi, Vivaldi (*Orlando Furioso*) ou encore, des contemporains comme Tippett ou Maxwell-Davies. Il est applaudi à l'English National Opera, au Covent Garden, au Festival de Glyndebourne, au Festival d'Aix, au Scottish et au Welsh Opera. La voix de haute-contre trouve en lui une illustration d'autant plus étonnante qu'il ajoute à la tenue de son style musical une puissance habituellement étrangère à ce registre ambigu. Le répertoire baroque a largement contribué à sa notoriété, sanctionnée par une cinquantaine d'enregistrements.

Boyer, Jean

Organiste français, né à Sidi-bel-Abbès le 4 octobre 1948.

Il fait ses études musicales au Conservatoire de Toulouse, où il obtient, en 1969, un 1er prix d'orgue dans la classe de Xavier Darasse. Il s'intéresse à la facture d'orgue et explore notamment le Sud-Ouest de la France, riche en instruments historiques. Il enregistre son premier disque en 1971 sur l'orgue Godefroy Schmidt de Gimont (Gers) et obtient l'année suivante le Grand Prix du Disque. Cette même année 1972, il est nommé titulaire de l'orgue de Saint-Nicolas-des-Champs à Paris où il succède à Michel Chapuis. Depuis 1975, J. Boyer est cotitulaire de l'orgue de Saint-Séverin à Paris. En 1978, il est lauréat du Concours international d'Arnhem/Nimègue. Il enseigne régulièrement à l'Académie de l'orgue de Semur-en-Auxois et, depuis 1980, il est professeur au Conservatoire de Brest à la Schola Cantorum de Paris. Comme la plupart des jeunes organistes français il reconnaît l'influence esthétique de Michel Chapuis. L'orgue de Saint-Nicolas-des-Champs favorise un style d'improvisation dans la tradition française des XVIIe et XVIIIe siècles qui le met en valeur, mais est aussi apte à favoriser la recherche dans une écriture contemporaine eu égard à la qualité des timbres de Clicquot. J. Boyer préfère jouer sur des instruments bien typés ; c'est à leur contact, pense-t-il, que l'on apprend et que l'on approfondit son art.

Brailowski, Alexandre

Pianiste russe naturalisé américain, né à Kiev le 16 février 1896, mort à New York le 25 avril 1976.

Pukhal'sky lui enseigne les rudiments du piano au Conservatoire de Kiev. En 1911, il suit à Vienne l'enseignement de Leschetizky. Réfugié en Suisse pendant la Première Guerre mondiale, il travaille avec Busoni. En 1919, il fait ses débuts à Paris. Après de multiples tournées en Europe, il remporte un triomphe à New York en 1924 ce qui le décide à s'y installer. La même année, il donne pour la première fois en récital une intégrale des œuvres de Chopin à Paris. Il réitèrera l'exploit de nombreuses fois, à Paris et à New York en 1938, en 1960, lors du 150e anniversaire de la naissance de Chopin, à Bruxelles et encore à New York. Spécialiste forcené de la musique de Chopin et de Liszt, son approche du piano est essentiellement virtuose. Adulée des foules, la technique de Brailowski était fortement critiquée par les puristes, à cause de la trop grande place que le pianiste russe faisait à l'effet pour l'effet. Néanmoins, cela n'avait pas empêché la Belgique de créer dès 1936 un prix Brailowski pour les jeunes pianistes.

Brain, Dennis

Corniste anglais, né à Londres le 17 mai 1921, mort à Hatfield le 1er septembre 1957.

Fils d'Aubrey Brain (1893-1955) qui fut cor solo à la B.B.C. pendant de nombreuses années, Dennis Brain est considéré comme le fondateur de l'École de cor anglaise. Il travaille d'abord avec son père à la Royal Academy of Music de Londres tout en étudiant l'orgue avec G.D. Cunningham et en recevant une formation générale à St. Paul's School. Il débute en 1938 dans le *1er Concerto Brandebourgeois* de J. S. Bach avec Adolf Busch. L'année suivante, il est mobilisé dans la R.A.F. Il fait partie de la Central Band (musique militaire) pendant 7 ans. Une fois démobilisé, il commence une carrière de soliste et fonde le D. Brain Wind Ensemble. Sir Thomas Beecham l'appelle comme cor solo au Royal Philharmonic Orchestra. Puis il occupe les mêmes fonctions au Philharmonia Orchestra, enregistrant notamment les *4 Concertos* de Mozart avec Herbert von Karajan. En 1955, il élargit son ensemble d'instruments à vent en constituant un orchestre de chambre qu'il dirige. Mais un accident d'auto met fin subitement à sa carrière.

Dennis Brain préférait la technique française du cor mais depuis 1951, il jouait sur un instrument allemand qui lui permettait de donner plus d'ampleur à la sonorité. Britten a écrit pour lui la *Sérénade pour ténor, cor et cordes* (1943) et *Canticle III* (1955), Hindemith son *Concerto pour cor* (1949). E. Lutyens, G. Jacob et M. Arnold ont aussi composé à son intention.

Brandis, Thomas

Violoniste allemand, né à Hambourg le 23 juin 1935.

De 1952 à 1958, il travaille à la Hochschule de sa ville natale et complète sa formation avec Max Rostal. Il est violon solo de l'Orchestre Bach de Hambourg (1957-59), de l'Orchestre Symphonique de Hambourg (1959-61) puis de la Philharmonie de Berlin à partir de 1962. En 1968, il est nommé professeur à la Hochschule de Hambourg. En 1976, il forme son propre quatuor avec des membres de la Philharmonie de Berlin, Peter Brehm, Wilfried Strehle et Wolfgang Boettcher. En 1983, il est nommé professeur à la Hochschule de Berlin.

Branzell, Karin

Mezzo-soprano suédoise, née à Stockholm le 24 septembre 1891, morte à Altadena (Californie) le 15 décembre 1974.

D'abord organiste, elle étudie le chant avec Thekla Hafer à Stockholm, puis avec Ludwig Mantler et Louis Nachner à Berlin et Enrico Rosati à New York. Après ses débuts en 1912 à l'Opéra royal de Stockholm auquel elle reste attachée jusqu'en 1918, elle est engagée à l'Opéra d'Etat de Berlin dont elle reste membre jusqu'en 1933. De 1924 à 1944 elle est mezzo principale au Metropolitan Opera de New York où elle chantera encore Erda au cours de la saison 1950-51. Elle paraît à Bayreuth comme Fricka et Waltraute en 1930 et 1931. Londres, Buenos Aires, Milan, Paris, San Francisco la verront dans un répertoire spécialisé : Wagner (Ortrud, Brangäne, Venus, et la Brünnhilde de *La Walkyrie*) et Strauss (Herodias, Klytemnestre) mais aussi Dalila, Fides, Azucena, Amneris... Professeur à la Juilliard School de New York depuis 1946, elle a formé entre autres Jean Madeira et Mignon Dunn.

Braun, Victor

Baryton canadien, né à Windsor le 4 août 1935.

Il voit le jour dans une famille Mennonite germano-russe. Il commence des études de géologie à l'Université d'Ontario, mais gagne bientôt un concours de chant, à la Radio Canadienne. Il étudie alors le chant à London (Canada) et au Conservatoire de Toronto. Membre de la Canadian Opera Company, il se produit à Montréal et à Vancouver. En 1963, il obtient une bourse pour aller se perfectionner à Vienne. En 1964, il est engagé à l'Opéra de Francfort où il s'impose aussitôt dans le répertoire le plus varié. Il se produit à Cologne, Düsseldorf, Hambourg. En 1969, il débute à la Scala, comme Wolfram de *Tannhäuser.* A Madrid, il chante *la Passion selon saint Matthieu,* à Bruxelles *le Requiem allemand.* De 1969 à 1971, il remporte de grands succès à Covent Garden. En 1970, il sera le Comte des *Noces de Figaro* au Festival de Salzbourg. Puis il sera le Golaud pathétique du *Pelléas et Mélisande* monté par Jean-Pierre Ponnelle à l'Opéra de Munich.

Bream, Julian

Guitariste et luthiste anglais, né à Battersea (près de Londres) le 15 juillet 1933.

Son père, guitariste amateur, lui offre son premier contact avec l'instrument mais veille à ce qu'il étudie le piano et le violoncelle. Il donne son premier concert à l'âge de douze ans. En 1945, il est admis comme étudiant en piano, violoncelle et harmonie au Royal College of Music. L'écoute des disques d'Andres Segovia le décide à se consacrer désormais à la guitare. Un an d'études avec le Dr. Perrot le prépare à sa rencontre avec le Maître (1947). Segovia l'encourage et le fait travailler. Son premier récital de guitariste (Cheltenham 1947) précède de peu de fracassants débuts londonniens en 1948. Il rencontre en 1950 Thomas Goff, célèbre luthier et facteur de clavecins. Ce dernier lui fabrique un luth, mieux adapté que la guitare à la musique élisabéthaine qu'il inscrit à son répertoire ; il lui organise des concerts et l'introduit dans la société musicale anglaise où il rencontre George Malcolm. En 1952, il s'associe avec le ténor Peter Pears pour former un duo voix et luth qui effectue de nombreuses tournées. Le démarrage de sa carrière internationale peut être situé en 1959. Britten écrit pour lui *Nocturnal,* Henze *Drei Tentos* et Berkeley un *Concerto* pour guitare. Walton, Bennett, Arnold, Fricker et Rawsthorne lui dédient des partitions. En 1961, il forme le Julian Bream Consort (luth, violon, flûte alto, basse de viole mandore, cithare) à l'occasion de l'exécution des *Morley Consort Lessons.* Ce sera la principale formation anglaise d'instruments d'époque pour la musique élisabéthaine.

Brediceanu, Mihai

Chef d'orchestre roumain, né à Braşov le 14 juin 1920.

Fils du compositeur Tiberiu Brediceanu (1877-1968), il fait ses études au Conservatoire de sa ville natale où il travaille le piano avec Emanuel Bernfeld (1931-39). Puis il vient à Bucarest où il est l'élève, au Conservatoire, de Mihai Jora et Fiorica Musicescu (1943-47). Parallèlement, il fait des études juridiques et obtient une licence en droit (1944). Il débute comme répétiteur à l'Opéra de Bucarest (1943-45) ; puis il est nommé chef de chœur (1946-48), chef d'orchestre (1948-59), 1er chef d'orchestre (1959-66) et directeur de la musique (1959-66). Depuis 1958, il est l'un des chefs permanents de la Philharmonie Georges Enesco de Bucarest. Le prix Georges Enesco lui a été décerné en 1945 pour ses activités de compositeur, tournées essentiellement vers la musique de scène et le ballet. En 1982, il est nommé directeur général de la Philharmonie Georges Enesco de Bucarest.

Brendel, Alfred

Pianiste autrichien, né à Wiensenberg (Moravie) le 5 janvier 1931.

Il a des origines autrichienne, allemande, italienne et tchèque. A six ans, il commence le piano, à dix ans l'harmonie, et entre plus tard dans la classe d'Edwin Fischer à Lucerne. Il est formé à l'école de Paul Baumgartner et Edward Steurmann. En 1948, il donne son premier récital à Graz où il termine ses études de composition et de direction d'orchestre. Un an plus tard, il remporte le prix Busoni. Attiré par la peinture, la littérature, la réflexion, il choisit la musique mais donne peu de concerts au début de sa carrière. En 1960, il joue au Festival de Salzbourg avec la Philharmonie de Vienne. On l'entend à Paris en 1972 pour la première fois. Depuis vingt ans, il parcourt le monde, jouant Beethoven ou Schönberg, remettant tout en question, se passionnant davantage pour les compositeurs qu'il sert, que pour le public ou la réussite. Il enseigne à Londres où il se fixe en 1974, s'acharne à perfectionner sa technique et sa maîtrise et reste favorable aux enregistrements pris sur le vif. Sa passion va de pair avec sa lucidité. Éblouissant dans Liszt, on retrouve parfois dans son jeu (Beethoven) l'héritage de Fischer. C'est un pianiste complet, architecte, poète, musicien ardent et raffiné. Sa discographie, très abondante, comprend notamment l'intégrale des *Sonates* et *Concertos* de Beethoven, les dernières *Sonates* de Schubert (l'un de ses musiciens de prédilection) et une intégrale en cours des *Concertos* de Mozart. Il joue désormais sur un Steinway, ayant abandonné le moelleux des Bösendorfer et des Bechstein.

ÉCRITS : *Réflexions faites* (1979).

Bress, Hyman

Violoniste canadien, né au Cap le 30 juin 1931.

Il débute dans sa ville natale, avec l'Orchestre municipal, à l'âge de neuf ans. Six ans plus tard, il est diplômé du Curtis Institut de Philadelphie et du Conservatoire de Toronto. Fixé à Montréal, Hyman Bress est violon solo de l'Orchestre Symphonique (1956-60) et du Quatuor de Montréal (1958-60). En 1956, il reçoit le trophée de la Concert Artist's Guild puis, en 1957, celui de Jascha Heifetz, à Tanglewood, Jascha Heifetz avec lequel il travaille. Il se produit en Europe et aux États-Unis et enregistre une trentaine de disques, dont l'intégrale des *Sonates* pour violon seul d'Eugène Ysaÿe. Installé à Neuilly, près de Paris, il a publié une méthode de violon qui est, selon lui, « une introduction à la musique moderne et étudie tous les aspects de la musique atonale ».

Bréval, Lucienne (Bertha Schilling)

Soprano suisse naturalisée française, née à Männedorf le 4 novembre 1869, morte à Neuilly le 15 août 1935.

Élève des Conservatoires de Genève (où elle obtient un 1er prix de piano) et de Paris (un 1er prix de chant), elle fait ses débuts en 1892, à l'Opéra de Paris, dans le rôle de Selika de *l'Africaine* de Meyerbeer. Pendant près de trente années, elle fait partie de la troupe de l'Opéra de Paris, créant notamment *La Montagne noire* de Augusta Holmès (1895), *La Burgonde* de Duval (1898), le Fils de l'*Étoile* d'Erlanger,

Ariane de Massenet (1906), et sur d'autres scènes *Grisélidis* de Massenet (Opéra-Comique, 1901), *Macbeth* d'Ernest Bloch (Opéra-Comique, 1910) et *Pénélope* de Fauré (Monte-Carlo, 1913). Elle est également une incomparable Brünnhilde dans *La Walkyrie* qu'elle crée (en français) sous la direction de Colonne (1893). Mais son refus d'apprendre l'allemand lui ferme les portes de Bayreuth. Elle chante de 1900 à 1902 au Met de New York. Elle se consacre à partir de 1921 à l'enseignement. Avec une voix généreuse, un physique sculptural et un tempérament ardent, cette tragédienne lyrique a subjugué tous ses contemporains, à l'instar d'un Fauré définissant son art comme « un Beau qui n'est pas l'objet des sons, un certain Beau qui charme l'esprit ».

Brewer, Bruce

Ténor américain, né à San Antonio (Texas) le 12 octobre 1941.

Il étudie aux U.S.A. avec Josephine Lucchese, puis en Europe avec R. Bonynge, P. Bernac et N. Boulanger, puis R. Thurec. Il débute en 1970 à San Antonio (Ottavio) et chante rapidement à San Francisco, Berlin, Spolète, Boston, Washington. En 1975, il est engagé à Aix-en-Provence (*Le Carnaval de Venise* de Campra), chante en France et en Italie, débute au Covent Garden en 1979 (*La Princesse de Navarre*), à la Scala en 1980 (*L'Enfance du Christ*). Ténor de grâce spécialisé dans le répertoire baroque français et italien qu'il chante à la scène et au concert (Lully, Rameau, Charpentier, Campra, Pergolèse, Paccini, Paër, Gluck), il s'attache aussi aux résurrections des versions originales des ouvrages du bel canto italien (Bellini, Donizetti, Rossini). Il chante également Mozart, Offenbach, Ravel, Strauss ou Orff. Il a été l'époux de la cantatrice Joyce Castle.

Brilioth, Helge

Ténor suédois, né à Wäxjo le 7 mai 1931.

Il étudie le chant au Conservatoire royal de Stockholm, tout en chantant dans les chœurs d'église de la capitale. Ayant parachevé ses études au Mozarteum de Salzbourg et à l'Académie Santa Cecilia de Rome, il débute en 1959 comme baryton à l'Opéra de Stockholm. On reconnaît alors qu'il possède une voix de ténor héroïque, et en 1965 chante le rôle de Don José. Peu après, il remporte un succès déterminant en interprétant *Otello* de Verdi (le rôle-titre). A partir de 1969, il sera durant quelques années un des ténors de pointe du Festival de Bayreuth, successivement Siegmund, Siegfried puis Tristan, en 1974. En 1970, il chante Parsifal au Met et, en 1974, Karajan l'invite au Festival de Pâques (Salzbourg) pour tenir le rôle de Siegfried dans *Le Crépuscule des Dieux* (rôle qu'il enregistrera). Mais pour avoir été brève, sa carrière n'en fut pas moins brillante.

Brodsky, Adolph

Violoniste russe, né à Taganrog le 2 avril 1851, mort à Manchester le 22 janvier 1929.

Brodsky fait ses études auprès de Joseph Hellmesberger au Conservatoire de Vienne, de 1860 à 1863. Il enseigne au Conservatoire de Moscou puis à celui de Leipzig. En 1881, il crée (sous la baguette de Hans Richter) le *Concerto* de Tchaïkovski qu'Auer avait refusé de jouer et en reçoit la dédicace. De 1890 à 1894, il est violon solo de l'Orchestre Symphonique de New York puis, en 1895, il occupe les mêmes fonctions à Manchester où il succède, la même année, à Hallé comme principal au Royal College of Music. Adolph Brodsky, outre son activité de soliste, créa un quatuor, portant son nom, qui se produisit sous deux formations différentes : entre 1870 et 1890 à Leipzig, avec Becker, Hans Sitt et Julius Klengel puis en Angleterre, avec Bowden-Briggs, S. Spielmann et C. Fuchs, formation à laquelle Elgar dédia son *Quatuor en mi mineur*. Retiré en 1921, il se fera entendre une ultime fois, en 1927, dans le *Concerto* d'Elgar, lors du concert donné pour les 70 ans du compositeur anglais. Busoni lui a dédié sa *Sonate pour violon et piano n° 1.*

Brosa, Antonio

Violoniste espagnol, né à Caronja le 27 juin 1894, mort à Barcelone le 23 mars 1979.

Il fait ses études à Barcelone auprès du violoniste belge Mathieu Crickboom. Il donne son premier concert à l'âge de dix ans, mais c'est à Londres qu'il fait la majeure partie de sa carrière, fondant son quatuor (1924-38) qui se rend célèbre aux États-Unis et influence par son style les futures formations. Il se produit également en duo avec Mathilde Verne (1924-27), puis avec Kathleen Long (1948-66), et dirige temporairement le Quatuor Pro Arte en 1940. Il est le créateur du *Concerto pour violon* de Britten (1940) et a donné la première radiophonique du *Concerto* de Schönberg, pour la B.B.C. Il a enseigné au Royal College of Music de Londres. Possesseur du stradivarius *Vesuvius* de 1727, Antonio Brosa a hérité de l'École Belge du violon son style précis, chaleureux et incisif.

Brosse, Jean-Patrice

Claveciniste et organiste français, né au Mans le 23 juin 1950.

Issu d'une famille de musiciens – son père est chef d'orchestre et sa mère violoniste –, il commence ses études musicales dans sa ville natale : orgue, clavecin, écritures, direction d'orchestre et musique de chambre. Jean-Patrice Brosse n'a jamais travaillé le piano. Son goût pour la musique baroque le pousse très tôt vers l'orgue et le clavecin qu'il pratique presque exclusivement sur des instruments d'époque. Son professeur d'alors, Françoise Petit, le présente en 1971 à Ruggero Gerlin qui lui permet d'obtenir une bourse à l'Accademia Chigiana de Sienne. Tout en poursuivant des études d'architecture à l'École des Beaux-Arts de Paris, il se perfectionne auprès de Robert Veyron-Lacroix et de Laurence Boulay. Dès 1973, il commence sa double carrière de soliste et de musicien de chambre. Titulaire de l'orgue de Saint-Bertrand-de-Comminges, il joue également avec Jean-Pierre Wallez, Frédéric Lodéon, Michel Debost et se fait entendre avec de nombreuses formations orchestrales. Sa discographie est émaillée de premières intégrales mondiales : Purcell (œuvre pour orgue et pour clavecin), Clérambault (œuvre pour orgue et pour clavecin), Lebègue (1er Livre d'orgue), Duphly (les quatre Livres de clavecin). Il enseigne à l'Académie d'Albi.

Brothier, Yvonne

Soprano française, née à Saint-Julien-l'Ars le 6 juin 1889, morte à Paris le 22 janvier 1967.

Personnalité remarquable aux multiples facettes, elle effectue des études en Sorbonne, à l'École du Louvre et au Conservatoire. Elle est l'élève de Paul Vidal, d'Albert Wolff, de Marguerite Long et, pour l'art dramatique, de Jane Granier. Ces bases solides et complètes expliquent la carrière brillante et polymorphe de cette grande artiste, aussi belle cantatrice que charmante comédienne ou spirituelle conférencière.

Ayant obtenu ses premiers prix, elle débute à l'Opéra-Comique en 1916 dans *Lakmé*. Elle y fera la plus grande partie de sa carrière, y chantant Rosine, Micaela, Mireille, Butterfly, Mimi, Olympia, Rozenn, le plus adorable Chérubin et, sûrement l'une des plus authentiques Mélisande tant par la voix que par le jeu émouvant et simple et ces admirables cheveux blonds descendant jusqu'à ses chevilles. Elle créera salle Favart *La Forêt bleue* d'Aubert, *Le Hulla* de Samuel-Rousseau, *Le Joueur de Viole* de Laparra, et *Le Sauteriot* de Lazzari. C'est en créant le rôle de Virginie Déjazet dans *Virginie* de Bruneau qu'elle fait ses débuts en 1931 sur la scène du Palais Garnier. Elle y chante par la suite Sophie du *Chevalier à la rose* et Rosine. Si Paris reste son port d'attache, elle n'en tourne pas moins en province et à l'étranger : elle chante notamment sous la direction de Mengelberg la première de *Pelléas et Mélisande* à Amsterdam. En Italie, elle incarne *Lakmé* à la Scala de Milan (1917). De 1934 à 1939, elle participe aux saisons lyriques annuelles organisées à la Porte-Saint-Martin par Maurice Lehmann. A partir de 1940, elle se consacre exclusivement à l'enseignement et à ses concerts-conférences.

Brouwenstijn, Gré

Soprano néerlandaise, née à Den Helder le 26 août 1915.

Elle fait ses études au Lycée musical (Muzieklyceum) d'Amsterdam avec Jap Stroomenbergh, puis avec Boris Pelsky et Ruth Horna. Pendant la Seconde Guerre mondiale, elle développe surtout une carrière de concertiste. En 1946, elle est engagée dans la troupe de l'Opéra néerlandais, dont elle fait toujours partie. Son premier grand succès est *Tosca* (1946). Elle est bientôt mondialement connue : dès 1953, elle est invitée régulièrement à Covent Garden, où son meilleur rôle demeure Aïda ; dès 1965, elle chante à l'Opéra de Vienne ; dès 1959, elle est l'invitée des Opéras de Chicago et San Francisco ; en 1960, elle obtient un triomphe au Théâtre Colón de Buenos Aires, alors qu'elle venait de s'imposer à Chicago dans le rôle-titre de *Jenůfa*. De 1954 à 1956, elle apparaît au Festival de Bayreuth, comme Elisabeth de *Tannhäuser* puis comme Eva des *Maîtres chanteurs*. Gré Brouwenstijn est aussi à l'aise dans le répertoire français et italien. Mais elle s'est imposée également dans le répertoire Wagner.

Brouwer, Leo

Guitariste et compositeur cubain, né à La Havane le 1er mars 1939.

De 1955 à 1959, il commence ses études à La Havane puis les poursuit aux États-Unis de 1959 à 1960, à la Juilliard School, où il travaille avec Persichetti, Bamberger et Wolpe, et à l'Université d'Hartford, avec Isadore Freed. Ses débuts remontent à 1956. Dès 1961, il prend la direction de l'Institut cubain du film. Il enseigne au Conservatoire de La Havane (1963-66) et devient conseiller musical à la Radio cubaine. Il met au service de la musique nouvelle une technique originale. Sa production délaisse le côté folklorique de son inspiration nationale pour se tourner vers l'avant-garde. Tant comme interprète que comme compositeur, il a élargi considérablement les possibilités de la guitare.

Browning, John

Pianiste américain, né à Denver (Colorado) le 23 mai 1933.

Il fait ses débuts à l'âge de 10 ans. Il étudie à Los Angeles avec Lee Pattison et à la Juilliard School avec Rosina Lhévinne. Il remporte le prix du centenaire des pianos Steinway (1954), le prix Leventritt (1955) et le 2e prix au Concours Reine Elisabeth de Belgique (1956). John Browning joue beaucoup de musique contemporaine et crée notamment en 1962 le *Concerto pour piano* de Barber. Il a enregistré l'intégrale des concertos pour piano de Prokofiev.

Bruchollerie, Monique de La

Voir à **La Bruchollerie, Monique de.**

Bruck, Charles

Chef d'orchestre roumain naturalisé français (1939), né à Timişoara le 2 mai 1911.

Il fait ses études au Conservatoire de Vienne, puis à l'École normale de musique de Paris où il a pour professeur V. Perlemuter (piano) et N. Boulanger (composition). Il suit les cours de direction d'orchestre de Pierre Monteux en 1934, et, deux ans plus tard, gagne le concours de direction de l'Orchestre Symphonique de Paris, dont il devient chef assistant. Il dirige de nombreux orchestres : Cannes-Deauville (1949-50), l'Orchestre de l'Opéra Néerlandais (1950-54), l'Orchestre Symphonique de la Radio de Strasbourg (1955-65) et l'Orchestre Philharmonique de l'O.R.T.F. (1965-70). S'étant rendu en Amérique pour la première fois en 1936, il y retourne pour diriger, en 1970, l'école de direction d'orchestre de Monteux, à Hancok (Maine).

Ce chef, qui a une prédilection pour le répertoire classique et romantique, défend aussi avec une vive passion les œuvres de son temps. Il a révélé pour la première fois en France (Rouen 1971, Théâtre des arts), l'opéra *Ulysse* de Dallapiccola (version française de Martine Cadieu) et du même auteur *Le Prisonnier, Requiescant,* ainsi que l'*Affaire Makropoulos* de Janáček, le *Requiem* de Ligeti, la *Passion selon saint Luc* et le *Dies Irae* de Penderecki. En création mondiale il a dirigé la version de concert de l'*Ange de feu* (1954) de Prokofiev, *Edina* (1946) et la *Symphonie nº 3* (1965) de Landowski, la *Symphonie nº 2* (1958) de Koechlin, *Jérôme-Bosch-Symphonie* (1960), de Nigg, *Le Cœur de la matière* (1965) de Jolivet, *Akrata* (1966) et *Nomos Gamma* (1969) de Xenakis, *Incidences* (1967) de Méfano, *Juliette ou la clé des songes* (1962) de Martinů, *Étude III* (1966) de Eloy, et des œuvres d'Ohana, Ballif, Tomasi, Martinet, Saguer...

Outre sa curiosité, son tempérament ardent et combatif, il possède le don de l'analyse et l'intuition des nouveaux langages, servi par sa connaissance des moyens techniques d'aujourd'hui.

Brüggen, Frans

Flûtiste néerlandais, né à Amsterdam le 30 octobre 1934.

Il étudie la flûte à bec avec Kees Otten, et obtient un 1er prix de flûte au lycée musical d'Amsterdam, ainsi que son diplôme de musicologie à l'université de la même ville. Mais c'est en autodidacte qu'il perfectionne son jeu sur la flûte à bec et sur la flûte traversière (baroque ou renaissance). Son jeu brillant, véloce, transparent, une intime compréhension de ce qui est souhaitable sur cet instrument caractérise son style. Il travaille souvent avec Gustav Leonhardt ou Anner Bylsma. Il a progressivement abandonné la flûte moderne de Boehm pour les originaux ou leur copies du XVIIIe siècle. Son enseignement est largement suivi partout dans le monde notamment au Conservatoire de La Haye où il est professeur de flûte à bec et de musique du XVIIIe siècle. L'Université Harvard l'invite en 1972-73 pour donner des conférences sur la musique baroque. Mais son intérêt le porte aussi vers la musique de notre époque : Berio lui a dédié, en 1966, ses *Gesti* qui associent au jeu traditionnel ce qu'il est convenu d'appeler la théâtralité. Il fait aussi partie du groupe d'avant-garde Sourcream.

Brumaire, Jacqueline

Soprano française, née à Herblay le 5 novembre 1921.

Elle suit les classes du Conservatoire de Paris et débute en 1946 à l'Opéra-Comique, comme Comtesse (*Noces de Figaro*). Aussitôt elle aborde une étincelante carrière sur cette scène où l'on admire son soprano lyrique dans les grands rôles du répertoire français et italien ; Mimi de *La Bohème,* Micaëla, *Manon,* Antonia des *Contes d'Hoffmann, Mireille...* Bientôt elle découvre le répertoire mozartien, chante Fiordiligi (*Cosi*) et passe à l'Opéra de Paris pour y tenir, en 1962, le rôle de Dona Anna (*Don Giovanni*). Elle est invitée sur les plus grandes scènes de France, de Suisse et de Belgique et donne de nombreux concerts. Retirée de la scène, elle se consacre au professorat, prépare les chœurs de l'Opéra de Nancy et est déléguée par le gouvernement français pour préparer ceux de *Carmen,* montée à Pékin par Jean Périsson et René Terrasson. Elle est professeur au Conservatoire de Lyon.

Brun, François-Julien

Chef d'orchestre français, né à Saint-Étienne le 18 juin 1909.

Au Conservatoire de Paris, il est l'élève de Paul Dukas, de Roger Ducasse, de Philippe Gaubert et de Moyse. Il obtient là un 1er prix de flûte et des accessits de fugue et d'harmonie. Nommé premier soliste de la Musique de la Garde Républicaine, en 1937, il reçoit, l'année suivante, le 1er grand prix de flûte au Concours international de Vienne. De 1945 à 1969, il dirige la Musique de la Garde Républicaine dont il élargit considérablement le champ d'action par l'adjonction de cordes (1948).

Brunhoff, Thierry de

Pianiste français, né à Paris le 9 novembre 1934.

Dès l'âge de neuf ans, il travaille avec Alfred Cortot dont il sera un des disciples privilégiés, à l'École normale de musique de Paris. Il y reçoit également l'enseignement de Blanche Bascourret de Guéraldi. En 1957, il fait ses débuts à Gaveau devant un public enthousiaste. Rapidement Thierry de Brunhoff dispose d'un répertoire très étendu, allant de Bach à Rachmaninov, sans oublier Schumann et Chopin. En 1967, il fait un retour triomphal au théâtre des Champs-Élysées, après un très grave accident de voiture, en interprétant un grand nombre d'œuvres de Chopin. Il enseigne à l'École normale de musique. En 1974, il abandonne sa carrière pianistique pour entrer dans l'ordre des Bénédictins d'En Calquat.

Brunner, Evelyn

Soprano suisse, née à Lausanne le 17 décembre 1949.

Elle commence très tôt ses études de chant au Conservatoire de Lausanne (classe de Paul Sandoz) et se perfectionne ensuite à Milan et à l'Opéra-Studio de Genève que vient de fonder Herbert Graf. Elle participe aux premiers enregistrements de l'Ensemble Vocal de Lausanne (Michel Corboz) et avec l'Orchestre de Chambre de Lausanne (Victor Desarzens puis Armin Jordan). Voix française, technique italienne, elle s'impose en Micaëla (*Carmen*) et surtout en Marguerite (*Faust*), rôles qu'elle aborde au Grand-Théâtre de Genève, puis en France (Toulouse, Avignon, Nantes...). C'est surtout à Nantes, avec René Terrasson, qu'elle découvre le grand répertoire mozartien et surtout le rôle de la comtesse des *Noces de Figaro* qu'elle chante à Lyon, à Strasbourg puis sur les plus grandes scènes (Opéra de Paris, Hambourg, Berlin...). Elle brille également en Fiordiligi et en Donna Anna. Liu (*Turandot*), *La Traviata* et Elisabeth (*Don Carlos)* l'imposent en grand soprano italien.

Bruscantini, Sesto

Baryton-basse italien, né à Porto Civitanova, Macerata, le 10 décembre 1919.

Il étudie d'abord le droit, puis le chant avec Luigi Ricci, à Rome. En 1947, il est lauréat d'un concours de chant de la Radio italienne. Il fait ses débuts sur scène à la Scala dans le rôle de Geronimo dans *Le Mariage secret* de Cimarosa (1948). Dès lors, il chante sur les plus grandes scènes d'Italie ainsi qu'à la radio. Il obtient un grand succès au Festival de Glyndebourne où il est Don Alfonso de *Cosi fan tutte*, en 1951. En 1952, il chante le rôle de Guglielmo dans le même ouvrage. En 1953, il est Dandini dans *La Cenerentola* de Rossini, puis Figaro dans *Le Barbier de Séville.* Au Festival de Salzbourg, il se fait remarquer, en 1953, comme Malatesta de *Don Pasquale,* puis en 1954 comme Figaro dans *Le Barbier.* Il est invité avec des succès grandissants dans les Opéras de Vienne, de Bruxelles, de Monaco, de Zürich. Depuis 1953, il est marié avec la soprano Séna Jurinac. Avec une technique de basse admirablement développée, il a remporté ses plus grands succès dans les opéras de Mozart et dans les parties de bel canto des ouvrages italiens.

Brusilow, Anshel

Violoniste et chef d'orchestre américain, né à Philadelphie le 14 août 1928.

Il travaille le violon avec Efrem Zimbalist à l'Institut Curtis de Philadelphie et à l'Académie de musique où il obtient un prix après avoir étudié avec Jani Szanto. En 1944, il est le plus jeune assistant de Pierre Monteux avec lequel il travaille durant une dizaine d'années. Dans le même temps, il débute en soliste avec l'Orchestre de Philadelphie sous la direction d'Eugene Ormandy. A partir de 1955 il est violon solo de l'Orchestre de Cleveland et, de 1959 à 1966, il occupe cette même fonction à l'Orchestre de Philadelphie. En 1961, il fonde et dirige l'Orchestre de Chambre de Philadelphie. De 1970 à

1973, il assure la direction musicale de l'Orchestre Symphonique de Dallas. Il a donné en 1re audition le *Concerto pour violon* de Richard Yardumian (1951).

Bruson, Renato

Baryton italien, né à Granze (Padoue) le 13 janvier 1936.

Fils de paysans, il étudie le chant avec Elena Fava-Ceriati et obtient, en 1960, une bourse pour poursuivre ses études. En 1962, il débute comme Comte de Luna (*Trouvère*) à Spoletto. En 1967, il chante à Parme avec Franco Corelli et ainsi peut se rendre à New York où le Met l'engage. Avare de confidences, modeste dans la vie de tous les jours mais très affable dans les échanges d'idées, il n'a rien, à la ville, d'un chanteur d'opéra ! Cette humilité lui permet de changer complètement de personnalité dès qu'il entre en scène. Avec une intelligence rare et une grande finesse psychologique, il tente de conférer à chacun de ses rôles une densité humaine particulière. A Florence, en 1980, il a transformé Iago en un jeune officier plein d'élégance et dangereusement ambitieux : enfin un rival digne d'Otello ! En 1981, au Covent Garden, il a imaginé un *Macbeth* plein d'humanité et de tendresse. Grâce à ce goût de retrouver une nouvelle vérité pour chaque rôle, et grâce à une voix chaleureuse et profonde il s'est imposé comme un des meilleurs barytons verdiens, à l'aube des années 80. Il faut souligner également l'aisance étonnante de son legato, ce qui s'explique quand on sait qu'il a étudié l'interprétation des mélodies avant de se tourner vers l'opéra. Son professeur était un inconditionnel de Donizetti. Il a transmis cette admiration enthousiaste à son élève : durant la saison 1981-82, il interprétait avec *Il Duca d'Alba* à Florence son seizième rôle de Donizetti. En tout, il possède 80 rôles à son répertoire dont tous les grands rôles de Verdi (*Un Bal masqué, Luisa Miller, Simon Boccanegra, Rigoletto,* etc.) ; en 1982, il chante à Los Angeles pour la première fois le rôle-titre de *Falstaff,* sous la direction de Carlo-Maria Giulini.

Brymer, Jack

Clarinettiste anglais, né à South Shields (Durham) le 27 janvier 1915.

Il fait ses études à l'université de Londres. A la fondation du Royal Philharmonic Orchestra, Sir Thomas Beecham le nomme clarinette solo (1947-63). Puis il occupe les mêmes fonctions au B.B.C. Symphony Orchestra (1963-72) et à l'Orchestre Symphonique de Londres (depuis 1972). Il participe à la fondation du Wigmore Ensemble, du London Baroque Ensemble et du Prometheus Ensemble. Il dirige également les London Wind Soloists avec lesquels il enregistre l'Intégrale de l'œuvre pour ensembles à vent de Mozart. Brymer est considéré comme le chef de file de l'école anglaise de clarinette dont il a élargi les possibilités au contact des écoles française et américaine. Professeur à la Royal Academy of Music (1950-59), il enseigne maintenant à la Royal Military School of Music.

ÉCRITS : *Clarinette* (1976).

Buchbinder, Rudolf

Pianiste autrichien, né à Leitmeritz le 11 février 1946.

Il vit à Vienne dès 1947, ville où il commence ses études à cinq ans à l'Académie de musique. En 1956, il se produit pour la première fois en public dans la salle du Musikverein de Vienne. Deux années plus tard, il est l'élève de Bruno Seidlhofer, le maître d'Alfred Brendel et de Friedrich Gulda. En 1961, il remporte, avec le Wiener Trio, le 1er prix du Concours international de Munich. Il abandonne peu à peu la musique de chambre pour se consacrer exclusivement à sa carrière de soliste, obtenant la Médaille Lipatti (1962) et le Prix Spécial Van Cliburn (1966). Sa carrière est désormais internationale. Il revient à la musique de chambre avec Josef Suk et János Starker. Il a enregistré notamment l'intégrale des *Sonates* de Joseph Haydn. Il a créé des œuvres de Wimberger et von Einen (1984).

Bucquet, Marie-Françoise

Pianiste française, née à Montivilliers le 28 octobre 1937.

Diplômée de l'Académie de musique de Vienne, elle étudie aussi au Conservatoire de Paris. Elle donne son premier récital à onze ans, à l'école de Marguerite Long. Élève de Wilhelm Kempff, d'Alfred Brendel et de Léon Fleisher, elle mène de front l'étude du piano et de la psychologie (licenciée). Elle suit les séminaires de Steuermann à Salzbourg pour mieux connaître Schönberg, les cours de Pierre Boulez à Bâle, et met sa passion au service de la musique d'aujourd'hui. Les compositeurs écrivent pour elle (Bussotti, B. Jolas, L. de Pablo, I. Xenakis). Son répertoire va de Bach à Stockhausen, de Haydn à Schönberg en passant par Stravinski. Elle fait alterner et confronte – souvent en expliquant aux jeunes publics – le passé et le présent.

Bugarinovič, Melania (Milada Bugarinovič)

Alto yougoslave, née à Bela Crkva le 29 juin 1905.

Elle fait ses études au Conservatoire de Belgrade et débute à l'Opéra National de cette même ville. Après avoir commencé une carrière éblouissante dans son pays d'origine, elle est appelée par l'Opéra de Vienne dont elle sera l'une des vedettes jusqu'en 1944. Elle y chante, en 1942, Hérodiade de *Salomé* sous la direction de Richard Strauss. En 1945, elle rejoint l'Opéra National de Belgrade, dont elle est une des artistes les plus en vue. Seule ou avec la troupe, elle répond à de très nombreuses invitations en Europe occidentale. Elle chante à Bayreuth, en 1952. Ses grands rôles demeureront le rôle-titre de la *Khovantchina* (Moussorgski), *Káťa Kabanová* (Janáček), mais aussi le jeune Vania d'*Une Vie pour le Tsar* (Glinka), ce qui prouve l'étendue de son registre et des possibilités fabuleuses d'une des plus belles voix slaves, qui s'est en outre imposée en Amnéris (*Aïda*), Azucena (*Trouvère*), Ulrica (*Bal masqué*), Carmen, Brangäne (*Tristan*), Fricka, Erda et Waltraute (*l'Anneau du Niebelung*). Elle a fait parallèlement une éblouissante carrière de concertiste. Sa personnalité hors pair, son jeu dramatique, son rayonnement mettaient en évidence une des voix les plus stupéfiantes des années cinquante.

Bumbry, Grace (Ann Melzia)

Mezzo-soprano américaine, née à Saint-Louis le 4 janvier 1937.

Elle fait ses études à l'Université de Boston, puis à l'Académie de musique de Santa Barbara. De 1955 à 58, elle travaille avec Lotte Lehmann et passe, avec succès, l'audition au Met de New York. Dans le rôle d'Amneris, à Paris, en 1960, elle apparaît sur scène pour la première fois ; entre-temps elle a gagné plusieurs prix. A l'Opéra de Bâle elle approfondit ses connaissances. En 1961 et 1962, elle chante Vénus à Bayreuth où elle est la première cantatrice noire invitée. Deux ans plus tard elle est une étonnante Princesse Eboli (*Don Carlos*) et reprend ce rôle au Met en 1965. Les personnages qu'elle incarne ensuite correspondent à sa puissance dramatique et musicale, à sa voix chaude et large (beauté du grave et du medium). On l'appelle à la Scala alors qu'elle a déjà participé au Festival de Salzbourg dans *Macbeth* et *Carmen,* entre 1964 et 1966. A Vienne, elle chante en 1970 son premier rôle de soprano, Santuzza (*Cavalleria Rusticana*). La même année, elle est Salomé au Covent Garden où elle interprète aussi *La Tosca* en 1973. Grace Bumbry ne cesse pas d'entretenir son répertoire de mezzo, en gagnant une technique toujours enrichie dans les rôles de soprano. Dans le domaine contemporain, elle est une bouleversante Jenůfa (Janáček, Scala, 1974) et une belle Ariane (P. Dukas, Paris, 1975). Elle est aussi une excellente interprète de Lieder.

Bunlet, Marcelle

Soprano française, née à Fontenay-le-Comte le 9 octobre 1900.

Elle débute à Paris en 1926, lors d'un concert dirigé par Walter Straram. Elle est aussitôt engagée à l'Opéra où, deux ans plus tard, elle chante Brünnhilde (*Crépuscule des dieux*). Sa carrière se déroule entre le Palais Garnier et la Monnaie de Bruxelles. Son répertoire comprend presque tous les grands sopranos dramatiques. Elle donne des récitals et des concerts à Anvers, Athènes, Rome, Gênes et en Amérique du Sud. Toscanini la choisit pour être Kundry à Bayreuth, en 1931. En 1934, elle chante au Colón de Buenos Aires. En 1935, elle crée la version française d'*Arabella* à Monte-Carlo. Elle chante par la suite souvent à Strasbourg où elle est bientôt engagée au Conservatoire. Sa carrière dure jusqu'en 1950. Aux côtés de Germaine Lubin, c'est la plus importante wagnérienne française de son temps. Elle a créé les *Poèmes pour Mi* (1937), les *Chants de terre et de ciel* (1938) et *Harawi* (1946) de Messiaen

Burmeister, Annelies

Alto allemande (R.D.A.), née à Ludwigslust (Mecklenburg) en 1930.

Elle débute comme comédienne sur la scène municipale de Schwerin. Ensuite elle décide de travailler le chant et est l'élève de Helene Jung à Weimar. En 1956, elle débute, en Niklaus des *Contes d'Hoffmann,* à Erfurt. Du National Theater de Weimar, elle est engagée à l'Opéra d'État de Dresde, en 1959. Puis à partir de 1962, elle est une des artistes les plus fêtées de l'Opéra de Berlin-Est. Seule ou avec cette troupe, elle est invitée sur les plus grandes scènes lyriques d'Europe occidentale ; mais elle s'impose également comme concertiste et comme interprète d'oratorios. Chanteuse wagnérienne, elle est invitée à Bayreuth où elle interprète Fricka et Siegrune. Elle chante tant à Vienne qu'à Hambourg. Comme concertiste, elle s'impose dans les cantates et les passions de Bach.

Burrowes, Norma

Soprano galloise, née à Bangor le 24 avril 1944.

Elle étudie à la Royal Academy of Music de Londres avec Flora Nielsen et Rupert Bruce-Lockhart, et y chante notamment en 1968-69 Thérèse des *Mamelles de Tirésias,* Poppaea, Magda dans *La Rondine.* En 1970, elle remporte le Prix de la Fondation Gulbenkian et débute avec le Glyndebourne Touring Opera (Zerline). La même année, elle chante à Glyndebourne (Papagena), à l'English Opera Group et au Covent Garden (Fiakermilli d'*Arabella*). En 1971 elle paraît au Festival de Wexford (Elisa du *Roi Pasteur* de Mozart) et chante Blondchen à Salzbourg, rôle qu'elle chante également pour ses débuts à l'Opéra de Paris en 1976. Elle y reparaît en 1980 dans Despina, qu'elle interprétait déjà au Festival d'Aix-en-Provence, en 1977. Elle est aussi Juliette (*Roméo et Juliette* de Gounod) à Carpentras en 1979. Son répertoire comporte encore Oscar du *Bal Masqué,* Sophie du *Chevalier à la Rose,* Zerbinette d'*Ariane à Naxos,* Nannetta de *Falstaff* et Suzanne des *Noces de Figaro.* Elle est l'épouse du chef d'orchestre Stewart Bedford.

Burrows, Stuart

Ténor gallois, né à Cilfynydd le 7 février 1933.

Après d'excellentes études secondaires, il est instituteur. Mais ayant obtenu un 1er prix aux jeux floraux gallois (National Eisteddfod), il décide de devenir chanteur et étudie le chant. Il fait ses débuts en 1963 à Cardiff dans le rôle d'Ismaele de *Nabucco.* Le succès obtenu l'encourage à persévérer. En 1965, Stravinski lui demande personnellement de chanter son *Œdipe-Roi* à Athènes. Le ténor gallois prend en une soirée la pointure internationale. Pourtant, c'est dans le second prisonnier de *Fidelio* qu'il débute en 1967 sur la scène du Covent Garden, petit rôle suivi très vite il est vrai par celui de Tamino. Il est immédiatement consacré ténor mozartien, successeur des Walter Ludwig, Anton Dermota et autres Léopold Simoneau. Il chante Tamino, Ottavio, Belmonte... sur toutes les scènes internationales, Salzbourg compris. Mais il se révèle aussi incomparable dans les rôles de ténors de Donizetti, de Verdi et même de Puccini.

Prenant la suite de Georges Jouatte, il s'est fait une spécialité de *La Damnation de Faust* et du *Requiem* de Berlioz. Stuart Burrows est en outre un chanteur d'oratorios et un mélodiste particulièrement prisé.

Busch, Adolf

Violoniste allemand, naturalisé suisse (1935), né le 8 août 1891 à Siegen (Westphalie), mort à Guilford (Vermont) le 9 juin 1952.

Il appartient à une famille de musiciens. Au Conservatoire de Cologne, il travaille avec Willy Hess et Bram Eldering. Dès 1907, il fait de la musique de chambre avec Reger qui est pour lui un maître et un partenaire. A vingt ans, il est violon solo au Konzertverein de Vienne. En 1918, il est nommé professeur de violon à la Hochschule de Berlin et, l'année suivante, il fonde son Quatuor à cordes qui deviendra l'un des plus grands. Dès 1927, il s'installe à Bâle où il aura pour élève le jeune Yehudi Menuhin. Les nazis lui interdisent de jouer avec Serkin, son gendre, qui est juif. Il quitte alors l'Allemagne (1933) et se partage entre la Suisse et l'Angleterre. A Londres, il fonde à la fin des années trente un orchestre de chambre qu'il dirige de sa place de violon solo, renouant ainsi avec la tradition du XVIIIe siècle. Il donne les *Concerts brandebourgeois* et les *Suites* de Bach, des œuvres de Händel, Mozart... Il consacre une part importante de son temps à la musique de chambre, jouant aussi en trio avec Serkin et son frère Hermann. En 1939, il s'installe aux États-Unis. Ses exécutions de Bach impressionnent le public et la critique mais il ne s'intégrera jamais à l'univers américain car il est l'antithèse de la vedette. En 1950, il fonde l'École de musique de Marlboro dont l'importance ne cessera de croître après sa mort grâce à Casals et Serkin. Adolf Busch laisse le souvenir d'un musicien rigoureux, passionné et profond. Il jouait sur un Stradivarius de 1732.

Busch, Fritz

Chef d'orchestre allemand, né à Siegen (Westphalie) le 13 mars 1890, mort à Londres le 14 septembre 1951.

Frère aîné d'Adolf Busch, il commence des études de piano et donne son premier concert à sept ans. Au Conservatoire de Cologne, il travaille la direction d'orchestre avec Steinbach. Puis il part à Riga en 1909 où il est nommé chef d'orchestre au Théâtre Municipal. En 1911 et 1912, il effectue des tournées de pianiste et pratique la direction chorale à Gotha. En 1912, il est nommé directeur musical à Aix-la-Chapelle avant d'exercer les mêmes fonctions à Stuttgart de 1918 à 1922. Il élargit le répertoire de ces théâtres en y présentant les opéras de Verdi et certaines œuvres du jeune Hindemith. Puis il est directeur général de la musique à l'Opéra de Dresde (1922-33) où il succède à Fritz Reiner. C'est de cette époque que date sa collaboration avec Carl Ebert : une nouvelle conception du théâtre lyrique voit progressivement le jour où la mise en scène et les décors jouent véritablement leur rôle. A Bayreuth, il dirige *Les Maîtres Chanteurs* en 1924 lors de la réouverture du Festival. En 1930, il dirige l'*Enlèvement au sérail* et révèle ses qualités mozartiennes. En 1933, il quitte l'Allemagne nazie et dirige au Théâtre Colón de Buenos Aires (1933-36 et 1941-45). Il participe à la fondation du Festival de Glyndebourne dont il est le directeur musical (1934-39) : il poursuit sa collaboration avec Carl Ebert dont il a exigé la présence et présente des productions mémorables des opéras de Mozart. A la même époque, il est à la tête de l'Orchestre Philharmonique de Stockholm (1937-41) et commence à diriger régulièrement l'Orchestre Symphonique de la Radio Danoise auquel il restera attaché jusqu'à la fin de sa vie. A la fin des hostilités, il dirige régulièrement au Met (1945-50) et assure la direction artistique du May Festival de Cincinnati (1948-50). On le retrouve également à Glyndebourne (1950-51). Richard Strauss lui a dédié *Arabella.* Il a notamment créé *Intermezzo* (1924) et *Hélène d'Egypte* (1928) du même compositeur, *Doktor Faust* de Busoni (1925), *Cardillac* d'Hindemith (1926), *Der Protagonist* de Kurt Weill (1926), et les *Danses de Marosszék* de Kodály (1930).

Busoni, Ferrucio

Pianiste, compositeur, chef d'orchestre et théoricien italien, né à Empoli (Toscane) le 1er avril 1866, mort à Berlin le 27 juillet 1924.

Né dans une famille de musiciens, Busoni apprend très tôt la musique, grâce à son père, Ferdinando Busoni, clarinettiste virtuose, et surtout sa mère, Anna Weiss-Busoni, pianiste tout aussi virtuose, d'origine allemande. Ses débuts ont lieu à l'âge de 7 ans 1/2 à Trieste devant Anton Rubinstein. Dès ce moment-là le rival russe de Liszt va suivre de très près la carrière de Busoni. Deux ans plus tard, à la suite d'un concert à Vienne, le critique redouté de la Neue Freie Presse, Hanslick, loue la rigueur étonnante de son jeu, « dépourvu du doux poison romantique de Wagner ». Devant l'enthousiasme des milieux musicaux de Vienne, la famille s'installe à Graz, en 1876. L'enfant voit sa formation confiée au compositeur éminent Wilhelm Mayer. En 1878, âgé de douze ans, Busoni dirige son *Stabat Mater* (perdu), un *Ave Maria* (op. 1 et 2), et joue ses *Cinq Pièces* de l'opus 3. Le public venu l'écouter à Graz lui fait un triomphe. Trois ans plus tard il est élu, jeune professeur de quinze ans, à l'Académie Royale de Philharmonie de Bologne. En 1883, il quitte Bologne pour donner son premier grand récital à Vienne.

A cette occasion il rencontre Brahms, à qui il dédie ses *Études* op. 16 et 17. Après avoir fréquenté les cercles musicaux de Vienne, Busoni arrive à Leipzig en 1886, recommandé par Brahms auprès de Reinecke. C'est là qu'il va se perfectionner, en compagnie de Tchaïkovski, Mahler, Sinding et Delius. En 1888, Busoni est un pianiste adulé par les foules de musiciens et de mélomanes. A cette date il commence à arranger des fugues de Bach, travail qui soulèvera plus d'une protestation de la part des spécialistes. Reimann le recommande auprès du Conservatoire d'Helsinki. Il y fait la connaissance de Sibelius et de Järnefelt, et épouse Gerda Sjöstrand, fille d'un sculpteur suédois en 1890. La même année on lui attribue le Prix Rubinstein pour son *Konzertstück* op. 31 a, mais il refuse un poste de professeur à Moscou, afin de poursuivre sa carrière de concertiste, et quitte l'Europe pour Boston et New York. L'année 1894 voit son installation définitive à Berlin. En 1901 et 1902, il donne de nombreux cours à Weimar, dans l'intention de gagner des adeptes à la musique de Liszt, dont il s'est fait le porte-parole passionné. De cette époque datent ses prises de position sans appel pour la musique « moderne ». Il crée de nombreuses œuvres de musique contemporaine de Sibelius à Delius, en passant par ses propres compositions, et plus tard par celles de Bartók. En 1907, il publie son essai le plus caractéristique : *Entwurf einer neuen Ästhetik der Tonkunst* (Ébauche d'une nouvelle esthétique musicale) dédié au poète Rainer Maria Rilke. Cet essai va soulever des tempêtes dans le monde de la musicologie allemande. Pfitzner et Busoni auront des échanges très vifs à ce propos.

Busoni ne se contente pas d'être un virtuose éclairé, musicologue d'avant-garde, compositeur de renom, mais il développe tout une philosophie de la scène lyrique ; pour lui la psychologie prime l'action. Aussi adapte-t-il ses livrets, comme il le fait pour son opéra *Brautwahl,* d'après Hoffmann (Hambourg, 1912), et qui consacre sa gloire de compositeur. En 1914, il quitte Berlin pour la Suisse où il compose la majeure partie de son dernier opéra *Doktor Faust.* Dès la fin du conflit, il regagne Berlin, et donne des cours à l'Académie des Arts. Sa dernière apparition en public aura lieu en 1922. Son élève Philipp Jarnach achèvera le *Doktor Faust,* représenté à Dresde en 1925.

L'apport de Busoni sur le plan de l'interprétation est immense. Contre le romantisme finissant, il avait préféré un retour à la « junge Klassizität » (jeune classicisme), c'est-à-dire à la simplicité d'un Bach et d'un Mozart. Son amour pour Liszt n'est pas l'exception qui confirme la règle. Tout simplement, il lui semblait inévitable de reconnaître la marque indélébile du père du piano moderne.

La technique révolutionnaire de Liszt n'a jamais cessé de hanter Busoni, au point qu'il voyait un peu l'image de Liszt sous les traits du Doktor Faust. Pionnier, bien plus qu'administrateur d'un patrimoine culturel, Busoni était un découvreur inlassable. Ses compositions nous le montrent sans cesse à la recherche de combinaisons et d'agrégats de sonorités inusitées. Cette attitude du compositeur, Busoni l'a acquise à son piano, comme Liszt encore une fois. Les témoignages de ses élèves, dont Horowitz a fait partie, dépeignent un virtuose en proie à la démesure de l'innovation, innovation qui le conduira peu à peu vers un isolement quasi total, en rupture avec son public. Il finira ses jours entouré de quelques élèves fidèles comme Theophyl Schnapp, Weil et Jarnach.

C

Caballé, Montserrat

Soprano espagnole, née à Barcelone le 12 avril 1933.

Elle commence, en 1942, ses études au Conservatoire du Liceo de Barcelone et les parachève à Milan. Elle fait ses débuts, en 1956, sur la scène du Théâtre municipal de Bâle ; elle appartient à cette troupe jusqu'en 1959. Elle est ensuite engagée à Brême ; mais en 1962, elle entreprend une tournée de concerts au Mexique. L'année suivante, elle remporte un véritable triomphe dans sa ville natale. Sa carrière est sans cesse remise en question au point qu'elle pense arrêter de chanter. Or, en 1965, Marilyn Horne tombe subitement malade, elle doit la remplacer à New York au pied levé et sans répétition pour une représentation en concert de *Lucrèce Borgia* (Donizetti). Aussitôt le Met l'engage et elle y débute en Marguerite de *Faust* (Gounod). C'est l'exceptionnelle consécration d'un des soprano colorature les plus rares de sa génération. Elle aborde tous les genres, tous les styles, du bel canto le plus périlleux aux Lieder de Wagner et à la *Mort d'Isolde* ! Invitée sur les plus grandes scènes du monde, elle obtient partout des triomphes. A l'opposé de Maria Callas, dont elle reprend la plupart des rôles, elle n'accorde que peu d'importance au jeu scénique, faisant porter tout l'effort de l'interprétation sur la perfection de l'émission, la subtilité des demi-teintes et le moelleux des pianissimos. *La Traviata* au Met (1967), *La Norma* à l'Opéra de Paris puis à la Scala de Milan (1972), enfin ses interprétations de Rossini, Bellini, Donizetti à Covent Garden, au Théâtre Colón de Buenos Aires, à Rio de Janeiro, au Liceo de Barcelone, au San Carlos de Lisbonne, consacrent le talent d'une des plus grandes cantatrices du XXe siècle. L'Opéra de Vienne, les plus prestigieuses scènes d'Italie, du Mexique et des États-Unis s'arrachent cette cantatrice dont la beauté de la voix, la sûreté de la technique soulignent l'intelligence de l'interprétation, même si l'on peut lui reprocher un certain immobilisme en scène. En 1974, elle remporte un triomphe sans égal au Festival d'Orange dans *la Norma*, puis après avoir abordé *Adrienne Lecouvreur* au Metropolitan Opera de New York (1979), elle élargit son répertoire en inscrivant les ouvrages véristes et s'impose en Tosca, à New York d'abord, puis dans le monde entier. Elle a épousé le ténor Bernabé Marti. Ses réalisations discographiques sont parmi les plus impressionnantes qui soient.

Cabanel, Paul

Basse française, né à Oran le 29 juin 1891, mort à Paris le 5 novembre 1958.

S'il fait ses études de droit à Toulouse, il est très vite attiré par le chant. Entré au Conservatoire de Toulouse en 1911, il en sort deux ans après avec deux premiers prix. Immédiatement, il entre au Conservatoire de Paris puis part au front.

Grièvement blessé en 1916 à Verdun, il ne reprend ses activités artistiques qu'en 1919. Au Conservatoire, il obtient un 1er prix de chant (1920), et un 1er prix de déclamation lyrique (1921). Il est engagé au Théâtre Royal du Caire, où il débute dans *Hérodiade* et chante ensuite dans *Faust, Thaïs, Manon,...* Puis viennent les tournées en province, en Belgique, en Suisse... Sept saisons d'hiver à Bordeaux, sept saisons d'été à Vichy. Paris se décide enfin à s'approprier ce comédien chanteur dont la réputation ne cesse de grandir. Il débute Salle Favart en 1932 dans le rôle de Scarpia ; pendant quinze ans il y chantera Escamillo, Basile, le Père de *Louise,* Tonio, Figaro des *Noces de Figaro,* Nilakhanta, Colline, les trois rôles de baryton des *Contes d'Hoffmann,* A l'Opéra, il débute en 1933 dans *La Damnation de Faust.* En 1934, il sera Leporello lors de la reprise de *Don Juan* sous la direction de Bruno Walter, Wotan de *La Walkyrie,* Athanaël, Méphisto (rôle qu'il aura chanté 995 fois durant sa carrière), puis Papageno, Frère Laurent, Boris ou Saint Bris. Il incarne Antonio à la création du *Marchand de Venise* (1935). A partir de 1942, il enseigne la déclamation lyrique au Conservatoire de Paris. Jusqu'au bout, il garde intacte sa belle voix au timbre émouvant et son impeccable articulation. La mort l'emporte brutalement alors qu'il était affiché pour chanter trois jours plus tard dans *Armide* à Bordeaux.

Cabanel a trop peu enregistré, mais il nous reste son Méphistophéles dans une admirable *Damnation de Faust* dirigée par Jean Fournet et son Grand Prêtre dans *Samson et Dalila.*

Caceres, Oscar

Guitariste uruguayen, né à Montevideo, en 1928.

Il fait ses études dans sa ville natale sous la direction de Ramon Ayertaran, Marin Sanchez et Atilio Rapat. Il donne son premier concert à 13 ans. En 1957, il débute en Europe. De retour dans son pays, il y donne la première audition du *Concerto d'Aranjuez* de Rodrigo. Son répertoire très vaste s'étend de la Renaissance à des pièces contemporaines. En 1967, il s'installe à Paris où il réalise de nombreux disques. Il se produit fréquemment en duo avec son élève Turibio Santos.

Caillard, Philippe

Chef de chœur français, né à Paris le 31 juillet 1924.

Autodidacte de formation, il commence l'étude du piano avant de découvrir le monde choral et de fonder en 1944, principalement avec des étudiants de musique, son ensemble vocal, entièrement structuré trois ans plus tard. Professeur de musique dans les écoles primaires et secondaires de 1951 à 1966, il réalise, de 1955 à 1970, à la tête de son ensemble, une trentaine de disques dont la moitié sera distinguée par les différentes académies du disque, à commencer par la Messe *Pange Lingua* de Josquin des Prés. Par l'enregistrement et le concert, en collaboration avec l'Orchestre de Chambre Jean-François Paillard et le chef d'orchestre Louis Frémaux, il contribue à faire renaître le répertoire de la Renaissance et du Baroque français. Depuis 1966, en tant que conseiller technique et pédagogique pour les activités socio-éducatives du ministère de la Jeunesse et des Sports, Philippe Caillard organise des stages de formation de chefs de chœurs. Fortement motivé par les problèmes de pédagogie, il abandonne en 1977 ses activités artistiques et son ensemble, devenu ensemble vocal Jean Bridier, afin de consacrer tout son temps à leur étude. Il renoue en 1982 avec la vie musicale par des concerts et des disques de musique baroque pour petite formation et pour solistes vocaux.

Caillat, Stéphane

Chef de chœur français, né à Lyon le 24 janvier 1928.

Il commence ses études au Conservatoire de Lyon : harmonie, orgue et direction. En 1950, il vient à Paris où il travaille avec Pierre Dervaux et Igor Markevitch. En 1955, il fonde l'Ensemble Stéphane Caillat qui se produit alors régulièrement comme ensemble choral ou ensemble vocal réduit. De 1949 à 1961, il enseigne comme professeur d'éducation musicale puis, à partir de 1961, il est nommé conseiller technique et pédagogique pour le chant choral au ministère de la Jeunesse et des Sports. Depuis 1979, il est également directeur du Centre d'études polyphoniques et chorales de Paris. De 1965 à 1973, il est chef du Quatuor Vocal Stéphane Caillat et il dirige, depuis 1977, l'Ensemble Per Cantar e Sonar composé d'une demi-douzaine de chanteurs auxquels s'adjoignent éventuellement quelques instrumentistes. En 1979, il est nommé directeur artistique du Festival d'art sacré de la ville de Paris.

Callas, Maria
(Maria Kalogeropoulos)

Soprano grecque et américaine, née à New York le 2 décembre 1923, morte à Paris le 16 septembre 1977.

Lorsque sa mère revient en Grèce en 1937, Maria entre au Conservatoire d'Athènes et a pour professeur Elvira de Hidalgo. Elle a quinze ans lorsqu'elle débute, en novembre 1938, dans le rôle de Santuzza de *Cavalleria Rusticana.* De 1940 à 1945, elle chante régulièrement à l'Opéra d'Athènes, dans les premiers rôles, montrant déjà une vive originalité et une grande présence en scène (*Suor Angelica, La Tosca, Fidelio*). En 1943, elle crée un opéra grec contemporain de Smaragda : *Ho Protomastoras.* Repartie auprès de son père en Amérique, elle est remarquée par le ténor Giovanni Zenatello et engagée aux arènes de Vérone (1947) : *La Gioconda* (Ponchielli) sous la direction de Tullio Serafin qui s'intéresse à elle. En 1948, elle interprète sous sa direction : *Turandot, Aïda, La Force du destin,* et pour la première fois *Norma* à Florence (rôle dans lequel elle deviendra célèbre). Puis, l'année suivante, elle remplace Margherita Carosio à Venise, dans *Les Puritains* de Bellini. C'est un triomphe. Elle aborde alors, avec passion, Wagner, chante Brünnhilde puis *Parsifal* à Rome. Elle se marie avec G. B. Meneghini (1949), dont elle se séparera dix ans plus tard.

Après *Nabucco* (Abigaïl) à Naples, elle débute à la Scala de Milan, remplaçant Renata Tebaldi dans *Aïda* (1950). Un an plus tard, elle incarne *La Traviata* pour la première fois à Florence et chante *les Vêpres Siciliennes.* En 1952, elle bouleverse le public de la Scala dans le rôle de Constance (*L'Enlèvement au sérail*), après avoir révélé à Florence *Orphée et Euridice* de Haydn. On découvre la diversité de son art, son pouvoir de suggérer, de faire vivre les personnages, hors de toute convention, parce qu'elle *vit* elle-même intensément la musique et le théâtre. *L'Armide* de Rossini (Mai florentin) *Lucia di Lammermoor* et Gilda de *Rigoletto* sont marqués par sa sensibilité mouvante selon les styles et son sens dramatique...

Elle débute à Covent Garden avec *Norma* et, le 7 décembre 1952, ouvre la saison de la Scala : *Macbeth*, dirigé par Victor De Sabata. En 1953, elle reprend *Médée* à la Scala, après l'avoir chanté à Florence. Dès lors, le public de la Scala se presse pour l'entendre ; elle poursuit une carrière fébrile, apprenant les rôles les plus divers. En 1954, elle apparaît dans *Alceste* de Gluck, devenue mince et plus belle encore. Le public est de plus en plus fou de son timbre vocal aux étranges harmoniques, capable de colorations inouïes, de son expressivité, de son modernisme. Elvira de Hidalgo (soprano legero) et Tullio Serafin l'avaient amené aux sources de la tradition lyrique romantique, non affadie. Cette ligne de chant comprise comme un « tout expressif » s'épanouit dans l'art de Maria Callas. Elle emplit les arènes de Vérone avec *Mefistofele* de Boïto, étonne Milan avec Elisabeth de *Don Carlos.* La liste de ses succès, de ses voyages, de ses créations s'allonge. *André Chénier* (Giordano) à Chicago en 1955, *La Somnambule* (Bellini) à la Scala, et puis une *Traviata* inoubliable ! mise en scène de Visconti (il dit qu'« elle est la plus grande actrice depuis la Duse »), direction C. M. Giulini. *Madame Butterfly* (deux seules représentations dans sa vie) à Chicago encore, *Lucie de Lammermoor,* avec Karajan pour ses débuts à Vienne, l'apparition au Met avec *Norma* en 1956, *Bal masqué* à Milan en 1957, une mise en scène de Visconti pour *Anna Bolena* que l'on reprend pour elle à la Scala, *Le Pirate* de Bellini. New York, Lisbonne, Londres...

Un soir, à Rome, souffrante, elle interrompt après le premier acte une représentation de *Norma.* Le Président de la République est dans la salle. C'est un scandale. En 1958, elle débute à l'Opéra de Paris. En 1960, elle retourne en Grèce y chanter *Norma* au Théâtre d'Épidaure. Le dernier ouvrage qu'elle ajoute à son répertoire est *Polyeucte* (Donizetti) et sa carrière se ralentit. En 1962 : concerts en Angleterre, Allemagne, Amérique. Le 7 juin, elle chante *Médée* à la Scala pour la dernière fois. En 1964, elle chante *La Tosca* à Londres et *La Norma* à Paris. En novembre 1965, à Paris, un malaise l'empêche d'achever *La Norma.*

En 1971-72 Maria Callas donne une série de cours à New York et, en 1973, elle sort d'une longue période de retraite pour donner des concerts en Europe, aux U.S.A., en Extrême-Orient avec G. Di Stefano. Son art est toujours émouvant, ses possibilités vocales s'appauvrissent. Elle restera comme un « mythe », le songe d'une époque, héroïne romantique, tragique, vériste, moderne, opposée aux divas de son temps (la Tebaldi).

Calvayrac, Albert

Trompettiste français, né à Conques-sur-Orbiel le 20 juillet 1934.

Après des premières leçons données par son père, il étudie à Carcassonne et, en 1948, entre au Conservatoire de Toulouse, d'où il sort, trois ans plus tard, nanti d'un 1er prix de trompette et de cornet à pistons. En 1952, il est admis au Conservatoire de Paris dans la classe de R. Sabarich et remporte, l'année suivante, un 1er prix de cornet à pistons. En 1957, il est engagé par l'Orchestre Symphonique de Radio-Toulouse. Il est nommé, en 1965, professeur au Conservatoire de Toulouse et trompette solo à l'Orchestre du Capitole. Albert Calvayrac se produit en soliste dans des œuvres du répertoire classique ou contemporain. Il fait, par ailleurs, partie d'un ensemble à vent, les Philharmonistes de Châteauroux.

Calvé, Emma
(Rose Calvet de Roquer)

Soprano française, née à Decazeville le 15 août 1858, morte à Millau le 6 janvier 1942.

Élève de Jules Puget et surtout de la Marchesi, qui lui transmet l'héritage du bel canto italien, elle débute à Nice lors d'un concert de bienfaisance et aborde la scène en 1881 à Bruxelles, jouant Marguerite de *Faust.* Elle bénéficie des conseils de Marie Miolan-Carvalho, spécialement dans le domaine du phrasé. En 1884, au Théâtre des Nations à Paris, elle crée Bianca de *Aben-Hamed* de Dubois, et entre à l'Opéra-Comique l'année suivante en créant le rôle d'Hélène du *Chevalier Jean* de Joncières. Tout en restant fidèle à cette maison, où elle crée encore *Sapho* de Massenet (1887) et *La Carmélite* de Reynaldo Hahn (1902), elle se produit sur les principales scènes étrangères, surtout en Italie où elle triomphe dans ses créations de *Flora mirabilis* de Samara, à la Scala de Milan, et de *l'Ami Fritz* de Mascagni, en 1891, à Rome. L'année suivante, elle reprend le rôle à Londres à Covent Garden et y crée *La Navarraise* de Massenet. Elle chante encore à Berlin et au Met de New York de 1893 à 1897. Ses interprétations de Carmen (qu'elle chante en 1904 pour la millième représentation à l'Opéra-Comique) et de Santuzza dans *Cavalleria Rusticana* (qu'elle crée en France en 1892) restent légendaires. A partir de 1904, elle réduit ses activités (se produisant encore à l'opéra de Manhattan en 1907 et 1908 et donnant des récitals jusqu'en 1918) et dirige une école de chant dans son château de Cabrières. Elle y écrit également ses Mémoires (parues en 1940 sous le titre de *Sous tous les ciels j'ai chanté*). Le charme jeté par Emma Calvé sur son temps tient à la combinaison rare d'une insolente sûreté vocale jusque dans l'extrême-aigu et d'une richesse de coloris et de nuances dramatiques incomparable.

Cambon, Charles (Marius)

Baryton français, né à Florensac le 3 mai 1892, mort à Paris le 11 septembre 1965.

Il fait ses études de chant aux Conservatoires de Toulouse et de Paris, débute en province, et apparaît dès 1923 à l'Opéra de Paris (*Aïda*), dont il sera le premier baryton héroïque pendant 30 ans. Il participe ainsi à la création mondiale de *Padmavati* de Roussel (1923) et aux création françaises de *Turandot, Elektra* et *Palestrina.* Parmi ses principaux rôles, Telramund (*Lohengrin*), Amonasro, Pollux...

Cambreling, Frédérique

Harpiste française, née à Amiens le 21 janvier 1956.

Sœur de Sylvain Cambreling, elle fait ses études au Conservatoire d'Amiens où elle obtient un 1er prix (1973) puis entre au Conservatoire de Paris dans la classe de Gérard Devos. Elle remporte son 1er prix en 1976. Elle travaille parallèlement avec Pierre Jamet. Elle est lauréate de trois concours internationaux : 3e prix au Concours de la Guilde des Jeunes Artistes (1976), 2e prix au Concours international d'Israël (1976), 1er prix au concours Marie-Antoinette Cazala (1977), année où elle entre au sein de l'Orchestre National de France comme première harpe solo. Elle a été lauréate de la Fondation de la Vocation en 1976.

Cambreling, Sylvain

Chef d'orchestre français, né à Amiens le 2 juillet 1948.

Frère de la précédente, il fait ses études au Conservatoire d'Amiens (solfège, harmonie, contrepoint, trombone, tuba, piano, contrebasse et percussion). Au Conservatoire de Paris, il obtient un 1er prix de trombone ténor. Il commence sa carrière à Lyon en 1971. Parallèlement il travaille la direction d'orchestre à l'École normale de musique de Paris avec Pierre Dervaux : après une année de travail, il obtient sa licence. En 1974, il est lauréat au concours international de Besançon. Serge Baudo lui demande sa collaboration à Lyon. De 1975 à 1981, il est directeur-adjoint de cet orchestre où il se fait remarquer lors des représentations de *La Cenerentola* de Rossini en 1977 et de *Salomé* de Strauss en 1978. En 1977, il dirige à l'Opéra de Paris. Sa carrière prend un essor international. Premier chef invité de l'Ensemble Intercontemporain à partir de 1979, il dirige de nombreuses créations mondiales. En 1981, il débute au Festival de Glyndebourne. La même année, il est nommé 1er chef au Théâtre de la Monnaie de Bruxelles. En 1984, il débute à la Scala dans *Lucio Silla.* Son frère Philippe (1954) commence aussi une carrière de chef d'orchestre et a remporté le 1er prix au Concours international de Besançon en 1981.

Campanella, Michele

Pianiste italien, né à Naples le 5 juin 1947.

Au Conservatoire de Naples, il suit l'enseignement de Vitale. Encore étudiant, en 1966, il remporte le Concours international Casella et entame une série de tournées triomphales, en Italie, en Europe et aux États-Unis. En 1969, le Conservatoire de Naples lui décerne son diplôme. C'est au Conservatoire de Milan qu'il va enseigner jusqu'en 1973. Il quitte alors l'enseignement et se consacre au concert.

Sa technique parfaite et extrêmement brillante, son imagination sans cesse renouvelée font de ce pianiste l'interprète idéal de Moussorgski, de Prokofiev, de Ravel, mais surtout de Liszt. Ses interprétations des grandes œuvres de Liszt (*Études, Sonate, Années de Pèlerinage*), mais aussi des *Paraphrases,* l'ont rendu célèbre à juste titre.

Campoli, Alfredo

Violoniste italien, né à Rome le 20 octobre 1906.

Campoli est le fils d'un chef d'orchestre de l'Académie Sainte-Cécile et du Théâtre Massimo, lequel partit s'établir à Londres avec sa famille. A Londres, Alfredo se fait d'abord connaître comme « violoniste de salon », jouant avec un petit ensemble de musique légère, ou de genre, dans les salons des grands hôtels de la capitale anglaise. C'est vers la quarantaine qu'il décide de se tourner définitivement vers le répertoire classique. Complètement inconnu hors l'Angleterre, il doit son assez rapide renommée à l'adoration que lui portent les Anglais et au disque, avec son enregistrement du *Concerto* de Beethoven, qu'il grava sous la direction de Josef Krips.

Doté d'une très belle sonorité, possédant une technique assez remarquable, Campoli a abordé pratiquement tout le répertoire violonistique, en excellant toutefois dans Tchaïkovski, Lalo (*Symphonie espagnole*), Saint-Saëns, Max Bruch et Paganini, sans négliger, toutefois, les petites pièces « à la Kreisler ». Il donna au disque une version remarquable d'équilibre de la redoutable *Partita en ré mineur* de Bach et du *Trille du Diable*, de Tartini. Campoli s'est produit non seulement en Angleterre, mais dans toute l'Europe (dont à Paris), en Union Soviétique – où il donna, notamment, le *Concerto* de Bliss, qui lui est dédié – et en Amérique du Sud. Il joue sur un Stradivarius datant de 1700, le *Dragonetti*.

Cangalovic, Miroslav

Basse yougoslave, né à Glamoč le 3 avril 1921.

La guerre retarde sérieusement ses études musicales et ce n'est qu'en 1947 qu'il est engagé à l'Opéra de Belgrade dont il devient très vite un des principaux solistes. Il s'illustre dans le répertoire slave, obtenant très vite les rôles de Boris Godounov et de Dosifei (*Khovantchina*) auxquels il confère une puissance, grâce à l'étendue, à la gravité et à la musicalité de sa voix ainsi qu'à ses indéniables dons de comédien. Très vite il souhaite élargir son répertoire et obtient du chef d'orchestre Oskar Danon, alors directeur de l'Opéra de Belgrade, que l'on remonte pour lui des ouvrages étrangers comme *Don Quichotte* de Massenet et *Faust*, où il campe un inoubliable Méphisto. Il reçoit un grand nombre de prix et de récompenses, tant en Yougoslavie qu'à l'étranger (U.N.E.S.C.O., Paris, etc.) Il est considéré comme l'un des plus grands chanteurs qu'ait connus la musique serbe. Par là même, il fut un remarquable ambassadeur de la musique et du chant yougoslaves dans le monde entier, où il a chanté tous les grands rôles de basse du répertoire, tant à la scène qu'en oratorio.

Caniglia, Maria

Soprano italienne, née à Naples, le 5 mai 1906, morte à Rome le 16 avril 1979.

Après avoir étudié le chant à Naples avec Agostino Roche, elle débute à Turin dans le rôle de Chrysotemnis d'*Elektra*. Ses succès à Gênes dans le rôle de Magda de *La Campana sommersa* de Respighi et dans Elsa à Rome la conduisent tout naturellement à la Scala de Milan où elle débute en 1931 dans le rôle de Maria du *Straniero* de Pizzetti. Elle y chantera très régulièrement jusqu'en 1951, se produisant aussi sur toutes les grandes scènes italiennes, au Covent Garden de Londres, à Salzbourg sous la direction de Toscanini, au Colòn de Buenos Aires et au Metropolitan Opera de New York où, durant la saison 1938-39, elle ne chante pas moins de cinq rôles différents.

Maria Caniglia a enregistré de nombreuses intégrales : *Un Bal Masqué, Aïda, La Tosca, André Chénier* et le *Requiem* de Verdi avec Gigli, mais aussi *La Force du destin, Don Carlos, Fedora* et *Francesca da Rimini*, précieux témoignages du plus grand soprano-Verdi de son époque.

Canino, Bruno

Pianiste italien, né à Naples le 30 décembre 1935.

Il travaille avec Calace et Bettirelli au Conservatoire de Milan et obtient les prix de piano et de composition, puis le 1er prix aux concours internationaux de Bolzano et de Darmstadt (1956-58-60).

Passionné par la musique contemporaine, il déploie une grande activité : soliste, pianiste et claveciniste, il fait aussi de la musique de chambre. On le retrouve aux côtés de Gazzelloni, Accardo, Perlman et il donne avec Cathy Berbérian des récitals-spectacles pleins de fantaisie (ainsi à Paris : « A la recherche du temps perdu »). Il forme un duo avec le pianiste Ballista, un trio (Trio de Milan) avec Filippini et Ferratese. Il joue dans les festivals d'avant-garde en Europe, au Japon, et participe chaque été au Festival de Marlboro. Bruno Canino, professeur au Conservatoire Verdi à Milan, a créé de nombreuses œuvres contemporaines ; beaucoup lui sont dédiées (Bussotti, Donatoni, Castaldi, Castiglioni, Xenakis – *Dikhtas,* 1980, Liebermann – *Liaison,* 1984, Rihm – *Trio,* 1984).

Cantelli, Guido

Chef d'orchestre italien né à Novarra le 27 avril 1920, mort à Orly dans un accident d'avion le 24 novembre 1956.

Très jeune, Guido Cantelli entreprend des études musicales et à l'âge de 14 ans, il donne son premier récital de piano. Peu après, au Conservatoire Giuseppe Verdi de Milan, il concentre ses études sur la composition et la direction d'orchestre, travaillant avec F. Ghedini et A. Pedrollo. En 1943, alors que Cantelli dirige l'orchestre et assume la direction artistique du Teatro Coccia de Novarra – théâtre où son maître, Arturo Toscanini, l'avait précédé 53 ans plus tôt –, il est mobilisé. Refusant de se rallier au régime fasciste, il est envoyé dans un camp de travail en Allemagne. Plus tard, il est transféré au camp de Stettin dont il s'échappera.

En 1945, il fait ses débuts à la Scala de Milan. Arturo Toscanini l'invite aux États-Unis où il dirige alors l'Orchestre de la N.B.C. (1949). Rapidement, il apparaît à la tête des plus grandes formations américaines. Il dirige au Festival d'Edimbourg en 1950 et commence une série d'enregistrements avec le Philharmonia Orchestra interrompus par sa mort prématurée. Quelques jours avant de disparaître, il venait d'être nommé directeur artistique de la Scala de Milan. Cantelli s'inscrit dans la lignée de son maître Toscanini : il en avait le tempérament mais parlait la langue d'une autre génération, aussi dynamique et précise, plus humaine et surtout dramatique. Toscanini disait de lui : « Jamais, au cours de ma longue vie, je n'ai rencontré de jeune artiste aussi doué ; il ira loin, très loin. » Un concours international de direction d'orchestre qui porte son nom a été organisé par la ville de Novarra et la Scala de Milan : parmi les lauréats, on trouve les noms de Riccardo Muti et Eliahu Inbal.

Capdevielle, Pierre

Chef d'orchestre et compositeur français, né à Paris le 1er février 1906, mort à Bordeaux le 9 juillet 1969.

Son père est cor solo à l'Opéra-Comique et fait partie de la Société d'Instruments à Vent. Il l'oriente vers le piano. Au Conservatoire, il travaille avec A. Ferté, I. Philipp, A. Gédalge, P. Vidal et V. d'Indy. Sa carrière est essentiellement tournée vers la composition. En 1938, il reçoit le prix Blumenthal. En 1944, il est nommé chef du service de musique de chambre à la Radio. De 1947 à 1956, il est président de la section française de la S.I.M.C. En 1952, il fonde l'Orchestre de Chambre de la R.T.F. dont il sera le chef permanent jusqu'en 1964.

Son œuvre, surtout destinée à l'orchestre, réunit 3 *Symphonies, Les Épaves retrouvées* (1945), *Incantation pour la mort d'un jeune Spartiate* (1939), quelques pages de musique de chambre et de musique vocale.

Capecchi, Renato

Baryton italien, né au Caire le 6 novembre 1923.

Jeune, il se destine à devenir violoniste, Après la guerre, il étudie le chant, ayant découvert entre-temps qu'il avait une voix. Après avoir gagné quelques « crochets » et autres concours de chant, il débute en 1948 dans un concert de la radio. En 1949, il incarne son premier grand rôle, Amonasro, à Reggio Emilia, avec une force dramatique extraordinaire, début d'une longue série de compositions hallucinantes de vérité de l'un des plus grands tragédiens-comédiens-chanteurs de tous les temps. Très vite la Scala, le Metropolitan Opera, l'Opéra de Vienne, l'Opéra de Chicago, le Colón de Buenos Aires lui ouvrent leurs portes. Il est la vedette des plus grands festivals : Aix-en-Provence, où personne n'a oublié son extraordinaire Don Giovanni, Glyndebourne, le Mai musical florentin, Osaka... Après avoir été le Figaro des *Noces*, comme celui du *Barbier*, il restera sans doute le plus époustouflant Bartholo rossinien et le Sacristain puccinien le plus vrai. Après avoir chanté, pendant plus de trente ans, plus de 200 rôles différents, il continue de mener une carrière de chanteur très remplie tout en s'adonnant avec succès à la mise en scène.

Renato Capecchi a participé à de très nombreux enregistrements intégraux, dont *Rigoletto* (rôle-titre) en 1959 – l'une des plus belles assomptions de ce rôle –, *Les Noces de Figaro* (rôle de Figaro) en 1960 sous la direction de Fricsay, *Le Barbier de Séville* (rôle de Figaro en 1962, rôle de Bartholo en 1974).

Capet, Lucien

Violoniste français, né à Paris le 8 janvier 1873, mort à Paris le 18 décembre 1928.

Au Conservatoire de Paris, il est l'élève de J. B. Maurin (1888-93). Nanti d'un 1er prix, il commence une carrière de soliste et fonde dès 1893 son quatuor à cordes qui jouera un rôle essentiel dans la diffusion des quatuors de Beethoven. De 1896 à 1899, il est violon solo des Concerts Lamoureux. Puis il enseigne au Conservatoire de Bordeaux (1899-1903) tout en se produisant en France et à l'étranger, notamment en Allemagne où il est l'un des rares solistes français reconnus. En 1907, il est nommé professeur de musique de chambre au Conservatoire de Paris et, en 1924, directeur de l'Institut de violon de Paris. Parmi ses élèves figure Ivan Galamian.

On lui doit, comme compositeur, des pages symphoniques, 5 quatuors à cordes et 2 sonates pour violon. Il a créé la *2e Sonate pour violon et piano* de Fauré avec le compositeur (1917).

ÉCRITS : *La Technique supérieure de l'archet* (1916), *Les 17 Quatuors de Beethoven, Espérances.*

Caplet, André

Chef d'orchestre et compositeur français, né au Havre le 23 novembre 1878, mort à Neuilly le 22 avril 1925.

A l'École de musique de sa ville natale, il étudie le violon, puis le piano avant de travailler l'harmonie et le contrepoint avec Henry Woollett. En 1896, il entre au Conservatoire de Paris où il obtiendra des 1er prix d'harmonie et d'accompagnement. Pour gagner sa vie, il joue la nuit dans des cabarets. Colonne l'engage comme timbalier dans son orchestre puis le prend comme assistant. En 1897, il remplace au pied levé Xavier Leroux pour diriger une musique de scène au Théâtre de la Porte-Saint-Martin. Le succès qu'il remporte décide de sa carrière de chef d'orchestre. Deux ans plus tard, il est directeur de la musique à l'Odéon. En 1901, il obtient le 1er Grand Prix de Rome et passe les trois années qui suivent à la Villa Médicis. A son retour, il rencontre Debussy dont il devient le disciple préféré. Il achève ou orchestre certaines de ses œuvres (*Children's corner, La Boîte à joujoux*) et dirige la création du *Martyre de saint Sébastien* (1911). De 1910 à 1914, il conduit chaque hiver la saison de l'Opéra de Boston où il révèle un nombre important d'ouvrages français. Il y crée notamment *La Forêt bleue* de Louis Aubert (1913). En 1914, il est nommé directeur de la musique à l'Opéra de Paris mais n'a pas le temps d'exercer ses fonctions. Pendant la guerre, il est gazé et sa carrière de chef d'orchestre se déroulera désormais au ralenti. Il ne remontera au pupitre qu'en 1922 ; il est alors 2e chef aux Concerts Pasdeloup. Il dirige la création d'œuvres de Schmitt, Delage, Cras et la 1re audition en France des *5 Pièces op. 16* de Schönberg. Grand interprète de Debussy, il avait été choisi pour diriger la reprise de *Pelléas et Mélisande* à Covent Garden en 1912. Ses conceptions rigoristes et sa précision allaient à l'encontre de la tradition romantique encore en vigueur.

Son œuvre, dépouillée et souvent austère, s'adresse surtout à la voix : *Le Miroir de Jésus* (1923), *Messe à 3 voix* (1920). Dans le domaine instrumental, il est l'auteur d'un *Conte fantastique* pour harpe et quatuor à cordes (1919) et d'une fresque pour violoncelle et orchestre, *Epiphanie* (1923).

Capolongo, Paul

Chef d'orchestre français, né à Alger le 17 mars 1940.

Son père est violoniste. Il fait ses études musicales au Conservatoire d'Alger jusqu'en 1958, puis au Conservatoire de Paris, jusqu'en 1961, date à laquelle il obtient un 1er prix de direction d'orchestre dans la classe de Louis Fourestier ainsi que cinq autres premiers prix dont celui de piano, son premier instrument d'études. En 1963, il remporte le Eleanor Crane Memorial Award (U.S.A.) et le 1er prix Koussevitzky à Tanglewood. En 1967, il obtient le 1er prix Mitropoulos. Directeur musical de l'Orchestre Symphonique de Quito (1963-67), il sera parallèlement directeur du Conservatoire de cette ville (1963-66). Assistant de Leonard Bernstein à la Philharmonie de New York (1967-68), il est directeur de la musique à Mulhouse et chef permanent de l'Orchestre Symphonique du Rhin (1975-85). Paul Capolongo est dédicataire de la *Troisième Symphonie* d'Aubert Lemeland (1981), et de *Reliefs irradiants sur New York* d'Antoine Tisné.

Cappucilli, Piero

Baryton italien, né à Trieste le 4 juin 1930.

Tout jeune, il fait partie des chœurs de San Carlo. Il étudie le chant et l'architecture. Après avoir travaillé cinq ans avec Donnagio au Teatro Verdi (Trieste), il remporte le concours Viotti et débute au Teatro Nuovo de Milan (Tonio, dans *Paillasse*). Il chante ensuite à la Scala où on le voit durant douze ans à la soirée inaugurale. Étapes marquantes : 1966, *Rigoletto* à Vérone. 1967 : *La Traviata* (production Visconti) à Covent Garden. 1969 : *I Due Foscari*, au Lyric Opera de Chicago. 1971 : *Simon Boccanegra* (Strehler-Abbado) à la Scala (en 1978 à Paris). Chanteur éclectique – Mozart, Bellini, Verdi, Donizetti –, il a une prédilection pour les rôles verdiens (Iago à Londres). Sa voix chaude et ample, au timbre corsé, son équilibre et sa force de travail, son sens du jeu scénique marquent ses interprétations. Successeur des grands barytons italiens du début du siècle, il a beaucoup enregistré avec les grands chefs actuels dont Karajan.

Capsir, Mercedes

Soprano espagnole, née à Barcelone le 20 juillet 1895, morte à Suzzara le 13 mars 1969.

Après de solides études musicales à Barcelone sanctionnée, par des prix de chant, de piano et de composition, elle fait ses débuts à Gérone dans le rôle de Gilda (1913). En 1916 elle est Violetta et Gilda au Real de Madrid. La même année, elle chante ces deux rôles au Liceo de Barcelone, au San Carlos de Lisbonne et au Colón de Buenos Aires. En 1917, elle est Gilda lors d'une reprise de *Rigoletto* à l'Opéra de Paris. L'Italie se pose alors des questions au sujet de cette cantatrice espagnole qui a tant de succès dans les grands rôles italiens de soprano leggiero. En 1918, elle débute dans *Le Barbier de Séville* à l'Apollo de Bologne. Son succès lui vaut de chanter *Les Puritains* à Venise aux côtés d'un quasi-débutant nommé Lauri Volpi, puis de paraître au Costanzi de Rome. En 1924, elle débute à la Scala dans un électrisant *Rigoletto*, aux côtés du baryton Galeffi et du ténor Fléta et sous la direction de Toscanini. Elle devait y revenir régulièrement toujours pour chanter Gilda, mais aussi en 1929 pour prendre part à une reprise de *Il Re* de Giordano.

Ce sera une grande carrière européenne avec un répertoire très réduit mais parfaitement adapté à ses moyens exceptionnels de soprano-colorature, *La Traviata* et *Lucia di Lammermoor* s'ajoutant aux opéras mentionnés ci-dessus. En 1949, au Liceo de Barcelone, elle chante *le Mariage Secret* et se consacre ensuite à l'enseignement du chant.

Les enregistrements intégraux de *Rigoletto*, du *Barbier de Séville* et de *La Traviata* réalisés à la fin des années 20 à la Scala nous ont conservé le témoignage fidèle de sa voix cristalline capable de surmonter les pires difficultés jusque dans les registres les plus élevés.

Capuana, Maria

Alto italienne, née à Fano (Pesaro) le 29 septembre 1891, morte à Cagliari (Sardaigne) le 22 février 1955.

Sœur aînée du chef d'orchestre Franco Capuana, elle étudie le chant et le piano au Conservatoire San Pietro a Majella, à Naples. Elle débute en 1918, comme page Urbain, dans les *Huguenots* au San Carlo. En 1920, elle remporte un grand succès au Teatro Regio de Turin comme Brangäne (*Tristan*). Dès lors les rôles wagnériens deviennent sa spécialité. En 1922, elle est invitée à la Scala et chante Ortrud (*Lohengrin*) pour ses débuts. Suivront les rôles d'Hérodiade (*Salomé*), Fricka (*Walkyrie*), Amneris (*Aïda*) et Rubria (*Nerone* de Boïto). En 1925, elle chante au Colón de Buenos Aires, à Barcelone, à Lisbonne, au Caire et en Afrique du Sud. Son admirable timbre sombre, sa voix expressive lui permettront de faire une grande carrière wagnérienne, même en Italie où elle chante sur toutes les scènes importantes ainsi qu'au Festival de Vérone.

Caracciolo, Franco

Chef d'orchestre italien, né à Bari le 29 mars 1920.

Au Conservatoire de Naples, il travaille le piano et la composition, obtenant ses diplômes en 1938 et 1939. Puis il va à Rome étudier la direction d'orchestre avec Bernadino Molinari, à l'Académie Sainte-Cécile. Il fait ses débuts en 1944 et dirige les principaux orchestres italiens. De 1949 à 1964, il est à la tête de l'Orchestre Alessandro Scarlatti de Naples. Puis il est chef permanent de l'Orchestre Symphonique de la R.A.I. de Milan (1964-71) avant de reprendre la direction de l'Orchestre A. Scarlatti à Naples en 1971. On lui doit la résurrection de nombreux ouvrages anciens oubliés, dont le *Te Deum de Dettingen* de Händel qu'il « recréa » en 1955.

Cardon, Stéphane

Chef d'orchestre français, né à Béthune le 6 décembre 1940.

Il commence ses études musicales au Conservatoire de Lille puis les poursuit au Conservatoire de Paris où il obtient six prix, travaillant notamment l'analyse avec Messiaen (1er prix en 1960) et la direction d'orchestre avec Rosenthal (1er prix en 1969). De 1968 à 1972, il est contrebassiste à l'Orchestre de Chambre de l'O.R.T.F. En 1970, il remporte le 2e prix au Concours international Nicolaï Malko de Copenhague et le 1er prix au Concours international de Besançon. Il dirige les principaux orchestres français et est nommé professeur au Conservatoire de Paris tout en prenant la direction de l'Ensemble instrumental de Grenoble (1972-84). Il est ensuite nommé chef associé au Capitole de Toulouse (1984).

Caridis, Miltiades

Chef d'orchestre grec, né à Danzig le 9 mai 1923.

Après des études musicales au Conservatoire d'Athènes, il vient à Vienne où il est l'élève de Swarowsky, obtenant son diplôme à l'Académie en 1947. Il se perfectionne ensuite avec Scherchen et Karajan. Il débute comme chef d'opéra à Bregenz (1947-48), Graz (1948-59), Cologne (1959-62), avant d'être nommé à l'Opéra de Vienne (1962). Sa carrière de concert se développe à partir de cette époque : il est chef permanent de la Philharmonia Hungarica (1960-67) et de l'Orchestre Symphonique de la Radio danoise (1962-66). Puis il est nommé directeur artistique de l'orchestre Philharmonique d'Oslo (1969-76), directeur général de la musique à Duisburg (1975-81) et directeur artistique du Niederösterreichisches Tonkünstlerorchester de Vienne (1979).

Cariven, Marcel

Chef d'orchestre français, né à Toulouse le 18 avril 1894, mort à Paris le 5 novembre 1979.

Après des études musicales au Conservatoire de sa ville natale, il « monte » à Paris où il est l'élève, au Conservatoire, de Xavier Leroux, Paul Vidal et André Gédalge. Trois 1ers prix lui sont décernés : harmonie, histoire de la musique et composition. Premier violon dans divers théâtres lyriques parisiens, c'est au Théâtre de l'Apollo, où se joue *La Veuve joyeuse*, qu'il monte au pupitre pour la première fois, au pied levé. Dès lors, il ne lâche plus la baguette et dirige des orchestres aux Bouffes-Parisiens, aux théâtres Marigny, de la Michodière, des Variétés, de la Gaîté-Lyrique et Mogador, pour une reprise de *La Belle Hélène*, d'Offenbach. Il se manifeste dans tous les domaines et dans tous les genres : musique symphonique, ouvrages lyriques, musique légère, ballets, musique de films, etc. Il travaille avec des compositeurs comme Reynaldo Hahn, André Messager, Louis Beydts ou Maurice Yvain. Les hauts lieux de l'art lyrique l'ont accueilli, y compris l'Opéra et l'Opéra-Comique (1913). Entré à la Radiodiffusion, par concours, en 1936, il y dirigera jusqu'en 1973.

Carmirelli, Pina (Giuseppina)

Violoniste italienne, née à Varzi le 23 janvier 1914.

Diplômée du Conservatoire de Milan pour le violon (1930) et la composition (1936), elle a étudié avec Michelangelo Abbado. Elle obtient aussi le prix de musique de chambre à l'Académie Sainte-Cécile (classe de Serato) et, en 1940, le Prix Paganini. Ses premiers concerts, en 1937, marquent le début d'une carrière internationale. Pina Carmirelli fonde, en 1949, le Quintette Boccherini et devient une spécialiste des œuvres de ce compositeur. Elle fonde, en 1954, le *Quatuor Carmirelli* avec lequel elle fait de nombreuses tournées et enregistrements.

Souvent soliste, elle joue aussi en duo avec le pianiste Sergio Lorenzi. Au Carnegie Hall, en 1970, elle donne l'intégrale des *Sonates* de Beethoven avec Rudolf Serkin. Elle enseigne le violon au Conservatoire de Rome dès 1941. Elle est titulaire du cours de perfectionnement à l'Académie Sainte-Cécile. Cette académie lui a prêté le *Toscan*, Stradivarius sur lequel elle joue. Elle a remplacé Salvatore Accardo comme violon solo de l'ensemble I Musici, en 1977.

Artiste réfléchie, fidèle à ses premières découvertes, après avoir édité des œuvres de Boccherini et de Vivaldi, elle a entrepris l'édition révisée de tout l'œuvre instrumental de Boccherini.

Caron, Rose (Rose Meuniez)

Soprano française, née à Monnerville le 17 novembre 1857, morte à Paris le 9 avril 1930.

Elle connaît des débuts difficiles, aussi bien au Conservatoire de Paris, où elle ne remporte qu'un 2e prix de chant et un accessit d'opéra (dans la classe de J.-J. Masset), que dans sa carrière. Ernest Reyer la remarque et la fait chanter à Lille, puis à la Monnaie de Bruxelles, où elle se produit de 1882 à 1885, créant le rôle de Brünnhilde dans le chef-d'œuvre de son protecteur, *Sigurd*. Un premier engagement à l'Opéra de Paris, de 1885 à 1887, se solde par un échec dans des rôles inadéquats. Après une semi-retraite à Bruxelles, elle revient en triomphatrice en 1890, chantant *Salammbô*, toujours de Reyer, qu'elle vient de créer à la Monnaie. Elle participe aux créations françaises de *La Walkyrie* (1893) et d'*Otello* (1894). Très vite, elle se révèle une grande wagnérienne, interprétant Elsa, Sieglinde, Elisabeth. Mais également, à l'Opéra-Comique, Orphée et Iphigénie de Gluck et la Léonore de *Fidelio*. Elle crée encore *Jocelyn* de Godard (Bruxelles, 1888) et la version scénique de *La Damnation de Faust* de Berlioz (Monte-Carlo, 1893). Elle abandonne la scène pour enseigner le chant au Conservatoire de Paris à partir de 1902. Elle laisse le souvenir d'une grande tragédienne, sachant faire naître l'émotion autant par la simplicité du style que par le hiératisme de son jeu, et malgré le handicap d'une voix chaleureuse mais de peu d'étendue.

Carracilly, Yvon

Violoniste français, né à Nice en 1943.

A 16 ans, il obtient le 1er prix de violon et de musique de chambre au Conservatoire de Paris (classes de Line Talluel et de Jean Hubeau). Il suit les cours d'interprétation de Joseph Calvet. Il fait partie successivement des orchestres Paul Kuentz, Jean-François Paillard, de l'Opéra de Paris et de l'Ensemble Instrumental de Grenoble, comme violon solo. Il mène également une carrière de soliste et de musicien de chambre. Il joue sur un Carlo Fernandino Landolfi Milan, 1753.

Carreras, José

Ténor espagnol, né à Barcelone le 5 décembre 1946.

A 17 ans, après avoir commencé des études de chimie à l'Université, il décide d'apprendre le chant, travaille avec Jaime Francisco Puig et entre au Conservatoire de sa ville natale. En 1970, il débute au Liceo dans *Nabucco* (Ismaele) et en 1971 est lauréat du Concours Verdi à Bussetto. A Parme, son interprétation de Riccardo, dans *Un Bal masqué*, attire l'attention de tous. Montserrat Caballé l'encourage ; il débutera avec elle à Londres, la même année, dans une version de concert de *Marie Stuart*. Précédemment, Rafaël Frühbeck de Burgos l'avait engagé à Madrid. Dès 1972, on le réclame partout. Il chante au Carnegie Hall de New York (*Les Lombards*) et débute à Londres, à Covent Garden (*La Bohème*). En 1974, il incarne Cavaradossi (*La Tosca*), à la Scala. On le retrouve au Met (*Un Bal masqué*), à Salzbourg, en 1976, où il chante dans *Don Carlos* sous la direction de Karajan et, en 1977, il inaugure la saison de la Scala avec *Don Carlos* toujours, mais dirigé par Abbado, dans une mise en scène de Strehler. A Londres, il travaillera auprès de Visconti, Zefirelli, à Aix-en-Provence ressuscitera *Roberto Devereux* (Donizetti). Fidèle au répertoire italien, il le sert avec vaillance.

Carteri, Rosanna

Soprano italienne, née à Vérone le 14 décembre 1930.

Elève de Cusinati, elle commence une carrière de concertiste à l'âge de 12 ans, remporte en 1948 un concours de chant de la R.A.I. et chante à Rome aux Thermes de Caracalla en 1949 (Elsa). Elle débute à la Scala en 1951, à San Francisco en 1954, au Covent Garden en 1960 et donne de nombreux concerts spécialement avec l'Accademia Santa Cecilia de Rome. Elle est la créatrice du rôle-titre de l'*Ifigenia* de Pizzetti (1950) et de Flavia dans *Proserpine e lo Straniero* de Castro (1952).

Caruso, Enrico

Ténor italien, né à Naples le 27 février 1873, mort à Naples le 2 août 1921.

Il chante dans les églises, comme contralto, dès son plus jeune âge, puis travaille avec Guglielmo Vergine et Vincenzo Lombardi. Autodidacte, il débute dans la chansonnette napolitaine. Sa passion le pousse à faire des études musicales. En 1897, il obtient un rôle dans *La Gioconda* à Palerme, puis dans *La Bohème* à Livourne et enfin dans *l'Arlésienne* à Milan. L'année suivante, il est très remarqué, au Lyrico, durant la première représentation de *Fedora* de Giordano. Il est alors invité à Saint-Pétersbourg, puis en 1902 à Londres et se rend ensuite en Amérique, en 1903. Le Met l'accueille et devient son centre d'activité. En 17 ans, il y donne plus de 600 représentations, incarnant 36 rôles différents. Il est le premier ténor de l'histoire à enregistrer et devient, par le montant exorbitant de ses cachets et le nombre de ses disques, une vedette du cylindre et du disque. Après de rares apparitions en Italie, il y retourne en 1921 pour y mourir presque aussitôt, après une maladie pulmonaire et diverses opérations.

Tout d'abord ténor lyrique, durant les dix dernières années de sa vie il aborda des rôles dramatiques dans *Rigoletto*, *Aïda*, *Carmen*. Son brio, son talent, ses succès arrachés à la force du poignet, après un travail acharné, révélaient une personnalité remarquable. C'était aussi un bon caricaturiste. Il a participé à la création de plusieurs ouvrages : *Fedora* (Giordano), *Adrienne Lecouvreur* (Cilea) et *La Fille du Far West* (Puccini).

Carvalho, Eleazar de

Chef d'orchestre brésilien, né à Iguatú le 28 juin 1912.

Il étudie à Fortaleza puis à l'École nationale de musique de l'Université de Rio de Janeiro avec Paulo Silva et obtient un doctorat de musique en 1940. Il a commencé comme instrumentiste et, pendant dix ans, joué du tuba dans l'Orchestre de l'Opéra de Rio de Janeiro. En 1940, il est nommé chef assistant de l'Orchestre Symphonique Brésilien. Puis, en 1947, il est 1er chef à l'Opéra. A partir de 1946, il se perfectionne avec Koussevitzki à Tanglewood et devient son assistant puis son successeur comme professeur de direction d'orchestre. Il mène une importante carrière aux États-Unis où il est l'invité régulier de l'Orchestre Symphonique de Boston et directeur musical de l'Orchestre Symphonique de Saint Louis (1963-68) puis de l'Orchestre de l'Université de Hofstra (1969-73). De retour dans son pays, en 1973, il est nommé chef à vie de l'Orchestre Symphonique Brésilien qu'il avait déjà dirigé entre 1952 et 1959. Il joue aussi un rôle important dans la vie musicale brésilienne en fondant les Jeunesses Musicales brésiliennes (1954) et l'Académie de musique de São Paulo. Il enseigne à l'École nationale de musique de Rio de Janeiro et à la Juilliard School de New York. Comme compositeur, on lui doit notamment deux opéras, *La Découverte du Brésil* (1939) et *Tiradentes* (1941). Il a épousé la pianiste Jocy de Oliveira.

Casadesus, Gaby (Gabrielle L'hote)

Pianiste française, née à Marseille le 10 août 1901.

Elle effectue ses études musicales au Conservatoire de Paris avec Marguerite Long et Louis Diémer. A l'âge de 16 ans, elle obtient un brillant 1er prix et a le privilège de travailler leurs œuvres avec Moszkowski, Fauré, Schmitt et Ravel. Elle épouse alors Robert Casadesus et joint sa carrière à la sienne. Elle joue ainsi à deux pianos et parfois à trois, avec le concours de leur fils Jean. Elle pratique aussi régulièrement la musique de chambre avec notamment Zino Francescatti et les quatuors Guarneri et Juilliard. Pédagogue de grand renom, elle enseigne dans les principales universités américaines et à l'Académie Maurice Ravel de Saint-Jean-de-Luz.

Casadesus, Jean

Pianiste français, né à Paris le 7 juillet 1927, mort à Renfrew le 21 janvier 1972.

Fils de Gaby et Robert Casadesus, il entre en 1938 au Conservatoire de Paris. Il suit sa famille aux États-Unis à la déclaration de guerre et poursuit ses études à l'Université de Princeton tout en travaillant le piano avec ses parents. Après avoir gagné le Concours des jeunes solistes du Philharmonia Orchestra (1946), il débute sous la direction d'Eugene Ormandy et donne ses premiers récitals. En 1947, il est lauréat du Concours international de Genève. Puis il mène de front une carrière de concertiste et de professeur, enseignant notamment au Conservatoire américain de Fontainebleau (à partir de 1954) et à l'Université d'État de New York à Binghampton où il est artiste résident. Il disparaît prématurément dans un accident de voiture au Canada.

Casadesus, Jean-Claude (Jean-Claude Probst)

Chef d'orchestre français, né à Paris le 7 décembre 1935.

Petit-fils du compositeur Henri Casadesus et fils de la comédienne Gisèle Casadesus, il commence sa carrière comme percussionniste et remporte un 1er prix au Conservatoire de Paris. Puis il est timbalier aux Concerts Colonne et soliste au Domaine Musical. Il écrit des musiques de scène et de film, joue le répertoire traditionnel, des œuvres contemporaines, du jazz. Il se tourne alors vers la direction d'orchestre qu'il travaille avec Pierre Dervaux (Licence de concert de l'École normale de musique en 1965) et Pierre Boulez, à Bâle. Il dirige à l'Opéra-Comique puis à l'Opéra de Paris. En 1969, il participe, avec P. Dervaux, à la création de l'Orchestre Philharmonique des Pays de la Loire dont il est chef permanent (phalange de Nantes). Sa carrière se développe sur le plan international et il est nommé, en 1976, directeur du nouvel Orchestre Philharmonique de Lille. Il partage ses activités entre le concert et le lyrique (Festival d'Aix, Vaison-la-Romaine, Carpentras, Liège, Opéra de Paris), le répertoire classique et la musique contemporaine qui occupe une place de choix dans ses programmes.

Casadesus, Robert

Pianiste et compositeur français, né à Paris le 12 avril 1899, mort à Paris le 19 septembre 1972.

Né dans une famille de musiciens, il étudie, jusqu'à l'âge de dix ans avec sa tante, Rose Casadesus. Il entre alors au Conservatoire de Paris où il travaille avec Louis Diémer. En 1913, malgré son jeune âge, il remporte un éclatant 1er prix de piano. Ses premières compositions datent de 1916 et son premier concert de 1917. Il est appelé au service militaire en 1918. En 1919 il obtient un 1er prix d'harmonie (classe de Xavier Leroux) au Conservatoire de Paris. L'année suivante, il enlève le Prix Louis Diémer. En 1921, il épouse Gabrielle L'Hote (Gaby Casadesus) et donne la première exécution de la *Fantaisie* de Fauré qu'il avait étudiée avec le compositeur. Les débuts de son amitié avec Maurice Ravel datent de 1922. Il travaille avec lui toute sa musique pour piano et donne, en 1924, le premier récital entièrement consacré aux œuvres de ce musicien. Il rencontre Manuel de Falla, Florent Schmitt et Albert Roussel qui lui dédie sa dernière œuvre pour piano. Il inaugure la salle Pleyel en 1927 et commence à donner des récitals à deux pianos ou à quatre mains avec son épouse. En 1935, il est nommé professeur au Conservatoire américains de Fontainebleau. Cette même année il fait ses débuts aux U.S.A. sous la baguette de Toscanini. En 1940, il est aux États-Unis et donne, l'année suivante, son premier récital à Carnegie Hall. Il se lie avec Zino Francescatti avec qui il donne de nombreuses séances de musique de chambre. En 1946, il retourne en Europe et devient directeur du Conservatoire américain de Fontainebleau. Sa carrière internationale est alors à son apogée ; il joue avec Mitropoulos et Szell, il enregistre l'œuvre pour piano de Ravel et, avec Zino Francescatti, les *10 Sonates pour violon et piano* de Beethoven. Robert Casadesus est également un compositeur de talent qui nous laisse 7 symphonies, plusieurs quatuors et concertos pour piano.

Casals, Pablo (Pau Casals)

Violoncelliste espagnol, né à Vendrell (Tarragone), le 29 décembre 1876, mort à Porto Rico le 22 octobre 1973.

A quatre ans il commence à jouer du piano, du violon et de la flûte avec son père organiste et professeur de musique. Vers neuf ans, il s'initie à l'orgue et entre, en 1888, au Conservatoire de Barcelone pour travailler le violoncelle avec José Garcia et l'harmonie avec José Rodoreda. Il donne son premier concert public en 1890 au Teatro Novedaes et achète les *6 Suites pour violoncelle seul* de Bach, œuvres qu'il allait faire découvrir au monde entier. A cette époque, pour subvenir à ses besoins, il joue au Café Tost, puis au Café Pajarera. Albéniz le remarque et lui remet une lettre de recommandation pour le comte de Morphy à la Cour de Madrid où il obtient une bourse et la protection de la reine Marie-Christine (1894). Il étudie alors au Conservatoire de Madrid la composition avec Tomás Bretón et la musique de chambre avec Jesús de Monasterio. Il se rend à Bruxelles en 1895 pour se perfectionner, mais abandonne très vite la Belgique et se retrouve à Paris où il doit se contenter d'un poste de deuxième violoncelliste au Théâtre des Folies-Marigny. Il retourne à Barcelone pour prendre la succession de son maître au Conservatoire municipal et se fait nommer professeur au Liceo (1897-99). Il y fonde un quatuor à cordes et joue notamment avec Crickboom, Galvez et Granados. Il se rend une seconde fois à Paris en 1899 et rencontre Charles Lamoureux qui révèle son talent au public parisien. C'est le début de sa carrière internationale. Il joue à Londres devant la reine Victoria, en Belgique devant la reine Élisabeth qui l'honorera de son amitié toute sa vie. Il effectue une première tournée aux U.S.A. en 1901 (où il se blesse la main), puis une seconde en 1904 pendant laquelle il donne la première américaine de *Don Quichotte* sous la direction de Richard Strauss lui-même. En 1903 il enregistre son premier cylindre. En 1905 il fonde avec Cortot et Thibaud un trio qui devait tenir les mélomanes sous le charme pendant plus de 30 ans. Pablo Casals fait alors ses débuts en Russie, rencontre Rimski-Korsakov et Scriabine, joue sous la direction de Rachmaninov. Pendant les hostilités il vit principalement à New York. Puis, en 1919, il se fixe en Catalogne où il crée l'Orchestre Pau Casals de Barcelone avec des musiciens locaux. Il l'amènera à un niveau tel qu'il pourra inviter des chefs comme Fritz Busch, Koussevitzk, Strauss, Monteux, Klemperer ou Stravinski. Il fonde une association populaire de concerts destinée à faire découvrir la musique aux ouvriers les plus défavorisés et y consacrera toute son énergie. Il adhère passionnément à la jeune république espagnole et refuse, dès 1933, de jouer en Allemagne hitlérienne. Pendant la guerre civile espagnole, il jouera sous les bombes. Il s'expatrie en 1939 et se fixe à Prades, petite ville pyrénéenne proche de la frontière espagnole et des camps de réfugiés politiques. C'est à leur bénéfice qu'il donne de nombreux concerts. En 1943 il commence la composition de son oratorio *El Pessebre*. En 1945, il abandonne les concerts pour protester par son silence contre l'indulgence des puissances occidentales envers la dictature de Franco. Il ne reprendra l'archet et la baguette qu'en 1950, pour le bi-centenaire de la mort de Bach. Prades devient alors un lieu de pèlerinage où se rassemble tout ce qui compte dans le monde musical : Haskil, Szigeti, Serkin, Oïstrakh, Kempff, Katchen, etc. Casals se rend à Porto Rico, berceau de sa famille maternelle, en 1954. En 1957, il fonde, avec Alexander Schneider, le Festival de musique de Porto Rico et l'Orchestre Symphonique de cette ville. Il donne des cours à Berkeley puis à l'Académie Chigiana de Sienne (1959-62) et effectue une tournée mondiale en 1962 avec *El Pessebre*. Il participe une dernière fois au Festival de Prades en 1966 pour son 90e anniversaire. Outre son oratorio, Pablo Casals a composé une messe, un poème symphonique et un quatuor à cordes.

Il avait épousé en 1res noces (1906) une de ses élèves, la violoncelliste portugaise Guilhermina Suggia dont il divorça en 1912. En 1914, il épousa la chanteuse américaine Susan Metcalfe et, en 1957, une autre de ses élèves, Marta Montañez, qui devint, après sa mort, la femme d'Eugene Istomin.

Le violoncelle a connu en lui non seulement un porte-parole enthousiaste mais un prodigieux technicien qui a fait évoluer les possibilités de l'instrument en accordant notamment une grande importance à l'utilisation de l'archet. Fauré lui a dédié sa *Sérénade* pour violoncelle et piano, Vierne sa *Sonate* et Enesco sa *2e Sonate*. Schönberg a transcrit et réorchestré pour lui le *Concerto* en sol mineur de Monn qu'il a créé en 1913. Depuis 1910, Casals jouait sur un violoncelle de Goffriller.

ÉCRITS : *Ma Vie racontée à E. Khan* (1970).

Casier, Robert

Hautboïste français, né à Champigny-sur-Marne le 15 juillet 1924.

Il mène ses études avec Louis Bleuzet, Étienne Baudo et Pierre Bajeux pour le hautbois, Yvonne Desportes pour l'harmonie et Fernand Oubradous pour la musique de chambre. Il obtient en 1944 un 1er prix de hautbois et de musique de chambre au Conservatoire de Paris. Il remporte le Prix de la critique internationale à Buenos Aires (1952) et le Grand Prix international d'exécution musicale à Genève (1954). Hautbois solo de la Société des Concerts du Conservatoire (1953-67), il est depuis 1959 1er hautbois à l'Opéra de Paris. Parallèlement à une brillante carrière de musicien d'orchestre, il mène une intense activité de soliste. Il fonde en 1944 le Quintette à vent de Paris, l'Association française de musique de chambre (1960), le duo musette et clavecin (1971) et crée le Festival Couperin en Centre-Brie (1973). En 1968, il met au point une musette, instrument de la famille des hautbois, première copie d'une musette d'époque. Il crée la *Sonate pour hautbois et piano* de Boutry avec l'auteur, celle de Poulenc avec Jacques Février ainsi que la *Sonate pour hautbois et basson* de Jolivet (1954). Il enregistre, outre les partitions traditionnelles dédiées à l'instrument, des œuvres de Auric, Ibert, Jolivet, Milhaud, Poulenc, Roland-Manuel, Hindemith, Malipiero et Schönberg. Professeur au Conservatoire de Rouen (1945-51), il est actuellement professeur au Conservatoire de Montreuil.

Caskel, Christoph

Percussionniste allemand, né à Greifswald le 12 janvier 1932.

De 1949 à 1953, il étudie la percussion avec W. Pricha à l'École supérieure de musique de Cologne, puis la musicologie à l'Université jusqu'en 1955, année de ses premiers concerts. Il joue presque exclusivement des œuvres contemporaines. A Darmstadt, Caskel fait partie de l'Ensemble de Chambre International et apparaît en soliste auprès d'Alfons et Aloys Kontarsky, dans la *Sonate pour deux pianos et percussion* de Bartók. En 1963, il forme un duo avec le pianiste Franzpeter Goebels et l'année suivante se joint à l'ensemble de Stockhausen. Il aime enseigner et donne des cours à Darmstadt (1959), puis à Cologne (1968, 1970 et 1974) ainsi qu'en Hollande.

Sa vitalité, sa précision, sa puissance en font l'interprète idéal des grandes œuvres de Stockhausen telles *Zyklus* et *Kontakte* et de Kagel (*Transicion II*). Caskel est aussi un homme de réflexion. Il a écrit sur son instrument : *Notation für Schlagzeug* (*Contribution de Darmstadt à la nouvelle musique*, 1965). Il joue dans l'orchestre Capella Coloniensis.

Cassadó, Gaspar

Violoncelliste espagnol, né à Barcelone le 30 septembre 1897, mort à Madrid le 24 décembre 1966.

Fils du compositeur, organiste et chef d'orchestre Joaquín Cassadó Valls (1867-1926), il prend ses premières leçons avec son père. A l'âge de sept ans, il entre au Conservatoire Las Mercedes de Barcelone. Deux ans plus tard, il donne son premier concert. En 1908, il obtient une bourse et se rend à Paris où il travaille avec son compatriote Pablo Casals. Sa carrière internationale commence en 1918. Son tempérament s'impose sur toutes les scènes du monde en concerto comme en musique de chambre. Il joue avec Harold Bauer, Rubinstein, Iturbi, Szigeti, Hubermann. Plus tard il forme un trio avec Menuhin et Kentner. Il se consacre largement à l'enseignement, à Sienne (1946-52 et 1955-63), puis à Cologne à partir de 1958. Il s'installe ensuite à Florence où il réside jusqu'à la fin de sa vie et où un concours international de violoncelle porte maintenant son nom. La musique contemporaine l'attire et il la défend : Dallapiccola lui dédie ses *Dialoghi* qu'il crée en 1960. Turina transcrit pour lui *Jeudi Saint à Minuit.* Il crée le *1er Concerto pour violoncelle* de Martinů (1re version, 1931), le *Concerto galante* de Rodrigo (1947) et le *Second Concerto* de Bacewicz (1963).

Comme compositeur, il laisse plusieurs œuvres pour son instrument, une *Sonata breve* pour piano, un oratorio sur deux psaumes de David, la *Rapsodie catalane* pour orchestre et un *Concerto* pour violoncelle. Il avait épousé en 1959 la pianiste japonaise Chieko Hara.

Cassily, Richard

Ténor américain, né à Washington le 14 décembre 1927.

Après des études au Conservatoire Peabody de Baltimore (1946-52), il débute comme choriste sur Broadway puis, engagé au New York City Opera, il y remporte de grands succès dès 1954. En 1965, Liebermann l'invite à chanter Radamès (*Aïda*) à Hambourg et dès l'année suivante l'engage comme membre de la troupe, dont il devient le fort ténor ; il participe aux plus grands festivals et chante sur les plus grandes scènes. Ses rôles favoris sont Radamès, Canio (*Paillasse*), Florestan (*Fidelio*), *Otello, Parsifal*, Hérode (*Salomé*), le Cardinal (*Mathis le Peintre*, de Hindemith), Tannhäuser, Max (*Freischütz*) et Don José (*Carmen*). Une présence imposante, des aigus aisés, un medium puissant lui ont permis d'être durant de nombreuses années un des chefs de file de l'Opéra de Hambourg.

Caussé, Gérard

Altiste français, né à Toulouse le 26 juin 1948.

Né dans un milieu musical, il travaille tout de suite l'alto à Toulouse puis entre en 1967 au Conservatoire de Paris dans la classe de Léon Pascal et obtient un 1er prix d'alto deux ans plus tard ainsi qu'un 1er prix de musique de chambre (classe de Jean Hubeau). Il suit le 3e cycle de perfectionnement en tant que membre, du Quatuor Via Nova. Il est altiste de ce Quatuor de 1969 à 1971. En 1971, il est lauréat de la Fondation de la vocation. De 1972 à 1980, il fait partie du Quatuor Parrenin et, à partir de 1976, de l'Ensemble Intercontemporain. Professeur au Conservatoire de Boulogne (1980), associé de Jean Hubeau au Conservatoire de Paris dans la classe de musique de chambre (1981), il est ensuite nommé professeur au Conservatoire de Lyon (1982). La même année, il quitte l'Ensemble Intercontemporain et participe à la fondation du Quatuor Ivaldi. Il a créé le *Concerto pour alto* de Rose (1975), le *Prologue pour alto* de Grisey (1975), *Jeremy Voyageur* de Koering (1978) et *Einspielung* de Nuñes (1981).

Cebotari, Maria

Soprano russe naturalisée autrichienne, née à Kishinev (Bessarabie) le 10 février 1910, morte à Vienne le 9 juin 1949.

Elle chante d'abord dans des chœurs d'église et entre dans la troupe itinérante d'Alexander Wyruboff qui l'amène au Théâtre des Arts de Moscou (1926), puis à Berlin, où elle étudie avec Oskar Daniel. Elle débute en 1931 à l'Opéra de Dresde (Mimi) et chante la même année au Festival de Salzbourg. En 1936, elle quitte Dresde pour Berlin (1936-44) puis Vienne (1946-49). Nommée Kammersängerin en 1934, elle participe aux créations mondiales de *La Femme silencieuse* de R. Strauss (Aminta) à Dresde en 1935, de *Romeo und Julia* de Sutermeister (Julia) en 1942, de *La Mort de Danton* de von Einem (Lucille) à Salzbourg en 1947 et du *Vin Herbé* de Frank Martin (Isot) à Salzbourg en 1948. La Comtesse, Donna Anna, Suzanne, Zerline pour Mozart, Sophie, Ariane, Madeleine pour Strauss (qui modifia pour elle l'orchestration de *Salomé*) alternent dans son répertoire avec Carmen, Violetta, Manon, Butterfly, Tatiana, et Turandot dont elle est la créatrice américaine au Met en 1926. Entre 1933 et 1941 elle participe également au tournage de six films (dont deux avec Gigli pour partenaire). L'un d'eux est consacré à la vie de la Malibran.

Épouse de l'acteur Gustav Diessl, elle meurt d'un cancer à 39 ans en pleine gloire.

Ceccato, Aldo

Chef d'orchestre italien, né à Milan le 18 février 1934.

Au Conservatoire de Milan, il étudie le piano, la composition et la direction d'orchestre. Puis il se perfectionne à la Hochschule de Berlin où il obtient son diplôme en 1961. Il travaille ensuite avec Celibidache à Sienne (1961-63) et débute à Milan dans *Don Giovanni* en 1964. Il commence à diriger dans différents théâtres italiens et travaille, pendant quelques mois en 1967, avec Victor De Sabata dont il épousera la fille Eliana. La même année, il fait ses débuts à la Scala. Deux ans plus tard, il remporte le 1er prix au Concours de direction d'orchestre de la R.A.I. Il est invité la même année au Festival d'Edimbourg et à Chicago. En 1970, il dirige à Covent Garden et, en 1971, à Glyndebourne. De 1973 à 1977, il est directeur musical de l'Orchestre Symphonique de Detroit. De 1972 à 1983, il est à la tête de l'Orchestre Philharmonique de Hambourg. En 1985, il prend la direction de l'Orchestre Symphonique de Bergen et de l'Orchestre Symphonique du N.D.R. de Hanovre.

Celibidache, Sergiu

Chef d'orchestre roumain, né à Iaşi le 28 juin 1912.

Il fait des études de philosophie et de mathématiques très approfondies à l'Université de Bucarest. Puis il vient à Berlin en 1936 où il complète ses études générales – se spécialisant notamment dans la mécanique ondulatoire et soutenant une thèse de doctorat de musicologie sur Josquin des Prés. Il s'inscrit à la Hochschule für Musik et travaille, de 1939 à 1945, avec Fritz Stein, Kurt Thomas et Gmeind. Sitôt diplômé, il saisit la chance au vol et débute avec la Philharmonie de Berlin privée alors de chef puisque Furtwängler était interdit de direction. Pendant trois ans, il assure la plupart des concerts de l'illustre phalange et fait déjà preuve d'une personnalité hors du commun : prodigieuse mémoire, répertoire inhabituel, volonté intraitable... Au retour de Furtwängler, il commence une longue carrière de chef invité : Celibidache s'attachera rarement à un orchestre de façon durable. Les conditions de travail qu'il exige sont difficiles à réunir et son caractère entier s'accommode mal des concessions que doit faire un chef d'orchestre dans ses rapports avec les instrumentistes ou avec le public. Dans un premier temps, il reste étroitement associé aux orchestres berlinois, la Philharmonie et le R.I.A.S. Il débute à Londres en 1948. Puis il dirige souvent en Italie. Il est l'invité régulier de l'Orchestre Symphonique du S.D.R. de Stuttgart à partir de 1959. Puis il prend la direction de l'Orchestre Symphonique de la Radio de Stockholm qu'il reconstruit entièrement (1962-71) : c'est la ville où il reste le plus longtemps de façon durable. Il enseigne à Sienne, à l'Académie Chigiana, où les jeunes chefs se disputent le privilège de suivre ses cours (1960-62). En France, il est le 1er chef invité de l'Orchestre National (1973-75) et obtient des résultats stupéfiants. En 1980, il prend la direction musicale de la Philharmonie de Munich et crée un cours de direction d'orchestre dans la capitale bavaroise.

Celibidache est un chef hors du commun : on ne pourrait le comparer à nul autre. Il dirige peu et réclame toujours un nombre considérable de répétitions pour satisfaire sa passion du détail. Les nuances, les timbres, la précision, tout l'intéresse au plus haut point. Sa mémoire, fabuleuse, lui permet d'effectuer ses répétitions sans la moindre partition. Son oreille se situe au même niveau. Il possède une science rare de l'orchestre et sait tirer le meilleur de chacun. Bien qu'ayant gravé quelques disques au début de sa carrière, il refuse l'enregistrement : la musique est pour lui un renouvellement permanent et une exécution ne doit s'entendre qu'une fois dans un contexte donné. Ses conceptions musicales vont de pair avec son souci du détail : il adopte généralement des mouvements modérés, voire assez lents, qui mettent en valeur le travail de joaillerie effectué. Mais la dynamique d'ensemble en est parfois altérée et sa vision des œuvres alertes ou gaies (*Symphonie Classique* de Prokofiev, Mozart, Rossini) est moins convaincante que celle des œuvres dramatiques ou impressionnistes.

Il a également une activité de compositeur mais refuse de laisser jouer ses œuvres (*Requiem,* 4 *Symphonies, Concerto pour piano, Suite d'orchestre*).

Cellier, Alexandre

Organiste français, né à Molières-sur-Cèze le 17 juin 1883, mort à Paris le 4 mars 1968.

Organiste, musicologue et compositeur, il fait ses études musicales au Conservatoire de Paris, auprès de Diémer, Guilmant, Leroux et Widor. Il obtient son 1er prix d'orgue en 1908, ce qui lui vaut, à peine deux ans plus tard, d'être nommé titulaire du grand-orgue de l'église réformée de l'Étoile, à Paris, dont il reste l'officiant jusqu'à sa disparition.

Alexandre Cellier, qui a été également l'organiste de la Société Bach de 1918 à 1939 et inspecteur de l'enseignement musical dans les conservatoires de province, a laissé une œuvre pour son instrument assez importante, ainsi que des pièces pour piano, de la musique de chambre et des pages pour orchestre.

ÉCRITS : *l'Orgue moderne* (1913), *Les Passions et l'Oratorio de Noël de Bach* (1929), *l'Orgue, ses éléments, son histoire et son esthétique* (1933) et *Traité de la registration d'orgue* (1957).

Cernay, Germaine (Germaine Pointu)

Mezzo-soprano française, née au Havre en 1900, morte à Paris en 1943.

Son nom reste lié à l'Opéra-Comique où elle débute en 1927, brillant dans les rôles de Charlotte de *Werther*, de Margared du *Roi d'Ys*, et dans Pénélope, Carmen, Mignon, etc. Elle est Geneviève dans la version historique de *Pelléas et Mélisande* enregistré par Désormière en 1942. Elle remporte ses plus grands succès au Théâtre de la Monnaie de Bruxelles et en province, et donne également des concerts, où elle se révèle une émouvante interprète de Bach. Maîtrise du phrasé et intensité spirituelle sont les qualités marquantes de son art et n'étonnent point de la part d'une chanteuse qui se destinait à la carrière monastique à la fin de sa courte vie.

Cerquetti, Anita

Soprano italienne, née à Macerata le 13 avril 1931.

Elle fait ses études au Lycée musical Morlacci de Pérouse. Après avoir brillamment remporté plusieurs concours de chant, elle fait ses débuts sur scène à Spolète en 1951 dans le rôle d'Aïda. Son succès lui vaut de multiples engagements dans tous les théâtres de la péninsule et notamment dans *Aïda* et *Le Trouvère* aux arènes de Vérone en 1953. A l'Opéra de Chicago, elle chante *Un Bal Masqué, Le Trouvère* et *Don Juan*. Son nom fait la une des journaux en 1958. Elle chante alors *La Norma* au San Carlo de Naples, tandis que Maria Callas est à l'affiche, dans le même rôle, pour l'inauguration de l'Opéra de Rome. Souffrante, la Callas ne peut aller jusqu'au bout de la représentation. Pour les représentations suivantes, on appelle la Cerquetti, qui fait pendant plusieurs semaines, la navette entre Naples et Rome. Ce tour de force la rend célèbre mais nuit à sa santé. Peu après, à la suite d'une grave opération, elle quitte la scène pour ne plus y revenir.

De forte corpulence, la Cerquetti bougeait peu sur scène, mais la beauté, l'étendue et la puissance de sa voix étaient telles qu'elle réussissait par sa seule magie à créer un personnage et à émouvoir profondément le public.

Chabrun, Daniel

Chef d'orchestre français, né à Mayenne le 26 janvier 1925.

Il mène de pair des études supérieures à la Faculté de lettres de Paris et des études musicales, sous la direction de Yves Nat (piano), H. Challan et F. Lamy (harmonie, contrepoint et fugue), L. Fourestier (direction d'orchestre). En 1954, il ôbtient un 1er prix de direction d'orchestre au Conservatoire de Paris et depuis ne cesse de diriger en France et à l'étranger. En 1965, à Paris un festival Anton Webern avec l'ensemble *Ars Nova*, en 1966 la création en France de *The Indian Queen* de Purcell, en 1966 la création mondiale de *Jonas*, opéra de Claude Prey, prouvent déjà son éclectisme. Il enregistre des œuvres de Gluck, Mozart, Rossini ou Debussy, et défend avec un bel enthousiasme les œuvres de son temps. C'est ainsi qu'il obtient, dès 1961, un Prix Italia pour sa direction de *La véridique histoire de Jakotin* de Maurice Ohana, et le même prix (1963) pour *Le Cœur révélateur* de Claude Prey ainsi que le prix de la Communauté d'expression française pour son interprétation de l'œuvre de I. Malec *Les Douze Mois.*

Collaborateur de Jean Vilar, il a été à l'origine du Théâtre Musical au festival d'Avignon où, depuis 1969, il a créé, notamment, des œuvres de Claude Prey (*On veut la lumière, allons-y* ! et *Les Fêtes de la faim*), de Maurice Ohana (*Syllabaire pour Phèdre* et *Trois Contes de l'Honorable fleur*), d'Ivo Malec (*Un contre tous*), de Georges Aperghis (*Pandemonium*), de Georges Couroupos (*Dieu le veut !*).

Une centaine d'œuvres contemporaines ont été exécutées sous sa direction – en création mondiale, européenne ou française –, de compositeurs de toutes tendances : Chaynes, Koering, Lutoslawski, Petrassi, Taïra, Denisov, Xenakis, Arrigo, Barraud ou Tremblay... Ses activités pédagogiques sont importantes : dix ans d'enseignement à la ville de Paris (spécialisation : la rééducation psychologique par la musique ; écrits publiés sur ce sujet dans les revues médicales et pédagogiques). Depuis 1972, il fait des séries de cours de direction d'orchestre au Conservatoire de Paris. En 1975, il est nommé professeur au Conservatoire de Montreuil. Chargé d'inspection des Théâtres lyriques français de 1975 à 1978, il a été nommé inspecteur principal de la musique au ministère de la Culture en 1978 et inspecteur général en 1980.

Chailly, Riccardo

Chef d'orchestre italien, né à Milan le 20 février 1953.

Fils du compositeur Luciano Chailly, il travaille d'abord avec son père puis au Conservatoire de Milan avec Franco Caracciolo. Il suit ensuite les cours de Piero Guarino à Pérouse et de Franco Ferrara à Sienne (jusqu'en 1972). Il débute en concert à Milan en 1970 et deux ans plus tard, il conduit *Werther* au Teatro Nuovo. Claudio Abbado l'engage comme assistant à la Scala de Milan et il entame parallèlement une carrière de chef invité surtout spécialisé dans le répertoire lyrique. Ainsi est-il appelé à diriger régulièrement à partir de 1974 à l'Opéra de Chicago (*Madame Butterfly, Rigoletto, Paillasse, Cavaleria Rusticana*) et en 1977, à l'Opéra de San Francisco. En 1978, il fait ses débuts officiels à la Scala de Milan avec *I Masnadieri* de Verdi. L'année suivante, il est invité par Colin Davis à diriger *Don Pasquale* de Donizetti au Covent Garden de Londres. Parallèlement à son activité de chef lyrique, Riccardo Chailly dirige les plus grands orchestres symphoniques du monde. En 1982, il est nommé chef permanent de l'Orchestre Radio-Symphonique de Berlin. Il a créé le *Requiem pour les enfants* (1979) et *Es Konzert* (1984) de son père ainsi que *La Foresta incantata* (1983) de Tutino.

Chalabala, Zdeněk

Chef d'orchestre tchécoslovaque, né à Uherské Hradiště le 18 avril 1899, mort à Prague le 4 mars 1962.

Il commence des études juridiques puis se tourne vers la musique qu'il travaille au Conservatoire de Brno avec Neumann (1919-22). En 1924, il fonde son propre orchestre d'amateurs, la Philharmonie Morave-Slovaque. De 1921 à 1936, il enseigne au Conservatoire de Brno et, en 1925, il est nommé chef d'orchestre à l'Opéra de cette ville. En 1930, il en est le conseiller artistique. Il vient à Prague où il est chef d'orchestre à l'Opéra de 1936 à 1945. Il dirige ensuite l'Opéra d'Ostrava (1945-49), celui de Brno (1949-52), et celui de Bratislava (1952-53) avant de revenir à Prague comme 1er chef à l'Opéra (1953-62). De 1956 à 1960, il sera invité régulièrement au Bolchoï.

Figure marquante du monde lyrique tchécoslovaque, il a joué un rôle important dans la diffusion des opéras de Dvořák, Smetana et Janáček dans son pays et en U.R.S.S.

Chaliapine, Feodor

Baryton-basse russe, né à Ometovo (Kazan) le 13 février 1873, mort à Paris le 12 avril 1938.

Sa petite enfance n'est pas heureuse ; à huit ans cependant il a la révélation du théâtre et de la musique grâce à un spectacle de forains. Un maître de chapelle lui donne ses premières leçons de solfège et de violon. A douze ans il est engagé comme figurant, puis chassé d'un peu partout. Il aide sa famille en étant copiste. Il entre à dix-sept ans au Théâtre Panaïev et bientôt chante Fernando dans *Le Trouvère*. Après avoir rencontré le ténor Oussatov à Moscou il participe à la saison d'opéra de Tiflis (*Russalka* de Dargomijski). En 1895, il est engagé comme artiste des Théâtres impériaux et débute au Théâtre Marie de Saint-Pétersbourg dans le Méphisto de Gounod. Sa stature, sa présence en scène, sa voix belle dans tous les registres, son jeu intense, hors de toute convention, frappent le public. En 1896, il chante à l'Opéra de Niznij Novgorod, puis entre au Kastnaja Opéra de Moscou. C'est le début d'une carrière étonnante. Chaliapine rencontre Rimski-Korsakov et se lie d'amitié avec lui. Marmontov, mécène, le soutient. Il chante *Une Vie pour le Tsar.* Il rencontre aussi Gorki et, en 1898, Rachmaninov qui l'initie à l'harmonie. Il épouse la même année la danseuse italienne la Tornaghi. Il apprend par cœur toute la partition de *Boris Godounov* et dans un souci de vérité consulte l'historien Klioutcheski. Son Boris marquera son temps, inoubliable. En 1899 il entre au Bolchoï, puis voyage (la Scala, en 1901, le Met en 1907). Diaghilev le fait venir à Paris, il chante *Boris* au Théâtre Sarah-Bernhardt en 1909 et triomphe. Il regagne la Russie en 1914 puis, après maintes difficultés, repart en Amérique (1921). Considéré comme « contre-révolutionnaire » il est privé de son titre de « premier artiste du peuple ». Il se fixe en France en 1922. Il chante régulièrement au Met jusqu'en 1929 et paraît plusieurs fois dans *Boris* et *Le Prince Igor* à Covent Garden. Sa carrière s'achève sous le signe du déclin : il continue à chanter sur scène et en concert, dans différents théâtres de province, participant à des spectacles indignes de lui.

Figure marquante de sa génération, il n'était pas cette basse profonde qu'en a fait la légende : sa tessiture était plutôt limitée mais il possédait un art incomparable pour masquer les problèmes que lui posaient certains rôles. Son sens du théâtre en a fait *le* Boris de sa génération. Sans lui, l'ouvrage de Moussorgski ne connaîtrait peut-être pas sa vogue actuelle. A la fin de sa vie, il a incarné au cinéma Don Quichotte dans le film de Pabst, créant pour la circonstance les mélodies de J. Ibert. Il avait aussi été le créateur du *Don Quichotte* de Massenet (1910).

ÉCRITS *: Pages de ma vie* (1926), *Ma Vie* (1932).

Challan, Annie

Harpiste française, née à Toulouse le 5 novembre 1940.

Son père est compositeur, son oncle professeur d'harmonie au Conservatoire de Paris. Elle est jeune lorsqu'elle vient dans la capitale ; elle ne pense d'abord qu'à la danse, puis le piano l'attire. Comme ses mains sont trop petites, elle renonce vite à cet instrument et choisit la harpe. Elle devient l'élève de Lily Laskine ; douée, ardente, elle progresse très vite. C'est ainsi qu'elle obtient à 12 ans un 1er prix de harpe au Conservatoire de Versailles, et trois ans plus tard un 1er prix au Conservatoire de Paris. A 16 ans, elle est harpe solo des Concerts Colonne où elle joue durant dix ans. A 18 ans, elle entre à l'Orchestre de l'Opéra de Paris. Sensible, musicienne, elle a le sens du perfectionnement et celui de l'innovation. Elle crée en France le premier duo de harpes féminin avec Suzanne Cotelle. Elle aime jouer avec la flûte, qui répond si bien à la harpe. Ainsi avec Roger Bourdin en duo pour flûte et harpe. Ouverte aux autres arts – à la lecture, à la peinture, elle est éclectique en musique, de Mozart à Frank Sinatra, mais aime par-dessus tout Ravel.

Chapelet, Francis

Organiste français, né à Paris le 3 mars 1934.

Il étudie le piano avec Édouard Mignan, organiste de l'église de la Madeleine, et acquiert avec le même professeur ses premiers rudiments d'harmonie. A l'École César Franck, il suit les cours d'Édouard Souberbielle (orgue), puis entre au Conservatoire de Paris. Il obtient un 1er prix d'orgue (improvisation et interprétation) en 1961. Nommé cotitulaire de la tribune de Saint-Séverin à Paris en 1964, en compagnie de Jacques Marichal et Michel Chapuis, selon la formule en honneur dans les tribunes parisiennes des XVIIe et XVIIIe siècles, il approfondit en même temps une véritable recherche sur l'orgue espagnol, sa facture et sa musique. Les premiers enregistrements d'instruments jusque-là inconnus tels Covarrubias, Salamanque (cathédrale), Ciudad Rodrigo, Trujillo, ... (on en compte à cette date une bonne douzaine) ont permis de faire le point sur la question de l'orgue espagnol. Ce travail à la fois musicologique et esthétique est couronné par cinq prix du disque. Il est membre correspondant de l'Académie Royale des Beaux-Arts de Madrid depuis 1972. En 1979, il créa l'Académie de musique ibérique de Paredes-Fuentes de Nava (Castille), qu'il continue de diriger. Depuis 1980, il est professeur d'orgue au Conservatoire de Bordeaux. A la même date, il est nommé membre de la Commission supérieure des Monuments historiques (section orgue) pour l'Aquitaine. En 1981, l'Espagne l'a nommé expert pour les orgues historiques des Provinces de Castille et de Leon. Il ne conçoit pas que l'on puisse dissocier la pratique de l'interprétation de l'orgue de l'étude sérieuse de sa facture et de son histoire.

Chapuis, Michel

Organiste français, né à Dole le 15 janvier 1930.

A l'âge de neuf ans il joue déjà le dimanche sur le grand orgue de la cathédrale de sa ville natale. Après la guerre, il entre à l'École César Franck (Paris) et suit pendant quatre ans les cours de René Malherbe et Édouard Souberbielle. En 1950, il entre au Conservatoire de Paris dans la classe de Marcel Dupré, pour le quitter la même année avec un 1er prix d'improvisation et d'exécution. En 1951, il est nommé titulaire du grand orgue de Saint-Germain-l'Auxerrois ; attiré par la facture d'orgue pour mieux connaître l'instrument qu'il joue, il entre chez le facteur Müller (Saint-Germain-en-Laye) et y travaille pendant deux ans. En 1954, après son service militaire, il accepte la tribune d'un orgue construit par Clicquot, à Saint-Nicolas-des-Champs : c'est cet instrument qui lui permet de découvrir la musique française des XVIIe et XVIIIe siècles et la nécessité d'un instrument approprié. Dès 1942, à Dole, il avait découvert, notamment grâce à la lecture d'Emile Borrel, le style d'interprétation en notes inégales. De 1954 à 1972, il est titulaire de cette tribune. Il y joue Grigny, Couperin, Marchand, Clérambault ou Titelouze. Chapuis s'avère être, dès lors, le chef de file d'une nouvelle génération d'organistes. Pendant neuf ans (à partir de 1954) il assure l'accompagnement des offices liturgiques à Notre-Dame de Paris (orgue de chœur).

En 1964, il est nommé titulaire de l'orgue de Saint-Séverin, reconstruit par Alfred Kern, et dont il a suivi pour partie la restauration. Il demande alors à partager cette fonction avec deux autres organistes – Jacques Marichal et Francis Chapelet – selon une coutume de la France d'autrefois. Ayant toujours cultivé l'improvisation, il aime participer au culte de cette manière vivante, pratiquant notamment le genre choral à l'allemande, la fugue et le grand prélude français sur le plein-feu de l'orgue. De 1956 à 1979, il est professeur au Conservatoire de Strasbourg. Depuis 1979, il enseigne au Conservatoire de Besançon. Il participe régulièrement aux académies de l'orgue de Bourgogne et de Saint-Maximin depuis 1963. Son interprétation de la musique des XVIIe et XVIIIe siècles s'inspire d'une profonde recherche musicologique et d'une étude constante de l'histoire de l'orgue au point de vue factorial. De nombreux enregistrements rendent témoignage de son talent : l'intégrale de l'œuvre pour orgue de Buxtehude (orgue Saint-Maximin de Thionville), celle de J.S. Bach sur divers instruments baroques de facture germanique baroque, les œuvres de François et Louis Couperin, Grigny, Roberday, Titelouze, Balbastre, Dandrieu, Clérambault, Du Mage, Daquin... Michel Chapuis a bataillé longuement en faveur d'une restauration des instruments historiques français conforme à la conservation du patrimoine, le plus possible à l'authentique. Il est membre de la Commission nationale des Monuments historiques (section des orgues), et expert agréé auprès des Beaux-Arts.

Charbonnier, Jean-Louis

Gambiste français, né à Joinville-le-Pont le 17 mars 1951.

Après trois ans de piano, il commence le violoncelle à l'âge de dix ans au Conservatoire de Saint-Maur, puis, à seize ans, le basson comme second instrument. Il travaille pendant deux ans la musicologie et obtient ses diplômes de basson (1970) et de violoncelle (1971) au Conservatoire de Saint-Maur. Très attiré par les instruments anciens, il s'inscrit à la Schola Cantorum de Bâle. Il travaille la viole de gambe avec Jordi Savall et se consacre à l'édition des œuvres oubliées pour viole de gambe. En 1975 il épouse la violoncelliste Claire Giardelli. En 1976 il fait paraître une méthode de viole et forme avec son épouse un ensemble de musique ancienne. En 1977, il entre à la Grande Écurie et la Chambre du Roy. Il crée des classes de viole de gambe aux Conservatoires de Dieppe et de Fontenay-aux-Roses. Jean-Louis Charbonnier joue toutes les violes (dessus, ténor, basse, contre-basse).

Charlier, Olivier

Violoniste français, né à Albert (Somme) le 17 février 1961.

Il commence le violon avec son père dès l'âge de cinq ans. A dix ans, il est l'élève de Jean Fournier. En 1975, il remporte un 1er prix au Conservatoire de Paris et, l'année suivante, un prix de musique de chambre. Il se perfectionne avec Jean Hubeau et Pierre Doukan. Il est lauréat de nombreux concours internationaux : Munich (1978), Montréal (1979), Sibelius à Helsinki (1980), 2e prix Long-Thibaud (1981) et Grand Prix Rainier de Monaco.

Chauvet, Guy

Ténor français, né à Montluçon le 2 octobre 1933.

Il commence ses études musicales à Tarbes, où s'est établie sa famille, mais où on hésite, devant la densité de son timbre, sur sa réelle tessiture : baryton ou ténor ? Prix d'excellence au Conservatoire de Tarbes, il remporte successivement le Concours international de ténors à Cannes (1954) et le Concours international de chant de Toulouse (1955). Grâce au Concours des Voix d'Or, dont il est l'éclatant lauréat en 1958, il entre à l'Opéra de Paris. En 1960, après quelques petits rôles, il est Faust dans *La Damnation* de Berlioz. Il chante tout le répertoire des forts ténors, dans *Tosca, Boris, Carmen, Fidelio, les Troyens, Iphigénie en Tauride, Faust, Don Carlos, Turandot*...

Il est un des grands ténors européens consacrés, aussi à l'aise dans le répertoire wagnérien que dans le répertoire verdien. Sa voix ample et généreuse, où le soleil méditerranéen s'allie au flamboiement germanique, ses aigus glorieux produisent partout une forte impression. En 1971, il participe au centenaire d'*Aïda*, aux Arènes de Vérone, alternant en Radamès avec Carlo Bergonzi. Il surprend plus d'un en abordant le répertoire contemporain, s'imposant en Tambour major (*Wozzeck*), en Électeur du *Prince de Hombourg*, et dans *Mahagonny*. Lorin Maazel l'engage pour chanter le rôle-titre de *Lohengrin* à Berlin-Ouest, puis à Osaka. Il chante *Parsifal* à la Monnaie et aborde enfin *Samson*, au Grand-Théâtre de Genève, avant de le chanter à la Scala, au Met et à l'Opéra de Paris. Il chante *Les Troyens* à l'Opéra de Vienne et bientôt, avec bonheur, le rôle-titre d'*Otello* dans lequel il peut conjuguer son intense puissance vocale et son plaisir du jeu scénique.

Chenal, Marthe

Soprano française, née le 28 août 1881 à Saint-Maurice, morte à Paris, le 29 janvier 1947.

Contre l'avis de la direction et des professeurs, elle commence ses études au Conservatoire de Paris, en 1901. On lui conseille même d'accepter un engagement au Moulin-Rouge. Mais elle ne se laisse pas décourager, travaille avec De Martini et remporte un 1er prix, en 1905. Elle débute aussitôt à l'Opéra comme Brünnhilde (*Sigurd,* de Reyer) ; à l'Opéra-Comique avec *Aphrodite* (d'Erlanger). Elle se produit avec succès à Monte-Carlo et à New York, mais sa carrière se déroule surtout à Paris, où elle chante *Le Roi d'Ys* pour le centenaire de Lalo (1923). A côté de grandes qualités vocales, elle brillait par un exceptionnel talent de comédienne que soulignait encore sa très grande beauté. Lors de la création de *La Sorcière* d'Erlanger à l'Opéra-Comique, en 1912, la critique la compara à Sarah Bernhardt.

Cherkassky, Shura (Alexander Cherkassky)

Pianiste russe naturalisé américain, né à Odessa le 7 octobre 1911.

Son premier professeur sera sa mère. A neuf ans, il donne son premier concert public. En 1923, sa mère l'emmène aux États-Unis et l'inscrit au cours de Josef Hofmann à l'Institut Curtis de Philadelphie. En 1928, Cherkassky commence une carrière internationale par une tournée de concerts : Londres (1936), puis l'Allemagne (1949) consacrent sa renommée. Il participe souvent au Festival de Salzbourg.

On reconnaît à son jeu les qualités de l'école russe : grande musicalité, profonde intériorité, perfection de la technique. Il illustre parfaitement ce que l'on appelle « le pianiste à tempérament », ce qui lui a permis d'interpréter avec succès la musique de Liszt et de Chopin. Mais son répertoire essentiellement romantique compte aussi des sonates de Brahms, de Beethoven et de Mozart.

Chevillard, Camille

Chef d'orchestre et compositeur français, né à Paris le 14 octobre 1859, mort à Chatou le 30 mai 1923.

Il est le fils de Pierre-Alexandre Chevillard (1811-77), professeur de violoncelle au Conservatoire de Paris qui révéla aux français les derniers quatuors de Beethoven. Camille travaille le piano au Conservatoire avec Georges Mathias et obtient un 2e prix en 1880. Dès 1887, Charles Lamoureux l'engage comme chef de chant pour la création française de *Lohengrin.* A la même époque, il se tourne vers la musique de chambre et fonde le Trio Chevillard-Hayot-Salmon (1895). En 1897, Lamoureux, dont il a épousé la fille, le prend comme suppléant puis comme successeur à la tête de son orchestre, poste qu'il conservera jusqu'à sa mort. En 1907, il est nommé professeur au Conservatoire (classe d'ensemble) et, en 1914, directeur de la musique à l'Opéra. Chevillard était un wagnérien fervent : il a prolongé l'œuvre de son beau-père et imposé la production du maître de Bayreuth à Paris sans négliger toutefois la jeune école française : parmi les œuvres qu'il a dirigées en 1re audition, *Pelléas et Mélisande* de Fauré (1901) *3 Nocturnes* (1900 et 1901) et *La Mer* (1905) de Debussy, *La Valse* de Ravel (1920), *Le Palais hanté* (1905) et la *Rhapsodie viennoise* (1911) de Schmitt, les *Symphonies n° 2 et 3* de Vincent d'Indy et *Le Poème de la forêt* (1907) de Roussel. Florent Schmitt lui a dédié *Antoine et Cléopâtre,* Ropartz *La Chasse du prince Arthur.*

L'œuvre de Chevillard, mal connue, touche à tous les domaines : un poème symphonique, *Le Chêne et le roseau* (1890), 2 quatuors à cordes, des œuvres de musique de chambre et des mélodies.

Chiara, Maria

Soprano italienne, née à Oderzo (Venise) le 24 janvier 1939

Ayant étudié la musique à l'Académie Benedetto Marcello à Venise, elle fait ses débuts comme Desdémone (*Otello* de Verdi) lors d'un gala au Palais des Doges de

Venise. Elle est aussitôt invitée à Amsterdam, Bruxelles, Paris et au San Carlo de Naples. En 1969, elle est Liu (*Turandot* de Puccini) aux Arènes de Vérone et l'année suivante Micaëla de *Carmen.* A Munich et Vienne, elle se produit comme partenaire de Placido Domingo. En 1971, elle est engagée au Mai musical de Florence et à l'Opéra de Berlin-Ouest. En 1974, elle remporte un très grand succès avec *Tosca* au San Carlo de Naples.

Chiffoleau, Yvan

Violoncelliste français, né à Nantes le 18 juillet 1956.

Profondément influencé par un père violoncelliste, il commence l'étude de l'instrument à neuf ans. Il remporte un 1er prix de violoncelle au Conservatoire de sa ville natale (1970) et entre aussitôt au Conservatoire de Paris dans la classe d'André Navarra. Il y obtient un 1er prix de violoncelle (1973) et un 1er prix de musique de chambre dans la classe de Jean Hubeau (1974). Lauréat des concours Cassadó (1975) et Tchaïkovski (1974), il enlève le 2e prix au Concours Bach de Leipzig (1976), le 1er prix au Concours Casals de Budapest (1980) et le 2e prix au Concours Rostropovitch de Paris (1981). A l'orée d'une brillante carrière internationale, il crée *Une soirée à Nohant* de Michel Merlet.

Chlostawa, Danièle

Soprano française, née à Hellemmes le 22 octobre 1949.

Elle commence ses études études musicales au Conservatoire de Lille et les termine au Conservatoire de Paris, dont elle sort avec un double prix de chant et d'opérette. Engagée dans tous les théâtres de province, elle fait ses débuts à l'Opéra de Paris en Frasquita (*Carmen*). En 1976, elle fait partie de la troupe de l'Opéra et participe aux productions de *Platée* (Rameau) et de *Cenerentola* (Rossini). La saison suivante, elle aborde deux grands rôles : Olympia (*Les Contes d'Hoffmann*) et Sophie *(Werther)* (1978-79). Elle chante le rôle-titre de *Véronique,* puis Blondine (*l'Enlèvement au Sérail*). Sa voix légère, son tempérament de soubrette et son charme l'orientent davantage vers l'opéra comique et l'opérette (*M. Choufleuri, Les Dames de la Halle, La Vie Parisienne, la Fille de Madame Angot, Orphée aux enfers...*), mais elle chante également *Lakmé* à Avignon, *le Coq d'or* à Liège, Nancy et à la Monnaie de Bruxelles.

Chmura, Gabriel

Chef d'orchestre israélien, né à Breslau le 7 mai 1946.

Il vient très tôt en Israël, suivant à Tel-Aviv des cours de piano et de composition de 1965 à 1968. En 1968, il travaille la direction d'orchestre à Paris avec Pierre Dervaux, puis en 1969 à Sienne avec Franco Ferrara. Il achève sa formation à Vienne auprès de Hans Swarowsky. En 1970, il est lauréat du Concours international de Besançon. L'année suivante, à Milan, il obtient la médaille d'or du Concours Guido Cantelli et à Berlin le Concours Karajan. Dès lors, il est appelé à diriger dans les plus grandes capitales musicales. De 1974 à 1983, il est directeur général de la musique à Aix-la-Chapelle. L'Opéra de Munich lui confie la direction de l'*Otello* de Verdi puis de *Carmen* la saison suivante. En 1982, il devient directeur général de la musique à Bochum.

Chojnacka, Elisabeth

Claveciniste polonaise naturalisée française, née à Varsovie le 10 septembre 1939.

Dès l'âge de six ans, elle étudie la musique et obtient en 1962, à l'École supérieure de musique, le diplôme « Masters of Arts ». Elle vient alors à Paris, travaille avec Aimée Van de Wiele le répertoire baroque puis obtient le 1er prix de clavecin à Vercelli, en 1968. Attirée par la musique de son temps, elle s'y consacre. On la retrouve dans tous les festivals d'avant-garde, au Domaine Musical, avec Ars Nova et Musique vivante. Les compositeurs écrivent pour elle et elle crée de nombreuses œuvres : *Khoaï* (Xenakis),

Candide et *Moulin à prières* (Constant), *Jeux pour deux* et *Portrait* (Donatoni), *Cristaux de feu* et *Hommage à Calder* (Tisné), *Autour* (B. Jolas), *Tiempo para espacios* (Cr. Halffter), *Concerto pour clavecin* (Gorecki), *Sonate* (K. Meyer), *Joutes* (Chaynes), *Hungarian rock* et *Continuum* (Ligeti), *Rounds* (Berio)...

Elle joue sur un instrument moderne aux larges pouvoirs expressifs et aime les formes ouvertes. Douée d'imagination, de sensibilité, d'humour, son sérieux n'a d'égal que sa passion pour cette renaissance du clavecin. Elle interprète aussi la musique du passé : musique de la Pologne ancienne, *Sonates* du Padre Soler. Virtuose brillante et raffinée, elle connaît les raisons de ses choix et donne parfois des conférences.

Chorafas, Dimitri

Chef d'orchestre grec, né à Svozonata le 23 octobre 1918.

Il travaille le violon au Conservatoire de sa ville natale tout en effectuant des études juridiques. Il obtient une médaille d'or en 1936. Il vient à Paris se perfectionner avec André Touret, puis retourne dans son pays à la déclaration de guerre. Il est nommé professeur de violon au Conservatoire d'Athènes et violon solo de l'Orchestre Symphonique de la Radio. A la fin des hostilités, il revient à Paris pour étudier la direction d'orchestre avec Cluytens et, au Conservatoire, avec Fourestier. Il obtient un 1er prix en 1951. Dès lors commence une carrière de chef invité où les orchestres de la radio occupent une place importante. Il dirige régulièrement à l'Opéra du Rhin, à Strasbourg, à la Monnaie de Bruxelles et certains spectacles de Maurice Béjart. En 1975, il retourne en Grèce où il est nommé directeur de la musique à l'Opéra d'Athènes.

Chorzempa, Daniel

Organiste américain, né à Minneapolis le 7 décembre 1944.

Il fait ses études à l'Université du Minnesota (1955-65) puis à la Musikhochschule de Cologne.

Organiste virtuose, mais également pianiste et claveciniste (il débute comme pianiste à Cologne, en 1968), il se fait applaudir aussi bien aux États-Unis qu'en Europe, à Londres particulièrement. Membre du Studio de musique électronique de Cologne depuis 1970, Daniel Chorzempa compose dans cette optique.

Comme interprète, on lui doit de très belles interprétations d'œuvres de Bach et de Liszt, qu'il a d'ailleurs enregistrées. Il a édité et enregistré des œuvres de Reubke dont il est l'un des spécialistes.

Chostakovitch, Maxime

Chef d'orchestre et pianiste soviétique, né à Leningrad le 10 mai 1938.

Fils du compositeur Dimitri Chostakovitch, il étudie le piano à l'École Centrale de Moscou avec Yakov Flier et la direction d'orchestre d'abord au Conservatoire de Leningrad, avec N. Rabinovitch, puis au Conservatoire de Moscou avec Alexandre Gaouk et en privé avec Guennadi Rojdestevenski. Il se perfectionne ensuite avec Igor Markevitch. En 1963, il est assistant de l'Orchestre Philharmonique puis, en 1965, de l'Orchestre Symphonique de Moscou. L'année suivante, il est lauréat du Concours des jeunes chefs d'orchestres soviétiques. En 1971, il est nommé chef permanent de l'Orchestre Symphonique de la Radio de Moscou, poste qu'il conserve jusqu'en 1981, lorsqu'il quitte son pays. Il est dédicataire des *Préludes op. 2* (nos 2 à 5) et du *Concerto pour piano no 2* de son père qu'il a créé (1957) ainsi que le *Concertino pour deux pianos* (1954), *Octobre* (1967) et la *Symphonie no 15* (1973).

Christie, William

Claveciniste et chef d'orchestre américain, né à New York le 19 décembre 1944.

Initié par sa mère qui dirige une chorale religieuse, il étudie le piano avec Laura Kelzy (1951-59), et à l'âge de douze ans l'orgue auprès de Reed Jerome. Pendant quatre ans il fréquente l'Université Harvard (1962-66), en histoire de l'art ; il est l'accompagnateur du Harvard Glee Club, un ensemble vocal masculin qui fait de nombreuses tournées, notamment avec l'Orchestre Symphonique de Boston. En 1964-65, il obtient une bourse à Tanglewood ; il a la révélation du Baroque à l'écoute de R. Kirkpatrick, dont il devient l'élève à l'Université de Yale (1967). Nommé professeur de musicologie à l'Université de Dartmouth (New Hampshire), en 1970, il fonde un Collegium Musicum, instrumental et vocal, pour travailler la musique ancienne dans une perspective historique. Après deux ans d'enseignement, il quitte l'Université pour mieux se consacrer à la musique française ; il part pour Londres, obtient un contrat avec l'O.R.T.F. (enregistrements d'inédits de Balbastre et Sirey), et donne de nombreux récitals et concerts. Il fait partie du Five Centuries Ensemble, fondé par John Patrick Thomas (1971-72), puis, avec Judith Nelson et René Jacobs, il fait partie du Concerto Vocale d'Amsterdam (1975) et à partir de 1978, il sélectionne des éléments de la nouvelle génération d'interprètes qui formeront l'ossature des « Arts florissants ». Depuis 1979, il enseigne aux conservatoires de Paris (musicologie) et de Lyon (direction chorale) ; il est chargé de la formation des chanteurs à l'Institut de Musique et de Danse anciennes de Versailles (fondé par Philippe Beaussant). Depuis 1976, il est professeur de musique de chambre à l'Académie de musique ancienne d'Innsbruck. Il se veut musicien franco-américain, pleinement intégré à la culture française.

Christoff, Boris

Basse bulgare, né à Plovdiv le 18 mai 1914.

Élevé dans la tradition slave du chant – son père était soliste dans le chœur de sa paroisse – Boris, enfant, chante. A dix ans, il aime *Le Freischütz* et fait l'école buissonnière pour écouter... A 18 ans, il entre dans le Chœur Gusla. Étudiant en droit, il se voit nommer juge au tribunal de Sofia, mais lors de la fête nationale bulgare, en 1942, il est remarqué par le roi. Une bourse lui est accordée pour étudier en Italie. Il travaille avec Stracciari et, en 1943, retourne en Bulgarie, puis se rend à Salzbourg. Emprisonné, à la frontière austro-suisse, il forme une chorale parmi les réfugiés russes. Il fait ses débuts en concert en 1945, à Rome. Et soudain la carrière de Boris Christoff s'affermit : à la Scala de Milan, il chante le *Requiem* de Brahms, avant de chanter Boris qui sera son rôle le plus marquant. Il sera aussi le Philippe de *Don Carlos* à Covent Garden. Depuis 1948, il se produit aux États-Unis et dans tous les grands théâtres du monde. Voix naturelle saisissante, jeu tourmenté et véhément, il prolonge l'univers du grand Chaliapine. Il révèle aussi les mélodies de Moussorgski, de Lischkin et de Caldara. Il possède une quarantaine de rôles à son répertoire.

Chuchro, Josef

Violoncelliste tchécoslovaque, né à Prague le 3 juillet 1931.

Il fait ses études au Conservatoire de la ville natale dans la classe de P. Sádlo de 1946 à 1950 et se perfectionne à l'Académie des Arts de 1950 à 1953. De 1951 à 1956, il est membre du Trio Suk et à partir de 1960 il jouera régulièrement en duo avec les pianistes Jan Panenka et Josef Hala. En 1959, il remporte le 1er prix au Concours international Pablo Casals de Mexico. C'est le début d'une carrière internationale. Il est soliste à la Philharmonie Tchèque dès 1961. On lui doit un enregistrement intégral des *Sonates pour violoncelle et piano* de Beethoven avec Jan Panenka.

Chung, Kyung-Wha

Violoniste coréenne, née à Séoul le 26 mars 1948.

Enfant prodige, elle joue à neuf ans le *Concerto* de Mendelssohn. Elle étudie avec Ivan Galamian à la Juilliard School de New York, de 1960 à 1967, année de son triomphe au Concours Leventritt (exaequo avec Pinchas Zukerman). Elle débute en 1968 à New York avec l'Orchestre Philharmonique, et à Londres en 1970 avec le London Symphony Orchestra (sous la direction d'André Previn). Comme soliste, elle défend un répertoire éclectique, de Bach à Stravinski, en passant par Vieuxtemps et Walton, sans dédaigner la musique de chambre, où elle retrouve souvent sa sœur, la violoncelliste Myung-Wha Chung et son frère, le pianiste Myung-Whun Chung. Elle joue sur un Guarnerius de 1735 qui a appartenu à Jan Kubelík.

Chung, Myung-Wha

Violoncelliste coréenne, née à Séoul le 19 mars 1944.

Elle fait ses études à la Juilliard School de New York puis à l'Université de Californie du Sud où elle reçoit les conseils de Piatigorski. Elle débute à Séoul en 1957 et remporte un 1er prix au Concours de San Francisco en 1968 puis à Genève en 1971. Elle joue en trio avec sa sœur Kyung-Wha (violon) et son frère Myung-Whun (piano).

Chung, Myung-Whun

Pianiste et chef d'orchestre coréen, né à Séoul le 22 janvier 1953.

Il travaille à la Mannes School puis à la Juilliard School de New York où il obtient ses diplômes en 1974. Il débute à Séoul en 1960 comme pianiste, puis, à partir de 1971, dirige l'Orchestre Symphonique National de Corée. En 1976, il dirige le New York Youth puis l'année suivante l'Orchestre du Pre College de la Julliard School. C. M. Giulini l'engage alors comme assistant à l'Orchestre Philharmonique de Los Angeles (1978). Comme pianiste il a remporté en 1970 le 1er prix du *New York Times* et en 1974 le 2e prix Tchaïkovski à Moscou. En 1984, il est nommé à la tête de l'Orchestre Symphonique de la Radio de Sarrebrück.

Ciampi, Marcel

Pianiste français, né à Paris le 29 mai 1891, mort à Paris le 2 septembre 1980.

Il est l'élève de Diémer au Conservatoire de Paris, où il obtint son premier prix en 1909, après avoir travaillé avec Perez de Brambilia, elle-même disciple de Clara Schumann et d'Anton Rubinstein. Puis il entreprend de nombreuses tournées soit seul, soit comme accompagnateur de Pablo Casals, de Georges Enesco et de Jacques Thibaud. Titulaire d'une classe de piano au Conservatoire de Paris, de 1941 à 1961, il formera, entre autres, Hephzibah Yaltah et Jeremy Menuhin, Marcel Gazelle, Yvonne Loriod, Éric et Tania Heidsieck, Cécile Ousset et Jean-Paul Sevilla.

Marié à la violoniste Yvonne Astruc, Marcel Ciampi demeure certainement l'un des plus sensibles musiciens français de son temps, mais ses rares enregistrements sont introuvables. Enesco lui a dédié sa *Sonate pour piano n° 3* qu'il a créée en 1938.

Ciani, Dino

Pianiste italien, né à Fiume le 16 juin 1941, mort à Rome le 28 mars 1974.

Élève de Marta Del Vecchio à Gênes, puis du Conservatoire de Rome, Ciani va suivre de 1958 à 1962 les cours d'Alfred Cortot l'été à l'Académie Chigiana de Sienne, puis à Lausanne et Paris. Le 2e prix Liszt-Bartók de Budapest inaugure une carrière très chargée. En 1970, il donne l'intégrale en public des *32 Sonates* de Beethoven à Turin. Son enregistrement des *Préludes* de Debussy est très bien accueilli par le public. Son très grand intérêt pour les quatre sonates de Weber avait de quoi surprendre par ailleurs. Mais il devait trouver la mort en 1974, dans un accident d'automobile.

Ciccolini, Aldo

Pianiste italien naturalisé français (1969), né à Naples le 15 août 1925.

Il travaille d'abord au Conservatoire de sa ville natale le piano (avec Paolo Denza) et la composition (1er prix en 1940). L'année suivante il fait ses débuts à Naples (*Concerto en fa mineur* de Chopin). En 1943, il obtient son prix de composition. En 1947, lui est confiée une classe au Conservatoire de Naples. Il remporte plusieurs prix internationaux dont Long-Thibaud en 1949. A cette époque, il s'installe à Paris et fait ses débuts à New York en 1950 sous la direction de Dimitri Mitropoulos. Sa carrière internationale le présente comme un ardent défenseur de la musique française. Il a enregistré les 5 concertos de Saint-Saëns, l'intégrale des œuvres pour piano de Satie, Massenet, Déodat de Séverac. En 1971, il est nommé professeur au Conservatoire de Paris.

Cigna, Gina

Soprano française, née à Angères le 6 novembre 1900.

Elle étudie le solfège et le piano au Conservatoire de Paris. En 1923, elle épouse le chanteur Maurice Sens, ténor qui tint les grands rôles à l'Opéra-Comique durant les deux premières décennies de ce siècle. Orfèvre en la matière, il découvre les possibilités vocales de son épouse et la confie à Lucette Korsoff, admirable professeur. Sous le nom de Ginette Sens, elle débute à la Scala en Freia de *l'Or du Rhin* en 1927. Elle passe inaperçue et se remet au travail pour se perfectionner. Deux ans plus tard, elle est affichée de nouveau à la Scala (en Donna Elvira), mais cette fois-ci sous le nom de Gina Cigna, et c'est le triomphe. Quelques semaines plus tard, elle tient le rôle d'Élisabeth de *Tannhäuser*. Ainsi commence une carrière fulgurante, qui fera de la Cigna une étoile de première grandeur avec près de soixante rôles à son répertoire, notamment Gioconda et Turandot. Toscanini appréciait particulièrement sa musicalité que n'altéraient jamais les débordements d'un tempérament dramatique explosif et le volume immense de sa voix.

Victime d'un accident de voiture, elle dut interrompre sa carrière en pleine gloire. Elle se consacra alors à l'enseignement à Toronto (1953-57) puis à Milan et à Sienne (1957-65).

Cillario, Carlo Felice (Carlos Felix Cillario)

Chef d'orchestre et violoniste argentin naturalisé italien, né à San Rafael le 7 février 1915.

Il fait ses études musicales à Bologne, où il travaille le violon et la composition, avec Consolini et Materassi. Il apprend la direction d'orchestre à Odessa, avec N. Cerniatinski (1942). Pendant la guerre, il rejoint l'Argentine, où il dirige l'Orchestre Symphonique de l'Université nationale de Tucumán. Après la guerre, il revient en Italie. Il dirige dès 1946 à Bologne. Il enseigne à l'Académie Sainte-Cécile de Rome puis au Conservatoire d'Odessa avant de se fixer définitivement en Italie en 1958. Sa carrière prend alors son véritable essor.

Civil, Alan

Corniste anglais, né à Northampton le 13 juin 1929.

Il étudie le cor en Angleterre avec Aubrey Brain, puis à Hambourg avec Willi von Stemm. Membre du Royal Philharmonic Orchestra de Sir Thomas Beecham de 1952 à 1955, il partage ensuite avec Dennis Brain le pupitre de cor « principal » à l'Orchestre Philharmonia, dont il devient cor solo (1957 à 66). Depuis, il occupe le même poste à l'Orchestre Symphonique de la B.B.C. Alan Civil est également professeur au Royal College of Music à Londres. C'est un soliste célébré au concert, à la radio et au disque, et ses enregistrements avec des chefs tels que Klemperer et Kempe ont été acclamés partout. Il fait partie de différents ensembles dont les London Wind Soloists, le London Wind Quintet, le Wigmore Ensemble et le Alan Civil Horn Trio. Il a composé plusieurs œuvres pour instruments à vent.

Clemencic, René

Flûtiste et musicologue autrichien, né à Vienne le 27 février 1928.

Il étudie le clavecin et le piano, puis la flûte à bec avec Hans Ulrich Staeps et J. Collette, à Nijmegen. Il suit des cours de musicologie et de philosophie à Vienne et à Paris, au Collège de France et à la Sorbonne. Il est diplômé dans ces deux disciplines. Depuis 1957, il s'impose dans le domaine de la musique ancienne qu'il fait revivre après de profondes recherches musicologiques sur des instruments d'époque. Sa collection d'instruments contient un trombone ténor signé Georg Neuschel, Nuremberg, 1557.

En 1958, René Clemencic fonde Musica Antiqua qui devient Ensemble de musique antique en 1959. Deux ans plus tard, il est nommé professeur à la Musikhochschule de Vienne et, en 1969, c'est la naissance du Clemencic Consort. Fixé à Vienne cet ensemble explore le répertoire du XVIIe siècle et réalise des opéras peu connus. Il est l'auteur d'un livre sur *Les Instruments anciens* (1970). Avec ses musiciens, il souligne les liens existant, dans l'improvisation et la liberté, entre les musiques des Troubadours et celles de l'avant-garde. Il a travaillé avec Ariane Mnouchkine pour le film *Molière* et a fait beaucoup d'enregistrements.

Clément, Edmond

Ténor français, né à Paris le 28 mars 1867, mort à Nice le 24 février 1928.

Lauréat du Conservatoire de Paris, il débute en 1889 à l'Opéra-Comique dans le rôle de Vincent. L'élégance de son chant et de son maintien, l'éclat de sa quinte aiguë en font d'emblée l'une des vedettes de la maison qu'il ne quittera définitivement que 38 ans plus tard, après y avoir chanté plus de trente rôles. Il y crée, en première mondiale, *l'Attaque du moulin* (1893) de Bruneau, *Le Juif polonais* (1900) de Camille Erlanger (Christian), *Phryné* (1893) de Saint-Saëns (Nicias) et, en première locale, *La Cabrera* (1905) de G. Dupont (Pedrito), *Don Juan* (Ottavio), *Don Pasquale* (Ernesto), *Falstaff* (Fenton) et *La Vivandière* (1895) de Godard (Georges). Son répertoire va de George Brown à Werther, en passant par Tamino et Don José.

Devenu le plus célèbre des ténors français de son temps, il est invité à Covent Garden, à la Monnaie de Bruxelles, au Réal de Madrid. Durant la saison 1909-10, il chante au Metropolitan Opera de New York *Manon* aux côtés de Géraldine Farrar puis de Frances Alda, *Fra Diavolo, Werther* avec Farrar. Durant les deux saisons suivantes, il fait partie de la troupe de l'Opéra de Boston, puis rentre à Paris. Sur la fin de sa carrière, il partage son temps entre la scène, les salles de concert et l'enseignement.

Cliburn, Van

Voir à **Van Cliburn.**

Clidat, France

Pianiste française, née à Nantes le 22 novembre 1932.

Elle étudie au Conservatoire de Paris avec Lazare-Lévy, Maurice Hewitt, Roland-Manuel et Marcel Beaufils. En 1950, elle obtient un 1er prix de piano et remporte, en 1956, le Grand Prix Franz Liszt au Concours international de Budapest. Elle mène depuis cette époque une active carrière de soliste international. Elle entreprend l'enregistrement intégral de l'œuvre pour piano de Franz Liszt, malheureusement inachevé pour des raisons commerciales, et exhume à cette occasion de nombreuses pages oubliées de ce musicien qui occupe l'essentiel de sa carrière.

Cluytens, André

Chef d'orchestre belge naturalisé français, né à Anvers le 26 mars 1905, mort à Neuilly le 3 juin 1967.

Fils d'Alphonse Cluytens, chef d'orchestre du Théâtre royal français d'Anvers, il entre en 1914 au Conservatoire royal flamand où il obtient un 1er prix de piano (classe de E. Bosquet, 1921) puis d'harmonie, de contrepoint et de fugue (1922). Son père le fait engager comme chef de chant au Théâtre royal d'Anvers (1921-32). Il entame par ailleurs une carrière de pianiste. En 1927, il remplace son père au pied levé dans *Les Pêcheurs de perles* de Bizet et décide de se consacrer entièrement à la direction d'orchestre. Il dirige la première de *Salomé* de R. Strauss à Anvers. En 1932, il commence sa carrière en France au Capitole de Toulouse puis, à partir de 1935, à Lyon. L'été, il dirige à Vichy où il a l'occasion de remplacer Josef Krips. En 1942, il est directeur de la musique à l'Opéra de Lyon et, l'année suivante, il est engagé à la Société des Concerts du Conservatoire à Paris ainsi qu'à l'Orchestre National de la Radio. De 1947 à 1953, il est directeur de la musique à l'Opéra-Comique et effectue ses premières tournées à l'étranger. En 1949, il devient vice-président chef d'orchestre de la Société des Concerts du Conservatoire, poste qu'il conservera jusqu'à la fin de sa vie. En 1955, il est le premier chef français invité à diriger à Bayreuth (*Tannhäuser*). Il y retournera jusqu'en 1958, pour y conduire *Les Maîtres chanteurs*, *Parsifal* et *Lohengrin*. Il dirige également à l'Opéra de Vienne (1956). Il se rend à plusieurs reprises aux États-Unis, en U.R.S.S. et au Japon avec l'Orchestre National. A partir de 1959, il est invité régulièrement à l'Opéra de Vienne. L'année suivante, il est nommé directeur musical de l'Orchestre National de Belgique. En 1965, il est invité à nouveau à Bayreuth mais la maladie réduit vite ses activités.

Pendant vingt ans, Cluytens a été étroitement lié à la vie musicale française. Il a créé des œuvres de Françaix (*Fantaisie pour violoncelle et orchestre*, 1934), Aubin (*Symphonie*, 1944), de Jolivet (*Danses rituelles* et *Poèmes intimes*, 1944), Büsser (*Le Carrosse du Saint Sacrement*, 1948), Messiaen (*Trois Talas*, 1948), Milhaud (*Concerto n° 2 pour violon*, 1948, *Bolivar*, 1950), Tomasi (*Trois Mouvements symphoniques*, 1949), Stravinski (*Rake's Progress*, création française, 1953), Bondeville (*Gaultier-Gargille*, 1953, *Symphonie lyrique*, 1957)...

Il est l'un des rares chefs d'orchestre français de sa génération à avoir été reconnu unanimement sur le plan international. Sa carrière en Allemagne a été particulièrement brillante, couronnée par l'enregistrement intégral des *Symphonies* de Beethoven avec la Philharmonie de Berlin. On lui doit aussi une intégrale de l'œuvre pour orchestre de Ravel considérée en son temps comme un modèle.

Coates, Albert

Chef d'orchestre et compositeur anglais, né à Saint-Pétersbourg le 23 avril 1882, mort à Milnerton (Le Cap) le 11 décembre 1953.

Il fait ses études générales à Liverpool et retourne en Russie pour participer aux affaires familiales. En même temps, il se tourne vers la musique et travaille le violoncelle avec Klengel et le piano avec Teichmüller au Conservatoire de Leipzig à partir de 1902. Il suit aussi les cours de Nikisch et est engagé comme chef d'orchestre à l'Opéra. De 1906 à 1908, il dirige à Elberfeld, puis il est l'assistant de von Schuch à Dresde. Il occupe un poste à Mannheim et retourne à Saint-Pétersbourg où il dirige à l'Opéra de 1911 à 1918. A cette époque, il se lie d'amitié avec Scriabine. De retour en Angleterre en 1919, il dirige, avec Beecham, à la British National Opera Company et est invité régulièrement par l'Orchestre Symphonique de Londres. Il passe quelques années aux États-Unis, notamment à la tête de l'Orchestre Philharmonique de Rochester (1923-25). A Londres, il s'impose comme l'un des principaux chefs de sa génération, dirigeant la *Tétralogie* (1929) et *Boris Godounov* (1935-38), avec Chaliapine, à Covent Garden. En 1936, il fonde la Coates Rosing Opera Company. Après la guerre, il se fixe en Afrique du Sud (1946) où il passera les dernières années de sa vie, dirigeant l'Orchestre Symphonique de Johannesbourg et enseignant à l'Université du Cap.

Il a créé de nombreuses œuvres de musique anglaise : *A London Symphony* (1920) de Vaughan-Williams, *Les Planètes* (1920) et *Choral Symphony* (1925) de Holst, la *1ère Symphonie* (1922) de Bax, le *Requiem* (1922) de Delius. Il a aussi dirigé la création de la *Khovantchina* de Moussorgski dans la version de Rimski-Korsakov, avec Chaliapine (1911), de l'*Ouverture cubaine* de Gershwin (1932), de la *Symphonie n° 2* de Kabalevski (1934) et réalisé le premier enregistrement de *La Valse* de Ravel (1927). Comme compositeur, on lui doit plusieurs opéras, *Samuel Pepys* (1929), *Pickwick* (1936), *Gainsborough's Duchess* (1939), et un poème symphonique à la mémoire de Nikisch, *The Eagle* (1925).

Cochereau, Pierre

Organiste français, né à Saint-Mandé le 9 juillet 1924, mort à Lyon le 5 mars 1984.

Il fait ses études au Conservatoire de Paris, à partir de 1944, après avoir travaillé le piano avec Marius-François Gaillard et Marguerite Long (1933-1936), puis l'orgue auprès de Marie-Louise Girod (1938) et Paul Delafosse (1941). En 1942, il est nommé organiste du grand-orgue de l'église Saint-Roch à Paris, où il restera jusqu'en 1954, tout en continuant à travailler l'instrument avec André Fleury et Maurice Duruflé. Au Conservatoire de Paris, il aura pour maîtres : Henri Challan et Maurice Duruflé (harmonie), Marcel Dupré (orgue), Noël Gallon (fugue), Tony Aubin (composition) et Norbert Dufourcq (histoire de la musique). Il obtient des 1ers prix d'harmonie, d'histoire de la musique, d'orgue et de composition entre 1946 et 1950. Cette dernière année le verra nommé directeur du Conservatoire du Mans, où il restera en poste jusqu'en 1956. Un an auparavant il devenait titulaire du grand-orgue de Notre-Dame de Paris, instrument aux claviers duquel il succédait ainsi à Louis Vierne et à Léonce de Saint-Martin. En 1961, Pierre Cochereau quitte la direction du Conservatoire du Mans pour prendre celle de celui de Nice. Il demeure à ce poste jusqu'à sa nomination, en 1980, comme directeur du Conservatoire national supérieur de musique de Lyon.

Membre depuis 1966 du Conseil supérieur de la musique, virtuose de réputation internationale considéré comme l'un des plus grands improvisateurs de notre temps, Pierre Cochereau a écrit un certain nombre de pièces pour orgue (dont deux concertos), des mélodies, une symphonie, des pages pour piano, un quintette avec piano, etc.

Cohen, Harriet

Pianiste anglaise, née à Londres le 2 décembre 1895, morte à Londres le 13 novembre 1967.

Elle étudie à la Royal Academy of Music de 1912 à 1917 et à l'École Matthay. Ses petites mains limitent son répertoire mais elle s'impose surtout comme interprète de Bach. Elle défend également beaucoup la musique de son temps, joue au Festival de musique contemporaine de Salzbourg en 1924 et au Coolidge Festival de Chicago en 1930. Elle est la dédicataire et la créatrice des *Symphonic Variations* de Bax (1917), du *Concerto* de Vaughan-Williams (1933), de la *Sonatine op. 354* de Milhaud et du *Concerto* de Fricker (1954). Blessée à la main droite en 1948, elle joue des œuvres pour la main gauche puis décide d'abandonner la carrière en 1960. Son ami le compositeur Arnold Bax écrivit à son intention *Concertante pour la main gauche* en 1948 et fonda le Prix international Harriet Cohen en 1951.

ÉCRITS : *Music's Handmaid* (1936), *A Bundle of time* (1969), mémoires.

Cohen, Joël

Luthiste et chef de chœur américain, né à Providence (Rhode Island) le 29 mai 1942.

A Harvard, il étudie la composition avec Randall Thompson. Il complète sa formation musicale à la Faculté de Brown où il travaille la musicologie avec Nino Perotta et John Ward. Puis il vient à Paris où il est l'élève de Nadia Boulanger. Il apparaît comme luthiste en compagnie du Cambridge Consort qu'il dirige parfois. Il donne aussi de nombreux récitals puis revient dans son pays natal pour prendre la direction de la Camerata de Boston (1968). Il en renouvelle le répertoire et le style d'interprétation. Sous sa direction, cette formation devient le plus important ensemble américain en la matière. A partir de 1975, il effectue des tournées régulières en Europe et organise des stages de musique ancienne. Pendant deux ans, il est producteur à France Musique. Il joue avec de nombreux artistes, dont Hugues Cuénod. Il a enseigné à l'Université Harvard et à celle de Yale. Aux États-Unis, il a fait œuvre de pionnier en imposant les nouveaux canons d'interprétation de la musique ancienne adoptés par le Vieux Monde.

Collard, Catherine

Pianiste française, née à Paris le 11 août 1947.

Fille du pianiste André Collard, elle travaille au Conservatoire de Paris avec Yvonne Lefébure et Jean Hubeau, avant d'obtenir des 1ers prix de piano (1964) et de musique de chambre (1966). Elle suit alors un troisième cycle de piano avec Yvonne Lefébure et Yvonne Loriod et un autre de musique de chambre en compagnie d'Anne Queffelec, en duo de pianos. Elle remporte le 1er prix au Concours Claude Debussy (1969) et au Concours international O. Messiaen (1969). Prix de la Fondation de la vocation (1970), elle est par ailleurs lauréate des Concours Viotti, Casella et Busoni. Elle donne la 1re audition d'*Archipel IV* de Boucourechliev (Royan, 1970) et l'enregistre au cours de la même année. Depuis 1976, elle est professeur au Conservatoire de Saint-Maur. Elle donne des séances de musique de chambre avec Catherine Courtois.

Collard, Jean-Philippe

Pianiste français, né à Mareuil-sur-Aÿ le 27 janvier 1948.

Après des études de piano dans le cadre familial puis à Épernay, il entre au Conservatoire de Paris où il obtient un 1er prix en 1964. Il se perfectionne avec Pierre Sancan ce qui lui permet de remporter en 1968 le 1er prix du Concours national de la Guilde française des artistes solistes et le Prix de la Fondation Roussel. En 1969, il est lauréat du Concours international Long-Thibaud et remporte le Prix spécial Gabriel Fauré. En 1970 enfin, il obtient le 1er grand prix du Concours Cziffra. Son enregistrement des *Barcarolles* de Fauré le fait remarquer de Vladimir Horowitz duquel il obtiendra quelques conseils. Il a enregistré pour le disque notamment Ravel, Rachmaninov, Fauré. Il se produit fréquemment en musique de chambre avec Augustin Dumay (violon), Frédéric Lodéon (violoncelle) ou Michel Beroff (piano).

Disposant d'un répertoire très vaste où la musique française (notamment Fauré) occupe une place de choix, il compte parmi les meilleurs représentants de la jeune génération des pianistes français.

Collingwood, Lawrance

Chef d'orchestre et compositeur anglais, né à Londres le 14 mars 1887, mort à Killin le 19 décembre 1982.

Après des études à la Guildhall School of Music de Londres et à Exeter College à Oxford (1908-12), il se fixe à Saint-Pétersbourg où il travaille au Conservatoire avec Glazounov, Wihtol, Steinberg et Tcherepnine, avant de devenir l'assistant d'Albert Coates. De retour en Angleterre en 1918, il dirige surtout des opéras, à l'Old Vic Theatre et à Sadler's Wells où il est 1er chef de 1931 à 1941, puis directeur musical de 1941 à 1947. A partir de 1947, il est conseiller artistique de la firme discographique EMI. Pendant près d'un demi-siècle (1922-71), il enregistre des disques et accompagne les plus grands solistes. Comme compositeur, on lui doit deux opéras, *Macbeth* (1934) et *The Death of Tintagiles* (1950), un concerto et deux sonates pour piano.

Collins, Anthony (Vincent Benedictus)

Chef d'orchestre anglais, né à Hastings le 3 septembre 1893, mort à Los Angeles le 11 décembre 1963.

Il étudie l'alto et est engagé, à l'âge de 17 ans, dans l'Orchestre d'Hastings. Puis il vient à Londres où il travaille, à partir de 1920, au Royal College of Music avec Rivarde (violon) et Holst (composition). De 1925 à 1936, il est alto solo de l'Orchestre Symphonique de Londres et de l'Orchestre du Covent Garden puis il se tourne vers la direction d'orchestre : il dirige à la Carl Rosa Opera Company et au Sadler's Wells Theatre. Il fonde le London Mozart Orchestra et entame, en 1938, une longue collaboration avec l'Orchestre Symphonique de Londres à titre d'invité. En 1939, il se fixe en Californie et se tourne davantage vers la composition, pour le cinéma. Après la guerre, il revient régulièrement en Angleterre et enregistre de nombreux disques avec l'Orchestre Symphonique de Londres.

Collot, Serge

Altiste français, né à Paris le 27 septembre 1923.

Il étudie au Conservatoire de Paris l'alto et la musique de chambre, disciplines qui lui valent deux premiers prix (respectivement en 1944 et 1948), et prend des cours de composition avec Arthur Honegger. Il fait partie de la première formation du Quatuor Parrenin (de 1944 à 1957) puis du Quatuor de l'O.R.T.F. (de 1957 à 1960), enfin (depuis 1960) du Trio à cordes français. Attiré par la musique de son temps, il est alto solo aux concerts du Domaine Musical (de 1953 à 1970) et crée de nombreuses partitions, notamment *Points d'aube* de Betsy Jolas, *Eglogues* de Jolivet et *Sequenza* pour alto que Berio écrit pour lui. Il prolonge son action pour l'instrument en assurant la coprésidence (avec Colette Lequien) de l'Association Internationale des Amis de l'alto (fondée en 1979). Il enseigne au Conservatoire de Paris depuis 1969 et il est alto solo de l'Orchestre de l'Opéra de Paris.

Colombo, Pierre

Chef d'orchestre suisse, né à la Tour de Peilz (Vaud) le 22 mai 1914.

Il étudie très jeune le piano, le chant et la flûte, parallèlement à des études universitaires qui le conduisent à la licence ès sciences, à l'Université de Lausanne. Il étudie la direction d'orchestre avec Hermann Scherchen et Clemens Krauss et obtient son diplôme de chef d'orchestre au Conservatoire de Bâle, en 1942. Il dirige plusieurs chœurs d'amateurs et bientôt est appelé à la tête de l'Orchestre de la Suisse Romande où il seconde Ernest Ansermet. En 1950, il fonde l'Orchestre de Chambre de Genève. En 1953, il est premier directeur de l'Orchestre Municipal de Johannesbourg (Afrique du Sud) ; en 1954, il retourne à Johannesbourg pour participer à une tournée de concerts avec cet ensemble. Dès 1955, il occupe des fonctions administratives à Radio-Genève, dont il devient directeur-adjoint. Importante activité internationale, il dirige en Allemagne, en Autriche, en Belgique, en Espagne, en France, en Grèce, en Italie, en Pologne, au Portugal, en Yougoslavie... Il est président de la Tribune internationale des compositeurs (UNESCO) jusqu'en 1980.

Colonne, Edouard (Judas Colonna)

Chef d'orchestre français, né à Bordeaux le 23 juillet 1838, mort à Paris le 28 mars 1910.

Il voit le jour dans une famille nombreuse peu fortunée. Très tôt, il utilise ses dons de violoniste pour gagner sa vie. En 1856, il entre au Conservatoire de Paris où il travaille avec N. Girard et Sauzay. Il étudie aussi l'harmonie avec Elwart et le contrepoint avec Ambroise Thomas. Il joue dans l'orchestre du Théâtre Lyrique, puis à l'Opéra et aux Concerts Populaires de Jules Pasdeloup. En 1863, muni d'un 1er prix de violon, il fonde avec Lamoureux, Adam et Pilet la Société de Musique de Chambre qui révèle au public parisien la musique de chambre des compositeurs romantiques allemands. En 1873, l'éditeur Hartmann fonde le Concert National à l'Odéon et l'engage comme chef d'orchestre. Un an après, il reprend seul la direction artistique et administrative de l'orchestre. Les concerts ont lieu au Châtelet et il associe les musiciens, constitués en société, aux résultats de l'entreprise. Les premiers grands succès viennent avec les exécutions de *La Damnation de Faust.* Colonne devient le champion de la musique de Berlioz et il se met au service de la musique de son temps. En 1878, il dirige les concerts de l'Exposition Universelle au Trocadéro. En 1892-93, il est directeur de la musique à l'Opéra où il conduit la première audition en France de *La Walkyrie.* Mais il préfère se consacrer à son orchestre dont il conservera la direction jusqu'en 1909.

Colonne joue un rôle essentiel dans la propagation de la musique symphonique française à la fin du siècle dernier. Reprenant l'œuvre de Pasdeloup, il impose des partitions récemment créées, fait renaître la musique de Berlioz et part en quête de nouveaux talents. Parmi les œuvres qu'il a dirigées en 1re audition figurent la *Danse macabre* de Saint-Saëns (1874), *Les Djinns, Le Chasseur maudit* et *Les Béatitudes* de Franck, les *Impressions d'Italie* de G. Charpentier, le *Poème roumain* (1898) et la *Symphonie n° 1* (1906) d'Enesco, *Jour d'été à la montagne* (1906) de d'Indy. Rabaud lui a dédié *La Procession nocturne*, Lalo la *Rhapsodie norvégienne*, Chausson *Soir de fête* et Enesco sa *2e Symphonie*.

Comissiona, Sergiu

Chef d'orchestre roumain naturalisé israélien (1959) puis américain (1976), né à Bucarest le 16 juin 1928.

Au Conservatoire de Bucarest, il étudie le violon et les écritures. Il travaille la direction d'orchestre avec Constantin Silvestri et Édouard Lindenberg. Il débute en 1946 à la tête de l'Orchestre de la Radio Roumaine puis dirige l'Ensemble d'État Roumain (1948-55). Lauréat du Concours international de Besançon en 1956, il est nommé à l'Opéra de Bucarest (1955-58) et dirige régulièrement la Philharmonie Georges Enesco. Il se fixe alors en Israël où il est directeur musical de l'Orchestre Symphonique de Haïfa (1959-64). Il fonde l'Orchestre de Chambre d'Israël dont il est le premier chef (1960-64). A la même époque, il est invité régulièrement par l'Orchestre Philharmonique de Londres (1960-63), l'Orchestre Philharmonique de Stockholm (1964-66), l'Orchestre Radio-Symphonique de Berlin (1965-67). De 1967 à 1972, il est 1er chef de l'Orchestre Symphonique de Göteborg et de l'Ulster Orchestra à Belfast. Il se fixe aux États-Unis en 1969 et prend la direction de l'Orchestre Symphonique de Baltimore (1970-84). En 1978, il devient conseiller artistique de l'American Symphony Orchestra ; en 1980, il exerce les mêmes fonctions à l'Orchestre Symphonique de Houston dont il devient directeur musical en 1982. La même année, il est nommé à la tête de l'Orchestre Philharmonique de la Radio Néerlandaise (Hilversum).

Command, Michèle

Soprano française, née à Caumont le 27 novembre 1946.

Elle fait ses études au Conservatoire de Grenoble puis au Conservatoire de Paris, dont elle sort avec des 1ers prix de chant et d'art lyrique. Elle fait ses débuts à l'Opéra de Lyon où elle chante Musette, Barberine ainsi que des créations d'Ohana et Prodomidès. Première saison modeste qu'elle met à profit pour parfaire sa technique. Michel Plasson l'engage pour chanter Fiordiligi au Capitole de Toulouse. Succès immédiat et départ pour une carrière conduite avec prudence : Donna Elvire, Micaela, Violetta... et de très nombreux concerts. Rolf Liebermann lui confie le rôle très lourd de Portia lors de la reprise Salle Favart du *Marchand de Venise* de Reynaldo Hahn. Bernard Lefort lui confie Micaela (*Carmen*) au Palais des Sports (1981). Serge Baudo la choisit pour incarner Mélisande lorsqu'il enregistre le chef-d'œuvre de Debussy à Lyon. Elle grave aussi des cycles de mélodies d'Auric et de Messiaen.

Commette, Edouard

Organiste français, né à Lyon le 12 avril 1883, mort à Lyon le 21 avril 1967.

Lyonnais, fort attaché à sa cité qu'il ne quittera jamais, Édouard Commette fait ses études au Conservatoire de Lyon auprès de Neuville, et reçoit de précieux conseils de Charles-Marie Widor, qui l'estime. Après de brillants premiers prix, il devient l'organiste de l'église du Bon Pasteur en 1900. Il quitte la tribune de cette paroisse en 1904 pour s'installer à celle de la primatiale Saint-Jean, où il demeura presque jusqu'à sa mort, après un court séjour à l'orgue de Saint-Polycarpe.

C'est sur l'instrument de la primatiale Saint-Jean (Michel-Merklin et Kuhn) qu'il enregistre les premiers disques d'orgue parus au catalogue phonographique français (Columbia), en 1927. Musicien profondément croyant, il s'est fait apprécier avant tout par la pureté et le respect absolu qu'il voulait apporter à son jeu, quel que soit le compositeur abordé. Connu comme interprète de Bach, il servait aussi les grands romantiques, tels César Franck, Gigout, Boëllman et Widor. Successeur de Witkowski comme membre de l'Académie de Lyon, en 1944, Édouard Commette était également compositeur. On lui doit des mélodies, des chœurs et, des pièces pour orgue en trois recueils : *6 Pièces* (1914), *14 Pièces* (1926), *12 Pièces* (1935).

Conlon, James

Chef d'orchestre américain, né à New York le 18 mars 1950.

Après des études à la Juilliard School, sa carrière débute rapidement et il s'impose notamment dans les productions lyriques. Directeur musical du Festival de Cincinnati, chef régulier du Metropolitian Opera, il se produit à le tête des principaux opéras du monde en Amérique du Nord et en Europe. Depuis ses débuts au Metropolitan à New York, il y a dirigé *La Flûte enchantée, La Traviata, La Tosca, Carmen, Aïda.* Il fait ses débuts au Covent Garden en 1979 avec *Don Carlos* suivi, en 1980, de *La Flûte enchantée.* Sa carrière de chef d'orchestre symphonique l'a amené à diriger durant la saison 1980-81 les cinq plus grandes formations américaines à New York, Philadelphie, Cleveland, Chicago et Boston. Il enseigne à la Juilliard School de New York. En 1983 il prend la direction de l'Orchestre Philharmonique de Rotterdam.

Conrad, Doda (Doda Freund)

Basse polonaise, naturalisé américain (1942), né à Szczytnik (Silésie) le 19 février 1905.

Fils de Marya Freund, il étudie le chant à Milan et à New York avec Emilio De Gogorza. Il débute au Théâtre de la Porte-Saint-Martin à Paris, donne son premier récital en 1932 à l'Ecole normale de musique et collabore dès 1936 à l'ensemble vocal de Nadia Boulanger. Récitaliste spécialisé dans la mélodie française, mais également interprète de Schubert et Chopin, il commande entre 1947 et 1957 un certain nombre d'œuvres pour basse qu'il crée chaque année à New York. Ainsi naissent *Mouvement du cœur*, hommage collectif à la mémoire de Chopin signé Sauguet, Poulenc, Auric, Françaix, Léo Préger et Milhaud (sur des poèmes de L. de Vilmorin), *Visions infernales* de Sauguet, la *Cantate Mephisto* de Françaix, le *Cornet-Rilke* de Sauguet... Il quitte la scène en 1965. Fondateur de la Société l'Erémurus à la salle Gaveau, il crée également la Saison Musicale de Royaumont dont il est directeur de 1956 à 1965. Il est aussi directeur des Journées musicales de Langeais.

Constant, Marius

Chef d'orchestre et compositeur français, né à Bucarest le 7 février 1925.

Après avoir fait ses premières études musicales en Roumanie, son pays natal, il se fixe à Paris en 1945 et entre au Conservatoire où il travaille avec Tony Aubin et Olivier Messiaen. Il étudie aussi auprès de Nadia Boulanger, Arthur Honegger et Jean Fournet. Son ballet *Le Joueur de flûte* reçoit le Prix Italia en 1952 alors qu'il vient de remporter son 1er prix de composition au Conservatoire (1949) et d'obtenir la licence de concert de direction d'orchestre à l'École normale de musique. Attaché au Groupe de Recherches Musicales du Club d'Essai de la Radiodiffusion française, il est en 1953 l'initiateur du programme M.F. qui deviendra plus tard France-Musique et dont il sera le premier directeur musical (1963-67). De 1957 à 1963, il est chef d'orchestre des Ballets de Roland Petit et fait de nombreuses tournées dans le monde. En 1963, il fonde l'Ensemble *Ars Nova* qui se consacre à la musique d'aujourd'hui et dont il est le directeur musical (1963-71). En 1967, il enseigne l'analyse et la composition à l'Université de Stanford, en Californie, puis à Hilversum en 1970, avant d'être nommé professeur d'instrumentation et d'orchestration au Conservatoire de Paris (1977). Directeur musical de la danse de l'Opéra de Paris (1971-76), il fait entrer au Palais Garnier Cage, Varèse, Henze... Il refuse l'étiquette de spécialiste de la musique contemporaine malgré tant de créations à la tête d'Ars Nova et des plus grandes formations symphoniques du monde : *Signes* (1965) et l'*Anneau du Tamarit* (1977) d'Ohana, *Imaginaire I* (1966) de Ballif, *Songe à nouveau rêvé* (1971) de Jolivet, *Kraanerg* (1971) de Xenakis, *Koskom* (1971) de Dao. Un souci particulier dans la composition des programmes fait que des rencontres originales ont lieu au cours de chaque concert : Gesualdo et Xenakis, ou Strauss et Dao. Le compositeur est révélé par *24 Préludes pour orchestres*, créés en 1958 par Leonard Bernstein. Depuis lors : *Turner, Chaconne et marche militaire, 14 Stations, Symphonie pour instruments à vent*, sont au répertoire des principales formations symphoniques. Il compose une dizaine d'ouvrages pour les Ballets Roland Petit dont *Cyrano de Bergerac* (1959), *l'Éloge de la folie* (1966), le *Paradis perdu* (1967), *Septentrion* (1975) et *Nana* (1976). Marius Constant aime l'improvisation et le travail collectif. Il garde le goût du théâtre, comme le prouve sa collaboration récente avec Peter Brook pour la *Tragédie de Carmen*. Curieux de timbres nouveaux, des ressources de l'aléa, il a aussi une prédilection pour le jazz et a écrit *Stress* en collaboration avec Martial Solal.

Conta, Iosif

Chef d'orchestre roumain, né à Bîrzava le 14 septembre 1924.

Il fait ses études musicales à Timişoara, puis au Conservatoire de Bucarest avant de se perfectionner en Angleterre. Il est nommé chef d'orchestre de l'Ensemble du Conseil Populaire de Bucarest mais, très rapidement, il prend la tête de l'Orchestre Symphonique de la Radio-TV Roumaine où se déroule l'essentiel de sa carrière. Il a créé *Vox Maris* (1964) de Georges Enesco.

Coppola, Piero

Chef d'orchestre et compositeur italien, né à Milan le 11 octobre 1888, mort à Lausanne le 13 mars 1971.

Après des études musicales au Conservatoire de sa ville natale (piano et composition), il dirige dans la plupart des théâtres italiens. Rapidement, il est invité dans les grandes capitales européennes : Bruxelles (1912), Londres (1914), Oslo où il est directeur de l'Opéra-Comique (1915-18), Copenhague où il dirige une saison d'opéra (1918-19) et Paris. Il s'y installe définitivement en 1922. Chaliapine lui propose de l'accompagner aux États-Unis pour une longue série de concerts, mais la firme discographique Gramophone lui offre la direction artistique de sa filiale française. Il réalise pendant onze ans une série d'enregistrements qu'il dirige lui-même ou qu'il confie à d'autres artistes et qui comptent parmi les événements majeurs de l'histoire du disque. Invité régulier des Concerts Pasdeloup, c'est avec cet orchestre qu'il enregistre d'abord. Puis il constitue l'Orchestre Symphonique du Gramophone, une formation destinée seulement au disque et qui réunit les meilleurs instrumentistes de la capitale. A partir de 1931, il enregistre avec la Société des Concerts. En 1939, il s'installe à Lausanne et ses activités se ralentissent considérablement.

Coppola a rendu justice à la musique française du XIXe et du XXe siècle. Il possédait un répertoire considérable et a dirigé la 1re audition en France de nombreuses œuvres de Prokofiev, Honegger, Bartók (*Le Mandarin merveilleux*), Varèse (*Offrandes*), Respighi, Glazounov, Stravinski... On lui doit plusieurs œuvres pour orchestre (*La Ronde sous la cloche, Suite intima, Poème élégiaque*), 5 opéras et 1 ballet (*Le Jardin des caresses*).

ÉCRITS : *Dix-sept ans de musique à Paris* (1944), *Les Affres du roi Marke* (1945).

Corazza, Rémy

Ténor français, né à Revin (Ardennes) le 16 avril 1933.

Il étudie aux Conservatoires de Toulouse et de Paris. Grand prix du Concours international de Toulouse en 1959, il débute la même année à l'Opéra-Comique (Beppe de *Paillasse*) et à l'Opéra en 1960 (Gonzalve de l'*Heure espagnole*). Il chante alors tout le répertoire (*Butterfly, Bohème,* Hoffmann, les ténors mozartiens, Nadir...). Il est membre de la troupe de l'Opéra du Rhin depuis 1974, et chante au Festival de Salzbourg depuis 1978 (Monostatos et les quatre rôles bouffes des *Contes d'Hoffmann*). Il participe aux créations du *Dernier Sauvage* de Menotti en 1963 et de *Hop Signor* de Manuel Rosenthal à l'Opéra-Comique en 1965, et des *Chouans* d'Alain Vanzo en Avignon en 1982.

Corboz, Michel

Chef de chœur suisse, né à Marsens le 14 février 1934.

Destiné à devenir instituteur par tradition familiale, il fait ses études à l'École normale de Fribourg, où l'enseignement de la musique tient une place non négligeable. Son oncle avait créé un chœur d'enfants dans sa paroisse de Bulle (chef-lieu de la Gruyère) : c'est avec le chœur de Saint-Pierre-aux-Liens de cette ville que son neveu dirigera le *Requiem* de Fauré, rêve irréalisé de cet oncle. C'est de celui-ci qu'il tient ses premières connaissances musicales (piano, chant, improvisation, accompagnement, harmonisation). A l'âge de vingt ans, il est nommé maître de chapelle à Notre-Dame de Lausanne ; il y restera pendant seize ans. Il a la responsabilité de deux chœurs, dont un petit chœur a cappella ; il accompagne à l'orgue les chanteurs pendant la liturgie, se fait entendre dans plusieurs églises de la ville avec parfois des instruments ; il enseigne le chant au Conservatoire de Lausanne. Il fonde l'Ensemble Vocal de Lausanne (1961). Michel Garcin remarque cette chorale d'amateurs et lui passe commande pour enregistrer l'*Orfeo* de Monteverdi. C'est une révélation (1968). Le groupe s'appelle maintenant Ensemble vocal et instrumental de Lausanne. Depuis 1969, Corboz est directeur des chœurs de la Fondation Gulbenkian de Lisbonne. Son interprétation allie l'expression dramatique à une vie intérieure intense : qualités que l'on trouve par exemple dans la *Messe en si mineur* de J.-S. Bach, la *Passion selon saint Jean*, les *Vêpres de la B.V. Marie* de Monteverdi. L'intérêt porté au chœur dans les premiers enregistrements a perdu de cette exclusivité qui lui fut reprochée, et l'équilibre est parfaitement établi entre lui, les solistes et les instruments, par exemple, dans *David et Jonathas* de Marc-Antoine Charpentier (1981). Corboz est un exemple heureux de chef de chœur devenu chef d'orchestre, qui insuffle aux instruments une dynamique calquée sur la démarche souple des voix.

Corelli, Franco

Ténor italien, né à Ancone le 8 avril 1921.

Après des études de musique aux Conservatoires de Pesaro et de Milan, il aborde la carrière en gagnant, en 1950, un prix de chant à Florence. En 1952, il est Don José (*Carmen*) au Festival de Spolète. Pendant deux ans, il chante à la radio et sur toutes les scènes de province, avant de débuter à la Scala, comme Licino de *La Vestale* de Spontini, aux côtés de Maria Callas. C'est aussitôt le départ d'une carrière fulgurante qui, des plus grandes scènes italiennes (Florence – Mai musical – de 1955 à 1961, et chaque année au Festival de Vérone), le conduit à l'Opéra de Vienne, à Covent Garden, à l'Opéra de Paris, à Chicago et San Francisco. En 1960, il fait ses débuts au Met et triomphe comme Manrico du *Trouvère.* D'un physique de jeune premier, il a su avec brio pallier une certaine résonance métallique par une grande musicalité et un jeu scénique brillant et profond.

Corena, Fernando

Basse suisse, né à Genève le 22 décembre 1916, mort à Lugano le 26 novembre 1984.

Son père est turc, sa mère italienne. Il commence des études de théologie catholique à l'Université de Fribourg, mais le chef d'orchestre Vittorio Gui l'incite vivement à opter pour le chant. Il étudie alors à Milan, chez Enrico Romani, et fait ses débuts en 1947 à l'Opéra de Trieste comme Warlaam de *Boris Godounov.* L'année suivante, il est engagé à la Scala où il obtient aussitôt un très grand succès. Il est invité par toutes les grandes scènes d'Italie (Mai musical de Florence et Festival de Vérone). En 1953, il s'impose au Festival d'Edimbourg comme *Falstaff* (rôle titre) et part pour New York où il débute, au Met, comme Leporello (*Don Giovanni*) dans la mise en scène de Herbert Graf (1954). Ce rôle demeurera un de ses rôles fétiches. Il chante sur les plus grandes scènes du monde entier, de Paris à Londres, de Vienne à Buenos Aires, de Chicago à San Francisco. En 1965, il remporte un succès tout particulier au Festival de Salzbourg, en Osmin de l'*Enlèvement au sérail.* Ses autres grands rôles appartiennent au répertoire de Rossini, des romantiques italiens, de Verdi et des véristes.

Cortez, Viorica

Mezzo-soprano roumaine naturalisée française, née à Bucium le 26 décembre 1935.

Elle commence ses études musicales à Iaşi et les termine au Conservatoire de Bucarest. Durant ses études, elle appartient au Chœur Philharmonique Moldova de Iassi, puis à un ensemble similaire de Bucarest. En 1964-65, elle participe à de nombreux concours et obtient, entre autres, le Prix Kathleen Ferrier au Concours de Bois-le-Duc (Pays-Bas) et le 1er prix au Concours de Chant de Toulouse dont le jury est présidé par le compositeur Emmanuel Bondeville. Grâce à ce prix, elle débute en 1965 au Capitole de Toulouse comme Dalila (*Samson et Dalila*). Cette même année, elle est engagée à l'Opéra d'État de Bucarest. Elle chante à Paris, Sofia, Bordeaux, Dublin et à Covent Garden, partout avec un grand succès. En 1973, elle est invitée à la Scala. L'année suivante, elle triomphe en Adalgisa (*Norma*) aux côtés de Caballé. Son timbre sombre fait merveille en Amnéris (*Aïda*), Eboli (*Don Carlo*), Charlotte (*Werther*) et *Carmen.* Elle épouse Emmanuel Bondeville en 1974.

Cortot, Alfred

Pianiste et chef d'orchestre français, né à Nyon (Suisse) le 26 septembre 1877, mort à Lausanne le 15 juin 1962.

Au terme d'une initiation familiale, Émile Decombes, ancien élève de Chopin, lui enseigne le piano à Paris, dès 1886. En 1892, il est admis dans la classe de Diémer au Conservatoire. Son camarade Risler, de quatre ans son aîné, le fait travailler en privé. Par ailleurs, Cortot cultive l'art du phrasé et de la déclamation, en travaillant le chant. Son intérêt pour la poésie et pour la tragédie, de ce point de vue, participe du même but.

En 1896, après un 1er prix de piano, Cortot accomplit religieusement son « voyage à Bayreuth », pour rejoindre son ami Risler. Là, subjugué comme tous les pèlerins à l'entour, il se voit invité à officier aux côtés de Risler, comme chef de chœur, répétiteur, souffleur, etc., sous la baguette de Hans Richter.

Reçu à la Wahnfried, il joue du Liszt à Cosima, dont il devient par la suite un familier. L'été se passe à deux doigts de l'extase mystique, Cortot se laisse emporter par le mythe wagnérien dont il se sent le dépositaire. De retour à Paris, la carrière de virtuose qui s'ouvre à lui ne satisfait pas le wagnérien qui est désormais en lui. Il aspire à la direction d'orchestre, afin de servir la musique allemande et son « dieu ». Évoluant dans les salons du Paris de Proust, la comtesse de Greffulhe le présente à Fauré, en cette même année 1896. Celui-ci sera son protecteur pour longtemps.

En 1902, après la mort de Lamoureux, Cortot réalise enfin son rêve mystique : diriger les opéras de Wagner. Avec l'aide financière de la comtesse de Greffuhle, il fonde la Société des Concerts Lyriques et crée à Paris, avec la bénédiction de Cosima, *Le Crépuscule des Dieux* et *Tristan.* La presse se déchaîne. Debussy mène la danse, en attaquant personnellement Cortot. L'entreprise tourne très vite à la catastrophe, et Cortot doit interrompre les représentations. Néanmoins, la même année, la cabale contre *Pelléas* n'empêche par Cortot de se porter aux côtés de Debussy, et de défendre farouchement l'œuvre. A la différence de ses pairs, ce jeune pianiste virtuose de 25 ans ne trouve pas dégradant d'accompagner au piano des chanteurs, de sorte qu'il accumule un nombre impressionnant de Lieder dans son répertoire.

En 1904, il crée la Société des Concerts Cortot, chargée de promouvoir les jeunes compositeurs. En 1905, il s'associe à Jacques Thibaud et à Pablo Casals pour fonder le fameux trio, qui vivra jusqu'en 1944. De l'aveu de Cortot, cette association lui a été fondamentale. C'est par l'intermédiaire de ses deux compères qu'il aurait appris à faire chanter son clavier, en oubliant le côté percussif de l'instrument. Il appelait cela : « la tendresse ». De 1904 à 1907, il s'attache à l'administration de plusieurs sociétés de musique, en souvenir sans doute du fiasco financier dont il avait été victime quelques années auparavant, dirigeant entre autres les Concerts Populaires de la ville de Lille.

En 1907, Fauré le fait nommer professeur au Conservatoire, succédant ainsi à Pugno. Cortot se découvre une vocation réelle de pédagogue : « l'imagination éclairée par le goût ».

Pendant la guerre, le gouvernement l'envoie officiellement aux États-Unis en 1918, pour représenter la France. En 1919, il fonde à Paris l'École normale de musique. Dès 1921, il compte parmi ses collaborateurs : Thibaud, Casals, Marguerite Long, Wanda Landowska, Capet, Isidor Philipp, Reynaldo Hahn et Stravinski... Par ailleurs, il poursuit sa carrière internationale, et parcourt l'Allemagne (où l'on ne jure que par lui pour interpréter Schumann) et les États-Unis. En 1928, il participe à la création de l'Orchestre Symphonique de Paris qu'il dirige au cours de sa première saison.

Pendant la Seconde Guerre mondiale, il prend une part active au gouvernement de Vichy, en acceptant le poste de Haut commissaire aux Beaux-Arts. Par la suite, il occupera des charges ministérielles plus importantes dans le gouvernement Laval, allant jusqu'à faire promulguer des lois, couvrant de son nom, plus ou moins directement, la répression antisémite dont sont l'objet certains musiciens. Arrêté et inquiété à la fin de la guerre, il le sera avant tout pour les tournées de concerts qu'il avait effectuées en Allemagne en 1942, invité par Furtwängler. En 1947, après s'être fixé à Lausanne, il donne un concert de rentrée à Paris. L'affaire manque de tourner à la bataille rangée. Mais la justice avait blanchi Cortot. Sa véritable réhabilitation a lieu le 17 octobre 1949, salle Pleyel, pour le centenaire de la mort de Chopin.

Ce qui frappe le plus l'auditeur, dans le jeu de Cortot, c'est son art de faire varier au plus haut point les intensités de la musique jusque dans les moindres détails. Chaque inflexion y est investie d'une force que Cortot voulait plus « psychique que mécanique ». Il possédait une connaissance parfaite de l'anatomie du bras, de l'épaule et des mains évidemment. Il était le chantre de la souplesse, de la parfaite décontraction du corps, condition *sine qua non* des infinies nuances dont il était devenu le maître. Interprète romantique par excellence, Cortot a renouvelé l'art de l'interprétation, ne répétant tout au long de ses cours, comme le lui avait conseillé un jour Anton Rubinstein, que l'interprète devait devenir l'auteur même de la musique qu'il jouait. Il a exercé une influence décisive sur l'art de son temps, en jouant avec les plus grands musiciens de son époque, et en recréant à part entière tout un répertoire qui est actuellement au centre de nos préoccupations. Parmi les œuvres qu'il a reçues en dédicace, la *Fantaisie* de Fauré et le *Poème de la forêt* de Roussel. Il a créé la *Fantaisie* de Debussy (1919) et *Résurrection* de Roussel (1904).

ÉCRITS : *La Musique française de Piano* (1930), *Principes rationnels de la technique pianistique* (1928), *Aspects de Chopin* (1949).

Cossotto, Fiorenza

Mezzo-soprano italienne, née à Crescentino de Vercelli le 22 avril 1935.

Encore au collège, elle est poussée par son entourage à étudier le chant. Elle entre au Conservatoire de Turin où elle reçoit les conseils de Paola Della Torre. Elle en sort diplômée en 1956 pour entrer à l'école de la Scala de Milan. Tout en poursuivant ses études, elle fait de discrets débuts dans le rôle de Sœur Mathilde, lors de la création à la Scala des *Dialogues des Carmélites* (1957). Après avoir appris son métier en multipliant les rôles secondaires, elle fait ses grands débuts en 1961 dans *La Favorite.* Entre-temps, elle a été (Covent Garden, 1959) Néris auprès de la célèbre Médée de Callas, et, en 1960, Amnéris aux arènes de Vérone. Depuis, prenant avec panache la succession des Ebe Stignani, des Cloe Elmo, des Fedora Barbieri et autre Simionato, elle devient sur toutes les grandes scènes du monde l'indispensable interprète d'Azucena, Eboli, Amnéris, Preziosilla, Santuzza, Adalgisa, Dalila,... et de l'alto du *Requiem* de Verdi.

Cossutta, Carlo

Ténor italien, né à Trieste le 8 mai 1932.

Tout enfant, il se rend en Argentine, où l'on découvre les qualités exceptionnelles de sa voix et où il devient très vite le premier ténor du Théâtre Colón de Buenos Aires. Ayant compris tout ce que l'Europe pouvait lui apporter, il quitte l'Argentine et fait ses débuts au Covent Garden de Londres, en 1964 (le duc, dans *Rigoletto*). La saison suivante, il est à nouveau invité, cette fois pour chanter *Cavalleria Rusticana*, qui lui vaut un très grand succès. Ce succès va grandissant lorsqu'il aborde *Don Carlos*, toujours au Covent Garden, en 1968. Dès lors tous les grands opéras d'Europe l'invitent à commencer par ceux de Vienne et de Berlin. En 1970, Giulini l'appelle à Chicago pour *le Requiem* de Verdi. En 1971, il interprète le même ouvrage à Paris sous la direction de Karajan. L'aisance et la puissance de ses aigus, un médium généreux et des graves profonds confèrent à ses interprétations un éclat particulier. Il chante à Berlin, dans *Simon Boccanegra*, le rôle de Gabriele Adorno qu'il reprend à Vienne ; il est ensuite Macduff de *Macbeth*, à Vienne également. Puis à Berlin, il interprète *Aïda* et *Manon*. Il peut donner toute la mesure de son talent lorsqu'il aborde les rôles de Manrico (*Trouvère*) à l'Opéra de Paris, en 1975, et surtout d'Otello qu'il enregistre avec Solti et dans lequel il peut laisser éclater une intensité dramatique rare.

Costa, Jean

Organiste français, né à Bastia le 15 juin 1924.

A 18 ans, Jean Costa devient organiste de la Maîtrise de la primatiale Saint-Jean de Lyon. Il y reste jusqu'en 1944. Il se rend alors à Paris où il fait de brillantes études au Conservatoire. En 1949, il remporte un 1er prix d'orgue et d'improvisation, dans la classe de Marcel Dupré. En 1952, il est nommé titulaire du grand-orgue Cavaillé-Coll/Gonzalez de l'église Saint-Vincent-de-Paul. De 1953 à 1970, Costa est également professeur au Conservatoire de Nantes et, en 1971, il est nommé au Conservatoire d'Aix-en-Provence.

Virtuose au répertoire vaste et diversifié, car ouvert à tous les styles, Jean Costa est aussi considéré comme un remarquable improvisateur. Dans son importante discographie, il faut signaler les œuvres de Franck et l'intégrale de celles de Liszt.

Cotrubas, Ileana

Soprano roumaine, née à Galaţi le 9 juin 1939.

Enfant, elle chante dans le chœur de la Radio de Bucarest, puis entre au Conservatoire où elle étudie la diction et le chant. Son professeur, Constantin Stroesco, lui transmet son amour pour la mélodie française (Debussy, Fauré, Ravel, Poulenc...) Elle débute dans Yniold (*Pelléas et Mélisande*) et on lui offre des rôles de travestis : Chérubin, Oscar. En 1965-66, elle remporte des prix, dont celui du Concours international de s'Hertgenbosch, et elle est engagée à Bruxelles. Elle y chante Pamina et Constance. Premier prix à Munich (Radio), elle apparaît à Salzbourg (*La Flûte enchantée*). En 1969, elle chante Pamina à Vienne et Mélisande à Glyndebourne. A Covent Garden, elle émeut le public dans *Eugène Onéguine* (Tatiana). Tragédienne exigeante, Ileana Cotrubas mûrit ses rôles : Violetta, Mimi (à Chicago et à la Scala). Médium large, sûr, clarté des aigus, sensibilité, expression lui permettent de travailler avec les meilleurs chefs (Giulini, Maazel, Kleiber), aux côtés de grands chanteurs (Carreras, Prey) et de metteurs en scène tel Ronconi ; elle donne aussi des récitals.

Cotte, Roger

Musicologue et chef d'orchestre français, né à Clamart le 21 juillet 1921.

Après des études au Conservatoire de Paris, avec Gaston Cranesse (flûte) et Marcel Samuel-Rousseau (harmonie), entre 1940 et 1945, il étudie les ondes Martenot avec Martenot lui-même et l'organologie avec Brunold (1942-48). Enfin, il suit des cours d'orgue avec Alexandre Cellier, entre 1958 et 1961. Comme chef d'orchestre, passionné de musique ancienne, il fonde en 1953 le Groupe d'Instruments Anciens de Paris, avec lequel il propose alors nombre d'ouvrages inédits ou oubliés. Depuis 1977, il dirige l'Institut San Bernardo des arts de Sao Paulo.

Couraud, Marcel

Chef de chœur français, né à Limoges le 20 octobre 1912.

Il travaille l'écriture à Paris avec Nadia Boulanger, l'orgue avec André Marchal, la composition avec Stravinski et la direction avec Charles Münch. Il n'aime pas séparer la direction d'orchestre de celle des chœurs. « Je suis venu au chœur, parce que je me suis aperçu qu'il y avait souvent dans les exécutions un divorce entre le chœur et l'orchestre. » Il acquiert donc d'abord une connaissance profonde de la voix, tout en étant chef d'orchestre.

Dès la Libération, il fonde l'ensemble vocal qui porte son nom et qu'il dirige jusqu'en 1954. Invité dans toute l'Europe, particulièrement en Italie et en Allemagne, on l'entend surtout dans des oratorios. En 1967, il devient directeur artistique des formations vocales de l'O.R.T.F. Il cherche à faire connaître des chefs-d'œuvre oubliés (on lui doit la révélation de certaines pages de Schubert et Brahms et d'œuvres baroques avec la Capella Coloniensis). A l'O.R.T.F. il crée aussitôt le groupe des *Solistes des chœurs*, « instrument nouveau pour une musique nouvelle », selon ses propres mots. Cet ensemble, qui se produit alors dans les Festivals d'avant-garde, tel Royan, exécute et enregistre de nombreuses œuvres vocales contemporaines : le *Stabat Mater* de Penderecki, les *Cinq Rechants* de Messiaen, *Cantigas* de Ohana, les *Nuits* de Xenakis (Royan 1968). Il dirige cette œuvre qui lui est dédiée plus de 130 fois dans le monde. Lorsqu'il quitte la radio, il va enseigner dans les Universités américaines (Los Angeles, Princeton) puis fonde en 1976 le Groupe Vocal de France qu'il dirige jusqu'en 1978. Parmi les œuvres qu'il a créées, *Epithalame* (1956), de Jolivet, *Syllabaire pour Phèdre* (1972) de Ohana.

Courtois, Catherine

Violoniste française, née à Paris le 22 septembre 1939.

Elle travaille au Conservatoire de Paris avec André Asselin et Pierre Pasquier avant d'obtenir des 1er prix de violon et de musique de chambre. Elle remporte ensuite le Grand Prix du Concours international de Genève et le Grand Prix de la Guilde française des artistes solistes. Lauréate du Concours international de Montréal et du Concours international Long-Thibaud (1967), elle est professeur au Conservatoire de Saint-Maur depuis 1971 et pratique la musique de chambre avec Blandine Verlet et Catherine Collard. Elle joue sur un Guadagnini.

Cox, Jean

Ténor américain, né à Gadsden (Alabama) le 16 janvier 1922.

Après un début de carrière relativement modeste, il attend une quinzaine d'années en Amérique du Nord avant de venir en Europe. Engagé à l'Opéra de Mannheim, il fait partie de cette troupe durant de nombreuses années, tout en acceptant des contrats un peu partout en Allemagne et en Autriche. C'est ainsi qu'il entre en contact avec la Volksoper de Vienne qui l'engage de 1958 à 1973. Régulièrement invité avec succès dans les opéras de Hambourg, Vienne, Stuttgart, Munich et Francfort, il participe également au Festival de Bregenz où il chante *Fra Diavolo* d'Auber et crée *Trauminsel* de Robert Stolz. Fort ténor, spécialiste de tout le répertoire allemand et slave, il chante en 1961 au San Carlos de Lisbonne et, en 1974, à l'Opéra de Berlin. A Bayreuth, où il a débuté en 1956 dans Steuermann, il incarne Lohengrin (1967-68), Parsifal (1968), Siegfried (1970-75) ainsi que Walther des *Maîtres chanteurs* (1969-74)

Craft, Robert

Chef d'orchestre américain, né à Kingston le 20 octobre 1923.

Il fait ses études à la Juilliard School (jusqu'en 1946) et au Berkshire Music Center de Tanglewood avant de se perfectionner avec Pierre Monteux. De 1947 à 1950, il dirige la Choral Art Society de New York ainsi que différents ensembles d'instruments à vent. Puis il est à la tête des Evenings-on-the-Roof et des Monday evening concerts à Los Angeles (1950-68). Mais l'événement déterminant de sa carrière est sa rencontre avec Igor Stravinski en 1948 : il deviendra son secrétaire particulier et aura une influence déterminante sur lui, le poussant notamment à adopter le système dodécaphonique à la fin de sa vie. En 23 ans, Craft et Stravinski dirigent environ 150 concerts dont il partagent le programme. Craft devient le champion de l'École de Vienne aux U.S.A. Il enregistre l'œuvre intégral de Webern, il dirige la création américaine de *Lulu* (Berg), celle de *Cardillac* (Hindemith). Il se passionne pour la musique de Gesualdo. Il crée *Nocturnal* de Varèse, *In memoriam D. Thomas* et *Requiem canticles* de Stravinski. Il participe à l'enregistrement intégral de l'œuvre symphonique de Stravinski en préparant l'orchestre pour le compositeur qui n'assure que les ultimes séances. De 1959 à 1969, il publie six volumes de souvenirs d'Igor Stravinski (*Conversations avec Igor Stravinski*, 1959 ; *Memories and Commentaries*, 1960 ; *Expositions and Developments* 1962 ; *Dialogues and a Diary*, 1963 ; *Themes and Episodes*, 1967 ; *Retrospections and conclusions*, 1969), suivis d'autres ouvrages qu'il signe seul : *Chronicle of a Friendship* (1972), *Prejudices in Disguise* (1974), *Current Convictions* (1976).

Crass, Franz

Baryton-Basse allemand, né à Wipperfürth le 9 février 1928.

Il est d'abord comédien dans une troupe ambulante, puis étudie le chant au Conservatoire de Cologne, avec Klemens Glettenberg. Il débute en 1954 au Théâtre municipal de Krefeld. Deux ans plus tard, il est engagé à l'Opéra de Hanovre. Mais il est très vite invité un peu partout et c'est ainsi qu'il entre en contact avec l'Opéra de Cologne puis avec celui de Hambourg. Il chante également à l'Opéra de Vienne. Ceux de Berlin et de Düsseldorf l'invitent par la suite. Il s'impose au Festival de Bayreuth comme un grand interprète wagnérien ; il y chante des petits rôles depuis 1954. En 1959, il est le roi Henri (*Lohengrin*). En 1960-61, il est le Hollandais, de 1967 à 1970, Gurnemanz (*Parsifal*). Il est également invité à la Scala (en 1960, Commandeur de *Don Giovanni*) et au Festival de Salzbourg (1967, Sarastro et, 1970, Rocco de *Fidelio*).

Crespin, Régine

Soprano française, née à Marseille le 23 mars 1927.

A Nîmes, où ses parents s'installent alors qu'elle vient d'avoir quatre ans, elle fait de bonnes humanités devant la conduire à la profession de pharmacienne ; mais elle s'aperçoit très vite qu'elle possède une voix souple, facile et d'un beau métal. Un concours de chant local, dont elle obtient le 1er prix en chantant un extrait de *Sigurd*, décide de son orientation. Bonne musicienne, elle entre au Conservatoire de Paris où elle est l'élève de Suzanne

Cesbron-Viseur et de Georges Jouatte. Ses débuts scéniques ont lieu en 1950 à Mulhouse : une merveilleuse Elsa de 23 ans. Et très vite c'est Paris : la salle Favart, le 27 juin 1951, Floria Tosca ; le Palais Garnier, le 10 août de la même année, Elsa, sous la direction d'André Cluytens. La jeune cantatrice comprend qu'elle ne doit pas négliger la province qui, mieux que Paris, lui offre l'opportunité d'élargir son répertoire : *Faust, Hérodiade, Sigurd,* mais aussi *Otello, Le Trouvère, Fidelio, Obéron, La Walkyrie...* De retour à l'Opéra de Paris ce sont, en 1956, ses admirables Desdémone, avec José Luccioni, Maréchale, aux côtés de Renée Doria et Suzanne Sarroca, et Amélia, aux côtés d'Albert Lance, Denise Scharley et René Bianco. Wieland Wagner en fait la Kundry de Bayreuth en 1958 et la lance sur la voie du vedettariat international. Toutes les grandes scènes lyriques du monde ont acclamé ses Tosca, Iphigénies, Sieglinde, Senta, ou Desdémone. Par sa féminité, par la beauté et l'ampleur de sa voix, par sa présence et par son talent d'actrice, elle a mieux que quiconque fait vivre la Pénélope de Fauré, la Didon des *Troyens* de Berlioz, la Carmen de Bizet, la Leonore du *Fidelio* de Beethoven ou la Grande-Duchesse de Gerolstein.

ÉCRITS : *La vie et l'amour d'une femme,* Mémoires (1982).

Crickboom, Mathieu

Violoniste belge, né à Hodimont (Liège) le 2 mars 1871, mort à Bruxelles le 30 octobre 1947.

Principal disciple d'Eugène Ysaÿe, il est 2e violon de son quatuor de 1888 à 1894 avant de devenir 1er violon du Quatuor de la Société Nationale à Paris (1894-96). Il est alors nommé violon solo de la Société Philharmonique de Barcelone et professeur au Conservatoire de cette même ville (1896-1905). Il rencontre Pablo Casals et tous deux fondent ensemble un nouveau quatuor auquel s'associe souvent, comme pianiste, Enrique Granados. En 1910, de retour dans son pays natal, il est professeur au Conservatoire de Liège et enseignera, de 1919 à 1944, au Conservatoire de Bruxelles. Chausson lui a dédié son *Quatuor à Cordes* et Ysaÿe sa *Sonate pour violon seul n° 6.*

Cristescu, Mircea

Chef d'orchestre roumain, né à Braşov le 22 novembre 1928.

Il fait ses études musicales au Conservatoire Astra et au Conservatoire de Bucarest. Il appartient d'abord à la Philharmonie Georges Enesco de Bucarest comme instrumentiste puis enseigne au Conservatoire de cette même ville avant de commencer une carrière de chef d'orchestre qui lui permet d'être l'un des chefs permanents de la Philharmonie Georges Enesco depuis 1962.

Croiza, Claire (Claire Conelly)

Mezzo-soprano française, née à Paris le 14 septembre 1882, morte à Paris le 27 mai 1946.

Enfant, elle reçoit des cours de solfège, de piano et de chant. Elle débute en 1905 à Nancy dans *Messaline* de De Lara, avant d'être engagée l'année suivante à la Monnaie de Bruxelles. Elle y joue Dalila, Carmen, Didon (de Berlioz), les deux Clytemnestre (de Gluck et de Richard Strauss), Erda, Leonora (de Donizetti), Charlotte et Pénélope et crée *Eros vainqueur* (de Bréville). Elle débute à l'Opéra de Paris en 1908 (dans *Samson et Dalila*). En 1913, elle chante (au Théâtre des Arts dirigé par Jacques Rouché) *Le Couronnement de Poppée* et *Les Éléments* (Destouches), deux réalisations de d'Indy, et un acte d'*Orphée* de Gluck. Elle crée, en 1919, la version scénique de *La Damoiselle élue* de Debussy, et, en 1926, *La Tisseuse d'orties* de Gustave Doret. Paul Valéry la sacre « la voix la plus sensible de notre génération. ». L'école française de mélodies, de Franck à Duparc, lui dédie ses œuvres. Honegger écrit pour elle *Judith* qu'elle chante en 1925. Elle crée également, en 1924, les *6 Poèmes de Cocteau* et *Chanson* d'Honegger et, en 1928 (sous la direction de Louis Fourestier), *Sarabande, Le Bachelier de Salamanque* et

Réponse d'une épouse sage, de Roussel. A partir de 1922, elle donne des cours d'interprétation à l'École normale de musique, puis au Conservatoire de Paris en 1934. Janine Micheau, Jacques Jansen, Camille Maurane, Gérard Souzay ont été ses élèves. Passionnée de théâtre, elle fut la récitante du *Roi David* et du *Martyre de saint Sébastien* et donna également des cours de mise en scène.

Cross, Joan

Soprano anglaise, née à Londres le 7 septembre 1900.

Elle étudie avec Gustav Holst au St. Paul's Girl's School et Dawson Freer au Trinity College of Music de Londres. En 1924 elle entre dans les chœurs de l'Old Vic Theater où elle chante Chérubin et la Première Dame de la Nuit. De 1931 à 1946, elle est 1er soprano du Sadler's Wells Opera où elle participe entre autres aux premières anglaises de *Snegourotchka* (Kupava) et *Tsar Saltan* (Militrisa) de Rimski-Korsakov en 1933. En 1931 elle débute également au Covent Garden (Mimi) et y chantera jusqu'en 1954. Elle dirige la Sadler's Wells Company de 1943 à 1945 et participe à la réouverture du théâtre en 1945 avec la création mondiale de *Peter Grimes* de Britten (Ellen Orford). Elle créera encore de Britten le Female Chorus du *Viol de Lucrèce* à Glyndebourne en 1946, Lady Billows d'*Albert Herring* à Glyndebourne en 1947, Elizabeth I de *Gloriana* au Covent Garden en 1953 et Mrs. Grose du *Tour d'écrou* à Venise en 1954. En 1946, elle participe à la fondation de l'English Opera Group, en 1948 elle fonde avec Anne Wood l'Opera School qui devient en 1955 la National School of Opera. A partir de 1946 elle met en scène des opéras en Grande-Bretagne, en Norvège et aux Pays-Bas, et à partir de 1955 se consacre à l'enseignement.

Cubiles, José

Pianiste espagnol, né à Cadix le 15 mai 1894, mort à Madrid en avril 1971.

Il a fait ses études au Conservatoire de Paris dans la classe de Diémer. Il se produit en Europe puis retourne en Espagne où il enseigne au Conservatoire de Madrid à partir de 1916, et enregistre de nombreux disques consacrés à la musique espagnole. Moins connu hors de son pays natal qu'Iturbi, il compte néanmoins parmi les figures majeures du piano en Espagne et a largement diffusé la musique d'Albéniz, Falla, Turina et Granados. Il a créé les *Nuits dans les jardins d'Espagne* de M. de Falla (1916).

Cuenod, Hugues

Ténor suisse, né à Vevey le 26 juin 1902.

Ses études musicales le conduisent de l'Institut de Ribaupierre à Lausanne aux Conservatoires de Genève et de Bâle ; puis il part pour Vienne où il travaille avec Mme Singer-Burian qui, en quelques mois, fait du baryton-basse un ténor léger. Il débute en 1928 à Paris, à la Salle du Conservatoire, dans un concert de trios vocaux de Florent Schmitt qui l'engage lui-même et l'impose aux côtés de Marcelle Bunlet et Lina Falk. Ensuite il crée le rôle principal du *Pont d'Or* de Maxime Jacob au Théâtre Grammont puis, toujours en 1928, la 1re française de *Johnny mène la danse* d'Ernst Krenek, mis en scène par Gémier au Théâtre des Champs-Élysées et dirigé par Inghelbrecht. Il chante le Diable dans *Angélique* de Jacques Ibert, puis à Gaveau des cantates de Bach sous la direction de Vincent d'Indy. Il crée à Londres *Bitter sweet* (Noël Coward) qu'il donne ensuite dans tous les États-Unis, avec pour partenaire Mireille Hartusch qui deviendra Mireille... tout court (!) et fondera *le Petit Conservatoire de la chanson*. Brève expérience de comédien ; en 1930, il joue *L'Opéra de Quat' sous* et *la Cavalière Elsa*, dans la mise en scène de Gaston Baty, avec Jamois. Il tourne quelques films et donne déjà des leçons de chant. De 1932 à 1934, il rentre en Suisse, où il crée *Misé brun*, opéra provençal de Pierre Maurice, puis chante plusieurs opéras-comiques d'Offenbach, Adam, Delibes, Planquette, etc. D'un éclectisme parfait, il fonde le duo Bob et Bobette avec Jane Lequien pour présenter des chansons modernes, mais aussi des spirituals et bientôt il chante des mélodies de Schumann accompagné par Clara Haskil, alors qu'à la Salle Gaveau il interprète *Résurrection* de Schütz et, à Genève (1934), *Les Noces* (Stravinski) dirigées par Ansermet. Il reprend l'ouvrage à Paris, sous la direction de Scherchen, puis avec le même chef *L'Histoire du Soldat* (rôle du soldat) à Genève. Ayant rencontré Nadia Boulanger, il donne de nombreux concerts avec elle. En 1935, il crée à Londres *Le Paradis perdu* d'Igor Markevitch. Mais c'est surtout Bach et Monteverdi, Schütz et Charpentier qu'ils interprètent un peu partout, quand il ne donne pas des concerts avec Clara Haskil. En 1937, il enregistre avec Nadia Boulanger et son groupe les mémorables disques de Monteverdi. En mars, le groupe s'embarque pour les États-Unis. Un mois de concerts triomphaux qui vont marquer leurs carrières respectives ; ils y retourneront souvent, jusqu'à la guerre. Il enseigne ensuite au Conservatoire de Genève (1940-46). Il crée alors *La Danse des Morts* (Honegger) à Bâle sous la direction de Paul Sacher et la même année à Lausanne *Le Vin Herbé* (Frank Martin) sous la direction d'Ansermet (1940). C'est en 1943 qu'il aborde pour la première fois l'Évangéliste de *La Passion selon saint Matthieu* (Bach), rôle qu'il chantera par la suite dans le monde entier et qu'il a marqué de sa sensibilité, de sa musicalité, bref de cette personnalité étrange qui fait toute la valeur de ses interprétations. Dès la fin des hostilités, il retourne à Paris, retrouve Nadia Boulanger et reprend avec elle leur série de concerts. Son répertoire se modifie : il abandonne toute musique légère pour se consacrer aux maîtres de la cantate et aux contemporains (Milhaud, Jean Françaix dont il joue à ravir *Le Diable boiteux*, Stravinski, Binet, Britten dont il interprète *Les Illuminations* avec une fébrilité inspirée). En 1951, il crée *The Rake's Progress* à Venise sous la direction du compositeur. A Milan, l'année suivante, il retrouve Schwarzkopf pour un *Chevalier à la Rose*, dirigé par Karajan, où il tient le rôle du Majordome, rôle qu'il chantera pendant trente ans. Sur cette même scène il enchaîne avec le Capitaine de *Wozzeck*. A Aix-en-Provence, il chante Basile (*Nozze di Figaro*). En 1954, il est l'Astrologue du *Coq d'Or*, au Covent Garden. Sa réputation est dès lors acquise en Angleterre ; le Festival de Glyndebourne lui ouvre ses portes (début : Sellem du *Rake's Progress*), il y chantera jusqu'en 1975 *Ariane à Naxos* (le Maître à danser) et *Capriccio, Falstaff* (Docteur Caïus), *Ormindo* (Erice), *L'Heure espagnole, Eugène Onéguine* (M. Triquet) et surtout *La Calisto* où il incarne la vieille Nymphe Linfea ! On l'appelle dans le monde entier car, artiste consommé, il ne recherche jamais le premier rôle, mais sait conférer couleur et relief à n'importe quel personnage, fût-il de second plan. Son enregistrement du *Socrate* (Satie) obtient le Prix Mondial du Disque de Montreux (1980).

Curtis, Alan

Claveciniste et chef d'orchestre américain, né à Masone (Michigan) le 17 novembre 1934.

Il fait ses études à l'Université d'État du Michigan (diplômé en 1955) et à l'Université de l'Illinois (diplômé en 1956). Il mène ensuite une double carrière de claveciniste et de chef d'orchestre. Il se rend célèbre aux États-Unis par ses concerts mais aussi par ses conférences et ses enregistrements (musique baroque). Il a la passion de l'enseignement, de la découverte, de l'écriture. Il est professeur de musique et directeur du Collegium Musicum à l'Université de Berkeley. Il a édité des pièces de clavecin de Louis Couperin, les œuvres de Balbastre et publie les concertos pour clavecin de C.P.E. Bach. C'est souvent d'après ses propres éditions qu'il dirige des opéras baroques en Hollande, Belgique, États-Unis principalement.

ÉCRITS : *Sweelinck Keyboard Music, Dutch Keyboard Music.*

Curzon, Clifford (Sir)

Pianiste anglais, né à Londres le 18 mai 1907, mort à Londres le 1er septembre 1982.

Entré à la Royal Academy of Music de Londres en 1919, il devient l'élève de Charles Reddie et de Katharine Goodson, et remporte la médaille d'or Mac Farren de piano. Ses débuts ont lieu à l'âge de 16 ans, aux côtés de Sir Henry Wood, lors des concerts du Queen's Hall Promenade où il interprète le *Triple Concerto* de Bach. Il se perfectionne avec Tobias Matthay puis, en 1928, il va suivre pendant deux ans les cours d'Artur Schnabel à Berlin, puis de Wanda Landowska et de Nadia Boulanger à Paris. Il enseigne à son poste à la Royal Academy of Music jusqu'en 1932 et part en tournée. Peu à peu l'interprète de musique de chambre semble se dessiner en lui, tandis que ses interprétations des concertos de Mozart en font aux yeux de tous « le plus grand mozartien de son temps ». A partir de 1952, Clifford Curzon anime le Festival d'Edimbourg, en compagnie de Szigeti, de Primrose et de Fournier, en jouant de nombreux quatuors avec piano.

Ce musicien est connu pour être le « spécialiste » des années sabbatiques. Les succès l'ont toujours conduit à se retirer pendant un laps de temps plus ou moins long pour étudier et méditer. De sorte que sa carrière en dents de scie n'a jamais présenté au public que des interprétations longuement mûries, à valeur de recréation. Il a créé la *Sonate pour piano* de Berkeley (1946), dont il est le dédicataire, et le *2e Concerto* de Rawsthorne.

Cvejič, Biserka
(Biserka Tzveych)

Alto yougoslave, née à Jesenice (Split) le 5 novembre 1923.

Ses parents s'étant établis en Belgique, alors qu'elle n'avait qu'un an, elle préfère retourner dans son pays natal, à la fin de la Seconde Guerre mondiale. Jusqu'alors passionnée de jazz, elle ne chantait que quelques spirituals. A Belgrade, elle gagne sa vie comme interprète, mais se voit bientôt offrir une bourse pour étudier le chant. José Riavez lui permet de découvrir et de développer ce timbre incomparable d'alto profond. Alors qu'elle étudie encore, en 1950, elle remplace à l'Opéra de Belgrade la Maddalena de *Rigoletto*, malade. En 1954, elle fait ses débuts comme Charlotte (*Werther*). Ce premier triomphe, sous le nom de Biserka Tzveych – qu'elle conservera longtemps –, l'impose très vite, aussi bien dans le répertoire russe que dans les ouvrages italiens et français. Durant les tournées de l'Opéra de Belgrade, à Wiesbaden, à Lausanne, à Paris, elle se fait remarquer. L'Opéra de Vienne l'invite en 1959. L'année suivante, elle est engagée dans la troupe. Puis en 1961, elle appartient également à la troupe du Met où elle fait ses débuts en Amnéris (*Aïda*). En 1962, elle est invitée à Covent Garden. En 1963, au Colón. Habitant désormais Vienne, elle chante très souvent en U.R.S.S. et dans les pays nordiques. Elle chante à Paris *Marie-Magdeleine* de Massenet, avec Régine Crespin, en 1977.

Czerny-Stefanska, Halina

Pianiste polonaise, née à Cracovie le 31 décembre 1922.

Son père lui enseigne les rudiments du piano, avant de l'envoyer travailler avec Cortot à l'École normale de musique de Paris. De retour en Pologne, elle suit les cours de J. Turczynski au Conservatoire de Varsovie, et de Zb. Drzewiecki à l'École Supérieure de Musique de Cracovie à partir de 1946. En 1949, elle se voit attribuer un 1er prix ex-aequo au Concours Chopin de Varsovie. Spécialisée dans les œuvres pour deux pianos, qu'elle jouait souvent avec son mari, Ludwig Stefanski, elle ne dédaigne pas non plus la combinaison piano-clavecin avec sa fille, Elzbieta Stefanska-Lukowicz. Ses enregistrements ont eu un grand retentissement à l'étranger, mais surtout en Pologne.

Cziffra, Georges (György)

Pianiste hongrois naturalisé français (1968) né à Budapest le 5 novembre 1921.

Il reçoit ses premières leçons de son père pianiste et donne son premier concert à l'âge de cinq ans, dans un cirque : le public réclame des improvisations sur un thème populaire. A neuf ans, il commence ses études à l'Académie Franz Liszt de Budapest, avec Dohnànyi, et, de 1933 à 1941, joue en récital en Hongrie, Hollande et Scandinavie. Il ne peut achever ses études, car il est requis par le service militaire. Fait prisonnier de guerre en 1941, il ne reprendra ses études musicales qu'en 1947 auprès de Ferenczi. Pour gagner sa vie il joue du piano dans des bars, à Budapest. Emprisonné à nouveau pour des raisons politiques en 1950, il est relâché en 1953. Il donne alors des concerts, et, en 1955, remporte le Prix Franz Liszt remis pour la première fois à un pianiste non compositeur. En octobre 1956, il part avec sa femme et son fils à Vienne. Un mois plus tard, le public délire en l'écoutant. Réfugié à Paris, il gagne vite une large audience, dès ses premiers concerts au Châtelet.

Il enregistre beaucoup et marque, par sa technique transcendante, les interprétations de Liszt. Sa vitalité, sa virtuosité sont parfois traversées de nostalgie, d'étrangeté : il suffit d'écouter les *Paraphrases* de Liszt. En 1969, G. Cziffra fonde le Prix Cziffra à Versailles. Son fils Georges (1942-81) était chef d'orchestre et ils se sont produits parfois ensemble.

Czỳz, Henryk

Chef d'orchestre polonais, né à Grudziadz le 16 juin 1923.

Il reçoit parallèlement une formation universitaire et une formation musicale : à l'Université de Torún, il étudie le droit et la philosophie, au Conservatoire de Poznan, il travaille la composition et la direction d'orchestre (1948-52). Il débute en 1948 à la tête de l'Orchestre National de la Radio Polonaise. Puis il est l'assistant de Fitelberg auprès de cet orchestre. En 1957, il est nommé à la tête de l'Orchestre Philharmonique de Lódź. Sa carrière internationale débute lorsque il prend en main la Philharmonie de Cracovie (1962-68). Il dirige l'Académie de musique de cette même ville où il enseigne également (1962-66). Il crée alors et enregistre la *Passion selon saint Luc* et *Les Diables de Loudun* de Penderecki. Entre 1971 et 1974, il est directeur général de la musique à Düsseldorf. Depuis 1968, il a repris la direction artistique de la Philharmonie de Lódź.

D

D'Albert, Eugen

Pianiste et compositeur écossais naturalisé allemand, né à Glasgow le 10 avril 1864, mort à Riga le 3 mars 1932.

Il étudie le piano avec Émile Pauer à Londres, et avec Franz Liszt à Weimar. Interprète de Beethoven et de Bach, il réalise de nombreuses transcriptions pour piano d'œuvres pour orgue de ce dernier. Il se lie d'amitié avec Grieg, Reger, Pfitzner et Humperdinck et se fait le dépositaire des recommandations de Brahms quant à l'interprétation de ses propres œuvres. En 1907, il succède à Joachim comme directeur de la Musikhochschule de Berlin. Parmi ses élèves figurent Edwin Fischer et Wilhelm Backhaus. Il est généralement considéré comme l'un des derniers pianistes romantiques, au même titre que Busoni ou Paderewski. Par son activité pédagogique, il joue un rôle charnière essentiel en transmettant l'héritage pianistique de Liszt. Son œuvre pour piano et ses compositions de musique de chambre s'inspirent largement du style de Brahms. Il devait écrire 21 opéras, dont la plupart subissent irrésistiblement l'influence de Wagner. Néanmoins la représentation de son opéra-comique *Die Abreise* (*le Départ*) en 1898 à Francfort et de *Tiefland* en 1903 à Prague montre sa profonde originalité. Avec *Flauto Solo* en 1905, ce sont ses seules véritables réussites. La seconde de ses six femmes était la pianiste Teresa Carreño (1853-1917). R. Strauss a écrit à son intention la *Burlesque* qu'il créa en 1890.

Dalberto, Michel

Pianiste français, né à Paris le 2 juin 1955.

Élève du Conservatoire de Paris, il reçoit l'enseignement de Vlado Perlemuter, de Raymond Trouard et de Jean Hubeau. En 1975, le Prix Clara Haskil lui vaut la célébrité, qu'il concrétise la même année en remportant le 1er prix du premier Concours Mozart de Salzbourg. Trois ans plus tard, il est le lauréat du Concours Leeds. En 1980, ses débuts ont lieu à Paris, avec l'Orchestre de Paris, sous la direction d'Erich Leinsdorf. Passionné par la musique de chambre, il anime tous les étés l'Académie de musique des Arcs en Savoie.

Dal Monte, Toti (Antonietta Meneghelli)

Soprano colorature italienne, née à Mogliano Veneto le 27 juin 1893, morte à Treviso le 25 janvier 1975.

Ses parents la destinaient à une carrière de pianiste, mais un accident à la main l'oblige à abandonner le piano. Elle choisit alors le chant et l'étudie avec Barbara Marchisio. Elle fait ses débuts en 1916 à la Scala de Milan dans le petit rôle de Biancafiore de *Francesca da Rimini.* Après avoir chanté des rôles de soprano lyrique, elle décide de devenir soprano leggiero et reprend ses études avec le baryton Pini-Corsi. En 1918 elle chante Gilda à Turin et aussi la 9e *Symphonie* de Beethoven sous la direction de Toscanini qui l'engage à la

Scala pour incarner Gilda durant la saison 1921-1922. Les saisons suivantes, elle y chante Rosine, Lucia, Adina, Norina, Marie de *La Fille du régiment*, Linda,... A Rome et à Naples, où elle fait de nombreuses apparitions, elle ajoute à ces rôles ceux de Violetta, de Mimi et de Cio-Cio-San. Puis c'est Gilda à l'Opéra de Paris en 1924, Rosine et Lucia au Covent Garden de Londres en 1925. Elle chante sur toutes les grandes scènes des États-Unis sauf au Metropolitan Opera de New York. Dès après la guerre, elle se consacre exclusivement à l'enseignement du chant. Elle a enregistré de nombreux disques, dont une fameuse intégrale de *Madame Butterfly* avec Gigli.

Dam, José van

Voir à **Van Dam, José.**

Damm, Peter

Corniste allemand (R.D.A.), né à Meiningen le 27 juillet 1937.

De 1951 à 1957, il fait ses études musicales à la Hochschule Franz Liszt de Weimar avec Karl Biehling. Il débute comme cor solo dans l'Orchestre de l'Opéra de Gera (1957-59). En 1960, il est lauréat du Concours international de Munich. Puis il est cor solo au Gewandhaus de Leipzig (1959-69) étant élevé, en 1967, à la distinction de Kammermusiker. En 1969, il devient cor solo de la Staatskapelle de Dresde et est nommé, en 1971, Kammervirtuose. A partir de 1969, il enseigne à la Hochschule de Dresde et mène parallèlement une carrière de soliste, enregistrant notamment les concertos de Mozart et ceux de R. Strauss. Il a créé des œuvres de compositeurs est-allemands (Kurz, Herchet) et réalisé de nombreuses éditions d'œuvres classiques pour cor.

Damrosch, Walter

Chef d'orchestre américain d'origine allemande, né à Breslau le 30 janvier 1862, mort à New York le 22 décembre 1950.

Fils de Leopold Damrosch (1832-85), chef d'orchestre qui fonda la New York Symphony Society. Son père est son premier professeur. Il travaille également le piano et la composition à Dresde et à Francfort avec F. Draeseke et Hans von Bülow. En 1884, il est l'assistant de son père pour la saison d'opéras allemands au Met, poste qu'il conserve lorsque Anton Seidl lui succède en 1885. Cette même année, il prend la direction de la New York Symphony Society (1885-94) et de l'Oratorio Society (1885-98 puis 1917-21). En 1894, il fonde la Damrosch Opera Company, une troupe de chanteurs allemands qui présente le répertoire germanique à New York et dans le reste des U.S.A. jusqu'en 1899. Il dirige notamment la première représentation outre-Atlantique de *Parsifal*. Le Met fait à nouveau appel à lui pour conduire les ouvrages allemands (1899-1901). Puis il reprend la direction de la New York Symphony Society (1902-28) et procède à sa réorganisation en 1903. L'orchestre devient alors l'une des principales phalanges américaines. Il fait connaître la musique européenne de son temps et crée notamment aux États-Unis la *Quatrième Symphonie* de Mahler et la *Troisième* de Bruckner. En 1928, la New York Symphony Society fusionne avec la Philharmonie, sous la direction de Mengelberg et de Toscanini. Walter Damrosch est alors nommé conseiller musical à la N.B.C. (1927-47). Il participera également à la fondation du Conservatoire Américain de Fontainebleau. Il a dirigé en 1re audition *Tapiola* de Sibelius (1926), le *Concerto pour piano* (1925) et *Un Américain à Paris* (1928) de Gershwin.

ÉCRITS : *My musical Life* (1923).

Danco, Suzanne

Soprano belge, née à Bruxelles le 22 janvier 1911.

Après des études au Conservatoire de Bruxelles, elle remporte en 1936 un concours de chant à Venise, et poursuit ses études à Prague, avec Fernando Carpi. En 1940, elle donne ses premiers concerts en Italie. En 1941, elle débute à l'Opéra de Gênes, comme Fiordiligi (*Cosi fan tutte*). Elle chante par la suite surtout dans les opéras de la Péninsule, à la Scala (elle y crée en 1948 Jocaste dans *Œdipus-Rex* de Stravinski ; l'année précédente elle avait été Ellen Orford dans *Peter Grimes* de Britten) et à l'Opéra de Rome. Si sa musicalité lui permet de participer à de nombreuses créations sur scène et en concert, elle se révèle surtout une admirable mozartienne que s'arrachent les festivals d'Edimbourg, Glyndebourne et Aix-en-Provence. Elle remporte de grands succès, tant à l'Opéra de Vienne qu'à Covent Garden, sur les scènes françaises et dans les grands théâtres d'Amérique du Nord. Elle donne de nombreuses tournées de concerts dans le monde entier. Elle se consacre désormais à la pédagogie et enseigne à l'Académie Chigiana à Sienne.

Dangain, Guy

Clarinettiste français, né à Sains-en-Gohelle le 12 juillet 1935.

En 1952, il obtient son prix au Conservatoire de Lille puis en 1953 au Conservatoire de Paris (classe d'Ulysse Delécluse), suivi en 1955 d'un prix de musique de chambre (classe de Fernand Oubradous). Musicien d'orchestre à Radio Lille, il entre comme clarinette solo à l'Orchestre National de France en 1963. A ce titre, il participe en soliste à la création de nombreux ouvrages contemporains de Stravinski (*Hommage à Kennedy*), d'Alain Louvier (*Atmosphères*), de Marcel Mihalovici, Pierre-Max Dubois... Il a été successivement professeur aux Conservatoires de Limoges (1955), de Valenciennes (1960), puis à l'École normale de musique de Paris (1973). Il est professeur de déchiffrage au Conservatoire de Paris depuis 1975. Il a publié un grand nombre d'ouvrages pédagogiques.

ÉCRITS : *A propos de... la clarinette* (1978).

Danon, Oskar

Chef d'orchestre yougoslave, né à Sarajevo le 7 février 1913.

Il reçoit sa formation musicale à Prague, au Conservatoire et à l'Université (doctorat de musicologie, 1933-38). A son retour dans sa ville natale, il est nommé chef d'orchestre au Théâtre (1938-41). Pendant la guerre, il participe à la résistance et ne reprend ses activités musicales qu'en 1945 : il prend alors la direction générale de l'Opéra et de la Philharmonie de Belgrade. En 1960, il renonce à ses fonctions directoriales et reste seulement chef d'orchestre à l'Opéra. A la même époque, il est également professeur à l'Académie de musique de Belgrade et chef d'orchestre à l'Opéra de Vienne. Oskar Danon a acquis une grande réputation dans le répertoire lyrique russe. Il a même été invité à enregistrer certains ouvrages en U.R.S.S. Il a réalisé le premier enregistrement intégral du *Prince Igor* en 1955. A Paris, il a dirigé *Boris Godounov* à l'Opéra en 1960.

Darasse, Xavier

Organiste et compositeur français, né à Toulouse le 3 septembre 1934.

Initié à la musique dès son jeune âge (sa mère est titulaire de l'orgue de la cathédrale Saint-Etienne), il entre au Conservatoire de Paris en 1952 ; il y est l'élève de Maurice Duruflé et Rolande Falcinelli (1er prix d'orgue, 1959), Simone-Plé-Caussade (1er prix d'harmonie, 1954, et de contrepoint-fugue, 1955), Jean Rivier (composition), Olivier Messiaen (analyse musicale, 1er prix 1965). Second Grand Prix de Rome en 1964, il obtient deux ans plus tard le 1er prix d'exécution et d'improvisation des Amis de l'Orgue. La même année, il est nommé professeur d'orgue au Conservatoire de Toulouse. De 1962 à 1975, il est producteur d'émissions musicales à France-Musique. De 1967 à 1973, il est responsable musical du Centre Culturel de Toulouse. Curieux du phénomène musical dans son ensemble, il se penche sur les traités de musique ancienne, dans le temps même qu'il interprète ou crée des œuvres contemporaines (*Volumina* de Ligeti, 1970). De nombreuses tournées en Europe et en Amérique du Nord (où il donne plus de 50 concerts) assurent le succès de sa carrière. En 1969, il est nommé membre de la Commission des orgues, dont il est actuellement l'un des rapporteurs. Il enseigne dans plusieurs académies musicales (Saint-Maximin, Saint-Hubert en Belgique, Saintes, Saint-Dié, Haarlem, Oberlin College aux U.S.A., à l'Internationale Studienwoche Sinzig en R.F.A.). Il dirige l'Académie d'été de Toulouse depuis 1978. Sa carrière d'organiste a été interrompue en 1976, à la suite d'un très grave accident. Il se consacre plus particulièrement à la composition (plus d'une vingtaine d'œuvres à cette date). Parmi les compositeurs qui ont écrit à son intention : Amy (*7 Bagatelles*), Donatoni (*Jeux pour deux*), Chaynes (*Séquences pour l'Apocalypse* et *Joutes*), Tisné (*Volutes sonores*)...

Darré, Jeanne-Marie

Pianiste française, née à Givet le 30 juillet 1905.

Elle fait ses études dès l'âge de dix ans au Conservatoire de Paris avec Marguerite Long et Isidore Philipp (piano), Eva Sautereau (solfège) et Jean Gallon (harmonie) et en sort en 1919 avec un 1er prix de piano. Elle débute en public en 1920, en récital à Paris, avant de partir se produire en Belgique avec l'Orchestre de Liège. Son premier concert avec orchestre, à Paris, a lieu en 1923 avec les Concerts Lamoureux sous la baguette de Paul Paray. Un an plus tard, elle joue sous la direction de Philippe Gaubert avec l'Orchestre de la Société des Concerts du Conservatoire. Sa vraie carrière se concrétise dès lors. En 1958, elle est nommée professeur de piano au Conservatoire de Paris et, en 1959, elle se voit chargée de cours à l'Académie internationale d'été de Nice. En 1968, 1969 et 1970, elle est titulaire d'une Master Class à Ithaca, aux États-Unis.

Hors son répertoire traditionnel, elle a créé *Sonatine* de Noël Gallon (1931), *Sonate* pour violon et piano de Martelli (1938), *Prélude et Toccata* pour piano et orchestre de Rabaud (1944) et *Fantasia Iberica* pour piano et orchestre de Grovlez (1944).

Dart, Thurston

Claveciniste et musicologue anglais, né à Kingston (Surrey) le 3 septembre 1921, mort à Londres le 6 mars 1971.

Il commence ses études à la Grammar School de Hampton, alors qu'il est choriste à la chapelle royale de Hampton Court. En 1938 et 1939, il étudie ensuite au Royal College of Music et suit des cours de mathématiques à l'University College d'Exeter. Il est licencié es sciences en 1942. Après la guerre, en 1945, il poursuit ses études en Belgique, avec Charles Van den Borren et, l'année suivante, commence sa carrière de claveciniste. Dès 1947, il se voit nommé assistant à la Faculté de musique de l'Université de Cambridge. C'est le premier d'une série de postes qui vont lui permettent de jouer un rôle important dans la vie musicale anglaise. Il est directeur du Galpin Society Journal, de sa création en 1947, jusqu'en 1954. De 1950 à 1965 il est également secrétaire de Musica Britannica et en demeure un membre influent jusqu'à sa mort. Enfin, il est nommé membre du conseil de l'Association Royale de musique en 1952 puis, ultérieurement, membre du comité d'édition de la rédaction de la Purcell Society. Pendant cette période, Thurston Dart donne de nombreux récitals de clavecin, de clavicorde et d'orgue. De 1948 à 1955, il tient le continuo dans l'Orchestre de Boyd Neel. Vers 1950, il commence sa collaboration avec l'éditeur phonographique L'Oiseau-Lyre à Monaco : il réalisera près de 100 disques. En 1952, il est titulaire d'une chaire de maître de conférence à Cambridge et, en 1954, est maître de conférence à Harvard. Un an plus tard, il devient directeur artistique du Philomusica de Londres. En 1959, son état de santé l'oblige à abandonner ses activités orchestrales. Il continue cependant à donner des concerts et à professer et, en 1964, il fonde une faculté d'enseignement de la musique au King's College de Londres.

Les principaux domaines d'investigation de Thurston Dart portent sur l'œuvre de Jean-Sébastien Bach et, d'une manière générale, la musique aux XVIe, XVIIe et XVIIIe siècles, en particulier la vie et l'œuvre de John Bull (sur lequel il laisse un livre inachevé). Sur la fin de sa vie, Dart avance des théories, très controversées, sur les *Suites* et les *Concertos brandebourgeois* de Bach. Il les concrétise en les enregistrant avec l'Academy of St. Martin in the Fields. Il a supervisé les éditions révisées de la collection E.H. Fellows sur l'École du madrigal anglais et de l'ensemble des œuvres vocales de William Byrd (sous le titre *The collected works of William Byrd*), sans omettre l'édition M. Cauchi de l'œuvre de François Couperin.

Daveluy, Raymond

Organiste et compositeur canadien, né à Victoriaville (Québec) le 23 décembre 1926.

Après des études de composition à Montréal avec Gabriel Cusson et d'orgue avec Conrad Letendre, puis avec Hug Tiler à New York, il remporte le Prix d'Europe (Montréal, 1948) et figure comme lauréat du Concours international d'improvisation de Haarlem (1959). De nombreux concerts le conduisent dans le continent américain et l'Europe – notamment à Paris et Avignon en 1978. Il est titulaire de plusieurs orgues à Montréal : Saint-Jean-Baptiste (1946-51), l'Immaculée-Conception (1951-54), Saint-Sixte (1954-59), et, depuis 1960, l'Oratoire Saint-Joseph où il joue un célèbre instrument dû au facteur allemand Rudolf von Beckerath.

Son répertoire va de Bach à Liszt et Franck, en passant par Marchand et Gaspard Corrette. Il a été professeur au Conservatoire de Montréal (1956-60), au Conservatoire de Trois-Rivières (1966-67), directeur-adjoint du Conservatoire de Montréal (1967-70), directeur du Conservatoire de Trois-Rivières (1970-74), directeur du Conservatoire de Montréal (1974-78) où il continue d'enseigner depuis 1978. De plus, il est chargé de cours et conférencier invité à l'Université McGill de Montréal depuis 1966. Membre du Conseil canadien de la musique, du Royal Canadian College of Organists, il pratique aussi la direction d'orchestre. R. Daveluy est l'une des figures notables de la musique canadienne de ce dernier demi-siècle.

Davezac, Betho
(Beethoven Davezac)

Guitariste urugayen, né à Rocha le 3 août 1938.

Sa famille est originaire de Tarbes. A six ans, il commence à travailler avec son père professeur au Conservatoire de sa ville natale. Il étudie l'harmonie et le contrepoint avec Guido Santorsola, compositeur italien émigré à Montevideo. Il se perfectionne auprès d'Andrès Segovia et d'Alirio Diaz. De 1954 à 1966, il fonde l'ensemble Grupe Artemus avec lequel il obtient en 1965 le Prix annuel du Cercle de la Critique de l'Uruguay. A partir de 1966, il se fixe à Paris où il enseigne. Il est lauréat du Concours international de l'O.R.T.F. (1966) puis, en 1967, obtient le 1er prix du Concours international de la Ville de Liège et enfin, en 1969, celui de la Ville d'Alexandrie. Il donne des cours de perfectionnement en Allemagne (Trossingen) et au Brésil (Ouro-Preto).

Davidovitch, Bella

Pianiste soviétique, naturalisée américaine, née à Bakou le 16 juillet 1928.

Issue d'une famille de musiciens, elle commence l'étude du piano avec sa mère, répétitrice à l'opéra de sa ville natale, puis est admise à poursuivre sa formation au Conservatoire de Moscou avec Freier et Neuhaus. En 1949, elle remporte le Concours Chopin de Varsovie, et fait ses débuts à l'Ouest, en Italie et aux Pays-Bas. En 1977, son fils, le jeune violoniste Dmitri Sitkovetski, quitte l'U.R.S.S. L'année suivante, les autorités lui accordent un visa d'émigration qui lui permet de rejoindre son fils et de s'installer à New York. En 1979, ont lieu ses débuts à Carnegie Hall, salués par une presse enthousiaste. Depuis sa célébrité aux États-Unis n'a jamais cessé de croître. Pianiste essentiellement romantique, elle connaît également à la perfection les Russes, de Chostakovitch à Tchaïkovski. Tout récemment, elle s'est mise à jouer Gershwin.

Davies, Meredith

Chef d'orchestre et organiste anglais, né à Birkenhead le 30 juillet 1922.

Il travaille l'orgue au Keble College d'Oxford et au Royal College of Music de Londres avant d'être nommé organiste de la cathédrale Saint-Alban (1947-49) puis de celle d'Hereford (1949-56). En 1952 et 1955, il dirige les Three Choirs Festivals. Puis il travaille la direction d'orchestre avec Fernando Previtali à l'Académie Sainte-Cécile de Rome (1954 et 1956). De 1957 à 1960, il est organiste au New College d'Oxford, chef du City of Birmingham Choir et chef associé du City of Birmingham Symphony Orchestra. Il sera par la suite directeur musical adjoint de cet orchestre. Britten l'engage au Festival d'Aldeburgh et il crée le *War Requiem* en 1962. De 1962 à 1964, il est directeur musical de l'English Opera Group, puis, de 1964 à 1971, directeur de l'Orchestre Symphonique de Vancouver, et de 1969 à 1972, chef du B.B.C. Training Orchestra à Bristol. En 1972, il est nommé à la tête de la Royal Choral Society. Depuis 1979, il est « Principal » au Trinity College. Meredith Davies a dirigé en première audition plusieurs partitions de Berkeley, Britten et Bennett.

Davis, Andrew

Chef d'orchestre anglais, né à Ashridge (Kent) le 2 février 1944.

Il travaille l'orgue avec Peter Hurford et Piet Kee avant de se perfectionner au King's College de Cambridge (1963-67). Puis il étudie la direction d'orchestre à l'Académie Sainte-Cécile de Rome avec Franco Ferrara. En 1969, il participe au séminaire pour jeunes chefs d'orchestre britanniques à Liverpool avant d'être nommé chef associé du B.B.C. Scottish Orchestra (1970-72). En 1973, il occupe les mêmes fonctions auprès du New Philharmonia Orchestra. Depuis 1975, il est directeur musical de l'Orchestre Symphonique de Toronto. Andrew Davis a dirigé régulièrement au Festival de Glyndebourne où il fit ses débuts lyriques en 1973 dans *Capriccio*. Son répertoire est largement ouvert à la musique française à laquelle il a consacré plusieurs enregistrements (Franck, Fauré, Duruflé).

Davis, Sir Colin

Chef d'orchestre anglais, né à Weybridge le 25 septembre 1927.

L'audition de l'*Enfance du Christ* le bouleverse alors qu'il a déjà reçu une formation de clarinettiste au Royal College of Music de Londres. Il décide de devenir chef d'orchestre et débute avec l'Orchestre de Chambre Kalmar, en Suède, puis avec le Chelsea Opera Group. En 1952, il est chef de ballet au Royal Festival Hall de Londres puis, de 1957 à 1959, chef assistant au B.B.C. Scottish Orchestra. En 1959, il remplace au pied levé Klemperer dans *Don Giovanni* avant d'être engagé au Sadler's Well Theatre comme chef d'orchestre (1959-61) puis directeur musical (1961-65). Il commence à diriger régulièrement l'Orchestre Symphonique de Londres qu'il emmène en tournée et avec lequel il enregistre de nombreux disques. De 1967 à 1971, il est à la tête de l'Orchestre Symphonique de la B.B.C. puis il prend la direction musicale de Covent Garden (1971-86). Il est actuellement Principal guest Conductor de l'Orchestre Symphonique de Londres et de l'Orchestre Symphonique de Boston. Depuis 1983, il est directeur musical de l'Orchestre Symphonique de la Radiodiffusion Bavaroise (Munich).

Il se passionne d'abord pour Mozart et Händel dont ses enregistrements témoignent d'une lucidité et d'une vitalité certaines. Puis il s'enthousiasme pour Berlioz qu'il révèle au public anglais et au monde entier en gravant l'intégralité de son œuvre. Poursuivant la tradition de Sir Thomas Beecham, il sert Sibelius – une autre intégrale à son actif – et la musique anglaise. On lui doit, entre autres créations, celles d'*Ariosi* (1964) et *Tristan* (1974) de Henze, *The Knot Garden* (1970), *Symphonie n° 2* (1972), *The Ice Break* (1978) et *The Mask of time* (1984) de Tippett.

Dean, Stafford

Basse anglaise, né à Kingswood le 20 juin 1937.

Ayant manifesté très jeune des prédispositions marquées pour la musique et pour le chant, il est envoyé par ses parents, dès la fin de ses humanités, au Collège Royal de Musique de Londres, où il reçoit notamment l'enseignement d'Howell Glynne et d'Otakar Kraus. Il fait ses débuts au Sadler's Wells de Londres en 1964 dans le rôle de Zuniga. Très vite, sa très belle voix fait grosse impression et sa réputation s'étend. Au Royaume-Uni d'abord, où il devient un familier des Festivals d'Aldeburgh, d'Edimbourg et de Glyndebourne, tandis qu'il partage son temps entre le Covent Garden de Londres, les Opéras de Cardiff et de Glasgow. Mais, bien sûr, comme tous les produits de l'excellente école de chant anglaise, il s'expatrie. Prague, Bordeaux, Strasbourg, Toulouse l'accueillent avec chaleur, mais aussi Berlin, Hambourg, Stuttgart et Munich en font une vedette, sans parler d'Amsterdam. S'il excelle dans les rôles qui font appel à sa virtuosité d'acteur, tels Leporello, Figaro, Basile du *Barbier de Séville*, il n'en est pas moins impressionnant en Sarastro ou en Padre Guardiano, complexe en Rocco, truculent en Daland ou en Don Pasquale... Stafford Dean mène parallèlement une brillante carrière de mélodiste et de concertiste.

Debost, Michel

Flûtiste français, né à Paris le 20 janvier 1934.

Il débute le piano puis, à dix ans sur les conseils de Jan Merry, s'oriente vers la flûte. Le violoncelliste Maurice Maréchal le décide à entrer au Conservatoire de Paris en 1952 dans la classe de Gaston Crunelle où il obtient un 1er prix en 1954. Après la guerre d'Algérie, il tente les grands concours internationaux : 1er prix et médaille d'or à Moscou (1957), Prague (1959), Munich (1960), Genève (1961), Rome (1962)... En 1958, il est flûte solo à l'Orchestre de Vichy et l'année suivante s'associe avec le pianiste Christian Ivaldi, duo qui se produira dans le monde entier. En 1960, il est nommé flûte solo à la Société des Concerts du Conservatoire, place qu'il occupe actuellement à l'Orchestre de Paris. En 1965, il avait fondé le groupe Secolo Barocco avec Gaston Maugras (hautbois), Amaury Wallez (basson) et Christian Ivaldi (clavecin).

Decker, Franz-Paul

Chef d'orchestre allemand, né à Cologne le 22 juin 1923.

A la Musikhochschule de sa ville natale, il travaille avec E. Papst et Ph. Jarnach. En 1944, il est chef d'orchestre à l'Opéra de Giessen puis, l'année suivante, à l'Opéra de Cologne. En 1946, il est nommé directeur général de la musique à Krefeld. Wiesbaden l'appelle en 1950 comme chef d'orchestre à l'Opéra puis comme directeur général de la musique (1953). Il occupe les mêmes fonctions à Bochum (1956-64) et prend la direction artistique de l'Orchestre Philharmonique de Rotterdam (1962-68) avant d'être nommé à la tête de l'Orchestre Symphonique de Montréal (1967-75). Professeur à l'Université Sir George Williams de Montréal depuis 1973, il devient conseiller artistique et principal chef invité de l'Orchestre Philharmonique de Calgary en 1976.

De Fabritiis, Oliviero

Chef d'orchestre italien, né à Rome le 13 juin 1902, mort à Rome le 12 août 1982.

Dans sa ville natale, il travaille avec Setaccioli et Refice, recevant aussi une formation de compositeur. Il débute en 1920 à l'Opéra de Rome où il est vite nommé chef permanent. Il occupe ensuite les mêmes fonctions à la Fenice de Venise avant de revenir à l'Opéra de Rome en 1943, comme secrétaire artistique. En 1938, il y avait fondé, avec B. Gigli et T. Dal Monte, la saison d'opéra des Thermes de Caracalla. Grand chef lyrique, il mène surtout une carrière de chef invité, à l'échelon international après la dernière guerre : il débute aux U.S.A. en 1947 et dirige dans les plus grands centres lyriques du monde. En 1971, il devient conseiller artistique du Festival de Vienne et, en 1977, conseiller musical du Théâtre Massimo Bellini (Catania).

Defauw, Désiré

Chef d'orchestre belge naturalisé américain, né à Gand le 5 septembre 1885, mort à Gary (Indiana) le 25 juillet 1960.

Dans son pays natal, il reçoit une formation de violoniste en étudiant notamment avec Johan Smit. Il commence une carrière d'instrumentiste qui prend son essor à partir de 1914 à Londres où il s'est réfugié pendant les hostilités. Il y fonde le Allied Quartet avec Charles Woodhouse, Lionel Tertis et Emile Doehaerd. En 1918, il retourne en Belgique, enseignant au Conservatoire d'Anvers et dirigeant pour la Radio. En 1926, il est nommé professeur de direction d'orchestre au Conservatoire de Bruxelles et il prend en charge la direction des concerts du Conservatoire jusqu'en 1940. En 1937, il est également à la tête de l'Orchestre National de Belgique. L'année suivante, il fait ses débuts aux États-Unis avec l'Orchestre de la N.B.C. De 1940 à 1948, il dirige l'Orchestre Symphonique de Montréal, et de 1943 à 1947, celui de Chicago. Il retourne quelques années en Belgique mais se fixe définitivement aux États-Unis en 1950 lorsqu'il prend la direction de l'Orchestre Symphonique de Gary, qu'il conservera jusqu'en 1958. Désiré Defauw a réalisé de nombreux enregistrements à Bruxelles comme à Chicago. Parmi eux la première gravure de la *Suite Scythe* de Prokofiev.

Deffayet, Daniel

Saxophoniste français, né à Paris le 23 mai 1922.

En 1941, il entre au Conservatoire de Paris où il travaille le saxophone (avec Marcel Mule), le violon (avec M. Tourret), l'harmonie (avec Duruflé) et la musique de chambre (avec Benvenutti). Deux ans plus tard, il remporte un 1er prix de saxophone et un 1er accessit de violon. En 1953, il donne son premier concert en soliste, aux Concerts de chambre Fernand Oubradous. Cette même année, il fonde le Quatuor de saxophones qui porte son nom, quatuor qui se produira pour la première fois en 1956. Professeur de saxophone à l'Académie internationale d'été de Nice en 1964, il succède en 1968 à Marcel Mule au Conservatoire de Paris. En 1971, il est nommé professeur à l'Indiana University et coprésident de l'Assocation des saxophonistes de France. Parmi les créations de Daniel Deffayet, il y a lieu de citer : *Concertino* pour saxophone-alto et piano, de Pierre Hasquenoph (1961), *Divertimento* pour saxophone-alto et orchestre à cordes, de Roger Boutry (1965), *Trois chants incantatoires*, pour saxophone et orchestre de chambre, de Marc Carles, *Alliages*, pour quatuor de saxophones, d'Antoine Tisné (1972), *Linéaire I*, pour saxophone et orchestre, d'Alain Weber (1974), *Quatuor* de saxophones, de Jean-Michel Damase (1976), *Concerto lyrique* pour quatuor de saxophones et orchestre, de Jean Martinon (1976).

Defossez, René

Chef d'orchestre belge, né à Spa le 4 octobre 1905.

Il fait ses études musicales au Conservatoire de Liège où il travaille la composition avec François Rasse. En 1935, il obtient le Prix de Rome belge. Puis il est nommé professeur d'harmonie au Conservatoire de Liège avant d'enseigner la direction d'orchestre au Conservatoire de Bruxelles (1946-73). Entre 1936 et 1959, il dirige régulièrement au Théâtre Royal de la Monnaie dont il devient directeur musical. En 1969, il est élu à l'Académie Royale de Belgique et, en 1972, fonde l'Opéra de Chambre de Belgique.

De Greef, Arthur

Pianiste et compositeur belge, né à Louvain le 10 octobre 1862, mort à Bruxelles le 29 août 1940.

Au Conservatoire de Bruxelles, il travaille avec L. Brassin (piano), Dupont (harmonie), Kufferath (fugue), Gevaert (composition). En 1879, il remporte un 1er prix ex-æquo avec Albéniz. Suivant les conseils de son maître, Gevaert, il va à Weimar se perfectionner avec Liszt, puis à Paris avec Saint-Saëns. En 1887 il est nommé professeur au Conservatoire de Bruxelles où il enseignera jusqu'en 1930. Au cours de ses tournées de concerts, il se fait le champion du *Concerto* de Grieg, lequel proclamait que De Greef était l'interprète idéal de sa musique. Une série de récitals, retraçant l'histoire du clavier à travers les âges, remporte un grand succès à Paris en 1892. Il laisse quelques compositions d'un intérêt tout à fait inégal, dont trois poèmes symphoniques, deux concertos, et de nombreuses petites pièces de musique de chambre.

De Groot, Cor

Pianiste et compositeur néerlandais, né à Amsterdam le 7 juillet 1914.

Après ses études au Conservatoire de sa ville natale, il remporte en 1936 le Concours de Vienne. De 1938 à 1947 il enseigne au Conservatoire de La Haye, tout en composant par ailleurs. Dès 1947, il commence à faire des tournées de concerts en Europe. Outre de nombreuses compositions purement instrumentales, il a écrit pour la voix, et composé des musiques de film et un ballet : *Vernissage*, écrit en 1941.

De Klerk, Albert

Organiste et compositeur néerlandais, né à Haarlem le 4 octobre 1917.

Fils du compositeur Joseph De Klerk, il succède, dès l'âge de seize ans, à Hendrik Andriessen aux claviers de l'orgue de l'église Saint-Joseph de sa ville natale. Dans le même temps, il fait ses études avec Anthon Van der Horst au Conservatoire d'Amsterdam. Il y obtient le Prix d'excellence en 1941. Alors qu'il exerce son art d'organiste à Haarlem régulièrement depuis 1956, il est nommé, en 1964, professeur d'orgue au Conservatoire d'Amsterdam. Sa réputation d'interprète et d'improvisateur l'impose, à partir de cette date, aussi bien en Europe qu'aux États-Unis, où il donne de nombreux récitals. Comme compositeur, il a écrit avant tout pour son instrument. Ses œuvres respectent le style dit « conventionnel ».

Delacôte, Jacques

Chef d'orchestre français, né à Remiremont 16 août 1942.

Ses études musicales, consacrées à la flûte, le mènent du Conservatoire de Nancy (1956-60) à celui de Paris (1960-63). Après avoir été flûte solo de l'Orchestre international de Turin (1963-65), il entreprend des études de direction d'orchestre à l'Académie de musique de Vienne avec Hans Swarowsky (1965-70) et travaille avec Darius Milhaud. La même année, il remporte le 1er prix du Concours Mitropoulos qui lui permet de diriger son premier concert avec l'Orchestre Philharmonique de New York. En 1972, il fait ses débuts de chef lyrique à l'Opéra de Vienne (avec *Madame Butterfly, Carmen* et *La Traviata*) et assiste L. Bernstein. Il dirige les principaux orchestres du monde et fait ses débuts londoniens en 1973 en remplaçant Abbado dans la *Troisième Symphonie* de Mahler. Il a dirigé également au Théâtre Musical de Paris *Cendrillon* de Massenet (1981) et *Ernani* de Verdi (1982).

De Lancie, John

Hauboïste américain, né à Berkeley le 26 juin 1921.

A 15 ans, il devient l'élève de Marcel Tabuteau au Curtis Institute de Philadelphie et obtient son diplôme en 1940. Il est nommé hautbois solo de l'Orchestre Symphonique de Pittsburgh et fait partie du Robin Hood Dell Orchestra de Philadelphie. Après la guerre, où il a passé trois ans en Europe dans l'armée américaine, il rencontre Richard Strauss et l'incite à écrire son *Concerto pour hautbois.* En 1954, il remplace Marcel Tabuteau comme hautbois solo de l'Orchestre de Philadelphie dont il faisait partie depuis 1946.

Il enseigne au Curtis Institute et prend la direction de cette école en 1977. Il a en outre fait partie du Quintette à vent de Philadelphie. Jean Françaix a écrit pour lui l'*Horloge de Flore* et Benjamin Lees son *Concerto pour hautbois.*

Delécluse, Ulysse

Clarinettiste français, né à Nœux-les-Mines le 22 janvier 1907.

Il étudie d'abord au Conservatoire de Lille jusqu'en 1924 avant d'entrer au Conservatoire de Paris où il obtient, en 1925, un 1er prix de clarinette. Il entre aux Concerts Colonne, puis à la Société des Concerts du Conservatoire. Il est choisi par Charles Münch comme soliste de l'Orchestre Philharmonique de Paris. Soliste de la Musique de la Garde Républicaine (1940-50), il est également professeur au Conservatoire de Paris (1948-78). Une trentaine de partitions lui sont dédiées parmi lesquelles des pages signées Milhaud et Tomasi. Il est l'auteur de nombreuses transcriptions et de partitions d'étude. Ulysse Delécluse a su allier trois brillantes carrières : soliste dans les grands orchestres, concertiste et pédagogue, formant l'élite des clarinettistes français.

Della Casa, Lisa

Soprano suisse, née à Burgsdorf (Berne) le 2 février 1919.

Elle étudie le chant avec Margarete Haeser à Zürich, et débute à Solothurn-Biel en 1941 (Butterfly). Elle appartient ensuite au Stadtstheater de Zürich (1943-50) où elle incarne Serena (*Porgy and Bess*), Pamina, Gilda. Elle est membre de l'Opéra de Vienne depuis 1947, année où elle débute à Salzbourg (Zdenka dans *Arabella*). Elle chante à Glyndebourne en 1951 (La Comtesse), à Munich la même année (Sophie, Arabella), à Bayreuth en 1952 (Eva), au Met en 1953. En 1952 elle reçoit le titre de Kammersängerin. Ses rôles de prédilection sont les grands Mozart et Strauss, dont elle reste une des plus remarquables interprètes (Octave, Sophie, la Maréchale, Ariane, Chrisothemis, Salomé, Madeleine). Elle est considérée comme l'interprète idéale d'Arabella. En 1949, elle participe à la création mondiale de *Die Schwarze Spinne* de Burkhard (*La Jeune Fille*) à Zürich, et, en 1953, elle est la créatrice des trois rôles féminins du *Procès* de von Einem à Salzbourg.

Deller, Alfred

Haute-contre anglais, né à Margate (Kent) le 30 mai 1912, mort à Bologne le 16 juillet 1979.

Enfant il chante dans un chœur de paroisse ; à l'adolescence, muant, il découvre qu'il peut chanter naturellement une partie d'alto ; il cherche un enseignement que personne, en Angleterre, ne peut lui donner, sa voix n'appartenant à aucune catégorie. Il lit des textes anciens, retrouve une tradition anglaise et des trésors oubliés dans les archives. Améliorant sa voix, il se crée un répertoire original. En 1940, il chante avec les chœurs de la cathédrale de Canterbury ; en 1947, il est à la tête des chœurs de Saint-Paul de Londres. Remarqué par Michaël Tippett, il donne son premier concert, en soliste, à Londres, et, en 1948, forme le Deller Consort. Avec cette formation dont les membres varient, il perfectionne un style qui va conquérir le monde de la musique. Initiateur, professeur (il a enseigné le chant grégorien à Sénanque), musicologue, Alfred Deller se bat pour retrouver l'interprétation la plus juste de la musique ancienne, ressuscitant Byrd, Morley, Tallis... Musiques populaires, chant grégorien, musiciens du XVIIIe, sont à son répertoire. Il travaille avec des musicologues (Dart, Lewis, Leonhardt) qui cherchent et restituent les œuvres qu'il chante. Il fait école et forme une génération nouvelle. Grâce à lui, la voix de haute-contre retrouve sa place. Sa propre voix sans vibration, sans pesanteur, lumineuse et douce, comme venant d'ailleurs, est l'expression de l'intelligence, simple, élégante. Enthousiaste et exigent, il a ouvert à la musique d'aujourd'hui, un monde oublié. Il a créé le rôle d'Obéron dans le *Songe d'une nuit d'été* de Britten (1960).

Deller, Mark

Haute-contre anglais, né à St. Leonards-on-Sea le 27 septembre 1938.

Il commence sa carrière musicale dans les chœurs de la cathédrale de Canterbury, puis obtient un prix de choriste au Saint John's College à Cambridge. Fils d'Alfred Deller, il se joint en 1962 au Deller Consort dont il est le directeur depuis 1979. Dès 1962, il enregistre avec cet ensemble et, en duo, avec son père. De 1969 à 1973, il est à la tête des chœurs de la cathédrale Saint Paul de Londres. Il mène de front sa carrière de chanteur et de chef de chœur, dirigeant plusieurs chorales en Angleterre. Chef attitré du Petersfield Musical Festival depuis 1970, directeur du Festival International de Stour Music (créé par son père), il dirige chaque année l'Académie Deller à Lacoste (Provence). Il prolonge les découvertes de son père, dans une pensée et une interprétation fidèles.

Del Mar, Norman

Chef d'orchestre anglais, né à Londres le 31 juillet 1919.

Au Royal College of Music de Londres, il travaille le cor et la composition avec Mátyás Seiber et Vaughan-Williams. Après la guerre, il fait partie de différents orchestres dont le Royal Philharmonic Orchestra où il est 2e cor aux côtés de Dennis Brain. Elève de Constant Lambert, il commence la direction d'orchestre en 1944 avec un orchestre d'amateurs qui devient l'Orchestre Symphonique de Chelsea et s'attaque à un répertoire mal connu en Angleterre (Hindemith, Poulenc, Mahler, Busoni...). Beecham le prend comme assistant (1947-48) et il est ensuite nommé à l'English Opera Group (1948-56). De 1954 à 1956, il est aussi l'assistant de Nicolaï Malko à l'Orchestre Symphonique du Yorkshire. Puis il est à la tête du B.B.C. Scottish Orchestra (1960-65), de l'Orchestre Symphonique de Göteborg (1968) et de l'Académie de la B.B.C. (1974-77). Une grande partie de sa carrière est consacrée à l'enseignement : à la Guildhall School of Music (1953-60), au Royal College of Music (depuis 1972) et à la Royal Academy of Music (1974-77). Norman Del Mar a dirigé la 1re audition de l'opéra de Britten *Let's make an opera* (1949). Depuis 1983, il est 1er chef invité du Bournemouth Sinfonietta.

ÉCRITS : *Modern music and the conductor* (1960), *Richard Strauss, a critical commentary of his life and works* (1962-68), *Anatomy of the orchestra* (1981).

Delmas, Jean-François

Basse française, né à Lyon le 14 avril 1861, mort à Saint-Alban-de-Monthiel le 29 septembre 1933.

Il étudie au Conservatoire de Paris avec Bussine et Obin, et débute à l'Opéra en 1886 (Saint-Bris des *Huguenots*). Il en devient vite l'une des vedettes et y chantera jusqu'en 1911 plus de 50 rôles. Il participe ainsi aux créations mondiales du *Mage* (1891) et de *Thaïs* (1894) de Massenet, de *Messidor* (1896) de Bruneau, de *Monna Vanna* de H. Février et de nombre d'ouvrages oubliés. Il chante aussi lors des créations à l'Opéra *Roméo et Juliette* (Gounod), *Salammbô* (Reyer), *Paillasse*, l'*Étranger* (Vincent d'Indy), *Ariane et Barbe-Bleue* (Dukas), et surtout de nombre d'ouvrages wagnériens : Wotan, Sachs et Gurnemanz sont autant de triomphes personnels. A son répertoire on trouve également Leporello et Don Juan, Guillaume Tell, Iago...

Del Monaco, Mario

Ténor italien, né à Florence le 27 juillet 1915, mort à Mestre le 16 octobre 1982.

A treize ans, il chante Narcisse (Massenet) – en amateur – au Teatro B. Gigli, à Mondaldo. Serafin le remarque et le pousse à concourir pour une place au studio de l'Opéra de Rome. Il est choisi parmi 80 concurrents. Il décide alors de s'instruire entièrement par lui-même en écoutant les enregistrements des grands chanteurs. Il entre au Conservatoire de Pesaro et fait ses débuts dans cette ville, en 1939, dans *Cavalleria Rusticana.* Milan, 1945 : *Madame Butterfly* le révèle au grand public. 1946 : *Tosca, La Bohème, Paillasse,* Covent Garden... Del Monaco se rend à Stockholm, à Rio de Janeiro. Après *Manon* à la Scala, il devient l'un des ténors les plus demandés. Il chante dans la *Norma* à la Radio italienne, puis à la Scala, en 1955-56 et inaugure la saison du Met à New York. Ténor verdien au tempérament vaillant, propre aux rôles héroïques, il tourne quelques films (*Maschera d'Oro*) et signe parfois des critiques musicales dans des revues spécialisées.

ÉCRITS : *La Mia Vita* (1982).

Delmotte, Roger

Trompettiste français, né à Roubaix le 20 septembre 1925.

Il commence ses études musicales au Conservatoire de Roubaix avec M. Leclercq. Puis il entre en 1944 au Conservatoire de Paris dans la classe de E. Foveau et reçoit un 1er prix de trompette deux ans plus tard. Trompette solo des Concerts Fernand Oubradous, il a 25 ans lorsqu'il obtient le 1er prix au Concours international de Genève. La même année, il est nommé professeur au Conservatoire de Versailles, puis fait sa première tournée à l'étranger. En 1951, il est trompette solo à l'Opéra de Paris et aux Concerts Lamoureux. En 1953, il reprend ses activités auprès de F. Oubradous et enregistre les deux concertos d'André Jolivet. De 1963 à 1974, il joue avec l'Ensemble de cuivres G. Masson et, en 1976, fonde son propre Ensemble de cuivres. Entre-temps il a formé avec P. Cochereau un duo trompette et orgue, enseigné à l'Académie internationale de Salzbourg, et donné des cours publics au Japon. Il a joué en concert avec la formation de Nadia Boulanger : musique ancienne et moderne. Parmi ses principales créations citons : *la Suite pour trompette et piano* de Schmitt, le *Concerto pour saxophone, trompette et cordes* de Rivier, le *Concertino pour trompette et cordes* de Hasquenoph, le *Concertino* de Delerue, le *Concert nº 7* de J. Charpentier...

Delna, Marie (Marie Ledan)

Alto française, née à Meudon le 3 avril 1875, morte à Paris le 24 juin 1932.

Découverte à l'âge de 15 ans, alors qu'elle chantait dans la cuisine d'une auberge appartenant à son père, elle étudie avec Rosine Laborde et débute à l'âge de 17 ans à l'Opéra de Paris, comme Didon (*Les Troyens*). En 1893, elle chante Charlotte, lors de la création en français de *Werther* à l'Opéra-Comique. Cette même année, et sur cette même scène, elle participe comme Dame Quickly à la première de *Falstaff,* en présence du compositeur. Elle y créera encore *l'Attaque du Moulin* de Bruneau (1893), *La Vivandière* de Godard (1894). En 1907, elle triomphe à la Scala dans le rôle-titre d'*Orphée* de Gluck, avec Toscanini. Après d'importants succès au Covent Garden, elle est invitée au Met, en 1910, mais sans grand succès. Elle crée encore *La Lépreuse* de Lazzari à l'Opéra-Comique, puis participe l'année suivante aux festivités en l'honneur de Verdi au Teatro Regio de Parme. Elle mourra dans un asile pour indigents. Quelques cylindres et de rares disques nous restituent son exceptionnelle voix grave aux éclats fastueux.

Delogu, Gaëtano

Chef d'orchestre italien, né à Messine le 14 avril 1934.

Il commence le violon mais s'oriente vers la direction d'orchestre qu'il travaille à Rome avec Franco Ferrara et à Florence où il est lauréat du Concours des jeunes chefs d'orchestre. Durant quatre années, il dirige en Italie avant d'obtenir en 1968 le 1er prix au Concours Mitropoulos à New York. Il reçoit les conseils de George Szell et de Leonard Bernstein, dirigeant la Philharmonie de New York et l'Orchestre National de Washington. Il commence une carrière de chef invité. En 1979, il est nommé directeur musical de l'Orchestre Symphonique de Denver.

Del Pueyo, Eduardo

Pianiste espagnol, né à Saragosse le 29 août 1905.

Après des études de base effectuées dans sa ville natale, il sort du Conservatoire de Madrid avec un 1er prix de piano en 1918, et part pour Paris. Ses principaux maîtres seront Raoul Laparra et Bosch Van s' Gravamoer. Ses débuts ont lieu à Paris en 1921. Mais dès 1927, il interrompt sa carrière. Pendant dix ans de silence, il travaille les œuvres qui vont faire sa réputation plus tard : Albeniz, Beethoven, Debussy et Granados. En 1937, Del Pueyo reprend magistralement sa vie de concertiste et triomphe un peu partout. Ses enregistrements ont un grand succès après la guerre. En 1948, il enseigne au Conservatoire Royal de Bruxelles, dans les années 50, à la Chapelle Musicale de la Reine Elisabeth en Belgique, puis au Mozarteum de Salzbourg.

De Luca, Giuseppe

Baryton italien, né à Rome le 25 décembre 1876, mort à New York le 28 août 1950.

Elève d'Ottavio Bartolini à Rome, il poursuit ses études à l'Académie Sainte-Cécile avec Venceslao Persichini. Il débute en 1897, au Théâtre municipal de Piacenza comme Valentin (*Faust*). Il se produit sur diverses scènes de la Péninsule et est engagé, pour la saison 1900-01, au San Carlos de Lisbonne. Il participe à plusieurs créations importantes : Michonnet dans *Adrienne Lecouvreur* (1902), Gleby dans *Siberia* de Giordano (1903), Sharpless dans *Madame Butterfly* (1904). Son nom devient mondialement connu grâce aux spectacles qu'il donne à Santiago du Chili (1905) au Colón de Buenos Aires (1906-10), Bucarest (1907), à l'Opéra de Vienne (1909). Il revient régulièrement à la Scala et au Théâtre Costanzi de Rome. Il chante également à Londres, Paris et Bruxelles. Il débute au Met en 1915. Il y chantera plus de trente ans comme premier baryton. Il y crée *Goyescas* (Granados), 1916, le rôle-titre de *Gianni Schichi* (1918) et la première américaine de *Don Quichotte* (1926). Il fut le plus célèbre des barytons bel-canto de son époque par la pureté de sa diction et la beauté de sa voix.

De Luca, Libero

Ténor suisse, né à Kreuzlingen le 13 mars 1913.

Après des études d'architecture, il étudie le chant dans les Conservatoires de Stuttgart et de Zürich. Il est surtout l'élève d'Alfredo Cairati, à Zürich. En 1937, il obtient à Paris un prix au Concours international, lors de l'Exposition Universelle et, en 1941, le 1er prix de chant au Concours d'exécution musicale de Genève. En 1942, il débute au Théâtre municipal de Soleure. Après une saison au Théâtre municipal de Berne, il est premier ténor à l'Opéra de Zürich (1943-49). Après la guerre, il remporte de grands succès au Colón de Buenos Aires et au San Carlo de Naples (1948) et l'année suivante au Covent Garden, ainsi qu'à la Monnaie et aux opéras de Vienne et de Munich. En 1949, il est engagé comme premier ténor lyrique à l'Opéra-Comique (Paris) et chante également à l'Opéra, particulièrement dans le répertoire français. Il quitte la scène en 1961 et se voue au professorat, à Horn sur les bords du lac de Constance.

Delvallée, Georges

Organiste français, né à Fourmies le 15 mars 1937.

Elève d'Alfred Cortot, il prépare à l'École normale de musique de Paris sa licence de concert. Parallèlement au piano, il étudie l'harmonie et la composition avec Henri Challan. Sur les conseils de Marcel Dupré, André Marchal et Marie-Louise Girod, il décide de se consacrer à l'orgue. Il est actuellement professeur à l'École normale de musique et enseigne dans les conservatoires de la région parisienne. Il a créé pour la télévision en 1969 le *Concerto pour orgue* de Paul Hindemith ; il a enregistré pour la radio et pour le disque une grande partie de l'œuvre de Charles Tournemire.

Del Vescovo, Pierre

Corniste français, né à Nice le 1er juin 1929.

Il étudie au Conservatoire de Paris où il obtient un 1er prix de cor en 1949. Il occupe successivement le poste de cor solo à l'Orchestre Symphonique de Bâle, à l'Orchestre Philharmonique d'Israël, à l'Orchestre Philharmonique de Montréal et, depuis 1977, à l'Orchestre du Capitole de Toulouse. Il mène par ailleurs une active carrière de soliste, diffusant le renom de l'école française de cor dont il est l'un des meilleurs représentants.

Demessieux, Jeanne

Organiste française, née à Montpellier le 14 février 1921, morte à Paris le 11 novembre 1968.

Après ses études au Conservatoire de Paris où elle remporte plusieurs prix – harmonie en 1937, orgue en 1941 – Jeanne Demessieux se fait rapidement une place au soleil aussi bien en Europe qu'aux États-Unis, où elle est considérée comme l'une des plus remarquables représentantes de l'École française de l'orgue dans la tradition de M. Dupré. Comme titulaire de grands instruments, elle ne connaît que deux tribunes parisiennes : d'abord celle de l'église du Saint-Esprit où elle officie dès 1933, alors même qu'elle est encore élève au Conservatoire, puis celle de la Madeleine, à partir de 1962, et où elle demeure jusqu'à sa disparition. Elle professe également son instrument au Conservatoire de Nancy (de 1950 à 1953) et au Conservatoire royal de Liège (de 1952 à sa mort). Comme compositeur, elle a laissé des pièces pour son instrument, soit seul (*Etudes, Méditations, Tryptique*), soit avec orchestre (*Poème* - 1952), ainsi qu'un *Te Deum* (1965).

Demus, Jörg

Pianiste autrichien, né à Saint Polten le 2 décembre 1928.

Il commence le piano à six ans et entre à l'Académie de musique à Vienne à onze ans, menant de pair des études au lycée classique, des études de piano avec W. Kerschbaumer, d'orgue avec K. Walter, de direction d'orchestre avec Swarowsky et Krips, de composition musicale avec J. Marx (1940-45). Il vient ensuite à Paris travailler avec Yves Nat (1951-53) et se rend au Conservatoire de Sarrebruck, où il est le disciple de Walter Gieseking (1953). Il suit aussi les cours d'été d'Edwin Fischer, Wilhelm Kempff et Benedetti-Michelangeli. Dès l'âge de 14 ans, il donne de nombreux récitals à Vienne, en Italie, en Suisse, il débute à Londres en 1950 et obtient un grand succès à Paris en 1953, puis à New York en 1955. L'année suivante, il remporte le Prix Busoni à Bolzano. C'est le début d'une carrière internationale qu'il oriente dans différents domaines. Merveilleux accompagnateur, il est l'un des partenaires préférés de Fischer-Dieskau et enseigne cette discipline dans le monde entier.

Il enregistre l'œuvre complet de Schumann et de Debussy, *le Clavier bien tempéré* et de nombreux concertos. Il fait de la musique de chambre avec Josef Suk, Antonio Janigro, Edith Peinemann ou Paul Badura-Skoda. Il collectionne et restaure les instruments à clavier anciens et enregistre sur des instruments originaux (celui de Schumann, de Beethoven). En dehors du répertoire romantique, pour lequel il a une prédilection, il joue Hindemith, Bartók ou Berg.

ÉCRITS : *Abenteuer der Interpretation (Aventure de l'interprétation), Les Sonates pour piano de Beethoven* (avec P. Badura-Skoda, 1970).

Denize, Nadine

Mezzo-soprano française, née à Rouen le 6 novembre 1943.

Elle fait ses études au Conservatoire de Rouen. Elle travaille d'abord les oratorios de Bach, puis à dix-huit ans entre au Conservatoire de Paris, dans la classe de Camille Maurane qui l'initie à la musique française. Deux ans plus tard, elle obtient un 1er prix et est aussitôt engagée à l'Opéra. Elle y apprend son métier tout en chantant le plus possible (Cassandre des

Troyens, Marguerite de *La Damnation de Faust*) ; à l'Opéra-Comique elle chante Charlotte. Elle quitte l'Opéra en 1971. Elle se rend en invitée à Prague, Budapest, Berlin, Vienne. De 1974 à 1977, elle fait partie de la troupe de l'Opéra du Rhin à Strasbourg. Elle y chante *La Damnation de Faust* (Marguerite), *La Walkyrie* (Fricka), reprend ce rôle à Orange. A Paris, Liebermann lui fait chanter Kundry, puis elle incarne Octavian (*Le Chevalier à la rose*) à Strasbourg et à Vienne. Invitée à la Scala et au Met, elle est une excellente Princesse Eboli dans *Don Carlos* (qu'elle a aussi interprété en Allemagne). En concert, son répertoire va des *Nuits d'été* de Berlioz aux *Gurrelieder* de Schönberg, en passant par le *Requiem* de Verdi, *Shéhérazade*, le *Chant de la terre*. A l'Opéra – sous le règne de Lefort – elle a incarné Jenůfa avant d'aborder le rôle de Carmen à Nancy (1981).

Dens, Michel (Maurice Marcel)

Baryton français, né à Roubaix le 22 juin 1911.

Fils d'un journaliste, il suit les cours du Conservatoire de Roubaix et fait ses débuts à l'Opéra de Lille en 1938. Il chante ensuite à Bordeaux, Grenoble, Toulouse et Marseille. Après la Deuxième Guerre mondiale, il fait une brillante carrière à l'Opéra et à l'Opéra-Comique de Paris (1946-48). Il y sera réinvité pendant de nombreuses années. En 1954, il participe au Festival d'Aix-en-Provence comme Ourias de *Mireille*. S'il tient avec vaillance certains rôles de Verdi (*Rigoletto*) et de Rossini (*Le Barbier de Séville*), il s'est surtout illustré dans l'opéra-comique et l'opérette française et viennoise (*Les Pêcheurs de perles, Les Noces de Jeannette, Monsieur Beaucaire, la Fille de Madame Angot, La Mascotte, le Pays du sourire*... etc.) qu'il interprète sur toutes les scènes de France, en Suisse, en Belgique, au Canada et en Afrique du Nord. Il est directeur de Présence de l'Art lyrique qui produit des spectacles dans plusieurs théâtres du nord de la France.

Denzler, Robert

Chef d'orchestre suisse, né à Zürich le 19 mars 1892, mort à Zürich le 25 août 1972.

Il étudie à Zürich avec Volkmar Andreae puis au Conservatoire de Cologne (piano, violon et composition) ; en 1911, il débute comme répétiteur à l'Opéra de Cologne et au Festival de Bayreuth. L'année suivante, il est nommé directeur musical à Lucerne. Puis il est chef permanent à l'Opéra de Zürich (1915-27), 1er chef à l'Opéra de Berlin (1927-32) et directeur musical de l'Opéra de Zürich (1934-47). Entre 1920 et 1930, il dirige régulièrement l'Orchestre de la Suisse Romande à l'invitation d'Ansermet. A la fin de sa vie, il se consacre uniquement au concert, comme chef invité. On lui doit la création de *Lulu* de Berg (1937) et de *Mathis le peintre* d'Hindemith (1938).

De Pachmann, Vladimir

Pianiste russe, né à Odessa le 27 juillet 1848, mort à Rome le 7 janvier 1933.

Son père, grand violoniste, professeur à l'Université de la ville, avait vécu à Vienne au début du siècle. Il disait avoir eu des contacts avec Weber et Beethoven. Vladimir commence par travailler avec son père. De 1866 à 1868, il est à Vienne dans la classe de Dachs au conservatoire, dont il sort avec une médaille d'or. En 1869, il inaugure sa carrière par une série de concerts triomphaux qui le laissent profondément mécontent de lui-même et de ses doigts. Il quitte le devant de la scène et se retire pour étudier. Puis ce sera Berlin et Leipzig où il triomphe également, mais son « génie » est toujours aussi insatisfait. Aussi replonge-t-il encore une fois dans sa retraite, pour deux années d'autocritique. Lorsqu'il revient devant les salles qui l'attendent, de plus en plus intriguées par ce personnage étrange, il se dit enfin satisfait de son jeu. Ce sentiment de satisfaction ne fera que croître désormais tout au long de sa carrière.

Vladimir De Pachmann est une haute figure de la musique. Ses excentricités et ses bizarreries en faisaient un héros des salles de concert. Il ne se privait jamais d'invectiver le public, de faire des remarques sur la difficulté de ce qu'il jouait, en plein milieu d'un morceau, et sans s'arrêter. Ses échanges verbaux avec la salle ont peu à peu remplacé sa virtuosité défaillante avec l'âge. Néanmoins, ce qui attirait les foules, outre le spectacle total qu'il offrait, c'est l'extrême sensualité de son jeu, ce qui faisait merveille chez Chopin. Il se disait le Busoni de Chopin, et vouait un culte allant jusqu'au fétichisme au compositeur polonais.

De Peyer, Gervase

Clarinettiste anglais, né à Londres le 11 avril 1926.

Il étudie auprès de Frederick Thurston au Royal College of Music, puis de Louis Cahuzac au Conservatoire de Paris. Il est nommé 1er clarinettiste de l'Orchestre Symphonique de Londres (1955-71). Membre fondateur du Melos Ensemble, il dirige le London Symphony Wind Ensemble et conduit partiellement l'Orchestre Haydn de Londres. Familier des répertoires classique et romantique, il a également créé nombre de concertos, signés Arnold Cooke, Sebastian Forbes, Alun Hoddinott, Thea Musgrave, Joseph Horovitz. Il enseigne à la Royal Academy of Music depuis 1959. A égale distance de la clarté française et de la pénombre germanique, De Peyer choisit la plénitude dans la sobriété et la fluidité du phrasé plutôt qu'une volubilité débridée.

Deplus, Guy

Clarinettiste français, né à Vieux-Condé le 29 août 1924.

Il fait ses études au Conservatoire de Paris, de 1943 à 1946, avec A. Périer et P. Lefèvre (clarinette), F. Oubradous (musique de chambre) et apprend l'harmonie avec Y. Desportes, en cours particuliers. 1er prix de clarinette, 1re médaille de musique de chambre, il donne son premier concert en 1946 et entre dans l'Orchestre de la Garde Républicaine, l'année suivante. Il fait partie de l'Orchestre des Concerts Colonne (1950), de l'ensemble du Domaine Musical (1953) et, comme clarinette solo, de l'Orchestre de l'Opéra de Paris (1968). Membre de l'Ensemble Ars Nova créé par M. Constant en 1963, il fonde à son tour, deux ans plus tard, l'Octuor de Paris. Le pédagogue enseigne aux Cours de musique contemporaine de Darmstadt (1958), à Denver (1974), dans les principaux conservatoires du Japon (en 1975 et 1978), à l'Académie d'Albi (1977) avant d'être nommé professeur de clarinette du Conservatoire de Paris (1978). Il y avait auparavant enseigné le déchiffrage (1972) et la musique de chambre (1974). Il a participé à de nombreuses créations, de Henze (*Concerto pour le Marigny,* 1956), Boucourechliev (*Musique à trois,* 1958 ; *Musiques nocturnes,* 1966 ; *Tombeau à la mémoire de Jean-Pierre Guézec,* 1971), Casanova (*Ballade pour clarinette,* 1959 ; *Deux fragments d'Algabal...,* 1975), Martelli (*Double concerto pour clarinette et basson,* 1964), Mihalovici (*Musique nocturne,* 1964), Jolivet (*Ascèses,* version pour clarinette, 1969), Grisey (*Charmes,* 1969 ; *Vagues, chemins, le souffle,* 1975), G. Amy (*D'un désastre obscur,* 1971), M. Constant (*For clarinet,* 1974), Ballif (*Solfegietto,* 1974), Rivier (*Les trois S,* 1975)...

Depraz, Xavier (Xavier Delaruelle)

Basse française, né à Albert (Somme) le 22 avril 1926.

En 1947, il entre au Conservatoire de Paris. Il a trois professeurs : Francell pour le chant, Musy pour la scène, René Simon pour le théâtre. Trois ans plus tard il obtient trois prix en présentant *Boris, Don Carlos* et *Don Quichotte.* Entre-temps, il est déjà paru sur scène dans *Le Rire de Nil Halerius* de M. Landowski (Mulhouse, Vichy, Paris). Il débute dans l'opérette à Bobino (*Les Pieds Nickelés*), mais est vite appelé à l'Opéra. Il chante Basile avec succès en 1952 (Opéra-Comique). Ses dons s'épanouissent. Artiste conscient, travailleur, discret, il possède un large repertoire. A l'Opéra de Paris il a chanté *Rigoletto, Les Maîtres chanteurs, Falstaff, Les Dialo-*

gues des Carmélites, entre autres rôles ; à l'Opéra-Comique, *Le Château de Barbe-Bleue, Le dernier Sauvage* (Menotti) ; à la Radio, il reprend l'*Œdipe* d'Enesco en 1955. Il chante aussi à Lyon (*Les Troyens, Pelléas et Mélisande*), à Bordeaux, à Monte-Carlo, à Marseille *(Don Giovanni)*. Invité au Festival de Glyndebourne, il y a interprété *Le Comte Ory*, à Venise *Œdipus-Rex*. Il a créé *Le Rire de Nils Halerius* et *Le Fou* de Landowski.

De Reszké, Edouard

Basse polonaise, né à Varsovie le 22 décembre 1853, mort à Garnek le 25 mai 1917.

Il étudie le chant à Varsovie avec Ciaffei et en Italie avec Steller et Coletti, et débute à l'Opéra de Paris en 1876, lors de la première d'*Aïda* sous la direction de Verdi lui-même (le roi). Engagé pour deux ans aux Italiens, il devient ensuite, avec son frère Jean, l'une des vedettes des troupes de l'Opéra de Paris, du Covent Garden de Londres (1880) et du Met de New York (1884). Il chante également à la Scala, où il participe à la première de la version révisée de *Simon Boccanegra* (Fiesco) en 1881. Ses rôles les plus marquants sont Mephisto, Saint-Bris, Frère Laurent, Rocco, Leporello, Basile, et plus tardivement Sachs, Hagen, Mark, Daland, le Roi Henry et le Wanderer. Il quitte la scène en 1903, s'essaie à l'enseignement, puis se retire en Pologne où il meurt dans un dénuement extrême.

De Reszké, Jean

Ténor polonais, né à Varsovie le 14 janvier 1850, mort à Nice le 3 avril 1925.

Frère du précédent, il étudie avec Ciaffei à Varsovie, puis avec Cotogni à Milan, et débute comme baryton sous le pseudonyme de Giovanni Di Reschi à Turin en 1874 (Alfonso de *La Favorite*), et chante à Londres la même année (Alfonso, Don Juan, Valentin). Il débute à Paris aux côtés de son frère (Fra Melitone) en 1876 et interrompt sa carrière pour étudier avec Sbriglia. Il débute comme ténor en 1879 à Madrid (*Robert le Diable*). Son relatif insuccès le tourne vers une carrière de concertiste jusqu'à ce qu'il réapparaisse sur une scène en 1884 lors de la triomphale première parisienne d'*Hérodiade* à l'Opéra, auprès de son frère et de sa sœur Joséphine (1855-91). Massenet écrit alors *Le Cid* pour lui (1885). Il partage son temps entre Paris (jusqu'en 1902), Londres (à partir de 1887, et à Coven Garden, 1888 à 1900) et New York (1891-1901). Ses grands rôles sont Roméo, Raoul, Faust, Vasco de Gama, Don José, Otello, puis les grands ténors wagnériens (Lohengrin, Walther, Tristan, Siegfried). Il se retire en 1903 et se consacre à l'enseignement à Paris et à Nice. Parmi ses élèves on trouve M. Saltzman-Stevens, B. Sayão, M. Teyte.

Dermota, Anton

Ténor lyrique yougoslave naturalisé autrichien, né à Kropa le 4 juin 1910.

Il étudie l'orgue et la composition à Laibach, puis le chant avec Elisabeth Rado à Vienne, où il débute en 1936 (1er homme d'armes de *La Flûte enchantée*). La même année, il paraît à Salzbourg (Zorn dans *Les Maîtres chanteurs* avec Toscanini) : il y reviendra jusqu'en 1959 pour chanter les grands rôles mozartiens. Il est nommé Kammersänger en 1946 et participe, en 1955, à la soirée de réouverture de la Staatsoper de Vienne (Florestan). Sa carrière internationale l'amène sur toutes les grandes scènes mondiales dans les rôles d'Hoffmann, Chouisky, Palestrina, Rodolfe, Lensky, Des Grieux... En 1966, il est nommé professeur à l'Académie de musique de Vienne, et consacre une partie de ses activités à la mélodie, accompagné par sa femme, la pianiste Hilde Berger-Weyerald.

Dernesch, Helga

Soprano puis mezzo-soprano autrichienne, née à Vienne le 13 février 1939.

Après ses études au Conservatoire de Vienne, elle se produit d'abord en concert (oratorios et cantates), puis est engagée au

Théâtre municipal de Berne où elle chante Fiordiligi (*Cosi fan Tutte),* Antonia *(Contes d'Hoffmann),* Marina *(Boris Godounov)* et également quelques premiers rôles wagnériens. Elle passe trois saisons à l'Opéra de Wiesbaden où elle se spécialise dans les héroïnes wagnériennes (1963-66). Wieland Wagner l'invite alors pour de petits rôles à Bayreuth en 1965 avant qu'elle ne remplace Anja Silja dans Elisabeth *(Tannhäuser)* en 1967. En 1968, elle est Freia et Gutrune *(Tétralogie)* et, en 1969, Eva *(Maîtres chanteurs).* Elle appartient à la troupe de l'Opéra de Cologne (1966-70). Elle remporte alors de brillants succès à l'Opéra de Vienne et à celui de Berlin. En 1969, elle chante pour la première fois à Salzbourg avec Karajan, dont elle devient bientôt la grande soprano wagnérienne : Brünnhilde et Isolde. En 1971, elle interprète *Fidelio* à Salzbourg. Nouveau succès. Elle chante à Edimbourg, au Covent Garden, à Hambourg, à Munich depuis 1970. En 1972, elle crée à l'Opéra de Berlin-Ouest le rôle titre d'*Elisabeth Tudor* de Wolfgang Fortner. Depuis 1973, elle chante aux États-Unis, New York et Chicago... En 1982, elle crée le *Requiem* de Reimann. Depuis la fin des années 70, sa voix s'est transformée en mezzo.

Dervaux, Pierre

Chef d'orchestre français, né à Juvisy-sur-Orge le 3 janvier 1917.

Au Conservatoire de Paris, il travaille le piano (avec Isidore Philipp, Armand Ferté et Yves Nat), la percussion et les écritures (avec Jean et Noël Gallon et M. Samuel-Rousseau). Il débute comme timbalier et donne ses premiers concerts après la guerre. De 1945 à 1953, il dirige l'Opéra-Comique. Durant six ans (1949-55), il est vice-président des Concerts Pasdeloup. Il est ensuite nommé président-chef d'orchestre des Concerts Colonne (1958) et chef permanent à l'Opéra de Paris (1956-70). Sa carrière se développe sur le plan international et il prend la direction de l'Orchestre Symphonique de Québec (1968-71). Il est ensuite nommé directeur de l'Orchestre Philharmonique des Pays de la Loire dès sa fondation (1971-78), avant d'occuper les fonctions de directeur musical à Nice (1979-82). L'enseignement de la direction d'orchestre l'attire : dès 1964, il succède à Jean Fournet à l'École normale de musique de Paris. De nombreux jeunes chefs viennent travailler avec lui et reçoivent un enseignement rigoureux, précis, dans la tradition des grands chefs français. Il enseigne aussi au Conservatoire de Montréal (1965-72) et à l'Académie d'été de Nice (à partir de 1971). Parmi ses élèves, J.-C. Casadesus, G. Chmura, A. Wit, S. Cambreling, A. Pâris, A. Myrat, G. Aperghis, J.-C. Bernède... La précision, le sens du rythme et de la couleur le caractérisent. Il aime Rossini, Bizet, Roussel, Ravel, Debussy, Fauré, Schmitt, d'Indy... Comme compositeur, on lui doit deux symphonies, un quatuor, un trio, des concertos et des mélodies.

De Sabata, Victor

Chef d'orchestre et compositeur italien, né à Trieste le 10 avril 1892, mort à Santa Margherita le 11 décembre 1967.

Son père est professeur de chant et chef des chœurs à la Scala. Il travaille au Conservatoire de Milan de 1902 à 1910 où il étudie le piano, le violon et la composition. Puis il livre très tôt ses premières œuvres qui remportent un certain succès. Il ne se tourne vers la direction d'orchestre qu'après la guerre : il dirige à Monte-Carlo (1918-29) où il crée l'*Enfant et les sortilèges* de Ravel en 1925. Puis il est appelé à la Scala comme chef permanent : il y fera toute sa carrière et y sera nommé directeur musical (1953-57). Il se produit régulièrement à Florence entre 1933 et 1942 et est invité à diriger *Tristan et Isolde* à Bayreuth en 1939. Après la guerre, il dirige souvent en Angleterre mais sa carrière est interrompue prématurément par une maladie. Dès 1953, il ralentit ses activités : sa dernière apparition publique aura lieu en 1957 pour les obsèques de Toscanini. Il restera néanmoins associé à la Scala comme conseiller musical jusqu'au début des années soixante.

Homme d'une grande culture et très raffiné, De Sabata a porté à son apogée un style de direction typiquement latin : il détestait les excès et recherchait avec une sensibilité profonde des nuances et des couleurs inimitables. Sa discographie, trop mince, reste dominée par ses enregistrements de *La Tosca* avec Maria Callas et du *Requiem* de Verdi. Il laisse une production abondante dans la ligne de Respighi : *Il Macigno* (opéra, 1917), *La Notte di Platon* (1923) et *Gethsemani* (1925), poèmes symphoniques.

Desarzens, Victor

Chef d'orchestre suisse, né à Château d'Oex (Vaud) le 27 octobre 1908.

A l'âge de 5 ans, il commence l'étude du violon et, tout en entreprenant des études classiques, poursuit ses études musicales. Il se rend à Genève, où José Porta (filleul de Pablo de Sarasate) enseigne au Conservatoire et se prend d'amitié pour lui. En 1925, il obtient le diplôme de virtuosité en classe de violon et travaille avec Enesco. Engagé comme violoniste à l'Orchestre de la Suisse romande, il le quitte pour former un quatuor, puis un trio, avec lesquels il effectue des tournées en Suisse et à l'étranger. En 1941, après la dissolution de l'Orchestre de Radio-Lausanne, il fonde un petit ensemble qui donne son premier concert le 28 janvier 1942 sous le nom d'Orchestre de Chambre de Lausanne (O.C.L.). Dès 1949, il dirige également l'Orchestre de Winterthur, à la tête duquel il succède à Hermann Scherchen. Que ce soit pour la radio ou en concert, il incite l'O.C.L. à faire une large place à la musique contemporaine et réalise un très grand nombre de créations, spécialement de Frank Martin, de Zbinden, *la 1re Symphonie* qui lui est dédiée (1953) et *Orchalau-Concerto* (1963) de Honegger ainsi que de tous les membres du Groupe des Six. Il s'est retiré de la vie musicale suisse en 1973.

Descaves, Lucette

Pianiste et pédagogue française, née à Paris le 1er avril 1906.

Elle commence le piano dès l'âge de sept ans avec Marguerite Long. En 1916, elle entre au Conservatoire âgée de 10 ans, dans la classe de Marguerite Long, puis dans celle d'Yves Nat, d'où elle sort avec un 1er prix en 1923. Après avoir été l'assistante de Marguerite Long, puis de Nat, elle est nommée professeur de piano en 1941. Parallèlement à ses activités pédagogiques, elle mène une carrière de concertiste et joue en soliste avec Gaubert, Münch, Cluytens, Dervaux et Louis Fourestier dont elle deviendra l'épouse. En 1932, elle travaille avec Prokofiev lors des répétitions de son *3e Concerto,* qu'elle devait donner à Paris avec les Concerts Poulet.

Elle forme au Conservatoire toute une génération d'interprètes, tels Brigitte Engerer, Pascal Rogé, Jean-Claude Pennetier, Georges Pludermacher, Jean-Yves Thibaudet... Par ailleurs, elle a créé un nombre important d'œuvres contemporaines comme les *Danses rituelles* (1942) puis le *Concerto* de Jolivet en 1951 à Strasbourg (création qui devait déclencher un scandale d'où allait jaillir très peu de temps après un triomphe, Lucette Descaves l'ayant joué plus de cent fois par la suite), ou le *Concerto* de Rivier (1954).

ÉCRITS : *Un nouvel art du piano* (1966).

Deslogères, Françoise

Ondiste française, née à Boulogne-sur-Seine le 9 mai 1929.

Elle étudie l'harmonie avec Henri Challan et le piano avec Jeanne Blancard et Geneviève Joy. Elle est reçue au Concours de professorat pour les lycées. Ayant donné, comme pianiste, ses premiers récitals en 1955, elle commence deux ans plus tard à travailler les ondes avec son inventeur, Maurice Martenot et sa sœur Ginette. Parallèlement à une carrière de soliste (commencée en 1960), elle fonde en 1967 le Trio Deslogères pour ondes Martenot, piano et percussion, formation originale, qui se fait connaître par des tournées et de nombreuses créations. Titulaire depuis 1971 d'une classe d'ondes Martenot au Conservatoire de Boulogne-Billancourt, elle enseigne également à la Faculté de Pau (1973-78). Parmi ses principales créations : en soliste, *De Voci* (1958) et *Pièces de chair* (1967) de Bussotti, le *Concerto* de R. Depraz (1965), *Impacts* pour deux orchestres à cordes et ondes (1972) et *Ragas* de Tisné ; en duo avec la percussion : *Antiphonaire* de Werner (1968), *Mirages* de Sciortino (1973), *Points de rencontre* de Chaynes (1977).

Désormière, Roger

Chef d'orchestre français, né à Vichy le 13 septembre 1898, mort à Paris le 25 octobre 1963.

Élève de Charles Koechlin, il fait partie de l'École d'Arcueil (en tant que compositeur) avec Sauguet, Maxime Jacob et Cliquet-Pleyel. De 1924 à 1925, il est directeur musical des Ballets Suédois, puis, de 1925 à 1929, des Ballets Russes. En 1930, il est à la tête de la Société de Musique d'Autrefois. Il entre à la Radio en 1934 et, deux ans plus tard, prend la direction de l'Orchestre Symphonique de Paris tout en étant chef permanent à l'Opéra-Comique (1936-44). Après la guerre, il est nommé à l'Opéra de Paris. En 1946-47, il dirige régulièrement l'Orchestre Symphonique de la B.B.C., puis l'Orchestre National. C'est à la même époque qu'il crée l'Association française des musiciens progressistes, avec Serge Nigg et Elsa Barraine. En 1952, une attaque le paralyse et le rend inactif jusqu'à sa mort.

Interprète inspiré de la musique française qu'il a propagée dans le monde entier, il a gravé en 1942 un enregistrement – maintenant légendaire – de *Pelléas et Mélisande*. Au service de la musique de son temps, il a créé un nombre important d'œuvres nouvelles : *Salade* (1924) et *Symphonie n° 3* (1946) de Milhaud, *La Course de printemps* (1932) de Koechlin, *Le Testament de Tante Caroline* (1936) de Roussel, la musique de scène collective de *14 Juillet* (1936), *Sinfonietta* (1948) de Poulenc, *3 Petites Liturgies de la Présence Divine* (1945) de Messiaen, *Le Soleil des eaux* (1950) de Boulez, *Symphonie n° 1* de Dutilleux, *Symphonie n° 4* (1952) de Rivier. Darius Milhaud lui a dédié *La Création du monde* et sa *Symphonie n° 4.*

Destinn, Emmy (Emilie Pavlina Kittlová, puis Ema Kittl, puis Ema Destinnova).

Soprano tchécoslovaque, née à Prague le 26 février 1878, morte à Ceske Budějovice le 28 janvier 1930.

Elle fait ses études à Prague avec Marie Loœwe-Destinn dont elle adopte le nom, et débute à l'Opéra de Dresde en 1897 (Santuzza). En 1901, elle crée Senta à Bayreuth où elle chante le rôle jusqu'en 1914. Sa carrière internationale est ensuite très rapide : elle chante au Covent Garden de 1904 à 1921, au Met de 1908 à 1921. Célèbre Aïda, première Salomé de Berlin (1906), première Butterfly (1905) et Tatiana (1906) de Londres, elle participe à la création mondiale de *La Fanciulla del West* de Puccini à New York en 1910 (Minnie). Elle se retire en 1927.

Deutekom, Cristina (Christine Angel)

Soprano néerlandaise, née à Amsterdam le 28 août 1932.

Elle étudie avec Johan Thomas et Coby Riemersma au Conservatoire d'Amsterdam. Engagée comme choriste à l'Opéra Néerlandais, elle obtient peu à peu quelques solos, de petits rôles (une des Walkyries). Elle prouve ainsi que sa voix possède d'incroyables notes aiguës, si bien qu'en 1964, elle fait sensation en interprétant la Reine de Nuit (*Flûte enchantée*). Aussitôt Covent Garden, Vienne, Hambourg et Francfort l'invitent pour tenir ce rôle. En 1968, elle débute avec ce même role au Met. Bientôt elle aborde les grands rôles dramatiques du répertoire italien et se fait une spécialité des ouvrages oubliés de Verdi. Elle est alors invitée à la Fenice, à la Scala et à l'Opéra de Rome. En 1970, elle chante *Lucia di Lammermoor* à

Chicago. En 1972, Elvira (*Puritani* de Bellini) au Colón de Buenos Aires. Elle chante même *Norma* avec grand succès. Mais son triomphe sera, en 1974, Elena (*Vêpres siciliennes,* de Verdi) au Met, puis à Paris et dans le monde entier.

Devernay, Yves

Organiste français, né à Tourcoing le 9 mai 1937.

Il appartient à une famille de musiciens où l'on peut distinguer la figure de son oncle, Édouard Devernay (1889-52), organiste et compositeur, titulaire des grandes orgues de Trouville pendant 40 ans. Il étudie d'abord avec son père, puis au Conservatoire de Roubaix. Il travaille ensuite au Conservatoire de Lille avec Jeanne Joulain et obtient en 1958 le prix d'excellence d'orgue et d'improvisation. Il passe ensuite au Conservatoire de Paris dans la classe de Rolande Falcinelli et recueille en 1961 ses 1ers prix d'orgue et d'improvisation. Il se perfectionne auprès de Marie-Claire Alain et devient lauréat du Concours international de Haarlem (1962) et de celui de Saint Alban (1964). Il remporte le 1er prix au Concours d'improvisation de Lyon (1969) et le 1er grand prix d'exécution et d'improvisation au Concours international de Chartres (1971). Professeur d'orgue aux conservatoires de Roubaix et de Valenciennes, est titulaire du grand orgue de Saint-Christophe de Tourcoing depuis 1962 et de celui de N.-D.-de-Paris depuis 1985.

Devetzi, Vasso

Pianiste grecque, née à Salonique le 9 septembre 1927.

Après avoir fait ses études au Conservatoire d'État de Grèce, puis à l'Académie de musique de Vienne, elle vient en France et travaille avec Marguerite Long. Proche de Rostropovitch, elle l'accompagne souvent ainsi que Galina Vichnevskaia, sa femme. La première, elle a enregistré le *Concerto n° 1* de Sauguet, sous la direction de Rojdestvenski. Depuis la mort de Maria Callas, elle a renoncé à sa carrière de concertiste pour se consacrer à la Fondation Maria Callas, dont elle est la présidente, et qui distribue des bourses d'études à de jeunes artistes.

De Vito, Gioconda

Violoniste italienne, née à Martina Franca le 26 juillet 1907.

Elève de R. Principe à Pesaro (1918-21), elle fait ses débuts à Rome en 1923. En 1932, elle obtient le 1er prix au Concours international de Vienne. Gioconda De Vito professe à Bari (1925-34), à Rome, au Conservatoire (1934-45) puis, à l'Académie Santa Caecilia (1945-58) et à Sienne (1949). Elle se fait entendre dans le monde entier, y compris aux États-Unis et en Union Soviétique. Elle participe au premier Festival d'Édimbourg en 1945 et au cours de sa carrière on la voit souvent jouer avec d'autres grands violonistes, dont Yehudi Menuhin, Isaac Stern et Nathan Milstein ou des chefs comme Furtwängler. De cette rencontre en 1952 a été conservé l'enregistrement des *Concertos* de Brahms et de Mendelssohn. En 1961, elle se retire, estimant avoir atteint le sommet de ses possibilités. Pizzetti lui a dédié son *Concerto pour violon*, la seule œuvre moderne qu'elle ait accepté de jouer.

Devos, Gérard

Chef d'orchestre français, né à Lille le 28 février 1927.

Il naît dans une famille de musiciens (sa mère a été harpiste à l'Orchestre Philharmonique et à l'Orchestre National). Au Conservatoire de Paris, il remporte des 1ers prix de harpe (classe de Marcel Tournier, 1947), d'harmonie (classe de Jean de la Presle, 1949), de fugue et contrepoint (classe de Noël Gallon, 1950), et un 2e prix de composition (classe de Tony Aubin, 1952). Il remporte, au Concours international de Prague en 1947, le 1er prix de harpe et, au Concours de Besançon en 1956, le

1er prix de direction d'orchestre. Sa carrière de chef invité prend alors son essor. Depuis 1963, il est professeur au Conservatoire de Paris. En 1970, il est nommé président et chef permanent de l'Association des Concerts Pasdeloup pour succéder à Albert Wolff. Gérard Devos se livre également à la composition. On lui doit notamment une *Sinfonietta pour cordes.*

Devos, Louis

Ténor et chef de chœur belge, né à Bruxelles le 15 juin 1926.

Parallèlement à des études gréco-latines, il étudie le violon au Conservatoire Royal de Bruxelles. En 1948, il part pour l'Autriche poursuivre ses études musicales, travaille deux ans dans l'orchestre et, en 1950 entreprend des études de chant, à Graz. De retour dans son pays, il crée en Europe *Cantate* d'Igor Stravinski (1952). En 1954, il crée *Orestes* de Badings, un opéra radiophonique qui remporte le Prix Italia. Depuis 1956, il est invité régulièrement à la Philharmonie de Munich où il travaille avec Hermann Scherchen, Pierre Boulez, etc. En 1958, il crée de Frank Martin – avec Ernest Ansermet – *Le Mystère de la Nativité* à Genève et, en 1964, à Rome l'oratorio *Pilate.* Pour le centenaire d'Arnold Schönberg, il tourne en 1971 à Vienne *Moïse et Aaron* (le rôle d'Aaron) sous les ordres du réalisateur J.-M. Straub. Il chantera également cet opéra à Vienne, puis au Festival de Salzbourg. En 1972, il crée à Cologne *Utrenia* de Penderecki. Il est engagé à la Monnaie, à l'Opéra de Paris, d'Amsterdam, au Covent Garden, à la Scala. Son répertoire comprend les œuvres anciennes, classiques et modernes. Professeur aux Conservatoires de Bruxelles et d'Amsterdam, il fonde en 1950 l'ensemble *Musica Polyphonica* avec lequel il a réalisé récemment l'enregistrement des deux *Messes des morts* de Marc-Antoine Charpentier qui obtint le Prix mondial du Disque de Montreux, *L'Histoire de la Résurrection du Christ* de Schütz et, entre autres, les œuvres religieuses de Zelenka.

Devoyon, Pascal

Pianiste français, né à Paris le 6 avril 1953.

Après ses études au Conservatoire de Paris, il remporte une série de prix internationaux (Viotti, Leeds, Busoni), et la médaille d'argent au Concours Tchaïkovski de Moscou en 1978. Depuis, sa renommée en U.R.S.S. ne s'est jamais démentie. En 1980, après de brillants débuts aux Carnegie Hall de New York, il effectue une tournée très remarquée aux États-Unis. Très à l'aise dans Ravel, son répertoire compte également des œuvres très difficiles de Liszt et de Prokofiev.

De Waart, Edo

Chef d'orchestre néerlandais, né à Amsterdam le 1er juin 1941.

Il fait ses études au Music Lyceum de sa ville natale jusqu'en 1963, recevant notamment une formation de hautboïste. Immédiatement engagé au Concertgebouw d'Amsterdam comme hautbois solo, il travaille la direction d'orchestre à Hilversum avec Franco Ferrara. En 1964, il remporte le Concours Mitropoulos à New York et devient l'assistant de Leonard Bernstein au cours de la saison 1965-66. Puis il est assistant au Concertgebouw (1966-67) avant de fonder l'Ensemble à Vent Néerlandais (qu'il dirige de 1967 à 1971) et d'être nommé chef permanent (avec Jean Fournet) de l'Orchestre Philharmonique de Rotterdam (1967-73). De 1973 à 1979, il en est le directeur musical. Sa carrière se développe rapidement aux États-Unis où l'Orchestre de San Francisco le nomme 1er chef invité en 1975. Il en prend la direction musicale de 1977 à 1985. Il mène parallèlement une carrière lyrique qui a débuté en 1970 au Festival de Hollande et lui a permis de diriger *Lohengrin* à Bayreuth en 1979. A partir de 1985, il assure la direction musicale de l'Opéra néerlandais.

Deyanova, Marta

Pianiste bulgare, née à Sofia en novembre 1948.

Après avoir fréquenté le Conservatoire Bulgare de Sofia, elle remporte en

1964 le 1er prix du Concours national d'enfants et d'adolescents de sa ville natale. L'année suivante elle obtient la médaille d'or du Concours Busoni, puis en 1967 à Milan, le Prix Ettore Pozzoli. Enfin en 1970, le Prix Casagrande de Rome, et en 1971 le Prix de Montréal viennent couronner une carrière bien remplie par les compétitions internationales. Pianiste essentiellement romantique, ses interprétations de Scriabine et de Rachmaninov ont eu le mérite de la faire connaître à l'Ouest par l'intermédiaire du disque essentiellement.

Diaz, Alirio

Guitariste vénézuélien, né à La Calendaria le 12 novembre 1923.

Il commence ses études à Caracas avec Raúl Borges et Clément Pimentel puis obtient une bourse pour se rendre en Espagne. Il complète son enseignement avec Regino Sainz de La Maza et remporte au Conservatoire royal de Madrid un prix d'honneur. Il suit les cours de perfectionnement de guitare classique auprès de Segovia à Sienne (1951-58) et devient son assistant à cette Académie (1957-64). Il se produit désormais sur le plan international.

Dichter, Misha

Pianiste américain, né à Shangaï le 27 septembre 1945.

A l'âge de six ans, il commence à apprendre le piano à Los Angeles. Lors de cours d'été en 1964 à l'université de la ville, il travaille avec Rosina Lhevinne. Misha Dichter va désormais travailler exclusivement avec elle, et il la suit à la Juilliard School de New York, dès l'automne de la même année. En 1966, on lui décerne le 3e prix Tchaïkovski à Moscou, tandis que l'Orchestre Symphonique de Boston l'accompagne lors de ses débuts à Tanglewood. Interprète romantique avant tout, il lui arrive de faire quelques incursions dans les débuts du XXe siècle.

Diederich, Cyril

Chef d'orchestre français, né à Marseille le 2 octobre 1945.

Il commence ses études musicales à Aix-en-Provence et les poursuit à Toulouse, Rennes et Rouen – où il pratique le piano, le cor et la percussion ainsi que, sous la direction de Jean-Sébastien Béreau, la direction d'orchestre – avant de les achever au Conservatoire de Paris. En 1969, il crée son propre orchestre de chambre et anime tous les ans depuis 1970 les Semaines Musicales du Lubéron. Au Concours de Florence 1973, il obtient un prix de direction d'orchestre. De 1975 à 1976 il est l'assistant de Serge Baudo à l'Orchestre de Lyon. Chef associé à l'Orchestre National de Lille auprès de Jean-Claude Casadesus, il obtient en 1980 le prix spécial du jury au Concours de Katowice (Pologne). En 1984 il est nommé directeur de l'Orchestre de Montpellier.

Diémer, Louis

Pianiste et compositeur français, né à Paris le 14 février 1843, mort à Paris le 21 décembre 1919.

En 1853, il entre au Conservatoire de Paris, dans la classe de Marmontel pour le piano, d'Ambroise Thomas pour la composition, de François Benoist pour l'orgue. Des difficultés financières l'empêchent de se présenter au Prix de Rome. Aussi dès 1861 il est obligé de donner des cours de piano. En 1863, il donne des concerts en province, puis à Paris. On le voit aux Soirées de Rossini, puis comme interprète de musique de chambre aux Concerts Alard. Sarasate l'emmène en tournée. Diémer devient vite très populaire, à cause de sa réputation de virtuose.

En 1887, on lui confie la succession de son maître Marmontel au Conservatoire. Là, il aura d'illustres élèves, tels Cortot, Risler et Robert Casadesus. Lors de l'Exposition Universelle en 1889, il donne une série de récitals de clavecin, instrument ressuscité pour la circonstance. Devant l'intérêt du public pour la sonorité du clavecin, Diémer décide de fonder avec Van Waefelghem, Grillet et Bleuzet, la

Société des Instruments Anciens. Dès lors, il va se faire un ardent militant pour la musique ancienne, éditant et transcrivant pour le piano de nombreuses œuvres de clavecinistes français que l'on croyait irrémédiablement perdues. En 1902, il organise un concours triennal de clavecin à Paris.

Son art était fait de virtuosité et d'extrême précision. Son intérêt pour la musique ancienne a très certainement influé sur son jeu et sur son enseignement.

Il laisse de nombreuses pièces pour piano, et quelques œuvres pédagogiques dont une méthode. Fervent défenseur de la musique de son temps, il est le dédicataire de nombreuses partitions : *Variations symphoniques* (Franck), *Concerto n° 3* (Tchaïkovski), *Barcarolle n° 12* (Fauré), *Concerto* (Lalo), *Suite pour piano n° 2* (Enesco), *Concerto* (Massenet), *Concerto n° 5* et *Rhapsodie d'Auvergne* (Saint-Saëns).

Dikov, Anton

Pianiste bulgare, né à Sofia le 29 juillet 1938.

Il fait ses études de piano au Conservatoire d'État de Sofia avec Luba Entcheva jusqu'en 1961. Depuis 1954, il se produit dans son pays puis à l'étranger. En 1956, il obtient un prix au Concours Franz Liszt à Budapest puis à Rio de Janeiro en 1962 et enfin le 3e prix au Concours Marguerite Long en 1963. Il a reçu les conseils de Nadia Boulanger, Arthur Rubinstein et Robert Casadesus. Il poursuit une carrière internationale.

Dimitrova, Ghena

Soprano bulgare, née à Pleven le 6 mai 1941.

Entrée au Conservatoire de Sofia en 1959, elle travaille avec Christo Brumbarov et obtient son diplôme en 1967. Aussitôt engagée à l'Opéra de Sofia, elle débute dans Abigaïl *(Nabucco)*. En 1970, elle remporte le 1er prix au Concours international de Trévise. A Parme, elle chante *Un Bal masqué* avec Carreras et Cappucilli (1972), à Saragosse, *André Chénier* avec Domingo (1975). Elle débute au Colón dans *Turandot* en 1977 et au Bolchoï en 1978. Sa carrière se développe en italie où elle chante les grands rôles de Verdi et de Puccini *(Aïda, Nabucco, Turandot, Tosca)*. Elle chante *La Gioconda* à Vérone en 1980 et s'y produit régulièrement depuis. Elle incarne Tosca à l'Opéra de Vienne et *la Fanciulla del West* à Berlin (1982) avant de chanter *Turandot* à la Scala sous la direction de Lorin Maazel (1983), *Aïda* au Palais des Sports de Bercy et *Macbeth* à Salzbourg (1984).

Dintrich, Michel

Guitariste français, né à Bar-sur-Aube le 10 août 1933.

Il étudie la musique assez tôt, travaillant d'abord le violon puis le piano. Il ne se tourne vers la guitare qu'à l'âge de 20 ans et décide alors de s'orienter vers une carrière professionnelle. Il travaille avec Segovia à Sienne et à Saint-Jacques-de-Compostelle. En 1965, il adopte la guitare à dix cordes qui lui offre davantage de possibilités. Il s'associe à d'autres musiciens, notamment Patrice Fontanarosa. Il transcrit plusieurs pièces et compose pour son instrument.

Di Stefano, Giuseppe

Ténor italien, né à Motta Santa Anastasia (Catania) le 24 juillet 1921.

Sa famille fait de gros sacrifices pour qu'il puisse étudier le chant avec Luigi Montesanto, à Milan. Mais la guerre interrompt ses études. Interné dans un camp à Vidy (près de Lausanne), il est remarqué lors d'une émission réalisée en direct du camp de prisonniers. La direction de Radio-Lausanne obtient qu'il puisse travailler sa voix et participer à certaines émissions. Il débute réellement, en 1946, au Théâtre municipal de Regio Emilia comme Des Grieux (*Manon Lescaut* de Puccini). La même année, il est invité au Liceo de Barcelone. L'année suivante, il chante à l'Opéra de Rome et, en 1948, à la Scala. De 1948 à 1950, il obtient de brillants succès au Met. Mais sa carrière triomphale commence, en 1951, à la Scala. De là, il rayonne dans le monde entier, sur scène et en concert. L'Opéra de Vienne, Covent Garden, Paris, Chicago, San Francisco, Mexico, Buenos Aires, Rio de Janeiro et Johannesbourg se l'arrachent. Il participe aux festivals de Vérone (1950 : *Les Pêcheurs de Perles* de Bizet) et d'Édimbourg. Durant des années, sa carrière sera liée à celle de Maria Callas dont il est le partenaire principal et avec laquelle il enregistre un très grand nombre de disques. Mais sa voix naturelle de ténor verdien s'assombrit. Berlin-Ouest l'engage pour chanter *Le Pays du sourire*. La production remporte un tel succès qu'il la promène en tournée dans toute l'Amérique du Nord et dans plusieurs pays d'Europe. Il retrouve Maria Callas, pour mettre en scène *Les Vêpres siciliennes*, lors de la réouverture du Teatro Regio de Turin, puis pour effectuer une importante tournée de concerts mais qu'ils interrompront brusquement l'année suivante, en 1974.

Dixon, Dean

Chef d'orchestre américain, né à New York le 10 janvier 1915, mort à Zug (Suisse) le 4 novembre 1976.

Dean Dixon est le premier chef d'orchestre noir qui soit parvenu à faire une carrière internationale. Il fait ses études à la Juilliard School avec Albert Stroessel (1936-39) et à l'Université Columbia de New York. En 1937, il dirige son premier concert et, l'année suivante, il fonde l'Orchestre de Chambre de New York. Sa personnalité s'impose peu à peu et, comme Marian Anderson, il ouvre de nombreuses portes aux musiciens noirs. Il est invité à diriger l'Orchestre de la N.B.C. (1941), la Philharmonie de New York (1942) et l'Orchestre de Philadelphie (1943). En 1944, il fonde l'American Youth Orchestra puis, à la fin des années quarante, il vient en Europe. En 1950-51, il est à la tête de l'Orchestre Philharmonique d'Israël, de 1953 à 1960, il est directeur musical de l'Orchestre Symphonique de Göteborg, puis il est nommé chef permanent de l'Orchestre de la Radio de Francfort (1961-74). A la même époque, il est aussi à la tête de l'Orchestre Symphonique de Sydney (1964-67).

Outre son action en faveur des artistes noirs, Dean Dixon a beaucoup œuvré pour la musique américaine qu'il a largement fait connaître en Europe.

Dmitriev, Alexandre

Chef d'orchestre soviétique, né à Leningrad le 19 janvier 1935.

Il fait ses études au Conservatoire de Leningrad où il travaille la direction d'orchestre avec Kondriavstseva et la composition avec Tiouline. En 1966, il remporte le 1er prix du Concours des chefs d'orchestre de l'U.R.S.S. Il se perfectionne ensuite à Vienne où il est l'élève de Hans Swarowsky (1970). Pendant dix ans, il dirige l'Orchestre Symphonique de la Radio et Télévision Carélienne (1961-71) avant d'être nommé chef permanent au Théâtre Kirov de Leningrad (1973). Il devient ensuite l'adjoint de Mravinski à la Philharmonie de Leningrad (1977).

Dobrowen, Issaï (Issaï Barabeichik)

Chef d'orchestre russe naturalisé norvégien, né à Nijni-Novgorod le 27 février 1894, mort à Oslo le 9 décembre 1953.

A Moscou, il travaille avec Taneiev avant de séjourner à Vienne où il est l'élève de Godovski. Il fait ses débuts au Bolchoï en 1919 puis est nommé à Dresde en 1923 où il dirige en même temps que Fritz Busch. Il y donne notamment la 1re audition en Allemagne de *Boris Godounov*. Sa carrière le mène ensuite à l'Opéra de Berlin (1924-27), à l'Opéra de Sofia (1927-28), puis aux États-Unis : de 1929 à 1934, il est à la tête de l'Orchestre Symphonique de San Francisco. Il revient en Europe où il est nommé à l'Opéra de Budapest (1936-39). En 1939, il prend la direction de l'Orchestre Symphonique de Göteborg avant d'être nommé à l'Opéra de Stockholm en 1941. Tout en dirigeant les ouvrages lyriques, il commence à réaliser ses premières mises en scène. De 1948 à 1953, il dirige régulièrement le répertoire russe à la Scala de Milan.

Dohnányi, Christoph von

Chef d'orchestre allemand, né à Berlin le 8 septembre 1929.

Il fait ses études musicales à Munich, où il obtient en 1951 le Prix de direction Richard Strauss. Petit-fils du compositeur Ernö von Dohnányi, il rejoint celui-ci aux États-Unis et travaille notamment avec Bernstein. En 1952, Georg Solti l'engage à l'Opéra de Francfort comme chef de chœur, puis chef d'orchestre. Il devient directeur musical à Lübeck (1957-63) puis à Kassel (1963-66). De 1968 à 1975, il est directeur musical et intendant de l'Opéra de Francfort, fonctions qu'il cumule avec la direction de l'Orchestre Symphonique du W.D.R. de Cologne (1964-69). En 1975, il est nommé directeur musical et intendant de l'Opéra de Hambourg ce qui ne l'empêche pas de poursuivre une carrière internationale. Il a assuré la création des opéras *Der Junge Lord* (Berlin, 1965) et *Die Bassariden* (Salzbourg, 1966) de Henze et *Baal* de Cehra (Salzbourg, 1981). Il a épousé la cantatrice Anja Silja.

Depuis 1984, il a succédé à Lorin Maazel comme directeur musical de l'orchestre de Cleveland.

Dohnányi, Ernst von (Ernö Dohnányi)

Pianiste, chef d'orchestre et compositeur hongrois, né à Bratislava le 27 juillet 1877, mort à New York le 9 février 1960.

Il travaille d'abord avec son père, violoncelliste amateur et Karl Forstner, organiste de la cathédrale de Bratislava (1885-94). Il se rend à Budapest en 1894, y étudie le piano et la composition avec Stefan Thomán et Hans Koessler et reçoit ses premières récompenses (1897 : Prix du Roi de Hongrie). Il se perfectionne avec Eugen d'Albert et commence sa carrière en 1898 à Londres sous la direction de Richter. Il compose alors ses premières œuvres. A partir de 1900, il se produit sur le plan international, imposant notamment les œuvres peu jouées de Mozart, Beethoven et la musique de chambre de Schubert. Son ami Joseph Joachim l'invite en 1908 à enseigner le piano à la Hochschule de Berlin. En 1915, il est de retour à Budapest où il exerce une activité intense comme défenseur de la jeune école hongroise (Kodály, Bartók). En 1916, il enseigne à l'Académie de Budapest dont il prend la direction en 1919. Il en est écarté quelques mois plus tard par le régime politique. Il continue néanmoins ses activités et dirige l'Orchestre Philharmonique de Budapest dont il sera le chef principal de 1919 à 1944. Il effectue des tournées aux États-Unis de 1921 à 1927. En 1928, il reprend ses fonctions à l'Académie de Budapest (piano et composition). En 1931, il est nommé directeur musical de la Radio Hongroise jusqu'en 1944 et à nouveau de l'Académie de Budapest (1934). Devant la montée nazie, il est contraint de quitter la Hongrie. Il séjourne en Argentine puis s'installe en 1949 aux États-Unis, à Tallahassee, comme professeur à l'Université de Floride. Il se produit pour la dernière fois au Festival d'Edimbourg en 1956.

Dohnányi comptait parmi les pianistes les plus marquants de sa génération. Il fut l'un des premiers à imposer l'intégrale des *32 Sonates* de Beethoven tout en défendant avec conviction la jeune musique. Comme pianiste, on lui doit la création d'œuvres de Bartók (*3 Burlesques* et *4 Nénies op. 9a*, 1917). Comme chef d'orchestre, il a dirigé en 1re audition les *4 Pièces pour orchestre op. 12* (1922), la *Suite de danses* (1923), la suite du *Mandarin merveilleux* (1928) et celle du *Prince de bois* (1931) de Bartók ainsi que le *Psalmus Hungaricus* (1923) de Kodály.

Dokchitser, Timotei

Trompettiste soviétique, né à Tchernigovchtchina le 13 décembre 1921.

Il étudie à l'École Glazounov avec un soliste de l'Orchestre du Bolchoï, I. Vassilenki, puis à l'Institut Gnessine de Moscou avec M. Tabarov. En 1941, il est lauréat du concours des musiciens interprètes de l'U.R.S.S. En 1945, il est nommé trompette solo au Bolchoï où s'accomplira l'essentiel de sa carrière. Deux ans plus tard, il remporte le 1er prix au Festival de la jeunesse et des étudiants de Prague. Il commence alors une carrière de soliste tout en s'intéressant à la direction d'orchestre qu'il étudie avec Leo Guinsbourg au Conservatoire de Moscou (1952-57). Il dirige ses premiers concerts en 1957 et quelques représentations au Bolchoï (*Werther, Faust, La Traviata*). Mais la trompette reste son moyen d'expression premier et d'abord au sein de l'orchestre. En 1971, il est nommé professeur au Conservatoire de Moscou. Il s'est affirmé comme le chef de file de l'école soviétique de trompette : plusieurs compositeurs ont écrit pour lui (Guédiké, Pakhmoutova, Weinberg).

Doktor, Paul

Altiste autrichien naturalisé américain (1952), né à Vienne le 28 mars 1919.

Il étudie d'abord le violon avec son père Karl, altiste du Quatuor Busch. Il obtient son diplôme de l'Académie de musique de Vienne en 1938. Il travaille alors l'alto et remporte le concours international de Genève en 1942. Il avait fait ses débuts en 1938-39 avec le Quatuor Busch comme second altiste, à Zürich et à Londres. Il quitte Vienne en 1938 et, de 1939 à 1947, il est alto solo de l'Orchestre Symphonique de Lucerne et du Collegium Musicum de Zürich. Il se fixe aux États-Unis en 1947 et débute à Washington l'année suivante. De 1948 à 1951, il est membre du quatuor résident de l'Université du Michigan où il enseigne également. A partir de 1953, il est professeur au Mannes College de New-York puis à Philadelphie (1970) et à la Juilliard School (1971). Il a travaillé avec des formations de musique de chambre comme l'Ensemble Rococo, le New York String Quartet, le Paul Doktor String Trio. Il a créé les concertos de Quincy Porter (1948) et Walter Piston. Il joue sur un alto du XVIIe siècle attribué à Pietro Guarneri de Mantua.

Dolmetsch, Arnold

Claveciniste et musicologue anglais, né au Mans le 24 février 1858, mort à Haslemere (Surrey) le 28 février 1940.

Né dans une famille de musiciens, il apprend très jeune le piano, l'orgue et le violon avec Vieuxtemps au Conservatoire de Bruxelles (1881-83). Il travaille également, au Royal College of Music de Londres, le violon (Holmes) et l'harmonie (Bridge). Il enseigne lui-même le violon au Dulwich College (1885-89) mais ses goûts l'orientent vers la musique ancienne. A partir de 1889, il commence à fouiller le répertoire médiéval et renaissant, acquérant et restaurant des instruments anciens (luth, clavicorde). Il construit son propre clavecin qu'il expose en 1896. Dès 1890, il donne des concerts sur instruments anciens. En 1904, il s'installe à Boston chez le facteur de piano Chickering and Sons où il produit (1905-11) luths, violes, clavicordes, clavecins (celui de Busoni) puis de 1911 à 1914, il travaille à Paris pour la maison Gaveau. En 1914, il gagne l'Angleterre et fonde en 1917 à Haslemere sa propre maison qui devient bientôt un centre de musique ancienne notamment à partir du festival qu'il crée dans cette ville à partir de 1925. Avec son fils Carl, il met au point une large diffusion de la flûte à bec (fabrication et enseignement) : la Society of Recorder Players sera fondée en 1937. En 1929 voient le jour la Fondation Dolmetsch et la revue *Consort*. Dolmetsch publie de nombreux articles et notamment les livres *Select English Songs and dialogues of 16e et 17e Centuries* (1912) ainsi que *The Interpretation of the music of the 17e et 18e centuries* (1915). Sa troisième femme Mabel (1874-69), danseuse et gambiste, ses enfants Hélène (1878-1924), gambiste et violoncelliste, Rudolf (1906-42) harpiste, gambiste, chef d'orchestre ayant publié *The Art of Orchestral Conducting* (1942), Carl (né en 1911) virtuose de la flûte à bec ayant publié *Ornementation and Phrasing for the Recorder* (1939), ont poursuivi l'effort de ce pionnier pour l'exécution et la diffusion de la musique et des instruments anciens.

Domingo, Placido

Ténor espagnol, né à Madrid, le 21 janvier 1941.

Il chante, à 16 ans dans la troupe de zarzuela de ses parents à Mexico, un rôle mineur de baryton. On reconnaît vite sa voix de ténor. Il reçoit une formation musicale complète : piano, composition, direction d'orchestre. Il étudie avec Markevitch (Conservatoire de Mexico) puis passe une audition de chant à Mexico ; il se rend à Dallas, à Tel Aviv. 1967-68 : le voici en Europe. En 1968, il débute au Metropolitan. 1971 : il suit les cours de Maria Callas à la Juilliard School. Personnalité dramatique très forte, voix souple et puissante, il est à l'aise dans Donizetti (Nemorino, de l'*Elixir d'Amour*) et dans Verdi (*Otello* à Hambourg en 1976, un triomphe). Il aime chanter *La Bohème* et *La Traviata*. Consacré à Paris, sous la direction de Solti, à Milan avec Kleiber, Placido Domingo connaît bien les liens entre chanteurs et orchestre ; pianiste, il répète seul. Par son timbre homogène, sa vaillance, ce musicien qui a l'art du phrasé suscite l'enthousiasme partout dans le monde, dans *Carmen, Le Trouvère* ou *Les Maîtres chanteurs*. Au cinéma, il a incarné Alfredo dans *La Traviata* (Zeffirelli, 1982) et Don José dans *Carmen* (Rosi, 1983). Il a épousé la soprano mexicaine Marta Ornelas.

ÉCRITS : *Mes quarante premières années* (1984).

Dominguez, Oralia

Alto mexicaine, née à San Luiz Potosi le 15 octobre 1927.

Elle étudie au Conservatoire national du Mexique, et durant la première année, tient déjà une partie de soliste dans *La Damoiselle élue* (Debussy). Elle débute en 1950 à l'Opéra de Mexico et vient en Europe, trois ans plus tard. Après son premier concert au Wigmore Hall de Londres, elle effectue une tournée à travers la France, l'Espagne, l'Allemagne et la Hollande. Invitée en 1953 à la Scala, elle est la Princesse de Bouillon dans *Adrienne Lecouvreur* (Cilea). Puis elle apparaît au San Carlo, à la Monnaie, à l'Opéra de Vienne et à l'Opéra de Paris. En 1955, elle crée au Covent Garden *A Midsummer Marriage* de Michaël Tippett. En 1955 et 1957, elle participe au Festival de Glyndebourne. Depuis 1960, elle est attachée à l'Opéra de Düsseldorf, tout en continuant de se produire dans le monde entier. Partout son timbre exubérant, teinté d'exotisme, et sa voix à la technique parfaite font merveille.

Donat, Zdislava

Soprano polonaise, née à Poznań le 4 juillet 1936.

Elle fait ses études au Conservatoire de Varsovie, puis en Italie. Lauréate de plusieurs concours internationaux (Helsinki, Toulouse), elle est engagée à l'Opéra de Poznań (1964-71). Dès 1971, elle est appelée à l'Opéra de Varsovie, où elle aborde les grands rôles coloratures. Aussitôt de nombreux engagements lui font parcourir l'Europe et l'Amérique du Nord. Mais ses plus grands succès, elle les remporte à l'Opéra de Munich ; aussi l'État Bavarois lui a-t-il décerné le titre de *Kammersängerin*. L'été 1980, elle fait la navette entre le Festival de Bregens, où elle chante Constance (*L'Enlèvement au sérail*), et le Festival de Salzbourg, où elle est la Reine de la Nuit (*La Flûte enchantée*). Le succès remporté dans ce rôle la fait inviter au Japon, en France, en Suisse... Mais le répertoire italien lui vaut d'autres succès, avec *Lucia di Lammermoor*, Norina (*Don Pasquale*), *La Traviata*, Gilda (*Rigoletto*), Oscar (*Un Bal masqué*).

Donath, Helen (Helen Erwin)

Soprano américaine, née à Corpus Christi (Texas) le 10 juillet 1940.

A dix ans, elle chante dans un chœur d'église. Carl Dapholl lui fait travailler sa voix et à 18 ans, elle débute à New York en concert, interprétant des mélodies. Elle demeure en Amérique du Nord jusqu'en 1960. En 1961, elle vient en Europe.

Engagée à l'Opéra de Cologne, elle débute dans la deuxième fille du Rhin (*l'Or du Rhin*). En 1963, elle quitte Cologne pour Hanovre, où elle appartient à la troupe de l'Opéra jusqu'en 1966. Elle y débute en Pamina (*La Flûte enchantée*) et épouse le chef d'orchestre, Klaus Donath. En 1967, appelée par l'Opéra de Munich, elle commence une brillante carrière, tant à la scène qu'en concert. A de nombreuses reprises, elle participe au Festival de Salzbourg (Pamina, en 1964), ainsi qu'au Festival de Pâques, avec Karajan. Invitée à Vienne, Hambourg, Zürich, Paris... etc. elle s'impose parallèlement comme une admirable interprète de mélodies. C'est un beau soprano lyrique, très à l'aise dans le coloratur.

Dondeyne, Désiré

Chef d'orchestre français, né à Laon le 20 juillet 1921.

Il fait ses études musicales aux Conservatoires de Lille et de Paris où il remporte des prix de clarinette, musique de chambre, harmonie et composition (Tony Aubin). Il fait ses débuts comme clarinette solo à la Musique de l'Air avant d'être nommé chef de la Musique des Gardiens de la Paix (1954-81). En quelques années, il transforme cet ensemble en l'une des meilleures harmonies de France et suscite tout un répertoire d'œuvres originales qu'écrivent à son intention Milhaud, Landowski, Ibert, Durey... Il est l'auteur, avec Frédéric Robert, d'un *Nouveau traité d'orchestration*. On lui doit la redécouverte de la *Symphonie funèbre et triomphale* de Berlioz ainsi que de nombreuses pages originales pour instruments à vent de Wagner, Mendelssohn, Gossec ou Cherubini. Il a enregistré l'intégrale des œuvres pour ensemble d'harmonie de R. Strauss, Fauré, Schmitt, Milhaud et Kœchlin.

Doneux, Edgard

Chef d'orchestre belge, né à Liège le 25 mars 1920.

Sa formation musicale lui est intégralement dispensée au Conservatoire de Liège. A l'âge de 20 ans, Edgard Doneux est appelé à diriger l'orchestre de l'Opéra Royal de sa ville natale puis, en 1946, est nommé premier chef au Théâtre Royal de la Monnaie, à Bruxelles. En 1949, il entre comme premier chef d'orchestre à la Radiodiffusion-Télévision Belge où il dirige l'Orchestre de Chambre et le Nouvel Orchestre Symphonique de la R.T.B.F. (1978-84). De nombreux compositeurs lui ont dédié des œuvres : Legley son *Lo spirito di contradizione* (ouverture pour une comédie de Goldoni), Bozza un *Hommage à Rossini*, M. Quinet une *Suite symphonique*, Nussio deux œuvres pour orchestre, Loucheur, Schmitt, Ameller... Il a fondé le Ballet Royal et l'Opéra Royal de Wallonie, et le Festival de Chimay. Il est directeur artistique du Spa musical.

Dong Suk Kang

Voir à **Kang Dong-Suk.**

Dorati, Antal

Chef d'orchestre et compositeur hongrois naturalisé américain (1947), né à Budapest le 9 avril 1906.

Son père est violoniste, sa mère enseigne le piano et le violon. A quatorze ans, il entre à l'Académie de musique de Budapest où il étudie le violoncelle, le piano, la composition et la direction d'orchestre. Il travaille également à l'Université de Vienne. Il est le plus jeune chef-assistant à l'Opéra Royal de Budapest (1924-28). Il a étudié avec Bartók et Kodály et travaillera plus tard avec celui-ci au collectage des documents folkloriques. Il donne des 1res auditions de Stravinski en Hongrie en dirigeant *Le Chant du rossignol* et *Œdipus-Rex* en 1928. Puis il assiste Fritz Busch à Dresde avant d'être nommé 1er chef à Münster (1929-32). Pendant huit ans, il va être associé aux Ballets Russes de Monte-Carlo, de 1933 à 1938 comme 2e chef puis, de 1938 à 1941 comme directeur musical. Il parcourt le monde avec cette compagnie et se fixe à New York en 1941 où il devient direceur musical de l'American Ballet Theatre, poste qu'il conservera jusqu'en 1945 tout en commençant une carrière de chef invité : au cours de la saison 1941-42, il est notamment directeur musical de la New York Opera Company. On lui confie ensuite l'organisation de l'Orchestre Symphonique de Dallas dont il est directeur musical (1945-49). Sa carrière sera désormais consacrée au concert. Il dirige successivement l'Orchestre Symphonique de Minneapolis (1949-60), l'Orchestre Symphonique de la B.B.C. (1963-67), l'Orchestre Philharmonique de Stockholm (1966-74), l'Orchestre National de Washington (1970-76), le Royal Philharmonic Orchestra (1975-78) et l'Orchestre Symphonique de Detroit (1977-81).

Doué d'une mémoire prodigieuse, Dorati se présente lui-même comme un « médecin de l'orchestre ». Son répertoire est gigantesque : Bartók et Kodály dont il détient la tradition vivante, Stravinski, Messiaen ou Dallapiccola qu'il impose dans le monde entier, Haydn dont il a réalisé l'intégrale des *Symphonies* entre 1970 et 1973 avant d'entreprendre l'intégrale des opéras... On lui doit plus de 500 disques qui témoignent de sa personnalité étonnante. Schuller lui a dédié les *7 Études d'après des tableaux de Paul Klee*. Parmi les nombreuses créations figurant à son actif : *Sinfonia serena* (Hindemith, 1947), *Concerto pour alto* (Bartók, 1949), *Concerto pour orchestre* (Gerhard, 1965), *Visages d'Axel* (Nigg, 1967), *Symphonie n° 6* (1949) et *n° 10* (1976) de W. Schuman. Compositeur fécond, il est l'auteur d'une *Cantate* (1957), d'une *Missa brevis* (1958), d'un poème chorégraphique, *Magdalena*, d'un *Concerto pour piano* (1975) écrit à l'intention de sa femme Ilse von Alpenheim, et du ballet *Graduation Ball* d'après des valses des Strauss.

Dorfmann, Ania

Pianiste russe naturalisée américaine, née à Odessa le 9 juillet 1899.

Elle travaille avec Aisberg, élève de Leschetizky, puis vient se perfectionner au Conservatoire de Paris dans la classe d'Isidore Philipp où elle remporte un 1er prix. De 1914 à 1920, elle revient en Russie avant d'aborder une carrière internationale, jusqu'en 1926. Elle séjourne alors à Paris, y enseigne. En 1936, elle se fixe aux États-Unis. Elle joue avec Toscanini et enregistre avec lui en 1945, le *Concerto n° 1* de Beethoven. A partir de 1966, elle enseigne à la Juilliard School.

Doria, Renée

Soprano française, née à Perpignan le 13 février 1921.

Après des études musicales très complètes (piano, solfège, harmonie), elle se consacre au chant et se produit en concert dès l'âge de 18 ans. Ses grands débuts ont lieu en 1942 à l'Opéra de Marseille dans la Rosine du *Barbier*, un triomphe qui lui vaut de chanter « au pied levé » quelques jours après Olympia puis Lakmé, son rôle fétiche, qui marque ses débuts à l'Opéra-Comique (1944). Désormais elle est lancée. Les prises de rôles se succèdent : Leïla, Gilda, Violetta, Constance qu'elle chante à Cannes sous la direction de Reynaldo Hahn, Mireille, Philine (*Mignon*, sans oublier sa Norina du Châtelet où elle eut successivement pour partenaire Luis Mariano, Mario Altéry et Tito Schipa. Elle débute au Palais Garnier en 1947 dans la Reine de la nuit. Elle y chantera par la suite *Rigoletto* (Gilda), *La Traviata* (Violetta), *Les Indes Galantes, Les Dialogues des Carmélites*... Vanni-Marcoux, maître bienveillant et scrupuleux, l'emmène en Hollande puis en Italie où elle met à son répertoire Marguerite, Lucia, Juliette et les trois rôles des *Contes d'Hoffmann* qu'elle chantera notamment à Strasbourg, scène où elle a incarné Fiordiligi, Suzanne, Pamina, Ophélie, la Comtesse du *Comte Ory* ou Concepcion de l'*Heure Espagnole*. En trente ans de carrière, Renée Doria a chanté plus de 60 rôles.

Doucet, Clément

Pianiste belge, né à Lacken (Bruxelles) le 9 avril 1894, mort à Bruxelles le 11 septembre 1950.

Son père avait été valet de chambre du Roi des Belges, son oncle maître de Chapelle. Il fait ses études au Conservatoire de Bruxelles avec De Greef, à treize ans joue dans un orchestre à Ostende, quitte sa famille, s'embarque sur un navire comme pianiste. Pendant des années, il fait des traversées, jouant avec de petits orchestres toutes sortes de musiques. Il aime la liberté, l'aventure, s'arrêtant dans une ville, s'y produisant dans un cabaret et tenant les grandes orgues à l'église, passant de la polka aux fugues de Bach qu'il connaît par cœur.

Son secret ? Huit heures de piano par jour pendant quarante ans. Jean Wiener le rencontre dans un petit atelier, place d'Italie ; Doucet y révèle l'orphéal, étrange instrument à clavier entre l'harmonium et le piano. C'est en 1923. Il est passionné de rag-time et de jazz. Modeste, doux et violent tour à tour, il attire Wiener. Doucet accepte de tenir le second piano dans un *Concerto* de Jean Wiener, puis présente avec lui un concert à deux pianos au Théâtre des Champs-Élysées. Dès lors, Wiener et Doucet deviennent inséparables. Pendant quinze ans, ils jouent plus de 2 000 fois en public, dans le monde entier. « Jamais heureux », dit Wiener, « car il était impatient de vivre le lendemain. Il donnait tout ce qu'il n'avait pas. Quand il jouait *Chopinata*, ou triturait la musique de Wagner, fonçant dans la *Mort d'Isolde*, tout s'arrêtait autour de lui. J'ai vu Casals et Rubinstein dans le ravissement. »

C'est au Bœuf sur le toit, que Cocteau vient de mettre à la mode, que Clément Doucet, auprès de Jean Wiener, acquiert sa célébrité. Dans ses concerts « sérieux », il rapproche Beethoven de Rossini, les chansons d'Yvonne Georges, de Bach, interprète à ravir la *Rhapsodie nègre* de Poulenc, compose aussi (*Chopinata*). Clément Doucet « a vécu dans un contexte de Brueghel, moitié ange, moitié mauvais garçons, dans un monde où il ne comprenait rien » (Wiener), un grand artiste plein d'invention et d'innocence ! Till Eulenspiegel.

Doukan, Pierre

Violoniste français, né à Paris le 11 octobre 1927.

Il fait ses études musicales au Conservatoire de Paris où il remporte un 1er prix de violon. Sa carrière débute rapidement et, en 1955, il obtient le 3e prix au Concours reine Elisabeth de Belgique. Il se fait surtout connaître comme interprète de musique de chambre et voit ses premiers enregistrements couronnés par l'Académie du disque français en 1958. Pierre Doukan est professeur au Conservatoire de Paris depuis 1969.

Doussard, Jean

Chef d'orchestre français, né à Saint-Mélaine-sur-Aubance le 1er juillet 1928.

Il commence ses études au Conservatoire d'Angers (flûte et solfège) et les poursuit au Conservatoire de Paris (classe de flûte de Marcel Moyse) où il obtient un 1er prix de flûte. Il travaille alors la direction d'orchestre avec Jean Fournet, Paul Van Kempen et Ferdinand Leitner. Lauréat du Concours international de Besançon (1952), il remporte le 1er prix du Concours international de direction de l'Académie de Sienne (1953). Il commence sa carrière à la tête de l'Orchestre Radio-Symphonique d'Alger (1953-55). Nommé chef de l'International Ballet du Marquis de Cuevas (1956-61), il est le premier chef français à faire une tournée en Chine (1965). Après avoir dirigé des opéras à Lyon et Paris et s'être retrouvé à la tête des meilleures formations orchestrales françaises, il devient chef permanent du Théâtre de Nancy (1975-79). En 1979, il est nommé chef d'orchestre à l'Opéra du Nord, à Lille.

Downes, Edward

Chef d'orchestre anglais, né à Birmingham le 17 juin 1924.

Il fait ses études à l'Université de Birmingham (1941-44) avant de travailler le cor et la composition au Royal College of Music de Londres. En 1948, il reçoit une bourse, la Carnegie Scholarship, qui lui permet d'aller étudier pendant deux ans la direction d'orchestre avec Hermann Scherchen. A son retour à Londres, il est nommé chef assistant de la Carl Rosa Opera Company (1950-51) puis chef d'orchestre à Covent Garden (1952-69). Il sera notamment l'assistant de Georg Solti et le premier chef anglais depuis Beecham à diriger *La Tétralogie* (1967). De 1972 à 1976, il est directeur musical de l'Opéra d'Australie à Sydney. En 1980, il est nommé à la tête du B.B.C. Northern Symphony Orchestra. Il dirige également l'Omrœp Orkest à la Radio d'Hilversum. Downes a traduit en anglais plusieurs opéras russes (*Guerre et paix, La Khovantchina, Le Nez, Katerina Ismaïlova*). Il a créé l'opéra de R.R. Bennett, *Victory* (1970).

Doyen, Jean (Abel Jean Doyen)

Pianiste français, né à Paris le 9 mars 1907, mort à Versailles le 21 avril 1982.

Il a neuf ans lorsqu'il entre au Conservatoire de Paris dans la classe d'E. Schwarz (solfège), puis en 1917 dans la classe de S. Chené (piano) et en 1919 dans celle de L. Diémer, enfin dans celle de M. Long. En 1922, il reçoit un 1er prix de piano et débute trois ans plus tard aux Concerts Colonne. Il participe alors au montage du ballet de J. Ibert *Les Rencontres*, à l'Opéra. Après avoir suivi l'enseignement de G. Caussade (contrepoint et fugue), il entre en 1926 à la Radiodiffusion Française. En 1930, il obtient le 2e prix de contrepoint et de fugue, suit les cours de P. Vidal et d'H. Büsser (composition), reçoit le prix Gabriel Fauré lorsqu'il a trente ans. Il succède à Marguerite Long comme professeur de piano au Conservatoire de Paris (1941-77).

On lui doit plusieurs créations et redécouvertes : ainsi les *Variations sur un thème de Don Juan* de Chopin, *Les pièces brèves* et *Cyrnos* de Tomasi (1929-30), les *Pièces françaises* de Canteloube, *Fantaisie sur un vieil air de ronde française* de d'Indy (1931), les *Trois Danses* de Samazeuilh (1957). Parmi ses œuvres : *Marine* pour quatuor à cordes et quatuor vocal féminin, *Concerto pour piano* et orchestre. Il est l'auteur de cadences pour des concertos de piano de Haydn (ré maj.) et Mozart (ré mineur).

Drenikov, Ivan

Pianiste bulgare, né à Sofia le 28 décembre 1945.

Il termine ses études au Conservatoire d'État de Sofia en 1966 dans les classes de P. Vladiguerov et de P. Pelichek. Puis il travaille à l'Académie Sainte-Cécile de Rome avec Vincenzo Vitale. De 1968 à 1970, il est l'élève d'Arturo Benedetti-Michelangeli à Bergame et Lugano. En 1965 il avait obtenu le 3e prix au Concours Busoni.

Dreyfus, Huguette

Claveciniste française, née à Mulhouse le 30 novembre 1928.

Elle apprend le solfège, puis le violon dès l'âge de cinq ans. Au début de la guerre elle entre au Conservatoire de Clermont-Ferrand. A seize ans elle obtient un 1er prix de piano et vient se perfectionner à Paris (piano, écriture, esthétique, histoire de la musique) où elle obtient un diplôme supérieur à l'École Normale, puis au Conservatoire. En 1950, elle découvre le clavecin dans la classe de Norbert Dufourcq et décide de se consacrer à cet instrument. Elle travaille avec J. Masson, obtient une mention en 1951, puis en 1953 suit les cours de R. Gerlin à l'Académie Chigiana de Sienne. En 1958, elle remporte la 1re médaille de clavecin au Concours international de Genève et sa famille lui offre un clavecin français du début du XVIIIe siècle, signé Nicolas Blanchet. Elle commence alors une carrière internationale. En 1963, elle fait une longue tournée aux États-Unis avec l'Orchestre de P. Kuentz et donne ses premiers cours d'été à Saint-Maximin. Nommée professeur à la Schola Cantorum de Paris en 1967, elle se rend ensuite dans toutes les grandes villes du monde, donne des récitals de clavecin et pianoforte à Vienne, joue avec Christian Lardé, András Adorjan (flûte) ou Eduard Melkus (violon).

Si elle montre une prédilection pour Bach, Haydn, Couperin, elle interprète aussi avec bonheur les *Mikrokosmos* de Bartók et a créé un concerto de Günther

Bialas en 1973. Elle est professeur de clavecin et donne des cours complémentaires à l'Institut de musicologie de la Sorbonne.

Drouet, Jean-Pierre

Percussionniste français, né à Bordeaux le 30 octobre 1935.

Prix de trompette à Bordeaux, il vient à Paris où il remporte un 1er prix de percussion en 1958. Il étudie la composition avec Leibowitz et Puig, écrit des musiques de scène (*Le Jardin des délices, Une Saison au Congo*) et des ballets pour Blaska, Violetta Faber, Garnier. Passionné par le jazz (il joue avec le groupe André Hodeir et, aujourd'hui, avec Michel Portal) il découvre la musique contemporaine et la sert dès sa rencontre avec Berio en 1960. Les musiques iranienne, indienne, le fascinent : il apprend le zarb (durant six ans avec Chémirami) et les tablas avec Chatur Lal. Il joue dans l'Ensemble Musique Vivante de Diego Masson et participe aux créations de Boulez (*Domaines*), Berio (*Laborintus*), Stockhausen, etc., puis forme un trio de percussions, le Cercle (avec W. Coquillat et G. Silvestre), et improvise de façon éblouissante avec le New Phonic Art (Portal, Globokar, Alsina) fondé en 1969. Il est l'un des interprètes les plus convaincants d'une musique d'aujourd'hui qui se moque des frontières et des genres. Il signe des compositions comme *Ball* ou *Combien de cercles superposés*, joue avec le groupe Puissance 4 (M. et K. Labèque, S. Gualda) et allie l'invention à la rigueur.

Duchâble, François-René

Pianiste français, né à Paris le 22 avril 1952.

Son père lui enseigne les rudiments du piano. En 1964, il entre dans la classe de Joseph Benvenutti, au Conservatoire de Paris, et de Madeleine Giraudeau-Basset. En 1968, alors âgé de 16 ans, il remporte un prix au Concours Reine Elisabeth à Bruxelles. En 1973, c'est le Prix de la Fondation Sacha Schneider, qui lui organise un concert l'année suivante salle Gaveau. Remarqué par Arthur Rubinstein, sa carrière est désormais bien engagée. A la différence de ses pairs, Duchâble a besoin de périodes de silence, loin des foules et de la scène. Ce qui explique que le public et la presse semblent toujours le redécouvrir. En 1980, la rencontre avec Karajan opère un tournant décisif pour sa carrière. La même année, il donne six concerts avec la Philharmonie de Berlin et son chef, en jouant le *3e Concerto* de Bartók.

Dufranne, Hector

Baryton belge, né à Mons le 25 octobre 1871, mort à Paris le 3 mai 1951.

Après avoir étudié le chant au Conservatoire Royal de Bruxelles, il débute en 1896 au Théâtre de la Monnaie dans le rôle de Valentin de *Faust*. Mais c'est à Paris qu'il fait carrière à partir de 1900, comme membre de la troupe de l'Opéra-Comique, créant notamment le rôle de Golaud dans *Pelléas et Mélisande* (1902), *Les Armaillis* de G. Doret (1906), *Fortunio* de Messager (1907), *Le Chemineau* de Leroux (1907), *Thérèse* de Massenet (1907), *l'Amour des trois oranges* de Prokofiev (Chicago, 1921, sous la direction du compositeur), *les Tréteaux de Maître Pierre* de de Falla (dans le salon de la princesse de Polignac, en 1923), et participant aux créations françaises de *La Tosca* et de *Salomé*. Il s'est produit également sur les scènes du Manhattan Opera de New York (1908-10), de l'Opéra de Chicago (1910-22), de l'Opéra de Philadelphie et du Théâtre Colón de Buenos Aires, et s'est retiré en 1932.

Dumay, Augustin

Violoniste français, né à Paris le 17 janvier 1949.

Il voit le jour dans une famille de musiciens. Très tôt, il travaille le piano puis, à partir de cinq ans, le violon. A dix ans, il entre au Conservatoire de Paris dans la classe de Roland Charmy et en ressort trois années plus tard avec un 1er prix (1962). Il donne son premier concert au Théâtre des Champs-Elysées, à Paris, en 1963, ce qui attire l'attention sur lui de maîtres tels que Menuhin et Szeryng. Arthur Grumiaux, après l'avoir entendu, lui donne régulièrement des cours en Belgique de 1962 à 1967. Retenu par Grumiaux, il amorce lentement sa carrière à partir de 1967. Il se produit en soliste mais aussi fait de la musique de chambre avec Jean-Philippe Collard, Frédéric Lodeon et Michel Beroff. En 1975, il enregistre pour l'intégrale de la musique de chambre de Gabriel Fauré. En 1979, il joue avec la Philharmonie de Berlin sous la direction de Karajan. Il se produit régulièrement avec les violoncellistes Yo Yo Ma, Lynn Harell, les pianistes Katia et Marielle Labèque. Il a créé à Bruxelles la *Sequenza* de Berio en 1979, ainsi que le *Concerto* de Marius Constant ; celui de Isang Yun lui est dédié. Il joue sur un Stradivarius daté 1721 ayant appartenu à Kreisler.

Dumond, Arnaud

Guitariste et luthiste français, né à Paris le 2 juin 1950.

Il obtient sa licence de concert à l'École normale de musique de Paris dans la classe d'Alberto Ponce (1971) puis il suit des stages de perfectionnement avec Narciso Yepes, Emilio Pujol et John Williams. En 1973, il remporte le 1er prix au Concours international de guitare de Paris, l'année suivante un 3e prix au Concours des Jeunesses Musicales internationales à Belgrade et en 1979 le 3e prix au Concours international Gaudeamus de musique contemporaine à Rotterdam. Professeur au Conservatoire du IXe Arrondissement de Paris, il crée une classe de guitare à l'École nationale de musique d'Évreux. Chroniqueur régulier au *Guitariste Magazine*, Arnaud Dumond compose non seulement pour guitare et pour luth mais aussi pour le violon et le clavecin. Depuis 1979, il joue en duo avec la claveciniste Michèle Delfosse. Lauréat du Concours international de Tokyo en 1982, il a composé plusieurs œuvres pour son instrument. Il est invité régulièrement pour des stages et des master-classes aux Etats-Unis et en Europe.

Dunn, Mignon

Mezzo-soprano américaine, née à Memphis (Tennessee) le 17 juin 1928.

Déjà tout enfant, elle ne rêve que d'être cantatrice et les retransmissions radio des matinées dominicales du Met ne font que renforcer son ambition. A force de travail, elle obtient une bourse du Met et se voit couronnée de tous les lauriers. Elle débute en 1956 au New York City Opera dans le rôle-titre de *Carmen*. Deux ans plus tard, elle paraît sur la plus célèbre scène du nouveau continent. Elle est lancée. Désormais, le monde entier est son champ d'activité. Elle concurrence les grandes Italiennes en Amnéris, en Azucena, en Santuzza ou dans la partie d'alto du *Requiem* de Verdi. Elle concurrence les grandes Allemandes en Ortrude, en Fricka ou en Vénus, sans parler de Brangaene ou de Waltraute. Mais en Mère Marie des *Dialogues des Carmélites* ou en Geneviève de *Pelléas et Mélisande* ou encore dans la mère de *Louise*, elle donne la mesure de sa sensibilité au langage musical français. Parallèlement à sa carrière lyrique, Mignon Dunn poursuit avec beaucoup de succès une carrière de mélodiste et de concertiste.

Dupré, Desmond

Luthiste et gambiste anglais, né à Londres le 19 décembre 1916, mort à Tonbridge le 16 août 1974.

Au Royal College of Music de Londres, il étudie avec Ivor Jame et Herbert Howells. De 1948 à 1949, il appartient à l'Orchestre Boyd Neel (il y est violoncelliste) puis, en 1950, il enregistre pour la première fois avec Alfred Deller, qu'il accompagne à la guitare. Il a été le partenaire du claveciniste Thurston Dart, avec lequel il a d'ailleurs enregistré les *Sonates pour viole de gambe et clavecin* de Bach. Considéré comme l'un des pionniers du renouveau du luth en Angleterre, il a joué régulièrement avec le Deller Consort et fait partie de plusieurs ensembles de musique ancienne (Morley Consort, Jaye Consort of viols, Musica Reservata...).

Du Pré, Jacqueline

Violoncelliste anglaise, née à Oxford le 26 janvier 1945.

Elle étudie le violoncelle à la Guildhall School of Music de Londres avec William Pleeth, puis à Paris avec Tortelier, en Suisse avec Casals et à Moscou avec Rostropovitch. Ses débuts datent de 1961. Elle commence une carrière éblouissante sur les grandes scènes internationales. En 1967, elle épouse Daniel Barenboim avec lequel elle joue souvent en sonate, ou en trio avec Pinchas Zukerman. Sa carrière est interrompue en 1972 par une sclérose en plaques. Elle possède un violoncelle de Stradivarius daté de 1712 : le *Davidov*. Elle a créé la *Romance* pour violoncelle et orchestre d'Alexander Gœhr (1968) dont elle est dédicataire.

Dupré, Marcel

Organiste et compositeur français, né à Rouen le 3 mai 1886, mort à Meudon le 30 mai 1971.

Issu d'une famille de musiciens, il travaille d'abord avec son père, organiste à Saint-Ouen de Rouen. A 12 ans, il est nommé titulaire de l'orgue de Saint-Vivien et commence à étudier avec Guilmant. Il entre au Conservatoire de Paris : ses maîtres sont Diémer pour le piano (1er prix en 1905), Guilmant et Vierne pour l'orgue (1er prix en 1907), Widor pour la fugue (1er prix en 1909) et la composition (Grand Prix de Rome en 1914). Dès 1906, Widor le prend comme assistant à Saint-Sulpice. Après la guerre, il commence une carrière internationale en jouant à Paris l'intégrale de l'œuvre pour orgue de J.-S. Bach en 10 concerts (1920). Suivent des tournées en Angleterre et aux U.S.A. où il se rendra régulièrement. En 1934, il succède à Widor à l'orgue de Saint-Sulpice et en 1939, il effectue un tour du monde. De 1926 à 1954, il est titulaire de la classe d'orgue au Conservatoire de Paris : son enseignement, classique, se situe dans la lignée de Widor et de Guilmant. Il a ainsi formé plusieurs générations d'organistes français parmi lesquels O. Messiaen, M.-Cl. Alain, P. Cochereau... En 1947, il prend la direction du Conservatoire américain de Fontainebleau et, de 1954 à 1956, il est à la tête du Conservatoire de Paris.

Ses improvisations sont restées célèbres dans le monde entier. Certaines de ses œuvres ont d'ailleurs été écrites d'après des improvisations (*Symphonie-Passion*, 1924, *Le Chemin de la Croix*, 1931). Sa production de compositeur est essentiellement tournée vers l'orgue : *Variations sur un vieux noël* (1922), *Préludes et fugues, Chorals, Cortège et litanie* pour orgue et orchestre (1921). Dans plusieurs partitions il a associé avec bonheur le piano à l'orgue. Marcel Dupré a réalisé l'édition des œuvres pour orgue de J.-S. Bach, Mendelssohn, Schumann et Franck.

Duruflé, Maurice

Organiste et compositeur français, né à Louviers le 11 janvier 1902.

Élève de la maîtrise de la cathédrale de Rouen, il travaille l'orgue au Conservatoire de Paris avec Tournemire, Dukas et Vierne, dont il sera le suppléant à Sainte-Clotilde et à Notre-Dame. Premier prix d'orgue, d'harmonie et de composition, il est nommé en 1930 titulaire à Saint-Étienne-du-Mont, à Paris, orgue dont il partage les claviers avec sa femme, Marie-Madeleine Duruflé-Chevalier. Amoureux de l'orgue classique et des Cavaillé-Coll, qu'il touche aussi bien à Sainte-Clotilde qu'à Notre-Dame, Maurice Duruflé – ainsi que l'a noté Norbert Dufourcq – « a retenu certaines formules dont ses maîtres s'étaient faits les précurseurs : registrations judicieuses, poétiques, et jamais outrancières ». S'il a révélé une grande partie de l'œuvre de Charles Tournemire, ses compositions pour l'orgue sont peu nombreuses (paradoxalement) : on ne compte, en effet, qu'une demi-douzaine de pages, toutes écrites entre 1929 et 1943. Parmi celles-ci, *Prélude, fugue et variations, Prélude, adagio et choral varié sur le « Veni*

Creator » (1931), qu'il a lui-même enregistré sur le grand Danion-Gonzalez de la cathédrale de Soissons, et surtout, *Prélude et fugue sur le nom d'Alain,* œuvre datant de 1943 qui est un hommage à son ancien condisciple à la classe de Dukas au Conservatoire. Il s'agit, en fait, d'une manière de « tombeau » composé sur des notes correspondant aux lettres A.L.A.I.N.

En dehors des pages pour orgue, Maurice Duruflé a écrit un admirable *Requiem,* pour solistes, chœurs, orchestre et orgue, publié en 1947. Il a créé le *Concerto pour orgue* de Poulenc en 1941.

Dushkin, Samuel

Violoniste américain, né à Suwalki (Pologne) le 13 décembre 1891, mort à New York le 24 juin 1976.

Il fait ses études musicales à la Music School Settlement de New York et au Conservatoire de Paris (avec Rémy et Ganaye). Il est également l'élève de Auer et Kreisler. Sa carrière débute après la guerre avec un tour d'Europe (1918) et un tour des États-Unis (1924). Violoniste à la virtuosité transcendante, il a réalisé à son propre usage de nombreuses transcriptions de pages célèbres qui sont encore parfois jouées en bis. Il se fait le champion de la musique contemporaine à laquelle il réserve une part importante de ses programmes. Stravinski lui dédiera son *Concerto* (1931) et son *Duo concertant* (1932), deux pages dont il assurera la création. Martinů lui dédiera son *1er Concerto,* qu'il ne jouera jamais, et sa *Suite concertante* qu'il créera en 1945.

Dussaut, Thérèse

Pianiste française, née à Versailles le 20 septembre 1939.

Fille du compositeur Robert Dussaut et d'Hélène Covattis, professeur de solfège au Conservatoire de Paris, elle fréquente l'École normale de musique dès l'âge de quatre ans. L'année suivante, Marguerite Long découvre son talent et l'accueille en 1946. A douze ans, elle entre dans la classe de Jean Doyen au Conservatoire de Paris, dont elle sort avec un 1er prix deux ans plus tard. A quinze ans, elle obtient un 1er prix de musique de chambre dans la classe de Pierre Pasquier, puis elle travaille à la Musikhochschule de Stuttgart avec Wladimir Horbowski, et à Genève avec Louis Hiltbrand. En 1956, elle remporte le 1er prix au concours international de Munich. Elle se perfectionne ensuite sous la direction de Pierre Sancan. Sa carrière se développe rapidement et elle a fait plusieurs fois le tour du monde, notamment en 1975 pour l'année Ravel. Elle a enregistré plusieurs disques en France ou aux États-Unis, dont l'intégrale pour clavier de Rameau.

Dutoit, Charles

Chef d'orchestre suisse, né à Lausanne le 7 octobre 1936.

Il commence au Conservatoire de Lausanne des études musicales (violon, piano et direction d'orchestre) qu'il poursuit au Conservatoire de Genève (alto et direction d'orchestre). En 1958, il obtient son diplôme de chef d'orchestre et part pour Sienne étudier avec Alceo Galliera. En 1959, il poursuit ses stages de direction d'orchestre à Tanglewood. De 1957 à 1959, il est engagé comme altiste dans différents orchestres d'Europe et d'Amérique du Sud. De retour en Suisse, il travaille avec des chœurs et des orchestres d'étudiants. A partir de 1959, il dirige l'Orchestre de la Suisse romande (OSR) et l'Orchestre de Chambre de Lausanne (OCL). De 1964 à 1966, il est nommé chef d'orchestre à Radio Zürich. De 1965 à 1967, il est invité comme chef pour les soirées de ballet à l'Opéra de Vienne et travaille, entre autres, avec Massine pour *Le Tricorne* et Noureev pour *Le Lac des Cygnes.* Il succède à Paul Klecki comme directeur musical de l'Orchestre Symphonique de Berne (1966-78). Appelé à la Scala, il y dirige une série de concerts ainsi qu'à la Philharmonie de Berlin. Après avoir dirigé l'Orchestre National Symphonique de Mexico (1973-75) et l'Orchestre Symphonique de Göteborg (1975-78), il est nommé directeur musical de l'Orchestre

Symphonique de Montréal (1977). Son répertoire va de Monteverdi à Messiaen, avec une prédilection pour Stravinski, mais depuis son établissement à Montréal, il s'est mis pour point d'honneur d'aider la jeune musique québécoise et vient de créer certaines pages de François Dompierre.

Duval, Denise

Soprano française, née à Paris le 23 octobre 1923.

Ayant fait ses études au Conservatoire de Bordeaux, elle y débute au Grand Théâtre. Mais vite, elle se tourne vers la chanson. Elle participe même à une revue des Folies Bergères où elle est découverte par Cocteau et Poulenc. Le compositeur décide d'écrire pour elle des œuvres spécifiques. Elle est ainsi engagée en 1947 à l'Opéra de Paris, où elle crée *Les Mamelles de Tirésias* (Poulenc). Elle remporte un très grand succès et aborde un répertoire fabuleux, dont les temps forts sont les rôles de soprano dans les ouvrages français, qu'elle interprète également à l'Opéra-Comique, avec une prédilection pour les œuvres contemporaines. Elle chante la première des *Mamelles*, en 1953, à New York. Mais ses grands triomphes seront la première française des *Dialogues des Carmélites* (rôle de Blanche) de Poulenc, en 1957 à l'Opéra de Paris et surtout la création de la *Voix humaine* (Poulenc-Cocteau) à l'Opéra-Comique (1959) puis à la Scala de Milan. Elle est invitée à l'Opéra de Cologne, à la Monnaie, à Amsterdam, à Liège, au Colón... En 1964, elle crée au studio de Genève de la Radio Suisse *Faits divers* (Zbinden) ; peu après elle se retire de la scène et se consacre au professorat.

Dvořákova, Ludmilla

Soprano tchécoslovaque, née à Kolin le 11 juillet 1923.

Après avoir étudié avec Jarmila Vavrdova de 1942 à 1949 au Conservatoire de Prague, elle débute à Ostrava en 1949 (*Káťa Kabanová*). A Bratislava (1952) et Prague (1954) elle chante *Jenůfa, Russalka,* la Comtesse, Leonore (*Trouvère*), *Aida,* puis Milada (*Dalibor*), Elisabeth, Leonore (*Fidelio*) et Senta. Elle débute à la Staatsoper de Berlin (Octavian) en 1960 et aborde les rôles plus lourds du répertoire : Brünnhilde, Ariadne, Vénus, Tosca, la Maréchale, Isolde. En 1965, elle débute à Vienne (*Katerina Ismailova*), en 1966 au Met (Leonore) et au Covent Garden (Brünnhilde), en 1967 à l'Opéra de Paris (Brünnhilde). A Bayreuth, elle apparaît de 1965 à 1971 dans les rôles de Gutrune, Vénus, Brünnhilde, Kundry et Ortrud.

Dyck, Ernest Van

Voir à **Van Dyck, Ernest.**

E

Eda-Pierre, Christiane

Soprano française, née à Fort-de-France (Martinique) le 24 mars 1932.

Elle fait ses études au Conservatoire de Paris, dont elle sort, en 1957, avec un triple 1er prix de chant, d'opéra et d'opéra-comique. L'année suivante, elle débute à Nice dans *Les Pêcheurs de perles.* En 1960, elle est engagée à l'Opéra-Comique et à l'Opéra de Paris où elle interprète *Lakmé, les Indes galantes, Zoroastre, les Contes d'Hoffmann, Dardanus...* Elle s'impose avec éclat dans le répertoire italien (*Lucia di Lammermoor, Rigoletto, le Barbier de Séville, La Traviata* et *l'Orfeo* de Monteverdi où elle chante Eurydice) et surtout dans le répertoire mozartien où elle se révèle une des plus ravissantes voix de soprano de l'Opéra de Paris (la Reine de la nuit, Dona Anna, la Comtesse, Constance). Elle est Gilda au Bolchoï de Moscou, puis fait ses débuts à Londres en 1966, dans *l'Enfant et les Sortilèges.* La même année, elle se produit pour la première fois aux États-Unis. Depuis lors, elle a parcouru l'Europe et l'Amérique. Elle a participé aux Festivals de Wexford, de Salzbourg et d'Aix-en-Provence. Elle a créé *Les Amants captifs* de Capdevielle et *D'un espace déployé* (1973) de G. Amy. Elle a aussi participé à la première française de *Médée* de Milhaud à l'Opéra. Charles Chaynes a écrit pour elle *Pour un monde noir,* qu'elle a créé en 1979, et *Erszebet* (Opéra de Paris, 1983). Au Palais Garnier, elle crée également l'Ange de *Saint François d'Assise* (Messiaen, 1983). Nommée, en 1977, professeur de chant au Conservatoire de Paris, elle mène parallèlement sa carrière de pédagogue et d'artiste internationale, aussi recherchée pour la scène que pour le concert.

Eddy, Nelson

Baryton américain, né à Providence (Rhode Island) le 29 juin 1901, mort à Miami le 6 mars 1967.

Après avoir fait des études supérieures à l'Université de Californie du Sud (diplômé bachelier ès arts), il étudie le chant. Il est successivement opérateur cinématographique, rédacteur dans une agence de publicité, dessinateur de journaux. Il débute à l'Opéra de Philadelphie puis, en 1924, à New York, au Metropolitan Opera, dans le rôle de Tonio de *Paillasse.* Il chante aussi dans *Wozzeck* et dans *Carmen* (rôle d'Escamillo). Mais, la célébrité ne vient qu'à partir de 1933, lorsqu'il est, à l'écran, le partenaire de Jeannette MacDonald, dans des comédies musicales aussi connues que *Rose-Marie, The Chocolate Soldier,* ou *New Moon.* Il prête sa voix, au timbre très chaud, à d'autres performances cinématographiques : *Balalaïka* (où il chante *Les Bateliers de la Volga* en russe, et l'air du toréador de *Carmen* en français), *Le Fantôme de l'Opéra* (version de 1943), où il chante un extrait de *Boris Godounov*, etc. Nelson Eddy a aussi abordé le répertoire mélodique, en particulier avec des œuvres de Mozart et de Schubert, sans oublier Moussorgski.

Edelmann, Otto

Baryton-basse autrichien, né à Vienne le 5 février 1917.

Il fait ses études à l'Académie de musique de sa ville natale avec Theo Lierhammer et Grüner Graarud, et fait ses débuts en 1937 au Théâtre de Gera (dans *Les Noces de Figaro*). Engagé par l'Opéra de Nüremberg, en 1938, il voit sa carrière interrompue par la guerre et la captivité. Il débute à la Wiener Staatsoper en 1947, dans le rôle de l'Ermite du *Freischütz* et reste fidèle à ce théâtre, recevant en 1960 le titre de *Kammersänger*. Il participe au Festival de Bayreuth des années de réouverture (1951-52), y incarnant Hans Sachs des *Maîtres Chanteurs*, rôle qu'il chantera également à New York pour ses débuts au Met (1954) et à Edimbourg. Il participe au Festival de Salzbourg de 1948 à 1964, chantant en particulier Ochs du *Chevalier à la rose* pour l'inauguration de la nouvelle salle du Festspielhaus. De 1951 à 1954, il est invité régulièrement à la Scala de Milan. Ses rôles les plus marquants restent Leporello, Amfortas et Gurnemanz de *Parsifal*, Heinrich de *Lohengrin*, Rocco de *Fidelio*, Plunkett de *Martha* et Dulcamara de *l'Élixir d'amour*.

Edinger, Christiane

Violoniste allemande, née à Potsdam le 20 mars 1945.

Elle travaille le violon à l'Académie de Musique de Berlin puis à New York à la Juilliard School. Elle reçoit les conseils de Vittorio Brero, de Nathan Milstein et de Joseph Fuchs et fait ses débuts à Berlin en 1962. En 1969, elle reçoit le Prix des Arts de la jeune Génération de Berlin. Son répertoire, très ouvert, lui a permis d'enregistrer l'intégrale des *Sonates et Partitas* de J.S. Bach. Elle joue beaucoup de musique contemporaine, Blacher, Maderna, et a été l'une des premières interprètes du *Concerto* de Penderecki après son créateur Isaac Stern. Parmi les œuvres qu'elle a créées figurent les concertos de Halffter et d'Aldo Clementi (1977), la *Sonate pour violon seul* de von Einem (1977) et *Magnétiques* de Miroglio (1984).

Egmond, Max Van

Voir à **Van Egmond, Max.**

Egorov, Youri

Pianiste soviétique, né à Kazan le 28 mai 1954.

Il commence ses études musicales à l'âge de six ans dans son pays natal. En 1971 il se présente au Concours Long-Thibaud et entre au Conservatoire de Moscou. En 1975, il participe au Concours Reine Élisabeth de Belgique et c'est en 1977 qu'il décide de quitter définitivement l'Union Soviétique et de se fixer en Hollande. Interprète racé, que les Américains ont déjà comparé à Vladimir Horowitz lors de son concert au Carnegie Hall en 1978, Youri Egorov se produit à présent dans tout le monde occidental.

Ehrling, Sixten

Chef d'orchestre suédois, né à Malmö le 3 avril 1918.

Il reçoit une formation de pianiste au Conservatoire de Stockholm et va travailler la direction d'orchestre à Paris (avec Albert Wolff), Londres et Dresde (avec Karl Böhm). Il fait ses débuts à Stockholm en 1940 où il est nommé à la tête de la Société des Concerts (1943). De 1953 à 1960, il est directeur musical de l'Opéra Royal de Stockholm où il crée notamment l'opéra de Blomdahl *Aniara* (1959). Il consacre une part importante de ses activités à l'enseignement : au Mozarteum de Salzbourg (1954) et à l'Académie Royale de Stockholm (à partir de 1956). En 1963, il succède à Paul Paray à la tête de l'Orchestre Symphonique de Detroit où il restera jusqu'en 1973. Il prend également la direction du Meadow Brook Music

Festival en 1964. A partir de 1973, il dirige régulièrement au Met et enseigne à la Juilliard School de New York. De 1974 à 1976, il est à la tête de l'Orchestre Symphonique de Göteborg. En 1978, il est nommé conseiller musical et 1er chef invité de l'Orchestre Symphonique de Denver.

Eichhorn, Kurt

Chef d'orchestre allemand, né à Munich le 4 août 1908.

Après des études au Conservatoire de Würzburg, il débute comme chef des chœurs puis chef d'orchestre au Théâtre de Bielefeld (1932). En 1938, il est directeur musical à Teplitz-Schönau et, deux ans plus tard, à Karlsbad. En 1941, il est chef permanent à l'Opéra et à la Philharmonie de Dresde. En 1945, il est attaché à la Philharmonie de Munich avant d'être nommé, l'année suivante, à l'Opéra de cette même ville où se déroulera la suite de sa carrière. Entre 1956 et 1967, il est directeur musical au Théâtre de la Gärtnerplatz puis il est nommé à la tête de l'Orchestre de la Radio de Munich (1967-75). Depuis 1954, il enseigne à la Hochschule de Munich.

Elman, Mischa

Violoniste russe naturalisé américain en 1923, né à Talnoi (Kiev) le 20 janvier 1891, mort à New York le 5 avril 1967.

Il commence ses études de violon à Odessa, avec Fieldman, et donne son premier concert en 1899, en jouant le *Concerto* de Bériot. En 1901, il part travailler au Conservatoire Impérial de Saint-Pétersbourg avec Leopold Auer. Ses débuts, hors les frontières russes, ont lieu à Berlin en 1904 suivis d'une importante tournée dans toute l'Allemagne, l'Angleterre, la France et les États-Unis, où il apparaît en 1909. Mischa Elman peut être considéré comme l'un des grands de l'École violonistique russe de Saint-Pétersbourg : virtuose prodigieux, doté d'une ample et superbe sonorité, son répertoire allait de la musique ancienne à la plus moderne, avec peut-être une prédilection pour les romantiques (dont Brahms) et pour les compositeurs slaves (Tchaïkovski, Dvořák). Ysaÿe lui a dédié son poème *Extase*, Martinů son *2e Concerto* pour violon. Il possédait depuis 1907 le Stradivarius de Joachim sur lequel il joua toute sa vie, alternant parfois avec un autre Stradivarius, le *Madame Récamier* (1717), cadeau de mariage (1925) de sa propre femme.

Entre 1924 et la fin de la dernière guerre, il participa activement à un quatuor à cordes qu'il avait lui-même fondé.

Elmendorff, Karl

Chef d'orchestre allemand, né à Düsseldorf le 25 janvier 1891, mort à Hofheim le 21 octobre 1962.

Il étudie la direction d'orchestre à la Hochschule für Musik de Cologne et est élève de Steinbach et Abendroth. Son premier engagement est à Düsseldorf ; puis il dirige à Mayence, Hagen et Aix-la-Chapelle avant de devenir 1er chef à la Staatsoper de Berlin de 1925 à 1932. La même fonction l'occupe bientôt à Munich. Entre-temps, en 1927, il débute à Bayreuth où il dirige *Tristan*, puis le *Ring*, *Les Maîtres chanteurs*, et *Le Vaisseau fantôme* jusqu'en 1942. En 1932, il devient directeur musical et artistique du Théâtre de Wiesbaden, puis de celui de Mannheim, et en 1943-44, il succède à Karl Böhm à la direction de la Staatskapelle de Dresde. Il achève sa carrière après la guerre notamment à Kassel et à Wiesbaden (1948-56). On lui doit la création des *Noces de Job* (J. Haas, 1944) et de la *Sonate pour 13 instruments à vent de R. Strauss* (1944).

Endrèze, Arthur (Arthur E. Kraeckmann)

Baryton américain, né à Chicago le 28 novembre 1893, mort à Chicago le 15 avril 1975.

Il fait ses études secondaires, puis étudie l'agronomie à l'Université de l'Illinois. Il chante pour son plaisir. Lors d'une soirée de bienfaisance, il est remarqué par Walter Damrosch, qui lui conseille d'aller travailler le chant en France. En 1918, il entre au Conservatoire américain de Fontainebleau. Il y reste trois ans puis prend des leçons avec Jean De Reszké. En 1925, il fait ses débuts à Nice en Don Juan puis Hamlet. Impressionné par ce styliste au timbre si pur, Reynaldo Hahn l'engage pendant quatre ans à Cannes et à Deauville. Il paraît pour la première fois sur la scène de l'Opéra-Comique dans le rôle de Karnac en 1928. Il y sera Scharpless, Scarpia, d'Orbel, Valentin et Hautecœur lors de la reprise du *Rêve* d'Alfred Bruneau (1939). En 1929, sur la scène du Palais Garnier, il chante Valentin avant d'être le Grand Prêtre de Dagon, Nevers, Telramund, Rigoletto, Kurwenal, Athanaël, et surtout le plus inoubliable Iago depuis Victor Maurel, le créateur.

Tragédien génial autant que musicien accompli, il est très recherché par les compositeurs. Parmi ses innombrables créations, figurent *Guercœur* de Magnard (rôle-titre) en 1931, *Maximilien* de Milhaud (le conseiller Herzfeld) en 1932, *Un jardin sur l'Oronte* de Bachelet (le prince d'Antioche) en 1932, *l'Aiglon* d'Honegger et Ibert (le Prince de Metternich) en 1937 à Monte-Carlo puis à l'Opéra de Paris *La Chartreuse de Parme* de Sauguet (le Comte Mosca) en 1939. Incarcéré par les Allemands en 1940 comme citoyen américain, il parvient à regagner les États-Unis mais revient en France dès la fin de la guerre et se produit notamment dans le rôle de Jacob lors des six représentations de *Joseph* de Méhul données à l'Opéra de Paris en 1946. Après s'être retiré de la scène, Endrèze consacra le reste de sa vie à l'enseignement. Doté d'une voix longue et souple, d'une diction parfaite, d'un timbre sombre et prenant, d'une grande noblesse et d'une sensibilité dramatique exceptionnelle, il a été l'un des favoris du public parisien.

Enesco, Georges

Violoniste, chef d'orchestre, pianiste et compositeur roumain, né à Liveni-Virnav (Dorohoiu) le 19 août 1881, mort à Paris le 4 mai 1955.

A sept ans, il donne son premier récital de violon. Ses parents l'envoient travailler à Vienne (1888-93) avec Joseph Hellmesberger Jr. et Robert Fuchs. Il reçoit une formation musicale complète et rencontre Brahms et Hans Richter ; il participe même à une exécution de la première symphonie en présence du compositeur. En 1893, il quitte Vienne pour Paris où il est admis au Conservatoire : ses maîtres sont Marsick (violon), Gédalge, Th. Dubois et A. Thomas (écritures), Massenet et Fauré (composition). En 1899, il remporte un 1er prix de violon ; mais le compositeur s'est déjà fait connaître depuis un an avec une exécution de son *Poème roumain* aux Concerts Colonne. Il partage sa carrière entre la composition et l'interprétation, sous toutes ses formes : direction d'orchestre, violon, piano, musique de chambre, d'abord en trio avec Louis Fournier et Alfredo Casella (1902), puis en fondant un quatuor à cordes (1904), plus tard en sonate avec Cortot, Thibaud ou Lipatti. En 1912, il fonde le prix de composition Enesco à Bucarest. Cinq ans plus tard, il participe à la formation de l'Orchestre Symphonique de Iaşi. Il est également le fondateur de la Société des compositeurs roumains. En quelques années, il jette ainsi les bases de la vie musicale moderne en Roumanie et éveille chez les musiciens de son pays une conscience nationale.

En 1925, il prend en charge la formation musicale de Yehudi Menuhin dont il sait faire le musicien universel qu'il est devenu. A la fin de sa vie, il se consacre plus largement à l'enseignement, à Harvard, à la Mannes School de New York, à l'École normale de musique de Paris, au Conservatoire américain de Fontainebleau ou à l'Académie Chigiana de Sienne (1950-54). Parmi ses élèves figurent notamment Arthur Grumiaux, Christian Ferras et Ivry Gitlis. Ysaÿe a écrit pour lui sa *Sonate pour violon seul n° 3*, Ropartz sa *Sonate pour violon et piano n° 3.* Enesco a notamment créé la *Sonate pour violon et piano* (1927) et le *Trio* de Ravel. Il a joué successivement sur un Stradivarius et sur un Guarnerius avant d'adopter définitivement un instrument moderne qu'avait fabriqué à son intention Paul Koll.

Son œuvre est marquée par la Roumanie : la musique populaire de son pays transparaît dans l'essentiel de sa production : *2 Rhapsodies roumaines* pour orchestre, *3 Symphonies*, *3 Sonates pour violon et piano* et surtout l'opéra *Œdipe* qui l'occupa pendant plus de dix ans (1936).

Engel, Karl

Pianiste suisse, né à Bâle le 1er juin 1923.

Après avoir fait ses études au Conservatoire de sa ville natale, dans la classe de Paul Baumgartner (1942-45), il gagne Paris où il suit les cours d'Alfred Cortot à l'École normale de musique. En 1952 commence sa carrière de soliste après des prix remportés aux concours internationaux de Bruxelles (Reine Élisabeth, 1952) et de Bolzano (Ferrucio Busoni, 1953). Lors de cycles Beethoven et Mozart, il joue l'intégrale des sonates de ces deux compositeurs, sans oublier les *Fantaisies* de Mozart et les *Variations Diabelli* de Beethoven. Ces concerts ont un immense retentissement dans le monde musical de l'époque. En effet, les interprétations des sonates de Mozart par Karl Engel renouvellent la conception de l'écriture mozartienne. Le maître de Salzbourg apparaît comme un prophète du romantisme, très proche par certains côtés de la musique de Beethoven ou de Schubert. Son jeu convient aussi particulièrement à la musique romantique. Il enregistrera d'ailleurs l'intégrale de l'œuvre pour piano de Schumann. Pablo Casals a souvent joué en trio avec lui. Il a aussi donné de nombreuses soirées de Lieder avec Fischer-Dieskau ou Hermann Prey. Depuis 1954, il enseigne à l'Académie de musique de Hanovre.

Engen, Keith

Basse américaine, né à Irazee (Minnesota) le 5 avril 1925.

Il étudie dans son pays, puis à l'Académie de musique de Vienne. Il se spécialise d'abord dans le concert, et c'est à ce titre qu'il débute au Théâtre municipal de Graz. Depuis 1955, il est première basse à l'Opéra de Munich. En 1958, il est appelé à Bayreuth pour être le Roi Heinrich (*Lohengrin*). Dès lors il est l'invité de tous les centres importants de l'activité musicale d'Allemagne, d'Autriche et d'Europe. Sa voix puissante et expressive fait merveille aussi bien à l'opéra qu'en oratorio (Bach, Händel...) que dans la mélodie. En 1957, il a participé à la création mondiale de *Harmonie du Monde* de Hindemith, à Munich.

Engerer, Brigitte

Pianiste française, née à Tunis le 27 octobre 1952.

Après avoir acquis sa formation de base en Tunisie, elle vient suivre deux fois par an l'enseignement de Lucette Descaves à Paris. A dix ans, elle remporte le 1er prix du Tournoi du Royaume de la musique, et entre l'année suivante dans la classe de Lucette Descaves au Conservatoire de Paris. En 1968, on lui décerne un 1er prix de musique de chambre, dans la classe de Jean Hubeau. Après avoir été lauréate du Concours Long-Thibaud en 1969, elle quitte la France l'année suivante pour Moscou où elle restera jusqu'en 1975 dans la classe de Stanislav Neuhaus. Entre-temps, elle remporte des prix au Concours Tchaïkovski en 1974, puis au Concours Reine Élisabeth à Bruxelles en 1978. En décembre 1979, elle rencontre Herbert von Karajan qui l'invite à jouer à la Philharmonie de Berlin. En formation de chambre ses partenaires sont le plus souvent le Quatuor Orlando et Maurice Gendron.

Entremont, Philippe

Pianiste et chef d'orchestre français, né à Reims le 7 juin 1934.

Son père est à l'époque chef d'orchestre de l'Opéra de Strasbourg. Sa mère, pianiste, l'initie au piano. Il travaille ensuite avec Rose Aye et Marguerite Long (1944-46). Il entre alors au Conservatoire de Paris dans la classe de Jean Doyen. En 1948, il obtient un 1er prix de musique de chambre, suivi, en 1949 d'un 1er prix de piano. Ses débuts professionnels datent de

1951 à Barcelone. Il est finaliste, en 1952, du Concours Reine Élisabeth de Belgique. En 1953, il remporte le grand prix Marguerite Long-Jacques Thibaud, ainsi que la Harriet Cohen Piano Medal. La même année, il donne au Carnegie Hall de New York la première américaine du *Concerto pour piano* d'André Jolivet. Il joue sous la direction de Stravinski, Milhaud, Bernstein. Depuis 1967, il poursuit une carrière de chef d'orchestre. En 1976 il est nommé directeur musical et chef permanent de l'Orchestre de Chambre de Vienne. Il joue en duo avec Peter Guth et Jean-Pierre Rampal et se produit avec les grands quatuors internationaux. Après avoir été, de 1974 à 1980, président de l'Académie Ravel à Saint-Jean-de-Luz, il est, depuis 1980, directeur musical de l'Orchestre Philharmonique de La Nouvelle-Orléans. Outre les grands noms du répertoire habituel, il a enregistré l'intégrale de l'œuvre pour piano de Ravel, l'œuvre pour piano et orchestre de Saint-Saëns et de nombreuses pages de Satie.

Eötvös, Peter

Chef d'orchestre et compositeur hongrois, né à Székelyndvarhely le 2 janvier 1944.

Il étudie à l'Académie de Budapest le piano et la composition, notamment avec Pál Kardos (1958-65). Il commence une carrière de chef d'orchestre comme directeur musical du Théâtre Vigszinház de Budapest (1962-64). Puis il obtient une bourse d'études pour travailler à Darmstadt (1965). L'année suivante, il suit les cours de la Hochschule de Cologne où il obtient son diplôme de direction d'orchestre (1968). Il entre alors dans le groupe de Stockhausen et effectue de nombreuses tournées avec lui. En 1971, il est nommé assistant réalisateur aux studios de la Radio de Cologne (W.D.R.). Il dirige beaucoup de musique contemporaine et Pierre Boulez fait appel à lui en 1979, le nommant directeur de l'Ensemble Intercontemporain à Paris. Il a de nombreuses créations à son actif (Stockhausen, Bancquart, Schnebel...).

Ephrikian, Angelo

Chef d'orchestre italien, né à Trévise le 20 octobre 1913, mort à Rome le 30 octobre 1982.

Il travaille le violon dès 1919 et devient l'élève de Luigi Ferro puis complète sa formation musicale en autodidacte. Il reçoit parallèlement une formation juridique, est nommé magistrat à Vérone, mais abandonne cette fonction sous l'Italie fasciste. Après la guerre, passé dans la clandestinité, il devient, de 1945 à 1947, critique musical d'un quotidien de Venise. En 1945, il remplace à sa demande, au pied levé, Antonio Guarnieri dans la *5e Symphonie* de Beethoven à la Fenice de Venise, sous un pseudonyme. Les encouragements de Guarnieri l'incitent à devenir chef d'orchestre. Ami de Malipiero, avec lequel il fonde dès 1947 l'Istituto Italiano Antonio Vivaldi, il se consacre dès lors parallèlement à l'exhumation de la musique de Vivaldi, dont il réalise pour Ricordi les premiers tomes de l'édition intégrale, et à l'interprétation de la musique baroque italienne, avec le premier orchestre de chambre fondé en Italie, La Scuola Veneziana, qui donnera de nombreux concerts en 1947-48. Sa carrière de chef d'orchestre se développe très rapidement, son répertoire s'étendant de Monteverdi à Malipiero. En 1960, il abandonne provisoirement la direction en concerts, pour se consacrer au disque, avec ARCOPHON, maison créée par ses soins pour enregistrer la musique ancienne italienne.

Ses réalisations de Gesualdo (madrigaux), Peri (*Euridice*), Stradella et Vivaldi sont couronnées dans le monde entier. ARCOPHON est dissoute en 1973. Entretemps, il est nommé directeur des Filarmonici del Teatro Comunale di Bologna en 1971, avec lesquels il effectue de nombreuses tournées en Italie et dans les pays de l'Est. En 1978, il accepte de restructurer l'Orchestre de Chambre de l'Angelicum de Milan, dont il devient également chef permanent, partageant ses activités entre Bologne, Milan, Trévise et Venise. Angelo Ephrikian a dirigé la première audition moderne de l'opéra de Vivaldi, *La Fida Ninfa* (1958, Bruxelles et Paris), et de son psaume *Dixit Dominus* (1955).

Equiluz, Kurt

Ténor autrichien, né à Vienne le 13 juin 1929.

Sa grand-mère, Eva de Lamarque, était cantatrice. Dès l'âge de 6 ans, il commence l'étude du piano, puis du violon. En 1939, il est admis parmi les Petits Chanteurs de Vienne que dirige alors Ferdinand Grossmann. Après avoir été soprano, il chante bientôt en soliste tous les grands airs d'alto des passions de Bach. Quand il quitte l'ensemble, en 1944, il a déjà entrepris à l'École Supérieure de Musique de Vienne l'étude de la harpe avec Hubert Jelinek, du chant avec Adolf Vogel et de la direction de chœurs avec Ferdinand Grossmann et Hans Gillesberger. Membre du Chœur de la Radio pendant cette période, il appartient également, de 1946 à 1951, au Chœur de chambre de l'Académie. En 1950, il est engagé comme choriste à l'Opéra d'État de Vienne et sera promu au rang de soliste en 1957. Il mène parallèlement une active carrière de concertiste, largement consacrée, à ses débuts, à la musique contemporaine. Mais, très vite, son répertoire s'étend au lied et aux cantates et passions de Bach. C'est à ce dernier compositeur qu'il doit sa célébrité. Rilling, Harnoncourt et Corboz font appel à lui comme Évangéliste dans les passions de Bach. Il dirige une classe d'oratorio au Conservatoire de Graz depuis 1964 et enseigne le lied et l'oratorio à l'École Supérieure de Musique de Vienne depuis 1981. En 1980 il obtient le titre de Kammersänger.

Erb, Karl

Ténor allemand, né à Ravensburg le 13 juillet 1877, mort à Ravensburg le 13 juillet 1958.

Ce n'est qu'à l'âge de trente ans que ce complet autodidacte, auparavant clerc municipal, débute dans *Der Evangelimann* de Kienzl (Stuttgart, 1907). Après avoir chanté à l'Opéra de Lübeck (1908-10), puis à celui de Stuttgart (1910-12), il est engagé en 1913 par l'Opéra de Munich, où il vient d'incarner avec succès Lohengrin. La création en 1917 du *Palestrina* de Pfitzner (sous la direction de Bruno Walter) marque le tournant décisif d'une carrière riche en rôles (plus de soixante-dix) et dominée par ses interprétations mozartiennes, où il retrouve comme partenaire sa femme, la soprano Maria Ivogün. Il chante également *Parsifal, Euryanthe, Der Corregidor, Iphigénie en Aulide,* etc. Amoindri par deux graves accidents, il quitte l'Opéra de Munich en 1925, où il se produit encore en invité jusqu'en 1930. Pour sa dernière apparition sur une scène d'opéra, il chante Florestan à Berlin sous la direction de Furtwängler. Grâce à la pureté séraphique de sa voix et à l'intelligence de sa diction, il devient un évangéliste (*Passion selon saint Matthieu*) et un chanteur de Lieder hors pair. Thomas Mann l'a immortalisé dans son roman *Doktor Faust* où il crée, sous le nom de Erbe, l'oratorio du héros, Adrian Leverkühn.

Erdélyi, Miklós

Chef d'orchestre hongrois, né à Budapest le 9 février 1928.

Il fait ses études à l'Académie Franz Liszt de Budapest avec Ferencsik et Kókai (1946-50) et débute à l'Opéra-Comique de sa ville natale en 1947. De 1950 à 1952, il est directeur musical du Chœur de la Radio Hongroise et, à partir de 1951, chef permanent à l'Opéra de Budapest. Sa carrière est essentiellement tournée vers le théâtre lyrique bien que, depuis quelques années, il se consacre davantage au concert, notamment à la Radio d'Hilversum où il est invité régulièrement. Il a obtenu le Prix Liszt en 1960 et le Prix Kossuth en 1975.

ÉCRITS : *Franz Schubert* (1963).

Erede, Alberto

Chef d'orchestre italien, né à Gênes le 8 novembre 1908.

Il fait ses études musicales dans sa ville natale puis à Milan avant d'aller se perfectionner à Bâle avec Weingartner (1929-31) et à Dresde avec F. Busch (1930). Il fait ses débuts à Rome à l'Académie Sainte-Cécile (1930) et dirige, en 1935, la *Tétralogie* à Turin. Il est aussitôt engagé à Glyndebourne où il dirigera régulièrement jusqu'à la guerre. De 1935 à 1938, il est directeur musical de l'Opéra de Salzbourg. Il débute à New York en 1939. Après la guerre, il est à la [tête de l'Orchestre Symphonique de la R.A.I. à Turin (1945-46), puis il est nommé directeur musical de la New London Opera Company (1946-48) qui se produit au Cambridge Theatre. En 1949, il dirige au Stoll Theatre. De 1950 à 1955, il est engagé au Metropolitan Opera de New York. On le retrouve en Allemagne à partir de 1956, comme 1er chef (1956-58) puis directeur musical (1958-62) à l'Opéra du Rhin de Düsseldorf. Puis il prend la direction de l'Orchestre Symphonique de Göteborg (1961-67). Il est invité à diriger *Lohengrin* à Bayreuth en 1968. Tout en menant une carrière internationale, il garde un contact étroit avec l'Italie et dirige à la Scala pendant six ans. A partir de 1975, il est directeur artistique du Concours Paganini à Gênes. Il a créé l'opéra de Menotti *The old Man and the Thief* (1939).

Eresco, Victor

Pianiste soviétique, né à Kiev le 6 août 1942.

Dès 1960, il obtient un 1er prix au Conservatoire de Lvóv. Et en 1962, c'est le 1er prix du Concours Intersoviétique de Piano. On l'admet au Conservatoire de Moscou dans la classe de Lev Vlassenko et dans celle d'Heinrich Neuhaus. L'année suivante il triomphe au Concours Marguerite Long-Jacques Thibaud à Paris. Il a remporté le 3e Prix Tchaïkovski à Moscou, en 1966. Marguerite Long parlait de lui comme « d'un poète inspiré maîtrisant à la perfection son clavier et l'art du son et lui faisant penser à Rachmaninov. »

Ericson, Eric

Chef de chœur et organiste suédois, né à Boroas le 26 octobre 1918.

Il fait ses études à l'École supérieure de musique de Stockholm (1941-43) puis à la Schola Cantorum de Bâle, entre 1943 et 1949. Organiste et cantor à la Jakobskirche de Stockholm depuis 1949, Eric Ericson est professeur au Conservatoire de Stockholm depuis 1953. Considéré par Sergiu Celibidache comme étant « le plus grand chef de chœur de notre temps », il dirige le Chœur de Chambre de Stockholm dès 1945, le Chœur de la Radio de Stockholm à partir de 1952 et le Chœur d'hommes d'Uppsala, Orphei Drängar, depuis 1953. Il a dirigé *La Flûte enchantée* de Mozart dans le film de Bergman.

Erlih, Devy

Violoniste français, né à Paris le 5 novembre 1928.

Il obtient son 1er prix de violon au Conservatoire dans la classe de J. Boucherit (1942), et donne son premier récital à Paris en 1946. Il commence alors une carrière de soliste, se rendant aux États-Unis pour trois tournées successives. En 1955, il remporte le 1er prix au Concours international Marguerite Long-Jacques Thibaud. En 1968, il est nommé professeur de violon au Conservatoire de Marseille. En 1973, il crée les Solistes de Marseille qu'il dirige. Compositeur, il est l'auteur de *Violostries* (en collaboration avec Bernard Parmegiani, 1965), d'un ballet, *La Robe de plumes* (1965), ainsi que de cadences pour les concertos de Mozart et Beethoven. Son répertoire est vaste. Il a créé des œuvres d'Antuñes, Milhaud (*Concerto n° 2*, 1959), Chaynes (*Concerto*, 1961), Constant (*Le Temps*, 1962), Tomasi (*Concerto*, 1964), Loucheur (*Concerto*, 1965), Sauguet (*Concerto*, 1965), Jolivet (*Suite rhapsodique, Incantation*, 1967)... Il a épousé la fille d'André Jolivet, Catherine. Il dirige depuis 1977 le Centre Provençal de musique de chambre créé par la ville de Marseille.

Ermler, Mark

Chef d'orchestre soviétique, né à Leningrad le 5 mai 1932.

Au Conservatoire de sa ville natale, il reçoit une formation musicale complète et obtient son diplôme de direction d'orchestre en 1956. Dès 1957, il est engagé au

Bolchoï comme chef permanent et gravit les différents échelons de la hiérarchie.

Eschenbach, Christoph

Pianiste et chef d'orchestre allemand, né à Breslau le 20 février 1940.

Il est le fils du musicologue H. Ringmann. Toute sa famille meurt pendant la guerre et il prend le nom de ses parents adoptifs.

A dix ans, il remporte le 1er prix au Concours Steinway à Hambourg. Il poursuit ses études à Cologne (École supérieure de musique) dans la classe de Schmidt-Neuhaus, puis retourne à Hambourg où il travaille avec Eliza Hansen et étudie la direction d'orchestre chez W. Brückner-Rüggeberg. En 1965, il est lauréat du Concours Clara Haskil à Lucerne. C'est le point de départ d'une carrière de virtuose et de tournées dans le monde entier. Invité régulièrement à Salzbourg, Aix-en-Provence, Spolète, Tanglewood, Berlin, Eschenbach dirige et joue en soliste. Il collabore avec Karajan et Szell. Mozartien, il joue aussi Beethoven, les romantiques allemands, Chopin et Bartók. Il se bat pour la musique contemporaine : en 1968 il a assuré la création de *Concerto lirico* de Günther Bialas et du *2e Concerto* de Henze. Il joue à quatre mains et à deux pianos avec Justus Frantz, fait de la musique de chambre et accompagne Fischer-Dieskau. Les débuts de sa carrière de chef d'orchestre datent de 1972 : il dirige alors la *3e Symphonie* de Bruckner. En 1978, il conduit pour la première fois un opéra, *La Traviata*, à Darmstadt. En dehors d'une brillante carrière de chef invité, il est le 1er chef de la Staatsphilharmonie Rheinland-Pfalz. En 1979, il crée *Spiegelzeit* de Egk. Nommé 1er chef invité de l'Orchestre de la Tonhalle de Zürich en 1981, il en devient le chef permanent (1982-86).

Esposito, Andrée

Soprano française, née à Alger le 7 février 1934.

Elle fait ses études musicales au Conservatoire de sa ville natale, y obtenant les premiers prix de chant, de déclamation lyrique ainsi que le premier grand prix Aletti. Au Conservatoire de Paris, elle obtient des 1ers prix de chant et d'art lyrique et, en fin d'études, le prix Osiris. Elle fait ses débuts à Metz dans le rôle de Suzel du *Juif Polonais* de Camille Erlanger, aux côtés de son professeur, Louis Noguéra. Son succès est tel qu'elle est immédiatement engagée sur toutes les grandes scènes de province dans les rôles de sopranos légers à vocalises. Elle débute à l'Opéra en 1959 dans le rôle de Violetta. Elle y est ensuite Gilda, Juliette, Oscar, Xénia de *Boris Godounov*... Elle chante aussi à l'Opéra-Comique Mireille, Micaëla, Manon... Lorsque la troupe de la R.T.L.N. est dissoute, elle fait partie de la « charette » au grand dam du public parisien et pour la plus grande joie des théâtres de province et de l'étranger. Elle ne cesse de « tourner » dans son grand répertoire : Lucia, Marguerite, Thaïs, Philine, et, bien sûr Violetta, Juliette et Oscar.

Élève de Panzéra, Andrée Esposito est une mélodiste distinguée et sa *Chanson perpétuelle* d'Ernest Chausson lui a valu un grand prix du disque. A Nancy, en 1958, elle a participé à la création mondiale du *Chevalier de Neige* de Delerue ; à Marseille, elle a créé le rôle de Lucrèce dans *Andréa del Sarto* de Daniel-Lesur. Elle a été aussi de la création en France des *Mines de Souffre* de Bennett, des *Diables de Loudun*, de Penderecki, de *Cymbeline* d'Arrieu et de *Hamlet* de Bentoiu. Elle ne dédaigne pas l'opérette, ayant un faible pour *La Chauve-souris* et *La Veuve joyeuse*. Elle est la femme du baryton Julien Haas et, tout en pousuivant leurs carrières, ils enseignent tous deux au Conservatoire de Strasbourg.

Esswood, Paul

Haute-contre anglais, né à West Bridgford le 6 juin 1942.

Il étudie au Royal College of Music de Londres avec Gordon Clinton (1961-64). De 1964 à 1971, il est vicaire laïque à l'Abbaye de Westminster. Dès qu'il commence à enregistrer (dans *Le Messie* de Händel, sous la direction de Charles

Mackerras, en 1965), sa renommée croît rapidement. Il est sollicité pour participer à des interprétations de musique ancienne, non seulement en Grande-Bretagne, mais bientôt en Allemagne et en Hollande, enfin en France et aux États-Unis, dans un répertoire aussi bien sacré que profane. En 1968, il figure dans l'opéra *Erismena* de Cavalli, donné à Berkeley (Californie) ; on ne compte plus les exécutions d'œuvres de Scarlatti, Händel, Purcell, Bach, Monteverdi (*Vespro della Beata Vergine, Ritorno d'Ulisso, Orfeo, Incoronazione di Poppea*) auxquelles il a participé. Il enregistre l'intégrale des cantates de J.S. Bach avec le Concentus Musicus de Vienne, Gustav Leonhardt et Nikolaus Harnoncourt.

Une articulation claire, un sens raffiné des nuances et de la ligne mélodique, un volume sonore soutenu et richement modelé sont quelques-unes de ses qualités majeures. Il a participé à la création du *Paradis perdu* de Penderecki (1979) et d'une œuvre de Schnittke (1983).

Estes, Simon

Basse américaine, né à Centerville le 2 mars 1938.

Après des études de médecine à l'Université d'Iowa, il travaille le chant grâce à une série de bourses à la Juilliard School de New York, puis en Europe. En 1965, il gagne le Concours international de Munich et, en 1966, le premier Concours de chant Tchaïkovski, à Moscou. Cette même année, Rolf Liebermann l'engage à Hambourg pour la création de *The Visitation* de Schuller. Il est ensuite engagé à l'Opéra de Berlin et à celui de Rome. De retour aux U.S.A., il chante à San Francisco, Chicago, Boston et Philadelphie. Il fait ses débuts au Met en 1976 (*La Norma*). L'année suivante il chante Arkel (*Pelléas*) à la Scala. Il aborde le rôle du Hollandais (*le Vaisseau fantôme*) à l'Opéra de Zürich (à la troupe duquel il demeure attaché) puis à Bayreuth, en 1978 (où il retourne chaque année ; en 1982, il y chante de surcroît Amfortas, *Parsifal*) et à l'Opéra de Paris, en 1980. Le Met lui a signé un contrat de trois ans (1982-85) pour y tenir les rôles de Wotan, Boris, Amfortas, Oreste (*Elektra*), le Landgrave (*Tannhäuser*). Sa voix sombre lui permet d'aborder avec autant de bonheur Escamillo, Don Giovanni, le Roi Marke, Amonastro ou Zaccaria (*Nabucco*). Il se produit également en concert, dans le répertoire le plus vaste allant de Händel à Stravinski.

Estournet, Jean

Violoniste français, né à Paris le 28 juin 1944.

Il entre au Conservatoire de Paris en 1959 (classe d'André Asselin) où il obtient son prix en 1963. Il débute comme violon solo à l'Opéra de Lille. De 1967 à 1972, il est membre de l'Orchestre de l'Opéra-Comique à Paris puis de l'Orchestre de l'Opéra jusqu'en 1976. Au sein de l'Ensemble Instrumental de France, il fonde l'Ensemble Rameau (instruments anciens) avec Martine Roche (clavecin) et Franky Dariel (violoncelle). Il est 1er violon de l'Ensemble Instrumental de France de 1971 à 1976. De 1976 à 1983 il est violon solo au Nouvel Orchestre Philharmonique de Radio-France puis à l'Opéra de Lyon. Il joue sur un violon Paulo Maggini de 1620.

Estrella, Miguel Angel

Pianiste argentin, né à San Miguel de Tucuman le 8 juillet 1936.

Issu d'une famille de condition modeste, il ne peut commencer réellement ses études musicales qu'à l'âge de 18 ans. En 1955 il arrive à Buenos Aires pour suivre les cours du pianiste Oreste Castronuovo. Jusqu'en 1964, il aura pour professeur Celia de Bronstein, ancienne élève de Scaramuzza, et les compositeurs Jacobo Fischer et Erwin Leuchter. Par ailleurs, il s'initie à la musique de chambre avec le Collegium Musicum de Buenos Aires. Après avoir obtenu une série de prix, comme celui du Fonds National des Arts, le Prix Pro Musicis, du Collegium Musicum (musique de chambre), du British Council et de l'Ambassade de France, on lui octroie des bourses d'études qui lui permettent de venir se perfectionner à Londres et à Paris. De 1965 à 70, il reçoit l'enseignement de Marguerite Long, Vlado Perlemuter, Tamara Osborne, Maria Curcio, Magda Tagliafero, Ilona Cabos et Yvonne Loriod. Néanmoins celle dont l'enseignement l'aura vraiment marqué reste Nadia Boulanger, dont il est l'élève de 1970 à 1971.

Sa carrière de concertiste s'est vite limitée à l'Amérique Latine, pour des raisons familiales. En décembre 1977 il est arrêté, mis en prison en Uruguay et torturé, pour avoir accueilli un opposant politique au régime en place. Un comité de soutien se constitue, présidé par Nadia Boulanger, Yehudi Menuhin et Henri Dutilleux. Ce comité n'obtient sa libération, avec l'aide de nombreuses personnalités artistiques et politiques, qu'en février 1980. Aujourd'hui, Estrella vit en France et habite Paris.

ÉCRITS : *Musique pour l'espérance* (1983).

Etcheverry, Jésus

Chef d'orchestre français, né à Bordeaux le 14 novembre 1911.

Il manifeste des dons musicaux exceptionnels qui font de lui un violoniste prodige. Pour payer ses leçons et assurer sa vie matérielle, il travaille dans des orchestres divers, y compris de brasseries. A vingt ans, il est engagé à Casablanca comme violon solo de l'Orchestre Symphonique local, puis comme professeur au Conservatoire. A la déclaration de guerre, il est mobilisé sur place. Profitant du repli au Maroc de chanteurs célèbres tels que Vezzani, Jeanson ou Bordon, une saison lyrique s'organise sous l'impulsion de Jean Mauran et de Ledoux. Au fil des premières répétitions, le chef choisi apparaît insuffisant et Etcheverry prend la baguette pour sauver la situation. On donnait ce soir-là *Rigoletto.* Son succès fut tel qu'à l'instar de Toscanini, il n'abandonna plus la baguette. La guerre terminée, les chanteurs de retour en France parlent de ce jeune et valeureux chef. Lamy, directeur du Théâtre de Nancy, l'engage comme directeur de la musique. Il y restera dix ans (1947-57), assurant parallèlement les saisons d'été de Luchon, d'Enghien ou d'Angoulême. En 1957, il est nommé 1er chef d'orchestre à l'Opéra-Comique. Il y restera jusqu'à la fermeture de la salle Favart en 1972. De 1966 à 1972, il dirige à l'Opéra de Paris. De 1972 à 1977, il prend en main la direction musicale de l'Opéra de Nantes, puis de 1977 à 1979, celle du Théâtre de Nancy. Mais ses activités françaises ne l'empêchent pas de se produire beaucoup à l'étranger : Allemagne, Suisse (dix ans durant, il assurera la saison lyrique de Lausanne), Italie, Espagne (pendant plus de dix ans, il dirigera les ouvrages français donnés au Liceo de Barcelone), Angleterre (six saisons de suite, il dirige opéras et concerts au Royal Festival Hall de Londres)... Parmi les créations mondiales dont il a assuré la direction : *Le Fou* de Landowski, *Thyl de Flandres* de Chailley, *Le Chevalier de neige* de Delerue.

Ethuin, Paul

Chef d'orchestre français, né à Bruay-sur-Escaut le 24 septembre 1924.

Il poursuit ses études secondaires jusqu'au baccalauréat avant d'entrer, en 1943, au Conservatoire de Paris dans la classe de flûte de Gaston Crunelle. Il y obtient, en 1946, un 1er prix de flûte et une 1re médaille de musique de chambre. De 1944 à 1951, il est professeur de flûte au Conservatoire de Reims. C'est au Grand Théâtre de Reims qu'il a l'occasion de diriger pour la première fois. Il y occupe les fonctions de 2e chef jusqu'en 1948, puis de 1er chef jusqu'en 1955. A cette date, il est engagé au Théâtre du Capitole de Toulouse où il reste jusqu'en 1961. Il est ensuite chef d'orchestre à Dijon (1961-62), et directeur de la musique à l'Opéra d'Avignon (1962-66). Il est nommé, en 1966, directeur de la musique au Théâtre des Arts de Rouen. De 1968 à 1971 il est chef d'orchestre à l'Opéra de Paris et à l'Opéra-Comique. Une création à retenir : *Antoine et Cléopâtre* d'Emmanuel

Bondeville (1974). En 1984, il prend la direction générale du Théâtre des Arts de Rouen.

Evans, Sir Geraint

Baryton gallois, né à Pontypridd (South Wales) le 16 février 1922.

Il étudie le chant à Cardiff, participe à des représentations d'amateurs, puis, après la guerre, se trouve à Hambourg dans les British Forces Radio Network. Il est entendu par Theo Hermann qui lui donne des cours, ainsi que Fernando Carpi à Genève et Walter Hyde à Londres. Il débute alors au Covent Garden en 1948 (le Veilleur de nuit dans *Les Maîtres Chanteurs*), et aborde le rôle de Figaro (*les Noces*) en 1949, rôle qui lui ouvrira les portes de la Scala en 1960, de l'Opéra de Vienne en 1961 et du Festival de Salzbourg en 1962. Au Met, c'est avec Falstaff qu'il débute en 1964. A son répertoire, on trouve Wozzeck, Escamillo, Lescaut, Marcello, les barytons mozartiens et les barytons bouffes (Coppelius, Don Pasquale, Dulcamara). Il participe aux créations mondiales de *Billy Budd* de Britten en 1951 (Mr. Flint), de *Gloriana* de Britten en 1953 (Montjoy), et de *Troilus and Cressida* de Walton en 1954 (Antenor). A l'Opéra de Paris, il apparaît en 1975 (Leporello). Il s'occupe également de mise en scène durant les années 1970.

Evrard, Jane

Violoniste et chef d'orchestre française, née à Neuilly-Plaisance le 5 février 1893, morte à Paris le 4 novembre 1984.

Elle entre au Conservatoire de Paris où elle obtient en 1912 un 1er prix de violon. La même année, elle épouse le violoniste et chef d'orchestre Gaston Poulet. Elle entre dans l'orchestre des Ballets de Diaghilev et, à ce titre, participe à la création du *Sacre du printemps* de Stavinski sous la direction de Pierre Monteux. Après la Première Guerre, elle se joint au Quatuor Gaston Poulet puis, à partir des années vingt, donne des cours privés et de petits concerts avec ses élèves. Sur les conseils d'Émile Vuillermoz, elle fonde en 1930 l'Orchestre Féminin de Paris qui donne son premier concert le 3 juin salle d'Iéna. Cet orchestre, essentiellement composé de 25 musiciennes à cordes, se produit régulièrement en Europe jusqu'au début des années 40. De nombreux compositeurs écrivent pour elle : Honegger, Schmitt (*Janiana*), Roussel (*Sinfonietta*), Milhaud, Migot, Jaubert (*Intermèdes op. 55*), Bozza, Rivier (*Symphonie n° 3*), Daniel-Lesur (*Variations pour piano et cordes*), Jolivet (*Andante*). Après la Libération, elle reprend son activité lors des soirées de danse de Janine Solane au Palais de Chaillot. Elle dirige en province et à la Radio nationale. Elle avait été la femme de Gaston Poulet.

F

Faber, Lothar

Hautboïste allemand, né à Cologne le 7 février 1922.

Son père, hautboïste à Cologne (Gürzenich-Orchester) l'initie à la musique. Il poursuit ses études à la Hochschule de sa ville natale et plus tard au Conservatoire de Paris. Il fait des études classiques et modernes et, comme beaucoup d'instrumentistes d'aujourd'hui, trouve un enrichissement dans les œuvres du passé. Il joue en soliste avec tous les grands orchestres. En 1946, il est hautbois solo de l'Orchestre Symphonique du W.D.R. à Cologne. Il participe aux festivals d'avant-garde (Varsovie, Venise, Berlin, Hollande, Royan). Il donne des cours à Darmstadt et à l'Accademia Chigiana, à Sienne, l'été (1972-77). Les compositeurs d'aujourd'hui écrivent pour lui et lui dédient des œuvres : Baird, *4 dialogues* (1964) et *Concerto* (1973), Fortner, Kotonski, Schuller, Zimmermann. On se souvient de cette amitié profonde et fructueuse qu'il eut avec le compositeur italien Bruno Maderna dont il est l'un des meilleurs interprètes : *1er Concerto pour hautbois et orchestre de chambre,* créé par lui à Darmstadt (1962), *2e Concerto pour hautbois et instruments,* créé à Cologne (1967), *Grande Aulodia* pour flûte, hautbois et orchestre créée à Rome (1970). Lothar Faber allie un sens poétique, pudique et raffiné, à la plus pure virtuosité. Il sait dégager les lignes de forces secrètes d'une œuvre et la rendre lisible, faire que la musique contemporaine, si difficile soit-elle, passe par l'intelligence et le cœur, comme si tout était simple. Comme Maderna il a le goût de la plénitude du son, mais sans « effets ». La musique *respire* dans son jeu.

Fábián, Márta

Cymbaliste hongroise, née à Budapest le 27 avril 1946.

Elle commence à jouer de cet instrument à l'âge de huit ans. Élève du Conservatoire Béla Bartók de 1960 à 1964, elle poursuit ses études musicales à l'Académie de musique Franz Liszt de Budapest avec Ferenc Gerencsér et reçoit son diplôme en 1967. Elle fait partie de l'Ensemble de danse d'État de Budapest (1967-73) et de l'Ensemble de Chambre de Budapest (1969). Fidèle à la tradition très riche de son pays, elle interprète la musique folklorique et classique, puis se passionne pour les contemporains. Elle incite de nombreux compositeurs à écrire pour elle : Attila Bozay, György Kurtág, László Sáry, Endre Székely, Sándor Szokolay. Ambassadrice de la musique hongroise en Europe, en Amérique Latine et en Amérique du Nord, elle participe aux festivals de musique contemporaine tels Varsovie, Graz, Zagreb. Elle a reçu le Prix Liszt, et a été remarquée dans *Éclat* de Pierre Boulez où la partie cymbalum est très importante, et dans le *Concerto* pour violoncelle, cymbalum et orchestre de Zimmermann.

Fabritiis, Oliviero de

Voir à De **Fabritiis, Oliviero.**

Fachiri, Adila (Adila d'Arányi)

Violoniste hongroise, naturalisée anglaise, née à Budapest le 26 janvier 1886, morte à Florence le 15 décembre 1962.

Petite nièce de Joseph Joachim et sœur de la violoniste Jelly d'Arányi, elle étudie dans sa ville natale avec Hubay puis, plus tard, à Berlin avec Joachim (1905-07), dont elle héritera du Stradivarius datant de 1715. Ses débuts ont lieu à Vienne en 1906, où elle joue le *Concerto* de Beethoven. En 1909 elle part pour l'Angleterre où elle épouse, en 1919, Alexandre Fachiri. Douée d'un tempérament passionné et d'une virtuosité sans faille, son souvenir reste durable. En 1902, elle avait créé un *Andante pour violon et piano* de Bartók. En duo avec sa sœur, elle donna de nombreux concerts, créant le *Double concerto* de Holst en 1930, écrit à leur intention.

Falcinelli, Rolande

Organiste française, née à Paris le 18 février 1920.

Elle commence ses études pianistiques dès l'âge de cinq ans avant d'entrer au Conservatoire de Paris où elle travaille notamment avec Marcel Samuel-Rousseau, Abel Estyle, Simone Plé-Caussade et Henri Büsser. Elle y obtient un 1er prix d'harmonie (1938), un 1er prix de fugue et un 2e prix de composition (1939). Au moment de la guerre, elle se détourne du piano au profit de l'orgue dont elle commence l'étude avec Gaston Litaize. En 1942, elle remporte un 1er prix d'orgue et d'improvisation, le 2e Grand Prix de Rome et le Prix Rossini. En 1945, elle est nommée titulaire du grand orgue de la basilique du Sacré-Cœur de Montmartre, devenant la première femme à accéder à une grande tribune de Paris. En 1948, elle est professeur d'orgue au Conservatoire américain de Fontainebleau et suppléante de Marcel Dupré au Conservatoire de Paris. Elle donne, la même année, l'intégrale de l'œuvre pour orgue de Marcel Dupré en six concerts. En 1951 elle est professeur de l'École normale de musique de Paris, avant d'obtenir, en 1955, le poste de professeur d'orgue au Conservatoire de Paris. Le catalogue de ses œuvres compte plus de 60 numéros d'opus où l'orgue se taille une part prépondérante mais non exclusive. Rolande Falcinelli est l'auteur de nombreux ouvrages didactiques, d'essais sur la spiritualité de la musique et d'analyses diverses. Sa discographie (orgue et piano) reste essentiellement consacrée à Marcel Dupré. Parmi les œuvres qui lui sont dédiées, on peut citer *Variations* de Guillou, *Variations sur un Noël imaginaire* de Wissmer et *Psaume pour notre temps* de Tisné.

Falcon, Ruth

Soprano américaine, née à New Residence (Louisiane) le 2 novembre 1946.

Elle fait toutes ses études dans sa ville natale, à l'Université de Tulane, puis grâce à une bourse de la « Marthe Baird Rockefeller Funds for music » elle se rend à New York et travaille, grâce à la « Sullivan Foundation » à l'Institut de l'Opéra national. En 1973, elle est désignée pour suivre à Florence les cours de perfectionnement de Tito Gobbi. Peu après, elle fait ses débuts avec le New York City Opera, au State Theatre de New York, dans Micaëla (*Carmen*). Aussitôt plusieurs villes américaines font appel à elle, pour des concerts ou des opéras. En 1975, elle fait ses débuts européens dans *Médée* au Théâtre Municipal de Berne (Suisse). Sa carrière se développe harmonieusement entre l'Amérique du Nord et du Sud et l'Europe où elle est engagée dans la troupe de l'Opéra de Munich. Elle chante à l'Opéra de Paris et à la Scala les grands rôles mozartiens où elle excelle.

Farnadi, Edith

Pianiste hongroise naturalisée autrichienne, née à Budapest le 25 septembre 1921, morte à Graz le 14 décembre 1973.

Enfant prodige, elle est admise à neuf ans à l'Académie Franz Liszt de Budapest, où Arnold Székely, Leo Weiner, Bela Bartók et Ilona Deckers sont ses professeurs. A douze ans, elle joue et dirige le *1er Concerto* de Beethoven. Lauréate par deux fois du Prix Franz Liszt, elle reçoit en 1938 son diplôme de l'Académie, où elle revient deux ans plus tard comme professeur. Elle enseignera également au Conservatoire de Graz. L'interprète se fait connaître dans les années cinquante comme une spécialiste de la musique de Liszt et de Bartók. Elle fut la partenaire de violonistes prestigieux : Jenö Hubay, Bronislaw Huberman, André Gertler, Gerhard Taschner, Ede Zathureczky, et des plus grands chefs de son temps.

Farrar, Geraldine

Soprano américaine, née à Melrose (Massachusetts) le 28 février 1882, morte à Ridgefield le 11 mars 1967.

Élève de J.H. Long à Boston, Emma Thursby à New York et de Trabadello à Paris, elle débute à Berlin, à l'Opéra Royal, en 1901, dans le rôle de Marguerite de *Faust*, qui la fait remarquer par Lilli Lehmann, son professeur, son guide dans ses premières saisons berlinoises (1901-07) et sa partenaire aux Festivals de Salzbourg (1906 et 1910) où Geraldine est Zerline auprès de sa protectrice, elle-même interprète de Donna Anna. Elle crée en Europe *Amica* de Mascagni (Monte-Carlo, 1905), *l'Ancêtre* de Saint-Saëns (Monte-Carlo, 1906), *le Clown* de I. de Camondo (Paris, Nouveau Théâtre, 1906) avant de faire l'essentiel de sa carrière au Metropolitan Opera de New York, où elle débute en 1906, jouant Juliette de Gounod. Jusqu'en 1922, elle y triomphe, dans deux grands rôles surtout, *Madame Butterfly* et *Carmen*, et crée *Königskinder* de Humperdinck (1910), *Julien* de Charpentier (1914), *Suor Angelica* de Puccini (1918). Le charme naturel de Geraldine Farrar, une voix au timbre clair et au phrasé incomparable convenaient idéalement au répertoire de soprano lyrique, notamment Zerline, Cherubin, Manon, Mignon, etc.

ÉCRITS : *Such Sweet compulsion,* autobiographie (1938).

Farrell, Eileen

Soprano américaine, née à Willimantic (Connecticut) le 13 février 1920.

Ses parents, qui appartenaient à une troupe de Vaudeville, effectuaient une tournée en Amérique du Nord lors de sa naissance. Elle travaille le chant avec Merle Alcock à New York puis avec Eleanor McLellan. Elle débute lors d'un concert de la société de Radio Columbia, en 1940. Les cinq années suivantes, elle chante sur les ondes de la radio américaine, dans une série d'émissions intitulées « Eileen Farrell presents ». Ce n'est qu'en 1947 qu'elle se présente sur scène et obtient aussitôt de très grands succès. En 1950, elle tient le rôle de Marie (*Wozzeck*) au Carnegie Hall, en version de concert. En 1955, elle chante *Medea* (Cherubini) à Town Hall, à New York. Elle ne fait réellement ses débuts à l'opéra qu'en 1958, à San Francisco, en Leonore (*Trovatore*). L'année suivante, elle chante *la Gioconda* à Chicago. Dès 1960, elle appartient à la troupe du Met et chante parfois à l'Opéra de Rome. Sa voix était large et incroyablement puissante.

Fassbaender, Brigitte

Mezzo-soprano allemande, née à Berlin le 3 juillet 1939.

Fille du baryton Willy Domgraf-Fassbaender et de l'actrice Sabine Peters, elle étudie le chant avec son père au Conservatoire de Nüremberg de 1957 à 1961, et débute à l'Opéra de Munich en 1961 (Niklaus dans *Les Contes d'Hoffmann*). Mezzo fétiche de cette scène où elle chante Hänsel, Sextus, Chérubin, Dorabella, Carmen, Eboli, Marina, Charlotte et les mezzo wagnériens, elle est nommée Kammersängerin en 1970. Sa carrière internationale passe par Covent Garden (1971), Paris (Brangäne en 1972, Octavian en 1977), Salzbourg (Dorabella de 1972 à 1978, Fricka en 1973), la Scala, Vienne, Berlin, le Met en 1974. Ses incarnations les plus célèbres sont les rôles travestis de Mozart et de Strauss. Elle est aussi une récitaliste et concertiste célébrée.

Fedosseiev, Vladimir

Chef d'orchestre soviétique, né à Leningrad le 5 août 1932.

Il commence ses études musicales pendant la guerre à l'École de musique de Leningrad puis les poursuit, à Moscou, à l'Institut Gnessine et au Conservatoire. Encore étudiant, il remplace un chef défaillant à la radio et dirige la *5e Symphonie* de Chostakovitch, obtenant un triomphe. C'est le début de sa carrière : il dirige les principaux orchestres soviétiques dont un cycle des symphonies de Tchaïkovski avec la Philharmonie de Leningrad. En 1974, il est nommé 1er chef de l'Orchestre Symphonique de la Radio-Télévision de l'U.R.S.S. Il mène une carrière internationale qui lui a permis de diriger en Europe occidentale et aux États-Unis.

Fellegi, Ádám

Pianiste hongrois, né à Budapest le 30 décembre 1941.

Il fait ses études musicales à l'Académie Franz Liszt de Budapest où il est l'élève de Lajos Hernádi (1958-63). Il fait aussitôt ses débuts et se perfectionne à Vienne en 1966 avec Badura-Skoda, Brendel et Demus. La même année, au Concours international de Budapest, il reçoit un prix spécial pour la meilleure interprétation de la musique contemporaine hongroise. Sa carrière s'oriente dans cette direction, sans négliger pour autant les pièces maîtresses du répertoire. Il joue et enregistre Schönberg, Berg, Bartók, Stravinski, mais aussi Láng, Soproni... Il est l'un des interprètes de prédilection de la jeune musique hongroise.

Feltzman, Vladimir

Pianiste soviétique, né à Moscou en 1952.

Issu d'une famille de musiciens, son père Oscar Feltzman, compositeur de chansons réputé en U.R.S.S., et sa mère, pianiste, lui enseignent les rudiments du piano. A six ans, il commence ses études à l'École centrale de musique dans la classe d'Evgueni Timakine. Et c'est en jouant le *Concerto* et la *Rapsodie* de Kabalevski qu'il se produit la première fois en public à l'âge de douze ans. En 1967, Feltzman remporte le 1er prix du Concours radiophonique Concertino de Prague et entre au Conservatoire de Moscou, dans la classe de Iacov Flière. Lauréat en 1971 du Concours Long-Thibaud, il commence une série de tournées tant à l'Est qu'à l'Ouest. Il est aujourd'hui étroitement surveillé en U.R.S.S., s'étant vu refuser un visa d'émigration, à cause de sa judéïté. Son répertoire s'étend de Messiaen à Chopin, en passant par Schönberg et Debussy. Il se préparait à interpréter toute l'œuvre pianistique de Schubert auquel il voue un culte.

Ferencsik, János

Chef d'orchestre hongrois, né à Budapest le 18 janvier 1907, mort à Budapest le 12 juin 1984.

A l'Académie de Budapest, il est l'élève de Lajtha et Fleischer. Il débute comme répétiteur à l'Opéra en 1927 puis y est nommé chef d'orchestre en 1930. Pendant deux ans (1930-31), il est également assistant à Bayreuth. Toute sa carrière se déroulera dans sa ville natale où il sera nommé directeur général de la musique à l'Opéra en 1950 et directeur musical de la Philharmonie Nationale Hongroise en 1952. A l'étranger, il est invité régulièrement à l'Opéra de Vienne entre 1948 et 1950. Il enseigne à l'Académie Franz Liszt de Budapest. De 1960 à 1968, il dirige également l'Orchestre Philharmonique de Budapest. Ferencsik est considéré comme l'un des plus éminents spécialistes de Bartók et Kodály dont il a dirigé la musique dans le monde entier.

Fernandez, Wilhelmenia (Wilhelmenia Wiggins)

Soprano américaine, née à Philadelphie le 5 janvier 1949.

Elle étudie le chant à l'Académie de Musique de sa ville natale, puis se perfectionne à la Juilliard School de New York (1969-73). Ses débuts ont lieu à Broadway, en 1977, dans le rôle de Bess *(Porgy and Bess)* qui la rend célèbre à travers les U.S.A. et l'Europe. Sa carrière lyrique se développe sur les scènes de Philadelphie, du New York City Opera, du Michigan Opera Theater. Mais c'est le film *Diva* de Jean-Jacques Beinex qui la rend mondialement célèbre.

Elle poursuit actuellement une carrière internationale qui l'a amenée à l'Opéra de Paris à partir de 1979 (Musette, puis Mimi de *La Bohème*) ainsi que dans plusieurs villes françaises. Elle apparaît dans *Don Giovanni, Luisa Miller, Didon et Enée, Carmen.* En 1984, elle est l'une des Aïda à l'occasion de l'ouverture du Palais des Sports de Bercy (Paris). Puis elle aborde Leonore *(Le Trouvère),* Tosca à Omaha (1984) et Liu *(Turandot)* en 1985.

Ferrara, Franco

Chef d'orchestre italien, né à Palerme le 4 juillet 1911.

Aux conservatoires de Palerme et de Bologne, il étudie le piano, le violon, l'orgue et la composition. Il débute en donnant des récitals de piano et de violon. Il commence à diriger à Florence en 1938 et s'impose rapidement comme l'une des plus étonnantes baguettes italiennes. Mais sa carrière est vite stoppée par une maladie nerveuse qui le prive de tous ses moyens en public. Les prestations en studio deviennent bientôt tout aussi irréalisables. Il se consacre alors uniquement à l'enseignement de la direction d'orchestre, ses élèves constituant un public privilégié lorsqu'il prend la baguette, pour de courtes séquences, afin d'expliquer. Il donne des cours au Pérou à partir de 1958, à Hilversum dès 1959, à l'Académie Sainte-Cécile de Rome et à l'Académie Chigiana à Sienne (1966-67, 1969-76 et à partir de 1978). Parmi ses élèves, on compte Edo De Waart, Emil Tchakarov, Gabriel Chmura, Zoltan Pesko, Riccardo Chailly, Aldo Ceccato, Gaetano Delogu, Gabriele Ferro, Hubert Soudant, Andrew Davis...

Ferras, Christian

Violoniste français, né au Touquet le 14 juin 1933, mort à Paris le 14 septembre 1982.

Il commence ses études de violon avec son père à l'âge de 7 ans. Un an plus tard il entre au Conservatoire de Nice où il travaille avec Charles Bistesi. En 1942, il joue pour la première fois en public, avec orchestre, à Nice. Deux ans plus tard, il reçoit au Conservatoire de cette ville un 1er prix d'excellence de violon. Il entre alors au Conservatoire de Paris où il étudie le violon, avec René Benedetti, et la musique de chambre, avec Joseph Calvet. Il obtient, en 1946, un 1er prix pour ces deux disciplines. En 1948, il se présente au Concours international de Scheveningen où il remporte le 1er prix. En 1949, il perfectionne son art auprès de Georges Enesco, avant de se présenter au Concours international Long-Thibaud, à Paris : il obtient le 2e prix. A la suite de ce concours, il donne son premier récital, avec le pianiste Pierre Barbizet, avec lequel il forme alors un duo qui se produit un peu partout dans le monde. Dans le même temps le jeune violoniste commence une carrière internationale de soliste. Partout il faisait applaudir sa rayonnante sonorité, sa pureté de style et la perfection technique de son jeu.

Il enregistre les *10 sonates* de Beethoven (1960), puis est appelé par Herbert von Karajan, en 1964, avec lequel il signe plusieurs disques importants (dont les *Concertos* de Beethoven, Brahms et Sibelius). Parmi les principales créations de Christian Ferras : *Concerto,* de Federico Elizalde, *Sonate pour violon seul,* de Honegger (1948), *Sonate pour violon et piano,* de Claude Pascal (1952), *Concerto,* de Bando (1959), *Concerto* (1960) et *Sonate pour violon seul* (1965), de Serge Nigg. Il possédait deux Stradivarius, le *Président* (1721) et le *Minaloto* (1728). En 1975, il avait été nommé professeur au Conservatoire de Paris.

Ferrier, Kathleen

Contralto anglaise, née à Higher Walton le 22 avril 1912, morte à Londres le 8 octobre 1953.

Après des études de piano, elle suit la classe de contralto du Festival de Carlisle et poursuit des études de chant avec

J.-H. Hutchinson et Roy Henderson. Elle commence une carrière de concertiste pendant la guerre en province et avec le Bach Choir de Londres. Ses débuts à la scène ont lieu au Festival de Glyndebourne en 1946 lors de la première mondiale du *Viol de Lucrèce* de Britten où elle chante le rôle-titre. Son seul autre rôle à la scène sera *Orphée* qu'elle chante à Glyndebourne en 1947, à Amsterdam et à Londres, au Covent Garden en 1953, où la maladie l'empêchera d'achever la série de représentations prévues. Entre-temps, sa carrière de concertiste connaît des sommets aux U.S.A. et en Europe, notamment avec des récitals en compagnie de Bruno Walter, ainsi que des exécutions demeurées célèbres du *Chant de la terre* de Mahler aux festivals d'Edimbourg (1947) et de Salzbourg (1949).

Le pouvoir émotionnel de son timbre en fait une interprète idéale aussi bien dans les passions et oratorios de Bach et Händel que dans le lied schubertien, schumannien, brahmsien ou mahlerien, où que des ouvrages contemporains : elle interprète l'Ange dans *The dream of Gerontius* d'Elgar. La partie d'alto du *2e Cantique* de Britten et *The Enchantress* de Bliss ont été écrits pour elle. Elle a aussi créé *A Spring Symphony* de Britten (1949). Sa sœur Winifred Ferrier a écrit sa biographie : *The Life of Kathleen Ferrier* (1955).

Ferro, Gabriele

Chef d'orchestre italien, né à Pescara le 15 novembre 1937.

Fils du compositeur Pietro Ferro, il travaille la composition et la direction d'orchestre au Conservatoire Santa Cecilia de Rome avec Franco Ferrara. En 1964, il remporte le Concours des jeunes chefs d'orchestre de la R.A.I. En 1967, il fonde l'Orchestre Symphonique de Bari. Invité par Claudio Abbado, il dirige régulièrement, à partir de 1974, les saisons symphoniques de la Scala de Milan. En 1978, il fait ses débuts aux États-Unis à la tête de l'Orchestre de Cleveland. Pour les Settimane Senensi, il a dirigé des œuvres rarement interprétées de Gluck, Cherubini, Rossini, Mercadante... Son répertoire fait également une large place à la musique contemporaine. Il a enregistré en première mondiale la *Symphonie lyrique* de Zemlinski. Il est directeur musical de l'Orchestre Symphonique de Sicile à Palerme.

Ferro, Luigi

Violoniste italien, né à Murano le 1er juillet 1903, mort à Venise.

Professeur de violon des chefs d'orchestre vénitiens Angelo Ephrikian et Claudio Scimone, ainsi que des violonistes qui participèrent à la création des orchestres de chambre d'Italie du Nord, La Scuola Veneziana (1947-48), puis I Virtuosi di Roma dans leur formation initiale (1948-1961), il crée la technique d'archet dite « vénitienne », caractérisée par une attaque très douce de l'archet sur la corde, et une utilisation de l'archet sur toute sa longueur, tradition continuée aujourd'hui avec « I Solisti Veneti » de Claudio Scimone. Violon solo de La Scuola Veneziana puis de I Virtuosi di Roma, avant de se retirer, sexagénaire, rongé par la maladie, il est le véritable pionnier de la nouvelle école vénitienne d'interprétation. Il a enseigné aux conservatoires de Venise (1931-57) et de Milan (1957-63).

Feuermann, Emanuel

Violoncelliste autrichien naturalisé américain (1942), né à Kolomya (Galicie) le 22 novembre 1902, mort à New York le 25 mai 1942.

Il fait ses premières études avec son père et se fixe à Vienne à partir de 1909 où il travaille avec Anton Walter. A 11 ans, il donne son premier concert puis va travailler à Leipzig avec Julius Klengel. En 1917, il est engagé comme violoncelle solo dans l'Orchestre du Gürzenich de Cologne et nommé professeur à la Hochschule. Il fait également partie du Bram Eldering Quartet. De retour à Vienne en 1923, il commence une carrière de soliste qui se développe rapidement hors des frontières de son pays. Il est nommé professeur à la Hochschule de Berlin (1929-33) et forme un trio à cordes avec S. Goldberg et P. Hindemith. Il débute aux U.S.A. en 1935. Devant l'invasion nazie, il se fixe à Zürich (1937-38), puis s'exile aux États-Unis (1938) où il est nommé professeur au Curtis Institute de Philadelphie (1941). Il forme un nouveau trio, avec Heifetz et Rubinstein, mais sa carrière sera interrompue par une mort prématurée. Il était déjà considéré comme l'une des figures marquantes du violoncelle, alliant à une sonorité profonde une technique sans faille, un sens du phrasé particulièrement développé et un instinct musical évident. Schönberg avait transcrit pour lui le *Concerto en Ré* de Monn qu'il créa en 1938. Il jouait sur un Stradivarius de 1727, le *De Monk*.

Février, Jacques

Pianiste français, né à Saint-Germain-en-Laye le 26 juillet 1900, mort à Épinal le 2 septembre 1979.

Fils du compositeur Henri Février, élève de Messager et de Fauré, Jacques Février fréquente le Conservatoire de Paris de 1917 à 1921, dans la classe de Edouard Risler et de Marguerite Long. Ami d'enfance de Francis Poulenc, il joue très souvent avec lui et enregistre ses œuvres à quatre mains.

Grand spécialiste de la musique française du XXe siècle, Ravel lui confie officiellement son *Concerto pour la main gauche* dès 1933, mécontent qu'il était de l'interprétation de Wittgenstein qui l'avait créé en 1931. Tour à tour avec Poulenc et Auric, il jouera également les duos de Satie (dont il reste encore des enregistrements). En 1952, il est nommé professeur au Conservatoire. Dédicataire du *Concerto en ré mineur pour deux pianos* de Poulenc, il l'a créé en compagnie du compositeur en 1932. Ses enregistrements des *Préludes* de Debussy, de l'œuvre pour piano de Ravel et de la musique de chambre de Poulenc constituent des versions de référence, témoignages d'un art discret, sincère et raffiné.

Fiedler, Arthur

Chef d'orchestre américain, né à Boston le 17 décembre 1894, mort à Boston le 10 juillet 1979.

Il travaille d'abord le violon avec son père qui fait partie de l'Orchestre Symphonique de Boston. Puis il poursuit ses études musicales à Berlin où il est l'élève de Willy Hess. De retour aux États-Unis, il entre à l'Orchestre Symphonique de Boston en 1915, comme violoniste d'abord, puis comme altiste. En 1924, il fonde le Boston Sinfonietta, un orchestre de 25 musiciens, tous membres de l'Orchestre Symphonique. Il présente un répertoire plus léger et rencontre un succès considérable. En 1929, ce sont les fameux « Esplanade concerts », sur les rives de la Charles River. Arthur Fiedler remplace alors Casella à la tête des Boston « Pops », concerts symphoniques populaires donnés en été devant un public attablé comme au restaurant. Le répertoire de ces concerts comporte aussi bien des œuvres originales – les grands succès du répertoire symphonique – que des arrangements.

Fiedler, Max

Pianiste et chef d'orchestre allemand, né à Zittau le 31 décembre 1859, mort à Stockholm le 1er décembre 1939.

Il étudie le piano avec son père puis au Conservatoire de Leipzig (1877-80) où il travaille également l'orgue et les écritures avec G. Albrecht. Nommé professeur au Conservatoire de Hambourg, il y enseigne de 1882 à 1908 et dirige l'établissement de 1903 à 1908. Il commence une carrière de pianiste qui prend un essor considérable lorsqu'il est nommé chef d'orchestre de la Philharmonie de Hambourg (1904-08). Il se consacre alors totalement à la direction d'orchestre. Il fait ses débuts aux États-Unis en 1905 et est invité régulièrement à diriger la Philharmonie de New York. Il est ensuite nommé à la tête de l'Orchestre Symphonique de Boston (1908-12). De retour en Allemagne, il deviendra directeur général de la musique à Essen (1916-34) et dirigera surtout en Suède au cours des dernières années de sa vie.

Finnilä, Birgit

Alto suédoise, né à Falkenberg le 20 janvier 1931.

A 17 ans, elle entreprend des études de chant avec Ingalill Linden. Après son mariage, elle vit plusieurs années en Finlande puis, en 1961, revient avec sa famille à Göteborg et reprend des études avec I. Linden, qu'elle achève avec Roy Henderson à l'Academy of Music de Londres. Depuis 1963, elle donne de nombreux concerts dans les pays scandinaves. En 1966, elle débute à Londres, dans un récital de mélodies. Suivent de glorieux concerts à Berlin, Hambourg, Hanovre, Stuttgart et Düsseldorf, ainsi que plusieurs enregistrements à la radio. En 1968, elle donne son premier concert en Amérique du Nord. Le succès est tel que depuis lors tous les chefs et les orchestres les plus importants l'ont invitée. On la considère comme une des grandes interprètes de Bach. 1970-71, elle effectue une tournée de concerts qui la conduit en Australie, en Amérique du Nord, en U.R.S.S., au Canada et en Israël. Elle ne fait que de rares apparitions sur scène, ainsi au Festival de Pâques à Salzbourg, comme Erda (*Tétralogie*) en 1973-74, rôle qu'elle reprend à l'Opéra de Paris en 1976.

Firkušny, Rudolf

Pianiste tchécoslovaque naturalisé américain, né à Napajedla le 11 février 1912.

Il fait ses études musicales au Conservatoire de Brno et étudie l'écriture avec Janáček. En 1928, il entre au Conservatoire de Prague où il travaille avec Vilém Kurz et Suk. Il obtient son diplôme en 1929 et commence sa carrière. En 1938, à l'occasion d'une tournée aux États-Unis, il rencontre Artur Schnabel et se perfectionne avec lui. En 1940, il se fixe aux États-Unis. Il enseigne à la Juilliard School à partir de 1965 et compose de nombreuses partitions (concertos pour piano, quatuors à cordes, pages pour piano). Il se fait l'ardent défenseur de Janáček et de la musique du XXe siècle et a joué en 1re audition des concertos de Martinů, Menotti, Hanson...

ÉCRITS : *The Story of Twentieth Century Music* (1948).

Fischer, Adam

Chef d'orchestre hongrois, né à Budapest en 1949.

Après avoir étudié le piano et la composition au Conservatoire Belá Bartók de Budapest, il travaille la direction d'orchestre avec Hans Swarowsky à Vienne et avec Franco Ferrara à Venise et à Sienne (1970-71). Il est nommé assistant à Graz (1971-72), chef d'orchestre à Saint-Pölten (1972-73), puis assistant à l'Opéra de Vienne (1973-74). En 1973, il remporte le 1er prix au Concours international Guido Cantelli à la Scala de Milan. De 1974 à 1977, il est 1er chef à l'Opéra d'Helsinki puis à l'Opéra de Karlsruhe (1977-79) avant d'être nommé directeur général de la musique à Fribourg-en-B. (1981-84). Il dirige régulièrement à l'Opéra de Munich et à celui de Vienne. Il a fait ses débuts à l'Opéra de Paris en 1984 dans *le Chevalier à la rose*.

Fischer, Annie

Pianiste hongroise, née à Budapest le 5 juillet 1914.

Dans sa ville natale, elle reçoit l'enseignement et les conseils de Ernst von Dohnányi et Arnold Székely. A l'âge de huit ans, son nom est connu dans son pays natal. Dès 1933, elle remporte le Prix Liszt ; c'est la première récompense d'une longue liste de prix internationaux qui lui seront attribués par la suite. Réfugiée en Suède pendant la guerre, elle ne regagne Budapest qu'en 1946, où elle s'établit définitivement. En 1965, elle est nommée professeur honoraire à l'Académie de musique de Budapest. Annie Fischer représente un des grands noms du piano de l'après-guerre. Son jeu, tout en précision et en retenue, lui permet les plus grandes envolées du romantisme, comme ses plus subtiles nuances. Son répertoire compte essentiellement des œuvres majeures. Curieusement son nom reste un peu dans l'ombre aujourd'hui.

Fischer, Edwin

Pianiste suisse, né à Bâle le 6 octobre 1886, mort à Zürich le 24 janvier 1960.

Il voit le jour dans une famille de musiciens et travaille d'abord au Conservatoire de Bâle avec Hans Huber (1896-1904). Puis il s'installe à Berlin où il est élève de Martin Krause au Conservatoire Stern (1904-05) avant d'être nommé professeur dans le même établissement (1905-14). C'est à cette époque qu'il rencontre Eugen d'Albert qui lui prodigue appui et conseils. Sa carrière se développe rapidement et il est appelé à remplacer Schnabel à la Hochschule de Berlin en 1930. La direction d'orchestre l'attire également : il dirige le Musikverein de Lübeck (1926-28), le Bachverein de Munich (1928-32) avant de fonder son propre orchestre de chambre à Berlin. Il fait revivre la musique du XVIIIe siècle avec un effectif approprié et il est l'un des premiers à renouer avec la tradition du soliste qui joue et dirige les concertos de Bach et Mozart. En 1942, il retourne en Suisse et fonde un trio fameux avec Kulenkampff (puis Schneiderhan) et Mainardi. Il consacre l'essentiel de son temps à des cours d'interprétation qui se déroulent à Lucerne à partir de 1945. Alfred Brendel, Paul Badura-Skoda et Reine Gianoli comptent parmi ses plus fidèles disciples. Fischer créera également une fondation pour aider les jeunes musiciens.

A une époque où les interprètes semblaient encore marqués par les excès du post-romantisme et une vision trop passionnée de la musique, Fischer s'est imposé par son attitude réfléchie, la profondeur de son message et le sens dramatique qu'il lui donnait. Grand interprète de J.-S. Bach (il a enregistré pour la première fois l'intégrale du *Clavier bien tempéré*) et de Mozart, il était aussi à l'aise dans le répertoire romantique. Fischer a réalisé une édition des œuvres pour clavier de J.-S. Bach, des *Sonates pour violon et piano* de Beethoven et des *Sonates pour piano* de Mozart.

ÉCRITS : *J.-S. Bach* (1949, en allemand). *Considérations sur la musique* (1951).

Fischer-Dieskau, Dietrich

Baryton allemand, né à Berlin le 28 mai 1925.

Il commence le chant assez tard après des études poussées à l'Université ; son premier professeur est Georg A. Walter puis, à l'Académie de Berlin, Hermann Weissenborn. En 1945, prisonnier dans un camp américain en Italie, il donne ses premiers concerts. En 1947, il reprend ses études à l'Académie et enregistre *Le Voyage d'hiver* de Schubert pour la radio. L'année suivante, il débute à l'Opéra de Berlin dans le rôle de Posa (*Don Carlos* de Verdi), et chante Schubert en concert. Il est engagé comme premier baryton à l'Opéra. En 1949, il épouse la violoncelliste Irmgard Poppen (morte en 1963) dont il a trois fils. Il se remariera avec Julia Varady. En 1951, il chante Mahler (pour qui il aura une prédilection), sous la direction de Furtwängler à Salzbourg, puis se rend aux États-Unis l'année suivante. En 1954, à Bayreuth, il impressionne critique et public dans le rôle de Wolfram (*Tannhäuser*). Il sera aussi un grand Amfortas (*Parsifal*), en 1956. A partir de 1957, il fait partie de l'Opéra de Vienne.

Humaniste, ce baryton comprend profondément la littérature allemande. Parmi ses livres : *Les Lieder de Schubert* (1971), *Wagner et Nietzsche* (1974). Il mène parallèlement une carrière de concertiste et de chanteur d'opéra, plus à l'aise sans doute dans le premier domaine, bien que l'on doive se souvenir de son Wotan à Salzbourg (*L'Or du Rhin*), et de son Falstaff à Vienne dans la mise en scène de Visconti. Présence scénique, intelligence, grande sensibilité, ses dons prodigieux lui offrent un rapide accès à toute musique contemporaine (*Wozzeck*). En 1961, il crée *Elégie pour de jeunes amants* de Henze, en 1962, le *War Requiem* de Britten à Coventry, et s'il a gravé intégralement tous les lieder de Schubert pour voix d'homme, son répertoire, extrêmement étendu, va de Schütz à Aribert Reimann (*Lear*), en passant par Richard Strauss et Hugo Wolf (où il excelle comme dans Schumann). Parmi ses créations contemporaines des œuvres de Busoni, Blacher, Fortner, Krenek, Tippett, Dallapiccola, Stravinski. L'esprit de Fischer-Dieskau ne s'endort jamais. Il s'est récemment essayé à la direction d'orchestre, sans ralentir son activité de chanteur. Adulé et critiqué, il tend actuellement à une unification, une synthèse de ses recherches vocales et de son travail.

ÉCRITS : *Les Lieder de Schubert* (1971), *Wagner et Nietzsche* (1974) *Robert Schumann, le verbe et la musique* (1981).

Fistoulari, Anatole

Chef d'orchestre russe naturalisé anglais, né à Kiev le 20 août 1907.

Il fait des études musicales dans son pays natal et voit s'ouvrir devant lui une carrière d'enfant prodige : à 8 ans, il dirige la *Symphonie Pathétique* de Tchaïkovski. Il vient en France au début des années trente et Chaliapine l'engage comme chef d'orchestre du Grand Opéra Russe (1931). Puis Massine fait appel à lui pour les Ballets Russes de Monte-Carlo (1937) qu'il conduit aussi aux États-Unis. En 1940, il se fixe en Angleterre où il mène essentiellement une carrière de chef invité à l'exception d'une année passée à la tête de l'Orchestre Philharmonique de Londres (1943-44). Il dirige ce même orchestre lors d'une tounée en U.R.S.S. en 1959. Anatole Fistoulari a été marié avec Anna Mahler, la fille du compositeur.

Fitelberg, Grzegorz

Chef d'orchestre et compositeur polonais, né à Dzwinsk (Lettonie) le 18 octobre 1879, mort à Katowice le 10 juin 1953.

Au Conservatoire de Varsovie, il reçoit une formation de violoniste et de compositeur : il est l'élève de Stanislas Barcewicz (violon) et de Zygmunt Noskowski (composition). Très jeune, il fait partie du groupe Jeune Pologne qui réunit plusieurs compositeurs polonais de sa génération (Szymanowski, Karlowicz, Rózycki, Szeluto). De 1907 à 1911, il est à la tête de la Philharmonie de Varsovie. Puis il passe trois ans à l'Opéra de Vienne (1911-14) avant de se fixer en Russie (1914-21) : il dirige au Grand Théâtre de Moscou et à Saint-Pétesbourg. Diaghilev l'appelle à Paris pour diriger aux Ballets Russes (1921-24). Il crée notamment *Mavra* de Stravinski, puis il retourne en Pologne pour retrouver l'Orchestre Philharmonique de Varsovie (1924-34). En 1935, il fonde l'Orchestre Symphonique de la Radio Polonaise à Varsovie qu'il dirige jusqu'en 1939. Pendant la guerre, il s'exile et conduit surtout des orchestres portugais et américains. En 1947, il revient dans son pays pour faire revivre l'Orchestre Symphonique de la Radio Polonaise qui se fixe à Katowice. Il en assure la direction musicale jusqu'à sa mort, créant notamment la *1re Symphonie* de Lutoslawski en 1947. Les principales œuvres de Fitelberg sont dédiées à l'orchestre : *Das Lied vom Falkem*, un poème symphonique, deux symphonies et deux rhapsodies polonaises.

Fizdale, Robert

Pianiste américain, né à Chicago le 12 avril 1920.

Après des études à la Juilliard School avec Ernest Hutcheson, il forme un duo de piano avec Arthur Gold. Ils donnent leur premier concert à la New School for Social Research en 1944 avec un programme de musique contemporaine où le piano préparé occupe une large place. Par la suite, ils effectuent une carrière internationale et s'imposent dans le répertoire à deux pianos. Plusieurs compositeurs écrivent pour eux : Barber, Dello Joio, Milhaud (*Carnaval pour La Nouvelle Orléans*, 1947, *Suite op. 300*, 1951, *Concertino d'automne*, 1951), Auric (*Partita)*, Poulenc (*Sonate pour deux pianos)*, Tailleferre, Sauguet, Rorem, Thomson, Rieti (*Concerto*, 1952). Ils créent des œuvres pour pianos préparés de John Cage et le *Concerto pour deux pianos* (1972) de Berio.

On leur doit la découverte et la création moderne des 2 concertos pour deux pianos de Mendelssohn.

ÉCRITS : *Misia* (1980) avec Arthur Gold.

Fjeldstad, Øivin

Chef d'orchestre norvégien, né à Oslo le 2 mai 1903.

Au Conservatoire d'Oslo, il est l'élève de Fr. Lange (1913-23). Il débute comme violoniste en 1921 et occupe les fonctions de violon solo à la Philharmonie d'Oslo de 1923 à 1945. A la même époque, il va travailler à Leipzig avec Walter Davisson (1928) et à Berlin avec Clemens Krauss. En 1931, il fait ses débuts de chef d'orchestre à Oslo, mais sa carrière ne commencera réellement qu'après la guerre : il est nommé chef permanent de l'Orchestre de la Radio Norvégienne (1946-62) puis directeur musical du tout nouvel Opéra d'État Norvégien (1958-60) et directeur musical de la Philharmonie d'Oslo (1962-69). On lui doit le premier enregistrement intégral du *Crépuscule des dieux* avec Kirsten Flagstad.

Flachot, Reine

Violoncelliste française, née à Santa Fe le 10 octobre 1922.

A l'âge de douze ans, elle arrive à Paris et commence ses études avec Jean Dumont, puis, en 1935, elle entre au Conservatoire dans la classe de Gérard Hekking ; elle remporte, en 1937, le 1er prix d'honneur au Concours Belland et un 1er prix de violoncelle. En 1938, elle débute avec orchestre aux Concerts Colonne, en jouant le *Concerto* de Lalo. En 1954, elle reçoit le grand prix Gregor Piatigorski et, onze ans plus tard, se voit décerner le Prix international d'Orense. En 1966, elle est nommée professeur à l'École normale de musique de Paris ; elle y demeure jusqu'en 1971, lorsqu'elle accepte d'enseigner à l'Université des Arts et à l'Université « Toho Gakuen » de Tokyo. Reine Flachot a créé un certain nombre d'œuvres pour son instrument, notamment de Milhaud *(Suite cisalpine)*, Damase, Dubois, Migot, Khatchaturian *(Concerto-rapsodie)*, Jolivet *(Suite en concert)*, Sauguet (*Sonate* pour violoncelle seul), Loucheur *(Concerto)*.

Flagstad, Kirsten

Soprano norvégienne, née à Hamar le 12 juillet 1895, morte à Oslo le 8 décembre 1962.

Fille du chef d'orchestre norvégien Michael Flagstad (1869-1930) et de la pianiste Marie Flagstad-Johnsrud, elle étudie le chant à Oslo auprès d'Ellen Schytte-Jacobsen. En 1913, elle fait ses débuts à Oslo comme Nuri (*Tiefland* de D'Albert). Ayant poursuivi ses études avec Albert Westwang à Oslo et Gillis Bratt à Stockholm, elle est engagée comme soubrette au Théâtre Mayol d'Oslo où elle chante surtout l'opérette. En 1921, elle effectue une tournée en France qui ne lui vaut pas de succès particulier. De 1928 à 1932, elle appartient à la troupe du Théâtre municipal de Göteborg. En 1933, sur le point de se retirer, elle est engagée pour de petits rôles à Bayreuth. L'année suivante, sa Sieglinde (*Walkyrie*) et sa Gutrune (*Crépuscule des dieux*) lui valent un succès retentissant. Aussitôt elle est engagée au Met de New York où elle débute, en 1935, avec Sieglinde, puis chante Isolde, Brünnhilde, Elisabeth, Elsa et Kundry : d'un coup, elle est considérée comme l'interprète wagnérienne la plus importante de son temps. Jusqu'en 1941, toujours au Met, elle ira de triomphe en triomphe. En 1936, on l'applaudit au Covent Garden et à l'Opéra de Vienne. Elle se produit triomphalement à Chicago, San Francisco, Zürich et au Colón. De retour en Europe, elle vit en Norvège, de 1941 à 1945. Après la guerre, on intente contre elle et son mari, Henry Johansen, un procès totalement injustifié, les accusant de collaboration avec l'Allemagne. 1947-48, elle entreprend une tournée triomphale aux États-Unis. Puis de 1948 à 1951, elle se produit principalement au Covent Garden où elle tient tous les grands rôles de Wagner de façon inoubliable. A cette époque, elle chante un mémorable *Fidelio* au Festival de Salzbourg, sous la direction de Furtwängler (1949-50). En 1951, elle chante au Mermaid Theatre de Londres *Didon et Enée* de Purcell ; l'année suivante elle retrouve le Met, où son *Alceste* de Gluck est triomphale. En 1955, après une série de concerts dans divers pays d'Europe, elle fait ses adieux. De 1958 à 1960, elle est directrice de l'Opéra d'Oslo.

Sa plus jeune sœur, Karen-Marie Flagstad (née le 24 novembre 1904 à Oslo) fait une brillante carrière de soprano, à la scène et en concert. Établie à Oslo, elle sera invitée à la Scala, en 1948. Kirsten Flagstad fut une des voix les plus exceptionnelles du XXe siècle, sa qualité, sa puissance ainsi que son éclat et son émission étaient extraordinaires. Il faut ajouter une présence scénique d'un impact incomparable sur le public. Sa biographie rédigée par Louis Biancolli a paru en 1952. Elle a créé les *4 derniers Lieder* de R. Strauss (1950).

Fleisher, Leon

Pianiste et chef d'orchestre américain, né à San Francisco le 23 juillet 1928.

Après avoir étudié avec Artur Schnabel, il fait ses débuts en 1935 à San Francisco. En 1952, il remporte le Concours Reine Elisabeth et poursuit une carrière de concertiste. En 1959, le Conservatoire Peabody de Baltimore l'accueille comme professeur. Mais l'année suivante une paralysie de la main droite l'oblige à réduire ses activités. Il n'en continue pas moins à jouer les œuvres du répertoire destinées à la main gauche. En 1965, il devient le directeur de la Fondation Walter Naumburg. Chef d'orchestre du théâtre Chamber Players de Washington depuis 1968, il fait ses réels débuts en public en 1970, en dirigeant le New York Chamber Orchestra. Invité à diriger un peu partout, sa participation au Festival Mozart en 1970, au New York Philharmonic Hall, est très remarquée. De 1974 à 1977, il est chef d'orchestre-résident de l'Orchestre Symphonique de Baltimore. Il dirige également l'Orchestre Symphonique d'Annapolis.

Flesch, Carl

Violoniste hongrois, né à Wiselburg le 9 octobre 1873, mort à Lucerne le 14 novembre 1944.

Il est l'élève de Grün au Conservatoire de Vienne, puis, au Conservatoire de Paris, il travaille avec Marsick (1890-94). Il y a comme condisciples Georges Enesco, Fritz Kreisler et Jacques Thibaud. 1er prix à Paris en 1894, il commence alors sa carrière de concertiste en Allemagne et en Autriche à partir de 1895. A son tour pédagogue, il enseigne à Bucarest (1897-1902), à Amsterdam (1903-08), à Berlin puis à Philadelphie (1924-28) et Baden-Baden (1926-34). A l'avènement du nazisme, il se fixe à Londres (1934). Puis il s'installera en Suisse, à Lucerne, où il enseignera au Conservatoire de 1943 à sa mort. Parmi ses élèves, on compte les noms de M. Rostal, H. Szeryng, G. Neveu, S. Goldberg. Il a publié de nouvelles éditions d'œuvres de Bach, Händel, Mozart, Beethoven, Mendelssohn, Brahms et Tchaïkovski.

Fleury, André

Organiste français, né à Neuilly le 25 juillet 1903.

Il est issu d'un milieu familial qui s'adonne passionnément à la musique : son père a fait de sérieuses études avec Paul Vidal et Vincent d'Indy. Dès l'âge de 17 ans, il supplée Eugène Gigout à la tribune de Saint-Augustin. En 1926, il obtient au Conservatoire de Paris un 1er prix d'orgue et d'improvisation dans la classe de Marcel Dupré, ainsi que diverses récompenses en composition. Suppléant de Tournemire aux orgues de Sainte-Clotilde, il est nommé, à la mort de Jean Huré (1930), titulaire du grand orgue de Saint-Augustin. Il occupe ces fonctions jusqu'en 1949 et donne des cours à l'École normale de musique. De 1949 à 1971, il est professeur au Conservatoire de Dijon et organiste de la cathédrale. De retour à Paris, il est nommé cotitulaire du grand orgue de Saint-Eustache et professeur à la Schola Cantorum. Il tient également les orgues de la cathédrale de

Versailles. En marge d'une vie largement consacrée aux récitals et à l'enseignement, André Fleury se livre à la composition et écrit de nombreuses pages dédiées à l'orgue.

Flipse, Eduard

Chef d'orchestre néerlandais, né à Wissekerke le 26 février 1896, mort à Breda le 11 septembre 1972.

Il fait ses premières études d'orgue et de solfège auprès de son père, puis commence le piano et la théorie musicale à Gœs avec Otto Lies, enfin à Rotterdam auprès de Verhey et de Zagwijn et à Paris, où il étudie la composition avec Albert Roussel. De retour à Rotterdam, il y fait, à partir de 1919, une carrière de pianiste, de chef de chœur et de professeur de Conservatoire, avant de devenir second (1927-30) puis premier chef de la Philharmonie (1930-62) et directeur de la Philharmonie d'Anvers (1959-70). Le compositeur, qui a vu son œuvre se perdre entièrement dans la destruction de Rotterdam en 1940, s'est par la force des choses effacé devant l'ardent propagandiste des musiciens de son pays et surtout devant l'interprète inspiré des symphonies de Mahler, qu'il dirige, à partir de 1952, au Festival de Hollande, notamment la *8e*, enregistrée sur le vif.

Flipse, Marinus

Pianiste néerlandais, né à Wissekerke le 28 août 1908.

Frère du précédent, il débute sous sa direction une carrière de concertiste, avec le même souci de défendre les œuvres de ses compatriotes. Il sera également l'accompagnateur de Jacques Thibaud, du violoniste hollandais Hermann Krebbers et de Henryk Szeryng.

Fodor, Eugene

Violoniste américain, né à Turkey Creek (Colorado) le 5 mars 1950.

Sa famille est d'ascendance hongroise et italienne (son bisaïeul fonda un conservatoire en Hongrie). Il commence l'étude de l'instrument à sept ans avec Harold Whippler, 1er violon de l'Orchestre de Denver. A onze ans, il donne son premier concert public avec le même orchestre où son frère aîné, John, est chef de pupitre. Élève de l'École Golden High, il obtient en 1967 une bourse pour étudier à la Juilliard School. Il travaille avec Ivan Galamian puis, à l'Université de Californie du Sud, avec Jascha Heifetz. Il remporte le 1er prix au National Symphony Contest et termine ses études à l'Université de Bloomington (Indiana). Il est, en 1972, le premier Américain à remporter le Concours Paganini de Gênes et se classe 1er ex-aequo au Concours Tchaïkovski de Moscou (1974). Sa carrière se développe surtout aux États-Unis.

Foldes, Andor

Pianiste hongrois naturalisé américain (1948), né à Budapest le 21 décembre 1913.

Sa mère, grande pianiste, lui enseigne le piano très tôt. Tibor Szatmari consolidera cet enseignement, et en 1922, le jeune pianiste âgé de huit ans fait ses débuts en jouant le *Concerto K. 450* de Mozart. L'année suivante, il entre à l'Académie de musique Franz Liszt, dans la classe de Ernst von Dohnányi, qui subjugue très vite son jeune élève. Par ailleurs, il va étudier la composition avec Leo Weiner et la direction avec Ernst Unger. En 1929, il fait ses débuts à Vienne et rencontre Bartók qui s'intéresse beaucoup à lui. En 1932, il commence une série de tournées dès l'obtention de son diplôme. Mécontent de son jeu qu'il trouve trop virtuose et pas assez « pensé », il abandonne momentanément la scène, pour se consacrer à l'étude de la philosophie et des sciences du langage. Ce n'est qu'en 1939 qu'il commence à se considérer comme un pianiste à part entière. Aussi interprète-t-il la même année le *2e Concerto* de Beethoven en compagnie de Erich Kleiber. L'année 1940 voit ses débuts à New York, avec le N.B.C. Symphony Orchestra. En 1948, de retour en Europe, il participe à un grand nombre de création d'œuvres de Bartók et de Kodály. En 1965, il accepte le poste de Walter

Gieseking à la Hochschule de Sarrebruck en Allemagne, et s'établit à Zürich.

La manière de jouer d'Andor Foldes est une des plus particulières qui soit. Elle n'a jamais cessé de se transformer tout au long de sa carrière de façon notable. Sans jamais perdre la solidité architecturale et la clarté parfaite de ses articulations rythmiques son art du phrasé a suivi une longue et profonde métamorphose, allant de l'exubérance brillante de la jeunesse aux jeux d'ombres subtils de la maturité. Parallèlement à cette évolution, son répertoire aussi n'a jamais cessé de changer. Parti du jeune Mozart et des premières œuvres de Schubert et de Haydn, il aboutit aux dernières œuvres de Beethoven et du même Mozart, plus sombres, mais aussi plus fortes, donc infiniment plus riches. En toile de fond de cette transformation, un nom reste constamment présent : celui de Béla Bartók.

Fonda, Jean
(Jean-Pierre Fournier)

Pianiste français, né à Boulogne-sur-Seine le 12 décembre 1937.

Fils du violoncelliste Pierre Fournier, il étudie le piano avec une amie de la famille, Madame Obolenska, émigrée russe installée à Paris. Durant ses études, il ne fréquentera aucun établissement officiel, mais cela ne l'empêche pas de recevoir l'enseignement de Nikita Magaloff à Genève, ainsi que les conseils de Cortot. Sa formation musicale est strictement privée. En 1958, il fait ses débuts en Allemagne. Mais c'est surtout comme interprète de musique de chambre, en duo avec son père, et en trio avec Pierre Amoyal, qu'il s'est imposé. Actuellement, il joue avec Jean-Pierre Wallez. Il vit à Genève. Intéressé par toutes les musiques, il est le dédicataire du *Concerto* de Janós Solyom, compositeur hongrois.

Fontaine, Robert

Clarinettiste français, né à Paris le 5 juin 1942.

Il fait ses études au Conservatoire de Versailles et de Paris où il obtient le 1er prix de clarinette (1962) et le 1er prix d'ensemble instrumental (1963). Il est lauréat du Concours international de Genève en 1963. Après avoir occupé diverses fonctions en province, il est nommé en 1973 1re clarinette solo au Nouvel Orchestre Philharmonique de Radio-France. Parallèlement, il poursuit une carrière de soliste commencée alors qu'il était au Conservatoire. S'il s'intéresse au répertoire classique consacré à son instrument, il se passionne également pour la musique contemporaine. C'est ainsi qu'il donne la première audition de concertos signés Bondon, Ida Gotkŏvsky, Lemeland, Finzi et des partitions de musique de chambre dues à Balassa, Stibilj, Koechlin, Chausson, Ton That Tiet, Werner, etc. En 1977, il devient soliste de l'Ensemble de Chambre Français avec lequel il joue régulièrement. Il a la responsabilité d'une collection d'œuvres anciennes et modernes, publiée chez G. Billaudot.

Fontanarosa, Frédérique

Pianiste française, née à Paris le 13 mai 1944.

Elle débute le piano à l'âge de cinq ans puis entre à l'École normale de musique où elle travaille avec Charlotte Causeret de 1959 à 1958. En 1959, elle entre au Conservatoire de Paris dans la classe de Lucette Descaves où elle remporte un 1er prix (1964). L'année suivante, lui est décerné un 1er prix de musique instrumentale dans la classe de Pierre Pasquier. Elle travaille également la musique de chambre avec Joseph Calvet. Elle est, depuis 1961, pianiste du Trio Fontanarosa qu'elle forme avec ses frères Patrice (violon) et Renaud (violoncelle).

Fontanarosa, Patrice

Violoniste français, né à Paris le 4 septembre 1942.

Fils du peintre Lucien Fontanarosa, il est élevé dans un milieu artistique. Après un 1er prix de violon au Conservatoire de Paris (classe de Line Talluel, 1959) puis d'ensemble instrumental (Pierre Pasquier) et de musique de chambre (Joseph Calvet), il remporte de nombreux prix internationaux : Ginette Neveu, Enesco, Long-Thibaud, Villa-Lobos, Paganini... Il entame dès lors une carrière internationale qu'il conjugue avec des activités de musicien de chambre au sein du Trio Fontanarosa avec son frère Renaud (violoncelle) et sa sœur Frédérique (piano). De 1976 à 1985, il est premier violon solo de l'Orchestre National de France. Il se produit également avec sa femme la harpiste Marielle Nordman. Son violon est signé Joseph Guarnerius « del Gesu » (1727). En 1984, il prend la direction de l'Orchestre des Pays de Savoie (Chambéry).

Fontanarosa, Renaud

Violoncelliste français, né à Paris le 14 mars 1946.

Il étudie d'abord le violon, jusqu'à l'âge de onze ans, puis travaille le violoncelle avec Paul et Maud Tortelier. En 1959, il entre au Conservatoire de Paris dans la classe de Paul Tortelier. Il y obtient un 1er prix en 1963 suivi d'un 1er prix de musique de chambre (1965) dans la classe de Pierre Pasquier. Il suit parallèlement les cours de Nadia Boulanger. A partir de 1961, il se produit dans le cadre du Trio Fontanarosa. Il est lauréat du Concours Casals à Budapest en 1968 et du Concours Cassado à Florence en 1969. De 1968 à 1980, il est violoncelliste à l'Opéra de Paris. En 1972, la ville d'Orly lui confie l'organisation et la direction de son Conservatoire, poste qu'il assure jusqu'en 1979. Il se produit régulièrement avec Bruno Rigutto, Maria de La Pau... En 1977, il a enregistré les *Suites* de Bach.

Forrester, Maureen

Contralto canadienne, née le 5 juillet 1930 à Montréal.

Elle étudie le piano et le chant auprès de Bernard Diamant, à Toronto, Sally Martin et Fränck Rowe, à Berlin. Elle donne son premier concert en 1953 à Montréal. En 1956, à New York, sous la direction de Bruno Walter, elle participe à une exécution de la *Symphonie Résurrection* de Mahler, dont elle va devenir une interprète privilégiée. C'est dans le rôle d'*Orphée* de Gluck qu'elle fait ses débuts scéniques à Toronto en 1961. Invitée des Festivals de Montreux, Edimbourg, Bournemouth, Berlin, elle se consacre de plus en plus au répertoire du Lied, après avoir triomphé dans les rôles de Cornelia du *Jules César* de Händel (en 1966, pour l'inauguration du New York City Opera au Lincoln Center), la Cieca de *La Gioconda* (San Francisco, 1967), Erda (Met, 1974), Madame Flora du *Médium* de Menotti, Mistress Quickly de *Falstaff* et Madame de La Haltière dans *Cendrillon* de Massenet (présenté au Théâtre Musical de Paris en 1981). Dotée d'une voix richement timbrée et d'un indéniable tempérament comique, elle se montre remarquable dans les personnages pittoresques, comme par exemple la Sorcière de *Hänsel et Gretel*, qui lui valut un grand succès à la télévision canadienne. Depuis 1966, elle est responsable de l'enseignement du chant au Conservatoire de Philadelphie.

Forster, Karl

Chef de chœur allemand, né à Grossklenau le 1er août 1904, mort à Tirschenreuth le 14 août 1963.

Il étudie la théologie à Ratisbonne et la musicologie à l'Université de Munich (docteur en 1933). Ecclésiastique, il est appellé à la cathédrale Sainte-Hedwige de Berlin, l'année suivante et y devient maître de chapelle. Il organise alors beaucoup de concerts avec le chœur de cette église et fait des tournées à l'étranger, à la tête des chanteurs. Professeur honoraire à l'Université technique en 1952, directeur de la musique à l'Université libre en 1954, après avoir obtenu le Prix de la Ville de Berlin, il fut aussi camérier secret du Pape en 1948, et reçut le titre de *Monseigneur* en 1950.

Parmi ses compositions, citons : onze motets, deux messes pour voix a capella (1938 et 1950). K. Forster est l'auteur d'une thèse sur la musique d'église de Giuseppe Antonio Bernabei (Munich,

1933) et a collaboré à des ouvrages collectifs. H. Berger lui a consacré une étude, en 1953, intitulée *Au service de l'Eglise.*

Foster, Lawrence

Chef d'orchestre américain, né à Los Angeles le 23 octobre 1941.

Ses parents sont des émigrés roumains. Il travaille à Los Angeles avec Fritz Zweig et Joanna Graudan ; il profite également des conseils de Bruno Walter et de Karl Böhm (à Bayreuth). De 1960 à 1964, il dirige le Young Musician's Fondation Debut Orchestra et, de 1960 à 1965, le San Francisco Ballet. Puis il est l'assistant de Zubin Mehta à la Philharmonie de Los Angeles (1965-68). Il remporte en 1966 le Prix Koussevitzk à Tanglewood. Sa carrière européenne débute en 1968. Un an plus tard, il est nommé 1er chef invité du Royal Philharmonic Orchestra de Londres (1969-74). Aux États-Unis, il prend la direction de l'Orchestre Symphonique de Houston (1971-78). Depuis 1979, il est directeur musical de l'Orchestre Philharmonique de Monte-Carlo. Parallèlement à ses concerts, Foster dirige souvent au théâtre, à Covent Garden, au Met et à Hambourg notamment. Il s'intéresse beaucoup à la musique contemporaine. Parmi les œuvres qu'il a créées, *Tragoedia* (1965) et *The triumph of time* (1972) de Birtwistle ainsi que la *Symphonie n° 2* de Crosse (1972). En 1981, il est nommé directeur général de la musique à Duisbourg et, en 1985, directeur musical de l'Orchestre de Chambre de Lausanne.

Foster Jenkins, Florence

Soprano américaine, née dans un endroit secret à une date que nous ne révélerions pas (même sous la torture), enlevée à l'affection des lyricomaniaques de l'univers, 76 ans plus tard, au même endroit.

Elle ne manifeste aucune disposition particulière pour la musique dès son jeune âge. Aucun prestigieux professeur ne se penche sur ses possibilités pourtant assez étonnantes. Sa famille aurait eu plutôt tendance à s'abstenir de tout encouragement en ce domaine. Il a fallu un divorce, un héritage (il est bien utile parfois d'avoir un père banquier) et probablement trois ou quatre tremblements de terre pour qu'elle prenne conscience de sa vocation musicale. Son amour de la musique commence par celui des costumes. Soucieuse de ménager son extraordinaire talent, elle refuse de se produire plus d'une fois par an (dans les salons de l'Hôtel Ritz Carlton de New York puis le 25 octobre 1944 à Carnegie Hall), dans d'incroyables tenues de tulle, endiamantée jusqu'aux sourcils entre deux rangées de palmiers en pot. A son bras, un panier rempli de roses qu'elle jette gracieusement, tout en chantant, à ses auditeurs ravis... Avec le registre probablement le plus étroit du monde, elle n'hésite pas à braver les plus grandes voix de son époque dans les airs les plus difficiles du répertoire. Elle nous laisse d'impérissables versions du premier air de la Reine de la nuit, de l'air des bijoux et de l'air des clochettes de *Lakmé.* Ah ! si elle avait pu faire, en re-recording, le duo des chats de Rossini...

Fourestier, Louis

Chef d'orchestre français, né à Montpellier le 31 mai 1892, mort à Paris le 30 septembre 1976.

Il étudie le violoncelle au conservatoire de sa ville natale avant de venir à Paris où il est l'élève, au Conservatoire, de Leroux, Gédalge, Vidal, Guilmant, d'Indy et Dukas. Il remporte des 1ers prix d'harmonie (1911) et de contrepoint (1912) ainsi que le 1er Grand Prix de Rome (1925). Il effectue ses débuts de chef d'orchestre à Marseille et à Bordeaux puis il est nommé à l'Opéra-Comique (1927-32). Pendant quelques années, il assure les saisons musicales à Angers, Vichy et Cannes avant de revenir à Paris, à l'Opéra (1938-45). En 1928, il avait participé avec Ansermet et Cortot, à la fondation de l'Orchestre Symphonique de Paris à la tête duquel il reste jusqu'à sa dissolution. Après la guerre, il est nommé professeur de direction d'orchestre au Conservatoire de Paris (1945-62) et dirige pendant deux ans les opéras français au Metropolitan

Opera de New York. Son activité de pédagogue, qui se prolongera après sa retraite à l'Académie internationale d'été de Nice, est déterminante : il modifie radicalement les conditions d'enseignement de la direction d'orchestre et forme toute une génération de chefs français.

La musique française lui doit beaucoup : ses créations sont peu marquantes, mais il a imposé un répertoire et défendu la musique du début du XXe siècle, avec un rare enthousiasme.

Fournet, Jean

Chef d'orchestre français, né à Rouen le 14 avril 1913.

Son père, flûtiste de talent et chef de musique respecté, n'a de cesse que de faire de son fils un musicien. Flûtiste, il le devient donc. A quinze ans, il est 2e flûte à l'Orchestre du Théâtre des Arts de Rouen. Après avoir travaillé avec Gaston Blaquart, il est reçu au Conservatoire de Paris dans la classe de Philippe Gaubert, puis dans celle de Marcel Moyse, pour obtenir son 1er prix dès la deuxième année. Tout en poursuivant ses études de composition, il retrouve Philippe Gaubert dans sa classe de direction d'orchestre. Là encore, c'est un 1er prix, et très vite l'entrée dans le monde du théâtre lyrique, la plus dure mais la meilleure filière pour un chef. La province, bien sûr, mais aussi Paris avec la Radio, les grandes associations symphoniques, l'Opéra-Comique, dont il deviendra directeur de la musique (1953-57), l'Opéra... Sa carrière internationale débute en Hollande dès la fin de la guerre, son grand lancement intervenant en 1950, lorsqu'il est appelé à remplacer « au pied levé » Eduard Van Beinum, souffrant, à la tête du Concertgebouw d'Amsterdam, pour une série de concerts couvrant la totalité de l'œuvre de Maurice Ravel. En fait, la Hollande est presque devenue sa seconde patrie. Il y retourne plusieurs fois par an et assume successivement plusieurs postes de chef permanent (1961-73) puis 1er chef invité de l'Orchestre Philharmonique de la Radio Néerlandaise à Hilversum, directeur musical de l'Orchestre Philharmonique de Rotterdam (1968-73). Tous les ans, il est invité à diriger durant les saisons lyriques du Colón de Buenos Aires et de l'Opéra de Chicago. Au Japon, où il conduit la première locale de *Pelléas et Mélisande.*

Chef complet, Fournet avouait dans une boutade avoir tout dirigé, des *Mousquetaires au couvent* à *La Walkyrie.* Mais sa mission, comme sa passion, est de faire connaître et aimer de par le monde la musique française. En 1974, il revient en France pour prendre la direction de l'Orchestre de l'Ile-de-France auquel il reste attaché jusqu'en 1982. Attiré par l'enseignement, il est professeur à l'École Normale de Musique de 1944 à 1962 puis dirige des cours de perfectionnement à Hilversum. On lui doit de nombreuses créations, Tansman, F. Martin...

Fournier, Jean

Violoniste français, né à Paris, le 3 juillet 1911.

Frère du violoncelliste Pierre Fournier, il fait ses études au Conservatoire de Paris, et travaille également avec Enesco, Thibaud et Kamenski. Doté d'une solide technique et d'une belle musicalité, Jean Fournier se produit en soliste et se consacre à la musique de chambre. A partir de 1950, il joue notamment en trio avec Antonio Janigro et Paul Badura-Skoda et en sonate avec sa femme Ginette Doyen. Il donne des cours d'été au Mozarteum de Salzbourg et, de 1966 à 1979, est professeur au Conservatoire de Paris.

Fournier, Pierre

Violoncelliste français, né à Paris le 24 juin 1906.

Son grand-père, Léopold Morice, est statuaire, auteur notamment de la statue de la République et des anges du pont Alexandre III à Paris. Pierre Fournier naît dans un milieu profondément musical. Il prend quelques leçons de piano mais est frappé, dès l'âge de neuf ans, par la poliomyélite. C'est alors qu'il se tourne vers le violoncelle et travaille avec la sœur de Robert Krettly. Il se présente au

Conservatoire de Paris. Ses professeurs s'appellent Paul Bazelaire et André Hekking dans la classe duquel il obtient un 1er prix en 1923. A cette époque Pierre Fournier joue un peu partout, dans les orchestres de cinéma muet, dans les kiosques, au Vieux Colombier sur la demande de Jacques Copeau dans une formation où la batterie est tenue par Arthur Honegger... Membre du Quatuor Krettly de 1923 à 1928, il fait ses débuts à Paris en 1928. C'est le démarrage d'une très brillante carrière internationale. Il joue avec les plus grands : Münch, Milhaud, Sacher, Poulenc, Cortot, Thibaud, Schnabel, Szigeti, Solomon, Francescatti, Furtwängler, Karajan, Kempff, Hindemith, Richter... Parallèlement, il mène une carrière professorale, à l'École normale de musique de Paris en 1937 à 1939, puis au Conservatoire de Paris de 1939 à 1949. Il donne aussi des cours d'été à Zürich, Genève et Berlin. De très nombreuses partitions lui ont été dédiées, notamment les concertos de Martinon, Frank Martin, Martinů et Schöck ainsi que les sonates d'Honegger, Martinů et Poulenc. Il crée le *Concertino* de Roussel en 1937. Pierre Fournier joue sur un Goffriler et un Miremont. Colette disait de lui : « Il chante mieux que tout ce qui chante. »

Fou Ts'ong

Pianiste chinois naturalisé anglais, né à Shangaï le 10 mars 1934.

Le pianiste et chef d'orchestre italien Mario Paci lui donne des leçons de piano jusqu'à ce qu'éclate la guerre civile en Chine en 1948. Réfugié en Occident, Fou Ts'ong remporte le 3e prix du Concours de Bucarest en 1953, et de Varsovie en 1955. Néanmoins, le jury de Varsovie lui décerne un prix spécial pour son art des mazurkas, ainsi qu'une bourse d'études auprès de Zbigniew Drzewiecki au Conservatoire de la capitale polonaise. En 1958, Fou Ts'ong prend la décision de ne pas retourner en Chine, et s'installe à Londres. En 1961, il épouse Zamira, fille de Yehudi Menuhin. Son jeu excelle dans les compositions réclamant beaucoup plus de finesse que de force et d'énergie.

Fox, Virgil

Organiste américain, né à Princeton le 3 mai 1912, mort à Palm Beach le 25 octobre 1980.

Il fait ses études au Conservatoire de Baltimore, avec Louis Robert, puis à celui de Chicago, avec Wilhelm Middelschulte (1928-29), avant de partir étudier à Paris avec Marcel Dupré, en 1932 et 1933. Il débute pendant ses études, à l'âge de 14 ans, à Cincinnati et se produit, cinq ans plus tard, pour la première fois, au Kingsway Hall de Londres puis au Carnegie Hall à New York. Entre 1946 et 1964, Virgil Fox est organiste titulaire de la Riverside Church à New York. C'est en 1962 qu'il inaugure, avec Catharine Crozier et E. Power-Biggs, le grand instrument du Philharmonic Hall de New York. Organiste virtuose, aussi célèbre que Biggs aux États-Unis, avec lequel il rivalise, Virgil Fox se fait acclamer au cours de nombreux récitals, pour sa prodigieuse virtuosité, aussi bien à l'orgue traditionnel à tuyaux, qu'à l'orgue électronique, aux claviers duquel il excelle.

Frager, Malcolm

Pianiste américain, né à Saint Louis, le 15 janvier 1935.

De 1949 à 1955, il travaille avec Carl Friedberg, élève de Clara Schumann, à New York, et remporte le Concours Leventritt en 1959. L'année suivante on lui décerne le 1er prix du Concours Reine Elisabeth. L'extrême souplesse de son jeu lui confère une faculté d'adaptation peu commune. Ce qui lui permet l'intimité et les demi-teintes d'un Schumann, comme la violence et la brillance du piano virtuose de la fin du XIXe siècle, ou la puissance de Prokofiev et de Bartók. Fin musicologue, il s'est spécialisé dans la recherche des versions inconnues du grand public et des interprètes, d'œuvres majeures. Ainsi, en 1968, a-t-il joué la version originale du premier mouvement du *Concerto* de Schumann. Dans le même esprit de « redécouverte », il a donné de nombreuses interprétations de sonates de Haydn et de Mozart au piano-forte.

Francescatti, Zino (René-Charles)

Violoniste français, né à Marseille le 9 août 1905.

Il reçoit ses premières leçons de son père, lui-même violoniste et ancien élève de Sivori, disciple de Paganini. Enfant prodige, il joue dès l'âge de cinq ans le *Concerto* de Beethoven. Son style, à la fois pur et classique, sa musicalité, produisirent sur l'assistance une impression profonde. Le fait se renouvelle à Paris, en 1925, lorsqu'il s'y fait entendre pour la première fois, au Palais Garnier. L'année suivante, il effectue une tournée en Angleterre avec Maurice Ravel. Interprète du répertoire conventionnel – sans omettre Paganini qu'il joue comme peu – Francescatti reste cependant un musicien français connaissant et aimant la musique de son pays. Il s'est souvent associé à d'autres grands artistes, dont le pianiste Robert Casadesus, pour donner, entre autres choses, des œuvres de Debussy et Ravel ainsi que l'intégrale des *Sonates* de Beethoven. Aujourd'hui, Francescatti, après de nombreuses tournées dans le monde et plusieurs années d'existence aux États-Unis, a pratiquement « déposé » son archet et se repose dans son Midi natal. Il a créé la *Suite anglaise pour violon et orchestre* de Milhaud (1945) et est l'auteur de pièces pour piano et d'une *Berceuse sur le nom de Ravel.* Son violon est un Stradivarius de 1727, le *Hart.*

Francesch, Homero

Pianiste uruguayen, né à Montevideo le 6 décembre 1947.

Dès 1953, il reçoit une formation musicale à Santiago Baranda Reyes, et obtient un 1er prix au Concours des Jeunesses Musicales (1965). Après une tournée en Amérique du Sud, il gagne Munich, où il va travailler avec Hugo Steuer et Ludwig Hoffmann à l'Académie de musique. Après de nombreux engagements à la télévision et à la radio allemande, on lui décerne le Prix Italia de télévision, pour son interprétation du *Concerto en sol* de Ravel, en 1973. En 1974, pour ses débuts à Londres, Homero Francesch participe à la création mondiale de *Tristan* de Hans-Werner Henze.

François, Andrée

Soprano française, née à Dombasle le 11 septembre 1938.

Après avoir suivi les cours du Conservatoire de Nancy et de l'École normale de musique de Paris, elle va perfectionner sa technique vocale en Italie avec Compogalliani. Second prix aux Voix d'Or en 1964, lauréate du Concours international de Liège en 1965, elle remporte la mention d'honneur au Concours de l'U.F.A.M. à Paris la même année. En 1967, elle débute dans le rôle de Musette à Liège au Centre Lyrique de Wallonie, dont, quatorze ans après, elle est toujours membre à part entière dans tous les emplois de sopranos lyriques. Elle chante dans tous les grands théâtres de France, sauf à Paris où l'on continue d'ignorer qu'il n'est point présentement de plus parfaite Mireille, Marguerite, Micaëla, ou Antonio, que sa Mélisande est un rêve et qu'en Desdémone, elle n'a rien à envier aux plus célèbres Italiennes, Anglo-Saxonnes ou Bulgares. Fort belle, elle est une excellente actrice. Elle a participé en 1975 à Nantes à la création de *I 330* de Bondon.

François, Samson

Pianiste français, né à Francfort le 18 mai 1924, mort à Paris le 22 octobre 1970.

Fils d'un consul de France, Samson François voit sa jeunesse soumise aux fréquents déplacements imposés par la carrière diplomatique. Il a à peine six ans lorsque Mascagni le remarque. L'année suivante il remporte, un brillant 1er prix au Conservatoire de Belgrade. Au Conservatoire de Nice, où il obtient un autre 1er prix, Alfred Cortot le distingue et lui conseille de venir travailler avec lui à l'École normale. Il étudie aussi avec Yvonne Lefébure et entre au Conservatoire de Paris dans la classe de Marguerite Long. Il y obtient un 1er prix en 1940. En

1943 il est le premier lauréat du concours (alors national) Marguerite Long-Jacques Thibaud. C'est le début de l'étincelante carrière de celui qui est alors le plus remarquable représentant de l'école française du piano. Il crée son propre *Concerto pour piano* (1951), ainsi que celui qu'écrit pour lui Pierre-Petit (1956). Claude Santelli lui consacre un film (1967). Il est le premier pianiste occidental à être invité par la Chine Populaire. Il écrit plusieurs musiques de film (*Paris féérie, Ballade pour un voyou*) et manifeste un goût prononcé pour le jazz. Ses interprétations sont de véritables recréations où alternent des moments de pur génie et des instants de grave laisser-aller (notamment vers la fin de sa vie). On retiendra ses interprétations de Fauré, Ravel, Debussy, Schumann, et, quand il était inspiré, de Chopin.

Frankl, Peter

Pianiste hongrois naturalisé anglais (1967), né à Budapest le 2 octobre 1935.

A l'âge de douze ans, il apparaît pour la première fois en public. Élève de l'Académie Franz Liszt de Budapest, son plus illustre professeur est Zoltán Kodály. Il travaille également avec Ernö Szegedi, Lajos Hernadi, Leo Weiner et Ilona Kabos. Il est lauréat de concours internationaux à Bucarest, Varsovie, Bruxelles, puis, en 1957, il remporte le 1er prix du Concours international M. Long-J. Thibaud et du Concours international de Munich, en 1959 du Concours international de Rio de Janeiro. Particulièrement à l'aise dans le répertoire romantique, ses interprétations des œuvres de Chopin et de Liszt le font particulièrement remarquer. Il enregistre au disque une intégrale Debussy et une intégrale Schumann. Après avoir vécu quelque temps en France, il devient citoyen d'honneur de la ville de Rio de Janeiro en 1960. Encore élève dans la classe de Weiner, il forme un duo violon-piano avec György Pauk. Depuis 1972, ils se sont adjoints le violoncelliste Ralph Kirshbaum.

Frantz, Ferdinand

Baryton allemand, né à Kassel le 8 février 1906, mort à Munich le 25 mai 1959.

Sa voix se révèle alors qu'il chantait dans un chœur d'église. Puis, sans préparation particulière, il est engagé comme basse au Théâtre municipal de Halle (Saale). Il se produit ensuite (1932-37) au Théâtre municipal de Chemnitz, puis (1937-43) à l'Opéra de Hambourg. En 1943, il est appelé comme baryton héroïque à l'Opéra de Munich, où est également engagée sa femme, le soprano Helena Braun. Il est invité régulièrement par les opéras de Vienne et de Dresde, où il remporte de grands succès. En 1940 et 1941, il chante au Festival de Zoppot. Après la Seconde Guerre mondiale, il est l'hôte de la Scala, de Covent Garden, du San Carlo de Naples et d'autres grandes scènes internationales. En 1952-53, il chante au Met et fait quelques apparitions remarquées à Salzbourg. A l'apogée de sa carrière de grand wagnérien (il fut un des barytons héroïques les plus importants de son temps) il meurt d'une crise cardiaque.

Frantz, Justus

Pianiste allemand, né à Hohensalza le 20 juin 1945.

Après des études de piano, dans sa ville natale, il est admis en 1967 dans la classe d'Eliza Hansen à Hambourg. La même année, il est lauréat du Concours de Munich. Dès 1969, il entreprend une série de tournées tout à fait impressionnante, aux côtés de Karajan, Giulini, Haitink, Kempe et Bernstein, entre autres.

En 1975, il fait ses débuts à New York avec le New York Philharmonic Orchestra, sous la direction de Leonard Bernstein, lors de six concerts consacrés à la musique de Dvořák. Il s'est trouvé un partenaire idéal pour la musique de chambre, en la personne de Christoph Eschenbach. Ils jouent ensemble en public le répertoire pour deux pianos de Mozart et l'intégrale de Brahms pour la même formation.

Freccia, Massimo

Chef d'orchestre italien, né à Florence le 19 septembre 1906.

Il effectue ses études musicales au Conservatoire de Florence puis à l'Académie de Vienne où il est l'élève de Franz Schalk. De 1933 à 1935, il est à la tête de l'Orchestre Symphonique de Budapest. Il est alors invité à la Scala où il dirige pendant trois ans. En 1938, il fait ses débuts aux États-Unis ; puis il est nommé directeur de l'Orchestre Symphonique de La Havane (1939-43), de l'Orchestre Philharmonique de La Nouvelle-Orléans (1944-52), et de l'Orchestre Symphonique de Baltimore (1952-59). De 1947 à 1958, il est invité régulièrement par l'Orchestre de la N.B.C. Il revient ensuite en Italie pour prendre la direction de l'Orchestre Symphonique de la R.A.I. de Rome (1959-65). Depuis, il mène une carrière de chef invité. Il a créé les *Images hongroises* de Bartók (1932).

Freire, Nelson

Pianiste brésilien, né en Minas Gerais le 18 octobre 1944.

Enfant prodige, il fait preuve de qualités pianistiques indéniables dès l'âge de trois ans. Au Conservatoire de sa ville natale, Nise Obino et Lucia Branca assurent sa formation. En 1957, alors âgé de 13 ans, il remporte le Concours de Rio de Janeiro, dont c'est la première année d'existence. Ce prix lui octroie également une bourse d'études qui va lui permettre d'aller à Vienne suivre les cours de Bruno Seidlhofer. Deux ans plus tard s'ouvre la période des tournées.

En 1964, il se voit décerner la médaille Dinu Lipatti à Londres. La même année, il remporte le Concours Vianna da Motta à Lisbonne. En 1972, son enregistrement des 24 Préludes de Chopin lui vaut le Prix Edison.

Familier des grands orchestres américains, Nelson Freire fait souvent de la musique de chambre avec Martha Argerich (répertoire pour deux pianos) et le violoncelliste Misha Maisky.

Freitas Branco, Pedro de

Chef d'orchestre portugais, né à Lisbonne le 31 octobre 1896, mort à Lisbonne le 24 mars 1963.

Il se destine d'abord au violon mais, en 1924, il a la révélation de l'orchestre. Après deux ans de formation à Londres, il revient à Lisbonne où il fonde l'Opéra Portugais (1927). Dès l'année suivante, il fonde les Concerts Symphoniques de Lisbonne auxquels il donne un rayonnement particulier, dirigeant notamment la première représentation intégrale de l'*Amour sorcier* de Manuel de Falla. Il se lie d'amitié avec Ravel qui l'invite à diriger un festival de ses œuvres à Paris au cours duquel est crée le *Concerto en Sol* (1931).

En 1934, il organise l'Orchestre Symphonique National de la Radio Portugaise avec lequel il donne de nombreuses premières auditions. Au Théâtre San Carlos, il dirige notamment la 1re représentation au Portugal de *Wozzeck*. Sa carrière le mène régulièrement en France (où ses enregistrements reçoivent à deux reprises un grand prix du disque), en Italie (il dirige à la Biennale de Venise en 1943) et en Allemagne. Il a joué un rôle essentiel pour la diffusion de la musique française au Portugal.

Frémaux, Louis

Chef d'orchestre français, né à Aire-sur-la-Lys le 13 août 1921.

Après des études au Conservatoire de Valenciennes, il est l'élève de Louis Fourestier au Conservatoire de Paris où il remporte un 1er prix de direction d'orchestre en 1952. Sa carrière débute rapidement : il est nommé à la tête de l'Orchestre National de l'Opéra de Monte-Carlo (1956-65), formation à laquelle il donne un nouvel essor avec les concerts de la cour du palais princier et une importante série d'enregistrements. A la formation de l'Orchestre Philharmonique Rhône-Alpes (l'actuel Orchestre de Lyon) il en est le directeur (1969-71). Mais il quitte ce poste pour se consacrer au City of Birmingham Symphony Orchestra dont il a été nommé directeur musical (1969-78). Il joue alors un rôle important pour faire connaître la musique française en Angleterre. De 1979 à 1982, il est à la tête de l'Orchestre Symphonique de Sydney.

Frémy, Gérard

Pianiste français, né à Bois-Colombes le 12 mars 1935.

1er prix au Conservatoire de Paris dans la classe d'Yves Nat, à 16 ans, il est désigné par Marcel Dupré et l'Association française d'action artistique comme boursier du gouvernement soviétique. Durant trois ans il étudie au Conservatoire de Moscou dans la classe d'Heinrich Neuhaus et obtient le diplôme d'études, puis devient assistant de Neuhaus durant un an. Quarante concerts en U.R.S.S. et des enregistrements pour la radio d'État, tel est le bilan de son séjour en Russie. Il joue ensuite dans la plupart des pays d'Europe, aux U.S.A., et participe, depuis 1965, aux grands festivals.

Lauréat de la Fondation de la Vocation, Gérard Frémy est aussi le porte-parole de la jeune musique : soliste des ensembles Ars Nova, Musique Vivante, il a joué pendant cinq mois avec le groupe Stockhausen à Osaka (1970). Parmi ses musiciens de prédilection : Schumann, Schubert, Debussy, Cage.

Parmi les créations qu'il a effectuées, *Société II, Si le piano était un corps de femme,* et *Und so weiter* de Ferrari, *Pôle pour deux* de Stockhausen.

Freni, Mirella

Soprano italienne, née à Modène le 27 février 1935.

Famille de musiciens : elle chante à dix ans le grand air de *La Traviata,* « Sempre libera », accompagnée par un pianiste de onze ans, Leone Maggiera, qui deviendra son mari. Beniamino Gigli la soutient. A quinze ans, elle entre au Conservatoire de Bologne et suit les cours de Campogalliani à Mantoue. Elle passe ses soirées au poulailler du Teatro de Modène, avant d'y faire ses débuts en 1955 dans Micaëla *(Carmen).* Trois ans plus tard, elle est lauréate du concours de Vercelli (Mimi, *La Bohème*). En 1961, au Covent Garden, elle chante Nanette *(Falstaff)* à la demande de Giulini, au pied levé... Dans le même rôle, elle entre à la Scala dont elle deviendra l'une des « vedettes » de « l'après Callas ». Elle chante sous la direction de Karajan *(La Bohème),* et Marguerite à Chicago. La maladie interrompt sa carrière. Elle reprend avec courage (Liu, *Turandot*). Sa sensibilité, ses accents de vérité, le dépouillement de son style, son expression, en font une Desdémone authentique. Mais elle est aussi Amelia *(Simon Boccanegra),* Suzanne *(Les Noces de Figaro),* ou l'interprète de Scarlatti, Händel, Pergolèse...

Freund, Marya

Soprano polonaise, naturalisée française, née à Breslau (Wroclaw) le 12 décembre 1876, morte à Paris le 21 mai 1966.

Elle fait ses études de violon sous la direction de Pablo de Sarasate et celles de chant avec Henri Criticos et Raymond Zur Mühlen. Très tôt, elle s'engage dans le répertoire de son temps et devient l'interprète privilégiée de Mahler, Fauré, Debussy, Ravel, Stravinski, Falla, Poulenc, Szymanowski. Quelques créations retentissantes marquent sa carrière : celle des *Gurrelieder* de Schönberg (Vienne, 1913). Elle donne la première audition en France, en Belgique et en Angleterre du *Pierrot Lunaire,* œuvre dont elle devient l'interprète attitrée. À l'issue d'une carrière largement consacrée aux grands maîtres de la première moitié du XXe siècle, elle se consacre à une activité de pédagogue. Germaine Lubin, Jennie Tourel, Marie Powers et Anne Brown, entre autres, viennent solliciter ses conseils et travailler sous sa direction.

Frick, Gottlob

Basse allemande, né à Oelbronn le 28 juillet 1906.

Dernier de treize enfants d'un père garde forestier, il est promis à une carrière de technicien, mais il a le chant dans le sang : sa précoce et splendide voix de basse fait de lui l'épine dorsale du chœur local. Il n'entre pas dans un conservatoire mais passe le plus clair de son temps à l'École supérieure de musique de Stuttgart, sans en être officiellement élève. Le professeur Fritz Windgassen, père du célèbre ténor, fait souvent appel à lui pour l'assister car il n'a pas de basse parmi ses élèves. C'est ensuite le baryton Neudörfer-Opitz qui prend soin de sa formation. Auditionné par Siegfried Wagner, il chante dans les chœurs de Bayreuth. En 1934, il signe son premier contrat de soliste à Cobourg. Viennent ensuite Fribourg-en-Brisgau et Königsberg où Karl Böhm l'entend et l'engage sur-le-champ dans sa troupe de l'Opéra de Dresde. De 1940 à 1950, il chante dans cette compagnie fameuse tous les grands rôles de basse : Osmin, Sarastro, le Commandeur, Rocco, Philippe II (son rôle favori), et, bien sûr, toutes les basses wagnériennes. Ensuite il est engagé à l'Opéra de Berlin. Désormais il sera demandé par tous les grands théâtres, réservant chaque année 25 soirées à l'Opéra de Vienne et 20 à l'Opéra de Munich.

Anti-vedette de par sa nature, il apparaîtra à la postérité, à travers ses disques notamment, comme l'une des toutes premières basses de son temps et sûrement comme le plus formidable Kaspar et le plus admirable Gurnemanz.

Fait notable chez ce chanteur sans histoire : il n'a jamais voulu chanter le Baron Ochs, parce qu'il ne « sentait » pas le personnage.

Fricsay, Ferenc

Chef d'orchestre hongrois naturalisé autrichien (1959), né à Budapest le 9 août 1914, mort à Bâle le 20 février 1963.

Son père, chef d'orchestre militaire renommé, lui donne les premières leçons de musique avant qu'il n'entre, à six ans, à l'Académie Franz-Liszt de Budapest. Il y est l'élève de Kodály et de Bartók, et s'initie à la plupart des familles instrumentales. A l'exemple de son père, qu'il remplace à quinze ans dans un concert, il devient chef d'orchestre militaire. De 1934 à 1944, il dirige l'Orchestre Symphonique et celui de l'Opéra de Szeged, et fait une première apparition à l'Opéra de Budapest en 1939. Il en est nommé directeur musical en 1945 et dirige l'Orchestre Philharmonique de Budapest, où il rencontre Otto Klemperer. Il le remplace, au Festival de Salzbourg en 1947, pour la création de *La Mort de Danton* de Gottfried von Einem, qui lui apporte la consécration internationale. Le Festival lui demande de créer également la version scénique du *Vin herbé* de Frank Martin (1948) et *Antigone* de Orff (1949). Il est nommé directeur musical de l'Opéra de Berlin et de l'Orchestre Radio-Symphonique (RIAS) de Berlin (1948-54). Après le Festival d'Edimbourg, où il dirige les *Noces de Figaro* (1950), une première tournée aux États-Unis, notamment à Boston et à San Francisco (1953), le fait engager en 1954 à la tête de l'Orchestre Symphonique de Houston. Cette collaboration tournant court, il rentre en Europe et devient de 1956 à 1958 le directeur musical de l'Opéra d'État de Munich. Il y dirige entre autres *Otello, La Khovantchina, Lucia di Lammermoor, Wozzeck, Œdipus Rex.* En 1959, il reprend la direction de l'Orchestre Radio-Symphonique de Berlin. On l'appelle pour inaugurer le Théâtre Cuvilliès de Munich (1958) et la Deutsche Oper de Berlin, reconstruits (1961). Il crée la même année la *Symphonie en ut* de Kodály (à Lucerne).

C'est dans le répertoire mozartien et bartokien que l'extrême précision de sa direction, conciliant pulsion rythmique et pudeur des sentiments, a trouvé son meilleur emploi. Passionné des problèmes d'enregistrement, il reçut de nombreux prix du disque, notamment pour l'intégrale des *Concertos pour piano* de Bartók, avec Géza Anda.

Fried, Oskar

Chef d'orchestre allemand naturalisé soviétique (1940), né à Berlin le 10 août 1871, mort à Moscou le 5 juillet 1941.

Il reçoit une formation de corniste et étudie la composition à Francfort avec Humperdinck puis à Berlin avec Scharwenka. Il joue dans différents orchestres et, à partir de 1889, à l'Opéra de Francfort. Il se fait connaître comme compositeur. Karl Muck dirige ses premières œuvres et il ne se tourne vers la direction que lorsqu'il est nommé à la tête du Sternschen Gesangverein (1904-10). Il dirige aussi la Gesellschaft der Musikfreunde de Berlin (1907-10) et le Blüthnerorchester (à partir de 1908). Après la guerre, il mène une carrière de chef invité essentiellement centrée à Berlin où il dirige l'Orchestre Symphonique en 1925 et 1926. A l'avènement du nazisme, il émigre à Tbilissi où il est nommé 1er chef à l'Opéra (1934).

Champion de la musique de Mahler, Sibelius, Delius et Stravinski, il a joué un rôle important dans la vie musicale berlinoise en imposant bon nombre de partitions contemporaines. Busoni lui a dédié son *Nocturne symphonique op. 46*.

Friedheim, Arthur

Pianiste, chef d'orchestre et compositeur allemand, né à Saint-Pétersbourg le 26 octobre 1859, mort à New York le 19 octobre 1932.

Dès l'âge de 8 ans, il entreprend des études très poussées de piano. Une fois adulte, il passe une année avec Anton Rubinstein, au terme de laquelle il entre en désaccord profond avec lui. Réfugié dans l'ombre majestueuse de Liszt, il va profiter de l'enseignement du maître pendant les huit dernières années de son existence (1878-86). Liszt l'apprécie en tant que secrétaire personnel, de sorte qu'il va le laisser l'accompagner dans ses périples entre Rome, Weimar et Bayreuth.

Ce seul élément a suffi à faire de Friedheim le spécialiste exclusif et incontesté pour la génération suivante, de Liszt. Après la mort de celui-ci, Freidheim dirige quelque peu dans les théâtres et les opéras de toute l'Allemagne du temps. C'est là qu'il acquiert une expérience de la direction d'orchestre. En 1891, il gagne les États-Unis, où il joue et commence une carrière d'enseignement. En 1895, il est nommé professeur en Angleterre, au Royal Manchester College of Music. De 1908 à 1911, il dirige à Munich, puis va s'installer aux États-Unis dès le début du premier conflit mondial, en 1915. En 1921, il devient professeur à l'Académie de Musique de Toronto. Les quelques fragments d'enregistrements qu'il nous reste montrent que Friedheim possédait une technique parfaite quant à la clarté du propos, par ailleurs tout à fait imposant. Mais ces exemples trop rares ne permettent pas de juger réellement.

Ses compositions sont rares, mais non dépourvues d'intérêt. Il laisse 2 concertos, des ouvertures et des opéras. Certains manuscrits non publiés sont perdus.

Friedheim a également réalisé l'édition d'œuvres de Chopin, et publié un livre concernant Liszt, se proposant d'étudier la psychologie du maître. Son élève, Théodore Bullock, a publié un recueil de souvenirs de Liszt par Arthur Friedheim, intitulé *Life and Liszt* (New York, 1961).

Friedman, Erick

Violoniste américain, né à Newark (N.J.) le 16 août 1939.

Élève de Galamian, de Milstein et de Heifetz, il commence une brillante carrière tout en travaillant la composition avec Castelnuovo-Tedesco. Heifetz parraine ses débuts et enregistre avec lui le *Double Concerto* de Bach. Il joue en sonate avec André Previn. Mais ses activités de concertiste se réduisent subitement et il se tourne vers l'enseignement.

Friedman, Ignaz

Pianiste et compositeur polonais, né à Podgorze le 14 février 1882, mort à Sidney le 26 janvier 1948.

Après des études musicales et générales à Krakov, il étudie pendant quatre années avec Leschetizky. Il fait ses débuts à Vienne. Il travaille la composition avec Guido Adler et Hugo Riemann à Leipzig. A partir de 1905, il se produit en Europe, Amérique du Sud et en Australie. Il vit à Berlin jusqu'en 1914 puis à Copenhague. En 1920, il voyage aux États-Unis et, à partir de 1940, il s'installe en Australie. Il donne quelque 2 800 concerts, en soliste ou avec le violoniste Bronislaw Hubermann. Avec ce dernier et Pablo Casals, il joue les *Trios* de Beethoven à Vienne en 1927 pour le centenaire de la mort du compositeur. Il s'est également fait connaître comme compositeur, transcripteur d'œuvres du XVIIIe siècle et éditeur de pièces de Liszt, Schumann, et surtout de l'intégrale de l'œuvre de Chopin.

Froidebise, Pierre

Organiste et compositeur belge, né à Ohey (Namur) le 15 mai 1914, mort à Liège le 28 octobre 1962.

Élève de Barbier au Conservatoire de Namur (orgue), de Raymond Moulaert (composition) et de Joseph Jongen (fugue) au Conservatoire de Bruxelles, il obtient un 1er prix d'interprétation à l'orgue dans la classe de Roger Malengreau, et en 1941 le Prix Agniez de composition. Il continue de se perfectionner en matière de composition en recevant les conseils de Gilson et d'Absil et vient à Paris travailler avec Tournemire. En 1943, il obtient le 2e prix de Rome belge avec sa cantate, *La Navigation d'Ulysse.* En 1947, il est nommé professeur d'harmonie au Conservatoire de Liège ; en même temps, il est maître de chapelle au grand séminaire de cette ville, ainsi que titulaire de la tribune de l'église Saint-Jacques. Parmi ses élèves réputés qui reconnaissent son influence, citons Pousseur et Boesmans. En 1958, son *Anthologie de la musique d'orgue des primitifs à la Renaissance,* qu'accompagnaient trois disques d'illustration, fut un événement ; son interprétation était neuve en ce domaine. La revue française *Orgue et Liturgie* a publié ses introductions aux restitutions musicologiques de Juan Bermudo (1960) et Juan de Santa Maria (1961). Le facteur d'orgue, maître de chapelle et musicologue belge Jean Van de Cauter, a poursuivi, dans l'esprit de Froidebise, la recherche de ce musicien.

Froment, Louis de

Chef d'orchestre français, né à Toulouse le 5 décembre 1921.

Il fait ses premières études musicales (violon, flûte, harmonie) au Conservatoire de sa ville natale, et les poursuit au Conservatoire de Paris avec L. Fourestier, E. Bigot et A. Cluytens, obtenant un 1er prix de direction d'orchestre, en 1948. Un an plus tard, il forme l'orchestre du Club d'Essai (Radio Française) et fait connaître les jeunes compositeurs ; il fonde aussi son propre orchestre de chambre. Il est directeur musical des Casinos de Cannes et Deauville jusqu'en 1956, puis du Casino de Vichy (1953-69). Chef permanent, en 1958-59 de l'Orchestre de Chambre de la Radio à Nice, il est ensuite nommé à l'Opéra-Comique. De 1958 à 1980, il est chef permanent de l'Orchestre Symphonique de Radio-Télé-Luxembourg, dont il reste ensuite principal chef invité.

Frugoni, Orazio

Pianiste américain, né à Davos (Suisse) le 28 janvier 1921.

Ses parents sont d'origine italienne. Scuderi lui enseigne le piano, et en 1939 il sort diplômé du Conservatoire Giuseppe Verdi de Milan. Ses études supérieures se déroulent à l'Académie Sainte-Cécile de Rome, tandis qu'il fréquente les « master classes » de Casella à Sienne et de Lipatti au Conservatoire de Genève, où il obtient le prix de virtuosité en 1945. Après de nombreuses tournées, et de nombreux enregistrements dont le premier disque consacré au Concerto en mi bémol, dit « no 0 », de Beethoven, il est nommé professeur à l'Eastman School of Music de Rochester. En 1967, on lui offre le poste de directeur de l'école supérieure des Beaux Arts de la Villa Schifanoia de Florence. Et en 1972, il enseigne au Conservatoire de Florence.

Frühbeck de Burgos, Rafael
(Rafael Frübeck)

Chef d'orchestre espagnol, né à Burgos le 15 septembre 1933.

Ses parents sont allemands et il hispanise son nom en lui adjoignant celui de sa ville natale. Il étudie au Conservatoire de Bilbao puis à celui de Madrid (1950-53) tout en dirigeant des opérettes. De 1953 à 1955, il effectue son service militaire comme chef de la musique. Il travaille ensuite en Allemagne à la Hochschule de Munich avec Eichhorn, Lessing et Genzmer. Il prend alors la direction de l'Orchestre Symphonique de Bilbao (1958-62) avant d'être nommé directeur de l'Orchestre National d'Espagne (1962-78). Sa carrière se développe sur le plan international : il dirige beaucoup le New Philharmonia Orchestra notamment. De 1966 à 1971, il est directeur général de la musique à Düsseldorf et, de 1975 à 1977, directeur musical de l'Orchestre Symphonique de Montréal. Il est ensuite à la tête du Yomiuri Nippon Symphony Orchestra.

Fuchs, Martha

Soprano allemande, née à Stuttgart le 1er janvier 1898, morte à Stuttgart le 22 septembre 1974.

Elle étudie à Stuttgart, Munich et Milan, et débute en 1923 en concert en tant que mezzo-soprano, puis à la scène à Aix-la-Chapelle en 1928. C'est à l'Opéra de Dresde, auquel elle appartient de 1930 à 1936, qu'elle devient soprano dramatique. Elle paraît à Bayreuth à partir de 1933 (Kundry) et y chante Isolde et Brünnhilde jusqu'en 1942. De 1936 à 1944, elle est membre de la Staatsoper de Berlin, et de 1945 à 1952, de l'Opéra de Stuttgart.

Son répertoire comporte encore Ariadne, la Maréchale, Ortrud, mais aussi Donna Anna, Eboli, Octavian et Leonore (Fidelio).

Fugère, Lucien

Baryton français, né à Paris le 22 juillet 1848, mort à Paris le 15 janvier 1935.

Artisan en statuaire sur bronze, puis représentant en bijouterie, il découvre par hasard qu'il a une jolie voix. Il étudie le chant, se voit refuser l'entrée au Conservatoire et débute comme chansonnier au Ba Ta Clan. Après la guerre de 1870, il aborde l'opérette aux Bouffes-Parisiens. En 1877, il débute à l'Opéra-Comique dans le rôle de Jean des *Noces de Jeannette.* Il y restera cinquante-trois ans, y chantant plus de cent rôles dont Falstaff, Papageno, Figaro,... y créant Sancho, Schaunard, le père de *Louise,* Boniface du *Jongleur de Notre-Dame...* et le duc de Longueville de *La Basoche,* dont il bissait jusqu'à sept fois l'air du dernier acte, l'interprétant chaque fois d'une façon différente. C'est d'ailleurs ce dernier rôle qu'il chanta pour son 80e anniversaire avant de prendre définitivement sa retraite.

Artiste incomparable, acteur consommé autant que parfait chanteur, il a laissé un remarquable traité sur le chant.

Fukai, Hirofumi

Altiste japonais né en 1942.

Il fait ses études musicales à l'École de musique Toho de Tokyo puis travaille avec Ivan Galamian à la Juilliard School de New York, Joseph Szigeti à Montreux et Max Lesueur à Bâle (où il obtient son diplôme en 1969). Il est successivement alto solo de l'Orchestre Symphonique de Berne, de l'Orchestre Philharmonique de Hambourg (depuis 1970) et professeur à la Musikhochschule de Hambourg (1974). Il enseigne et enregistre dans le monde entier.

Fumet, Gabriel

Flûtiste français, né à Juilly le 2 novembre 1937.

Son père, Raphaël Fumet (1898-1979), comme son grand-père, Dynam-Victor Fumet (1867-1949), étaient compositeurs et organistes. En 1960 et 1961 il obtient au Conservatoire de Paris des 1ers prix de flûte et de musique de chambre. Dès cette époque, il entreprend une brillante carrière de soliste. Soliste à Radio France depuis 1962, il donne de nombreux concerts dans un répertoire qui s'étend du XVIIIe au XXe siècle. Il s'attache notamment à faire mieux connaître l'œuvre de son père et de son grand-père.

Furtwängler, Wilhelm

Chef d'orchestre allemand, né à Berlin le 25 janvier 1886, mort à Baden-Baden le 30 novembre 1954.

Fils de l'archéologue Adolf Furtwängler, il passe sa jeunesse à Munich où son père enseigne à l'Université. L'enfant grandit dans une atmosphère humaniste et étudie la musique avec Beer-Walbrunn, Rheinberger et Max von Schilling. Konrad Ansorge fait de lui un bon pianiste. En 1906, il est second répétiteur à Berlin ; à Munich, il dirige (à l'âge de vingt ans) la 9e *Symphonie* de Bruckner, avant de se rendre à Breslau, puis à Zürich comme chef des chœurs de 1907 à 1909, il retourne à Munich, où il occupe le même poste sous les ordres de Felix Mottl. Quand Pfitzner prend la direction de l'Opéra de Strasbourg, il l'engage comme 3e chef. En 1911, il dirige à Lubeck la Société Philharmonique. En 1915, il succède, à Mannheim, à Arthur Bodansky, quand celui-ci part pour Londres y diriger la première de *Parsifal.*

En 1920, il succède à Richard Strauss comme chef des concerts symphoniques de l'Opéra de Berlin. En deux années, il assied brillamment sa réputation, si bien qu'en 1922, il remplace Arthur Nikisch à la tête du Gewandhaus de Leipzig et de la Philharmonie de Berlin. Il se rend aux États-Unis, pour la première fois, en 1925. En 1928, il succède à Felix Weingartner à la Philharmonie de Vienne, mais refuse la direction de l'Opéra. En 1931, il partage la direction artistique du Festival de Bayreuth, avec Arturo Toscanini. Deux ans plus tard, il est à la tête de l'Opéra de Berlin, où il avait créé, en 1931, *Le Cœur* de Pfitzner. L'engagement de nombreux artistes juifs va créer des graves problèmes et de nombreuses dissensions avec le régime national-socialiste. C'est pourquoi, en décembre 1934, il démissionne « pour raisons politiques ». Il est alors invité dans le monte entier pour diriger le répertoire symphonique et romantique et à l'opéra les œuvres de Wagner surtout. Philadelphie, New York et Vienne lui proposent la direction de leurs opéras respectifs, mais il ne veut pas quitter l'Allemagne. Il veut simplement y vivre libre et librement partir pour l'étranger y diriger les œuvres qui lui semblent essentielles. L'« affaire Hindemith » demeure un des moments les plus douloureux de sa carrière (Hitler et Göring refusent qu'il crée à l'Opéra de Berlin *Mathis le Peintre*, d'où sa démission !). En 1936, l'Orchestre Philharmonique de New York lui propose de succéder à Toscanini.

Pour la première fois, il va accepter de s'exiler, mais une mystérieuse dépêche de l'*Associated Press* en provenance de Berlin annonce que Furtwängler reprend la direction de l'Opéra. Une polémique se déclenche à New York contre lui et devant tant de hargne, il câble qu'il renonce à l'orchestre américain. Cette même année, il retrouve sa place à Bayreuth, où il n'avait plus dirigé depuis 1931. Il y dirigera en 1936, 1937, 1943 et 1944. Entre-temps, il se produit à Paris (pour l'Exposition universelle de 1937), à Londres. Mais la guerre le coupe du monde et il ne peut diriger que de très rares concerts avec la Philharmonie de Berlin. En 1945, sa situation est intolérable. La Gestapo ne cesse de l'inquiéter. Il se réfugie en Suisse. C'est durant cette période qu'il a peaufiné le *Concert symphonique pour piano et orchestre* (1937), la *Sonate pour piano et violon en ré mineur* (1938) et la *Sonate pour piano et violon en ré majeur* (1940). Il devra attendre le 17 décembre 1946 pour être lavé de toute accusation d'activités nazies. Deux voix se feront entendre pour le défendre : Yehudi Menuhin et Ernest Ansermet !

En 1947, il reprend la tête de la Philharmonie de Berlin. En 1951, lors de l'ouverture du Nouveau Bayreuth, il dirige une mémorable 9e *Symphonie* de Beethoven. Mais dès 1947, c'est à Salzbourg, pour le Festival d'été, qu'il fait preuve d'une activité débordante. Il est l'âme du festival. Il dirige en Amérique du Sud, en Suisse (Festival de Lucerne), en Italie (Scala), à Paris et à Londres où nul n'oublie les spectacles donnés avant guerre au Covent Garden (*Tristan* en 1935 et *La Tétralogie* en 1937 et 38). Il enregistre pour la R.A.I. plusieurs œuvres, de Wagner particulièrement, et impose une nouvelle audition de cette musique et de nouveaux critères d'appréciation.

En 1948, il a terminé sa *2e Symphonie*, en mi mineur. Et l'on trouvera, à sa mort, dans ses papiers trois mouvements d'une *3e Symphonie* en ut mineur, inachevée. Ses enregistrements discographiques sont une leçon de clarté et de grandeur, car il avait le sens du souffle épique et de l'émotion que suscite le génie germanique, dans les pages lyriques ou symphoniques. En revanche, comme compositeur, il s'est voulu le continuateur de Bruckner et n'a pas voulu soumettre ses propres œuvres à la grande rigueur dont il faisait preuve dans l'interprétation des œuvres des autres. Ainsi sa *2e Symphonie*, qui demeure son œuvre majeure et qu'il a enregistrée en 1951 avec la Philharmonie de Berlin, dure 81 minutes ! Il en est de même pour ses sonates pour violon et piano qui ne sont pas d'un intérêt ni d'une densité suffisants pour justifier leur longueur. En revanche, les textes de Wilhelm Furtwängler sont d'une valeur rare, tant par leur profondeur, leur justesse de vue et leur expression percutante. Il appartient à cette lignée des musiciens qui, comme Berlioz et Wagner, ont su dire – et écrire – avec force leur pensée musicale. *Le Cas Hindemith* (22 novembre 1934) ; *Brahms et Bruckner* (1941) ; *Entretiens sur la musique* (1948-49) ; *Musique et Verbe* (1954-79) ; *La Musique et son Public* (1954) ; *Testament* (1954)... Parmi les œuvres qu'il a dirigées en 1re audition : *5 Pièces op. 16* (2e version, 1922), et *Variations op. 31* (1928) de Schönberg, *Concerto pour piano no 1* (1927) de Bartók, *Konzertmusik pour alto op. 48* (1930), *Philharmonisches Konzert* (1932) et *Mathis le peintre* (symphonie, 1934) de Hindemith, *Mouvement symphonique no 3* (1933) de Honegger, *Concerto pour piano no 5* (1932) de Prokofiev, *4 derniers Lieder* (1950) de R. Strauss.

G

Gabos, Gábor

Pianiste hongrois, né à Budapest le 4 janvier 1930.

Il reçoit sa formation musicale à l'Académie Franz Liszt de Budapest. Après avoir obtenu des prix au Concours international Marguerite Long, et au Concours Reine Élisabeth de Belgique, il remporte en 1961 le 1er prix au Concours international Liszt-Bartók de Budapest. Titulaire du Prix Liszt, décerné par le gouvernement hongrois, il entreprend d'innombrables tournées dans le monde entier.

Son répertoire s'étend de Bach, dont il donne parfois en récital le *Clavier bien tempéré* intégralement, à Bartók, en passant par Mozart, Chopin et Tchaïkovski. Il s'est fait une spécialité de l'interprétation des *Concertos* de Bartók, couronnée un peu partout dans le monde et en particulier au Japon.

Gabrilovitch, Ossip

Pianiste, chef d'orchestre et compositeur russe naturalisé américain (1918), né à Saint-Pétersbourg le 7 février 1878, mort à Detroit le 14 septembre 1936.

Il travaille le piano avec Anton Rubinstein, la composition avec Navrátil, Liadov et Glazouvov au Conservatoire de Saint-Pétersbourg (1888-94). Il obtient le Prix Rubinstein en 1894. Il passe les deux années suivantes à Vienne avec Theodore Leschetizky. Sa première apparition publique a lieu à Berlin en 1896 et marque le début d'une carrière internationale. Il se produit aux États-Unis en 1900. De 1910 à 1914, il dirige régulièrement l'Orchestre du Konzertverein de Munich. En 1914, il émigre définitivement aux États-Unis où il est nommé en 1918 à la tête de l'Orchestre Symphonique de Detroit, orchestre qu'il mènera au plus haut niveau jusqu'en 1936. Au piano, son style de jeu ne manquait ni de retenue, ni d'élégance, tout en lui permettant les effets les plus impressionnants mobilisant une grande puissance.

Après son mariage en 1909 avec la soprano Clara Clemens, fille de Mark Twain, il a souvent eu l'occasion de l'accompagner au piano en public.

Gadsky, Johanna

Soprano allemande, née à Anklam (Poméranie) le 15 juin 1872, morte à Berlin le 22 février 1932.

Elle est élève de Schröder-Chaloupka à Stettin et débute à 17 ans à la Kroll-Oper de Berlin en 1889. Elle appartient ensuite aux scènes de Stettin, Mayence et Brême, visite les Pays-Bas puis les U.S.A. (elle chante Elsa au Met avec la Damrosch Opera Company en 1895). Sa carrière internationale commence au tournant du siècle avec ses engagements au Covent Garden (1898-1901), à Bayreuh (Eva en 1899) et, en 1900, au Met dont elle devient 1er soprano jusqu'en 1917. Obligée de rentrer en Allemagne, elle achève sa carrière au concert à Berlin. En 1928, elle crée la German Opera Company qui parcourt les U.S.A. pendant deux ans. L'une des plus grandes Isolde et Brünnhilde du Met, elle est aussi une grande mozartienne (elle chante aux festivals Mozart et Wagner de Munich en 1905 et 1906, et au festival Mozart de Lilly Lehmann à Salzbourg en 1906 et 1910). Elle chante aussi bien la Léonore du *Trouvère* ou l'Amélia du *Bal Masqué* que Valentine des *Huguenots*.

Gage, Irwin

Pianiste américain, né à Cleveland le 4 septembre 1939.

Il fait des études de littérature, de piano, et de musicologie, aux universités du Michigan et de Yale. Particulièrement attiré par le répertoire du lied, il vient à Vienne suivre l'enseignement d'Erik Werba, de Kurt Schmidek et de Hilde Langer-Rühl. Il accompagne la plupart des grands mélodistes européens, E. Ameling, G. Janowitz, A. Heynis, C. Ludwig, W. Berry, D. Fischer-Dieskau, E. Haefliger, T. Krause, P. Schreier, M. Talvela, ainsi que J. Norman. Nombre d'entre eux participent à la saison de lieder de Vienne, qu'il organise et accompagne depuis 1968. Il y a fait également ses débuts de soliste, en 1973, avec l'Orchestre Philharmonique de Vienne, dirigé par Abbado, et envisage d'intensifier un secteur d'activité qui l'a déjà vu enregistrer plusieurs concertos et récitals de piano. Il donne des cours d'interprétation dans plusieurs instituts européens. Doté de la sensibilité vif-argent propre aux meilleurs accompagnateurs, et d'un esprit de curiosité acéré (lui faisant rechercher et jouer les partitions originales des mélodies les plus familières), Irwin Gage est l'un des dignes successeurs de Gerald Moore dont il possède l'intelligence musicale et l'effacement.

Gaillard, Marius-François

Pianiste, chef d'orchestre et compositeur français, né à Paris le 13 octobre 1900, mort à Paris le 20 août 1973.

Élève de Diémer (piano) et de Leroux (harmonie) au Conservatoire de Paris, il fait d'abord une carrière de pianiste et donne, entre autres choses, l'intégrale de l'œuvre de Debussy. Il fonde ensuite l'Orchestre de Chambre Marius-François Gaillard, qu'il dirige durant la période sombre de la guerre. Compositeur inspiré par les nombreux documents qu'il a rapportés de ses voyages en Asie et en Amérique, il possède une esthétique très personnelle, échappant à toute école.

Parmi les œuvres marquantes de Marius-François Gaillard, il faut citer *La Danse pendant le festin* (1924), *Détresse*, ballet (1932), des pages pour orchestre : *Guyanes* (1925), *Symphonie en mi bémol* (1937) ; de la musique de film, telle celle qu'il donna pour *Les Rendez-vous du Diable*. On lui doit aussi 11 recueils pour piano (1920) et des pages pour violoncelle et piano, dont *Sonate baroque* (1950) et *Minutes du monde* (1952).

Gaillard, Paul-André

Chef de chœur suisse, né à Veytaux-Montreux le 26 avril 1922.

Il poursuit parallèlement des études générales et musicales à Lausanne, Genève et Zürich. Il étudie le violon (Apia), la direction et la composition (Scherchen et Hindemith). Étudiant en philosophie, histoire et musicologie à l'Université de Zürich, il obtient le grade de docteur, en 1947, avec une thèse consacrée à la vie et à l'œuvre de Loÿs Bertrant. Tout d'abord altiste dans plusieurs orchestres de chambre (sous la direction de Stoutz, Kletzki, Sacher, Schuricht), il préfère s'orienter vers la direction. En 1951, à la mort de Carlo Boller, il lui succède à la tête de nombreux chœurs d'amateurs, tant en Suisse romande, qu'en Suisse alémanique. Collaborateur du Festival de Bayreuth et des Rencontres internationales de la Jeunesse, à Bayreuth également (1950 à 1969), il reçoit en 1963 la Médaille Richard Wagner. En 1964, il fonde les Rencontres chorales internationales de Montreux. De 1973 à 1979, il enseigne la musicologie à l'École polytechnique fédérale de Zürich. Il a dirigé dans le monde entier.

Auteur de plusieurs ouvrages sur la musique de la Renaissance et sur les œuvres de Wagner, il participe à de nombreuses revues musicales. Il a composé trois opérettes, de nombreuses musiques de scène, plusieurs mélodies ainsi que de la musique de chambre. Depuis 1969, il est chef des chœurs du Grand-Théâtre de Genève.

Galais, Bernard

Harpiste français, né au Havre le 30 janvier 1921.

Sa mère l'initie au piano et au solfège. A dix ans, il a la révélation de la harpe. Il la travaille au Conservatoire de Strasbourg pendant deux ans avant d'entrer au Conservatoire de Paris dans la classe de Marcel Tournier où il obtient, en 1939, un 1er prix. Il étudie alors l'harmonie et se perfectionne avec Pierre Jamet. Sa carrière ne débute véritablement qu'après la guerre. En 1945, il est harpe solo à l'Orchestre de la Garde Républicaine. L'Opéra de Paris le recrute en 1947 et le nommera harpe solo en 1959. Pendant toute cette période (1947-67) il est harpe solo à l'Orchestre de la Société des Concerts du Conservatoire. Depuis 1967, il occupe les mêmes fonctions à l'Orchestre Colonne. Parallèlement, il mène une active carrière de soliste et de musicien de chambre, notamment dans le Quintette Instrumental de Paris où il succède à Pierre Jamet. Parmi les partitions qui lui sont dédiées, on peut citer *Introduction et Toccata* de Damase.

Galamian, Ivan

Violoniste et pédagogue russe naturalisé américain (1944), né à Tabris (Iran) le 5 février 1902, mort à New York le 14 avril 1981.

Né dans une famille arménienne, il étudie très jeune le violon à l'Institut Philharmonique de Moscou (1916-22). Il se rend ensuite à Paris, où il travaille comme élève privé avec Lucien Capet (1923-24). Ses débuts de soliste dans la capitale française datent de 1924. Dès cette époque, il enseigne au Conservatoire Rachmaninov (1925-39) et à l'École normale de musique (1936-39). Pendant ces années, il mène une carrière de concertiste essentiellement en France et en Allemagne. Il séjourne aux États-Unis dès le début des années 1930 et s'y fixe définitivement à la déclaration de la guerre. En 1944, il est nommé professeur au Curtis Institute de Philadelphie. C'est le véritable départ de sa grande carrière de pédagogue. En 1946, il prend en charge la classe de violon de la Juilliard School de New York, enseignant ainsi dans les deux établissements les plus célèbres des États-Unis. Dès lors sa vie de concertiste est terminée. Il donne des cours d'été à la Meadowmount School qu'il fonde à Newport en 1944.

Au même titre que Joseph Joachim en Allemagne, Leopold Auer en Russie et Eugène Ysaÿe en Belgique, Ivan Galamian a profondément marqué l'art du violon de la seconde moitié du XXe siècle. Il forme de très nombreux violonistes – comme Itzhak Perlman, Pinchas Zukerman, Erick Friedman, Jaime Laredo, Paul Zukofsky, Michaël Rabin. La plupart des violons solos des grands orchestres américains ont été ses disciples et diffusent maintenant son enseignement. Celui-ci repose sur une analyse minutieuse de la personnalité de chacun et refuse les principes uniformes comme les règles rigoureuses. La technique violonistique d'Ivan Galamian est une heureuse synthèse des écoles russe et française. Son apport essentiel aura été de mettre en lumière les liens étroits qui unissent les caractéristiques du geste technique et la structure de la phrase musicale qui en est le résultat. Il possédait un violon particulièrement précieux, signé Nicolo Amati (1680), l'*ex-Walton*.

Galard, Jean

Organiste français, né à Vincennes le 19 février 1949.

Au Conservatoire de Paris, il est l'élève de Rolande Falcinelli (orgue) et de Norbert Dufourcq (histoire de la musique). Il travaille également avec Noëlie Pierront. Lauréat du Prix Tournemire (1970) et du Concours international d'improvisation de Lyon (1974), Jean Galard obtient un 1er prix d'orgue au

Conservatoire de Paris en 1975. Il reçoit également le prix du Concours d'improvisation (Prix Maurice Duruflé) des Amis de l'Orgue en 1979.

Musicien exceptionnellement doué, et virtuose à la technique d'une rare qualité, Jean Galard est à la fois organiste titulaire des grandes orgues de la cathédrale de Beauvais et de l'église Saint-Médard à Paris.

Gall, Yvonne

Soprano française, née à Paris le 6 mars 1885, morte à Paris le 22 août 1972.

Élève de Dubulle au Conservatoire, elle débute à l'Opéra en 1908 dans *Guillaume Tell* (rôle de Mathilde), puis est très vite affichée en Gilda, Elsa, Thaïs, Desdémone, Valentine... et surtout dans la Marguerite de *Faust* qu'elle chante notamment en 1934 pour la 2 000e représentation de l'ouvrage à Paris aux côtés de Georges Thill, André Pernet et Rouard sous la direction de Philippe Gaubert. Elle chante à l'Opéra-Comique à partir de 1921, Manon, Tosca, Louise, Ariane, Juliette et Dona Anna. Elle y crée Daphné dans *Les Noces Corinthiennes* de Henry Büsser son mari. Mais la plus grande part de sa carrière a lieu à l'étranger, aux Etats-Unis notamment à l'Opéra de Chicago, en Italie, en Angleterre, en Belgique et en Allemagne où elle remporta d'immenses succès.

Forte personnalité, musicienne exemplaire, brillante vocaliste, elle fut une grande artiste qui, le jour venu, devint l'un des très grands professeurs du Conservatoire de Paris. Elle a créé le *Psaume XLVII* de Florent Schmitt sous la direction d'Inghelbrecht en 1906.

Galli-Curci, Amelita

Soprano italienne, née à Milan le 18 novembre 1882, morte à La Jolla (Californie) le 26 novembre 1963.

Pianiste de tout premier ordre, élève préférée de Vicenzo Appiani, elle sort en 1903 du Conservatoire de Milan avec tous les premiers prix et commence une carrière de concertiste, d'autant mieux venue que ses parents venaient d'avoir des revers de fortune. Elle fréquente la Scala pour son plaisir et, de retour à la maison, elle chante en s'accompagnant les airs qu'elle a entendus. Un soir, chez des amis, on lui demande de chanter. Pietro Mascagni est là. Ébloui par sa voix, il lui conseille d'abandonner le piano au profit du chant. Alors qu'elle n'a pas encore pris sa décision, on lui offre de venir chanter Gilda dans la petite ville de Trani. Sans aucune étude de chant préalable, elle débute, à 24 ans, et obtient un tel triomphe qu'il faut donner dix représentations au lieu des six prévues. De retour à Milan, elle s'arrête à Rome et demande une audition au directeur de l'Opéra : « Vous pouvez faire une grande affaire en m'engageant car je suis fantastique et, pour le moment, je ne coûte pas cher. » Stupéfait par tant d'audace, le directeur l'auditionne donc, et... l'engage immédiatement pour une série de *Rigoletto* et de *Don Procopio.* La Scala lui propose *La Somnambule,* mais Lisa, pas Amina. Elle refuse et ne s'y produira jamais. C'est alors l'Espagne, l'Amérique du Sud, la Russie, Chicago, le Manhattan Opera de New York, mais pas encore le Met où Maria Barrientos règne sans partage. Puis la firme Victor lui fait enregistrer son premier disque : l'air des clochettes et l'air de Pamina. C'est un best-seller ; il dépasse les chiffres de Caruso. En 1921, Caruso meurt. Le Met n'a plus de super-star, Gatti-Cassazza, son directeur, offre à Amelita un pont d'or et l'ouverture de la saison 1921-22 dans *La Traviata.* Elle est sacrée impératrice du chant colorature. Pendant dix ans, elle fera les beaux soirs du Met, y chantant notamment Lucia, Juliette, Dinorah,... Atteinte d'un goitre, elle dut s'arrêter en pleine gloire. Après une opération réussie, elle tenta un come-back, mais sans succès et se retira définitivement.

Ses nombreux disques nous laissent l'écho du cristal le plus pur, de feux d'artifice éblouissants, mais aussi une tendance à parfois chanter un peu bas, surtout en fin de carrière.

Galli-Marié, Célestine Laurence (Marié de l'Isle)

Mezzo-soprano française, née à Paris en novembre 1840, morte à Vence le 22 septembre 1905.

Fille du ténor et chef d'orchestre Félix Mécène Marié de l'Isle, elle étudie avec lui et débute en 1859 à Strasbourg. Elle apparaît à l'Opéra-Comique en 1862 (Serpina de *la Servante Maîtresse*) et y chantera régulièrement jusqu'en 1885, y créant notamment *Mignon* en 1866 et *Carmen* en 1875. Spécialisée dans le répertoire français, elle le chantera à Londres en 1886.

Galliera, Alceo

Chef d'orchestre italien, né à Milan le 3 mai 1910.

Son père, Arnaldo (1871-1934), est compositeur et professeur au Conservatoire de Parme. Il lui enseigne les premiers rudiments de la musique avant de l'envoyer au Conservatoire de Milan. Sitôt sorti, Alceo y est nommé professeur (1932). Il débute comme organiste et se tourne vers la direction d'orchestre en 1941. Il passe la guerre en Suisse. En 1950-51, il est à la tête de l'Orchestre Symphonique de Melbourne. De 1957 à 1960, il est 1er chef à l'Opéra de Gênes puis, de 1964 à 1972, directeur artistique de l'Orchestre Municipal de Strasbourg. Invité par les plus grands orchestres, Galliera est recherché pour ses talents d'accompagnateur : il a réalisé un grand nombre de disques en concerto avec Clara Haskil, David Oïstrakh, Henryk Szeryng, Claudio Arrau, Pierre Fournier, ainsi qu'une intégrale du *Barbier de Séville* avec Maria Callas et Tito Gobbi.

Gallois, Henri

Chef d'orchestre français, né à Alger le 11 mai 1944.

Il mène d'abord de très solides études secondaires et universitaires. Simultanément il travaille la musique à Alger, Nice, Grenoble et Paris. C'est avec Jésus Etcheverry et Edouard Lindenberg qu'il s'initie à la direction d'orchestre. Sa carrière débute dès 1964 grâce à une tournée qui lui fait traverser la France. En 1969, il est lauréat du Concours international de Besançon. De 1970 à 1972, il est chef permanent du Théâtre de Dijon, et de 1972 à 1979, au Capitole de Toulouse. Depuis 1979, il est directeur de la musique à l'Opéra du Nord. Il tire de l'oubli *Philémon et Baucis* ainsi que l'*Oratorio Mors et Vita* de Gounod, *Tiefland* d'Eugen D'Albert et *Le Testament de tante Caroline* de Roussel parmi de nombreuses partitions qui ne sont plus guère jouées. Il crée *Les Noces d'ombre* de Nikiprowetzky (1974) et *Aliana* d'Ancelin (1981).

Galway, James

Flûtiste irlandais, né à Belfast le 8 décembre 1939.

Il abandonne rapidement le violon pour la flûte, remportant à douze ans les concours de l'Ulster, toutes catégories confondues. Il étudie au Royal College of Music de Londres, de 1956 à 1959, avec John Francis, puis à la Guildhall School of Music, avec Geoffrey Gilbert. Une bourse lui permet de venir travailler au Conservatoire de Paris (1960-61) auprès de Gaston Crunelle et de Jean-Pierre Rampal. Mais c'est Marcel Moyse qui exercera la plus forte influence sur sa formation musicale. Il débute comme musicien de théâtre au Royal Shakespeare Theatre de Stratford-on-Avon, puis au Sadler's Wells (1961) et au Covent Garden (1964) dont il devient le premier flûtiste. Entré à l'Orchestre Symphonique de Londres en 1966, après avoir remporté le Concours international de Birmingham, il est nommé première flûte au Royal Philharmonic Orchestra un an plus tard. Appelé par Karajan comme première flûte solo de l'Orchestre Philharmonique de Berlin, il y reste six ans (1969-75) avant de se lancer dans une carrière de soliste, brutalement interrompue par un grave accident. Depuis, il a réduit sensiblement le nombre de ses concerts, prenant le temps d'enseigner aux États-Unis, à la Eastman School of Music, d'écrire ses Mémoires (traduits en français en 1981) et de réaliser des shows pour la télévision anglaise où il mélange sans remords tous les répertoires, de Bach à la musique pop.

Plusieurs œuvres lui ont été dédiées : *Concerto* et *Cadence 5* de Henri Lazarof, *Concerto* de John Carigliano, *Orpheus* de Musgrave, *Variations* pour flûte et orchestre de Hanning Schrœder, *Concierto pastoral* de Rodrigo (1978). Lui-même a réalisé de nombreuses transcriptions pour son instrument. Il possède plusieurs flûtes en or signées A. K. Cooper. Derrière le personnage excentrique se cache un musicien au souffle inépuisable et au timbre argentin, qui sait mettre ses qualités de vibrato et de beau chant au service de l'expression, en dehors de tout souci d'authenticité stylistique.

Gamba, Piero

Chef d'orchestre italien, né à Rome le 16 septembre 1937.

Il est le fils d'un violoniste qui le pousse rapidement vers une carrière d'enfant prodige. Tout en étudiant le piano, il dirige son premier concert à l'Académie Sainte-Cécile de Rome à l'âge de huit ans. Les plus grands orchestres invitent alors ce chef en culotte courte qui débute à Londres en 1948. C'est en Angleterre que se déroule l'essentiel d'une carrière de chef invité qui est devenue beaucoup moins marquante au fil des années. De 1970 à 1980, il est directeur de l'Orchestre Symphonique de Winnipeg (Canada). Il est ensuite le principal chef invité de l'Orchestre Symphonique d'Adélaïde (Australie). Il a créé *Les Noces de nuit* de Landowski (1962).

Ganz, Rudolph

Pianiste et chef d'orchestre suisse naturalisé américain, né à Zürich le 24 février 1877, mort à Chicago le 2 août 1972.

Enfant, il étudie le violoncelle et le piano à Strasbourg et à Lausanne. Sa première apparition en public a lieu à onze ans, en tant que violoncelliste. En 1899, il décide de perfectionner sa technique de piano. Il devient l'élève de Busoni. Heinrich Urban lui enseigne la composition. En 1899, il fait ses débuts de pianiste avec l'Orchestre Philharmonique de Berlin. L'année suivante, il dirigera sa *Symphonie en mi mineur* avec le même orchestre. De 1901 à 1905, il enseigne le piano au Chicago College of Music. Felix Weingartner l'accompagne pour ses débuts new-yorkais en 1906. Installé définitivement aux U.S.A., il devient le chef permanent de l'Orchestre Symphonique de Saint Louis (1921-27). En 1928, il devient administrateur du Chicago College, dont il assurera la présidence de 1933 à 1954. Grand pédagogue, Ganz a souvent dirigé des orchestres de jeunes musiciens. Il laisse également un grand nombre de lieder. Ravel lui a dédié *Scarbo* (*Gaspard de la nuit*), Busoni sa *Sonatine n° 1*, deux musiciens qu'il a contribué à faire connaître tout comme Bartók.

ÉCRITS : *Rudolph Ganz evaluates modern piano music* (1968).

Gaouk, Alexandre

Chef d'orchestre soviétique, né à Odessa le 15 août 1893, mort à Moscou le 30 mars 1963.

Au Conservatoire de Petrograd, il travaille le piano avec F. Blumenfeld, les écritures et la composition avec V. Kalafati, I. Vitol et Glazounov, la direction avec N. Tcherepnine. Il fait ses débuts au Théâtre de Petrograd en 1917 avant d'être nommé à l'Opéra de Leningrad de 1923 à 1931. Il prend ensuite la direction de l'Orchestre Philharmonique de Leningrad (1931-33) et se fixe à Moscou où il dirige l'Orchestre Symphonique de la Radio (1933-36) et l'Orchestre Symphonique d'État de l'U.R.S.S. (1936-41). De 1953 à 1961, il sera directeur artistique et 1er chef du Grand Orchestre Symphonique de la Radio-Télévision de l'U.R.S.S. Durant toute sa carrière, il accorde une place essentielle à l'enseignement, au Conservatoire de Leningrad où il est professeur de 1927 à 1933, au Conservatoire de Moscou (1939-41 puis 1948-63) et au Conservatoire de Tbilissi (1941-43). Parmi ses élèves figurent Mravinski, Melik-Pachaiev et Svetlanov.

Fervent défenseur de la musique de son temps, il a créé de nombreuses partitions de Prokofiev, Chostakovitch (*Symphonie n° 3, Le Boulon, l'Âge d'or*), Miaskovski (*Symphonies n° 21 et 27*) ou Khatchaturian. Il a terminé *Jenitba* (*Le Mariage*) de Moussorgski d'après ses esquisses et reconstitué la partition de la *1re Symphonie* de Rachmaninov d'après le matériel incomplet qui avait survécu à la révolution, recréant l'œuvre en 1945.

ÉCRITS : *L'Art d'un interprète* (en russe), publié en 1972.

Garaguly, Carl von

Chef d'orchestre hongrois naturalisé suédois, né à Budapest le 28 décembre 1900.

Élève de Hubay à Budapest, il poursuit ses études à Berlin et à Lichtenberg avec von Kresz et Marteau. Il commence une carrière de violoniste : à 17 ans, il joue à la Philharmonie de Berlin puis se fixe en Suède où il est violon solo de l'Orchestre Symphonique de Göteborg (1923-30). En 1940, il fonde le Quatuor Garaguly. L'année suivante, il est nommé à la tête de l'Orchestre Philharmonique de Stockholm (1941-55). Il prend ensuite la direction de l'orchestre Symphonique de Bergen (1952-59), de l'Orchestre de Arnhem, aux Pays-Bas (1959), puis de l'Orchestre Symphonique de Sønderborg, au Danemark (1965). Il enseigne à l'Académie de musique de Stockholm.

García Asensio, Enrique

Chef d'orchestre espagnol, né à Valence le 22 août 1937.

Il commence ses études musicales au Conservatoire de Madrid puis les poursuit à Munich (avec Lessing, Eichhorn et Mennerich) et à Sienne (avec Celibidache). En 1962, il remporte un prix décerné par la R.A.I. et, l'année suivante, le prix de l'Académie Chigiana à Sienne. En 1966, il est nommé chef permanent de l'Orchestre Symphonique de la Radio-Télévision Espagnole à Madrid. Un an plus tard, il obtient le 1er prix du Concours Mitropoulos à New York ce qui lui permet de passer un an à Washington comme assistant du National Symphony Orchestra (1967-68). De retour dans son pays, où il conserve ses fonctions à la radio, il prend la direction de l'Académie Royale de Valence (1969) et de l'Orchestre du Conservatoire de Madrid (1970). Son frère, José Luis García, est le 1er violon solo de l'English Chamber Orchestra.

García Navarro, Luis

Chef d'orchestre espagnol, né à Chiva le 30 avril 1941.

Il commence ses études au Conservatoire de Valence puis les poursuit, dans les disciplines de hautbois, piano et composi tion, au Conservatoire de Madrid, où il obtient un 1er prix en 1963. Ayant obtenu une bourse des gouvernements français et italien, il étudie la direction d'orchestre en France et en Italie avec Karl Œsterreicher et Franco Ferrara, puis il se rend à Vienne où, à l'Académie de musique, il travaille avec Hans Swarowsky et Reinhold Schmid.

Fondateur, dès 1963, de l'Orchestre National de la Société Universitaire Espagnole, il est lauréat, en 1967, du Concours International de Besançon. De 1970 à 1974, il est chef permanent de l'Orchestre Symphonique de Valence tout en dirigeant régulièrement aux Pays-Bas. En 1976, il est nommé chef permanent de l'Orchestre Symphonique de la Radio portugaise. Depuis 1979, il est directeur musical du Théâtre San Carlos de Lisbonne.

Garcisanz, Isabel

Soprano espagnole, née à Madrid le 29 juin 1934.

Elle étudie la musique et le chant, avec Angeles Ottein au Conservatoire de Madrid et obtient trois grands prix : chant, solfège, piano. Une bourse d'État lui permet – après des études d'harmonie, d'accompagnement et d'art dramatique –

de se rendre à Vienne, à l'Académie de musique ; engagée pour trois ans à l'Opéra de Vienne, elle débute dans *Le Comte Ory*, chante Rosine du *Barbier de Séville*, Adina de *l'Élixir d'Amour* et interprète l'Enfant, dans l'*Enfant et les Sortilèges* de Ravel. A Strasbourg, elle incarne Serpetta dans *La Finta Giardiniera* de Mozart.

Mozart deviendra le fil conducteur de son art : Chérubin, Suzanne, La Comtesse (*Noces de Figaro*), Zerlina, Elvira (*Don Giovanni*), Dorabella, puis Fiordiligi (*Cosi fan tutte*). Invitée par les grands théâtres de France et d'Europe, elle chante Donizetti, Rossini, Offenbach, Strauss, Ravel. A Glyndebourne, elle interprète Cavalli et Mozart. Sa voix expressive et claire touche les compositeurs contemporains qui écrivent pour elle. C'est ainsi qu'elle crée : *Sybille* et la *Messe* de Ohana (Avignon, 1976), *Le Bonheur dans le crime* de Casanova (Toulouse, 1972), *Aliana* de P. Ancelin (Radio France, 1973), *Les Noces d'ombre* de Nikiprowetzky (Toulouse, 1973), la *5e Symphonie* de Mihalovici (Radio France, 1972), *Ancient Voices of Children* de Crumb (Domaine Musical, 1973), *Medis et Alissio* de Delerue (Strasbourg, 1974). Elle parle cinq langues, ce qui lui permet d'aborder dans leur version originale des rôles comme Tatiana (*Eugène Oneguine*, Tchaïkovski). Elle aime le récital et l'opéra, chante avec piano, clavecin ou guitare...

Gardelli, Lamberto

Chef d'orchestre suédois d'origine italienne, né à Venise le 8 novembre 1915.

Après avoir étudié le piano et la composition à Pesaro (au Lycée musical Rossini) et à Rome avec Zanella, Ariani, Petrassi et Bustini, il devient l'assistant de Tullio Serafin, et dirige, en concert, plusieurs orchestres italiens. Il aborde l'Opéra avec *La Traviata* au Théâtre Royal de Rome et deux ans plus tard appelé par l'Opéra de Stockholm, il y devient chef permanent (1946-55). Il y maintient le répertoire italien qu'il revivifie. On lui confie aussi les œuvres contemporaines scandinaves. De 1955 à 1961, il dirige l'Orchestre Symphonique de la Radio Danoise puis il est attaché à l'Opéra de Budapest (1961-65). En 1964, fidèle toujours au théâtre lyrique italien, il présente *Les Capulets et les Montaigus* de Bellini au Carnegie Hall de New York et débute au Met en 1966 avec *Andréa Chénier* (Giordano) où il dirige régulièrement jusqu'en 1968. Invité au Festival de Glyndebourne en 1964 et 1968, il y dirige *Macbeth* et *Anna Bolena*. En 1968, il est nommé directeur général de la musique à Berne. L'année suivante, il fait ses débuts à Covent Garden dans *Otello*. Invité par les plus grands opéras du monde, il prend en 1982 la direction de l'Orchestre de la Radio de Munich.

Lamberto Gardelli est considéré comme l'un des meilleurs chefs verdiens de sa génération, car il joint la finesse à l'expressivité, s'attache autant à la force des structures qu'aux nuances et variétés de la forme. Ce chef est aussi compositeur d'œuvres symphoniques, vocales, lyriques.

Garden, Mary

Soprano écossaise, née à Aberdeen le 20 février 1874, morte à Aberdeen le 3 janvier 1967.

Dès l'âge de six ans elle vit en Amérique, à Chicago et étudie le violon et le piano ; elle se consacre ensuite au chant qu'elle perfectionne à Paris auprès de M. Marchesi, Trabadello, L. Fugère et J. Chevalier. En 1900, dans *Louise* de Charpentier, elle éblouit tout le monde à l'Opéra-Comique. L'année suivante, elle interprète *La Traviata, Manon*, et, en 1902, est la créatrice de Mélisande. Invitée à Londres, elle chante encore *Manon*, puis apparaît dans la première de *Chérubin* de Massenet, en 1905, à l'Opéra de Monte-Carlo. En 1904, elle avait aussi créé *La Damoiselle élue* de Debussy et *La Reine Fiamette* de Leroux. De 1907 à 1910 : Mary Garden enthousiasme le public du Manhattan Theatre de New York dans *Le Jongleur de Notre-Dame, Sapho, Griselidis* (Massenet), mais elle chante aussi *Salomé* de R. Strauss (1909). En 1910, elle entre dans la troupe de l'Opéra de Chicago qu'elle dirige en 1919-20 et où elle demeure jusqu'en 1931. Cette année-là, elle est une étonnante *Carmen.* En 1927, Mary Garden participe à la première de *Judith* (Honegger) et, en 1930, à celle de *Résurrection* (Alfano). Après une série de triomphes aux États-Unis (*Don Quichotte* et *Cléopâtre* de Massenet, *Tosca, Monna Vanna* de H. Février), elle se retire de la scène en 1931 et donne des récitals. En 1935, elle enseigne au College musical de Chicago et, en 1947, fait des conférences à travers l'Amérique.

Debussy lui a dédié les *Ariettes oubliées,* Roussel *Vœu* (op. 3, nº 2).

ÉCRITS : *Mary Garden's Story* (1951).

Gardiner, John Eliot

Chef d'orchestre anglais, né à Shaftesbury le 20 avril 1943.

Il fait ses études au King's College de Cambridge et obtient des diplômes d'histoire et d'arabe (1961-65). A Londres, il a pour professeur de musique Thurston Dart. Une bourse du gouvernement français lui permet de venir travailler deux ans auprès de Nadia Boulanger à Paris. En 1964, après avoir étudié la direction d'orchestre avec G. Hurst, il fonde le *Monteverdi Choir* et fait ses débuts avec ce chœur à Wigmore Hall, en 1966. L'année suivante, alors que l'on fête le 4e centenaire de la naissance de Monteverdi, il dirige les *Vêpres de la Vierge,* dans une nouvelle édition établie par lui, dans la cathédrale Ely. En 1968, durant un « Concert Promenade », cette œuvre touche un large public. J. E. Gardiner fonde alors l'Orchestre Monteverdi, joint au chœur (1978). Suivant sa passion pour les musiques du XVIIe et du XVIIIe siècle, il met au point de nouvelles éditions de Rameau (*Dardanus, Les Fêtes d'Hébé, Les Boréades)* et dirige ces œuvres à Londres, de 1973 à 1975. La sûreté, la rigueur de son travail en font un maître en ce domaine. Mozart, Gluck, Händel sont à son répertoire. Il dirige *La Flûte enchantée* à Sadler's Wells en 1969 et *Iphigénie en Tauride* au Covent Garden en 1973. En 1982, il dirige la première représentation des *Boréades* de Rameau au Festival d'Aix-en-Provence. L'année suivante, il est nommé directeur musical de l'Opéra de Lyon.

Gardon, Olivier

Pianiste français, né à Nice le 29 juillet 1950.

Après avoir travaillé avec Madame Audibert-Lambert au Conservatoire de Nice, il entre dans la classe de Pierre Sancan au Conservatoire de Paris. 1er prix de piano en 1970, et de musique de chambre dans la classe de Jean Hubeau en 1971, il remporte le 1er prix au Concours Marguerite Long en 1973, puis est couronné au Concours Reine Élisabeth de Belgique en 1975. Lauréat de nombreux autres concours (Viotti, Casella, Manza, Sinigalia), il enseigne au Conservatoire de Strasbourg.

Garner, Françoise

Soprano française, né à Nérac le 17 octobre 1933.

Dans un premier temps, elle ne se destine pas au chant. Elle étudie au Conservatoire de Paris, notamment les écritures avec Marcel Samuel-Rousseau. Elle ne découvre sa véritable vocation que quelques années plus tard, en Italie. Elle travaille au Conservatoire Sainte-Cécile de Rome pendant six ans, puis à Vienne. Elle fait ses débuts à l'Opéra-Comique en 1963, lors de la création du *Dernier Sauvage* de Menotti. On lui confie alors tous les rôles de colorature : Rosine, Lakmé, Olympia (*Les Contes d'Hoffmann*), Leïla. A l'Opéra, elle chante Lucia de Lammermoor, Gilda (*Rigoletto*). En 1971, elle incarne la Reine de la nuit au Festival d'Aix-en-Provence. Au cours des années qui suivent, sa voix s'élargit et elle aborde des rôles plus lyriques : en 1977, elle chante Marguerite (Gounod) à la Scala, Butterfly et Juliette (Gounod) à Vérone. Puis elle met à son répertoire les grands rôles de Bellini qu'elle chante surtout en France et en Italie.

Gaubert, Philippe

Chef d'orchestre et compositeur français, né à Cahors le 4 juillet 1879, mort à Paris le 8 juillet 1941.

Arrivé à Paris à l'âge de sept ans, il travaille la flûte avec le père de Paul Taffanel qui le confie bientôt à son fils. Au Conservatoire, il est aussi l'élève de Pugno (harmonie), Caussade (écritures) et Lenepveu (composition). En 1894, il remporte un 1er prix de flûte, en 1903 un 1er prix de fugue et, en 1905, le 2e Grand Prix de Rome. Très rapidement, il est flûte solo à la Société des Concerts et à l'Opéra de Paris. En 1904, il est nommé 2e chef à la Société des Concerts où il seconde Georges Marty. Sa véritable carrière commence après la guerre, en 1919, lorsqu'il remplace Messager à la tête de la Société des Concerts, où il restera jusqu'en 1938. La même année, il succède à Taffanel comme professeur de flûte au Conservatoire et, en 1920, il devient 1er chef d'orchestre puis directeur de la musique (1924-39) à l'Opéra de Paris. En 1931, il est professeur de direction d'orchestre au Conservatoire et, en 1940-41, directeur de la musique à l'Opéra.

A la Société des Concerts ou à l'Opéra, Gaubert s'est fait le champion de la musique de son temps qu'il impose avec un enthousiasme communicatif. On lui doit la création de *Padmâvati* (1923) et *Bacchus et Ariane* (1931) de Roussel, de *Masques et bergamasques* de Fauré, d'*Œdipe* d'Enesco (1936) et de nombreuses partitions de Pierné, Ibert, Emmanuel... En 1934 et 1935, il a donné les premières exécutions modernes de l'*Orfeo* de Monteverdi à la Société des Concerts. A l'Opéra, il dirigeait surtout, en dehors des créations, les grands ouvrages de Wagner et de Berlioz.

L'œuvre de Gaubert est abondant : plusieurs ouvrages pour la scène (*Sonia, Naïla*, ou son ballet *Le Chevalier et la damoiselle*), des œuvres pour flûte et de nombreuses pages d'orchestre (*Le Cortège d'Amphitrite, Concert en fa, Symphonie*).

Gavazzeni, Gianandrea

Chef d'orchestre, compositeur et écrivain italien, né à Bergame le 27 juillet 1909.

Il a pour professeurs Renzo Lorenzoni (piano), Ildebrando Pizzetti et Mario Pilati (composition), à Rome et au Conservatoire de Milan (1921-31). Il entreprend une carrière de chef d'orchestre tout d'abord à la Scala (1948), puis, sans quitter ce théâtre (dont il sera directeur artistique de 1966 à 1968), dans les autres principaux centres italiens, à Moscou, Chicago, Buenos Aires, Vienne.

Son intelligence, sa sensibilité, ses goûts, le portent vers les opéras du XIXe siècle surtout. Ses propres compositions ne se détachent pas des racines et de la culture italiennes. Le paysage lombard l'inspire. Parmi ses œuvres : *Paul et Virginie* (opéra, 1935), *La Mort de Daphné* (pour violon et orchestre, 1929), le *Concerto en la majeur* (violon et orchestre, 1937), *Nocturnes des buveurs bergamasques* (ténor et orchestre, 1938), *Bergamasque* pour piano.

ÉCRITS : *Journal du musicien* (1940-50) ; *Moussorgski et la musique russe du XIXe ; La Mort de l'Opéra* (1954) ; *Années de musique* (1958) ; *Journal d'Edimbourg et d'Amérique* (1960) ; *Ne pas exécuter Beethoven* (1974).

Gavrilov, Andreï

Pianiste soviétique, né à Moscou le 1er septembre 1955.

Sa mère, élève de Heinrich Neuhaus, lui a enseigné le piano. Après ses études à l'École supérieure de Moscou, il remporte le 1er prix du Concours Tchaïkovski de Moscou.

Doué d'une fulgurante technique, Gavrilov peut tout jouer, ou presque. Mais il allie à l'adresse et à la puissance de ses doigts un sens aigu de la musicalité. Il est l'interprète de rêve des Russes (Rachmaninov, Tchaïkovski, Prokofiev), mais aussi des Viennois.

Gawriloff, Saschko (Siegfried Jordan Gawriloff)

Violoniste allemand, né à Leipzig le 20 octobre 1929.

Sa famille est d'origine bulgare. Il étudie avec son père – violoniste au Gewandhaus de Leipzig – jusqu'en 1937. De 1942 à 1944, il travaille au Conservatoire de Leipzig avec Hans Hilf et Walter Davison. De 1945 à 1947, il reçoit les conseils de Gustav Havemann et de Martin Kovacz à Berlin. Il est violon solo à la Philharmonie de Dresde (1947-48), à la Philharmonie de Berlin (1948-49), à l'Orchestre de la Radio de Berlin (1949-53), à l'Orchestre du Museum de Francfort (1953-57), à l'Orchestre Symphonique de la Radio de Hambourg (1961-66). En 1953, il avait remporté des concours internationaux à Berlin et Munich, puis le Concours Paganini à Gênes (1959). Il enseigne successivement au Conservatoire de Nuremberg (1957-61), à l'Académie de musique de Detmold (1966-69) et à la Folkwanghochschule d'Essen à partir de 1969. Il participe à des cours d'été à Darmstadt depuis 1963. Il a créé *Widmung* pour violon seul de Bruno Maderna à Darmstadt en 1971 et de nombreuses œuvres contemporaines de Werner Heider, Dieter Haufman et Schnittke. Il joue fréquemment avec le pianiste Aloys Kontarsky et le violoncelliste Siegfried Palm. Depuis 1971, il joue en trio avec Alfons Kontarsky et Klaus Storck. Parmi ses plus récentes créations figurent des œuvres de Ligeti (1982), Yun (1983) et Rihm (1984).

Gazeau, Sylvie

Violoniste française, née à Nice le 30 janvier 1950.

Elle commence sa formation musicale au Conservatoire de Nice où elle obtient un prix en 1959. Sur les conseils de Henryk Szeryng, elle entre au Conservatoire de Paris (classes de Gabriel Bouillon et Joseph Calvet) où elle remporte des 1ers prix de violon (1965) et de musique de chambre. Lauréate du Concours de Barcelone (1967), 2e prix au Concours international de Londres (1968), 1er prix du Concours Enlow d'Evansville (U.S.A.) en 1969, elle se voit décerner le « Performer's Certificate » de l'Université d'Indiana où elle est élève de Gingold et Starker. En 1973, elle remporte le 3e prix au Concours international de Montréal. Elle réalise une carrière internationale. De 1976 à 1982, elle est soliste à l'Ensemble Intercontemporain qu'elle quitte pour se consacrer davantage à la musique de chambre, notamment au sein du Quatuor Ivaldi, avec Gérard Caussé, Christian Ivaldi et Alain Meunier. Elle joue sur un Stradivarius ayant appartenu à Christian Ferras.

Gazzelloni, Severino

Flûtiste italien, né à Roccasecca Frosinone le 5 janvier 1919.

Il commence la flûte à l'âge de sept ans, avec Giambattista Creati, poursuit ses études au Conservatoire Sainte-Cécile de Rome et fait ses débuts dans un orchestre de musique légère. Il est tout d'abord flûte solo à l'Orchestre Symphonique de Belgrade, puis à l'Orchestre de la R.A.I. de Rome. Il est aussitôt remarqué par les chefs d'orchestre et par les compositeurs. Son habileté à déchiffrer, son extraordinaire mémoire vont de pair avec une intuition musicale profonde. Il semble fait pour la musique d'aujourd'hui, bien que toute musique, dès son adolescence, le touche, de Vivaldi à Stravinski. En 1952, il enseigne la flûte aux cours d'été de Darmstadt. Là, il connaît l'avant-garde musicale. Il se lie d'amitié avec Adorno, Hartmann et Ströbel. Il donne ensuite des cours à Darlington en Angleterre, à Cologne, à l'Académie Sibelius d'Helsinki, à l'Académie Chigiana de Sienne (à partir de 1966), au Conservatoire Sainte-Cécile de Rome. Stravinski, impressionné par la beauté de son jeu parle de lui dans ses souvenirs. Bruno Maderna le choisit souvent pour des créations, dont *Hyperion* (selon Holderlin).

Le rôle qu'il joue dans la musique actuelle est essentiel, créant, avec un plaisir apparent, les œuvres des compositeurs les plus jeunes et les moins connus, de toutes tendances, au même titre que les pièces célèbres de Messiaen ou de Stockhausen. Personnage très vivant, inoubliable sur scène, il joue de sa flûte d'or, la changeant pour le piccolo ou pour la flûte en sol dans un ordre et un désordre qui font les délices de l'imagination. Il joue Bach et le jazz.

Parmi ses créations et son répertoire, citons la *Sonatine pour flûte et piano* de Pierre Boulez, *Souffle* et le *Concerto* de Petrassi qui lui sont dédiés comme *Reciproco* de de Pablo, *Honeyrêves* de Maderna, *Diagramme* de Gorecki, *Somaksah* de Matsudaira, *Sequenza pour flûte seule* de Berio, *Puppenspiel 2* de Donatoni et la partition de Nono *Y su sangre viene cantando*, qui fit date à Baden-Baden en 1954 sous la direction de Hans Rosbaud. En 1977, le nombre d'œuvres écrites pour lui s'élevait à 135.

Gedda, Nicolaï
(Nicolaï Ustinov)

Ténor suédois, né à Stockholm le 11 juillet 1925.

Né de père russe et de mère suédoise, il étudie dans sa ville natale avec C.M. Oehmann et débute à l'Opéra Royal de Stockholm en 1952 (*Le Postillon de Longjumeau*). Il commence immédiatement une grande carrière internationale en chantant à l'Opéra de Paris en 1952 (*Obéron*), à la Scala en 1953 (Don Ottavio), à Aix-en-Provence en 1954 (Belmonte, puis Orphée, Thespis du *Platée* de Rameau, Ferrando de *Così*), à Vienne (*Carmen* en concert au Musikverein) et au Covent Garden (le Duc de Mantoue) la même année. C'est ensuite le Met en 1957 (Faust) puis Salzbourg en 1957 (Belmonte, et Horace dans la création mondiale de *L'École des femmes* de Liebermann, puis Anatol de *Vanessa* de Barber – dont il assure la création mondiale en 1957 au Met –, Ferrando, Ottavio et le Chanteur italien du *Chevalier à la rose*...) et toutes les grandes scènes mondiales, y compris le Bolchoï où il débute en 1980. Il est aussi des créations de l'*Homme sauvage* de Menotti au Met, et des *Triumphi* d'Orff à la Scala. Spécialisé surtout dans les répertoires français (Roméo, les deux Faust, Cellini, Werther, Nadir, Hoffmann...), allemands (Mozart, Gluck et les opérettes viennoises...) et russes (Lensky, Dimitri, *La Vie pour le Tsar, Lady Macbeth de Mtzensk*...), il ne dédaigne pas pour autant les rôles italiens (Bellini, Verdi, Puccini). Son répertoire comporte plus de 60 rôles et il a enregistré plus de 160 disques. Sa technique et sa distinction en font l'un des plus grands noms de son époque, aussi bien pour l'opéra que pour le récital.

ÉCRITS : *Le Cadeau n'est pas gratuit* (en suédois, 1978).

Gelber, Bruno-Leonardo

Pianiste argentin, né à Buenos Aires le 19 mars 1941.

Son père est altiste au Théâtre Colón et sa mère pianiste. Dès l'âge de trois ans, il commence l'étude du piano. En 1946, il travaille sous la direction de Vicente Scaramuzza. Hélas !, en 1948, la poliomyélite le contraint à plus d'un an d'immobilité. Il surmontera cette épreuve et, dès 1949, il donne son premier récital à la Radio. Il poursuit ses études générales tout en se produisant sur les scènes de son pays. Il jouera notamment au Théâtre Colón sous la direction de Lorin Maazel en 1956. En 1960, il obtient une bourse du gouvernement français et vient vivre trois ans en France. Il y rencontre Marguerite Long dont il devient très vite l'un des élèves favoris. En 1961, il remporte le 3e prix au concours qui porte son nom. Les remous provoqués par cette troisième place, alors que beaucoup le mettaient au premier plan, lui assurent un rapide accès à la célébrité. Son répertoire est essentiellement constitué des grandes œuvres classiques et romantiques.

Géliot, Martine

Harpiste française, née à Paris le 8 décembre 1948.

Née dans une famille de harpistes, elle obtient très tôt les plus hautes récompenses au Conservatoire de Paris (classe de Pierre Jamet) un 1er prix (1963), puis au

Concours international d'Israël (1965). Dès lors, elle se produit dans le monde entier : Fondation Gulbenkian à Lisbonne, Carnegie Hall à New York (1976). En 1977, The National Academy of Recordings Arts (U.S.A.) lui décerne un Grand Prix conjointement avec Ravi Shankar, Yehudi Menuhin et Jean-Pierre Rampal avec lesquels elle a enregistré. En 1976, elle crée à Londres le *Concerto pour harpe* de Malcolm Williamson, année où elle inaugure la classe de harpe au Conservatoire Municipal du Luxembourg. Depuis 1978, elle est soliste à l'Orchestre National de France. Elle fonde alors le Trio flûte, violonçelle et harpe de Paris (avec André Guilbert et Jean Barthe) qui succède au Trio Nordmann.

Gelmetti, Gianluigi

Chef d'orchestre italien, né à Rome le 11 septembre 1945.

Il fait ses études musicales à l'Académie Sainte-Cécile de sa ville natale où il obtient son diplôme de direction d'orchestre en 1965. Élève de Franco Ferrara à Rome et dans diverses académies (1962-67), il se perfectionne avec Sergiu Celibidache et, à Vienne, avec Hans Swarowsky. Il est nommé directeur musical de l'Orchestre des Pomeriggi Musicale de Milan et enseigne au Conservatoire de cette ville jusqu'en 1980. Il devient ensuite directeur artistique de l'Orchestre Symphonique de la R.A.I. de Rome (1980-84). Puis il est nommé directeur musical de l'Opéra de Rome (1984).

Parmi les œuvres qu'il a créées, *Sacro Concerto* de Castiglioni (1982), *Symphonie n° 7* de Henze (1984).

Gencer, Leyla

Soprano turque, née à Ankara le 10 octobre 1927.

Elle fait ses humanités à Istanbul puis ses études de chant au Conservatoire local, ayant la chance d'avoir des professeurs tels que Gianina Arangi-Lombardi. En 1953, elle arrive en Italie, parlant parfaitement l'italien, d'instinct bonne comédienne, mais douée d'une voix flexible, plaisante, un peu courte dans le grave et plutôt limitée en puissance. C'est pourtant dans le rôle de Santuzza qu'elle débute, en plein air, à Naples, en 1953. Peu après, elle est Madame Butterfly au San Carlo de Naples, puis Tosca à Munich, Francesca da Rimini à San Francisco... En 1957, elle débute à la Scala pour la création des *Dialogues des Carmélites* et, immédiatement après, Karajan lui fait chanter Violetta à l'Opéra de Vienne. Cette fulgurante ascension, Gencer la doit plus à son intense musicalité, à ses dons et à sa présence dramatiques qu'à la qualité de sa voix.

Deux événements font alors prendre à sa carrière un tournant décisif : *Anna Bolena* à la Radio, *La Battaglia di Legnano* à Florence. Elle se lance dans le répertoire des sopranos d'agilità du début du XIXe siècle, et c'est le triomphe : Lucia à San Francisco, Amina à Naples, Gilda,... puis *Norma, Lucrezia Borgia, Roberto Devereux.* Venant après Callas, il lui était difficile de s'imposer d'autant que s'affirmant « musulmane et orientale », elle s'interdisait tout ce qui, en dehors de son art, pouvait défrayer la chronique et faire d'elle la « une » des journaux.

Si sa carrière est présentement moins intense, ses disques « live », qui, curieusement, se multiplient, nous font découvrir à côté de quelle artiste d'exception nous sommes trop souvent passés.

Gendron, Maurice

Violoncelliste et chef d'orchestre français, né à Nice le 26 décembre 1920.

Il manifeste très tôt d'étonnantes dispositions pour la musique. A cinq ans, il reçoit un petit violoncelle spécialement fabriqué à son intention. Il en commence l'étude à Cannes avec Stéphane Odero. Il rencontre Emanuel Feuermann qui lui fait passer une audition. A douze ans, il entre au Conservatoire de Nice et travaille avec Jean Mangot. Il obtient en 1935 un 1er prix de violoncelle. Il « monte » ensuite à Paris où il entre au Conservatoire dans la classe de Gérard Hekking et obtient en 1938 un 1er prix de violoncelle. La vie pour lui est à cette époque assez difficile. Il commence néanmoins à se faire un nom en jouant dans certains salons où il peut côtoyer Cocteau, Picasso, Mauriac, Poulenc... Recruté dans l'Orchestre Symphonique de Paris, il remplace au pied levé Cassadó dans le *Concerto* de Dvořák que dirige Willem Mengelberg. Après ces débuts très remarqués, il travaille la direction d'orchestre avec Roger Désormière, Hermann Scherchen et Willem Mengelberg. Mais c'est au violoncelliste qu'est d'abord promise la gloire. Il joue avec Benjamin Britten que lui a présenté Francis Poulenc.

Il donne en 1945 la première audition européenne du *Concerto pour violoncelle* op. 58 de Prokofiev et en obtient l'exclusivité pendant trois ans. Paul Hindemith lui dédie son *Deuxième concerto,* Francis Poulenc une *Sérénade,* Jean Françaix une *Fantaisie* et des *Variations de concert.* Pablo Casals l'accueille à Prades et accepte de diriger l'orchestre qui l'accompagne dans les concertos de Haydn et Boccherini. De 1953 à 1970, il est professeur à l'Académie nationale de musique de Sarrebruck. En 1970, il est nommé professeur au Conservatoire de Paris. Il fait régulièrement de la musique de chambre avec Yehudi Menuhin et s'intéresse à la direction d'orchestre : en 1971-73, il est chef d'orchestre du Bournemouth Sinfonietta. Son instrument est un violoncelle de Stradivarius.

Georgesco, Georges

Chef d'orchestre roumain, né à Sulina le 12 septembre 1887, mort à Bucarest le 1er septembre 1964.

Il commence le violon à l'âge de cinq ans puis se tourne vers le violoncelle : entre 1910 et 1914, il est l'élève de Constantin Dimitrescu au Conservatoire de Bucarest et de Hugo Becker à Berlin, ville où il étudie également la composition et la direction d'orchestre. De 1911 à 1916, il fait partie du Quatuor Marteau mais doit abandonner le violoncelle pour des raisons de santé. Richard Strauss le pousse alors vers la direction d'orchestre : en 1918, il débute à la Philharmonie de Berlin ; puis il est l'assistant de Nikisch au Gewandhaus de Leipzig avant de rentrer dans son pays où il prend la direction artistique de la Philharmonie de Bucarest (1920-44 et 1954-64). Il sera également directeur musical de l'Opéra de Bucarest (1922-26 et 1932-34) et professeur au Conservatoire de Bucarest (1950-53). Grand ami de la France, Georgesco a souvent dirigé à Paris où il était l'un des invités réguliers de l'Orchestre Symphonique.

Geringas, David

Violoncelliste soviétique, né à Vilna le 29 juillet 1946.

Issu d'une famille lituanienne, il commence une carrière d'enfant prodige dans sa ville natale. En 1963, il est admis au Conservatoire de Moscou où il est l'élève de Mstislav Rostropovitch pendant près de huit ans. Il achève ses études musicales en 1968 et, en 1969, obtient le 1er prix au Concours de Bakou. L'année suivante, il remporte le 1er prix au Concours Tchaïkovski et commence à se faire une réputation dans le monde du violoncelle. Ses premières tournées à l'étranger datent de 1970 (Allemagne Fédérale) et de 1973 (Hongrie). En 1976 il s'établit en R.F.A. en compagnie de sa femme, la pianiste Tatjana Schatz, avec laquelle il donne de nombreux récitals. Distingué par la Fondation Herbert von Karajan, il est 1er violoncelle solo de l'Orchestre Symphonique du N.D.R. Professeur au Conservatoire de Hambourg, il joue sur un Guadagnini de 1761. Dans un répertoire très vaste, la musique contemporaine se taille une place de choix (Honegger, Milhaud, Hindemith, Kabalevski...). Paltanawitschus lui dédie, en 1974, un *Concerto pour violoncelle.*

Gerle, Robert

Violoniste hongrois naturalisé américain, né à Abbazia (Italie) le 1er avril 1924.

Il fait ses études musicales à l'Académie Franz Liszt de Budapest, ville où il débute en 1941. Il quitte la Hongrie pour des raisons politiques et s'expatrie aux États-Unis où il commence une carrière de concertiste qui le mène non seulement dans les principales villes des U.S.A. mais aussi en Europe : il joue notamment le *Concerto* de Brahms sous la direction de Karajan à Paris. Il est professeur au Conservatoire de Baltimore entre 1955 et 1968, au Mannes College of Music de New York (1959-70), à la Manhattan School of Music de New York (1967-70), artiste-résident, professeur de direction d'orchestre à l'Université de l'Ohio (1968-72), professeur de direction d'orchestre à l'Université du Maryland (Baltimore) depuis 1972 et professeur à l'Université catholique de Washington depuis 1973.

Robert Gerle, même s'il est interprète des maîtres classiques et romantiques, se distingue particulièrement dans le répertoire contemporain : *Concertos* de Delius ou Kurt Weill qu'il a contribué à faire revivre.

Gerlin, Ruggero

Claveciniste italien, né à Venise le 5 janvier 1899, mort à Paris le 17 juin 1983.

Après des études de piano au Conservatoire Giuseppe Verdi de Milan, il s'installe à Paris pour suivre les cours de Wanda Landowska dès 1920. Il y restera jusqu'en 1940, ayant souvent l'occasion de jouer avec elle lors de concerts à deux clavecins.

En 1941, on lui offre un poste de professeur au Conservatoire San Pietro a Majella, à Naples. Dès 1947, il donne chaque année des Master Classes à Sienne. Claveciniste militant pour son instrument, il a effectué de nombreux enregistrements à une époque où la cause du renouveau du clavecin n'était pas entendue ; Ruggero Gerlin a également assuré l'édition de nombreuses compositions pour clavecin de compositeurs italiens, comme Scarlatti, Marcello, ou Grazioli.

Germani, Fernando

Organiste italien, né à Rome le 5 avril 1906.

Il entre à l'âge de huit ans au Conservatoire de sa ville natale, où il étudie le piano avec Bajardi, la théorie musicale avec Dobici et la composition avec Respighi. A l'orgue, son instrument de choix, il est l'élève de Raffaele Manari. En 1921, il est nommé organiste de l'Orchestre de l'Augusteo et commence une carrière de virtuose. Il enseigne à l'Académie de Sienne (1932-72), ainsi qu'à l'Académie Sainte-Cécile (1935). A la même époque, il effectue de nombreuses tournées aux États-Unis et, de 1931 à 1933, il dirige le département de l'orgue à l'Institut Curtis de Philadelphie. A partir de 1936, il va souvent en Angleterre et fait partie de l'Organ Music Society à St. Alban's. En 1939, il enseigne l'orgue à l'Académie Chigi de Sienne. Aussitôt après la guerre, en 1945, il donne sa première audition de l'œuvre intégrale pour orgue de J.-S. Bach en Italie sur l'orgue de Saint-Ignazio de Rome ; il renouvellera par sept fois cet événement à la basilique de Maria-in-Ara Coeli. Pendant onze ans, à partir de 1948, il est le 1er organiste de la basilique Saint-Pierre de Rome. Sa prodigieuse mémoire musicale, alliée à une technique impeccable, dans la tradition symphonique de l'orgue, sert son jeu brillant et lui a valu sa renommée.

Son répertoire inclut des compositeurs qui, en France, n'ont guère retenu l'attention jusqu'à ces dernières dix années : Max Reger, par exemple. On lui doit notamment une méthode d'orgue en quatre volumes (1942-52), et une édition de Frescobaldi (1936) – aujourd'hui dépassée, eu égard aux progrès de la musicologie. Sa *Toccata* (1937) figure au répertoire des concertistes.

Gertler, André

Violoniste hongrois naturalisé belge, né à Budapest le 26 juillet 1907.

Élève d'Hubay et de Kodály à l'Académie Franz Liszt de Budapest (1914-25), grand ami de Bartók avec lequel il joue souvent en sonate, Gertler commence sa carrière internationale en 1920. Il se fixe en Belgique en 1928 et enseigne au Conservatoire de Bruxelles (à partir de 1940), à la Hochschule für Musik de

Cologne (1954-59), et à celle de Hanovre (depuis 1964). André Gertler se produit également en musique de chambre, notamment avec le Quatuor qui porte son nom (1931-51). Il donne la première européenne de la *Sonate* pour violon seul (Londres, 1945) de Bartók. On lui doit également des cadences pour le *Concerto* de Beethoven et pour le *3e Concerto* de Mozart. Il a épousé la pianiste Diane Andersen.

Grand interprète de Bartók, il a enregistré l'intégrale de son œuvre pour violon.

Geszty, Sylvia

Soprano hongroise, née à Budapest le 28 février 1934.

Elle fait toutes ses études musicales au Conservatoire de Budapest et débute en 1959 à l'Opéra national, obtenant aussitôt un immense succès. De 1959 à 1961, elle est soliste de la Société Philharmonique hongroise. En 1961, elle est appelée à l'Opéra de Berlin-Est auquel elle appartient jusqu'en 1970. A Berlin, elle poursuit ses études auprès de Freiwald-Lange. Ce qui lui permet bientôt d'entreprendre de nombreux voyages pour aller chanter un peu partout et remporter de brillants succès. On loue son art du colorature dans la Reine de la nuit (*La Flûte enchantée*) qu'elle chante à l'Opéra de Munich et au Festival de Salzbourg. Elle remporte de nombreux succès à l'Opéra de Vienne qui l'engage souvent. De 1963 à 1970, elle appartient, en tant qu'invitée permanente, à la troupe de l'Opéra-Comique de Berlin-Est, tout en chantant à Munich et à Hambourg, à Berlin-Ouest, au Covent Garden, à Paris, Bruxelles, Amsterdam et sur les plus grandes scènes italiennes. Ainsi devient-elle une des colorature les plus importantes de sa génération.

En concert, elle s'impose comme interprète d'oratorios et de mélodies, plus particulièrement comme spécialiste des valses et chansons à vocalises. En outre, elle se fait une spécialité des opérettes où son talent de soubrette fait merveille.

Gheorghiu, Valentin

Pianiste roumain, né à Galaţi le 21 mars 1928.

Il entreprend ses études au Conservatoire de Bucarest, où il est l'élève de C. Erbiceanu et M. Jora (1934-37 et 1939-47), puis à Paris avec Lazare-Lévy, Marcelle Meyer et Noël Gallon, de 1937 à 1939. Lauréat du Concours international de Budapest en 1949, de celui de Prague (1950 et 1953) et de celui de Bucarest (1953 et 1958), il commence sa véritable carrière internationale à partir de 1950. Il est, par ailleurs, le fondateur du Trio de Bucarest. Considéré comme l'un des plus éminents pianistes roumains, il accorde une grande place, dans ses programmes, à la musique d'Enesco qu'il contribue à faire connaître dans le monde entier. Comme compositeur, il est l'auteur d'œuvres symphoniques, d'un concerto pour le piano, de pièces pour piano, de lieder et de quatuors à cordes.

Ghiaurov, Nicolas

Basse bulgare, né à Velimgrad le 13 septembre 1929.

Fils d'un sacristain, il chante enfant dans le chœur de l'église. C'est durant son service militaire qu'il découvre la puissance de sa voix. Il étudie alors le chant à Sofia et, de 1950 à 1955, au Conservatoire de Moscou. En 1955, il débute à l'Opéra de Sofia en Basile (*Le Barbier de Séville*). Cette même année, il remporte le 1er prix du Concours international de chant de Paris, ce qui sera pour lui le départ d'une carrière glorieuse. En 1957, il est invité à l'Opéra de Vienne (Ramphis de *Aïda*), quelques mois plus tard, il triomphe au Bolchoï de Moscou. En 1959, nouveau triomphe, à la Scala dont il demeure une des vedettes. De 1961 à 1964, il participe au Festival de Vérone. Mais il appartient toujours à l'Opéra de Sofia, avec lequel il effectue une grande tournée en Allemagne. Il est sollicité dans tous les grands centres musicaux européens. En 1965-66, Karajan l'invite au Festival de Salzbourg pour être le *Boris* de sa nouvelle production. En 1974, il chante *Don Quichotte* de Massenet à l'Opéra de Paris. Depuis 1965, il est également et fréquemment l'invité du Met de New York.

Sa voix surprend par sa puissance sur toute l'étendue d'une tessiture particulièrement grave. Avec les années un certain vibrato vient alourdir la grande musicalité de cette voix de bronze et de cuivre à laquelle une intensité d'interprétation confère un éclat exceptionnel.

Ghiglia, Oscar

Guitariste italien, né à Livourne le 13 août 1938.

Cet autodidacte de la guitare suit tardivement l'enseignement de Diponio à l'Académie Sainte-Cécile de Rome, où il apprend également le solfège et l'harmonie. Il se perfectionne auprès de Segovia, de 1958 à 1963, à l'Académie Chigiana de Sienne et à Saint-Jacques-de-Compostelle. Il fait ses débuts de concertiste au Festival de Spolète et le Concours international de guitare de l'O.R.T.F., qu'il remporte en 1963, lui permet de suivre pendant une année les cours d'analyse et d'histoire de la musique de Jacques Chailley à la Schola Cantorum. Choisi comme assistant par Segovia, en 1964 (à Berkeley et à Sienne), il fait ses débuts de concertiste à New York et à Londres (en 1966), puis à Paris (en 1968). Se partageant entre concert et enseignement, Oscar Ghiglia joue les répertoires contemporain et baroque avec une même sûreté technique et une même sensibilité.

Ghiuselev, Nicolas

Basse bulgare, né à Pawlikeni le 14 août 1936.

Il est d'abord attiré par la peinture et étudie pendant six ans à l'Académie des Beaux-Arts de Sofia. C'est là que l'on découvre la beauté de sa voix. En 1960, il fait ses débuts en Timur (*Turandot*) à l'Opéra d'État de Sofia, car il venait de remporter le Concours national de chant de Bulgarie, l'année précédente. En 1960, il remporte le 1er prix à un concours identique à Prague, et en 1962, également le 1er prix à Helsinki lors du Festival mondial de la Jeunesse. En 1965, il effectue avec l'Opéra national de Bulgarie une vaste tournée européenne durant laquelle il interprète les grands rôles du répertoire russe. En 1965, il débute au Met (avec Ramphis de *Aïda*). C'est le départ d'une carrière éblouissante sur toutes les scènes importantes (Paris, Milan, Vienne, Moscou, Chicago...). Il est invité au Festival de Salzbourg. Au Festival de Hollande (1966), il est Philippe II (*Don Carlo*). En 1974, son apparition comme *Moïse* (Rossini) à Stockholm est un événement.

D'une mobilité assez surprenante, sa voix grave et puissante est aussi à l'aise dans le grand répertoire russe que dans les ouvrages français (Meyerbeer ou Offenbach) et italiens (*La Gioconda*).

Gianoli, Reine

Pianiste française née à Paris le 13 mars 1915, morte à Paris le 21 février 1979.

Après avoir travaillé le piano en privé, elle est admise dans la classe d'Alfred Cortot à l'École normale de musique. Elle suit parallèlement les cours d'Yves Nat au Conservatoire, puis va se perfectionner à Lucerne avec Edwin Fischer. De 1948 à 1960, date de la mort de Fischer, elle jouera très souvent avec lui des œuvres à deux, trois ou quatre claviers. Dès 1946, elle est nommée par Cortot à la tête d'une classe de virtuosité à l'École normale de musique. Passionnée par la musique de chambre elle a eu pour partenaires Casals, Enesco, Fournier et Sandor Végh. En 1965, elle est nommée professeur au Conservatoire de Paris. Reine Gianoli a surtout fait une carrière de chambriste et de brillante pédagogue, talent qu'elle avait hérité de Fischer. Elle reste aussi une très grande interprète de Schumann : elle est la première à s'être risquée à enregistrer l'intégrale de sa musique pour piano seul. Elle avait commencé l'enregistrement intégral des trios de Haydn avec J.-F. Manzone et A. Tétard, mais n'a pu en graver qu'une partie.

Gibault, Claire

Chef d'orchestre française, née au Mans le 31 octobre 1945.

Elle apprend le violon lorsqu'elle est très jeune, joue dans des formations d'amateurs et des ensembles professionnels : à quatorze ans, dans un orchestre d'élèves, ensuite à la Société des Concerts du Mans, plus tard dans la fosse du théâtre municipal. A 17 ans, après avoir obtenu des 1ers prix de violon, de musique de chambre, d'histoire de la musique, de contrepoint, d'harmonie, de fugue, elle commence sur les conseils de E. Djemil l'étude de la direction d'orchestre, dirigeant le répertoire de chambre baroque (Corelli, Vivaldi, etc.). Elle entre dans la classe d'harmonie du Conservatoire de Paris et à vingt ans se présente au Concours international des jeunes chefs d'orchestre de Besançon où elle reçoit une 2e mention. L'année suivante, elle entre dans la classe de M. Rosenthal au Conservatoire de Paris. En 1969, elle remporte un 1er prix de direction d'orchestre et le Prix de la Fondation de la Vocation. Elle dirige l'Orchestre Philharmonique de l'O.R.T.F., celui du Conservatoire. Appelée à l'Opéra de Lyon, elle est d'abord assistante de Th. Guschlbauer (1971) puis chef permanent (1974-79).

De 1980 à 1983, elle est à la tête de l'Orchestre de Chambre de Chambéry avant d'être nommée, en 1983, chef associé à l'Opéra de Lyon. Parmi les créations qu'elle a dirigées à Lyon : *Jacques le Fataliste* (Aperghis), *Crypte* (Ohana), *Gambara* (Duhamel).

Gibson, Sir Alexander

Chef d'orchestre écossais, né à Motherwell le 11 février 1926.

Il fait ses études musicales à l'Université de Glasgow puis au Royal College of Music de Londres avant de se perfectionner avec Markevitch au Mozarteum de Salzbourg et avec Van Kempen à l'Académie Chigiana de Sienne. En 1951, il est lauréat du Concours international de Besançon et est engagé aussitôt comme répétiteur puis chef assistant au Sadler's Wells Theater. Il est ensuite nommé chef assistant du B.B.C. Scottish Orchestra (1952-54). Il revient à Sadler's Wells comme chef permanent (1954-57) puis comme directeur musical (1957-59) avant d'être nommé 1er chef du Scottish National Orchestra (1959-84). Il participe à la fondation du Scottish Opera en 1962 dont il est le directeur musical. Il y donne notamment la première représentation complète des *Troyens* (1969) et, pour la première fois en Écosse, la *Tétralogie* en allemand (1971). Depuis 1981, il est 1er chef invité de l'Orchestre Symphonique de Houston.

Giebel, Agnes

Soprano allemande, née à Heerlen (Pays-Bas) le 10 août 1921.

Elle étudie à Essen, à la Folkwangschule, dans la classe de Hilde Wesselmann. Elle commence sa carrière au concert et se fait connaître, lorsqu'en 1950 elle participe à la diffusion hebdomadaire des Cantates de Bach par RIAS-Berlin. Depuis, on la reconnaît comme une des concertistes allemandes les plus importantes de sa génération, particulièrement pour les œuvres de Bach. Elle participe à plusieurs festivals internationaux de musique et se produit dans tous les grands centres d'activité musicale d'Europe. Elle remporte également de grands succès, en tournée en Amérique du Nord. Elle ne s'est jamais présentée sur scène mais à la radio comme sur disques elle a interprété certains rôles d'opéra. Sa précision musicale et sa pureté d'émission, la délicatesse et la perfection stylistique de son expression marquent chacune de ses interprétations. Elle a créé la *Cantata academica* de Britten (1960).

Gielen, Michael

Chef d'orchestre autrichien et compositeur, né à Dresde le 20 juillet 1927.

Fils du producteur Josef Gielen, il étudie le piano et la composition avec Erwin Leuchter à Buenos Aires (1942-49), puis avec J. Polnauer à Vienne (1950-53).

Excellent pianiste, il débute à Buenos Aires en 1949 et interprète l'œuvre intégral pour piano de Schönberg. Répétiteur au Théâtre Colón, il part en 1951 à Vienne et deviendra assistant puis chef d'orchestre à l'Opéra (1954-60). Il révèle alors son intérêt pour les œuvres de son temps qu'il dirige à la radio et en concert. Il fait aussi connaître ses propres œuvres : *Variations* pour quatuor à cordes (1949), *Quatre poèmes de Stefan George*, pour chœur et 19 instruments (1955-58). 1er chef à l'Opéra de Stockholm (1960-65), il se rend ensuite à Cologne et y crée l'un des opéras contemporains les plus importants : *Die Soldaten* de Zimmermann (1965). A partir de 1969, il est invité régulier de l'Orchestre Symphonique de la Radio de Stuttgart (S.D.R.) et directeur artistique de l'Orchestre National de Belgique (1969-72). On le trouve ensuite à la tête de l'Opéra National Néerlandais (1972-75). Entre 1977 et 1987, il est directeur général de la musique à Francfort, fonctions qu'il cumule, à partir de 1980, avec la direction de l'Orchestre Symphonique de Cincinnati. Depuis 1979, il est également 1er chef invité de l'Orchestre Symphonique de la B.B.C. En 1986, il prendra la direction de l'Orchestre Symphonique du S.W.F. de Baden-Baden.

Fervent défenseur de la musique de son temps, il a créé de nombreuses partitions de Stockhausen (*Carré*, *Mixtur*), Zimmermann (*Requiem pour un jeune poète*, *Les Soldats*, 1965), Ligeti (*Requiem*, 1965 ; *Ramifications*, 1969), Yun (*Symphonische Szene*, 1961 ; *Namo*, 1971), Jolas (*D'un opéra de voyage*, 1967), Müller-Siemens...

Ses compositions gardent des affinités avec la musique viennoise puis se rapprochent des musiciens qu'il dirige, *Variations pour 40 instruments* inspirées par Neruda (1959), *Pentaphonie* (1961), *Les cloches sont sur une fausse voie* (1967-69), *Quelques difficultés dans l'acte de surmonter l'angoisse* (1972).

Gieseking, Walter

Pianiste allemand, né à Lyon le 5 novembre 1895, mort à Londres le 27 octobre 1956.

Son père est entomologiste, flûtiste et pianiste. Walter commence à quatre ans, à Naples, des études de flûte, piano, violon, et ne va pas à l'école. Il entre au Conservatoire de Hanovre et a pour professeur Karl Leimer (1911-16). A 20 ans, il interprète les *32 Sonates* de Beethoven. Il préférera Mozart qu'il joue dans un esprit serein. Célèbre pour ses visions debussystes, au style impressionniste et mystérieux, Gieseking souligne le modernisme de cette musique. Durant la guerre, il est violoniste, timbalier dans l'orchestre de son régiment et pianiste de jazz. Après la guerre, il met au point une méthode de piano, insistant sur les exercices de concentration et de mémoire. 1921, premières tournées européennes. 1926 : l'Amérique ; il triomphe avec le *Concerto en ut mineur* de Rachmaninov et joue dans le monde entier. Durant la Seconde Guerre mondiale, il joue sous la direction de Mengelberg et Furtwängler. En 1947, est nommé professeur à Sarrebrück et sert la musique contemporaine. Poulenc lui a dédié son *Humoresque* et Pfitzner son *Concerto pour piano*. Il a également créé le *1er Concerto* de F. Martin (1936) et le *Concerto* de Petrassi (1939). Il a enregistré l'intégrale de l'œuvre pour piano de Debussy, de Ravel et de Mozart.

ÉCRITS : *So wurde ich Pianist*, autobiographie (1963).

Gigli, Beniamino

Ténor italien né à Recanati le 20 mars 1890, mort à Rome le 30 novembre 1957.

Son père est cordonnier. Enfant, il chante dans les chœurs de l'église de son village natal. Sa jeune voix de soprano est si souple et si belle qu'encouragés par des amis ses parents l'envoient étudier le chant à Rome sous la férule d'Enrico Rosati. Pour vivre et payer ses leçons, il fait un peu tous les métiers : aide-menuisier, commis de pharmacien, apprenti tailleur. Le terrible Rosati ne livre ses élèves en pâture au public que lorsqu'il les juge prêts. Pour le jeune Gigli sept ans suffisent et, après avoir remporté le 1er prix du concours de chant de Parme, il débute à Rovigo dans *La Gioconda* (1914). Après quelques succès sur des scènes mineures, il est engagé par Tullio Serafin pour la saison lyrique 1914-15 au Carlo Felice de Gênes où il chante avec un succès extraordinaire *La Tosca, Manon* et *La Gioconda.* Après deux étapes heureuses à Palerme et à Bologne durant la saison suivante, il fait un début triomphal au San Carlo de Naples dans *Mefistofele,* début qui donne une dimension nationale à la renommée naissante du « ténor révélation » et prépare le terrain à son entrée au Costanzi de Rome puis à ses débuts milanais au Lirico d'abord, où il crée *Lodoletta* de Mascagni, et à la Scala où, sous la direction de Toscanini, il chante pour la première fois dans *Mefistofele* (1918). En 1919, il est au Colón de Buenos Aires, où il chante notamment dans *Lucrezia Borgia.* Puis ce sont, en 1920, toujours dans le *Mefistofele* de Boïto, les débuts d'un pensionnariat de douze ans (374 représentations) au Metropolitan Opera de New York, avec une réapparition durant la saison 1938-39. La critique se montre réservée à l'égard de ce chanteur si piètre comédien et qui ne semble se soucier que de chanter face au public même lorsqu'il doit s'adresser à un partenaire ; mais le public l'adopte d'emblée et en fait le successeur naturel de celui qui jusque-là avait été son idole, Caruso.

En 1932, un peu las de la vie américaine, Gigli se fixe à Rome sans pour autant cesser de mener à bien une triomphale carrière internationale à laquelle il met fin volontairement, en pleine gloire vocale, en 1954 à Rovigo, quarante ans jour pour jour après ses débuts en cette ville.

Gigout, Eugène

Organiste français, né à Nancy le 23 mars 1844, mort à Paris le 9 décembre 1925.

Il fait ses études musicales à la Maîtrise de la cathédrale de sa ville natale, puis à l'École Niedermeyer à Paris où il a comme professeurs Lefèvre et Saint-Saëns. Ses études achevées, il ne quitte pas l'établissement où il devient professeur à son tour, de plain-chant, de fugue, de contrepoint et, évidemment, d'orgue. Parmi ses élèves, Fauré, Messager, Boëllmann.

En 1863, Eugène Gigout est nommé titulaire de Saint-Augustin à Paris. Il restera 65 ans à la même tribune, ce qui ne l'empêchera nullement de se faire entendre sur d'autres instruments que son Cavaillé-Coll paroissial, en France comme à l'étranger où l'on admire son talent d'improvisateur autant que d'interprète.

Eugène Gigout, qui a succédé à Guilmant comme professeur d'orgue au Conservatoire de Paris en 1911, a laissé une œuvre importante, surtout dans le domaine de l'orgue : pièces, rapsodies, poèmes mystiques, etc., ainsi que des œuvres pour piano, des mélodies et plusieurs motets pour voix et orgue.

Gil, Jean-Louis

Organiste français, né à Angers le 5 août 1951.

Il travaille au Conservatoire d'Angers dans la classe d'André Isoir. En 1968, il est nommé organiste titulaire de l'orgue de Saint-Rémi à Maisons-Alfort. Deux ans plus tard, André Isoir l'appelle à lui succéder à l'orgue de Saint-Médard à Paris, poste qu'il abandonne en 1975 pour se consacrer exclusivement à la carrière de soliste. Depuis 1979, il est nommé professeur au Conservatoire d'Angers.

Gilbert, Kenneth

Claveciniste canadien, né à Montréal le 16 décembre 1931.

Il fait ses premières études musicales au Conservatoire de cette ville et, en 1953, obtient le Prix d'Europe. Il vient travailler à Paris avec N. Boulanger, S. Spycket et G. Litaize. A Sienne, à l'Accademia Chigiana, durant quatre ans, il étudie avec R. Gerlin, puis, en 1957, devient professeur de clavecin au Conservatoire de Montréal. Il donne des récitals en Amérique et à la Radio canadienne, et débute à Londres, en 1968, dans un programme Couperin ; aussitôt reconnu comme un maître du répertoire français, il enregistre l'intégrale de l'œuvre de Couperin à l'occasion du tricentenaire du compositeur. Il réalise une nouvelle édition musicologique des œuvres de Couperin (1969), de l'intégrale des *Sonates* de D. Scarlatti

(1971), des œuvres de d'Anglebert et de Rameau. Professeur à l'Université de Laval de Québec (1969) et au Conservatoire Royal d'Anvers (1971) a succédé à G. Leonhardt à l'Académie d'été de Haarlem (1973). Depuis 1981, il est professeur à la *Hochschule für Musik* de Stuttgart, responsable de la section musique ancienne au Conservatoire de Strasbourg et dirige la classe de clavecin à l'Accademia Chigiana de Sienne. Il est docteur en musique *honoris causa* de l'Université M. Gill (Montréal, 1981).

Giovaninetti, Reynald

Chef d'orchestre français, né à Sétif (Alger) le 11 mars 1932.

Il commence ses études musicales en Algérie, à Bône, puis les poursuit en France, aux conservatoires de Nantes et de Rennes. Il travaille le violoncelle et entre au Conservatoire de Paris où il suit les classes d'écriture et de direction d'orchestre (1er prix chez Louis Fourestier). Simultanément, il obtient une licence de mathématiques à la Sorbonne. En 1959, il remporte une 1re mention au Concours international de Besançon. Il donne la même année ses premiers concerts à la Radio et travaille au Service de la Recherche (1960-61). Il est ensuite metteur en ondes à la radio (1961-62) puis directeur musical au Théâtre de Besançon (1962-63). Il occupe les mêmes fonctions à Mulhouse (1963-68) avant d'être nommé chef permanent (1968) puis directeur musical à l'Opéra de Marseille (1972-75). Sa carrière prend un essor international : il dirige aux Chorégies d'Orange et est invité régulièrement à l'Opéra de Munich.

On lui doit la création d'ouvrages lyriques de Saguer (*Mariana Pineda*, 1970), Migot (*l'Arche*, 1974), Tomasi, Tansman et Semenoff.

Girard, André

Chef d'orchestre français, né à Paris le 30 mars 1913.

Il fait ses études musicales au gré des affectations de son père, général de brigade, dans les conservatoires de Metz, Chalon-sur-Saône, Versailles, Rennes, Toulouse et Paris. Il obtient notamment des prix de violon à Toulouse et Versailles. Il fonde un jazz symphonique qu'il dirige pendant trois ans. Parallèlement il travaille l'harmonie avec André Bloch et le contrepoint avec Claude Delvincourt. Il entre, comme violoniste, à l'Orchestre Symphonique de Paris puis, en 1938, à la Société des Concerts du Conservatoire. En 1942, de retour de captivité, il épouse Jacqueline Brilli, également violoniste. Il entre alors dans la classe de direction d'orchestre du Conservatoire où il étudie avec Charles Münch et Roger Désormière et remporte un 1er prix (1944). Il crée alors l'Orchestre de chambre André Girard qui assurera pendant cinq ans les concerts de la Radio. Successivement, il est 1er chef d'orchestre des Ballets des Champs-Élysées (1945-50), 1er chef de la Radiodiffusion marocaine (1950-53), directeur de la musique du Grand Ballet du Marquis de Cuevas (1953-56), chef au Grand Théâtre de Bordeaux (1956-58). Depuis 1958, il est directeur de la musique à la Compagnie Renaud-Barrault. De 1964 à 1974, il assume la direction de l'Orchestre de Chambre de l'O.R.T.F. puis est nommé chef permanent auprès de l'Orchestre Philharmonique des Pays de Loire (1976-78).

La liste des œuvres créées par André Girard comporterait plus de 300 titres. Parmi les plus importantes, il convient de citer la *Symphonie de danses* de Jolivet, *Le Tombeau de Claude Debussy* de Ohana et de nombreuses autres pages signées Arma, Barraud, Bancquart, Casanova, Guillou, Hugon, Betsy Jolas, Kosma, Mihalovici, Philippot, Rivier, Sauguet, Tisné, Tcherepnine, etc. Mstislav Rostropovitch et Byron Janis ont donné leur premier concert parisien sous sa direction. Président des Concerts du Mans, du Centre international de la Danse, directeur du Conservatoire Interarrondissement de Paris, il a été pendant de longues années président du Syndicat national des chefs d'orchestre et des cadres de la musique.

Giraudeau, Jean

Ténor français, né à Toulon le 1er juillet 1916.

Son père et sa mère enseignent au Conservatoire de la ville. De brillantes études lui valent un 1er prix de chant, d'opéra et de violoncelle, une licence en droit et un poste d'organiste. Pour une carrière il a donc le choix. Il opte pour l'opéra. En 1942, il débute à Montpellier dans *Mignon.* Pendant six ans, il parcourt la province et s'échappe à l'étranger, créant à Strasbourg la *Martine* d'Henri Rabaud, participant à Londres à une reprise des *Troyens...* En 1947, il est Nadir à l'Opéra-Comique et treize jours plus tard Tamino au Palais Garnier, deux salles dont, vingt ans durant, il sera l'un des piliers, chantant plus de cinquante rôles, dont nombre de créations. Parallèlement, son extrême musicalité en fera la proie idéale de la radio.

Nommé, en 1964, préfet du chant, puis, en 1968, directeur à l'Opéra-Comique, il assistera trois ans plus tard, impuissant et désespéré, au démantèlement de la troupe. Depuis, il enseigne, conseille, dirige, toujours optimiste et affable. Chanteur habile, musicien sans faille et surtout prodigieux acteur. Nul n'oubliera son Chouisky et surtout son extraordinaire création dans *Le Cœur révélateur* de Claude Prey, d'après la nouvelle d'Edgar Poe.

Girod, Marie-Catherine

Pianiste française, née à Peyrehorade (Landes) le 19 août 1949.

Après des études au Conservatoire de Bordeaux, elle entre à l'âge de dix ans au Conservatoire de Paris où elle obtient un 1er prix dans la classe de Jules Gentil (1966). Parallèlement, elle travaille la musique de chambre avec Maurice Crut et Joseph Calvet. Elle se perfectionne auprès de György Sebok et de Paul Badura-Skoda. En 1973, elle remporte le Prix Casagrande et, en 1975, est finaliste au Concours Clara Haskil. Son répertoire sort volontiers des sentiers battus (Dutilleux, Jolivet, Szymanowski, Magnard, Chausson...).

Girod, Marie-Louise

Organiste française, née à Paris le 12 octobre 1915.

Elle fait ses études au Conservatoire de Paris avec Marcel Dupré, Norbert Dufourcq et Noël Gallon. Elle obtient un 1er prix d'orgue et d'improvisation (1941), un 1er prix d'histoire de la musique (1944) et un 1er prix de fugue et contrepoint (1944). Son premier concert public date de 1944. Organiste de l'église réformée de l'Oratoire du Louvre depuis 1941, elle mène une active carrière de concertiste. Directrice de l'Académie de l'orgue de Saint-Dié, elle est membre de la Commission d'hymnologie de la Fédération protestante de France et de la Commission supérieure des monuments historiques. Elle avait épousé en 1960 André Parrot, membre de l'Institut, directeur du Musée du Louvre et de la Mission archéologique de Mari.

Gitlis, Ivry

Violoniste israélien, né à Haïfa le 22 août 1922.

Des parents d'origine russe, un climat musical (sa mère était chanteuse, son grand-père cantor) donnent à son enfance le bonheur d'apprendre. Il commence le violon à six ans et donne son premier concert à dix. Invité par Karmy, il est remarqué ensuite par Bronislaw Hubermann qui l'envoie au Conservatoire de Paris où, bien que ses études aient été interrompues par la guerre, il obtient un 1er prix à l'âge de treize ans. Réfugié en Angleterre, il y reste jusqu'à la fin de la guerre. Il fait ses débuts à Paris en 1951, il donne de nombreux concerts dans le monde. En 1963, il va en U.R.S.S., ambassadeur musical de son pays. Dès le début de la guerre en Israël, il va jouer pour les soldats. Ce trait révèle sa nature profonde. La musique est pour lui une action. C'est dans le même esprit qu'il fonde le Festival de Vence et joue pour les jeunes dans les montagnes sous les étoiles, improvisant souvent comme les tziganes dont il a le rythme, la passion, la vitalité, la couleur. Il a remporté le

5e prix au Concours Long-Thibaud, en 1951. Maderna a écrit pour lui *Pièce pour Ivry*. En 1972, il a créé *Mikka* de Xenakis.

ÉCRITS : *L'Ame et la corde* (1980).

Giulini, Carlo-Maria

Chef d'orchestre italien, né à Barletta le 9 mai 1914.

Il fait ses études (alto et composition) à l'Académie Sainte-Cécile (Rome) et joue sous la direction de Klemperer et B. Walter. Puis il choisit la direction d'orchestre qu'il travaille avec B. Molinari ; à partir de 1946, il dirige pour la R.A.I. et devient le chef permanent de l'Orchestre Symphonique que crée la Radio à Milan en 1950. En 1948, il a fait ses débuts au théâtre dans *La Traviata*. En 1951, il rencontre Toscanini et, l'année suivante, débute à la Scala dans *La Vie brève* de De Falla. Assistant de V. De Sabata, il lui succède comme directeur musical (1953-55). Il collabore avec Visconti (*Don Carlos* au Covent Garden de Londres) et Zeffirelli (*Falstaff*). En 1960, il fait ses premières tournées aux États-Unis et au Japon ; il dirige *Don Giovanni* à la Scala en 1963 et, en 1969, il est chef d'orchestre invité de l'Orchestre Symphonique de Chicago. Il prend la direction de l'Orchestre Symphonique de Vienne (1973) puis renonce à ses fonctions pour garder plus de liberté (1976). De 1978 à 1984, il succède à Zubin Mehta comme directeur musical de l'Orchestre Philharmonique de Los Angeles ; c'est avec cet orchestre qu'il revient en Europe, en tournée. Spécialiste de l'opéra italien (Giulini a dirigé tout Verdi, sauf *Aïda*), il apprécia longtemps Maria Callas. Grand voyageur, il reste pourtant fidèle à sa patrie, l'Italie, où il passe – pour réfléchir et travailler – la moitié de l'année. Giulini n'est pas seulement un chef lyrique. Il dirige beaucoup de concerts : Mozart, les grandes œuvres chorales du XIXe ; la symphonie allemande, de Beethoven à Mahler, Moussorgski, Dvořák, Prokofiev et Britten. On lui doit quelques créations de Petrassi (*Ottavo Concerto*, 1972), von Einen (*An die Nachgeboren*, 1975) et Ladermann (*Symphonie n° 4*, 1981).

Giuranna, Bruno

Altiste italien, né à Milan le 6 avril 1933.

Fils de Barbara Giuranna, pianiste et compositeur, élève de V. Emanuele et de M. Corti à Rome pour le violon, et de R. Principe et G. Léone pour l'alto, il connaît dès sa prime jeunesse une réputation internationale dans le domaine de l'alto et de la viole d'amour. Il a fait de nombreuses tournées en Europe, en Amérique, en Afrique et en Orient. On le retrouve parmi les fondateurs de l'ensemble I Musici (1951-61) ; il forme le Trio à cordes italien avec Franco Gulli et A. Baldovino. Il enseigne au Conservatoire de Milan (1961-65), à l'Académie Sainte-Cécile de Rome (1965-72), à l'Académie Chigiana de Sienne (1966-72) et à la Hochschule de Detmold (1969-72). Il est membre du Quatuor Végh de 1978 à 1980. Se tournant vers la direction d'orchestre, il prend la tête de l'Orchestre de Chambre de Padoue en 1983. La même année, il est nommé professeur à la Hochschule de Berlin. Il joue sur un alto de Carlo Tononi (1690).

Glazer, David

Clarinettiste américain, né à Milwaukee le 7 mai 1913.

Il fait ses études à l'Université du Wisconsin et travaille la clarinette à Boston avec Victor Polatschek. Il travaille également à Tanglewood au Berkshire Music Center de 1940 à 1942. De 1946 à 1951, il est clarinettiste à l'Orchestre de Cleveland. A partir de 1951, il se produit en soliste ou au sein du Quintette à vent de New York. Parmi de nombreuses activités comme enseignant, il a enregistré l'intégrale de la musique de chambre pour clarinette de Brahms.

Glazer, Frank

Pianiste américain, né à Chester le 19 février 1915.

Il travaille le piano avec Artur Schnabel et la composition avec Arnold Schönberg dans le cadre de la New York Trade

School. Il fait ses débuts à New York en 1936. Il devient membre de l'Eastman Quartet puis professeur à l'Eastman School of Music de Rochester.

Il joue régulièrement la musique contemporaine américaine notamment Charles Ives. Il a également consacré trois disques à Erik Satie.

Glossop, Peter

Baryton anglais, né à Sheffield le 6 juillet 1928.

Jeune employé de banque, il emploie ses loisirs à apprendre le chant avec Léonard Mosley. En 1952, il est choriste au Sadler's Wells. En un an il y devient premier baryton. Il y restera dix ans puis entrera par la grande porte au Covent Garden. En 1961, il remporte le 1er prix du concours international de chant de Sofia. Désormais, il court le monde entier et chante les plus grands rôles : Rigoletto, Scarpia, Rodrigo, Germont, Tonio,...

Karajan le choisit pour deux de ses opéras filmés : *Paillasse* (Tonio) et *Otello* (Iago).

Gobbi, Tito

Baryton italien, né à Bassano del Grappa (Veneto) le 24 octobre 1913, mort à Rome le 5 mars 1984.

Études de droit, puis de chant à Rome avec G. Crimi. En 1937, lauréat du concours de l'école de la Scala et de Vienne. Il chante au Teatro Reale de Rome (1937-38), interprète Wagner et s'en détache ; il chante *Salomé* (Strauss), Rambaldo (*Rondine,* Puccini) et s'impose dans *Wozzeck* (Berg). Son ascension est rapide. Il débute à la Scala dans Belcore (l'*Élixir d'amour*), en 1942. En 1952, il ouvre la saison Scala dans le rôle de Ford (*Falstaff*), puis s'affirme dans Figaro et Scarpia. En 1958, il obtient un triomphe dans *Don Carlos* (rôle de Posa). Il aime passionnément Verdi et incarne Iago, Macbeth, Simon Boccanegra, à l'Opéra de Chicago (1960 et 65), à Salzbourg (direction Gavazzeni). Depuis 1948, il chantait à San Francisco et à Chicago depuis 1954. Karajan le dirige dans *Falstaff.* S'il interprète Germont, Amonasro, Nabucco (Verdi), il se sent à l'aise aussi du côté de la violence puccinienne (*Il Tabarro*) et du côté de Rossini. Figure marquante du chant italien, l'un des plus célèbres barytons de sa génération, il a incarné une centaine de personnages différents pour lesquels il dessinait généralement les costumes. Il a tourné 26 films et réalisé plusieurs mises en scène, notamment, *Don Giovanni, Le Barbier de Séville* et *Falstaff.*

ÉCRITS : *Ma vie* (1979).

Goehr, Walter (Georg Walter)

Chef d'orchestre allemand naturalisé anglais, né à Berlin le 28 mai 1903, mort à Sheffield le 4 décembre 1960.

A l'Académie des arts de Berlin, il est l'élève de Schönberg. Il débute comme chef à la radio de Berlin (1925-31) et se fixe en Angleterre en 1933, chassé par le régime hitlérien. De 1933 à 1939, il est directeur musical de la Columbia Gramophone Company. Il enseigne ensuite au Morley College de Londres (1943-60) tout en poursuivant sa carrière de chef d'orchestre : il dirige le B.B.C. Theatre Orchestra de 1946 à 1949 et la plupart des orchestres londoniens. A partir de 1948, il cesse d'utiliser son nom et adopte le pseudonyme de Walter Goehr. Passionné par la musique de Monteverdi, il la fait connaître en Angleterre et édite les *Vêpres* et *Le Couronnement de Poppée.* On lui doit une orchestration des *Tableaux d'une exposition.* Il a dirigé la création de la *Sérénade pour ténor* de Britten (1943). Il était le père du compositeur Alexander Goehr (1932).

Golan, Ron

Altiste allemand naturalisé suisse, né à Gladbach le 16 août 1924.

Il fait ses études musicales à Jérusalem puis suit les cours de William Primrose aux États-Unis. Après ses débuts, en 1941, il appartient à l'Orchestre Philharmonique d'Israël avant de se fixer à Genève en 1951, lorsque Ansermet le nomme alto solo de l'Orchestre de la Suisse Romande. En 1953, il est professeur au Conservatoire de Genève, ce qui ne l'empêche pas de poursuivre une carrière de soliste. Il impose les œuvres de Paul Hindemith, qu'il avait travaillées avec lui. Il crée la *Rhapsodie-Concerto* de Martinů et la *Ballade* pour alto de Frank Martin, œuvres écrites à son intention. Robert Starer et Herbert Brun composent également pour lui. En 1970, il est nommé administrateur de l'Orchestre de la Suisse Romande.

Gold, Arthur

Pianiste canadien, né à Toronto le 6 février 1917.

Il étudie à la Juilliard School avec Josef et Rhosina Lhévinne puis forme un duo de piano avec Robert Fizdale. Ils donnent leur premier concert à la New School for Social Research en 1944 avec un programme de musique contemporaine où le piano préparé occupe une large place. Par la suite, ils effectuent une carrière internationale et s'imposent dans le répertoire à deux pianos. Plusieurs compositeurs écrivent pour eux : Barber, Dello Joio, Milhaud (*Carnaval pour la nouvelle Orléans,* 1947, *Suite op. 300,* 1951, *Concertino d'automne,* 1951), Auric (*Partita*), Poulenc (*Sonate pour deux pianos*), Tailleferre, Sauguet, Rorem, Thomson, Rieti (*Concerto,* 1952). Ils créent des œuvres pour pianos préparés de John Cage et le *Concerto pour deux pianos* (1972) de Berio. On leur doit la découverte et la création moderne des 2 concertos pour deux pianos de Mendelssohn.

ÉCRITS : *Misia* (1980) avec Robert Fizdale.

Goldberg, Reiner

Ténor allemand (R.D.A.), né à Crostau le 17 octobre 1939.

Après un apprentissage manuel et une maîtrise, il étudie le chant de 1962 à 1967 avec Arno Schellberg à l'Académie Carl-Maria von Weber de Dresde, ce qui lui permet d'être accepté dans le chœur d'État Serbische Volkskultur puis d'être engagé, vu l'ampleur et l'éclat de sa voix, dans la troupe de l'Opéra de Dresde, en 1973. En 1977, il est appelé à l'Opéra de Berlin-Est. En 1981, il effectue une tournée au Japon avec l'Opéra de Dresde. Auparavant, il a chanté Bacchus (*Ariane à Naxos*) à l'Opéra de Hambourg, puis Walther (*Les Maîtres chanteurs*) au Festival de Munich. En 1982, il chante à Paris, en concert, le rôle de Midas de *L'Amour de Danaé* (Strauss), celui de Walther au Covent Garden et celui d'Erik (*Le Vaisseau fantôme*) au Festival de Pâques de Salzbourg, invité par Karajan. Il enregistre surtout le rôle titre de *Parsifal* sous la direction d'Armin Jordan, bande sonore du film (*Parsifal*) de Hans-Jürgen Syberberg.

Goldberg, Szymon

Violoniste et chef d'orchestre polonais naturalisé américain (1953), né à Wloclaweck le 1er juin 1909.

Goldberg prend ses premières leçons à Varsovie avec Michalowicz puis il travaille avec Carl Flesch à Berlin, en 1917. Il débute à Varsovie, en 1921, et à Berlin en 1924, avec un programme comportant trois concertos : Bach, Joachim et Paganini. Konzertmeister à la Philharmonie de Dresde (1925), il occupe ensuite le même poste à la Philharmonie de Berlin de 1929 à 1934. C'est à cette époque que Szymon Goldberg se produit en trio avec Paul Hindemith (alto) et Emanuel Feuermann (violoncelle). Il entreprend alors ses tournées en Europe, jouant souvent en duo avec la pianiste Lili Kraus (avec laquelle il grave un certain nombre de disques). Ses débuts américains, à New York, ont lieu en 1938. En 1955, il devient le chef permanent de l'Orchestre de Chambre Néerlandais, ce qui ne l'empêche nullement de faire partie du Festival Quartet d'Aspen, avec William Primrose (1951-61) et de diriger en Angleterre et aux États-Unis. En 1969, il se fixe en Angleterre et dirige la Manchester Camerata (1977-79). De retour aux États-Unis, il enseigne à la Juilliard School à partir de 1978. Il joue sur un Guarnerius del Gesù de 1734, le *Baron Vitta.*

Golovanov, Nicolaï

Chef d'orchestre soviétique, né à Moscou le 21 janvier 1891, mort à Moscou le 28 août 1953.

Il commence ses études musicales à l'École Synodale de Moscou où il travaille notamment avec Kastalski jusqu'en 1909. Puis il entre au Conservatoire de Moscou où il est l'élève de Vassilenko et d'Ippolitov-Ivanov. Diplômé en 1914, il est engagé l'année suivante comme chef de chœur au Bolchoï. Il y sera chef d'orchestre permanent de 1918 à 1928. Parallèlement, il dirige l'Orchestre Philharmonique de Moscou (1926-29) et enseigne au Conservatoire (1925-29). De 1937 à 1953, il est à la tête du département lyrique à la Radio de Moscou et assure la direction musicale du Théâtre Stanislavski à partir de 1938. Il enseigne à nouveau au Conservatoire de Moscou entre 1943 et 1948 puis il est nommé 1er chef au Bolchoï (1948-53). On lui doit la création des *Symphonies n° 5, 6* et *22* de Miaskovski. Il avait épousé la soprano Antonina Nejdanova.

Golschmann, Vladimir

Chef d'orchestre français d'origine russe naturalisé américain (1947), né à Paris le 16 décembre 1893, mort à New York le 1er mars 1972.

Il fait ses études musicales à la Schola Cantorum et débute comme violoniste aux Concerts Rouges sous la direction de Caplet. En 1919, il fonde les Concerts Golschmann, un orchestre d'une trentaine de musiciens qui se tourne vers la musique contemporaine. Les Six ont une place privilégiée dans ses programmes mais aussi Ibert, Prokofiev, Tansman... Diaghilev l'invite aux Ballets Russes et lui confie la reprise du *Sacre du printemps* en 1920, qui n'avait plus été exécuté depuis sa création houleuse sept ans plus tôt. Il dirige également les Ballets Suédois (1923) et fait ses débuts aux États-Unis en 1924 à la Philharmonie de New York. De 1928 à 1930, il est à la tête du Scottish National Orchestra. Puis il s'installe aux États-Unis, dirigeant successivement l'Orchestre Symphonique de Saint Louis (1931-58) et l'Orchestre Symphonique de Denver (1964-70). Ardent défenseur de la musique de son temps, il a notamment créé la *Pastorale d'été* d'Honegger (1921), *Les Tréteaux de Maître Pierre* de de Falla (1923), *Angélique* (1926) et le *Divertissement* (1930) de Jacques Ibert, *Le Bœuf sur le toit* (1920), *La Création du monde* (1923), *La Sultane* (1941) et le *Concerto pour marimba* (1949) de Milhaud, la *Symphonie n° 7* de Tansman (1947), la *Symphonie n° 2* d'Hasquenoph (1965).

Goltz, Christel

Soprano allemande, née à Dortmund le 8 juillet 1912.

Elle débute comme danseuse, prend des cours de chant avec Ornelli-Leeb à Munich et chante dans des opérettes au Deutsche Theater à vingt ans. Ses débuts à l'opéra ont lieu à Fürth en 1935 (Agathe du *Freischütz*). Elle passe une saison à Plauen (Santuzza, Eva, Octavian) puis appartient à l'Opéra de Dresde de 1936 à 1950. A partir de 1947, elle chante également aux Staatsoper et Städtische Oper de Berlin, à Vienne et à Munich, et développe un répertoire de soprano dramatique (Elektra, Salomé, Alceste, Leonore de *Fidelio,* Tosca...). Elle chante à Londres depuis 1951 (*Salomé*), Salzbourg de 1951 à 1958 (Première Dame de la Nuit, Leonore, et la création mondiale de *Pénélope* de Liebermann en 1954), au Met à partir de 1954. Elle se retire en 1970 avec plus de 120 ouvrages à son répertoire.

Gomez, Jill

Soprano anglaise, née à Trinidad le 21 septembre 1942.

Elle étudie le chant à Londres à la Royal Academy of Music et à la Guildhall School, débute avec le Cambridge University Opera (une Ondine dans *Obéron*) en 1967, entre dans les chœurs de Glyndebourne, crée Adina avec la Touring Company en 1968, et incarne Mélisande au Festival en 1969. En 1970, elle chante au Covent Garden lors de la création de *The Knot Garden* de Tippett (Flora) et en

1971 Pamina à Aix-en-Provence ; en 1974 elle crée la Comtesse dans *The Voice of Ariadne* de Thea Musgrave à Aldeburgh. Son répertoire est essentiellement haendelien (*Acis et Galathée, Admeto*) et mozartien : elle chante la première dame de *La Flûte enchantée* à Salzbourg, Elvire au Festival de Ludwigsburg, Cinna (*Lucio Silla*) dans le cycle Mozart de Zürich, mais chante aussi Stravinski, Henze, ou Britten.

Gómez-Martinez, Miguel-Angel

Chef d'orchestre espagnol, né à Grenade le 17 septembre 1949.

Enfant prodige, il dirige son premier concert à l'âge de sept ans, à Grenade, dans le cadre du Festival International de Musique. Il poursuit ses études au Conservatoire de sa ville natale, puis, titulaire de la bourse Manuel de Falla, au Conservatoire de Madrid, dont il sort avec les prix de piano, de violon et de composition. Après avoir suivi des cours d'été aux États-Unis, il devient l'élève de Hans Swarowsky à l'Académie de Vienne et, parallèlement, dirige les chœurs de la Hochschule für Musik. Nanti du prix du Ministère autrichien des Sciences et de la Recherche et lauréat du concours Nikolaï Malko pour les jeunes chefs d'orchestre, il est engagé en 1971 par le Théâtre de Saint. Poelten puis, en 1972, par celui de Lucerne. En 1973 il dirige « au pied levé » *Fidelio* à la Deutsche Oper de Berlin. Ce tour de force lui vaut un contrat de trois ans, ainsi que des représentations à Hambourg, Francfort et Munich comme chef invité. En 1977, il est nommé chef titulaire à l'Opéra de Vienne.

Gonzalez, Dalmacio

Ténor espagnol, né à Olot le 12 mai 1946.

A Barcelone, il étudie le chant avec Gilbert Price puis travaille à Salzbourg avec Arleen Auger et Paul Schilharsky. Il est aussi l'élève d'Anton Dermota qui l'initie à l'art du lied. En 1972, il remporte le 1er prix au Concours international de Barcelone et, en 1975, le 1er prix du Mozarteum de Salzbourg. Il débute au Liceo de Barcelone la même année. Dès 1978, il chante avec Montserrat Caballé (*Parisina d'Este* à Nice). L'année suivante, il débute au Met dans *Don Pasquale* et y revient pour chanter l'*Elixir d'amour* (Nemorini) et *le Barbier de Séville* (le Comte). Il se produit également au New York City Opera et sur les grandes scènes européennes, incarnant notamment Alfredo (*La Traviata*) et Don Ottavio (*Don Giovanni*).

Goodall, Reginald

Chef d'orchestre anglais, né à Lincoln le 13 juillet 1905.

Choriste à la cathédrale de Lincoln, il étudie ensuite le piano avec Arthur Benjamin, le violon avec W.H. Reed et la direction d'orchestre au Royal College of Music de Londres. Son premier engagement est celui d'organiste et de chef de chœur à St Alban à Holborn. De 1936 à 1939, il est assistant d'Albert Coates à Covent Garden et travaille avec Sir Malcolm Sargent à la Royal Choral Society. Puis il est l'assistant de Furtwängler à la Philharmonie de Berlin. En 1942-43 il dirige le Wessex Orchestra puis, en 1944, entre au Sadler's Wells Opera. Il y conduit entre autres la première de *Peter Grimes* qui rouvre le théâtre (1945). En 1946 il partage avec Ernest Ansermet la création du *Rape of Lucretia* de Britten à Glyndebourne et, en 1947, entre au Covent Garden où il dirige *Manon,* Les *Maîtres chanteurs, Peter Grimes, Gloriana...* Il est confiné au rôle de répétiteur par l'administration Solti. Mais de triomphales représentations en anglais des *Maîtres* (1968) puis du *Ring* au Sadler's Wells, ainsi qu'un *Parsifal* en 1971 et un *Fidelio* en 1976 au Covent Garden, confirment définitivement sa réputation de grand chef wagnérien.

Goodman, Benny (Benjamin)

Clarinettiste américain, né à Chicago le 30 mai 1909.

C'est au jazz qu'il consacre le meilleur de son talent. Ne disposant d'aucune formation « classique », il n'aurait guère sa place dans ce dictionnaire si le considérable succès qu'il remporte dans les années 1940-50 – succès considéré aujourd'hui avec un œil infiniment plus critique – n'avait porté son nom jusqu'aux oreilles de compositeurs comme Copland, Hindemith ou Milhaud qui lui ont chacun dédié un concerto, Bartók écrivant à son intention ses *Contrastes.* Goodman a également créé la *Sonate pour clarinette et piano* de Poulenc en 1963. Le disque a gardé trace de ses interprétations (*Contrastes* de Bartók avec le compositeur et Joseph Szigeti, le *Concerto pour clarinette* de Mozart avec Charles Münch). Il serait sans doute quelque peu hasardeux d'affirmer qu'elles le classent parmi les grands maîtres de la clarinette classique, même si ses possibilités techniques y sont confirmées.

Goossens, Sir Eugene

Chef d'orchestre et compositeur anglais naturalisé américain (1943), né à Londres le 26 mai 1893, mort à Hillingdon le 13 juin 1962.

Il étudie au Conservatoire de Bruges (1903), au College of Music de Liverpool (jusqu'en 1907) et au Royal College of Music de Londres (1907-10). De 1911 à 1915, il est violoniste à l'Orchestre du Queen's Hall et effectue ses débuts de chef d'orchestre aux Proms en 1912 : il y dirige l'une de ses œuvres. Il fait alors partie du Langley-Mukle Quartet ; il forme ensuite le Philharmonic String Quartet. De 1916 à 1920, il est l'assistant de Sir Thomas Beecham. Puis il dirige à Covent Garden pour la Carl Rosa Opera Company et les Ballets Russes (1921-23). En 1921, il donne la 1re exécution de concert anglaise du *Sacre du printemps.* La même année, il est nommé à la tête de la Handel Society. Sa carrière se déroule ensuite principalement aux États-Unis, bien qu'il revienne chaque été diriger à Londres : de 1923 à 1931, il est directeur musical de l'Orchestre Philharmonique de Rochester puis, de 1931 à 1946, de l'Orchestre Symphonique de Cincinnati. Il part ensuite en Australie où il est nommé à la tête de l'Orchestre Symphonique de Sydney (1947-56) et directeur du Conservatoire. Accusé de fraude en douane, sa carrière fut brisée prématurément.

Goossens, Leon

Hautboïste anglais, né à Liverpool le 12 juin 1897.

Frère d'Eugene Goossens, il fait ses études musicales au Royal College of Music de Londres. De 1913 à 1924, il est hautbois solo de l'Orchestre du Queen's Hall. Par la suite, il occupera les mêmes fonctions dans divers orchestres londoniens, dont celui de Covent Garden, l'Orchestre Philharmonique (1932-39) et le Royal Philharmonic Orchestra, étant ainsi le hautbois attitré de Sir Thomas Beecham. Il enseigne à la Royal Academy of Music puis au Royal College of Music et forme la nouvelle génération de hautboïstes anglais. Dans ce domaine, il a véritablement créé une école à une époque où les grands hautboïstes des orchestres anglais étaient surtout étrangers. Passionné de musique de chambre, il abandonnera l'orchestre au cours des années cinquante pour s'y consacrer exclusivement. Ses principaux partenaires seront George Malcolm ou Yehudi Menuhin. De nombreux compositeurs ont écrit à son intention : Elgar (*Soliloquy*), Vaughan-Williams (*Concerto pour hautbois*), Britten (*Fantaisie op. 2*), Cooke (*Quatuor pour hautbois et cordes*), E. Goossens (*Concerto pour hautbois*), G. Jacob.

ÉCRITS : *Oboe* (1977).

Gorog, André

Pianiste français, né à Paris le 22 octobre 1938.

D'ascendance hongroise, il obtient au Conservatoire de Paris des 1er prix de piano (1959), de musique de chambre (1960) et d'esthétique musicale (1964). Il remporte le Grand prix Enesco de Bucarest (1964) et le Prix de Genève qui lui ouvrent les portes d'une carrière internationale. Il assure régulièrement des émissions à France-Musique *(Portraits par petites touches).* Professeur à l'École normale de musique de Paris, il donne de nombreux cours d'interprétation en France, en Belgique, au Canada et aux États-Unis. Dans une production discographique largement consacrée au grand répertoire, on pourra distinguer le premier enregistrement de la *Chaconne pour la main gauche* de Bach-Brahms et les *Danses hongroises* de Brahms dans leur version originale à deux mains.

Gorr, Rita (Marguerite Geimaert)

Mezzo-soprano belge, née à Gand le 18 février 1926.

Ayant obtenu le 1er prix au concours de chant de Verviers en 1946, elle débute à Anvers dans le rôle de Fricka. De 1949 à 1952, sous les férules conjuguées de Roger Lalande et de Frédéric Adam, elle fait son apprentissage dans la troupe de l'Opéra de Strasbourg, passant progressivement d'une fille-fleur, de Mercedes ou de Geneviève à Carmen, Amnéris ou Orphée. En 1952, un triomphal 1er prix à Lausanne lui ouvre les portes de l'Opéra de Paris. Ce n'est pourtant que sept ans plus tard que le public parisien, venu applaudir l'Aïda de Renata Tebaldi, fit de Rita Gorr, fantastique Amnéris, une véritable vedette. Bayreuth (1958), Milan, Londres et tant d'autres capitales du chant consacrent sa gloire. Amnéris, Éboli, Iphigénie, Kundry, Margared ou Dalila n'ont sans doute jamais été chantées avec plus de passion. Et son Ortrude est vraiment terrifiante. Mezzo naturelle, elle a sans doute eu tort d'aborder des rôles de soprano dramatique comme celui de Médée de Cherubini.

Gotkovsky, Nell

Violoniste française, née à Athis-Mons le 26 septembre 1939.

Elle commence à travailler le violon avec son père, un ancien élève de Capet. A seize ans elle obtient un 1er prix d'Honneur au Conservatoire de Paris. Remarquée par David Oïstrakh, elle étudie aux U.S.A., sur les conseils d'Isaac Stern et de Yehudi Menuhin, d'abord avec Ivan Galamian puis avec Joseph Szigeti. Elle a dix-sept ans quand Otto Klemperer l'engage pour jouer le *Concerto* de Brahms. Giulini l'engage à son tour, suivi d'Ansermet, Dorati, Sargent, Boult, Sawallisch, Keilberth, Schmidt-Isserstedt et de tant d'autres. Parallèlement à sa carrière de concertiste, elle donne de fréquentes séances de sonates avec son frère Ivar (piano). Elle joue sur un Guadagnini datant de 1770.

Gottlieb, Peter

Baryton-basse tchécoslovaque naturalisé français, né à Brno le 18 septembre 1930.

Très jeune, il se rend à Rio de Janeiro, où il fait ses études de chant et débute dans *La Bohème.* Il se rend ensuite à Florence, pour y travailler avec Raoul Frazzi. Il chante en Italie, en Belgique et en Amérique du Sud, avant de s'installer à Paris. Il y crée l'*Opéra d'Aran* de Bécaud (1962). Sa grande musicalité, son sens du théâtre et l'intelligence de ses interprétations lui permettent d'aborder un répertoire incroyablement étendu. Il chante Mozart (le Comte des *Noces de Figaro, Don Giovanni,* Don Alsonso et Papageno) mais aussi Puccini (Scarpia, Sharpless et le rôle-titre de *Gianni Schichi*). A Genève, il remporte un très grand succès en *Eugène Onéguine* aux côtés d'Eric Tappy. Il chante R. Strauss (Oreste d'*Elektra,* le Barbier de *La femme silencieuse* et le Comte de *Capriccio*) et Verdi (Iago d'*Otello* et Don Carlo de *La Force du destin*). Mais il s'est surtout fait un nom dans la création d'ouvrages contemporains : *Egmont* (Meulemans, 1960), *Sud* (Kenton Coe 1965), *Ondine* (Sancan, 1966), *La Symphonie pastorale* (Landré, 1968), *Madame de...* (Damase, 1970), *The Rising of the Moon* (Maw, 1970), *Les Liaisons dangereuses* (Prey, 1974), *Les Traverses du temps* (Prodromidès, 1979), *la Passion de Gille de Rais* (Boesmans, 1983), *H. H. Ulysse* (Prodromidès, 1984). Il a participé aux créations françaises du *Grand Macabre* (Ligeti) et de *Lear* (Reimann). Depuis 1982, il est professeur au Conservatoire de Paris.

Gould, Glenn

Pianiste canadien, né à Toronto le 25 septembre 1932, mort à Toronto le 3 octobre 1982.

Il commence le piano à l'âge de trois ans avec sa mère et suit des cours (1943-52) au Conservatoire de Toronto, avec Alberto Huerrero. Il étudie également l'orgue et, à quatorze ans, participe à un concours international d'organistes. La même année il joue pour la première fois en public, le *4e Concerto* de Beethoven avec l'Orchestre Symphonique de Toronto. En 1955 à New York il signe un contrat avec la Columbia Records. Premier pianiste américain invité par le gouvernement soviétique à Moscou et Leningrad, en 1957, il triomphe avec les *Variations Goldberg* de Bach. A 32 ans, il renonce au concert et se replie dans la solitude, alors que son nom est aussi connu en Amérique que celui de Bernstein. Il ne joue plus que pour le disque. Conférencier à l'Université de Toronto, fondateur et directeur d'une association de musique de chambre qui crée des œuvres nouvelles, ce pianiste connaît toutes les techniques d'enregistrement. Son répertoire va de Bach à Schönberg, son interprétation est toujours renouvelée et originale ; elle repose sur une technique très personnelle liée à sa position face au clavier, beaucoup plus basse que celle de ses confrères.

ÉCRITS : *Entretiens avec Jonathan Cott* (1977), *Le dernier Puritain* (1983).

Gousseau, Lélia

Pianiste française, née à Paris le 11 février 1909.

Elle naît dans une famille de musiciens : son père est organiste et maître de chapelle, sa mère pianiste. C'est avec cette dernière qu'elle aborde le piano avant d'entrer au Conservatoire de Paris. Elle y obtient un 1er Prix de piano (1925, Lazare-Lévy), un 1er prix d'histoire de la musique (1926, Maurice Emmanuel). Elle remporte le 1er prix Claire Pagès (1928), le Prix Chopin au Concours international de Varsovie (1937) et le 1er prix Albert Roussel à Paris (1939). Sa carrière internationale se développe tant comme soliste que sous la baguette des plus grands chefs. Après avoir été, de 1961 à 1978, professeur au Conservatoire de Paris, elle enseigne à l'École normale de musique.

Goverts, Hans

Claveciniste hollandais, né à La Haye le 8 décembre 1921.

Il travaille d'abord le piano au Conservatoire de sa ville natale où il achève ses études en 1953 avec plusieurs prix. Il complète sa formation au Conservatoire de Paris dans la classe de Marguerite Long. Son goût l'oriente peu à peu vers la musique des XVIIe et XVIIIe siècles et il s'intéresse de plus en plus au clavecin. De retour à La Haye, il travaille le clavecin au Conservatoire royal avec Janny Van Wering. En 1962, il est considéré comme un spécialiste de l'instrument dans son pays. Il se perfectionne auprès de Robert Veyron-Lacroix à Paris et de Eduard Muller à Bâle. Depuis 1967, il donne des cours à la Schola Cantorum de Bâle.

Gracis, Ettore

Chef d'orchestre italien, né à La Spezia le 24 septembre 1915.

Il fait ses études au Conservatoire de Venise, étudie la composition avec Gianfrancesco Malipiero, puis se rend à Sienne, à l'Académie Chigiana, pour travailler la direction d'orchestre avec A. Guarnieri. Il dirige, entre 1942 et 1948, l'Ensemble Instrumental Benedetto Marcello, puis l'Orchestre du Mai Florentin (1948-50) ; ensuite, de 1950 à 1959, il est à Milan (Orchestre des après-midi musicaux). Enfin, il est nommé chef permanent à la Fenice, à Venise (1959-71). Professeur au Conservatoire de cette ville, il dirige des œuvres symphoniques et des opéras. On le voit souvent donner de premières auditions de musique contemporaine, durant la Biennale (Malipiero, Sinopoli, Halffter, Zafred, Guido Turchi, Alfredo Del Monaco, entre autres).

Graf, Peter-Lukas

Flûtiste suisse, né à Zürich le 5 janvier 1929.

Il commence très jeune à apprendre la flûte et donne ses premiers concerts à l'âge de treize ans, alors qu'il poursuit ses études au gymnase de Zürich. Il travaille avec André Jaunet, tout en s'intéressant à la direction d'orchestre. Ayant obtenu la « maturité » (pendant suisse du baccalauréat), il se rend au Conservatoire de Paris, dans les classes de Marcel Moyse et de Roger Cortet. En 1949, il obtient un 1er prix de flûte et, en 1950, le diplôme de chef d'orchestre, dans la classe d'Eugène Bigot. Agé de vingt et un ans, il remplace Aurèle Nicolet comme flûte solo à l'Orchestre de Winterthur (1950-56). L'année suivante, il occupe le même poste dans l'Orchestre du Festival de Lucerne dont il est le plus jeune soliste. Il rencontre Furtwängler, Klemperer, Clemens Krauss, Joseph Keilberth... Puis il entreprend, dans les années cinquante, une série de tournées européennes avec Edwin Fischer et Günther Ramin. Il enregistre alors ses premiers disques et reçoit de nombreuses distinctions, parmi lesquelles le 1er prix du Concours international de l'A.R.D., à Munich (1953), et le Prix Bablock du H. Cohen International Music Award de Londres. Il refuse le poste de flûte solo de plusieurs orchestres, car il tient à poursuivre parallèlement les carrières de chef et de soliste. De 1960 à 1967, il est chef attitré au Théâtre municipal de Lucerne. Il se consacre à la pédagogie et se voit confier la classe de virtuosité à l'Académie de musique de Bâle. Ces dernières années, il s'est produit avec l'English Chamber Orchestra, l'Academy of St. Martin-in-the-Fields et les Festival Strings Lucerne.

Graffman, Gary

Pianiste américain, né à New York le 14 octobre 1928.

Après avoir été l'élève de Isabella Vengerova au Curtis Institute, il entreprend une série de tournées, qui lui donne l'occasion de travailler avec Horowitz et Serkin. Il joue souvent avec Charles Münch avec qui il enregistre plusieurs disques. Il a obtenu la Leventritt Award en 1950.

Grandjany, Marcel

Harpiste français naturalisé américain (1945), né à Paris le 3 septembre 1891, mort à New York le 24 février 1975.

Il étudie la harpe avec Henriette Renié au Conservatoire de Paris où il obtient son 1er prix en 1905. Harpiste aux Concerts Lamoureux, il donne son premier récital Salle Erard à l'âge de dix-sept ans. On le trouve également à l'orgue de la basilique du Sacré-Cœur de Montmartre. Après la guerre, il entame une carrière internationale entièrement consacrée à la harpe. Il s'installe à New York en 1936 et enseigne à la Juilliard School de 1938 jusqu'à sa mort ainsi qu'au Conservatoire de Montréal pendant vingt ans (1943-63). Il a formé une pléiade d'élèves et a composé un grand nombre d'œuvres à caractère pédagogique.

Greef, Arthur de

Voir à **De Greef, Arthur.**

Greindl, Josef

Basse allemande, né le 23 décembre 1912 à Munich.

Il fait ses études (1932-36) à l'Académie de Musique de Munich dans les classes de Paul Bender et d'Anna Bahr-Mildenburg. En 1936, il fait ses débuts au théâtre municipal de Krefeld (Hunding de *La Walkyrie*). De 1938 à 1942, il chante à l'Opéra de Düsseldorf mais en 1942, Heinz Tietjen l'appelle à la Staatsoper de Berlin, à laquelle il appartient jusqu'en 1948. En 1943, il chante pour la première fois à Bayreuth (Pogner des *Maîtres chanteurs*). Dès 1948, il fait partie de la troupe de l'Opéra de Berlin-Ouest et, en 1956, de celle de l'Opéra de Vienne. Sa carrière prend un essor fabuleux, dès la fin de la Seconde Guerre mondiale. En 1952, il revient à Bayreuth et y chantera chaque année jusqu'en 1969. Il participe également aux Festivals de Salzbourg et d'Edimbourg. Il remporte de grands succès sur les scènes lyriques de Paris, Londres, Milan, Buenos Aires. En 1952, il débute au Met de New York où le succès confirme sa réputation comme un des plus grands wagnériens de son temps. Ses interprétations de Daland (*Le Vaisseau fantôme*) et de Hagen (*Le Crépuscule des dieux*) demeurent parmi les plus percutantes qui soient. Depuis 1961, il enseigne au Conservatoire de Sarrebruck ; depuis 1973, il est professeur à l'Académie de musique de Vienne.

Aussi à l'aise dans le répertoire tragique que dans les rôles bouffes, il s'est également imposé au concert comme interprète de cantates et d'oratorios. Il a incarné 118 rôles différents. Il a créé *De temporum finae comœdia* de Carl Orff (1973).

Grémy-Chauliac, Huguette

Claveciniste française, née à Paris le 8 juillet 1928.

Après ses études secondaires, elle suit de 1947 à 1949 des cours d'archéologie romaine à l'École du Louvre. Elle travaille le piano avec Blanche Bascouret de Gueraldi, Germaine Willaume, J. Morpain, Lucette Descaves et Yves Nat, ainsi que l'harmonie avec Paule Lantier et Jean Gallon. Au Conservatoire de Paris, elle obtient un prix de piano (classe d'Yves Nat) et un prix d'harmonie (classe de Jean Gallon). Puis elle travaille le clavecin avec Robert Veyron-Lacroix. En 1966, elle donne son premier récital. Depuis 1961, elle est claveciniste titulaire de l'orchestre Antiqua Musica de Paris, et occupe, de 1961 à 1963, le même poste dans l'Orchestre Paul Kuentz. Elle joue en duo avec Robert Casier, Maxence Larrieu ou Denise Mégevand.

Professeur de clavecin, de basse chiffrée et d'harmonie au Conservatoire de Nice depuis 1963, elle a également enseigné à l'Académie américaine de Paris. De très nombreuses premières discographiques illustrent l'originalité de son répertoire : l'intégrale de l'œuvre pour clavecin de Buxtehude, Marchand et Clérambault, *Hexachordum Appollinis de* Pachelbel... Elle enregistre actuellement l'intégrale de l'œuvre pour clavecin de Händel. Parmi les partitions qui lui sont dédiées, elle crée le *Troisième concert pour clavecin* de Jacques Charpentier (1972) et la *Suite dans le goût ancien* de Georges Delerue (1980). Elle possède un clavecin construit par l'atelier William Dowd-Paris selon un original réalisé à Paris en 1770 par Pascal Taskin, facteur du Roi.

Gressier, Jules

Chef d'orchestre français, né à Roubaix le 24 juin 1897, mort à Aix-les-Bains le 27 juin 1960.

Il étudie la musique au Conservatoire de sa ville natale. A Lille, il fait la connaissance de Julien Dupuis qui lui fait travailler tout le répertoire lyrique, répertoire qui attirait depuis toujours le jeune homme. Jules Gressier dirige alors à Lille puis à Toulouse. Il attire l'attention d'Henri Büsser qui le fait diriger à Aix-les-Bains. Reynaldo Hahn le voit à l'œuvre et lui demande alors d'être son collaborateur, à Cannes d'abord, où Gressier reste plusieurs années avant d'aller à Paris où, durant la saison 1930-31, il alterne la présentation des ouvrages du répertoire et des opérettes. De 1947 à 1951, il dirige à l'Opéra-Comique et à la Radio où il sera directeur des émissions lyriques pendant quinze ans.

Grey, Madeleine

Mezzo-soprano française, née à Villaines-le-Juhel (Mayenne) le 11 juin 1896.

Elle étudie au Conservatoire de Paris le piano avec Alfred Cortot et le chant avec Hettich. Elle fait ses débuts aux Concerts Pasdeloup où Fauré et Ravel la remarquent. Du premier, elle crée en 1919 les *Mirages*, du second, deux des *Chansons hébraïques* (1922) et les *Chansons madécasses* (1926) qu'elle enregistre en 1932, accompagnée par l'auteur. Elle crée également en 1926 les *Chants d'Auvergne* de Canteloube (en langue d'oc) puis des mélodies de Milhaud, Aubert, Tomasi. Au cours d'une tournée en Espagne avec

Ravel, elle rencontre Falla dont elle va aussi défendre les œuvres. Elle devient l'ambassadrice de la mélodie française qu'elle représente aux Festivals de Venise (1930), Sienne (1932) et Florence (1934). Une diction incomparable, utilisant avec intelligence une voix au timbre clair, doublée d'un don certain pour les langues, lui permet de chanter, avec le même bonheur, les mélodies de Respighi, de Malipiero, de Villa-Lobos, de Honegger ou de Milhaud. Forcée à l'exil de 1939 à 1947, elle poursuit jusqu'en 1952 une carrière qui la conduit principalement au Moyen-Orient et en Amérique du Sud.

Grimbert, Jacques

Chef de chœur français, né à Colombes le 10 mai 1929.

Après des études au Conservatoire de Paris (Milhaud, Messiaen), il travaille la direction d'orchestre avec Louis Fourestier, Manuel Rosenthal, Edouard Lindenberg et Pierre Boulez. Il se spécialise dans la direction Chorale avec Alfred Deller et à Stuttgart (1957). En 1954, il avait pris la direction de la chorale de l'Institut Catholique de Paris, La Faluche. En 1960 il fonde son propre groupe, l'Ensemble Vocal Jacques Grimbert, qui devient, en 1967, Chœur National. En 1972, il crée un ensemble d'instruments anciens, Ars Europea. Deux ans plus tard naissent le Chœur et l'Orchestre de l'Université Paris-Sorbonne qui prennent la relève de La Faluche. En 1977, Jacques Grimbert est nommé directeur de la musique à l'Université Paris-Sorbonne. Musicologue, il a contribué à l'édition et à l'exécution d'œuvres inédites de Gesualdo, Monteverdi, Cavalli, Gabrieli, M. A. Charpentier... En outre, sa *Messe Novale*, créée pour la télévision en Eurovision, a remporté le prix de la Fondation William Copland.

Grist, Reri

Soprano américaine, née à New York en 1932.

Comme enfant, elle apparaît déjà sur les scènes de Broadway. Après ses études de chant, elle participe encore à quelques productions de comédies musicales. Ainsi crée-t-elle sur Broadway *West Side Story* (1957) de Leonard Bernstein qui, peu après, lui permet de remporter son premier grand succès, au concert, dans la partie de soprano solo de la *4e symphonie* de Mahler. Elle est ensuite engagée pour une tournée avec l'Opéra de Santa Fe (Adèle de *La Chauve-souris* et Blondine de l'*Enlèvement au sérail*). Après le succès remporté, la jeune cantatrice de couleur est engagée à l'Opéra de Cologne où elle débute avec la Reine de la nuit (*La Flûte enchantée*). En 1961, elle s'impose en Zerbinette (*Ariane à Naxos*) à l'Opéra de Zürich, où grâce à son triomphe elle est perpétuellement invitée par la suite. Le Covent Garden, la Scala, l'Opéra de Munich, de San Francisco l'invitent, ainsi que le Festival de Glyndebourne. En 1963, elle débute sa fabuleuse carrière à l'Opéra de Vienne, avec Zerbinette. Deux ans plus tard, elle s'impose au Festival de Salzbourg avec Blondine, Zerbinette et Suzanne (*Les Noces de Figaro*). Au Met également, on fait fête à son art exquis du colorature éclairé par un jeu de scène et un abattage admirables. Elle a épousé le musicologue Ulf Thompson.

Groves, Sir Charles

Chef d'orchestre anglais, né à Londres le 10 mars 1915.

D'abord choriste à la cathédrale Saint Paul, il travaille très tôt l'orgue et le piano. Il a le privilège de préparer les chœurs du *Requiem allemand* de Brahms pour Toscanini. Il débute comme chef de chœur à la B.B.C. (1938-42) avant d'être nommé chef associé du B.B.C. Theatre Orchestra (1942-44). Puis il dirige, de 1944 à 1951, le B.B.C. Northern Orchestra. En 1951, il prend la direction de l'Orchestre Symphonique de Bournemouth. Il quitte cette fonction pour celle de directeur musical de l'Opéra National Gallois (1961-63) puis du Royal Liverpool Philharmonic Orchestra (1963-77) qu'il cumule avec la charge de chef associé au Royal Philharmonic Orchestra (1967). De 1977 à 1979, il est directeur musical du Sadler's Wells Theatre où il succède à Sir Charles Mackerras.

Gruberova, Edita

Soprano colorature tchécoslovaque, née à Bratislava le 23 décembre 1946.

Après des études au Conservatoire de sa ville natale avec M. Medvecka et R. Boesch, elle débute à l'Opéra National de la même ville en 1968 (Rosine du *Barbier de Séville*). En 1970, elle est engagée par la Staatsoper de Vienne où elle débute dans la Reine de la nuit ; elle en devient l'étoile absolue à la fin des années 70 depuis de triomphales représentations de *Lucia* et d'*Ariane à Naxos*. Entre-temps, elle chante à la Scala, au Met, aux festivals de Bregenz, de Glyndebourne, à Munich, à Londres. Elle chante depuis 1974 au Festival de Salzbourg (La Reine de la nuit, Zerbinette, Constance). Elle a à son répertoire Oscar du *Bal masqué*, Olympia des *Contes d'Hoffmann*, Aminta de *La Femme silencieuse* et la Fiakermilli d'*Arabella*, ou la chanteuse italienne de *Capriccio*, Junia de *Lucio Silla* (Mozart), Marcelline (de *Fidelio*).

Grumiaux, Arthur

Violoniste belge, né à Villers-Perwin le 21 mars 1921.

Élevé au sein d'une famille éprise de musique, Arthur Grumiaux montre très tôt des dispositions étonnantes, ce qui incite son grand-père à lui apprendre le solfège et à lui offrir son premier violon. A cinq ans et demi, il se produit pour la première fois en public. Cependant, ses parents, fort avisés, ne veulent pas en faire un enfant prodige, de nombreuses années d'études étant encore nécessaires. Il travaille donc, pas seulement le violon mais aussi le piano. Il obtient un diplôme dans les deux disciplines au Conservatoire de Charleroi. Il travaille ensuite avec Alfred Dubois, au Conservatoire de Bruxelles (Dubois auquel il succédera comme professeur en 1949), puis, nanti de son 1er prix de violon – il a quatorze ans –, il étudie encore la fugue avec Jean Absil et remporte un 1er prix d'harmonie. Il part pour Paris afin de compléter sa formation auprès de Georges Enesco. Arthur Grumiaux remporte de nombreuses distinctions, notamment au Concours national belge et au Concours Henri Vieuxtemps. La guerre stoppe ses débuts prometteurs, d'autant qu'il refuse de collaborer avec les autorités d'occupation. Mais, depuis la fin des hostilités, après qu'il eut joué pour des milliers de soldats américains et britanniques, il se produit dans le monde entier, se classant rapidement parmi les plus éminents violonistes du temps.

Interprète mozartien par excellence, Grumiaux n'en possède pas moins un répertoire fort vaste, allant de Bach à Stravinski, en passant par Ravel, Fauré et Debussy. De sa rencontre avec Clara Haskil, en 1950, au Festival Casals de Prades, naquit un duo célèbre qui donna, en particulier au disque, l'intégrale des *Sonates* de Beethoven. En 1967, il a fondé un Trio à cordes avec Georges Janzer et Eva Czako. Arthur Grumiaux possède un Stradivarius, le *Titan* (1727) et un Guarnerius del Gesù sur lequel il joue régulièrement, le *Hemmel* (1744).

Grümmer, Elisabeth

Soprano allemande, née à Niederjetz (Lorraine) le 31 mars 1911.

Elle passe sa jeunesse à Meiningen et y suit les cours de l'école de théâtre. Comme cantatrice, elle sera découverte relativement tard, par Karajan. Elle débute en 1941, au Théâtre municipal d'Aix-la-Chapelle. L'année suivante, elle est engagée au Théâtre de Duisbourg. A la mort de son mari, le violoniste Detlev Grümmer, lors d'un bombardement en 1944, elle travaille jusqu'à la fin de la guerre comme employée des postes. En 1946, elle est engagée à l'Opéra de Berlin auquel elle restera attachée jusqu'à la fin de sa carrière. Très vite, elle est connue dans le monde entier : la Scala, l'Opéra de Rome, la Monnaie, Covent Garden, les opéras de Vienne, Munich et Hambourg ainsi que l'Opéra de Paris et le Colón de Buenos Aires l'invitent. Au Festival de Bayreuth de 1958, elle chante Éva (*Les Maîtres Chanteurs*). Elle participe également aux festivals de Salzbourg et Glyndebourne où elle s'impose avant tout comme une mozartienne accomplie. Elle remporte également de très grands succès en concert (partie de soprano de *la Passion selon saint Matthieu*). En 1965, elle est appelée comme professeur au Conservatoire de Berlin. Elle enseigne également à Hambourg et vient à Paris à l'École de chant de l'Opéra, à l'invitation de Bernard Lefort. Sa voix de soprano possède une luminosité du timbre et une finesse exquises dans le jeu des nuances.

Grünenwald, Jean-Jacques

Organiste français, né à Annecy le 2 février 1911, mort à Paris le 19 décembre 1982.

Bien qu'architecte diplômé, Grünenwald n'en fait pas moins de sérieuses études musicales au Conservatoire de Paris où il obtient des 1er prix d'orgue et de composition. Comme compositeur, il reçoit, en 1939, un 2e Grand Prix de Rome. En tant qu'organiste il est titulaire, à Paris, à partir de 1956, de l'instrument de Saint-Pierre-de-Montrouge, église où il restera jusqu'à sa nomination à l'orgue de Saint-Sulpice, après la mort de Marcel Dupré. Surtout célèbre pour ses improvisations, Jean-Jacques Grünenwald, qui enseigna l'orgue et l'improvisation au Conservatoire de Genève, a donné, en dehors d'œuvres diverses pour plusieurs instruments (piano, musique de chambre, etc.), un bon nombre de partitions pour orgue, pour lequel il a très évidemment une prédilection, étant fortement attiré – selon ses propres dires – par l'art religieux, ses formes traditionnelles, formes donc bien adaptées, a priori, à l'instrument à tuyaux.

Guadagno, Anton

Chef d'orchestre italien, naturalisé américain, né à Castellammare del Golfo le 2 mai 1925.

Il fait ses études au Conservatoire de Parme, à l'Académie Sainte-Cécile de Rome et au Mozarteum de Salzbourg où il remporte un 1er prix en 1948. Sa carrière débute en Afrique du Sud. Puis il est l'invité régulier de l'Opéra de Mexico. A New York, il dirige régulièrement le répertoire lyrique italien à partir de 1952. Il est ensuite directeur musical de l'Opéra de Philadelphie et chef permanent de l'Opéra d'été de Cincinnati. A l'Opéra de Vienne, il dirige régulièrement les ouvrages italiens. Chef permanent à la Volksoper de Vienne, il prend la direction musicale de l'Opéra de Palm Beach en 1984.

Gualda, Sylvio

Percussionniste français, né à Alger le 12 avril 1939.

1er prix au Conservatoire de Paris, soliste des Concerts Lamoureux, nommé 1er timbalier de l'Opéra de Paris en 1968. Attiré par la musique de son temps, il cherche une force expressive dans la percussion. Il se tourne vers les ensembles contemporains : Domaine musical (Boulez), Musique vivante (Diego Masson), Ensemble instrumental (Simonovitch), Ars Nova (Marius Constant, qui lui demande en 1970 de créer les *Quatorze Stations* à Royan). Il enregistre la *Sonate pour deux pianos et percussion* (Bartók) et fonde avec J.-P. Drouet, K. et M. Labèque, le groupe Puissance Quatre. Il donne pour la première fois un récital de percussion. Il joue à l'auditorium de la radio *May* de Dao et *Ball* de Drouet. Le 20 février 1977, seul sur la scène du Palais Garnier, il crée *Psappha* de Xenakis qui lui est dédié. Les compositeurs contemporains aiment, au-delà de sa virtuosité, le renouvellement de l'instrument et écrivent pour lui. Ainsi, E. Carter (*Pièces pour timbales*), Jolivet (*Heptade*), Barboteu (*Tournoi*). En 1981, il crée à Munich *Aïs* de Xenakis.

Gueden, Hilde

Soprano autrichienne, née à Vienne le 15 septembre 1917.

A l'Académie de musique de Vienne, elle étudie le chant, la danse et le piano. En 1938, elle débute à l'Opéra de Zürich, comme Chérubin (*Les Noces de Figaro*), puis succède à Adèle Kern à l'Opéra de Munich à la troupe duquel elle appartient jusqu'en 1947. Entre-temps, Tullio Serafin l'a fait inviter à Rome et à Florence où elle chante sous sa direction. Au Festival de Salzbourg, en 1946, elle remporte un succès retentissant comme Zerline (*Don Giovanni*). Elle est aussitôt engagée à l'Opéra de Vienne dont elle devient l'une des vedettes les plus populaires. Sa carrière est brillante, invitée à la Scala, à l'Opéra de Paris, au Covent Garden, aux Festivals de Salzbourg, d'Edimbourg, Glyndebourne, Venise ainsi qu'au Mai musical de Florence. Elle débute, en 1950, au Met et en 1952 fait partie de la troupe dans laquelle elle remporte un triomphe inhabituel en Rosalinde (*La Chauve-souris*). Puis en 1954, elle enthousiasme public et critique en Zerbinette (*Ariane à Naxos*). En 1960, lors de l'inauguration du grand Festspielhaus de Salzbourg, elle chante Sophie (*Rosenkavalier*). Elle remporte également de brillants succès en concert. Très appréciée comme soprano léger, elle ne s'est pas moins imposée comme une colorature exceptionnelle, capable de surmonter les pires difficultés techniques. Très belle, femme élégante et actrice consommée, elle a su se plier aux règles de l'opérette (*La Veuve joyeuse, Giuditta, La Chauve-souris...*) avec autant de charme et de talent qu'aux lois de l'opéra (*The Rake's Progress, Arabella, Elisir d'Amore, la Bohème, Don Giovanni,* et *Les Noces de Figaro...*).

Guest, George

Chef d'orchestre et organiste anglais, né à Bangor le 9 février 1924.

Il commence sa carrière au St. John's College de Cambridge (dont il deviendra directeur en 1951), part quatre années en Allemagne puis revient à Cambridge où il travaille dans la classe d'orgue de Robin Orr. Il crée le chœur de garçons de Bangor et celui de la cathédrale de Chester, tout en étant l'organiste suppléant de cette église. Très influencé par la tradition de Solesmes et, d'une façon générale, par le plain-chant, George Guest a fait du chœur de St. John's College l'un des meilleurs d'Angleterre. Il signe, depuis plusieurs années, un certain nombre de disques, en particulier consacrés aux *Messes* de Haydn, avec l'Academy of St. Martin-in-the-Fields. Entre 1967 et 1970, il est chef invité du Berkshire Bosy Choir (U.S.A.).

Gui, Vittorio

Chef d'orchestre et compositeur italien, né à Rome le 14 septembre 1885, mort à Florence le 17 octobre 1975.

Il fait ses études au Conservatoire de Rome, avec S. Falchi et G. Setaccioli. Il débute en 1907 au Théâtre Adriano de cette ville, dirigeant ensuite dans tous les grands théâtres italiens. Il est l'assistant de Toscanini à la Scala de Milan en 1923-25 puis en 1932-34. De 1925 à 1927, il dirige au Théâtre Regio de Turin. En 1928, il fonde l'Orchestre permanent de Florence qu'il dirigera jusqu'en 1943 et d'où sortira, en 1933, le Mai Musical Florentin. Vittorio Gui est le premier directeur artistique de ce festival (1933-36). A la même époque (1933), il commence à diriger régulièrement au Festival de Salzbourg. Après la guerre, il mène une carrière de chef invité et joue un rôle essentiel pour introduire la musique de Brahms en Italie à l'occasion du cinquantenaire de sa mort (1947). Il est invité régulièrement au Festival de Glyndebourne où il devient directeur musical à la mort de Fritz Busch (1952-60) puis conseiller musical (1960-69).

Parmi ses compositions, des opéras : *David* (Rome 1907), La *Fée Malerba* (Turin 1927) ; des œuvres pour orchestre : *Journée de fête* (1919), *Cantique des cantiques* (1925), *Fantaisie blanche* pour chœurs et orchestre... Vittorio Gui a transcrit des œuvres de Bach, Sammartini, Porpora, Moussorgski et a publié de nombreux essais et articles ainsi que deux livres, *Le Néron de Boito* (1924) et *Battute d'aspeto* (1944).

ÉCRIT : *Battute d'aspetto* (1944).

Guilels, Emil

Pianiste soviétique, né à Odessa le 19 octobre 1916.

Elève de B.M. Rejngbal au Conservatoire d'Odessa, puis de H. Neuhaus à Moscou (1935-38), il donne avec succès un concert dans sa ville natale en 1929. Lauréat en 1931 d'un concours pour les pianistes ukrainiens, il remporte deux ans plus tard le Concours de piano de Moscou. Il obtient ensuite un 2e prix à Vienne

(1936) et est classé premier au Concours Ysaÿe de Bruxelles en 1938. En 1946, il reçoit le Prix Staline, sera nommé, en 1954, Artiste du Peuple et reçoit en 1962 le Prix Lénine. Dès 1945, il commence des tournées en Europe et se rend en 1956 en Amérique. Nommé professeur au Conservatoire de Moscou en 1951, il aime enseigner. Il perpétue avec bonheur une tradition musicale : à Odessa, on faisait beaucoup de musique de chambre dans son enfance. Sa sœur Elisabeth a épousé Léonid Kogan et sa fille Elena (née le 5 septembre 1948) est une bonne pianiste ; ils jouent parfois ensemble. Guilels préfère le concert mais enregistre beaucoup. Ses interprétations de Beethoven et des romantiques sont d'une intense et sobre poésie. Economie de moyens, goût de la réflexion, sens du legato et du chant mélodique le caractérisent.

Guillou, Jean

Organiste et compositeur français, né a Angers le 18 avril 1930.

Il a douze ans lorsqu'on lui confie la tribune de l'église Saint-Serge, dans sa ville natale. Il travaille d'abord seul le répertoire pianistique et organistique, puis entre au Conservatoire de Paris, en 1953, dans la classe de Marcel Dupré. Très vite, à son tour, il devient professeur à Lisbonne où il enseigne la composition et l'orgue, à l'Institut de *Alta Cultura*. Il se rend ensuite en Allemagne – après avoir donné des récitals de piano et d'orgue – où il compose beaucoup. A Berlin sont créées ses premières œuvres, dont *Le Tombeau de Colbert*, en hommage à l'église Saint-Eustache (1966). Titulaire des grandes orgues de cette église, depuis 1963, il vit en France et voyage beaucoup. Il mène de front la composition, l'interprétation et l'enseignement. Parmi ses œuvres, *Colloques,* Cinq concertos pour orgue et orchestre, *Judith Symphonie, Symphonie Initiatique.* Accompagnateur inspiré des offices liturgiques, il tend toujours à révéler les possibilités des orgues, propose des programmes originaux (transcriptions de Liszt, Prokofiev, Stravinski), joue les musiciens de son temps (Messiaen), comme les classiques et les romantiques. Il enseigne au Meister Kursus de Zürich depuis 1972. Parmi les créations qu'il a assurées, *Mandala* de Jolivet (1969) et *Luminescences* de Tisné.

ÉCRITS : *Orgue, souvenir et avenir* (1978).

Guilmant, Félix Alexandre

Organiste et compositeur français, né à Boulogne-sur-Mer le 12 mars 1837, mort à Meudon le 29 mars 1911.

Issu d'une famille de facteurs d'orgues, il reçoit sa formation initiale de son père, Jean-Baptiste (1794-1890), organiste de Saint-Nicolas de Boulogne. Après les leçons d'harmonie (Gustave Carulli), il suit les cours de Lemmens (Bruxelles), devient maître de chapelle à Saint-Nicolas (Boulogne), enseigne la musique et organise des concerts dans sa ville natale. Lors de l'inauguration de l'orgue de Saint-Sulpice (Paris, 1862), son talent est remarqué et il succède à Alexis Chauvet à la Trinité (Paris, 1871). Ses tournées en Europe et en Amérique obtiennent un éclatant succès. Ses récitals du Trocadéro (1878-97 et 1901-06) demeurent célèbres. En 1884, il fonde la Schola Cantorum avec Bordes et d'Indy et en 1896, il succède à Widor à la classe d'orgue du Conservatoire de Paris. Vivement intéressé par l'organologie et l'histoire de son instrument, il publie les *Archives des maîtres de l'orgue* (10 volumes toujours réédités), consacrés pour l'essentiel aux organistes français (XVIe-XVIIIe siècles), et l'*Ecole classique de l'orgue* (25 cahiers), portant sur des artistes étrangers. Son influence dans la renaissance de ce répertoire ancien demeure considérable tout au long du XXe siècle.

Guiot, Andréa

Soprano française née à Garons-Saint-Gilles (Gard) le 11 janvier 1928.

En 1955 elle remporte au Conservatoire de Paris son 1er prix de chant, son 1er prix d'opéra, ainsi que le prix Osiris. Elle entre à la Réunion des théâtres lyriques nationaux (RTLN) où elle débute dans les *Contes d'Hoffmann* (salle Favart). Son interprétation de Micaëla à l'Opéra-Comique lui permet de créer ce rôle à l'Opéra de Paris lorsque *Carmen* est jouée pour la première fois au Palais Garnier, en novembre 1959. La même année elle avait débuté à l'Opéra de Paris dans Marguerite de *Faust*. Elle travaille avec Honegger pour l'enregistrement de son *Roi David*. Elle se distingue en 1964, dans le rôle-titre pour la célébration du centième anniversaire de la première de *Mireille* de Gounod. Ses débuts américains datent de 1963. Andréa Guiot est professeur au conservatoire de Paris depuis 1977. Elle a été membre de la troupe de l'Opéra de Paris de 1956 à 1973.

Gulbranson, Ellen
(Ellen Norgren)

Soprano suédoise, née à Stockholm le 4 mars 1863, morte à Oslo le 2 janvier 1946.

Elle étudie à Stockholm puis à Paris avec Blanche Marchesi et débute au concert, puis à l'Opéra de Stockholm dans Amneris (1889). Elle paraît à Bayreuth dès 1896, et hormis cette première année où elle partage le rôle avec Lilli Lehmann, elle y sera la seule Brünnhilde jusqu'en 1914. Elle interprète également Kundry sur la même scène de 1899 à 1904 et est ainsi considérée comme la première des grandes sopranos scandinaves à avoir régné au firmament du chant wagnérien.

Gulda, Friedrich

Pianiste autrichien, né à Vienne le 16 mai 1930.

Après avoir étudié le piano avec Grossmann, puis Pazofski, il est admis en 1942 dans la classe de Bruno Seidlhofer à l'Académie de musique de Vienne. Josef Marx lui enseigne la théorie et la composition. Après ses débuts en 1944, il remporte le Concours international de Genève en 1946. Très vite reconnu internationalement, il fait ses débuts à Carnegie Hall en 1950, et mène une carrière de virtuose adulé. A cette époque, il arrive souvent à Gulda de donner l'intégrale des sonates de Beethoven en concert. Parallèlement à Vienne, il est à l'origine de la création d'un Orchestre Classique Gulda de la Symphonie Viennoise, qui donne des concerts de musique de chambre.

L'année 1962 va représenter un tournant pour sa carrière. Renonçant à la garantie de succès que présentent ses concerts, il se met à composer, tandis que son intérêt pour le jazz devient de plus en plus vif. Déjà en 1956, le « Birdland » de New York, puis le Festival de Newport l'avaient accueilli. En 1960, Gulda avait aussi participé à la création d'un Big Band, l'Eurojazz Orchestra.

Gulda est désormais décidé à confronter les salles de concerts classiques au jazz et vice-versa. Il œuvre dans ce sens en aménageant les programmes de ses récitals, puis en créant un Concours international de jazz à Vienne.

En bonne logique, l'intérêt qu'il porte à l'improvisation l'amène à ouvrir une école d'improvisation en 1968 à Ossiach en Carinthie, l'International Musikform.

Ce pianiste, en marge de tous les genres, joue également à l'occasion du saxophone baryton, de la flûte et du piano électrique. Dans son refus de tout enseignement, de tout a priori plus ou moins lié à la tradition, c'est-à-dire, pour lui, au subjectivisme, son jeu s'efforce de rechercher la sobriété et la pure objectivité. Ses compositions les plus marquantes sont surtout les cadences (lorsqu'il ne les improvise pas sur place) qu'il a écrites pour les concertos de Mozart. En 1971, il a publié un article concernant l'improvisation, *Ossiach musste erfunden werden*, et un livre, *Worte zur Musik*.

Guller, Youra
(Georgette Guller)

Pianiste française, née à Marseille le 16 mai 1895, morte à Paris le 11 janvier 1981.

Après avoir travaillé le piano en privé, elle prépare le Conservatoire de Paris, d'où elle sort avec un 1er prix devant son amie Clara Haskil, en 1909 : Cortot avait préféré son jeu à celui de la pianiste roumaine. L'essentiel de sa carrière se déroulera hors de France où elle ne rencontrera jamais l'accueil que lui réserve l'Angleterre. Youra Guller laisse quelques enregistrements d'œuvres de Chopin, d'Albeniz, de Rameau, et de certaines transcriptions et paraphrases de Liszt qui sont longtemps restées des gravures uniques et qui s'imposaient par leur sobriété et la pureté de leur style. Milhaud a écrit pour elle plusieurs pièces pour piano (*Printemps, Suite op. 8*).

Gulli, Franco

Violoniste italien, né à Trieste le 1er septembre 1926.

Tout en faisant des études générales, il travaille le violon avec son père puis au Conservatoire de Trieste, à Sienne (avec A. Serato) et à Paris (avec Th. Pashkus). Il débute en 1932. Il est violon solo de l'Orchestre des Pomeriggi Musicali di Milano puis d'I Virtuosi di Roma. En 1959, il fonde avec Baldovino et Giuranna le Trio Italiano d'Archi. Il joue en sonate avec sa femme, la pianiste Enrica Cavallo (née à Milan le 19 mai 1921). Pédagogue important, il enseigne à Sienne (1964-70 puis à partir de 1972) et à Lucerne (1971-72), avant d'être nommé professeur à l'Université de l'Indiana à Bloomington (U.S.A.) en 1972. Il a donné la 1re audition moderne du *5e concerto* de Paganini (1959), jusqu'alors perdu. Il a aussi créé des œuvres de Malipiero et Viozzi. Son violon est un Guadagnini de 1747. Il possède également le Stradivarius de Franz von Vecsey.

Guschlbauer, Theodor

Chef d'orchestre autrichien, né à Vienne le 14 avril 1939.

C'est au Conservatoire de Vienne qu'il fait ses études musicales, notamment avec Swarowsky. Il y obtient un diplôme de direction (1959), de violoncelle (1960) et de piano-accompagnement (1964). Il suit parallèlement les cours d'été de Karajan et Matačić au Mozarteum de Salzbourg. En 1961, il est nommé chef du Wiener Barockensemble avec lequel il donne son premier concert et à la tête duquel il restera jusqu'en 1969. Il sera chef de chant à la Wiener Volksoper (1964-66) puis 1er chef au Landestheater de Salzbourg (1966-68). Appelé à l'Opéra de Lyon comme 1er chef (1969-71), il en deviendra le directeur de la musique (1971-75). Depuis cette date, il est directeur général de la musique à Linz et 2e chef à l'Opéra de Vienne. En 1983, il prend la direction de l'Orchestre Philharmonique de Strasbourg tout en devenant directeur musical de l'Opéra du Rhin.

Parmi les œuvres qu'il a créées, *Autodafé* de Ohana (1972), la *Symphonie no 6* de Wellesz (1976), la *Symphonie no 5* d'Eder (1981), *Tourbillons* de Taïra (1984).

Gutiérrez, Horacio

Pianiste cubain naturalisé américain (1967), né à La Havane le 28 août 1948.

Il fait ses études à La Havane puis à Los Angeles où il émigre avec sa famille en 1962. Il travaille avec Sergei Tarnovski. Il remporte en 1970 le 2e prix au Concours Tchaïkovski à Moscou. Il joue alors à Moscou et à Leningrad. Il est également diplômé de la Juilliard School. Il se produit dès lors dans le monde entier. Il est marié à la pianiste Patricia Ascher.

Gutmann, Natalia

Violoncelliste soviétique, née à Moscou le 14 juin 1942.

Elle commence à étudier l'instrument à l'âge de cinq ans. A neuf ans, elle fait sa première apparition en public. En 1962, elle obtient la médaille d'argent au Concours Tchaïkovski. En 1964, début de ses études au Conservatoire de Moscou ; elle capte l'attention du monde occidental dès 1967, en remportant le 1er prix du Concours de la Radio d'Allemagne de l'Ouest à Munich, en duo avec Alexej Nassedkin. Le répertoire de Natalia Gutmann embrasse toutes les périodes stylistiques, du baroque jusqu'à la musique contemporaine. Elle mène parallèlement une activité de compositeur. Elle a épousé le violoniste Oleg Kagan. Ensemble, ils ont créé le *Concerto pour violon et violoncelle* de Schnittke (1982).

H

Haas, Monique

Pianiste française, née à Paris le 20 octobre 1909.

Elle travaille au Conservatoire de Paris avec Lazare-Lévy (piano), Ch. Tournemire (musique de chambre), Maurice Emmanuel (histoire de la musique) et Suzanne Demarquez (harmonie). C'est en 1927 qu'elle remporte son 1er prix de piano. Elle se perfectionne ensuite avec Robert Casadesus, Serkin et Enesco. Sa carrière se développe à partir de 1928, comme soliste, bien sûr, mais aussi comme partenaire de sonates avec Enesco et Fournier. Elle épouse le compositeur Mihalovici. La guerre interrompt ses activités musicales. A la fin des hostilités, elle se remet à donner cours et concerts dans le monde entier, privilégiant dans ses programmes la musique contemporaine. De 1968 à 1969, elle est professeur au Conservatoire de Paris.

Elle effectue de nombreux enregistrements parmi lesquels il faut citer les intégrales Debussy et Ravel. La *Sonate pour piano n° 2* de Milhaud (1950), *Enfants* de Florent Schmitt, ainsi que *Toccata pour piano et orchestre* et *Ricercari* de Mihalovici lui sont dédiés.

Haas, Werner

Pianiste allemand, né à Stuttgart le 5 mars 1931, mort à Nancy le 11 octobre 1976.

Il prend dès l'âge de quatre ans ses premières leçons de piano. En 1953 il entre au Conservatoire de Sarrebruck et ne tarde pas à devenir l'un des élèves préférés de Walter Gieseking. Il fait ses débuts publics à Stuttgart (novembre 1955) puis à Paris (décembre 1956). Sa brillante carrière internationale devait s'achever prématurément dans un accident de voiture. Il avait enregistré notamment l'intégrale de l'œuvre pour piano de Debussy et de Ravel ainsi que les concertos de Tchaïkovski.

Hacker, Alan

Clarinettiste anglais, né à Dorking le 30 septembre 1938.

Il étudie à la Royal Academy of Music de Londres où il remporte le Prix Dove et le Prix Boise Scholarship. Il travaille également à Paris, Vienne et Bayreuth. En 1959, il est professeur à la Royal Academy et est membre de l'Orchestre Philharmonique de Londres, poste qu'il occupe jusqu'en 1966. Il est également à la même époque membre fondateur des Pierrot Players qui deviennent The Fires of London puis le Music Theatre Ensemble. En 1971, il fonde son propre groupe, Matrix. La même année il est professeur à l'Institut d'arts contemporains et à la section anglaise du S.I.M.C. Il s'intéresse beaucoup à la reconstitution d'œuvres du passé. Ainsi a-t-il retrouvé et enregistré la partie solo perdue du *Concerto de clarinette* de Mozart d'après la tessiture de la clarinette d'Anton Stadler à l'intention duquel il est écrit.

Il est également orienté vers la musique contemporaine, donnant les premières anglaises d'œuvres de Boulez, Birtwistle, Goehr, Maxwell-Davies.

Haebler, Ingrid

Pianiste autrichienne, née à Vienne le 20 juin 1929.

Sa mère, pianiste, Charlotte Freifrau von Haebler, lui enseigne les rudiments du piano. Enfant prodige, après ses débuts à onze ans à Salzbourg, elle étudie à Genève avec Nikita Magaloff, puis à Paris avec Marguerite Long, sans oublier le Mozarteum de Salzbourg avec Steniz Scholz. En 1952, elle remporte le 1er prix au Concours international de Genève suivi d'un autre prix, en 1954, au Concours international de Munich.

Ingrid Haebler a beaucoup enregistré. On invoque souvent son exemple pour montrer que certains musiciens parviennent parfaitement à recréer au disque l'atmosphère pleine de ferveur d'une salle de concert. Elle a réalisé une intégrale des concertos de Mozart tout à fait remarquable dont la conception d'ensemble a longtemps prédominé, servant de « référence obligée » aux autres interprètes. On lui doit aussi une intégrale des sonates pour piano de Mozart. Elle fait souvent de la musique de chambre avec Henryk Szeryng.

Haefliger, Ernst

Ténor suisse, né à Davos le 6 juillet 1919.

Il se destinait à une carrière dans l'enseignement musical. Il étudie à Zürich, à Vienne, avec Julius Patzak, et à Prague avec Carpi. En 1943, il tient pour la première fois le rôle de l'Évangéliste dans la *Passion selon saint Jean.* Au Festival de Salzbourg 1949, il joue *Antigone* de Carl Orff (*Tirésias*). A partir de 1952, il chante à la Deutsche Oper de Berlin. En 1956, on l'entend à Glyndebourne. Sous la direction de Furtwängler, il est Florestan dans le *Fidelio* de Beethoven ; auprès de Günter Ramin il interprète Jean-Sébastien Bach. Ferenc Fricsay fait beaucoup pour lui. Intéressé par l'histoire, les relations entre les autres arts, il ne sépare guère la musique du passé de celle du présent et son répertoire est large. Le classicisme viennois lui convient. Il aime Mozart et chante Tamino, dans *La Flûte enchantée, Don Giovanni, Cosi fan tutte*, mais aussi *Le Vaisseau fantôme* (le pilote). Karl Richter en fait son Évangéliste dans les passions de Bach qu'il marque par sa présence vocale.

Il s'intéresse aussi à la musique contemporaine et donne de nombreux récitals de mélodies. *Le Voyage d'hiver* de Schubert reste l'une de ses grandes réussites. Il a créé plusieurs œuvres de Frank Martin (*Le Vin herbé, Golgotha, In terra Pax*). En 1971, il a été nommé professeur à la Musikhochschule de Munich.

ÉCRITS : *Die Singstimme* (1983).

Haendel, Ida

Violoniste polonaise naturalisée anglaise, née à Chelm le 15 décembre 1924.

Elle étudie au Conservatoire de Varsovie et travaille avec Carl Flesch et Georges Enesco. Elle débute à l'âge de 13 ans et acquiert rapidement une réputation internationale. Fixée à Londres, Ida Haendel a collaboré avec les plus grands orchestres.

Hager, Leopold

Chef d'orchestre autrichien, né à Salzbourg le 6 octobre 1935.

Au Mozarteum de Salzbourg, il étudie l'orgue, le piano, le clavecin, la direction d'orchestre et la composition avec, notamment, B. Paumgartner, G. Wimberger, C. Bresgen et J.N. David (1949-57). Il débute en 1957 à Mayence comme chef de chœurs. Rapidement, il est nommé 1er chef d'orchestre. Il occupe ensuite les mêmes fonctions à l'Opéra de Linz (1962-64) puis à celui de Cologne (1964-65) avant d'être nommé directeur général de la musique à Fribourg (1965-69). Il prend alors la direction de l'Orchestre du Mozarteum de Salzbourg (1969-81). En 1980, il est nommé directeur artistique de l'Orchestre Symphonique de R.T.L. (Luxembourg).

Haitink, Bernard

Chef d'orchestre néerlandais, né à Amsterdam le 4 mars 1929.

Il dit « s'être laissé aller à la musique » à l'âge de onze ans. Il étudie le violon et la direction d'orchestre au Conservatoire, avec Felix Hupka. Violoniste à l'Orchestre Philharmonique de la Radio Néerlandaise, il se perfectionne auprès de F. Leitner qui lui confie le poste de 2e chef d'orchestre de l'Union radiophonique, en 1955. En 1956, il débute à la tête de l'Orchestre du Concertgebouw. En 1957, il est nommé chef principal de l'Orchestre Philharmonique de la Radio Néerlandaise, puis à la mort de Van Beinum en 1961, codirecteur du Concertgebouw avec E. Jochum. A 35 ans, le voici seul chef permanent et directeur artistique de ce grand orchestre. Invité à diriger dans le monde entier, il devient, en 1967, chef principal et conseiller musical de l'Orchestre Philharmonique de Londres et deux ans plus tard directeur artistique. Sa vie se partage entre Amsterdam et Londres. En 1977, il quitte la direction du London Philharmonic et succède à John Pritchard comme directeur musical au Festival de Glyndebourne. Chef mahlérien, il a enregistré l'intégrale des *Symphonies* de Mahler, mais aussi de celles de Bruckner. Il a une prédilection pour Beethoven. Ampleur, sobriété, maîtrise, tout est mis au service des œuvres interprétées. Une grande concentration et le sens de la fidélité au texte musical marquent le travail d'un chef qui dirige un orchestre de grande qualité, possédant une sonorité rare. En 1988, il prendra la direction musicale de Covent Garden.

Hall, Marie

Violoniste anglaise, née à Newcastle le 8 avril 1884, morte à Cheltenham le 11 novembre 1956.

Elle étudie d'abord avec des professeurs privés tout en recevant les conseils occasionnels de grands maîtres comme Elgar, Wilhelmj ou Max Mossel. En 1900, elle est l'élève de Johann Kruse à l'Académie Royale de Musique de Londres. L'année suivante, Jan Kubelík l'entend et la fait venir à Prague où elle travaille au Conservatoire avec Ševčík (1903). Ses premiers concerts datent de cette époque et font forte impression. Avant de se consacrer à l'enseignement, Marie Hall a mené une importante carrière, principalement à l'intérieur du Royaume-Uni, dominant toute une génération de violonistes anglais. Vaughan-Williams lui a dédié *The Lark ascending* (1921).

Hamari, Julia

Alto hongroise naturalisée allemande, née à Budapest le 21 novembre 1942.

Enfant, elle apprend le piano, mais, confiée à la pédagogue turque Fatime Martin, elle opte pour le chant. Elle parachève ses études au Conservatoire de Bucarest, obtenant un diplôme d'État de cantatrice et de professeur de chant (1961-66). En 1964 elle gagne, à Budapest, le Concours international Ferenc Erkel. Ainsi peut-elle poursuivre ses études à Stuttgart (1966-67). En 1966, elle débute dans *la Passion selon saint Matthieu*, sous la direction de Karl Richter, et la même année chante à Rome sous la direction de Vittorio Gui la *Rhapsodie pour alto* (Brahms). Ainsi s'ouvre à elle une brillante carrière de concertiste, en oratorio comme en mélodie. Sa magnifique technique lui permet de triompher tout particulièrement dans le répertoire d'alto colorature. Mais elle interprète en concert et avec la même aisance Bach, Beethoven, Monteverdi, Mahler, Händel, Mozart, Rossini et Verdi. Ainsi s'est-elle approchée de l'opéra où son répertoire est immense. Elle chante (1973-74) à l'Opéra de Düsseldorf-Duisbourg.

Handman, Dorel

Pianiste roumain naturalisé français (1947), né à Iaşi le 17 février 1906.

Il effectue ses études musicales à Berlin avec Leonid Kreutzer et Artur Schnabel et y remporte le prix de l'Académie en 1928. Puis il se perfectionne à Paris avec Marguerite Long avant d'aborder une carrière internationale. La guerre interrompt ses activités de pianiste et il se tourne vers la critique musicale, collaborant aux principaux journaux français (*Combat, l'Observateur* puis *le Nouvel Observateur*). Il est membre de l'Académie Charles Cros et enseigne l'histoire de la musique à la Schola Cantorum et à la Sorbonne. Il abandonne l'enseignement lorsqu'il est nommé directeur artistique de la Guilde internationale du disque. En 1972, il reprend ses activités de pianiste et entame une seconde carrière ponctuée par plusieurs enregistrements importants.

ÉCRITS : contributions à l'*Encyclopédie de la musique* (Fasquelle) et à l'*Histoire de la musique* (la Pléiade).

Harasiewicz, Adam

Pianiste polonais, né à Chodzierz le 1er juillet 1932.

Il travaille avec K. Mirski jusqu'en 1950 puis à l'École supérieure de musique de Cracovie avec Drzewiecki. Après un échec au Concours international F. Chopin de Varsovie en 1949, il s'y représente en 1950 et remporte le 1er prix devant Ashkenazy, Fou Ts'ong et Ringeissen. Il se perfectionne avec Benedetti-Michelangeli et commence une carrière internationale centrée sur Frédéric Chopin dont il a enregistré les pages essentielles.

Harnoncourt, Nikolaus

Chef d'orchestre et violoncelliste autrichien, né à Berlin le 6 décembre 1929.

De famille musicienne, il étudie le violoncelle à Graz avec Paul Grümmer, puis auprès d'Emanuel Brabec à l'Académie de Musique de Vienne. Ayant remporté les plus hautes distinctions, il est engagé comme violoncelliste à l'Orchestre Symphonique de Vienne où il reste de 1952 à 1969, ce qui le laisse profondément insatisfait. Aussi fonde-t-il en 1953 le Concentus Musicus avec des collègues de l'Orchestre Symphonique de Vienne, se donnant pour but de retrouver un contact plus vivant avec la musique, notamment la musique ancienne de la fin du Moyen Age au Baroque. Pour ce faire, ils décident de redonner vie à des instruments anciens ou copies d'ancien. Pendant quatre années, ils travaillent sur ces bases nouvelles et ne donnent leurs premiers concerts qu'en 1957. Les tournées ne commencent qu'en 1960. C'est l'enregistrement des *Concertos brandebourgeois* en 1962 qui assure leur premier véritable grand succès international. D'autres musiciens, animés par le même souci, tel Gustăv Leonhardt, font la connaissance d'Harnoncourt ; il s'ensuit une collaboration plus ou moins étroite, au point que les deux noms sont fréquemment associés, notamment dans l'enregistrement de l'intégrale des *Cantates* de J.S. Bach. Ce n'est pas par goût étroit de l'historique qu'Harnoncourt choisit le jeu sur instruments anciens mais bien pour des raisons artistiques. « Les instruments du XVIIIe siècle ne sont plus considérés comme les précurseurs imparfaits des instruments « parfaits » de nos jours, mais on a au contraire reconnu que bien des exigences posées par l'exécution musicale quant à l'articulation, la sonorité, la technique instrumentale sont plus aisément et plus naturellement réalisables sur les instruments originaux que sur des instruments datant des époques ultérieures et construits à de tout autres fins. » Soucieux de la spécificité des styles, remarquant que chaque époque a possédé ses instruments optimaux aptes à faire sonner la musique qu'elle a conçue, il proclame qu'« il n'existe pas d'orchestre idéal permettant une interprétation adéquate de la musique de toutes les époques ». Pour autant, il n'est pas aveugle aux limites de la restitution historique et va jusqu'à proclamer paradoxalement que l'authenticité n'existe pas ! Ayant conscience que la sensibilité de l'auditeur contemporain ne peut être identique à celle d'autrefois, il donne à celui d'aujourd'hui de découvrir d'autres manières d'interpréter et donc d'écouter : il se veut interprète plus que musicologue et n'est en rien dogmatiste étriqué. Il a dirigé, par exemple, l'orchestre moderne du Concertgebouw d'Amsterdam pour enregistrer les *Symphonies* de Mozart (1981), selon les principes de phrasé, de tempo, de dynamique, de clarification de la texture instrumentale, qu'il applique au répertoire baroque antérieur. Nul doute que son héritage, qui est loin d'être définitif, aura profondément marqué ce dernier tiers du XXe siècle.

Sa femme, Alice Harnoncourt, née à Vienne le 26 septembre 1930, est une violoniste accomplie, élève de Feist et Moravec à Vienne et de Thibaud à Paris ; elle est 1er violon au Concentus Musicus et joue aussi de l'alto, de la viole d'amour et du pardessus de viole. Elle suit la voie esthétique ouverte par son mari.

ÉCRITS : *Le Discours musical* (1983).

Harper, Heather

Soprano anglaise, née à Belfast le 8 mai 1930.

Elle effectue ses études de chant au Trinity College of Music de Londres et débute dans les Ambrosian Singers et le chœur de la B.B.C. Ses débuts sur scène ont lieu en 1954 avec l'Oxford University Opera Club. Elle paraît à Glyndebourne en 1957 (1re Dame de La *Flûte enchantée*, Anne Trulove...), et au Covent Garden en 1962 (Helena dans *Le Songe d'une nuit d'été* de Britten). Elle y sera aussi Micaela, Blanche de la Force (*Dialogues des carmélites*), Antonia (*Contes d'Hoffmann*), Gutrune, Éva, Elsa, Arabella, et surtout diverses héroïnes de Britten : Ellen Orford (*Peter Grimes*) et Mrs. Coyle (*Owen Wingrave*) dont elle assure la création mondiale sur les écrans de la B.B.C. en 1971. Elle participe également aux créations du *War requiem* (1962) et de *Owen Wingrave* (1971) de Britten, et de la *3e Symphonie* (1972) et de *The Ice Break* (1977) de Tippett. Elle chante à Bayreuth en 1967-68 (Elsa) et au Théâtre Colón de Buenos Aires depuis 1969.

Harrell, Lynn

Violoncelliste américain, né à New York le 30 janvier 1944.

Fils du baryton Marck Harrell, il étudie à la Juilliard School avec Leonard Rose et au Curtis Institute. Il suit les master-classes de Casals et Piatigorsky. Ses débuts datent de 1960. De 1965 à 1971 il est violoncelle solo de l'Orchestre de Cleveland puis artiste-résident à l'Université de Cincinnati. Il joue à Malboro, Aspen et fait ses débuts à Londres en 1975. Il remporte l'Avery Fischer Prize et enseigne à la Juilliard School depuis 1977. Lynn Harrell joue sur un violoncelle de Montagnana de 1720. Il a créé le *Concerto* de Erb (1976) qui lui est dédié.

Hartemann, Jean-Claude

Chef d'orchestre français, né à Vezet le 18 décembre 1929.

Il fait ses études secondaires puis ses études musicales à Clermont-Ferrand et au Conservatoire de Paris. Lauréat du Concours international des chefs d'orchestre de Besançon, il est nommé à l'Opéra de Dijon. Parmi les chefs invités figure Jésus Etcheverry dont Hartemann n'hésite pas à dire qu'il lui a tout appris de son métier. En 1960, il est nommé chef permanent à l'Opéra de Metz. Parallèlement, il fonde avec Suzanne Lafaye la troupe des « Baladins Lyriques » dont des spectacles tel que leur merveilleux *Cosi fan tutte* laisse imaginer ce que l'art lyrique français aurait pu demeurer. Parallèlement aussi, il est attaché à la direction artistique des disques Véga, à l'époque où cette firme faisait un effort énorme pour la promotion du chant français. Il assure enfin les saisons d'été du Théâtre d'Angoulême. En 1963, il est nommé chef d'orchestre à l'Opéra-Comique. Il en deviendra directeur de la musique en 1968 et le restera jusqu'à la fermeture de la salle Favart. Cette activité parisienne ne porte pas préjudice à une brillante carrière internationale et il fait triompher la musique française. Durant la saison 1972-73, il réorganise l'orchestre et les chœurs de Saint-Étienne. De 1973 à 1977, il enseigne à la Schola Cantorum. En 1977, il est engagé par la ville nouvelle d'Évry, dont il est nommé directeur de l'action musicale. Il a en outre créé Les Solistes de France, ensemble à cordes, à géométrie variable, ensemble qui connaît un succès croissant. Il a largement participé à la diffusion d'œuvres inédites, notamment lors de concerts radiodiffusés au cours desquels il a créé des œuvres signées

Bondon, Prey, Michel Ciry, Joseph Kosma... De Frank Martin, il a donné la 1re française de *Monsieur de Pourceaugnac* et hollandaise de la cantate *Et la vie l'emporta.* Il a dirigé la création mondiale d'*Anna et l'Albatros* de Bondon.

Harty, Sir Hamilton

Chef d'orchestre, organiste et compositeur irlandais, né à Hillsborough le 4 décembre 1879, mort à Hove, le 19 février 1941.

Avant d'être compositeur, il effectue d'abord une carrière d'organiste en Irlande puis il dirige la British National Opera Company et le Hallé Orchestra de Manchester (1920-33). Il mène ensuite une carrière de chef invité, surtout à la tête de l'Orchestre Symphonique de Londres. Comme compositeur, Harty laisse plusieurs œuvres, romantiques quant à leur style, avant tout de musique de chambre, un concerto pour violon, des mélodies mais, paradoxalement, aucun ouvrage pour l'orgue. On lui doit des arrangements des suites *Water Music* et *Royal Fireworks* de Händel joués dans le monde entier. Il a créé la *Symphonie no 1* de Walton (1934) et la *Symphonie no 6* de Bax (1935).

Harwood, Elizabeth

Soprano anglaise, née à Barton Seagrave le 27 mai 1938.

Elle étudie au Royal Manchester College of Music de 1956 à 1960, année où elle remporte le Kathleen Ferrier Memorial Prize. Elle débute alors dans les chœurs du Festival de Glyndebourne, et y chante le 2e garçon de *La Flûte enchantée.* En 1961, elle entre au Sadler's Wells où elle chante Suzanne, Constance, Adèle (*Le Comte Ory*), Gilda, Manon, Zerbinette... En 1963, elle remporte le Concours Verdi de Busseto, tourne en Australie en 1965 et apparaît au Festival d'Aix-en-Provence de 1967 à 1969 (Fiordiligi, Constance). En 1968 elle débute au Covent Garden où elle sera la Fiakermilli (*Arabella*), Marcelline, Gilda, Bella (*Midsummer Marriage* de Tippett), Norina, Elvira, Teresa (*Benvenuto Cellini*). En 1970, elle apparaît à Salzbourg (Constance, la Comtesse), en 1972 à la Scala, en 1975 au Met, en 1974 à l'Opéra de Paris (La Comtesse) pour une seule soirée. Elle chante aussi bien le lied (R. Strauss) que la musique religieuse (Poulenc) ou l'opérette : son enregistrement de *La Veuve joyeuse* sous la direction de Karajan a marqué le rôle.

Haskil Clara

Pianiste roumaine naturalisée suisse (1949), née à Bucarest le 7 janvier 1895, morte à Bruxelles le 7 décembre 1960.

Elle révèle très vite des dons stupéfiants d'oreille et de doigts. En 1901 elle entre au Conservatoire de Bucarest. Le chef d'orchestre Dinicu la présente à la reine Elisabeth de Roumanie qui lui octroie une bourse pour aller poursuivre ses études à Vienne. Elle y arrive en 1902 et travaille le piano pendant trois ans avec Richard Robert, professeur d'un autre enfant prodige, George Szell. Elle étudie également le violon – il lui arrivera plus tard d'échanger pour un bis son instrument avec celui de Grumiaux – et donne son premier récital public. Elle se rend à Paris en 1905 et rencontre Fauré. Elle prend les leçons de Morpain mais – étonnant aveuglement des jurys ! – ne sera admise au Conservatoire de Paris qu'en 1907. Elle entre alors dans la classe de Cortot, mais, compte tenu de la relative froideur de leurs relations, travaille surtout avec Lazare-Lévy. En 1909, elle remporte le 1er prix de violon au Concours de l'Union Française de la Jeunesse que préside Jacques Thibaud, et un 2e prix de piano au Conservatoire, derrière Aline Van Barentzen et Youra Guller. En 1910, elle obtient enfin un 1er prix de piano. En 1912 elle rencontre Busoni puis Paderewski. L'aggravation d'une scoliose dont elle souffre depuis longtemps lui interdit toute pratique pianistique et lui impose de porter pendant de longs mois un corset de plâtre. Elle ne rejouera en public qu'en 1920. Elle donne des récitals en Suisse, en Belgique, aux États-Unis mais, malgré le soutien de la princesse de Polignac et l'enthousiasme des grands musiciens de son temps, Paris persiste à ignorer son style qui se situe trop à l'opposé du goût du jour. Les engagements se font rares pour elle. Jusqu'en 1933 elle ne joue guère qu'en Suisse. En 1934 elle enregistre ses premiers disques mais sa carrière ne démarre toujours pas. Elle rencontre Dinu Lipatti en 1936 et se lie avec lui d'une profonde amitié. La radio semble la découvrir en 1938 mais la guerre éclate. Elle se réfugie en Suisse. En 1950 Pablo Casals l'invite au 1er Festival de Prades. Son génie est enfin reconnu. En 1951, elle obtient son premier triomphe parisien. Sa véritable carrière internationale débute alors et ne durera pas dix ans.

Clara Haskil disposait d'une technique très étonnante lui permettant d'aborder les pages les plus virtuoses. Son répertoire, largement assis sur les grandes partitions du romantisme (Beethoven, Schumann, Schubert dont elle fut l'une des premières à jouer les sonates, Chopin), ne s'ouvrira à Mozart, dont elle demeure l'inégalable interprète, qu'au cours des années 1920. Elle joue peu la musique de son temps, exception faite de partitions de Bartók, Sauguet ou Hindemith. Son jeu, d'une sobriété et d'une intensité rares, peut être encore admiré dans une discographie trop peu fournie où l'on retiendra notamment les Sonates pour piano et violon de Beethoven avec Grumiaux, quelques concertos pour piano de Mozart avec Schuricht, Rosbaud, Fricsay et Markevitch et les grandes pages romantiques qui constituaient l'essentiel de son répertoire.

Hasson, Maurice

Violoniste français, naturalisé vénézuélien (1972), né à Berck-Plage le 6 juillet 1934.

Né dans une famille d'origine juive sépharadite, il entre au Conservatoire de Paris en 1948. Il y travaille avec Line Talluel, Joseph Benvenuti et Joseph Calvet. En 1950, il obtient un 1er prix et prix d'honneur de violon, ainsi qu'un prix de musique de chambre. Il se perfectionne ensuite avec Henryk Szeryng. Son premier concert parisien date de 1951. En 1953 il est lauréat du Concours international Marguerite Long-Jacques Thibaud. Il est professeur de violon à l'École de musique de l'Université des Andes (Merida-Venezuela) de 1960 à 1967, puis professeur de musique de chambre à l'École de musique de Caracas (1967-70). Ses débuts à Londres, en 1973, lui ouvrent une carrière internationale qui le conduit en 1978 aux États-Unis où il joue sous la direction de Lorin Maazel. De nombreux compositeurs vénézuéliens (Rhazès Hernandez Lopez, Gonzalo Castellanos Yumar...) lui dédient des œuvres dont il assure la première audition. Maurice Hasson joue actuellement sur un Antonius Stradivarius (1727) et un Etienne Vatelot (1981).

Haudebourg, Brigitte

Claveciniste française, née à Paris le 5 décembre 1942.

Elle commence, dès l'âge de quatre ans, l'étude du piano sous la direction de Marguerite Long et de Jean Doyen. Elle se tourne vers le clavecin, instrument qu'elle travaille d'abord avec Robert Veyron-Lacroix, quand elle atteint ses quinze ans. Elle entre au Conservatoire de Paris (classe de Marcelle de Lacour) et obtient un 1er prix de clavecin en 1963. Elle y suit le cycle de perfectionnement (classe de Pierre Pierlot), et remporte la Médaille d'or au Concours international Viotti (1968). Sa carrière est alors lancée. Sa discographie est déjà riche et originale. A côté de pages signées Daquin, Dandrieu et Schobert, on pourra retenir quelques premières au disque : les concertos de W.F. Bach (sous la direction de Kurt Redel), les sonates pour harpe et clavecin de Pierre Baur (avec Marielle Nordmann), les sonates pour flûte et clavecin de François Devienne (avec Michel Debost) et les sonates du Chevalier de Saint-Georges (avec Jean-Jacques Kantorow). Elle a créé des œuvres de Michel Merlet, Patrice Mestral et Jean-Paul Holstein. Elle participe également à plusieurs créations du Théâtre du Silence.

Hausegger, Siegmund von

Chef d'orchestre et compositeur autrichien, né à Graz le 16 août 1872, mort à Munich le 10 octobre 1948.

Il commence ses études musicales avec son père, Friedrich von Hausegger (1837-99), célèbre critique wagnérien, puis avec E. W. Degner, K. Pohling et M. Plüdemann. En même temps, il poursuit ses études générales à l'Université de Graz. Il fait ses débuts dans cette ville au cours de la saison 1895-96 où il dirige à l'Opéra. Puis il est chef d'orchestre du Kaim Orchester de Munich (en même temps que Weingartner, 1898-1903). De 1903 à 1906, il dirige les Museum Konzerten à Francfort. Il occupe ensuite des fonctions de chef d'orchestre permanent à Glasgow et Edimbourg avant de prendre la direction de l'Orchestre Philharmonique de Hambourg (1910-20). A la même époque, il dirige le Blüthner Orchester à Berlin. En 1920, il se fixe à Munich où il est nommé à la tête de l'Orchestre Philharmonique, poste qu'il conservera jusqu'en 1938. Il dirige également l'Akademie der Tonkunst où il enseigne jusqu'en 1934. Personnage important de la vie musicale bavaroise, il hisse son orchestre à un niveau remarquable et contribue à faire connaître l'œuvre de Bruckner qu'il présente dans sa version originale, créant notamment, sous cette forme, la *Symphonie n° 9* (1932).

Comme compositeur, il laisse des opéras, une messe, un Requiem, des poèmes symphoniques et des lieder. Sa première femme était la cantatrice Hertha Ritter.

Hausmann, Robert

Violoncelliste autrichien, né à Rottleberode le 13 août 1852, mort à Vienne le 18 janvier 1909.

Il est l'élève, à Brunswick, de Theodor Müller ; de 1869 à 1871, il travaille à l'Académie royale de Berlin puis à Londres avec Piatti. Il est le violoncelliste du Quatuor du comte Hochberg à Dresde (1872-76). Il devient ensuite professeur à l'Académie de Berlin (1876) et membre (1879-1907) du Quatuor Joachim. Il appartient aussi au trio Barth avec le pianiste Heinrich Barth et le violoniste Heinrich De Ahna. C'est avec Joseph Joachim qu'il crée le *Double concerto pour violon, violoncelle et orchestre* de Brahms le 21 septembre 1887, à Baden-Baden (avec Brahms au piano) puis le 18 octobre à Cologne, avec orchestre. L'année précédente, il avait déjà créé la *Sonate pour violoncelle et piano n° 2* de Brahms. Il jouait sur un Stradivarius de 1724.

Heger, Robert

Chef d'orchestre et compositeur allemand, né à Strasbourg le 19 août 1886, mort à Munich le 14 janvier 1978.

Il fait ses études musicales à Strasbourg, avec F. Stockhausen, à Zürich, avec L. Kempter, et à Munich, avec M. von Schillings. En 1907, il effectue ses débuts à Strasbourg. L'année suivante, il est chef d'orchestre à Ulm, puis, en 1909, à Barmen. Deux ans plus tard, il est nommé à la Volksoper de Vienne. De 1913 à 1920, il dirige à l'Opéra de Nuremberg tout en assurant les concerts de l'Orchestre Philharmonique. Puis on le trouve à l'Opéra de Munich (1920-25), à l'Opéra de Vienne (1925-33), à la tête du Wiener Singverein (1928-34) et à l'Opéra de Berlin (1933-50). Il partage ces dernières fonctions avec l'Opéra de Kassel. En 1950, il est nommé 1er chef à l'Opéra de Munich et, de 1950 à 1954, occupe la présidence de la Musikhochschule. Unanimement reconnu et apprécié par ses confrères, Heger a occupé une place très importante dans le monde lyrique allemand et autrichien. Sa parfaite connaissance du répertoire et des différents théâtres lui permettait de s'intégrer sans difficultés aux productions et, souvent, de sauver des situations périlleuses. Il est l'un des rares chefs lyriques allemands à n'avoir jamais occupé les fonctions de directeur général de la musique. Comme compositeur, on lui doit 4 opéras, 3 symphonies et des concertos.

Heidsieck, Eric

Pianiste français, né à Reims le 21 août 1936.

Né dans un milieu musical, il est pris en charge par Blanche Bascourret de Gueraldi. De 1944 à 1952, il suit ses cours à l'École normale de musique à Paris, se produisant régulièrement dans sa ville natale. En 1952, il entre au Conservatoire de Paris dans la classe de Marcel Ciampi où il obtient deux ans plus tard un 1er prix. Il se perfectionne avec Wilhelm Kempff et reçoit les conseils d'Alfred Cortot. Doué d'une excellente mémoire, il possède un très vaste répertoire qui lui a permis de donner de grands cycles de concerts comme les 12 derniers concertos de Mozart (1964), les 32 *sonates* de Beethoven (1969) ou les *suites* de Händel (1973). Il forme, depuis 1960, un duo de piano avec sa femme Tania et a donné plusieurs séries de concerts avec Paul Tortelier. On lui doit la création et le premier enregistrement mondial de la *Sonate de Pâques* de Mendelssohn.

Heifetz, Jascha

Violoniste russe naturalisé américain (1925), né à Vilna (Lituanie) le 2 février 1901 (date officielle, en réalité 1899).

Fils de Ruvin Heifetz, lui-même violoniste au Théâtre de Vilna, le jeune Jascha prend ses premières leçons à l'âge de quatre ans avec son père puis avec Elias Malkin au Conservatoire de sa ville natale. A six ans, un grand premier prix lui permet de débuter à Kovno avec le *Concerto* de Mendelssohn. Enfant prodige, relativement connu déjà, il est entendu, alors qu'il a huit ans, par Leopold Auer, professeur au Conservatoire impérial de Saint-Pétersbourg. Auer est émerveillé par les dons de l'enfant et devant sa scrupuleuse conscience musicale il lui conseille de venir étudier avec lui. Malgré la loi interdisant aux Juifs de résider à Saint-Pétersbourg, Heifetz suit l'avis d'Auer. Ses progrès sont exceptionnellement rapides, sa renommée s'étend au-delà des frontières. En 1914, il débute en Europe, à Berlin, avec la Philharmonie dirigée par Arthur Nikisch ; puis, en 1916, à la suite d'une tournée en Scandinavie, il se rend aux États-Unis où son premier récital a lieu le 27 octobre 1917 au Carnegie Hall. Depuis, Jascha Heifetz a joué dans le monde entier, y compris en Israël et en Union Soviétique où sa dernière apparition remonte à 1934. En France, il se fit entendre pour la dernière fois en 1971, à Paris, où il vint donner deux récitals et un concert avec l'Orchestre National.

« Admiré beaucoup et beaucoup diffamé » : cette fameuse citation de Goethe s'applique parfaitement à Jascha Heifetz que d'aucuns considèrent comme le virtuose sans rival en dénonçant son style « brillant mais froid » ; ce que l'on pourrait lui reprocher, en vérité, c'est son style *non conformiste.* D'autres le considèrent comme le plus grand parmi les grands : « Kreisler était le roi, Heifetz est le prophète... les autres ne sont que des violonistes ! » a-t-on écrit.

En dehors de sa carrière proprement dite, Heifetz s'est consacré à l'enseignement depuis 1959, et professe à Los Angeles. Il a formé le Français Pierre Amoyal et l'Américain Erick Friedmann, entre autres violonistes.

A l'instar de Fritz Kreisler, Jascha Heifetz a transcrit énormément de pièces pour son instrument (quelque 250) et écrit des cadences pour le *Concerto* de Beethoven, pour celui de Brahms et pour le 4e de Mozart. Il a été le dédicataire et le créateur de plusieurs œuvres : concertos de Miklos Rozsa, Korngold, Louis Gruenberg, Mario Castelnuovo-Tedesco (no 2), Walton. C'est lui qui donna la première américaine du *Concerto no 2* de Prokofiev. Jascha Heifetz s'est associé aux plus grands artistes pour donner des séances de musique de chambre : Arthur Rubinstein, Emanuel Feuermann, Gregor Piatigorski, William Kappel par exemple.

Pour des raisons de santé, il s'est retiré de la scène publique en 1973. Heifetz possède le fameux Guarnerius del Gesù, datant de 1742, qui appartint à Ferdinand David (créateur du *Concerto no 2* de Mendelssohn) puis à Pablo de Sarasate et un Stradivarius de 1731.

Heiller, Anton

Organiste, compositeur et chef d'orchestre autrichien, né à Vienne le 15 septembre 1923, mort à Vienne le 25 mars 1979.

Il fait ses études à la Musikakademie de sa ville natale : orgue, harmonie, direction d'orchestre et commence une carrière de soliste à partir de 1939. Comme organiste il est rapidement considéré comme l'un des meilleurs interprètes de Bach. Il enseigne l'orgue à la Musikakademie de Vienne de 1945 à sa mort. En 1952, il remporte le Concours international de Haarlem. Le compositeur porte la marque d'un David, d'un Frank Martin, d'un Hindemith et d'un Stravinski, mais ses œuvres sont également marquées par la technique des 12 sons. Son style reste personnel et son langage est riche en symboles sonores. Parmi les pages importantes qu'il laisse, on peut citer : *Deux Sonates* pour orgue (1946-1953), une *Toccata* pour deux pianos (1945), un *Concerto* pour orgue (1963), un *Requiem*, dix *Messes*, un *Te Deum* (1953) et une *Cantate* pour soli, chœur et orchestre (1955).

Heisser, Jean-François

Pianiste français, né à Saint-Étienne le 7 décembre 1950

Après des études au Conservatoire de Saint-Étienne, il entre au Conservatoire de Paris où il est l'élève de Vlado Perlemuter, Marcel Ciampi, Pierre Pasquier et Henriette Puig-Roget. Il obtient un 1er prix de piano en 1973 ainsi que diverses récompenses dans les classes de musique de chambre, accompagnement, harmonie, contrepoint et fugue. En 1974 lui est décerné le Prix du Concours Jaen en Espagne avec un prix spécial pour ses interprétations de la musique espagnole ainsi que le 1er prix du Concours Vianna Da Motta à Lisbonne. Il entame dès lors une carrière internationale, soit en soliste, soit en duo avec Régis Pasquier, avec lequel il se produit à New York au Lincoln Center en 1976. A partir de 1976, il est soliste au sein du Nouvel Orchestre Philharmonique de Radio France. Son répertoire est très vaste. Il s'est fait remarquer dans les œuvres de Beethoven, Schubert, les sonates de d'Indy et Dukas (Festival du Marais 1981), de Schönberg, Berio, Crumb.

Hekking, André

Violoncelliste français, né à Bordeaux le 30 juillet 1866, mort à Paris le 14 décembre 1925.

Son père, Robert Hekking (1820-75), est son premier professeur. Il commence une carrière de soliste qui s'amplifie lorsqu'il s'installe à Paris en 1909. Après la guerre, il se tourne vers l'enseignement, au Conservatoire de Paris (1919-25) et au Conservatoire américain de Fontainebleau. Peu avant sa mort, il a participé à la création du *Quatuor* de Fauré avec Thibaud, Krettly et Vieux.

Hekking, Anton

Violoncelliste néerlandais, né à La Haye le 7 septembre 1856, mort à Berlin le 18 novembre 1935.

Frère du précédent, il fait ses études au Conservatoire de Paris avec Joseph Giese, Camille Chevillard et Jacquard. Engagé comme violoncelle solo à la Philharmonie de Berlin (1884-88), il occupe le même poste à l'Orchestre Symphonique de Boston (1889-91) puis à la Philharmonie de New York (1895-98) avant de revenir à la Philharmonie de Berlin (1898-1902). A partir de 1898, il enseigne au Conservatoire Stern de Berlin et se consacre à la musique de chambre en formant, en 1902, un trio avec Schnabel et Wittenberg.

Hekking, Gérard

Violoncelliste français, né à Nancy le 22 août 1879, mort à Paris le 5 juin 1942.

Cousin des précédents, il travaille au Conservatoire de Paris et obtient un 1er prix en 1899. Il est violoncelle solo au Concertgebouw d'Amsterdam (1903-14). Après la guerre, passée en France, il retourne aux Pays-Bas jusqu'en 1927, lorsqu'il est nommé professeur au Conservatoire de Paris. Il est alors violoncelle solo à l'Opéra de Paris. Il a profondément marqué l'école française de violoncelle, notamment en accordant une plus grande importance à l'archet.

Heldy, Fanny

Soprano française, née à Ath (Belgique) le 29 février 1888, morte à Neuilly le 13 décembre 1973.

D'ascendance anglaise par sa mère et belge par son père, elle devient française par son mariage. Elle fait ses études musicales au Conservatoire de Liège puis à celui de Bruxelles et débute au Théâtre de la Monnaie en 1913. Elle apprend son métier dans de petits rôles sur toutes les scènes belges et se produit durant deux saisons à Vichy et Aix-les-Bains. Engagée à l'Opéra-Comique, elle débute en 1917 dans le rôle de Violetta. Salle Favart, elle créera *Gismonda* d'Henry Février (rôle-titre) et se produira triomphalement dans *Le Barbier de Séville, Les Contes d'Hoffmann* (les trois rôles), *Louise, Madame Butterfly, Manon, Mélisande* et... *Tosca.* En 1920, elle est Juliette sur la scène du Palais Garnier, début d'un demi-pensionnariat qui durera près de vingt ans, d'un vedettariat, d'un règne absolu – sa loge somptueusement installée est restée intacte – durant lequel elle imposera sa suprématie de cantatrice, de comédienne et de tragédienne en Nedda, Marguerite, Thaïs, Elsa, Ophélie, Manon ou Violetta. Elle y créera *Antar* de Gabriel Dupont (Abla), *Le Jardin du paradis* (Arabella) de Bruneau, *Nerto* de Widor (rôle-titre), *La Tour de feu* de Lazzari (Naïc), *Persée et Andromède* d'Ibert (Andromède), *L'Illustre Frégona* de Laparra (rôle-titre), *Le Marchand de Venise* de Reynaldo Hahn (Portia). Elle y sera aussi la première Violetta, la première Conception, la première Salomé (de l'*Hérodiade* de Massenet) et le premier Duc de Reichstadt de l'*Aiglon* d'Honegger et Ibert, rôle qu'elle avait créé à Monte-Carlo en 1937 aux côtés de Vanni-Marcoux et d'Endrèze.

Son demi-pensionnariat lui permet de s'illustrer à l'étranger, au Covent Garden de Londres, au Liceo de Barcelone, au Colón de Buenos Aires et surtout à la Scala de Milan où Toscanini fit d'elle ses Louise et Mélisande préférées. En pleine gloire, elle se retira à la veille de la guerre, alors que ni sa voix si belle ni son visage si expressif n'avaient connu la moindre ride.

Helffer, Claude

Pianiste français, né à Paris le 18 juin 1922.

Dans sa famille, la musique de chambre fait partie de la vie. Il mène de front Polytechnique et des études théoriques musicales avec Leibowitz. Puis il décide de se consacrer au piano et travaille avec Robert Casadesus. Doué d'une mémoire exceptionnelle, il acquiert une technique brillante et s'attache aux œuvres du répertoire traditionnel (Mozart, Beethoven, Schumann). Il excelle dans Bartók, Debussy, Ravel et se passionne pour les œuvres de son temps, choisissant parmi les nombreuses sollicitations des compositeurs. On lui dédie des œuvres qu'il crée : Amy (*Épigrammes*, 1965), Boucourechliev (*Concerto*, 1975), Jolas (*Stances*, 1978), Manoury (*Cryptophonos*, 1974), Xenakis (*Erikhton*, 1974), Pablo (*1er Concerto*, 1980). Il crée également *Inventions I et II* (Amy), *Musique nocturne* et *Archipel III* (Boucourechliev), *Concerto* (Hamilton), *Éclipse* (Tabachnik), *Triple et trajectoire* (Koering). Claude Helffer a donné en France et à l'étranger des premières auditions qui font date : Boulez (1re et *3e sonates*), Berio, Serocki, Evangelisti, Stockhausen, Tremblay...

Son esprit d'analyse, sa force persuasive conquièrent les jeunes musiciens. Il donne des cours d'interprétation depuis 1978 : l'École de Vienne, les dernières sonates de Beethoven. Claude Helffer a enregistré l'intégrale de l'œuvre pour piano de Schönberg et reçu en avril 1981 le grand prix de la S.A.C.E.M. (Interprétation de la musique contemporaine).

Hendl, Walter

Chef d'orchestre américain, né à West New York le 12 janvier 1917.

Il étudie d'abord le piano avec Clarence Adler et David Saperton (1934-37) avant de suivre les cours de Fritz Reiner au Curtis Institute de Philadelphie (1937-41). Il débute comme professeur au Sarah Lawrence College de New York (1939-41) et au Bershire Center (1941-42). De 1945 à 1949, il est chef associé de l'Orchestre Philharmonique de New York. Puis il prend la direction musicale de l'Orchestre Symphonique de Dallas (1949-58). A la même époque, il est l'invité régulier de l'Orchestre Symphonique de l'Air et le directeur musical de l'Orchestre Symphonique de Chautauqua (1953-72). Fritz Reiner l'appelle à Chicago comme chef associé (1958-64). De 1964 à 1972, il est directeur de l'Eastman School of Music de Rochester et conseiller artistique de l'Orchestre Philharmonique de cette même ville. En 1976, il est nommé directeur de l'Orchestre Philharmonique de Erie (Pennsylvanie). Fervent défenseur de la musique de son temps, il a dirigé en 1re audition la *Symphonie nº 3* de Mennin (1947), le *Concerto pour piano nº 3* de Martinů (1949) et le *Concerto pour violoncelle nº 2* de Villa-Lobos (1954).

Hendricks, Barbara

Soprano américaine, née à Arkansas le 20 novembre 1948.

Elle effectue des études de chimie et de mathématiques à l'Université de Nebraska et travaille le chant avec Jennie Tourel à la Juilliard School. En 1976, à San Francisco, elle débute dans *Le Couronnement de Poppée.* La même année, elle chante l'*Orfeo* au Festival de Hollande. Le Festival de Glyndebourne l'invite pour *Fidelio* (Marceline). En 1978, elle est Suzanne (*Les Noces de Figaro*) à la Deutsche Oper de Berlin puis elle incarne Gilda dans *Rigoletto* à Orange et Pamina (*La Flûte enchantée*) au Festival de Salzbourg 1981. A l'Opéra de Paris, elle débute en Juliette (Gounod) en 1982. Aussi à l'aise au concert qu'à l'opéra, elle chante en oratorio avec Abbado, Karajan, Giulini... et donne des récitals de lieder dans un répertoire qui va de Schubert à Gershwin.

Henriot-Schweitzer, Nicole

Pianiste française, née à Paris le 25 novembre 1925.

Elle entre au Conservatoire de Paris et obtient, à treize ans, un 1er prix de piano dans la classe de Marguerite Long. L'année suivante (1939), elle remporte le Concours Fauré à Luxembourg. C'est une brillante carrière internationale qui s'ouvre devant elle à la fin de la guerre. Elle joue avec les plus grands chefs, notamment avec Charles Münch. Elle crée la *Suite concertante* de Darius Milhaud (1953). De 1970 à 1973, elle est professeur au Conservatoire de Liège.

Henschel, Sir George

Chef d'orchestre et baryton allemand naturalisé anglais (1890), né à Breslau le 18 février 1850, mort à Aviemore (Écosse) le 10 septembre 1934.

Il débute comme pianiste à Berlin en 1862 avant même de faire des études musicales approfondies qu'il entreprend par la suite au Conservatoire de Leipzig, avec Moscheles, Götze et Reinecke (1867-70) puis à celui de Berlin. Dès 1868, chante le rôle de Hans Sachs dans *Les Maîtres chanteurs* à Munich. En 1874, il rencontre Brahms sous la direction duquel il chante à plusieurs reprises. Il séjourne en Angleterre de 1877 à 1879 avant de partir pour les États-Unis où il est le premier chef permanent de l'Orchestre Symphonique de Boston (1881-84). Il se fixe alors en Angleterre où se déroulera le reste de sa carrière : il est professeur de chant au Royal College of Music de Londres (1886-88) et fonde les London Symphony Concerts qu'il dirige de 1886 à 1896. Entre 1893 et 1895, il est à la tête du Scottish Orchestra à Glasgow. Il se fixera définitivement en Écosse, consacrant la fin de sa vie à l'enseignement.

ÉCRITS : *Musings and Memories of a musician* (1918).

Herbig, Günther

Chef d'orchestre allemand (R.D.A.), né à Usti nad Labem le 30 novembre 1931.

Il fait ses études à l'École supérieure de musique « Franz Liszt » de Weimar avec Hermann Abendroth (1951-56). Plus tard, il se perfectionne avec Hermann Scherchen, Arvid Jansons et Herbert von Karajan. De 1957 à 1962, il dirige le Théâtre national de Weimar et les deux orchestres de l'École de musique. Il occupe les fonctions de directeur musical du Théâtre Hans-Otto à Potsdam (1962-66). On le retrouve comme chef de l'Orchestre Symphonique de Berlin (1966-73), chef principal de l'Orchestre Philharmonique de Dresde (1972-77), puis de l'Orchestre Symphonique de Berlin (1977-83). En 1984, il prend la direction musicale de l'Orchestre Symphonique de Detroit. Outre le répertoire traditionnel, il dirige beaucoup de partitions contemporaines, essentiellement dues à des compositeurs est-allemands comme Eisler, Jentzsch, Katzer, Kunad, Matthus, Thiele, M. Schubert ou Zechlin.

Herbillon, Jacques

Baryton français, né à Reims le 20 mai 1936.

Il fait ses études au Conservatoire de Reims, à l'École normale de musique de Paris avec Gabrielle Gills et au Conservatoire de Genève avec Pierre Mollet. Grand prix Gabriel Fauré et prix du Concours international de Genève, il est engagé par René Nicoly pour des tournées aux Jeunesses Musicales de France en 1961 et entame une carrière de récitaliste et de chanteur d'oratorio spécialisé dans la musique française. Il chante à Milan, Salzbourg, Genève, Bruxelles, Amsterdam, en Pologne, en Bulgarie, en Allemagne, au Portugal et au Canada. Sur scène il paraît dans de nombreux opéras de chambre et crée notamment *Mariana Pineda* (Marseille, 1979) et *Lilly Merveille* de Saguer, et *Le Bonheur dans le crime* de Casanova (Toulouse, 1975) ainsi qu'un opéra pour enfants d'I. Aboulker, *La Fontaine parmi nous* (J.M.F., 1981). Il est professeur au Conservatoire de Lille depuis 1970.

Herreweghe, Philippe

Chef de chœur belge, né à Gand le 2 mai 1947.

Il poursuit parallèlement des études classiques et musicales (au Conservatoire de Gand), notamment en classe de piano, avec Marcel Gazelle. Son idéal, devenir pianiste, est contrecarré par son père, médecin ; il s'oriente vers la médecine et se spécialise en psychiatrie ; il est pendant un an assistant de psychiatrie à l'Université de Gand (1973-74), mais en même temps il parvient à travailler l'orgue au Conservatoire de Gand avec Verschraegen ; il fait la connaissance de Johann Huys, ami des Kuijken qui s'intéressent vivement à la musique ancienne. Ayant fréquenté le collège des Jésuites de Gand pendant douze ans, il a fait partie du chœur d'enfants à partir de l'âge de sept ans et en fut nommé répétiteur à quatorze ans. C'est là qu'il fit ses premières armes comme chef de chœur. Devenu étudiant, il fonda un petit ensemble choral, estimant qu'on devait appliquer aux voix les principes d'interprétation que la musicologie lui apprenait peu à peu. C'est ainsi que naquit en 1969 le Collegium Vocale de Gand, comprenant à l'origine une douzaine de membres, sans doute le premier groupe européen de ce type. La rencontre de Ton Koopman, animé du même souci qu'il applique aux instruments, conduit à leur collaboration (*Passion selon saint Jean* de Bach). Leur entreprise est remarquée par Gustav Leonhardt, qui dès lors la suit de près. Ph. Herreweghe se perfectionne alors sur le clavecin au Conservatoire (dans la classe de J. Huys, où il obtient son prix en 1975) ; en même temps il approfondit sa connaissance de l'harmonie et du contrepoint. La part d'autodidactisme dans sa démarche, caractéristique de nombreux interprètes de sa génération, est considérable. La rencontre à Paris de Philippe Beaussant conduit à la création de l'Ensemble Vocal La Chapelle Royale (1977), auquel vient s'adjoindre l'Orchestre de la Chapelle Royale, composé à l'origine d'instrumentistes d'origine diverse (notamment Hollandais, Belges, Allemands), le but étant de les voir remplacés progressivement par des artistes français.

Leur répertoire comprend essentiellement des œuvres de l'époque baroque et classique. Ph. Herreweghe occupe aussi les fonctions de chef du Chœur Philharmonique de Liège (depuis 1977) dont le répertoire de musique contemporaine est considérable. Il a donné de nombreuses conférences sur la musique ancienne et les principes de son interprétation, notamment à Madrid, Amsterdam, Genève et Florence. N. Harnoncourt et G. Leonhardt l'ont associé à leur enregistrement intégral des *Cantates* de J.-S. Bach. Son souci stylistique est en effet proche du leur, même si l'on peut dire qu'il est plus directement lié aux exigences expressives vocales qu'à celles des instruments. Ses exécutions des deux *Passions* de Bach (Paris 1980, 1981), de la *Messe en si mineur* (Toulouse, Paris 1981) furent un éclatant succès pour cet interprète, l'un des plus attachants de la génération montante.

Herzog, Colette

Soprano française, née à Strasbourg le 25 octobre 1923.

Colette Herzog fait des études littéraires puis travaille avec Lucie Schaeffer au Conservatoire de Nancy. Dès 1945, elle enseigne au Conservatoire de Besançon pendant dix ans. Découverte par Antoine Goléa (dont elle deviendra la femme) dans une *Messe* de Haydn, en 1957 à Besançon, elle quitte l'enseignement. En 1958, elle interprète à Strasbourg *Le Visage nuptial* de Pierre Boulez et à Paris *Les Jardins suspendus* de Schönberg. Pensionnaire de l'Opéra de Paris, elle incarne Zerline, Suzanne, la Comtesse (*Les Noces de Figaro*), Céphise (*Zoroastre*), Eurydice, Mélisande, Madame Fabien (*Vol de Nuit* de Dallapiccola) et en province Calypso dans *Ulysse* (Dallapiccola) à Rouen. Elle donne des récitals, se rend à l'étranger, dans divers festivals, chante *Noces de sang* (Fortner) à Bordeaux. Elle crée des œuvres de Bondon, Egk, Tomasi, Casanova, Chailley, Bibalo. Ivo Malec écrit pour elle *Cantate pour elle* (1966) et Jolivet *Songe à nouveau rêvé*, poèmes d'A. Goléa (1971). En 1981, elle chante *El tigro de Oro*, neuf poèmes de Borges, musique d'A. Clostre, commande de Radio France. Possédant la musicalité et l'intelligence des textes, elle sert le répertoire classique et la musique de son temps, menant une double activité : le chant et l'enseignement.

Hess, Dame Myra

Pianiste anglaise, née à Londres le 25 février 1890, morte à Londres le 25 novembre 1965.

Après avoir travaillé avec Julian Pascal et Orlando Morgan, elle devient l'élève de Tobias Matthay qui la marquera de son enseignement. En 1907, elle fait ses débuts sous la baguette de Sir Thomas Beecham, à Londres, dans le 4e *Concerto* de Beethoven. Après de multiples tournées, elle se spécialise dans la musique de chambre en jouant en duo avec sa cousine pianiste, Irène Scharrer. Pendant la Seconde Guerre mondiale, elle joue souvent aux fameux « Lunchtime Concerts », sorte d'animation musicale de Londres entre 12 et 14 heures à laquelle participaient gratuitement de nombreux musiciens.

Après la guerre, son répertoire, qui s'étendait jusque-là de la musique baroque à la musique contemporaine, se rétrécit à dessein. Elle conserve quelques œuvres de Bach, dont elle transcrit de nombreuses compositions, de Scarlatti, des trois Viennois, de Schumann, de Brahms et de Chopin, sans oublier Debussy et Ferguson.

Myra Hess a eu de nombreux élèves, dont Stephen Bishop-Kovacevitch et Solomon.

Hesse, Ruth

Mezzo-soprano allemande, née à Wuppertal le 18 septembre 1936.

Elle suit d'abord les cours de Peter Offermann à Wuppertal, puis de Hildegard Scharf à Hambourg et enfin étudie à Milan. Elle fait ses débuts au Théâtre municipal de Lübeck. Depuis 1960, elle est régulièrement invitée à l'Opéra de Hambourg. En 1962, elle est appelée à l'Opéra de Berlin-Ouest où elle fait une brillante carrière, ce qui lui vaut de nombreuses invitations en Allemagne et dans toute l'Europe. Grande chanteuse wagnérienne, elle est invitée de 1960 à 1979 à Bayreuth. En 1966, elle remporte une série de succès à l'Opéra de Vienne en Ortrude (*Lohengrin*), en Brangäne (*Tristan*) et en Eboli (*Don Carlos*). La même année, Paris lui fait fête après sa *Carmen* à l'Opéra. En 1967, elle est invitée à Bordeaux. En 1972, elle revient à l'Opéra de Paris où elle chante le rôle de la Nourrice dans *La Femme sans ombre* qu'elle va interpréter dans le monde entier (Festival de Salzbourg, Met..., etc.). Elle est aussi une admirable interprète de la musique contemporaine. Ainsi, en 1965, elle crée à l'Opéra de Berlin *Le Jeune Lord* (Henze). Elle s'est également imposée dans l'oratorio et la mélodie. Son timbre est sombre, très dramatique et sert une voix aux couleurs étonnantes.

Hesse-Bukowska, Barbara

Pianiste polonaise, née à Lódź le 1er juin 1930.

Dès 1938, elle est l'élève de Czezlaw Aniolkiewcz et de Maria Glinska-Wasowa, puis travaille le piano avec Margerita Kazuro-Trombini, au Conservatoire de Varsovie. De 1945 à 1949, elle suit les cours de l'École supérieure de musique de Varsovie. En 1949, on lui décerne le 2e prix du Concours Chopin de Varsovie. Lauréate du Concours Marguerite Long en 1953, elle remporte la « British Medal » de la Fondation Harriet Cohen en 1963. Interprète reconnue de Chopin, elle dirige une classe de piano depuis 1963 à Wroclaw, et enseigne comme professeur titulaire depuis 1973, à l'Académie de musique de Varsovie.

Hewitt, Maurice

Violoniste et chef d'orchestre français, né à Asnières le 6 octobre 1884, mort à Paris le 7 novembre 1971.

Il fait ses études musicales au Conservatoire de Paris et s'oriente d'emblée vers la musique de chambre : en 1904, il appartient au Quatuor Tourret, puis au Quatuor Saïller et au Quatuor Dorson avant d'être le 2e violon du Quatuor Capet de 1909 à 1914 et de 1919 à 1928. Il fonde alors son propre Quatuor à Paris (1928-30). Fixé aux États-Unis, où il enseigne, il constitue le Quatuor de Cleveland (1930-34). De retour en France, il forme un nouveau Quatuor Hewitt (1935-39 puis 1946-48).

A partir de 1934, il est professeur au Conservatoire américain de Fontainebleau, et, de 1942 à 1955, professeur de musique de chambre au Conservatoire de Paris. En 1939, il fonde l'Orchestre de Chambre Hewitt, qui jouera un grand rôle dans le renouveau de la musique baroque et classique en France au cours des années quarante et cinquante. Il s'attache notamment à faire revivre les œuvres de Rameau (dont il enregistre les *6 Concerts en sextuor*), Corrette, F. Couperin et de Lalande.

Heynis, Aafje

Contralto néerlandaise, née à Krommenie le 2 mai 1924.

Ses professeurs sont Aaltje Noordewier Reddingius, Laurens Bogtman et Bodi Rapp. Puis, elle va en Angleterre se perfectionner avec Roy Henderson, et en Suisse avec Hussler. Dès 1948, année de son diplôme, elle acquiert une grande réputation d'interprète de musique religieuse. Lorsqu'elle chante pour la première fois en public la *Rhapsodie pour contralto* de Brahms avec le Concertgebouw d'Amsterdam, elle remporte un immense triomphe. Interprète de lieder, de musique baroque (Monteverdi, Händel), elle nourrit une véritable passion pour Mahler. Elle en a laissé de nombreux témoignages au disque, en particulier avec Bernard Haitink. Elle se retire en 1984.

Hillebrecht, Hildegard

Soprano allemande, née à Hanovre le 26 novembre 1927.

Elle étudie d'abord la médecine avant d'opter pour le chant. Elle débute à Fribourg-en-Brisgau comme Léonore (*Trouvère*). Elle chante ensuite à l'Opéra de Zürich (1952-54), à Düsseldorf-Duisbourg (1954-59). Depuis 1961, elle obtient de brillants succès à l'Opéra de Munich. Elle est également invitée fort souvent par les opéras de Vienne et de Hambourg. Depuis 1972, elle est une des vedettes attitrées de l'Opéra de Zürich, tout en demeurant attachée à l'Opéra de Berlin, dont elle est une des voix les plus fêtées. Elle participe à de nombreux festivals (Salzbourg, Munich, Hollande...) et chante souvent à Rio de Janeiro, Paris et Rome...

Sa voix, large, puissante, au volume impressionnant, fait merveille dans les ouvrages aussi bien du répertoire italien (Puccini – particulièrement *La Tosca* –, Verdi) que du répertoire allemand, de Mozart à Wagner et Richard Strauss.

Hines, Jerome (Jerome Heinz)

Basse américaine, né à Hollywood le 8 novembre 1921.

Il mène de front des études de chimie, de mathématiques et de physique à l'Université de Californie et de chant auprès de Gennaro Curci. Malgré des débuts prometteurs en 1941 à l'Opéra de San Francisco (Monterone de *Rigoletto*) et de multiples propositions, il ne renonce au métier de chimiste, qu'il exerce pendant la guerre, qu'après avoir remporté en 1946 le Prix Caruso, qui lui permet de débuter au Met la même année. Auréolé de tournées en Amérique, choisi par Toscanini à plusieurs reprises (ils enregistrent ensemble en 1953 la *Missa Solemnis*), Hines voit sa renommée gagner l'Europe : il participe aux festivals de Glyndebourne et d'Edimbourg en 1953 (Nick Shadow du *Rake's progress* de Stravinski), et chante à l'Opéra de Munich (*Don Giovanni*, 1954). En 1958, il débute à la fois à la Scala de Milan (*Hercule* de Händel) et au Festival de Bayreuth (Gurnemanz de *Parsifal*). Il y interprète Wotan en 1960. En 1962, au faîte de sa carrière, il chante *Boris Godounov* au Bolchoï, avec le Philippe II de *Don Carlos*, un de ses rôles fétiches, où il a le plus investi. Il reste dans sa préparation méticuleuse des rôles quelque chose du scientifique : Hines a d'ailleurs écrit aussi bien des traités mathématiques qu'un opéra sur la vie du Christ, qui a remporté un certain succès aux États-Unis. Une voix profonde et une technique éprouvée lui ont permis d'aborder un vaste répertoire, y compris celui de la mélodie.

Hirte, Klaus

Baryton allemand, né à Berlin le 28 décembre 1937.

Il passe sa jeunesse à Calw (Würtemberg) et fait un apprentissage de mécanicien, tout en chantant des mélodies dans des cercles d'intimes. Après son service militaire, il est chauffeur dans une fabrique d'autos à Stuttgart. En 1964, il est engagé à l'Opéra de cette ville où son succès est immédiat. En 1971, il est Beckmesser (*Les Maîtres chanteurs*) à l'Opéra de Nüremberg. Son succès est tel qu'il est aussitôt invité à tenir ce rôle à Munich, Stuttgart, Düsseldorf-Duisbourg et finalement au Festival de Bayreuth (1973-74). Au Festival de Salzbourg, il fait une composition étonnante de l'Antonio (*Les Noces de Figaro*) et au Festival de Ludwigsburg (1972) de Papageno (*La Flûte enchantée*).

Hoelscher, Ulf

Violoniste allemand, né à Kitzingen le 17 janvier 1942.

Il commence l'étude du violon à sept ans et, trois ans plus tard, suit au Conservatoire de Heidelberg l'enseignement de Bruno Masurat. Dès 1956, il fait ses débuts avec l'Orchestre Philharmonique du Palatinat, mais poursuit sa formation musicale à Cologne auprès de Max Rostal, qui le prépare à affronter les concours internationaux. Il remporte notamment le prix de l'union des conservatoires allemands. De 1963 à 1966, grâce à une bourse, il achève ses études à l'Université d'Indiana avec Joseph Gingold, puis au Curtis Institute de Philadelphie avec Ivan Galamian et Paul Makanowitzky. De retour en Allemagne, il se fait connaître par des concerts importants, tels le Festival Beethoven 1971 à Bonn et la création allemande à Berlin du *Concerto pour violon nº 1* de Henze. Depuis, il s'est distingué en interprétant des pages peu jouées de Prokofiev, Chostakovitch, Frank Martin, Schumann, Richard Strauss, y faisant admirer une technique et un lyrisme déjà très personnels. Il se produit parfois en sonate avec Michel Beroff. Il a créé le *Concerto pour violon* de Kirchner (1984). Son violon est un Stradivarius de 1730, *le Tritton.*

Hoerner, Germaine

Soprano française, née à Strasbourg le 26 janvier 1905, morte à Strasbourg le 19 mai 1972.

Après de solides études générales et musicales dans sa ville natale, elle est reçue au Conservatoire de Paris et en sort avec des premiers prix de chant et d'art lyrique. Jacques Rouché, dès l'avoir vue et entendue, perçoit les immenses possibilités de cette solide Alsacienne. Elle débute à l'Opéra fin 1929 dans l'une des Walkyries ; peu de temps après sa Sieglinde lui vaut la consécration dans les grands rôles wagnériens. Elle sera Élisabeth, Elsa, Gutrune et créera le rôle de Senta sur la scène du Palais Garnier. Mais très vite sa voix claire, rayonnante dans l'aigu, sa diction impeccable et sa distinction naturelle en font l'indispensable interprète des Marguerite de la *Damnation* et surtout de *Faust,* de Valentine des *Huguenots,* de *Desdémone,* et par-dessus tout l'Aïda la plus puissante, la plus infaillible que le Palais Garnier ait jamais connue, sans oublier sa magnifique Léonore de *Fidelio,* sa Maréchale du *Chevalier à la rose,* sa fière Alceste, sa Brunnehilde de *Sigurd,* qui lui valut tant à l'Opéra de Paris qu'à celui de Monte-Carlo le plus grand succès. Elle a été Bonté lors de la création mondiale de *Guercœur* (A. Magnard) en 1931, et Photine lors de la première mondiale de *La Samaritaine* de Max d'Ollone. Elle a été en 1932 la première Chrysothémis du Palais Garnier. Elle s'est retirée de la scène à l'âge de cinquante ans et consacra le reste de sa vie à l'enseignement du chant dans sa ville natale.

Hoesslin, Franz von

Chef d'orchestre allemand, né à Munich le 31 décembre 1885, mort dans un accident d'avion près de Sète le 25 septembre 1946.

A Munich, il travaille avec F. Mottl et M. Reger. De 1907 à 1911, il est chef d'orchestre à l'Opéra de Dantzig et de Saint-Gall. Puis il dirige les saisons de concerts à Riga (1912-14) et Lübeck (1919-20) avant d'être nommé à l'Opéra de Mannheim (1920-22). Il passe une saison à Berlin, comme 1er chef à la Volksoper (1922-23). Il occupe ensuite les fonctions de directeur général de la musique à Dessau (1923-26), Barmen-Elberfeld (1926-32) et Breslau (1932-36). Il dirige régulièrement à Bayreuth de 1927 à 1940. Mais en 1936, il quitte l'Allemagne et s'installe à Florence avec sa femme, d'origine juive. Grand chef wagnérien, Hoesslin a notamment dirigé la 1re intégrale de la *Tétralogie* à Paris.

Höffgen, Marga

Alto allemande, née à Mülheim an der Ruhr le 26 avril 1921.

Elle étudie à Essen avec Anna Erler-Schnaudt puis au Conservatoire de Berlin avec Weissenborn. Elle fait ses débuts comme alto de concert à Berlin, en 1952. L'année suivante, elle remporte son premier grand succès en interprétant la *Passion selon saint Matthieu* à Vienne sous les ordres de Karajan. Aussitôt elle entreprend une brillante carrière dans l'oratorio et la mélodie, donnant des concerts dans toute l'Europe et remportant particulièrement de très grands succès dans les festivals internationaux. Sur scène, elle ne se produit que dans un seul rôle, Erda (*Tétralogie*). Dans ce rôle, elle est invitée, en 1959, au Covent Garden, à l'Opéra de Vienne et au Colón, l'année suivante au Festival de Bayreuth. Elle vit à Müllheim (Baden). Elle a épousé le chef du Chœur Bach de Fribourg, Theodore Egel (né le 16 avril 1915 à Müllheim). Leurs enfants Barbara (alto) et Martin (basse) commencent tous deux de brillantes carrières.

Hoffnung, Gerard

Tubiste et dessinateur humoriste anglais, né à Berlin le 22 mars 1925, mort à Londres le 28 septembre 1959.

Professeur, peintre et dessinateur humoriste indépendant (le jour), il joue du tuba-basse (la nuit) dans les orchestres louches de Londres (ne pas confondre avec ceux que l'on déguste à la petite cuillère). Il organise, en 1956, le Hoffnung Festival où seront créées nombre d'œuvres impérissables. L'histoire de l'humanité retiendra parmi elles un *Concerto pour tuyau d'arrosage et orchestre* (écrit pour ses potes âgés), le *Concerto Popolare* ou concerto pour achever tous les autres (y a-t'il un médecin dans la salle ?), la première audition de la véritable et authentique *Symphonie la surprise* de Haydn (on peut jeter l'autre au panier), les *Contes d'Hoffnung*, la création de *Leonore 4* récemment redécouverte dans un carton à chapeaux, *Horrortorio* (featuring as guest stars : Dracula, Frankenstein, Fu Manchu, Moriarty and some Zombies) – la direction vous prie d'accepter ses excuses pour cette interruption du sous-titrage –, et une sublime et originale transcription d'une mazurka de Chopin pour 4 tubas dont la grâce aérienne est devenue proverbiale. Cette épidémie de créativité musicale est, hélas ! demeurée strictement circonscrite aux îles Britanniques. Dieu sauve la Reine !

Hofmann, Josef

Pianiste polonais naturalisé américain (1926), né à Podgorze le 20 janvier 1876, mort à Los Angeles le 16 février 1957.

Né dans une famille de musiciens, son père, chef d'orchestre, lui enseigne le piano dès l'âge de trois ans.

A sept ans, il fait des tournées en Europe en tant que pianiste et compositeur. Et ses débuts à New York, au Metropolitan Opera House, le 29 novembre 1887, créent un enthousiasme sans précédent dans le public des États-Unis de l'époque. Très tôt, Hofmann quitte la scène pour étudier en Allemagne. En 1892, après cinq tentatives infructueuses auprès de Moszkowski, Anton Rubinstein l'accepte comme unique élève privé. L'influence de cet enseignement sera déterminante. Hofmann ne réapparaît en public qu'à la mort de Rubinstein (1894). De 1926 à 1938, après de brillants succès un peu partout en Europe, il dirige l'Institut Curtis à Philadelphie où il enseigne depuis sa fondation en 1924. Il donne son concert d'adieu à New York le 19 janvier 1946.

Pianiste romantique sans égal, Josef Hofmann possédait l'art de la pédale et des tensions dynamiques, hérité de Rubinstein. Passionné par la technique, il est peut-être le premier grand pianiste à avoir voulu être enregistré. Il a également composé plus de cent œuvres, la plupart sous le pseudonyme de Michel Dvorski. Il était aussi le détenteur de nombreux brevets d'inventions. Rachmaninov lui a dédié son *Concerto pour piano nº 3*.

ÉCRITS : *Piano playing with piano questions* (1915).

Hofmann, Peter

Ténor allemand, né à Marienbad le 22 août 1944.

Après avoir étudié à la Staatliche Hochschule für Musik de Karlsruhe et avec Emmy Seiberlich, il débute à Lübeck en 1972 (Tamino). Il aborde le répertoire wagnérien en 1974 à Wuppertal (Siegmund), et chante Parsifal en 1976 à Stuttgart, Wuppertal et Hambourg, ainsi qu'à Bayreuth où il est également Siegmund dans le *Ring* du Centenaire. Il débute au Festival de Salzbourg de Pâques en 1980. Il est depuis 1974 membre de l'Opéra de Stuttgart, et depuis 1977 de la Staatsoper de Vienne. Son renom international l'amène à Paris (Siegmund en 1976, Loge en 1977, Lohengrin en 1981), au Covent Garden, au Met, à la Scala... A son répertoire voisinent Tamino, Florestan, Tristan, Stolzing, Bacchus.

Hogwood, Christopher

Claveciniste et chef d'orchestre anglais, né à Nottingham le 10 septembre 1941.

Il étudie la musique et poursuit en même temps ses études classiques au

College Pembroke de Cambridge, dont il sort bachelier en 1964. Il subit l'influence de Raymond Leppard et de Thurston Dart, puis devient l'élève de Rafaël Puyana et de Gustav Leonhardt. Le British Council lui offre une bourse d'un an à l'Université et à l'Académie de musique de Prague. Revenu à Cambridge, il fait la connaissance de David Munrow et participe à ses activités dès 1967 (Early Music Consort of London) en tant que claveciniste. En 1973, il fonde et dirige l'Academy of Ancient Music. Cet ensemble se voue de préférence à l'interprétation de la musique baroque et de la musique classique, en se fondant sur les meilleures connaissances historiques d'aujourd'hui.

Au sein d'une remarquable discographie, on peut retenir *My Ladye Nevells Booke* de William Byrd où il joue tantôt du clavecin, tantôt du virginal, tantôt de l'orgue positif (1976). La musique élisabéthaine connaît là l'un de ses meilleurs interprètes. Depuis 1981, il dirige régulièrement les orchestres symphoniques américains et a fait ses débuts lyriques en 1983 à Saint Louis dans *Don Giovanni*.

ÉCRITS : *Music at Court* (1977), *The Trio Sonata* (1979), *Haydn's Visits to England* (1980).

Hokanson, Leonard

Pianiste américain, né à Vinalhaven le 13 août 1931.

D'origine suédoise, il fait ses études avec Hedwig Rosenthal, Julian de Gray, C. Frank, et Artur puis Karl-Ulrich Schnabel. Il commence à dix-huit ans une carrière de soliste (avec l'Orchestre de Philadelphie) qu'un prix au Concours international F. Busoni semble bien lancer en 1959. Pourtant, plus que le pianiste qui forme depuis 1964 avec la violoniste Jenny Abel un duo d'une grande authenticité, l'on connaît l'accompagnateur probe de G. Bumbry, L. West, M. Arroyo et surtout H. Prey. Il enseigne à la Hochschule de Francfort.

Hollander, Lorin

Pianiste américain, né à New York le 19 juillet 1944.

Fils du violoniste Max Hollander, il travaille d'abord le violon avec celui-ci. Il se tourne ensuite vers le piano et entre à la Juilliard School où il poursuit ses études dans la classe de Steuermann. Virtuose brillant, il commence alors une carrière internationale.

Holliger, Heinz

Hautboïste et compositeur suisse, né à Langenthal le 21 mai 1939.

Il effectue ses premières études musicales aux Conservatoires de Berne et de Bâle (1955-59), travaillant notamment la composition avec Sandor Veress. Puis il vient à Paris où il étudie au Conservatoire (1962-63) : hautbois avec Émile Passagnaud et Pierre Pierlot, piano avec Yvonne Lefébure. Il travaille aussi avec Pierre Boulez. De 1959 à 1964, il est hautbois solo de l'Orchestre Symphonique de Bâle, et, à partir de 1966, professeur au Conservatoire de Fribourg. Deux 1ers prix marquent le départ de sa carrière de soliste, au Concours international d'exécution musicale de Genève (1959) et au Concours de Munich (1961). Son exceptionnel talent de hautboïste, son phrasé, sa précision sonore et l'ampleur de son interprétation ne sont rien à côté de son incommensurable curiosité esthétique. Avec un des répertoires les plus riches, de l'époque baroque à l'avant-garde, il a conquis l'Europe et l'Amérique. Plusieurs compositeurs écrivent pour lui et pour sa femme Ursula, harpiste : Jolivet (*Controversia* pour hautbois et harpe, 1968), Denisov (*Romantic music* pour hautbois, harpe et trio à cordes, 1969, *Double concerto* pour flûte et hautbois, 1979), F. Martin (*3 Danses* pour hautbois, harpe et orchestre, 1970), Henze (*Doppio Concerto*, 1966), Huber (*Noctes intelligibilis lucis*, pour hautbois et clavecin, 1961) ; Ligeti (*Double concerto*, pour flûte et hautbois, 1972), Yun (*Double Concerto*, 1977 ; *Sonate pour hautbois et harpe*, 1979), Ferneyhough (*Coloratura*, 1972), Lutoslawski (*Double

Concerto, pour hautbois et harpe, 1980), Dittrich (*Concert avec plusieurs instruments n° 3*, 1979), Amy, Berio, Kelemen, Globokar, Castiglioni, Penderecki, Stockhausen... A partir de l'influence de Boulez, née de l'admiration, il a inventorié toutes les ressources de l'art contemporain dans la tendance post-sérielle. L'audace d'expression est tempérée par une grande sensibilité, très originale et un extraordinaire rayonnement. La majeure partie de ses compositions sont pour lui-même et pour sa femme : *Sonate* pour hautbois (1956) ; *Sonate* pour hautbois et piano (1957) ; *Sonatine* pour piano (1958) ; *Sequenzen über Joh. I,32* pour harpe (1962) ; *Mobile* pour hautbois et harpe (1962) ; *Improvisationen* pour hautbois, harpe et douze cordes (1963). Très vite la musique vocale et le théâtre surtout l'attirent : en 1960, il débute avec trois *Liebeslieder* pour contralto et orchestre ; *Erde und Himmel*, cantate pour ténor, flûte, harpe, violon, alto et violoncelle (1961) ; *Schwarzgewobene Trauer* pour soprano, hautbois, violoncelle et clavecin (1962) ; *Glühende Rätsel* pour contralto et dix instruments (1966) ; *Der magische Tänzer*, opéra (1967) ; *Siebengesang* pour ensemble vocal, récitant, hautbois solo et orchestre (1968) ; *Va et Vient* (1978) ; *Pas moi* (1980) ; *Cinq Pièces* pour orgue et bande magnétique (1981) ; *Trema* pour alto seul (1981). Étroitement associé aux activités de Paul Sacher à Bâle et à Zürich, il est appelé à lui succéder à la tête de ses deux orchestres.

Hollreiser, Heinrich

Chef d'orchestre allemand, né à Munich le 24 juin 1913.

A la Hochschule de Munich, il travaille avec K. Elmendorff avant de commencer une carrière de chef d'opéra : il débute à Wiesbaden en 1932, son premier poste, puis est nommé à Darmstadt, 1er chef à Mannheim (1938), à Duisbourg et à Munich (1942-45). De 1945 à 1954, il est directeur général de la musique à Düsseldorf. On le trouve ensuite à l'Opéra de Vienne (1952-61) et à la Deutsche Oper de Berlin (1961-64), comme 1er chef. Depuis, il mène une carrière de chef invité, se partageant essentiellement entre Munich et Vienne. Il dirige à Bayreuth de 1973 à 1975. On lui doit la première scénique de l'*Orestie* de Milhaud (Berlin, 1963) et la création de l'opéra de Blacher *200 000 Thalers* (1969).

Hollweg, Werner

Ténor allemand, né à Solingen le 13 septembre 1936.

Employé de banque, il ne commence ses études de chant qu'en 1958. Il étudie au Conservatoire de Detmold, à celui de Munich, ainsi qu'à Lugano. Il débute à l'Opéra de Chambre de Vienne. De 1963 à 1967, il chante au Théâtre municipal de Bonn puis à celui de Gelsenkirchen (1967-68). En 1969, le Mai musical de Florence l'invite pour chanter Belmonte (*L'Enlèvement au Sérail*). Il est aussitôt engagé par les Opéras de Hambourg et Munich, de Berlin et de Düsseldorf-Duisbourg. Sa carrière internationale est des plus étincelantes : il est invité à Rome, Paris, Helsinki, New York et Los Angeles. Il participe à de nombreuses reprises au Festival de Salzbourg, où désormais il habite. En 1970, Karajan l'engage pour tenir la partie de ténor solo dans la 9e *Symphonie* (Beethoven) qu'il dirige à l'Exposition mondiale d'Osaka. On le considère comme un des grands mozartiens de son époque : Don Ottavio (*Don Giovanni*), Belmonte (*Enlèvement*), Ferrando (*Cosi fan tutte*), Tamino (*La Flûte enchantée*) et Titus (*La Clémence de Titus*). Parallèlement, il donne de très nombreux concerts.

Höngen, Elisabeth

Mezzo-soprano allemande, née à Gevelsberg le 7 décembre 1903.

Après des études à Berlin avec Hermann Weissenborn, elle débute en 1933 à Wuppertal et appartient ensuite aux Opéras de Düsseldorf (1935-40) et Dresde (1940-43), puis devient l'une des premières chanteuses de la Staatsoper de Vienne. Elle paraît au Covent Garden entre 1947 et

1960, à Salzbourg de 1948 à 1959, à la Scala en 1950, à Bayreuth en 1951. Elle laisse des interprétations marquantes de Lady Macbeth, Klytemnestre, Hérodias, Ortrud, Fricka, Waltraute et Orphée. Elle participe à la création mondiale de *Julietta* de Heimo Erbse à Salzbourg en 1959 (Babett). De 1957 à 1960, elle est professeur à l'Académie de Vienne.

Hopf, Hans

Ténor allemand, né à Nuremberg le 2 août 1916.

Il étudie avec Paul Bender à Munich puis avec Ragnvald Bjärne à Oslo. Il fait ses débuts, en 1936, au Théâtre d'État de Bavière, et se produit, de 1939 à 1942, comme ténor lyrique au Théâtre municipal d'Augsbourg. En 1942, il est engagé par l'Opéra de Dresde, où il se spécialise comme ténor héroïque. De 1946 à 1949, il appartient à l'Opéra de Berlin puis, dès 1949, à celui de Munich tout en étant lié pour un certain nombre régulier de représentations à l'Opéra de Vienne. Depuis 1951, il participe régulièrement au Festival de Bayreuth. En 1952, il débute au Met et remporte un grand succès avec Walter (*Les Maîtres chanteurs*). Il chante à la Scala, au Covent Garden, à l'Opéra de Paris et au Colón de Buenos Aires. Il s'impose ainsi comme un des grands ténors wagnériens de son temps. Depuis 1950, il est également lié avec l'Opéra de Düsseldorf-Duisbourg. Le Festival de Salzbourg l'invite, en 1954, pour être Max (*Le Freischütz*).

Horenstein, Jascha

Chef d'orchestre russe naturalisé autrichien puis américain (1940), né à Kiev le 6 mai 1898, mort à Londres le 2 avril 1973.

A l'âge de six ans, il quitte la Russie pour Königsberg où il travaille avec Max Brode ; puis, en 1911, il s'installe à Vienne où il étudie la philosophie et, à partir de 1917, la théorie musicale avec Joseph Marx, le violon avec Adolf Busch et la composition avec Franz Schreker qu'il suit à Berlin (1920). Là, il conduit des chœurs et devient assistant de Furtwängler. Il fait ses débuts avec l'Orchestre Symphonique de Vienne en 1923. De 1925 à 1928, il est chef invité de la Philharmonie de Berlin et de l'Orchestre Blüthner. En 1928, il devient directeur musical de l'Opéra de Düsseldorf où il donne notamment *Wozzeck* avec les conseils du compositeur. Les nazis exigent son départ de Düsseldorf. A partir de 1933, il dirige dans divers pays dont l'Australie et la Nouvelle-Zélande (1936-37), la Scandinavie, avec les Ballets Russes de Monte-Carlo (1937) et la Palestine (1938). En 1940, il gagne les États-Unis où il conduit les grandes formations des deux Amériques. Il y dirige *Wozzeck*, crée *La Maison des Morts* de Janáček à Paris (1951), *Doktor Faust* de Busoni (American Opera Society, 1964). Il conduit fréquemment à l'Opéra de Berlin et au Covent Garden. A la fin de sa vie, il se retire à Lausanne. Horenstein était considéré comme un grand spécialiste de Mahler et de Bruckner dont il a fait connaître les symphonies dans le monde entier. Il a créé la version orchestrale de la *Suite lyrique* de Berg en 1929.

Horne, Marilyn

Mezzo-soprano américaine, née à Bradford (Pennsylvanie) le 16 janvier 1934.

De son père, ténor semi-professionnel de talent, elle reçoit, dès son enfance, les premières bases de l'enseignement du chant. Sa famille s'étant installée en Californie, elle obtient une bourse d'études à l'Université de Californie du Sud, où elle reçoit l'enseignement de William Vennard qui suivra sa carrière. En 1953, après une tournée en Europe avec la chorale Robert Wagner, elle décide de suivre sa propre route. Premier à reconnaître son talent, Robert Craft la fait participer à des concerts de musique moderne mais aussi de musique de la Renaissance. Ses débuts sur scène ont lieu en 1954 à Los Angeles dans le rôle très grave de Hata de *La Fiancée vendue* de Smetana. En 1955, elle est la voix de Dorothy Dandridge dans le film *Carmen Jones*, curieusement, une voix claire et haute de soprano lyrique. Elle passe ensuite trois saisons de l'Opéra de Gelsenkirchen en Allemagne de l'Ouest où elle chante quantité de rôles de soprano : Mimi de *La Bohème*, Minnie de *La Fille du Far West*, Amelia de *Simon Boccanegra*, Tatiana d'*Eugène Onéguine*, Marie de *Wozzeck*... De retour aux États-Unis, c'est dans ce rôle de Marie qu'elle débute à l'Opéra de San Francisco, chantant immédiatement après la Vecchia de *Gianni Schicchi*, un authentique contralto. Un imprésario la recommande à Richard Bonynge qui recherche une partenaire pour sa femme Joan Sutherland : elle doit débuter à New York à la Société Américaine d'Opéra dans *Béatrice de Tende* de Bellini. C'est la naissance du plus grand duo vocal féminin depuis celui de la Patti et de l'Alboni (1961), duo qui connaît de fabuleux triomphes dans *La Norma* ou *Semiramis*. Quoique ayant conservé intact un aigu allant jusqu'au contre-ut, Marilyn Horne se consacre désormais aux seuls rôles de mezzo et de contralto : Carmen, Fides du *Prophète*, Rosine du *Barbier*, Amnéris, Azucena, Tancrède..., partageant son temps entre l'opéra et le récital où son art de la mélodie et du lied lui vaut une immense popularité.

Horowitz, Vladimir

Pianiste russe naturalisé américain (1944), né à Kiev le 1er octobre 1904.

Son père est ingénieur électricien. Sa mère, pianiste amateur diplômée du Conservatoire local, est son premier professeur lorsqu'il commence, à l'âge de six ans, l'étude du piano. A douze ans il entre au Conservatoire de Kiev, se destinant à la carrière de compositeur. Encore étudiant, il donne son premier récital à Kharkov en 1920 avec un succès considérable. Depuis un an déjà il est formé par Félix Blumenfeld, remarquable musicien de Saint-Pétersbourg, qui lui transmet la tradition de jeu du grand Anton Rubinstein. Après une éblouissante épreuve de sortie du Conservatoire de Kiev (1922), démarre une fulgurante série de récitals à travers toute la Russie (1922-25). Au cours de la saison 1924-25, il donne, seul ou en compagnie de son ami de toujours Nathan Milstein, plus de 70 concerts dont 23 dans la seule ville de Leningrad... Il s'expatrie en 1925 et doit louer une salle pour donner son premier récital en Allemagne. Mais partout c'est le triomphe : Paris (1926), Londres, Rome, etc. Le 12 janvier 1928, il fait ses débuts en Amérique sous la direction de Sir Thomas Beecham et devant des musiciens comme Rachmaninov, Hofmann et Lhévinne. Ses premiers enregistrements datent de cette année. Pendant les années trente, il réside principalement à Paris où il mène une vie discrète. Il est appelé comme soliste par Mengelberg (1930) et par Toscanini (1932) dont il épouse la fille Wanda en 1933. Mais, rançon d'une carrière menée à un train d'enfer, Vladimir Horowitz se retire de la vie publique, victime de la fatigue physique et de la lassitude morale. Il remonte sur scène en 1938 après avoir singulièrement mûri son art. A partir de 1939, il se fixe définitivement à New York et reprend la trépidante cavalcade des concerts et des enregistrements jusqu'au concert du 25 février 1953 au Carnegie Hall. Une nouvelle fois, il abandonne la scène et ne joue plus que pour un cercle restreint d'amis et d'élèves parmi lesquels Byron Janis qui deviendra son gendre. La C.B.S. installe chez lui un studio d'enregistrement quasi automatique qui lui permet, par disques interposés, de garder le contact avec son public. Ce silence de douze ans s'interrompt le 9 mai 1965 avec un concert au Carnegie Hall.

Depuis cette date, il rejoue régulièrement en Amérique. Vladimir Horowitz est l'un des grands interprètes de notre époque, tant par les qualités de style que par une maîtrise technique hors du commun. Il a été l'inaccessible idéal de toute une génération de pianistes. Disposant d'un répertoire très vaste pour l'époque où s'ajoutaient aux grands noms du XIXe siècle des musiciens moins appréciés alors comme Dohnányi, Scriabine, Czerny ou Clementi, Vladimir Horowitz est dédicataire de la *Sonate* de Samuel Barber qu'il crée en 1949 et de l'*Étude op. 52* de Prokofiev.

Horszowski, Mieczyslaw

Pianiste polonais naturalisé américain (1948), né à Lvóv le 23 juin 1892.

Après ses études au conservatoire de Lvóv, il entre dans la classe de Leschetizky à Vienne, à l'âge de sept ans. En 1901, son interprétation en public du *Concerto en ut majeur* de Beethoven à Varsovie lui bâtit une solide réputation d'enfant prodige. Jusqu'à la fin de la seconde guerre mondiale, il mène une carrière de concertiste très brillante. Et à cette date, le public s'est mis à le considérer comme un interprète de musique de chambre idéal. Après avoir joué avec Casals et Szigeti, entre autres, il a largement contribué à la diffusion de cette musique à New York où il vit depuis 1940. Spécialiste des Viennois, il s'est souvent attaché à interpréter les sonates de Mozart ainsi que les dernières œuvres de Beethoven. Un de ses plus fervents admirateurs du jeu de Horszowski était Schnabel qui appréciait son « intégrité musicale ». Il enseigne au Curtis Institute de Philadelphie depuis 1952. Parmi les « performances » qu'il a réalisées figurent l'intégrale en concert du *Clavier bien tempéré* de J.-S. Bach et celle des *32 Sonates* de Beethoven.

Horvat, Milan

Chef d'orchestre yougoslave, né à Pakrac le 28 juillet 1919.

Il poursuit simultanément des études juridiques à l'Université et des études musicales à l'Académie de Musique de Zagreb (1939-46) où il est l'élève de Svetislav Stančić (piano), Fritz Zaun (direction) et Zlatko Grgoševević (composition). En 1945, il est nommé chef des chœurs à Radio Zagreb puis, de 1946 à 1953, chef permanent de l'Orchestre Philharmonique de Zagreb. Il enseigne à l'Académie de musique à partir de 1948. Entre 1953 et 1958, il est à la tête de l'Orchestre Symphonique de la Radio Irlandaise (Dublin). Puis il prend la direction musicale de la Philharmonie de Zagreb (1956-70) tout en étant 1er chef à l'Opéra de cette même ville (1958-65). On le trouve ensuite à Vienne, à la tête de l'Orchestre Symphonique de la Radio Autrichienne (1969-75). En 1975, il est nommé professeur à l'Académie de Graz et 1er chef de l'Orchestre Symphonique de la Radio de Zagreb. Depuis 1965, il est directeur musical du Festival de Dubrovnik. On lui doit la création d'œuvres de Malec, Kelemen, Bjelinski, Devčic...

Hotter, Hans

Baryton-basse allemand naturalisé autrichien, né à Offenbach-sur-le-Main le 19 janvier 1909.

C'est à Munich qu'il entreprend simultanément des études de philosophie et de musicologie à l'Université, d'orgue et de chant à l'Académie de musique sans songer à faire une carrière de chanteur. La rencontre avec Matthäus Roemer, qui l'initie au lied et à l'opéra, et le succès d'un premier concert à Munich en 1929 le font changer d'avis. L'année suivante, il chante son premier oratorio, *Le Messie,* et ses premiers opéras à Troppau et à Breslau. Engagé par le Théâtre allemand de Prague (1932-34), il y rencontre Chaliapine qui va devenir son modèle artistique. Ses premiers triomphes à l'Opéra de Hambourg (1934-37), où il chante notamment *Jules César* de Händel (sous la direction d'Eugen Jochum), lui valent le titre de *Kammersänger.* En 1937, il débute à l'Opéra de Munich où il interprète tous les rôles de baryton héroïque, créant plusieurs ouvrages de Richard Strauss (sous la direction de Clemens Krauss) : *Friedenstag* (1938), *Capriccio* (1942), *l'Amour de Danaë* (1944). Il chante également à la Staatsoper de Vienne. Arrêté dans sa carrière lyrique par la guerre, il renoue avec le lied, chantant pour la première fois en 1941 à Hambourg *Le Voyage d'hiver* de Schubert, avant de l'interpréter dans le monde entier. Son contrat avec la Columbia anglaise (1946) et ses débuts au Covent Garden (1947) vont enfin lui ouvrir les portes de la renommée mondiale. Il y chante le Comte dans *Les Noces de Figaro* et *Don Giovanni* et, l'année suivante, Hans Sachs *(Les Maîtres chanteurs).* Engagé par le Met de 1950 à 1954, et par le Festival de Bayreuth de 1952 à 1966, il devient, en l'espace d'une décennie, le premier *Heldenbaryton* wagnérien de son temps, triomphant dans les rôles de Wotan, du Hollandais ou de Hans Sachs. Il réalise de 1961 à 1964 une production du *Ring* au Covent Garden et participe, à partir de 1967, à la direction de la troupe de l'Opéra de Munich. Il se retire définitivement de la scène en 1972, non sans donner encore quelques récitals de lieder.

Hans Hotter représente le chaînon idéal entre les chanteurs du tournant du siècle, sacrifiant tout à leur gloire vocale, et la nouvelle génération, plus attentive au message musical. Doté d'une voix au timbre opulent et d'une forte présence physique, il a campé des personnages d'une grandeur surhumaine, mais il a su également, grâce à la souplesse d'une diction incomparable, plier sa voix aux demi-teintes du lied. Il fut le premier baryton héroïque à chanter avec autant de force émotive Wagner, Schubert et Bach.

Houbart, François-Henri

Organiste français, né à Orléans le 26 décembre 1952.

Il commence l'étude du piano à l'âge de sept ans et celle de l'orgue à onze ans, alors qu'il est en pension à l'école des Dominicains de Sorèze (Tarn). A Paris, il travaille l'harmonie et le contrepoint avec Pierre Lantier, l'orgue et l'improvisation avec Suzanne Chaisemartin, Michel Chapuis et Pierre Cochereau (1970-78). Deuxième prix du Concours international d'improvisation de Lyon, il est organiste de Saint-Paterne, à Orléans, en 1968, puis suppléant du grand orgue de Saint-Séverin à Paris, en août 1974 et cotitulaire, l'année suivante, de l'instrument de Saint-Nicolas-des-Champs avant d'être titulaire, en 1976, du grand orgue de Sainte-Élisabeth-du-Temple. Depuis 1979, il est titulaire de l'église de la Madeleine. Professeur d'orgue au Conservatoire d'Orléans (1980), François-Henri Houbart est membre de la Commission supérieure des Monuments historiques et de la Commission des orgues non classées auprès du Ministère de la Culture.

Ses goûts musicaux vont en priorité à la musique nordique et aux répertoires romantiques et symphoniques (européens) des XIXe et XXe siècles.

Houtmann, Jacques

Chef d'orchestre français, né à Mirecourt le 27 mars 1935.

Il fait ses études musicales au Conservatoire de Nancy où il remporte des prix de violon, de musique de chambre, de cor, de percussion et d'écritures. Il vient achever sa formation à l'École normale de musique de Paris où il obtient sa licence de concert de direction d'orchestre avec Jean Fournet. Il travaille également à Rome à l'Académie Sainte-Cécile. En 1961, il obtient un 1er prix au Concours de Besançon puis en 1964 au Concours Mitropoulos. Durant la saison 1965-66, il est assistant de Leonard Bernstein à l'Orchestre Philharmonique de New York. De 1969 à 1971, il est chef de l'orchestre Philharmonique Rhône-Alpes. Il est ensuite directeur musical de l'Orchestre Symphonique de Richmond (U.S.A.) avant de revenir en France en 1984 pour prendre la direction de l'Orchestre Philharmonique de Lorraine.

Howarth, Elgar

Trompettiste, chef d'orchestre et compositeur anglais, né à Cannock le 4 novembre 1935.

Il fait ses études à l'Université de Manchester tout en suivant les cours du Royal Manchester College of Music. De 1958 à 1963, il fait partie de l'Orchestre du Covent Garden puis, de 1963 à 1969, du Royal Philharmonic Orchestra. Il appartient ensuite au London Sinfonietta (1968-71) et au Philip Jones Brass Ensemble (1965-76). Sa carrière de chef d'orchestre ne commence qu'en 1969 et reste étroitement liée aux activités du London Sinfonietta qu'il dirige régulièrement à partir de 1973. De 1972 à 1976, il est aussi directeur musical de la Grimethorpe Colliery Brass Band. Ardent défenseur de la musique contemporaine, il a plusieurs créations à son actif, dont *Le Grand macabre* de Ligeti (1978), *Invenzioni* de Reimann (1979), *Erzsebet* de Chaynes (1983), *Kammerkonzert* de Ligeti (1983) et *Domination of Black* de Holloway (1984).

Hubay, Jenö (Eugen Huber)

Violoniste hongrois, né à Budapest le 15 septembre 1858, mort à Vienne le 12 mars 1937.

Considéré comme l'un des maîtres du violon de son époque, il commence ses études avec son père, lui-même violoniste, et les poursuit avec Joseph Joachim. En 1872, il quitte son pays et vient à Paris, où il est l'élève et le protégé d'Henri Vieuxtemps. Il s'y produit avec succès pour la première fois en 1878. Il enseigne au Conservatoire de Bruxelles (1882-86) puis revient s'installer en Hongrie et devient professeur à l'Académie de Budapest, dont il sera le directeur de 1919 à 1934. Pédagogue renommé, c'est lui qui forme des violonistes tels Joseph Szigeti, Jelly d'Aranyi et Franz von Vecsey.

Comme compositeur, Jenö Hubay a laissé plusieurs ouvrages pour son instrument (pièces et 4 concertos), des symphonies, six opéras (dont *Le Luthier de Crémone*, 1894). Il édita, par ailleurs, de nouvelles versions, avec doigté, d'œuvres de Kreutzer, Bach, Paganini, Rode, entre autres. Jascha Heifetz et Alfredo Campoli ont souvent joué ses petites pièces (par exemple *Le Zéphir*), mais il semble que l'ensemble de l'œuvre d'Hubay soit aujourd'hui tombé dans l'oubli le plus total. Il a créé, en 1903, la *Sonate pour violon et piano Sz 20* de Bartók. Il jouait sur un violon de Pietro Guarnerius ayant appartenu à Wieniawski.

Hubeau, Jean

Pianiste et compositeur français, né à Paris le 22 juin 1917.

Entré à neuf ans dans la classe de Jean et Noël Gallon au Conservatoire de Paris, il y reçoit l'enseignement de Paul Dukas et de Lazare-Lévy. Deuxième Grand Prix de Rome en 1934, il remporte le Concours Louis Diémer l'année suivante. Après l'obtention d'une bourse, en 1937, il va se perfectionner à Vienne dans la classe de Félix Weingartner qui lui enseigne la direction d'orchestre. En 1942, il est nommé directeur du Conservatoire de Versailles. Il développe son activité pédagogique en donnant également des cours au Conservatoire de Paris. En 1957, il est nommé professeur de musique de chambre au Conservatoire de Paris. Il a joué avec P. Fournier, M. Maréchal, A. Lœwenguth, P. Tortelier, A. Navarra, H. Merckel... Il a participé à l'enregistrement intégral de la musique de chambre de Fauré et de celle de Schumann avec le Quatuor Via Nova.

Hubermann, Bronislaw

Violoniste polonais, né à Czenstochowa (Varsovie) le 19 décembre 1882, mort à Lucerne le 15 juin 1947.

Hubermann reçoit ses premières leçons au Conservatoire de Varsovie avec Michalowicz, et débute à sept ans dans le *2e Concerto* de Spohr. Membre du Quatuor Rode, il prend aussi des leçons au Conservatoire de Paris avec Isidor Lotto. Ses vrais débuts européens ont lieu en 1892, à Berlin, où il étudie d'ailleurs sous la direction de Joseph Joachim. En 1895, il débute à Vienne lors du concert d'adieux d'Adelina Patti. Le monde entier, par la suite, l'acclame. Hubermann vit presque toujours à Vienne jusqu'à l'avènement du nazisme, malgré de nombreux séjours à l'étranger, dont en Israël. De 1934 à 1936, il enseigne à la Musikhochschule de Vienne. Il survit miraculeusement à un accident d'avion à Sumatra où il se casse le poignet gauche et trois doigts. Mais peu après, il reprend son violon. Il est à l'origine de la création de l'Orchestre Philharmonique d'Israël en 1936. Hubermann jouait sur un Guarnerius del Gesù de 1733.

ÉCRITS : *Aus der Werkstatt des Virtuosen* (1912), *Mein Weg zu Paneuropa* (1925).

Hunter, Rita

Soprano anglaise, née à Wallasey le 15 août 1933.

Si elle se produit sur scène à l'âge de huit ans, sa carrière aura connu un parcours difficile. Possédée du démon des planches, elle est à quinze ans danseuse vedette dans des clubs de Liverpool. Elle devient l'élève d'Edwin Francis pendant deux ans. Après quelques tournées comme choriste dans des troupes d'opérettes, elle entre dans les chœurs du Sadler's Wells Opera (1954). Elle y restera deux ans, faisant de bien modestes débuts dans une demoiselle d'honneur des *Noces de Figaro.* Transférée à la Compagnie Carl Rosa, elle y tient de petits emplois : Inez, Berta, Frasquita,... En 1959, de retour au Sadler's Wells, elle reçoit les conseils de Dame Eva Turner, Clive Carey et Redvers Llewellyn, et effectue quelques remplacements au pied levé (Senta, Santuzza ou Odabella) ; les triomphes remportés par cette inconnue n'alertent aucun directeur ni imprésario, alors Rita abandonne. En 1959, elle remonte sur la scène, au Covent Garden (la troisième Norne du *Crépuscule des dieux*). Elle chante *Le Trouvère, Euryanthe* (Églantine), Donna Anna et, en même temps, continue de travailler la *Tétralogie* avec Goodall. En 1970, elle chante sa première *Walkyrie,* un an après *Le Crépuscule des dieux* et en 1973, *Siegfried.* Ayant réappris ses rôles dans leurs langues d'origine, elle est invitée à Berlin, à Munich, au Met, ajoutant à son répertoire Aïda, Santuzza, Elisabeth, Lady Macbeth.

Hurst, George

Chef d'orchestre anglais, né à Edimbourg le 20 mai 1926.

D'ascendance russo-roumaine, il commence à étudier le piano avec J. Isserlis. Sa famille s'étant fixée au Canada, il travaille au Conservatoire de Toronto, notamment avec Léon Barzin, jusqu'en 1945. Puis il suit les cours de Pierre Monteux. Dès 1947, il enseigne au Conservatoire Peabody de Baltimore dont il dirige l'orchestre de 1951 à 1955. Simultanément, il est à la tête de l'Orchestre Symphonique de York en Pennsylvanie (1950-55). De retour en Angleterre, il est l'assistant de Sir Adrian Boult auprès de l'Orchestre Philharmonique de Londres (1955-57). Puis il est nommé chef permanent du B.B.C. Northern Symphony Orchestra (1958-68). De 1968 à 1974, il est conseiller artistique de la Western Orchestral Society, organisation qui préside aux destinées des orchestres de Bournemouth : il est ainsi à la tête du Bournemouth Sinfonietta (1968-71). Il mène depuis une carrière de chef invité.

Hüsch, Gerhard

Baryton allemand, né à Hanovre le 2 février 1901, mort à Munich le 21 novembre 1984.

Il étudie le chant avec un unique professeur, Hans Emge (de 1920 à 1923), qui lui conseille de faire du théâtre. Il effectue ses débuts lyriques en 1923, au Théâtre d'Osnabrück, dans *Der Waffenschmied* de Lortzing, chantant aussi bien l'opérette que l'opéra. Il quitte Osnabrück en 1924 pour le Théâtre de Brême (1924-27), puis pour l'Opéra de Cologne (1927-30), enfin pour Berlin où il se produit successivement à la Städtische Oper (il y fait la rencontre du chef d'orchestre Hanns Udo Müller, son futur accompagnateur) et à la Deutsches Opernhaus (1932-35), puis à la Staatsoper qui l'invite régulièrement de 1937 à 1944. Entretemps, le chanteur s'est fait connaître sur la scène internationale par les premiers disques de lieder qu'il enregistre et par ses apparitions au Covent Garden : il chante en 1930 Falke de *La Chauve-souris* (avec Bruno Walter), en 1931 et 1938 Papageno (avec Sir Thomas Beecham). Son interprétation de Wolfram de *Tannhäuser* aux festivals de Bayreuth 1930 et 1931 l'impose définitivement. La rencontre avec le compositeur finnois Yrjö Kilpinen, auteur de près de 700 lieder, lui fait découvrir ce nouveau répertoire, qu'il défend dès 1932, enregistrant en moins de dix ans les premières intégrales des grands cycles schubertiens ou schumanniens. Il y est accompagné par Michael Raucheisen et Coenrad von Bos et surtout Hanns Udo Müller (mort en 1943 dans les bombardements de Berlin). Il se révèle également un interprète d'oratorio, incarnant le Christ aux côtés de Karl Erb dans l'enregistrement de la *Passion selon saint Matthieu* dirigé en 1941 par Günther Ramin. En dehors de Kilpinen, il travaille en étroite collaboration avec Paul Graener, Hans Pfitzner et Richard Strauss. Chantant encore en 1956-57, Hüsch s'était tourné dès 1938 vers l'enseignement, d'abord à l'Académie de musique de Munich, puis à l'occasion de cours d'interprétation au Japon, en Suisse, en Finlande, en Angleterre.

Baryton lyrique à la voix éclatante dans le répertoire allemand, il savait domestiquer et adoucir son émission vocale dans le répertoire italien et se retenir de tout excès expressif dans le récital de lieder, pour mieux mettre en valeur la force des mots.

Huttenlocher, Philippe

Baryton-basse suisse, né à Neuchâtel le 29 novembre 1942.

Il reçoit d'abord une formation de violoniste et n'entreprend des études de chant qu'une fois terminées ses études instrumentales (1963). Il travaille avec Juliette Bise et obtient un 1er prix en 1967. Michel Corboz l'associe, en soliste, à ses réalisations avec l'Ensemble Vocal de Lausanne (*Requiem* de Fauré, *Madrigaux* de Monteverdi, *Cantates* et *Passions* de Bach...). Il chante d'abord en oratorio puis vient à l'opéra avec l'*Orfeo* de Monteverdi (Zürich), *Les Indes galantes, Faust* (Valentin), *Cosi fan tutte* (Guglielmo), *Le Maître de chapelle* et *Pelléas et Mélisande* (il incarne Golaud dans l'enregistrement dirigé par Armin Jordan).

I

Iliev, Constantin

Chef d'orchestre et compositeur bulgare, né à Sofia le 9 mars 1924.

Il étudie au Conservatoire de Sofia jusqu'en 1946 où il travaille le violon, la direction et la composition avec Vladigerov, Hadjiev, Avramov et Goleminov. Puis il se perfectionne à l'Académie de musique de Prague avec Řídký, Hába et Talich. Ses débuts, avec l'Orchestre Symphonique de l'Opéra de Roussé, datent de 1948. Il dirige les ballets à l'Opéra de Sofia (1948-49), puis prend la direction artistique de l'Opéra de Varna (1949-52). Il est ensuite 1er chef de l'Orchestre Symphonique de Varna (1952-56), avant d'être nommé 1er chef à la Philharmonie d'État de Sofia (1956), orchestre dont il devient le directeur artistique en 1978. Depuis 1970, il est professeur au Conservatoire de Sofia. Son œuvre est abondant (musique de chambre, 5 symphonies et un opéra, *Le Maître de Boyana*).

Immerseel, Jos Van

Voir à **Van Immerseel, Jos.**

Inbal, Eliahu

Chef d'orchestre israélien et anglais, né à Jérusalem le 16 février 1936.

Il fait ses premières études musicales au Conservatoire de Jérusalem avant de travailler la direction d'orchestre avec Louis Fourestier (Conservatoire de Paris, 1960-63) et Sergiu Celibidache (Sienne, 1961-62). En 1963, il remporte le Prix Guido Cantelli à la Scala de Milan. Deux ans plus tard, il fait ses débuts avec l'orchestre du célèbre théâtre et avec l'Orchestre Philharmonique de Londres. En 1969, il dirige aux Festivals de Salzbourg, Berlin et Lucerne et fait ses débuts lyriques à Vérone dans *Don Carlos.* En 1974, il est nommé à la tête de l'Orchestre Symphonique de la Radio de Francfort et, en 1985, directeur musical au Théatre de la Fenice de Venise.

On lui doit la création de *La Chute de la maison Usher* de Debussy (1977) et de la *Symphonie n° 1* de Müller-Siemens (1981).

Indjic, Eugen

Pianiste yougoslave naturalisé américain (1955), né à Belgrade le 11 mars 1947.

Il commence l'étude du piano à neuf ans et travaille sous la direction du pianiste russe Alexander Borovsky tout en poursuivant sa scolarité. Très jeune, il part aux U.S.A. avec sa mère. A dix ans, il joue avec la Télévision nationale américaine ; à treize ans, il donne son premier concert avec orchestre à Washington. Il reprend ses études à l'Université Harvard et en sort « Bachelor of arts » en 1969. Eugen Indjic remporte le 4e prix au Concours de Varsovie (1970), le 3e au Concours de Leeds (1972), le 2e au Concours Rubinstein de Jerusalem (1974). A 18 ans, il a été le plus jeune soliste à se produire avec le Boston Symphony Orchestra. Depuis, sa carrière l'a conduit dans le monde entier. Son épouse Odile, est petite-fille du compositeur Henri Rabaud.

Inghelbrecht, Désiré-Emile

Chef d'orchestre et compositeur français, né à Paris le 17 septembre 1880, mort à Paris le 14 février 1965.

Son grand-père est belge, sa mère anglaise et son père altiste dans l'Orchestre de l'Opéra de Paris. Au Conservatoire, il fait des études sans éclat et a la révélation de Debussy lors de la création de *Pelléas et Mélisande* en 1902. Jacques Rouché l'engage comme chef d'orchestre au Théâtre des Arts (1908). Il y créera notamment *La Tragédie de Salomé* de Florent Schmitt. Puis il fonde, en 1912, l'Association Chorale Professionnelle pour doter Paris d'un chœur important. La même année, il est nommé directeur de la musique au Théâtre des Champs-Elysées qui va ouvrir ses portes quelques mois plus tard ; il conduit les grandes soirées de la saison inaugurale : *Benvenuto Cellini, Boris Godounov, La Péri...* Après la guerre, il fonde les Concerts Ignace Pleyel (1919) en réunissant de jeunes instrumentistes pour faire connaître les musiques des XVIIe et XVIIIe siècles. De 1920 à 1923, il fait le tour de l'Europe avec les Ballets Suédois. A son retour, il est nommé directeur de la musique à l'Opéra-Comique (1924-25). On le retrouve 2e chef aux Concerts Pasdeloup (1928-32), directeur de l'Opéra d'Alger (1929-30), à nouveau directeur musical à l'Opéra-Comique (1932-33) et, en 1934, il fonde l'Orchestre National de la Radio Française dont il sera le directeur jusqu'à la Libération. Entre 1945 et 1950, il est chef d'orchestre à l'Opéra de Paris et il dirigera régulièrement à la Radio jusqu'à la fin de sa vie.

Inghelbrecht s'était fait une spécialité de la musique de Debussy – il avait bien connu le compositeur – et d'un certain nombre d'ouvrages comme *Boris Godounov* ou *Pénélope* qu'il dirigeait régulièrement en concert. Son enregistrement intégral de l'œuvre de Debussy est le témoignage d'une certaine tradition qu'il avait soigneusement entretenue. Il avait créé la *Marche écossaise* (1913) et *La Boîte à joujoux* (1919). Parmi les autres créations : *Les Mariés de la Tour Eiffel* (œuvre du Groupe des Six, 1921), l'*Homme et son désir* (Milhaud, 1921). Ses œuvres se ressentent de l'influence debussyste, surtout au début de sa carrière : les charmantes *Nurseries* (1905-32), pièces pour piano orchestrées par la suite, le *Requiem* (1941), le poème symphonique *Pour le jour de la première neige au vieux Japon* (1908) ou le ballet *El Greco* (1920).

ÉCRITS : *Comment on ne doit pas interpréter Carmen, Faust et Pelléas* (1933), *Diabolus in musica* (1933), *Mouvement contraire* (1947), *Le Chef d'orchestre et son équipe* (1949), *Claude Debussy* (1953), *Le Chef d'orchestre parle au public* (1957).

Irving, Robert

Chef d'orchestre anglais, né à Winchester le 28 août 1913.

Il effectue ses études à Oxford puis au Royal College of Music de Londres (1934-36). Sa carrière de chef d'orchestre débute après la guerre lorsqu'il est nommé chef assistant du B.B.C. Scottish Orchestra (1945-48). Il est ensuite directeur musical du Sadler's Wells Ballet (1949-58) puis du New York City Ballet où il participe à toutes les grandes créations de Georges Balanchine.

Ishii, Shizuko

Violoniste japonaise, née à Yamaguchi le 31 août 1942.

Après avoir travaillé dans son pays avec Saburô Sumi, elle vient en France en 1959 où elle est l'élève de Gabriel Bouillon au Conservatoire de Paris. L'année suivante, elle remporte un 1er prix. En 1959 et 1961, elle est lauréate du Concours international Long-Thibaud et, en 1963, du Concours Paganini à Gênes. A partir de 1965, elle commence une brillante carrière internationale.

Isoir, André

Organiste français, né à Saint-Dizier le 20 juillet 1935.

Il fait ses études musicales à l'École César Franck de Paris où il est notamment l'élève d'Edouard Souberbielle (classe d'orgue). Il entre ensuite au Conservatoire dans la classe de Rolande Falcinelli ; il obtient son 1er prix d'orgue et d'improvisation à l'unanimité en 1960. Par la suite, il est lauréat de plusieurs concours internationaux : 1er prix à Saint-Alban (Grande-Bretagne) en 1965 ; trois fois vainqueur à Haarlem (Hollande) en 1966, 1967, 1968, remportant ainsi le Prix du Challenge ; il est le seul interprète français à avoir obtenu cette distinction depuis la fondation de ce concours en 1951. Maître de chapelle et titulaire du grand-orgue à l'église Saint-Médard (1952-67), il devient cotitulaire de la tribune de Saint-Séverin (1967-73). Il est nommé ensuite titulaire du grand-orgue de l'église Saint-Germain-des-Prés, poste qu'il occupe depuis 1973. Après avoir enseigné l'orgue à Angers pendant treize ans, il est professeur au Conservatoire d'Orsay depuis 1978. Il a donné de nombreux cours et conférences, notamment à Saint-Maximin, Haarlem, Luxembourg, Boston, Helsinki, Reykjavik... Il a, à ce jour, enregistré une trentaine de disques, souvent couronnés, notamment *Le Livre d'or de l'orgue français.* En février 1974, ses *Variations sur un psaume huguenot* ont reçu le Prix de composition des Amis de l'orgue.

Membre de la commission des orgues des Monuments historiques, Isoir suit de très près l'évolution de la facture de son instrument et les travaux de restauration des orgues anciennes. Cette connaissance approfondie de l'organologie contribue, selon lui, à une meilleure approche des différents styles, tant du point de vue de la technique que de celui de la registration. Il a construit deux régales et un virginal. Influencé à ses débuts par l'optique neuve de Souberbielle et de Chapuis, qui contrastait avec l'enseignement officiel répandu, il a progressivement élaboré son style personnel dont on peut mesurer la qualité à l'écoute de l'œuvre de J.-S. Bach dont l'enregistrement de l'intégrale est actuellement en cours. Parmi les compositeurs contemporains qu'il aime plus particulièrement, Jehan Alain et Pierre Vidal (dont les œuvres sont encore inédites).

Issakadze, Liana

Violoniste soviétique, née à Tiflis le 2 juillet 1946.

Elle travaille à partir de 1953 au Conservatoire de sa ville natale puis en 1957 joue pour la première fois à Moscou au 6e Festival international de musique, hors concours, en raison de son âge. En 1960, elle obtient le 2e prix des Jeunesses Musicales Soviétiques. A partir de 1963, elle travaille avec David Oïstrakh dont elle est l'élève préférée. Deux ans plus tard, elle obtient le 1er prix du Concours Long-Thibaud à Paris puis, en 1970, le 1er prix au Concours Sibelius à Helsinki et le 2e prix au Concours Tchaïkovski à Moscou. Dès lors, elle se produit sur le plan international.

Istomin, Eugene

Pianiste américain, né à New York le 26 novembre 1925.

Il fait ses études à l'Institut Curtis (Philadelphie) avec Serkin et Horszowski. Lauréat du Prix Leventritt en 1943, il donne son premier concert avec le New York Philharmonic Orchestra en interprétant le *2e Concerto* de Brahms. Il joue aussi avec les musiciens de l'Ensemble Busch. Son premier enregistrement est très remarqué. Il s'agit du *Concerto en ut mineur* de Bach. Istomin fait alors une carrière internationale. Il suscite autour de lui un mouvement de créations. Il commande à Roger Sessions un *Concerto pour piano* qu'il crée (1956). Le répertoire d'Eugene Istomin comprend les grandes œuvres du XIXe siècle. Lorsqu'il joue en trio avec Isaac Stern et Leonard Rose, il incarne la part de l'expressivité et de la délicatesse. En 1975, il a épousé Martitta, la veuve de Pablo Casals.

Iturbi, José

Pianiste et chef d'orchestre espagnol, né à Valence le 28 novembre 1895, mort à Los Angeles le 28 juin 1980.

Fils d'un accordeur de pianos, il fait ses études aux Conservatoires de Valence (classe de Malats) puis de Paris (classe de Victor Staub) où il obtient un 1er prix en 1913. Pendant la guerre, il se produit comme pianiste de bar puis obtient un poste de professeur de piano au Conservatoire de Genève (1918-22). Il entame une carrière internationale et se fixe aux États-Unis à partir de 1928. Il fait ses débuts de chef d'orchestre en 1933 à Mexico en dirigeant une série de 29 concerts. Puis il est nommé directeur musical de l'Orchestre Philharmonique de Rochester (1935-43). Il apparaît à la fois comme pianiste et comme chef d'orchestre, cumulant souvent les deux fonctions dans des œuvres aussi différentes que les concertos de Mozart, de Liszt ou *Rhapsody in blue* de Gershwin. Par la suite, il prend la direction de l'Orchestre Symphonique de Valence (1956), poste qu'il abandonne lorsqu'il est nommé à la tête de l'Orchestre Symphonique de Bridgeport (Connecticut). Sa participation à une dizaine de films, dont *A Song to remember* où il prête ses doigts à Chopin, lui fait gagner une très large renommée.

Il est aussi connu comme collectionneur de pipes. Sa sœur Amparo Iturbi (1898-1969) s'est également fait connaître comme pianiste : ils se sont parfois produits en duo. Comme compositeur, il laisse des pièces pour piano, *Seguedillas* et *Soliloquy* pour orchestre et une *Fantaisie* pour piano et orchestre. Tansman lui a dédié son *Concertino.*

Ivaldi, Christian

Pianiste français, né à Paris le 2 septembre 1938.

Il fait ses études au Conservatoire de Paris et obtient cinq premiers prix : musique de chambre (Jacques Février), piano (Aline Van Barentzen), musique de chambre professionnelle (Joseph Calvet), accompagnement piano (Henriette Puig-Roget), contrepoint (Simone Plé-Caussade). Il devient ensuite soliste à Radio-France, dès 1961. Professeur au Conservatoire de Paris depuis 1969, curieux et ouvert à toute interprétation musicale, il peut aussi bien enregistrer l'œuvre à quatre mains de Schubert avec Noël Lee qu'accompagner des chanteurs (Bacquier, Berberian, Christoff, Crespin, Cuenod, Gobbi, Streich, Souzay...) ou créer les musiques de son temps. Citons : *Cette étoile enseigne à s'incliner* (1970) de Amy, *Simata* (1974) de Aperghis, *Anarchipel* (1971) de Boucourechliev, *Croche e delicia* (1973) de Capdenat, *Concordances* (1968) de Chaynes, *Colloques* de Guillou, *Synaxis* (1976) de Ohana, *Por diversos motivo* (1970) et *Protocolo* (1972) de Pablo.

Sa nature discrète en a fait un idéal accompagnateur et partenaire de musique de chambre, domaines dans lesquels il s'est imposé comme l'un des grands de notre époque. En 1982, il fonde avec Sylvie Gazeau, Gérard Caussé et Alain Meunier le Quatuor Ivaldi, l'une des rares formations de ce genre.

Ivanov, Konstantin

Chef d'orchestre soviétique, né à Jefremovo le 21 mai 1907.

Au Conservatoire de Moscou, il travaille avec Guinzburg jusqu'en 1937 avant d'être nommé assistant auprès de l'Orchestre Symphonique d'État de Moscou (1937-39). Lauréat du Concours national des chefs d'orchestre de l'U.R.S.S. en 1938, il dirige ensuite au Théâtre Stanislavski-Nemirovitch-Danchenko (1939-41) et est l'un des chefs permanents de l'Orchestre Symphonique de la Radio-Télévision de l'U.R.S.S. (1941-46). Puis il est nommé 1er chef de l'Orchestre Symphonique d'État de Moscou (1946-65). Il a créé l'*Ouverture sur des thèmes russes et kirghizes* de Chostakovitch (1963).

Ivogün, Maria
(Ilse von Günther)

Soprano hongroise naturalisée allemande, née à Budapest le 18 novembre 1891.

Fille d'une célèbre chanteuse, Ida von Günther, elle grandit en apprenant naturellement le chant. Encouragée par ses parents à entreprendre une carrière lyrique, elle suit de 1907 à 1913, à l'Académie de Vienne, l'enseignement d'Amélie Schlemmer-Ambros. Lors d'une audition infructueuse passée à la Wiener Hofoper, Bruno Walter l'entend et, ébloui, la fait engager en 1913 après un concert d'essai probant (elle y chante les airs de Mimi) à l'Opéra de Munich. Elle se forge alors son nom d'artiste à partir des premières syllabes du nom de sa mère. En douze années, sous la houlette vigilante de Bruno Walter, elle devient la grande soprano colorature de son temps, une exceptionnelle Reine de la nuit en particulier, et crée successivement le rôle de Zerbinette dans la mouture définitive de 1916 d'*Ariane à Naxos* (à la demande expresse de Richard Strauss), *Der Ring des Polykrates* de Korngold (1916), le rôle d'Ighino dans *Palestrina* de Pfitzner (1917) qui lui vaut le titre de Kammersängerin, et *Die Vögel* de W. Braunfels (1920). La gloire internationale vient rapidement : Mary Garden l'invite à chanter à l'Opéra de Chicago en 1921 et 1922, elle débute au Covent Garden (1924), à la Scala de Milan, au Met de New York et triomphe en 1925 au Festival de Salzbourg pour sa première apparition en Norina dans *Don Pasquale,* et en chantant des lieder en duo avec Karl Erb (son mari de 1921 à 1932). Elle suit Bruno Walter quand il prend la direction de la Städtische Oper de Berlin, où elle chante jusqu'à ses adieux à la scène en 1932. Près de son nouvel époux, le pianiste Michael Raucheisen (1889-1984), elle se consacre à l'enseignement, professant à la Musikakademie de Vienne de 1948 à 1950, à la Berliner Hochschule de 1950 à 1958, avant d'être nommée en 1956 membre de l'Akademie der Künste de Berlin. Elisabeth Schwarzkopf et Rita Streich sont ses deux élèves les plus célèbres. Alliant une exceptionnelle agilité vocale et un timbre d'une grande pureté dans tous les registres, elle chantait aussi bien les rôles de soprano lyrique que ceux de colorature, Constance, Rosine, Gilda, Mimi, etc.

Iwaki, Hiroyuki

Chef d'orchestre japonais, né à Tokyo le 6 septembre 1932.

A l'Université des arts de Tokyo, il étudie la percussion et la direction d'orchestre avec Hideo Saito et Akeo Watanabe (1951-54). Nommé chef assistant à la N.H.K. en 1954, il fait ses véritables débuts trois ans plus tard. Invité par la plupart des orchestres japonais, il dirige, entre 1957 et 1960, plus de trente créations mondiales ou japonaises. Il est à la même époque chef permanent du Chœur Philharmonique de Tokyo. Puis il effectue de nombreuses tournées avec l'Orchestre Symphonique de la N.H.K. De 1965 à 1967, il est directeur musical de la Fujiwara Opera Company. Pendant trois ans (1966-69), il vit à Hambourg et est l'invité des principaux orchestres européens. En 1969, il est nommé directeur de l'Orchestre Symphonique de la N.H.K. à Tokyo, puis de l'Orchestre Symphonique de Melbourne en 1974.

J

Jacobs, René

Haute-contre belge, né à Gand le 30 octobre 1946.

Il étudie la philologie à l'Université de Gand. Il travaille à Bruxelles avec Louis Devos et à La Haye avec Lucie Frateur. Il se spécialise très vite dans la musique baroque et chante dans des ensembles dirigés par Leonhardt, Harnoncourt et Curtis. Ce parfait musicien s'est également illustré dans les opéras de Händel. Sa sensibilité et la beauté de son timbre sont pour beaucoup dans le renouveau du goût pour les voix de haute-contre. René Jacobs donne de nombreux cours à la Schola Cantorum Basiliensis, à Innsbrück, aux États-Unis.

Jacquillat, Jean-Pierre

Chef d'orchestre français, né à Versailles le 13 juillet 1935.

Il fait ses études musicales (piano, musique de chambre, percussion, harmonie) aux Conservatoires de Versailles et de Paris. Il donne son premier concert en 1965 avec Samson François en soliste. Il mène alors une active carrière de chef invité. En 1967, il est nommé chef assistant de l'Orchestre de Paris avec lequel il donne de nombreux concerts en France et à l'étranger. En 1970, il devient directeur musical de l'Orchestre d'Angers. En 1971, on lui offre le poste de chef permanent de l'Opéra de Lyon et de l'Orchestre Philharmonique Rhône-Alpes. De 1975 à 1978, il est conseiller musical de l'Orchestre des Concerts Lamoureux, puis il dirige régulièrement en Islande, à Reykjavik. Parmi les créations qu'il réalise, il convient de retenir *Trois souhaits* de B. Martini et *Dolor* de Jean Rivier.

Jamet, Marie-Claire

Harpiste française, né à Reims le 27 novembre 1933.

Fille de Pierre Jamet, elle fait ses études au Conservatoire de Paris et obtient des 1er prix de harpe et de musique de chambre en 1948. Nommée, en 1956, harpe solo de l'Orchestre Philharmonique de l'O.R.T.F., après avoir été soliste aux Concerts Pasdeloup, elle entre à l'Orchestre National de France (harpe solo) en 1963, et, depuis 1976, est soliste de l'Ensemble Intercontemporain. Elle a donné un grand nombre de concerts en soliste, avec son mari, le flûtiste Christian Lardé, ou avec son Quintette instrumental. Professeur à l'École normale de musique, elle est aussi professeur intérimaire au Conseil National de Lyon.

Sa sensibilité musicale, l'intelligence de son jeu, son modernisme attirent les compositeurs d'aujourd'hui dont elle crée des œuvres : Damase, Taïra (*Stratus,* flûte, harpe et orchestre), Bancquart, (*Ma manière de chat, Symphonie concertante,* etc.), Casterède, Loucheur, Françaix, Boulez (*Répons,* 1981).

Jamet, Pierre

Harpiste français, né à Orléans le 21 avril 1893.

Il étudie la musique avec sa mère, dès l'âge de dix ans, travaille le piano puis la harpe chromatique. En 1906, il entre au Conservatoire, dans la classe de Mme Tassu-Spencer, abandonnant la classe de harpe chromatique (Pleyel). Il travaille avec Hasselmans la harpe à pédales (Érard) et obtient un 1er prix, en 1912. En 1913, il est nommé au Théâtre des Champs-Elysées, dans l'orchestre que dirige Inghelbrecht. Dès 1917, il commence une carrière de soliste. Claude Debussy désire entendre sa *Sonate pour flûte, alto et harpe,* sur la harpe Érard. Il encourage Pierre Jamet et la première audition a lieu, le 9 mars 1917. En 1920, Pierre Jamet est nommé harpiste aux Concerts Lamoureux et, deux ans plus tard, donne son premier récital à Paris. C'est aussi la création du Quintette instrumental de Paris qui deviendra Quintette Pierre Jamet, en 1945. Entre 1922 et 1940, il fait une carrière (soliste et musique de chambre) à travers le monde. De 1936 à 1959, il est harpe solo à l'Opéra, de 1936 à 1938, aux Concerts Pasdeloup, de 1938 à 1948, aux Concerts Colonne. Il est professeur au Conservatoire de Paris de 1948 à 1963 et fonde, en 1962, l'Association internationale des harpistes et amis de la harpe dont il est président. Il aime enseigner et grâce à lui la musique française pour harpe garde son rayonnement à travers l'école de harpe qu'il a fondée en 1964 (cours d'été de Gargilesse), le Festival de Gargilesse qui a lieu chaque année depuis 1968, et le Concours international de harpe fondé par lui en 1977 (Concours Marie-Antoinette Cazala). Jeu subtil, intelligence claire, ce harpiste excelle dans Debussy, Roussel, Ravel. Il a suscité des œuvres nouvelles.

Janigro, Antonio

Violoncelliste et chef d'orchestre italien, né à Milan le 21 janvier 1918.

Il commence le piano à six ans et est élève de Gilberto Crepax au Conservatoire de Milan. En 1929, sur les conseils de Pablo Casals, il part pour Paris afin de travailler le violoncelle à l'École normale de musique avec Diran Alexanian. Après avoir remporté six prix nationaux et internationaux, il commence véritablement sa carrière en 1933. Il se fixe en Yougoslavie, à Zagreb, en 1939, où il enseigne au Conservatoire jusqu'en 1953. Après la guerre, il se tourne vers la direction d'orchestre et fait ses débuts en 1948. Il fonde, en 1954, les Solistes de Zagreb qui vont devenir, sous sa direction, l'un des meilleurs orchestres à cordes du monde. Il reste leur chef jusqu'en 1967. Parallèlement, il est à la tête de l'Orchestre Symphonique de la Radio de Zagreb (1954-64) puis de l'Orchestre de l'Angelicum de Milan (1965-67). Il succède ensuite à Karl Ristenpart à la tête de l'Orchestre de Chambre de la Radio Sarroise (1968-71). De 1965 à 1974, il enseigne à la Hochschule de Düsseldorf puis, à partir de 1975, à celle de Stuttgart. Il est aussi professeur au Mozarteum de Salzbourg dès 1971. Entre 1971 et 1974, il dirige la Camerata du Mozarteum de Salzbourg.

Naturellement attiré par les petites formations, Janigro donne le meilleur de lui-même dans le domaine de la musique de chambre. Il a joué en sonate avec Dinu Lipatti ou Carlo Zecchi et constitué un trio avec Paul Badura-Skoda et Jean Fournier. Il possède deux instruments anciens : un Amati et un Guadagnini. Il a créé des œuvres de Roussel, Ligeti et Penderecki.

Janis, Byron (Byron Yanks)

Pianiste américain, né à McKeesport (Pennsylvanie) le 24 mars 1928.

Dès l'âge de sept ans, il étudie le piano avec Adèle Marcus, Rosina et Josef Lhévinne, à New York. En 1943, il joue pour la première fois avec orchestre (Orchestre Symphonique de la N.B.C.) le *2e Concerto* de Rachmaninov. Lorsqu'il interprète cette œuvre pour la seconde fois, avec l'Orchestre Symphonique de Pittsburg sous la conduite de Lorin Maazel, il a quatorze ans. Horowitz l'entend ; durant trois ans il lui donnera des cours. En 1960, Byron Janis se rend en U.R.S.S. Public et critiques l'acclament. Les débuts de sa carrière sont brillants, malheureusement il tombe malade et ne reviendra au concert qu'en 1972. Virtuose, il excelle particulièrement dans Chopin, Rachmaninov, Prokofiev, Albeniz. Il est aussi compositeur, auteur de ballades et de chants populaires. En 1967, il a découvert en France (au château de Thoiry) des manuscrits autographes (variantes) de *2 Valses* de Chopin et deux autres versions de ces pièces à l'Université de Yale (U.S.A.).

Jankelevitch, Yuri

Violoniste soviétique, né à Bâle le 7 mars 1909, mort à Moscou le 13 septembre 1973.

Il est l'élève d'Abram Jampolski qui le conseillera durant toute sa formation jusqu'en 1936. Il est nommé professeur au Conservatoire de Moscou en 1961 et dirige l'ensemble des classes de violon à partir de 1969. Il se produit régulièrement en dehors de son pays lors de stages musicaux à Weimar et à Salzbourg. Il donne également des cours d'interprétation aux conservatoires de Paris et de Tokyo. Dans la tradition de son maître Jampolski, il a formé des interprètes tels que Vladimir Spivakov, Victor Tretiakov, Irina Botchkova, Nelly Chkolnikova, Dmitri Sitkovetski...

Janopoulo, Tasso

Pianiste grec naturalisé français, né à Alexandrie le 16 octobre 1897, mort à Paris.

Orphelin très jeune, il fait ses débuts comme pianiste de brasserie. Venu en Belgique par hasard, avec un ami, il devient l'élève d'Arthur De Greef. Parallèlement, il travaille pour gagner sa vie. De Greef le présente à Eugène Ysaÿe, et, quelques temps après, il devient son accompagnateur attitré.

En 1923, il rencontre à Bruxelles Jacques Thibaud. Ils partiront en tournée la même année, et ce sera le début d'une grande amitié qui durera jusqu'à la mort du violoniste en 1953. Accompagnateur né, Janopoulo a joué aux côtés de Kreisler, Milstein, Menuhin, Francescatti, Szeryng, Kirsten Flagstad ou Ninon Vallin. Pendant quarante ans, les plus grands solistes ont recherché sa compagnie rassurante, faite d'humour et d'une grande connaissance de l'accompagnement. Il ne s'est pas cantonné dans la musique dite « sérieuse ». Il lui est arrivé d'accompagner des chanteurs d'opérettes lors de tournées en Amérique du Sud. Dès 1947, il était aux côtés de son neveu Georges Guétary, pour ses débuts à Londres. Il a mené également une longue carrière de pédagogue.

Janowitz, Gundula

Soprano allemande, née à Berlin le 2 août 1937.

Elle étudie le chant au Conservatoire de Graz avec H. Thöny. Karajan la remarque en 1959 et lui assure un contrat d'élève à l'Opéra de Vienne où elle chante un an plus tard Marcelline *(Fidelio),* Micaela *(Carmen)* et Flora *(La Traviata).* A Munich, elle est Pamina (direction Knappertsbusch). De 1960 à 1963, elle chante régulièrement à Bayreuth. En 1963, elle apparaît à Salzbourg (*9e Symphonie* de Beethoven avec Karajan) et à Aix-en-Provence. En 1964, elle chante Ilia *(Idoménée)* à Glyndebourne et l'Impératrice *(La Femme sans ombre)* à Vienne. Toujours avec Karajan elle est Sieglinde au 1er Festival de Pâques à Salzbourg. En 1969, s'orientant vers le répertoire italien, elle chante Amelia *(Simon Boccanegra,* Verdi) à Vienne et à Berlin. Depuis 1970, elle se consacre aussi au lied, accompagnée par Irwin Gage. Son répertoire, parti du concert et de l'oratorio, comprend l'opéra allemand et italien. Gundula Janowitz possède une voix riche dans le registre supérieur, qui convient aux rôles mozartiens, tels la Comtesse des *Noces de Figaro* qu'elle a chantée à Paris dans la mise en scène de Strehler.

Janowski, Marek

Chef d'orchestre allemand, né à Varsovie le 18 février 1939.

Son père est polonais, sa mère allemande. Très jeune, il vient en Allemagne et fait ses études musicales à la Hochschule de Cologne, notamment avec Sawallisch. Puis il se perfectionne à Sienne avant d'occuper des postes de chef assistant à Aix-la-Chapelle, Cologne et Düsseldorf. Il est ensuite 1er chef à l'Opéra de Cologne, à l'Opéra de Hambourg (1969-74), directeur musical à Fribourg (1973-75) et à Dortmund (1975-80), puis principal invité du Royal Liverpool Philharmonic Orchestra. En 1980, il commence l'enregistrement intégral de la *Tétralogie* de Wagner avec la Staatskapelle de Dresde. En 1983, il prend la direction du Royal Liverpool Philharmonic Orchestra. L'année suivante, il est nommé 1er chef du Nouvel Orchestre Philharmonique de Radio-France. En 1986, il prendra la direction de l'Orchestre du Gürzenich de Cologne.

Jansen, Jacques (Jacques Toupin)

Baryton français, né à Paris le 22 novembre 1913.

Au Conservatoire, il reçoit une formation de chanteur et de comédien, après avoir commencé l'étude du violon et du violoncelle. Ses professeurs sont Charles Panzéra, Claire Croiza, Raymond Rouleau et Louis Jouvet. Il obtient un 1er prix de chant en 1940 mais a déjà été engagé à la Comédie-Française l'année précédente. Sa carrière de comédien n'aura de lendemain que dans le répertoire de l'opérette. Il chante à l'Opéra-Comique les rôles légers, créant *Fragonard* de Pierné et *Malvina* de Reynaldo Hahn. Mais c'est surtout le rôle de Pelléas qui assure sa notoriété : il l'enregistre dès 1942 sous la direction de Désormière et le chantera pendant près de quarante ans. Avant d'être attaché de façon permanente à la troupe de l'Opéra-Comique, il chante beaucoup l'opérette, incarnant plus de 1 500 fois Danilo dans *La Veuve joyeuse,* notamment à Mogador. Il est invité sur les plus grandes scènes du monde pour chanter essentiellement Pelléas (Covent Garden, Met, Scala, Colón). Ce dernier théâtre l'accueille aussi pour la création locale de *Christophe Colomb* de Milhaud.

Jansons, Arvid

Chef d'orchestre soviétique, né à Liepaja le 24 octobre 1914.

Au Conservatoire de sa ville natale, il étudie le violon (1929-35). Puis il vient au Conservatoire de Riga travailler le violon, la direction d'orchestre et la composition (1940-44). Dès 1940, il est violoniste à l'Orchestre de l'Opéra de Riga. Il devient chef d'orchestre dans ce théâtre de 1944 à 1952. En 1946, il remporte le 2e prix au Concours national des chefs d'orchestre soviétiques. Deux ans plus tard, il est chef associé de l'Orchestre Symphonique de Leningrad dont il devient 1er chef en 1952. Il effectue de nombreuses tournées en Extrême-Orient et en Australie. A partir de 1965, il est 1er chef invité du Hallé Orchestra de Manchester. Il donne des cours en Allemagne et sera nommé professeur au Conservatoire de Leningrad en 1972.

Jansons, Mariss

Chef d'orchestre soviétique, né à Riga le 14 janvier 1943.

Fils d'Arvid Jansons, il étudie à l'université et au Conservatoire de Leningrad (violon, alto, piano et direction d'orchestre). Diplômé en 1969, il se perfectionne à Vienne avec Hans Swarowsky et à Salzbourg avec Karajan. En 1971, il remporte le 2e prix au Concours Karajan à Berlin et devient l'assistant de Mravinski à la Philharmonie de Leningrad. Il prend la direction de l'Orchestre Symphonique de Leningrad avant d'être nommé chef permanent de l'Orchestre Philharmonique d'Oslo (1979). Il continue à diriger régulièrement les orchestres soviétiques, notamment à l'occasion de tournées en Occident. Il vient d'enregistrer pour la télévision britannique l'intégrale des symphonies de Tchaïkovski.

Janssen, Herbert

Baryton allemand naturalisé américain (1946), né à Cologne le 22 septembre 1895, mort à New York le 3 juin 1965.

Après des études à Cologne puis à Berlin avec Oskar Daniel, il débute à Berlin en 1924 et commence rapidement une carrière internationale. Il chante ainsi à Covent Garden dès 1926, jusqu'en 1939, et reçoit la consécration de Bayreuth de 1930 à 1937, y incarnant Wolfram, Amfortas, Günther, Kothner, Donner et le Hérault de *Lohengrin*. Il quitte l'Allemagne en 1937, reste un an à l'Opéra de Vienne et commence sa carrière américaine en 1939. Il apparaît au Met de New York (1939-51), à Chicago, à San Francisco, au Colón de Buenos Aires. Son répertoire comporte les autres rôles de baryton wagnérien (Kurwenal, le Hollandais et même Wotan et Sachs qu'il ose chanter pendant la guerre), Papageno, Pizzaro, Jokanaan, Oreste, ainsi que de nombreux rôles italiens : Rigoletto, Renato, Germont, Luna, Amonasro, Don Carlo...

Jarry, Gérard

Violoniste français, né à Châtelleraut le 6 juin 1936.

Il fait ses premières études musicales dans sa ville natale. Il travaille avec Dussault, Luquin, Benedetti et Benvenutti avant d'obtenir, en 1950, un 1er prix et un prix d'honneur de violon au Conservatoire de Paris. En 1951, il remporte le 1er prix du Concours international Marguerite Long-Jacques Thibaud qui marque le début de sa carrière de soliste. Il fonde en 1959 avec Serge Collot et Michel Tournus (alto et violoncelle) le Trio à cordes Français. De 1960 à 1971, date à laquelle il est nommé professeur au Conservatoire de Paris, il est second soliste à l'Orchestre de l'Opéra-Comique. A compter de 1969, il est violon solo dans l'Orchestre de Chambre Jean-François Paillard. Il crée *États* de Betsy Jolas avec les Percussions de Strasbourg et réalise la première intégrale au disque des *Concertos pour violon* de Jean-Marie Leclair.

Jarsky, Irène

Soprano française, née à Toulouse le 8 juillet 1939.

Elle fait des études générales et de danse classique – souhaitant faire une carrière de danseuse. Elle suit des cours de harpe et de dessin, puis choisit la musique et reçoit les 1ers prix de chant et d'art lyrique au Conservatoire de Paris (1964 et 1965). Elle obtient le Prix Erik Satie en 1967 et fait partie de la troupe Renaud-Barrault (1961-64). Professeur de chant au Conservatoire expérimental de Pantin depuis 1972, elle est aussi cofondatrice de cet établissement qu'elle dirige de 1977 à 1980. Après avoir ouvert en 1980 l'Atelier « la voix contemporaine » à Paris, elle est titulaire pour 1980-81 d'une bourse de recherche, accordée par le ministère de la culture, portant sur les découvertes et les récentes expériences de simulation de la parole en laboratoire. En parallèle aux concerts, au théâtre musical, elle tente, avec les étudiants, de trouver les lignes de force d'une pédagogie de la phonation (dans l'exécution artistique et sur le plan de l'équilibre de l'individu). Depuis 1982, elle est chargée de recherches par le ministère de la culture et le C.N.R.S. sur la physiologie et la pratique vocales. Elle fait aussi des recherches sur le théâtre et la musique avec des compositeurs (Aperghis, Puig) et des metteurs en scène. Son répertoire est vaste, ses créations nombreuses : *Petrus Hebraicus* (Pousseur, Berlin, 1974), *Les Liaisons dangereuses* (Prey, Aix-en-Provence, 1980), *Au-delà Hasard* (Barraqué, Venise, 1980), *l'Homme aux liens* (Dusapin, 1980), *L'Application des lectrices aux Champs* (Decoust, 1979). Elle a aussi été la première interprète de *La Chute de la maison Usher* de Debussy.

Järvi, Neeme

Chef d'orchestre soviétique, né à Tallinn (Estonie) le 6 juin 1937.

Il étudie avec son frère Vallo puis à l'École de musique de sa ville natale (percussion et direction chorale) avant de venir à Leningrad où il travaille la direction d'orchestre avec Nicolaï Rabinovitch et Evgeni Mravinski. Percussionniste dans l'Orchestre Symphonique de la Radiotélévision estonienne, il devient directeur musical de cet orchestre en 1963 et, la même année, est nommé 1er chef à l'Opéra de Tallinn (1963-76). En 1971, il remporte le 1er prix au Concours international de Rome. A Tallinn, il dirige les premières auditions soviétiques du *Chevalier à la rose* et de *Porgy and Bess.* En 1980, il se fixe aux États-Unis où il est invité par les principaux orchestres ainsi qu'au Met. En 1982, il prend la direction de l'Orchestre Symphonique de Göteborg et, en 1984, du Scottish National Orchestra (Glasgow). Il a enregistré l'intégrale des symphonies de Glazounov et de l'œuvre pour orchestre de Sibelius.

Jeritza, Maria (Mimi Jedlitzka)

Soprano tchécoslovaque, née à Brno le 6 octobre 1887, morte à Orange (New Jersey) le 10 juillet 1982.

Elle étudie le chant à Brno et à Prague, avec Auspitz, avant de bénéficier plus tard à New York des conseils de la Sembrich. Elle débute à Olmütz en 1910 dans le rôle d'Elsa de *Lohengrin.* Engagée en 1911 par la Volksoper de Vienne, elle interprète l'année suivante, à la Staatsoper, *Aphrodite* d'Oberleithner. Pendant plus de vingt ans fidèle à la capitale autrichienne (1912-35), elle chante aussi bien Puccini (triomphant dans *La Tosca, Turandot* et *La Fille du Far-West*) que Janáček (elle donne à Vienne et à New York les premières de *Jenůfa*), et aussi Mascagni, Massenet, Wagner, etc. Ses interprétations straussiennes sont restées légendaires : elle crée les deux versions d'*Ariane à Naxos* (Stuttgart, 1912 et Vienne, 1916), l'Impératrice de *La Femme sans ombre* (Vienne, 1919) et joue également Salomé, Oktavian du *Chevalier à la rose, Hélène l'Égyptienne.* Elle est aussi la première Marietta de *La Ville morte* de Korngold, rôle de ses débuts au Met en 1921, où elle revient régulièrement pendant les douze saisons suivantes. Londres en 1925 et Paris en 1928 l'applaudissent dans *La Tosca.* Ses dernières apparitions après guerre soulèvent encore l'enthousiasme des publics viennois (1949-52) et new-yorkais (Carnegie Hall, 1946). Les nombreux disques qu'elle a enregistrés, essentiellement entre 1908 et 1930, nous restituent une voix au rayonnement et à la sûreté insolents, réussissant à être à la fois lyrique, dramatique et grande comédienne.

Écrits : *Sunlight and song,* autobiographie (1924).

Jerusalem, Siegfried (Siegfried Salem)

Ténor allemand, né à Oberhausen le 17 avril 1940.

Il commence des études de piano à huit ans puis travaille le violon dès l'âge de dix ans. Il se tourne ensuite vers le basson et perfectionne ces trois instruments à la Folkwangschule d'Essen (1955-60). Il commence une carrière d'instrumentiste et est engagé, en 1961, comme 1er basson à Hof-an-der-Saale. L'année suivante, il fait partie de l'Orchestre Symphonique de Reutlingen et, de 1971 à 1977, il est 2e basson à l'Orchestre Symphonique de la Radio de Stuttgart (S.D.R.). Il commence à étudier le chant à la Hochschule de Stuttgart en 1971 avec Hartha Kalcher et débute à l'Opéra de cette ville en 1975 dans des petits rôles. Dès 1976, il chante Pinkerton (*Madame Butterfly*) à Darmstadt et Lohengrin (Aix-la-Chapelle, Darmstadt, Hambourg...). L'année suivante, il aborde Siegmund (Bruxelles) et Pamino (*La Flûte enchantée,* à Berlin). La Deutsche Oper l'engage dans sa troupe en 1978. Puis ce sont ses débuts dans Parsifal (1979) qu'il chante à Vienne et à Bayreuth. En 1980, il est invité au Met pour *Lohengrin.* Essentiellement tourné vers le répertoire wagnérien, il ne délaisse pas pour autant la musique contemporaine et a participé aux premières en Allemagne de *We come to the river* (Henze) en 1977 et du *Paradis perdu* (Penderecki) en 1979. Au cinéma, il a incarné Barinkay dans *Le Baron tzigane* (1975).

Joachim, Irène

Soprano française, née à Paris le 13 mars 1913.

Petite-fille de Josef Joachim, elle étudie d'abord la musique avec sa mère, violoniste du Trio Chaigneau. Puis elle entre au Conservatoire de Paris dans la classe de Suzanne Cesbron-Viseur et remporte de nombreux prix (1936-39). Aussitôt engagée à l'Opéra-Comique, elle chante Mélisande en 1940 pour la première fois : ce sera son rôle de prédilection et elle en sera titulaire salle Favart jusqu'en 1956. Dès 1942, elle l'enregistre sous la direction de Roger Désormière, gravure désormais historique et qui fait date dans l'histoire de l'ouvrage. Sa carrière ne se limite pas néanmoins à ce seul rôle : elle aborde aussi bien le répertoire germanique que la musique de son temps et participe aux créations de *Ginevra* de Delannoy (rôle-titre), du *Rossignol de Saint-Malo* de Le Flem (Azenor) ou du *Jeu de Marion* de Wissmer à l'Opéra-Comique. Au concert, elle crée *Le Soleil des eaux* de Boulez, des œuvres de Dutilleux, Wiener et Nigg. Elle défend la musique du Groupe des Six et consacre à la mélodie française comme au lied allemand une large part de ses activités. En 1954, elle est nommée professeur à la Schola Cantorum.

Joachim, Josef

Violoniste, chef d'orchestre et compositeur austro-hongrois, né à Kittsee (près de Presbourg) le 28 juin 1831, mort à Berlin le 15 août 1907.

Josef Joachim est l'élève de Hellmesberger et de Böhm, à Vienne (1839), puis il travaille avec Ferdinand David au Conservatoire de Leipzig, en 1843. Ses débuts, comme violoniste, remontent à cette année-là. Il se produit avec succès au Gewandhaus de Leipzig, puis à Londres, à Vienne et à Prague, avant d'entreprendre, en 1847, sa première grande tournée en Angleterre. Konzertmeister au Gewandhaus de Leipzig en 1847, il occupera le même poste à Weimar deux ans plus tard, ville où il se liera avec Franz Liszt et Hans von Bülow. De Weimar, il partira ensuite pour Hanovre (1854) comme directeur des concerts. Enfin, en 1866, il sera appelé à Berlin afin de prendre en main les destinées de la Musikhochschule. En 1869, il fonde à Berlin le Quatuor Joachim avec lequel il se produira jusqu'à la fin de sa vie, imposant notamment les quatuors de Beethoven. A Londres, où son quatuor connaît une nouvelle formation, il constitue un trio avec Ilona Eibenschütz et Alfredo Piatti. Pédagogue de réputation mondiale, il forme quelque 400 violonistes et est, en son temps, aussi célèbre en ce domaine que Leopold Auer à Saint-Pétersbourg, considéré d'ailleurs comme son successeur spirituel.

En tant que compositeur, Joachim a laissé plusieurs œuvres, dont des *Variations hébraïques,* des concertos, cinq ouvertures, et, surtout, il a donné des cadences, toujours jouées de nos jours, pour les concertos de Brahms, de Beethoven et de Mozart. Ami intime de Brahms dont il a créé le *Concerto op. 77* et le *Double Concerto op. 102,* Joachim a également reçu en dédicace ou créé le *Concerto n° 1* de Bruch, ceux de Dvořák et Schumann, la *Rhapsodie hongroise n° 12* de Liszt, la *Sonate pour violon et piano n° 1* et la *Sérénade n° 1* de Brahms, la *Sonate F.A.E.* de Brahms, Schumann et Dietrich... Le style de Joachim alliait classicisme et romantisme. Il remit à l'honneur les *Partitas* de J. S. Bach. Couvert d'honneurs de son vivant, il fut l'une des personnalités majeures de la fin du siècle dernier et mit constamment sa renommée au service de la musique de son temps. Il possédait 4 Stradivarius dont le *DeBarran*, le *Alard* et le *Dolphin*.

Jobin, Raoul

Ténor canadien, né à Québec le 8 avril 1906, mort à Québec le 13 janvier 1974.

Après avoir commencé ses études musicales dans sa ville natale, il entre au Conservatoire de Paris. Dès sa sortie, il est engagé comme pensionnaire à l'Opéra de Paris, où il débute en 1930 dans le rôle de Tybalt et recevant au fil de petits rôles une solide formation scénique. En 1935, il aborde les grands rôles du répertoire tant au Palais Garnier qu'à la salle Favart : Faust, Roméo, Lohengrin, Raoul, le Duc de Mantoue,... sur la première scène, Don José, Cavaradossi, Werther, Hoffmann, Des Grieux, Julien, Canio,... sur la seconde. C'est l'heureuse époque où les fans de Jobin et de Luccioni se battent pour assurer bruyamment le triomphe de leur idole respective. La guerre venue, Jobin s'établit aux États-Unis. Il débute au « Met » en 1940 dans le rôle de Des Grieux. Durant dix saisons, il y chantera 14 rôles, allant de Pelléas à Samson, durant 99 représentations Pendant la guerre, il paraît régulièrement à San Francisco, Cincinnati, Chicago, Montréal et au Colón de Buenos Aires. En 1946, il connaît un retour triomphal à l'Opéra de Paris, où il s'illustre, ainsi que sur les plus grandes scènes de province, en Radamès, Samson, Marouf ou Lohengrin. Sa création la plus spectaculaire fut celle de Fabrice Del Dongo dans *La Chartreuse de Parme* d'Henri Sauguet. Il s'est retiré de la scène en 1957 pour ouvrir une école de chant à Montréal.

Jochum, Eugen

Chef d'orchestre allemand, né à Babenhausen le 1er novembre 1902.

A Augsbourg, il étudie le piano et l'orgue (1914-22), puis, à l'Académie de musique de Munich, il travaille la direction d'orchestre et la composition avec Hausegger et Waltershausen. Il débute comme répétiteur à l'Opéra de Munich (1924-25) puis à Kiel (1926-27) avant d'être nommé chef d'orchestre dans ce même théâtre (1927-29). A la même époque, il dirige les concerts symphoniques de Lübeck. Il est ensuite nommé à Mannheim (1929-30). De 1930 à 1932, il est directeur général de la musique à Duisbourg, de 1932 à 1934, directeur musical à la Radio de Berlin et chef d'orchestre à l'Opéra, de 1934 à 1949, directeur général de la musique à Hambourg (où il succède à Karl Böhm). En 1949, il fonde l'Orchestre Symphonique de la Radiodiffusion Bavaroise à Munich qu'il dirige jusqu'en 1960. Il partage ensuite la direction du Concertgebouw d'Amsterdam avec Bernard Haitink (1961-64). De 1969 à 1971, il est à la tête de l'Orchestre Symphonique de Bamberg et, de 1975 à 1978, il est chef d'orchestre « lauréat » de l'Orchestre Symphonique de Londres. En dehors de ces fonctions permanentes, il dirige dans les plus grands centres musicaux du monde, notamment à Bayreuth (1953, 1954 et 1971) et à Salzbourg. Considéré comme l'un des plus grands chefs allemands de son temps, Eugen Jochum est l'un de ces artistes qui ont assuré la transition entre les aînés et la jeune génération en transmettant une tradition vivante issue directement des maîtres de la fin du romantisme. Fervent défenseur de Bruckner, il a enregistré à deux reprises l'intégrale de ses *Symphonies* dans la version Nowak. On lui doit également, au sein d'une discographie abondante, deux intégrales des *Symphonies* de Beethoven. Parmi les œuvres dont il a assuré la création figurent la *Suite française* de Egk (1950), la *Symphonie nº 6* de Hartmann (1953) et *Tanz-Rondo* de von Einem (1959).

Jochum, Georg Ludwig

Chef d'orchestre allemand, né à Babenhausen le 10 décembre 1909, mort à Mülheim an der Ruhr le 1er novembre 1970.

Frère du précédent, il fait ses études musicales à Augsbourg et à Munich avec Haas et Hausegger jusqu'en 1932. De 1932 à 1934, il est directeur musical à Münster. Puis il est nommé 1er chef à l'Opéra de Francfort (1934-37) ; il dirige en même temps les Museumkonzerten. De 1937 à 1940, il est 1er chef à l'Opéra de Planen avant d'être nommé directeur général de la musique à Linz (1940-45) puis à Duisbourg (1946-58). Dans cette dernière ville, il est également directeur du Conservatoire. En 1948-49, il dirige également l'Orchestre Symphonique de Bamberg. Au début des années cinquante, il est chef associé de l'Orchestre Symphonique du R.I.A.S. à Berlin.

Jodry, Annie

Violoniste française, née à Reims le 4 octobre 1935.

Après des études musicales à Béziers, Nîmes et Toulouse, elle entre au Conservatoire de Paris où elle est l'élève de Marcel Reynal (violon) et Joseph Benvenutti (musique de chambre). Deux premiers prix couronnent ses études (1951 et 1952) suivis du Prix Nadaud avec attribution de la bourse Ginette Neveu et du 1er prix au Concours international de Genève (1954). A la même époque, elle reçoit les encouragements de Georges Enesco et donne la première française du *Concerto* de Khatchaturian (Strasbourg, 1954). Sa carrière internationale prend de l'essor : elle joue avec Brendel, Monteux, Mehta, Münch, Cluytens... Son premier disque, réalisé en 1972, est le reflet des recherches qu'elle effectue pour élargir le répertoire (Vaughan-Williams et Sibelius). Elle donne des cours en Yougoslavie (1976), en Suisse (1977) avant d'être nommée professeur au Conservatoire de Reims (1978). Annie Jodry a créé plusieurs partitions de Tisné, Werner, Sciortino et Komives.

Johannesen, Grant

Pianiste américain, né à Salt Lake City le 30 juillet 1921.

Après ses études musicales à l'Université de l'Utah, il va travailler à Princeton avec Robert Casadesus (1941-46), et à Cornell avec Egon Petri. Il étudie aussi la composition avec R. Sessions et N. Boulanger. Après ses débuts à New York, en 1944, il commence une carrière internationale. Grant Johannesen joue souvent en duo avec sa femme, la violoncelliste Zara Nelsova. Il vit à New York aujourd'hui. Il a écrit un *Psaume,* des *Improvisations* sur un hymne mormon, ainsi que des cadences de concertos de Mozart. Grand défenseur de la musique française, il joue et fait connaître non seulement Debussy et Ravel, mais Chabrier, Fauré, Saint-Saëns et les Six. Très attiré par la pédagogie, il enseigne et dirige le Cleveland Institute of Music.

Jones, Gwyneth

Soprano galloise, née à Pontewynydd le 7 novembre 1936.

Sa voix découverte, elle obtient une bourse pour étudier pendant quatre ans au Royal College of Music de Londres où elle remporte tous les prix. Elle poursuit ses études à l'Académie Chigiana à Sienne puis auprès de Maria Carpi à Genève. Durant la saison 1962-63, elle débute à l'Opéra de Zürich comme mezzo-soprano, mais on comprend très vite qu'elle possède une merveilleuse voix de soprano. En 1964, elle se produit pour la première fois au Covent Garden où l'année suivante elle s'impose en chantant Sieglinde (*La Walkyrie*) sous la direction de Solti. À Londres, elle chante encore *Fidelio,* Senta (*Le Vaisseau fantôme*) et Elisabeth (*Don Carlos*) ; elle est invitée à Rome et à Genève, en 1966. C'est l'année où elle se classe parmi les grandes cantatrices internationales : elle chante dans les opéras de Vienne, Munich et Berlin et pour la première fois à Bayreuth, où son apparition comme Sieglinde est une révélation lumineuse. Depuis lors, elle appartient d'année en année à toutes les distributions du Festival : Eva (1968), Kundry et Senta (1969 et 1970), Sieglinde (1970), Elisabeth et Venus (1972) ; elle sera surtout l'exceptionnelle Brünnhilde (*Tétralogie*) du centenaire, mise en scène par Chéreau et dirigée par Boulez. En 1966, elle chante à la Scala. L'année suivante, elle chante à New York la *8e Symphonie* (Mahler) sous la direction de Bernstein et avec l'American Opera Society le rôle-titre de *Médée* (Cherubini). Depuis 1972, elle appartient à la troupe du Met. Au Festival de Salzbourg, la critique la compare à Lotte Lehmann. Depuis 1970, elle est aussi invitée régulièrement par les opéras de Hambourg, Vienne, Paris, où elle triomphe dans *La Walkyrie,* Tosca et Poppée.

Jordá, Enrique

Chef d'orchestre espagnol naturalisé américain, né à San Sebastian le 24 mars 1911.

Il commence ses études dans sa ville natale, puis à l'Université de Madrid. Il vient ensuite à Paris où il travaille à la Sorbonne tout en suivant les cours de P. Le Flem, M. Dupré et F. Rühlmann. Il y fait ses débuts en 1938 à la tête de l'Orchestre Symphonique de Paris. Revenu dans son pays natal, il est à la tête de l'Orchestre Symphonique de Madrid (1940-45) avant de partir pour l'Afrique du Sud où il dirige l'Orchestre Symphonique du Cap (1948-54). Il est ensuite nommé directeur musical de l'Orchestre Symphonique de San Francisco (1954-63), succédant ainsi à Pierre Monteux. Revenu en Europe, il prend la direction de la Philharmonie d'Anvers (1970-75). Puis il est nommé à la tête du nouvel orchestre de San Sebastian, l'Orquesta de Euzkadi. On lui doit la création des *Symphonies nº 8* et *12* de Milhaud (1958 et 1962), de la *Symphonie nº 8* de Harris et de la *Fantaisie pour un gentilhomme* de Rodrigo (1955).

ÉCRITS : *El director de orquesta ante la partitura* (1969).

Jordan, Armin

Chef d'orchestre suisse, né à Lucerne en 1932.

Son père est suisse allemand, sa mère suisse romande. Il commence à étudier le piano à 12 ans puis travaille à l'Université et au Conservatoire de Fribourg, recevant une formation générale (lettres, droit et théologie) et musicale. Il suit les cours de direction d'orchestre du Conservatoire de Lausanne et travaille avec Maroussia Lemarc-Hadour à Genève. Il a déjà formé un petit orchestre à Fribourg en 1949. Engagé comme répétiteur au Théâtre de Bienne-Soleure, il y reste six ans avant d'être nommé à l'Opéra de Zürich. Après cinq ans, il occupe des fonctions analogues à Saint-Gall (pendant deux ans) puis est nommé chef permanent (1969) et directeur musical (1973) de l'Opéra de Bâle. En 1973, il prend la direction de l'Orchestre de Chambre de Lausanne. Sous sa baguette, cette formation est entièrement rénovée et devient l'un des orchestres suisses les plus demandés. Il réalise de nombreux enregistrements, notamment *Pelléas et Mélisande* (à Monte-Carlo) qui sera suivi, en 1983, d'*Ariane et Barbe-Bleue* (Dukas). Il a dirigé la bande sonore du film de Hans-Jürgen Syberberg, *Parsifal* (1981), dans lequel il tient le rôle d'Amfortas. En 1985, il quitte Lausanne pour prendre la direction de l'Orchestre de la Suisse Romande.

Jouatte, Georges

Ténor français, né à Monaco le 17 juin 1892, mort à Paris le 13 février 1969.

Dès la fin de la Première Guerre mondiale, il est d'abord danseur au Casino de Paris. Comme baryton, il participe à des concerts, puis en 1932 tient la vedette dans plusieurs opérettes au Théâtre Mogador. Paul Cabanel et Louis Fourestier lui ayant fait prendre conscience qu'il n'est pas baryton mais ténor, il reprend ses études de chant et, dans ce nouvel emploi, fait ses débuts à l'Opéra de Paris en 1935 dans *La Damnation de Faust.* Débuts convaincants qui lui valent d'être affiché cette même année dans *Faust, La Flûte enchantée* et *Castor et Pollux,* ajoutant à son répertoire en 1936 le Chanteur Italien du *Chevalier à la rose* et Admète de l'*Alceste* de Gluck, en 1937 Florestan de *Fidelio* qu'il chantera 75 fois au long de sa carrière, en 1938 Ottavio, Enée de *La Prise de Troie,* Lohengrin, Shahabarim de *Salammbô* et en 1941 Armel de *Gwendoline* de Chabrier. En 1937, il est Erik lors de la création du *Vaisseau fantôme* au Palais Garnier, et en 1943 Ulysse lors de la création sur cette même scène de la *Pénélope* de Fauré. A l'Opéra-Comique, il débute en 1937 dans Belmonte de l'*Enlèvement au Sérail.* Il y chantera *Ariane à Naxos* (Bacchus), *Le Couronnement de Poppée* (Néron) puis *Faust* en 1941 lorsque le Palais Garnier sera fermé pour cause de défense passive, et *Werther* auprès de sa partenaire préférée, Germaine Lubin. De ses rares incursions à l'étranger on retiendra son Alceste au Covent Garden et un inoubliable *Requiem* de Verdi au Festival de Montreux sous la direction de Bruno Walter.

Jouineau, Jacques

Chef de chœur français, né à La Rochelle le 15 septembre 1924.

Il fait ses études au Conservatoire de Paris et à l'École normale de musique où il est l'élève de Daniel Lesur pour les écritures et de Jean Fournet pour la direction. En 1953, il est lauréat du Concours des jeunes chefs d'orchestre de Besançon. Peu à peu spécialisé dans la direction chorale, il consacre la plus grande partie de ses activités à la Maîtrise de Radio-France de 1953 à 1977 qu'il produit en Europe jusqu'au Moyen-Orient. Depuis 1977, tout en restant directeur des études musicales de la Maîtrise, il a la charge de l'ensemble des formations chorales de Radio-France.

Jourdan-Morhange, Hélène

Violoniste française, né à Paris le 30 janvier 1888, morte à Paris le 15 mai 1961.

A dix ans elle entre au Conservatoire de Paris (classe de Nadaud) et obtient son 1er prix de violon en 1903. Ensuite, elle se perfectionne avec Georges Enesco et Lucien Capet. Elle fait équipe avec Juliette Meerovitch, jeune pianiste remarquable, disparue prématurément à l'âge de vingt-quatre ans. Elle pratique le quatuor à cordes avec Jacques Thibaud avant de fonder son propre quatuor. Elle débute chez Lamoureux, fréquente les salons (Murat, de Polignac, Clemenceau), rencontre Maurice Ravel qui lui dédie sa *Sonate pour violon et piano.* Elle est également la dédicataire d'œuvres de Schmitt, Paray, crée des ouvrages de Tansman, Delvincourt, Migot, Tcherepnine, Honegger, la *Sonate pour violon et violoncelle* et la *Berceuse sur le nom de Fauré* de Ravel (1922). Elle fréquente le Groupe des Six, devient l'amie de Colette. Elle se marie avec le peintre graveur Luc-Albert Moreau. A partir de 1919, elle est contrainte d'abandonner progressivement le violon à cause d'un bras handicapé. Elle écrit alors dans la presse de nombreux articles musicaux (*Le Soir, Lettres Françaises, La Revue de Paris, Guide du Concert et du disque*).

ÉCRITS : *Ravel et nous (1945), Mes Amis musiciens* (1955), *Ravel d'après Ravel,* avec Vlado Perlemuter (1955).

Journet, Marcel

Basse française, né à Grasse le 25 juillet 1868, mort à Vittel le 5 septembre 1933.

Après avoir fait des études musicales très complètes au Conservatoire de Paris, il débute à Montpellier en 1893. Mais c'est à Bruxelles en 1894 qu'il connaît son premier succès, qui lui vaut de tourner un peu partout en province. Fin 1900, il traverse l'Atlantique pour faire partie de la troupe du Metropolitan Opera de New York. Il y fera ses débuts le 22 décembre dans le rôle de Ramfis. Il y restera jusqu'en 1908, y chantera 43 rôles, participant à 383 représentations. De retour à Paris, il est accueilli triomphalement à l'Opéra, où il débute en 1908 dans le Roi de *Lohengrin.* Il restera attaché à la grande maison pendant vingt ans, y chantant 38 rôles, dont les créations locales de Fafner, Klingsor, Dosiféi, le Sultan de *Marouf,* Cornelius de *Roma* de Massenet, et les créations mondiales de *La Tour de Feu* de Lazzari (don Jacintho) et de *La Tentation de saint Antoine* de Brunel (Antoine). Parallèlement, il mènera une prestigieuse carrière internationale, s'imposant pendant dix saisons au Covent Garden, à l'Opéra de Chicago comme à celui de Monte-Carlo. En 1924, Toscanini le choisit pour incarner Simon Mago lors de la première du *Nerone* de Boïto, à la Scala. Durant l'ère toscaninienne de la Scala, il chantera sur cette scène Hans Sachs, le Père de *Louise,* Golaud, Mefistofele et Escamillo. Durant une carrière qui a duré quarante ans, Marcel Journet a chanté 8 rôles wagnériens, 27 rôles du répertoire italien et 65 du répertoire français. Sa voix était très longue, puissante et belle, sa diction mordante et son jeu celui d'un acteur particulièrement doué et intelligent. Parmi ses nombreux disques figure en première place l'enregistrement intégral de Faust, où, aux côtés de Mireille Berthon et de César Vezzani, il incarne un Méphisto vraiment inimitable. Il a été le troisième mari de Mary Marquet.

Joy, Geneviève

Pianiste française, née à Bernaville le 4 octobre 1919.

Elle entre au Conservatoire de Paris à l'âge de douze ans et y travaille le piano avec J. Roy, J. Chapart, Y. Nat, L. Descaves, l'harmonie avec J. Gallon, le contre-point, la fugue avec N. Gallon, la musique de chambre avec P. Pasquier, l'accompagnement avec Estyle. A vingt-deux ans, elle reçoit un 1er prix de piano, puis des 1ers prix d'harmonie et d'accompagnement. Jusqu'en 1948, elle est attachée au Comité de lecture de la Radiodiffusion française. En 1944, elle est nommée chef de chant auprès de l'Orchestre National (jusqu'en 1947) et forme un duo à deux pianos avec Jacqueline Robin. En 1946, Geneviève Joy épouse le compositeur Henri Dutilleux. En 1950, elle est nommée professeur de déchiffrage au Conservatoire de Paris et jusqu'en 1965 donne des séances de sonates pour piano et violon avec Jeanne Gautier. En 1952, elle forme le Trio de France, avec Jeanne Gautier et André Lévy. En 1962, elle est nommée professeur de musique de chambre à l'École normale de musique de Paris (jusqu'en 1966). Elle succède à J. Février au Conservatoire de Paris (professeur de musique de chambre).

Interprète de nombreux compositeurs français et étrangers, elle se consacre particulièrement à la cause de la musique du XXe siècle. Elle a joué en 1re audition les *concertos* de Rivier, Constant, Barraud, Rawsthorne, la *Sonate* de Dutilleux, ainsi que des œuvres de L. Saguer, P. Petit, etc. Pour le 25e anniversaire du duo qu'elle forme avec J. Robin (1970), 10 compositeurs ont écrit des pièces pour elle : Auric, Daniel-Lesur, Mihalovici, Louvier, Pierre-Petit, Dutilleux, Ohana, Constant, Milhaud et Jolivet.

Jumez, Jean-Pierre

Guitariste français, né à Hesdin le 9 février 1943.

Il naît dans une famille de pianistes et d'organistes. Il étudie la guitare d'abord avec Jean Lafon (1959-61) puis, au Conservatoire de Saint-Germain-en-Laye, avec José Sierra (1962-63). Il travaille ensuite le jazz avec Charlie Byrd (1966-67) et le flamenco avec Pedro Soler (1964-65). Il se perfectionne enfin à l'Académie Sainte-Cécile de Rome avec le chef d'orchestre Gianluigi Gelmetti et le musicologue Nataletti (pour les musiques folkloriques) de 1968 à 1970. Il donne son premier concert au Carnegie Recital Hall en 1972 avant d'être accueilli par les plus grandes salles du monde. Il est l'un des rares guitaristes à s'être produit à Pékin (1977). Parmi les partitions qui lui sont dédiées on peut citer la *Petite suite française* de John Duarte et les *Tableaux d'une exposition* de Eskimo Piotr Panin. A son actif, un certain nombre de créations : le *Concerto* de Castérède, *Swing nº 2* de Bondon, *2 Études de concert* de Jolivet, *Solliloque en souvenir de Manuel de Falla* de Sauguet et *Hommage à Alonso Mudarra* d'Auric. Fondateur du Festival international de guitare en Martinique, Jean-Pierre Jumez introduit dans ses récitals de nombreuses œuvres d'inspiration populaire.

Jung, Manfred

Ténor allemand, né à Oberhausen en 1948.

A la Folkwang-Musikhochschule d'Essen, il est l'élève de Hilde Wesselmann. De 1970 à 1973, il fait partie des chœurs du Festival de Bayreuth et débute à l'Opéra de Dortmund. Il est ensuite engagé à Kaiserslautern et, en 1977, à l'Opéra du Rhin (Düsseldorf/Duisbourg). En 1976, il débute à Bayreuth dans Siegfried. De 1979 à 1981, il y chante Tristan et Parsifal, rôles que lui confie également Karajan à Salzbourg. En 1980, il incarne Siegmund et Siegfried au Met.

Jürgens, Jürgen

Chef de chœur et chef d'orchestre allemand, né à Francfort le 5 octobre 1925.

Il étudie au conservatoire de sa ville natale avec Kurt Thomas, puis à Fribourg avec Konrad Lechner. En 1955, il prend la direction des Chœurs Monteverdi de Hambourg et donne avec cette formation des concerts en Europe et aux États-Unis. Son répertoire s'étend de la Renaissance à nos jours avec une prédilection pour des œuvres méconnues telles que la *Dafne* de Marco Da Gagliano ou l'*Oie du Caire* de Mozart. En 1960, il est directeur de l'Académie de musique à l'Université de Hambourg. Il a travaillé à l'édition d'œuvres de Monteverdi et de Scarlatti et a enregistré de nombreux disques, notamment l'*Orfeo* et les *Vêpres de la Vierge* de Monteverdi.

Jurinac, Sena (Srebrenka Jurinac)

Soprano yougoslave, née à Travnik le 26 octobre 1921.

Fille d'un médecin yougoslave et d'une Viennoise, elle étudie au Conservatoire de Zagreb et avec Milka Kostrencic. Elle fait ses débuts en Mimi (*La Bohème*) à l'Opéra de Zagreb. En 1944, elle est engagée par l'Opéra de Vienne où elle ne peut débuter qu'en 1945, lors de la première représentation d'opéra après la guerre, en Chérubin (*Les Noces de Figaro*) : son succès est immense. Et aussitôt elle est invitée sur toutes les scènes de tous les grands centres de musique : elle est la vedette de Salzboug, d'Edimbourg, de Glyndebourne, du Mai musical à Florence, du Festival de Hollande. Partout elle s'impose comme une bouleversante mozartienne. La Scala, le Covent Garden, le Colón lui permettent de s'imposer également dans le répertoire italien : son apparition en Madame Butterfly est inoubliable. En 1953, elle épouse le baryton Sesto Bruscantini, dont elle divorce plus tard. Lors de l'ouverture du grand Festspielhaus de Salzbourg, elle est un Octavian éblouissant. Parallèlement, elle mène une superbe carrière de concertiste. En 1957, elle incarne Eva au Festival de Bayreuth.

Son soprano lyrique lumineux et chaleureux, son superbe phrasé et son sens musical inné en font une très grande artiste que l'on apprécie autant sur scène que sur disque.

Juyol, Suzanne

Soprano française, née à Paris le 1er janvier 1920.

Après de brillantes études musicales et vocales au Conservatoire de Paris, elle fait des débuts très remarqués sur la scène de l'Opéra en 1942 dans le rôle de Margared du *Roi d'Ys.* Après avoir chanté Dame Marthe et l'une des trois dames de *La Flûte enchantée,* elle reprend des mains de Germaine Lubin le flambeau du superbe rôle de Pénélope. Puis viennent les grands rôles wagnériens : Brünnhilde dans *La Walkyrie* et dans *Siegfried* et Isolde. Rôles qu'elle ira chanter à Monte-Carlo, après y avoir triomphé dans d'explosives *Carmen* auprès de José Luccioni, dans *La Tosca, Werther, Faust, La Damnation de Faust,* et y ajoutant une mémorable Kundry. Rôles qu'elle chantera à l'Opéra de Berlin. Suzanne Juyol a aussi laissé un souvenir très vivace Salle Favart en Carmen, Charlotte, Tosca et Santuzza. Considérée comme la grande soprano dramatique française de son époque, avec sa voix large, puissante, au timbre très caractéristique, elle a été invitée sur presque toutes les grandes scènes d'Europe. A l'âge de quarante ans, alors que les portes de la gloire internationale s'ouvraient pour elle, elle décide irrévocablement d'arrêter sa carrière.

K

Kabaiwanska, Raina

Soprano bulgare, née à Bourgas le 15 décembre 1934.

Elle étudie à l'Académie de musique de Sofia où elle obtient le Prix Dimitroff. Elle remporte ses premiers succès à l'Opéra national de Sofia. On l'invite aussitôt au Bolchoï de Moscou, à l'Opéra de Leningrad, ainsi qu'à celui de Budapest. Sa réputation est telle que bientôt les opéras occidentaux l'engagent. Depuis 1962, elle se produit souvent au Covent Garden, où sa Desdémone aux côtés de Mario Del Monaco (*Otello*) bouleverse critique et public, en 1964. Elle chante cette même année à la Scala où on la redemande, et où son meilleur rôle demeure Irène (*Rienzi*). Elle chante à Paris, à Vienne et sur toutes les grandes scènes d'Italie : en 1973, elle est *Tosca* au Carlo Felice de Gênes ; la même année, elle chante à Trieste *La Gioconda* et, en 1974, *Francesca da Rimini* à Turin. Depuis 1971, elle est liée par un contrat d'artiste invitée permanent à l'Opéra de Hambourg. En 1979, elle participe au Festival d'Aix-en-Provence et, en 1981, au Festival de Salzbourg où elle est Dame Alice Ford (*Falstaff*) dans la production de Karajan. Sa présence, son allure, sa voix exubérante doublée d'une étonnante intensité dramatique en font un des grands talents d'aujourd'hui.

Kabasta, Oswald

Chef d'orchestre autrichien, né à Mistelbach le 29 décembre 1896, mort à Kufstein le 6 février 1946.

Après des études musicales à l'Académie de Vienne et à Klosterneuburg, il débute comme chef de chœur à Florisdorf. Simultanément, il est professeur de chant à Vienne. En 1924, il est nommé directeur de la musique au Théâtre de Baden, près de Vienne. De 1926 à 1931, il est chef d'orchestre à Graz et invité régulier de la Société des Amis de la Musique de Vienne (Wiener Singverein). Il est ensuite directeur musical des Wiener Singverein à partir de 1935. Puis il prend la direction de la Philharmonie de Munich (1938-45). Il manifeste de vives sympathies pour le régime hitlérien et est interdit de direction en 1945. Une situation désespérée le conduit au suicide peu après que Franz Schmidt lui eut dédié sa *4e Symphonie.*

Kagan, Oleg

Violoniste soviétique, né à Ioujna Sakhalinsk le 22 novembre 1946.

Il fait ses études musicales au Conservatoire Latvian de Riga à partir de 1953, notamment avec Joachim Braun. En 1959, il entre à l'École Centrale de Moscou où il travaille avec Kouznetsov et David Oïstrakh dont il est l'un des disciples préférés. Il obtient le 4ᵉ prix au Concours Enesco de Bucarest (1964). En 1965, il entre au Conservatoire de Moscou et remporte le 1ᵉʳ prix au Concours Sibelius à Helsinki. Et les succès continuent : 2ᵉ prix au Concours Tchaïkovski de Moscou (1966), 1ᵉʳ prix au Concours Bach de Leipzig (1968). Il est marié avec la violoncelliste Natalia Gutmann et donne de fréquentes séances de sonates avec Richter. Schnittke lui a dédié son *3ᵉ Concerto pour violon* (1979). Avec sa femme, ils ont créé son *Double concerto* pour violon et violoncelle (1982).

Kahn, Claude

Pianiste français, né à Paris le 9 novembre 1939.

Sa mère, bonne musicienne, décèle très tôt les possibilités musicales de son fils. Marguerite Long, Nadia Boulanger, Yves Nat et Rose Lejour assurent sa formation. Lauréat des Concours internationaux de Genève, Naples et Budapest, il commence sa carrière internationale. Il fonde, en 1980, le Concours international de piano Claude Kahn. Il est directeur du Conservatoire d'Antibes qu'il crée en 1980.

Kajanus, Robert

Chef d'orchestre et compositeur finlandais, né à Helsinki le 2 décembre 1856, mort à Helsinki le 6 juillet 1933.

Élève de Faltin, Leander et Niemann à Helsinki, il se perfectionne à Leipzig (1877-79) auprès de Reinecke et Hans Richter, à Paris avec Svendsen, à Dresde, Leipzig à nouveau (1880-82). En 1882, il fonde la Société orchestrale d'Helsinki et, parallèlement, en 1885, une école d'orchestre. Dès lors, il dirige sa formation en tournées européennes notamment à Paris dans le cadre de l'Exposition Universelle de 1900. Le compositeur s'efface devant le chef d'orchestre qui défend particulièrement les compositeurs finlandais contemporains et surtout Sibelius auquel il commande des œuvres *(En Sagá).* C'est à Kajanus que Sibelius fera appel pour l'enregistrement de ses œuvres par la firme Columbia dans les années trente.

Kalichstein, Joseph

Pianiste israélien, né à Tel Aviv le 15 janvier 1946.

Il fait ses études musicales à la Juilliard School de New York avec Ilona Kabos et E. Steuermann (1962-69) avant de se perfectionner avec Vladimir Ashkenazy. Il donne son premier concert à New York en 1967. En 1969, il remporte le 1ᵉʳ prix du Concours Leventritt et le Prix du mémorial Edward Steuermann. Sa carrière se développe alors en Europe. Il réalise plusieurs enregistrements sans quitter le répertoire traditionnel.

Kaltenbach, Jérôme

Chef d'orchestre français, né à Paris le 2 mars 1946.

Il travaille au Conservatoire de Paris avec Georges Hugon (harmonie), Claude Ballif et Jacques Castérède (analyse musicale), ainsi qu'au Conservatoire de Rouen avec Jean-Sébastien Béreau (direction d'orchestre). En 1972, il se perfectionne à l'Académie Chigiana de Sienne et, pendant un an, à l'Académie Sainte-Cécile de Rome avec Franco Ferrara. Puis il étudie, en 1974, en R.D.A. avec A. Jansens. De 1973 à 1976, il est l'élève de Manuel Rosenthal et Jean Martinon au Conservatoire de Paris. Lauréat du Concours international de Besançon (1973 et 1974), il obtient un 1ᵉʳ prix au Conservatoire de Paris et le 2ᵉ prix au Concours international Min-On de Tokyo (1975). Pendant deux ans, il est chef stagiaire à l'Opéra-Studio de Paris (1974-75) puis assistant de Jean Fournet à l'Orchestre de l'Ile-de-France (1975-76). Il dirige depuis 1978 l'Orchestre Ad Artem de Metz. En 1979, il est nommé directeur de l'Orchestre Symphonique et Lyrique de Nancy et directeur de la musique au Grand Théâtre de Nancy. En 1982, il est chargé par le Ministre de la Culture d'organiser l'Orchestre français des jeunes.

Kamu, Okko

Chef d'orchestre et violoniste finlandais, né à Helsinki le 7 mars 1946.

Fils d'un contrebassiste de l'Orchestre Philharmonique d'Helsinki, il entre à l'Académie Sibelius et y travaille le violon avec Onni Suhonen (1952-67). Il devient à son tour membre de l'Orchestre des jeunes d'Helsinki et, à 18 ans, le 1er violon du Quatuor Suhonen. En 1965, il est chef d'attaque des seconds violons de l'Orchestre Philharmonique d'Helsinki. L'année suivante, il est 1er violon (jusqu'en 1968) puis 3e chef à l'Opéra National Finlandais (1968-69). Autodidacte de la direction, il remporte le Concours Karajan en 1969 ce qui lui vaut de nombreux engagements en Europe et aux États-Unis ainsi qu'en Israël et au Japon. De 1971 à 1977, il est 1er chef de l'Orchestre Symphonique de la Radio Finlandaise, puis de 1976 à 1979, directeur artistique de l'Orchestre Philharmonique d'Oslo. En 1981, il prend la direction de la Philharmonie d'Helsinki.

Kang, Dong-Suk

Violoniste coréen, né à Séoul le 28 avril 1954.

Élève de Galamian à la Juilliard School de New York (1967), il suit également les cours du Curtis Institute de Philadelphie et les classes d'interprétation de Z. Francescatti et de L. Kogan. Il remporte, en 1971, un concours à San Francisco et un autre à Washington qui lui permettent de faire ses débuts au Kennedy Center. Lauréat d'autres grands concours internationaux (Montréal, Carl Flesch de Londres, Reine Élisabeth de Belgique), où il est remarqué par Menuhin, Serkin, il se produit aux États-Unis, au Canada et en Europe, faisant ses débuts parisiens en 1978. Depuis 1974, il joue également en duo avec Gordon Back.

Kantorow, Jean-Jacques

Violoniste français, né à Cannes le 3 octobre 1945.

Il fait ses études au Conservatoire de Nice, avant de venir à Paris où il remporte des 1ers prix de violon et de musique de chambre au Conservatoire (1960 et 1963). C'est en 1964 que l'on découvre ce jeune musicien, alors lauréat du Prix Paganini au Concours international de Gênes, mais il a déjà été remarqué à Londres en 1962 (médaille d'or au Concours Carl Flesch). Prix Reine Élisabeth de Belgique, Prix Sibelius à Helsinki, Prix à Montréal et en 1965 Prix à Genève, J.-J. Kantorow donne alors des concerts dans le monde entier. Violon solo à l'Orchestre de Paris, il consacre aussi du temps à l'enseignement (à Strasbourg). Son répertoire va de Bach à E. Brown. A ses qualités de brillance s'ajoutent l'équilibre et l'élégance. Il est actuellement violon solo de l'Orchestre de Chambre Néerlandais.

Kapell, William

Pianiste américain, né à New York le 20 septembre 1922, mort dans un accident d'avion près de San Francisco le 29 octobre 1953.

D'ascendance russo-polonaise, il travaille au Conservatoire de Philadelphie et à la Juilliard School de New York avec Olga Samaroff. En 1941, il remporte le Concours de l'Orchestre de Philadelphie et obtient la Naumburg Award qui lui permet de faire ses débuts à New York la même année. C'est le début d'une carrière qui devient vite internationale. Doté d'un répertoire très vaste, il aborde la musique du XXe siècle et se fait notamment le champion du *Concerto pour piano* de Khatchatorian et du *1er Concerto* de Chostakovitch. Il enregistre avec Heifetz la *3e Sonate pour violon et piano* de Brahms, prélude à ce qui aurait dû être une longue collaboration. Tous voyaient en lui l'un des plus grands pianistes du nouveau monde. Copland lui a dédié sa *Fantaisie pour piano.*

Karajan, Herbert von (Heribert Ritter von Karajan)

Chef d'orchestre autrichien, né à Salzbourg le 5 avril 1908.

Il commence dès 1912 l'étude du piano puis travaille au Mozarteum tout en fréquentant le lycée de Salzbourg. Bernhard Paumgartner le dirige vers l'Académie de musique de Vienne où il est l'élève de Franz Schalk et Alexandre Wunderer. Il revient à Salzbourg en 1927 pour y faire ses débuts dans *Fidelio.* De 1928 à 1934, il est chef de chant puis chef d'orchestre à Ulm. En 1929, il dirige son premier concert au Mozarteum. Il est nommé chef d'orchestre (1934) puis directeur général de la musique à Aix-la-Chapelle (1935-41) : il est alors le plus jeune directeur général de la musique d'Allemagne. En 1937, il effectue ses débuts à l'Opéra de Vienne, l'année suivante à l'Opéra de Berlin où il est 1er chef d'orchestre de 1939 à 1945. Il enregistre ses premiers disques à la fin des années trente et, pendant l'occupation allemande, il dirige fréquemment à l'Opéra de Paris. En 1946, il effectue ses débuts avec l'Orchestre Philharmonique de Vienne, prélude à une longue collaboration, mais est aussitôt interdit de direction jusqu'à la fin de l'année suivante en raison de son adhésion au parti national-socialiste. En 1948, ce sont ses débuts au Festival de Salzbourg dans *Les Noces de Figaro.* L'année suivante, il dirige la saison allemande à la Scala où il reviendra souvent au cours des années cinquante. En 1950, il est directeur artistique du Festival de Lucerne et est nommé directeur à vie des Wiener Singverein (Société des Amis de la Musique de Vienne). Walter Legge l'attire alors à Londres pour qu'il dirige le Philharmonia Orchestra qu'il vient de fonder : Karajan réalise à cette époque toute une série d'enregistrements qui marquent les débuts du microsillon. En 1951, il est invité à Bayreuth pour la réouverture du Festival. A la mort de Furtwängler, il est nommé directeur musical à vie de l'Orchestre Philharmonique de Berlin (1955). L'année suivante, il est directeur artistique du Festival de Salzbourg (1956-60), puis il remplace Karl Böhm dans les mêmes fonctions à l'Opéra de Vienne (1957-65). Ne pouvant obtenir les conditions de travail qu'il souhaite, il quitte la capitale autrichienne et rejoint le directoire du Festival de Salzbourg en 1965. C'est l'année de sa première production d'opéra cinématographique : *La Bohème,* mise en scène par Zeffirelli. Pour la circonstance, il a fondé sa propre société de production cinématographique, la Cosmotel. En 1967, ce sont les débuts du Festival de Pâques à Salzbourg où il met en scène et dirige lui-même chaque année un ouvrage lyrique, en commençant par la *Tétralogie.* En 1968, la Fondation Herbert von Karajan voit le jour : à côté de la recherche médicale, elle organise deux concours internationaux, l'un destiné aux jeunes chefs d'orchestre, l'autre aux orchestres d'amateurs. De 1969 à 1971, Karajan est conseiller musical de l'Orchestre de Paris. Comme à Vienne, il renonce à ce poste devant l'impossibilité d'obtenir les conditions de travail souhaitées. Il renouera avec l'Opéra de Vienne en 1977. Fasciné par les possibilités de la vidéo, il travaille avec la société munichoise Unitel avant de fonder, en 1982, sa propre firme, Télémondial, à Monte-Carlo. Une décalcification bloquant partiellement la moelle épinière et l'empêchant de marcher (paralysie presque complète d'une jambe) ralentit ses activités pendant six ans. En 1983, il subit une intervention chirurgicale qui lui permet à nouveau de marcher et de se tenir debout normalement.

Aimé ou détesté, Karajan est incontestablement la figure marquante de la direction d'orchestre au XXe siècle. Sa parfaite connaissance de l'orchestre et des possibilités des instrumentistes, son exigence et sa ténacité lui ont permis de hisser l'Orchestre Philharmonique de Berlin à un niveau qu'aucun orchestre n'avait atteint auparavant. L'évolution qu'il a lui-même subie est étonnante : il suffit d'écouter les œuvres qu'il a enregistrées plusieurs fois au cours de sa carrière (*Symphonies* de Beethoven ou de Brahms). Le musicien se remet perpétuellement en question à la lumière d'une science de l'orchestre sans cesse plus perfectionnée.

Karajan aime à découvrir lui-même les solistes qu'il accompagne : ce sont généralement de jeunes talents auxquels il ouvre les portes d'une grande carrière (Eschenbach, Janowitz, Mutter, Behrens, Duchâble...). La musique contemporaine l'attire peu. Parmi les œuvres qu'il a dirigées en création, on peut retenir le *Concerto pour orchestre* de von Einem (1944), la *Missa da Requiem* de Sutermeister (1953), *Le Triomphe d'Aphrodite* (1953) et *De Temporum finae comoedia* (1973) de Orff, et *Antifone* de Henze (1962).

Károlyi, Julien von (Gyula)

Pianiste hongrois naturalisé allemand (1956), né à Losonc le 31 janvier 1914.

Il commence ses études à Budapest à partir de 1926. Puis il travaille avec Joseph Pembauch (Munich), Max Pauer (Leipzig) et Alfred Cortot (Paris). Il retourne à Budapest pour se perfectionner avec Ernst von Dohnányi (1932-34). C'est à Berlin et à Vienne qu'il obtient ses diplômes. Depuis l'âge de douze ans, il joue Chopin en public. Il donnera plusieurs fois en concert l'œuvre intégral de son compositeur favori. Sa carrière internationale (d'abord européenne, puis depuis 1951 en Amérique du Nord, enfin se développant récemment surtout en Amérique du Sud) s'appuie essentiellement sur les grands compositeurs romantiques du répertoire. Depuis 1972, il est professeur à la Hochschule de Würzburg.

Kars, Jean Rodolphe

Pianiste autrichien, né à Calcutta le 15 mars 1947.

De 1958 à 1964, il est élève du Conservatoire de Paris, de Julius Katchen et de Jeanne Manchon. En 1966, il est finaliste du Concours de Leeds et donne un concert triomphal à Londres, l'année suivante. En 1968, il remporte le Concours international Olivier Messiaen à Royan. Pianiste extrêmement raffiné, il possède l'art de rendre parfaitement les plus infimes nuances du dernier Liszt, de la musique de Debussy ou de Messiaen.

Kasprzyk, Jacek

Chef d'orchestre polonais, né à Varsovie en 1952.

A Varsovie, il étudie la théorie, la composition, la direction d'orchestre et la psychologie, obtenant ses diplômes en 1975. La même année, il fait ses débuts à l'Opéra de Varsovie et, un an plus tard à celui de Düsseldorf. En 1977, il est nommé 1er chef de l'Orchestre Symphonique de la Radio Polonaise et, en 1980, directeur musical. Lauréat du Concours Karajan en 1978, il dirige les plus grands orchestres européens. En 1982, il se fixe à Londres. Invité par la plupart des orchestres britanniques, il prend la direction du Wren Orchestra.

Kästner, Hannes

Organiste et claveciniste allemand (R.D.A.), né à Markkleeberg le 27 octobre 1929.

De 1948 à 1951, il étudie à la Hochschule de Leipzig après avoir été élève à la fameuse Thomasschule. Il travaille notamment avec Günther Ramin. En 1951, il est nommé organiste titulaire de Saint-Thomas de Leipzig, là même où officiait J.-S. Bach. Il commence à enseigner à partir de 1960 à la Hochschule de cette même ville (orgue et clavecin) et mène simultanément une carrière de concertiste internationale.

Katchen, Julius

Pianiste américain, né à Long Branch le 15 août 1926, mort à Paris le 29 avril 1969.

Il travaille à New York avec David Saperton et débute, en 1937, avec l'Orchestre de Philadelphie. Il termine ses études universitaires à Haverford College en 1945. En 1946, il se fixe à Paris et mène une brillante carrière de soliste internationale et de musicien de chambre. Casals l'invite à plusieurs reprises au Festival de Prades. Il joue avec Pierre Monteux. Il est le premier à réaliser l'enregistrement intégral de l'œuvre pour piano de Brahms (1963) qui reste encore aujourd'hui une référence. Il donne également de multiples séances de sonates avec Joseph Suk jusqu'en 1968. La maladie interrompt brutalement et prématurément une carrière qui n'avait pas encore atteint son apogée.

Katims, Milton

Chef d'orchestre et altiste américain, né à New York le 24 juin 1909.

Il étudie avec Herbert Dittler à l'Université Columbia, d'abord le violon, puis l'alto et la direction avec Léon Barzin (1933-35). De 1935 à 1943, il est altiste et chef assistant à la W.O.R. Radio. Il se produit ensuite avec le N.B.C. Symphony Orchestra (dont il devient alto solo en 1943) comme assistant de Toscanini. A la même époque, il donne des cours à la Juilliard School (1946-54) et est membre du New York Piano Quartet. Pablo Casals l'invite à Prades. De 1954 à 1974, il est à la tête de l'Orchestre Symphonique de Seattle. De 1960 à 1967, il est membre du plan musical de l'U.S. Information Service. En 1961, il est membre de la Commission des Arts de Washington. En 1976, il est nommé directeur artistique de l'École de musique à l'Université de Houston. En tant que chef d'orchestre, il a créé *Visions of Poets* (1962) et *Spectrum* (1964) de Benjamin Lees, le *Concerto nº 2* pour piano de Leon Kirchner (1964), *Graffiti* de Roger Reynolds (1966).

Katsaris, Cyprien

Pianiste français, né à Marseille le 5 mai 1951.

Il commence, à quatre ans, ses études musicales au Cameroun. Il entre, en 1964, au Conservatoire de Paris où il travaille avec Aline Van Barentzen et Monique de La Bruchollerie avant d'obtenir, en 1969, un 1er prix de piano. Il remporte, en 1974, un 1er grand prix au Concours international Cziffra. Il crée, en 1976, avec Noëlla Pontois, première danseuse étoile de l'Opéra de Paris, un duo « piano-danse ». Lauréat de la Tribune internationale des jeunes interprètes (1977), il réalise des concerts avec Leonard Bernstein et Antal Dorati. En septembre 1978, il est nommé directeur musical du Festival international d'Echternach (Luxembourg).

Kazandjiev, Vassil

Chef d'orchestre et compositeur bulgare, né à Roussé le 10 septembre 1934.

Après avoir travaillé le piano, il étudie la théorie et la composition avec Constantin Iliev de 1948 à 1952, puis au Conservatoire d'État de Sofia la composition avec Pantcho Vladigerov et la direction avec Vladi Simeonov jusqu'en 1957. A partir de ce moment, il est nommé chef d'orchestre à l'Opéra National de Sofia. En 1963, il devient à son tour professeur de composition au Conservatoire de Sofia et chef de l'Orchestre de Chambre de Sofia, ensemble qu'il va diriger dans l'Europe entière, au Japon... jusqu'en 1979. Pour cet ensemble, il écrira, en 1970, ses *Tableaux de Bulgarie*. Il remporte en 1972 le Prix Dimitrov. En 1980, il est nommé chef d'orchestre à la Radio de Sofia.

Kegel, Herbert

Chef d'orchestre allemand (R.D.A.), né à Dresde le 29 juillet 1920.

Au Conservatoire de sa ville natale, il est l'élève de Blacher, Diner, K. H. Schönberg, Stier, Grosse et Böhm (1935-40). Après la guerre, il débute comme chef permanent au Volkstheater de Rostock (1946-49). Puis, pendant près de trente ans, sa carrière se déroule à la Radio de Leipzig où il est successivement 1er chef de chœur (1949), chef permanent (1953), et 1er chef (1960) de l'Orchestre Symphonique. De 1975 à 1978, il est professeur à la Musikhochschule de Leipzig et, en 1977, il prend la direction de l'Orchestre Philharmonique de Dresde. Son répertoire est très largement tourné vers la musique contemporaine et il a dirigé de nombreuses créations mondiales de compositeurs est-allemands (Eisler, Wagner-Régeny, Geissler, Schenker, Dessau...).

Kehr, Günter

Chef d'orchestre et violoniste allemand, né à Darmstadt le 16 mars 1920.

A Francfort, il travaille avec A. Moodie, à Cologne avec Zitzmann tout en poursuivant des études générales à l'Université de Berlin et à celle de Cologne. En 1949, il forme un trio à cordes avec G. Schmid et H. Münch Holland. Il se tourne ensuite vers la direction d'orchestre et fonde, en 1955, l'Orchestre de Chambre de Mayence. Il dirige la Hochschule de cette ville de 1953 à 1961 et est nommé professeur de musique de chambre à celle de Cologne en 1961.

Keilberth, Joseph

Chef d'orchestre allemand, né à Karlsruhe le 19 avril 1908, mort à Munich le 20 juillet 1968.

Il fait ses études musicales dans sa ville natale puis est nommé répétiteur à l'Opéra où, après avoir gravi les échelons, il devient directeur général de la musique (1935-40). Il est ensuite 1er chef à l'Opéra Allemand de Prague (1940-45) puis directeur général de la musique à l'Opéra de Dresde (1945-51). Il fonde l'Orchestre Symphonique de Bamberg avec les musiciens de l'ancien Opéra allemand de Prague et en assure la direction de 1950 à 1968. A la même époque, il est 1er chef (1951-59) puis directeur général de la musique (1959-68) à l'Opéra de Munich. De 1952 à 1956, il dirige régulièrement à Bayreuth et s'impose comme l'un des grands chefs lyriques allemands. Dans ses programmes, il accorde une place importante à des musiciens comme Pfitzner ou Reger. Il meurt en dirigeant une représentation de *Tristan et Isolde*.

ÉCRITS : *Begegnungen mit H. Pfitzner und seinem Werk* (1966).

Kelemen, Zoltán

Baryton-basse hongrois, né à Budapest le 2 mars 1926, mort à Zürich le 9 mai 1979.

Il étudie à l'Académie Franz Liszt puis se rend à Rome à l'Académie Sainte-Cécile auprès de Maria Teresa Pediconi. Après ses débuts à Augsburg en 1959 (Kecal de *La Fiancée vendue*) et un passage à l'Opéra de Wuppertal, il devient en 1961 membre de l'Opéra de Cologne. 1962 voit son premier engagement à Bayreuth dont il deviendra, à partir de 1964, l'un des grands Alberichs, rôle qui lui assure une célébrité mondiale de Salzbourg (où il débute en 1966 en Rangoni de *Boris Godounov*) au Metropolitan Opera de New York ou au Covent Garden de Londres. Son répertoire va d'Osmin à Klingsor, de Leporello aux deux Falstaff (Nicolaï et Verdi), du Grand Inquisiteur à Gianni Schicchi. Il n'apparaît qu'une seule fois à l'Opéra de Paris en 1973 (Bartholo dans *Les Noces de Figaro*).

Kempe, Rudolf

Chef d'orchestre allemand, né à Niederpoyritz (Dresde) le 14 juin 1910, mort à Zürich le 11 mai 1976.

A Dresde, il étudie avec Fritz Busch (1924-28), Johannes König, Karl Schütte, Theodore Blumer et Kurt Striegel. En 1928, il est engagé comme hautboïste à Dortmund. Un an plus tard, il est hautbois solo au Gewandhaus de Leipzig (1929-36). A l'Opéra de Leipzig, il est chef de chant puis chef assistant (1935-42). Il est alors nommé 1er chef à l'Opéra de Chemnitz dont il deviendra directeur général de la musique en 1946. Il passe deux ans à Weimar (1948-49) avant de retrouver Dresde, comme chef d'orchestre (1949) puis comme directeur général de la musique (1950-52) à la Staatskapelle où il remplace Keilberth. De 1952 à 1954, il est directeur général de la musique à Munich et, de 1954 à 1956, il dirige au Metropolitan Opera de New York. Il mène alors une carrière de chef invité. De 1960 à 1967, il dirige régulièrement à Bayreuth. A la mort de Sir Thomas Beecham, dont il avait été l'assistant pendant quelques mois, il prend la direction du Royal Philharmonic Orchestra de Londres (1961-75) : il sera nommé chef à vie mais renoncera à ce poste un an avant sa mort pour prendre la direction du B.B.C. Symphony Orchestra. De 1965 à 1972, il est directeur artistique de l'Orchestre de la Tonhalle de Zürich et, de 1967 à 1976, chef permanent de l'Orchestre Philharmonique de Munich.

Rudolf Kempe comptait parmi les figures les plus importantes de sa génération. Mal connu en France, il était considéré en Angleterre et en Allemagne comme l'un des « grands » de la direction d'orchestre. L'intégrale des poèmes symphoniques de Strauss qu'il enregistra à Dresde à la fin de sa vie est l'un des témoignages les plus précieux de son talent.

Kempen, Paul Van

Voir à **Van Kempen, Paul.**

Kempff, Wilhelm

Pianiste et compositeur allemand, né à Jüteborg le 25 novembre 1895.

Il commence très tôt l'étude du piano avec son père, le compositeur Wilhelm Kempff. Dès l'âge de neuf ans, il est l'élève de K. H. Barth à la Hochschule de Berlin. Il travaille également avec Ida Schmidt-Schlesicke et suivra les cours de composition de Robert Kahn. Parallèlement, il étudie la philosophie et l'histoire de la musique à l'Université. Il donne ses premiers concerts en 1916 et est engagé, comme organiste, pour accompagner, lors d'une tournée, le Chœur de la cathédrale de Berlin. Pendant quelque temps, il partage son activité entre le piano, l'orgue et le professorat. De 1924 à 1929, il est directeur de la Hochschule für Musik de Stuttgart où il enseigne aussi le piano. Puis il donnera des cours d'été à Marmorpalais, à Postdam, de 1931 à 1941. Plus tard, il créera un cours d'interprétation autour de l'œuvre de Beethoven en Italie, à Positano, où viendront travailler avec lui E. Heidsieck, S. Mercier, V. Yankoff, I. Biret...Très vite, il s'impose comme l'un des grands interprètes du romantisme allemand, notamment de Beethoven dont il joue les *32 Sonates* et les *5 Concertos* dans toutes les grandes capitales. La musique de chambre l'attire tout autant : il joue avec Kulenkampff et accompagne Lotte Lehmann ou Germaine Lubin. Plus tard, ses partenaires seront Schneiderhan, Fournier, Szeryng, Ferras, Rostropovitch ou Menuhin avec lequel il s'associe pour le bicentenaire de la naissance de Beethoven (1970).

Ce musicien-né est avant tout un poète. Sa démarche musicale vise essentiellement à faire vivre la musique à l'instant présent même si l'interprétation n'est pas exacte au sens musicologique. Son message repose sur l'instinct, un toucher de velours (il choisit ses pianos avec le plus grand soin et refuse des claviers trop durs !) et le contact avec « son » public. Aussi le disque est-il une épreuve pour lui. Pourtant, sa carrière est jalonnée d'étapes majeures en la matière : deux intégrales des *32 Sonates* de Beethoven, deux intégrales des *10 Sonates pour violon et piano* (avec Schneiderhan et Menuhin), 3 intégrales des *5 Concertos*, l'intégrale des *Trios* (avec Szeryng et Fournier), l'intégrale des *5 Sonates pour violoncelle et piano* (avec Fournier), les *Sonates* de Schubert, musicien vers lequel il se tourne davantage à la fin de sa carrière, Schumann, Mozart, Brahms, Chopin, Bach... autant de documents majeurs qui ne constituent pourtant qu'un reflet partiel d'un talent étroitement lié à l'inspiration.

Comme compositeur, on lui doit un *Concerto pour piano*, un *Concerto pour violon* (créé par Kulenkampff), 2 *Symphonies* (la seconde créée par Furtwängler), 4 opéras, des pièces pour piano... Il a édité l'œuvre pour piano de Schumann et transcrit de nombreuses pièces du répertoire baroque, dont la *Siciliana* de la *3e Sonate pour flûte et clavecin* de J.-S. Bach, popularisée par l'enregistrement qu'en fit Dinu Lipatti.

ÉCRITS : *Cette note grave*, autobiographie (1951).

Kentner, Louis

Pianiste hongrois naturalisé anglais (1946), né à Karwin (Silésie) le 19 juillet 1905.

A l'Académie royale de musique de Budapest, il travaille le piano avec Arnold Székely et Leo Weiner, la composition avec Hans Koessler et Zoltán Kodály (1911-22). Il est lauréat du Concours Chopin de Varsovie et remporte le Prix Liszt à Budapest. En 1918, il donne ses premiers concerts mais sa carrière ne débute effectivement qu'en 1920 lorsqu'il joue dans plusieurs pays d'Europe. En 1933, il donne la première audition en Hongrie du *Deuxième Concerto* de Bartók. Deux ans plus tard, il se fixe en Angleterre. Au cours des années quarante, il joue à Londres l'intégrale des *Sonates* de Beethoven et de Schubert, du *Clavier bien tempéré* de J.-S. Bach et des *Années de pèlerinage* de Liszt. Walton lui dédie, ainsi qu'à Yehudi Menuhin dont il est le beau-frère, sa *Sonate* pour violon et piano (1949). Trois ans plus tôt, il avait joué pour la première fois en Europe le *Concerto n° 3* de Bartók, à Londres, avec Sir Adrian Boult. Kentner a également créé la *Concerto pour piano* de Tippett. Il enseigne à l'École de musique Yehudi Menuhin depuis sa fondation.

ÉCRITS : *Piano* (1976).

Kerdoncuff, François

Pianiste français, né à Paris le 20 février 1954.

Après des études de piano avec Nadia Tagrine à la Schola Cantorum, il entre au Conservatoire dans la classe de Vlado Perlemuter. En 1969, il obtient un 1er prix de piano. Mais il continue de travailler avec Vlado Perlemuter. En 1979, il obtient le 3e prix du Concours international Marguerite Long-Jacques Thibaud, et le 4e prix du Concours de Tokyo. Son répertoire fait une large place à Beethoven et à Bach, mais aussi à Ravel. Son maître y est pour quelque chose.

Kerns, Robert

Baryton américain, né à Detroit en 1933.

Enfant, il chante comme soprano dans un chœur et enregistre déjà quelques disques. Il suit les cours de l'Université de Michigan et en sort docteur en musicologie. Après quatre ans d'armée, il reprend ses études de chant, ce qui lui permet d'être engagé au New York City Opera. De 1960 à 1963, il est membre de la troupe de l'Opéra de Zürich et commence une importante carrière internationale. En 1963, il chante *Simon Boccanegra* au Festival de Salzbourg et, pour ce même ouvrage, est engagé par l'Opéra de Vienne, comme membre de la troupe. La même année, il chante au Covent Garden et, durant l'été, au Festival d'Aix-en-Provence (Papageno de *La Flûte enchantée*). Parmi les grands rôles de son répertoire, il y a *Don Giovanni* qu'il chante entre autres à Aix-en-Provence (1966), Scarpia (*Tosca*), *Rigoletto* et l'*Orfeo* (Monteverdi). Passionné par le répertoire wagnérien, il s'y est imposé comme un des barytons les plus intelligents et dramatiquement puissants d'expression et de musicalité.

Kersenbaum, Sylvia

Pianiste argentine, née à Buenos Aires le 27 décembre 1945.

Elle étudie le piano et la composition au Conservatoire de sa ville natale où elle est l'élève d'Esperanza Lothringer (1953-56) et de Vicente Scaramuzza (1956-66). Elle avait fait ses débuts à l'âge de huit ans. En 1960, elle obtient le 1er prix de la Radio Argentine. En 1966 et 1967, elle suit les cours de l'Académie Chigiana de Sienne puis, en 1968, travaille à l'Académie Sainte-Cécile de Rome avec Guido Agosti avant de devenir l'élève de Nikita Magaloff au Conservatoire de Genève et de Hans Graf à Vienne. Elle commence alors une carrière internationale et réalise plusieurs disques, notamment en France. En 1976, elle est nommée professeur à la Western Ky University (U.S.A.).

Kertész, István

Chef d'orchestre hongrois naturalisé allemand, né à Budapest le 28 août 1929, mort à Kfar Saba (Israël) le 16 avril 1973.

A l'Académie de musique de Budapest, il travaille le piano et la composition, notamment avec Kodály et Leo Weiner. Plus tard, il sera l'élève de Somogyi pour la direction d'orchestre (1949-53) et bénéficiera des conseils de Klemperer alors en poste à Budapest. De 1953 à 1955, il est chef permanent à Györ. Puis il est nommé à l'Opéra de Budapest (1955-57).

Il quitte alors son pays natal pour se fixer en Allemagne. Il travaille à Rome, à l'Académie Santa Caecilia (1958), avec F. Previtali. Puis il est nommé chef permanent à Augsbourg (1958-63) avant de devenir directeur général de la musique à Cologne (1964-73). Sa carrière se développe sur le plan international. Il est à la tête de l'Orchestre Symphonique de Londres (1965-68) puis devient l'un des chefs préférés de la Philharmonie de Vienne et de la Philharmonie d'Israël. C'est à l'occasion d'une série de concerts avec cet orchestre qu'il trouve la mort, noyé lors d'une baignade en mer. Il venait d'être nommé à la tête de l'Orchestre Symphonique de Bamberg. Particulièrement à l'aise dans la musique des grands classiques du XXe siècle (Bartók, Kodály, Stravinski), il a réalisé de nombreux enregistrements du répertoire romantique avec la Philharmonie de Vienne, considérés comme des versions de référence, notamment l'intégrale des symphonies de Dvořák et de Brahms (il n'avait gravé que les trois premiers mouvements de la *4e Symphonie* ; les musiciens ont enregistré le finale sans chef, à sa mémoire).

Khaikin, Boris

Chef d'orchestre soviétique, né à Mintsk le 26 octobre 1904, mort à Moscou le 10 mai 1978.

Il étudie au Conservatoire de Moscou le piano avec Alexandre Gedike (1927) et la direction d'orchestre avec Nicolaï Malko et Konstantin Saradjev. Diplômé en 1928, il est engagé comme chef d'orchestre au Théâtre Stanislavski (1928-35). Puis il est nommé directeur artistique du Théâtre Maly de Leningrad (1936-43), du Théâtre Kirov (1943-54) avant de revenir à Moscou comme chef permanent au Bolchoï (1954-78). Champion de la musique lyrique soviétique, il a notamment créé *Colas Breugnon* de Kabalevski et *La Duègne* de Prokofiev ainsi que la *Symphonie n° 2* de Khatchaturian (1943). Il s'est aussi largement consacré à la pédagogie, aux conservatoires de Moscou (1925-28, 1930-36 et 1954-78) et de Leningrad (1939-40 et 1946-55), formant l'élite de la nouvelle génération des chefs soviétiques, dont Kondrachine.

Khomitzer, Mikhail

Violoncelliste soviétique, né à Kharkov le 30 juin 1935.

Il travaille dans la classe de S. Knuschevitzki au Conservatoire de Moscou jusqu'en 1958. Depuis 1957, il est soliste de la Philharmonie de Moscou et, en 1961, il commence à enseigner au Conservatoire de Moscou tout en poursuivant une carrière de soliste. Il est lauréat du Concours Wihan à Prague puis en 1962 du Concours Tchaïkovski et en 1963 du Concours Pablo Casals à Budapest.

Kiepura, Jan

Ténor polonais naturalisé américain (1946), né à Sosnowiec le 16 mai 1902, mort à Harrisson (U.S.A.) le 15 août 1966.

Il reçoit ses premières leçons du professeur de chant de son lycée, M. Powiadowski. Il poursuit sa formation à Varsovie, auprès de Leliwa et de W. Brzezinski, tout en achevant ses études de droit. Nanti en 1922 d'une licence, il commence à se produire en 1923 dans des rôles secondaires. Remplaçant au pied levé le ténor prévu, il chante Faust à Lvóv en 1924, puis à l'Opéra de Poznán et remporte un concours de chant qui le sacre roi des ténors polonais. Engagé par l'Opéra de Varsovie en 1925, il y interprète *Faust,* Turiddu de *Cavalleria rusticana*, le Duc de Mantoue de *Rigoletto*, Jontek de *Halka* (Moniuzsko). Il débute à la Staatsoper de Vienne en 1926, dans *Tosca*, aux côtés de Maria Jeritza. Il est un Calaf éblouissant dans *Turandot* dont Vienne donne la seconde audition mondiale en octobre 1926. Il entreprend en 1927 une vaste tournée européenne, chantant notamment au Covent Garden et à l'Albert Hall de Londres. C'est au Casino de Deauville qu'il fait sa première apparition en France, en août 1927, chantant *La Tosca*, avant de donner à l'Opéra de Paris en 1928 le même ouvrage, avec la troupe de la

Staatsoper, dirigée par Franz Schalk. La même année, il crée à Hambourg *Das Wunder der Heliane* de Korngold et débute à l'Opéra de Berlin dans *Rigoletto*. Il affronte enfin en 1929 le public de la Scala de Milan, toujours dans *Tosca*. Il part à la conquête des Amériques (Colón de Buenos Aires en 1930, Civic Opera de Chicago en 1931). Se partageant à partir de 1931 entre une spectaculaire carrière cinématographique (principaux titres : *La Ville chantante*, 1931 ; *La Chanson d'une nuit*, 1932 ; *Mon Cœur t'appelle*, 1934, où il rencontre Martha Eggerth, qu'il épouse en 1936 ; *Valse brillante*, 1948 ; *Le Pays du Sourire*, 1952) et le théâtre, principalement au Metropolitan Opera de New York où il débute en 1938 dans Rodolphe de *La Bohème*, il chante encore à Paris en 1939 *Manon* et *Rigoletto* avant d'entreprendre des tournées de concerts pour soutenir les soldats polonais et alliés. Il fait ses débuts dans l'opérette en 1943 à l'occasion de la reprise à Broadway de *La Veuve joyeuse*, aux côtés de sa femme. Ils joueront ensemble à Paris en 1949-50 *Princesse Czardas* de Kalman. Sa popularité ne connaît plus de limites et c'est une foule immense qui suit ses funérailles à Varsovie.

Doté d'une voix éclatante aux aigus impressionnants, suffisamment ample et souple pour convenir aussi bien à l'opéra qu'à la comédie musicale, Kiepura possédait sur les foules un magnétisme qui faisait oublier toutes les outrances et les ficelles de son jeu. Peu de chanteurs ont connu au XXe siècle une gloire aussi universelle.

Killebrew, Gwendolyn

Mezzo-soprano américaine, née à Philadelphie en 1939.

Elle fait ses études à l'Université du Temple, dans sa ville natale, puis à New York, à la Juilliard School. Rapidement, elle paraît au Met, au New York City Opera, puis à la Fenice, au Festival de Salzbourg, et à l'Opéra du Rhin de Düsseldorf où elle chante régulièrement. Spécialiste des rôles de sorcière, elle incarne aussi Carmen, ou Alcina dans l'*Orlando Paladino* de Haydn.

King, James

Ténor américain, né à Dodge City (Kansas) le 22 mai 1925.

Il étudie d'abord le violon et le piano à l'Université de Kansas City, et débute comme baryton. Il complète ses études auprès de Martial Singher et Max Lorenz, remporte l'American Opera Auditions à Cincinnati, ce qui lui permet de se rendre en Europe où il débute professionnellement en 1961 au Teatro alla Pergola de Florence (Cavaradossi). Il est membre de l'Opéra de Berlin de 1962 à 1965 où il chante les rôles italiens et français, et débute en 1962 au Festival de Salzbourg (Achille dans *Iphigénie en Aulide* de Gluck). Il y chantera encore Aeghist (*Elektra*), Florestan (*Fidelio*), l'Empereur (*La Femme sans ombre*), Bacchus (*Ariadne*). En 1963, il débute à Vienne (Bacchus), et y chante régulièrement Wagner et Strauss. De 1965 à 1975 il chante Siegmund, Lohengrin et Parsifal à Bayreuth. Il chante au Met depuis 1966 (Florestan, Lohengrin), à l'Opéra de Paris (Kalaf, Parsifal, Manrico) et à la Scala depuis 1968.

Kipnis, Alexandre

Basse russe, naturalisé américain (1934), né à Jitomir le 13 février 1891, mort à Westport le 14 mai 1978.

Il entreprend des études musicales au Conservatoire de Varsovie avant d'aborder le chant avec Ernest Grenzebach, à Berlin. Interné comme ressortissant étranger à la déclaration de guerre, puis relâché, il débute en 1915 à Hambourg avant d'être engagé par l'Opéra de Wiesbaden, de 1916 à 1918. Après guerre, de retour à Berlin, il rentre dans la troupe de l'Opéra de Charlottenburg (future Städtische Oper), où ses interprétations des rôles wagnériens (le Roi Marke, Hagen, Gurnemanz) lui confèrent le statut de première basse pendant onze années. Il apparaît peu à peu dans les années 20 sur la scène internationale, au Civic Opera de Chicago (régulièrement de 1923 à 1932, y tenant plus de trente rôles), au Colón de Buenos Aires (de 1926 à 1936), au Festival de Bayreuth (de 1927 à 1933), au Covent Garden (il est, en 1927, Marcel des *Huguenots*), et à Paris (où il donne son premier récital à Pleyel en 1929). Il chante à la Staatsoper de Berlin à partir de 1930, mais quitte définitivement l'Allemagne en 1933 pour les États-Unis. Il fait des débuts tardifs au Met en 1940, dans le rôle de Gurnemanz. L'année suivante il y chante Sarastro (sous la direction de B. Walter), rôle qu'il a déjà brillamment défendu aux festivals de Glyndebourne (1936) et de Salzbourg (1937, dir. Toscanini). En 1943, il incarne pour la première fois *Boris Godounov*, et, jusqu'à sa retraite, va se spécialiser dans le répertoire russe (incarnant Galitzky du *Prince Igor* et Gremine d'*Eugene Oneguine*). Devenu professeur, il enseigne au Collège de Musique de New York et, à partir de 1966, à la Juilliard School. Basse à la voix d'une ampleur et d'une souplesse peu communes, il a abordé tous les répertoires de basse chantante ou de basse profonde, aussi bien en allemand, en russe, en italien ou en français, sans parler du répertoire du lied, où la voix subtilement colorée et l'élégance du phrasé faisaient merveille.

Kipnis, Igor

Claveciniste américain, né à Berlin le 27 septembre 1930.

Fils du précédent, il étudie à l'Ecole de musique de Westport (Connecticut) puis à Harvard où il obtient son diplôme en 1952. Il travaille à la radio de New York comme directeur musical et critique avant de se consacrer essentiellement au clavecin sur les conseils de Thurston Dart. Il fait ses débuts en 1959 dans une émission radiophonique et donne son premier récital public en 1962. Il se produit aux États-Unis, au Canada puis en Europe (1967-75), Amérique du Sud (1968-75), Israël (1969-76), Australie (1971). Il joue avec l'Orchestre Philharmonique de New York sous la direction de Pierre Boulez en 1975. De 1964 à 1967 il enseigne le style baroque à Tanglewood et de 1971 à 1975, il professe à l'École des Beaux Arts de l'Université de Fairfield (Connecticut) où il est artiste-résident de 1975 à 1977. Il a édité des œuvres pour clavecin et écrit de nombreux articles. On lui doit la création du *Concerto pour clavecin* de R.-R. Bennett (1980).

Kirkpatrick, Ralph

Claveciniste américain, né à Leominster le 10 juin 1911, mort à Guilford (Conn.) le 13 avril 1984.

Il étudie le piano et l'écriture à Harvard jusqu'en 1931. Il se perfectionne ensuite avec Nadia Boulanger et Wanda Landowska à Paris, avec Arnold Dolmetsch à Haslemere et Heinz Tiessen à Berlin. Ses débuts datent de 1930. Il obtient une bourse Guggenheim en 1937, ce qui lui permet de faire une grande tournée à travers l'Europe à la recherche d'instruments et de manuscrits. En 1940 il enseigne à la Yale University. Il établit un nouveau catalogue des œuvres de Domenico Scarlatti, son initiale « K » remplaçant désormais dans la numérotation des œuvres le « L » de Longo, auteur du précédent catalogue. Il consacre un livre à son musicien favori en 1953. Il est le créateur de la *Sonate pour violon et clavecin* de Milhaud (1946) et du *Double Concerto* de Carter, partition qui lui est dédiée. Stravinski compose également à son intention. Il a enregistré l'intégrale de l'œuvre pour clavecin de J. S. Bach. En sonate, il a joué fréquemment avec Alexandre Schneider et Pierre Fournier.

ÉCRITS : *Le Clavier bien tempéré* (1984).

Kirshbaum, Ralph

Violoncelliste américain, né à Denton (Texas) le 4 mars 1946.

Il prend des leçons avec son père, le violoniste et chef Joseph Kirshbaum, puis travaille le violoncelle avec Leo Aronson à Dallas où il fait des débuts en soliste avec l'orchestre de cette ville : il a treize ans. Il poursuit ses études à l'Université de Yale avec Aldo Parisot. Après deux années à Paris, il remporte en 1969 le Prix Cassadó à Florence, en 1970 le Prix Tchaïkovski à Moscou. Sa carrière est désormais internationale. Il joue sur un violoncelle de Montagnana daté de 1729 qui a appartenu à Alfredo Piatti. Il se produit en trio avec Peter Frankl et György Pauk depuis 1972. Ensemble, ils ont créé le *Triple Concerto* de Tippett (1980). Il est fixé à Londres depuis 1971.

Kitajenko, Dmitri

Chef d'orchestre soviétique, né à Leningrad le 18 août 1940.

Il fait ses études musicales aux Conservatoires de Leningrad et de Moscou. En 1970, il est nommé 1er chef au Théâtre Stanislawski-Nemirovitch de Moscou avant de succéder, en 1976, à Kyrill Kondrachine à la tête de l'Orchestre Philharmonique de Moscou.

Klecki, Paul

Voir à **Kletzki, Paul.**

Klee, Bernhard

Chef d'orchestre allemand, né en Thuringe le 19 avril 1936.

Il étudie le piano, le violon et la contrebasse. Il entre en 1948, grâce à Günther Ramin, dans le chœur de Saint-Thomas de Leipzig. Il s'inscrit au Conservatoire de Cologne où il travaille la direction avec Günter Wand et Fritz Stiedry, le piano avec Else Schmitz-Gohr et la musique de chambre avec Mauritz Franck. A l'issue de ses études, il devient corépétiteur à l'Opéra de Cologne et accompagnateur à la Westdeutsche Rundfunk. Otto Ackermann l'appelle à Berne. Mais Wolfgang Sawallisch, directeur général de l'Opéra de Cologne, le fait revenir et lui offre, pour faire ses débuts de chef d'orchestre, une représentation de *La Flûte enchantée* avec Elisabeth Grümmer, Edith Mathis, Fritz Wunderlich et Franz Crass... En 1962 il est nommé chef d'orchestre au Landestheater de Salzbourg, puis à Oberhausen (1963-65) et Hanovre (1965-66) avant de prendre la succession de Gerd Albrecht comme directeur général de la musique à Lübeck (1966-71). Il mène ensuite une carrière de chef invité en Allemagne et en Autriche. Il est à la tête de l'Orchestre Symphonique du N.D.R. de Hanovre de 1976 à 1979. En 1977, il est nommé directeur général de l'Orchestre Symphonique de Düsseldorf. Bernhard Klee vit en Suisse avec son épouse, la soprano Edith Mathis. Il a crée *Heliogabalus-Imperator* de Henze (1972), *Triptychon* de Fortner (1978), *Passacaglia* de Müller-Siemens (1979) et *Idyllen* de von Bose (1983).

Kleiber, Carlos

Chef d'orchestre allemand, né à Berlin le 3 juillet 1930.

Fils d'Erich Kleiber, il quitte l'Allemagne avec sa famille en 1935. C'est à Buenos Aires qu'il commence ses études musicales en 1950. Rentré en Europe, il étudie la chimie à Zürich, mais sa vocation musicale l'emporte. En 1952, il est répétiteur au Théâtre de la Gärtnerplatz de Munich et dirige à Potsdam en 1954. Attaché à l'Opéra de Düsseldorf (1958-64), de Zürich (1964-66), de Stuttgart (depuis 1966) et de Munich (depuis 1968), il dirige avec succès *Wozzeck, Le Chevalier à la rose, Elektra, Otello, Carmen...* De 1974 à 1976, il est invité au Festival de Bayreuth (*Tristan*) et, depuis, participe régulièrement au Festival de Vienne et au Printemps de Prague.

Ennemi de la routine, Carlos Kleiber, esprit intransigeant, ne se lie pas de façon permanente à une scène lyrique déterminée, mais il parfait ses dons : clarté, sens de l'analyse, goût de donner vie aux détails d'une partition. Sa conception de *La Bohème* à la Scala fait date.

Kleiber, Erich

Chef d'orchestre autrichien naturalisé argentin (1938), né à Vienne le 5 août 1890, mort à Zürich le 27 janvier 1956.

Père du précédent. Il fait ses études à Prague, au Conservatoire où il travaille le violon et la composition, et à l'Université où il suit des cours de philosophie et d'histoire de l'art. En 1911, il débute comme chef des chœurs au Théâtre National de Prague. Puis il est chef d'orchestre à l'Opéra de Darmstadt (1912-18), à Wuppertal (1919-21), Mannheim (1922), Düsseldorf (1923) avant d'être nommé directeur général de la musique à la Staatsoper de Berlin (1923-34). Il donne un influx nouveau à cet établissement et y effectue de nombreuses créations (*Wozzeck* de Berg, 1925, *Christophe Colomb* de Milhaud, 1930, *Der Singende Teufel* de Schreker, 1928). Farouchement opposé au régime nazi, il prend parti pour Hindemith et démissionne en 1934 après l'interdiction de représenter *Lulu* que devait terminer Alban Berg. Pour son dernier concert à Berlin, il impose néanmoins la création de la *Lulu-symphonie* (1934). Pendant quelques années, il mène une carrière de chef invité : à Amsterdam où il dirige régulièrement de 1933 à 1938, à la Scala (1935), à Moscou où il est le 1er chef de l'Orchestre symphonique d'Etat de l'U.R.S.S. (1936), puis en Amérique du Sud où il se fixe. De 1937 à 1949, il dirige les opéras allemands au Théâtre Colón de Buenos Aires. Il est aussi à la tête de l'Orchestre Philharmonique de La Havane (1944-47) et invité régulier de l'Orchestre Symphonique de la N.B.C. (1945-46). Dans tous les pays d'Amérique latine, il fait œuvre de missionnaire à la tête d'orchestres de qualité variable auxquels il révèle le répertoire et le style germaniques. Revenu en Europe à la fin des hostilités, il est invité régulier du Covent Garden (1950-53). En 1954, il est nommé 1er chef à la Deutsche Staatsoper mais démissionne un an plus tard pour protester contre l'immixtion du pouvoir politique est-allemand dans le domaine artistique.

Roussel lui a dédié sa *Rhapsodie flamande* qu'il a créée en 1936.

Klemperer, Otto

Chef d'orchestre et compositeur allemand, né à Breslau, le 14 mai 1885, mort à Zürich le 6 juillet 1973.

Il commence ses études musicales à la Hoschschule de Francfort en 1901, travaillant le piano avec James Kwast et la théorie avec Ivan Knorr. Il retrouve Kwast au Conservatoire Klindworth-Scharwenka de Berlin où il est aussi l'élève de Pfitzner pour la composition et la direction d'orchestre. Il débute en 1906 dans *Orphée aux enfers.* Sa rencontre avec Mahler, l'année précédente, a été décisive : dès 1907, il est nommé, grâce à son intervention, chef des chœurs à l'Opéra Allemand de Prague où il devient vite chef permanent, débutant avec le *Freischütz.* En 1910, toujours avec l'appui de Mahler, il est nommé 1er chef à l'Opéra de Hambourg. En 1913-14, il dirige à Barmen, puis, de 1914 à 1917, à l'Opéra de Strasbourg. Il est ensuite nommé à Cologne (1917) où il sera directeur général de la musique (1923-24). Il y crée *La Ville morte* de Korngold (1920). Il occupe les mêmes fonctions à Wiesbaden (1924-27) puis à la Kroll Oper de Berlin (1927-31) qui devient l'un des hauts lieux du théâtre lyrique en Allemagne : un nouveau style de production et l'abondance des créations attirent immédiatement l'attention sur cette scène et sur son directeur musical. Il crée *Oedipus-Rex* (Stravinski, 1928), *Nouvelles du jour* (Hindemith, 1929). Il présente pour la première fois à Berlin *Erwartung* (Schönberg), *Cardillac* (Hindemith), *La Maison des morts* (Janáček). A la fermeture de la Kroll Oper, Klemperer dirige à la Staatsoper (1931-33), avant d'émigrer aux États-Unis. Il prend la direction de l'Orchestre Philharmonique de Los Angeles (1933-39) qu'il cumule un temps avec celle de l'Orchestre Symphonique de Pittsburgh (1937-38). Pendant cette période, il étudie la composition avec Schönberg. En 1939, une opération mal réussie d'une tumeur au cerveau le laisse partiellement paralysé. Il reprend néanmoins ses activités quelques années plus tard et n'occupe aucune fonction permanente avant d'être nommé directeur musical de l'Opéra de Budapest (1947-50). En 1951, il fait une chute à l'aéroport de Montréal qui accentue son infirmité. Désormais, il ne dirigera plus qu'assis. C'est l'époque où il commence à travailler régulièrement avec le Philharmonia Orchestra dont il sera nommé chef à vie en 1955. A partir de 1961, il revient à l'opéra, dirigeant, chaque année au Covent Garden, un ouvrage qu'il met également en scène : *Fidelio* (1961), *La Flûte enchantée* (1962) et *Lohengrin* (1963).

Héritier de la tradition des grands chefs allemands du XIXe siècle, Klemperer a surtout été influencé par Mahler dont il assimila l'enseignement d'une façon très différente de Bruno Walter. Son tempérament dynamique, son ouverture artistique au cours des années vingt et trente se situent dans la droite ligne de Mahler : renouveau et création. Les années et la maladie en ont fait peu à peu un chef respectable, traditionnaliste à l'excès, se complaisant dans des tempos d'une lenteur inouïe qui contrastent singulièrement avec ceux qu'il adoptait lors de ses premiers enregistrements. De ses interprétations se dégageait une grande force dramatique le rapprochant parfois de Furtwängler. Il a beaucoup œuvré pour imposer la musique de Mahler dans le monde entier. Outre les créations qu'il a dirigées au théâtre, il a assuré la 1re audition de la *Begleitungsmusik* (1930) et de la *Suite pour cordes* (1935) de Schönberg.

Comme compositeur, on lui doit un opéra, *Das Ziel*, 6 symphonies, 9 quatuors, une *Missa sacra* et des lieder.

ÉCRITS : *Meine Erinnerunge an Gustav Mahler* (1960), *Écrits et entretiens* (1985).

Klengel, Julius

Violoncelliste allemand, né à Leipzig le 24 septembre 1859, mort à Leipzig le 27 octobre 1933.

Il voit le jour dans une famille de musiciens et étudie le violoncelle avec Emil Hegar, puis les écritures avec Jadassohn. Particulièrement précoce, il entre à l'Orchestre du Gewandhaus à l'âge de quinze ans et y devient violoncelle solo en 1881. Il conservera cette fonction jusqu'en 1924. La même année 1881, il est nommé professeur au Conservatoire de Leipzig. Il fait également partie du Quatuor du Gewandhaus et se produit dans toute l'Europe. Considéré comme le fondateur de l'école de violoncelle allemande, il a compté parmi ses élèves E. Feuermann, G. Piatigorsky, A. Wallenstein...

Comme compositeur, on lui doit 4 concertos pour violoncelle, un concerto pour violon et violoncelle, diverses pièces et transcriptions pour son instrument, ainsi que *Hymnus* pour 12 violoncelles.

Klerk, Albert de

Voir à **De Klerk, Albert.**

Kletzki, Paul (Pawel Klecki)

Chef d'orchestre polonais naturalisé suisse (1947), né à Lódź le 21 mars 1900, mort à Liverpool le 5 mars 1973.

Dans sa ville natale, il travaille le violon avec Emil Mlynarsky et fait partie de l'Orchestre Philharmonique (1914-19). Il poursuit ses études à Berlin avec Fr.E. Koch à partir de 1921. Il y fait ses débuts de chef d'orchestre en 1923 et y reste jusqu'en 1933. Il enseigne la composition à Venise, puis au Conservatoire de Milan (1935-38). Pendant une saison, il dirige l'Orchestre Philharmonique de Kharkov en U.R.S.S. (1937-38). Il se fixe en Suisse où il est professeur au Conservatoire de Lausanne (1944-45). Puis il mène une carrière de chef invité pendant une dizaine d'années. En 1954-55, il est à la tête du Royal Liverpool Philharmonic Orchestra ; de 1958 à 1961, il dirige l'Orchestre Symphonique de Dallas, de 1964 à 1966, l'Orchestre Symphonique de Berne et, de 1967 à 1970, l'Orchestre de la Suisse Romande.

Comme compositeur, on lui doit 3 symphonies, un concerto pour piano, un concerto pour violon et 4 quatuors. Tansman lui a dédié sa *5e Symphonie*. Il a créé la *11e Symphonie* de Milhaud (1960).

Klien, Walter

Pianiste autrichien, né à Graz le 27 novembre 1928.

Après ses études au Landeskonservatorium de Graz, de 1946 à 1949, il va se perfectionner à Vienne à l'Académie de musique avec Joseph Dichter. Élève d'Arturo Benedetti-Michelangeli et de Paul Hindemith (composition), il est lauréat, en

1952 du Concours Busoni, puis, en 1953, du Concours Marguerite Long. Depuis 1963, il forme un duo avec Wolfgang Schneiderhan et joue à deux pianos ou à quatre mains avec sa femme Béatrice. Il a réalisé les premiers enregistrements intégraux de l'œuvre pour piano de Brahms et de Mozart ainsi que des sonates de Schubert.

Klíma, Alois

Chef d'orchestre tchécoslovaque, né à Klatovy le 21 décembre 1905, mort à Prague le 11 juin 1980.

Il commence l'étude du violon à l'âge de quatre ans et donne ses 1ers concerts à sept ans. Puis il étudie le contrepoint avec Řídký, la composition avec Křička et la direction d'orchestre avec Doležil et Dědecěk (jusqu'en 1935). Dès sa fondation, en 1934, il fait partie de l'Orchestre FOK. Deux ans plus tard, il est à la tête de l'Orchestre Symphonique de Košice. Puis on le trouve chef d'orchestre à Brünn (1939-45) et à l'Opéra-Studio de Prague (1939-46) avant qu'il ne soit nommé chef permanent (1945) puis chef principal (1952-72) de l'Orchestre Symphonique de la Radio de Prague. Il consacre une part importante de ses activités à l'enseignement, au Conservatoire et à l'Académie des Arts Musicaux de Prague.

Klinda, Ferdinand

Organiste tchécoslovaque, né à Košice le 12 mars 1929.

Il termine ses études au Conservatoire de Bratislava en 1950. Il entre alors à l'École des études supérieures ou il travaille jusqu'en 1954 sous la direction de E. Riegler-Skalisky. A Prague, il suit des cours privés avec J. Reinberger et à Weimar avec J. E. Köhler. Il est soliste de la Philharmonie Slovaque de Bratislava depuis 1965 et maître assistant à l'École d'études supérieures de musique de Bratislava depuis 1962. Il se produit régulièrement en Tchécoslovaquie et à l'étranger en soliste ou avec orchestre.

Klobucar, Berislav

Chef d'orchestre yougoslave, né à Zagreb le 28 août 1924.

Il effectue ses études musicales à l'Académie de Zagreb puis travaille la direction d'orchestre avec Lovro von Matačić et Clemens Krauss. Il débute à l'Opéra National Croate de Zagreb (1941-51) avant de venir à Vienne où il dirige régulièrement à l'Opéra à partir de 1953. En 1961, il est nommé directeur de l'Opéra de Graz. A Bayreuth, il conduit la *Tétralogie* en 1964, *Lohengrin* et *Tannhäuser* en 1967, *Tristan* en 1968 et *Les Maîtres chanteurs* en 1968-69. En 1982, il est nommé directeur musical de l'Opéra et de l'Orchestre Philharmonique de Nice.

Klose, Margarete

Mezzo-soprano allemande, née à Berlin le 6 août 1902, morte à Berlin le 14 décembre 1968.

Au Conservatoire Klindworth-Scharwenka de Berlin, elle est l'élève de Marschalk et de Bültermann. Elle débute à Ulm en 1927 puis appartient à la troupe de l'Opéra de Mannheim de 1928 à 1931. Elle est ensuite engagée à la Staatsoper de Berlin (1931-49) qu'elle quittera pour la Städtische Oper (1949-58) avant d'y revenir pour les dernières années de sa carrière (1958-61). Chanteuse wagnérienne, elle est invitée à Bayreuth entre 1936 et 1942. Elle se produit aussi à Covent Garden (1935 et 1937) et au Colón de Buenos Aires. Elle incarne aussi bien Clytemnestre (*Elektra*) qu'Iphigénie en Aulide, Carmen ou la Mère d'*Albert Herring* (Britten). En 1964, elle est nommée professeur au Mozarteum de Salzbourg où elle enseigne jusqu'à sa mort.

Kmentt, Waldemar

Ténor autrichien, né à Vienne le 2 février 1929.

Il effectue ses études à l'Académie de musique de Vienne avec Adolf Vogel, Elisabeth Rado et Hans Duhau. En 1950, il débute dans la 9e *Symphonie* de Beethoven sous la direction de Karl Böhm et, l'année suivante, à l'Opéra de sa ville natale. A partir de 1955, il chante au Festival de Salzbourg. L'essentiel de sa carrière se déroulera entre ces deux grands centres lyriques. A partir de 1958, il se produit en outre à l'Opéra du Rhin de Düsseldorf où il bénéficie d'un statut d'invité permanent. A l'Opéra de Vienne, il est nommé Kammersänger en 1962. De 1968 à 1970, il chante Walther au Festival de Bayreuth. Il se produit aussi à la Scala en 1968 dans *Idoménée.*

Knappertsbusch, Hans

Chef d'orchestre allemand, né à Elberfeld le 12 mars 1888, mort à Munich le 25 octobre 1965.

Il se destine d'abord à la philosophie qu'il étudie à Bonn. Puis il se tourne vers la musique et travaille avec Steinbach et Lohse à la Hochschule de Cologne (1908-12). Il débute comme chef d'orchestre à Mülheim (1910-12). L'été, il est assistant à Bayreuth où il est élevé dans le culte de la tradition wagnérienne. Après un poste à Bochum, il est chef permanent à l'Opéra d'Elberfeld (1913-18), à Leipzig (1918-19) et à Dessau (1919-22). Puis il succède à Bruno Walter comme directeur général de la musique à Munich (1922-36). C'est la première grande étape de sa carrière qui se poursuit à Vienne (1937-45) où il dirige régulièrement à l'Opéra et à la Philharmonie. A partir de 1951, il est invité à Bayreuth : sa direction de *Parsifal* (enregistrée à deux reprises, en 1951 et 1962) reste un modèle de tradition. Bien qu'ayant dirigé quelques créations à Munich (Pfitzner, Coates...), Knappertsbusch reste un chef essentiellement romantique, détenteur d'un style hérité des grands interprètes du XIXe siècle, fait de grandeur et de majesté. Ses mouvements, généralement lents, faisaient place à une rare force dramatique qui trouvait son plein épanouissement dans la musique de Wagner ou de Bruckner. Poussant à l'extrême le respect des traditions, il s'est toujours refusé à diriger la version originale des symphonies de ce musicien, s'en tenant aux versions révisées.

Kneisel, Franz

Violoniste autrichien naturalisé américain, né à Bucarest le 26 janvier 1865, mort à New York le 26 mars 1926.

Au Conservatoire de sa ville natale où il fait ses premières études, il est diplômé en 1879. Il travaille ensuite à Vienne, à Grün et Hellmesberger. C'est dans cette ville qu'il débute en 1882. En 1884-85, il est violon solo de l'Orchestre Bilse à Berlin. De 1885 à 1903, il occupe le même poste à l'Orchestre Symphonique de Boston et joue régulièrement en soliste. Il fonde en 1886 le quatuor qui porte son nom et dont les activités dureront jusqu'en 1917. Dévoué à la cause de la musique de chambre, il jouera un rôle essentiel pour sa diffusion aux États-Unis. En 1905, il enseignera à l'Institut d'art musical de New York.

Knie, Roberta

Soprano américaine, née à Cordell (Oklahoma) le 13 mars 1938.

Elle commence des études universitaires qu'elle poursuit jusqu'à l'obtention de son diplôme en 1960. En même temps, elle travaille le chant avec Elisabeth Parham, Eva Turner et Judy Bonds-Coleman. Puis elle vient se perfectionner en Europe. En 1964, elle effectue ses débuts avec l'Opéra de Westphalie à Hagen. Elle y reste jusqu'en 1966, chantant Elisabeth (*Tannhäuser*), Léonore (*Le Trouvère*), Freia (*l'Or du Rhin*), Sieglinde, Desdémone, Gutrune... De 1966 à 1969, elle chante à Fribourg (Senta, Fiordiligi, la Maréchale...). Puis elle abandonne progressivement les rôles relativement légers pour s'orienter vers un répertoire plus dramatique. En 1969, elle est engagée à l'Opéra de Graz où elle chante Salomé, Tosca, Léonore (*Fidelio*), rôle dans lequel elle débute à l'Opéra de Vienne. Puis elle chante à Cologne. En 1973 et 1974, elle incarne Brünnhilde à Lyon puis, en 1976 à Bayreuth et en 1977 à Paris. Les plus grandes scènes font désormais appel à elle.

Knuschevitzki, Sviatoslav

Violoncelliste soviétique, né à Petrovsk le 6 janvier 1908, mort à Moscou le 19 février 1963.

Il fait ses études au Conservatoire de Moscou, avec Kozolupov puis devient, dès 1929, soliste de l'Orchestre du Théâtre Bolchoï. Il y demeure en poste jusqu'en 1943. Grand Prix de l'Union des Musiciens Soviétiques (Moscou, 1933), il entreprend dès lors une importante carrière de virtuose et de musicien de chambre lorsqu'il devient membre du Trio formé en compagnie de David Oïstrakh et Lev Oborin. Sa première apparition hors des frontières de son pays se situe en 1958 lors d'une série de concerts en Angleterre, puis en Autriche et en Allemagne. Il participe également au Festival Casals à Porto Rico. Plusieurs compositeurs ont écrit pour lui, dont Aram Khatchaturian, Glière, Vasilenko. Professeur au Conservatoire de Moscou de 1942 à sa mort, il a formé toute une génération de violoncellistes soviétiques.

Koch, Helmut

Chef de chœur allemand (R.D.A.), né à Barmen le 5 avril 1908, mort à Berlin le 26 janvier 1975.

Il étudie de 1926 à 1928 à Cologne et à Essen avec M. Fiedler, F. Lehmann et H. Scherchen. Il obtient le diplôme de preneur de son à l'École d'État de Düsseldorf et travaille à la Radio d'Ostmark. De 1931 à 1938, il dirige les chœurs Schubert de Berlin ainsi que d'autres formations chorales. De 1938 à 1945, il est ingénieur du son pour les disques Kristall et Odéon, puis, en 1945, à la Radio de Berlin où il fonde l'Association des solistes. La même année, il crée l'Orchestre de Chambre de Berlin et, en 1948, le grand Chœur de la Radio de Berlin, formations qu'il dirigera jusqu'à la fin de sa vie. En 1951, il est professeur à la Hochschule de Berlin puis en 1963 il est nommé directeur général de l'Académie de chant. En 1972, il fonde l'Orchestre à cordes des jeunes.

Koch, Lothar

Hautboïste allemand, né à Velbert le 1er juillet 1935.

De 1950 à 1953, il travaille à la Folkwangschule à Essen puis occupe le poste de hautbois solo à la Philharmonie de Fribourg jusqu'en 1957, date à laquelle il entre à la Philharmonie de Berlin à cette même fonction. En 1959, il est en outre membre la Camerata Instrumentale de la Société Telemann de Hambourg et obtient un 1er Prix au Concours international de Prague. En 1961, il est nommé professeur au Conservatoire de Berlin puis, à partir de 1968, à la Hochschule de Berlin.

Kochánski, Paul
(Pavel Kochánski)

Violoniste polonais, né à Odessa le 14 septembre 1887, mort à New York le 12 janvier 1934.

Élève de Mlynarski à Varsovie, il devient violon solo de la Philharmonie de cette ville en 1901. Il va se perfectionner à Bruxelles avec César Thomson (1903) puis est nommé professeur au Conservatoire de Varsovie en 1907, au Conservatoire de Petrograd (1916-18) où il succède à Auer et au Conservatoire de Kiev (1919-20). Il se fixe aux États-Unis en 1921 et enseigne à la Juilliard School à partir de 1924. Grand virtuose, il fait aussi une brillante carrière de soliste, imposant notamment les œuvres de son ami Szymanowski qui lui a dédié son *1er Concerto* et *Mythes.* Stravinski a transcrit à son intention 3 extraits de l'*Oiseau de feu* pour violon et piano. Lui-même a transcrit les *7 Chansons populaires espagnoles* de De Falla.

Kocsis, Zoltán

Pianiste hongrois, né à Budapest le 30 mai 1952.

Il entre à l'âge de onze ans au Conservatoire Béla Bartók où il étudie le piano et la composition (1963-68). Il est admis en 1968 au Conservatoire Franz Liszt où il travaille avec Pál Kadosa et Ferenc Rados. C'est à Budapest, en 1970, qu'il fait ses débuts publics. La même année il remporte le Concours Beethoven de la Radio Hongroise. En 1973, il obtient le Prix Liszt, devenant ainsi le plus jeune titulaire de cette distinction, et le Prix Kossuth. Invité régulier des plus grandes formations symphoniques, il mène une active carrière internationale. Sviatoslav Richter l'invite à la Grange de Meslay. Il joue parfois en duo avec son compatriote Deszö Ranki. Depuis 1976, il enseigne à l'Académie Franz Liszt de Budapest.

Koczalski, Raoul von

Pianiste polonais, né à Varsovie le 3 janvier 1884, mort à Poznań le 24 novembre 1948.

Sa mère est son premier professeur. Il travaille ensuite, à partir de 1892, avec Karol Mikuli, un élève de Chopin, puis avec Anton Rubinstein. Enfant prodige, il débute très tôt et a déjà donné plus de 1 200 concerts à l'âge de douze ans ! Entre les deux guerres, il s'impose comme un grand interprète de Chopin. A partir de 1945, il enseigne à Poznań puis, en 1948, est nommé professeur au Conservatoire de Varsovie.

ÉCRITS : *Frédéric Chopin : Betrachtungen, Skizzen, Analysen* (1936).

Kogan, Leonid

Violoniste soviétique, né à Dniepropetrovsk (Ukraine) le 14 novembre 1924, mort à Moscou le 17 décembre 1982.

Fils d'un photographe, Leonid Kogan révèle des dons extraordinaires dès ses premières leçons, étonnant maîtres et auditeurs par sa facilité à apprendre. Pour lui permettre de s'épanouir, ses parents s'installent à Moscou où, après une simple audition, il est admis au Conservatoire, dans la classe d'Abraham Yampolski (il a à peine dix ans !) Ses progrès sont exceptionnellement rapides ; en 1936 Jacques Thibaud, de passage dans la capitale soviétique, lui prédit un avenir prodigieux. Quinze ans plus tard, Thibaud devait retrouver Kogan au Concours international Reine Elisabeth de Belgique où Kogan remporta le 1er prix. Son activité musicale ne se situe pas seulement entre les frontières de l'U.R.S.S (il est professeur au Conservatoire de Moscou), car il se produit régulièrement en Europe et, depuis 1954, au Canada et aux États-Unis. Partout, il fait admirer son élégance souveraine, son éblouissante virtuosité et sa rare sensibilité. A partir de 1980, il enseigne à l'Académie Chighiana à Sienne. Il jouait souvent avec sa femme Elisabeth Guilels (1919-82), la sœur du grand pianiste. Avec leur fils Pavel, ils ont créé en 1965 le *Concerto pour 3 violons* de Mannino. Leonid Kogan est le dédicataire du *Concerto* de Khrennikov et du *Concerto-Rhapsodie* de Khatchaturian. Jolivet avait écrit pour lui son *Concerto pour violon*, mais il ne l'a pas créé. Il jouait sur un Guarnerius de 1726.

Kogan, Pavel

Violoniste soviétique, né à Moscou le 6 juin 1952

Fils de Leonid Kogan et d'Elisabeth Guilels, il commence à étudier le violon à l'École centrale de Moscou dès l'âge de six ans, puis au Conservatoire de Moscou avec le célèbre Jankelevitch, père de toute l'école russe de violon. Il achève ses études en 1970 et remporte la même année le 1er prix au Concours international Sibelius d'Helsinki. Ses apparitions en Occident sont assez rares. Il se tourne à présent vers la direction d'orchestre.

Köhler, Siegfried

Chef d'orchestre allemand, né à Fribourg le 30 septembre 1923.

Il commence ses études musicales dans sa ville natale puis débute au Théâtre de Heilbronn (1941-42) avant d'être nommé chef d'orchestre à Fribourg (1946) puis à l'Opéra de Düsseldorf (1954-57). A Cologne, il est l'adjoint du directeur général de la musique et professeur à la Hochschule für Musik. En 1964, il est nommé directeur général de la musique à l'Opéra de Sarrebrück puis, en 1974, à celui de Wiesbaden.

Koizumi, Kazuhiro

Chef d'orchestre japonais, né à Kyoto le 16 octobre 1949.

Il commence à étudier le piano dès 1963. Deux ans plus tard, il entre au Conservatoire de Kyoto où il travaille également le chant. En 1969, il est admis à l'Université des arts de Tokyo où il complète sa formation de pianiste et de chef d'orchestre. Il dirige alors régulièrement l'Orchestre du Conservatoire et remporte en 1970 le 1er Prix du Concours Min-On. Il devient alors assistant de Seiji Ozawa à l'Orchestre Philharmonique du Japon. En 1972, il se rend à Berlin à la Hochschule dans la classe de Rubenstein et remporte l'année suivante le 1er prix de direction d'orchestre au Concours Karajan. Dès lors, il se produit en Europe notamment à Paris où il dirigera régulièrement l'Orchestre National de France durant la saison 1975-76. Il est invité au Festival de Salzbourg en 1976 et est nommé à la tête du New Japan Philharmonic Orchestra (1975). Il fait ses débuts aux États-Unis en 1978 à la tête de l'Orchestre Symphonique de Chicago. En 1983, il prend la direction de l'Orchestre Symphonique de Winnipeg au Canada.

Kolassi, Irma

Mezzo-soprano grecque, née à Athènes le 28 mai 1918.

Elle fait ses études à Athènes avec M. Karadja, E. Gibhando et remporte des 1ers prix de chant et de piano au Conservatoire. Puis elle travaille à l'Académie Sainte-Cécile de Rome, notamment avec Casella. Professeur au Conservatoire de sa ville natale de 1940 à 1949, elle se fait connaître en France dans les années cinquante par ses interprétations intenses et colorées des mélodies de Ravel et du Groupe des Six. Elle participe à la 1re audition intégrale en concert de l'*Ange de feu* de Prokofiev où elle tient les rôles de la Sorcière et de la Mère Supérieure (1954), puis à la création française de *Wozzeck.*

Kolisch, Rudolf

Violoniste autrichien naturalisé américain, né à Klamm le 20 juillet 1896, mort à Watertown (Mass.) le 1er août 1978.

A l'Académie de Vienne, il est l'élève de Ševčik et obtient son diplôme en 1913. Il travaille aussi avec Schreker et, en privé, la composition avec Schönberg (1919-21). Les deux hommes se lient et Schönberg épousera, en 1924, la sœur de Kolisch, Gertrude. En 1922, il fonde son quatuor à cordes qui va se dévouer à la cause de la jeune musique, notamment celle de l'école de Vienne. Il émigre aux États-Unis en 1935 où son quatuor sera dispersé. En 1942, il devient 1er violon du Quatuor Pro Arte. Il enseigne à l'université du Wisconsin (1944-67) avant d'être nommé artiste résident au Conservatoire de Boston. Il donne dès le début des années cinquante des cours d'été à Darmstadt. Il a eu relativement peu l'occasion de se produire en soliste mais a joué un rôle essentiel dans la diffusion de la musique de chambre contemporaine, comme exécutant et comme pédagogue. Il était l'un des rares violonistes à tenir son instrument de la main droite. Il jouait sur un Stradivarius.

Kollo, René (René Kollodzievski)

Ténor allemand, né à Berlin le 20 novembre 1937.

Petit-fils de Walter Kollo compositeur d'opérettes célèbres (1878-1940), il débute dans ce genre musical et ne commence des études musicales sérieuses qu'en 1958. Il travaille le chant avec Elsa Varena à Berlin jusqu'en 1965, date de ses débuts à Brauschweig. Puis il chante à l'Opéra de Cologne (1967-71) les principaux rôles de ténor lyrique. En 1969, il débute à Bayreuth dans Steuermann (*Le Vaisseau fantôme*). Il y retournera régulièrement au cours des années suivantes : Erik (1970), Lohengrin (1971-72), Walther (1973-74-76), Parsifal (1975-76), Siegfried (1976-78) Tristan (1981-82)... A la même époque, il est invité à la Scala (*Arabella*), à Vienne (Parsifal, 1971), au Festival de Pâques de Salzbourg (1974), au Met (Lohengrin, 1976), à Covent Garden (Siegmund)... Son répertoire couvre à présent l'ensemble des ouvrages wagnériens mais sa voix convient mieux aux rôles légers.

Kondrachine, Kirill

Chef d'orchestre soviétique, né à Moscou le 6 mars 1914, mort à Amsterdam le 8 mars 1981.

Issu d'une famille d'instrumentistes, il étudie le piano et les disciplines théoriques avec Nikolay Zhulyayev. Il fait ses débuts de chef d'orchestre en 1931 au Théâtre Stanislavski de Moscou. C'est alors qu'il se destine à la direction et reçoit la formation des grands maîtres russes de l'époque, Alexandre Gaouk et Boris Khaïkin dont il est l'élève au Conservatoire de Moscou (1932-36). De 1934 à 1937, il est chef assistant au Théâtre Musical Nemirovitch-Danchenko. Après avoir remporté le diplôme d'honneur au premier concours réservé aux chefs d'orchestre de l'U.R.S.S. (1938), il est nommé 1er chef au Théâtre Maly de Leningrad (1938-43). En 1943 il est nommé au Théâtre Bolchoï de Moscou où pendant treize ans, il gravit les échelons successifs et signe même quelques mises en scènes. Il abandonne, en 1956, le monde lyrique pour devenir l'un des principaux chefs de l'Orchestre Philharmonique de Moscou et l'invité régulier des plus grands orchestres soviétiques. De 1960 à 1976, il prend la direction artistique de la Philharmonie de Moscou qu'il ouvre au répertoire occidental. Il commence alors une grande carrière internationale qui s'intensifie notamment à partir de 1976. Il est alors professeur au Conservatoire de Moscou. En 1979, lors d'une tournée aux Pays-Bas, il obtient l'asile politique. Le Concertgebouw d'Amsterdam l'accueille comme chef associé aux côtés de son directeur, Bernard Haitink. Kondrachine s'était fait le défenseur de son ami Chostakovitch dont il a créé les *Symphonies n° 4* (1961), *n° 12* (1961) et *n° 13* (1962), l'*Exécution de Stepan Razine* (1964) et le *Concerto pour violon n° 2* (1967). Il a imposé et enregistré ses 15 symphonies. Il a dirigé également en 1re audition des œuvres de Khatchaturian, Sviridov, Chtedrine et Khrennikov.

Konetzni, Anny

Soprano autrichienne, née à Weisskirchen le 12 février 1902, morte à Vienne, le 6 septembre 1968.

Choriste à la Volksoper, elle entre au Conservatoire de Vienne où elle étudie avec Erik Schmedes, puis travaille à Berlin avec Jacques Stückgold et débute en 1927 à Chemnitz comme mezzo-soprano. Devenue bientôt soprano dramatique, elle est engagée en 1931 par H. Tietjen à la Staatsoper de Berlin (Elena des *Vêpres Siciliennes,* Ariane, la Maréchale), apparaît dès 1933 à Vienne (Selika, Ortrud, Kundry, Leonore, Eboli) – elle y chante jusqu'en 1954 – et au Colón de Buenos Aires (Isolde, Kundry), en 1934 au Met (Brünnhilde, Ortrud, Venus, Kundry) et au Festival de Salzbourg (Isolde, Rezia), en 1935 au Covent Garden (Brünnhilde) où elle paraît jusqu'en 1951. Elle se retire en 1955, professe à l'Académie de Vienne et, malade, abandonne toute activité en 1957.

Konetzni, Hilde

Soprano autrichienne, née à Vienne le 21 mars 1905, morte à Vienne le 20 avril 1980.

Elle fait ses études au Conservatoire de sa ville natale avec Rudolf Nilius puis à Prague avec Ludmilla Prochaska-Neumann et débute à Chemnitz en 1929 dans le rôle de Sieglinde aux côtés de sa sœur Anny, qui interprète Brünnhilde (*La Walkyrie*). Membre de l'Opéra de Prague de 1932 à 1935, elle fait ses débuts à l'Opéra de Vienne dans Elisabeth (*Tannhäuser*) en 1936 et au Covent Garden de

Londres en 1939 en remplaçant au milieu du premier acte du *Chevalier à la Rose* Lotte Lehmann indisposée. Son répertoire comporte entre autres les rôles de Chrysothémis, de l'Impératrice et de la Femme de Barak dans *La Femme sans ombre,* d'Elvire, Rezia ou Léonore de *Fidelio* comme ceux de Rosalinde, Elisabeth de Valois ou Amélia. Elle créée en 1946 le rôle titre de *Niobe* de Sutermeister à Zürich. Elle achève sa carrière comme professeur à l'Opéra-Studio et à l'Académie de Vienne, tout en continuant à apparaître sur scène à l'Opéra dans des petits rôles jusque dans le courant des années 70.

König, Klaus

Ténor allemand (R.D.A.), né à Beuthen le 26 mai 1934.

Peintre en bâtiment, il frappe un jour à la porte de l'École Supérieure de musique Carl-Maria von Weber de Dresde, où Johannes Kemter détecte immédiatement le gisement musical et vocal qui se cache dans ce jeune homme. Quatre ans durant, il suit les cours de cette école et fait ses débuts sur la scène du petit théâtre de Cottbus. Très vite, il est engagé à Dessau où lui sont confiés les premiers rôles dans les opéras italiens. En 1978, il est engagé à l'Opéra de Leipzig, où, au cœur d'une troupe remarquable, il perfectionne son art dans les rôles les plus divers. En 1981, il est appelé à remplacer le Tristan prévu. Et le public découvre « le » ténor wagnérien, espèce en voie de disparition. En une soirée, le chanteur est projeté à l'avant-scène. Il est Tristan à Rome. Puis, il est engagé dans la troupe de l'Opéra de Dresde et parallèlement commence sa carrière internationale : Berlin, avec le Chanteur italien, Erik, Florestan..., Prague, avec Stoltzing, Zürich et Francfort, avec Florestan, Karlsruhe, avec Tristan et Tannhäuser, Strasbourg, avec Florestan et Tannhäuser, le festival d'Edimburg avec Bacchus, Paris avec Tannhäuser (1984). Le répertoire de Klaus König comporte également les rôles de Radamès, Max, Don José, Don Carlo, Hoffmann.

Kontarsky, Alfons

Pianiste allemand, né à Iserlohn le 9 octobre 1932.

A la Hochschule de Cologne, il étudie le piano avec Else Schmitz-Gohr et la musique de chambre avec Maurits Frank (1953-55). Il forme alors un duo de piano avec son frère Aloys et tous deux remportent, en 1955, le 1er prix du Concours international de la Radio Bavaroise, à Munich. Ils travaillent ensuite à Hambourg avec Eduard Erdmann (1955-57). Ils se rendent vite célèbres à Darmstadt, durant les cours d'été, par leurs interprétations de la musique nouvelle. Ils jouent aussi le répertoire romantique (Schubert et Brahms) et enregistrent l'intégrale de l'œuvre pour 2 pianos et à 4 mains de Debussy et de Ravel. En 1967, Alfons est nommé professeur de piano à la Hochschule de Cologne. Ils ont créé ou ont reçu en dédicace un nombre important d'œuvres nouvelles (Boulez, Ligeti, Stockhausen, Zimmermann...).

Kontarsky, Aloys

Pianiste allemand, né à Iserlohn le 14 mai 1931.

Il étudie à la Hochschule de Cologne avec Else Schmitz-Gohr (piano) et Maurits Frank (musique de chambre) de 1953 à 1955. Il forme alors un duo de pianos avec son frère Alfons et tous deux remportent, en 1955, le 1er prix du Concours international de la Radio Bavaroise, à Munich. Ils travaillent ensuite à Hambourg avec Eduard Erdmann (1955-57). Ils se rendent vite célèbres à Darmstadt, durant les cours d'été, par leurs interprétations de la musique contemporaine. Ils jouent aussi le répertoire classique et romantique. En 1960, Aloys est nommé professeur à Darmstadt. Il mène parallèlement une carrière de soliste et créé de nombreuses œuvres pour piano seul de Berio, Pousseur, Brown, Bussotti, Zimmermann et Stockhausen (dont il a enregistré l'intégrale des 11 premiers *Klavierstücke*). Il joue souvent en sonate avec Siegfried Palm.

Konwitschny, Franz

Chef d'orchestre allemand, né à Fulnek (Moravie) le 14 août 1901, mort à Belgrade le 28 juillet 1962.

Après des études à Brno (1921-23), il travaille au Conservatoire de Leipzig (1923-25) et joue du violon et de l'alto dans différents orchestres, dont celui du Gewandhaus. En 1925, il vient à Vienne où il est l'altiste du Quatuor Fitzner. Il enseigne également au Volksconservatorium. Sa carrière de chef d'orchestre commence en 1927 lorsqu'il est nommé à l'Opéra de Stuttgart : il est d'abord répétiteur (1927-30) puis chef permanent (1930-33). Il est ensuite directeur général de la musique à Fribourg (1933-37) et à Francfort (1937-45) où il dirige également les Museumkonzerten. Après la guerre, il est directeur général de la musique à Hanovre (1946-49). Puis il prend la direction artistique du Gewandhaus de Leipzig (1949-62), de la Staatskapelle de Dresde (1953-55) et de la Staatskapelle de Berlin (1955-62). Il meurt d'une crise cardiaque pendant une répétition au cours d'une tournée en Yougoslavie. Considéré comme l'un des héritiers de la grande tradition germanique qu'il avait perpétuée en Allemagne démocratique après la guerre, il a laissé des enregistrements du répertoire romantique – dont une intégrale des *Symphonies* de Beethoven et plusieurs *Symphonies* de Bruckner – qui témoignent d'une profondeur et d'une intensité dramatique certaines. Il s'est toujours intéressé à la musique de son temps et a créé notamment *Colombus* de Werner Egk (1942), *Orchestermusik* (1956) et la *Symphonie n° 2* (1962) de Dessau.

Konya, Sándor

Ténor hongrois, né à Sarkad le 23 septembre 1923.

À l'Académie de musique Franz Liszt de Budapest, il travaille avec Ferenc Székelyhidy. Puis il se perfectionne à Detmold avec Husler, à Rome avec R. Namcini, à Milan avec Rico Lani. Il fait ses débuts en 1951 dans Turridu (*Cavalleria Rusticana*). Engagé à la Städtische Oper de Berlin à partir de 1955, il chante Lohengrin à Bayreuth en 1958 et 1967 ainsi que Parsifal en 1966. Il est invité à la Scala en 1960 puis au Met l'année suivante où il occupera désormais les emplois de premier ténor.

Koopman, Ton

Organiste, claveciniste et chef d'orchestre néerlandais, né à Zwolle le 2 octobre 1944.

Diplômé de musicologie à l'Université d'Amsterdam, il obtient le Grand Prix supérieur d'orgue en 1969 et le Grand Prix supérieur de clavecin en 1970 au Conservatoire d'Amsterdam. En 1972, il reçoit le prix d'excellence pour l'orgue, et en 1974 le prix d'excellence pour le clavecin. Il se produit comme soliste ou avec des ensembles qu'il dirige (Musica da Camera et Musica Antiqua) tant dans son pays natal qu'à l'étranger. Il enseigne aux Conservatoires de Rotterdam et d'Amsterdam. Il fait partie de la nouvelle génération d'interprètes qui se penche avec intérêt sur l'interprétation renouvelée du répertoire baroque et classique. Il a enregistré plusieurs disques en compagnie de René Jacobs, Jordi Savall, Hopkinson Smith ou avec le Collegium Vocale de Gand.

Kord, Kazimierz

Chef d'orchestre polonais, né à Pagorze le 18 novembre 1930.

Il effectue ses études en Pologne (piano, orgue, violoncelle) et les poursuit à l'Académie de musique de Leningrad où il obtient un 1er prix de piano. Il complète ses études de composition et de direction au Conservatoire de Cracovie. Il fait ses débuts à l'Opéra de Varsovie en 1960. En 1962, il est nommé directeur artistique et 1er chef de cet opéra. De 1968 à 1973, il dirige l'Orchestre de la Radio Télévision polonaise avec lequel il fait des tournées. En 1972, il fait ses débuts au Metropolitan de New York avec *La Dame de Pique* de Tchaïkovski. Sa carrière est internationale, tant lyrique que symphonique. Depuis 1977, il est 1er chef de la Philharmonie

Nationale de Varsovie, charge qu'il cumule avec celle de 1er chef de l'Orchestre Symphonique du Südwestfunk de Baden-Baden, succédant à Ernest Bour (1980-86).

Kórody, András

Chef d'orchestre hongrois, né à Budapest le 24 mai 1922.

A l'Académie Franz Liszt de Budapest, il est l'élève de Leo Weiner et László Lajtha pour la composition et de János Ferencsik pour la direction d'orchestre. Il travaille également le piano et la clarinette. Il débute comme répétiteur à l'Opéra de Budapest (1946) alors qu'il est encore étudiant. Peu après, il est nommé chef d'orchestre et, depuis 1973, 1er chef d'orchestre. En 1957, il est nommé professeur à l'Académie Franz Liszt et, en 1967, chef permanent de l'Orchestre Philharmonique de Budapest. Sa carrière, essentiellement lyrique, se déroule surtout dans son pays. Mais il a remporté de grands succès au Japon, en Allemagne et en U.R.S.S. où il a été le premier chef hongrois invité à diriger au Bolchoï. On lui doit la création de l'opéra *Les Noces sanglantes* de Szokolay (1964). Il a reçu le Prix Liszt en 1952, et 1958, le Prix Kossuth en 1970.

Košler, Zdeněk

Chef d'orchestre tchécoslovaque, né à Prague le 25 mars 1928.

A l'Académie des Arts de Prague, il travaille notamment avec M. Doležil et Karel Ančerl (1948-52). Il débute au Théâtre National de Prague en 1951. En 1956, il remporte le 1er prix du Concours international de Besançon. Puis il est nommé directeur musical de l'Opéra d'Olomouc (1958-62) et de l'Opéra d'Ostrava (1962-66). A la même époque, il remporte le 1er prix du Concours Mitropoulos à New York (1963) et est engagé par Leonard Bernstein comme assistant à la Philharmonie de New York (1963-64). Il est ensuite nommé directeur musical à l'Opéra-Comique de Berlin-Est (1964-68) tout en étant l'un des chefs permanents de l'Orchestre Symphonique de Prague (1966-67) et chef d'orchestre à l'Opéra de cette même ville (1966-71). Il devient ensuite l'un des chefs permanents de la Philharmonie Tchèque (1969-81) et 1er chef de l'Opéra National Slovaque de Bratislava (1971-76). En 1979, il est nommé directeur musical de l'Opéra de Prague.

Kostelanetz, André

Chef d'orchestre russe naturalisé américain (1928), né à Saint-Pétersbourg le 22 décembre 1901, mort à Haïti le 13 janvier 1980.

Élève au Conservatoire de sa ville natale (1920), il commence une carrière dans son pays d'origine, qu'il quitte en 1922 pour se fixer aux États-Unis, où il exerce surtout au Columbia Broadcasting, à partir de 1930. Kostelanetz fait une carrière vite internationale, surtout en compagnie de sa femme, la cantatrice française Lily Pons qu'il épouse en 1938. Il est le dédicataire du *Capriccio burlesco*, de Walton, qu'il donne en première audition en 1968, à la Philharmonie de New York. Il s'est surtout fait connaître par différents arrangements de musique légère, domaine dans lequel il excelle avec son propre orchestre.

Köth, Erika

Soprano colorature allemande, née à Darmstadt le 15 septembre 1927.

Elle travaille à la Hochschule de sa ville natale avec Elsa Blank et remporte, en 1947, le 1er prix au Concours de la Radio de Francfort, ex-aequo avec Christa Ludwig. L'année suivante, elle débute à Kaiserslautern dans Adèle. Elle chante à Karlsruhe de 1950 à 1953 puis à Munich et à Vienne. À partir de 1961, elle fait partie de la troupe de la Deutsche Oper de Berlin. De 1955 à 1964, elle chante au Festival de Salzbourg (la Reine de la nuit, Constance) puis à Bayreuth (1965-68). Sa voix convient aux rôles de colorature les plus élevés (Zerbinette, Lucia...). En 1973, elle est nommée professeur à la Hochschule de Cologne.

Koussevitzky, Serge

Chef d'orchestre russe naturalisé américain (1941), né à Vichny-Volotchok le 26 juillet 1874, mort à Boston le 4 juin 1951.

Enfant, il joue de la trompette en famille. Il vient étudier au Conservatoire de Moscou où il est l'élève de Rambousek pour la contrebasse, de Blaramberg et Kruglikov pour les écritures et la composition. Dès 1894, il entre à l'Orchestre du Bolchoï où il sera contrebasse solo de 1901 à 1905. Il commence une carrière de soliste en 1901 avec un répertoire constitué essentiellement de transcriptions d'œuvres pour violoncelle et de pages dont il est lui-même l'auteur. En 1905, il épouse Natalie Ushkov, la fille d'un riche marchand de thé. Dès lors, son beau-père devient son mécène. Il se fixe à Berlin en 1907 où il fait ses débuts de chef d'orchestre à la tête de la Philharmonie (1908). Revenu à Moscou, il fonde les Éditions russes de musique (1909) qui deviendront l'un des principaux outils de sa campagne en faveur des jeunes compositeurs russes : il édite Scriabine, Rachmaninov, Prokofiev, Stravinski, Glazounov... En 1915, il absorbe le fonds Gutheil et ouvre un bureau à Berlin, suivi plus tard d'un établissement analogue à Paris. 1909 voit aussi la création de son propre orchestre symphonique à Moscou. Il défend le répertoire russe et effectue plusieurs tournées, dont trois le long de la Volga (1910-12-14). Après la révolution, on lui confie la direction de l'Orchestre Symphonique d'État de Petrograd (l'ancien orchestre de la cour qui deviendra la Philharmonie de Leningrad) : il assume ces fonctions de 1917 à 1920, puis quitte son pays : après de brefs séjours à Berlin et à Rome, il se fixe à Paris en 1920. Il dirige des représentations d'opéras russes et fonde les Concerts Koussevitzky à l'Opéra, un orchestre d'élite réunissant les meilleurs musiciens de la capitale et destiné à jouer le répertoire russe et la jeune musique française (1921-28). En 1924, il est nommé directeur musical de l'Orchestre Symphonique de Boston, fonction qu'il conservera jusqu'en 1949, faisant de cet orchestre l'un des meilleurs du monde. Sans renier la musique française ni la musique russe, il devient le champion de la jeune musique américaine. Il développe ses idées sur la décentralisation dans le cadre du Festival de Tanglewood (à partir de 1935) où il fonde, en 1940, le Berkshire Music Center, une académie où les plus grands musiciens viennent enseigner pendant l'été. En 1943, il crée la Fondation Koussevitzky à la mémoire de sa femme, morte un an plus tôt. Cette fondation poursuit l'œuvre de mécénat qu'il a entreprise à titre personnel en passant des commandes à des compositeurs de tous les pays et de toutes tendances. En 1947, il épouse Olga Naoumoff, une nièce de sa première femme, qui se dévoue à la cause de la fondation. En 1949, il abandonne la direction de l'Orchestre Symphonique de Boston à Charles Münch mais conservera jusqu'à sa mort celle du Berkshire Music Center. Il sera aussi à l'origine de la création du Fonds musical international d'entraide aux compositeurs (U.N.E.S.C.O.). Musicien polyvalent, Koussevitzky a joué un rôle sans égal dans la vie musicale du XXe siècle. Chef d'orchestre éminent, il a su s'entourer des plus grands instrumentistes dans les orchestres qu'il dirigeait. Son tempérament passionné convenait particulièrement à Tchaïkovski ou Berlioz. Mais il savait donner à la musique française toute sa finesse, notamment dans la recherche des timbres. Les œuvres qu'il créait étaient imposées d'emblée par son enthousiasme et le travail méticuleux auquel il se livrait. Aucun interprète n'a suscité et créé autant d'œuvres majeures : *Prométhée* de Scriabine (1911), *Horace victorieux* (1921), *Chant de joie* et *Pacific 231* (1923), *Concertino* (1924) d'Honegger, *Tableaux d'une exposition* (1922), de Moussorgski orchestrés par Ravel, *Octuor* (1923), *Concerto pour piano et instruments à vent* (1924) de Stravinski, *Mirages* (1924) de Schmitt, *Concerto pour violon n° 1* (1923) et *Symphonie n° 2* (1925) de Prokofiev. Il poursuit son action à Boston avec la *Suite en fa* (1927) de Roussel. Pour le 50e anniversaire de l'orchestre, il commande dix partitions qu'il crée lui-même : *Symphonie n° 4* (Prokofiev), *Symphonie n° 1* (Honegger), *Symphonie n° 3* (Roussel), *Symphonie n° 2* (Hanson),

Konzertmusik op. 50 (Hindemith), *Symphonie de psaumes* (Stravinski), *Symphonie en la* (Ferroud), *Métamorphoses* (Respighi), *Symphonie concertante* (Schmitt), *Ode* (Hill). Puis ce seront la *Symphonie n° 1* (1942), *n° 3* (1944) et *n° 5* (1946) de Martinů, la *Symphonie n° 3* (1941) et *n° 5* (1943) de W. Schuman, la *Symphonie n° 3* (1946) de Copland, le *Concerto pour orchestre* (1943) de Bartók, la *Symphonie n° 3* (1948) de Piston, la *Symphonie n° 2* (1949) de Bernstein, la *Symphonie n° 2* (1946) de Milhaud, *la Symphonie n° 4* (1948) de Malipiero, *Ode* (1943) de Stravinski... Parmi les nombreuses commandes qu'il a effectuées au titre de la Fondation Koussevitzky, sans en diriger la création, figurent *Peter Grimes* (Britten) et *Turangalîla-symphonie* (Messiaen).

Kovács, Dénes

Violoniste hongrois, né à Vac le 18 avril 1930.

Dès l'âge de huit ans, il commence des études musicales. A partir de 1944, il est élève de Ede Zathureczky à l'Académie de musique de Budapest. Diplômé en 1951, il est nommé violon solo de l'Orchestre de l'Opéra National de Budapest, poste qu'il conservera jusqu'en 1960. Il obtient en 1955 le 1er prix au Concours international Carl Flesch de Londres. Depuis 1957, il enseigne à l'Académie Franz Liszt de Budapest, dont il est devenu directeur en 1967. Dénes Kovács a reçu le Prix Liszt en 1954 et 1958, ainsi que le Prix Kossuth, (1963). Il forme un duo violon et piano avec le pianiste Mihály Bächer.

Krainev, Vladimir

Pianiste soviétique, né à Moscou le 1er avril 1944.

Il travaille d'abord avec sa mère puis, à l'âge de six ans, entre à l'École de musique de Kharkov, donnant ses premiers concerts deux ans plus tard. Il est ensuite admis à l'École centrale de Moscou et au Conservatoire où il est l'élève d'Heinrich Neuhaus. En 1963, il remporte le 2e Prix au Concours international de Leeds, s'imposant notamment par ses exécutions de musique russe du XXe siècle. En 1964, il obtient le 1er prix au Concours Vianna da Mota à Lisbonne. Il commence à donner des concerts en Europe tout en poursuivant un cycle de perfectionnement au Conservatoire de Moscou avec Stanislav Neuhaus (1969). L'année suivante, il remporte le 1er prix du Concours Tchaïkovski. Sa carrière se développe alors à l'échelle internationale, en soliste ou avec sa femme la violoncelliste Karine Gueorgian.

Krasner, Louis

Violoniste américain, né à Cherkassy (Russie) le 21 juin 1903.

Il quitte enfant l'Europe pour les États-Unis, étudiant le violon avec E. Gruenberg et la composition avec F. Converse au Conservatoire de la Nouvelle Angleterre à Boston, d'où il sort diplômé en 1923. Il achève sa formation instrumentale en Europe, auprès de Carl Flesch, L. Capet et O. Ševcik. Son intérêt pour la musique contemporaine se traduit par de nombreuses créations, dont celle du *Concerto à la mémoire d'un ange* de Berg qu'il lui commande en 1934 et qu'il crée en 1936 à Barcelone, au Festival de la S.I.M.C., avant de l'enregistrer. De même il crée le *Concerto* de Schönberg (1940, Philadelphie, avec Stokowski), celui de Casella (Boston, 1928) et de Sessions (Minneapolis, 1946). Choisi par Mitropoulos comme violon solo de l'Orchestre Symphonique de Minneapolis (1944-49), il abandonne la carrière d'exécutant pour enseigner, de 1949 à 1972, le violon et la musique de chambre à l'Université de Syracuse.

Kraus, Alfredo

Ténor espagnol, né à Las Palmas (Canaries) le 24 septembre 1927.

Il commence ses études musicales à Barcelone avec Mercedes Llopart puis les poursuit à Milan. Il débute en 1956 au Caire dans le Duc de Mantoue. Puis il chante sur les principales scènes italiennes.

En 1959, il débute à Covent Garden dans *Lucia de Lammermoor* (Edgardo) aux côtés de Joàn Sutherland. L'année suivante, il est Elvino (*La Somnambule*) à la Scala. Puis ce sont les débuts américains à Chicago en 1962 et au Met (*Rigoletto*) en 1966. En France, il incarne le Duc de Mantoue à Orange, en 1980.

Kraus, Ernst

Ténor allemand, né à Erlangen le 8 juin 1863, mort à Wörthsee le 6 septembre 1941.

D'abord brasseur de bière, il travaille le chant à Munich avec Schimon-Regan puis à Milan avec Cesare Galliera. Il débute en concert à Munich en 1893 et, la même année, à l'Opéra de Mannheim dans Tamino. Il fait partie de la troupe de cet opéra de 1893 à 1896. Il chantera ensuite à l'Opéra de Berlin (1896-1923) s'affirmant comme l'un des plus grands ténors wagnériens du début du siècle : à Bayreuth, il incarne Walther, Siegmund et Siegfried entre 1899 et 1909. A partir de 1924, il enseigne à la Hochschule de Munich.

Kraus, Lili

Pianiste hongroise naturalisée anglaise (1948), née à Budapest le 4 mars 1905.

Elle entre à l'âge de huit ans dans la classe de Kodály et de Bartók à l'Académie royale de musique de Budapest. En 1922, elle va se perfectionner à Vienne, où elle travaille à l'Académie avec Schnabel et Steuermann. En 1925, elle devient professeur à cette même Académie. Au terme de six années d'enseignement, elle quitte définitivement son poste et entame une série de tournées. Elle réalise un grand nombre d'enregistrements d'œuvres de Beethoven, Haydn et Mozart (intégrale des sonates) et devient une des premières grandes pianistes du disque. En 1942, elle est capturée à Java par l'armée japonaise, puis internée pendant trois ans. Après la guerre, elle s'installe quelque temps en Nouvelle-Zélande, puis va vivre aux États-Unis. Pendant la saison 1966-67, elle donne une intégrale des concertos de Mozart à plusieurs reprises. La saison suivante, elle fera la même chose avec les sonates de Mozart. En 1968, elle devient « artist in residence » de l'Université chrétienne du Texas, à Fort Worth. Elle a joué en sonate avec Szymon Goldberg et Willi Boskovsky.

Kraus, Otakar

Baryton tchécoslovaque naturalisé anglais, né à Prague le 10 décembre 1909, mort à Londres le 28 juillet 1980.

Dans sa ville natale, il travaille avec Konrad Wallerstein puis à Milan avec Fernando Carpi. Il débute en 1935 à Brno dans Amonasro (*Aïda*). De 1936 à 1939, il chante à l'Opéra de Bratislava. Puis il vient en Angleterre au moment de la guerre. Il se produit avec la Carl Rosa Company et, à partir de 1946, avec l'English Opera Group. Fixé à Londres, il chantera à Covent Garden à partir de 1951. Grand wagnérien, il est surtout connu pour ses prestations dans Alberich, rôle qu'il a tenu à Bayreuth de 1960 à 1963. Il a participé à la création de nombreux ouvrages contemporains : *Le Viol de Lucrèce* (Britten, 1946, Tarquinius), *The Rake's Progress* (Stravinski, Venise, 1951, Nick Shadow), *Troïlus et Cressida* (Walton, 1954, Diomède), *The Midsummer Marriage* (Tippett, 1955, King Fischer). Pédagogue important, il a joué un rôle considérable dans la formation des jeunes chanteurs anglais.

Kraus, Richard

Chef d'orchestre allemand, né à Berlin le 16 novembre 1902, mort à Walchstadt le 11 avril 1978.

Il est le fils du ténor wagnérien Ernst Kraus (1863-1941). Après des études au Conservatoire Stern de Berlin, il est répétiteur à la Staatsoper à vingt ans et devient l'assistant d'Erich Kleiber (1923-27). Il est ensuite chef permanent à Kassel (1927-28), Hanovre, Stuttgart (1933-37) et directeur général de la musique à Halle

(1937-44). Il dirige *Le Vaisseau fantôme* à Bayreuth en 1942. Après la guerre, il est nommé à l'Opéra de Düsseldorf puis occupe les fonctions de directeur général de la musique à Cologne (1948-53). Il dirige ensuite régulièrement à la Deutsche Oper de Berlin et enseigne la direction d'orchestre à la Hochschule de cette ville à partir de 1961. De 1963 à 1969, il dirige la Nordwestdeutsche Philharmonie.

Krause, Martin

Pianiste allemand, né à Lobstädt (Leipzig) le 17 juin 1853, mort à Plattling le 2 août 1918.

Elève de son père cantor, de Wenzel et de Reinecke au Conservatoire de Leipzig (1875-76), il se fait connaître comme pianiste par des tournées en Suisse, Hollande et Allemagne (1878-80). Arrêté pendant deux ans par une dépression nerveuse, il joue en 1883 devant Liszt dont il devient un disciple zélé, participant à la création en 1885 du Lisztverein, né de deux concerts historiques où il joue aux côtés de Siloti et de Moran-Olden. Il dirige cette association au rôle capital dans la vie musicale allemande jusqu'en 1900, année où il quitte Leipzig pour Dresde, enseignant au Conservatoire, puis en 1901 à l'Académie de Munich et enfin en 1904 au Conservatoire Stern de Berlin. Edwin Fischer et Claudio Arrau sont ses deux principaux disciples.

Krause, Tom

Baryton-basse finlandais, né à Helsinki le 5 juillet 1934.

Il commence des études médicales qu'il interrompt au bout de trois ans pour se tourner vers le chant. Il travaille à l'Académie de Vienne (1956-59) et fait ses débuts à Helsinki en 1957 dans un récital de mélodies. Dès 1958, il chante à l'Opéra de Berlin puis à Hambourg à partir de 1962, l'année où il débute à Bayreuth dans le Héraut (*Lohengrin*). En 1963, il chante le Comte (*Capriccio*) à Glyndebourne et fait ses débuts américains dans le *War Requiem* de Britten (Tanglewood et Carnegie Hall). 1968 marque sa première apparition au Festival de Salzbourg (Don Giovanni). L'année suivante, il participe à la création américaine de la *13e Symphonie* de Chostakovitch (Philadelphie). En 1971, il chante, pour ses débuts au Met, Malatesta (*Don Pasquale*). Invité régulier à Salzbourg, il incarne Guglielmo (*Cosi fan tutte*), Almaviva (*Les Noces de Figaro*), Pizarro (*Fidelio*) sous la direction de Karajan. A l'Opéra de Paris, où il débute en 1973 dans Almaviva, il chante *Les Contes d'Hoffmann*, *Cosi fan tutte*... Il est attaché à l'Opéra de Hambourg.

Krauss, Clemens

Chef d'orchestre autrichien, né à Vienne le 31 mars 1893, mort à Mexico le 16 mai 1954.

Au Conservatoire de Vienne, il est l'élève de Grädener et Henberger. Il débute comme chef des chœurs à l'Opéra de Brno (1912). Puis il est chef d'orchestre au Théâtre allemand de Riga (1913-14), à Nuremberg (1915-16), Stettin (1916-21) et Graz (1921). De 1922 à 1924, il est l'associé de Franz Schalk à l'Opéra de Vienne où il rencontre Richard Strauss. Les deux hommes se lient d'amitié et Krauss deviendra l'un des interprètes préférés de Strauss. Il est ensuite nommé intendant de l'Opéra de Francfort (1924-29) ; il dirige simultanément les Concerts du Musée. Vienne le rappelle : il est directeur musical à l'Opéra (1929-35). Puis il occupe les mêmes fonctions à Berlin (1935-36) avant d'être nommé directeur général de la musique à Munich (1937-43). Après la guerre, il est interdit de direction jusqu'en 1947 à cause de son attitude en faveur du régime nazi. Il réorganise le Mozarteum de Salzbourg et enseigne à la Musikhochschule de Vienne (1949-51) avant de revenir à l'Opéra de Vienne (1950-54). En 1953, il dirige la *Tétralogie et Parsifal* au Festival de Bayreuth.

Richard Strauss lui a dédié *Jour de paix* (1938) et *Capriccio* (1942) dont il est l'auteur du livret. Il a en outre créé *Suite de danses d'après Couperin* (1923), *Arabella* (1933), l'*Amour de Danaé* (1952) et le *Divertimento op. 86* (1943) de

R. Strauss. Il avait épousé la soprano Viorica Ursuleac.

ÉCRIT : *Autobiographie à la minute* (en allemand).

Krebbers, Herman

Violoniste néerlandais, né à Hengelo le 18 juin 1923.

Il fait ses études à Amsterdam, avec Oskar Beck et débute comme soliste à l'âge de neuf ans. En 1950, il est nommé violon solo de l'Orchestre de la Résidence de La Haye, puis, en 1962, de celui du Concertgebouw d'Amsterdam, tout en poursuivant une carrière internationale. Il enseigne le violon à l'Amsterdam Musik Lyceum. En 1963, il fonde le Trio Guarnerius (avec la pianiste Danièle Delorme et le violoncelliste Jean Decroos) et, dès cette époque, il se produit également en duo avec le violoniste Théo Olof. Herman Krebbers possède un Guarnerius del Gesù datant de 1741. Il enseigne à la Musikhochschule de Düsseldorf.

Krebs, Helmut

Ténor allemand, né à Dortmund le 8 octobre 1913.

Après avoir étudié le chant au Conservatoire de sa ville natale, il entreprend des études de composition et de direction d'orchestre à la Berliner Hochschule de 1934 à 1937. Il débute sur la scène de la Volksoper de Berlin, où il se produit de 1937 à 1941. Après guerre, il chante à l'Opéra de Düsseldorf avant de faire partie, à partir de 1947, de la Städtische Oper de Berlin. Il y reçoit le titre de Kammersänger en 1963. Remarquable chanteur d'oratorios (on se souvient de l'évangéliste des passions de Bach), Krebs participe à des créations notables du répertoire contemporain : il crée en concert le rôle d'Aaron dans l'opéra inachevé de Schönberg *Moïse et Aaron* (Hambourg, 1954, dir. H. Rosbaud) ainsi que deux ouvrages de Henze, *Le Roi Cerf* (Berlin, 1956) et *Le Jeune Lord* (Berlin, 1965). Depuis 1957, il enseigne la musique vocale à l'Académie de musique de Berlin et, à partir de 1966, à celle de Francfort. Il a également composé, notamment des cycles de lieder inspirés des poèmes de Busch et de Morgenstern.

Kreisler, Fritz

Violoniste et compositeur autrichien, naturalisé américain (1943), né à Vienne le 2 février 1875, mort à New York le 29 janvier 1962.

Il fait ses études musicales dans sa ville natale, avec son père, Auber et Hellmesberger fils (1882-85), puis avec Anton Bruckner, et, en France, à Paris, avec Joseph Massart et Léo Delibes (1885-87). Enfant prodige, il montre de telles dispositions qu'à neuf ans il est en mesure de se produire en public. Premier prix à l'unanimité au Conservatoire de Paris, il entreprend, à douze ans, sa première tournée en Amérique, avec Moritz Rosenthal. Revenu à Vienne, il se voit refuser par Arnold Rosé la place de second violon à la Philharmonie parce qu'il ne sait pas déchiffrer ! Pendant six ans, il se plonge dans des études médicales et accomplit son service militaire. Ce n'est qu'en 1898 qu'il se reproduit au concert, en Europe et aux États-Unis. Kreisler vit à Vienne jusqu'en 1932, époque où il est chassé par le nazisme. Il se réfugie en France, d'abord, et acquiert la nationalité française ; mais en 1939, il doit quitter notre pays et s'expatrier aux États-Unis. En août 1941, il est renversé par un camion, à New York, et grièvement atteint à la tête. Il se rétablira cependant et reprendra une vie active jusqu'au mémorable concert du 1er novembre 1947, qui marquera la fin officielle de sa vie publiquc ; il continuera toutefois à enregistrer. Violoniste génial, mais aussi musicien habile, Fritz Kreisler s'adonna à la composition, pas uniquement « sérieuse » : des pièces comme *Tambourin chinois* et *Caprice viennois* sont fort caractéristiques. Il laissa également des opérettes, dont la plus illustre est *Sissi* (1932), des transcriptions et des arrangements pour le violon, sans omettre des cadences de concertos passées dans le répertoire (concertos de Beethoven, de Brahms, etc..).

Artiste adulé, Kreisler avait su demeurer un homme de cœur, humain au sens noble du terme, à la bonté attentive et compatissante. Plein d'humour, il se livra avec bonheur aux pastiches, qu'il présentait généralement comme des œuvres originales retrouvées, attribuées à Pugnani, Vivaldi, Louis Couperin, Francœur, et autres, ce qui lui attira les foudres des critiques bien-pensants lorsqu'ils découvrirent la supercherie. Musicalement, Marc Pincherle le décrivait ainsi : « Il obtenait de son archet un mordant inimaginable. Il avait une sonorité chaleureuse, sensuelle même, mais sans jamais aucune bassesse, grâce à la fermeté constante du rythme qui l'animait. Il était, dans la plénitude du terme, un interprète, un de ces très rares privilégiés qui, tout en respectant les textes, les marquent de leur empreinte personnelle et donnent l'impression de les créer à nouveau... ».

Elgar a écrit pour lui son *Concerto* (1910), Ysaÿe lui a dédié une sonate pour violon seul (op. 27 nº 4), Martinů sa *Rhapsodie tchèque* et Rachmaninov ses *Variations sur un thème de Corelli*. Kreisler jouait sur un Stradivarius de 1733.

Kremer, Gidon

Violoniste soviétique, né à Riga le 27 février 1947.

Son grand-père Karl Brückner (1893-1963) était professeur au Conservatoire, son père professeur et concertiste ; c'est avec lui que Gidon étudie. Après les cours de V. Sturestep, à l'école de musique de Riga, il entre au Conservatoire de Moscou dans les classes de D. Oïstrakh et P. Bondarenko (1965-73). En 1967, il reçoit la médaille de bronze au Concours Reine Élisabeth à Bruxelles, puis d'autres médailles à Montréal, Gênes et Moscou. Là, il impressionne la critique et le public par sa virtuosité, son originalité ; il donne alors des concerts en U.R.S.S. et à l'étranger. Il développe ses qualités de couleur, sa technique, élargit son répertoire. Il aime jouer des œuvres peu connues ; il impose sa vision personnelle. C'est souvent sur le brio, la vivacité, que Kremer met l'accent. Parmi les œuvres contemporaines qu'il a créées : *Concerto Grosso* pour deux violons de Schnittke (1977), *Il vitalo radopiatto* de Henze (1978), *Tabula rase* pour deux violons et orchestre de Pärt (1977), qu'il joue avec sa première femme, Tatiana Grindenko, *Concerto nº 4* de Schnittke (1984). En 1981, il quitte son pays et se fixe en Allemagne avec son épouse Elena, la fille du pianiste Dmitri Bachkirov. Jusqu'en 1979, il jouait sur un Guadagnini que possédait déjà son grand-père. Depuis, il possède un Stradivarius daté de 1734, l'*ex-baron von Feilitsch.*

Krenz, Jan

Chef d'orchestre et compositeur polonais, né à Wloclawek le 14 juillet 1926.

A Varsovie et à Lódź, il est l'élève de K. Sikorski (composition), Z. Drzewiecki (piano), K. Wilkomirski et Z. Gorzynski (direction d'orchestre). Il fait ses débuts à Lódź en 1945 et devient, en 1949, l'assistant de Grzegorz Fitelberg à la Radio de Katowice. De 1951 à 1953, il dirige la Philharmonie de Poznań puis il succède à Fitelberg comme directeur artistique de l'Orchestre Symphonique de la Radio Polonaise de Katowice (1953-67). Sa carrière se développe sur le plan international, et il prend la direction de l'Orchestre Symphonique de la Radio Danoise (1966-68) avant d'être nommé directeur artistique de l'Opéra de Varsovie (1968-73), puis chef invité permanent. De 1978 à 1983, il est directeur général de la musique à Bonn. Parmi les œuvres qu'il a créées : *Trauermusik* (1958) de Lutoslawski, *Variations symphoniques* (1958) et *Musique pour cordes* (1959) de Bacewicz, *Symphonie nº 1* (1959) et *Scontri* (1960) de Gorecki, *Canon* (1962) de Penderecki, *Symphonie nº 3* (1968) de Baird, *Ad libitum* (1977) de Serocki.

Comme compositeur, il a abordé tous les genres (*2 Quatuors*, *Symphonies*, Cantate *Le Colloque des deux villes*...).

Krips, Henry

Chef d'orchestre autrichien, naturalisé australien (1944), né à Vienne le 10 février 1912.

Frère de Josef Krips, il fait ses études à l'Académie de musique et à l'Université de sa ville natale. Il débute en 1932 au Burgtheater. L'année suivante, il est chef permanent à Innsbruck, en 1934-35 à Salzbourg et, de 1935 à 1938, il dirige à Vienne. Chassé d'Autriche par les nazis, il émigre en Australie où il forme la Krips-de Vries Opera Company. Il est directeur musical des Ballets Kirsova à Sydney à partir de 1941. En 1947, il est nommé à la Radio australienne (A.B.C.). L'année suivante, il est 1er chef de l'Orchestre Symphonique de Perth et, en 1949, de l'Orchestre Symphonique d'Adélaïde. Figure marquante de la vie musicale australienne, il commence à diriger en Angleterre à partir de 1967, comme invité au Sadler's Wells. En 1972, il se fixe à Londres après avoir résilié ses engagements en Australie. Il mène alors une carrière de chef invité.

Krips, Josef

Chef d'orchestre autrichien, né à Vienne le 8 avril 1902, mort à Genève le 13 octobre 1974.

Frère du précédent, il fait ses études musicales à Vienne avec Mandyczewski et Weingartner. Il entre comme violoniste à l'Orchestre de la Volksoper (1918-21). Puis il devient l'assistant de Weingartner et chef des chœurs dans le même établissement (1921-24). Il est engagé comme chef d'orchestre à l'Opéra d'Aussig (1924-25), puis à l'Opéra de Dortmund (1925-26) avant d'être nommé directeur général de la musique à Karlsruhe (1926-33). Il se fixe ensuite à Vienne où il dirige à l'Opéra à partir de 1933. Deux ans plus tard, il est professeur à l'Académie de musique. Mais il quitte sa ville natale en 1938, fuyant le régime nazi. Il sera interdit de direction entre 1939 et 1945. En 1938-39, il est à la tête de l'Orchestre Philharmonique et de l'Opéra de Belgrade. Puis il mène une carrière de chef invité jusqu'à la fin des hostilités où il revient à Vienne pour la réouverture de l'Opéra. L'année suivante (1946), il participe à la résurrection du Festival de Salzbourg. De 1950 à 1954, il est à la tête de l'Orchestre Symphonique de Londres. Puis il se fixe aux États-Unis où il prend la direction de l'Orchestre Symphonique de Buffalo (1954-63) et du Cincinnati May Festival (1954-60). Il est ensuite directeur artistique de l'Orchestre Symphonique de San Francisco (1963-70). A partir de 1968, il renoue avec l'Opéra de Vienne. De 1970 à 1973, il succède à Wolfgang Sawallisch à la tête de l'Orchestre Symphonique de Vienne, sans avoir pourtant le titre de chef permanent. Peu avant de disparaître, il entreprend l'enregistrement intégral des symphonies de Mozart avec l'Orchestre du Concertgebouw d'Amsterdam mais ne pourra le mener à bien.

J. Krips était considéré comme l'un des plus authentiques détenteurs de la tradition viennoise dans laquelle il avait été élevé, contrairement à Bruno Walter ou Karl Böhm. Ses enregistrements mozartiens restent un précieux témoignage d'un style souvent controversé mais auquel il donnait une vie intense.

Krivine, Emmanuel

Chef d'orchestre et violoniste français, né à Grenoble le 7 mai 1947.

Il travaille d'abord le violon à Grenoble avec Louise Mercier jusqu'en 1960, année où il entre au Conservatoire de Paris dans la classe de René Benedetti. Il y obtient un 1er prix de violon en 1963 avant de se perfectionner avec Henryk Szeryng et Yehudi Menuhin. En 1965, le Conservatoire Royal de Bruxelles lui décerne un prix de virtuosité, en 1968, il est lauréat du Concours Reine Élisabeth. Après avoir suivi le 3e cycle de perfectionnement au Conservatoire de Paris, il est lauréat des grands concours internationaux Paganini à Gênes, Anderson à Londres, Curci à Naples, Tribune internationale des jeunes interprètes à Bratislava (1970-72). Parallèlement à sa carrière de violoniste, il dirige en Belgique, notamment à partir de 1964. Après un premier concert avec le Nouvel

Orchestre Philharmonique de Radio France en 1975, il devient à partir de l'année suivante 1er chef invité de cet orchestre. De 1981 à 1983, il est directeur de l'Orchestre Philharmonique de Lorraine (Metz). Un accident de voiture le contraint à abandonner le violon (1981). Il enseigne au Conservatoire de Lyon (classe d'orchestre) de 1979 à 1981 avant d'être nommé, en 1983, 1er chef invité de l'Orchestre de Lyon.

Krombholc, Jaroslav

Chef d'orchestre tchécoslovaque, né à Prague le 30 janvier 1918, mort à Prague le 16 juillet 1983.

Il fait ses études à l'Université de sa ville natale et au Conservatoire où il travaille la composition avec O. Šín, V. Novák et A. Hába (1937-42) puis la direction d'orchestre avec P. Dědeček et V. Talich (1938-42). Il débute comme chef d'orchestre au Théâtre d'Ostrava (1944-45) puis revient à Prague comme chef permanent à l'Opéra (1945-46 puis 1948-62). Il y est ensuite 1er chef (1963-68) et directeur musical (1968-74). Il prend alors la direction de l'Orchestre Symphonique de la Radiodiffusion Tchécoslovaque (1973-77). L'essentiel de sa carrière, dans son pays ou à l'étranger, se déroule dans la fosse. Il s'impose à sa génération comme l'un des meilleurs chefs d'opéra et contribue à faire connaître le répertoire lyrique tchécoslovaque.

Krust, André

Pianiste français, né à Belfort le 10 mai 1926.

Il étudie l'harmonie avec Olivier Messiaen et entre au Conservatoire de Paris où il travaille notamment avec Norbert Dufourcq et Pierre Pasquier. Ses activités de résistance au sein du réseau Alliance lui valent d'être déporté politique en 1944. Il sera libéré en 1945. Il obtient, en 1950, un 2e prix de piano au Conservatoire de Paris (classe de Jean Doyen). Il se perfectionne avec Yves Nat jusqu'en 1956 et suit les conseils du pédagogue et pianiste russe Pierre Kostanoff. Il obtient le prix d'interprétation du concours international Franz Liszt de Budapest (1956). Parallèlement il poursuit une carrière pédagogique : chargé de cours aux Conservatoires d'Amiens (1950-53), et de Montreuil (1970), professeur invité à l'Université d'Ottawa (1971), directeur du Séminaire musical d'été de Grendelbruck (1972), professeur titulaire au Conservatoire de Montreuil (1973), chargé de cours au Conservatoire de Luxembourg. Il donne de nombreux cours d'interprétation et conférences notamment sur Schumann et le romantisme allemand. Il appartient, avec Robert Gendre et Robert Bex à l'ensemble de musique de chambre Le Trinôme. André Krust a donné la première audition de *Chant après chant* de Jean Barraqué.

Kruysen, Bernard

Baryton néerlandais, né à Montreux le 28 mars 1933.

C'est en Provence qu'il passe les quinze premières années de sa vie, d'où son amour de la langue française. Après des études au Conservatoire royal de La Haye, il quitte l'Opéra royal d'Amsterdam où il a été engagé, pour venir travailler avec Pierre Bernac, à Paris. Il obtient le grand prix d'excellence de la mélodie française et le grand prix hors concours Gabriel Fauré puis, en 1958, au Concours international de chant de Bois-le-Duc, il est proclamé le meilleur interprète néerlandais. Il a fait de nombreuses tournées en Europe et aux États-Unis. Il joue souvent avec Noel Lee, après avoir reçu, en 1972, le prix du meilleur duo pour l'interprétation du lied avec Paul Niessing au piano. Son répertoire va de Bach à Poulenc, en passant par Monteverdi, Schumann, Moussorgski, Debussy, Ravel et Fauré. Il vit en Hollande. A côté de la musique il a une deuxième passion, l'exploration et la chasse sous-marines, et a remporté trois championnats du monde.

Kubelík, Jan

Violoniste tchécoslovaque naturalisé hongrois (1903), né à Michle (Prague) le 5 juillet 1880, mort à Prague le 5 décembre 1940.

Élève de Otokar Ševčik au Conservatoire de Prague (1892-98), il commence en 1898 à Vienne une brillante carrière de concertiste qui allait se poursuivre pendant quarante-deux années. Considéré comme le meilleur violoniste tchécoslovaque de son temps, ce lointain disciple de Viotti (par la filière Ševčik – Bennewitz – Pixis – Viotti) a été souvent comparé à Paganini pour la perfection de sa technique. Il a écrit 6 concertos, diverses pièces pour le violon et une *Symphonie américaine* (1937). Fondateur de son propre quatuor, auquel appartint notamment Paul Grümmer, plus tard violoncelliste du Quatuor Busch, il possédait 16 violons historiques dont un Stradivarius de 1715, *l'Empereur*, et un Guarnerius de 1735 que détient actuellement Kyung-Wha Chung. L'essentiel de cette collection fut dispersé en 1932.

Kubelík, Rafaël

Chef d'orchestre et compositeur tchécoslovaque naturalisé suisse en 1967, né à Bychory (Prague) le 29 juin 1914.

Fils de Jan Kubelík, il étudie au Conservatoire de Prague la composition, le piano, le violon et la direction d'orchestre. Il donne son premier concert à l'âge de 19 ans. Pendant une année il accompagne au piano les récitals de son père. De 1936 à 1939, il est chef permanent de l'Orchestre Philharmonique Tchèque. Puis il est nommé directeur musical de l'Opéra de Brno (1939-41) avant de prendre la direction de la Philharmonie Tchèque (1941-48). Il quitte son pays en 1948 et passe quelques années aux U.S.A. où il est directeur de l'Orchestre Symphonique de Chicago (1950-53). De 1955 à 1958, il est directeur musical de l'Opéra royal du Covent Garden à Londres puis, de 1961 à 1979, il est à la tête de l'Orchestre Symphonique de la Radiodiffusion Bavaroise (Munich). Il est décoré de la médaille Gustav Mahler, compositeur auquel il est particulièrement attaché et dont il a été l'un des premiers à enregistrer l'intégrale des symphonies. En 1972-74, Rafaël Kubelík a également été nommé directeur musical au Metropolitan Opera de New York. La production du compositeur est fournie : 3 Requiem, plusieurs opéras et de nombreuses pages consacrées à l'orchestre, la voix et la musique de chambre. Dédicataire des *Fresques de Piero della Francesca* de Martinů, qu'il crée en 1956, il dirige en 1re audition la *Messe de campagne* de Martinů (1946), les *Six Monologues de Jedermann* (1949) de Frank Martin, l'*Échelle de Jacob* (1961) de Schönberg, la *Symphonie n° 8* (1963) et les *Symphonische Hymnen* (1975) de Hartmann.

Kuentz, Paul

Chef d'orchestre français, né à Mulhouse le 4 mai 1930.

Il commence ses études au Conservatoire de sa ville natale. En 1947, il entre au Conservatoire de Paris où il travaille avec Georges Hugon, Noël Gallon et Eugène Bigot. En 1950, il remporte un 1er prix de direction d'orchestre et fonde l'Orchestre de Chambre Paul Kuentz (15 musiciens) qui donne dès 1951 son premier concert public. Commence alors, pour la formation et son chef, une brillante carrière internationale qui le mènera notamment aux États-Unis en 1960. En 1956, il épouse Monique Frasca-Colombier, violon solo de son orchestre. Il rencontre Jean Cocteau (1960) qui se prend d'amitié pour l'ensemble et dessine ses programmes. Paul Kuentz donne à Saint-Séverin l'intégrale de l'œuvre pour orchestre de Bach. En 1968, il joue au Carnegie Hall de New York. Parmi les pages qu'il a créées, on retiendra des partitions signées P.-M. Dubois, J. Castérède, M. Vittoria, M. Zbar et J. Charpentier. Paul Kuentz est l'un des plus fervents défenseurs de la musique française à l'étranger, notamment pour les répertoires des XVIIe et XVIIIe siècles. En 1972, il a fondé sa propre chorale.

Kuhn, Gustav

Chef d'orchestre autrichien, né à Salzbourg le 28 août 1947.

Dès l'âge de 4 ans, il aborde le violon et le piano. Au Mozarteum de Salzbourg, où il étudie à partir de 1964, il travaille la direction d'orchestre avec Bruno Maderna et Herbert von Karajan tout en suivant les cours de Hans Swarowsky à la Musikhochschule de Vienne. En 1969, il reçoit le 1er prix au Concours international de la Radio autrichienne. L'année suivante, il obtient un doctorat de philosophie à l'université de Salzbourg et le diplôme de Kapellmeister au Mozarteum. Entre 1970 et 1973, il est 1er chef à l'Opéra d'Istanbul, puis il occupe les mêmes fonctions à l'Opéra de Enschede (Pays-Bas) (1974-75) et à l'Opéra de Dortmund (1975-77). Sa carrière de chef invité se développe dans les plus grands théâtres lyriques du monde. En 1978, il est chef permanent à l'Opéra de Vienne et, de 1979 à 1982, directeur général de la musique à Berne. En 1982, il occupe les mêmes fonctions à Bonn. Il a effectué ses débuts aux festivals de Glyndebourne, Munich et Salzbourg en 1980.

Kuijken, Barthold

Flûtiste belge, né à Dilbeek (Bruxelles) le 8 mars 1949.

Il fréquente les conservatoires de Bruges, de Bruxelles et de La Haye. Il se consacre à l'étude de la flûte et a pour professeur Frans Vester (flûte traversière) et Frans Brüggen (flûte à bec). Il s'initie au jeu de la flûte baroque traversière, à l'instar de ses frères Wieland et Sigiswald, sur leurs instruments respectifs. Il commence une carrière de soliste international fort brillante. Il est membre de l'Ensemble Parnassus et de La Petite Bande, dirigée par son frère, Sigiswald ; il a aussi joué avec le Collegium Aureum. Il enseigne la flûte baroque aux conservatoires de La Haye et de Bruxelles. A la suite de Frans Brüggen, Barthold Kuijken trace une voie nouvelle à l'interprétation de la musique ancienne consacrée à la flûte. Son influence s'avère déterminante.

Kuijken, Sigiswald

Violoniste et gambiste belge, né à Dilbeek (Bruxelles) le 16 février 1944.

Il entre en classe de violon à l'âge de huit ans au Conservatoire de Bruges. En 1960, il est l'élève de Maurice Raskin au Conservatoire de Bruxelles et en sort avec un 1er prix en 1964. Depuis 1970, et autodidacte comme son frère aîné Wieland, il apprend à jouer sur le violon baroque. Sa carrière d'interprète suit celle de son frère, aussi bien dans l'ensemble Musiques Nouvelles où il reste pendant dix ans, que dans l'Ensemble Alarius. Il pratique alors le violon et la viole de gambe, mais il consacre son enseignement au Conservatoire de La Haye, depuis 1971, au violon baroque. En 1972, il fonde un orchestre baroque, La Petite Bande, qu'il dirige avec grand succès. En 1975, avec Gustav Leonhardt, il obtient le Grand Prix d'Allemagne pour l'interprétation des *Sonates pour viole de gambe et clavier* de J.-S. Bach.

Kuijken, Wieland

Gambiste belge, né à Dilbeek (Bruxelles) le 31 août 1938.

Il commence à quinze ans des études de piano et de violoncelle au Conservatoire de Bruges où sa famille s'est installée depuis 1952. De 1957 à 1962, il fréquente le Conservatoire de Bruxelles où il obtient le prix d'excellence (1962). A dix-huit ans, il décide d'apprendre la viole de gambe en autodidacte. C'est à cette époque qu'il s'intègre au groupe d'avant-garde de Bruxelles, Musiques Nouvelles, tandis que, de 1959 à 1972, il participe aux concerts donnés par l'Alarius Ensemble, spécialisé dans l'interprétation de la musique baroque, surtout d'expression française. Depuis 1972, il joue avec ses frères Barthold et Sigiswald (Kuijken Early Music Group). Depuis le début des années soixante-dix, il enseigne dans les conservatoires d'Anvers, de Bruxelles et de La Haye ; de même, depuis 1973, il donne plusieurs séries de conférences annuelles à Innsbruck. Ses conférences l'ont également conduit en Grande-Bretagne (1973) et aux États-Unis (1974). Il participe régulièrement aux Festivals des Flandres, de Saintes, à l'English Bach Festival. Ses concerts l'ont amené à jouer en compagnie de Gustav Leonhardt, Alfred Deller ou Frans Brüggen. Il est le chef de file de la basse de viole et son répertoire couvre toute la période où cet instrument a été en honneur dans la musique européenne. La pureté de son intonation, la vivacité de son sens rythmique, son traitement de la ligne mélodique en font l'un des solistes favoris de cette littérature.

Kulenkampff, Georg

Violoniste allemand, né à Brême le 23 janvier 1898, mort à Zürich le 5 octobre 1948.

Considéré dès ses débuts comme l'un des violonistes les plus sensibles de sa génération, Kulenkampff fut également un pédagogue apprécié (il fut entre autres le professeur du célèbre violoniste de variétés Helmut Zacharias). Il professa à Berlin, dès 1923, à la Hochschule für Musik. Il ne fut jamais un virtuose au sens actuel (et parfois péjoratif) du terme : il était avant tout un musicien respectueux, se voulant toujours être le serviteur des œuvres qu'il défendait. En désaccord avec le régime hitlérien, il quitta l'Allemagne en 1943 pour s'établir en Suisse, où il devint le successeur de Carl Flesch au Conservatoire de Lucerne. Kulenkampff – grand interprète de Beethoven, de Dvořák, de Max Bruch – joua sous la baguette des plus grands chefs, dont Wilhelm Furtwängler et Carl Schuricht ; il devait s'associer en récital et au disque avec Wilhelm Kempff et avec Georg Solti (alors pianiste), avec lesquels il grava des sonates de Beethoven, Brahms et Mozart. On lui doit la résurrection du *Concerto pour violon* de Schumann qu'il a créé à Berlin en 1937 sous la direction de Karl Böhm.

Kulka, János

Chef d'orchestre hongrois, né à Budapest le 11 décembre 1929.

Il fait ses études musicales dans sa ville natale avec Ferencsik, Somogyi, Weiner et Kodály. De 1950 à 1956, il dirige à l'Opéra de Budapest puis quitte la Hongrie pour l'Allemagne. Il se fixe d'abord à Berlin où l'accueille Ferenc Fricsay. Il dirige également, comme invité, à Munich puis il est nommé 1er chef à l'Opéra de Stuttgart (1959). Deux ans plus tard, il occupe les mêmes fonctions à l'Opéra de Hambourg avant d'être nommé directeur général de la musique à Wuppertal (1964-76). Il revient alors à l'Opéra de Stuttgart comme chef permanent (1976) tout en assurant la direction musicale de la Nordwestdeutsche Philharmonie. Il a créé l'opéra de Blacher *Yvonne, Prinzessin von Burgund* (1973), celui de Klebe, *Jacobowsky und der Oberst* (1982) et celui de Boehmer, *Doktor Faustus* (1985).

Kulka, Konstanty Andrzej

Violoniste polonais, né à Gdańsk le 5 mars 1947.

Il fait ses études musicales à l'École secondaire d'État de musique, puis à la Haute école de musique à Gdańsk (1960-65). Il travaille le violon avec Stefan Herman. En 1964, il est lauréat du Concours international Paganini, à Gênes. Sa carrière commence, en 1966, après avoir gagné le 1er prix du Concours international de la Radio (T.V. de Munich). Il se partage dès lors entre une carrière de concertiste, invité par les plus prestigieux orchestres, et celle de musicien de chambre, en duo avec le pianiste Jerzy Marchwinski. Ce sont surtout ses prestations avec l'Orchestre de chambre de Karl Münchinger qui l'ont fait connaître en Occident. Il a créé le *Concerto pour violon* de Z. Krauze (1980).

Kunz, Erich

Baryton-basse autrichien, né à Vienne le 20 mai 1909.

Il fait toutes ses études de chant à l'Académie de musique de Vienne, et débute dans les théâtres de Troppau (1935), Plauen (1936) et Breslau (1937-41), avant de devenir en 1941, auprès des Schœffler, Dermota, Patzak, Loose, Seefried, l'un des piliers de la Staatsoper de Vienne, se distinguant particulièrement par la verve et la finesse de son jeu, dans le répertoire mozartien (Leporello, Papageno, Guglielmo) et dans l'opérette viennoise (Falke de *La Chauve-Souris*, Danilo de *La Veuve joyeuse*). Il participe aux festivals de Glyndebourne (1935), de Salzbourg et de Bayreuth (dans le rôle de Beckmesser des *Maîtres chanteurs*) et est invité par de nombreux théâtres dont le Colón de Buenos Aires.

Kurtz, Efrem

Chef d'orchestre russe, naturalisé américain (1944), né à Saint-Pétersbourg le 7 novembre 1900.

Il travaille au Conservatoire de Saint-Pétersbourg avec Nicolas Tchérépnine et Alexandre Glazounov. Il gagne l'Université de Riga puis le Conservatoire Stern de Berlin. Il fait ses débuts à Berlin en 1921. De 1929 à 1933, il est directeur musical de la Philharmonie de Stuttgart. De 1933 à 1941, il est directeur des Ballets Russes de Monte-Carlo avec lequel il effectue des tournées en Europe et aux États-Unis. Puis, il émigre aux États-Unis où il occupe la place de directeur musical de l'Orchestre Symphonique de Kansas City (1943-47), de l'Orchestre Symphonique de Houston (1948-54), puis, en Angleterre, du Royal Liverpool Philharmonic Orchestra (1955-57). A partir de ce moment, libéré de tout contrat, il donne des concerts dans le monde entier, notamment en Russie (1966) où il n'était pas revenu depuis 1919. Il était marié à la flûtiste Elaine Shaffer.

Kyriakou, Rena

Pianiste grecque, née à Hêraklion (Crète) le 25 février 1918.

Dès l'âge de trois ans, elle pratique son instrument et compose de petites pièces qu'elle joue à son premier récital, à six ans. Elle travaille à Vienne avec Paul Weingarten et Richard Stohr puis à Paris avec Isidore Philipp et la composition avec Henri Büsser. Elle remporte un 1er prix de piano à 16 ans. Dès lors, elle entame une carrière internationale en soliste ou sous la direction des plus grands chefs, dévouée à un répertoire très vaste et parfois assez négligé. Elle a enregistré l'intégrale de l'œuvre pianistique de Mendelssohn et de Chabrier.

Kyung-Wha Chung

Voir à **Chung, Kyung-Wha.**

L

Labèque, Katia

Pianiste française, née à Bayonne le 11 mars 1950.

Labèque, Marielle

Pianiste française, née à Bayonne le 6 mars 1952.

Elles étudient le piano avec leur mère Ada Cecchi, ancienne élève de Marguerite Long. Elles ne cesseront pas de travailler avec elle durant toutes leurs études au Conservatoire de Paris où elles entrent en 1965 (classe de Lucette Descaves). Elles obtiennent leur 1er prix en 1968 et suivent le 3e cycle de perfectionnement à deux pianos avec Jean Hubeau. En 1970, un premier disque consacré aux *Visions de l'Amen* de Messiaen puis un second consacré à la *Sonate pour deux pianos et percussion* de Bartók attirent sur elles l'attention du monde musical. Elles se produisent alors régulièrement en duo ou avec les percussionnistes Jean-Pierre Drouet et Sylvio Gualda. Elles rencontrent Luciano Berio en 1972 et créent en Europe son *Concerto* (Royan 1973), puis, quelques années plus tard, à Londres, une œuvre écrite à leur intention, *Linea*. Elles créent également le *Concerto pour deux pianos* de Boesmans. Elles jouent régulièrement en musique de chambre avec Augustin Dumay, Frédéric Lodéon et Lynn Harrell (violoncelle), le clarinettiste Richard Stoltzman ; Katia fait également du jazz avec le guitariste John Mc Laughlin.

La Bruchollerie, Monique de

Pianiste française, née à Paris le 20 avril 1915, morte à Paris le 15 décembre 1972.

Élève de Cortot mais surtout d'Isidore Philipp dont elle devait être la descendante directe par la suite ; au Conservatoire de Paris, elle obtient un 1er prix en 1928. Parallèlement à sa carrière de concertiste, elle se consacre toute sa vie à l'enseignement, particulièrement au Conservatoire de Paris où elle est professeur. Un accident de voiture, survenu lors d'une tournée en Europe centrale, allait interrompre prématurément sa carrière et la laisser infirme. Jean Rivier lui a dédié des pièces pour piano.

Lafont, Jean-Philippe

Baryton français, né à Toulouse le 4 février 1951.

Élève de Denise Dupleix, il commence ses études de chant à Toulouse et les poursuit à l'école de l'Opéra-Studio, où il entre en 1973. L'année suivante, il débute – toujours à l'Opéra-Studio – comme Papageno (*La Flûte enchantée*). Il participe à tous ses spectacles et crée *Young Libertad* de Claude Prey. En 1977, il tient le rôle de Nick Shadow (*The Rake's progress*) puis il quitte l'Opéra-Studio. Il fait ses débuts à Toulouse dans Guglielmo (*Cosi fan tutte*). Il retrouve l'Opéra-Comique où il participe successivement au *Médecin malgré lui* (Gounod), à *Tom*

Jones (Philidor) et au spectacle Satie. L'Opéra de Berlin l'invite pour tenir le rôle principal de *La Chute de la maison Usher* (Debussy). Il chante Ourias (*Mireille*) au Capitole de Toulouse. En 1980, il est un des artisans du succès de *Vive Offenbach* à l'Opéra-Comique et chante dans *Le Porteur d'Eau*. Il participe au Festival Berlioz de Lyon (*Les Troyens*). En 1981, il chante à l'Opéra du Rhin (Strasbourg) Figaro dans *Les Noces de Figaro*, puis à Genève *Le Comte Ory* et à Lille *La Servante Maîtresse*. Au Châtelet, il remporte un double succès dans *Le Cid*, avec Domingo et dans *Les Pêcheurs de perles* (Zurga). Invité au Festival de Hanovre, il participe à *Rodelinda* de Händel, puis chante Escamillo (*Carmen*) au Festival de Nîmes et à l'Opéra de Hambourg. Au Festival d'Aix 1982, il est Borée des *Boréades* de Rameau, puis à l'Opéra-Comique, il chante le quadruple rôle du diable dans *Les Contes d'Hoffmann*. En 1984, il incarne Golaud à la Monnaie de Bruxelles. L'année suivante, il crée l'opéra de Landowski, *Montségur*, au Capitole de Toulouse.

Lagacé, Bernard

Organiste canadien, né à Saint-Hyacinthe le 21 novembre 1930.

Il étudie le piano avec Yvonne Hubert, l'orgue avec Conrad Letendre et l'écriture avec Gabriel Cusson avant de venir à Paris où il est l'élève puis l'assistant d'André Marchal à Saint-Eustache (1954-56). Il part ensuite en Autriche où il poursuit ses études avec Anton Heiller. Il remporte des prix aux Concours internationaux de Munich et Gand. Rentré au Canada en 1957, il est nommé professeur d'orgue au Conservatoire de Montréal, ville où il avait obtenu, en 1955, son diplôme à l'Université. Il est depuis lors considéré comme l'un des plus actifs artisans de la renaissance de l'instrument dans son pays. En dehors des nombreux récitals qu'il donne au Canada, il se fait applaudir également en Europe et aux États-Unis où il anime d'ailleurs, depuis 1969, les Choate Music Seminars à Wallingford, dans le Connecticut. Sa femme, Mireille Lagacé, est claveciniste. En 1978, il est nommé professeur à l'Université Concordia de Montréal.

Lagoya, Alexandre

Guitariste égyptien, naturalisé français, né à Alexandrie le 29 juin 1929.

Il commence ses études musicales à huit ans. A treize ans, il donne un premier récital ; à quinze ans, il enseigne la guitare et le solfège. Il s'installe alors à Paris et épouse, en 1952, la guitariste française Ida Presti avec laquelle il forme un duo de guitares devenu très célèbre. A eux deux, ils ouvrent de nouveaux horizons à la technique de la guitare : une nouvelle position de la main droite pour donner plus de volume à l'instrument, méthode de trille sur deux cordes, plus grande rapidité dans le pizzicato, perfectionnement dans le staccato. Il enseigne au Conservatoire de Paris depuis 1969, date de la création d'une classe de guitare, et donne de nombreux cours en Amérique. Parmi les œuvres qui lui sont dédiées, *Thème et variations* (Pierre-Petit), *Concert nº 2* (J. Charpentier), *Hildagoyas* (Aubin), *Ballade* (Damase)...

Lamandier, Esther

Mezzo-soprano française, née à Saint-Raphaël le 13 février 1946.

De famille musicienne (sa mère est pianiste, son grand-père flûtiste), elle est initiée à la musique par Nadia Boulanger, apprend le violon dès l'âge de quatre ans et le piano à six ans. Après des études secondaires classiques, elle opte pour le professorat d'études musicales (Lycée La Fontaine, d'où elle sort en 1970), fait propédeutique musicale à Nice, enfin est nommée au Collège Jean-Mermoz à Savigny-sur-Orge (1971-75). Elle cultive le chant classique et s'intéresse plus particulièrement à la musique élizabéthaine et aux airs de cours français. En 1975, elle se consacre uniquement au chant. Elle fait alors partie de l'Ensemble Vocal de France. Sa rencontre avec Gérard Le Vot lui fait découvrir la richesse de possibilités de la musique médiévale. Après deux ans de travail auprès du Studio der Frühen Musik (1976-77), elle fait partie du Groupe Guillaume Dufay (Arsène Bedois) : *Office des fous* (Pierre de Corbeil), *Messe* de G. de Machaut, *Planctus* d'Abélard. Depuis 1977, s'accompagnant elle-même (luth, harpe, orgue portatif, vièle), elle obtient un succès remarquable dans la musique monodique mélismatique (*Cantigas de Santa Maria ; Décaméron, Ballate* de l'Ars nova florentine).

Lance, Albert
(Albert-Lance Ingram)

Ténor australien, naturalisé français (1967), né à Adélaïde le 12 juillet 1925.

Dès sa plus tendre enfance, il chante à l'école et au temple avec une ravissante voix de soprano. Sa mère lui fait étudier le chant et l'envoie au Conservatoire de Melbourne. Pendant six ans, il se produit dans les cafés-concerts et les boîtes de nuit ou tourne avec des compagnies de vaudeville. Le directeur de l'une de ces compagnies l'envoie auditionner à l'Opéra de Melbourne. On lui signe immédiatement un contrat. Il a un an pour se préparer. A la date prévue, il monte sur scène pour chanter *La Tosca*. Succès immédiat. Il fait le tour de l'Australie, chantant *La Tosca, La Bohème* et *Madame Butterfly*. Il participe même à un gala où *Les Contes d'Hoffmann* sont donnés pour la Reine d'Angleterre. Et brusquement, c'est l'oubli. Pour vivre il doit travailler en usine.

La chance lui revient de France, par la voie de la femme du professeur Modesti, active et compétente prospectrice de belles voix. Elle emmène le jeune homme en France. Modesti en fait un chanteur. Simone Féjart en fait un musicien. En 1956, il débute à la salle Favart, dans *La Tosca* puis à l'Opéra dans Faust. Jusqu'en 1972, il se partage entre la salle Favart et le Palais Garnier, avec des incartades à Lyon, Marseille, Bordeaux, mais aussi Londres, San Francisco, Los Angeles, Philadelphie, Vienne, Moscou, Leningrad, Kiev, Buenos Aires, Rio de Janeiro... A San Francisco, il crée *Blood Moon* de Dello Joio. Lorsqu'en 1972 la troupe de l'Opéra est dispersée, il tient pendant quatre ans les premiers emplois à l'Opéra du Rhin : Erik, Canio, Hérode, Pinkerton... Il y consacre depuis le plus clair de son temps à l'enseignement.

Lancelot, Jacques

Clarinettiste français, né à Rouen le 24 avril 1920.

Il fait ses études musicales au Conservatoire de Caen (1933-38), sous la direction de Fernand Blachet, puis au Conservatoire de Paris où il obtient son 1er prix en 1939 (classe d'Auguste Perier). En 1942, il suit la classe de musique de chambre de Fernand Oubradous. De 1941 à 1950, il fait partie de l'Orchestre Lamoureux. Il s'y produit en soliste, mais aussi avec l'Orchestre de Radio Paris (sous les baguettes de Fournet, Mengelberg, von Hœsslin et Van Kempen), l'Orchestre de Chambre Marius-François Gaillard et la Société des Instruments à vent dirigée par F. Oubradous. Il fait partie de l'Orchestre de la Garde Républicaine (1945-46) et de l'Orchestre du Casino de Vichy (1947-55). Mais sa carrière de soliste prend vite le pas sur sa vie de musicien d'orchestre. Il crée des partitions signées Beugniot, Françaix, Calmel et fait redécouvrir les sonates de Devienne, les concertos de Molter et des variations pour clarinette et orchestre de Rossini. Il fait partie du Quintette à Vent Français et enseigne au Conservatoire de Rouen depuis 1947, au Conservatoire National de Lyon depuis 1980 et à l'Académie Internationale d'Été de Nice depuis 1960.

Lancie, John de

Voir à **De Lancie, John.**

Landowska, Wanda
(Alexandra Landowska)

Claveciniste et pianiste polonaise, française par son mariage, née à Varsovie le 5 juillet 1879, morte à Lakeville (États-Unis) le 16 août 1959.

A trois ans, elle commence ses études de piano et elle travaille avec J. Kleczynski et A. Michalowski. A Berlin, elle étudie la composition avec H. Urban. Sur les conseils d'Henri Lew, qu'elle épousera par la suite, elle s'installe à Paris en 1900 où elle donne des cours à la Schola Cantorum. Avec lui, elle se consacre au renouveau de la musique ancienne et du clavecin. A sa demande, la Maison Pleyel lui construit un grand clavecin de concert qu'elle inaugure au Festival Bach de Breslau (1912). Elle poursuit sa croisade en faveur de l'instrument à la Hochschule de Berlin où elle donne des cours (1913-19) grâce à une chaire créée spécialement pour elle. De retour en France après la guerre, elle enseigne à l'École Normale de musique. Elle enregistre ses premiers disques en 1923. Puis elle se fixe à Saint-Leu-la-Forêt en 1925 où elle fonde, deux ans plus tard, une École de musique ancienne qu'elle inaugure en compagnie d'Alfred Cortot. Jusqu'en 1939, elle y donne chaque été des cours d'interprétation et forme la nouvelle génération de clavecinistes : Gerlin, Kirkpatrick, Puyana, Curzon, Van de Wiele, Nef comptent parmi ses élèves. L'hiver, elle enseigne au Curtis Institute de Philadelphie (1925-28). Elle incite des compositeurs à écrire pour elle et à renouveler ainsi le répertoire de l'instrument : Poulenc lui dédie son *Concert Champêtre* qu'elle crée en 1929 et Falla son *Concerto pour clavecin* (1926). En 1933, elle donne la première audition publique de l'intégrale des *Variations Goldberg* de Bach. En 1940, elle abandonne Saint-Leu et, après de multiples pérégrinations, parvient en 1941 à New York. Elle commence alors, à plus de 60 ans, une seconde carrière. Entre 1949 et 1956, elle réalise le premier enregistrement intégral au clavecin du *Clavecin bien tempéré* de J.-S. Bach. En 1950, elle reprend ses cours à Lakeville (Connecticut) où elle s'est fixée en 1957 et, à 75 ans, elle donne son dernier récital à New York. Interprète d'exception, Wanda Landowska a joué un rôle considérable pour le renouveau du clavecin et la redécouverte de la musique ancienne.

ÉCRITS : *Sur l'interprétation des œuvres de clavecin de J.-S. Bach* (1905), *Musique ancienne* (1909), *Chopin et l'ancienne musique française* (1931), *Sur les Variations Goldberg de J.-S. Bach* (1933).

Langlais, Jean

Organiste et compositeur français, né à La Fontenelle le 15 février 1907.

Frappé de cécité dès sa petite enfance, il entre à l'Institut national des jeunes aveugles, à Paris, à l'âge de dix ans, où il fait ses études comme interne – jusqu'en 1930 – avec André Marchal, pour l'orgue, tout en travaillant aussi le violon. Il entre ensuite au Conservatoire de Paris où il est élève de Marcel Dupré et de Noël Gallon, pour l'orgue et le contrepoint, de Paul Dukas pour la composition (à partir de 1934). Dans le même temps, il suit l'enseignement de Charles Tournemire pour l'improvisation, jusqu'en 1939. Il débute comme organiste à Montrouge. En 1945, il est nommé organiste titulaire du grand orgue de Cavaillé-Coll à Sainte-Clotilde à Paris. Il succède à Charles Tournemire, lui-même successeur de Gabriel Pierné et de César Franck aux mêmes claviers. Après avoir été professeur à l'Institut national des jeunes aveugles (1930-68), il enseigne de 1961 à 1976 à la Schola Cantorum.

Virtuose et improvisateur exceptionnel, Jean Langlais, qui a fait connaître la jeune école d'orgue française dans le monde, y compris aux États-Unis, effectue de nombreuses tournées. Son œuvre, qui obéit au classicisme de forme tout en témoignant d'une recherche constante de la poésie, est vaste. S'il donne des Cantates, des Messes et des Motets, et de la musique de chambre, il est avant tout axé sur l'orgue. On lui doit, entre de nombreuses pièces pour l'instrument : *3 Poèmes évangéliques* (1932), *9 Pièces* (1941-42), *Suite française* (1948) et l'admirable *Hommage à Frescobaldi* (1951).

Langridge, Philip

Ténor anglais, né à Hawkhurst le 16 décembre 1939.

Jusqu'en 1958, il travaille le violon à l'Académie royale de musique de Londres et se produit jusqu'en 1964 comme tel. A partir de 1962, il commence l'étude du chant avec Bruce Boyce puis avec Celia Bizoni. Il se produit particulièrement dans le répertoire baroque, Monteverdi, Rameau, mais aussi dans la musique contemporaine, créant des ouvrages de Bennett, Goehr, Holliger... Il a épousé la cantatrice Ann Murray.

Lanza, Mario
(Alfredo Cocozza)

Ténor américain, né à New York le 31 janvier 1921, mort à Rome le 7 octobre 1959.

Chauffeur de camions, il étudie seul le chant pendant ses loisirs avant d'être remarqué par Koussevitzky qui l'envoie étudier au Conservatoire de la Nouvelle Angleterre auprès d'Enrico Rosati. Après guerre, il vivote en chantant, créant notamment avec George London et Frances Yeend le Bel Canto Trio, spécialisé dans l'opérette et le *Musical*. Il se fait connaître par des apparitions dans des films : *The Louisiana Fischerman, Old Heidelberg, Serenade,* et surtout, en 1951, *Le Grand Caruso*, qui lui apporte une gloire brutale dont il ne se remettra pas. Il meurt d'une crise cardiaque à Rome où il vivait depuis 1956. La voix de Lanza, naturellement éclatante, manquait par trop de subtilité pour prétendre convenir à un répertoire plus ambitieux que celui de l'opérette et de la comédie musicale.

La Pau, Maria de
(Maria Tortelier)

Pianiste française, née à Prades le 13 mai 1950.

Fille de Paul Tortelier, elle doit à sa naissance, pendant le premier Festival Pau Casals, d'être la filleule du grand violoncelliste espagnol. Ce dernier tient à lui donner son nom « Pau ». Après avoir commencé ses études musicales à l'âge de sept ans, elle entre à onze ans au Conservatoire de Paris où elle étudie dans les classes de Jeanne-Marie Darré, Lélia Gousseau (piano) et Henri Challan (harmonie). Elle travaille ensuite à Essen (Allemagne) avec un disciple de Wilhelm Kempff, Detlef Kraus. Elle mène sa carrière non seulement avec les nombreux musiciens que compte sa famille mais aussi avec Jacqueline Du Pré ou Jean-Pierre Rampal.

Laplante, Bruno

Baryton canadien, né à Beauharnois le 1er août 1938.

Il fait ses études au Conservatoire de Montréal dont il sort avec un 1er prix de chant. Grâce à une bourse du Conseil des Arts du Canada, il vient travailler en Europe, à Paris, avec Pierre Bernac, puis à Munich – grâce au Goethe Institut – qui lui octroie également une bourse. Après avoir étudié en Allemagne, il retourne au Canada et travaille avec Lina Narducci. Pour ses créations de mélodies canadiennes, il obtient le « Prix spécial d'interprétation » à Guelph (Ontario). Il participe à de nombreuses émissions radiophoniques au Canada, à Paris, à Hilversum,... etc., ainsi qu'à plusieurs productions de télévision. En 1977, il est au palmarès de l'Académie du Disque français pour ses enregistrements des mélodies de Reynaldo Hahn, Massenet et Gounod. Il crée à Francfort le rôle principal de l'opéra inédit de Claude Debussy, *La Chute de la maison Usher*. Il est invité par plusieurs festivals, dont celui d'Aix-en-Provence, en 1979.

Lardé, Christian

Flûtiste français, né à Paris le 3 février 1930.

Après avoir obtenu des 1ers prix de flûte (1948) et de musique de chambre au Conservatoire de Paris, il se voit décerner le 1er prix du Concours international de Genève en 1951. Nommé flûte solo de l'Orchestre de la Radio irlandaise à Dublin (1949), il devient ensuite flûte solo de l'Orchestre Colonne. Il poursuit, en même temps, une carrière de soliste dans le monde entier. Il est nommé professeur de flûte au Conservatoire de Montréal en 1969 et, un an plus tard, professeur de musique de chambre au Conservatoire de Paris. A partir de 1981, il enseigne la flûte à l'École normale de musique de Paris. La pédagogie l'intéresse, comme l'intéressent les mouvements de création de notre époque. Le nombre de ses concerts est étonnant : plus de 3 000 en soliste, avec sa femme, la harpiste Marie-Claire Jamet ou au sein du Quintette instrumental M.-Cl. Jamet.

La liste de ses créations est longue : *Concerto pour flûte et grand orchestre*, de J. Andriessen, *Concerto pour flûte et neuf instruments* de Bancquart, *Concerto pour flûte et orchestre* de Casanova, *Concerto pour flûte, orchestre et harpe* de Taïra, des œuvres de Castérède, Loucheur, Françaix, Petit, Tamba, Houdy.

Laredo, Jaime

Violoniste bolivien naturalisé américain, né à Cochabamba le 7 juin 1941.

Il se fixe aux États-Unis dès son enfance. Il travaille le violon avec Josef Gingold à Cleveland en 1953, puis avec Galamian au Curtis Institute en 1954. Ses débuts datent de 1949. Après le 1er prix qu'il remporte au Concours R. Elis en 1959, sa carrière internationale se développe rapidement. Il enregistre avec Charles Münch, joue avec Glenn Gould, Rudolf Serkin, se produit au Festival de Marlboro. En Bolivie, des timbres sont émis à son effigie avec les trois notes *la-ré-do*. Au sein de sa production discographique, il faut retenir l'intégrale des sonates pour violon et clavier de J.-S. Bach avec Glenn Gould. Il a créé le *Concerto royal* de Milhaud (1959).

Laretei, Käbi

Pianiste suédoise, né à Tartou le 14 juillet 1922.

Elle fait ses études au Conservatoire de Tallin, en U.R.S.S. Pendant la guerre elle est réfugiée politique en Suède. Elle travaille avec Annie Fischer à Stockholm où elle fait ses débuts en 1946. Elle travaille ensuite en Suisse avec Edwin Fischer, Anna Thirzel Langenhan et Paul Baumgartner. Elle achève sa formation à Stuttgart auprès de Maria-Luisa Strub Moresco. Elle joue beaucoup la musique contemporaine notamment *Ludus Tonalis* de Paul Hindemith qu'elle présente au Carnegie Hall de New York, et enregistre pour le disque. Elle joue aussi beaucoup la musique des compositeurs suédois tels que Rosenberg, Larsson, Nystroem. Elle est actuellement professeur à l'Institut pédagogique de Stockholm. Elle s'est mariée au cinéaste Ingmar Bergman en 1959.

Larrieu, Maxence

Flûtiste français, né à Marseille le 27 octobre 1934.

Il étudie d'abord la flûte à Marseille avec Joseph Rampal. Puis il entre au Conservatoire de Paris dans la classe de Gaston Crunelle et y obtient un 1er prix de flûte (1951) et un 1er prix de musique de chambre (1953). Lauréat du Concours international de Genève (1954) et du Concours international de Munich (1958), il donne de nombreux concerts avec Francis Poulenc, Rafaël Puyana, Lily Laskine, Maurice André. Il joue la *Sequenza* de Berio sous la direction du compositeur et crée le *Concerto pour flûte* de Landowski (1969). De 1964 à 1977, il est flûte solo de l'Orchestre de l'Opéra de Paris. Depuis 1977, il est professeur au Conservatoire de Genève et, depuis 1980, au Conservatoire de Lyon. Parmi les partitions qui lui sont dédiées et qu'il a créées, on peut citer *Voltiges* de Jean Rivier, les *Concertos pour flûte* de Damase et Landowski, la *Sonate à 2 flûtes* de Dorati et diverses pages signées S. Lancen et M. Carles. Sa discographie illustre largement les époques baroque et classique.

Larrocha, Alicia de (Y de la Calle)

Pianiste espagnole, née à Barcelone le 23 mai 1923.

A cinq ans, elle donne son premier concert, puis étudie avec Frank Marshall à Barcelone et, à douze ans, joue à Madrid avec l'Orchestre Philharmonique. Après la guerre, Rubinstein la soutient et elle commence une carrière internationale dès 1947. En 1950, elle épouse le pianiste Juan Torra et donne avec lui de nombreux concerts, jouant aussi avec le violoncelliste Gaspar Cassadó. Nommée, en 1959, directrice de l'Académie Marshall de Barcelone, elle y prolonge le rayonnement de Granados. En 1961, elle reçoit la médaille Paderewski. Outre le répertoire espagnol – elle est une excellente interprète de Granados et Albéniz – auquel elle redonne une vie neuve par son jeu raffiné et nuancé, elle s'attache à la musique romantique : Chopin, comme aux grands concertos de Beethoven et aux œuvres de Fauré.

Larsén-Todsen, Nanny

Soprano suédoise, née à Hagby le 2 août 1884, morte à Stockholm le 26 mai 1982.

Après des études à Stockholm et à Berlin, elle débute en 1906 à l'Opéra royal de Stockholm (Agathe) dont elle reste première soprano de 1907 à 1923. Sa voix évolue vers le registre dramatique et elle se spécialise dans le répertoire wagnérien qu'elle défend à la Scala (1923), au Met (1925-27), au Covent Garden (1927-30) et enfin à Bayreuth de 1927 à 1931 (Brünnhilde, Isolde, Kundry). Elle fait également applaudir son répertoire qui comprend encore Leonore (*Fidelio*), Gioconda, Rachel... à Vienne, Munich, Berlin, Amsterdam, et se retire pour se consacrer à l'enseignement.

Laskine, Lily

Harpiste française, née à Paris le 31 août 1893.

Aimant peu le piano, attirée par la harpe, elle donne son premier concert à douze ans et obtient son 1er prix l'année suivante au Conservatoire. Elle voyage dès l'âge de 14 ans, joue à Londres avec succès. Nommée harpiste de l'Opéra de Paris en 1909, elle sera soliste des Concerts Lamoureux, Koussevitzky, de l'Orchestre Straram, de l'Orchestre National et de l'Orchestre Philharmonique de Paris. Au Festival de Salzbourg, elle joue le *Concerto pour flûte et harpe* de Mozart qu'elle a enregistré plusieurs fois, notamment avec Moyse, Debost et Rampal. Elle défend la musique française et son style brillant, raffiné dans les œuvres de Ravel, de Debussy, d'Ibert et s'affirme dans toute création contemporaine. Elle a révélé des œuvres de Roussel, Tailleferre et Florent Schmitt, entre autres. Roussel a écrit pour elle un *Impromptu* et Jolivet son *Concerto pour harpe*. Sancan, Claude Pascal, Migot et Martelli ont aussi composé à son intention.

Professeur au Conservatoire, de 1948 à 1958, elle aime former des jeunes. Sa vitalité, sa jeunesse d'esprit et de cœur ont donné un grand rayonnement à la harpe dont elle a fait un instrument soliste à part entière. Plusieurs générations de harpistes français ont bénéficié de ses conseils. Elle a aussi sorti de l'ombre des pages anciennes du répertoire : concertos de Bochsa, Reinecke ou Krumpholz, pièces de Hasselmans, Nadermann, Gossec, Saint-Saëns...

Laubenthal, Horst
(Horst Neumann)

Ténor allemand, né à Eisfeld le 8 mars 1938.

Après sept ans d'études musicales et lyriques à Munich, il devient l'unique élève du célèbre ténor héroïque, Rudolf Laubenthal. Il est reçu dans la famille de son professeur qui l'adopte et dont il prend le nom. En 1967, il débute au Festival Mozart de Würzbourg, comme Don Ottavio (*Don Giovanni*). Dès 1968, il est membre de l'Opéra de Stuttgart où sa carrière se développe brillamment. A Stuttgart, et dans tous les grands centres de musique européens où il est invité, on admire son interprétation des rôles mozartiens. De surcroît, son répertoire comprend les principaux rôles de ténor lyrique. Il est invité à l'Opéra de Hambourg, de Vienne, de Berlin, de Munich. Dès 1973, il est fréquemment invité au Liceo de Barcelone, ainsi qu'à l'Opéra de Paris. Il s'impose également en concert, spécialement dans les œuvres de J.-S. Bach ainsi que comme interprète de mélodies.

Laubenthal, Rudolf

Ténor allemand, né à Düsseldorf le 10 mars 1886, mort à Pöcking (Munich) le 2 octobre 1972.

Il étudie d'abord la médecine aux universités de Munich, de Strasbourg et de Berlin. Parallèlement, il prend des cours de chant avec Lilli Lehmann. Quand le directeur de l'Opéra de Berlin l'entend, il l'engage aussitôt. Il débute en 1913 et y reste jusqu'en 1923. En 1922, il remporte un tel succès au Covent Garden qu'il est engagé la saison suivante au Met, où il débute avec Walther (*Les Maîtres chanteurs*). Il reste au Met jusqu'en 1933. Il y chante un certain nombre de « premières » (Stewa – *Jenůfa* – en 1924) ; Ménélas (*Hélène l'Égyptienne*) en 1928 ; Babinski (*Schwanda, le joueur de cornemuse*, de Weinberger). Il chante également au Covent Garden, à l'Opéra de Berlin, de Vienne, de Chicago, de San Francisco. A la fin de la Seconde Guerre mondiale, celui qui fut un des grands ténors héroïques, plus particulièrement pour le répertoire wagnérien, se retire à Pöcking près de Munich où il n'aura qu'un seul élève, son fils adoptif Horst Laubenthal.

Lauri-Volpi, Giacomo

Ténor italien, né à Lanuvio le 11 décembre 1892, mort à Valencia le 17 mars 1979.

Très tôt orphelin, il connaît une enfance difficile. Il fait toutes sortes de besognes pour payer ses études de droit, car il se destine à la carrière de juriste. Ayant pris conscience de l'existence de sa voix, il étudie le chant à l'Académie Sainte-Cécile de Rome, ayant pour professeurs Enrico Rosati et Antonio Cotogni. En 1919, il débute, sous le nom de Giacomo Rubini, à Viterbo dans le rôle d'Arturo des *Puritains*. Trois mois après au Costanzi de Rome, il chante Des Grieux aux côtés de Rosina Storchio. C'est un triomphe. Du jour au lendemain, il est célèbre. Il chante à Buenos Aires, à Madrid, puis revient en Italie et fait ses débuts à la Scala dans *Rigoletto* (1922) sous la direction de Toscanini avec Toti Dal Monte et Galeffi. Il y retournera durant la saison 1929-30 pour chanter Manrico et Arnold, puis y sera régulièrement invité entre 1930 et 1940. Il fait ses débuts au Metropolitan de New York en 1923 dans *Rigoletto* aux côtés de Galli-Curci et de De Luca. Il y chantera 28 rôles, allant d'Almaviva à Radamès, au cours de 299 représentations. Ce long bail se terminera par une représentation de *Lucia di Lammermoor* aux côtés de Lily Pons et de Pinza (1933). En 1927, il est choisi pour chanter le rôle-titre du *Nerone* de Boïto lors de l'ouverture du nouveau Théâtre royal de l'Opéra de Rome. En 1932, il est Arnold lors du centenaire de la première de *Guillaume Tell* à la Scala de Milan. Et sa carrière se poursuit sur les deux continents. Il chante au Covent Garden, au Colón, à l'Opéra de Vienne, à Monte-Carlo, à Barcelone, à l'Opéra de Paris (Radamès en 1929, le Duc de Mantoue et Arnold en 1930, Faust en 1935, Edgardo en 1948). Il continuera de chanter à ce rythme jusqu'en 1965, date à laquelle il se retirera en Espagne auprès de sa femme, la cantatrice Maria Ros.

Possédant une voix naturellement belle, il n'a voulu imiter personne, ni Caruso, ni de Lucia, ni Bonci,... laissant libre cours à ses dons prodigieux (sous le contrôle de Maria Ros, son ange gardien), et c'est sans doute à cela qu'est due la longévité de sa carrière.

ÉCRITS : *L'Equivoco* (1939), *Voci parallele* (1955), *Misteri della voce umana* (1957).

Lautenbacher, Suzanne

Violoniste allemande, née à Augsbourg le 19 avril 1932.

Elle reçoit sa formation musicale à la Hochschule de Munich et à Karlsruhe. Par la suite, elle se perfectionne avec Henryk Szeryng et entame une carrière où la musique de chambre occupe une place importante, notamment au sein du Trio Bell'Arte en compagnie de l'altiste Ulrich Koch et du violoncelliste Thomas Blees. Elle est professeur à la Hochschule de Stuttgart.

Laval, Danielle

Pianiste française, née à Annonay le 12 octobre 1939.

Après avoir commencé le piano très jeune, elle est l'élève de Vlado Perlemuter et de Jean Hubeau au Conservatoire de Paris. A sa sortie du conservatoire, elle préfère se consacrer à ses recherches musicales. Un disque consacré à des études de Lazare Lévy, Blumenfeld, Moskowski et Mendelssohn la révèle au grand public. Elle enregistrera avec l'Orchestre de Paris le *Concerto* de Roussel quelque temps après la constitution de ce dernier.

Le répertoire de Danielle Laval se situe volontairement hors des sentiers battus. Les œuvres qu'elle interprète sont souvent des œuvres oubliées ou négligées par les interprètes. Elle vient d'enregistrer en première mondiale l'intégrale des *Études* de Clementi (*Gradus ad parnassum*).

Lawrence, Marjorie

Soprano australienne, née à Dean's Marsh le 17 février 1907, morte à Little Rock le 13 janvier 1979.

Elle fait ses 1res études musicales à Melbourne puis se rend à Paris où elle reçoit l'enseignement de Renée Gilly. Elle fait ses débuts en ouvrant la saison 1932 de l'Opéra de Monte-Carlo dans le rôle d'Élisabeth de *Tannhäuser*. En 1933, elle débute à l'Opéra de Paris dans Ortrude. Son succès est tel, qu'on lui fait chanter la même année Brünnhilde de *La Walkyrie*, Hérodiade, Rachel, Brünnhilde du *Crépuscule des Dieux*. Viendront ensuite *Don Juan* (Anna), *Sigurd*, *Salomé* (rôle-titre), *Tristan* (Brangaine), *Les Huguenots* (Valentine),... Elle y créera le rôle de Keltis dans *Vercingétorix* de Canteloube. De 1935 à 1941 au Met, elle partagea les grands rôles wagnériens avec Flagstad, y ajoutant Tosca, Salomé, Alceste et Thaïs, et se produisant également dans ces rôles à Chicago, San Francisco et Buenos Aires. En 1941, à Mexico, elle est atteinte d'une attaque de poliomyélite, lors d'une représentation de *La Walkyrie*. A force de courage et de volonté, elle réussit à surmonter cette épreuve, mais ne pourra jamais recouvrer l'usage de ses jambes. Elle retournera cependant sur scène dans des productions spécialement aménagées pour elle, notamment au Met (Vénus et Isolde), à Cincinnati, à Montréal et à l'Opéra de Paris (Amnéris). En 1947, elle chantera *Elektra* en concert à Chicago. Elle s'est consacrée ensuite à l'enseignement à la Tulane University de La Nouvelle-Orléans puis à la Southern Illinois University de Barbondale.

ÉCRITS : *Interrupted Melody* autobiographie (1949), dont un film a été tiré en 1955.

Lear, Evelyn

Soprano américaine, née à Brooklyn le 8 janvier 1928.

Elle étudie d'abord le chant et le cor à la Juilliard School de New York, puis opte enfin pour le chant. Elle donne ses premiers concerts en Amérique, mais décide avec son mari – le baryton Thomas Stewart – de venir en Allemagne afin de poursuivre leurs études au Conservatoire de Berlin. En 1959, elle chante au Royal Festival Hall de Londres les *4 derniers Lieder* de Richard Strauss. La même année, elle débute à l'Opéra de Berlin, comme Compositeur (*Ariane à Naxos*). Elle est invitée à l'Opéra de Munich, à l'Opéra de Vienne (*Lulu*, 1962), au Festival de Salzbourg où elle s'impose comme interprète de Mozart. En 1963, elle crée à Munich *Les Fiançailles à Saint-Domingue* de Werner Egk. En 1967, elle débute au Met, comme Rosine (*Le Barbier de Séville*). Dès lors, elle y est invitée régulièrement, ainsi qu'au Covent Garden et à l'Opéra de San Francisco. Elle donne seule, ou avec son mari, de nombreux récitals dans les capitales européennes et américaines. A Paris, elle a chanté à l'Opéra la Comtesse (*Les Noces de Figaro*).

Leblanc, Georgette

Soprano française, née à Tancarville le 8 février 1875, morte au Cannet le 27 octobre 1941.

Sœur de l'écrivain Maurice Leblanc, elle grandit dans un climat d'exaltation littéraire, qui transparaît dans le cours de sa vie. Remarquée par Massenet, elle débute en 1893 à l'Opéra-Comique dans le rôle de Françoise de *l'Attaque du moulin* de Bruneau, mais abandonne en 1894 la scène parisienne pour le Théâtre de la Monnaie, espérant faire à Bruxelles la connaissance de son idole, Maurice Maeterlinck. En marge de l'idylle romanesque qu'elle réussit à nouer avec lui, elle joue *Carmen* en 1895, *Thaïs* et *La Navarraise* de Massenet l'année suivante. De retour à Paris, où elle entraîne son compagnon, elle se produit dans des récitals de mélodies de Schubert et de Schumann (traduites par Maeterlinck), joue *Sapho* de Gounod à l'Opéra-Comique en 1897 et inaugure, l'année suivante, la nouvelle salle Favart dans le rôle de Carmen (après s'être documentée sur place !). En 1902, Debussy lui préfère Mary Garden pour le rôle de Mélisande qu'elle ne chantera qu'en 1912 à l'Opéra de Boston (sous la direction d'A. Caplet). Entre-temps, elle est la créatrice d'*Ariane et Barbe-Bleue* de Dukas (Opéra-Comique, 1907). Elle est également la Lumière dans *L'Oiseau bleu* d'A. Wolff (Met, 1918). Elle se dépense en conférences sur les œuvres de Maeterlinck et joue au théâtre ses pièces : *Monna Vanna* (1903), *Marie-Magdeleine* (1913), *Pelléas et Mélisande* (Sarah Bernhardt jouant Pelléas). Se séparant de Maeterlinck en 1918, elle mène encore une carrière de mélodiste et de conférencière et rédige ses souvenirs dans son phare de Tancarville. Mallarmé, en une phrase, a admirablement cerné le personnage et l'artiste : « Toute une volonté se compose harmonieusement aux dons plastiques et d'organe, ici souverains. »

Le Conte, Pierre-Michel

Chef d'orchestre français, né à Rouen le 6 mars 1921.

Il entre à la Maîtrise Sainte-Évode de Rouen à l'âge de 5 ans. Puis il entreprend des études de piano et de violon à l'École normale de musique de Paris et achève sa formation au Conservatoire de Paris où il obtient des 1ers prix de basson (1944) et de direction d'orchestre (1947). Depuis 1944, il était chef de l'Orchestre des Cadets du Conservatoire, créé la même année par Claude Delvincourt. En 1945, il fonde son propre orchestre de chambre. De 1947 à 1949, il occupe le poste de directeur de la musique et chef d'orchestre à Radio Nice. Il exerce ensuite les mêmes responsabilités à Radio-Toulouse (1949-50). Pendant près de dix ans, il mène une carrière de chef invité, notamment auprès de l'Orchestre National, l'Orchestre Radio-Symphonique et Radio-Lyrique. De 1960 à 1973, il est chef permanent de l'Orchestre Lyrique de l'O.R.T.F. avec lequel il réalise de nombreuses créations. Chargé de cours au Conservatoire de Paris, il est depuis 1981 directeur du Conservatoire municipal du septième arrondissement de Paris. Pierre-Michel Le Conte a tenu le rôle du chef d'orchestre dans *Le Silencieux*, film de Claude Pinoteau.

Ledroit, Henri

Haute-contre français, né à Villacourt le 11 mars 1946.

Après avoir étudié le piano, l'harmonie et le chant aux conservatoires de Nancy et de Strasbourg, il rencontre en 1972 Alfred Deller, qui le pousse à l'étude du chant baroque, et se perfectionne auprès de René Jacobs, Nigel Rogers, Nikolaus Harnoncourt. En 1977, il fonde avec son épouse Michèle, soprano, l'ensemble Nuove Musiche consacré à l'exhumation de duos da camera.

Il chante également l'opéra baroque, et en 1981 *le Couronnement de Poppée* à Bruxelles et à Spolete, ainsi que le *David et Jonathas* de Charpentier à Lyon, marquent le début d'une carrière internationale qui rencontre les noms d'Alan Curtis, Jean-Claude Malgoire, Philippe Herreweghe, René Clemencic... Il anime également un cours d'interprétation à l'Institut de musique ancienne de Metz.

Lee, Noel

Pianiste et compositeur américain, né à Nankin (Chine) le 25 décembre 1924.

Il commence dès l'âge de cinq ans l'étude du piano et de l'harmonie et joue en public à partir de six ans. Titulaire d'une bourse de l'Université de Harvard, il étudie la composition avec Irving Fine et Walter Piston et suit des cours de piano au Conservatoire de la Nouvelle-Angleterre (Boston). Il vient ensuite à Paris – où il se fixe – travailler avec Nadia Boulanger ; il reçoit des commandes et se consacre à la composition. En 1953 et 1954, il obtient le Prix Lili Boulanger et un prix de l'Orchestre de Louisville. Il mène parallèlement une carrière internationale de compositeur et de pianiste.

Son répertoire est très large (intégrales de Debussy, Ravel, Copland, Stravinski). Il joue pratiquement toute la littérature de musique de chambre avec piano et une trentaine de concertos. Il excelle dans John Field comme dans Ives ou Barraqué. Une extrême sensibilité lui permet d'entrer dans des univers très différents. Il est professeur invité aux universités de Brandeis, Cornell, Dartmouth (U.S.A.). Excellent accompagnateur de lieder, il a lui-même beaucoup écrit pour la voix (*4 Chants sur Baudelaire, 3 Chants de Shakespeare, 4 Ballades, ...*) Ses œuvres sont empreintes de force profonde sous la délicatesse de l'écriture.

Lefébure, Yvonne

Pianiste française, née à Ermont le 29 juin 1898.

A 9 ans, elle obtient la médaille d'or au Concours des petits prodiges. Elle fait ses études au Conservatoire de Paris où elle remporte des 1ers prix de piano (à 14 ans, dans la classe de Cortot), d'harmonie, de contrepoint (classe de Caussade), et de fugue (classe de Widor). Elle a déjà fait ses débuts avec Chevillard aux Concerts Lamoureux et avec Pierné aux Concerts Colonne. Sa carrière se développe alors sous la baguette des plus grands chefs. Elle défend avec énergie le *Concerto en sol* de Ravel qu'elle joue près de cent fois en France et à l'étranger. Elle est invitée par Pablo Casals au 1er Festival de Prades (1950) et joue depuis fréquemment avec lui. Elle s'associe avec Sandor Végh pour donner l'intégrale des *Sonates pour piano et violon* de Beethoven. Elle épouse en 1947 le musicologue Fred Goldbeck. Parmi les œuvres qui lui sont dédiées on peut citer *5 Danses* de Martelli, la *Sixième Sonatine* de Maurice Emmanuel, *Torrents* de Rivier, *Scorpion* de Migot et *4 Impromptus* de Barraud. Sa carrière professorale n'est pas moins remplie : École Normale (jusqu'en 1939), Conservatoire de Paris (de 1952 à 1967, date de sa démission), Conservatoire Européen (depuis cette date). Elle fonde en 1964 le Juillet musical de Saint-Germain-en-Laye où elle donne des cours d'interprétation. En 1968, elle y crée le Prix Debussy.

Lefebvre, Philippe

Organiste français, né à Roubaix le 2 janvier 1949.

Après des études secondaires couronnées par un baccalauréat de philosophie, sur le conseil de Pierre Cochereau, qui le fait travailler à Nice, il entre au Conservatoire de Lille. Il y remporte des 1ers prix d'orgue (classe de Jeanne Joulain), d'harmonie et de contrepoint. Il entre ensuite au Conservatoire de Paris (1968) où il obtint, en 1971, des 1ers prix d'orgue et d'improvisation (classe de Rolande Falcinelli), de contrepoint et de fugue (1972/1973). Nommé titulaire à l'âge de 19 ans du grand orgue de la cathédrale d'Arras, Philippe Lefebvre est lauréat de la S.A.C.E.M. (1972) ; il remporte le 1er prix du Concours international d'improvisation de Lyon (1972) et le 1er prix du Concours international de Chartres (improvisation) en 1973. A la mort de Victor Ruello, en 1976, il est nommé organiste titulaire du grand orgue de la cathédrale de Chartres et, en 1985, de celui de N.-D. de Paris. En outre, il est depuis 1980 directeur du Conservatoire de Lille.

Lefort, Bernard

Baryton français, né à Paris le 29 juillet 1922.

Après l'obtention du baccalauréat (philosophie), il opte pour les études de sciences politiques et de droit, tout en travaillant au Conservatoire le chant, l'art lyrique et le solfège. La guerre interrompt ses études universitaires. A l'issue des hostilités, il ne poursuit que le chant à Milan avec Bertile, à Berlin avec Weissenborn, à Vienne avec Madame Rado. Il avait débuté pendant la guerre par une série de concerts salle Gaveau. Il est alors l'interprète des mélodies françaises, particulièrement des compositeurs contemporains : le Groupe des Six, Messiaen, Jolivet, Dutilleux. Il crée plusieurs pièces qui sont écrites pour lui et lui sont dédiées, comme le *Concerto pour baryton* de Germaine Tailleferre. Après un passage au Châtelet où il crée *Pour Don Carlos*, il se rend en Suisse, en 1953, chante une saison à l'Opéra de Lucerne (*Don Giovanni*, entre autres...) et décide de se consacrer désormais exclusivement au concert. En 1960, une grave maladie interrompt sa carrière. Il se voue d'abord à l'imprésariat et seconde la direction artistique du Festival de Lausanne. De 1965 à 1968, il dirige l'Opéra de Marseille où il met l'accent d'une part sur certains ouvrages de bel canto oubliés en France (*Gioconda, Lucrezia Borgia*...) et d'autre par sur la littérature contemporaine, avec *Le Prince de Hombourg, L'Affaire Makropoulos*, et il crée, en français, *Les Mines de Soufre, Le Tour d'Ecrou* et *Le Sourire au pied de l'échelle ;* sa meilleure réussite sera sans doute la création mondiale de *Sud* (Kenton Coe). Après avoir dirigé le Festival d'automne, celui de Royaumont (1969), il est conseiller artistique du Théâtre de la Ville (1969-78), il dirige l'Opéra de Paris avec Daniel-Lesur (1971-72) puis le Festival d'Aix-en-Provence (73-80) avant d'être nommé administrateur général de l'Opéra de Paris (1980-82).

Lehel, György

Chef d'orchestre hongrois, né à Budapest le 10 février 1926.

A l'Académie Franz Liszt de Budapest, il étudie avec Pál Kadosa et László Somogyi. Sa carrière de chef d'orchestre débute en 1947. A deux reprises, il remporte le Prix Liszt (1955 et 1962) avant d'être nommé directeur musical de l'Orchestre Symphonique de Budapest (1962), dont il a fait l'une des meilleures formations de son pays. En 1973, il a reçu le Prix Kossuth. Sa carrière internationale l'a mené dans les plus grands centres musicaux où il est considéré comme un spécialiste éminent de Bartók et Kodály. En 1974, il a été nommé 1er chef invité de l'Orchestre Symphonique de Bâle.

Lehmann, Fritz

Chef d'orchestre allemand, né à Mannheim le 17 mai 1904, mort à Munich le 30 mars 1956.

Dans sa ville natale, il étudie de 1918 à 1921 puis il travaille à l'Université de Heidelberg. Il débute en donnant des récitals de piano, dès 1918. En 1923, il est engagé comme chef de chœur à Göttingen. Il devient vite chef d'orchestre permanent et reste dans cette ville jusqu'en 1927. Il est nommé ensuite à l'Opéra d'Hildesheim (1927-29), à Hanovre (1929-35) puis à Bad Pyrmont où il est directeur général de la musique (1935-38). Pendant cette période, il est professeur à Essen (1927-29) et à Hanovre. En 1934, il fonde et dirige le Festival Händel de Göttingen. De 1938 à 1946, il est directeur général de la musique à Wuppertal et, de 1946 à 1950, intendant et directeur général de la musique à Göttingen, la ville de ses débuts. A partir de 1953, il est professeur à la Hochschule de Munich. Il meurt subitement pendant l'entracte d'un concert où il dirigeait la *Passion selon saint Matthieu.*

Lehmann, Lilli

Soprano allemande, née à Würzbourg le 24 novembre 1848, morte à Berlin le 17 mai 1929.

Sa mère, Maria-Theresia Lehmann-Löw (1809-85) était cantatrice et harpiste ; son père était le ténor Karl-August Lehmann. Comme elle, sa plus jeune sœur, Marie Lehmann (1851-1931), fut également cantatrice. Lilli Lehmann passe sa jeunesse à Prague, où sa mère lui enseigne le chant. En 1867, elle débute au Théâtre régional de Prague (Landestheater) comme 1er Enfant (*La Flûte enchantée*). En 1868, elle est engagée au Théâtre municipal de Dantzig et, l'année suivante, à l'Opéra de Leipzig. En 1870, elle est invitée à l'Opéra de Berlin où elle chante la Reine Marguerite (*Les Huguenots*) ; dès lors elle appartient à cette maison où elle remporte de retentissants succès. En 1876, elle est invitée au Festival de Bayreuth par Wagner qui lui confie les rôles de Wöglinde, d'Ortlinde et de l'Oiseau de la Forêt (*Tétralogie*). En 1896, elle y chante à nouveau, mais Brünnhilde. Invitée à Londres, Paris, Prague, Stockholm et Vienne, on la reçoit comme une reine. En 1886, elle est invitée au Met où elle débute comme Sulamith (*La Reine de Saba* de Goldmark) et devant le succès remporté, elle rompt son contrat avec l'Opéra de Berlin. Au Met, elle reste jusqu'en 1891 et y chante le répertoire le plus étendu qui ait jamais existé : plus de 170 rôles, du colorature à l'héroïne wagnérienne ! Elle participe également au Met à un grand nombre de « premières ». En 1888, elle épouse le ténor Paul Kalisch (1855-1946). En 1891, elle rentre à Berlin et peut, grâce à l'intervention de l'empereur Wilhelm II, retrouver sa place à l'Opéra. L'influence de la cantatrice sur la vie musicale de son temps est exceptionnelle. A son instigation, eurent lieu les Fêtes mozartiennes de Salzbourg, de 1901 à 1910 ; elle y participa comme cantatrice et comme metteur en scène. Durant la saison 1898-1899, elle chante encore au Met. Depuis 1926, elle donne au Mozarteum de Salzbourg des cours réputés et recherchés. Elle y forme de très nombreuses cantatrices et plusieurs chanteurs. Sa carrière fut d'une durée incroyable. A 70 ans, elle donnait encore des récitals de mélodies.

Lilli Lehmann est une des plus grandes personnalités de l'histoire et de l'art du chant, par l'universalité de ses dons et la profondeur de son sens artistique. Il n'existe que deux séries d'enregistrements (Odéon, Berlin 1905-1907) particulièrement bouleversants qui ont paru sous l'étiquette bleue.

ÉCRITS : *Meine Gesangskunst* (1902), *Studie zu Fidelio* (1904), *Mein Weg* (1913).

Lehmann, Lotte

Soprano allemande, naturalisée américaine (1945), née à Perleberg le 27 février 1888, morte à Santa Barbara le 26 août 1976.

Elle étudie à Berlin avec Erna Thiele, Hélène Jordan et Mathilde Mallinger. Elle débute en 1910 à l'Opéra de Hambourg où, jusqu'en 1916, elle participe à 562 spectacles dans 52 rôles. En 1913, elle triomphe dans *Lohengrin* (Elsa). En 1914, elle est appelée à l'Opéra de Vienne qui devient son foyer et son pays. Bien qu'elle ne soit pas née à Vienne, elle devient pour toute une génération la plus viennoise des cantatrices. En 1919, elle crée à l'Opéra de Vienne la Färberin (*La Femme sans Ombre*) et, en 1927, *Das Wunder der Heliane* de Korngold ; en 1926, elle chante le rôle-titre de *Turandot*, lors de la « première » viennoise ; en 1933, également le rôle-titre d'*Arabella* ; en 1924, elle crée à l'Opéra de Dresde l'ouvrage autobiographique de Richard Strauss, *Intermezzo*. En 1922, elle entreprend une importante tournée en Amérique du Sud. Régulièrement, elle est invitée au Covent Garden, à l'Opéra de Paris, de Stockholm, de Berlin et de Dresde où partout on la considère comme une des plus grandes cantatrices de l'heure. En 1930, elle chante pour la première fois en Amérique du Nord, à l'Opéra de Chicago. La même année, elle chante à Londres et à Paris Rosalinde (*La Chauve-Souris*) sous la direction de Bruno Walter. En 1934, le Met l'appelle, où elle débute en Sieglinde (*La Walkyrie*) aux côtés de Lauritz Melchior. Jusqu'à ses adieux sur cette scène en 1945, elle demeurera le premier soprano du Met. En 1938, elle casse son contrat avec l'Opéra de Vienne et décide de vivre en Amérique du Nord. Ayant quitté la scène en 1945, elle donne encore des récitals jusqu'en 1951 puis vit à Santa Barbara (Californie).

Interprète privilégiée de Richard Strauss, elle posséda une des plus belles voix du XXe siècle, autant par la musicalité exceptionnelle de ses apparitions où l'on ne releva jamais une faute de goût, que par le naturel suave de son chant. Parallèlement à sa brillante carrière de cantatrice, elle mena une carrière non moins étincelante d'interprète de mélodies.

ÉCRITS : *Début et ascension* (1937), *Ma Vie multiple* (1948), *More than singing* (1945), *Orplid, mon pays* (1937), *Five operas and Richard Strauss* (1964).

Lehotka, Gábor

Organiste hongrois, né à Vác le 20 juillet 1938.

Il commence ses études musicales en 1947 (orgue et composition) au Conservatoire Béla Bartók de Budapest, puis il s'inscrit à l'Académie Franz Liszt où il obtient son diplôme (1963) après avoir travaillé avec Sebestyén Pécsi, Ferenc Gergely, Rezsö Sugár et Endre Szervánsky. En 1964, il prend part au concours Vacance Musicali de Venise et en 1967 il remporte le 1er prix au Concours des compositeurs hongrois. En 1969, il est nommé professeur au Lycée musical Béla Bartók et, en 1975, à l'Ecole supérieure Franz Liszt de Budapest où il est l'adjoint de Ferenc Gergely. Élu membre fondateur de la Société Liszt en 1973, il reçoit le Prix Liszt un an plus tard. Il a créé *Volumina* de Ligeti.

Leider, Frida

Soprano dramatique allemande, née à Berlin le 18 avril 1888, morte à Berlin le 4 juin 1975.

Après des études à Berlin avec Otto Schwarz, elle débute à la scène à Halle en 1915 dans le rôle de Venus de *Tannhäuser*. Elle fait successivement partie des troupes des Opéras de Rostock (1917-18), de Königsberg (1918-19) et de Hambourg où elle chante notamment Brünnhilde. Elle entre alors dans la troupe de l'Opéra d'État de Berlin dont elle restera membre jusqu'en 1940. Mais c'est son apparition au Covent Garden en 1924 qui marque le début de sa carrière internationale (Paris, Milan, New York...). Bayreuth enfin, de 1928 à 1938, la consacre la plus grande Isolde et Brünnhilde de son temps. A ses autres rôles wagnériens (Kundry, Senta), elle joint Armide, Donna Anna, La Maréchale, mais aussi la Leonore et l'Amelia de Verdi, Tosca, Rachel ou la Leonore de *Fidelio*. Elle abandonne la scène en 1938 du fait de l'exil de son époux, Rudolf Deman, premier violon de l'Opéra de Berlin, et, avec l'aide de Michael Raucheisen, se consacre au lied de 1941 à 1946. Après la guerre, elle met en scène à Berlin *Hänsel et Gretel* et *Tristan*, puis se consacre au professorat à la Berlin Hochschule für Musik. Elle publie en 1959 son autobiographie : *Das war mein Teil.*

Leinsdorf, Erich

Chef d'orchestre autrichien naturalisé américain, né à Vienne le 4 février 1912.

Il commence ses études – piano avec Paul Emerich, violoncelle et composition – à l'Académie de musique de sa ville natale. Ses débuts de chef datent de 1933 à la tête de l'Orchestre de l'Académie de Vienne. En 1934, il est engagé par Bruno Walter comme assistant au Festival de Salzbourg, engagement qu'Arturo Toscanini reconduit pour trois ans (1935-37). Appelé par le Metropolitan Opera comme chef assistant en 1937, il est nommé 2e chef dès 1938. Après la mort soudaine d'Artur Bodansky (1939), il prend en charge tout le répertoire allemand et met un accent particulier sur Wagner, dirigeant des grandes voix comme celles de Flagstad, Melchior, Schorr ou Pinza. Il est directeur musical de l'Orchestre de Cleveland (1943-46), puis de l'Orchestre de Rochester (1947-56) qu'il amène au premier plan de la vie musicale américaine et auquel il adjoint le Chœur de l'Université Rutgers. En 1956, il est nommé directeur du New York City Opera. L'année suivante, il se voit offrir les fonctions de conseiller musical du Met, poste créé pour lui qu'il abandonnera pour assurer la succession de Charles Münch à la tête de l'Orchestre Symphonique de Boston (1962-69). Depuis cette date, il mène une active carrière de chef invité qui le conduit notamment à Bayreuth en 1972. Il donne des cours à Tanglewood. Erich Leinsdorf se fait l'efficace défenseur de la musique contemporaine américaine et crée des pages signées Martinů (*Symphonie n° 2*), R. Strauss

(*Suite de valses du Chevalier à la rose*, 1946), Schuller, Wuorinen, Persichetti, Imbre et Colgrass entre autres. Il a écrit son autobiographie, *Cadenza* (1976) puis un second ouvrage *L'Avocat du compositeur* (1981). Son épouse, Vera Graf, est violoniste.

ÉCRITS : *Cadenza, a musical career* (1976), autobiographie ; l'*Avocat du compositeur* (1981).

Leister, Karl

Clarinettiste allemand, né à Wilhelms haven le 15 juin 1937.

Il travaille tout d'abord son instrument avec son père puis se perfectionne de 1953 à 1957 à la Hochschule de Berlin avec Geuser. De 1957 à 1959, il est clarinette solo à l'Opéra-Comique de Berlin puis à l'Orchestre Philharmonique de Berlin à partir de 1959. En dehors de sa fonction au sein de l'orchestre, il fait beaucoup de musique de chambre et a réalisé quelques disques, notamment avec le Quatuor Amadeus ou les solistes de la Philharmonie de Berlin.

Leitner, Ferdinand

Chef d'orchestre allemand, né à Berlin le 4 mars 1912.

Dans sa ville natale, il travaille avec F. Schreker et Julius Prüwer (1926-31). Il aura également pour maîtres A. Schnabel et K. Muck. Il commence une carrière de pianiste et joue notamment en sonate avec Georg Kulenkampff. Il fait ses débuts de chef d'orchestre à Berlin. En 1935, Fritz Busch le prend comme assistant au Festival de Glyndebourne. De 1943 à 1945, il est chef permanent au Nollendorf Platz Theater de Berlin puis, en 1945-46 à Hanovre, en 1946-47 à Munich et en 1947 à Stuttgart où il devient par la suite directeur général de la musique (1949-69). De 1947 à 1951, il dirige les Semaines Bach d'Ansbach. Il participe à la création du *Rake's progress* de Stravinski à Venise en 1951, dirigeant en alternance avec le compositeur. A partir de 1956, il est invité régulièrement à diriger le répertoire lyrique allemand au Colón de Buenos Aires. De 1969 à 1984, il est directeur musical de l'Opéra de Zürich et assure en même temps (1976-80) la direction de l'Orchestre de la Résidence de La Haye.

Chef lyrique avant tout, il s'intéresse beaucoup au répertoire germanique du XXe siècle : il est l'un des plus fervents interprètes de Carl Orff ou de K.-A. Hartmann. Il a dirigé de nombreux ouvrages de Busoni. En 1980, il a créé l'opéra de Reutter, *Hamlet*.

Lemnitz, Tiana

Soprano allemande, née à Metz le 26 octobre 1897.

Elle étudie le chant dans sa ville natale, puis à Francfort avec Anton Kohmann. Pour ses débuts en 1920, elle incarne l'Ondine de Lortzing. Elle est engagée à l'Opéra d'Aix-la-Chapelle de 1922 à 1928, puis au Théâtre de Hanovre, de 1928 à 1933, comme première soprano lyrique. Mais c'est à la Berliner Staatsoper, où elle chante de 1934 à 1957, que son nom reste attaché, après son interprétation du rôle de Leonore dans *Ernani* (sous la direction de Leo Blech). Elle décline toutes les invitations de l'étranger, même celle du Met en 1938. Seuls le Covent Garden (elle y chante Eva dans *Les Maîtres chanteurs* en 1936) et le Colón (elle y crée *Jenůfa* de Janáček en 1950) auront le privilège de l'entendre. Son répertoire, orienté vers les grands rôles dramatiques (Mimi, Micaela, Desdémone, Sieglinde, Aïda, etc.) est dominé par deux rôles, celui d'Octavian dans *Le Chevalier à la rose* et celui de Pamina, qu'elle est la première à enregistrer en 1938, sous la direction de Sir Thomas Beecham. Elle a également une affection particulière pour les héroïnes slaves et tchèques (Nastasia dans *l'Ensorceleuse* de Tchaïkovski, Marenka dans *La Fiancée vendue*, Milada dans *Dalibor* de Smetana) et pour le lied, qu'elle chante jusqu'à son dernier concert, consacré aux *Wesendoncklieder* de Wagner. Comédienne subtile et fervente, elle sut utiliser avec raffinement une voix naturellement somptueuse.

Lenya, Lotte
(Karoline Blamauer)

Mezzo-soprano autrichienne, naturalisée américaine, née à Vienne le 18 octobre 1898, morte à New York le 28 novembre 1981.

Elle se destine d'abord à la carrière de danseuse et travaille de 1914 à 1920 à Zürich, étudiant la méthode Jaques-Dalcroze. Elle se perfectionne au Théâtre de cette ville où elle appartient au corps de ballet. Sa rencontre avec Frank Wedekind l'impressionne : elle découvre un style de ballades nouveau, une nouvelle manière de chanter. Elle quitte Zürich pour Berlin en 1920, toujours orientée vers la danse. Après deux ans de théâtre de prose, elle fait une autre rencontre importante, celle du dramaturge et poète Kaiser, l'un des auteurs les plus joués alors (1878-1945). Elle travaille avec lui puis rencontre le compositeur Kurt Weill qu'elle épouse en 1925. En 1927, c'est la troisième rencontre : Bertold Brecht. Ce début de collaboration marquera l'époque. Deux rôles écrits pour elle font aussitôt triompher Lotte Lenya : à Baden-Baden, durant le festival de musique contemporaine, *Mahagonny* fait scandale, chanté sur un ring de boxe et d'une voix douce et agressive, signé Brecht et Weill. En 1928, Lotte Lenya incarne Jenny dans l'*Opéra de quat'sous* à Berlin ; dans le public se trouvent Otto Klemperer et Ervin Piscator. Le film de Pabst sort ensuite. Lotte Lenya crée trois grands rôles : Anna dans *Les sept péchés capitaux*, composés pour elle et créés à Paris (1933) où Weill, Brecht, Lenya s'étaient réfugiés fuyant le nazisme avant d'aller définitivement aux États-Unis : Myriam dans *Eternal Road* (New York 1937), la Duchesse, dans l'*Incendie de Florence* (New York 1945). Après la mort de Weill (1950) elle assure les reprises des deux grands chefs-d'œuvre, l'*Opéra de quat'sous* et *Grandeur et décadence de la ville de Mahagonny* ; elle chante toutes les opérettes américaines de Weill à Broadway (les plus célèbres sont *Street Scene*, *Johny Johnson*, *Lost in the Stars*). Elle tourne ensuite dans plusieurs films américains (notamment Rosa Klebb, aux côtés de James Bond, dans *Bons Baisers de Russie*).

Les productions américaines différaient dans le chant et le parler des productions berlinoises, le timbre, la tessiture changeaient aussi, mais Lotte Lenya garda toujours son secret : sensualité dans l'aigu, douceur dangereuse, expressionnisme éthéré ou violent se dégageant des rôles les plus tristes, tel celui d'Anna.

Leonhardt, Gustav

Claveciniste et organiste néerlandais, né à Graveland le 30 mai 1928.

Il étudie d'abord en Hollande avant de venir travailler, de 1947 à 1950, à la Schola Cantorum Basiliensis. C'est à Vienne qu'il fait ses débuts en jouant l'*Art de la fugue* de Bach. De 1950 à 1951, il se perfectionne dans la capitale autrichienne à l'Académie de musique où il sera professeur de 1952 à 1955. Depuis 1954, il est professeur au Conservatoire d'Amsterdam et organiste à la Waalsekerk de la même ville. En 1969-70, il donne des cours à l'Université de Harvard (U.S.A.). En 1955, il fonde le Leonhardt Consort qui, bien que jouant encore sur des instruments modernes, tient un rôle considérable dans le renouveau de la musique ancienne. Il travaille régulièrement avec les frères Kuijken, Harnoncourt, Herreweghe, maintenant sur instruments anciens avec l'ensemble La Petite Bande. Sa carrière de claveciniste a tendance à prendre le pas sur celle d'organiste. Il y révèle un tempérament fait de rigueur et d'imagination et un don tout particulier pour redonner vie aux musiques des XVIIe et XVIIIe siècles. Il réalise une édition de l'*Art de la Fugue* de Bach (1952) ainsi que de diverses partitions de Sweelinck (1968). Il a joué le rôle de Jean-Sébastien Bach dans le film de Straub : *Chroniques d'Anna-Magdalena Bach* (1967).

Leonskaia, Elisabeth

Pianiste soviétique, née à Tbilissi le 23 novembre 1945.

Elle commence l'étude de la musique à sept ans. Quatre ans plus tard, elle donne son premier concert avec orchestre et en 1959, son premier récital. De 1964 à 1972, elle est dans la classe de Milstein au Conservatoire de Moscou, période au cours de laquelle elle obtient des prix internationaux aux Concours Enesço de Bucarest en 1964, Long-Thibaud à Paris en 1965, Reine Elisabeth de Belgique à Bruxelles en 1968. Elle se produit en Russie, Tchécoslovaquie, Roumanie, Autriche (Festwochen 1977), France... Depuis novembre 1978, elle habite Vienne.

Leppard, Raymond

Chef d'orchestre et claveciniste anglais, né à Londres le 11 août 1927.

Il étudie d'abord à l'Université de Cambridge de 1948 à 1952 avec notamment Hubert Middleton et Boris Ord. Il fait ses débuts à Londres en dirigeant au Wigmore Hall en 1952 et est remarqué pour ses interprétations des œuvres baroques et classiques. En 1957, il retourne à Cambridge comme lecteur et au Trinity College où il reste dix ans. Il dirige alors un peu partout en Angleterre (Covent Garden 1959, Glyndebourne 1962...) et très régulièrement l'English Chamber Orchestra. De 1973 à 1980, il est chef permanent du B.B.C. Northern Symphony Orchestra. Il se produit parallèlement comme claveciniste dans les œuvres de Rameau, de Couperin et de Händel principalement. Il est également à l'origine de nombreuses éditions telles que l'*Incoronazione de Poppea*, l'*Orfeo*, *Il ritorno d'Ulisse in patria* de Monteverdi ou encore l'*Ormindo* et *La Calisto* de Cavalli.

Le Roux, Maurice

Chef d'orchestre et compositeur français, né à Paris le 6 février 1923.

Il effectue ses études musicales au Conservatoire de Paris entre 1944 et 1952 où il est notamment l'élève de Messiaen et de Fourestier. Il travaille en outre avec Leibowitz (composition) et Mitropoulos (direction d'orchestre). Dès la fin des années quarante, il commence à mener de front les carrières de compositeur et de chef d'orchestre. Il travaille au studio de musique concrète de la radio, à partir de 1951. De 1960 à 1968, il est directeur musical de l'Orchestre National. Puis il est conseiller musical à l'Opéra de Paris (1969-73) et inspecteur général de la musique au ministère de la Culture à partir de 1973. Parallèlement, il poursuit une carrière internationale de chef invité et s'attache à défendre des musiques méconnues : il est ainsi l'un des premiers à révéler et à enregistrer les *Vêpres de la Vierge* de Monteverdi. De même, il fait connaître les musiciens de l'école de Vienne, dirige Xenakis et réalise le 1er enregistrement mondial de la *Turangalîla-symphonie* de Messiaen.

Attiré par le cinéma (il compose des musiques de film depuis 1946 et collabore avec Truffaut, Godard...), il se tourne vers la télévision et produit, à partir de 1968, *Arcana*, l'une des émissions musicales les plus suivies.

Le musicologue écrit plusieurs livres importants (*Introduction à la musique contemporaine*, 1947, *Claudio Monteverdi*, 1951, *La Musique*, 1979, *Moussorgski, Boris Godounov*, 1980). Comme compositeur, on lui doit des pièces pour piano, deux ballets et des œuvres pour orchestre (*Le Cercle des métamorphoses*, 1953, *Un Koan*, 1974).

Leschetizky, Theodor

Pianiste polonais, né à Lancut (Gallicie) le 22 juin 1830, mort à Dresde le 14 novembre 1915.

Son père, maître de musique de la famille Potocki à Lancut, lui enseigne le piano. En 1840, la famille s'installe à Vienne. Leschetizky devient l'élève de Czerny pour le piano, et de Sechter pour la composition. Dès 1844, son enseignement est recherché. En 1845, il commence à étudier la philosophie à l'université. En 1852, il part pour Saint-Pétersbourg, où il devient l'ami d'Anton Rubinstein. Reçu à la cour du Tsar, sa réputation de pédagogue ne cesse de grandir. Après de multiples remplacements de Rubinstein, comme chef d'orchestre ou comme professeur, il est nommé directeur d'études de piano au Conservatoire impérial (1862). Il retournera à Vienne en 1878, après avoir démissionné de sa charge, pour reprendre son enseignement privé. La société de musique qu'il fonde alors jouera un très grand rôle dans la vie musicale viennoise. Il cessera de se produire en public en 1886. Malgré son expérience de la direction d'orchestre, il a toujours préféré le piano, la direction lui semblait trop « facile ». Pédagogue passionné (il s'est marié à quatre reprises avec quatre de ses élèves), il reprenait l'école de Czerny, en l'adaptant à chaque élève. La technique ne lui paraissait pas aussi importante que le rapport absolu à chaque détail de l'œuvre à interpréter. Sa façon d'enseigner ne s'embarrassait pas de théorie. Il préférait la démonstration immédiate aux longues analyses, adaptant sans arrêt ses exigences aux possibilités de l'élève. Professeur redouté, doué d'une oreille infaillible, il a formé des générations de pianistes illustres, dont Paderewski, Schnabel, Elly Ney, Moïseiwitsch, Gabrilovitch, Friedman et Mark Hambourg. Il laisse de petites pièces pour piano et deux opéras.

Lethiec, Michel

Clarinettiste français, né à Poitiers le 11 décembre 1946.

Après avoir terminé ses études musicales et universitaires à Bordeaux, il obtient un 1er prix de clarinette et de musique de chambre au Conservatoire de Paris. Il remporte au Concours international de Belgrade un prix d'interprétation. Le Grand Prix du disque français salue, en 1978, son interprétation d'*Ascèses* de Jolivet. Soliste à l'Orchestre Cannes-Provence-Côte d'Azur, il n'en poursuit pas moins une brillante carrière de soliste en compagnie, notamment, du pianiste Denis Weber. Outre les grandes pages du répertoire où il s'illustre avec bonheur, il s'intéresse à la musique de son temps et crée de nombreuses partitions signées Claude Ballif, Alain Fourchotte, Vittoria et Scolari. Il est dédicataire des *Nocturnes* de Boucourechliev (1984).

Levi, Hermann

Chef d'orchestre allemand, né à Giessen (Haute Hesse) le 7 novembre 1839, mort à Munich le 13 mai 1900.

Au Conservatoire de Mannheim, il est l'élève de V. Lachner (1852-55) avant de travailler avec Hauptmann et Julius Reitz au Conservatoire de Leipzig (1855-58). En 1859, il est directeur général de la musique à Sarrebrück. Deux ans plus tard, il est nommé chef assistant à l'Opéra National de Mannheim puis chef à l'Opéra de Rotterdam (1861-64). De 1864 à 1872, il est chef d'orchestre à la Cour de Karlsruhe. Il y dirige les premiers opéras de Wagner (*Rienzi, Les Maîtres chanteurs*) et se lie d'amitié avec Clara Schumann et Brahms. De 1872 à 1890, il est chef d'orchestre à la Cour de Munich. En 1882, il est au pupitre pour la création de *Parsifal* à Bayreuth, ouvrage qu'il dirigera jusqu'en 1887 puis de 1889 à 1894. Cette même année, il est nommé directeur général de la musique à Munich. Deux ans plus tard (1896), il cesse de diriger. Cosima Wagner l'invite à nouveau à Bayreuth en 1897 pour diriger la *Symphonie n° 9* de Beethoven, mais il est malade et fait une dépression nerveuse pendant les répétitions. Il ne remontera plus au pupitre jusqu'à sa mort.

Hermann Levi a dirigé en 1re audition la *Septième symphonie* de Bruckner (Leipzig, 1884).

Levinas, Michaël

Pianiste et compositeur français, né à Paris le 18 avril 1949.

Marguerite Long encourage ses débuts. A l'âge de cinq ans, il est élève de Lazare Levy et, à dix ans, il entre au Conservatoire de Paris où il obtient de nombreux prix : piano, musique de chambre, accompagnement, contrepoint, harmonie et composition (dans la classe de Messiaen). Il poursuit le cycle de perfectionnement dans la classe d'Yvonne Loriod. En 1970, il remporte un 1er prix au Concours international d'Improvisation de Lyon. Il travaille au Groupe de Recherche Musicale, suit les cours de Stockhausen à Darmstadt. De 1975 à 1977, il est pensionnaire de la Villa Medicis à Rome. Il est membre fondateur (1973) de l'Ensemble L'Itinéraire. En 1981, il a reçu la bourse annuelle du ministère de la Culture. Outre son activité de compositeur, il se produit fréquemment comme pianiste. Il a enregistré des œuvres de Schumann et Beethoven.

Levine, James

Chef d'orchestre et pianiste américain, né à Cincinnati le 23 juin 1943.

Il débute comme pianiste à l'âge de dix ans avec l'Orchestre Symphonique de Cincinnati. Il fréquente alors la Juilliard School où il travaille le piano avec Rosina Lhévinne et la direction d'orchestre avec Jean Morel. Il se perfectionne dans cette discipline grâce à la Ford Foundation's American Conductors Project avec Alfred Wallenstein, Max Rudolf et Fausto Cleva. Dès sa sortie de la Juilliard School, il est appelé par George Szell comme assistant de l'Orchestre de Cleveland. Il sera, de 1964 à 1970, le plus jeune assistant de l'histoire de cette formation. Il dirige *Tosca* à San Francisco (1970) et au Metropolitan Opera de New York (1971). En 1973, il accepte les fonctions nouvellement créées de chef d'orchestre principal dans cette dernière maison. C'est en 1975, qu'il est nommé directeur de la musique au Metropolitan Opera. Sa réputation grandit dans le domaine symphonique. Il dirige en Europe les plus prestigieuses formations. James Levine, qui se produit parfois comme pianiste, est également directeur depuis 1973 du Ravinia Festival, fief estival de l'Orchestre Symphonique de Chicago, et du Cincinnati May Festival. En 1982, il dirige *Parsifal* à Bayreuth pour le centenaire de la création de l'ouvrage.

Levitzki, Mischa

Pianiste russe naturalisé américain, né à Kremenschug le 25 mai 1898, mort à Avon-by-the-Sea (New Jersey) le 2 janvier 1941.

Ayant commencé ses études musicales en Russie, il suit ses parents, naturalisés américains, aux États-Unis en 1906. Élève de l'Institute of Musical Art de New York, il suit les cours de Leopold Stokowski de 1906 à 1911. Puis il quitte New York pour l'Allemagne où Dohnányi devient son maître à la Hochschule für Musik de Berlin. Après avoir remporté le Concours Mendelssohn, il rentre aux États-Unis pour donner un concert triomphal à New York en 1916, qui inaugure sa carrière de concertiste et de virtuose. Il laisse de nombreuses compositions, essentiellement de petites pièces.

Lévy, Lazare

Pianiste français, né à Bruxelles le 18 janvier 1882, mort à Paris le 20 septembre 1964.

Au Conservatoire de Paris, il suit les cours de piano de Diémer, d'harmonie de Lavignac, et de composition de Gédalge (1894-98). Après avoir obtenu un 1er prix de piano, il commence une série de tournées et se consacre donc à une carrière de virtuose. Mais très vite la pédagogie du piano le passionne. Devenu professeur au Conservatoire de Paris, ses classes verront défiler toute une génération de pianistes célèbres, dont le plus connu reste sans doute Alfred Cortot qui prendra sa succession en 1920. Lazare Lévy appartient à cette sorte d'artistes qui ont marqué leur temps beaucoup plus par leur enseignement que par leurs prestations au concert.

Lewis, Henry

Chef d'orchestre américain, né à Los Angeles le 4 octobre 1932.

Dans sa ville natale, il étudie le piano, la clarinette et la contrebasse : c'est avec cet instrument qu'il entre, en 1948, à l'Orchestre Philharmonique de Los Angeles. De 1955 à 1959, il appartient à l'armée américaine stationnée à Stuttgart : un orchestre se forme, il en fait partie. De retour dans son pays natal, il forme l'Orchestre de Chambre de Los Angeles et est engagé comme assistant à l'Orchestre Philharmonique (1961-65). Il effectue ses véritables débuts en

1963. Il devient ensuite directeur musical de l'Opéra de Los Angeles (1965-68) puis de l'Orchestre Symphonique du New Jersey à Newmark (1968-75). Il est sollicité par les plus grands théâtres du monde (Met, Scala) et se consacre alors à une carrière de chef invité, accompagnant souvent sa femme, la cantatrice Marilyn Horne.

Lewis, Richard (Thomas Thomas)

Ténor anglais, né à Manchester le 10 mai 1914.

Il étudie d'abord au Royal College of Music de Manchester avec Norman Allin, qui l'emmène avec lui à l'Academy of Music de Londres. Il fait ses débuts au Festival de Glyndebourne 1947 dans le chœur masculin du *Viol de Lucrèce* de Britten. La même année, il reprend sur la scène du Covent Garden le rôle-titre du fameux *Peter Grimes* du même Britten, que Peter Pears avait créé en 1945 au Sadler's Wells. Très vite ce musicien exceptionnel doublé d'un acteur fort intelligent devient une vedette indispensable du Festival de Glyndebourne où il sera successivement Ottavio, Ferrando, Idomeneo, Admète, Bacchus, Tom Rakewell et Florestan. Très vite aussi il deviendra l'un des piliers les plus sûrs du Covent Garden où il créera en 1954 le rôle de Troïlus dans *Troïlus et Cressida* de Walton, en 1955 le rôle de Mark dans le *Midsummer Marriage* de Tippett et en 1962 le rôle d'Achille dans le *King Priam* du même Tippett, tout en tenant les rôles de ténor les plus divers allant de l'Innocent de *Boris* à Don José, en passant par Tamino, Alfredo, Hoffmann,... Grand mélodiste et concertiste, il a notamment créé le *Canticum Sacrum* de Stravinski en 1956. Il a participé à de nombreuses tournées en Europe et aux États-Unis, à San Francisco en particulier. Il a enseigné au Curtis Institute de Philadelphie de 1968 à 1971. Sans avoir abandonné totalement le chant, notamment en oratorio, Richard Lewis s'est consacré à la direction d'orchestre depuis 1975.

Lhévinne, Josef

Pianiste russe, né à Orel (Moscou) le 13 décembre 1874, mort à New York le 2 décembre 1944.

Au Conservatoire de Moscou, il est l'élève de Vassili Safonov et obtient son diplôme en 1891. Deux ans plus tôt, il avait donné son premier concert à Moscou sous la direction d'Anton Rubinstein et, en 1895, il remporte le Prix Rubinstein. Il commence une brillante carrière partagée entre les concerts et l'enseignement. Il est nommé professeur de piano au Conservatoire de Moscou (1902-06). En 1906, il fait ses débuts aux États-Unis et va se consacrer exclusivement à des tournées à travers le monde pendant huit ans. La guerre le surprend à Berlin où il est emprisonné de 1914 à 1918 en tant qu'étranger ennemi. Dès sa libération, cette expérience le pousse à s'installer aux États-Unis où il reprendra l'enseignement en 1922 à la Juilliard School.

Josef Lhévinne était l'un des plus brillants représentants de l'école russe du piano, alliant à une exceptionnelle virtuosité un sens du lyrisme et un romantisme qui le poussaient parfois à une lecture des textes peu orthodoxe mais toujours intéressante. Lhévinne était passionné d'astronomie et, lors de concerts en plein air, il était parfois l'objet de fâcheuses distractions ! A la fin de sa vie, son activité se réduisit progressivement et il n'a enregistré qu'une quinzaine de courtes pièces pour piano (Chopin et Schumann) qui sont de précieux documents.

ÉCRIT : *Basic Principles in Pianoforte Playing.*

Ligabue, Ilva Palmina

Soprano italienne, née à Reggio Emilia le 23 mai 1932.

Ayant manifesté dès sa plus tendre enfance des dons exceptionnels pour le chant et le théâtre, elle fait ses études musicales au Conservatoire Giuseppe Verdi puis à l'École de la Scala, à Milan. Après avoir connu le succès sur de multiples scènes italiennes, elle se produit en Allemagne de l'Ouest puis en Angleterre. De 1957 à 1960, elle devient la prima donna du Festival de Glyndebourne, chantant notamment Fiordiligi de *Cosi fan tutte* et reprenant ce rôle d'Alice Ford dans le *Falstaff* de Verdi, rôle qu'elle transfigure par sa beauté, sa féminité et son esprit, et qui devient son rôle fétiche. En 1961, elle reçoit les plus grands honneurs pour son interprétation du rôle-titre dans la *Béatrice de Tende* de Bellini à la Scala, chantant la même année et sur la même scène Marguerite du *Mefistofele* de Boïto. Ce sera alors le grand départ d'une carrière internationale la conduisant de Vienne à Buenos Aires, en passant par Aix-en-Provence, Wiesbaden, Chicago, Paris et New York. Comédienne irrésistible, Ilva Ligabue sait aussi émouvoir par son intelligence et son intériorité qui la rendent incomparable dans des rôles tels que Desdémone ou Amélia d'*Un Bal masqué.*

Ligendza, Catarina (Katarina Beyron)

Soprano suédoise, née à Stockholm le 18 octobre 1937.

Fille de la soprano Brita Hertzberg et du ténor Einar Beyron, elle étudie à l'Académie de Vienne et au Conservatoire de Würzburg, puis avec Josef Greindl à Sarrebrück. Elle débute en 1965 à Linz (La Comtesse), chante à Brunswick, Sarrebrück, et entre à la Deutsche Oper de Berlin en 1969. Elle apparaît ensuite à Stuttgart, Hambourg, au Festival de Pâques de Salzbourg en 1970-71 (3e Nonne du *Crépuscule des Dieux*, Leonore de *Fidelio*), et en 1971 au Met (Leonore de *Fidelio*) et à Bayreuth où elle chante Brünnhilde et Isolde jusqu'en 1977. Elle chante également régulièrement à Milan, Vienne, Munich et au Covent Garden.

Lill, John

Pianiste anglais, né à Londres le 17 mars 1944.

Il étudie au Royal College of Music de 1955 à 1964 et suit des cours privés avec Wilhelm Kempff à Positano. Il débute en 1963 au Festival Hall puis au Carnegie Hall à New York en 1969. L'année suivante, il remporte le Concours Tchaïkovski à Moscou. Depuis, il se produit sur le plan international.

Lima, Luis

Ténor argentin, né à Cordoba (Argentine) le 12 septembre 1950.

Il commence ses études à l'École du Teatro Colón de Buenos Aires et en 1970, grâce à une bourse du Conservatoire de Madrid, il vient en Europe. En 1972, il obtient le 2e prix du Concours international de Toulouse, suivi, en 1973, d'un prix au Concours Francisco Viñas. La même année, il remporte le 1er prix du Concours international Lauri-Volpi. Il fait ses débuts, en 1974, à Lisbonne dans Turridu (*Cavalleria rusticana*). En Allemagne, après des débuts à Mayence, il est engagé dans les opéras de Stuttgart, Hambourg, Munich et Berlin où il interprète les rôles de *Don Carlos,* Alfredo (*La Traviata*), Pinkerton, Edgardo (*Lucia di Lammermoor*). En 1975, il chante un de ses rôles favoris, *Faust* à l'Opéra d'Avignon. C'est dans ce même rôle qu'il fait ses débuts à la Scala. Il chante Don José pour la première fois en 1982. Au Met, il a débuté, en 1978, comme Alfredo (*Traviata*) ; à Tokyo, il tient la partie de ténor du *Requiem* de Verdi, dirigé par Karajan. L'Opéra de Vienne l'invite pour chanter *Lucia di Lammermoor* et l'Opéra de Sydney pour être le duc de Mantoue de *Rigoletto.*

Linde, Hans-Martin

Flûtiste et compositeur suisse, né à Werne (Dortmund) le 24 mai 1930.

Il étudie la flûte avec Gustav Scheck et la direction avec Konrad Lechner à la Staatliche Hochschule für Musik de Fribourg (1947-51). Après quoi il est engagé comme flûtiste à la Capella Coloniensis de Cologne. C'est là qu'il rencontre August Wenzinger, directeur de la Schola Cantorum Basiliensis, avec qui il collabore à partir de 1957, et dont il dirige 'ensemble vocal. En 1971, il devient le directeur adjoint de ce groupe d'interprètes. Sur la flûte traversière et la flûte à bec, sa réputation internationale grandit alors très vite. Sa virtuosité impeccable trouve son lieu d'expression privilégié dans le répertoire baroque et classique – œuvres de J. M. Leclair, Mozart, Stamitz, Dittersdorf pour la flûte traversière, concertos de Sammartini, Vivaldi, Naudoy pour la flûte à bec. Avec le Linde-Consort il a enregistré surtout des œuvres des XVIe et XVIIe siècles.

ÉCRITS : *Kleine Anleitung zum Wersieren alter Musik* (1958), *Handbuch des Bloekflötenspiels* (1962).

Lindenberg, Edouard

Chef d'orchestre roumain naturalisé français, né à Bucarest le 8 janvier 1908, mort à Paris le 5 août 1973.

Il reçoit sa formation musicale dans sa ville natale et fait ses débuts à la tête de la Philharmonie de Bucarest qu'il dirige régulièrement au cours des années trente. Fixé à Paris après la guerre, il est, pendant quelques années, chef permanent de l'Orchestre National de Tokyo. Puis il travaille en étroite collaboration avec l'Orchestre Philharmonique d'Israël et, au cours des années soixante, avec la Nordwestdeutsche Philharmonie. A la tête de cet orchestre, il réalise une série d'enregistrements des symphonies de Beethoven et Brahms qui le révèlent comme l'une des figures marquantes de sa génération. Il meurt néanmoins sans voir son talent reconnu à sa juste mesure.

Lindenstrand, Sylvia

Mezzo-soprano suédoise, née le 24 juin 1941 à Stockholm.

Après ses études à l'Académie royale de musique de sa ville natale, où elle étudie et l'opéra et la mélodie, elle est engagée à l'Opéra royal de Stockholm où elle s'impose très vite comme Zerline (*Don Giovanni*), Marina (*Boris Godounov*), Pauline (*La Dame de Pique*), Cherubino (*Les Noces de Figaro*) et *Carmen*. Elle chante également à l'Opéra de Drottningholm, le Versailles suédois. En France, elle s'impose à la fois comme Idamante (*Idoménée*) dans la production de Jorge Lavelli (Angers et Paris, 1975-76) ainsi qu'en Zerline (1976) au Festival d'Aix-en-Provence. Au Grand-Théâtre de Genève, elle chante Octavian du *Chevalier à la rose*.

Lindholm, Berit

Soprano suédoise, née à Stockholm le 18 octobre 1934.

Très jeune, elle participe à une représentation d'élèves d'un opéra de Gluck. Elle suit ensuite les classes de chant du Conservatoire royal de Stockholm. En mai 1963, elle débute à l'Opéra royal de Stockholm comme Comtesse (*Les Noces de Figaro*). Elle y chante Elisabeth (*Tannhäuser*), Aïda, Tosca, Léonore (*Fidelio*) et enfin en 1965, comme partenaire de Birgit Nilsson, Chrysothemis (*Elektra*). Nilsson la recommande à l'Opéra de Vienne où elle remporte un grand succès. La même année, elle se présente au Covent Garden comme Chrysothémis. Peu à peu, elle s'impose comme une des grandes wagnériennes de sa génération. En 1967, elle débute comme Brünnhilde au Festival de Bayreuth. Elle est invitée à l'Opéra de Munich et sur les grandes scènes d'Amérique du Nord. En 1972, elle chante Isolde au Liceo de Barcelone, à l'Opéra de Paris et, en 1974, à Amsterdam. En 1973-74, elle est engagée à l'Opéra de Düsseldorf-Duisbourg tout en étant invitée à plusieurs reprises au Covent Garden.

Lipatti, Dinu (Constanti Lipatti)

Pianiste roumain, né à Bucarest le 19 mars 1917, mort à Genève le 2 décembre 1950.

Dinu Lipatti naît dans un milieu musical : sa mère est pianiste, son père a étudié le violon avec Sarasate et Carl Flesch, son parrain n'est autre que Georges Enesco. A quatre ans, il donne des concerts de charité et commence à composer. Son premier professeur est Florica Muzicescu. L'évidence de ses dons lui permet d'entrer au Conservatoire de Bucarest avec une dispense spéciale. Au Concours international de Vienne (1934), il n'obtient que le 2e prix ; en signe de protestation, Alfred Cortot, membre du jury, démissionne. Dinu Lipatti vient à Paris et travaille avec Cortot et Yvonne Lefébure. Charles Münch se charge de l'initier à la direction d'orchestre. Peu avant sa mort, Paul Dukas l'admet parmi ses élèves en composition. Après sa disparition, il continuera dans cette discipline avec Nadia Boulanger et Igor Stravinski. Dès 1936, les tournées de concerts le conduisent à Berlin et en Italie. L'infatigable découvreur de talents, Walter Legge, commence à le faire enregistrer. De 1939 à 1943, il vit en Roumanie où il donne des concerts avec Enesco et Mengelberg. Il se réfugie alors en Suisse avec son épouse Madeleine Cantacuzène, également pianiste. Il obtient rapidement la classe de virtuosité au Conservatoire de Genève. La majorité des trop rares enregistrements qu'il nous laisse date de la période 1946-50, notamment le *Concerto* de Schumann avec Karajan. Mais il est déjà gravement malade. Il donne son dernier récital, à bout de forces, le 16 septembre 1950 à Besançon. Dinu Lipatti nous laisse quelques compositions (*Concertino en style classique* pour piano et orchestre, *Sonatine pour la main gauche*, *Danses roumaines* pour orchestre, *Les Bohémiens*, trois tableaux symphoniques).

Lipp, Wilma

Soprano autrichienne, née à Vienne le 26 avril 1925.

Elle étudie avec Anna Bahr-Mildenburg et Alfred Jerger à Vienne et y débute en 1943 (Rosine). Depuis 1945, elle chante à la Staatsoper les rôles de colorature et de soubrette, puis les spinto. Célèbre Reine de la nuit, elle débute dans ce rôle à la Scala en 1950 et à l'Opéra de Paris en 1953. Au Covent Garden, elle chante Gilda et Violetta (à partir de 1951), à Glyndebourne, Constance (1957), à San Francisco, Nanette (1962).

List, Emanuel (Emanuel Fleissig)

Basse autrichienne, naturalisé américain, né à Vienne le 22 mars 1890, mort à Vienne le 21 juin 1967.

Apprenti couturier, il participe en tant que choriste enfant aux saisons du Théâtre An der Wien, puis tourne en Europe avec un quatuor vocal avant de travailler dans un théâtre de vaudeville à Londres et d'émigrer aux États-Unis où il suit des cours avec Josiah Zuro. De retour à Vienne, il débute à la Volksoper en 1922 (Mephistopheles), à la Städtlische Oper de Berlin en 1923, puis à la Staatsoper de la même ville (1924-33). Sa carrière internationale a ensuite comme étapes Covent Garden (1925-34), Salzbourg où il apparaît en Commandeur, Osmin, Don Fernando (*Fidelio*) et Marke (*Tristan*) de 1931 à 1935 et Bayreuth où il chante en 1933 les rôles de Fafner, Hunding, Hagen, Pogner et Gurnemanz. Il quitte l'Allemagne et débute au Met en décembre 1933 ; il y demeure attaché jusqu'en 1950, date à laquelle il revient à Berlin avant de s'installer définitivement à Vienne en 1952. En plus de ses célèbres interprétations wagnériennes, il laisse le souvenir d'un grand Baron Ochs.

Litaize, Gaston

Organiste et compositeur français, né à Menil-sur-Belvitte (Vosges) le 11 août 1909.

Gaston Litaize, musicien aveugle, fait ses études au Conservatoire de Paris, dans les classes de Marcel Dupré, Caussade et Büsser. Il y remporte les 1ers prix d'orgue et d'improvisation (1931), de fugue (1933) et de composition (1937). Il obtient également un 2e Grand Prix de Rome en 1938 et le Prix Rossini, qui lui est décerné pour sa légende musicale *Fra Diavolo*. Après avoir été organiste à Saint-Léon de Nancy et à Saint-Cloud, il est nommé titulaire du grand orgue de Saint-François-Xavier à Paris. Pendant plusieurs années, il est à la tête du service de musique religieuse de l'O.R.T.F., professeur à l'Institut National des Jeunes Aveugles puis au Conservatoire de Saint-Maur. Il a formé de nombreux organistes de grande réputation.

Gaston Litaize a entrepris de nombreuses tournées en France et à l'étranger où il fait admirer son instinct du rythme, sa technique exceptionnelle et son sens de l'architecture et du contrepoint, aussi bien comme interprète que comme improvisateur. Membre du jury de très nombreux concours internationaux, il se double d'un compositeur sensible, au style personnel. Même s'il a œuvré pour chœurs et solistes, la majorité de ses écrits sont destinés à l'orgue : *12 Pièces* (1931-1937), *5 Pièces liturgiques,* un *Noël basque, 24 Préludes liturgiques,* une *Grand-Messe pour tous les temps,* etc. Pour les voix, il a donné, entre autres choses, une *Missa solemnior,* pour chœur et orgue (1954), *Missa Virgo gloriosa,* pour trois voix mixtes et orgue (1959) et une *Messe solennelle en français,* pour schola, assemblée et orgue (1966).

Litvinne, Felia (Françoise, Jeanne Vasil'yevna Schütz)

Soprano russe d'ascendance allemande et canadienne, naturalisée française, née à Saint-Pétersbourg le 11 octobre 1863, morte à Paris le 12 octobre 1936.

Elle étudie avec Barthe-Bauderali, Pauline Viardot et Victor Maurel, et débute aux Italiens en 1883 (Maria Boccanegra) en remplacement de Fides Devries, puis officiellement comme Elvira (*Ernani*). Sa carrière devient immédiatement internationale. Grâce au mariage de sa sœur Hélène avec Edouard De Reszké, elle chante à New York (Mapleson Company) en 1885, à l'Opéra de Paris en 1886, à Moscou (1889) et Saint-Pétersbourg (1890), à la Scala, à Rome, Venise, au Met en 1897, au Covent Garden en 1899. Entre temps, elle est devenue une wagnérienne célèbre, et est ainsi la première Brünnhilde de la *Walkyrie* en français à Bruxelles (1887), la première Isolde de Paris (1899), la première Brünnhilde des *Tétralogies* intégrales de Bruxelles (1903) et Paris (1911), la première Kundry de Monte-Carlo en 1913. Elle est également considérée comme la plus grande Alceste de l'histoire.

Elle quitte la scène en 1917, et le concert en 1924 pour se consacrer à l'enseignement, notamment au Conservatoire américain de Fontainebleau à partir de 1927 : parmi ses élèves, on trouve Nina Koshetz et Germaine Lubin. Elle a publié sa biographie sous le titre *Ma Vie et mon art* (1933).

Lively, David

Pianiste américain, né à Ironto (Ohio) le 27 juin 1953.

Après avoir commencé le piano à l'âge de 5 ans avec sa mère, il poursuit ses études avec Gail Delente de 1963 à 1969. Il donne son premier concert public en 1967 avec l'Orchestre Symphonique de Saint Louis. En 1969, il obtient une bourse du gouvernement français pour venir travailler à l'École normale de musique de Paris (avec Jules Gentil) où il obtient sa Licence de concert, premier nommé, à 16 ans. David Lively continue à se perfectionner avec Jules Gentil jusqu'en 1974. Lauréat des Concours Marguerite Long (1971), Reine Élisabeth de Belgique (1972) et Tchaïkovski (1974), il remporte le Concours de Genève en 1971 et le Prix Dino Giani de la Scala de Milan en 1977. Il suit le Cours Beethoven à Positano avec Wilhelm Kempff (1975) et bénéficie des conseils de Claudio Arrau de 1975 à 1979. David Lively se produit dans le monde entier et entreprend actuellement l'enregistrement de la musique pour piano d'Aaron Copland. Depuis 1980, il est directeur artistique du Festival de Saint-Lizier.

Llacuna, Teresa

Pianiste espagnole naturalisée française (1960), née près de Barcelone le 27 mai 1935.

Après ses débuts dans sa ville natale à l'âge de 12 ans, Cortot, présent au concert, l'invite à venir suivre ses cours à Paris. Après ses années au conservatoire, elle part se perfectionner auprès d'un élève de Lipatti, Béla Siki, en Suisse pendant trois ans. Puis ce sera Londres et l'école de Schnabel où elle fréquente les cours de Maria Curcio Diamond.

Teresa Llacuna a enregistré l'œuvre intégrale de de Falla. Elle interprète de nombreuses œuvres du répertoire espagnol peu connues, comme certaines pièces de Granados.

Llobet Soles, Miguel

Guitariste espagnol, né à Barcelone le 18 octobre 1875, mort à Barcelone le 22 février 1938.

Il a une double formation de dessinateur et de guitariste. Son premier maître, Magin Alegre, le présente à Francesco Tarrega dont il devient le plus brillant élève. Il se produit pour la première fois à Paris lors de l'Exposition de 1900. Il se fixe à Paris (1902-14). Il est alors ami des impressionnistes, remarqué comme guitariste par Claude Debussy. Il se produit en Europe et dans les deux Amériques. A Buenos Aires, il enseigne la guitare à Maria Luisa Anido et forme avec elle le premier duo de guitares. Falla a écrit pour lui *Homenajes, Pour le tombeau de Claude Debussy*.

Lloyd, Robert

Basse anglaise, né à Southend-on-sea le 2 mars 1940.

Durant ses études à Oxford, il fait partie du Club d'opéra du Klebe College où il étudie l'histoire. Cette tentative fait tant de bruit qu'elle le conduit rapidement sur la scène du Sadler's Wells Opera, puis sur celle du Covent Garden dont il devient membre en 1972. En 1975, il débute aux États-Unis, comme Sarastro (*La Flûte enchantée*) à San Francisco. Il débute à l'Opéra de Paris avec le rôle du Commandeur (*Don Giovanni*). Au Festival d'Aix-en-Provence, il tient dans le même ouvrage le rôle de Masetto. Il participe également au Festival de Glyndebourne (*La Flûte enchantée, Le Retour d'Ulysse dans sa Patrie*). Avec le Scottish Opera, il chante Arkel dans *Pelléas et Mélisande*, Don Ferrando dans *Fidelio* et aborde le rôle d'Osmin dans *L'Enlèvement au Sérail*, puis en 1979, il chante enfin le rôle titre de *Don Giovanni*. Invité par l'Opéra de Munich, il y chante *Le Vaisseau fantôme* et *Simon Boccanegra*. A Amsterdam, il chante Gurnemanz (*Parsifal*) et au Covent Garden *Macbeth* sous la direction de Riccardo Muti. Sa haute stature, son élégance naturelle, sa distinction et son admirable jeu scénique soulignent et font éclater une belle voix de basse qui confère au rôle de Gurnemanz (*Parsifal*) un éclat tout particulier. Aussi est-il le seul artiste qui se double lui-même dans le film de Hans-Jürgen Syberberg.

Lodéon, Frédéric

Violoncelliste français, né à Paris le 26 janvier 1952.

Né dans un milieu musical, il aborde le piano à cinq ans et le violoncelle peu avant ses neuf ans. Il se présente en 1967 dans la classe d'André Navarra au Conservatoire de Paris où il remporte un 1er prix de violoncelle à l'unanimité (1969). L'année suivante, il obtient un 1er prix de musique de chambre dans la classe de Jean Hubeau avec qui il poursuivra un cycle de perfectionnement (1970-72). Lauréat du Concours international de Florence, il enlève, en 1972, le 1er prix du Concours international Maurice Maréchal (Paris) et, en 1977, le 1er prix du Concours international de La Rochelle. Sa carrière prend vite de l'essor : il joue dans le monde entier, notamment sous la direction de Mstislav Rostropovitch. Tant au disque qu'au concert, il se consacre beaucoup à la musique de chambre. Parmi ses enregistrements marquants, il convient de retenir quatre concertos pour violoncelle de Boccherini et la première gravure mondiale d'*Épiphanie* de Caplet.

Loehrer, Edwin

Chef d'orchestre et chef de chœur suisse, né à Andwil (Saint-Gall) le 27 février 1906.

C'est à l'Académie des arts de Munich qu'il étudie la composition et la direction d'orchestre. Il travaille l'orgue avec Ernst Isler au Conservatoire de Zürich. Il obtient son doctorat à l'Université de la même ville. De 1930 à 1935, il occupe les fonctions de directeur général de la musique à Lichtensteig. Il fonde en 1936 le Chœur de la Radio Suisse Italienne à Lugano. C'est avec cet ensemble qu'il fait découvrir aux mélomanes tout un répertoire de musiques polyphoniques très largement méconnu à cette époque. C'est l'un de ses plus beaux titres de gloire que d'avoir ramené à la lumière, dans des conditions d'authenticité étonnantes pour le temps, l'art vocal italien. Au premier rang, bien sûr, Monteverdi. Son interprétation fait date, ses enregistrements servent encore de référence, par leur perfection et leur sensibilité, malgré les progrès considérables accomplis par la musicologie dans ce domaine. En 1961, il fonde la Societa Cameristica di Lugano et, avec elle, enregistre Rossini, toujours des œuvres méconnues comme les *Péchés de ma vieillesse.*

Lohmann, Heinz

Organiste allemand, né à Gevelsberg le 8 novembre 1934.

Après avoir été l'élève d'Helmut Kahlöfer, il étudie la musique d'église luthérienne à l'Académie de Detmold (1955-58) et suit les cours de Michael Schneider. Pendant deux ans (1958-59), il est titulaire de l'orgue de l'église du Christ (Christuskirche) de Wolfsburg, puis passe les deux années suivantes à Paris et suit les cours d'interprétation de Gaston Litaize. Pendant ce séjour parisien, il est titulaire de l'orgue de l'église allemande luthérienne de la rue Blanche, dont il avait été l'inspirateur. De 1961 à 1971, il est, à Düsseldorf, titulaire de la tribune de la Christuskirche ; là il organise nombre de récitals et de concerts. En 1971, il est nommé titulaire des orgues de l'église Zum Heilbronnen de Berlin où il succède notamment à Hans Heintze et Michael Schneider. De nombreux enregistrements l'ont fait connaître des organophiles, notamment son intégrale de l'œuvre d'orgue de Max Reger au moment où l'on célébrait le centenaire de la naissance du compositeur. Il a créé en première audition de nombreuses pages, dont des œuvres d'Albrecht Boucke, J. N. David, John Drwiessler, G. Gruschwitz, J. Kenesci. Il a publié une édition critique de l'œuvre pour orgue de J.-S. Bach (Breitkopf et Härtel, 1969-79), ainsi qu'une édition des *Quatuors* de Haydn. En 1971, il a réédité, avec ses propres corrections et annotations, *Le rôle de l'orgue aux offices religieux, jusqu'au* XVIIIe *siècle* (*Die Aufgabe der Orgel im Gottesdienste bis in das 18. Jahrhundert* de G. Rietschel (1893).

Loibner, Wilhelm

Chef d'orchestre autrichien, né à Vienne en 1909, mort en 1971.

Il travaille à l'Académie de musique de Vienne avec Clemens Krauss et Franz Schmidt. Engagé comme répétiteur à l'Opéra en 1931, il est nommé chef d'orchestre permanent en 1937. Il enseigne à la Hochschule für Musik (Académie) de 1949 à 1953. Il mène surtout une carrière de chef invité en Europe et occupe les fonctions de chef permanent de l'Orchestre Symphonique de la N.H.K. à Tokyo de 1957 à 1959. En 1963, il est nommé directeur artistique de l'Elizabethan Trust Opera Company en Australie.

Lombard, Alain

Chef d'orchestre français, né à Paris le 4 octobre 1940.

Il étudie le violon dès l'âge de sept ans avec Line Talluel. A 8 ans, il s'initie avec Suzanne Demarquez au piano et au solfège. Gaston Poulet l'admet un an plus tard dans sa classe au Conservatoire de Paris. Il donne son premier concert à onze ans Salle Gaveau. Alain Lombard poursuit alors ses études secondaires tout en travaillant le piano et le violon. Bachelier à l'âge de 16 ans, il étudie la direction d'orchestre avec Ferenc Fricsay. Sa véritable carrière de chef d'orchestre commence à 18 ans. Nommé à l'Opéra de Lyon (1961-65), il assure, avec Georges Prêtre, la création de l'*Opéra d'Aran* (1962). Ses débuts américains datent dc 1963 à l'American Opera Society dans *Hérodiade* de Massenet avec Régine Crespin et Rita Gorr. En 1966, il remporte la médaille d'or du Concours Dimitri Mitropoulos et devient l'assistant de Leonard Bernstein à l'Orchestre Philharmonique de New York ainsi que celui d'Herbert von Karajan au Festival de Salzbourg. En 1967, il se produit au Metropolitan Opera de New York et est nommé directeur musical de l'Orchestre de Miami. Depuis l'année précédente, il fait partie des chefs permanents du Metropolitan Opera et mène une active carrière de chef invité. De 1972 à 1983, il est directeur musical de l'Orchestre Philharmonique de Strasbourg. Il occupe les fonctions de directeur artistique de l'Opéra du Rhin (1974-80) et est nommé, en 1979, chef invité permanent de l'Orchestre de la Résidence de La Haye. De 1981 à 1983, il est directeur de la musique à l'Opéra de Paris.

Londeix, Jean-Marie

Saxophoniste français, né à Libourne le 20 septembre 1932.

C'est d'abord par le piano qu'il s'initie à la musique. Mais, dès l'âge de sept ans, il étudie le saxophone à Bordeaux. Il entre en 1951 au Conservatoire de Paris dans les classes de Marcel Mule (saxophone) et Fernand Oubradous (musique de chambre). En 1953, il reçoit un 1er prix de saxophone. Il est alors nommé professeur de saxophone et de solfège au Conservatoire de Dijon, poste qu'il occupe jusqu'en 1971. Il fonde, en 1960, le Sextuor à vent de Dijon (quintette à vent plus un saxophone). Une quinzaine d'œuvres originales seront spécialement composées pour cette formation. En 1968, il est chargé de cours à l'Université du Michigan. Une tournée en U.R.S.S. suscite l'ouverture de classes spécialisées dans son instrument dans les Conservatoires de Moscou et Leningrad. Président-fondateur de l'Association des saxophonistes de France, il organise à Bordeaux le 4e Congrès mondial du saxophone. Il crée à Bordeaux, en 1977, l'Ensemble international de saxophones. On compte plus de 80 œuvres dédiées à Jean-Marie Londeix et le plus souvent créées par lui : on peut citer le *Concerto pour saxophone alto et orchestre à cordes* de Pierre-Max Dubois, *Sérénade* de Roger Boutry, *Études* de Kœchlin, *Concert pour saxophone* et *Gavambodi II* de Jacques Charpentier, *Sonate* et *Concerto-piccolo* de Denisov, *Oraison* et *l'Arbre* de Sauguet, *Concertante* de Marius Constant. Il est l'auteur d'une douzaine d'ouvrages pédagogiques. Jean-Marie Londeix a reconstitué le premier quatuor de saxophone connu, écrit par Jean-Baptiste Singelee et publié en 1858 par Adolphe Sax.

London, George (George Burnstein)

Baryton-basse canadien, né à Montréal le 30 mai 1919, mort à New York le 24 mars 1985.

Sa famille est originaire de Russie. Élève de R. Lert à Los Angeles, il débute à Hollywood, en 1942, sous le nom de George Burnson, comme Grenvil (*La Traviata*). Il étudie ensuite à New York où il chante dans des opérettes et des comédies musicales. En 1947, un imprésario s'intéresse à lui et l'engage pour faire une tournée mondiale avec Mario Lanza et Frances Yeend (Belcanto-Trio). En 1949, Karl Böhm l'engage à l'Opéra de Vienne où il débute comme Amonasro (*Aïda*) sans répétition ! Depuis lors, il remporte chaque saison de grands succès sur cette scène. En 1950, il chante le rôle-titre des *Noces de Figaro* au Festival de Glyndebourne. Dès 1951, il s'impose au Festival de Bayreuth, où il chantera jusqu'en 1964, comme un des meilleurs barytons wagnériens (Amfortas et Hollandais). La même année, le Met l'appelle. Il y débute en Amonasro et est aussitôt engagé dans la troupe. Dès lors, il mène une carrière internationale aussi brillante sur scène qu'en concert. Il est invité à la Scala de Milan, au Covent Garden, au Colón, au Bolchoï ainsi qu'au Festival de Salzbourg. Dans les années soixante, il est engagé comme super-vedette sur Broadway. Il dirige par la suite une école de musique à New York. En 1968, il est nommé directeur artistique du Kennedy Center de Washington. Grand comédien, autant que grand chanteur, il a incarné avec autant de bonheur les grands barytons de Wagner et de Mozart. Mais on l'a applaudi également dans Richard

Strauss (*Arabella*), Johann Strauss (*La Chauve-Souris*), Puccini (*Tosca*) et Offenbach (*Les Contes d'Hoffmann*). Il est le premier chanteur non russe à avoir incarné *Boris Godounov* au Bolchoï de Moscou (1960). Depuis 1967, il était atteint d'une paralysie des cordes vocales

Long, Marguerite
(Marie-Charlotte Long)

Pianiste française, née à Nîmes le 13 novembre 1874, morte à Paris le 13 février 1966.

Élève du Conservatoire de Nîmes, elle est découverte à l'âge de 12 ans par Théodore Dubois en tournée d'inspection, qui l'invite à aller suivre les cours de Tissot au Conservatoire de Paris. Après son 1er prix, elle devient l'élève de Marmontel qui lui inculque l'art d'enseigner le piano. En 1893, elle fait ses débuts à la salle Pleyel-Wolff. Elle ne rejouera pas avant 1903, aux Concerts Lamoureux, où elle obtient un grand succès. Devenue professeur au Conservatoire en 1906, elle façonne peu à peu une méthode d'enseignement du piano qu'elle publiera en 1963. Elle accorde une très grande importance au doigté, aux gammes (auxquelles elle se soumettait elle-même quotidiennement) et à la fameuse position arrondie des doigts, conditions essentielles du jeu perlé « à la française ». Sans jamais déprécier le compositeur, elle considérait l'interprète comme celui qui devait réveiller « la musique endormie sur le papier » et la faire entendre au compositeur en personne. Par conséquent, il n'était pas question que le pianiste en restât à la pure transparence. Il devait donner « un accent » à la musique qu'il jouait.

Sa carrière s'est heurtée à deux écueils de natures différentes. Le premier consistait en un refus alors à la mode du soliste et en particulier des pianistes supposés virtuoses, donc frivoles. La musique en France, à cette époque, était considérée comme une entitée pure que seules les formations symphoniques pouvaient servir. Marguerite Long devait mettre en déroute les adeptes de cette nouvelle secte dont le siège se trouvait à la Schola Cantorum de Paris. Le second obstacle était de taille. Pour les musiciens d'alors, Fauré en tête, une femme ne pouvait pas faire « biologiquement-parlant » une carrière de virtuose, et qui plus est de carrière professorale au Conservatoire. Là aussi Marguerite Long prouva le contraire.

Amie de Debussy, avec qui elle travailla pendant longtemps l'interprétation de ses œuvres, elle devait se mettre au service de la musique de Ravel dès la mort du maître. En 1919, elle créait *Le Tombeau de Couperin* dont la *Toccata* est dédiée à la mémoire de son mari, Joseph de Marliave tué à la guerre de 1914. A la mort de Louis Diémer, elle reprend sa classe au Conservatoire (1920), en dépit des menées mysogines de ses collègues, toujours Fauré en tête. Pourtant, Marguerite Long n'a jamais cessé de défendre la musique qu'il composait. Son nom était presque devenu synonyme de la fameuse *Ballade* qu'elle joua jusqu'à sa mort. A partir de 1921 elle enseigne à l'École normale de musique tout récemment fondée. Elle donne des cours publics sur Fauré et Debussy à la demande de Mangeot, son fondateur. En 1932, elle crée le *Concerto en Sol* de Ravel dont elle est la dédicataire. C'est cette œuvre qui fera taire désormais tous les détracteurs du piano. En 1941, elle ouvre l'École Marguerite Long-Jacques Thibaud, puis fonde l'année suivante le fameux concours qui portera le même nom. Parmi ses élèves, on relève les noms de Samson François, Yvonne Lefébure, Lucette Descaves, Jean Doyen, Jacques Février et Nicole Henriot. Après la guerre, elle devait s'occuper avec passion du déroulement du concours dont elle attendait beaucoup.

Parmi les œuvres qui lui ont été dédiées figurent l'*Impromptu n° 4* (Fauré), les *Pécadilles importunes* (Satie), l'*Improvisation n° 1* (Poulenc), *Le Retour des muletiers* (Séverac), le *Concerto n° 1* (Milhaud), la *Rhapsodie portugaise* (E. Halffter). Messager a réorchestré pour elle le *2e Concerto* de Chopin. Elle a également créé les *Études pour les arpèges composés* et *pour les 5 doigts*, la *Fantaisie* (Debussy), les *Barcarolles n° 9 et 12* et l'*Impromptu n° 5* (Fauré), ainsi que *Parc d'attraction,* ouvrage collectif écrit pour l'Exposition universelle de 1937.

ÉCRITS : *Au piano avec Claude Debussy* (1960), *Au piano avec Gabriel Fauré* (1963), *Au piano avec Maurice Ravel,* avec Pierre Laumonier (1971).

Loose, Emmy

Soprano allemande, née à Karbiz (Aussig) le 22 janvier 1914.

Elle suit les cours du Conservatoire de Prague et débute, en 1939, comme Blondchen (*L'Enlèvement au sérail*) à l'Opéra de Hanovre. Invitée comme Ännchen (*Le Freischütz*) à l'Opéra de Vienne, elle y signe aussitôt un contrat comme membre permanent de la troupe. Elle s'impose comme grande spécialiste des sopranos légers de Mozart, ainsi que du répertoire de soubrettes. Elle participe chaque année au Festival de Salzbourg et apparaît également au Festival de Glyndebourne et au Mai musical de Florence comme mozartienne. Au Festival d'Aix-en-Provence, elle triomphe en Blondchen, Zerline (*Don Giovanni*) et Elisetta (*Le Mariage secret*). Elle est invitée également à la Scala, au Covent Garden et en Amérique du Sud.

López Coboz, Jesus

Chef d'orchestre espagnol, né à Toro (Zamora) le 25 février 1940.

Il fait ses études à l'Université de Madrid. Docteur en philosophie, il travaille également la composition et la direction d'orchestre. Il donne son premier concert en 1968 à Prague et est lauréat du Concours de Besançon. En 1969, il remporte le 1er prix du Concours Mitropoulos à New York et dirige pour la première fois à la Fenice de Venise où il assure la fonction de chef permanent. Il devient chef permanent de la Deutsche Oper de Berlin jusqu'en 1976, année où il dirige *Don Juan* de Mozart au Festival d'Aix-en-Provence. Il poursuit une carrière internationale de chef invité. Il dirige à l'Opéra de Paris en 1978 (*Cendrillon* de Rossini) puis au Covent Garden. Depuis 1981, il est directeur général de la musique à la Deutsche Oper de Berlin et chef principal associé de l'Orchestre National d'Espagne. Il a enregistré de nombreux disques, notamment la *Symphonie* d'Arriaga. Il a créé la *Symphonie n° 2* de Yun (1984).

Lorengar, Pilar

Soprano espagnole, née à Saragosse le 16 janvier 1928.

Elle suit les cours du Conservatoire de Barcelone où elle débute comme mezzo-soprano (1949). En 1951, elle remporte un concours de chant à Barcelone, mais se tourne alors vers le répertoire de soprano. Elle chante d'abord dans les théâtres de son pays, puis se fait connaître sur le plan international à Paris et à Londres (1954). L'année suivante, elle se rend en Amérique du Nord où elle donne plusieurs concerts et chante dans les opéras de San Francisco et de Chicago. En 1957, elle débute au Festival de Glyndebourne comme Pamina (*La Flûte enchantée*) et, les deux saisons suivantes, comme Comtesse (*Les Noces de Figaro*). Elle est ensuite invitée à l'Opéra de Vienne, à l'Opéra de Munich, ainsi qu'au Festival d'Aix-en-Provence et retourne à Barcelone et à Madrid. Depuis 1959, elle est engagée à l'Opéra de Berlin. En 1961, elle chante *Idoménée* et Pamina au Festival de Salzbourg. En 1966, elle est engagée au Met. Elle chante également le répertoire italien (*La Bohème, Médée* de Cherubini...).

Lorenz, Max

Ténor allemand, né à Düsseldorf le 17 mai 1901, mort à Salzbourg le 11 janvier 1975.

Après avoir étudié à Berlin avec Ernst Grenzebach, il fait ses débuts à l'Opéra de Dresde en 1927 dans le rôle de Walther von der Vogelweide de *Tannhäuser.* En 1930, il rejoint la troupe de l'Opéra de Berlin et en 1941 celle de l'Opéra de Vienne. De 1933 à 1944, puis en 1953 et 1954, il est l'une des vedettes de Bayreuth dans tous les rôles de ténor wagnérien où sa grande voix, sa prestance et son sens dramatique le rendent incomparable. Il obtient les plus grands succès sur toutes les scènes des deux continents. Son répertoire est considérable allant de Florestan à Bacchus ou Rienzi en passant par Otello, rôle dans lequel il remporte des triomphes. Il participe, notamment à Salzbourg, à de nombreuses créations. Il a enregistré de nombreux disques dont une mémorable intégrale d'*Ariane à Naxos* prise sur le vif le 11 juin 1944 à l'Opéra de Vienne à l'occasion du 80e anniversaire de Richard Strauss.

Loriod, Jeanne

Ondiste française, née à Houilles le 13 juillet 1928.

Dès la création des ondes Martenot elle en reconnaît les ressources étonnantes, la variété de timbres, l'originalité et le pouvoir d'expression. Elle se passionne pour ce « nouveau monde sonore ». Elle travaille le piano avec Lazare Lévy puis les ondes avec Maurice Martenot au Conservatoire de Paris. Elle fait ses débuts en 1950 et participe aussitôt à un quatuor d'ondes fondé par Ginette Martenot. Elle joue dans tous les pays du monde et s'impose, à sa génération, comme figure marquante de l'instrument.

En soliste ou dans des œuvres concertantes, les compositeurs d'aujourd'hui ne sauraient se passer d'elle. Professeur au Conservatoire de Paris, après avoir été premier professeur titulaire d'une classe d'ondes Martenot au Conservatoire de Saint-Maur, à l'École normale de musique et à la Schola Cantorum de Paris, elle ne sépare pas l'enseignement de son besoin de découverte. Son répertoire comporte 12 concertos, 20 œuvres concertantes et une soixantaine d'œuvres de musique de chambre. Elle joue le rôle de pionnier face aux instruments électroniques. En 1974, elle fonde un sextuor d'ondes avec Antoinette et Valérie Hartmann, Pascale Rousse-Lacordaire, Tristan Murail et Françoise Pellié, les deux derniers étant remplacés en 1978 par Philippe Raynaud et Christine Clément. Parmi les trois ou quatre centaines de créations qu'elle a assurées, *Concerto* (1957) de Bondon, *Suite karnatique* (1958) et *Concerto* (1964) de J. Charpentier, *Brève* (1966) de Bussotti, *Mach 2,5* (1974) de Murail, *Hymne à saint André* (1977) de Jolivet, *Froissement d'ailes* (1977) de Levinas, et des œuvres de Kœchlin, Tomasi, Rivier, Barraud, Tessier, Vychnegradsky, sans oublier les grandes pages de Messiaen pour lesquelles on fait appel à elle dans le monde entier.

Loriod, Yvonne

Pianiste française, née à Houilles le 20 janvier 1924.

Elle commence très jeune ses études musicales et donne un récital chaque mois dans le salon de sa marraine – professeur de piano – comprenant une œuvre classique, une romantique et une moderne. A quatorze ans, elle a à son répertoire : Le *Clavecin bien tempéré* de Bach, les *32 Sonates* de Beethoven, l'œuvre intégral de Chopin et les 22 concertos de Mozart. Élève de Lazare-Lévy et d'Olivier Messiaen, dont elle deviendra la femme, elle travaille aussi avec M. Ciampi, S. Caussade, J. Calvet, C. Estyle et Darius Milhaud. Dans la classe d'Olivier Messiaen elle côtoie tous les compositeurs qui s'épanouiront plus tard, Boulez en particulier. Elle travaille Debussy, Ravel, Schönberg, puis ajoute à son répertoire Jolivet, Boulez et Bartók. Elle est la créatrice de toutes les œuvres de Messiaen, de la *Sonate nº 2* (1950), et les *Structures* (1962) de Boulez, le *Concerto* (1945) de Nigg, la *Sonate* (1957) de Barraqué, le *Concerto* (1961) de Chaynes, la *Sonate nº 2* (1959) de Jolivet.

Demandée très souvent pour les jurys internationaux, elle donne des cours dans plusieurs pays d'Europe, en Argentine et aux U.S.A. Elle a reçu sept prix du Conservatoire, douze grands prix du disque. Professeur de piano au Conservatoire de Paris (1967), elle a donné l'intégrale des concertos pour piano de Mozart. Sa mémoire prodigieuse, sa virtuosité, son intelligence font d'elle l'une des meilleures interprètes du XXe siècle.

Los Angeles, Victoria de (Victoria Gomez Cima)

Soprano espagnole, née à Barcelone le 1er novembre 1923.

Son père est employé à l'Université et elle travaille seule sa voix dans les salles de cours. En 1940, elle s'inscrit au Conservatoire où elle étudie le chant et le piano. En trois ans d'études elle récolte plusieurs prix et, après avoir participé à quelques concerts, débute au Liceo de Barcelone dans le rôle de la Comtesse des *Noces de Figaro* de Mozart. En 1947, elle remporte le Concours international de Genève et, un an plus tard, chante *La Vie brève* de De Falla à la B.B.C. En 1950, elle incarne Mimi, sous la direction de Beecham au Covent Garden, chante à Salzbourg et pour la première fois à la Scala dans *Ariane à Naxos* de R. Strauss. En 1951, elle se rend à New York invitée au Metropolitan Opera (*Faust*). Elle ne joue pas les divas. Sa voix est fraîche, naturelle (tout d'abord soprano colorature, dans *Manon* sous la direction de Cluytens). Au Met elle chante encore *Madame Butterfly, Les Maîtres chanteurs, La Bohème.* A Buenos Aires, au Colón (en 1952-54), à Stuttgart, à Milan à nouveau, elle élargit son répertoire, y ajoutant *Don Giovanni,* et *Mithridate Eupatore* de Scarlatti, *Le Freischütz, Le Barbier de Séville.* Depuis quelques années elle chante davantage en récital. Le répertoire espagnol, les mélodies mettent en valeur son art sobre, lumineux. Elle fut aussi tour à tour Carmen et Mélisande...

Loughran, James

Chef d'orchestre écossais, né à Glasgow le 30 juin 1931.

Il travaille la direction d'orchestre à Bonn (avec Peter Maag), à Amsterdam et à Milan où il occupe également des fonctions de répétiteur. En 1961, il remporte le 1er prix au concours de l'Orchestre Philharmonia, ce qui lui permet de débuter à Londres la même année avec cet orchestre. En 1962, il est chef assistant de l'Orchestre Symphonique de Bournemouth dont il devient ensuite chef associé (1964-65). Puis il est nommé 1er chef du B.B.C. Scottish Symphony Orchestra (1965-71). De 1971 à 1983, il remplace Sir John Barbirolli à la tête du Hallé Orchestra de Manchester et prend, en outre, la direction de l'Orchestre Symphonique de Bamberg (1979-83). Il mène parallèlement une carrière de chef lyrique marquée par ses débuts au Covent Garden dans *Aïda* en 1964. Il a créé l'opéra de Williamson *Our Man in Havana* (1963).

Loup, François

Basse suisse, né à Estavayer-le-lac le 4 mars 1940.

Il fait parallèlement des études classiques et musicales à Fribourg où il étudie le piano, l'orgue, la composition et le chant. Il débute au Grand-Théâtre de Genève, de 1964 à 1966, tout en dirigeant un certain nombre de chorales amateurs pour lesquelles il harmonise motets, madrigaux et mélodies folkloriques suisses. Engagé par Michel Corboz, il est soliste de l'Ensemble Instrumental de Lausanne. Son aisance dans la musique baroque le fait participer à de nombreuses réalisations, tant en concert (avec la Società Cameristica di Lugano) que sur scène (*Orfeo* à l'Opéra de Lyon). Comme chanteur d'oratorio, il se produit dans toute l'Europe. Sur scène, son talent de comédien le prédispose aux rôles de basse-bouffe (Leporello, Figaro, Bartholo, Dulcamara, Don Pasquale, Masetto...), mais la couleur de son timbre lui permet également d'aborder avec bonheur Arkel, Pimène, Frère Laurent, Sarastro... Il participe à de nombreux festivals, Albi, Saintes, Spoleto (1975) où il remporte un succès tout particulier dans *Docteur Miracle.* Il crée *Monsieur de Pourceaugnac* de Frank Martin, *Le Chant du Cygne* d'Adrienne Clostre ainsi que plusieurs œuvres que certains compositeurs écrivent pour lui : Andréas Pflüger, Bernard Videau, Dante Granato... Il se passionne également pour l'enseignement du chant.

Lozano, Fernando

Chef d'orchestre mexicain, né à Mexico le 2 avril 1940.

Après avoir commencé ses études musicales au Conservatoire de Mexico, il fait ses débuts avec l'orchestre de ce conservatoire en 1962. Il obtient des bourses qui lui permettent de se perfectionner en France (avec Pierre Dervaux à l'École normale de musique, 1965-67), en Italie (avec Franco Ferrara) et aux Pays-Bas (avec Jean Fournet à Hilversum). En 1974, il effectue ses débuts à l'Opéra de Vienne. Il mène une carrière de chef invité dans son pays et en Europe avant d'être nommé directeur musical de l'Orchestre Philharmonique de Mexico en 1978.

Lubin, Germaine

Soprano française, née à Paris le 1er février 1890, morte à Paris le 17 octobre 1979.

Martini est son premier professeur de chant. A 18 ans, sa voix exceptionnelle lui vaut d'être reçue à l'unanimité au Conservatoire de Paris. Elle y obtient trois premiers prix... et la fervente admiration de Fauré. Elle débute à l'Opéra-Comique en 1912 et y triomphe dans *Les Contes d'Hoffmann* devant Dukas et Debussy. Elle chante de nombreux opéras (*Zampa* de Hérold, *Le Pays* de Ropartz), épouse le poète Paul Géraldy et continue de travailler sa voix avec Jean De Reszké et Félia Litvinne. Après la réouverture de l'Opéra de Paris, elle s'y produit dans Gounod, d'Indy, Massenet et Verdi. En 1918, elle est Telaïre dans *Castor et Pollux* de Rameau. En 1919, on la remarque dans *Le Retour* de Max d'Ollone et *Saint-Christophe* de Vincent d'Indy. Wagner revient alors au répertoire de l'Opéra de Paris : c'est le grand événement de sa carrière musicale. En 1921, elle chante Sieglinde dans *La Walkyrie* ; en 1923, elle est Eva dans *Les Maîtres chanteurs* sous la baguette de Camille Chevillard. Clemens Krauss l'appelle à Vienne. C'est le début d'une triomphale carrière internationale : *Ariane à Naxos* dirigée par Richard Strauss, *Boris Godounov* sous la baguette de Serge Koussevitzki, *Alceste* de Gluck avec Georges Thill. Elle chante Ravel sous la direction de Weingartner et travaille toujours voix et présence scénique avec Lilli Lehmann. En 1930, elle est pour la 1re fois Isolde à Paris. Elle côtoie les plus grands (Lauritz Melchior, Philippe Gaubert, Bruno Walter, Thomas Beecham) et reprend, en 1935, *Ariane et Barbe-Bleue* de Paul Dukas. En 1938, elle est la deuxième cantatrice française à être invitée à Bayreuth. Hitler la remarque dans *Parsifal* et tient à la rencontrer. Point culminant de toute sa vie d'interprète, elle chante Isolde à Bayreuth, en 1939, avec Max Lorenz et Margarete Klose sous la baguette de Victor De Sabata. Germaine Lubin accepte de rechanter en France sous l'Occupation (*Fidelio* en 1940, *Le Chevalier à la rose* en 1941, *Tristan et Isolde* sous la direction de Herbert von Karajan, *La Chauve-Souris* avec Elisabeth Schwarzkopf). Une attitude parfois cassante et quelques déclarations jugées imprudentes n'arrangent pas les choses : à la Libération, Germaine Lubin est condamnée à la dégradation nationale à vie, réduite ensuite à 5 ans. Elle donne son dernier récital, voix et énergie brisées, salle Gaveau, en 1950. Elle se consacre alors à la pédagogie et forme, parmi de nombreux élèves, Régine Crespin et Udo Reinemann.

Lublin, Éliane

Soprano française, née à Paris le 10 avril 1938.

Après des études classiques en France, elle obtient le diplôme du Conservatoire Verdi de Milan. Revenue à Paris, elle travaille le chant avec Mario Podesta et débute dans le rôle de Mélisande au Festival d'Aix-en-Provence. Engagée à l'Opéra-Comique, après *Le Médium* de Menotti à Monte-Carlo, elle débute au Palais Garnier dans *Les Dialogues des Carmélites* (Poulenc) et y chante régulièrement à partir de 1974 : *Manon, Faust, La Cenerentola, Peter Grimes* (Britten) et la création française du *Grand Macabre* de Ligeti (1981).

Luca, Giuseppe de

Voir à **De Luca, Giuseppe.**

Luca, Libero de

Voir à **De Luca, Libero.**

Luccioni, José

Ténor français, né à Bastia le 14 octobre 1903, mort à Marseille le 5 octobre 1978.

Possédé du démon de la mécanique automobile, il abandonne ses études secondaires pour devenir essayeur de voitures chez Citroën. Et il chante, tout le temps, partout. Il lui faudra le service militaire pour que des camarades issus de conservatoires le forcent à prendre le chant au sérieux. Il monte à Paris. Il a pour professeurs de chant Léon David, qui lui enseigne le style, et Léon Escalaïs, qui lui transmet l'art de savoir doser la vaillance de ses moyens naturels. Il décroche un 2e prix de chant et Jacques Rouché l'engage à l'Opéra, tout en lui permettant de continuer sa scolarité. En 1931, il foule pour la première fois les planches du Palais Garnier (*Virginie* d'Alfred Bruneau). Ses vrais débuts, il les fait à Rouen la même année dans *La Tosca.* Son succès est tel qu'il est immédiatement réinvité à chanter Mario puis Canio. En 1932, son Canio met en ébullition l'exigeant public marseillais et il le chante à l'Opéra de Paris. Toutes les scènes de province s'arrachent ce phénomène et Gheusi se décide enfin à l'engager Salle Favart pour chanter le premier des quelque 350 Don José qui jalonneront sa carrière. Viennent ensuite Monte-Carlo, où il est Dimitri aux côtés de l'immortel Boris de Chaliapine, Covent Garden, le Liceo de Barcelone, l'Opéra de Rome où il crée le *Cyrano de Bergerac* d'Alfano (la Scala ne lui pardonnera jamais d'avoir joué Rome contre elle), le Colón, Chicago où il se révèle dans l'*Amour des trois rois* de Montemezzi (là encore une querelle de théâtres lui fermera les portes du Met,... Et les grands rôles se succèdent : des Grieux, Samson, Mathô dans l'admirable reprise de *Salammbô* à l'Opéra de Paris, Roméo, Calaf, Pinkerton, Faust de Gounod et de Berlioz, André Chénier, Radamès, Werther, Mylio,... En 1943, il incarne Otello à l'Opéra de Paris. Un rôle que, vrai ténor et non « baryton monté », et acteur profondément habité, il marquera de façon indélébile durant les quelque 120 représentations qu'il en donnera. José Luccioni a joué dans deux films, *Colomba* et *Le Bout de la route.*

Ludwig, Christa

Mezzo-soprano allemande, née à Berlin le 16 mars 1928.

Elle voit le jour dans une famille de musiciens : ses parents, Anton Ludwig et Eugénie Basalla sont tous deux chanteurs à Vienne. Elle travaille avec sa mère puis avec Felice Hüni-Mihaček. Elle commence par des concerts de lieder et des opérettes (*La Chauve-Souris,* en 1946 à Francfort). Puis elle est engagée à Darmstadt, Hanovre et Hambourg. On la remarque dans Chérubin à Salzbourg (1954). L'année suivante, elle chante à Vienne, avec Böhm. Elle s'impose comme la meilleure mezzo mozartienne et straussienne de sa génération et débute au Met, en 1959. En 1962, elle chante Léonore avec Karajan. On lui offre des rôles de soprano (la Maréchale, avec Bernstein en 1968, au Met). Elle incarne Brangaene, puis Kundry à Bayreuth en 1966-67. A l'Opéra de Paris, elle apparaît dans la Teinturière de *La Femme sans ombre*, Fricka, Octavie (*Le Couronnement de Poppée*) et débute, en 1976, au Covent Garden dans *Carmen*. Les grands chefs (Solti, Karajan, Bernstein) apprécient sa musicalité. Elle aime aussi le lied et – après Lotte Lehmann – a abordé *Le Voyage d'hiver*. Voix chaude, excellente technique, elle se refuse à forcer ses moyens. Ses rôles de prédilection : la Maréchale, la Teinturière. Elle a épousé en premières noces le baryton Walter Berry (1957) et en secondes noces, le comédien Paul-Émile Deiber (1971). Elle a créé le rôle de Claire dans l'opéra de von Einem *Der Besuch der alten Damen* (Vienne, 1971).

Ludwig, Leopold

Chef d'orchestre autrichien, né à Ostrava le 12 janvier 1908, mort à Lünebourg le 24 avril 1979.

Il travaille le piano et l'écriture à l'Académie de Vienne, notamment avec Emil Paur. En 1931, il fait ses débuts de chef d'orchestre à Opava. Puis il dirige à Brno avant d'être nommé directeur musical à Oldenburg (1936-39). Il est ensuite chef permanent à l'Opéra de Vienne (1943-51) et directeur général de la musique à Hambourg (1951-70). A partir de 1968, il enseigne à l'Université de cette même ville. En 1969-70, il est conseiller musical de l'Orchestre Symphonique de Bâle. En dehors de ses fonctions permanentes, il mène une active carrière de chef invité, dirigeant le répertoire wagnérien et les grandes œuvres lyriques allemandes du XXe siècle. A Glyndebourne, il conduit *Le Chevalier à la rose* en 1959. Au Met, il est invité à diriger *Parsifal* en 1970. Fervent défenseur de la musique de son temps, il a créé *Pallas Athene weint* de Krenek (1955), *Le Prince de Hombourg* de Henze (1960) et *Figaro lässt sich scheiden* de Klebe (1963).

Lukomska, Halina

Soprano polonaise, née à Suchedniów le 29 avril 1929.

Elle fait ses études à l'École supérieure d'État d'Opéra de Poznań (1951-54), puis à l'École supérieure de musique de Varsovie. Elle perfectionne sa voix avec G. Favaretto à Sienne (1958) et avec Toti Dal Monte à Venise (1959-60). En 1956, elle reçoit le 1er prix au concours de chant des Hertogenbosh. Elle est invitée dans plusieurs festivals internationaux. Elle donne des récitals classiques (Bach, Händel, Mozart) et participe à des concerts de musique de chambre. Dans le domaine de l'opéra elle interprète Monteverdi (*Orfeo, Le Couronnement de Poppée*), car elle fait partie de ces cantatrices d'aujourd'hui qui aiment rapprocher la musique du XVIIe et la musique contemporaine.

Elle a interprété les compositions les plus marquantes de notre temps : *Pli selon Pli* de Boulez, des œuvres de Nono, Lutoslavski, Maderna, Serocki, à côté d'œuvres de référence : Schönberg, Berg, Webern et Stravinski. H. Zender et A. Bloch ont écrit pour elle.

Lupu, Radu

Pianiste roumain, né à Galaţi le 30 novembre 1945.

Il donne son premier concert à douze ans et continue à travailler pendant plusieurs années avec Florica Muzicescu et Cella Delavrancea. En 1961, il obtient une bourse d'études pour le Conservatoire de Moscou où il reste jusqu'en 1968 ayant pour maîtres Heinrich Neuhaus et son fils Stanislav. Il est lauréat de trois concours : Van Cliburn en 1966, Concours international Enesco en 1967, Concours de Leeds en 1969. Fixé à Londres, il joue avec de grands orchestres dès 1972, Cleveland (Barenboim), Chicago (Giulini), Los Angeles (Mehta). Plusieurs fois soliste à Berlin et Salzbourg (auprès de Karajan), il excelle dans Mozart, Beethoven et Schubert. Il a enregistré les *Concertos* de Beethoven avec Zubin Mehta et a reçu le Prix Charles Cros en 1972 (*3e Concerto* de Beethoven). Il a créé le *Concerto pour piano* d'André Tchaïkovsky.

Lympany, Moura (Moura Johnstone)

Pianiste anglaise, née à Saltash le 18 août 1916.

Déjà connue pour son interprétation de concertos à l'âge de douze ans, elle devient l'élève d'Ambroise Coviello à la Royal Academy of Music de Londres, puis de Paul Weingarten à Vienne. Ses autres professeurs seront Mathilde Verne, Tobias Matthay et Edward Steuermann. En 1948, ses débuts ont lieu à New York. D'emblée sa carrière connaît de grandes réussites aux États-Unis et aux diverses compétitions internationales.

Lysy, Alberto

Violoniste et chef d'orchestre argentin, né à Buenos Aires le 11 février 1935.

Après des études dans son pays natal avec Ljerko Spiller, il remporte le 6e prix au Concours Reine Elisabeth à Bruxelles en 1955. Il fait ses débuts en récital à New York en 1961, puis tourne avec les plus importants orchestres. En 1966, il fonde à Buenos Aires The Accademia Interamericana et peu après un orchestre de chambre, la Camerata Bariloche dont il assure la direction. Pendant plusieurs saisons, Yehudi Menuhin l'invite au Festival de Bath. Il enseigne à la Menuhin School, à Stoke d'Abernon. Fixé en Suisse, à Gstaad, il y dirige la Camerata Lysy (fondée en 1977) et l'Académie Internationale Yehudi Menuhin.

M

Ma, Yo-Yo

Violoncelliste américain d'origine chinoise, né à Paris le 7 octobre 1955.

Il commence à quatre ans l'étude du violoncelle avec son père. Il donne à six ans son premier concert à Paris. Ses parents partant s'installer aux U.S.A., il entre en 1962 à la Juilliard School et suit l'enseignement de Janos Scholz et Leonard Rose. En 1963, il joue sous la direction de Leonard Berstein à la télévision. C'est un lancement pour sa carrière. Il participe pendant deux saisons à des concerts avec « Isaac Stern et ses Amis » au Carnegie Hall de New York et au Kennedy Center de Washington. Sa carrière européenne le conduit dans la plupart des pays. Il pratique aussi la musique de chambre, notamment avec le pianiste Emmanuel Ax. Il a été en 1978 lauréat du Avery Fischer Prize. Son instrument est un violoncelle de Goffriller (1722).

Maag, Peter

Chef d'orchestre suisse, né à Saint-Gall le 10 mai 1919.

Après des études musicales à Zürich et Genève avec Cortot, Ansermet, Furtwängler et von Hösslin (1942-46), il débute au Théâtre de Biel (1949-51). Puis il est nommé chef d'orchestre à l'Opéra de Düsseldorf (1952-54) avant de devenir directeur général de la musique à Bonn (1954-59). Pendant cinq ans, il mène une carrière de chef invité. On le retrouve 1er chef à la Volksoper de Vienne (1964-67) puis directeur musical de l'Opéra de Parme (1971-77) et du Théâtre Regio de Turin (1977) avant de prendre la direction musicale de l'Orchestre Symphonique et de l'Opéra de Berne (1984).

Il consacre une grande partie de ses activités à l'enseignement, notamment à Sienne où il a donné des cours de direction d'orchestre en 1968 et 1969.

Maazel, Lorin

Chef d'orchestre américain, né à Neuilly-sur-Seine le 6 mars 1930.

Il commence ses études de piano et de violon dès l'âge de cinq ans puis aborde la direction d'orchestre avec Vladimir Bakaleinikoff à Pittsburgh. A neuf ans, à l'occasion de la Foire mondiale de New York, il dirige pour la première fois en public un orchestre d'étudiants puis partage la direction d'un concert avec Leopold Stokowski à la tête de l'Orchestre Philharmonique de Los Angeles. En 1941, Toscanini l'invite à diriger l'Orchestre Symphonique de la N.B.C., ce qui l'entraîne à assurer les concerts d'été de la Philharmonie de New York (1942), notamment pour la première fois au Lewisohn Stadium à Manhattan, devant 8 500 personnes. Considéré alors comme un enfant prodige, « little Lorin » est appelé à diriger les plus grands orchestres américains : Cleveland (1943), Philadelphie, Chicago, Los Angeles, San Francisco... De 1946 à 1950, il poursuit ses études à l'Université de Pittsburgh (mathématiques, philosophie, langues) et ses études musicales (harmonie, composition, contrepoint). Parallèlement, il est violoniste au sein de l'Orchestre de Pittsburgh et 1er violon du Fine Arts Quartett. En 1951, Koussevitzky l'invite au Festival de Tanglewood à diriger la *Symphonie de Psaumes* de Stravinski. En 1952, la Fondation Fulbright lui permet de travailler en Italie la musique baroque. La même année, en remplacement de Pierre Dervaux, il donne son premier concert européen à Catane. Il se produit durant les années suivantes dans l'Europe entière, à Vienne en 1955, à Berlin en 1956... En 1960, il est le plus jeune chef et le premier Américain à diriger au Festival de Bayreuth (*Lohengrin*). En 1961, il fait une tournée en Australie puis en 1962 aux États-Unis avec l'Orchestre de l'O.R.T.F. La même année, il dirige *Don Juan* de Mozart au Met de New York. En 1963, il débute à Salzbourg (*Les Noces de Figaro* de Mozart) et au Japon. En 1965, il prend la succession de Ferenc Fricsay à l'Orchestre Symphonique de la Radio de Berlin (jusqu'en 1975) et est nommé directeur artistique de la musique à l'Opéra de Berlin-Ouest (jusqu'en 1971). De 1970 à 1972, il est chef associé d'Otto Klemperer au New Philharmonia Orchestra de Londres. En 1972, il succède à George Szell à la tête de l'Orchestre de Cleveland où il dirige de nombreuses œuvres de compositeurs américains contemporains. Il en conserve la direction jusqu'en 1982. En 1977, il est nommé 1er chef invité de l'Orchestre National de France. De 1982 à 1984, il est à la tête de l'Opéra de Vienne qu'il quitte avant la fin de son contrat dans un climat de mésentente générale. De 1984 à 1986, il est conseiller musical de l'Orchestre Symphonique de Pittsburgh. En secondes noces, il a épousé en 1969 la pianiste Israela Margalit dont il divorce en 1983. Parmi les œuvres dont il a dirigé la création figure l'opéra de Dallapiccola *Ulysse* (1968) et celui de Berio, *Un Re in Ascolto* (1984), compositeur dont il avait joué en première audition les *Due Pezzi* pour violon et piano (1951).

Il a réalisé la bande sonore du film de Joseph Losey, *Don Giovanni,* avec les Chœurs et l'Orchestre de l'Opéra de Paris en 1979 ainsi que celle de *Carmen* (1983).

Compositeur lui-même, il travaille à une commande de l'Orchestre Philharmonique de New York, *Veronica,* dont la création est prévue pour 1987.

Maćal, Zdeněk

Chef d'orchestre tchécoslovaque, né à Brno le 8 janvier 1936.

Il fait ses études au Conservatoire de Brno (1951-56) avec Bakala, Jílek et Veselka, puis à l'Académie Janáček de Prague (1956-60). Dès 1963, il est nommé à la tête de la Philharmonie Morave d'Olomouc où il reste jusqu'en 1967. Il remporte le Concours international de Besançon (1965) et le Concours Mitropoulos à New York (1966). De 1966 à 1968, il dirige régulièrement l'Orchestre Symphonique de Prague et la Philharmonie Tchèque avec laquelle il effectue plusieurs tournées. Il se fixe en Suisse en 1968 et, de 1970 à 1974, est 1er chef de l'Orchestre Symphonique de la Radio de Cologne (W.D.R.). Il mène ensuite une carrière de chef invité à la tête des principaux orchestres du monde avant de prendre la direction de l'Orchestre Symphonique de la Radio de Hanovre (1979-83). En 1986, il prendra la direction de l'Orchestre Symphonique de Sydney. Il a créé *orationes Christi* de Petrassi (1975) et *Tre Scalini* de Dusapin (1983).

McCormack, John

Ténor irlandais, naturalisé américain (1917), né à Athlone le 14 juin 1884, mort à Dublin le 16 septembre 1945.

Après des études avec Sabatini à Milan, il débute à Savone en 1906 (Fritz) puis à Londres, au Covent Garden en 1907 (Turridu). Aux U.S.A., il paraît avec les compagnies du Manhattan Opera (1909), de Boston (1910-11), de Philadelphie et Chicago (1912-14) et du Met. En 1923, il quitte la scène pour se consacrer au concert. Son répertoire ne comprend que 21 rôles mais il reste fameux comme Ottavio, Elvino, Edgardo, Rodolfo et le Duc de Mantoue. Il crée en 1911 le rôle du Lieutenant Paul Merrill de *Natoma* de V. Herbert.

McDaniel, Barry

Baryton américain, né à Lyndon (Kansas) le 18 octobre 1930.

Il commence ses études à la Juilliard School (New York) et obtient la bourse Fulbright qui lui permet de parachever sa formation au Conservatoire de Stuttgart, avec Alfred Paulus et Hermann Reutter. En 1957, il obtient son premier engagement à l'Opéra de Stuttgart. En 1959, il est engagé à l'Opéra de Karlsruhe, en 1962 à celui de Berlin, où il obtient ses premiers succès. Il y chante un répertoire relativement étendu, de la musique baroque à Mozart, des romantiques à Wagner, jusqu'au répertoire contemporain où il excelle. Invité par les opéras de Munich et de Vienne, il y obtient de brillants succès. En 1972, il est *Pelléas*, lors de la « première » au Met. A côté de sa carrière sur scène, il s'est imposé comme un admirable concertiste, en oratorio et pour les mélodies. Il s'est particulièrement distingué dans les œuvres de J.-S. Bach. Chaque année, il interprète la *Passion selon saint Matthieu* à Amsterdam. Il donne de nombreux concerts en Europe, comme en Amérique. En 1964, il chante pour la première fois à Bayreuth et en 1968, pour la première fois à Salzbourg.

McInnes, Donald

Altiste américain, né à San Francisco le 7 mars 1939.

Après des études générales à Santa Barbara (jusqu'en 1963), il fait ses études musicales à l'Université de Californie du Sud. A partir de 1966, il est lui-même professeur à l'Université du Washington à Seattle. Il est lauréat de la Fondation Ford en 1971. Il mène une carrière de soliste avec les principaux orchestres américains. En Europe, il se produit sous la direction de Leonard Bernstein avec lequel il enregistre notamment *Harold en Italie* de Berlioz. William Schuman a écrit pour lui son *Concerto on old English Rounds* qu'il a créé à Boston en 1974.

McIntyre, Donald

Baryton néo-zélandais, né à Auckland le 22 octobre 1934.

Il étudie d'abord dans son pays et y donne ses premiers concerts. S'étant rendu en Angleterre, il y parachève ses études et appartient, de 1960 à 1967, à la troupe du Sadler's Wells Opera à Londres. Il s'y impose très vite comme grand baryton héroïque, spécialement dans le répertoire wagnérien. En 1967, il est engagé dans la troupe du Covent Garden, où il débute comme Pizzaro (*Fidelio*). A côté des héros wagnériens, il obtient de grands succès comme Jokanaan (*Salomé*), Barak (*La Femme sans ombre*), Scarpia (*Tosca*), *Rigoletto*, *Wozzeck*, et Kaspar (*Le Freischütz*). En 1967, il commence une glorieuse carrière au Festival de Bayreuth. D'abord Telramund (*Lohengrin*), il chante ensuite le Hollandais, Klingsor (*Parsifal*) ; en 1974, il est Kurwenal (*Tristan*) et Wotan (*Tétralogie*). Il apparaît dans tous les grands centres musicaux du monde. Depuis 1971, il est l'invité permanent de l'Opéra de Hambourg. En 1973-74, il chante à l'Opéra de Paris. Il remporte de grands succès en concert.

Mackerras, Sir Charles

Chef d'orchestre australien, né à Schenectady (U.S.A.) le 17 novembre 1925.

Après des études au Conservatoire de Sydney, il est hautbois solo dans l'Orchestre Symphonique de cette ville (1943-46), puis il vient en Angleterre où il travaille un an. Il est ensuite l'élève de Talich à l'Académie de Prague (1947-48) et débute au Sadler's Wells Theatre où il est chef d'orchestre de 1948 à 1953. Puis il est nommé chef permanent du B.B.C. Concert Orchestra (1954-56). On le voit dans la plupart des opéras du monde avant qu'il soit nommé 1er chef à l'Opéra de Hambourg (1966-70) puis directeur musical à Sadler's Wells (1970-77). De 1977 à 1979, il est 1er chef invité de l'Orchestre Symphonique de la B.B.C. Il dirige régulièrement à l'Opéra de Paris et au Covent Garden. Grand spécialiste de Janáček, il a dirigé les premières représentations en Angleterre de Káťa Kabanova et l'*Affaire Makropoulos* et, à l'Opéra de Paris, celles de *Jenůfa.* Le chef d'orchestre se double d'un musicologue qui effectue de nombreux travaux, éditant notamment Händel et Janáček. De 1982 à 1985, il revient dans son pays natal pour prendre la direction de l'Orchestre Symphonique de Sydney.

MacNeil, Cornell

Baryton américain, né à Minneapolis le 24 septembre 1922.

Il fait ses études à la Julius Hartt School of Music (université de Hartford) et débute en 1946 à Broadway. En 1950, il participe à la création du *Consul* de Menotti. De 1953 à 1955, il chante au New York City Opera où il débute dans *La Traviata* (Germont). Puis ce sont les opéras de San Francisco (1955), Chicago (1957) qui font appel à lui avant ses débuts à la Scala (Charles V d'*Ernani*) et au Met *(Rigoletto)* en 1959. Baryton Verdi par excellence, il a chanté la plupart des rôles de ce répertoire. Dans le film que Zeffirelli a consacré à *La Traviata,* il tenait le rôle de Germont (1982).

Madeira, Jean (Jean Browning)

Contralto américaine, née à Centralia (Illinois) le 14 novembre 1918, morte à Providence, Rhode Island, le 10 juillet 1972.

Elle étudie le piano avec sa mère, joue avec l'Orchestre Symphonique de Saint-Louis dès l'âge de quinze ans, puis entreprend des études de chant à la Juilliard School de New York, et débute en 1943 sous son vrai nom au Chautauqua Summer Opera (Nancy de *Martha*). Puis elle entre au San Carlo Company Touring Opera (Ulrica, Dalila, Amneris, Azucena, Carmen). En 1947, elle épouse Francis Madeira, le directeur de l'Orchestre Philharmonique de Rhode Island et débute l'année suivante au Met (Première Norne du *Crépuscule des dieux*) où elle chante jusqu'en 1971 entre autres Amneris, Preziocilla, Suzuki, Erda. Elle fait ses débuts européens à Stockholm en 1954, puis chante régulièrement à Munich, Londres (1955), Bayreuth (1955-67), Bruxelles, Vienne, Salzbourg (1956-57). En 1968, elle participe à la création mondiale à Berlin de l'*Ulysse* de Dallapiccola (Circe).

Maderna, Bruno

Chef d'orchestre et compositeur italien, naturalisé allemand (1963), né à Venise le 21 avril 1920, mort à Darmstadt le 13 décembre 1973.

A l'âge où les enfants jouent sur les « campi », il gagne sa vie comme violoniste dans les cafés. La comtesse de Polignac l'aide. Il peut alors faire ses études au Conservatoire Sainte-Cécile à Rome avec A. Bustini. En 1940, il obtient son diplôme de composition. Il se perfectionne ensuite à Venise avec G. F. Malipiero et suit les cours de direction d'orchestre de Guarneri et de Scherchen. Il enseigne au Conservatoire de Venise, puis dès 1954, aux cours d'été de Darmstadt, aux cours d'été de Darlington, enfin au Conservatoire de Milan en 1957-58. Il est l'un des fondateurs – avec Luciano Berio – du studio de phonologie de la R.A.I. (1955). C'est avec Berio qu'il organise les « Rencontres Musicales » soutenues par la R.A.I. à Milan, Rome et Naples. Au lendemain de la seconde guerre mondiale, il est considéré comme l'un des chefs de file – avec Berio et Nono – de l'avant-garde italienne ; il est devenu ensuite un chef d'orchestre international, pionnier de la musique contemporaine et défenseur de la musique ancienne. Il est aussi l'un des premiers à expérimenter les musiques mixtes pour instruments et bandes magnétiques.

Ses compositions sont nombreuses mais il a toujours préféré diriger les œuvres des autres et faire découvrir les plus jeunes. Parmi ses œuvres citons : *Continuum,*

2 Concertos pour hautbois, Quadrivium, Hyperion, Satyricon, Aulodia, etc.

Musicien humaniste, musicien européen, ce chef généreux et sensible a dirigé à la Scala, à Londres, Amsterdam, Berlin, Tokyo. Chef titulaire de l'Inter-Nationales Kammer Ensemble de Darmstadt (où il résida après avoir acquis la nationalité allemande), il enseigna également au Conservatoire de Rotterdam, dès 1967. Il a été chef permanent de l'Orchestre Symphonique de la R.A.I. de Milan de 1971 à 1973. Maderna a établi de nouvelles éditions et transcriptions de musiques de Monteverdi et Rameau, amoureux du patrimoine musical du passé.

Les festivals contemporains l'accueillaient régulièrement. Parmi les créations très nombreuses qu'il a dirigées, l'opéra de Luigi Nono, *Intolleranza*, Venise, 1961, *Imaginario* de Luis de Pablo (Royan), *Antiphonies* de Amy (1965), *Paraboles* de Méfano (1965), *Bergkristall* de Bussotti (1973), etc., beaucoup de musique française (Boulez) qu'il lisait en prolongement de Debussy qu'il admirait tant. Plusieurs partitions ont été dédiées à sa mémoire dont *Rituel* de Boulez et *Duo pour Bruno* de Donatoni.

Maerzendorfer, Ernst

Chef d'orchestre autrichien, né à Oberndorf (Salzbourg) le 26 mai 1921.

A Graz, il est l'élève de Robert Wagner et commence sa carrière comme chef à l'Opéra de cette ville (1940). En 1951, il est professeur au Mozarteum de Salzbourg. Chef permanent au Teatro Colón de Buenos Aires (1952-53), il revient à Salzbourg pour occuper les mêmes fonctions à la tête de l'Orchestre du Mozarteum (1953-58). Puis il est nommé à la Deutsche Oper de Berlin (1958) et à l'Opéra de Vienne (1961). Il y dirige notamment les productions de musique contemporaine. On lui doit la création de *Tancredi e Cantilena* de Henze (1966). Entre 1967 et 1971, il a réalisé l'enregistrement intégral des 106 symphonies de J. Haydn. On lui doit une reconstitution du 4ᵉ mouvement de la *Symphonie nº 9* de Bruckner qu'il a créé en 1969 à Graz.

Magaloff, Nikita

Pianiste russe naturalisé suisse (1956), né à Saint-Pétersbourg le 8 février 1912.

Sa famille quitte la Russie en pleine révolution, en 1918. Réfugiée pour quatre ans en Finlande, elle décide de s'installer à Paris. Entré au Conservatoire dans la classe d'Isidore Philipp, il obtient son 1ᵉʳ prix à l'âge de 17 ans, et les encouragements enthousiastes de Ravel. Il devient l'élève de Prokofiev réfugié à Paris. Après de nombreuses tournées, il reprend les master-classes de Dinu Lipatti au Conservatoire de Genève en 1949, et ce pendant dix ans, tous les étés. Il a donné également des cours d'été à Sienne (1967) et à Taormina. Après avoir épousé la fille de Joseph Szigeti, il en a fait sa partenaire pour l'interprétation de la musique de chambre.

Magin, Milosz

Pianiste polonais, né à Lódź le 6 juillet 1929.

Issu d'un milieu familial amateur de musique, il obtient son diplôme de piano à l'École supérieure de musique de Varsovie (1954) dans la classe de Margerita Trombini-Kazuro. Il y recevra son diplôme de composition en 1957, discipline qu'il a étudiée avec Jan Maklakiewicz et Kazimierz Sikorski. Il aborde également, à cette époque, le violon, le violoncelle et la direction d'orchestre. En 1957, il remporte des prix aux Concours Vianna da Motta (Lisbonne) et Marguerite Long-Jacques Thibaud (Paris). Il enregistre l'œuvre intégral de Chopin et enseigne au Conservatoire Serge Rachmaninov de Paris (1963-73) puis à l'Université musicale internationale de Paris (1975-80). Il écrit de nombreuses pages destinées au piano et dirige l'International Chamber Orchestra.

Mahler, Gustav

Chef d'orchestre et compositeur autrichien, né à Kališt (Bohême) le 7 juillet 1860, mort à Vienne le 18 mai 1911.

Enfant prodige, il commence à étudier le piano à l'âge de six ans et donne son premier concert à dix ans. Au Conservatoire de Vienne, il travaille avec J. Epstein, R. Fuchs et F. Krenn (1875-78). Puis il fait ses débuts à Hall en 1880. L'année suivante, il dirige à Ljubjana, en 1882-83 à Olmütz, en 1883-85 à Kassel, en 1885-86 à Prague. Puis il est 2e chef à Leipzig (1886-88) avant d'être nommé directeur musical à Budapest (1888-91) où il crée sa *1re Symphonie* en 1889. Il est ensuite directeur général de la musique à Hambourg (1891-97) et à Vienne (1898-1907). Il obtient les moyens de mettre en application ses conceptions de l'art lyrique, renouvelant considérablement la mise en scène, les décors, mais surtout les conditions de travail musical. Il s'entoure des meilleurs collaborateurs (Bruno Walter) et de chanteurs qui acceptent sa tutelle. Très vite, l'Opéra de Vienne devient le centre de l'art lyrique mondial. Mais sa personnalité dérange et des cabales se forment. Il démissionne et accepte des invitations aux États-Unis : il débute au Met en 1908 en dirigeant *Tristan.* Il va revenir régulièrement et réorganiser la Philharmonie de New York (1909-11), donnant notamment le cycle complet des *Symphonies* de Bruckner. Malade depuis 1907, il est obligé de revenir en Autriche avant la fin de son contrat.

Les conceptions de Mahler en matière d'opéra ont marqué un tournant important qui s'est prolongé dans le domaine symphonique où il se montrait tout aussi exigeant. Cette démarche s'accompagnait souvent d'une réorchestration des partitions qu'il dirigeait (Beethoven, Schumann, Schubert) afin « qu'elles sonnent mieux ». En dehors de ses propres œuvres, Mahler s'est dévoué à la cause de certains de ses contemporains, notamment Bruckner dont il a créé la *Symphonie n° 6* (1899). Parmi ses disciples ou héritiers spirituels on compte, outre Bruno Walter, Mengelberg, Klemperer, Fried et Adler.

Maillols, Claude

Pianiste française, née à Boulogne-Billancourt le 11 mai 1945.

Elle fait ses études au Conservatoire de Paris avec Joseph Benvenutti, Jeanne-Marie Darré et Jean Hubeau. Elle en sort en 1965, nantie d'un 1er prix de piano et d'un 1er prix de musique de chambre. Elle obtient en 1966 une médaille d'or au Concours international de Vercelli et, en 1968, le 2e prix au Concours international de Montevideo. On remarque, entre 1970 et 1972, les tournées qu'elle effectue avec Henryk Szeryng.

Mainardi, Enrico

Violoncelliste et compositeur italien, né à Milan le 19 mai 1897, mort à Munich le 11 avril 1976.

Dès l'âge de quatre ans il est l'élève de son père puis au Conservatoire de sa ville natale. Il donne ses premiers concerts à partir de 1910 à Milan, à Genève, Berlin, Paris, Londres et Vienne. Il entreprend des études de composition au Conservatoire Verdi de Milan, puis perfectionne son instrument avec Hugo Becker au Conservatoire de Berlin. De 1933 à 1969, il est professeur à l'Académie Sainte-Cecile de Rome (violoncelle et musique de chambre) ainsi qu'aux conservatoires de Salzbourg, Lucerne, Edimbourg, Stockholm, Hambourg et Helsinki. Il joue en duo avec Ernö von Dohnányi et, à partir de 1945, avec Carlo Zecchi. Il forme un trio fameux avec Edwin Fischer et Georg Kulenkampff, remplacé en 1949 par Wolfgang Schneiderhan. Plus tard, il jouera en trio avec Severino Gazzelloni et Guido Agosti. Il a créé les concertos de Pizzetti, Hindemith et Malipiero. R. Strauss l'a choisi pour enregistrer son *Don Quichotte* sous sa propre direction. En tant que compositeur, son œuvre est assez importante : 3 concertos pour violoncelle, double concerto pour deux violoncelles et orchestre, plusieurs quatuors à cordes et quintettes pour piano et cordes, ainsi que des trios avec piano, des sonates pour violon, alto et violoncelle, des lieder, etc.

Maisky, Mischa

Violoncelliste soviétique, né à Riga le 10 janvier 1948.

Encore étudiant, il remporte le 1er prix du Concours national russe. L'année suivante, en 1966, il est lauréat du Concours Tchaïkovski et est reconnu comme le « Rostropovitch de l'avenir ». Il entre au Conservatoire de Moscou dans la classe de Rostropovitch et se produit dans son pays. En 1973, il émigre en Israël et remporte le 1er prix au Concours international G. Cassadó à Florence. Il débute au Carnegie Hall de New York avec l'Orchestre de Pittsburgh sous la direction de William Steinberg puis se produit avec l'Orchestre de Philadelphie. En 1974, il travaille avec Gregor Piatigorsky. Il fait ses débuts à Paris en 1976 aux côtés de Martha Argerich et de Ivry Gitlis. Il joue également, en sonate ou en trio, avec Boris Belkin, Radu Lupu ou Malcolm Frager.

Maison, René

Ténor belge, né à Frameries le 24 novembre 1895, mort au Mont-d'Or le 11 juillet 1962.

Après avoir fait ses études à Bruxelles puis à Paris, il débute à Genève dans *La Bohème*. Il obtient des succès flatteurs, notamment à Nice et à Monte-Carlo (création de *Fay-Yen-Fah* de Crocker et Redding) et est engagé à l'Opéra-Comique où il débute en 1927 en créant *Résurrection* d'Alfano (le Prince Dimitri) aux côtés de Mary Garden. Il chante Don José, Mylio, Werther, Cavaradossi, Canio et Jean Gaussin de la *Sapho* de Massenet. Il débute à l'Opéra en 1929 dans *Monna Vanna* et y reviendra régulièrement jusqu'en 1940, y chantant les deux Faust, Lohengrin, Radamès, Siegmund et Samson et y créant Eumolphe dans la *Perséphone* de Stravinski sous la direction de l'auteur (1934).

Parallèlement, il mène une très importante carrière internationale, hôte régulier de l'Opéra de Chicago (1928-40), du Colón de Buenos Aires (1934-37), du Covent Garden de Londres (1931-36) et du Metropolitan Opera de New York où il chante de 1936 à 1943 Walther des *Maîtres chanteurs*, Loge, Don José, Lohengrin, Florestan, Samson, Hoffmann, Erik, Des Grieux, Hérode, Julien, Admète (lors de la création d'Alceste sur la scène du Met).

Dès 1943, il se consacre à l'enseignement à Mexico, puis à la Juilliard School de New York et, enfin, de 1957 jusqu'à sa mort à la Chalof School de Boston.

Il avait une voix puissante et d'un timbre très prenant. Il était de plus un tragédien remarquable, ce dont un enregistrement privé du *Fidelio* du 22 février 1941 au « Met », dirigé par Bruno Walter, nous a conservé un saisissant témoignage.

Maksymiuk, Jerzy

Chef d'orchestre polonais, né à Grodno le 9 avril 1936.

Il étudie le piano avec Jerzy Lefeld, la composition avec Piotr Perkowski et la direction d'orchestre avec Boguslaw Madey à la Haute École d'État de Varsovie. Lauréat des Concours de composition G. Fitelberg et A. Malawski, et de piano I. J. Paderewski, il reçoit, en 1973, la « Distinction du Premier ministre polonais », pour son travail pour l'enfance et la jeunesse. Ses activités de chef d'orchestre sont à cette époque limitées aux orchestres symphoniques polonais, à l'orchestre de la Radio, pour laquelle il effectue de nombreux enregistrements, et au Grand Théâtre de Varsovie, où il dirige des opéras (1970-72). Il devient en 1975 chef principal de l'Orchestre Symphonique de la Radio et la TV Polonaise de Katowice dont il assure en 1976-77 la direction artistique. Sa grande popularité actuelle tient à ses enregistrements avec l'Orchestre de Chambre de Varsovie qu'il a fondé en 1972. En 1983, il prend la direction du B.B.C. Scottish Symphony Orchestra.

Malcolm, George

Claveciniste et chef d'orchestre anglais, né à Londres le 28 février 1917.

Il fait ses études à l'Université d'Oxford et au Royal College of Music de Londres. De 1947 à 1959, il est maître de musique de la cathédrale de Westminster puis, de 1962 à 1966, directeur artistique du Philomusica of London et chef associé du B.B.C. Scottish Orchestra (1965-67). George Malcolm est l'un des plus éminents clavecinistes anglais. Il joue avec les plus grands artistes de son temps, notamment Bream, Campoli et Menuhin. Britten lui dédie sa *Missa brevis* qu'il crée en 1959. En 1965, il dirige en alternance avec lui les premières représentations du *Songe d'une nuit d'été*. Il enseigne à la Royal Academy of Music de Londres.

Malcuzýnski, Witold

Pianiste polonais, naturalisé argentin, né à Varsovie le 10 mai 1914, mort à Palma de Majorque le 17 juillet 1977.

Il étudie avec Joseph Turczynki au Conservatoire de Varsovie jusqu'en 1936 et se perfectionne avec Paderewski. En 1939, il épouse la pianiste française Colette Gaveau. Il se fixe d'abord à Paris, puis en Suisse. Son répertoire reste assez limité : Liszt, Franck et surtout Chopin dont il donne au concert l'œuvre intégral à plusieurs reprises. Ses enregistrements permettent d'apprécier diversement un style qui, malgré de réelles qualités de sensibilité, semble avoir mal vieilli.

Malgoire, Jean-Claude

Hautboïste et chef d'orchestre français, né en Avignon le 25 novembre 1940.

Il fait ses études au Lycée Frédéric Mistral et au Conservatoire de cette ville, avant d'entrer au Conservatoire de Paris, en 1956. Il y suit les classes de Pierre Bajeux, Roland Lamorlette et Étienne Baudo, et obtient son 1er prix de hautbois en 1960 ; la même année, il remporte un 1er prix de musique de chambre dans la classe de René Le Roy. En 1968, il obtient le 1er prix au Concours international de Genève. Soliste de la Société des Concerts du Conservatoire (1965-67), il entre en 1967 à l'Orchestre de Paris et y tient le pupitre de cor anglais solo pendant sept ans. Toujours en 1967, il fonde avec un groupe d'amis La Grande Écurie et la Chambre du Roy. Il acquiert le reste de sa formation en autodidacte, soit en musicologie et en direction d'orchestre. Se mettant à travailler avec passion dans le domaine de la musique ancienne, et animé du souci d'élargir le répertoire des interprètes d'aujourd'hui, il crée avec un groupe de chanteurs et d'instrumentistes le Florilegium Musicum de Paris (1970), qui se propose notamment d'aborder la musique vocale polyphonique du Moyen Age.

Comme hautboïste, Malgoire a appartenu aussi à l'Ensemble 2E 2M et a enregistré un disque consacré à Heinz Holliger, Shinoara, Castiglioni...

Depuis 1981, il est directeur de l'Atelier Lyrique de Tourcoing, et s'amorce une coopération féconde entre l'Opéra du Nord et la Grande Écurie. Ces nouvelles occupations et le souci de se spécialiser pour mieux interpréter l'ont amené à arrêter presque complètement sa recherche en direction du Moyen Age. Il est le premier Français à avoir dépoussiéré Rameau et Lulli de la tradition sentimentale affadissante qui les encombrait, au bénéfice d'une vision où l'esprit chorégraphique et la vivacité, voire la bouffonnerie, trouvent leur place essentielle. Se fondant sur les mêmes données musicologiques qu'Harnoncourt ou Leonhardt, son approche concrète dans l'interprétation des œuvres baroques est marquée par son ascendance latine ; il allie la souplesse rythmique à une forte rigueur dans la recherche des grandes lignes, plus que dans la valorisation du détail – par opposition au style du chef autrichien. Le travail de franc-tireur de ce musicien qui a œuvré pendant quinze ans sans aucune aide de l'État n'a pas été peut-être toujours sans quelque imperfection reconnue par lui ; mais sa ténacité et le sérieux de l'entreprise en font aujourd'hui l'un des chefs d'orchestre français les plus en vue dans le répertoire baroque et classique européen.

ÉCRIT : *L'analyse ramiste du monologue d'Armide* in *Musique raisonnée* (1980).

Maliponte, Adriana
(Adriana Macciaïoli)

Soprano italienne, née à Brescia, le 26 décembre 1938.

A l'âge de quatorze ans, elle vient en France et étudie le chant au Conservatoire de Paris, dont elle sort avec un 1er prix en 1956. Elle poursuit alors ses études avec

Carmen Melis à Milan. En 1958, elle débute au Teatro Nuovo de Milan. En 1960, elle remporte le Concours international de Genève, puis le Concours de la Scala et celui de la R.A.I. Elle est invitée à l'Opéra de Rome, au Liceo de Barcelone, au Théâtre San Carlos de Lisbonne (1965), à l'Opéra de Paris et à la Monnaie. En 1970, elle débute à la Scala en *Manon* (Massenet). En 1971, elle commence une glorieuse carrière au Met avec Mimi (*La Bohème*). En 1972, elle remporte un triomphe tout particulier en *Luisa Miller*. Elle est invitée à Naples, Venise, Toulouse, New Orleans et retourne plusieurs fois à l'Opéra de Paris.

Malko, Nicolaï

Chef d'orchestre russe, naturalisé américain (1946), né à Brailov le 4 mai 1883, mort à Roseville (Sydney) le 22 juin 1961.

Il étudie la philologie à l'Université de Saint-Pétersbourg et, au Conservatoire, la composition avec Rimski-Korsakov, Liadov et Glazounov, la direction d'orchestre avec N. Tcherepnine. Il suit ensuite les cours de Mottl à Munich. De retour à Saint-Pétersbourg, il est nommé à l'Opéra où il dirige d'abord les ballets puis le répertoire lyrique (1908-18). Il se fixe ensuite à Moscou où il est professeur au Conservatoire (1922-25) avant de revenir à Leningrad comme directeur de la Philharmonie (1926-29) et professeur au Concervatoire (1925-29). Il émigre en 1929 et se fixe au Danemark où il prend la direction de l'Orchestre Symphonique de la Radio de Copenhague (1929-32). Il enseigne la direction d'orchestre et compte parmi ses élèves le roi du Danemark. Il séjourne ensuite en Angleterre puis fait ses débuts aux Etats-Unis à Chicago en 1938. Il retourne à Copenhague (1938-40), enseigne au Mozarteum de Salzbourg (1940) et se fixe définitivement à Chicago la même année. Il est nommé professeur à Mills College et à la De Paul University. Il est l'invité régulier de l'Orchestre Symphonique de Boston (1941-42) puis dirige à Mexico pendant une saison (1943). De 1945 à 1954, il assure la direction du Grant Park Orchestra à Chicago. Il retourne alors en Angleterre où il est nommé à la tête de l'Orchestre Symphonique du Yorkshire, à Leeds (1954-56). A la disparition de cet orchestre, il s'installe en Australie où il dirige l'Orchestre Symphonique de Sydney (1956-61), apportant dans ce pays la tradition symphonique occidentale alors inconnue.

Il a créé la *Symphonie n° 5* de Miaskovski mais s'est fait surtout le champion de la musique de Chostakovitch dont il a dirigé la *1re* (1926) et la *2e Symphonie* (1927) en 1re audition. Au Danemark, où il a séjourné plusieurs années, il a laissé un souvenir très vivant perpétué par le Concours international de direction d'orchestre qui porte son nom et se déroule tous les trois ans à Copenhague.

ÉCRITS : *The Conductor and his baton* (1950), *A certain art*, autobiographie (1966).

Mander, Francesco

Chef d'orchestre et compositeur italien, né à Rome le 26 octobre 1915.

Il fait ses études musicales à Milan et à l'Académie Sainte-Cécile de sa ville natale (piano et composition) avant de débuter en 1942 à la Fenice. Il termine des études universitaires de lettres classiques et commence une carrière internationale. Il est à la tête de l'Orchestre de Chambre Italien puis de l'Orchestre Symphonique de Madrid (1949-51). Sa carrière de compositeur se développe parallèlement à ses activités de chef invité. Il remporte de nombreux succès mais décide un jour de cesser de composer, jugeant manquer d'imagination et d'originalité ! Pendant sept ans, il est à la tête du National Symphony Orchestra à Johannesbourg (1969-76). Les plus grands orchestres et opéras du monde l'invitent. Mais en 1978, il constate que les qualités qui faisaient défaut à sa production musicale étaient présentes dans sa prose littéraire. Il abandonne alors la direction d'orchestre et se retire pour écrire romans et contes.

Comme compositeur, on lui doit 2 symphonies, un *Concerto pour violoncelle, Corale profano, Variations symphoniques, un Quatuor*...

Mannino, Franco

Chef d'orchestre et compositeur italien, né à Palerme le 25 avril 1924.

A l'Académie Sainte-Cécile de Rome, il travaille le piano avec Renzo Silvestri jusqu'en 1940 et la composition avec Virgilio Mortari jusqu'en 1947. Dès 1941, il commence une carrière de pianiste et donne de nombreux concerts. Il ne vient à la direction d'orchestre qu'en 1952. Il dirige dans la plupart des théâtres lyriques italiens et est invité régulièrement à l'étranger pour conduire le répertoire rossinien et bellinien. En 1969-70, il est directeur musical du San Carlo de Naples. Depuis, il se consacre davantage à la composition. On lui doit notamment de nombreux opéras : *Vivi* (1957), *Il Diavolo in giardino* (1963), *Il Quadro delle meraviglie* (1963), *La Speranza* (1970), *Dorian Gray* (1973). En 1982, il est nommé 1er chef et conseiller artistique de l'Orchestre du Centre National des Arts d'Ottawa. Il prend également la direction du Festival Opera Plus de cette même ville.

Manowarda, Josef von

Basse autrichienne, né à Cracovie le 3 juillet 1890, mort à Berlin le 24 décembre 1942.

Il étudie le chant à Graz et débute en 1911 au Stadttheater de cette ville, puis paraît à la Volksoper de Vienne (1915), à Wiesbaden (1918) et est engagé à la Staatsoper de Vienne en 1919, où il participe à la création mondiale de *La Femme sans ombre* de R. Strauss (le messager des esprits). A partir de 1935, il est membre de l'Opéra de Berlin. Il paraît également au Festival de Bayreuth de 1931 à 1942 (Mark, Henri l'oiseleur, Gurnemanz, Pogner, Daland, Hunding, Hagen, Fasolt, Fafner) et à celui de Salzbourg de 1922 à 1938 (Alfonso de Cosi, Rocco de *Fidelio*, Chalchas d'*Iphigénie en Aulide*, Barak de *La Femme sans ombre*, Kurwenal de *Tristan et Isolde* et le Sprecher de *La Flûte enchantée*). Ses incarnations de Wotan, Sachs et Kurwenal, de Philippe II et d'Osmin paraissent également sur les scènes d'Angleterre, d'Italie et de France.

Manuguerra, Matteo

Baryton français, né à Tunis le 5 octobre 1924.

Il entre à trente-cinq ans au Conservatoire de Buenos Aires, et débute en Argentine comme ténor du *Requiem* de Mozart. En 1963, il rentre en France et appartient pendant trois ans à l'Opéra de Lyon où il chante le répertoire des barytons qu'il reprend à partir de 1966 à l'Opéra de Paris, où il apparaît dans *Faust, Rigoletto, Traviata, Carmen, Lucia...* Il chante alors à Genève, Vienne, Athènes, Santiago avant de développer une carrière internationale basée aux U.S.A. : apparitions à Seattle en 1968, et au Met auquel il appartient depuis 1971.

Son répertoire comporte aussi bien les grands rôles italiens (Ashton, Nabucco...) que français.

Manzone, Jacques-Francis

Violoniste français, né à Cannes le 4 juin 1944.

Il fait ses 1res études musicales au Conservatoire de Nice, dans la classe d'Henri Mazioux. En 1957, il entre au Conservatoire de Paris où il obtient, en 1961, un 1er prix de violon dans la classe de Roland Charmy et, en 1962, 1er prix de musique de chambre, dans la classe de Jacques Février. Eugène Bigot le familiarise avec la direction d'orchestre ; Henryk Szeryng lui prodigue ses conseils. Soliste à l'O.R.T.F. et à la Société des Concerts du Conservatoire, il participe en 1966 à la création de l'Ensemble Instrumental de France dont il est le leader. Il est choisi par Charles Münch à la création de l'Orchestre de Paris (1967) comme l'un des violons-solos de cette formation. Il est nommé en 1977 professeur au Conservatoire de Nice ainsi que violon-solo de l'Orchestre Philharmonique de Nice. Depuis 1980, il est professeur de musique de chambre à l'Académie internationale d'été de Nice. Jacques-Francis Manzone joue sur un Maggini (école de Brescia, XVIIe siècle). Parallèlement à sa carrière de violoniste, il se consacre à la direction d'orchestre prenant, en 1984, la direction musicale de l'Orchestre de chambre du Philharmonique de Nice.

Marchal, André

Organiste français, né à Paris le 6 février 1894, mort à Hendaye le 28 août 1980.

Aveugle dès sa toute petite enfance, André Marchal fait ses études au Conservatoire de Paris. Il y remporte le 1er prix d'orgue, dans la classe de Gigout (1913) et de contrepoint chez Caussade (1917). Dès 1913, il remplace Eugène Gigout aux claviers de Saint-Augustin, à Paris, avant de devenir organiste titulaire de Saint-Germain-des-Prés en 1915. Il reste dans cette dernière paroisse jusqu'en 1945, année où il est nommé organiste de Saint-Eustache. Il demeurera à ce poste jusqu'en 1963 et quittera volontairement la tribune de cette église, à la suite d'un différend à propos du facteur d'orgues choisi pour restaurer son instrument.

André Marchal a fait une fabuleuse carrière internationale et marqué profondément, non seulement l'enseignement de l'orgue – il fut professeur à l'Institut National des Jeunes Aveugles à Paris –, mais aussi la facture de l'instrument ; passionné par l'œuvre de Bach et des maîtres français des XVIIe et XVIIIe siècles, il ne voulut jamais négliger les Romantiques, dont César Franck, qu'il jouait probablement comme personne. Cet aspect de son art l'amena à défendre vigoureusement, avec Norbert Dufourcq, l'esthétique néo-classique, amenée à son plus haut niveau par le grand facteur français Victor Gonzalez, en 1932. Il avait su donner une place prépondérante à la registration, et son talent d'improvisateur le plaça parmi les maîtres de cette discipline.

Marcoux, Vanni
(Jean-Émile Marcoux)

Basse française, né à Turin le 12 juin 1877, mort à Paris le 22 octobre 1962.

Étudiant en droit, il est admis au barreau de sa ville natale. Mais, entretemps, le démon du chant le guettant, il chante sous un faux nom le rôle de Sparafucile (1894). Un an plus tard, il participe à un concert aux côtés de deux géants de l'époque, Tamagno et Magini-Coletti. C'est un succès ; alors il jette la robe aux orties. Après avoir fait ses classes auprès d'excellents professeurs italiens, il débute officiellement en 1900 à Bayonne dans *Roméo et Juliette* (Frère Laurent), puis chante à Nice, Turin et La Haye avant d'être engagé au Covent Garden en 1905 comme première basse (il y reviendra toutes les saisons d'été jusqu'en 1912). Viendront ensuite la Monnaie de Bruxelles, l'Opéra de Chicago et l'Opéra de Paris, où il chantera quarante ans. En 1922, il est le premier Boris Godounov français et quatre ans plus tard, à Monte-Carlo, le premier baron Ochs français aux côtés de Gabrielle Ritter-Ciampi (la Maréchale) et Germaine Lubin (Octave). Toscanini apprécie ce tragédien-chanteur à la scrupuleuse musicalité et en fait son Boris Godounov à la Scala, le préférant à Chaliapine. Si, pour des raisons publicitaires évidentes, Raoul Gunsbourg choisit la célèbre basse russe pour la première mondiale du *Don Quichotte* de Massenet, le compositeur s'empresse de lui substituer Vanni Marcoux lorsque l'ouvrage est monté à Paris. Sa composition infiniment émouvante et subtile du héros superbe et ridicule restera l'un des plus grands moments de l'histoire de l'art lyrique. Basse chantante, il fut Hunding, Pogner, Méphisto, Arkel... mais sa voix très longue lui permit d'aborder surtout vers la fin de sa carrière des rôles de baryton tels que Scarpia, Iago, Golaud ou Gianni-Schicchi. Nommé professeur au Conservatoire de Paris, il y enseigna de 1938 à 1943.

Il a créé à l'Opéra-Comique *Lorenzaccio* d'Ernest Moret et *Polyphème* de Jean Cras, à Monte-Carlo l'*Aiglon* (Flambeau) et à l'Opéra *Monna Vanna* de Henri Février (Guido).

Après plus de quarante ans d'une carrière bien remplie, il prit la direction du Grand Théâtre de Bordeaux (1948-51) et se retira à Paris où jusqu'à ses derniers jours il prodigua ses conseils et son savoir.

Marcovici, Silvia

Violoniste roumaine, née à Bacau le 30 janvier 1952.

Elle fait ses études au Conservatoire de Bacau et de Bucarest où elle travaille avec Stefan Gheorghiu qui la suit jusqu'à l'âge de douze ans. A quinze ans, elle se produit pour la première fois en public. En 1969, elle remporte le 2e prix au Concours Marguerite Long-Jacques Thibaud, puis l'année suivante le 1er prix au Concours Enesco de Bucarest. En 1971, elle fait ses débuts à Londres au Festival Hall. En 1972, Leopold Stokowski l'invite à l'occasion du concert qu'il donne pour fêter son 90e anniversaire. Cette manifestation fait l'objet d'un disque. En 1976, elle émigre en Israël et commence une carrière internationale.

Maréchal, Maurice

Violoncelliste français, né à Dijon le 3 octobre 1892, mort à Paris le 19 avril 1964.

Après avoir été l'élève d'Aguellet, il étudie au Conservatoire de Paris, avec Loeb (violoncelle), Lefèbvre (musique de chambre) et Paul Dukas (direction d'orchestre). Premier prix en 1911, il fait ses débuts après la guerre aux Concerts Lamoureux sous la direction de Chevillard (1919) avant d'entrer à la Société des Concerts comme violoncelle solo. Il commence alors une carrière internationale qui le mène jusqu'aux États-Unis (où il se produit, pour la première fois, en 1926 avec l'Orchestre de Philadelphie, dirigé par Stokowski), en U.R.S.S. et en Chine.

Il a créé beaucoup d'œuvres importantes pour son instrument : la *Sonate pour violon et violoncelle* de Ravel (1922), *Épiphanie* de Caplet (1923), les *Concertos* de Ibert (1925) et Honegger (1930), la *Fantaisie* de Françaix, le *1er Concerto* de Milhaud (1935), le *Poème* de Gaubert, la *Sonate* de Tansman, la *Fantaisie concertante* de Durey (1956). Considéré comme le meilleur représentant de l'école de violoncelle française de sa génération, il a joué en sonate ou en musique de chambre avec R. Casadesus, J. Thibaud, M. Long... De 1942 à 1963, il a enseigné au Conservatoire de Paris.

Mari, Jean-Baptiste

Chef d'orchestre français, né à Palestro (Algérie) le 20 janvier 1912.

Son père est violoncelliste et lui donne ses premières leçons. Puis il vient travailler au Conservatoire de Paris le violoncelle avec Paul Bazelaire. Il étudie aussi le tuba. C'est grâce à cet instrument qu'il est engagé dans l'Orchestre de Radio-Alger. En 1946, de retour à Paris, il fait partie de l'Orchestre National et de l'Orchestre de l'Opéra, toujours comme tuba. Il dirige quelques concerts (il avait eu l'occasion de faire ses débuts de chef à Alger), notamment avec l'Orchestre National, entre 1946 et 1948. Puis il cesse totalement de diriger et retourne à son instrument. En 1961, il accepte d'enregistrer quelques disques avec la Société des Concerts : l'absence de public le rassure. Il reparaît en concert avec cet orchestre avant d'être nommé chef permanent des Concerts Lamoureux (1962-69). Il effectue une tournée aux États-Unis avec l'Orchestre National puis ralentit sa carrière, espaçant de plus en plus ses apparitions en public.

Marion, Alain

Flûtiste français, né à Marseille le 25 décembre 1938.

A quatorze ans, il obtient un 1er prix de flûte au Conservatoire de sa ville natale où il travaillait sous la direction de Joseph Rampal. Il se rend à Paris pour continuer à suivre ses leçons. En 1961, un prix au Concours international de Genève marque le début de sa carrière de soliste. Alain Marion est nommé, en 1964, flûte solo de l'Orchestre de Chambre de l'O.R.T.F. Membre de l'Orchestre de Paris depuis sa création (1967), il est nommé, en 1972, flûte solo de l'Orchestre National de France, et, en 1977, de l'Ensemble Intercontemporain. Parallèlement à une brillante carrière de concertiste, il est professeur au Conservatoire de Paris et à l'Académie internationale d'été à Nice.

Markevitch, Igor

Chef d'orchestre et compositeur russe naturalisé italien (1947) puis français (1982), né à Kiev le 27 juillet 1912, mort à Antibes le 7 mars 1983.

Ses parents quittent la Russie pour la Suisse en 1912. Il reçoit une formation de pianiste et, dès l'âge de huit ans, il joue des œuvres de Chopin en public. Cortot, qui l'entend en 1926, incite ses parents à s'établir à Paris pour qu'il reçoive une formation plus complète. Il le prend comme élève dans sa classe de l'École normale de musique et le confie à Nadia Boulanger qui va éveiller en lui une vocation de compositeur. Il travaille l'orchestration avec Rieti et la direction d'orchestre avec Scherchen. Dès 1929, Diaghilev lui commande un ballet, l'*Habit du roi*, et l'année suivante, il fait ses débuts de chef d'orchestre à la tête du Concertgebouw d'Amsterdam. Il épouse la fille de Nijinski, Kyra, et jusqu'à la guerre se consacre presque exclusivement à la composition. En 1939, les hostilités le surprennent en Italie. A la Libération, il est chargé de réorganiser le Mai Musical Florentin dont il prend la direction. Il épouse alors en secondes noces Topazia Caetani. Sa carrière de chef d'orchestre se développe très rapidement : chargé de cours de direction d'orchestre au Festival de Salzbourg (1949-56), il prend la direction musicale de l'Orchestre Symphonique de Stockholm (1952-55), de l'Orchestre des Concerts Lamoureux (1957-61) tout en dirigeant l'Orchestre Symphonique de La Havane (1957-58) et celui de Montréal (1958-61). De 1965 à 1972, il est à la tête de l'Orchestre Symphonique de la Radio-Télévision Espagnole à Madrid et continue à enseigner la direction d'orchestre à Mexico puis à Saint-Jacques-de-Compostelle. En 1968, il est nommé directeur de l'Orchestre National de l'Opéra de Monte-Carlo, poste qu'il quitte cinq ans plus tard pour prendre la direction de l'Orchestre de l'Académie Sainte-Cécile de Rome (1973-75). Atteint de surdité partielle, son activité de chef d'orchestre se ralentit progressivement au profit de l'enseignement et de la rédaction d'un certain nombre d'ouvrages. Parmi ses élèves, son fils Oleg Caetani (né en 1956), également disciple de Ferrara et de Kondrachine.

Les œuvres les plus marquantes d'Igor Markevitch sont son *Concerto pour piano* (1929), la *Partita* pour piano et orchestre (1936), *Cantate* sur un texte de Cocteau (1930), l'oratorio *Paradis perdu* (1935) ainsi qu'une réalisation de l'*Offrande musicale* de J.-S. Bach.

ÉCRITS : *Introduction à la musique* (1940), *Made in Italy* (1946), *Point d'orgue* (1959), *Être ou avoir été* (1980), *Édition encyclopédique des 9 symphonies de Beethoven* (1982), *Le Testament d'Icare* (1984).

Markowski, Andrzej (Marek Andrzejwski)

Chef d'orchestre polonais, né à Lublin le 22 août 1924.

Il travaille avec A. Malawski au Conservatoire de Lublin (1939-41), puis, après la guerre, au Trinity College de Londres (1946-47) et au Conservatoire de Varsovie (1947-55) avec P. Rytel, T. Szeligowski et W. Rowicki. Il débute comme chef au Szczecin Théâtre (1949-50). Son premier poste important : chef permanent de la Philharmonie de Poznań (1954-55), puis de celle de Katowice (1955-59). Il est ensuite directeur musical de l'Orchestre Philharmonique de Cracovie (1959-64), de l'Orchestre Philharmonique de Wroclaw (1965-69) avant d'être nommé directeur artistique adjoint (1971-73) et second chef (1971-78) de la Philharmonie Nationale de Varsovie. Il est le fondateur et l'organisateur du Festival international d'oratorios et de cantates Wratislavia Cantans à Wroclaw.

Compositeur lui-même, il s'intéresse beaucoup à la musique contemporaine : il a notamment créé *Strophes* (1959), *De Natura Sonoris* (1966) et *Utrenja* (1971) de Penderecki, la *Symphonie n° 2*

(1973) de Gorecki, *Spiegel I* (1968) de Cehra ainsi que plusieurs œuvres de Manzoni.

Marriner, Neville

Chef d'orchestre et violoniste anglais, né à Lincoln le 15 avril 1924.

Après ses études au Royal College of Music de Londres, il vient à Paris au Conservatoire dans la classe de violon de René Benedetti. Après une saison au Collège d'Eton (1947-48) on le retrouve comme 2e violon du Quatuor Martin. Aux côtés de Thurston Dart, il participe à la fondation du Jacobean Ensemble. Il enseigne le violon au Royal College of Music (1949-59) tout en étudiant la direction d'orchestre avec Pierre Monteux lors de ses cours d'été dans le Maine (U.S.A.). A partir de 1952, il est violoniste au Philharmonia Orchestra et, de 1956 à 1968, chef d'attaque des seconds violons de l'Orchestre Symphonique de Londres. Parallèlement il fonde le Virtuose String Trio et surtout, en 1959, l'Academy of Saint-Martin-in-the-Fields dont il conserve la direction de la grande formation et avec laquelle il effectuera un grand nombre de tournées et d'enregistrements discographiques principalement consacrés à la musique du XVIIIe siècle. De 1969 à 1979, il est en outre directeur musical de l'Orchestre de Chambre de Los Angeles. De 1971 à 1973, il est chef associé du Northern Sinfonia Orchestra et, en 1979, il prend la direction musicale de l'Orchestre Symphonique du Minnesota. Il s'est produit à plusieurs reprises dans le répertoire romantique et moderne à la tête de l'Orchestre National de France et a dirigé *Les Noces de Figaro* de Mozart au Festival d'Aix-en-Provence dans la mise en scène de Jorge Lavelli (1979). En 1983, il est nommé chef permanent de l'Orchestre Symphonique du S.D.R. de Stuttgart.

Mars, Jacques

Basse française, né à Paris le 25 mars 1926.

Issu d'une famille modeste il est irrésistiblement attiré dès le plus jeune âge par la musique et, très tôt, travaille l'harmonium et le violon... en autodidacte. Il aborde ensuite l'étude du chant « par l'observation des constantes qui régissent cette discipline ». Sans être passé par un quelconque conservatoire et sur simple audition, il est engagé en 1955 à l'Opéra de Paris. Débutant dans le Duc de *Roméo et Juliette* il assume progressivement les emplois de basse chantante : le Commandeur, Brander Montano, Monterone, Angelotti, Zuniga, grimpant l'une après l'autre les marches de la célébrité jusqu'en 1963, où, sous la direction d'Inghelbrecht, il est Golaud (*Pelléas et Mélisande*). Dès l'année suivante, il est le Méphisto de la reprise de *La Damnation de Faust* dans la mise en scène de Maurice Béjart à l'Opéra. En 1965, il chante les quatre rôles lors de la reprise des *Contes d'Hoffmann* Salle Favart. En 1966, c'est enfin son Méphisto de Gounod, le premier d'une longue série qui dure toujours. Mais il ne faut pas oublier en 1963 la création au Palais Garnier du *Don Carlos* de Verdi dans sa version originale française : il y est Charles Quint. Plus tard, lors de reprises en français ou en italien, il sera Philippe II, puis le Grand Inquisiteur, un rôle où son grand affrontement avec le superbe Philippe II de Ghiaurov eut quelque chose d'épique. A Dijon, Jacques Mars est Boris ; à Monte-Carlo, pour le centenaire du théâtre construit par Garnier, il est Don Quichotte. Il chante aussi, *Le Château de Barbe Bleue* de Bartók, Basile, Colline, Scarpia... Mais c'est bien au personnage de Golaud que son nom restera indissolublement lié, à l'Opéra-Comique, au Festival de Glyndebourne, à la Scala, à Florence... Autodidacte, Jacques Mars s'est passionné pour l'analyse des constantes qui conduisent à « l'élaboration d'un son perfectible » et cette recherche de l'absolu l'a conduit tout naturellement vers l'enseignement auquel, jour après jour, il sacrifie un peu plus de son temps.

Parmi les créations auxquelles il a participé, *i 330* de Bondon, *Sire Allewynn* de Semenov et, en concert *Andrea del Sarto* de Daniel-Lesur.

Marschner, Wolfgang

Violoniste allemand, né à Dresde le 23 mai 1926.

Il étudie à l'Académie de sa ville natale et va ensuite se perfectionner au Mozarteum de Salzbourg. Sa carrière débute au commencement des années cinquante et, rapidement, il partage ses activités entre concert et enseignement : il est professeur à Essen (1956-57), à Cologne (1958-63) puis à Fribourg. Il compose également.

Marsick, Martin

Violoniste et compositeur belge, né à Jupille (Liège) le 9 mars 1848, mort à Paris le 21 octobre 1924.

Après avoir été l'élève de son père, il étudie le piano, l'orgue, le violon (avec Léonard) et la composition (avec Kufferath) aux conservatoires de Liège et de Bruxelles. Il entre ensuite au Conservatoire de Paris où il poursuit ses études de violon auprès de Massart et obtient un 1er prix en 1869. A la même époque (1868-69), il joue dans l'Orchestre de l'Opéra. Il part ensuite pour Berlin où il travaille avec Joseph Joachim entre 1870 et 1871. A Paris, il fait sensation aux Concerts Populaires (1873) et fonde, en 1877, le Quatuor Marsick en compagnie de Rémy, Van Waefelghem et Delsarte. Il forme aussi un trio en 1884, avec le pianiste Breitner et le violoncelliste Burger. Il fait des tournées qui le mènent en Russie et en Amérique. De 1892 à 1900, il enseigne au Conservatoire de Paris où il forme plusieurs violonistes qui deviendront célèbres par la suite : Carl Flesch, Georges Enesco, Jacques Thibaud...

En tant que compositeur, Marsick laisse des pièces pour violon, de la musique de chambre et un grand nombre d'arrangements pour son instrument. En tant que pédagogue, on lui doit *Euréka, j'ai trouvé* (1912) et, avant tout, *La Grammaire du violon* (1924). Saint-Saëns lui a dédié sa *Sonate pour violon et piano n° 1.*

Marteau, Henri

Violoniste français, naturalisé suédois (1915), né à Reims le 31 mars 1874, mort à Lichtenberg (Bavière) le 3 octobre 1934.

Son père est violoniste amateur et sa mère fut l'élève de Clara Schumann. Il commence l'étude du violon à cinq ans. Encouragé par Sivori, il travaille avec Bunzli et surtout Léonard à Paris jusqu'à l'âge de dix-sept ans. A la mort de son professeur, il entre dans la classe de Garcin au Conservatoire de Paris, où il obtient en un an son 1er prix. A dix ans, il se produit déjà avec la Philharmonie de Vienne, dirigée par Hans Richter, mais sa véritable carrière de soliste ne commence qu'en 1893, visitant en quelques années les États-Unis, la Scandinavie, la Russie, etc. Son premier concert à Paris a lieu en 1897 chez Lamoureux. Il est également professeur au Conservatoire de Genève (1900-07), à la Hochschule für Musik de Berlin, où il succède à Joachim (1908-15), avant de trouver refuge en Suède où il est second chef de l'Orchestre de Göteborg (1915-21), instituant une fondation pour l'interprétation de la musique suédoise et payant d'exemple par ses efforts déployés en faveur de Berwald. Professeur à l'Académie allemande de musique de Prague (1921-24), puis au Conservatoire de Leipzig (1926-28) et de Dresde (1928-34), il retourne à Stockholm donner son dernier concert en 1934. Interprète renommé de Bach, Mozart, Reger (qui lui dédie son *Concerto pour violon*, 1908), il fut également compositeur, laissant une cantate, *Les Voix de Jeanne d'Arc*, deux concertos de violon, un opéra, *Meister Schwalbe*, etc. Il a traduit en français le *Traité de violon* de Joachim et Moser. Son violon était un Guarnerius de 1731 que possède maintenant Gérard Poulet.

Martenot, Ginette

Ondiste française, née à Paris le 27 janvier 1902.

Elle fait ses études au Conservatoire de Paris avec Gédalge et Lazare-Levy et à la Sorbonne. Elle entreprend, ensuite, une carrière internationale, comme pianiste d'abord, comme ondiste ensuite. Sœur du compositeur et inventeur Maurice Martenot (lequel donna son nom aux Ondes Martenot) et collaboratrice de l'inventeur jusqu'à sa mort, c'est elle qui popularisa cet instrument, avant Darius Citanova et Jeanne Loriod. Elle enseigne à l'École d'Art Martenot où sont mis en pratique les principes pédagogiques de son frère. Elle a créé un nombre considérable d'œuvres écrites pour le nouvel instrument dont le *Concerto* de Jolivet (1948) et celui de Landowski (1956) qui lui est dédié.

ÉCRITS : *La Musique, l'interprétation et l'art du geste. Étude vivante du piano. Cours supérieur d'interprétation de Bach à Messiaen.*

Martin, Émile (Révérend-Père)

Chef de chœur français, né à Cendras le 7 mai 1914.

Il fait des études littéraires et musicales avec son oncle, ancien maître de chapelle de la cathédrale de Nîmes. Étudiant à la Faculté des lettres de Montpellier, il poursuit ses études à Paris, à la Sorbonne pour les lettres, à l'Institut catholique pour la théologie, où on lui confie l'orgue de la chapelle des Carmes. Membre de l'Oratoire de France à partir de 1947, maître de chapelle de Saint-Eustache à Paris, le Révérend-Père Émile Martin, selon Émile Vuillermoz, apparaît comme « l'héritier des imagiers gothiques de la pierre, soucieux de réinventer un parfum archaïque avec des procédés modernes ». C'est dans cet esprit qu'il fonde et dirige (depuis 1947) la Société des Chanteurs de Saint-Eustache qui devient l'une des principales chorales françaises. On lui doit plusieurs ouvrages, dont *Le Miroir de Jeanne*, oratorio (1977), *Gloria pour notre Temps* (1978), *Imploration* (1979).

ÉCRITS : *Essai sur les rythmes de la chanson grecque* (1953), *Trois documents de musique grecque* (1953), *Une muse en péril, essai sur la musique et le sacré* (1968).

Martin, Jean

Pianiste français, né à Lyon le 7 novembre 1927.

Il obtient à douze ans un 1er prix de piano au Conservatoire de Lyon. Il étudie ensuite au Conservatoire de Paris avec Yves Nat et Pierre Pasquier et remporte, en 1948, un 1er prix de piano. Après avoir été professeur au Conservatoire de Grenoble (1953-60) et au Conservatoire de Bobigny (1974-80), il est nommé professeur au Conservatoire de Lyon et donne des cours d'interprétation à Porto (Portugal). Directeur des programmes de concerts au Théâtre Essaïon (1974-77), il assume les mêmes fonctions au Théâtre Présent depuis cette date. En 1972, il fonde le Trio Delta, avec Flora Elphège (violon) et Claude Burgos (violoncelle). Plusieurs partitions de Claude Ballif, comme la *Sonate nº 5* pour piano, lui sont dédiées et ont été créées par lui.

Martinelli, Germaine

Soprano française, née à Paris le 13 septembre 1887, morte à Paris le 8 avril 1964.

Elle étudie avec les plus grands pédagogues français de l'époque : Jean Lasalle, Jean Bourbon, Grandubert et A. Petit. Depuis 1912, elle mène une carrière brillante comme concertiste, d'abord en France et bientôt dans toute l'Europe. Son répertoire comprend les parties de soprano dans les oratorios et la musique religieuse. Mais avant tout, elle s'est imposée comme une grande interprète des mélodies françaises, avant de se consacrer à l'enseignement.

Martinelli, Giovanni

Ténor italien, né à Manragnana le 22 octobre 1885, mort à New York le 2 février 1969.

Le chef de la fanfare militaire où il fait son service armé découvre qu'il a une fort belle voix et le décide à devenir chanteur. Après de sérieuses études avec Mandolini, il fait ses débuts au Théâtre del Verme de

Milan dans la redoutable partie de ténor du *Stabat Mater* de Rossini (1910) et, moins de trois semaines après, sur la scène de ce même théâtre dans le rôle-titre d'*Ernani*. Puccini l'entend, il est immédiatement séduit et le choisit pour être son premier Dick Johnson de *La Fanciulla del West* sur le vieux continent (1911) : à Monte-Carlo, à Rome puis à la Scala. L'année suivante, il triomphe au Covent Garden dans *La Tosca*. On l'y reverra en 1913, 1914, 1919 et... 1937. Et c'est le départ vers les États-Unis, les débuts au Metropolitan Opera (1913), dont il restera pensionnaire jusqu'en 1946, y donnant 662 représentations, y chantant 37 rôles, de Radamès – qu'il y chantera 92 fois – à Otello, en passant par Faust, Don José, Raoul, Arnold, Eléazar ou Vasco de Gama... Durant cette période il ne fera que de rares et courtes apparitions en Europe, dont quelques mémorables *Otello* à l'Opéra de Paris. S'il n'eut jamais la splendeur vocale d'un Caruso ou le charme inimitable d'un Gigli, Giovanni fut sans doute, parmi les ténors de la grande époque, le musicien le plus parfait ainsi que le chanteur et l'acteur le plus noble.

Martinon, Jean

Chef d'orchestre et compositeur français, né à Lyon le 10 janvier 1910, mort à Paris le 1er mars 1976.

Au Conservatoire de sa ville natale, il reçoit une formation musicale qu'il complète au Conservatoire de Paris (1923-29) où il remporte notamment un 1er prix de violon (1928). Il sera l'élève de Roussel, d'Indy, Désormière et Münch. Il fait ses débuts en dirigeant ses premières œuvres avant la guerre. Emprisonné pendant deux ans, il se consacre surtout à la composition et ce n'est qu'à la Libération que sa carrière de chef va vraiment démarrer : il obtient son premier poste à Bordeaux tout en secondant Charles Münch à la Société des Concerts (1944-46). Puis il est chef associé de l'Orchestre Philharmonique de Londres (1946-48), 1er chef de l'Orchestre Symphonique de la Radio de Dublin (1947-50), président chef d'orchestre des Concerts Lamoureux (1951-58) 1er chef de l'Orchestre Philharmonique d'Israël (1958-60), directeur général de la musique à Düsseldorf (1960-66), directeur artistique de l'Orchestre Symphonique de Chicago (1963-68), de l'Orchestre National (1968-74) et de l'Orchestre de la Résidence de La Haye (1974-76), professeur au Conservatoire de Paris (1975-76). Dans le monde entier, il a joué le rôle d'ambassadeur de la musique française à laquelle il a consacré l'essentiel d'une discographie abondante : il a notamment réalisé l'intégrale de l'œuvre de Ravel (avec plusieurs inédits), Debussy et Saint-Saëns (avec deux symphonies de jeunesse exhumées pour la circonstance), la plupart des œuvres de Roussel et l'intégrale des *Symphonies* de Prokofiev. Il avait reçu en 1968 la Médaille Gustav Mahler pour ses interprétations de ce compositeur qu'il chérissait particulièrement. Dans le domaine de la musique contemporaine, en dehors de ses propres œuvres qu'il dirigeait souvent, il a créé de nombreuses partitions de Henze, Constant...

Son œuvre comporte un opéra, ***Hécube***, 4 symphonies, 2 concertos pour violon, 1 concerto pour violoncelle, 2 quatuors et le *Psaume 136* écrit en captivité (1943).

Marty, Georges

Chef d'orchestre français, né à Paris le 16 mai 1860, mort à Paris le 11 octobre 1908.

Il est l'élève, au Conservatoire de Paris, de Th. Dubois, Franck et Massenet avant de remporter, en 1882, le 1er Grand Prix de Rome. Il débute comme chef des chœurs au Théâtre Lyrique (1890). Deux ans plus tard, il est professeur au Conservatoire et, en 1893, chef de chant à l'Opéra. Il est chargé de la direction des Concerts de l'Opéra avec Paul Vidal avant d'être nommé chef d'orchestre à l'Opéra-Comique (1900). Un an plus tard, il succède à Taffanel à la tête de la Société des Concerts du Conservatoire (1901-08). Il introduira au répertoire de grandes œuvres chorales alors ignorées (Bach, Rameau, Liszt, Haydn, Saint-Saëns...).

Marty, Jean-Pierre

Pianiste et chef d'orchestre français, né à Paris le 12 octobre 1932.

Dès l'âge de dix ans, il étudie le piano et bénéficie des conseils de Marcel Ciampi, Alfred Cortot et Julius Katchen. C'est avec Pierre Fournier qu'il donne, en 1946, son premier concert. De 1947 à 1957, il travaille au Conservatoire de Paris l'harmonie, le contrepoint, la composition, et se perfectionne avec Nadia Boulanger. Parallèlement, il obtient ses diplômes à la Faculté de Droit et à l'Institut d'études politiques. Un problème musculaire interrompt malheureusement sa carrière de pianiste. Il se rend aux U.S.A. en 1958 et se remet à la musique comme pianiste au New York City Ballet. Son directeur musical, Robert Irving, lui permet de se familiariser avec la direction d'orchestre. En 1963, il est chef titulaire de l'American Ballet Theater. Il y restera jusqu'en 1965, date à laquelle il crée à Marseille et à Paris *Sud,* opéra de Kenton Coe. Ces premiers pas dans l'art lyrique seront déterminants pour la suite de sa carrière. En effet, de 1965 à 1973, on le voit surtout diriger des opéras, comme chef invité. De 1973 à 1980, il est responsable du service lyrique de la Radio et s'y fait remarquer par son souci d'élargir le répertoire. Depuis 1979, il a repris ses activités pianistiques. Jean-Pierre Marty travaille depuis plus de dix ans à un ouvrage consacré aux indications de tempo dans l'œuvre de Mozart.

Marx, Chico (Leonard Marx)

Pianiste américain, né à New York le 22 mars 1891, mort à Hollywood le 11 octobre 1961.

C'est le responsable des deux plus grandes innovations techniques de toute l'histoire du piano : le balancement du doigt sur la touche et la frappe index tendu et renversé des notes aiguës du clavier. Malgré la terrifiante vitesse d'exécution et le caractère extrêmement périlleux de l'exercice, les médecins, toujours présents dans la salle avec un assortiment complet d'ongles d'Amérique, affirment qu'ils n'ont jamais eu d'accident à déplorer. Certains prétendent même qu'il surmontait ces difficultés les doigts dans le nez.

Marx, Groucho (Julius Marx)

Guitariste et banjoïste américain, né à New York le 2 octobre 1895, mort (enfin, on se demande...) à Hollywood le 19 août 1977.

Frère du précédent, frère du suivant, il n'a jamais pu avoir de frère de lait vu l'importance de sa consommation de whisky, ni – à son grand regret – de frère siamois car il a toujours refusé de brider son imagination. On le voit parfois gratter avec fureur les cordes d'un banjo ou d'une guitare. Mais ce doit être davantage pour calmer une démangeaison subite que pour obéir à une pulsion existentielle fondamentale et retrouver dans l'art la fascination transcendentale du néant universel. Son véritable instrument de prédilection s'achète dans les bureaux de tabac. Il devait néanmoins lui réserver bien des déceptions. Il n'a jamais en effet réussi, malgré tous ses efforts, à jouer le *Stars and Stripes* sur un cigare de Havane.

P.S. Aucun rapport avec un homonyme prénommé Karl. Ne pas faire de confusion : c'est capital ! Groucho songe actuellement à lui intenter un procès pour concurrence déloyale.

ÉCRITS : *Les Mémoires de Groucho Marx* (1959).

Marx, Harpo (Arthur Marx)

Harpiste américain, né à New York le 23 novembre 1893, mort à Hollywood le 28 septembre 1964.

Ce harpiste (frère des deux précédents), doté d'une chevelure bouclée du plus gracieux effet, ne s'exprime habituellement que par mimiques et sifflements, ce qui est peu commode pour donner des interviews. Il affectionne les chapeaux aux formes indéfinissables et les imperméables aux vastes poches. Il passe ses nuits à l'opéra, va à l'ouest chercher des noix de coco, rend de la monnaie de singe, se gave de soupe au canard et se pare de plumes de cheval. On chuchote que l'on a découvert son talent un jour aux courses. Personne n'a jamais su s'il jouait vraiment de la harpe ou s'il l'imitait avec la bouche.

Massard, Robert

Baryton français, né à Pau le 15 août 1925.

Après avoir chanté dans sa province natale, il est engagé à l'Opéra de Paris où il débute en 1951 (le Grand-Prêtre de *Samson et Dalila*). Sa carrière prend rapidement une dimension internationale : dès 1952, il chante à Aix-en-Provence (Thoas dans *Iphigénie en Tauride*), et il apparaît à la Scala, au Festival de Glyndebourne (1955) (dans les deux cas Ramiro de l'*Heure espagnole*), au Mai Florentin ou il chante Oreste, comme au Covent Garden (1960) ou au Festival d'Edimbourg (1961). Aux U.S.A., il chante à Carnegie Hall et à Chicago. Considéré comme l'un des meilleurs barytons français de son époque, il chante Escamillo et Valentin partout, mais aussi tout le répertoire français de Berlioz (Fieramosca) à Milhaud (*Orphée*) ainsi que le grand répertoire italien. Il participe à la première française de *Capriccio* de Strauss à l'Opéra-Comique en 1957 (Le Comte).

Masson, Diego

Chef d'orchestre français, né à Tossa (Espagne) le 21 juin 1935.

Fils du peintre André Masson, il fait ses études au Conservatoire de Paris, de 1953 à 1959 : percussion, harmonie, musique de chambre. Il travaille la fugue et le contrepoint avec René Leibowitz, de 1955 à 1959. Auprès de Bruno Maderna, en 1964, il découvre la composition, et auprès de Pierre Boulez, un an plus tard, s'initie à la direction d'orchestre. Percussionniste au Domaine Musical, il fonde, en 1966, l'Ensemble Musique Vivante qui se consacre à la découverte et à la création d'œuvres contemporaines internationales. 1969 : c'est la création de *Stop* de Stockhausen qui lui est dédié ; puis, en 1972, *« Tends la voile dans le soleil »* et la version de Bonn de *Momente* de Stockhausen également. Puis il crée les *Domaines* et *Explosante Fixe* de Boulez, des œuvres d'Earl Brown, Feldman et Globokar. Directeur musical de l'Opéra de Marseille (jusqu'en 1982), il s'occupe du Ballet Théâtre contemporain d'Amiens, dirige à la Maison de la Culture d'Angers, travaille avec la compagnie de danse du Sadler's Wells (1971-73).

Masterson, Valerie

Soprano anglaise, née à Birkenhead le 3 juin 1937.

Elle étudie la musique au Royal College of Music de Londres, et poursuit ses études pendant de longues années avec Eduardo Asquez qui demeure son professeur. Elle débute au Stadttheater de Salzbourg avant d'être engagée dans la D'Oyly Carte Opera Company, comme premier soprano. En 1971, elle débute au Sadler's Wells Opera comme Constance (*L'Enlèvement au sérail*). Dès 1972, elle fait partie de cette troupe. Engagée au Covent Garden, elle participe à l'*Or du Rhin* et au *Crépuscule des dieux*, elle chante *Fidelio* et crée *We come to the River* de Henze, avant *La Traviata*. En 1975, au Festival d'Aix, elle s'impose dans *Elisabeth reine d'Angleterre* (Rossini) aux côtés de Caballé. Elle est engagée à l'Opéra de Paris où elle chante *Faust, Le Couronnement de Poppée, L'Enlèvement au Sérail*. Ce rôle de Constance, elle le reprend pour ses débuts à l'Opéra de Munich. Elle chante encore *Manon* et *La Traviata* à Toulouse, Pamina (*La Flûte enchantée*) à Strasbourg, *Jules César* (Händel) à Londres, *Rigoletto* et *Mireille* à Genève. Elle est également invitée à San Francisco, où elle débute, en 1980, avec *La Traviata*.

Mastilovic, Danica

Soprano yougoslave, naturalisée allemande, née à Negotin le 7 novembre 1933.

Formée au Conservatoire de Belgrade, elle est invitée à l'Opéra de Francfort par

Georg Solti et elle est engagée comme pensionnaire de la maison, en 1960. En 1964, après avoir débuté dans de petits rôles, elle triomphe en *Turandot*. Elle interprète ce rôle sur plusieurs scènes importantes d'Europe. En 1964, elle obtient un contrat d'invitée permanente de l'Opéra de Hambourg. Elle se produit également à l'Opéra de Düsseldorf-Duisbourg, à celui de Zagreb, de Vienne et de Munich. En 1972, elle remporte un grand succès au Colón comme Abigail (*Nabucco*). En 1973, elle chante Ortrude (*Lohengrin*) à Zürich et la même année *Elektra* à Munich. En 1972-73, elle chante à l'Opéra de Stockholm ainsi qu'au Festival de Bayreuth, où elle tient pendant quelques années le rôle d'une des Walkyries.

Masur, Kurt

Chef d'orchestre allemand (R.D.A.), né à Brieg (Silésie) le 18 juillet 1927.

Il étudie le piano et le violoncelle à Breslau (1942-44) avant d'aller travailler au Conservatoire de Leipzig (1946-48) où il suit aussi les classes de piano, de composition et de direction d'orchestre (H. Bongartz). Engagé comme répétiteur au Théâtre de Halle en 1948, il y fait ses débuts de chef d'orchestre. Puis il est 1er chef à Erfurt (1951-53), au Théâtre de Leipzig (1953-55) et à la Philharmonie de Dresde (1955-58). De 1958 à 1960, il est directeur général de la musique à Schwerin et, de 1960 à 1964, à l'Opéra-Comique de Berlin où il revient régulièrement comme invité les années suivantes. On le retrouve à la tête de la Philharmonie de Dresde comme 1er chef (1967-72) avant qu'il prenne la direction de l'Orchestre du Gewandhaus de Leipzig en 1970. Aux États-Unis, il est nommé 1er chef invité de l'Orchestre Symphonique de Dallas (1976). Masur est l'un des chefs de R.D.A. les plus connus en dehors de son pays : il a dirigé les plus grands orchestres du monde et signé des enregistrements qui ont fait date, comme l'intégrale des *Symphonies* de Mendelssohn.

Mata, Eduardo

Chef d'orchestre mexicain, né à Mexico le 5 septembre 1942.

Il fait ses études à Mexico avec Carlos Chávez et Rodolfo Halffter (1954-65), et commence à se faire un nom en dirigeant des premières mexicaines d'œuvres contemporaines. Il se perfectionne à Tanglewood avec Schuller et Leinsdorf. Sa carrière se développe tout d'abord au Mexique : directeur musical des Ballets Mexicains (1963-64), de l'Orchestre Symphonique de Guadaljara (1964-66) et de l'Orchestre Philharmonique U.N.A.M. de Mexico (1966-72). Il exerce ensuite aux U.S.A. : chef permanent de l'Orchestre Symphonique de Phoenix (1972-77) et directeur musical de l'Orchestre Symphonique de Dallas depuis 1977. En 1976, il est nommé directeur technique et chef principal du Festival Pablo Casals de Mexico. Il se fait connaître en Europe à partir de 1974, date à laquelle lui sont décernés le Prix de l'Union mexicaine des musiciens et le Prix Elias Sourasky. Tout en se consacrant au grand répertoire symphonique, il se fait le défenseur ardent de la musique mexicaine. Parmi les œuvres qu'il a créées, *Sirocco* de Kotonski (1981).

Matačić, Lovro von

Chef d'orchestre yougoslave, né à Sušak le 14 février 1899, mort à Zagreb le 4 janvier 1985.

Il fait ses études musicales à Vienne (avec Oskar Nedbal) où il fait partie des Petits Chanteurs et débute à l'Opéra de Cologne en 1919. Puis il est chef d'orchestre à l'Opéra de Ljubljana (1924-26), de Belgrade (1926-31) et de Zagreb (1932-38). Il est alors nommé directeur général de la musique à l'Opéra de Belgrade (1938-42). De 1942 à 1945, il dirige à l'Opéra de Vienne. Après la guerre, il participe à la fondation des Festivals de Skopje et Dubrovnik. Il succède à Konwitschny à la tête de la Staatskapelle de Dresde (1956-58) et partage avec lui la direction de la Staatsoper de Berlin à la même époque. Pendant trois ans, il mène une carrière de chef invité, débutant à l'Opéra de Vienne et à la Scala en 1958, à l'Opéra de Chicago l'année suivante. Il est ensuite directeur général de la musique à l'Opéra de Francfort (1961-66). En 1970, il revient en Yougoslavie où il est directeur de la musique à la Philharmonie de Zagreb jusqu'en 1980 tout en occupant les mêmes fonctions à la tête de l'Orchestre National de l'Opéra de Monte-Carlo (1973-79).

Mathis, Edith

Soprano suisse, née à Lucerne le 11 février 1936.

Après des études aux conservatoires de Lucerne et de Zürich, elle débute au Théâtre municipal de Lucerne, en 1956. En 1959, elle est engagée à l'Opéra de Cologne. En 1963, elle chante à l'Opéra de Berlin. Elle est invitée, entre autres, au Festival de Salzbourg depuis 1960 ; en 1962, au Festival de Glyndebourne, comme à l'Opéra de Vienne, de Hambourg et de Munich, où elle triomphe en Mélisande dans la production de Ponnelle. Elle fait une carrière éblouissante dans toutes les capitales musicales comme interprète idéale du répertoire mozartien (Pamina, Zerline, Suzanne, Servilia de *La Clémence de Titus*, et *Ilia* d'Idoménée, mais aussi des opéras moins connus, *La Finda Giardiniera*, *La Finta Semplice*, *Il Re Pastore*... qu'elle interprète sous la direction de Leopold Hager). De 1961 à 1972, elle appartient à l'Opéra de Hambourg, où elle crée entre autres (en 1964) *Der Zerrissene* (von Einem) et (en 1968) *Hilfe ! Hilfe ! die Globolinks !* (Menotti). En 1970, elle débute au Met comme Pamina. Parallèlement, au répertoire lyrique qu'elle interprète sur scène, elle s'est imposée en concert, comme spécialiste fort recherchée de la musique baroque (oratorios et cantates de Bach) mais aussi des mélodies romantiques (Schubert, Schumann, Mahler, Wolf...) Ayant épousé le chef d'orchestre Bernard Klee, elle habite désormais Londres.

Sa voix, d'une limpidité et d'une musicalité sans faille, convient particulièrement bien à l'enregistrement, par sa simplicité dans l'interprétation et son efficacité totale, malgré une grande économie de moyens.

Matthay, Tobias

Pianiste anglais, né à Londres le 19 février 1858, mort à High Marley (Haslemere) le 14 décembre 1945.

Ses parents sont allemands. Il commence l'étude du piano à la Royal Academy of Music dès 1871 avec Dorrell. Puis il est l'élève de MacFarren et complète sa formation musicale avec S. Bennett, E. Prout et A. Sullivan. En 1876, il enseigne déjà à la Royal Academy of Music et ne fait ses débuts publics à Londres qu'en 1880. Sa carrière durera jusqu'en 1895. De 1880 à 1925, il est professeur titulaire à la Royal Academy et, en 1895, il ouvre sa propre école de piano où il distille un enseignement nouveau, abandonnant les données traditionnelles pour découvrir les correspondances entre le jeu et le physique de l'exécutant. Il forme ainsi tous les grands pianistes anglais du début du XXe siècle, notamment Myra Hess, Harriet Cohen, York Bowen, Moura Lympany... Comme compositeur, on lui doit de nombreuses pages dédiées à son instrument.

ÉCRITS : *The Art of Touch* (1903), *The first Principles of Pianoforte Playing* (1905), *Commentaries on the Teaching of Pianoforte Technique* (1911), *The Rotation Principle* (1912), *Musical Interpretation* (1913).

Matthews, Denis

Pianiste et musicologue anglais, né à Coventry le 27 février 1919.

Entré à la Royal Academy of Music de Londres en 1935, il devient l'élève de Harold Craxton pour le piano et de William Alwyn pour l'écriture. Ses débuts londoniens ont lieu au Queen's Hall en 1939. Après avoir pris une part active à la Seconde Guerre mondiale dans les rangs de la R.A.F., sa carrière reprend dès la fin des hostilités. En 1950, il donne l'intégralité du *Clavier bien tempéré* au Festival Bach de Vienne. Grand interprète de musique de chambre, il joue souvent et enregistre avec Fischer. Ses partenaires habituels seront les Quatuors Griller,

Aeolian et Amadeus. Denis Matthews a également souvent joué en duo avec Ralph Holmes et sa seconde femme, Brenda McDermott. Sa grande connaissance du répertoire classique le prédestinait à l'enseignement. Outre la publication en 1966 de son autobiographie, *In Pursuit of Music*, il a publié nombre de ses cours tel celui consacré aux sonates de Beethoven.

En 1971, il a obtenu une chaire de musique à l'Université de Newcastle upon Tyne. En 1956, il a créé le *Concerto* de Rubbra, qu'il devait également enregistrer peu après.

Matzenauer, Margarete

Contralto, puis soprano austro-hongroise, naturalisée américaine, née à Temesvar (Roumanie) le 1er juin 1881, morte à Van Nuys (Californie) le 19 mai 1963.

Fille d'un chef d'orchestre et d'une cantatrice, elle étudie à Graz, Berlin et Munich, puis débute à Strasbourg en 1901 (Puck et Fatime dans *Obéron*). Elle demeure à Strasbourg jusqu'en 1904, passe à l'Opéra de Munich jusqu'en 1911, date à laquelle elle entre au Met (Amneris) et en devient l'une des étoiles jusqu'en 1930. Elle chante alors fort peu sur d'autres scènes, et n'apparaît guère qu'à Bayreuth, en 1911 (Waltraute, 1re Norne, Flosshilde), au Teatro Colón (1912), au Covent Garden (1914) et au Théâtre des Champs-Élysées. A partir de 1914, elle développe son répertoire de mezzo-soprano, puis de soprano dramatique et chante ainsi les grands Verdi, Brünnhilde, Isolde, Kundry... Elle se retire en 1938.

Mauranne, Camille

Baryton français, né à Rouen le 29 novembre 1911.

Élève de son père qui était professeur de chant, il poursuit ses études à l'École de musique Saint-Évode de Rouen et au Conservatoire de Paris, dans la classe de Claire Croiza. Il débute en 1940 à l'Opéra-Comique, où il se fait connaître sous le pseudonyme de Camille Moreau. Son plus grand succès demeure *Pelléas* qu'il chante sur toutes les scènes de France et dans de nombreux opéras. Il en a enregistré deux versions intégrales. Il a également fait une carrière de concertiste (*Requiem* de Fauré, entre autres) et s'est fait une spécialité de la mélodie française.

C'est le baryton français type, au timbre clair, au beau phrasé et à la diction parfaite, doté d'une grande sensibilité et d'une émouvante musicalité. Il enseigne au Conservatoire de Paris jusqu'en 1981.

Maurel, Victor

Baryton français, né à Marseille le 17 juin 1848, mort à New York le 22 octobre 1923.

Après avoir étudié avec Vauthrot et Duvernoy, il débute à Paris, salle Le Peletier en 1868, dans le Comte di Luna, reprenant peu après le rôle de Nevers des *Huguenots*. Il ne fait guère d'impression et les directeurs et impresarios français ne lui proposent rien d'intéressant. Il part donc pour l'étranger, où, très vite, son aptitude à apprendre les langues, sa musicalité et ses talents de comédien font de lui une vedette. Après avoir chanté à Saint-Pétersbourg, au Caire et à Venise, il débute à la Scala, y créant successivement deux opéras de Gomes, *Il Guarany* (1870), et *Fosca* (1871), puis chantant Telramund. Londres s'empare alors de lui et le retient sept saisons de suite. Il y fait les créations britanniques de Telramund et de Wolfram. Il y chante Hoël du *Pardon de Ploërmel*, Peter de *l'Étoile du Nord*, Almaviva des *Noces*, Tell, Renato, Nelusko, Valentin, Don Juan, le Hollandais... En 1879, il revient enfin au Palais Garnier pour chanter Hamlet, Don Juan, Méphisto, Alfonso de *La Favorite*. Après l'avoir entendu dans une reprise de son *Ernani*, Verdi lui confie le rôle-titre de *Simon Boccanegra* dans la version modifiée de l'ouvrage lorsqu'elle est présentée pour la première fois à la Scala (1881). Verdi se prend de la plus grande estime pour ce grand chanteur aussi parfait musicien qu'acteur accompli. C'est à lui qu'il confie le soin de créer Iago d'*Otello* à la Scala (1886), et, après que le célébrissime Mattia Battistini ait refusé d'incarner « un chevalier, certes, mais ivrogne et grossier », le soin de créer le rôle-titre de son ultime chef-d'œuvre, *Falstaff* (1893). A peu de chose près, c'est lui qui créera ces deux rôles sur toutes les grandes scènes du monde. En 1892, il est Tonio lors de la création de *Paillasse* au Teatro dal Verme à Milan. Victor Maurel continuera à chanter jusqu'au début de ce siècle, puis, après avoir quitté le chant pour l'art dramatique, il se retirera, solitaire et oublié loin du soleil de son pays natal.

Mauti-Nunziata, Elena

Soprano italienne, née à Palma Campania (Naples) le 28 juillet 1946.

Elle étudie au Conservatoire San Pietro à Maiella et travaille particulièrement avec Gina Cigna. Elle remporte le Concours international de chant de Palerme et débute ainsi au Teatro Massimo (Palerme) comme Liu (*Turandot*). Elle chante ensuite Mimi (*La Bohème*), Nedda (*Paillasse*), Elvira (*Les Puritains*) et *La Traviata*. Elle participe encore à quelques concours, celui de la R.A.I., celui du San Carlo de Naples et surtout elle reçoit le Prix Viotti à Vercelli. La Scala l'engage pour chanter Mimi, Liu et *Madame Butterfly*. En 1978, elle fait ses débuts en Amérique du Nord, à l'Opéra de Chicago puis à Dallas, dans *Butterfly, Les Puritains* et *Rigoletto*. Elle est invitée au Colón, à Caracas puis aux Arènes de Vérone et au Festival d'Aix-en-Provence où elle chante Donna Elvira (*Don Giovanni*). Elle chante également à Hambourg, Munich et Vienne.

Mayr, Richard

Basse autrichienne, né à Henndorf (Salzbourg), le 18 novembre 1877, mort à Vienne le 1er décembre 1935.

Il étudie d'abord la médecine à l'Université de Vienne, tout en travaillant sa voix au Conservatoire. En 1902, il est engagé directement par Gustav Mahler et entre à l'Opéra, dont il restera membre jusqu'à sa mort. Pendant toute cette longue période (33 ans de carrière), il fait partie des artistes les plus populaires de la capitale autrichienne. En 1902, il participe au Festival de Bayreuth, où il tient notamment les rôles de Hagen (*Le Crépuscule des dieux*) et de Gurnemanz (*Parsifal*). Déjà pendant les Fêtes de Mozart de 1906 et 1910 à Salzbourg, on le considère comme un interprète génial de Mozart. Aussi dès le début du Festival de Salzbourg, en 1922, on le compte parmi les chanteurs les plus éminents. On admire autant ses apparitions dans les opéras ou dans les concerts consacrés à Mozart que dans son interprétation incomparable du Baron Ochs (*Le Chevalier à la rose*). Ce dernier rôle, il l'a chanté lors de la « première » à Vienne (1911) et à Londres (1913). En 1926, il remporte un succès tout particulier à Salzbourg dans *La Serva Padrona* (Pergolèse). En 1919, il crée à l'Opéra de Vienne le rôle de Barak (*La Femme sans ombre*). En 1933, il participe à la « première » d'*Arabella*. Il est invité par les plus grandes scènes du monde et particulièrement au Met (1927-30), où il débute en Pogner des *Maîtres chanteurs*. Sa voix de basse riche et sombre convenait aussi bien aux rôles tragiques qu'au répertoire de basse-bouffe où il excellait.

Mazourok, Youri

Baryton soviétique, né à Kraznik le 18 juillet 1931.

Après des études scientifiques, il entre au Conservatoire de Moscou où il étudie le chant avec Migaï et Svechnikov. Il entre au Bolchoï en 1962 où il se spécialise dans les rôles de baryton-lyrique (Eugène Onéguine, Germont, Posa, le Prince Andrei de *Guerre et Paix* de Prokofiev, Eletski de *La Dame de Pique*). Il est invité en Europe occidentale régulièrement. Il enseigne au Conservatoire de Moscou.

Mazura, Franz

Baryton autrichien, né à Salzbourg le 21 avril 1924.

Il étudie à Detmold et débute à Kassel, puis appartient aux opéras de Cologne et Hambourg. Sa carrière internationale se développe à Bruxelles, Nice, Strasbourg, Paris où il chante depuis 1972 (Mark, Wotan, Orest, Alberich, Gurnemanz). Bayreuth l'accueille depuis 1971 : il y chante Gunther, Alberich, Klingsor, Biterolf, Gurnemanz, rôles qu'il reprend à Buenos Aires, Vienne, Milan, San Francisco, Los Angeles, Salzbourg... Il participe à la création mondiale de la version intégrale de *Lulu* de Berg à l'Opéra de Paris en 1979.

Mdivani, Marina

Pianiste soviétique, née en Géorgie le 6 octobre 1936.

Elle fait ses études au Conservatoire de Moscou où elle travaille avec Émile Guillels. En 1961, elle remporte le 1er prix au Concours international Long-Thibaud devant Jean-Claude Pennetier et Bruno-Leonardo Gelber et commence une brillante carrière internationale.

Méfano, Paul

Chef d'orchestre et compositeur français, né à Bassorah (Irak) le 6 mars 1937.

Son enfance est difficile, il doit faire toutes sortes de métiers pour vivre. Lorsqu'il peut entrer au Conservatoire de Paris, il y est un élève rigoureux et brillant. Il suit les classes de fugue, d'harmonie, d'ondes Martenot et surtout d'analyse musicale (Olivier Messiaen) et de composition (Darius Milhaud) entre 1959 et 1964. Il fait ensuite ses études à la Musik Akademie de Bâle, où il rencontre Pierre Boulez. Il suit ses cours de composition et d'analyse en 1962-63, puis travaille la direction d'orchestre avec K. Stockhausen en 1964 et Henri Pousseur en 1962-64. Ouvert, sensible, passionné, disponible, tel est ce jeune compositeur qui deviendra un défenseur de la musique de tous les temps, et – comme Maderna – fera peut-être passer sa création personnelle après la révélation des autres. Primé à la Biennale de Paris, en 1962, Paul Méfano est lauréat de la Fondation de la Vocation en 1965. Invité aux U.S.A. par la fondation Harkness en 1966-68, puis à Berlin sous l'égide du Berliner Künster Programm, pour un an, il se fixe ensuite à Paris. Prix de Composition G. Enesco (S.A.C.E.M. 1971), il compose *La Cérémonie* (1967-69), *Incidences, Madrigal, Paraboles, Interférences,...* etc. Sa carrière de chef d'orchestre est essentiellement liée à l'Ensemble 2E 2M (qu'il a créé en 1971) et toute entière dédiée au répertoire contemporain.

Mehta, Zubin

Chef d'orchestre indien, né à Bombay le 29 avril 1936.

Il est le fils de Melhi Mehta, un violoniste qui fonda l'Orchestre Symphonique de Bombay. Après avoir reçu une formation scientifique, il va travailler à l'Académie de Musique de Vienne (1954-60) la contrebasse, la composition et surtout la direction d'orchestre avec Hans Swarowsky. Il se perfectionne à Sienne, avec Alceo Galliera et Carlo Zecchi, et à Tanglewood, avec Eleazar de Carvalho. En 1958, il remporte le 1er prix au Concours international de Liverpool et passe un an dans cette ville comme chef assistant. Puis il fait ses débuts aux États-Unis en 1960 où il est immédiatement nommé chef associé de l'Orchestre Philharmonique de Los Angeles. L'année suivante, il est nommé directeur artistique de l'Orchestre Symphonique de Montréal (1961-67), poste qu'il va cumuler avec des fonctions analogues à Los Angeles (1962-78). Sa carrière prend un essor international : Salzbourg en 1962, le Met en 1965 (*Aïda*), la Scala en 1966. Il effectue plusieurs tournées avec l'Orchestre Philharmonique d'Israël dont il devient le conseiller musical en 1968 et le directeur musical dix ans plus tard. En 1978, il quitte Los Angeles pour prendre la succession de Pierre Boulez à la tête de la Philharmonie de New York. Penderecki lui a dédié *De natura sonoris n° 2*. Il a également créé *Kosmogonia* (1970) et la *Symphonie n° 2* (1980) du même compositeur, ainsi qu'*Hexameron* de von Einem (1970), *Canti del Sole* de Rands (1983) et *Concerto quaternio* de Schuller (1984). En 1985, il est nommé à la tête de l'Orchestre du Mai Musical Florentin.

Melba, Dame Nellie (Helen Mitchell)

Soprano colorature australienne, née à Melbourne le 19 mai 1861, morte à Sydney le 23 février 1931.

Elle donne son premier concert en 1884 à Melbourne (d'où elle tire par nostalgie son futur nom de scène) avant de partir en Europe en 1886, pour suivre à Paris l'enseignement de Mathilde Marchesini. En un an, celle-ci transforme ses dons vocaux en un instrument d'une rare brillance, allant du *si* au *fa*^{3} en toute sécurité. Elle fait ses débuts en 1887 à la Monnaie de Bruxelles dans Gilda de *Rigoletto* ; est engagée au Covent Garden dans le rôle-titre de *Lucia di Lammermoor* (1888), à l'Opéra de Paris dans Ophélie de l'*Hamlet* d'A. Thomas (1889), puis à Saint-Pétersbourg (1890-91), à la Scala de Milan (1893) et la même année au Met, dans *Lucia* et *Paillasse*. Elle se partage entre Paris, où elle étudie les rôles de Marguerite et de Juliette avec Gounod et son partenaire, Jean De Reszké (1889-90), l'Italie (1892-94), les États-Unis (1902-10) et Londres, sa seconde patrie artistique. Elle y joue notamment *La Bohème* avec Caruso (1899) et y fait ses adieux en 1926 en présence de la Reine. Elle organise les premières tournées d'opéra en Australie (1911 et 1924), où elle se retire après deux ultimes concerts à Sydney et à Melbourne (1928). Elle est devenue la plus fameuse soprano de son temps, en sachant passer des rôles les plus brillants des répertoires italiens et français (Gilda, Lakmé, Violetta) à des rôles exigeant plus de présence dramatique et plus de musicalité : Mimi, Rosine, la Reine des *Huguenots*, Nedda de *Paillasse*, etc. Utilisant au mieux les possibilités de sa voix, à part une incursion malheureuse dans le rôle de Brünnhilde, elle a pu mener une longue carrière, préservant jusqu'à la fin son timbre éclatant et pur.

Melchior, Lauritz

Ténor danois naturalisé américain (1947), né à Copenhague le 20 mars 1890, mort à Santa Monica (Californie) le 18 mars 1973.

Très jeune, accompagnant sa sœur aveugle à l'Opéra, il découvre l'art lyrique. Il étudie à Copenhague avec Paul Bang et débute, en 1913, dans le rôle de Silvio (*Paillasse*) à l'Opéra Royal. Pendant quatre ans encore, il tient des emplois de baryton. Puis il travaille des parties de ténor, avec Vilem Herold et, en 1918, fait ses seconds débuts dans *Tannhäuser*. De 1921 à 1923, il se perfectionne avec Victor Beigel à Londres, Ernst Grenzebach à Berlin, Anna Mildenburg à Munich et Karl Kittel à Bayreuth. Cosima et Siegfried Wagner s'intéressent à lui et l'engagent pour le Festival de Bayreuth en 1924. Il s'y produira jusqu'en 1931. On l'entend aussi à Londres et à New York, au Met, où il est le principal ténor wagnérien de 1926 à 1950. Il incarne Tristan plus de 200 fois, Siegfried 181 fois, mais aussi Parsifal, Lohengrin sans bouder Verdi (Radamès dans *Aïda*, Otello) ou Meyerbeer (*Le Prophète*). Sa grande voix vibrante semble infatigable au temps de ses succès, et ses interprétations toujours diverses et intéressantes. Il a créé la Fondation Melchior Heldenténor, ouverte aux jeunes chanteurs particulièrement doués.

Melichar, Alois

Chef d'orchestre et compositeur autrichien, né à Vienne le 18 avril 1896, mort à Munich le 9 avril 1976.

Élève de Schreker et J. Marx (1917-23), Melichar a surtout dirigé à Berlin et à Vienne, aussi bien les grandes œuvres classiques que romantiques (dont Liszt). De 1927 à 1936, il a enregistré régulièrement avec la Philharmonie de Berlin pour la Deutsche Grammophon dont il était directeur artistique. Après la guerre, il dirige un studio de musique moderne à la radio de Vienne (1946-49). Comme compositeur, Melichar est l'auteur de nombreuses mélodies, de musique pour ensembles de chambre et de musiques de films. Toutes ses œuvres se ressentent des recherches qu'il a effectuées, entre 1923 et 1926, en Arménie, Géorgie, Azerbaïdjan et Turkestan.

Melik-Pachaiev, Alexandre

Chef d'orchestre soviétique, né à Tiflis le 23 octobre 1905, mort à Moscou le 18 juin 1964.

Au Conservatoire de sa ville natale, il est l'élève de Nicolas Tcherepnine. Il travaille le piano et le violon et entre, comme répétiteur et violon solo, à l'Opéra de Tbilissi (1921) avant d'y être nommé chef d'orchestre (1924). Il décide alors de travailler sérieusement la direction avec A. Gaouk à Leningrad (1928-30). Il revient alors à Tbilissi comme 1er chef et remporte, en 1938, un prix au concours fédéral de direction d'orchestre. En 1931, il a fait ses débuts au Bolchoï où va se dérouler le reste de sa carrière : il occupe les différents postes de chefs permanents avant d'être nommé 1er chef (1953-62). Il a créé l'*Ouverture de fête* de Chostakovitch (1954).

Melkus, Eduard

Violoniste autrichien, né à Baden (Vienne) le 1er septembre 1928.

Élève de E. Moravec, à Vienne (1949-53), il est issu de l'école viennoise, le rattachant à K. Heissler et G. Hellmesberger. Il travaille aussi avec F. Touche et Schaichet. A l'Université de Vienne, il est l'élève de Erich Schenk (1951-53) puis de Rybar (1958). Alto solo de l'Orchestre de la Tonhalle de Zürich (1955-56), il est aussi 1er violon du Nouveau Quatuor de Zürich (1955-58). Sa formation initiale de soliste influence profondément ses recherches sur l'interprétation de la musique ancienne et baroque à laquelle il s'est consacré presque exclusivement, au sein de la Capella Academica de Vienne, ensemble créé en 1965 par ses soins pour jouer cette musique, et qui a adopté progressivement les instruments ou les copies d'instruments d'époque. Sa technique de violon diffère considérablement de celle d'Harnoncourt, en ce qui concerne l'ornementation, le vibrato, les nuances, très libres chez Melkus. Ses enregistrements de Biber, Vivaldi, Corelli et Bach ont été unanimement salués. Melkus délaisse pourtant parfois le violon baroque pour l'instrument moderne, pour jouer en formation de chambre le grand répertoire classique et romantique. En 1958, il a été nommé professeur de violon et d'alto à l'Académie de musique de Vienne. Il a aussi donné des cours dans différentes universités américaines.

ÉCRITS : *Le Violon,* 1972.

Melles, Carl

Chef d'orchestre hongrois naturalisé autrichien, né à Budapest le 15 juillet 1926.

Après des études à l'Académie de musique de Budapest avec János Ferencsik, il fait ses débuts en 1949 et est nommé deux ans plus tard à la tête de l'Orchestre Symphonique de la Radio Hongroise. De 1954 à 1956, il enseigne à l'Académie Franz Liszt. Il se fixe ensuite à Vienne où il dirige régulièrement l'Orchestre Symphonique de la Radio (O.R.F.), puis l'Orchestre Symphonique de Radio Luxembourg (1958-60). Il mène depuis une carrière de chef invité qui l'a mené notamment à Bayreuth (1966) et à Salzbourg. Depuis 1980, il est l'invité régulier de l'Orchestre Symphonique de la R.T.B.F. à Bruxelles.

Mengelberg, Willem

Chef d'orchestre néerlandais, né à Utrecht le 28 mars 1871, mort à Zuort (Suisse) le 21 mars 1951.

Dans sa ville natale, il est l'élève de Richard Hol, M. W. Petri et Anton Averkamp puis, au Conservatoire de Cologne, il travaille avec Franz Wüllner et Jensen et remporte les 1ers prix de piano, composition et direction d'orchestre. Très jeune, il fait ses débuts de pianiste et prend la direction du Conservatoire et de l'Orchestre Municipal de Lucerne en 1891. Quatre ans plus tard, il est à la tête de l'Orchestre du Concertgebouw d'Amsterdam avec lequel il travaillera pendant un demi-siècle. En 1897, il prend la direction du Toonkunst d'Amsterdam, une chorale de réputation internationale qu'il associe à ses grandes réalisations, notamment en dirigeant chaque année la *Passion selon saint Matthieu* de J.-S. Bach. En 1902, il rencontre Gustav Mahler : une amitié profonde unira les deux hommes et Mengelberg sera l'un de ses plus fidèles défenseurs. Entre 1907 et 1920, il est à la tête des Museumkonzerten de Francfort puis, de 1921 à 1929, il dirige le National Symphony Orchestra de New York. Pendant cette période, le Concertgebouw est confié à plusieurs invités permanents (B. Walter, K. Muck, P. Monteux...). A la suite d'un désaccord avec Toscanini, les deux hommes dirigeant conjointement le même orchestre pendant la saison 1928-29, Mengelberg quitte New York et revient à Amsterdam. En 1933, l'Université d'Utrecht crée une chaire de musique à son intention. Ses prises de position en faveur du régime nazi sont sanctionnées en 1945 par une interdiction de diriger aux Pays-Bas. Il s'installe en Suisse où il passera les dernières années de sa vie.

Chef d'orchestre enthousiaste, parfois plus passionné que précis, Mengelberg était l'un des interprètes de prédilection de Mahler. En 1920, pour son jubilé d'argent à la tête du Concertgebouw, il dirigea l'intégrale des *Symphonies* en neuf concerts. La musique contemporaine occupait une grande place dans ses programmes et notamment la musique française à laquelle il consacra un festival en 1922. Richard Strauss lui a dédié *La Vie d'un héros* (1898) et Rachmaninov *Les Cloches* (1913). Parmi les œuvres dont il a assuré la création : la suite *Hary János* (1927) et *Le Paon* (1939) de Kodály, le *Concerto pour violon n° 2* de Bartók (1939) avec Zoltán Székely, le *Carnaval d'Aix* de Milhaud (1928).

Menuhin, Hephzibah

Pianiste américaine, née à San Francisco le 20 mai 1928, morte à Londres le 1er janvier 1981.

Elle travaille à Paris avec Marcel Ciampi et commence à jouer en sonate avec son frère Yehudi en 1934 : ils enregistrent d'abord la *Sonate K. 526* de Mozart puis donnent leur premier concert à Paris suivi de tournées dans le monde entier, formant un duo parfaitement équilibré qui restera uni jusqu'à la disparition d'Hephzibah. Hephzibah Menuhin mènera aussi une carrière de soliste en Angleterre et en Australie où elle séjournera plusieurs années. Très dévouée aux causes humanitaires, elle était, depuis 1977, présidente de la Ligue internationale des femmes pour la paix et la liberté.

Menuhin, Jeremy

Pianiste américain, né à San Francisco le 2 novembre 1951.

Fils de Yehudi Menuhin, il travaille à l'École anglaise de Florence, à Eton et en Suisse. Il reçoit parallèlement une formation musicale très complète : ses maîtres sont E. Nordi, Marcel Gazelle, Marcel Ciampi, Nadia Boulanger et Hans Swarowski avec lequel il étudie la direction d'orchestre à l'Académie de Vienne. Il fait ses débuts à Gstaad en 1965 mais son père s'est toujours refusé à en faire un enfant prodige. Il mène une carrière individuelle tout en faisant régulièrement de la musique de chambre avec son père.

Menuhin, Yaltah

Pianiste américaine, née à San Francisco le 7 octobre 1922.

Sœur cadette de Yehudi Menuhin, elle a étudié à Paris avec Marcel Ciampi et à New York, à la Juilliard School, avec Carl Friedberg. Moins connue que sa sœur Hephzibah, elle joue aussi plus rarement avec Yehudi, préférant une carrière personnelle, en soliste ou à deux pianos avec son mari Joël Ryce. Tous deux se sont vu décerner le 1er prix Harriet Cohen en 1962.

Menuhin, Sir Yehudi

Violoniste et chef d'orchestre américain, suisse (1970) et anglais (1985), né à New York le 22 avril 1916.

Il est le fils de Juifs Russes émigrés en Palestine puis aux États-Unis. Il prend ses premières leçons à l'âge de 5 ans à San Francisco avec Sigmund Anker qui le confie bientôt à Louis Persinger, un disciple d'Ysaÿe. L'enfant, étonnamment doué, progresse à une vitesse stupéfiante et, dès 1923, il joue à San Francisco la *Symphonie espagnole* le Lalo sous la direction d'Alfred Hertz. La famille Menuhin vient à Paris en 1927 où Yehudi fait ses débuts aux Concerts Lamoureux sous la direction de Paul Paray. Il rencontre Enesco qui prendra en main sa formation musicale à partir de cette date. Cette rencontre est déterminante : l'influence d'Enesco sur le jeune garçon puis sur l'adolescent transforme le virtuose en un musicien complet, réfléchi, hors de son époque. A l'école d'Enesco, Menuhin acquiert une vision de la musique et un style intemporels : son évolution s'opérera ensuite en profondeur, mais son attitude face à la musique restera identique. A cette époque, il travaille également à Bâle pendant deux ans avec Adolf Busch. Il effectue ses premiers enregistrements en 1928 et débute à la Philharmonie de Berlin l'année suivante sous la direction de Bruno Walter en jouant les « Trois B » (Concertos de Bach, Beethoven et Brahms). Le nombre de ses concerts se multiplie : le monde entier veut entendre l'enfant prodige et, en 1935, il effectue un tour du globe en donnant 110 concerts dans 63 villes. Puis il s'arrête de jouer pendant deux ans. Pendant la guerre, il donne plus de 500 concerts pour les forces alliées et la Croix-Rouge. Après la fin des hostilités, il prend la défense de Furtwängler qui avait conservé ses fonctions à la Philharmonie de Berlin pendant le régime nazi. En 1952, Nehru l'invite en Inde : il découvre un monde nouveau pour lui, source de réflexion bénéfique qui lui permet de dominer les différentes crises qu'il traverse. En 1956, il fonde un festival à Gstaad, en Suisse, où il passe quelques mois chaque année. En 1958, il est nommé directeur artistique du Festival de Bath : il fonde le Bath Festival Orchestra (qui deviendra le Menuhin Festival Orchestra) avec lequel il commence une seconde carrière, de chef d'orchestre. Il se fixe à Londres en 1959 où il vit toujours. En 1969, il quitte le Festival de Bath pour prendre, pendant trois ans, la direction de celui de Windsor. En 1963, il avait réalisé l'un de ses vœux les plus chers, fonder en Angleterre une école de musique sur le modèle de l'École centrale de Moscou, alliant l'enseignement général à l'enseignement musical : la Yehudi Menuhin Music School est installée dans le Surrey, à Stoke d'Abernon. En 1981, il est nommé président et chef associé du Royal Philharmonic Orchestra de Londres.

Menuhin n'a jamais hésité à s'engager pour défendre une cause humanitaire. Il a contribué aux rapprochements entre les artistes soviétiques et les artistes occidentaux au moment de la Guerre froide, il a usé de toute son influence pour faire sortir Rostropovitch d'U.R.S.S. ou Estrella d'Uruguay. Les années qu'il a passées à la présidence du Conseil international de la musique de l'U.N.E.S.C.O. (1969-75) ont été marquées par de nombreuses démarches ou prises de position qui ont largement contribué à rapprocher les musiciens entre eux.

Menuhin a sollicité de nombreux compositeurs contemporains qui ont écrit pour lui ou dont il a créé les œuvres : Bartók (*Sonate pour violon seul*, 1944), Bloch (*2 Suites pour violon seul*), Walton (*Sonate pour violon et piano*, 1950), F. Martin (*Polyptyque*, 1973), Panufnik (*Concerto*), Berkeley (*Concerto*)... Il a exhumé le *Concerto pour violon* de Schumann et redécouvert le *Premier Concerto* de Mendelssohn (1952).

Menuhin a joué d'abord sur un Stradivarius de 1733 ayant appartenu à Josef Böhm, le maître de Joachim, le *Prince Khevenhüller*. Il possède actuellement un Guarnerius del Gesù de 1742 et un Stradivarius de 1714, le *Soil*.

ÉCRITS : *L'Art de jouer du violon* (1973), *Voyage inachevé* (1977), *Violon et alto* (1978), *Variations sans thème* (1980), *Le Roi, le chef et le violon* (1983).

Mercier, Jacques

Chef d'orchestre français, né à Metz le 11 novembre 1945.

En marge d'études générales (propédeutique lettres), il travaille la percussion ; il obtient un 1er prix de percussion au Conservatoire de Paris (1970) puis un

1er prix de direction d'orchestre (classe de Manuel Rosenthal, 1972). Cette même année, il remporte le 1er prix au Concours des jeunes chefs d'Orchestre à Besançon, et l'année suivante le Prix de la Fondation de la Vocation. Chef invité des principales formations françaises et européennes, il dirige le répertoire traditionnel mais aussi contemporain notamment avec les ensembles de l'Itinéraire, 2E 2M et Intercontemporain. De 1976 à 1982, il est chef associé de l'Orchestre Philharmonique de Lorraine. En 1982, il est nommé directeur de l'Orchestre de l'Ile-de-France. Il a créé des œuvres de Xenakis, Bancquart, de Pablo, Levinas, Murail, C. Halffter, Grisey...

Merlet, Dominique

Pianiste et organiste français, né à Bordeaux le 18 février 1938.

Sa famille très liée au compositeur Roger-Ducasse lui permet de recevoir les premiers conseils de celui-ci qui le contrôle au début de ses études musicales. Au conservatoire de sa ville natale, il remporte des 1ers prix de piano et de percussion. En même temps, il travaille à titre privé le chant choral et l'orgue. A l'âge de quinze ans, il entre au Conservatoire de Paris et suit les classes de Jean Doyen (piano) et Nadia Boulanger (accompagnement au piano) ; il obtient en 1956 un 1er prix dans chacune de ces classes, et l'année suivante un 1er prix de musique de chambre dans la classe de René Le Roy. Au cours de l'été 1957, il effectue un stage d'approfondissement stylistique auprès de Louis Hiltbrand à Genève et remporte en septembre de la même année le 1er prix au Concours international de piano de Genève. Sa carrière de soliste international grandit aussitôt : il donne récitals et concerts dans une dizaine de pays européens, en Amérique et en Extrême-Orient. Il est titulaire depuis 1956 du grand-orgue de Notre-Dame-des-Blancs-Manteaux, à Paris. L'instrument a été reconstruit selon ses directives par le facteur Alfred Kern en 1966-68. Nommé professeur de piano au Conservatoire de Strasbourg en 1964, il quitte celui-ci pour le Conservatoire de Rouen en 1969. En 1974, il est nommé professeur de piano au Conservatoire de Paris. Il est membre de la commission technique consultative des orgues de la ville de Paris depuis 1980 et collabore à la revue mensuelle, *Clavier magazine* (1981). Il a écrit notamment des études sur *Le grand orgue et l'orgue de chœur de Notre-Dame-des-Blancs-Manteaux* (in *Sauvegarde et mise en valeur du Paris historique*, 1973), sur l'*Enseignement et les carrières du piano* (in *Le Guide du piano*, 1979).

Merrill, Robert

Baryton américain, né à Brooklyn le 4 juin 1917.

C'est de sa propre mère qu'il reçoit ses 1res leçons de chant. Elle était elle-même une concertiste estimée. Il a ensuite pour professeur Samuel Margolis à New York. En 1944, il fait ses débuts à Trenton dans le rôle d'Amonasro. En 1945, il remporte le concours radiophonique organisé par le Metropolitan Opera et y est immédiatement engagé pour chanter le rôle de Germont père dans *La Traviata*, puis Sir Henry Ashton dans *Lucia di Lammermoor* et Escamillo dans *Carmen*. Tout de suite, avec sa belle voix et sa fière allure, il devient un pilier du Met. Le premier soir du régime du terrible Rudolf Bing, à l'ouverture de la saison 1950-51, il chante Posa avec un succès immense. Et il est congédié un an après par le même Bing sous prétexte qu'un engagement à Hollywood lui fait manquer la tournée d'été du Met. La pénitence dure un an, et l'indispensable Robert retrouva sa place, se donnant généreusement aux quelque 25 rôles dont il devient jour après jour le plus sûr titulaire. Il a chanté plus de 900 fois avec la troupe du Met, que ce soit à New York ou en tournée.

Merriman, Nan (Katherine-Ann Merriman)

Mezzo-soprano américaine, née à Pittsburgh le 28 avril 1920.

Après des études de chant à Los Angeles avec Alexia Bassian, elle travaille pour Hollywood et participe en 1940 à une tournée de Lawrence Olivier et de Vivian Leigh, chantant pendant les changements de décors de *Roméo et Juliette* des airs de Palestrina et de Purcell. Elle fait ses débuts lyriques en 1942 à l'Opéra d'été de Cincinnati, dans le rôle de La Cieca de *La Gioconda.* Décrochant à un concours de chant un quart d'heure d'antenne sur la N.B.C., elle est engagée par Toscanini, avec qui elle chante *Orfeo* de Gluck, Meg de *Falstaff,* Maddelena de *Rigoletto,* Emilia d'*Otello,* etc. Elle participe aux festivals européens d'Aix-en-Provence, dans le rôle de Dorabella (1953, 1955, 1959), d'Edimbourg dans *The Rake's progress* de Strasvinski (1953), de Glyndebourne (1956) et à la saison de la Piccola Scala (1955-56). Elle se retire en 1965, encore en pleine possession de ses moyens.

Mesplé, Mady

Soprano française, née à Toulouse le 7 mars 1931.

1er prix de piano et de chant au Conservatoire de Toulouse, elle débute en 1953 dans *Lakmé* à Liège, où elle met au point ses premiers grands rôles : Rosine du *Barbier de Séville,* Olympia des *Contes d'Hoffmann,* Gilda de *Rigoletto,* tout en se produisant à la Monnaie de Bruxelles.

Elle débute en 1956 à l'Opéra-Comique (*Lakmé*) et au Festival d'Aix-en-Provence (*Zémire et Azor* de Grétry) ; puis en 1958 à l'Opéra de Paris (Sœur Constance des *Dialogues des Carmélites*) qui la consacre définitivement en 1960 dans *Lucia di Lammermoor.* C'est le début de sa carrière internationale où elle s'illustre aussi bien dans les répertoires français (Lakmé, Philine, Olympia, Ophélie), qu'italien (Lucia, Gilda, Norina, Rosina, Amina) et allemand (la Reine de la Nuit, Zerbinetta d'*Ariane à Naxos* qu'elle aborde au Festival d'Aix-en-Provence 1966). A l'Opéra-Comique, elle chante la 1 500e représentation de *Lakmé* (1960) et crée *Le Dernier Sauvage* de Menotti (1963). En 1965, elle crée la version française d'*Élégie pour de jeunes amants* de Henze qui lui ouvre les portes de la musique contemporaine : Betsy Jolas écrit pour elle son *Quatuor II,* Charles Chaynes ses *Quatre Poèmes de Sappho.* Pierre Boulez l'invite plusieurs fois à Londres pour chanter *L'Échelle de Jacob* de Schönberg et *L'Enfant et les Sortilèges* de Ravel. Par ailleurs, elle inaugure les récitals de mélodies à l'Opéra de Paris en 1971 et l'année suivante, fait ses doubles débuts au Bolchoï (Rosine) et au Met (Gilda). A l'Opéra de Paris, elle chantera encore Olympia des *Contes d'Hoffmann* dans la mise en scène de Patrice Chéreau (1975). Elle est professeur à l'École Normale de Musique de Paris.

Parallèlement, ses nombreux passages à la télévision assurent sa popularité auprès du grand public. Elle est sans doute la cantatrice française de sa génération qui a le plus enregistré aussi bien l'opéra, l'opérette ou la mélodie que la musique d'église ou la musique contemporaine.

Messager, André

Chef d'orchestre français, né à Montluçon le 30 décembre 1853, mort à Paris le 24 février 1929.

A l'École Niedermeyer, il est l'élève de Gigout (harmonie), Loret (orgue) et Fauré (composition). Dès 1874, il est nommé organiste du chœur à Saint-Sulpice. Il gagne sa vie en dirigeant aux Folies-Bergère (1877) puis à l'Eden-Théâtre de Bruxelles (1880). L'année suivante, il est nommé organiste à Saint-Paul avant de devenir maître de chapelle à Sainte-Marie des Batignolles (1882-84). C'est à cette époque qu'il fait le voyage à Bayreuth avec Fauré et découvre la musique de Wagner dont il sera l'un des plus grands interprètes de sa génération. Il compose ses premières œuvres, des opérettes et des mélodies. En 1886, son ballet *Les deux Pigeons* remporte un grand succès à l'Opéra et attire l'attention sur lui. En 1894-95, il dirige les Concerts du Vaudeville avant d'être nommé directeur de la musique à l'Opéra-Comique (1898-1903). Il crée notamment *Louise* de Gustave Charpentier (1900) et fait accepter *Pelléas et Mélisande* dont il conduira les premières représentations en 1902. Debussy lui a d'ailleurs dédié l'ouvrage. De 1901 à 1907, il est directeur artistique du Covent Garden à Londres. A son retour à Paris, il prend la direction de la Société des Concerts (1908-19) et la direction musicale de l'Opéra de Paris (1908-14). Il dirige les premières représentations de *La Tétralogie* en 1909 et effectue la première tournée importante d'un orchestre français aux États-Unis, avec la Société des Concerts en 1918. Après la guerre, il est à nouveau directeur de la musique à l'Opéra-Comique (1919-22). En 1924, il dirige aux Ballets Russes où il crée notamment *Le Train bleu* de Milhaud, mais il consacre surtout la fin de sa vie à la composition et à la critique musicale (*Musica, La Grande Revue, Le Gaulois, Le Figaro*).

Messager s'est illustré dans le domaine de l'opérette et de la musique de ballet. Véritable successeur d'Offenbach, il a trouvé un style correspondant à son époque et le raffinement indispensable à ce genre de musique (*La Basoche,* 1890, *Véronique,* 1898, *Passionnément,* 1926, *Coups de roulis,* 1928, *Les deux Pigeons,* ballet, 1886).

Meunier, Alain

Violoncelliste français, né à Paris le 22 juin 1942.

Il fait ses études musicales au Conservatoire de cette ville, où il obtient, de 1958 à 1963 des 1ers prix de violoncelle, ensemble instrumental, musique de chambre (en duo avec Christian Ivaldi) et esthétique musicale. Ses maîtres sont alors : Jacques Février et Joseph Calvet pour la musique de chambre, Maurice Maréchal pour le violoncelle. A l'Accademia Chigiana de Sienne, il suit les cours de Sergio Lorenzi et de Riccardo Brengola pour la musique de chambre, et entre dans leur ensemble : le Quartetto Chigiano. Il fait avec eux de nombreuses tournées en Europe et en Amérique. Il forme un duo avec Christian Ivaldi. Ces musiciens rapprochent les œuvres classiques des œuvres contemporaines, la Renaissance de l'avant-garde. ... A Sienne, il forme à son tour de jeunes musiciens (dès 1979), et durant les semaines d'été joue en Toscane dans les théâtres et sur les places des villages. Il a créé, entre autres, des œuvres de Ohana (*L'Anneau du Tamarit,* 1977), Mihalovici (*Sonate,* 1980), Donatoni (*Lame,* 1982), Dao (*Concerto,* 1983). En 1982, il s'associe à Christian Ivaldi, Sylvie Gazeau et Gérard Caussé pour former le Quatuor Ivaldi.

Meven, Peter

Basse allemande, né à Cologne le 1er octobre 1929.

Il fait ses études au Conservatoire de sa ville natale et débute à l'Opéra de Mayence. Il chante successivement sur les scènes de Wiesbaden et d'Oldenbourg, où il se compose un répertoire. Depuis 1964, il appartient à l'Opéra de Düsseldorf-Duisbourg, tout en étant invité un peu partout dans le monde. L'intensité de sa voix grave et son talent de comédien lui permettent d'aborder les rôles les plus divers. Commandeur de *Don Giovanni* au Grand-Théâtre de Genève, il chante Daland du *Vaisseau fantôme* à l'Opéra de Paris (1981) alors qu'à l'Opéra de Hambourg, il est Kaspar du *Freischütz* et Hunding dans *La Walkyrie.* Toujours en 1981, il est le Roi Mark de la nouvelle production de *Tristan* à Stuttgart, réalisée par Götz Friedrich. A l'Opéra de Paris, il chante également Hagen du *Crépuscule des dieux* (en version de concert) et à Genève, il est Tirésias et le Messager d'*Œdipus-rex.* Il participe aux Festivals de Bayreuth et de Salzbourg.

Meyer, Kerstin

Mezzo-soprano suédoise, née à Stockholm le 3 avril 1928.

Sa famille est d'ascendance polonaise. Elle commence le chant à l'âge de quatorze ans ; à seize ans, elle entre dans la classe d'opéra du Conservatoire royal de Stockholm ; puis elle poursuit ses études à Milan et à Vienne. En 1952, elle débute à l'Opéra royal de Stockholm comme Azucena. En 1953, elle est invitée à l'Opéra de Rome, en 1959 au Liceo de Barcelone, aux Festivals de Drottningholm et de Vancouver. En 1960, elle chante Eboli (*Don Carlos*) à la Scala. Depuis 1954, elle est invitée régulièrement à l'Opéra de Hambourg, où elle remporte de très grands succès et où elle fait ses débuts de wagnérienne. Elle est également invitée à l'Opéra de Vienne, au Covent Garden, à l'Opéra de Munich et à celui de Copenhague. Depuis 1956, elle participe au Festival de Salzbourg. En 1959, elle entreprend une importante tournée en Amérique du Nord. Son plus grand succès demeure *Carmen.* Depuis 1961, elle chante au Met et, de 1962 à 1965, à Bayreuth. Au Festival de Pâques 1974 à Salzbourg, elle tient le rôle de Magdalena (*Les Maîtres chanteurs*). La même année, elle est invitée au Festival d'Édimbourg.

Meyer, Marcelle

Pianiste française, née à Lille le 22 mai 1897, morte à Paris le 18 novembre 1958.

Elle est au Conservatoire l'élève d'Alfred Cortot et de Ricardo Viñes. Elle fréquente le Groupe de Six et joue les œuvres contemporaines de sa génération (Milhaud, Stravinski...) tout en réhabilitant au piano les pièces pour clavecin de Rameau, Couperin et Scarlatti. Elle enregistre l'intégrale de l'œuvre pour piano de Ravel avec lequel elle a eu l'occasion de travailler. Elle fut la femme du comédien Pierre Bertin. Elle a créé *Printemps* (1920), *L'Automne* (1932) et *Scaramouche* (1937) de Milhaud ainsi que *Noces* de Stravinski (1923) avec F. Poulenc, G. Auric et Hélène Ralli.

Micheau, Janine

Soprano française, née à Toulouse le 17 avril 1914, morte à Paris le 18 octobre 1976.

Après des études aux conservatoires de Toulouse et de Paris, elle débute à l'Opéra-Comique de Paris, en 1933, comme Chérubin (*Les Noces de Figaro).* Elle remporte ensuite de brillants succès tant à l'Opéra-Comique qu'à l'Opéra, où elle crée le rôle-titre de *Médée* de Milhaud (1938). En 1941, elle crée le rôle de Caroline (*Comme ils s'aiment* d'André Lavagne) à l'Opéra-Comique. En 1950, elle crée à l'Opéra le rôle de Manuela (*Bolivar* de Milhaud). Dès la fin de la guerre, sa carrière prend un essor international. En 1948, elle chante *L'Enfant et les sortilèges* à la Scala. Parme et d'autres villes d'Italie l'engagent pour interpréter le répertoire français, où elle est inégalable (Manon, Mélisande, Juliette, Leila des *Pêcheurs de perles...*). Elle est également invitée par les opéras de Belgique et de Hollande, ainsi qu'en Amérique du Sud. En 1955, elle participe au Festival d'Aix-en-Provence comme Eurydice (*Orphée* de Gluck), et en 1956 dans *Platée* (Rameau). Après avoir été la soprano colorature français la plus importante de sa génération, elle s'est tournée vers le professorat. Elle a enseigné tant à Paris (au Conservatoire, dès 1960) qu'au Mozarteum de Salzbourg. Milhaud a écrit plusieurs mélodies à son intention.

Michel, Catherine

Harpiste française, née à Amiens le 25 juin 1948.

Elle commence ses études de piano et de harpe avec sa mère. Élève de Pierre Jamet au Conservatoire de Paris, elle obtient à quinze ans un 1er prix de harpe à l'unanimité. Sa première tournée date de 1964. L'année suivante, elle est recrutée par l'Orchestre de la Radio de Dublin et nommée professeur au Conservatoire de cette ville. Elle revient en France en 1967 et remporte le 3e prix du Concours international de l'Université d'Hartford (1969), le 2e prix du Concours international d'Israël (1970) et la médaille d'or du Concours international Marcel Tournier (1971). Harpiste à l'Orchestre National de France (1970-77), Catherine Michel poursuit néanmoins sa carrière de soliste. En 1977, elle est nommée soliste à l'Orchestre de la Norddeutscherundfunk à Hambourg et professeur au Conservatoire de cette même ville. Elle se passionne pour la recherche de nouvelles partitions pour son instrument et réalise actuellement un catalogue de toutes les œuvres éditées pour la harpe entre 1500 et 1800. Elle a publié plusieurs méthodes de harpe ainsi que de nombreux exercices de haute virtuosité. Sa discographie illustre les noms de Villa-

Lobos, Boïeldieu, mais aussi ceux de Saint-Saëns, Reinecke, Glière, Kreutzer, Dussek et Pierné.

Michel, Solange (Solange Boulesteix)

Mezzo-soprano française, née à Paris le 27 novembre 1912.

Après des études musicales à Bourges, elle entre au Conservatoire de Paris et y obtient un 2e prix de chant. Elle commence à se produire en concert et à la Radio dès 1936. Mais c'est à l'Opéra-Comique et à l'Opéra qu'elle fait l'essentiel de sa carrière : pendant 27 ans, elle y interprète les principaux rôles du répertoire, marquant notamment celui de Carmen qu'elle chante plus de 700 fois en France et à l'étranger. Elle est invitée à la Scala, au Covent Garden et dans les principaux théâtres allemands où elle est l'une des meilleures ambassadrices du chant français.

Michelin, Bernard

Violoncelliste français, né à Saint-Maur le 13 août 1918.

Il mène ses études au Conservatoire de Paris où il obtient, âgé de treize ans seulement, un 1er prix de violoncelle. Sa carrière internationale le conduit dans de très nombreux pays où il joue sous la direction de chefs comme Münch, Paray, E. Kleiber ou F. Busch. Nommé professeur au Conservatoire de Paris en 1963, il enseigne également à Tucuman en Argentine (1947-49), à Tokyo (1960), à Santiago du Chili (1965-70), à l'Académie internationale d'été de Nice (depuis 1965), à Londres (1968-72) et à Varsovie (1973). Il fonde le Concours international Bernard Michelin à Santiago du Chili en 1965. Il a créé le *Concerto pour violoncelle* de Landowski en 1946.

Michelucci, Roberto

Violoniste italien, né à Livourne le 29 octobre 1922.

Il fait ses études au Conservatoire de Florence et remporte, en 1922, le 1er prix des Rassegna Concertisti à Rome. L'essentiel de sa carrière sera associé à l'Ensemble I Musici dont il est violon solo de 1967 à 1972. Il consacre une part importante de ses activités à l'enseignement.

Migenes-Johnson, Julia

Soprano américaine, née à Manhattan en 1948.

D'origine grecque et portoricaine, elle débute dans *Madame Butterfly* à l'âge de 3 ans 1/2, puis apparaît dans les shows RCA et dans la banlieue new-yorkaise comme enfant prodige en compagnie de son frère et de sa sœur, comme les Migenes Kids. Elle achève ses études musicales à la High School of Music and Arts, puis à la Juilliard School of Music, tout en continuant à se produire sur scène aussi bien dans l'opéra que dans le *musical.* C'est en Europe toutefois, et spécialement par le canal de la télévision allemande qu'elle fonde une réputation de vedette télévisuelle qui va grandissant à partir de 1980, et que marquent de nombreuses récompenses. Parallèlement, elle se produit aux opéras de San Francisco et Houston, débute au Metropolitan de New York (Nedda, Jenny) et y devient célèbre en remplaçant Teresa Stratas dans *Lulu* au printemps 1981. Depuis ses apparitions sont des événements considérables : *Salomé* à Genève mis en scène par M. Béjart, *Lulu* à Vienne sous la direction de L. Maazel, et surtout le triomphal *Carmen* filmé par Rosi mettent avant tout en valeur ses qualités de bête de scène.

Mikulka, Vladimir

Guitariste tchécoslovaque, né à Prague le 11 décembre 1950.

Il travaille au Conservatoire de sa ville natale où il est l'élève de Jiri Jirmal. En 1970, il remporte le 1er prix du Concours international de guitare de Paris et poursuit dès lors une carrière internationale.

Milanov, Zinka (Zinka Kunc)

Soprano yougoslave, née à Zagreb le 17 mai 1906.

Elle étudie avec Milka Ternina, puis Kostrencíc et Stueckgold. Elle débute à Ljubliana en 1927 (Léonore du *Trouvère*) et est membre de l'Opéra de Zagreb de 1928 à 1935 : elle chante alors Sieglinde, Rachel, la Maréchale, Minnie. En 1936, elle chante à l'Opéra de Prague et, en 1937, débute au Festival de Salzbourg (*Requiem* de Verdi avec Toscanini) et au Met (Léonore) dont elle sera sous son nom d'emprunt premier soprano jusqu'en 1966, date de ses adieux. L'une des grandes verdiennes du siècle, elle apparaît aussi à Chicago, à San Francisco, à Buenos Aires et à Londres.

Milanová, Stoïka

Violoniste bulgare, née à Plovdiv le 5 août 1945.

Elle fait ses études avec son père Trendafil Milanov puis au Conservatoire de Moscou (1964-69) dans la classe de David Oïstrakh. Elle obtient le 2e prix au Concours Reine Élisabeth de Bruxelles (1967) puis le 1er prix au Concours international Carl Flesch de Londres (1970). Elle mène depuis une carrière internationale. Son interprétation des 3 sonates de Brahms reste une référence. Elle joue en sonate, notamment avec Radu Lupu et Malcolm Frager. Son violon est un Guarnerius « del Gesù » de 1737.

Mildonian, Susanna

Harpiste apatride naturalisée italienne (1961) puis belge (1966), née à Venise le 2 juillet 1940.

Ses parents, rescapés du génocide arménien de 1915, se réfugient en Italie. Son frère et ses deux sœurs ont étudié au Conservatoire de Venise où elle-même suit les cours de Margherita Cicognari. En 1959, elle y obtient un 1er prix de harpe et remporte le 1er prix du Concours international de harpe d'Israël. Elle devient alors l'élève de Pierre Jamet au Conservatoire de Paris où elle se voit décerner un 1er prix en 1962. En 1964, elle remporte le 1er prix du Concours international de Genève et, en 1971, le 1er prix au Concours international Marcel Tournier. Susanna Mildonian donne des concerts depuis l'âge de quatorze ans. Elle a fondé un duo avec le flûtiste Maxence Larrieu. Elle donne la première audition du *1er Concerto pour harpe* de Ami Maayami (1964) et du *Concerto pour flûte et harpe* de Damase (1976). Ses enregistrements illustrent le répertoire traditionnel de l'instrument mais comptent également des pages signées Spohr, Villa-Lobos et Ginastera. Elle enseigne au Conservatoire de Bruxelles depuis 1971 et à ceux de Rotterdam et de Tilburg (Hollande) depuis 1978.

Mill, Arnold Van

Voir à **Van Mill, Arnold.**

Milnes, Sherrill

Baryton américain, né à Downers Grove (Chicago) le 19 janvier 1935.

Son père, autrefois pasteur, était fermier, sa mère professeur de piano et chef de chœur. Dès le plus jeune âge, il étudie le violon, l'alto, la contrebasse, le tuba et la clarinette aussi bien que le piano et le chant à l'Université Drake de Des Moines. Il s'engage dans la chorale de l'Orchestre Symphonique de Chicago, que dirige alors Margaret Hillis. Très vite, il chante en soliste dans des concerts, donnant des leçons de musique pour assurer sa matérielle. Après une audition manquée au Met, il est engagé « pour quatre sous » dans la tournée Goldovsky, chantant quinze rôles importants entouré de réels talents qui ont fait leur chemin depuis. Après l'avoir entendu, Julius Rudel l'engage au New York City Opera, où il chantera Germont, Valentin ainsi que dans la première américaine de l'*Ange de feu* en 1964. Rudolf Bing décide de l'entendre et trouve en lui le successeur de Leonard

Warren, mort en scène cinq ans plus tôt. Milnes est engagé pour deux représentations de *Faust*, deux de *La Dame de Pique* et une d'*Aïda*. Il fait ses débuts en 1965 en Valentin, aux côtés d'une autre débutante au Met, Montserrat Caballé. Mais au lieu de chanter cinq fois dans trois opéras différents, il chantera 18 fois dans 7 opéras, dont 4 lui étaient jusque-là inconnus. Départ sur les chapeaux de roues, mais pas encore le grand départ qui n'interviendra qu'un an plus tard avec *Luisa Miller* au Met puis quelques mois plus tard, sur la même scène, avec *Le Trouvère*. Sherrill Milnes est vraiment de la fameuse lignée des grands barytons – Verdi américains : John-Charles Thomas, Lawrence Tibbett, Leonard Warren, Robert Merrill... Ses vrais débuts en Europe ont lieu en 1970, à Vienne, aux côtés de Christa Ludwig et sous la direction de Karl Böhm (*Macbeth*).

Milstein, Nathan

Violoniste russe, naturalisé américain (1942), né à Odessa le 31 décembre 1904.

Fils de Myron Milstein et de Maria Bluestein, Nathan commence l'étude du violon à l'âge de quatre ans, dans sa ville natale, avec Piotr Stoljarski, lequel fut aussi le professeur de David Oïstrakh. Il débute à l'âge de dix ans en jouant le *Concerto* de Glazounov, sous la direction du compositeur lui-même. Puis il part pour Saint-Pétersbourg en 1916, afin d'approfondir son art auprès de Leopold Auer, le maître de l'école russe du violon. L'influence d'Auer sur lui, comme sur ses illustres condisciples, Jascha Heifetz, Mischa Elman, Efrem Zimbalist, est considérable. Il l'a d'ailleurs écrit : « On ne peut guère dire en toute certitude de qui on a reçu ce que l'on sait. Mais, Auer a eu une importance capitale dans ma vie. Il ne m'a jamais, cependant, imposé ses conceptions musicales... » En 1923, il entreprend sa première grande tournée de récitals en Union soviétique, en compagnie de son ami Vladimir Horowitz, qu'il retrouvera aux États-Unis quelques années plus tard. Violoniste somptueux, Milstein a toujours été considéré comme un « monstre sacré », en U.R.S.S., d'abord, à Paris, ensuite, où il se fixe dès 1925 – époque où il parachève sa culture avec Eugène Ysaÿe, à Bruxelles –, aux États-Unis, enfin, où il se fixe en 1929.

Milstein possède un style qui se situe « entre la hauteur méditative d'un Menuhin et la fougue chaleureuse d'un Heifetz », son élégance, son panache n'entament jamais sa musicalité, immuablement noble. C'est un virtuose fabuleux qui sait ne pas faire régner tyranniquement la technique au détriment de la musique. Il joue sur un stradivarius de 1716 connu sous le nom de *ex-Goldmann* (du nom du fameux collectionneur), baptisé *Marie-Thérèse.*

Mintchev, Mintcho

Violoniste bulgare, né à Gabrovo le 17 septembre 1950.

En 1964, il travaille avec Émile Kamilarov et entre au Conservatoire dans sa classe en 1969. En 1967, il avait obtenu le 6e prix au Concours Wieniawski à Poznań. En 1970, il remporte un 2e prix au Concours Paganini à Gênes, en 1972, un 4e prix au Concours Carl Flesch à Londres et un 1er prix au même concours en 1974. De 1974 à 1977, il travaille avec Yehudi Menuhin. Il est actuellement soliste de la Philharmonie d'État de Sofia.

Minton, Yvonne

Mezzo-soprano australienne, née à Sydney le 4 décembre 1938.

Elle étudie en Australie et remporte la Canberra Opera Aria Competition en 1960 et le Prix Kathleen Ferrier en 1961. Elle débute en 1964 au City Literary Institute (Lucretia de Britten), chante dans la Haendel Opera Company et la New Opera Company, et débute au Covent Garden en 1965 : elle y incarne Marina, Ascanio, Orphée, Dorabella, Chérubin, Geneviève (*Pelléas*), Marfa (*Khovantchina*), Sextus (*La Clémence de Titus*), Waltraute, le Compositeur... Sa carrière internationale se développe à partir de 1970 par Cologne et Chicago, le Festival d'Israël en 1972, le Met en 1973, Bayreuth de 1974 à 1977 (Brangaene, Waltraute), l'Opéra de Paris depuis 1976 (Octavian), Salzbourg depuis 1977. Elle participe aux créations mondiales de *The Knot Garden* de Tippett (Théa) en 1970 et de la version intégrale de *Lulu* de Berg à Paris en 1979.

Mintz, Shlomo

Violoniste soviétique, naturalisé américain, né à Moscou le 30 octobre 1957.

Il fait ses études en Israël avec Ilona Feher jusqu'à ce qu'il gagne les États-Unis (1974) où, remarqué par Isaac Stern, il travaille avec Dorothy Day et à la Juilliard School à New York. Il fait ses débuts au Carnegie Hall en 1973 et en Europe en 1976 (Festival de Salzbourg, 1980). Il se produit sur le plan international. Il joue sur un violon Guadagnini daté de 1752.

Miranda, Ana-Maria

Soprano française et argentine, née à Paris le 9 septembre 1937.

Élève de l'École normale de Musique de Paris dont elle est licenciée (solfège, harmonie, guitare et chant), elle remporte plusieurs concours internationaux de chant. Elle débute en 1968, dans *Cosi fan tutte*, à Paris. Remarquée par Gian-Carlo Menotti, elle est engagée pour créer à l'Opéra de Lyon la version française de *La Sainte de Blecker Street*, sous la direction de Jean-Pierre Marty. Elle chante ensuite cet ouvrage en Italie et en Hollande. Engagée sur les plus grandes scènes lyriques de France, elle y tient les rôles de soprano léger du répertoire français, mais également Mozart, Donizetti, Rossini et, de Verdi, Gilda (*Rigoletto*), Oscar (*Bal masqué*) et Nanetta (*Falstaff*). Elle est invitée à la Monnaie, à la Volksoper de Vienne, au Lyric Opera de Chicago, à l'Opéra de Montréal... Parallèlement, elle conduit une carrière de concertiste, avec un très large répertoire d'oratorios (de Monteverdi à Carl Orff) ainsi qu'en récital.

Mitropoulos, Dimitri

Chef d'orchestre grec naturalisé américain (1946), né à Athènes le 1er mars 1896, mort à Milan le 2 novembre 1960.

A l'Odéon d'Athènes, il travaille le piano et la composition avant de compléter sa formation musicale à Bruxelles avec Paul Gilson (1920-21) puis à Berlin avec Busoni (1921-24). A la même époque, il est engagé à l'Opéra de Berlin comme chef de chant (1921-24). De retour à Athènes, il dirige l'Orchestre du Conservatoire (1927-30) et enseigne la composition à l'Odéon (1930). Sa carrière de chef d'orchestre se développe très rapidement : à Paris, il dirige l'Orchestre Symphonique (1932-36) et est invité par les plus grands orchestres européens. A la Philharmonie de Berlin, il remplace au pied levé Egon Petri dans le *3e Concerto* de Prokofiev qu'il joue et dirige simultanément (1930). Il réalisera la même performance à plusieurs reprises. Il fait ses débuts aux États-Unis en 1936, à Boston. L'année suivante, il est nommé à la tête de l'Orchestre Symphonique de Minneapolis (1937-49). Puis il prend la direction de l'Orchestre Philharmonique de New York : pendant deux ans, il partage le poste avec Stokowski (1949-51) avant de présider seul aux destinées de cet orchestre (1951-57). De 1954 à 1960, il dirige au Metropolitan Opera de New York. Il se passionne pour l'art lyrique et résilie ses fonctions à la Philharmonie pour se consacrer presque exclusivement au théâtre, partageant ses activités entre New York, Florence, Milan et Vienne. Il meurt en pleine gloire, à la Scala de Milan, terrassé par une crise cardiaque lors d'une répétition de la *Symphonie nº 3* de Mahler. Parmi les nombreuses créations qu'il a dirigées figurent la *Symphonie en mi bémol* d'Hindemith (1941), le *Concerto pour piano nº 3* (comme chef et soliste, 1946) et la *Symphonie nº 4* (1947) de Krenek, *Méditation et danse de la vengeance* (1956) et *Vanessa* (1958) de Barber.

Mödl, Martha

Soprano allemande, née à Nüremberg le 22 mars 1912.

Elle travaille d'abord dans une maison de commerce où elle est comptable. A l'âge de 28 ans, elle commence ses études de chant au Conservatoire de sa ville natale. Elle travaille ensuite avec Otto Mueller, à Milan. En 1943, elle débute au Théâtre municipal de Remscheid, comme Hänsel (*Hänsel et Grätel*). Durant les premières années de sa carrière, elle chante le répertoire de mezzo. De 1945 à 1949, elle est engagée comme mezzo à l'Opéra de Düsseldorf, c'est alors qu'elle découvre sa vraie voix de soprano dramatique. En 1949, elle est engagée à l'Opéra de Hambourg, où elle s'impose comme une grande wagnérienne. En 1951, lors du renouveau de Bayreuth, elle est Kundry (*Parsifal*) et Gutrune (*Tétralogie*). Dès lors, elle apparaît chaque année au Festival de Bayreuth, jusqu'en 1957, notamment comme Brünnhilde et comme Isolde. En 1950, sa *Carmen* au Covent Garden est un triomphe. En 1952, elle est appelée à l'Opéra de Vienne. Depuis 1953, elle appartient également à l'Opéra de Stuttgart. Elle est invitée à la Scala, où elle chante sous la direction de Karajan, au Covent Garden, à l'Opéra de Paris et sur toutes les grandes scènes allemandes. Elle participe également au Festival de Salzbourg. En 1956, elle débute au Met. Pour l'ouverture du nouvel Opéra de Vienne, elle chante le rôle-titre de *Fidelio* (1955). En 1963, elle participe à la réouverture de l'Opéra de Munich. En 1972, elle crée à la Städtische Oper de Berlin *Elisabeth Tudor* (Fortner). Elle chante également à Trèves la première de *Colloquio col Tango* (de Banfield) et ainsi, dès les années soixante-dix, aborde une seconde carrière dans les rôles de caractère, où son sens dramatique aigu et son grand talent de comédienne lui permettent de s'imposer de façon étonnante. Un de ses grands succès fut, à l'Opéra de Hambourg, le rôle de Madame Herring (*Albert Herring* de Britten).

Elle demeure pourtant inoubliable comme grande héroïne wagnérienne, mais également une admirable interprète de Richard Strauss.

Moffo, Anna

Soprano américaine, née à Wayne (Pennsylvanie) le 27 juin 1932.

Issue d'une famille d'origine italienne, elle poursuit ses études à Rome avec Luigi Ricci et Mercedes Llopart, puis au Curtis Institute avec Euphemia Giannini-Gregory, la sœur de la célèbre Dusolina Giannini. La Télévision italienne retient son nom pour une production de *Madame Butterfly* où elle tient le rôle-titre. Elle fait ses débuts publics à Spolete (1955), chante Zerline à Aix-en-Provence (1956) et fait ses débuts américains à Chicago (1957). Le Metropolitan Opera de New York l'accueille, dans le rôle de Violetta, en 1959. Elle y chantera régulièrement jusqu'au début des années 1970. Anna Moffo avait fait ses débuts au Covent Garden de Londres en 1964 dans le rôle de Gilda. Sa voix de soprano lyrique prend au fil des années le caractère de colorature. Sa carrière très active l'amène parfois à accepter des rôles qui ne lui conviennent pas toujours parfaitement. Anna Moffo connaît une défaillance vocale au cours des années 1974-75 qu'elle surmonte dès 1976, reprenant sa carrière en pleine possession de ses moyens.

Moglia, Alain

Violoniste français, né le 22 décembre 1943 à Montargis.

Son père est violoniste amateur. Il prend tout d'abord des leçons particulières à Mantes-la-Jolie avec un professeur du nom d'Agamemnon... Il entre ensuite au Conservatoire de Paris en 1955 et y obtient, en 1959, son 1er prix de violon. Il participe alors à un très grand nombre de formations de musique de chambre comme les orchestres Fernand Oubradous et Paul Kuentz, l'Octuor de Paris, l'Ensemble Instrumental de France, le Quatuor Via Nova et la Grande Écurie et la Chambre du Roy. De 1966 à 1973 il appartient à l'Orchestre de l'Opéra. Il fait ensuite partie, pendant deux ans, de l'Ensemble Intercontemporain. En 1978 il entre à l'Orchestre de Paris où il partage le poste de 1er violon solo avec Luben Yordanoff. Parallèlement, il mène une active carrière de musicien de chambre. Il se produit ainsi beaucoup en trio avec la pianiste Daria Hovora et le violoncelliste Etienne Peclard. Alain Moglia porte un intérêt tout particulier à la musique contemporaine et son répertoire s'enrichit des noms de Berio, Xenakis, Busoni et Roslawetz.

Moiseiwitsch, Benno

Pianiste russe naturalisé anglais (1937), né à Odessa le 22 février 1890, mort à Londres le 9 avril 1963.

Après avoir suivi les cours de Dmitry Klimov à l'Académie impériale d'Odessa, il remporte le Prix Rubinstein à l'âge de 9 ans. En 1904, Moiseiwitsch est à Vienne pour suivre les cours de Leschetizky. C'est là qu'il adopte la graphie germanique de son nom. Mais il est obligé de suivre sa famille qui quitte Vienne pour Londres. En 1908, ses débuts ont lieu à Reading, puis à Londres l'année suivante. Dix ans plus tard, il remportera un très grand succès à New York. Grand ami de Rachmaninov, il possédait son jeu apparemment impassible qui faisait merveille dans le répertoire russe et romantique en général. On disait qu'il avait appris cette impassibilité en pratiquant le poker, jeu qui le passionnait.

Molinari-Pradelli, Francesco

Chef d'orchestre italien, né à Bologne le 4 juillet 1911.

Au Conservatoire de sa ville natale, il est l'élève d'Ivaldi et Nordio puis, à l'Académie Sainte-Cécile de Rome, de Bernardino Molinari (jusqu'en 1938). Il fait ses débuts à la Scala en 1946 où il dirigera régulièrement. Directeur artistique des Arènes de Vérone en 1951, il est responsable des manifestations du 50e anniversaire de la mort de Verdi à Busseto (1951). En 1957, il débute à San Francisco, en 1959 à Vienne et, en 1966, au Met. Il continue à pratiquer le piano et accompagne souvent des récitals de mélodie.

Moll, Kurt

Basse allemande, né à Buir (Cologne) le 11 avril 1938.

Il veut d'abord devenir violoncelliste, mais bientôt se passionne pour le chant qu'il étudie également au Conservatoire de Cologne. Il débute au Théâtre municipal de Sarrebrück et se produit sur diverses scènes allemandes, dont l'Opéra de Cologne. Durant la saison 1969-70, il chante à l'Opéra de Hambourg et est aussitôt engagé dans la troupe comme membre permanent. Dès lors, il développe une étonnante carrière internationale. Dès 1968, il est invité au Festival de Bayreuth, et c'est comme interprète wagnérien qu'il s'impose dans le monde entier, en particulier avec le rôle du Roi Marke (*Tristan*) en 1974. En 1972, il triomphe à la Scala comme Osmin (*L'Enlèvement au sérail*). Cette même saison, il chante à l'Opéra de Paris dans *Les Noces de Figaro* et dans *Parsifal*. En 1973, il fait ses débuts à l'Opéra de Munich, puis chante au Vatican, devant le pape Paul VI, le *Magnificat* de Bach. Il est l'invité permanent dès lors des opéras de Munich, Vienne et Berlin, ainsi que du Festival de Salzbourg (1973). En 1974, il chante à l'Opéra de San Francisco, au Covent Garden, au Colón et au Liceo. Sa carrière se poursuit sur de nombreuses autres scènes, où il chante avec autant de musicalité, d'éclat, de profondeur et d'intensité Mozart (Sarastro, Osmin, le Commandeur,...) que Wagner (Gurnemanz, Daland, le roi Heinrich, le roi Marke...). Parallèlement, il mène une belle carrière de concertiste (oratorios, cantates, etc.) Il a participé à la création de *Der gestiefelte Kater* de Bialas (le roi) en 1975.

Montarsolo, Paolo

Basse italienne, né à Naples le 16 mars 1923.

Il commence le chant à Naples avec Enrico Conti, puis à l'École de la Scala.

En 1954, il fait ses débuts officiels à la Scala, après avoir fait partie, un certain temps, des « cadets ». Depuis 1954, il n'y a pas de saison qu'il n'apparaisse sur la première scène d'Italie. Il s'est fait une spécialité des rôles de basse-bouffe et remporte de vifs succès dans les ouvrages de Rossini, Wolf-Ferrari, Donizetti et Mozart. En 1957, il chante Mustafa (*L'Italienne à Alger*) au Festival de Glyndebourne. En 1959, il est invité au San Carlo de Naples et à l'Opéra de Rio de Janeiro. Il se produit sur toutes les scènes importantes d'Europe et d'Amérique. En 1966, il interprète *Luisa Miller* au Mai musical de Florence. En 1974, il chante à l'Opéra de Düsseldorf-Duisbourg. A Paris, il apparaît dans *Cenerentola.*

Monteux, Pierre

Chef d'orchestre français naturalisé américain (1942) né à Paris le 4 avril 1875, mort à Hancock (Maine) le 1er juillet 1964.

Né dans une famille de musiciens, il commence le violon à six ans et entre trois ans plus tard au Conservatoire. Il y travaille la musique de chambre avec Benjamin Godard, les écritures avec Lavignac et Lenepveu, et termine ses études, en 1896, avec un 1er prix de violon. A douze ans, il a l'occasion de diriger un orchestre pour la première fois. Parallèlement à ses études, il est aussi, de 1889 à 1892, 2e violon aux Folies-Bergère. En 1892, il fait partie du Quatuor Geloso. Plus tard il sera membre du Quatuor Tracol. En 1893, il est nommé premier altiste aux Concerts Colonne, poste qu'il occupera jusqu'en 1912 et où il participera à la création de *La Mer* de Debussy. Ses débuts de chef d'orchestre, il les doit à Saint-Saëns qui voulait tenir la partie de l'orgue dans une exécution de sa *3e Symphonie*. En 1906, il est sous-chef d'orchestre des Concerts Colonne. En 1910, il fonde les Concerts Berlioz au Casino de Paris. Il y est remarqué par Serge de Diaghilev qui l'engage comme chef d'orchestre des Ballets Russes pour la deuxième saison en remplacement de Gabriel Pierné. Après une tournée aux U.S.A. (1916), il est invité, de 1917 à 1919, par le Metropolitan Opera de New York. Sa carrière américaine se poursuit à la tête de l'Orchestre Symphonique de Boston (1919 à 1924). Il retourne alors en Europe où il reprend des activités de chef invité. Il sera l'un des rares à qui Willem Mengelberg confiera le Concertgebouw d'Amsterdam. En 1929, il est à la tête de l'Orchestre Symphonique de Paris et en assumera la direction jusqu'en 1938. Concurrement, de 1935 à 1952, il fait renaître de ses cendres l'orchestre Symphonique de San Francisco. En 1937, il prête même la main à la formation de l'Orchestre Symphonique de la N.B.C. et en dirigera les premiers concerts avant l'arrivée de Toscanini. De 1952 à 1961, il dirige les plus illustres phalanges. En 1961, il est nommé à la tête de l'Orchestre Symphonique de Londres, poste qu'il occupera jusqu'à sa disparition. Parmi les nombreuses pages qui ont été dédiées à Pierre Monteux, on peut citer la *1re Symphonie* « Jean de la peur » de Landowski, la *2e Symphonie* de Migot et *Prélude pour les 80 ans de Pierre Monteux* de Stravinski. Mais le nom de Pierre Monteux restera dans l'histoire comme celui du créateur de quelques pages qui comptent parmi les œuvres majeures du XXe siècle : *Jeux* (1913) de Debussy, *Valses nobles et sentimentales* (1912), *Daphnis et Chloé* (1913) de Ravel, *Pétrouchka* (1911), *Le Sacre du printemps* (1913) et *Rossignol* (1914) de Stravinski, *Symphonie no 3* (1929) de Prokofiev.

Fervent défenseur de la musique de son temps, on lui doit aussi des créations de Poulenc et Rivier. Sa direction, sobre, élégante et d'une rare précision, ouvrit la voie aux générations suivantes qui refusèrent, comme lui, les excès du post-romantisme et de l'impressionnisme.

Moore, Gerald

Pianiste anglais, né à Watford le 30 juillet 1899.

Son premier professeur, à l'École de musique de Watford, est Wallis Bandey. Sa famille émigre en 1913 au Canada ; il étudie le piano au Conservatoire de

Toronto et pense devenir soliste. Plus tard, en Angleterre, Sir Landon Ronald lui conseille de se consacrer à l'accompagnement. Dès 1925, il est l'accompagnateur de John Coates – à qui il dit beaucoup devoir – et, un an plus tard, donne ses premiers concerts à Londres. Il accompagne Chaliapine, Frida Leider, Elisabeth Schumann, Hans Hotter et surtout Kathleen Ferrier. Plus tard : Janet Baker, Christa Ludwig, Victoria de Los Angeles, Fischer-Dieskau. Il quitte la scène en 1967 et Barenboim le tire de sa retraite à Box Hill pour enregistrer. Moore a donné des conférences et présenté les concerts de midi à la National Gallery. Discret et présent, pudique et intense, il est l'accompagnateur parfait, donnant à chaque lied son climat de drame ou de poésie. Il transcende l'art de l'accompagnement et rend justice à un aspect trop dédaigné du répertoire pianistique. Il donne, dans le monde entier, des cours d'interprétation de 1949 à 1967.

ÉCRITS : *The Unshamed Accompanist* (*L'Accompagnateur sans honte*, 1943), *Singer et Accompanist* (*Chanteur et accompagnateur*, 1953), *Schubert song cycles* (1975), *Farewell recital* (mémoires, 1978), *Faut-il jouer moins fort ?*, (mémoires, 1982).

Moore, Grace

Soprano américaine, née à Jellicoe (Tennessee) le 5 décembre 1901, morte à Copenhague dans un accident d'avion le 26 janvier 1947.

Elle étudie d'abord à Nashville et Washington, avant de prendre des cours à New York avec Marafiori. Elle débute en Amérique dans des opérettes et des revues. En 1926, elle vient en Europe, étudie à Paris et à Milan, pour débuter, en 1928, au Met comme Mimi (*La Bohème*). De 1928 à 1932 et de 1934 à sa mort, elle est un des membres les plus populaires du Met. Elle est invitée à Paris, à Londres, à Amsterdan, Stockholm, Berlin et Vienne. En 1930, elle entreprend une des plus brillantes carrières qu'une cantatrice ait eue au cinéma. Son film le plus important est *One Night of Love* (1935). Elle tourne également une version filmée de *Louise* de Charpentier. Ses plus grands succès, elle les doit au répertoire lyrique italien et français.

ÉCRITS : *You're Only human Once* (1944), autobiographie.

Moralt, Rudolf

Chef d'orchestre allemand, né à Munich le 26 février 1902, mort à Vienne le 16 décembre 1958.

Il est le neveu de Richard Strauss. A Munich, il fait des études musicales et universitaires avant de débuter comme chef des chœurs à l'Opéra (1919-23). Il est ensuite chef d'orchestre à Kaiserslautern (1923-28), directeur général de la musique au Théâtre Allemand de Brno (1928-30), à Kaiserslautern à nouveau (1932-34), Brunswick (1934-36) et Graz (1937-40). En 1937, il débute, comme invité, à l'Opéra de Vienne, où il sera 1er chef de 1940 à sa mort. Chef d'orchestre peu connu et mort prématurément, Moralt était l'une des figures marquantes de sa génération et a laissé notamment des enregistrements mozartiens de très haut niveau. Il participait au Festival de Salzbourg depuis 1952.

Moravec, Ivan

Pianiste tchécoslovaque, né à Prague le 9 novembre 1930.

Il travaille au Conservatoire de Prague dans la classe de A. Grünfeldova de 1946 à 1950. Il étudie à l'Académie des arts de Prague sous la direction de I. Stepanova-Kurzova de 1950 à 1951. En 1957 et 1958, il suit les cours d'interprétation d'Arturo Benedetti-Michelangeli. Il se produit dans son pays, débute aux États-Unis sous la direction de George Szell en 1964. Il est actuellement professeur à l'Académie des arts de Prague.

Morel, Jean

Chef d'orchestre français, né à Abbeville le 10 janvier 1903, mort à New York le 14 avril 1975.

Il travaille au Conservatoire de Paris avec I. Philipp (piano), N. Gallon, M. Emmanuel, G. Pierné et R. Hahn. Très vite, il se tourne vers l'enseignement : de 1921 à 1936, il est professeur au Conservatoire américain de Fontainebleau tout en dirigeant la plupart des orchestres parisiens. Il se produit notamment avec l'Orchestre National (1936-39) et succède à Pierre Monteux à la tête de l'Orchestre Symphonique de Paris (1938). A la déclaration de guerre, il se fixe aux États-Unis où il enseigne d'abord au Brooklyn College (1940-43) puis à la Juilliard School de New York (1949-71). Il dirige le New York City Symphony Orchestra (1942-52), et est invité régulièrement par les opéras de Mexico (1943-48), San Francisco, New York City (1944-52), ainsi qu'au Met (1956-71). Avec l'Orchestre Philharmonique de New York, il enregistre plusieurs disques. Pédagogue éminent, il a exercé une influence importante sur toute une génération de chefs d'orchestre.

Morini, Erica

Violoniste autrichienne, naturalisée américaine, née à Vienne le 5 janvier 1904.

Elle fait toutes ses études au Conservatoire de Vienne, en particulier, pour le violon, avec Otakar Ševčik. Ses débuts publics ont lieu, sur l'invitation d'Arthur Nikisch, en 1918, avec l'Orchestre du Gewandhaus de Leipzig, puis avec la Philharmonie de Berlin. En 1920, elle débute aux États-Unis, au Metropolitan Opera de New York, sous la direction de Bodansky, puis, en récital au Carnegie Hall. Erica Morini est considérée comme l'une des rares très grandes violonistes de réputation mondiale, au même titre qu'Ida Haendel ou que Ginette Neveu. Particularité de sa technique, elle joue sans mentonnière. Son violon est un Guadagnini ayant appartenu à Maud Powell.

Morris, Wyn

Chef d'orchestre gallois, né à Trlech le 14 février 1929.

Après avoir étudié à la Royal Academy of Music de Londres, il se perfectionne au Mozarteum de Salzbourg. En 1954, il fonde l'Orchestre Symphonique Gallois qu'il dirige pendant trois ans. Puis George Szell l'invite à Cleveland commc « observer » : il y dirige un orchestre de chambre et la Chorale Orpheus tout en suivant le travail du grand chef d'orchestre (1957-60). A son retour, il est nommé à la tête de la Royal Choral Society (1968-70) puis de la Huddersfield Choral Society (1969-74). Grand spécialiste de Mahler dont il dirige l'intégrale des symphonies à Londres, il a enregistré sa *10e Symphonie* dans la seconde réalisation de D. Cooke.

Moser, Edda

Soprano allemande, née à Berlin le 27 octobre 1941.

Fille du musicologue Hans Joachim Moser, elle commence le chant avec Hermann Weissenborn et Gerty König, à Berlin. Elle fait ses débuts comme Kate Pinkerton (*Madame Butterfly*) à l'Opéra de Berlin. Après avoir chanté une année comme choriste au Théâtre municipal de Würzbourg, puis des petits rôles dans de petits opéras, elle rencontre Hans-Werner Henze qui l'invite à Londres pour y chanter en concert deux de ses cantates. L'année suivante, elle chante à Salzbourg Wellgunde (*L'Or du Rhin*) sous la direction de Karajan. En novembre de la même année, en tournée avec la troupe de Salzbourg, elle se produit au Met. Elle est invitée à l'Opéra de Francfort, de Hambourg, au Grand-Théâtre de Genève, à Paris... tout en s'imposant comme interprète en concert de Bach ainsi que de compositeurs contemporains. En 1970, elle chante au Met la Reine de la Nuit (*La Flûte enchantée*) qui sera son rôle mascotte pendant quelques années. Elle chante, cette même saison, à Moscou, Kiev, Odessa et Tallinn (Reval). En 1971, elle est Aspasia (*Mithridate*) au Festival de Salzbourg, Donna Anna (*Don Giovanni*) au Festival d'Aix-en-Provence et Constance (*L'Enlèvement au Sérail*) à l'Opéra de Vienne. Désormais membre de l'Opéra de Vienne, elle se produit également dans les opéras de Munich et de Hambourg, où elle remporte un grand succès comme *Lucia di Lammermoor*. En 1974, elle chante au Carnegie Hall de New York et au Met.

Motard, Alain

Pianiste français, né à Nice le 21 janvier 1928.

Il fait ses études au Conservatoire de Nice où il obtient en 1948 un prix d'excellence. Il remporte en 1949 le Prix triennal de Toulon. C'est à Paris qu'il poursuit ses études avec Marguerite Long et Jacques Février. Lauréat du Concours Marguerite Long-Jacques Thibaud en 1957, il est professeur au Conservatoire de Ville-d'Avray depuis 1973 et mène une carrière internationale. Il a enregistré le *Concerto breve* de Jean Rivier.

Mottl, Felix

Chef d'orchestre autrichien, né à Unter-Sankt-Veit (Vienne) le 24 août 1856, mort à Munich le 2 juillet 1911.

Il commence ses études musicales au Convict de Loewenburgh où étaient formés les chanteurs de la Chapelle Impériale. Puis il est l'élève de Bruckner au Conservatoire de Vienne. En 1876, Hans Richter le fait nommer assistant à Bayreuth pour la création de *La Tétralogie*. En 1880, il succède à Dessoff comme directeur général de la musique à Karlsruhe. Il y présente notamment la 1re exécution intégrale des *Troyens* de Berlioz, *Gwendoline* et *le Roi malgré lui* de Chabrier, et crée le 1er acte du *Roi Arthus* de Chausson (1900). A partir de 1885, il dirige régulièrement à Bayreuth. Le Covent Garden de Londres l'invite (1898-1900) pour diriger les ouvrages de Wagner. En 1903, il quitte Karlsruhe pour Munich où il est d'abord 1er chef d'orchestre puis directeur général de la musique (1907-11) et directeur du Conservatoire.

En dehors du répertoire wagnérien, Mottl était un fervent défenseur de Berlioz, Liszt et Chabrier qu'il fit connaître en Allemagne. Il a orchestré la *Bourrée fantasque* et les *Valses romantiques* de Chabrier, ainsi que les *Wesendonck Lieder* de Wagner.

Mouillère, Jean

Violoniste français, né à Angers le 31 juillet 1941.

Il travaille au Conservatoire de Paris avec Roland Charmy et Joseph Calvet. Il remporte un 1er prix de violon (1960) et un 1er prix de musique de chambre (1963). En 1962, il étudie à Tanglewood et obtient, l'année suivante, le prix spécial au Concours international de Munich. Il est l'un des fondateurs du Festival de Corse et du Festival de La Plagne. Après des débuts de soliste remarqués, il se consacre presque exclusivement à la musique de chambre. En 1968, il fonde et anime le Quatuor Via Nova, dont il est le premier violon. Il joue, en sonate ou en trio avec Jean-Bernard Pommier, Bruno Rigutto, Jean Hubeau, Georges Solchany, Michèle Boegner, Michel Beroff, Frédéric Lodéon... En 1978, il reçoit le Prix Georges Enesco de la S.A.C.E.M. Très attiré par la pédagogie, il enseigne pendant deux ans à l'Académie du Languedoc puis, à partir de 1980, à l'Académie internationale d'été de Nice. En 1981, il est professeur au Conservatoire de Paris. En 1980 et 1981, il enseigne également à Pékin dans le cadre de la mission pédagogique française. Au sein d'une discographie abondante, il faut retenir sa participation aux intégrales de la musique de chambre de Fauré et de Schumann. Il a créé le *Concerto pour violon* de Graciane Finzi. Son violon est un Guadagnini de 1774.

Moyse, Marcel

Flûtiste français, né à Saint-Amour le 17 mai 1889, mort à Brattleboro (Vermont) le 1er novembre 1984.

Il étudie au Conservatoire de Paris dans les classes de Paul Taffanel, Adolphe Hennebains et Philippe Gaubert. Il obtient son 1er prix de flûte en 1906. Il débute en 1908 dans l'Orchestre Pasdeloup ainsi qu'à la Société des Concerts du Conservatoire. De 1913 à 1938, il est flûte solo à l'Opéra-Comique ainsi qu'aux Concerts Straram (1922-33). Il est nommé professeur au Conservatoire de Paris en 1932 et enseigne jusqu'en 1949. Il est membre du conseil supérieur de la Radiodiffusion française de 1936 à 1939. En 1933, il forme le Trio Moyse composé de son fils Louis Moyse et de sa belle-fille Blanche Honegger-Moyse, violoniste – trio qui se produira dans le monde entier. Il a joué sous la direction des plus grands chefs de son temps : Toscanini, Walter, Mengelberg, Klemperer, Strauss... En 1934, il a créé le *Concerto* de Jacques Ibert. Roussel lui a dédié ses *Joueurs de flûte*.

Martinů et Milhaud ont écrit chacun un concerto pour flûte et violon qu'il a créés avec Blanche Honegger-Moyse. En 1952, il a participé à la fondation de l'École de musique du Festival de Marlboro avec Rudolf Serkin et Adolf Busch. Son influence sur les jeunes générations de flûtistes a été considérable. Il a donné des cours en Suisse, au Japon, aux États-Unis...

Mravinski, Evgeni

Chef d'orchestre soviétique, né à Saint-Pétersbourg le 4 juin 1903.

Il travaille au Conservatoire de sa ville natale jusqu'en 1931 avec Scherbachov, Gaouk et Malko tout en étant pianiste à l'École des Ballets (1921-30). En 1931, il est nommé 2e chef au Théâtre Kirov puis 1er chef l'année suivante. Il conserve ces fonctions jusqu'en 1938, lorsqu'il remporte le Concours fédéral de direction d'orchestre de l'U.R.S.S., ce qui lui vaut d'être nommé directeur musical de la Philharmonie de Leningrad. Il enseignera également au Conservatoire. Mravinski a fait de son orchestre l'une des plus belles formations du monde, capable de s'adapter à tous les répertoires. Son répertoire de prédilection tourne autour de Tchaïkovski et des grands classiques du XXe siècle (Bartók, Honegger, Debussy). Il a créé plusieurs œuvres de Prokofiev. Très lié avec Chostakovitch jusqu'à ce que les événements politiques les séparent au début des années soixante, il a reçu en dédicace sa *Symphonie no 8* qu'il a créée en 1943. Il a également dirigé en 1re audition les *Symphonies no 5* (1937), *no 6* (1939), *no 9* (1945) et *no 10* (1953), *Le Chant des forêts* (1949), les *Concertos pour violon no 1* (1955) et *pour violoncelle no 1* (1959) de Chostakovitch.

Muck, Karl

Chef d'orchestre allemand, né à Darmstadt le 22 octobre 1859, mort à Stuttgart le 3 mars 1940.

Il étudie à Heidelberg et à Leipzig où il est diplômé du Conservatoire et de l'Université (docteur en philosophie). Après des débuts, comme chef des chœurs, à Zürich, il est attaché comme chef d'orchestre aux opéras de Salzbourg, Brno et Graz avant d'être nommé au Théâtre Allemand de Prague (1886-92). C'est avec cette troupe qu'il dirige pour la première fois la *Tétralogie* à Moscou et Saint-Pétersbourg en 1889. Il va ensuite passer vingt ans à Berlin, comme 1er chef (1892-1908) puis directeur général de la musique à l'Opéra (1908-12). Pendant cette période, il dirige 103 ouvrages différents dont 35 contemporains ! A Bayreuth, il est invité à partir de 1901 et y dirigera *Parsifal* jusqu'en 1930, créant ainsi une solide tradition. De 1903 à 1906, il est chef associé de la Philharmonie de Vienne, pendant la direction de Mahler. Il passe une saison à la tête de l'Orchestre Symphonique de Boston (1906-07) dont il deviendra le directeur musical à l'expiration de son contrat berlinois (1912-18) : il y réalise son premier disque en 1917. Cette période se termine mal pour lui car il est emprisonné comme ennemi, au moment de la défaite allemande. Revenu en Europe, il assure la direction de la Philharmonie de Hambourg de 1922 à 1933. Grand chef d'opéra, fervent wagnérien, il avait un sens dramatique profond et pratiquait des tempos très lents que l'on retrouve dans les enregistrements qu'il a réalisés à Bayreuth.

Mule, Marcel

Saxophoniste français, né à Aube le 24 juin 1901.

Il commence ses études musicales dans une tout autre discipline, le violon, puis travaille l'harmonie avec Caussade au Conservatoire de Paris. Il aborde le saxophone à son adolescence et, épris de l'instrument, il s'y consacre totalement. On le retrouve entre 1923 et 1936 comme soliste à la Musique de la Garde Républicaine. Durant cette période, en 1928, il fonde le Quatuor de saxophones de ce groupement, lequel devient plus tard le Quatuor de saxophones de Paris. Professeur, à partir de 1942, au Conservatoire de Paris, par ailleurs, membre ou président de nombreux concours internationaux ou nationaux (Aix-les-Bains, en particulier), il a transcrit de nombreuses œuvres pour son instrument et, ainsi, favorisé l'ascension constante de celui-ci dans le domaine symphonique.

Plusieurs compositeurs ont écrit pour lui, notamment Vellones (*Concerto*), Bozza (*Concertino*), Tomasi (*Ballade*), Ibert (*Concertino da Camera*)... Avec son quatuor, il a créé le *Quatuor* de Glazounov et le *Petit quatuor* de Françaix.

Mule, Pol

Chef d'orchestre français, né à Beaumont-le-Roger le 16 juillet 1926.

Issu d'une famille de musiciens, il travaille très tôt le solfège et le piano sur les conseils de son père Marcel Mule. Dès 1940, il étudie l'écriture musicale avec Jean Gallon, Paule Maurice, Pierre Lantier et Henri Challan. Il est admis, en 1942, au Conservatoire de Paris dans la classe de flûte de Gaston Crunelle. Il obtient en 1944 un 1er prix de flûte, premier nommé à l'unanimité. L'année suivante, il remporte un 1er prix de musique de chambre dans la classe de Fernand Oubradous. Pendant deux ans, il travaille la direction d'orchestre avec André Cluytens puis, au Conservatoire, avec Louis Fourestier. Il remporte un 1er prix en 1951. De 1952 à 1962, il mène une carrière de chef invité. Il est nommé, en 1962, chef permanent de l'Orchestre de la Radio de Nice, formation à laquelle il se consacrera jusqu'en 1974. Il participe à la création du Festival du jeune soliste d'Antibes-Juan-les-Pins et dirige la classe d'orchestre du stage franco-allemand d'Annecy (1971). Depuis 1980, il est directeur adjoint du Conservatoire de Marseille.

Müller, Maria

Soprano allemande, née à Theresienstadt (Bohême) le 29 janvier 1889, morte à Bayreuth le 15 mars 1958.

Elle étudie le chant au Conservatoire de Prague, puis avec Erik Schmedes à Vienne. Elle débute en 1919 au Théâtre municipal de Linz, comme Elsa (*Lohengrin*). En 1920-21, elle chante au Théâtre municipal de Brünn, en 1921-23, au Théâtre allemand de Prague. En 1924-25, elle est engagée à l'Opéra de Munich ; elle répond ensuite à l'appel du Met de New York, à la troupe duquel elle appartient jusqu'en 1935, avant tout comme wagnérienne. Elle y fait ses débuts comme Sieglinde (*La Walkyrie*). En 1932, elle chante Maria lors de la première de *Simon Boccanegra*. En 1926, elle est engagée à la Städtische Oper de Berlin ; en 1927, à l'Opéra de Berlin où elle remporte un immense succès. Elle est invitée régulièrement à l'Opéra de Vienne, ainsi qu'à la Scala, à l'Opéra de Paris, au Covent Garden, à Hambourg, Dresde, Bruxelles et Amsterdam. En 1930, elle chante pour la première fois à Bayreuth (Elisabeth) où elle reviendra jusqu'en 1944 (Elsa, Eva, Sieglinde, Senta, Gutrune). Elle chante également au Festival de Salzbourg. Jusqu'en 1945, elle appartient à la troupe de l'Opéra de Berlin. Après la Deuxième Guerre mondiale, elle apparaît encore comme Sieglinde, Elisabeth et Ariane sur la scène de la Städtische Oper de Berlin. Elle termine sa vie à Bayreuth. Sa voix de soprano, lumineuse et claire, était soulignée par un sens très aigu et très fin de l'interprétation, ce qui lui permit d'aborder un très vaste répertoire, tant à la scène qu'en concert.

Muller, Philippe

Violoncelliste français, né à Mulhouse le 20 avril 1946.

Il est âgé de sept ans quand son professeur, Dominique Prete, lui donne ses premières leçons de violoncelle. En 1963, il se rend à Paris et suit au Conservatoire les cours d'André Navarra. 1er prix en 1967, il continue à se perfectionner au contact des plus grands interprètes, notamment Paul Tortelier et Mstislav Rostropovitch. Depuis 1976, il enseigne la musique de chambre comme assistant de Jean Hubeau au Conservatoire de Paris. Parallèlement à une carrière de soliste, il joue en trio avec Jean-Jacques Kantorow et Jacques Rouvier. Il est membre de l'Ensemble Intercontemporain. Son répertoire est très large, de la musique baroque aux compositions contemporaines.

Münch, Charles

Chef d'orchestre français, né à Strasbourg le 26 septembre 1891, mort à Richmond (Virginie) le 6 novembre 1968.

Né dans une famille de musiciens (il est le neveu d'Albert Schweitzer), il reçoit une formation de violoniste au Conservatoire de sa ville natale où son père Ernest (1859-1928) enseigne déjà l'orgue. Puis il vient se perfectionner à Paris avec Lucien Capet et à Berlin avec Carl Flesch. Enrôlé dans l'armée allemande comme sujet alsacien, il ne débute qu'après la guerre : il est professeur au Conservatoire de Strasbourg (1919-26) et violon solo à l'Orchestre Municipal. De 1926 à 1932, il est professeur au Conservatoire de Leipzig et violon solo au Gewandhaus sous la direction de Furtwängler et Bruno Walter. Il dirige même certains concerts de sa place de violoniste à la Thomaskirche. Mais ses véritables débuts de chef d'orchestre ont lieu à Paris en 1932. Il travaille avec Alfred Szendrei et, très vite, il s'impose comme l'un des chefs marquants de sa génération : il fonde l'Orchestre Philharmonique de Paris qu'il dirige de 1935 à 1938, il est professeur de violon à l'École normale de musique (1936), 1er chef au Festival de la S.I.M.C. à Berlin (1937) et chef permanent de la Société des Concerts du Conservatoire (1938-46). En 1939, il est nommé professeur de direction d'orchestre au Conservatoire. Après la guerre, sa carrière se développe au niveau international et il est l'invité régulier de l'Orchestre National avec lequel il part en tournée aux U.S.A. en 1948. L'année suivante, il remplace Koussevitzki à la tête de l'Orchestre Symphonique de Boston (1949-62) puis à la direction du Berkshire Music Center de Tanglewood (1951-62). De 1956 à 1958, il est également président-chef d'orchestre des Concerts Colonne. En 1967, il fonde l'Orchestre de Paris dont il est le premier directeur musical. Il meurt aux États-Unis au cours d'une tournée à la tête de cet orchestre. Personnalité marquante de la musique française, Münch était l'exemple parfait de l'autodidacte en matière de direction. L'instinct occupait une place prépondérante dans ses prestations qui changeaient considérablement d'un jour à l'autre. Il possédait un magnétisme étonnant qui envoûtait les orchestres avec lesquels il avait toujours des rapports extrêmement chaleureux, voire affectueux. Bien qu'ayant eu plusieurs disciples et élèves, on ne peut pas dire qu'il ait fait école tant sa façon de diriger était originale et inimitable. A une époque où la direction d'orchestre en France s'isolait dans une esthétique trop étroite, il a su l'ouvrir aux influences et aux styles des écoles étrangères, notamment germaniques. Il était pourtant un champion de la musique française, incarnant Berlioz avec une passion débordante, faisant rayonner Debussy, Ravel, Fauré ou Roussel aussi bien que tous les jeunes compositeurs qu'il a imposés et qui ont écrit pour lui.

Parmi les créations qu'il a assurées : *Symphonies n° 3* (1946) *et 5* (1951) de Honegger (qui lui sont dédiées), *Symphonie n° 1* de Jolivet (1953), *Symphonie n° 2* de Schmitt (1958), *Symphonie n° 2* de Dutilleux (1959), *Symphonie n° 6* de Milhaud (1955), *Symphonie n° 6* (1955), *Concerto grosso* et *Paraboles* (1959) de Martinů, *Bostoniana* (1963) de Ibert, *Gloria* (1961) de Poulenc, *Concerto pour orchestre n° 5* (1955) de Petrassi, *Scènes symphoniques* (1957) de von Einem, *Ode Symphonique* (1956) de Copland, *Prayers of Kierkegaard* (1954) et *Die Natali* (1960) de Barber, *Symphonie n° 6* (1955) de Piston, *Symphonie n° 7* (1960) de William Schuman, *Symphonie n° 3* (1957) de Sessions, *Symphonie n° 11* (1956) de Villa-Lobos ainsi que de nombreuses œuvres de Rivier, Tansman, Ropartz, Barraud...

ÉCRITS : *Je suis chef d'orchestre* (1954).

Münch, Fritz (Ernest Frédéric Münch)

Chef de chœur français, né à Strasbourg le 2 juin 1890, mort à Niederbronn-les-Bains le 10 mars 1970.

Frère aîné de Charles Münch, il fait des études musicales et de théologie dans sa ville natale, qu'il poursuit à Berlin et à Leipzig avant de devenir pasteur. Il succède à son père Ernest à la tête des Chœurs de Saint-Guillaume de Strasbourg (1924-61). Il sera également directeur du Conservatoire de Strasbourg (1929-61), des concerts municipaux (1945-49) et de l'Institut de musicologie (1949-58). Il a créé le *Stabat Mater* de Poulenc (1951).

Münchinger, Karl

Chef d'orchestre allemand, né à Stuttgart le 29 mai 1915.

Après une première formation musicale à Stuttgart, il suit à la Hochschule de cette ville l'enseignement de la direction d'orchestre dans la classe de Carl Leonhardt, tout en étudiant la composition, à laquelle il envisage un moment de se consacrer. Son culte de Bach remonte à cette époque. Il travaille à Leipzig avec Hermann Abendroth, puis avec Clemens Krauss à Salzbourg. L'appui de Furtwängler encourage ses premières prestations comme chef de l'Orchestre Symphonique de Hanovre (1941-43). Dès la fin de la guerre (1945), il crée l'Orchestre de Chambre de Stuttgart, pionnier du genre et modèle pour les futurs ensembles italiens. Il offre dès 1951 une interprétation exemplaire des *Concertos brandebourgeois* de Bach et la seconde version au catalogue discographique des *Quatre Saisons* de Vivaldi (avec Reinhold Barchet comme violon solo). Ses interprétations symbolisent un classissisme magistral, fait de rigueur, de clarté, d'un respect absolu des tempos. Ces conceptions caractéristiques le démarquent profondément de la fantaisie « à l'italienne » et des recherches récentes sur l'instrumentation « baroque », dont il minimise l'importance.

Dès 1957, son répertoire s'élargit aux classiques (Haydn et Mozart), et il fonde même, en 1966, un nouvel orchestre : la Klassische Philharmonie Stuttgart. Mais c'est dans le répertoire baroque qu'il reste exemplaire.

Munclinger, Milan

Flûtiste et chef d'orchestre tchécoslovaque, né à Košice le 3 août 1923.

Il fait ses études musicales au Conservatoire de Prague (1942-48) et à l'Académie des arts de cette même ville (1946-50). Ses professeurs sont Talich, Doležil et Dědecěk. Il travaille également la composition avec K. Janecěk et Krejči. Pendant la guerre, il est flûtiste à l'Orchestre du Gewandhaus de Leipzig. Il fait ses débuts de chef d'orchestre en 1948 et fonde, en 1951, l'Ensemble Ars Rediviva de Prague avec lequel il se consacre au répertoire classique et baroque. Il fait également partie du Quintette à Vent de Prague et concilie les carrières de flûtiste et de chef d'orchestre. Il a joué un rôle essentiel dans le renouveau de la musique écrite en Bohême au XVIIIe siècle. Il enseigne à l'Académie de musique de Prague.

Munrow, David

Flûtiste et musicologue anglais, né à Birmingham le 12 août 1942, mort à Chesham Bois le 15 juin 1976.

Il fait ses études à la King Edward's School. Très tôt, il se met à l'étude du piano, du basson et du chant, mais c'est dans le jeu de la flûte à bec qu'il acquiert une maîtrise incontestable. A dix-huit ans, il quitte l'école et part pour l'Amérique du Sud sous les auspices du British Council Overseas Voluntary Scheme. Il enseigne alors au Markham College (Pérou) et étudie surtout les traditions populaires vivantes concernant notamment les flûtes boliviennes, les instruments à vent péruviens et des douzaines d'autres instruments de toutes formes et tailles. Revenu à Cambridge, il termine ses études universitaires et se spécialise dans la recherche concernant la musique médiévale et renaissante, à l'Université de Birmingham (1965-68). Il enseigne pendant un an à l'École de Grammaire de George Dixon puis entre à la Royal Shakespeare Company Wind Band en tant que bassoniste ; mais le directeur musical, Guy Woolfenden, lui fournit bientôt l'occasion d'utiliser les ressources de la collection d'instruments anciens qu'il a réunie (cromornes, rauschpfeifen,...). En 1967, il devient conférencier d'histoire de la musique à l'Université de Leicester, et fonde le Early Music Consort of London. Pied Pipper invite Munrow à présenter une série d'émissions à la B.B.C. à partir de l'automne 1971. Elles connaissent un succès étonnant et, en mai 1976, le nombre atteint 655 ! En 1969, Munrow devient professeur de flûte à bec à l'Académie Royale de Musique (Londres) et sa carrière d'interprète ne cesse de grandir.

Le caractère extrêmement vivant, voire exubérant de son jeu, allié à la souplesse des voix, à la délicatesse raffinée, à la justesse instrumentale de l'ensemble, associé enfin à une connaissance musicologique en pleine mutation, confère aux interprétations qu'il a dirigées une richesse précieuse. Un accident d'automobile a privé la musique d'un de ses plus fervents et de ses plus doués défenseurs. Son influence sur la génération de cette fin de siècle continue d'être vivifiante.

ÉCRITS : *Instruments of the Middle Ages and Renaissance* (1976).

Muratore, Lucien

Ténor français, né à Marseille le 29 août 1876, mort à Paris le 16 juillet 1954.

Il étudie la musique au Conservatoire de Marseille, mais débute comme comédien à l'Odéon aux côtés de Sarah Bernhardt. Après avoir repris ses études de chant au Conservatoire de Paris, il débute à l'Opéra-Comique en 1902 en créant *La Carmélite* de Reynaldo Hahn. En 1904, il est Werther à la Monnaie de Bruxelles. En 1905, il entre dans la troupe de l'Opéra de Paris en remplaçant, au pied levé, le ténor Affre dans le rôle de Renaud de l'*Armide.* Puis viennent les débuts officiels dans *Faust,* ouverture d'une magnifique carrière durant laquelle il crée de nombreux ouvrages : *La Catalane* (Le Borne), *Monna Vanna* (Février), *Le Miracle* (Hue), *Roma* et *Ariane* (Massenet). En 1913, il incarne Ulysse lors de la 1re parisienne de *Pénélope* (Fauré). Jusqu'en 1920, il chante un peu partout dans le monde : Buenos Aires, Chicago (1913-20), New York... Aux États-Unis, il tourne des films muets. En 1933, il est la vedette du film (parlant) *Le Chanteur inconnu.* C'est dans *Orphée aux enfers* d'Offenbach qu'il termine sa carrière de chanteur, assurant ensuite et pour quelques mois seulement la direction de l'Opéra-Comique tout en se consacrant à l'enseignement.

Murray, Ann

Mezzo-soprano anglaise, née à Manchester le 27 août 1949.

Elle étudie le chant avec Frederick Cox au Royal College of Music de Manchester, puis se rend à Londres afin d'y poursuivre ses études à l'Opera Center. Elle se fait connaître grâce à une émission de télévision, sous la direction de Raymond Leppard. Elle est la seule cantatrice à obtenir la bourse de la Fondation Gulbenkian, pendant trois ans. Elle débute avec le Scottish Opera, où elle chante Zerline (*Don Giovanni*), Orlofski (*La Chauve-Souris*) ainsi que le rôle-titre d'*Alceste.* Engagée à l'English National Opera, elle chante Isolier (*Le Comte Ory*), Didon (*Didon et Énée*) et le rôle-titre de *La Cenerentola.* En 1976, elle est engagée au Covent Garden où elle débute avec Chérubin (*Les Noces de Figaro*). Elle y chante ensuite Siebel (*Faust*), *Ascanio in Alba,* Tebaldo (*Don Carlos*). Au Festival de Glyndebourne, elle fait ses débuts dans le rôle de Minerve du *Retour d'Ulysse* (Monteverdi). Elle donne de nombreux concerts. En 1978, elle est invitée au Festival de Aix-en-Provence comme Bradamante (*Alcina*). A l'Opéra de Cologne, elle chante les rôles-titres de *La Cenerentola* et de *La Périchole* ; elle est aussi Niklausse (*Les Contes d'Hoffmann*), Chérubin et Dorabella. En 1979, à l'Opéra de Hambourg, elle chante le Compositeur (*Ariane à Naxos*). Parallèlement, elle est engagée au New York City Opera, où elle est Sextus de *La Clémence de Titus*, rôle qu'elle reprend à Zürich en 1981. Elle débute au Festival de Salzbourg en 1982 et, en 1984, à la Scala de Milan dans *Lucio Silla* de Mozart.

Muti, Riccardo

Chef d'orchestre italien, né à Naples le 28 juillet 1941.

Son père, médecin, facilite ses études. Très tôt, Riccardo choisit la musique, mais il mène parallèlement des études secondaires jusqu'à l'Université (philosophie). Après avoir fait du piano dans son enfance, il entre au Conservatoire de Naples (son professeur est Vincenzo Vitale, élève de Cortot). Il remplace au pied levé un camarade à la tête de l'Orchestre des jeunes du Conservatoire, et, attiré par la direction, se rend à Milan, où il travaille au Conservatoire avec Antonino Votto. Diplômé à Milan, en 1966, il remporte le 1er prix du Concours Guido Cantelli, en 1967. L'année suivante, il donne son premier concert au Mai Musical de Florence avec, en soliste, Sviatoslav Richter. Il est engagé comme chef permanent à Florence (1969-73) et deviendra directeur de la musique du Mai musical (1973-82). Il fait ses débuts au Festival de Salzbourg en 1971. Deux ans plus tard, il succède à Klemperer à la tête du Philharmonia Orchestra (1973-82). En 1977, il est « principal guest » de l'Orchestre de Philadelphie dont il prend la direction musicale en 1980. A Florence, en 1972, il donne la première version intégrale de *Guillaume Tell*. Il travaille à une renaissance de l'opéra, dans cette ville de grande tradition. Il monte *Agnès de Hohenstaufen* de Spontini, l'*Africaine*, *Attila*, *I Masnadieri* et ses premiers enregistrements exaltent Verdi qu'il dirige avec lyrisme, chaleur, vitalité ; *Aïda*, *Un Bal masqué* témoignent de son sens dramatique. Il défend aussi la musique de son temps, mettant au programme de ses concerts : Britten, Dallapiccola, Hindemith, Ligeti, Petrassi et Chostakovitch (il a assuré la création italienne de sa *13e Symphonie* en 1970). En 1986, il succède à Claudio Abbado comme directeur de la musique à la Scala de Milan.

Mutter, Anne-Sophie

Violoniste allemande, née à Rheinfelden (Bade) le 29 juin 1963.

Elle aborde, dès l'âge de cinq ans, le piano, puis le violon avec Erna Honigberger, une élève de Carl Flesch. En 1970, elle remporte le Concours fédéral Jugend musiziert (R.F.A.) dans sa discipline avec en outre un 1er prix de piano à quatre mains en compagnie de son frère Christoph. Elle se représente en 1974 au même concours et le remporte à nouveau. A la mort de son professeur, elle est prise en charge au Conservatoire de Winterthur (Suisse) par Aïda Stucki, autre élève de Carl Flesch. Elle a treize ans quand Karajan la remarque et la fait venir à Berlin pour une audition. Il l'engage comme soliste avec la Philharmonie de Berlin en 1977. Depuis cette date, elle a joué sous la direction de nombreux chefs dont Dohnányi, Sawallisch, Mehta et Rostropovitch. Anne-Sophie Mutter joue sur un violon de Nicolo Gagliano. Son second frère, Andrea, est également violoniste.

Muzio, Claudia
(Claudina Muzio)

Soprano italienne, née à Pavie le 7 février 1889, morte à Rome le 24 mai 1936.

Son père fut metteur en scène au Covent Garden puis au Met ; sa mère appartenait au chœur du Met. Elle étudie chez la Casaloni à Turin. En 1911, elle débute dans le rôle-titre de *Manon Lescaut* (Puccini) au Théâtre Petrarca, à Arezzo. L'année suivante, elle obtient un succès foudroyant au Théâtre dal Verme à Milan. En 1913-14, elle chante à la Scala Desdémone (*Otello*) et Fiora (*L'Amour des trois rois* de Montemezzi). Puis elle triomphe au San Carlo de Naples, au Covent Garden. En 1915, elle chante à l'Opéra de La Havane. L'année suivante, elle débute au Met avec *Tosca*. Elle en sera la prima donna jusqu'en 1921. En 1918, elle y crée le rôle de Giogetta (*Il Tabarro*) ; en 1920, elle y chante Tatiana lors de la première d'*Eugène Onéguine*. Elle chante ensuite à Chicago, au Colón de Buenos Aires où elle participe à la première de *Turandot* (1926), à l'Opéra de La Havane, à celui de Rio de Janeiro. A partir de 1926, elle rentre en Italie, où elle va de triomphe en triomphe. En 1934, elle retourne au Met où elle chante *Traviata* et Santuzza (*Cavalleria Rusticana*). En 1934, elle crée à l'Opéra de Rome *Cecilia* de Licino Refice. Pour l'ouverture de l'Opéra de San Francisco, elle chante *Tosca*, en 1934. En 1935, elle entreprend une immense tournée en Amérique du Sud, mais elle tombe malade au printemps 1935, ce qui l'oblige de rentrer à Rome.

Sa qualité d'interprète, ajoutée à la musicalité exceptionnelle de son jeu la firent appeler « la Muse du chant ».

Myrat, Alexandre

Chef d'orchestre grec naturalisé français (1977), né à Volos le 21 octobre 1950.

Après des études musicales à Athènes, il est remarqué en 1966 par Igor Markevitch dont il suit les cours à Madrid et Monte-Carlo. Il travaille également avec Nadia Boulanger (1967-69). A 20 ans, il dirige son premier concert avec l'Orchestre de Monte-Carlo. A partir de 1971, il prend une part active aux côtés de Max Deutsch au sein de l'Association des Grands Concerts de la Sorbonne consacrés, en majorité, à la musique contemporaine. A partir de 1972, il entame une carrière internationale. En 1976, il remporte un prix au Concours Marinuzzi (San Remo). De 1978 à 1980, il est professeur de direction d'orchestre au Conservatoire Royal de Mons et directeur musical de l'Orchestre des Jeunes de la Communauté Francophone de Belgique. Il a dirigé en 1976 la première audition intégrale de l'*Orestie* de Milhaud et a créé des œuvres de Wychnegradsky (*La Journée de l'Existence*), Obouhov (*Le Livre de la Vie*), Ahmed Essyad (*L'Eau*) ainsi que de Florenz, Dusapin, Baggiani, Quinet, Absil...

En 1984, il est nommé directeur musical de l'Ensemble Instrumental de Picardie (Amiens).

Myung-Wha Chung

Voir à **Chung, Myung-Wha.**

Myung-Whun Chung

Voir à **Chung, Myung-Whun.**

N

Nachéz, Tivadar
(Theodor Naschitz)

Violoniste hongrois, né à Budapest le 1er mai 1859, mort à Lausanne le 29 mai 1930.

Il étudie à Berlin avec Joachim et à Paris avec Léonard, ce qui le rattache à la fois à l'école allemande et française. Il vit très longtemps à Londres, puis part en Californie, pendant la première guerre mondiale. Il ne retourne en Europe qu'après la guerre, et ne reprend ses activités de concertiste qu'en 1926. Ce pur virtuose a abondamment servi le répertoire et écrit de nombreuses transcriptions d'œuvres classiques, ainsi que des pièces de violon dérivées du folklore hongrois. En 1913, il a créé deux concertos inédits de Vivaldi.

Nafe, Alicia

Mezzo-soprano argentine, née à Buenos Aires le 4 août 1947.

Elle étudie le droit puis le chant au Conservatoire municipal « Manuel de Falla », à l'Institut national des Arts du Théâtre Colón et à l'École supérieure de chant de Madrid, où elle se rend après avoir reçu une bourse. Elle est engagée au Théâtre Real de Madrid, puis au Liceo de Barcelone et chante le *Requiem* de Verdi à Tolède en 1975. Elle est ensuite engagée à l'Opéra de Sao Paolo (Brésil), au San Carlos de Lisbonne, à l'Opéra de Hong-Kong, au Colón de Buenos Aires et à l'Opéra de Madrid. Elle est invitée dans plusieurs opéras d'Allemagne (Darmstadt, Francfort, Cologne) avant d'être engagée à l'Opéra de Hambourg, dont elle est pensionnaire de 1977 à 1981. Elle y chante *Carmen* avec une personnalité et un feu stupéfiants. Mais elle y brille également en Dorabella et dans le répertoire italien où un de ses meilleurs rôles est *Cenerentola* qu'elle chante également à Genève, en 1981. Elle participe au Festival Berlioz, à Lyon, en 1981, et y chante *Béatrice et Bénédict*. En 1975 et 1976, elle participe au Festival de Bayreuth. A l'Opéra-Comique (1982) puis à la Monnaie de Bruxelles (1984), elle incarne Dorabella.

Napier, Marita

Soprano sud-africaine, née à Johannesbourg le 16 février 1939.

Elle commence ses études en Afrique du Sud, mais vient les poursuivre en Allemagne, comme élève du Conservatoire de Detmold. En 1973-74, elle est engagée à l'Opéra de Hanovre, ainsi qu'à l'Opéra de Hambourg, où elle est invitée permanente. Elle débute au Festival de Bayreuth en 1967, dans les chœurs ; en 1973, elle obtient quelques petits rôles et l'année suivante s'impose en Sieglinde (*La Walkyrie*). Dès lors elle est invitée dans les principaux opéras d'Allemagne. En 1972-73, elle chante à l'Opéra de San Francisco Sieglinde et Freia (*Tétralogie*). Elle est également invitée au Grand-Théâtre de

Genève pour la *Tétralogie*. Aux côtés des rôles wagnériens, elle possède un répertoire très étendu et se produit avec succès en concert.

Nat, Yves

Pianiste français, né à Béziers le 29 décembre 1890, mort à Paris le 31 août 1956.

C'est à Béziers qu'il reçoit ses premières leçons de piano, de solfège et d'harmonie. Il découvre Bach grâce à l'organiste de la cathédrale Saint-Nazaire qui domine la ville. A sept ans il y donne son premier récital. A onze ans il connaît par cœur le *Clavecin bien tempéré*. Fauré et Saint-Saëns le remarquent alors qu'il dirige une *Fantaisie pour orchestre* de sa composition. Ses études le conduisent à Toulouse puis à Paris où il remporte, en 1907, un 1er prix de piano dans la classe de Diémer au Conservatoire. Debussy enthousiasmé l'emmène à Londres. Ysaÿe se lie d'amitié avec lui. Il connaît alors l'épuisante vie des virtuoses à succès, malgré la répugnance qu'il montre pour cette existence. Il doit mettre un frein à ses activités de compositeur. En 1934 il est nommé professeur au Conservatoire de Paris. Il consacrera à la pédagogie la même énergie que celle qu'il déployait pour la défense des maîtres du romantisme allemand. Quand il disparaîtra, il laissera en héritage, outre des enregistrements qui servent encore de référence (comme l'intégrale des *32 Sonates* de Beethoven ou les grands cycles de Schumann), quelques partitions trop oubliées aujourd'hui : un cahier de *Préludes*, une *Sonatine* (1920), un poème symphonique *L'Enfer* (1942) et un *Concerto pour piano* qu'il joua et enregistra lui-même (1952).

ÉCRITS : *Carnets* (publiés en 1983).

Navarra, André

Violoncelliste français, né à Biarritz le 13 octobre 1911.

En 1920, il entre au Conservatoire de Toulouse où il obtiendra un 1er prix quatre ans plus tard. Mais dès l'âge de 11 ans, il donne son premier concert. Au Conservatoire de Paris, il est l'élève de Jules Loeb et Charles Tournemire. Il remporte un 1er prix de violoncelle en 1927. Pendant plusieurs années il se consacre à la musique de chambre : il fait partie du Quatuor Krettly (1928-35). En 1931, il fait ses débuts de soliste aux Concerts Colonne, et en 1937, il remporte le 1er prix au Concours international de Vienne. C'est le début d'une carrière internationale très brillante où André Navarra s'impose comme l'un des plus grands violoncellistes français. En 1949, il est nommé professeur au Conservatoire de Paris. Il donne aussi des cours à l'Académie Chigiana de Sienne (à partir de 1953), à la Hochschule de Vienne ou à Detmold. Parmi les œuvres qui lui ont été dédiées figurent *Introït, récit et congé* de Schmitt (1951), le *Concerto nº 1* de Jolivet (1962), le *Concerto* de Tisné (1969). André Navarra a également créé le *Concerto* de Claude Pascal (1960), la *Sonate pour violoncelle et piano* de Lajtha (1961) et le *Concerto* de Tomasi (1970).

Neblett, Carol

Soprano américaine née à Modesto (Californie) le 1er juin 1946.

Ce phénomène du chant américain est apparu un jour de la saison 1978-79 sur la scène du Met pour chanter Senta (*Le Vaisseau fantôme*). Ce fut une révélation qui s'est aussitôt confirmée, quand elle a ouvert la saison suivante comme Minnie de *La Fille du Far West* (Puccini) à l'Opéra de Chicago. Elle est invitée en Australie à l'Opéra de Melbourne et de Sydney pour tenir ce même rôle, puis elle aborde le rôle-titre de *Turandot* avec l'Opéra de Pittsburgh, le rôle-titre de *Tosca* avec l'Edmonton Opera et Violetta de *La Traviata* avec l'Opéra de Baltimore. Parallèlement elle mène une carrière de concert. En 1980, elle est engagée au Met, au Covent Garden, à Chicago, San Francisco et Seattle. Son enregistrement de *Die tode Stadt* (Korngold) la rend célèbre dans le monde entier. L'Opéra de Vienne l'engage pour tenir ce rôle. Mais entretemps, elle a fait ses débuts au Festival de Salzbourg, en Vitellia de *La Clémence de Titus*. Elle chante également le rôle-titre de *Thaïs*, auquel son physique exceptionnel et ses yeux d'or confèrent un éclat tout particulier. Poppée du *Couronnement*, Chrysothémis (*Elektra*), Ariane (*Ariane à Naxos*) lui ont permis de s'imposer dans des rôles fort différents de ceux du répertoire mozartien où elle excelle.

Neel, Boyd

Chef d'orchestre anglais, né à Blackheath le 19 juillet 1905, mort à Toronto le 30 septembre 1981.

Il reçoit une formation médicale et commence à exercer avant de se tourner vers la musique et de fonder, en 1933, l'orchestre de chambre qui porte son nom. C'est l'un des premiers orchestres à cordes qui s'attache à faire revivre le répertoire baroque tout en faisant connaître les œuvres du début du XXe siècle écrites pour leur formation. Dès l'année suivante, il dirige à Glyndebourne et, en 1937, au Festival de Salzbourg où sont créées les *Variations sur un thème de Frank Bridge* de Britten, écrites pour lui. Pendant la guerre, Boyd Neel revient à la médecine et reprend ses activités musicales en 1945 et 1946 en dirigeant au Sadler's Wells Theatre de Londres. En 1953, il s'installe au Canada où il est nommé doyen du Conservatoire de Toronto (1953-71). Il fonde le Hart House Orchestra (1960), l'homologue canadien du Boyd Neel Orchestra, et effectue de nombreuses tournées. Lorsqu'il quitte le Conservatoire de Toronto, il continue à diriger au Canada et en Afrique du Sud et prend la direction du Light Opera Festival de Sarnia (Ontario). En 1957, le Boyd Neel Orchestra est devenu le Philo Musica Orchestra de Londres.

ÉCRITS : *The Story of an Orchestra* (1950).

Nef, Isabelle

Claveciniste et pianiste suisse, née à Genève le 27 septembre 1898, morte à Bossy le 2 janvier 1976.

Elle étudie d'abord au Conservatoire de Genève avec Marie Panthès puis vient se perfectionner au Conservatoire de Paris où elle travaille avec Isidore Philipp. Elle prend des cours de composition à la Schola Cantorum avec Vincent d'Indy. En 1923, elle devient l'élève de Wanda Landowska avec laquelle elle travaille pendant une douzaine d'années. Elle se produit souvent avec elle dans les concertos à plusieurs claviers de Bach. Elle donne des concerts dans toute l'Europe ; elle est la première claveciniste à se produire en Russie et en Afrique du Sud. En 1936, elle est nommée professeur de clavecin au Conservatoire de Genève. *Dialogue n° 6* et le *Concerto pour clavecin* de Malipiero ainsi que le *Concerto pour clavecin* de Frank Martin ont été écrits pour elle.

Negri, Vittorio

Chef d'orchestre italien, né à Milan le 16 octobre 1923.

Pendant huit ans, il étudie le violon, la composition et la direction d'orchestre au Conservatoire de Milan. Il débute en 1952 lorsque Bernhard Paumgartner le prend comme assistant à Salzbourg. Marqué par la démarche de ce grand chef musicologue, il se penche vers la musique vénitienne de l'époque baroque dont il devient l'un des plus éminents spécialistes. Il révèle G. Gabrieli et la musique religieuse de Vivaldi alors inconnue (il l'enregistrera par la suite intégralement). Il révèle également des opéras de Vivaldi, d'abord *Juditha Triomphans*, puis *Tito Manlio* dont il dirige la 1ere exécution moderne à la Piccola Scala (1979). Il « recrée » de la même façon le *Requiem* de Cimarosa et étend son champ d'activités à Haydn, Mozart (*Betulia Liberata*) et Rossini dont il commence à diriger les opéras. Il est l'un des personnages les plus représentatifs de cette génération de chefs d'orchestre musicologues qui s'attachent autant à la découverte des textes qu'à leur édition ou à leur exécution. Il participe à de nombreux congrès et a fondé la Société italienne de musicologie.

Neidlinger, Gustav

Baryton-basse allemand, né à Mayence le 21 mars 1912.

Après des études à Francfort avec Otto Rottsieper, il débute à Mayence en 1931 dans les rôles de basse bouffe, puis chante à Plauen de 1934 à 1936, à Hambourg de 1936 à 1950 et depuis cette date appartient à l'Opéra de Stuttgart, dont il est fait Kammersänger en 1953. Il débute à Bayreuth en 1952 et y chante Alberich, Klingsor, Sachs, le Veilleur de nuit, Kurwenal, Telramund jusqu'en 1975 et il reprend ces rôles partout dans le monde : Paris, Londres en 1955, Vienne en 1956, Edimbourg en 1958..., New York en 1972. Outre ses interprétations wagnériennes, il excelle aussi dans Weber et reste un Pizzaro célébré.

Nelson, Judith

Soprano américaine, née à Chicago, le 10 septembre 1939.

Elle suit l'enseignement d'Andrea von Ramm au Studio der frühen Musik à Munich, avant de se rendre en Californie pour étudier avec Martial Singher. Très vite, elle se consacre presque exclusivement aux musiques des XVIIe et XVIIIe siècles, comme soliste de nombreux orchestres de chambre, ou avec simple accompagnement de basse continue. Essayant d'accorder la priorité au style et à la technique, elle s'intègre de plus en plus aux ensembles sur instruments anciens, avec lesquels elle enregistre (Academy of Ancient Music de Christopher Hogwood, Complesso Barocco d'Alan Curtis. Mais son domaine de prédilection reste sans doute les duos vocaux, qu'elle chante avec le haute-contre René Jacobs et William Christie au clavecin, au sein du Concerto Vocale, réunissant le trio de base et divers instrumentistes. Ses interprétations d'Italiens du XVIIe (Cesti, Steffani, Monteverdi, Rossi...) et de Händel rendent compte de sa technique témoignant d'une connaissance profonde du chant ancien.

Nelsova, Zara

Violoncelliste canadienne naturalisée américaine, née à Winnipeg le 24 décembre 1924.

D'ascendance russe, elle étudie à Londres avec Herbert Walenn. Elle débute en 1937 sous la baguette de Malcolm Sargent. Elle constitue avec ses deux sœurs le Trio Canadien et effectue avec l'ensemble de nombreuses tournées. Elle se perfectionne à New York avec Feuermann et à Prades avec Casals. C'est alors que se développe sa carrière internationale. Depuis 1962, elle est professeur à la Juilliard School de New York. Elle joue sur un Stradivarius, *le marquis de Corboron* (1726). Elle a épousé le pianiste Grant Johannesen. Bloch lui a dédié ses *Suites pour violoncelle seul.*

Nelsson, Woldemar

Chef d'orchestre soviétique, né à Kiev le 12 août 1938.

Son père, chef d'orchestre dans sa ville natale, lui donne ses premières leçons de violon. Il achève ses études musicales au Conservatoire de Novosibirsk par une formation de chef d'orchestre. En 1971, il remporte le prix de direction au Concours National de Moscou où il fait sensation. Il est alors nommé pour trois ans assistant de Kyrill Kondrachine à l'Orchestre Philharmonique de Moscou. Il travaille avec les plus grands artistes russes jusqu'en 1977, date à laquelle il quitte l'Union soviétique. Il mène à cette époque une active carrière de chef invité en Allemagne fédérale, en Angleterre, en Suisse et en Autriche. En mars 1979 il dirige *Orpheus*, ballet composé par Hans Werner Henze. Il remporte, en 1980, la Médaille Max Reger. Au Festival de Bayreuth, il dirige *Lohengrin* trois années de suite (1980, 1981, 1982). Depuis 1980, il est directeur général de la musique à Kassel.

Nespoulos, Marthe

Soprano française, née à Paris le 1er mai 1894, morte à Bordeaux le 6 août 1962.

Élève de Madame Billa-Azéma, à Paris, elle débute en 1920 à l'Opéra de Nice. En 1922, elle interprète dans une église parisienne la partie de soprano du *Requiem* de Fauré. Elle est aussitôt engagée à l'Opéra de Paris, où elle débute dans un petit rôle de *Hérodiade* (Massenet). Très vite, elle tient les têtes d'affiche de l'Opéra et de l'Opéra-Comique. Elle est souvent invitée à la Monnaie, à l'Opéra de Monte-Carlo, à Nice et à Bordeaux. Elle chante également au San Carlo de Naples, à Amsterdam, au Liceo de Barcelone, au Colón de Buenos Aires, où elle participe à la première de *Sadko* (Rimski-Korsakov). Elle compte en France parmi les principales sopranos lyriques de sa génération. Son meilleur rôle demeure celui de Mélisande. Elle tourne également un certain nombre de films. Après avoir arrêté de chanter en 1934, elle s'est consacrée au professorat, depuis 1949, au Conservatoire de Bordeaux.

Nesterenko, Evgeny

Basse soviétique, né à Moscou le 8 janvier 1938.

Il étudie au Conservatoire de Leningrad et débute au Théâtre Maly (le Roi de trèfle de *L'Amour des trois oranges* de Prokofiev). En 1967, il remporte le Concours de chant de Sofia et entre au Théâtre Kirov, où il interprète aussi bien le répertoire russe (Varlaam de *Boris*, le Varègue de *Sadko*, Kochoubei de *Mazeppa* de Tchaïkovski, Konchak du *Prince Igor* de Borodine) que *Faust* ou *Le Barbier de Séville.* En 1971, il entre au Bolchoï où il reprend le même répertoire, y ajoutant Boris, Igor, Philippe II, Mefistofele, Russlan. Il se consacre également au concert et au récital, et est titulaire de la chaire de chant au Conservatoire de Moscou.

Neuhaus, Heinrich

Pianiste soviétique, né à Elizabetgrad le 12 avril 1888, mort à Moscou le 10 octobre 1964.

Neveu du pianiste et compositeur Felix Blumenfeld, cousin du compositeur Karol Szymanowski, il commence à travailler le piano et la musique avec son père, Gustav, lui-même pianiste estimé. Il donne son premier concert à neuf ans et effectue ses premières tournées en Allemagne dès 1904. Il travaille la composition à Berlin avec Paul Juon et, de 1912 à 1914, le piano à Vienne avec Leopold Godowsky. Il retourne en Russie à la déclaration de la guerre. De 1918 à 1922, il est professeur au Conservatoire de Kiev. De cette date à sa mort, il sera professeur au Conservatoire de Moscou et directeur entre 1935 et 1937. Heinrich Neuhaus est surtout un pédagogue, un pédagogue d'une classe rare. Il forme plusieurs générations de pianistes – parmi lesquels il convient de citer Richter, Guilels, Malinine, Zak, Eresco, Krainev et Lupu –, définissant un style de jeu, mieux encore une école de piano. Mais dans ses rares apparitions au concert et les quelques enregistrements qu'il nous a laissés se dessinent la personnalité et la sensibilité de l'un des plus grands pianistes de ce siècle. Doté d'une sonorité irrésistiblement charmeuse, d'une sensibilité raffinée, il aborde les partitions du grand répertoire avec un souci de respiration naturelle et une liberté d'allure qui ont connu bien peu d'équivalents dans l'histoire des interprètes. Il marque l'évolution du jeu du piano par un travail approfondi des sonorités. Son fils Stanislas (1927-80) a aussi mené une carrière de pianiste.

ÉCRITS : *L'art du piano, notes d'un professeur* (1971).

Neumann, Václav

Chef d'orchestre tchécoslovaque, né à Prague le 29 septembre 1920.

Il fait ses études au Conservatoire de Prague où il est l'élève de Dědeček et Doležil (1940-45). Encore étudiant, il fonde le Quatuor Smetana où il tient la partie d'alto (1941-47) ; il est ensuite membre du Quatuor Tchèque. Dès 1948, il fait ses débuts de chef à la Philharmonie Tchèque où il est l'assistant de Kubelík. Puis il est nommé à la tête de l'Orchestre Symphonique de Karlovy Vary (1951-54) et de l'Orchestre Symphonique de Brno (1954-56) avant de devenir 1er chef de l'Orchestre Symphonique de Prague (1956-63) et de l'Orchestre Philharmonique de Prague (1963-64). A la même époque, il dirige régulièrement à l'Opéra-Comique de Berlin (1955-64) où il est

1er chef pendant deux saisons. En 1964, il prend la direction du Gewandhaus et de l'Opéra de Leipzig tout en étant 2e chef de la Philharmonie Tchèque. Il revient à Prague en 1968 pour prendre la succession de Karel Ančerl à la tête de la Philharmonie Tchèque. Entre 1970 et 1972, il sera en outre directeur général de la musique à l'Opéra de Stuttgart. Défenseur de la musique de son pays dans la tradition instaurée par Talich, Neumann a aussi enregistré l'intégrale des symphonies de Mahler et de Martinů.

Neumeyer, Fritz

Claveciniste allemand, né à Sarrebrück le 2 juillet 1900, mort à Fribourg le 16 janvier 1983.

Ses études se font, pour le clavecin, à partir de 1921, aux universités de Cologne et de Berlin. Pour la musicologie, il travaille avec Bölsche, A. von Fielitz, J. Kwast et W. Klatte. De 1924 à 1927, il est répétiteur et chef d'orchestre au Théâtre municipal de Sarrebrück, ville où il dirige ensuite l'Association pour la musique ancienne et le clavecin (1927). Il entreprend à cette époque sa carrière de concertiste et de musicien de chambre. En particulier il joue en trio, de 1935 à 1962, avec Scheck et Wenzinger. On le retrouve de 1939 à 1944 à Berlin où il professe à la Hochschule für Musik. En 1946, et jusqu'en 1969, il devient professeur pour les instruments historiques à Fribourg-en-Brisgau. En 1968, il forme un duo à deux claviers avec Rolf Junghanns. Il se produit également, et régulièrement, avec la Cappella Coloniensis et avec les Solistes de Vienne. Comme compositeur, Fritz Neumeyer est l'auteur de lieder, de chœurs et de pages pour trio à cordes.

Neveu, Ginette

Violoniste française, née à Paris le 11 août 1919, morte dans un accident d'avion au-dessus des Açores le 28 octobre 1949.

Sa mère, professeur de violon, lui donne ses premières leçons. A cinq ans et demi, cette enfant prodige donne son premier récital public. Deux ans plus tard, salle Gaveau, elle joue le *Concerto en sol mineur* de Max Bruch. En 1928 elle obtient le 1er prix de l'École supérieure de musique de Paris et le Prix d'honneur de la Ville de Paris. Elle poursuit ses études avec Georges Enesco. A onze ans (1930), elle entre au Conservatoire de Paris. Elle en sort avec un 1er prix huit mois plus tard, égalant ainsi le record établi par Wieniawski, 50 ans plus tôt... Elle étudie la composition avec Nadia Boulanger. Carl Flesch la remarque lors du Concours international de Vienne (1931) et la prend parmi ses élèves à partir de 1933. C'est grâce à son aide financière qu'elle peut se présenter, en 1935, au Concours international Wieniawski à Varsovie. Elle y remporte le 1er prix devant David Oïstrakh. C'est le début de sa carrière internationale. Après la guerre, elle joue avec Karajan et enregistre plusieurs disques. Elle fait aussi de la musique de chambre avec son frère Jean. Poulenc lui dédie sa *Sonate pour violon et piano.* Elle donne un dernier récital à Paris le 20 octobre 1949. Huit jours plus tard, elle disparaîtra avec son frère dans un accident d'avion.

Newman, Anthony

Organiste américain, né à Los Angeles le 12 mai 1941.

Après avoir terminé ses études classiques, il obtient une bourse du gouvernement français pour étudier le piano à l'École normale de musique. Ensuite, il étudie la composition à l'Université de Harvard, l'orgue à l'Université de Boston, ainsi qu'au Mannes College of music de New York. Il est ainsi l'élève de Leonard Stein à Los Angeles, Leon Kirchner à Boston, Luciano Berio à New York, Alfred Cortot et Pierre Cochereau à Paris. Il enseigne l'orgue et la théorie musicale à la Juilliard School, à l'Université de Californie (San Diego) et à l'Université d'État de New York (Purchase). Outre des compositions de musique de chambre et pour orgue, il a publié plusieurs études sur la musique baroque et réalisé des éditions critiques de musique d'orgue (Bach, Couperin, Liszt).

Ney, Elly

Pianiste allemande, née à Düsseldorf le 27 septembre 1882, morte à Tutzing le 31 mars 1968.

Élève de Seiss et de Bötcher à Cologne, elle va se perfectionner à Vienne avec Leschetizky, puis Emil von Sauer dont l'influence sera décisive sur son jeu. Après avoir enseigné pendant trois ans au Conservatoire de Cologne, elle commence ses tournées internationales et devient célèbre d'emblée pour sa façon d'interpréter Brahms, Chopin et Beethoven. Par la suite, le public et la critique l'identifieront complètement à Beethoven. Passionnée de musique de chambre, elle aimait tout particulièrement jouer en trio avec les mêmes partenaires. Après la Seconde Guerre mondiale, elle se consacre entièrement à l'enseignement. Son style, qu'elle conservait intact encore à l'âge de 80 ans, était fondé sur un refus du pianisme virtuose en vogue à l'époque de ses débuts. La puissance de son jeu surprenait beaucoup. Le public n'était pas habitué à entendre Beethoven sonner de cette manière sous les doigts d'une femme. D'où les qualificatifs de jeu « masculin » qui fleurissaient alors dans la presse allemande pour définir les interprétations d'Elly Ney.

ÉCRITS : *Ein Leben für die Musik* (1952-57), autobiographie.

Nicolas, Marie-Annick

Violoniste française, née au Creusot le 2 janvier 1956.

Elle commence l'étude du violon à sept ans puis au Conservatoire de Lyon, où elle obtient un 1er prix en 1967. A douze ans, elle donne son premier concert avec orchestre. Elle entre au Conservatoire de Paris (classe de Pierre Nerini). L'année de son 1er prix (1969), elle joue au Théâtre des Champs-Elysées. Elle poursuit ses études en cours privés avec Nejmi Succari, disciple des maîtres russes Yuri Jankelevitch et Boris Bielinki. Elle reçoit les conseils de Francescatti à Montreux (1974). Elle est titulaire de nombreux prix : Long-Thibaud (1973), prix Henryk Szeryng, prix Tchaïkovski à Moscou (1974) – suivi d'un stage au Conservatoire de Moscou en 1975 sous la direction de Boris Bielinki où elle reçoit les conseils de David Oïstrakh –, prix Reine Élisabeth de Belgique (1976), prix de la Vocation (1976), grand prix de la Radio Belge Jacques Stehman. En 1977-78, elle fait un stage à la School of music d'Indiana University sous la direction de Franco Gulli. En 1979, elle est lauréate du Concours international de Montréal. Elle se produit en soliste tout en assurant depuis 1980 le poste de super-soliste au Nouvel Orchestre Philharmonique de Radio-France.

Nicolet, Aurèle

Flûtiste suisse, né à Neuchâtel le 22 janvier 1926.

Il étudie la flûte et la musicologie à Zurich, avec André Jamet et Willy Burkhard, puis à Paris, au Conservatoire, avec Marcel Moyse et Yvonne Drappier. Il obtient son 1er prix de flûte en 1947 et se voit attribuer le 1er prix du Concours international de Genève en 1948. De 1945 à 1947, Aurèle Nicolet fait partie de l'orchestre de la Tonhalle de Zurich. Puis il est flûte solo de l'Orchestre Symphonique de Winterthur (1948-50) qu'il quitte à la demande de Wilhelm Furtwängler pour occuper les mêmes fonctions à la Philharmonie de Berlin (1950-59). Dans le même temps, il professe à la Musikhochschule de Berlin (jusqu'en 1965). En 1965, il revient en Suisse où il enseigne à la fois à Fribourg et à Bâle. Parmi les compositeurs qui ont écrit pour lui, Huber, Moeschinger, Denisov, Takemitsu, Kelterborn, Dittrich, Halffter (*Concerto pour flûte*, 1983). Il a publié, en 1967, une méthode de flûte.

Nienstedt, Gerd

Baryton-basse allemand, né à Hanovre le 10 juillet 1932.

De 1951 à 1954, il étudie à l'Akademie für Musik und Theater de sa ville natale avec Otto Köhler et débute en 1954 à Bremerhaven, puis appartient aux théâtres de Gelsenkirchen (1955-59), Wiesbaden (1959-61) et Cologne (1961-72). Depuis 1965, il est également membre des opéras de Vienne et Francfort. Il chante au Festival de Bayreuth de 1962 à 1975 (Kothner, Donner, Günther, Klingsor, Hunding, Biterolf...). A l'Opéra de Paris, il incarne le roi Mark de *Tristan* en 1972 et participe à la création mondiale du IIIe acte de *Lulu* de Berg en 1979 (l'Athlète). Intendant de l'Opéra de Hof et, depuis 1983, de l'Eutiner Sommerspiele, il devient, en 1985, intendant de l'Opéra de Detmold.

Nigoghossian, Sonia

Mezzo-soprano française, née à Arnouville-les-Gonesse le 3 avril 1944.

D'origine arménienne, elle est très jeune attirée par la musique, et suit les cours de Camille Maurane et de Louis Musy au conservatoire de Paris, et de Jeanine Collard. Elle débute parallèlement en 1967 au concert, et participe dès 1970, année de l'obtention de ses prix de chant et de scène, aux concerts de Radio-France, tant dans les programmes lyriques que dans les ouvrages sacrés. Son vaste répertoire, qui va de Lully et Rameau à Leibowitz, Szokolay et Berio, lui a permis de se produire à l'étranger. Elle chante ainsi *Le Rossignol* de Stravinski à l'E.N.O., et *la Princesse de Navarre* de Rameau à Covent Garden, *l'Enfant et les sortilèges* de Ravel au Concertgebouw d'Amsterdam, et se produit fréquemment au T.M.P.-Châtelet de Paris (*Cendrillon, le Coq d'or...*) ainsi qu'aux festivals d'Orange *(Rigoletto)* et d'Aix-en-Provence *(Tancrède)*.

Nikisch, Arthur

Chef d'orchestre hongrois, né à Lébényi Szant-Miklos le 12 octobre 1855, mort à Leipzig le 23 janvier 1922.

Il fait ses études musicales au Conservatoire de Vienne où il travaille le violon avec Joseph Hellmesberger, le piano avec Schenner et la composition avec Otto Dessoff. Dès l'année 1872, il participe à l'exécution de la 9e *Symphonie* de Beethoven à Bayreuth sous la direction de Wagner. Entre 1874 et 1877, il est premier violon à l'Opéra de Vienne : il joue sous la baguette de Brahms, Liszt, Verdi. En 1877, il est nommé chef des chœurs à l'Opéra de Leipzig. Un an plus tard, il devient 2e chef d'orchestre puis 1er chef (1882-89). Entre 1889 et 1893, il est à la tête de l'Orchestre Symphonique de Boston. De retour en Europe, on le trouve à la tête de l'Opéra de Budapest (1893-95), de l'Orchestre Philharmonique de Berlin (1895) et du Gewandhaus de Leipzig (1895), fonctions qu'il conservera jusqu'à sa mort. En 1897, il dirige les concerts de la Philharmonie de Hambourg. Il se tourne également vers la pédagogie (directeur des études au Conservatoire de Leipzig, 1902-07) et dirige pendant une saison au Stadtstheater de Leipzig (1905-06). Parallèlement, il mène une importante carrière de chef invité qui le conduit dans toute l'Europe, particulièrement en Angleterre. En 1912, il dirige la première tournée d'un orchestre européen aux États-Unis, l'Orchestre Symphonique de Londres. En 1921, il est à la tête des Concerts Symphoniques de Buenos Aires.

Nikisch est souvent considéré comme le pionnier de la direction d'orchestre moderne. En acceptant beaucoup d'invitations d'orchestres étrangers, il a créé le profil du chef itinérant et contribué à rapprocher les esthétiques des différentes écoles. Son enregistrement de la 5e *Symphonie* de Beethoven (1913) est la première gravure intégrale d'une œuvre d'aussi longue durée et témoigne du niveau auquel il avait hissé la Philharmonie de Berlin. Arthur Nikisch a créé la *Symphonie n° 7* de Bruckner (1884) et *Le Divin Poème* de Scriabine (1905).

Nikolaieva, Tatiana

Pianiste soviétique, née à Bezhitza le 4 mai 1924.

Au terme de ses études à l'École centrale de Moscou, où elle travaille le piano avec Alexandre Goldenweiser et la composition avec Evgeni Golublev, elle fait ses débuts en 1945 et acquiert d'emblée une envergure internationale. Lauréate en 1950 du Concours de Leipzig, elle choisit l'enseignement au Conservatoire de Moscou en 1959, où elle sera titularisée en 1965. Son répertoire est immense ; il compte plus de cinquante concertos, de Bach à Chostakovitch, en passant par les *Sonates* de Beethoven et le *Clavier bien tempéré.* Elle a également composé pour la voix, le piano et les formations de chambre. Elle a créé les *24 Préludes et fugues* de Chostakovitch (1952).

Nilsson, Birgit

Soprano suédoise, née à Karup le 17 mai 1918.

Elle commence ses études de chant avec C. Blennon, puis entre au College Royal de musique de Stockholm (professeurs : J. Hislop et A. Sunnegaardh). Son premier rôle est Agathe dans le *Freischütz,* à Stockholm (1946). Elle élargit son répertoire, avec sagesse et rigueur, et, pendant plusieurs années s'en tient au rôle de soprano lyrique. En 1951, elle chante *Idoménée* (Elektra) à Glyndebourne puis, en 1953, Sieglinde et Elsa à l'Opéra de Vienne. A Bayreuth, la même année, elle chante dans la 9e *Symphonie* de Beethoven. En 1954-55 elle interprète Brünnhilde et Salomé à l'Opéra de Munich. Elle touche alors son public, et, lorsqu'elle devient Isolde à Bayreuth en 1957, on la situe dans la lignée de Kirsten Flagstad. L'année suivante, Birgit Nilsson chante Turandot à la Scala. Elle fait alors une carrière internationale, qui culmine dans les années soixante lorsque son incarnation d'Isolde et de Brünnhilde tour à tour (dans les dernières mises en scène de Wieland Wagner) lui permet d'exalter la pureté d'une musique qu'elle sent et comprend parfaitement. Aux Chorégies d'Orange, à l'Opéra de Paris, à Milan, au Metropolitan de New York (où elle paraît pour la première fois en 1959), on admire la clarté de ses attaques, l'ampleur de sa voix homogène dans tous les registres, son aigu facile, éblouissant, ses pianissimos, ses demi-teintes. Elle chante aussi Mozart (Donna Anna) et Verdi (Lady Macbeth, Amelia), excelle dans *La Femme sans ombre* (la Teinturière) de R. Strauss. Son style est celui de la noblesse, de l'intelligence ; il s'accorde mieux aux grands thèmes de la *Tétralogie* qu'à la tendresse mozartienne. Dans le domaine contemporain, elle a interprété Hindemith et Liebermann.

Nimsgern, Siegmund

Baryton allemand, né à Stiring-Wendel (Sarre) le 14 janvier 1940.

Il fait ses études musicales à Sarrebruck et débute à l'Opéra de cette ville en 1967 (Lionel de *La Pucelle d'Orléans* de Tchaïkovski). De 1971 à 1974, il fait partie de la troupe de la Deutsche Oper am Rhein, puis commence une carrière internationale en chantant à la Scala, au Covent Garden (1973), à Montréal, à l'Opéra de Paris (Amfortas en 1974), à San Francisco, puis Munich, Genève, Chicago, Salzbourg (1976), New York (1978). A Paris il chante également le Sprecher de *La Flûte enchantée* (1977) et Créon d'*Œdipe-Roi* en 1979 et 1980, Telramund et Pizarro en 1982. Aux Chorégies d'Orange, il apparait en Telramund en 1976, Macbeth en 1978 et Amfortas en 1979. Il chante Wagner (Wotan, le Hollandais, Alberich, Gunther), Strauss (Kunrad de *Feuersnot,* Jokanaan), mais aussi Gluck (Thoas), Chausson (*Arthus*), Offenbach (Dappertutto des *Contes d'Hoffmann*) ou Verdi (Iago, Luna).

N'Kaoua, Désiré

Pianiste français, né à Constantine (Algérie) le 13 juin 1933.

Il commence ses études de piano à l'âge de quatre ans à l'École des Beaux-Arts puis au Conservatoire de sa ville natale. En 1948, il obtient un 1er prix de piano et entre au Conservatoire de Paris dans la classe de Lazare-Lévy. C'est dans la classe de Lucette Descaves qu'il y remporte son 1er prix (1952). Puis il se perfectionne avec Marguerite Long. Sa carrière de concertiste prend alors son essor. En 1955 et 1958, il est invité par l'Orchestre Philharmonique de Berlin. Son premier récital à Paris date de 1958. En 1961, il remporte le 1er prix du Concours international de Genève. Depuis 1967, il est professeur au Conservatoire de Versailles. En février 1974 il crée le *Concerto pour piano* de Joanna Bruzdowicz dont il est le dédicataire. Sa production discographique compte, entre autres, le premier enregistrement mondial de l'œuvre pour piano de Jehan Alain et l'intégrale des *Sonates pour piano et violon* de Mozart avec Gérard Poulet. Désiré N'Kaoua et Dominique Merlet ont réalisé pour la radio l'enregistrement intégral de l'œuvre pour piano à 4 mains de Schubert.

Noras, Arto

Violoncelliste finlandais, né à Turku le 12 mai 1942.

Il commence ses études à l'âge de cinq ans, avec Yrjö Selin à l'Académie Sibélius, en Finlande. Entre 1962 et 1964 il vient à Paris étudier au Conservatoire dans la classe de Paul Tortelier. Il remporte un 1er prix en 1964. Deux ans plus tard, il participe au Concours Tchaïkovski et, en 1967 il est acclamé au Danemark. Depuis lors, Arto Noras se produit régulièrement en récital, en Europe comme en Amérique. En 1970, il est nommé professeur à l'Académie Sibelius. Son répertoire, non seulement de concertiste, mais de musicien de chambre est assez considérable. Il est ainsi membre du Sibelius Academy Quartet et du Trio d'Helsinki.

Nordica, Lillian (Lillian Norton)

Soprano américaine, née à Farmington (Maine) le 12 décembre 1857, morte à Batavia le 10 mai 1914.

Formée au Conservatoire de Boston, elle donne à dix-sept ans son premier concert. En 1877-78, elle effectue des tournées avec une troupe d'opéra, en Amérique du Nord, en Angleterre et sur le continent européen. Elle étudie à Milan avec Sangiovanni et débute en 1879 à la Scala, comme Donna Elvira (*Don Giovanni*). La même année, elle triomphe dans *La Traviata* à Brescia. En 1880, elle est invitée à Saint-Pétersbourg, chante en Allemagne et remporte un beau succès à l'Opéra de Paris. En 1883, elle épouse l'Américain Frederick A. Gower et abandonne le chant. Mais deux ans plus tard, son mari trouvant la mort dans un accident de ballon, elle revient à la scène. Depuis 1887, elle remporte de grands succès au Covent Garden. En 1888-89, elle fait des tournées en Amérique du Nord avec la Henry Abbey Company. En 1891, elle est appelée au Met, où elle débute comme Léonore (*Le Trouvère*). Jusqu'en 1909, elle demeure une des grandes prima donna du Met. En 1894, elle chante Elsa (*Lohengrin*) au Festival de Bayreuth. En 1896, elle épouse le baryton hongrois Zoltan Döme, dont elle divorce très vite. Chaque année, elle est invitée au Covent Garden. En 1907, elle triomphe au Manhattan Opera House de New York comme *Gioconda*, rôle qu'elle chante à Boston pour l'ouverture du nouvel Opéra. En 1909, elle épouse le banquier londonien George W. Young. En 1913, elle donne un concert à Carnegie Hall et entreprend ainsi une tournée d'adieux à travers le monde. Le navire sur lequel elle se trouvait sombre aux larges des côtes de Nouvelle-Guinée. Sauvée, elle est transportée dans un hôpital de Batavia (Java) où elle meurt. A l'image de Lilli Lehmann, la carrière de Lillian Nordica fut aussi universellement brillante avec un répertoire allant des rôles de colorature aux héroïnes wagnériennes.

Nordmann, Marielle

Harpiste française, née à Montpellier le 24 janvier 1941.

Elle étudie le piano puis la harpe. Sa rencontre à l'âge de dix ans avec Lily Laskine détermine son choix et sa carrière. A douze ans elle entre au Conservatoire de Paris. Quatre ans plus tard, elle obtient son 1er prix de harpe suivi d'un 1er prix de musique de chambre en 1959 dans la classe de Jean Hubeau. A sa sortie du Conservatoire, elle fonde le Trio Nordmann avec André Guilbert et Renaud Fontanarosa, ensemble avec lequel elle se produit sur le plan international (1960-78), parallèlement à une brillante carrière de soliste. Elle joue également en duo avec son célèbre professeur – dont elle est en quelque sorte la « fille spirituelle » – et avec laquelle elle grave un disque (1975). Depuis quelque temps, elle se produit également en récital avec son mari, le violoniste Patrice Fontanarosa.

Norman, Jessye

Soprano américaine, née à Augusta (Géorgie) le 15 septembre 1945.

Elle chante depuis son enfance ; sa famille est heureuse et pieuse : on y pratique la musique. Elle apprend le piano par amour du chant et le chant alors « par amour de la vie » : cantiques, spirituals, folklore. Elle a envie de faire sa médecine, d'enseigner, mais la musique est en elle. A la radio, elle entend Rosa Ponselle qui la fascine, puis Marian Anderson, contralto noire, qui chante au Met de New York, aussi bien Schubert que les spirituals. Jessye partage le même héritage. Puis elle découvre le lied allemand en écoutant les disques d'Erna Berger. A l'Université de Michigan, elle travaille avec Pierre Bernac (1967-68). Elle aime Hugo, Baudelaire, la langue française et accorde déjà une grande importance aux textes. Elle étudie ensuite au Peabody Conservatory de Baltimore. En 1968, elle obtient le 1er prix au Concours international des radios allemandes et signe un contrat de trois ans avec l'Opéra de Berlin où elle chante, entre autres, Elisabeth (*Tannhäuser*) et la Comtesse (*Les Noces de Figaro*). L'Italie l'invite : elle interprète *Aïda* à la Scala de Milan sous la direction d'Abbado (1972) ; au Mai Florentin, elle apparaît dans *L'Africaine* (Meyerbeer) et dans *Deborah* (Händel). Elle fait ses débuts au Covent Garden, en 1972, dans le rôle de Cassandre des *Troyens* et commence ses tournées de récitals.

Elle a une étonnante présence en scène : grande, le geste large, la beauté faite de passion. Elle s'attache au lied, au drame secret, à Schubert, Schumann, Wagner – elle donne une vie poignante aux Poèmes de *Mathilde Wesendonck* –, Mahler, Fauré, Duparc, une sombre vérité aux negro-spirituals. Elle veut sentir chaque mot, est perfectionniste. Ainsi elle approfondit le russe pour chanter Moussorgski à Moscou avec Abbado et elle a enregistré Poulenc en français. Avec Ozawa elle a chanté les *Gurrelieder* de Schönberg, avec Boulez les *Altenberglieder* de Berg. Elle a ressuscité au disque l'*Euryanthe* de Weber et la Medora du *Corsaire* de Verdi. En 1983, elle revient à la scène à Aix-en-Provence (*Hippolyte et Aricie*) et, l'année suivante, à l'Opéra-Comique (*Didon et Enée*).

Norrington, Roger

Chef d'orchestre anglais, né à Oxford le 16 mars 1934.

Il fait ses études à l'Université de Cambridge et au Royal College of Music de Londres. Il fait ses débuts en 1962. Il occupe les fonctions de chef de l'Opéra du Kent, de directeur musical du Chœur Schütz de Londres, des London Strings Players, du London Baroque Ensemble. Il réalise une nouvelle édition du *Couronnement de Poppée* de Monteverdi à l'occasion de sa représentation en 1974 à l'Opéra du Kent. Il dirige aussi bien la musique ancienne que les partitions des XIXe et XXe siècles.

Novaes, Guiomar

Pianiste brésilienne, née à São João da Boã Vista le 28 février 1894, morte à São Pauló en février 1979.

Dès l'âge de huit ans, elle joue du piano. Elle obtient une bourse pour venir étudier au Conservatoire de Paris avec Isidore Philipp et y obtient un 1er prix de piano en 1911. Elle développe alors sa carrière internationale qui l'amène à faire des débuts américains en 1916. En 1922, elle épouse le compositeur Octavio Pinto.

Novitskaïa, Ekaterina

Pianiste soviétique, née à Moscou le 24 octobre 1951.

Dès l'âge de six ans elle étudie le piano à l'École centrale de Moscou, avant d'entrer dans la classe de Lev Oborine au Conservatoire. Son 1er prix au Concours Reine Élisabeth en 1968 la révèle au public international. En mai 1971, elle fait ses débuts à Paris en participant à une semaine consacrée aux jeunes solistes soviétiques, au Théâtre de la Ville. Ses grandes qualités techniques en ont fait une interprète idéale de la musique de Prokofiev, dont elle a enregistré des pièces peu connues (*Sarcasmes, Visions fugitives* et la *Sonate n° 5*).

O

Oborin, Lev

Pianiste soviétique, né à Moscou le 11 septembre 1907, mort à Moscou le 5 janvier 1974.

Jusqu'en 1921, Oborin étudie le piano avec Elena Gnesina à l'École de musique Gnesine de Moscou, puis avec Konstantin Igumnov au Conservatoire jusqu'en 1926. En 1927, il remporte le prix Chopin du 1er Concours de Varsovie. Sa technique sobre, analytique et très expressive, renforcée par un beau legato, en font un pédagogue tout trouvé. Aussi se met-il à enseigner au Conservatoire dès 1928, où il obtient une chaire en 1948. Oborin compte Vladimir Ashkenazy et Ekaterina Novitskaïa parmi ses élèves. Il a très souvent servi la musique de chambre avec David Oïstrakh et Sviatoslav Knuschevitzki. Outre ses propres compositions et des articles de presse sur des pianistes et sur la technique du piano, cet ardent défenseur de la musique soviétique a également créé le *Concerto* de Khatchaturian.

Obraztsova, Elena

Mezzo-soprano soviétique, née à Leningrad le 7 juillet 1937.

Elle fait ses études au Conservatoire de Leningrad et dès sa deuxième année dans cette institution est engagée au Bolchoï. Médaille d'or de concours internationaux – Festival mondial de la jeunesse à Helsinki – et prix du Concours Glinka en 1962, c'est dans le rôle de Marina (*Boris Godounov*) qu'elle débute au Bolchoï. Elle chante aussitôt après *La Dame de pique* de Tchaïkovski et *Guerre et Paix* de Prokofiev. En 1967, elle se rend à Montréal avec le Bolchoï. En 1970 elle remporte les prix du Concours Tchaïkovski et du Concours Francisco Viñas à Barcelone. A la Scala (1964), à New York et à San Francisco (dans le rôle d'Azucena du *Trouvère*), à Paris, elle révèle des dons dramatiques que sert une voix chaude et riche. En 1975, elle crée l'opéra de Molchanov *Les Aubes sont tranquilles ici.* Elle l'interprétera encore à Washington et à New York. Parmi ses rôles de prédilection Marfa (*La Khovantchina*), la Comtesse (*La Dame de pique*), Lioubacha (*Le Prince Igor*), Carmen. En récital, elle chante, avec bonheur, les *Tonadillas* de Granados, les *Sept chansons populaires espagnoles* de Manuel de Falla, des mélodies et des lieder de grands auteurs russes et allemands. Elle chante le rôle d'Obéron dans *Le Songe d'une nuit d'été* de Britten.

Ochman, Wieslaw

Ténor polonais, né à Varsovie le 6 février 1937.

Il fait toutes ses études à Varsovie et débute à l'Opéra national de sa ville natale, en 1959. Il remporte aussitôt de grands succès dans son pays, particulièrement dans les rôles de Jontek (*Halka* de Moniuszko), Lenski (*Eugène Onéguine*),

Dimitri (*Boris Godounov*), Cavaradossi (*Tosca*), Arrigo (*Les Vêpres siciliennes*) et Hoffmann (*Les Contes d'Hoffmann*). A partir de 1966, il commence une éblouissante carrière internationale, tout en restant lié à l'Opéra de Varsovie. Il est invité au Covent Garden, à l'Opéra de Paris, de Hambourg et de Prague. Depuis la saison 1968-69, il fait partie de la troupe de Hambourg où il participe à de nombreuses premières) *Don Pasquale* (Ernesto), *Les Vêpres siciliennes* (Arrigo), *Salomé* (Narraboth), *Boris Godounov* (Dimitri)... Il remporte de grands succès, lors de tournées diverses en Amérique du Nord, non seulement sur scène, mais également en concert, où son répertoire comprend aussi bien les œuvres de musique baroque que les créations contemporaines, tout particulièrement les œuvres de son compatriote Penderecki.

Odnoposoff, Riccardo

Violoniste argentin naturalisé américain, né à Buenos Aires le 24 février 1914.

Dans sa ville natale, il étudie avec Aaron Klasse (1919-26) puis vient travailler à Berlin avec Rudolph Deman (1927-28) et surtout Carl Flesch (1928-32) dont il sera l'un des héritiers. En 1932, il remporte le 1er prix du Concours international de Vienne, et, en 1937, le 2e prix au Concours Ysaÿe, aux côtés de David Oïstrakh, et entreprend de vastes tournées. Il devient Konzertmeister de l'Orchestre Philharmonique de Vienne, puis se consacre à l'enseignement d'abord à New York (1944-56) puis, depuis 1956, à la Musikhochschule de Vienne, où, parmi ses élèves, on trouve des interprètes illustres, comme le chef d'orchestre Josef Sivo. En 1964, il est nommé professeur à la Hochschule de Stuttgart. Il donne aussi des cours à Salzbourg et à l'Académie internationale d'été de Nice.

Ogdon, John

Pianiste anglais, né à Mansfield Woodhouse le 27 janvier 1937.

Il est d'abord étudiant au Collège Royal de Musique de Manchester en 1945 où il est l'élève de Iso Elinson, puis un an plus tard de Claude Biggs, Denis Matthews, Egon Petri, Gordon Green et Ilona Kabos. En outre, il travaille également la composition avec Richard Hall, Thomas Pitfield et, à partir de 1967, avec George Lloyd. Il attire l'attention du monde musical en remplaçant au pied levé un pianiste souffrant en « déchiffrant » le *Concerto nº 2* de Brahms. Il fait ses débuts à Londres en 1958 en jouant le *Concerto* de Busoni sous la direction de Sir Henry Wood. En 1961, il obtient le prix Liszt et en 1962, partage avec Vladimir Ashkenazy le prix Tchaïkowski à Moscou, début d'une carrière internationale. Son répertoire est très vaste et souvent original. Il participe au Groupe Musique Nouvelle de Manchester donnant des créations de Gœhr, Maxwell-Davies, Birtwistle, Williamson, Hoddinott... Il joue des œuvres très peu connues de Liszt, Nielsen, Alkan, Stevenson. En 1960, il a épousé la pianiste Brenda Lucas avec laquelle il se produit en duo.

Ohanesian, David

Baryton roumain, né à Bucarest le 6 janvier 1927.

Il étudie au Conservatoire Astra et aux conservatoires de Bucarest et de Cluj-Napoca. Il est soliste des opéras de Cluj-Napoca et de Bucarest. Il participe en 1958 à la création roumaine de l'opéra *Œdipe* de Georges Enesco. Il se produit sur toutes les grandes scènes lyriques.

Ohlsson, Garrick

Pianiste américain, né à Bronxville le 3 avril 1948.

Il travaille au Conservatoire de Westchester avec Thomas Lishman, puis à la Juilliard School avec Sacha Gorodnitzki, Rosina Lhévinne et Olga Barabini. En 1966, il est lauréat du Concours Busoni à Bolzano et du Concours international de Montréal. Il remporte le 1er prix au Concours Chopin de Varsovie en 1968. Si l'on a pu le qualifier de « géant du piano », c'est au sens propre qu'il faut prendre l'expression : 1,94 m pour 102 kg !

Sa main droite couvre la 12e, sa main gauche la 13e... De tels moyens lui confèrent une technique fabuleuse.

Oïstrakh, David

Violoniste soviétique, né à Odessa le 30 septembre 1908, mort à Amsterdam le 24 octobre 1974.

Fils d'un choriste de l'Opéra, David Oïstrakh est l'élève de Stoliarski (qui forma aussi, en partie, Nathan Milstein). Lauréat de sa ville natale (1926), sa renommée sera fulgurante, en Union soviétique d'abord, où son premier concert a lieu à Leningrad, en Occident ensuite, à partir de 1927. Mais, il doit sa consacration internationale au 1er prix qu'il remporte en 1937 au Concours Eugène Ysaÿe, en Belgique, après avoir obtenu un 2e prix à Varsovie, au Concours Henryk Wieniawski. Si David Oïstrakh, à l'instar de Mischa Elman naguère, excellait dans la musique russe, il savait aussi, grâce à sa prodigieuse érudition musicologique, traduire avec un art incomparable les maîtres classiques et romantiques, comme Bach, Beethoven, Brahms ou Mendelssohn. Musicien jusqu'au bout des ongles, le « Roi David » possédait au plus haut point une sincérité d'expression, une noblesse et un respect de l'écriture fort rares. Il pouvait donc tout exprimer, sachant s'élever jusqu'aux maîtres qu'il servait. La musique soviétique lui doit beaucoup. Chostakovitch a écrit pour lui ses deux *Concertos* (1955 et 1967) et sa *Sonate pour violon et piano* (1969), Prokofiev sa *Sonate pour violon et piano n° 2* (1944), Khatchaturian et Kabalevski leur *Concerto.* En dehors de sa carrière de concertiste, David Oïstrakh était titulaire d'une chaire au Conservatoire de Moscou depuis 1934. Une dizaine d'années avant sa mort, il avait déjà été sujet à des crises cardiaques qui l'avaient amené à réduire son activité et à troquer parfois son archet pour la baguette de chef. Dans cette dernière discipline, il excellait également, comme encore à l'alto : on se souvient de sa légendaire interprétation de la *Symphonie concertante* pour violon et alto de Mozart qu'il grava avec son fils Igor au violon. Il jouait sur un Stradivarius de 1706.

Oïstrakh, Igor

Violoniste soviétique, né à Odessa le 27 avril 1931.

Fils de David Oïstrakh, il commence à jouer du violon dès son plus jeune âge, mais ne se consacre exclusivement à son instrument qu'à douze ans, avec comme professeur Piotr Stoliarski, qui avait été celui de son père. Suivent ensuite de longues années d'études, d'abord à l'École centrale de musique de Moscou (classe de V. Merenblum), puis au Conservatoire de Moscou où il reçoit l'enseignement de son père. Encore élève au Conservatoire, il remporte un 1er prix en 1949 à Budapest, au second World Youth Festival, puis en 1952 à Poznań, au Concours international Wieniawski. En 1958, il devient soliste de l'Orchestre Philharmonique de Moscou, et enseigne au Conservatoire de Moscou. Il doit affronter un problème : l'obligation de se faire un prénom, en se démarquant du style et des conceptions de son père. En musique de chambre, il joue habituellement avec son épouse et partenaire, la pianiste Natalia Zertsalova.

Oleg, Raphaël

Violoniste français, né à Paris le 8 septembre 1959.

Fils du compositeur Alexandre Oleg, Raphaël commence l'étude du violon à l'âge de sept ans avec Hélène Arnitz, qui le forme jusqu'à son entrée, sur les conseils d'Henryk Szeryng, au Conservatoire de Paris, dans la classe de Gérard Jarry : il a alors douze ans. Dans le même temps, il suit les cours de Maurice Crut pour la musique de chambre. En 1976, il obtient un 1er prix à l'unanimité dans les deux disciplines. Durant l'été 1976, il suit les cours d'interprétation de Szeryng à Genève, puis les cours d'analyse musicale de Betsy Jolas. En 1977, il est lauréat du Concours international Marguerite Long – Jacques Thibaud. Il a également travaillé avec Pierre Amoyal. Depuis lors, il a commencé une carrière prometteuse et l'ensemble de la critique, comme des mélomanes, salue en lui non seulement un violoniste d'élite, mais aussi un musicien d'une intelligence peu courante. Son premier disque (avec le pianiste Yves Rault), consacré aux *Sonates* de Schumann (1978), a fait beaucoup pour cette estime qu'on lui porte. En 1984, il est nommé professeur au Conservatoire américain de Fontainebleau.

Olivero, Magda

Soprano italienne, née à Turin le 25 mars 1912.

Fille d'un honorable magistrat, elle prend très jeune des leçons de danse. Tout en poursuivant ses humanités, elle s'inscrit au Conservatoire de Milan pour y étudier le piano, l'harmonie et le contrepoint sous la férule de Ghedini. Peu à peu, elle découvre sa voix. Après quelques tâtonnements, elle découvre en Luigi Gerussi et Luigi Ricci les maîtres qui lui inculquent cette technique vocale parfaite qui explique – avec la force de caractère du personnage – la grandeur et la longévité de sa carrière. Ses grands débuts ont lieu à Turin en 1933 en Lauretta de *Gianni-Schicchi.* Très vite, elle y est Gilda. Célèbre en une soirée, elle se retrouve sur les plus grandes scènes de la Péninsule. Elle incarne les héroïnes fragiles et attendrissantes, Liù, Butterfly, Mimi, Manon, Suor Angelica. Elle est aussi les deux Marguerite (Gounod et Boïto), Adrienne Lecouvreur et surtout Violetta. En 1941, elle se marie et décide de quitter la scène, faisant ses adieux dans cette *Adrienne Lecouvreur*, dont Cilea, le compositeur, considérait qu'elle était l'interprète idéale. Dix ans de silence. Elle ne chante que pour son plaisir. Mais des voix s'élèvent de partout. Rien n'y fait... Jusqu'au jour où, venant de Cilea, s'élève une prière à laquelle elle ne peut résister. En 1951, elle réapparaît discrètement en Mimi. Puis c'est la résurrection d'*Adrienne Lecouvreur* ; mais Cilea n'était plus là. C'est une mémorable Iris et le départ d'une carrière plus triomphale que la première. Elle est la vedette à la Scala, à Rome, mais aussi à Paris, Bruxelles, Amsterdam, Buenos Aires... et tous les grands festivals d'été. Cinquante ans ont passé depuis ses débuts et Magda Olivero chante encore.

Olof, Theo

Violoniste néerlandais, né à Bonn le 5 mai 1924.

Il débute tout d'abord avec sa mère et se produit dès l'âge de cinq ans. A partir de 1933, il travaille avec Oskar Back à Amsterdam où il donne son premier concert public en 1935. Après la guerre, il réalise des tournées en Europe, aux États-Unis et en Russie comme soliste. De 1951 à 1971, il occupe la place de violon solo à l'Orchestre de la Résidence de La Haye, poste qu'il partage avec Herman Krebbers avec lequel il se produit en duo. Les compositeurs Henk Badings (1954), Geza Frid (1952), Hans Kox (1964) ont écrit des concertos pour deux violons à leur intention. En 1974, il est nommé premier violon solo de l'Orchestre du Concertgebouw d'Amsterdam. Il se produit avec la pianiste Janine Dacosta et enseigne au Conservatoire de La Haye. Il a créé des œuvres de Maderna (1969), Ton de Leeuw, Heukemans, Van Vlijmen. Son violon est signé François-Louis Pique (1797).

Ormandy, Eugene (Jenö Blau)

Chef d'orchestre hongrois naturalisé américain (1927), né à Budapest le 18 novembre 1899, mort à Philadelphie le 12 mars 1985.

Il entre à l'Académie royale de sa ville natale à l'âge de cinq ans pour y étudier le violon. C'est à sept ans qu'il donne ses premiers concerts. En 1908, il devient l'élève de Jenö Hubay. Il obtient son diplôme en 1913 et commence à enseigner le violon en 1916. En 1921 il se rend aux États-Unis et entre dans l'orchestre du Capitol Theatre de New York où il passe du dernier au premier rang. Ses débuts comme chef datent de 1924 : il dirige de la musique légère à la radio. En 1931, il remplace Toscanini au pied levé pour un concert à la tête de l'Orchestre de Philadelphie. La même année, il est à la tête de l'Orchestre Symphonique de Minneapolis. Puis il prend, avec Stokowski, la direction de l'Orchestre de Philadelphie dont il sera le seul chef de 1938 à 1979, faisant de cette phalange l'une des meilleures du monde. Il enseigne également au Curtis Institute de Philadelphie (1968-77). Ormandy a dirigé les premières exécutions mondiales des *Danses symphoniques* de Rachmaninov, du *Concerto pour piano n° 3* de Bartók, des *Diversions* de Britten, de la *Symphonie n° 4* de Martinů, du *Concerto pour harpe* et du *Concerto per corde* de Ginastera, de *Studies in solitude* de Nabokov, d'œuvres de Barber, Piston, Sessions, Harris, Einem...

Orozco, Rafaël

Pianiste espagnol, né à Cordoue le 24 janvier 1946.

Il fait ses études au Conservatoire de Cordoue dès 1952, retrouvant parmi ses professeurs son père et son oncle. Il entre ensuite au Conservatoire de Madrid et obtient ses diplômes en 1964 après avoir remporté des prix aux concours de Bilbao et de Jaen. Sa rencontre avec Alexis Weissenberg est importante. Il travaille avec lui à l'Académie Chigiana de Sienne et reçoit le diplôme du mérite. En 1966, il remporte le Concours de Leeds et est aussitôt engagé à Londres et dans certains festivals anglais. Il commence alors une carrière de virtuose. Son jeu est très brillant, sa technique sûre. Il affectionne particulièrement les concertos de Rachmaninov.

Ortiz, Cristina

Pianiste brésilienne naturalisée anglaise, née à Bahia (Brésil) le 17 avril 1950.

Élève du Conservatoire de Rio de Janeiro, elle vient se perfectionner à Paris avec Magda Tagliaferro, puis va suivre les cours de Rudolf Serkin au Curtis Institute de Philadelphie. En 1965, elle obtient le 1er prix du Concours de Rio. L'année suivante, elle remporte le Concours Tagliaferro de Paris. Lauréate du Concours Enesco de Bucarest en 1969, elle obtient la même année le 1er prix au Concours Van Cliburn. Ses débuts aux États-Unis ont lieu à New York en 1971. L'essentiel de sa carrière se déroule en Grande-Bretagne, où elle vit.

Osinska, Eva

Pianiste polonaise, née à Varsovie le 22 mars 1941.

Après avoir été l'élève de Drzewiecki et de Ryszard Bakst au Conservatoire de Varsovie, elle suit les cours de Vlado Perlemuter et de Suzanne Roche à Paris. Prix d'excellence en 1972 au Conservatoire de Paris, elle remporte à Naples le Concours Casella, et en Espagne le Concours Jaen. Très proche d'Arthur Rubinstein, à la fin de sa vie, elle travaille avec lui l'ensemble de l'œuvre de Chopin dont elle réalise par la suite l'enregistrement intégral. Elle joue en sonate avec Henryk Szeryng.

Ott, Karin

Soprano suisse, née à Zurich.

A six ans, elle étudie le piano, puis au cours des ans, elle aborde le chant, le violon et l'orgue ! Elle termine ses études et, ayant obtenu son baccalauréat, elle s'inscrit à l'Opéra-Studio de Zurich. Elle débute au Théâtre de Bienne-Soleure et la saison suivante, est invitée en Allemagne, où elle va continuer de travailler le chant et étendre son répertoire. Avec son mari, metteur en scène, elle étudie un grand nombre de nouvelles partitions. En 1970, elle remporte à Reggio nell'Emilia un prix au Concours international Achille Peri. Son exceptionnel sens musical lui permet des tours de force comme apprendre en un jour le rôle de Parassja (*La Foire de Sorotschinzki*) pour sauver la situation à l'Opéra de Braunschweig et en trois jours le rôle de Tove (*Gurrelieder*) à Zurich. Elle est invitée dans toute l'Europe. En 1977, elle est engagée par l'Opéra de Paris pour être la Reine de la nuit (*La Flûte enchantée*) et la saison suivante elle fait partie des troupes de Berlin et de Stuttgart, tout en chantant régulièrement à l'Opéra de Paris, ainsi qu'à l'Opernhaus de Zurich.

Otten, Kees

Flûtiste néerlandais, né à Amsterdam le 28 novembre 1924.

Après des études au Lycée musical et au Conservatoire d'Amsterdam, dans les classes de clarinette et de flûte, il se spécialise dans la flûte à bec, qu'il fait entendre d'abord dans des cabarets, en même temps que la clarinette et le saxophone alto. Ses débuts datent de 1946. Il devient vite le premier flûtiste à bec soliste hollandais et il obtient la chaire de l'enseignement de cet instrument au Lycée musical d'Amsterdam, ensuite au Conservatoire de La Haye. En 1963, il fonde le Syntagma Musicum, et enregistre de la musique ancienne de la Renaissance, faisant œuvre révélatrice de compositeurs méconnus – ainsi dans les disques *Guillaume Dufay et son époque* et *Monuments de la musique ancienne*. Jacob de Senleches, Landini, Jacopo da Bologna, de Caserta, Arnold de Lantins..., sortent grâce à lui de l'oubli. Kees Otten est un précurseur dans la découverte du répertoire de la Renaissance interprété sur instruments anciens et selon des données historiques adéquates.

Otterloo, Willem Van

Voir à **Van Otterloo, Willem.**

Otto, Lisa

Soprano allemande, née à Dresde le 14 novembre 1919.

Fille du chanteur Karl Otto, elle étudie le chant à Dresde avec Suzanne Steinmetz-Prée et débute à Beuthen en 1941 (Sophie du *Chevalier à la rose*). Elle appartient aux troupes des opéras de Nüremberg (1945), Dresde (1946) et Berlin depuis 1952. Spécialisée dans les rôles de soubrette, elle paraît à la Scala, à l'Opéra de Paris, à Vienne, au Festival de Salzbourg (1953-65 : Despina, Blondchen, la première Dame de la nuit, Écho dans *Ariane à Naxos*, une servante d'*Elektra*), et au Festival de Glyndebourne en 1956 (Blondchen). Elle reçoit le titre de Kammersängerin en 1963.

Oubradous, Fernand

Bassoniste et chef d'orchestre français, né à Paris le 15 février 1903.

Il fait ses études au Conservatoire de Paris entre 1916 et 1923. Il est d'abord élève dans la classe de Paul Rougnon (solfège), puis auditeur à la classe de piano de Isidore Philipp (1921), tout en travaillant, hors conservatoire, avec Noël Gallon, André Bloch et Philippe Gaubert (direction d'orchestre). En 1922, il s'inscrit à la classe de Bourdeau (basson). Un an après, il reçoit un 1er prix de basson. Il prend la direction de la musique de scène du Théâtre de l'Atelier (1925-30). En 1927, il crée le Trio d'anches de Paris. Il fait partie de plusieurs orchestres : Orchestre National (1934-35), Orchestre de l'Opéra de Paris (1935-1953), basson solo de la Société des Concerts du Conservatoire (1936). En 1940, il transforme la Société des Instruments à Vent, fondée par Taffanel en 1879, en Association des Concerts de chambre de Paris, dont il est le président et qui prend, à partir de 1943, le nom de Concerts symphoniques de chambre de Paris. En 1942, il est chargé de la classe d'ensemble instrumental au Conservatoire de Paris et, en 1947, Oubradous est nommé directeur artistique et chef d'orchestre au Grand Théâtre de Lille ; en 1954, il est professeur au Mozarteum de Salzbourg (jusqu'en 1958) ; en 1958 il fonde l'Académie internationale d'été de Nice ; en 1961 il est nommé président de l'Association française de musique de chambre ; en 1965, il est membre du comité des programmes de l'O.R.T.F. et, en 1966, il crée une collection de musique contemporaine française aux éditions Transatlantiques.

Parmi les très nombreuses créations qu'il a dirigées, il faut citer *Amphitryon* (M. Emmanuel, 1941), *Suite élisabéthaine* (Ibert, 1943), *Concerto da camera* (Martinů, 1954), *Symphonie de chambre* (Enesco, 1955), *Dialoghi* (Malipiero, 1963), *2 Mouvements à la mémoire de Paul Gilson* et *The Garden's concertino* (Sauguet, 1966 et 1973) ainsi que des œuvres de R. Hahn, Damase, Daniel-Lesur, Martelli, Langlais, Tomasi, J. Charpentier...

Ousset, Cécile

Pianiste française, née à Tarbes le 23 janvier 1936.

Très jeune, elle révèle d'exceptionnelles dispositions pour la musique. Elle donne à Alger son premier concert public alors qu'elle atteint à peine cinq ans et demi. Élève de Marcel Ciampi au Conservatoire de Paris, elle obtient dans sa classe un 1er prix de piano (1950) et remporte, en 1953, le prix Claire Pagès. Elle accumule ensuite de très nombreuses récompenses dans les concours internationaux : Marguerite Long-Jacques Thibaud (1953), Genève (1954), Viotti (1955), Reine Élisabeth de Belgique (1956), Busoni (1959), Van Cliburn (1962). Sa carrière la conduit dans de nombreux pays. Elle donne des cours au Canada. Cécile Ousset a enregistré l'intégrale des *Variations pour piano* de Beethoven.

Ozawa, Seiji

Chef d'orchestre japonais, né à Hoten (Mandchourie) le 1er septembre 1935.

Il étudie la musique à l'École Toho de Tokyo et veut d'abord devenir pianiste. Mais un accident l'en empêche et il se tourne vers la direction d'orchestre. Il vient en Europe où il remporte le Concours de Besançon (1959) et se perfectionne avec Karajan. Un an plus tard, il remporte le Concours Mitropoulos à New York : Bernstein le prend comme assistant (1961-62 et 1964-65). Sa carrière commence alors très vite : il est directeur musical du Festival de Ravina (1964-68), de l'Orchestre symphonique de Toronto (1965-69), de l'Orchestre symphonique de San Francisco (1970-76) et de l'Orchestre Symphonique de Boston (depuis 1974). Il fait ses débuts lyriques au Festival de Salzbourg en dirigeant *Cosi fan tutte* en 1969. Malgré une carrière internationale très remplie, il conserve des attaches profondes avec son pays où il fonde le New Japan Philharmonic Orchestra qu'il dirige régulièrement. Il a créé *Musique pour San Francisco* de Milhaud (1972), le *Concerto pour violon* de von Einem (1970), *San Francisco Polyphony* de Ligeti (1975), *Polla ta Dhina* de Xenakis (1974), ainsi que la *Symphonie nº 2* de Maxwell Davies (1981), *Calls and Cries* de Balassa (1982) et la *Symphonie nº 1* de Harbison (1983), commandes passées pour le centenaire de l'Orchestre symphonique de Boston. Sa direction, souple et brillante, redonne aux éléments rythmiques leur place naturelle dans un raffinement de sonorités exemplaire. Doué d'une mémoire phénoménale, son répertoire est excessivement varié et comporte de nombreuses partitions de compositeurs japonais qu'il fait connaître en Occident. Au cours de ces dernières années, il a imposé dans le monde entier la *Turangalîla-Symphonie* de Messiaen, compositeur dont il a créé l'opéra *Saint François d'Assise* au Palais Garnier (1983).

Ozim, Igor

Violoniste yougoslave, né à Ljubljana le 9 mai 1931.

Il fait ses études à l'Académie de musique de Ljubljana avec Leon Pfifer puis au Royal College of Music de Londres, avec Max Rostal (1949-51). En 1951, il remporte la médaille au Concours Carl Flesch à Londres et, en 1953, le 1er prix au Concours international des radios allemandes à Munich. De 1960 à 1963, il est professeur à l'Académie de musique de Ljubljana et, depuis 1965, à la Hochschule für Musik de Cologne. Après de nombreuses tournées dans toute l'Europe, Igor Ozim consacre désormais beaucoup de son temps à l'enseignement. Il a créé des œuvres de Devcic, Krek, Niehaus, Petric qui lui sont dédiées ainsi que le *Concerto* de Kelemer (1982). Son violon est un Montagnana de 1773.

P

Pachmann, Vladimir de

Voir à **De Pachmann, Vladimir.**

Paderewski, Ignacy Jan

Pianiste, compositeur et homme politique polonais, né à Kurylówka le 18 novembre 1860, mort à New York le 29 juin 1941.

Son père est administrateur, sa mère meurt après sa naissance. Son talent est vite remarqué, il travaille à la maison avec des tuteurs (Rumowski et P. Sowinski) et entre au Conservatoire de Varsovie en 1873 où il apprend le piano (avec J. Jonotha et R. Strobl), l'harmonie et le contrepoint avec G. Roguski. Diplômé en 1878, il est engagé l'année suivante comme professeur de piano au même Conservatoire. En 1881 et 1883, il quitte Varsovie pour étudier la composition à Berlin. Il est encouragé par H. Bock et Moszkowski. Ce dernier publie ses œuvres : *Chants du voyageur, Danses polonaises,* et sera toujours son éditeur. A Berlin Paderewski rencontre R. Strauss, A. Rubinstein, Sarasate. Leschetizky le refuse comme élève. Il enseigne pendant un an au Conservatoire de Strasbourg (1885-86) et pourra ensuite travailler avec le célèbre pédagogue à Vienne. Cette rencontre sera décisive bien que Paderewski ne s'inscrive pas dans la lignée des disciples de Leschetizky : il semble en avoir hérité la sonorité mais pas la technique. A Paris en 1883, il a remporté un premier succès. Il se produit ensuite en Allemagne, en Pologne et en Angleterre. En novembre 1890, il joue au Carnegie Hall puis donne 100 concerts en Amérique en quatre mois. Les recettes vont souvent à des œuvres de charité. Il crée une fondation pour les jeunes compositeurs, aux U.S.A. en 1896, et deux concours, à Varsovie (théâtre et composition). De 1909 à 1913, il est directeur du Conservatoire de Varsovie. Fixé en Suisse, à la Villa Riond Bosson à Morges, où il passe ses vacances d'été, dès 1889, il compose de plus en plus malgré des crises et une mauvaise santé. 1901 voit la création de son opéra *Manru* à Dresde, puis à New York. Sa *Symphonie* est jouée à Boston, en 1909.

Paderewski tient une grande place dans la vie de son pays ; homme d'État, il parle aux Polonais pour la première fois le 14 juillet 1910, pour la commémoration de la victoire polonaise contre les chevaliers Teutoniques (500 ans plus tôt). A la fin de la guerre, il forme un comité d'assistance pour le peuple, réunit des fonds pour les victimes, travaille à la libération de la Pologne, devient Premier ministre et ministre des Affaires étrangères, lors de l'indépendance de son pays (1919) et signe le traité de Versailles. En 1923, il reprend ses concerts, enseigne l'été, devient le chef de la jeune école des compositeurs polonais à Paris et apparaît dans un film anglais *La Sonate au clair de lune.* A partir de

1936, il prépare une nouvelle édition des œuvres de Chopin qui ne sera publiée qu'après la guerre. Durant l'invasion nazie, il dirige une campagne aux U.S.A. en faveur de son pays. Ce voyage en Amérique sera son dernier.

Figure légendaire, Paderewski était considéré comme l'un des géants du piano, à sa génération. Ses conceptions musicales, romantiques à l'excès, déroutent de nos jours mais s'inscrivaient dans un contexte où l'enthousiasme et la passion l'emportaient sur l'exactitude et l'authenticité. Il avait une présence scénique étonnante et la simple écoute de ses enregistrements ne donne qu'une idée partielle de son talent. Elgar lui a dédié son prélude symphonique *Polonia.*

ÉCRITS : *The Paderewski Memoirs* (1939).

Pagliughi, Lina

Soprano italienne d'origine américaine, née à Brooklyn le 27 mai 1907, morte à Rubicone le 2 octobre 1980.

Enfant prodige, la célèbre Luisa Tetrazzini l'entend, s'enthousiasme et la prend « sous son aile ». Lorsqu'elle a quinze ans, sa famille se transporte en Italie et elle devient l'élève de Manlio Bavagnoli à Milan. Agée d'à peine vingt ans, elle débute au Théâtre communal de Milan dans le rôle de Gilda. Son triomphe est tel que La Voce del Padrone la choisit pour graver ce rôle aux côtés du baryton Piazza – elle le regravera quelque vingt ans plus tard avec Taddei et Tagliavini. Elle fait, toujours dans le rôle de Gilda, ses débuts à la Scala durant la saison 1930-31 puis chante sur toutes les grandes scènes italiennes : Elvira des *Puritains,* Amina de *La Somnambule,* Rosine, Violetta, Fiordiligi, Constance, la Reine de la nuit... et Lucia qu'elle interprète pour ses adieux à la Scala en février 1947 aux côtés de Gigli. Elle continue de chanter pour la radio jusqu'en 1956, puis se retire en pleine possession de merveilleux moyens vocaux qu'une technique infaillible lui a permis de conserver jusqu'au bout.

Paillard, Jean-François

Chef d'orchestre français, né à Vitry-le-François le 12 avril 1928.

Il fait de sérieuses études classiques et scientifiques à Dinan. En 1950, il obtient sa licence ès sciences mathématiques à la Sorbonne. En même temps il travaille l'écriture musicale, étudie avec Igor Markevitch et Édouard Lindenberg, et obtient un 1er prix d'histoire de la musique dans la classe de Norbert Dufourcq au Conservatoire de Paris (1951). Il enseigne ensuite l'éducation musicale de 1951 à 1956. Entre-temps, il a fondé, pendant son service militaire, l'Ensemble Instrumental Jean-Marie Leclair (1952). Il épouse la claveciniste Anne-Marie Beckensteiner dont il se séparera par la suite. L'Orchestre de Chambre Jean-François Paillard, qui devait jouer un rôle déterminant pour la musique des XVIIe et XVIIIe siècles, est fondé en 1953. Il accompagne de très nombreux solistes. Parallèlement, Jean-François Paillard poursuit une active carrière de chef invité et réalise des travaux de musicologie. Il organise des stages de direction d'orchestre et dirige l'Académie d'été de musique de chambre de Valence (Drôme). Il est l'auteur de divers essais dont *La Musique française.*

Païta, Carlos

Chef d'orchestre argentin, né à Buenos Aires le 10 mars 1932.

Il suit les cours privés du compositeur Jacob Fischer, avec lequel il étudie l'harmonie, le contrepoint, la fugue, l'orchestration et la composition. Et c'est avec Jan Nuchoff, un élève de Leschetizky, qu'il complète ses études pianistiques. Il n'entrera jamais au Conservatoire, en raison d'un caractère indépendant difficilement compatible avec une discipline rigide. Son expérience de chef d'orchestre, il l'acquiert en assistant à une centaine d'ouvrages symphoniques et lyriques. Il bénéficie des conseils de Wilhelm Furtwängler qu'il rencontre plusieurs fois à Buenos Aires. Puis il étudie la direction d'orchestre avec Arthur Rodzinsky. Il donne son premier concert en 1956 au Théâtre Colón à

Buenos Aires. Il est, peu après, nommé corépétiteur de ce théâtre. En 1964, il est invité par le gouvernement américain à étudier aux U.S.A. De 1966 à 1968, il dirige ses premiers concerts en Europe. En 1967, il est nommé chef permanent de l'Orchestre Symphonique de la Radio Nationale Argentine. Il obtient en 1968 un contrat d'engagement avec la firme de disques Decca. Son premier enregistrement (Wagner) obtient le prix de l'Académie Charles Cros. C'est le début d'une carrière internationale, de chef invité exclusivement, très largement marquée par le disque (*Requiem* de Verdi, *Symphonie fantastique*...).

Intéressé par la qualité technique des disques, Carlos Païta a été l'un des premiers musiciens à utiliser l'enregistrement numérique. On fonde pour lui à Londres le Philharmonic Symphony Orchestra, destiné d'abord aux seuls enregistrements, mais qui se produit vite en public et effectue sa première tournée en 1982. Carlos Païta vit à Genève.

Páleníček, Josef

Pianiste et compositeur tchécoslovaque, né à Travnik (Yougoslavie) le 19 juillet 1914.

Il fait ses études musicales (piano et composition) au Conservatoire de Prague où il est l'élève de Hoffmeister, Šin et Novák (1927-38), et les complète, peu avant la Seconde Guerre mondiale, à Paris. Il a pour professeurs Alexanian, Roussel et Cortot. En 1934, il fonde le premier Trio Smetana, qui deviendra le Trio Tchèque. C'est en 1945 que sa carrière de soliste peut enfin s'épanouir. Il n'est pas de meilleur défenseur et interprète des œuvres pour piano de Janáček, dont il révèle avec une grande sobriété l'intensité, l'expression visionnaire, les racines populaires. Páleníček a une passion pour Beethoven : il a beaucoup joué ses *Sonates pour piano et violon* avec Alexandre Plocek. Le compositeur garde un langage communicatif, clair. Qu'il compose ou parle de Janáček, l'on sent un besoin de spiritualité, une foi dans les forces de l'homme. C'est ce que disent sa musique, son quatuor à cordes ou son oratorio *Le Chant de l'homme* (1966). Il a écrit aussi, entre autres, trois concertos pour piano, des concertos pour flûte, pour saxophone et pour violoncelle. En 1963, il est nommé professeur à l'Académie des Arts de Prague.

Palm, Siegfried

Violoncelliste allemand, né à Wuppertal le 25 avril 1927.

Il commence ses études avec son père (1933-45) et les poursuit auprès d'Enrico Mainardi à Salzbourg (1950-53). En 1945, il est nommé violoncelle solo dans l'Orchestre de Lubeck puis, deux ans plus tard, est appelé au même poste dans l'Orchestre Symphonique du N.D.R. de Hambourg où il restera jusqu'en 1962. Dans le même temps (1951-62) il est membre du Quatuor Hamann. En 1962, il est nommé professeur à la Hochschule de Cologne dont il devient directeur en 1972. Il professe également à Darmstadt (depuis 1962), à Stockholm (depuis 1966), à Helsinki (1971), aux États-Unis, à Darmouth (1969 et 1972) et à Marlboro (depuis 1970). Il est violoncelle solo de l'Orchestre Symphonique du W.D.R. de Cologne (1962-68) avant de se consacrer exclusivement à sa carrière de soliste et à l'enseignement. En 1965, il forme un duo avec Aloys Kontarsky et, en 1965, un trio avec Heinz Schröter et Max Rostal. De 1977 à 1981, il est intendant de la Deutsche Oper à Berlin. Puis il est nommé président de l'ensemble de la S.I.M.C. (1981). Doté d'une technique fulgurante, Siegfried Palm a élargi les possibilités de l'instrument en exécutant des œuvres contemporaines jusqu'alors considérées comme injouables. De nombreux compositeurs ont écrit pour lui et créé une littérature très abondante qui a enrichi le répertoire de l'instrument. Parmi les œuvres qu'il a suscitées ou créées : *Sonate* pour violoncelle et orchestre (1964), *Capriccio per Siegfried Palm* (1968), *Concerto* de Penderecki, *Nomos Alpha* (1966) de Xenakis, *Sonate* (1960), *Concerto en forme de pas de trois* (1966), *Canto de speranza, 4 Petites Pièces* de Zimmermann, *Concerto* (1965) de Blacher, *Concerto* (1966) de Ligeti, *Match* pour

2 celli et percussion (1964) de Kagel, *Changeant* pour violoncelle et orchestre (1968) de Kelemen, *Quasi una fantasia* de Benguerel, *Concerto* de Zillig, *Concerto* de C. Halffter, *Concerto* de Feldman, *Tombeau d'Armor III* (1978) de Sinopoli, *Nore* (1968), *Glissées* (1971) et *Concerto* (1976) de Yun, *Drammatico* (1984) de Kelemen, *Liaison* (1984) de Liebermann, *Concerto* (1984) de Medek, *Monodram* (1983) et *Trio* (1984) de Rihm...

ÉCRITS : *Pro Musica nova : Studien zum spielen neuer Musik für Cello* (1974).

Palmer, Felicity

Soprano anglaise, née à Cheltenham le 6 avril 1944.

Elle étudie le chant, la mélodie, l'oratorio, mais également l'opéra à la Guildhall School of Music de Londres. Ayant débuté au concert, en Grande-Bretagne, puis sur le continent, elle obtient en 1970, le prix Kathleen Ferrier Memorial. Elle débute aux États-Unis et sur scène, à l'Opéra de Houston, comme Suzanne des *Noces de Figaro,* en 1973. Cette même année, elle effectue une tournée importante avec l'Orchestre Symphonique de la B.B.C. Tous les compositeurs anglais ont en elle une interprète privilégiée, à la sensibilité raffinée ; ce qui lui permet d'aborder avec un égal bonheur les mélodies françaises, spécialement celles de Poulenc qu'elle enregistre avec un certain abattage et une grande distinction. Parmi les compositeurs contemporains, elle a interprété les *Poèmes pour Mi* de Pierre Boulez, sous la direction du compositeur.

Pampuch, Helmut

Ténor allemand, né à Grossmahlendorf (Oberschlesien) en 1940.

Il étudie le chant au Conservatoire de Nuremberg dans la classe de Willy Domgraf-Fassbänder, de 1957 à 1962. Il débute au Théâtre municipal de Ratisbonne, en 1963. Puis il chante sur diverses scènes (Braunschweig, Sarrebruck, Wiesbaden) avant de faire partie de la troupe de l'Opéra de Düsseldorf-Duisbourg, en 1973. Il se fait une spécialité des rôles de composition et s'impose comme un exceptionnel Mime. Il est invité par l'Opéra de Paris, le Grand Théâtre de Genève, la Scala de Milan ; il chante sur la plupart des grandes scènes d'Allemagne, Berlin, Hambourg, Munich, Stuttgart... En 1978, il débute à Bayreuth dans des petits rôles (*Parsifal, Lohengrin...*) et surtout comme Mime (*L'Or du Rhin*). A l'Opéra de Paris, il crée la version en trois actes de *Lulu* (1979).

Panenka, Jan

Pianiste tchécoslovaque, né à Prague le 8 juillet 1922.

En 1940 il est admis dans la classe de F. Maxian au Conservatoire de Prague, puis en 1946 dans la classe de J. Sebriakov au Conservatoire de Leningrad. De retour à Prague pour se perfectionner auprès de F. Maxian, il remporte le Concours international du Printemps de Prague en 1951. Parallèlement à sa carrière de soliste, il fait partie du Trio Suk et joue souvent en duo avec Joseph Suk.

Paneraï, Rolando

Baryton italien, né à Campi Bisenzio le 17 octobre 1924.

Élève de Frazzi à Florence, et de Armeni et Tess à Milan, il se perfectionne au Centre lyrique du Mai Florentin. Lauréat du Concours de Spolète en 1948, il débute dans *Moïse* au San Carlo de Naples. Sa carrière devient vite importante en Italie et en Europe. On le retrouve à Bergame en 1951, à la Scala durant les deux années suivantes et à la Fenice de Venise en 1955. C'est la première exécution scénique de *L'Ange de feu* de Prokofiev où il chante Ronald. Le Licéo de Barcelone, l'Opéra de Vienne en 1958, le Covent Garden en 1960 accueillent cet interpréte de l'opéra italien qui aime aussi la musique de son temps. Paneraï participe à la première représentation italienne de *Mathis le peintre* d'Hindemith à la Scala en 1957. Son répertoire est large et divers : Rossini (Figaro), Mozart (Guglielmo dans

Cosi fan tutte), et parmi les contemporains Guido Turchi (*Le Bon Soldat Chvéïk*, 1962).

Rolando Paneraï possède une voix sombre, chaude et vibrante, une diction claire. Sa présence en scène est vive, originale. Il a chanté dans de nombreux festivals, notamment à Aix-en-Provence et Salzbourg.

Panzéra, Charles

Baryton français, né à Genève le 16 février 1896, mort à Paris le 6 juin 1976.

Après des études au Conservatoire de Paris, il débute à l'Opéra-Comique dans Werther (1919) ; mais c'est au concert que s'épanouissent ses dons éminents d'interprète et de musicien. A l'âge de 25 ans, Fauré lui dédie son dernier cycle de mélodies *L'Horizon chimérique* et lui en confie l'interprétation. Sa personnalité et sa carrière sont marquées par l'univers de Fauré, comme par celui de Debussy, dont il incarne Pelléas à l'Opéra-Comique dès 1930. La perfection de son style, sa maîtrise en font dès lors un des plus grands chanteurs de mélodies et artistes lyriques de notre temps. Il est invité à interpréter Pelléas dans de nombreux pays étrangers. Parallèlement, il milite sans relâche pour les œuvres des musiciens français contemporains : Ravel, Caplet, Roussel, Koechlin, Honegger, Milhaud, mais aussi Poulenc, Loucheur, Messiaen, Dutilleux, tout en offrant au public les plus mémorables récitals de mélodies et de lieder du répertoire : Schubert, Schumann, Berlioz, Gounod, Duparc... Son épouse et collaboratrice de toujours, Magdeleine Panzéra-Baillot, l'accompagne au piano. Il crée plusieurs œuvres d'Honegger dont *Amphion* (1931) et *Cris du monde* (1932). L'extrême distinction du timbre de voix, un certain « grain » sonore d'une pénétrante nostalgie, le sens inné de la ponctuation, du phrasé, et surtout un respect absolu de la pensée de l'auteur, voilà, comme le dit Dutilleux, un ensemble de qualités qui situent l'artiste au niveau exceptionnel qui fut le sien.

ÉCRITS : professeur au Conservatoire de Paris de 1951 à 1966, il a laissé plusieurs ouvrages sur le chant (*L'Art de chanter*, 1945 ; *L'Amour de chanter*, 1957 ; *50 Mélodies françaises, leçons de style et d'interprétation*...).

Paraskivesco, Theodor

Pianiste roumain naturalisé francais, né à Bucarest le 11 juillet 1940.

Après des études au Conservatoire de Bucarest, il en sort avec cinq 1er prix. Lauréat du Concours international Georges Enesco en 1961, le gouvernement français lui accorde une bourse qui lui permet de venir parfaire sa formation à Paris. L'enseignement de Nadia Boulanger et d'Yvonne Lefébure sera déterminant pour son art. Ses interprétations de la musique pour piano de Debussy lui valent le prix Claude Debussy en 1970. L'intégrale Debussy qu'il réalise sur disque est considérée comme l'une des meilleures. Grand Prix du disque en 1974, pour un enregistrement consacré à Ravel, il ne dédaigne pas pour autant la musique de Beethoven ou de Brahms, ni celle d'Enesco. Tout récemment, il s'est tourné vers la littérature pour trio en compagnie de Jean Estournet et de Michel Strauss . C'est également un remarquable accompagnateur de mélodies.

Paray, Paul

Chef d'orchestre et compositeur français né au Tréport le 24 mai 1886, mort à Monte-Carlo le 10 octobre 1979.

Son père, musicien amateur, dirige une musique minicipale et tient l'orgue dans sa ville natale. A 5 ans, il remporte un concours de tambour à Beauvais et, à 10 ans, il joue la partie de timbales d'une exécution de la *Missa Solemnis* de Beethoven à Rouen. Il fait ses études musicales à la Maîtrise de la cathédrale de Rouen et, en 1903, Henri Dallier l'entend improviser à l'orgue. Il convainc ses parents de l'envoyer à Paris. Au Conservatoire, il travaille l'harmonie avec Leroux et le contrepoint avec Caussade. Pour gagner sa vie, il joue du violoncelle dans de petits orchestres ou tient le piano dans certains cabarets où il remplace Maurice Yvain. En 1911, il obtient le 1er Grand Prix de Rome. Prisonnier pendant les quatre années de guerre à Darmstadt, il reprend ses activités en dirigeant un petit orchestre au Casino de Cauterets; parmis ses musiciens se trouvent Joseph Calvet et quelques instrumentistes des Concerts Lamoureux qui le présentent à Chevillard. L'année suivante (1920), il devient son suppléant avant de le remplacer comme président-chef d'orchestre (1923-28). Entre 1928 et 1945, il assure la direction musicale du Casino de Monte-Carlo et dirige également à Vichy et à Marseille. Il revient à Paris en 1932 : il est président-chef d'orchestre des Concerts Colonne (1932-40) et chef d'orchestre à l'Opéra. Pendant l'Occupation, il se retire à Monte-Carlo et ne reprend ses fonctions aux Concerts Colonne qu'à la Libération (1944-56). En 1951, il est chargé de réorganiser l'Orchestre Symphonique de Detroit dont il sera le directeur musical jusqu'en 1963.

Paul Paray était un infatigable propagateur de la musique française dans le monde entier. A la tête des orchestres parisiens, il a créé entre les deux guerres un nombre important de partitions de Roussel (*La Naissance de la lyre*), Ibert (*Escales*, *Concerto pour violoncelle*), Schmitt (*In Memoriam*), Duruflé (*Requiem*), Tomasi, Loucheur, Delvincourt, Le Flem... Son œuvre réunit deux symphonies, la *Fantaisie* pour piano et orchestre, des mélodies, un poème symphonique, *Adonis troublé* (1921) et la *Messe pour le 500e anniversaire de la mort de Jeanne d'Arc* (1931).

Pâris, Alain

Chef d'orchestre français, né à Paris le 22 novembre 1947.

Il reçoit une formation de pianiste tout en poursuivant ses études universitaires (licence en droit, Paris, 1969). A l'École normale de musique de Paris, il travaille la direction d'orchestre avec Pierre Dervaux et les écritures avec Georges Dandelot (1965-68). Ayant obtenu la licence de concert en 1967, il se perfectionne avec Louis Fourestier à Nice et remporte le 1er prix au Concours international de Besancon (1968) : il est le plus jeune lauréat de cette compétition. Il commence à diriger les principaux orchestres français, notamment ceux de la Radio et les Concerts Lamoureux qui l'invitent pour plusieurs séries de concerts (1970-71). Il reçoit les conseils de Paul Paray et de Georg Solti. Il dirige en Grèce, en Irak, en Suisse, en Belgique, en Roumanie... Assistant de Michel Plasson au Capitole de Toulouse (1976-77), il mène depuis une carrière de chef invité à la tête des principaux orchestres français et à l'étranger. En 1980, il fonde l'Ensemble à Vent de Paris avec lequel il fait revivre un répertoire totalement oublié. Il a créé ou dirigé en 1re audition des œuvres de Taïra, Gorecki, de Pablo, Mather. Sa carrière se double d'activités radiotélévisées, notamment à France-Culture où il produit régulièrement des émissions musicales depuis 1975. En 1983, il est nommé chef associé à l'Opéra du Rhin (Strasbourg) et, l'année suivante, chef permanent.

ÉCRITS : contribution à *La Musique* (1979) et *Le Guide du piano* (1979). Auteur du présent ouvrage (1982).

Parisot, Aldo

Violoncelliste français et brésilien, né à Natal le 30 septembre 1920.

Dès l'âge de 7 ans, il commence l'étude du violoncelle avec son beau-père, violoncelle solo de l'Orchestre de la N.B.C. Il débute à l'âge de 12 ans et poursuit sa formation au Conservatoire de Natal, puis, en 1940 à Rio de Janeiro. Aux États-Unis, il travaille à l'université de Yale. Pendant 5 ans, il est violoncelle solo de l'Orchestre Symphonique du Brésil et membre du Quatuor Jarovino. Il donne, en 1945, la 1re audition au Brésil du *Double Concerto* de Brahms. L'année suivante, il fait ses débuts aux États-Unis. Villa Lobos écrit pour lui son *2e Concerto* pour violoncelle qu'il crée avec l'Orchestre Philharmonique de New York en 1955. Professeur à l'université de Yale, il a également créé le *Choro* pour violoncelle et orchestre de Guanieri (1962).

Parnas, Leslie

Violoncelliste américain, né à Saint Louis le 22 novembre 1932.

Il fait ses études à l'Institut Curtis de Philadelphie. En 1957, il remporte le prix Pablo Casals puis, en 1962, le prix Tchaïkovski à Moscou. Il est actuellement professeur à l'Université de Boston.

Parsons, Geoffrey

Pianiste australien, né à Sydney le 15 juin 1929.

Élève de Winifred Burston au Conservatoire de Sydney dès 1941, il fait ses débuts dans sa ville natale en 1946. A sa sortie du Conservatoire en 1948, il part en tournée en Australie, accompagnant la chanteuse Essie Ackland. Au terme de ces récitals, il décide de se consacrer entièrement à l'accompagnement. En 1950, il est à Southampton en Angleterre, pour travailler avec Peter Dawson. Et cinq ans plus tard, il accompagne à Londres Hüsch dans *Le Voyage d'hiver*. L'année suivante, en 1956, il part pour Munich où il suit les cours de Friedrich Wührer. En 1961, il accompagne à Londres Elisabeth Schwarzkopf, dont il sera par la suite l'accompagnateur attitré.

Après le retrait de Gerald Moore, il devait devenir le premier accompagnateur de chanteurs reconnu comme tel. Moins dramatique et enflammée que le style de Moore, sa façon de jouer, faite d'équilibre et de force intérieure, permet aux chanteurs toutes les subtilités de nuances et de couleurs. Geoffrey Parsons a accompagné Victoria de Los Angeles, Rita Streich, Hans Hotter, Nicolaï Gedda, mais aussi Paul Tortelier et Nathan Milstein.

Partridge, Ian

Ténor anglais, né à Londres le 12 juin 1938.

Il fait ses études musicales au Royal College of Music de Londres (1956-58), puis fait partie du chœur de la cathédrale de Westminster, dirigé par George Malcolm ; en 1959, à Guildhall School, il étudie avec Norman Walter, et pendant deux ans (1963-65) avec Roy Hickman et Stefan Pollmann. Ses débuts de soliste (*Le Messie*, en 1958 à Bexhill) le font pressentir comme l'un des meilleurs ténors d'oratorio. Dans Schütz et surtout dans J.-S. Bach (rôle de l'Évangéliste dans les Passions), son interprétation est fort prisée pour une musicalité naturelle de phrasé, pour la grâce et la clarté de sa diction, la fraîcheur de son timbre. Son répertoire s'étend de la musique baroque, domaine de prédilection, vers une littérature antérieure qui remonte jusqu'au Moyen Âge. Il chante dans de nombreuses formations occasionnelles, mais aussi avec des ensembles réguliers, tel le Purcell Consort of Voices (1963-71). Avec sa sœur, Jennifer Partridge, au clavecin, il a donné plusieurs récitals et enregistré des cycles de lieder (*Die schöne Müllerin*, *Dichterliebe*). Son enregistrement des *Madrigaux* de Monteverdi (1971), avec le Chœur Monteverdi de Hambourg, dirigé par Jürgen Jürgens, a été particulièrement remarqué. Il a interprété des rôles d'opéra (Iopas dans *Les Troyens* de Berlioz à Covent Garden, 1969) et chanté *On Wenlock Edge* de Vaughan-Williams.

Pasero, Tancredi

Basse italienne, né à Turin le 11 janvier 1893, mort à Milan le 17 février 1983.

Il étudie le chant à Turin avec Pessina et débute, en 1917, au Théâtre municipal de Vicenza comme Comte Rodolphe de *La Somnambule* (Bellini). Dès l'année suivante, il est engagé à la Scala qu'il ne quitte plus. En 1926, il chante Philippe II (*Don Carlos*) sous la direction de Toscanini. Jusqu'en 1953, il chante à la Scala avec un succès qui ne diminue pas. Il est invité sur toutes les grandes scènes italiennes, au Covent Garden, à l'Opéra de Paris, à Bruxelles et Barcelone. De 1929 à 1934, il remporte de grands succès au Met, où il chante entre autres, en 1929, la première de *Luisa Miller* ; en 1935, il crée à la Scala *Nerone* de Mascagni et la même saison, à Florence, il crée *Orseolo* de Pizzetti. Il participe au Festival de Vérone ainsi qu'au Mai Musical Florentin.

Sa carrière a duré, jour pour jour, quarante ans. Aux côtés d'Ezio Pinza, il fut la basse italienne la plus importante de sa génération et un des interprètes les plus fêtés de Verdi.

Pasquier, Bruno

Altiste francais. né à Neuilly-sur-Seine le 10 décembre 1943.

Il travaille le violon jusqu'à onze ans puis entre au Conservatoire de Paris en 1957 où il obtient un 1er prix d'alto en 1961 dans la classe d'Étienne Ginot. Il obtient également un 1er prix de musique de chambre dans la classe de son père Pierre Pasquier (1963). Avec le Quatuor Bernède, auquel il appartient de 1963 à 1967, il remporte en 1965 un prix au Concours international de quatuors à cordes de Munich. Il est altiste à l'Orchestre de la Garde républicaine, alto solo des Concerts Colonne. En 1965, il entre à l'Orchestre de l'Opéra de Paris où il devient second alto (1968) puis alto solo (1972). En 1970, il fonde avec son frère Régis et le violoncelliste Roland Pidoux, le Nouveau Trio Pasquier. Il poursuit parallèlement une carrière de soliste. En 1984, il est nommé alto solo de l'Orchestre National de France.

Pasquier, Régis

Violoniste français, né à Fontainebleau le 10 octobre 1945.

Après avoir obtenu des 1er prix de violon et de musique de chambre au Conservatoire de Paris (1958), à l'âge de douze ans, il commence un an plus tard une carriere d'enfant prodige avec des tournées en Belgique, en Hollande et au Luxembourg. En 1960, il se rend aux États-Unis et donne un récital à New York. Il étudie avec Isaac Stern puis enregistre avec Francescatti le *Double Concerto* de Bach. Il continue à travailler et surmonte sans difficultés le passage de la carrière d'enfant prodige à la vie d'adulte. Il retourne régulièrement aux États-Unis et joue avec les plus grandes formations européennes. En 1977, il est nommé violon solo de l'Orchestre National France ; il fait aussi de la musique de chambre, au sein du Nouveau Trio Pasquier (avec son frère Bruno et le violoncelliste Roland Pidoux) ou en sonate avec le pianiste Jean-Claude Pennetier. Son répertoire va dcs grands concertos classiques à la musique du XXe siècle (de Xenakis aux *Trajectoires* de Gilbert Amy).

Patané, Giuseppe

Chef d'orchestre italien, né à Naples le 1er janvier 1932.

Il fait ses études musicales au Conservatoire San Pietro a Majella, dans sa ville natale (piano et composition). Comme son père, le chef d'orchestre Franco Patané (1908-68), la direction l'attire et il fait ses débuts en 1951, en dirigeant *La Traviata*, à Naples. Il y est 2e chef de 1951 à 1956. Directeur du Landestheater de Linz en 1961-62, il se rend ensuite à la Deutsche Oper de Berlin où il demeure six ans. Il y retourne encore, de façon irrégulière. En 1969 à la Scala de Milan, il dirige *Rigoletto* avec succès. A Covent Garden, à l'Opéra de Rome et au San Carlo de Naples, on apprécie son sens du lyrique et sa précision, dans Verdi particulièrement. Chef permanent de l'American Symphony Orchestra de New York, il est nommé en 1983 à la tête de l'Orchestre des Arènes de Vérone.

Patti, Adelina

Soprano coloratura italienne, née à Madrid le 10 février 1843, morte au château de Craig-y-Nos (Pays de Galles) le 27 juillet 1919.

Chanteurs tous deux, ses parents l'emmènent très jeune encore à New York où elle chante pour la première fois en concert en 1850. Son beau-frère, M. Strakosch, lui enseigne le chant et sa sœur Carlotta (qui deviendra chanteuse) le piano. En 1859, elle débute sur scène à New York dans le rôle de Lucia. A Londres, au Covent Garden, elle incarne Amina (*La Somnambule*) en 1861. On voit en elle une nouvelle Grisi ; elle joue Zerlina, dans le dernier

Don Giovanni chanté par la Grisi à Londres. Dès lors elle apparaît à Paris, Londres, Milan, New York et interprète une trentaine de rôles (Rossini, Bellini, Verdi, Gounod, Meyerber, Donizetti), créant *Aïda* à Londres. Émouvante Juliette, Adelina Patti est aussi remarquable dans les rôles dramatiques et lyriques (Leonora, Violetta, Marguerite, Aïda). Elle est la cantatrice la mieux payée de son époque (5000 dollars en Amérique). Ses contrats précisent qu'elle est exempte de toute répétition et indiquent l'importance de son nom sur l'affiche. Elle se mariera trois fois, la deuxième avec le ténor Nicolini. Herman Klein a écrit sa biographie, *Le Règne de la Patti*. Elle laisse une trace légendaire, en son temps. Elle donne son concert d'adieux à Londres en 1906 mais chantera une dernière fois en 1914 dans un concert de charité.

Patzak, Julius

Ténor autrichien, né à Vienne le 9 avril 1898, mort à Rottbach-Egern le 26 janvier 1974.

Désireux d'être chef d'orchestre, il étudie le contrepoint, la composition et la direction d'orchestre avec Franz Schmidt et Guido Adler. Après-guerre, tout en dirigeant un orchestre de danse, il apprend seul le chant et fait ses premières armes à Reichenberg dans le rôle de Radamès, à Brno, à la Staatsoper de Vienne (1928), puis est engagé de 1928 à 1945 à l'Opéra d'État de Bavière, après y avoir chanté le rôle de Riccardo d'*Un Bal masqué*. De 1945 à 1959, il fait partie de l'Opéra de Vienne, interprétant un répertoire fort étendu, des grands rôles mozartiens (il chante au Festival de Salzbourg Tamino en 1943 et Belmonte en 1945) aux rôles verdiens et pucciniens. Incomparable Évangéliste des Passions de Bach, interprète exemplaire de lieder, il est le successeur désigné de Karl Erb dans ces domaines comme le rôle de *Palestrina* de Pfitzner. Il enseigne la mélodie et l'opéra à l'Académie de musique de Vienne (1948-49) et au Mozarteum de Salzbourg. Modelant avec intelligence les nuances les plus intimes de son jeu, en utilisant les ressources d'une voix cristalline mais limitée et légèrement nasale, il sait créer une tension dramatique extrême même dans l'espace réduit d'un lied, sans jamais forcer. En compagnie de Kathleen Ferrier, il a participé à l'enregistrement historique du *Chant de la terre* de Mahler sous la direction de Bruno Walter.

Pau, Maria de La

Voir à **La Pau, Maria de.**

Pauer, Max von

Pianiste autrichien, né à Londres le 31 octobre 1866, mort à Jugendheim (Darmstadt) le 12 mai 1945.

Son père, le célèbre pianiste, pédagogue et éditeur Ernst Pauer, lui apprend le piano. De 1882 à 1885, il se perfectionne à Karlsruhe en suivant les cours de Vincenz Lachner. Ses débuts ont lieu à Londres. Peu après, en 1887, il s'installe à Cologne, où il enseigne le piano au Conservatoire. En 1897, il donne des master-classes au Conservatoire de Stuttgart dont il prend la direction en 1908, succédant à De Lange. Sous son impulsion, le Conservatoire devient la Hochschule für Musik, une fois réorganisé. A la mort de Krehl en 1924, il prend la direction du Conservatoire de Leipzig qu'il réforme également. Puis ce sera le tour de la Hochschule de Mannheim en 1933. Mais dès 1934, il abandonne ses fonctions et se retire à Stuttgart. Pédagogue ingénieux, il était doué d'une technique puissante et extrêmement brillante. Il laisse de nombreuses éditions d'œuvres de Schumann et de Beethoven, ainsi que de multiples arrangements pour le piano de symphonies de Haydn et de Mozart.

ÉCRITS : *Unser seltsames Ich* (1942), autobiographie.

Pauk, György

Violoniste hongrois naturalisé anglais, né à Budapest le 26 octobre 1936.

Il commence ses études musicales dès l'âge de cinq ans puis entre à l'Académie

Franz Liszt où il est l'élève de Zathureczky, Weiner et Kodály. En 1950, il se produit pour la première fois avec orchestre et, encore étudiant, il donne des concerts en Europe centrale. Il remporte des prix aux concours internationaux de Bucarest (1953), de Gênes (1956), de Munich (avec Peter Frankl, en sonate, 1957), de Paris (Long-Thibaud, 1959). Il se fixe à Londres en 1958 et fait ses débuts au Festival Hall en 1961. Il joue régulièrement en duo avec le pianiste Peter Frankl (avec qui il enregistre les sonates pour violon et piano de Mozart) et en trio avec le violoncelliste Ralph Kirshbaum. En 1964, il est nommé professeur au Royal College of Music de Manchester. Il a participé à la création du *Triple Concerto* de Tippett en 1980. Istvan Lang lui a dédié son *Concerto* (1977). Il joue sur un Stradivarius de 1714.

Paul, Tibor

Chef d'orchestre hongrois naturalisé australien (1955), né à Budapest le 29 mars 1909, mort à Sydney le 11 novembre 1973.

Au Conservatoire de Budapest, il est l'élève de Bartók et reçoit une formation de clarinettiste qui lui permettra de se produire souvent avec le Quatuor Lener. Il travaille la direction d'orchestre avec Scherchen et Weingartner et dirige le Budapest Konzertorchester de 1930 à 1940. Puis il est engagé à l'Opéra de Budapest (1940-44). Il se réfugie en Australie après la guerre où il devient chef permanent de l'Orchestre Symphonique A.B.C. (Radio Australienne) de 1951 à 1960. En 1954, il est 1er chef à l'Opéra et professeur au Conservatoire de Sydney. Il revient en Europe en 1960 lorsqu'il est nommé chef permanent de l'Orchestre Symphonique de la Radio-Télévision Irlandaise à Dublin. Deux ans plus tard, il en devient directeur musical (1962-67). Après quelques années où il mène une carrière de chef invité, il prend la direction de l'Orchestre Symphonique de Perth en 1971 qu'il conserve jusqu'à sa mort.

Paumgartner, Bernhard

Chef d'orchestre et musicologue autrichien, né à Vienne le 14 novembre 1887, mort à Salzbourg le 27 juillet 1971.

Fils d'Hans Paumgartner (1843-96), critique musical et chef de chœur à la Cour d'Autriche et de la mezzo-soprano Rosa Napier, il travaille d'abord avec ses parents avant d'étudier le droit à l'Université de Vienne. Il est l'élève de R. Dienzl (piano), K. Stiegl (cor) et B. Walter (direction). Il débute comme chef de chant à l'Opéra de Vienne (1911-12). Puis il est à la tête du Tonkünstlerorchester (1914-17). A la même époque, il enseigne à l'Académie de Vienne (1915-17). Le reste de sa carrière se déroulera à Salzbourg, dans le cadre du Mozarteum (dont il est le directeur de 1917 à 1938 et de 1945 à 1953, puis le président de 1953 à 1959) et du Festival (dont il est l'un des fondateurs et l'un des principaux dirigeants avant d'en devenir président en 1960). Il fonde l'Orchestre du Mozarteum en 1922 et la Camerata Academica du Mozarteum en 1952. De 1938 à 1945, il dirige à Florence un institut de recherche de l'Université de Vienne sur la musique baroque. Son activité musicologique est considérable : il a réalisé de nombreuses éditions d'œuvres du XVIIIe siècle d'après les manuscrits de la Bibliothèque de Vienne. Ses travaux sur Mozart sont fondamentaux.

ÉCRITS : *Mozart* (1927), *Schubert* (1943), *Bach* (1950), *Erinnerungen*, Mémoires (1969). L'ensemble de ses articles a été publié en recueil à Cassel (1973).

Pavarotti, Luciano

Ténor italien, né à Modène le 12 octobre 1935.

Sa famille est musicienne, pourtant il veut être professeur. Il enseigne durant deux ans à la Scuola delle Magistralle. Il décide ensuite de se consacrer au chant et travaille avec Arrigo Pola et Campogalliani.

C'est dans le rôle de Rodolphe (*La Bohème*) qu'il remporte le Concours international de chant à Reggio nell'Emilia, en 1961. Il fait ses débuts dans cette ville, obtient un succès immédiat et des engagements en Italie. En 1963, dans *Lucia di Lammermoor* (Edgardo) à Amsterdam, il touche son public par le dépouillement et la finesse. Invité alors à Vienne et Zurich, il remplace ensuite Di Stefano dans *La Bohème*, au Covent Garden. L'année suivante, à Glyndebourne, il chante *Idoménée* de Mozart puis il a pour partenaire Joan Sutherland (*Lucia*) en Amérique et en Australie, en 1965. Ensemble, ils interprètent *Les Puritains* de Bellini. En 1966, Pavarotti fait ses débuts à la Scala dans *Les Capulets et les Montaigus.* Au Liceo de Barcelone, à Paris, au Met (1968), à San Francisco, à Londres, il chante Donizetti, Bellini, mais aussi Verdi (*Rigoletto, Un Bal masqué*). Avec Montserrat Caballé à Barcelone (1971), avec Ileana Cotrubas à la Scala (1974), avec Kiri Te Kanawa au Covent Garden (1976), avec Mirella Freni, Luciano Pavarotti poursuit une carrière qui, grâce aux supports de l'audio-visuel, a fait de lui l'une des vedettes les plus demandées du monde. Ses cachets passent pour avoir dépassé tous les records existants !

ÉCRITS : *Io, Luciano Pavarotti* (1981).

Pazovski, Arii

Chef d'orchestre soviétique, né à Perm le 2 février 1887, mort à Moscou le 6 janvier 1953.

Il reçoit une formation de violoniste qu'il complète au Conservatoire de Saint-Pétersbourg avec P. Krasnokuski à partir de 1897 puis avec Auer (1900-04). Il débute comme violoniste et commence à diriger dans différents opéras à partir de 1905. Entre 1908 et 1910, il dirige à l'Opéra Zimin de Moscou puis à Kharkov, Odessa et Kiev. Il est alors nommé directeur musical à l'Opéra de Petrograd (1916-18). Il occupe ensuite les mêmes fonctions à Bakou, Sverdlovsk et Kharkov avant d'être nommé chef permanent au Bolchoï (1923-24 puis 1925-28). Il retourne à Kiev comme directeur musical (1926-36) puis à Leningrad comme directeur artistique du Théâtre Kirov (1936-43). Il finira sa carrière comme directeur artistique du Bolchoï (1943-48). A partir de 1948, la maladie l'empêchera de diriger. Il est considéré comme l'une des figures marquantes du monde lyrique soviétique.

ÉCRITS : son ouvrage, *Les Écrits d'un chef,* a été publié (en russe) en 1966.

Pears, Sir Peter

Ténor anglais, né à Farnham le 22 juin 1910.

Organiste temporaire à Oxford, au Hertford College en 1928-29, il obtient, après quatre années à Grange School, une bourse pour le Collège Royal de Musique de Londres (1933-34). Il entre dans les chœurs de la B.B.C. (1934-37) et travaille avec Elena Gerhardt et Dawson Freer. C'est en 1936 qu'il rencontre Britten et donne avec lui son premier récital au profit des républicains, durant la guerre civile espagnole. En 1938, il chante dans les Chœurs de Glyndebourne et part un an plus tard avec Britten aux États-Unis où il étudie avec l'épouse de Schnabel, Thérèse Behr. En 1942, il revient à Londres où il débute un an plus tard dans *Les Contes d'Hoffmann* au Strand Theatre. Dans la compagnie de Sadler's Wells il chante (1943-46) Almaviva, Rodolphe, Tamino, Ferrando, puis crée les *Sonnets de Michel-Ange* (1942), la *Sérénade* (1943) et le *Nocturne* (1958) de Britten. En 1945, dans le rôle-titre de *Peter Grimes* de Britten, il remporte un grand succès et devient l'interprète idéal du compositeur, qui ne cessera d'écrire pour lui : *Le Viol de Lucrèce* (1946), *Albert Herring* (1947), *Billy Bud* (1951), *Le Tour d'écrou* (1954), *Le Songe d'une nuit d'été* (dont il est co-librettiste, 1960), *The Curlew River* (1964), *La Fournaise ardente* (1967), *Le Fils prodigue* (1967), *Owen Wingrave* (1971), *Mort à Venise* (1973).

Directeur du Festival d'Aldeburgh qu'il a fondé en 1948, il interprète avec bonheur Schubert, Schumann, Schütz, Purcell et les Passions de J.-S. Bach où il est un Évangéliste inoubliable. Il chante l'*Idoménée* de Mozart et l'*Œdipus-Rex* de Stravinski. On lui doit aussi des créations de Walton (*Troilus and Cressida*, 1954), Lutoslawski (*Paroles tissées*, 1965), Musgrave, Bedford, Crosse... Il a édité, en compagnie de Britten, l'œuvre complet de Purcell.

Péclard, Étienne

Violoncelliste français, né à Verrines-sous-Celles le 21 décembre 1946.

Il remporte des 1ers Prix de violoncelle aux Conservatoires de Besançon (1962) et de Paris (1967) (classe d'André Navarra). Cette même année il obtient un 1er prix de musique de chambre (Jacques Février) et, l'année suivante, de musique de chambre professionnelle (Joseph Calvet). De 1971 à 1974, il suit le cycle de perfectionnement dans les classes de Jean Hubeau et Christian Lardé. Il est lauréat de concours internationaux à Vienne, Munich et Barcelone. De 1977 à 1980 il est violoncelle solo au Nouvel Orchestre Philharmonique de Radio-France. Il occupe aujourd'hui ce même poste à l'Orchestre de Paris.

Peerce, Jan
(Jacob Pincus Perlemuth)

Ténor américain, né à New York le 3 juin 1904, mort à New-York le 15 décembre 1984.

Violoniste de bals, il obtient un engagement au Radio City Music Hall de 1933 à 1939. Cette dernière année il débute à l'Opéra de Baltimore (le duc de Mantoue) et devient premier ténor du Met de 1941 à 1966. Il chante partout aux U.S.A., ainsi qu'en Russie, en Allemagne et aux Pays-Bas. Il a réalisé plusieurs enregistrements sous la direction de Toscanini.

Peeters, Flor

Organiste et compositeur belge, né à Tielen le 4 juillet 1903.

Il étudie l'orgue à l'Institut Lemmens de Malines puis se perfectionne à Paris avec Tournemire et Dupré. Il se consacre à l'enseignement : à Malines (1923-52), au Conservatoire de Gand (1931-48), à Tilburg, en Hollande (1935-48) et au Conservatoire d'Anvers (1948-68) qu'il dirige de 1952 à 1968. Organiste célèbre, doté d'un sens aigu de la registration, docteur *honoris causa* de la Catholic University of America (1962) et de l'Université de Louvain (1971), Flor Peeters est également compositeur. On lui doit des pièces pour orgue, huit messes, 30 motets, des mélodies, un concerto pour piano, etc. Il a édité de nombreuses pages de musique ancienne pour orgue et est l'auteur d'une *Méthode d'orgue.* Depuis 1923, il est titulaire de l'orgue de la cathédrale de Mechelen.

Peinemann, Edith

Violoniste allemande, née à Mayence le 3 mars 1937.

Fille d'un musicien de Mayence, elle est l'élève de Max Rostal et Heinz Stanske et remporte à l'unanimité le prix décerné par les radios allemandes en 1956. A la suite de son prix, elle se voit félicitée par Yehudi Menuhin, qui lui prédit un bel avenir. Elle ne tarde pas à se faire applaudir en Allemagne, puis en Belgique, Angleterre, Pays-Bas, Italie, etc. En 1964, elle entreprend sa première tournée aux États-Unis. Puis elle est nommée professeur à la Musikhochschule de Francfort.

Edith Peinemann se rattache à la tradition violonistique allemande de Joseph Joachim et Carl Flesch. Si elle excelle dans les grands concertos, elle est également une merveilleuse interprète de musique de chambre : elle joue en duo, depuis 1960, avec Jörg Demus.

Pelliccia, Arrigo

Violoniste et altiste italien, né à Viareggio le 20 février 1912.

Élève de Arrigo Serato et de De Guarnieri à Bologne et à Rome (jusqu'en 1928) puis de Carl Flesch à Berlin, il est issu de la nouvelle école bolognaise fondée par Verdardi au XIXe siècle. Dès la fin de la Seconde Guerre mondiale, il se partage entre l'orchestre, comme violon solo des Pomeriggi Musicali de Milan, la musique de chambre, comme altiste du Trio Santoliquido, avec Ornella Santoliquido (piano) et Massimo Amphitheatrof (violoncelle), du Quatuor de Rome et du Quintette Boccherini, l'orchestre de chambre, comme soliste des Virtuosi di Roma (années 50-60), et les concerts en soliste, indifféremment au violon et à l'alto. Sa célébrité repose surtout sur ses prestations à l'alto. Sa version des duos pour violon et alto de Mozart (avec Grumiaux au violon) est exemplaire. S'étant surtout consacré à l'enseignement ces dernières années, Pelliccia a abandonné les concerts. Sa dernière prestation date de 1979, lors du dernier concert du Trio Santoliquido, à Bruxelles. Entre 1939 et 1959, il a été professeur à Naples et enseigne depuis au Conservatoire Sainte-Cécile à Rome.

Pennario, Leonard

Pianiste américain, né à Buffalo le 9 juillet 1924.

Ses premiers professeurs sont Isabelle Vengerova et Olga Steeb ainsi que le compositeur Ernst Toch. Il fait ses débuts à l'âge de douze ans dans le *Concerto* de Grieg avec l'Orchestre Symphonique de Dallas. En 1943, il joue au Carnegie Hall de New York le *Concerto en mi bémol* de Liszt avec Arthur Rodzinski. Il réalise sa première tournée européenne en 1952, se faisant remarquer pour sa technique très brillante. Il fait de la musique de chambre avec Heifetz et Piatigorsky. Il crée le *Concerto* de Miklos Rozsa en 1966, écrit à son intention, avec l'Orchestre de Los Angeles sous la direction de Zubin Mehta. Depuis 1970, son répertoire s'est étendu à une musique souvent de caractère léger.

Pennetier, Jean-Claude

Pianiste français, né à Châtellerault le 16 mai 1942.

Dès l'enfance, il aime la musique et à l'âge de dix ans reçoit sa première médaille de solfège, de déchiffrage et d'harmonie, au Conservatoire de Paris. Il obtient des 1ers prix de piano, de musique de chambre et d'analyse puis le 1er prix Gabriel Fauré, le 2e prix Marguerite Long, le 1er prix au Concours international de Montréal. En 1968, à Genève, au Concours international, il est encore premier nommé. Il fait de nombreuses tournées dans le monde. Il fait aussi de la musique de chambre en duo avec R. Pasquier, en trio avec E. Krivine et F. Lodéon et du piano à quatre mains. En 1979-80, il forme un duo piano-clarinette, avec Michel Portal. Il a joué dans les différents ensembles contemporains, le Domaine Musical, Musique vivante, Ars Nova, Musique Plus, Itinéraire. Il a aussi participé aux festivals d'avant-garde (Royan, La Rochelle, etc.). Comme chef d'orchestre, il a dirigé l'Ensemble Intercontemporain, l'Ensemble 2E 2M, et les orchestres de Radio-France. Il a créé les *24 Préludes* (1973) et le *Concerto* d'Ohana (1981) ainsi que le *Concerto* de Nikiprovetzki (1979). Il compose et, en 1977, a participé à la création collective de *Vols au-dessus de l'océan* avec son « opéra commentaire » : *Le Procès de Galilée.*

Il s'intéresse à la direction d'orchestre et a dirigé en 1re audition plusieurs partitions (*L'Aven* de Dusapin, 1982 ; *Rosenzeit* de Mireanu, 1982).

Perahia, Murray

Pianiste américain, né à New York le 19 avril 1947.

Il prend ses 1res leçons de piano dès l'âge de trois ans. À six ans, il est présenté à Abran Chasins qui le fait travailler avec son assistante Jeanette Haien. Parallèlement, il fait ses classes de musique à la High School of Performing Arts. En 1964, il s'inscrit à la Mannes School of Music in Manhattan pour étudier la composition et, avec Carl Bamberger, la direction d'orchestre, discipline dans laquelle il obtient un « BS Degree ». Jusqu'à l'âge de 25 ans, il se tient éloigné des chemins habituels des jeunes concertistes : il abandonne son professeur et, si l'on excepte quelques leçons occasionnelles avec Mieczyslaw Horszowski et Artur Balsam, il travaille seul. Il se produit à cette époque essentiellement avec des orchestres de chambre. En 1967, il joue pour la première fois en compagnie de Rudolf Serkin, Alexander Schneider et Pablo Casals au Festival de Marlboro (Vermont, U.S.A).

Rudolf Serkin l'appelle à devenir pour un an son assistant à l'Institut Curtis. En 1968 il fait ses débuts à Carnegie Hall sous la baguette d'Alexander Schneider. Il pratique beaucoup la musique de chambre, notamment avec les quatuors Guarneri, Budapest et Galimir. Il est en septembre 1972 le premier pianiste américain à remporter le Concours international de Leeds qui marque le début véritable de sa carrière internationale. Bernstein, Muti, Solti, Kubelík, Abbado, Mehta, Marriner et Böhm le choisissent comme soliste.

Perahia dirige parfois l'orchestre de son clavier, surtout dans les concertos de Mozart dont il a entrepris l'enregistrement intégral. Il continue à pratiquer la musique de chambre avec Alexander Schneider, Pinchas Zukerman, Paul Tortelier et réalise des cycles de lieder avec le ténor Peter Pears. En 1982, il est nommé co-directeur du Festival d'Aldeburgh.

Perényi, Miklós

Violoncelliste hongrois, né à Budapest le 5 janvier 1948.

Son talent musical exceptionnel lui permet d'être admis très jeune dans la classe de violoncelle de l'Académie Franz Liszt de Budapest où il travaille avec Miklós Zsámboki et Ede Banda. Parallèlement, il participe régulièrement aux cours d'Enrico Mainardi à Lucerne ou à Salzbourg. Il obtient, en 1960, le diplôme de l'Académie Santa Cecilia à Rome. Invité par Pablo Casals, il participe en 1965 et 1966 aux cours du maître à Zermatt et à Porto Rico. Pendant quatre ans, il se rend au Festival de Marlboro où il se produit avec Pablo Casals et Rudolf Serkin. Il reçoit le prix Liszt en 1970. Depuis 1974, il est professeur à l'Académie Franz Liszt de Budapest et effectue de très nombreuses tournées à l'étranger. Son instrument est un Gagliano de 1730.

Périer, Jean

Baryton français, né à Paris le 2 février 1869, mort à Neuilly le 3 novembre 1954.

Il fait ses études au Conservatoire de Paris de 1889 à 1892, avec Bussine et Taskin, et débute en 1892 à l'Opéra-Comique dans le rôle de Monostatos. Comédien-né, il choisit de jouer l'opérette (créant ainsi *Véronique* et *Fortunio* de Messager en 1898 et 1907) dans différents théâtres parisiens, Menus-Plaisirs, Folies-Dramatiques, Bouffes-Parisiens, avant de revenir Salle Favart, de 1900 à 1920. Il y crée notamment *Pelléas et Mélisande* (1902), *L'Heure espagnole* (1911), *Mârouf* (1914). À part de rares incursions sur la scène du Manhattan Opera, où il chante en 1908 *Pelléas,* et à Monte-Carlo, il fait entièrement carrière à Paris, dans l'opérette aussi bien qu'au théâtre et au cinéma, créant encore *Ciboulette* (Théâtre des Variétés, 1923), chantant et tournant jusqu'en 1938. Artiste complet, il masquait les ressources limitées de sa voix par l'intelligence de ses compositions.

Périsson, Jean
(Jean-Marie Périsson)

Chef d'orchestre français, né à Arcachon le 6 septembre 1924.

Il fait ses études musicales au Conservatoire et à l'École normale de musique de Paris (avec J. Fournet) et remporte le 1er prix au Concours international de Besançon en 1952. C'est auprès d'Igor Markevitch qu'il travaille au Mozarteum de Salzbourg. Markevitch le choisit pour diriger lors d'une tournée en Autriche et en Allemagne. Il se rend ensuite à Strasbourg où il dirige l'Orchestre de la Radio française (1955-56). Il passe plusieurs années à Nice, directeur musical de l'Opéra et chef permanent de l'Orchestre Philharmonique (1956-65). Il donne à la ville de Nice une activité nouvelle, mettant en place un répertoire de qualité (cycles Wagner avec des interprètes de Bayreuth), cherchant aussi à faire connaître les opéras de notre temps ; c'est ainsi qu'il donne la première française de *Katerina Ismailova* de Chostakovitch (1964) et de *l'Élégie pour de jeunes amants* de Henze (1965), *Le Serment* (1963), et *Le Rossignol de Boboli* (1965) de Tansman, *C'est la guerre* (1965) de Pétrovics, *Le Joueur* (1966) de Prokofiev. En 1965, l'Opéra de Paris l'engage.

Quatre ans plus tard il révèle, salle Favart, l'Opéra de Janáček *Katia Kabanova.* À Monte-Carlo, il est responsable de plusieurs premières représentations de Poulenc et de Banfield (1969-71). Après plusieurs années passées à la tête de l'Orchestre de la Présidence d'Ankara (1972-76), il dirige régulièrement les ouvrages du répertoire français à l'Opéra de San Francisco. Il a révélé à Pékin la *Carmen* de Bizet en 1982.

Perlea, Ionel

Chef d'orchestre roumain naturalisé américain, né à Ograda le 13 décembre 1900, mort à New York le 29 juillet 1970.

Il fait ses études musicales en Allemagne, à Munich (1918-20), avec Beer Walbrunn (composition) et Kotana (piano), puis à Leipzig avec Paul Graener, Otto Lohse et Martinsen. Ses débuts de chef d'orchestre ont lieu à Bucarest en 1919. Puis il est chef de chœur à Leipzig (1922-23) et à Rostock (1923-25), chef d'orchestre à l'Opéra de Cluj (1927-28). L'Opéra de Bucarest fait appel à lui : il y sera 1er chef d'orchestre (1928-32 puis 1936-44) et directeur musical (1929-32 puis 1934-36). Il prend ensuite la direction de l'Orchestre Symphonique de la Radio de Bucarest (1936-44) et enseigne la direction d'orchestre au Conservatoire de cette même ville (1941-44). Il est fait prisonnier par les Allemands (1944-45) et quitte son pays après la guerre. De 1945 à 1947, il est chef permanent à l'Opéra de Rome. Il débute au Met en 1949 et à la Scala en 1950. Puis il se fixe aux États-Unis où il prend la direction de l'Orchestre Symphonique du Connecticut (1955-70) tout en enseignant la direction d'orchestre à la Manhattan School of Music de New York (1952-59 et 1965-70). En 1957, une attaque lui paralyse le bras droit. Il reprendra néanmoins ses activités en dirigeant de la main gauche seule. Perlea a joué un rôle majeur dans le développement de la vie musicale roumaine : il a dirigé notamment les 1res auditions en Roumanie de la *Symphonie n° 2* de Mahler et du *Requiem* de Verdi.

Perlemuter, Vlado

Pianiste polonais naturalisé français, né le 26 mai 1904 à Kowno

Très jeune il commence le piano, et travaille avec Mozkowski à Paris. À quinze ans il entre dans la classe de Cortot au Conservatoire. Après l'obtention de ses 1ers prix, il travaille jusqu'en 1927 l'œuvre de Ravel qu'il joue devant le compositeur. Ravel lui fera part de ses propres conceptions et de ses exigences. Cette collaboration étroite donnera naissance, chez Perlemuter, à une conception radicalement neuve du piano. Il a d'ailleurs consigné ses expériences dans un livre écrit en collaboration avec Hélène Jourdan-Morhange, *Ravel d'après Ravel* (1953). Il a également mis son art du détail et du raffinement sonore au service de Chopin, tout particulièrement dans son interprétation des *Études,* des *Ballades* et des *Mazurkas.* Grand amateur de musique de chambre, il a joué en trio avec Pierre Fournier et Gabriel Bouillon avant la guerre. Il a également joué avec Pablo Casals au Festival de Prades, puis occasionnellement avec Sándor Végh et Menuhin, entre autres. Depuis 1951 il enseigne au Conservatoire de Paris et donne des master-classes à Manchester, au Japon et au Canada.

Perlman, Itzhak

Violoniste israélien et américain, né à Tel Aviv le 31 août 1945.

À quatre ans il est frappé par la poliomyélite qui le prive de l'usage de ses jambes. Il étudie néanmoins le violon à l'Académie de musique de Tel Aviv avec Rivkah Goldgart, elle-même formée à l'École de Saint-Pétersbourg (pendant huit ans). Isaac Stern l'entend alors qu'il atteint à peine ses dix ans et l'encourage vivement à poursuivre ses études aux États-Unis. C'est ainsi qu'il entre à la Juilliard School où il travaille avec Ivan Galamian et Dorothy Delay. La vie n'est pas facile pour lui et il est souvent obligé de jouer dans les hôtels. Il fait de brillants débuts au Carnegie Hall de New York en 1963 et obtient, l'année suivante, le 1er prix au

Concours Leventritt. C'est le point de départ d'une grande carrière internationale qui le voit jouer en concerto avec Giulini ou en sonate avec Ashkenazy. Considéré comme l'un des grands violonistes de sa génération, il joue sur un Stradivarius, le *Sinsheimer.* Il possède en outre une fort belle voix qui lui a permis de participer à l'enregistrement de *Fidelio* sous la direction de James Levine.

Pernet, André

Basse française, né à Rambervillers le 6 janvier 1894, mort à Paris le 23 juin 1966.

Très jeune, il est attiré par la musique et le théâtre, mais sa famille, hostile à une telle vocation, veut faire de lui un juriste. À partir de 17 ans, il mène de front des études de droit et des études de chant, les premières ouvertement, les seconces clandestinement. Après la guerre, il entre au Conservatoire de Paris dans la classe d'André Gresse, pour le chant, et dans celle d'Émile Dumoutier, pour la scène. Ses études terminées, il chante six ans durant dans les petits théâtres de province : seconde basse à Nice, puis première basse à Caen. Viennent ensuite Strasbourg, Deauville, Toulouse, Genève... L'Opéra de Paris lui ouvre ses portes en 1928, avec *Faust.* D'emblée, le public adopte ce musicien parfait, ce chanteur si maître de sa voix et cet acteur dont chaque prestation était marquée du sceau du renouveau. Méphisto restera toute sa vie l'un de ses grands rôles. Viendront ensuite Athanaël, le Roi (*Aïda*), Wotan (*La Walkyrie*), Boris Godounov, le Roi Marke, Méphisto (*La Damnation*), Tonio, Gurnemanz... En 1933, il est de la prestigieuse équipe, aux côtés de Fanny Heldy, Ponzio et Villabella qui fait revenir *Le Barbier de Séville* au répertoire de l'Opéra. Sa composition de Basile défraye la chronique. En 1944, il est un éblouissant Don Juan, lors de la fameuse reprise de l'ouvrage sous la direction de Bruno Walter. Mais entretemps il a débuté à l'Opéra-Comique (1931), reprenant le rôle de Don Quichotte, égalant, sans l'imiter, l'admirable Vanni-Marcoux. Salle Favart, il sera Basile, Scarpia, inquiétant, tour à tour sardonique, avantageux et terrifiant dans les quatre rôles des *Contes d'Hoffmann*, drôle et émouvant en Colline, débordant d'humanité dans le Père de *Louise* dont il devait être l'interprète en 1938, aux côtés de Grace Moore et de Georges Thill dans la version filmée.

Si chacune de ses prises de rôle était en soi une véritable création du personnage à incarner, on doit mentionner ses créations « ex nihilo » : *Persée et Andromède* de Jacques Ibert (rôle du Monstre), *Salamine* de Maurice Emmanuel (le Messager), *La Vision de Mona* de Louis Dumas (Jozon), *La Duchesse de Padoue* de Maurice Le Boucher (le Duc), *Vercingétorix* de Canteloube (Gobannit), *Rolande et le mauvais garçon* d'Henry Rabaud (le Prince Richard) et surtout deux événements inoubliables, *Le Marchand de Venise* (dont Reynaldo Hahn dit un jour : « Je n'aurais jamais cru que l'on pût rendre ma musique shakespearienne à ce point. Nul autre que Pernet n'est capable de jouer "Shylock" aussi parfaitement. ») et *Œdipe* de Georges Enesco, où il atteignait la grandeur d'un Mounet-Sully.

Pertile, Aureliano

Ténor italien, né à Montagnana le 9 novembre 1885, mort à Milan le 11 janvier 1952.

Contralto solo de la cathédrale Santa Maria Assunta, il est, enfant, remarqué par le maître Orefice qui en fait son élève. En 1911, il débute dans le rôle de Lionel au Théâtre de Vicenza et la même année stupéfie public et critiques dans le rôle de Vinicius lors de la création du *Quo Vadis* de Nouguès au Teatro dal Verme de Milan. Engagé à Turin, il chante le même opéra puis *Norma* et *Rigoletto.* En 1916, il fait ses débuts sur la scène de la Scala dans *Francesca da Rimini* de Zandonai. Débuts furtifs, car il part pour l'Amérique du Sud où, de 1917 à 1920, il devient la coqueluche du Colón de Buenos Aires et de l'Opéra de Rio de Janeiro. Il reviendra au Colón en 1923, 25, 26, et 29. Il débute au Met en 1921 dans *La Tosca.* En l'espace de deux mois il y chante *Manon Lescaut*, *Cavalleria Rusticana*, *Paillasse*, *Aïda* et

Boris Godounov. Curieusement, il ne sera jamais réinvité au Met. Vient la rencontre avec Toscanini, le 22 mars 1922. Il remplace au pied levé un ténor qui avait déplu au maestro. Toscanini en fera son ténor favori et, de 1922 à 1937, Pertile sera la vedette incontestée de la Scala. Il est affiché sur toutes les grandes scènes : Covent Garden (1927-31), Opéra de Vienne, Opéra de Monte-Carlo... Par contre, il ne chantera jamais à l'Opéra de Paris.

Extrêmement musicien, Pertile a créé de nombreux ouvrages. Sa création la plus célèbre fut sans doute le *Néron* de Boïto. Et c'est dans ce rôle qu'il fera ses adieux à la scène à l'Opéra de Rome en 1946, pour se consacrer jusqu'à sa mort à l'enseignement au Conservatoire de Milan. Aureliano Pertile a beaucoup enregistré pendant 20 ans (de 1923 à 1943) et notamment dans trois impérissables intégrales (*Aïda*, *Le Trouvère* et *Carmen*) L'écoute de ses disques est la plus parfaite leçon de musique et de chant qui soit. S'il y a eu des timbres plus rares ou plus flatteurs, nul n'a jamais contrôlé sa voix avec plus de science et d'art, passant avec la plus extrême souplesse des sons les plus éclatants aux nuances les plus subtiles, et ce au seul service de la musicalité et de l'expression.

Pérugia, Noémie

Soprano française, née à Nice le 7 novembre 1903.

D'origine italienne, elle débute à Paris en 1936 dans le *Requiem* de Verdi, puis est lauréate du Concours international Gabriel Fauré, en 1938, compositeur dont elle chante les mélodies dans le monde entier : à Paris, aux U.S.A., aux Pays-Bas notamment. À Paris, elle enseigne à l'École normale de musique, à l'Académie Long-Thibaud et à la Schola Cantorum. Le ministère des Affaires étrangères l'envoie maintes fois comme chargée de cours dans les conservatoires de l'étranger (Londres, Amsterdam, Rome, Buenos Aires, etc).

Fondatrice du Concours international d'interprétation et d'accompagnement Noémie Perugia, à Paris et aux Pays-Bas, elle est aussi fondatrice de l'Académie de chant et d'art lyrique qui porte son nom, et fondatrice du Concours Gabriel Fauré à Amsterdam. Figure marquante d'une génération de chanteurs français spécialisés dans la mélodie, elle a su prolonger sa carrière par une activité pédagogique intense. Elle a notamment créé le cycle *Saluste du Bartas* d'Honegger (1943).

Pesko, Zoltán

Chef d'orchestre hongrois naturalisé italien, né à Budapest le 15 février 1937.

Après des études à l'Académie de musique Franz Liszt de Budapest, où il obtient un diplôme de composition (1962), il collabore pendant trois ans comme chef d'orchestre et compositeur à la Radiotélévision hongroise et avec le Théâtre National. En 1963, il quitte la Hongrie et vient travailler avec Celibidache à Sienne. En 1964-65, il suit les cours de Petrassi et de Ferrara à l'Académie Sainte-Cécile de Rome puis ceux de Boulez à Bâle (1965). En 1966, il est l'assistant de Maazel à l'Opéra de Berlin où il deviendra chef permanent de 1969 à 1973. Il débute à la Scala de Milan (1970) et dirige les principaux orchestres symphoniques italiens. Appelé comme chef principal de l'Orchestre du Teatro Comunale de Bologne (1974-76), il est nommé chef permanent au théâtre La Fenice de Venise (1976-77). En 1978-82, il est chef permanent de l'Orchestre Symphonique de la R.A.I. de Milan. Parmi les œuvres qu'il a créées, *Il catalogo è questo* (1980) de Bussotti, *Salammbô* de Moussorgski (1980), *Bogomilè*, suite de Jolivet (1982), *Sinfonia* de Corghi (1982), *Ottava bassa* de Malec (1984), *In Cauda* (1982), *Tema* (1982) et *Atem* (1985) de Donatoni, *Jowaegerli* (1983) de Schnebel.

Peters, Reinhard

Chef d'orchestre allemand, né à Magdebourg le 2 avril 1926.

Il étudie le piano et le violon et vient se perfectionner à Paris en 1949 où il travaille avec Enesco, Thibaud et Cortot. De 1946 à 1949, il a déjà été répétiteur à la Staatsoper de Berlin et il remporte, en 1951, le 1er prix au Concours international de Besançon. L'année suivante, il fait ses débuts de chef d'orchestre à l'Opéra de Berlin. De 1957 à 1960, il est chef permanent à l'Opéra du Rhin de Düsseldorf puis 1er chef (1960-61). Il est ensuite nommé directeur général de la musique à Münster (1961-70), chef permanent à la Deutsche Oper de Berlin (1970) et directeur musical de la Philharmonia Hungarica (1975-79). Il a créé *Zwischenfälle bei einer Notlandung* (Blacher, 1966), *Mélusine* (Reimann, 1970), *Madame Bovary* (Sutermeister, 1967), *Dérives* (Grisey, 1974), *Symphonie nº 1* (Yun, 1984).

Peters, Roberta

Soprano américaine, née à New York le 4 mai 1930.

Elle travaille le chant avec William Hermann à New York. Elle débute, en 1950, au Met pour remplacer une collègue, dans Zerline (*Don Giovanni*). Le succès est si grand qu'elle est engagée dès la saison suivante et ne quittera plus cette troupe où elle triomphe dans la Reine de la Nuit (*La Flûte enchantée*). Elle est invitée à Chicago et San Francisco, ainsi que dans les plus grandes salles de concert. En 1951, elle est invitée au Covent Garden et dès 1957 sur plusieurs scènes italiennes. Elle effectue une triomphale tournée de concerts en U.R.S.S.. En 1953, elle chante au Covent Garden *The Bohemian Girl* de Balfe sous la direction de Beecham. En 1963-64, elle participe au Festival de Salzbourg comme Reine de la Nuit. Elle fut mariée peu de temps avec le baryton Robert Merrill.

Petit, Jean-Louis

Chef d'orchestre, claveciniste et compositeur français, né à Favrolles le 20 août 1937.

Il étudie auprès d'Olivier Messiaen, d'Igor Markevitch et de Pierre Boulez. Puis il fonde un orchestre à cordes avec lequel il assure la décentralisation musicale en Champagne (1958-63) et en Picardie (1964-70). Il prend ensuite la direction du Festival estival de Paris de 1972 à 1977. Il est membre fondateur (1974) du groupe de musique contemporaine Musique Plus et directeur de l'Association musicale internationale d'échange (A.M.I.E.) depuis 1978. Parallèlement à sa carrière de chef d'orchestre et de claveciniste, il s'adonne à la composition (*Au-delà du signe* pour orchestre, *De quelque part effondrée de l'homme* pour quatuor, *Continuelles discontinues* pour percussions). Il effectue par ailleurs de nombreuses réalisations de musique ancienne. Il est directeur du Conservatoire de Ville-d'Avray.

Petri, Egon

Pianiste allemand naturalisé américain (1938), né à Hanovre le 23 mars 1881, mort à Berkeley le 27 mai 1962.

Son père Henri Petri (1856-1914), violoniste d'une certaine réputation à son époque, lui donne ses premières leçons. Conjointement, il travaille l'orgue, le cor, la théorie avec Draeseke et enfin le piano avec Buchmayer et Teresa Carreño. Il commence sa carrière comme violoniste d'orchestre puis quartettiste avec son père. Busoni, ami de la famille, détecte chez lui des talents de pianiste. Il le prend comme élève jouant volontiers en duo avec lui (Londres, 1921). Petri aide Busoni dans son édition des œuvres de Jean-Sébastien Bach. Il voyage en Europe, se produit en Russie en 1923. À Berlin, on le compare à Edwin Fischer et à Artur Schnabel. Il est spécialement reconnu dans la tradition de son maître Busoni comme un grand interprète de Bach et de Liszt. Il débute aux États-Unis en 1932 et s'y installe définitivement à partir de 1938. Durant toute sa vie, il exerce une grande activité de pédagogue. Il enseigne successivement à Manchester (1905-11), à Berlin (1921-26), en Pologne à Zakopane (1927), à l'Université Cornell (1940-46) et au Mills College (à partir de 1947). En 1957, il donne quelques cours en Suisse à Bâle, à John Ogdon notamment.

Petrov, Ivan
(Ivan Ivanovitch Krauze)

Basse soviétique, né à Irkoutsk le 23 février 1920.

Il fait ses études à l'École Glazounov de Moscou, et chante dans la troupe de l'Opéra sous la direction de I. S. Kozlovskij, puis débute en 1943 au Bolchoï. Il devient très vite chanteur à titre permanent. Il fait de nombreuses tournées en Europe. Son répertoire est vaste : il est un excellent Don Basilio dans *Le Barbier de Séville* et il émeut dans le rôle de René de *Yolanta* (Tchaïkovski). Célèbre par sa violence et sa passion dans *Le Prince Igor*, par sa présence scénique et lyrique dans Méphisto (*Faust*) qu'il a interprété à l'Opéra de Paris en 1964, il est un grand Boris et un poignant Philippe II, dans le *Don Carlos* de Verdi.

Peyer, Gervase de

Voir à **De Peyer, Gervase.**

Philipp, Isidore

Pianiste hongrois naturalisé français, né à Budapest le 2 septembre 1863, mort à Paris le 20 février 1958.

Sa famille se fixe à Paris alors qu'il n'a que trois ans. Au Conservatoire, il travaille avec Georges Mathias et remporte un 1er prix en 1883 avant de se perfectionner avec S. Heller, Saint-Saëns et Ritter. Il commence une brillante, mais courte carrière car, rapidement, il va se consacrer à l'enseignement. En 1890, il forme un trio avec Lœb et Berthelier et, en 1896, il est l'un des artisans du renouveau de la Société des Instruments à Vent. De 1903 à 1934, il est professeur au Conservatoire de Paris où il forme de nombreux élèves, leur donnant une technique et une esthétique héritées en droite ligne de Saint-Saëns : le rôle des doigts est poussé à l'extrême, le discours dépouillé, souvent trop sec ou froid. De 1941 à 1955, il séjourne aux États-Unis où, en dehors de ses cours, il paraît à de rares occasions en public. On lui doit de nombreuses transcriptions et ouvrages techniques. Il a collaboré à la revue *Le Ménestrel* comme critique musical.

ÉCRITS : *La Technique de Liszt* (1932).

Piatigorsky, Gregor

Violoncelliste russe naturalisé américain (1942), né à Ekaterinoslav le 17 avril 1903, mort à Los Angeles le 6 août 1976.

Élève de Glehn au Conservatoire de Moscou, il se produit en concert dès l'âge de neuf ans dans son pays natal. Il est 1er violoncelliste au Théâtre impérial à l'âge de 14 ans. De 1924 à 1928, il est violoncelle solo de l'Orchestre Philharmonique de Berlin et travaille avec Klengel. Puis commence sa carrière internationale. Il devient le partenaire préféré de Rachmaninov, Schnabel, Horowitz, Milstein, Rubinstein et Heifetz, avec lesquels il joue en duo ou en trio (Heifetz-Primrose, Horowitz-Milstein, Schnabel-Flesch, Rubinstein-Heifetz). Ses qualités d'enseignant et d'administrateur le conduisent à diriger le secteur « musique de chambre » du Berkshire Festival Music Center, une « master class » à l'Université de Boston (1957), l'enseignement à l'Université de Los Angeles et au Curtis Institute de Philadelphie (1942-51). Aux conservatoires de Paris et de Baltimore et à l'Université de Chicago, il participe à la fondation de bourses d'études pour son instrument et la composition. Piatigorsky a délibérément évité de se produire en France pendant vingt ans, suite à une mauvaise critique du *Figaro*. Lui ont été dédiées des compositions de Webern, Prokofiev, Milhaud, Hindemith, (*Concerto*), Bloch (*Schelomo*), Walton (*Concerto*), Copland, Castelnuovo-Tedesco, Rozsa... Son violoncelle était signé Stradivarius. On lui doit de nombreux arrangements pour son instrument.

ÉCRITS : *Cellist*, autobiographie (1965).

Picht-Axenfeld, Edith

Pianiste et claveciniste allemande, née à Fribourg le 1er janvier 1914.

Après avoir suivi de brillantes études à Lugano, Bâle et Berlin, notamment avec Rudolf Serkin et Albert Schweitzer, elle remporte, en 1937, le Concours Chopin à Varsovie, ce qui lui ouvre les portes d'une carrière internationale, carrière qui n'a jamais manqué d'étonner le monde musical. N'ayant à aucun moment voulu ni souhaité abandonner son clavecin pour se consacrer exclusivement au piano, et réciproquement, Edith Picht-Axenfeld maîtrise un répertoire d'une richesse et d'une diversité peu communes. Aussi à l'aise au clavecin dans des œuvres de Scarlatti, Byrd ou Couperin, sans oublier Bach, qu'au piano dans un concerto de Ravel ou de Tchaïkovski, elle ne délaisse pas pour autant la musique de son siècle. Elle enseigne au Conservatoire de Fribourg depuis 1947 et joue en trio avec Nicolas Chumachenco et Alexandre Stein ou en sonate avec Heinz Holliger ou Aurèle Nicolet.

Pidoux, Roland

Violoncelliste français, né à Paris le 29 octobre 1946.

À quatorze ans, il entre au Conservatoire de Paris dans la classe d'André Navarra où il obtient un 1er prix en 1965. La même année, il remporte un 1er prix de musique de chambre dans la classe de Jean Hubeau puis l'année suivante un 1er prix de musique de chambre professionnelle avec Joseph Calvet. Avec Jean-Claude Hartemann et Jean-Pierre Wallez, il participe à la création de l'Ensemble Instrumental de France où il occupe la place de violoncelle solo pendant 4 années. En 1969, il entre à l'Orchestre de l'Opéra de Paris où il devient soliste en 1971. Parallèlement, il se produit au sein du Quatuor Via Nova, de 1970 à 1978. En 1972, il se joint à Régis et Bruno Pasquier pour former le Nouveau Trio Pasquier. En 1979 lui est confiée la direction de la collection « Les Musiciens » pour l'éditeur Harmonia Mundi. Depuis 1979, il est super-soliste à l'Orchestre National de France.

Pierlot, Pierre

Hautboïste français, né à Paris le 26 avril 1921.

Il fait ses études au Conservatoire de Valenciennes puis au Conservatoire de Paris où il obtient un 1er prix de hautbois en 1941. La même année il entre aux Concerts Lamoureux puis en 1947 à l'Orchestre de l'Opéra-Comique. Il commence à jouer en soliste (depuis 1942, il était membre du Quintette à Vent Français). À partir de 1950, il est membre de l'Ensemble Baroque de Paris. En 1949, il remporte le 1er prix au Concours international de Genève. En 1969, il est nommé professeur au Conservatoire de Paris. Il a créé le *Concerto* de Milhaud (1958) et le *Concerto* de Martelli (1972). Son fils, Philippe Pierlot, est flûtiste à l'Orchestre National de France.

Pierné, Gabriel

Chef d'orchestre, organiste et compositeur français, né à Metz le 16 août 1863, mort à Ploujean le 17 juillet 1937.

Ses parents, professeurs de piano et de chant, l'orientent vers le piano. En 1871, il entre au Conservatoire de Paris où il travaille avec Lavignac (solfège), Émile Durand (harmonie), Marmontel (piano), Massenet (composition) et Franck (orgue). Il obtient des 1ers prix dans toutes ces disciplines ainsi que le 1er Grand Prix de Rome en 1882. À la mort de César Franck, il succède à son maître à l'orgue de Sainte-Clotilde (1890-98). En 1903, il est chef-adjoint aux Concerts Colonne puis président-chef d'orchestre (1910-34). La radio fait aussi appel à lui comme conseiller aux émissions musicales.

De culture essentiellement classique, Gabriel Pierné se tournait plus naturellement vers le répertoire que vers les œuvres nouvelles. Il savait néanmoins détecter et imposer certains talents encore inconnus. Il a crée notamment *L'Oiseau de feu* de Stravinski, *Ibéria* et *Khamma* de Debussy, *Une barque sur l'océan* de Ravel, la 2e suite de *Protée* de Milhaud, *Pour une fête de printemps* de Roussel.

Sa musique, classique, élégante, aborde tous les genres. Ses grandes fresques chorales s'imposent par leur sincérité (*L'An Mil, Les Enfants à Bethléem*), mais ses pages symphoniques, ses ballets et musiques de scène révèlent une science profonde de l'orchestre (*Ramuntcho, Cydalise et le Chèvre-pied*).

Pierre, Francis

Harpiste français, né à Amiens le 9 mars 1931.

Il suit la classe de Lily Laskine au Conservatoire de Paris et remporte un 1er prix en 1950. Il poursuit ses études avec Pierre Jamet, se prend d'un vif intérêt pour les musiques de son temps et travaille avec Pierre Boulez et Bruno Maderna entre 1960 et 1970. On lui doit de très nombreuses créations dans les divers festivals d'avant-garde (Venise, Zagreb, Royan, etc.). Parmi les compositeurs dont il a joué les œuvres en création ou en première audition figurent Bussotti, Rands, Berio (*Circles, Sequenza II, Chemins I*), Betsy Jolas (*Tranche*), Miroglio (*Réseaux*), Milhaud (*Sonate*). Harpe solo de l'Orchestre de Paris à sa formation en 1967, il joue dans des ensembles contemporains (Intercontemporain) et a formé en 1972 le Trio Debussy qui se consacre au répertoire pour flûte, alto et harpe. La maîtrise, la sobriété, la précision, la poésie aussi de Francis Pierre élargissent le champ de son instrument.

Pierre, Odile

Organiste française, née à Pont-Audemer le 12 mars 1932.

Elle entend, à sept ans, un récital donné aux orgues de Saint-Ouen de Rouen par Marcel Dupré qui décide de sa carrière. Organiste et maître des chœurs de l'église de Barentin dès l'âge de quinze ans, elle entreprend ses études au Conservatoire de Rouen où elle remporte très vite trois 1ers prix avant d'entrer dans la classe de Marcel Dupré au Conservatoire de Paris. Elle a 23 ans quand elle remporte les 1ers prix d'orgue et d'improvisation, d'harmonie (classe de Maurice Duruflé) et de fugue (classe de Noël Gallon). Pendant onze ans, elle est professeur d'orgue et d'histoire de la musique au Conservatoire de Rouen tout en développant une importante carrière internationale et sans négliger l'éducation de ses deux enfants. De 1969 à 1979, elle est titulaire des orgues de la Madeleine à Paris où elle prend la succession de Fauré et de Saint-Saëns. En 1977, elle représente la France au 3e Congrès international d'orgue à Washington et Philadelphie. Odile Pierre est membre de la Commission technique consultative pour les orgues de Paris. Elle s'attache à défendre des musiciens dont le talent est moins reconnu de nos jours comme Widor ou Guilmant.

Pierri, Alvaro

Guitariste urugayen, né à Montevideo en 1953.

Il est initié à la guitare par sa tante Olga Pieni et poursuit ses études au Conservatoire de Montevideo. En 1974 lui est décerné un 1er prix au Concours international de Porto Alegre au Brésil puis, en 1976, au Concours international de guitare de Paris. Il est professeur à l'Université de Santa Maria au Brésil et, depuis 1981, à Montréal.

Piguet, Michel

Hautboïste suisse, né à Genève le 30 avril 1932.

Après ses études classiques au collège de sa ville natale, il en fréquente le Conservatoire, avant de travailler au Conservatoire de Paris, notamment dans la classe d'Olivier Messiaen (analyse musicale). En 1956, il entre à l'Orchestre de la Tonhalle de Zurich dont il devient hautbois solo en 1961. Son intérêt pour le répertoire baroque l'incite à fonder, avec Christopher Schmidt, l'Ensemble Ricercare de Zurich qui se spécialise dans l'interprétation de la musique ancienne. En 1964, il quitte l'Orchestre de la Tonhalle pour enseigner le hautbois baroque à la Schola Cantorum de Bâle. Il enseigne également la flûte à bec, dont il est devenu un excellent interprète, au Conservatoire de Zurich. Parmi ses nombreux enregistrements, signalons l'intégrale des *Sonates* de Händel pour hautbois et pour flûte à bec. Son jeu et ses restitutions de musique ancienne s'appuient sur de solides connaissances musicologiques. Il a en outre fondé un octuor à vent, *Il Divertimento.*

Pikaisen, Victor

Violoniste soviétique, né à Kiev le 15 novembre 1933.

Il travaille au Conservatoire de Moscou jusqu'en 1957 avec David Oïstrakh et complète son enseignement avec lui jusqu'en 1960. Il obtient des prix internationaux à Prague (1949), à Paris (1957), à Moscou (1958), à Gênes (1965). En 1960, il se produit en soliste avec l'Orchestre Philharmonique de Moscou. Depuis 1966, il est professeur au Conservatoire de Moscou et reconnu notamment comme interprète de Bach et de Paganini.

Pilarczyk, Helga (Käthe Pilarczyk)

Soprano allemande, né à Schöningen le 12 mars 1925.

Elle étudie le piano et la danse à Brunswick et à Hambourg, puis le chant en 1948 avec Dziobek à Hambourg. C'est à Brunswick qu'elle débute dans *Le Forgeron armé* de Lortzing (rôle d'Irmentraud, mezzo-soprano). Elle entre à l'Opéra de Hambourg en 1953 et, très vite attirée par le répertoire du XXe siècle, travaille les grandes œuvres de son temps. Elle est alors la Femme dans *Erwartung* de Schönberg, Marie dans *Wozzeck* (qu'elle marque d'une profonde humanité : « Nous sommes toutes Marie », dit-elle), la Mère dans *Le Prisonnier* de Dallapiccola, *Lulu* de Berg, Rénata de *L'Ange de feu*, Jocaste d'*Œdipe-Roi* de Stravinski. En 1959, elle chante *Salomé* au Covent Garden, puis invitée à Glyndebourne joue le rôle de Colombine dans l'*Arlequin* de Busoni. Invitée à Berlin, à Munich, à Washington en 1960 pour y chanter *Erwartung*, elle crée le rôle-titre dans l'opéra de Liebermann *Pénélope* en 1961, puis incarne à nouveau Marie (cette fois, en anglais) au Met. Elle enregistre *Erwartung* et *Le Pierrot Lunaire* et met sa voix et son intelligence musicale au service des classiques d'aujourd'hui.

ÉCRITS : *Kann man die moderne Oper singen ?* (1964).

Pilou, Jeannette

Soprano grecque, née à Fayoum en Égypte en juillet 1937.

Très jeune, elle vient à Milan dans l'intention d'étudier la décoration de théâtre dans une école spécialisée, mais en même temps, elle prend des cours de chant avec Carla Castellani. Elle débute en Italie dans le rôle de Violetta (*La Traviata*), invitée successivement à Bologne, Turin, Rome et Venise, en 1963. Ses deux plus grands rôles sont Mimi (*La Bohème*) et Violetta. Elle est alors invitée à l'Opéra de Budapest, puis au San Carlos de Lisbonne. En 1965, elle est engagée par l'Opéra de Vienne. C'est le départ d'une brillante carrière internationale. Au Met, elle chante *Roméo et Juliette, La Traviata* et Micaëla dans *Carmen*, montée par Jean-Louis Barrault. Karajan l'invite au Festival de Salzbourg pour tenir le rôle de Zerline (*Don Giovanni*). Elle chante au Colón, à la Scala, à Covent Garden, Suzanne (*Les Noces de Figaro*) sous la direction de Böhm, Mélisande sous la direction de Cluytens. A l'Opéra de Paris, elle débute comme Eurydice (*Orphée* de Gluck), en 1973 et y reviendra souvent invitée par Rolf Liebermann.

Pinnock, Trevor

Claveciniste et chef d'orchestre anglais, né à Canterbury le 16 décembre 1946.

Il reçoit son premier enseignement musical comme choriste à la cathédrale de Canterbury et étudie ensuite l'orgue et le clavecin au Royal College of Music avec Ralph Downes et Millicent Silver (1964-67). Il obtient des 1ers prix sur les deux instruments. Il fait partie du Galliard

Harpsichord Trio (1966-72). Parallèlement à sa carrière d'instrumentiste, il fonde en 1973 son ensemble de musique sur instruments anciens, l'English Concert, qui fait sa première apparition à l'English Bach Festival.

Comme claveciniste, Trevor Pinnock mène une carrière internationale, se partageant entre les concerts, les récitals en Europe et aux U.S.A. (où il a passé deux périodes comme « artist in residence » à l'Université Washington de Saint Louis), et les enregistrements. A son répertoire baroque primitif, il ajoute des concertos de Roberto Gerhardt et Manuel de Falla, ou la *Petite Symphonie concertante* de Frank Martin.

Pinza, Ezio (Fortunio Pinza)

Basse italienne, né à Rome le 18 mai 1892, mort à Stamford (U.S.A.) le 9 mai 1957.

Il renonce à une carrière de coureur cycliste pour apprendre le chant avec Ruzza, puis avec Vezzani au Conservatoire de Bologne. Il débute en 1914 à Soncino dans le rôle de Orovesco de *Norma*. Revenu de guerre, il chante le Roi Marke en 1920 à Rome, mais c'est à la Scala de Milan qu'il se révèle totalement (1922-24), interprétant sous la direction de Toscanini Ramphis de *Aïda*, Colline de *La Bohème*, Raimonde de *Lucia di Lammermoor*, et Tigellino lors de la création du *Nerone* de Boïto (1924). Il est engagé par le Met de 1926 à 1949, où il débute en Pontifex Maximus dans *La Vestale* de Spontini. Il y chante tous les grands rôles de basse italienne : *La Force du Destin, Simon Boccanegra, Don Giovanni,* Figaro, ainsi que Boris (en italien). Bruno Walter le fait engager au Festival de Salzbourg en 1934 (Don Giovanni, Figaro, Don Basile). Il quitte le Met en 1949 pour se lancer dans une nouvelle carrière à Broadway, dans le Musical (*South Pacific, Fanny*, etc.). Aux qualités de la voix, expressive, chaude et souple, Pinza ajoutait un art de la scène poussé jusqu'au détail le plus infime (le maquillage par exemple qu'il mettait lui-même au point) donnant à ses incarnations une force et une authenticité incomparables, que ce soit dans le rôle de Don Giovanni (joué plus de 200 fois) ou dans le répertoire bouffe où sa *vis comica* pouvait se donner libre cours.

Piquemal, Michel

Chef de chœur et baryton français, né à Paris le 15 avril 1947.

Originaire de l'Ariège, il vient en 1958 à Paris comme élève à la Maîtrise de Radio France. Puis, il étudie le piano avec Françoise Deslogères et Denise Sternberg, l'écriture avec Roger Calmel et la direction avec Jacques Jouineau dont il devient l'assistant à la Maîtrise de 1968 à 1973. A la même époque, il est nommé professeur de chant choral au Conservatoire d'Argenteuil et fonde la Chorale Vittoria d'Argenteuil qu'il produit régulièrement à partir de 1974. En 1978, il fonde l'Ensemble Vocal Michel Piquemal avec lequel il aborde un répertoire très large de la Renaissance à nos jours. Il crée avec cet ensemble des œuvres de Roger Calmel, Jacques Casterède, Jean-Louis Florentz, François Vercken. Après avoir travaillé le chant avec Elsa Ruhlmann, Marcelle Gavanier, Ré Coster, reçu les conseils de Pierre Bernac pour la mélodie française et de Suzanne Anders et Paul Schilawski au Mozarteum de Salzbourg pour l'interprétation du lied, il se produit en tant que soliste. Il est actuellement professeur à la Maîtrise de Radio France et au Centre d'Études Polyphoniques de Paris. Il assure de nombreux stages de chant choral.

Pires, Maria-Joao

Pianiste portugaise, née le 23 juillet 1944.

Elle fait ses débuts à l'âge de quatre ans. En 1953, elle remporte le 1er prix au Concours des Jeunesses Musicales Portugaises, en 1958, le 1er prix au Concours Elisa Pedroso, puis en 1960, le 2e prix au Concours international des Jeunesses Musicales à Berlin, et le 1er prix au Concours international Franz Liszt à Lisbonne. L'année suivante, elle obtient une bourse de la Fondation Gulbenkian qui lui permet d'aller travailler en Allemagne. Elle est notamment l'élève de Karl Engel à Munich, le seul parmi ses professeurs dont elle reconnaisse l'influence profonde. Sa carrière débute véritablement en 1970 lorsqu'elle remporte à Bruxelles le 1er prix au Concours international organisé par l'U.E.R. pour le bicentenaire de la naissance de Beethoven. Elle est aussitôt engagée dans toute l'Europe et s'impose comme interprète de Mozart : elle enregistre l'intégrale de ses sonates pour piano et la plupart de ses concertos. Elle voue une particulière prédilection à ce musicien qui occupe une place de choix dans son répertoire, limité par la taille de ses mains : aussi n'aborde-t-elle pas les œuvres de haute virtuosité ou de grande envergure.

Pischner, Hans

Claveciniste et musicologue allemand (R.D.A.), né à Breslau le 20 février 1914.

Il fait toutes ses études dans sa ville natale, musique avec Bronislaw von Pozniak et Gertrud Wertheim (1933-39) et philosophie. Il enseigne d'abord à Weimar (1946-50). Sa carrière se déroule avant tout dans les pays de l'Est : il joue et enregistre entre autre choses les *Sonates* de Bach avec David Oïstrakh. Il est nommé en 1950 chef du département musical de la Radio de Berlin-Est. Il occupe ce poste jusqu'en 1954. Puis il devient directeur du département musical du ministère de la Culture de la R.D.A. (1954-56) et représentant du même ministère (1956-63). De 1963 à 1984, il est intendant de la Staatsoper de Berlin. En tant que musicologue, Hans Pischner a publié plusieurs *Histoires de la Musique* (*Geschichte Weimars*, 1954), *Musique en Chine* (Berlin, 1955) et *Etude sur Rameau* (Leipzig, 1963).

Pitz, Wilhelm

Chef de chœur allemand, né à Breinig le 25 août 1897, mort à Aix-la-Chapelle le 21 novembre 1973.

Il fut pendant vingt ans violoniste de l'Orchestre de l'Opéra d'Aix-la-Chapelle, sous la direction de chefs aussi éminents que Leo Blech et Fritz Busch. Il a à peine trente ans, quand le directeur général de la musique de l'Opéra d'Aix-la-Chapelle décèle ses talents particuliers et le nomme chef des chœurs. Il se voit ensuite offrir la responsabilité de la Société Chorale de la ville (1933-61), qui, bientôt, acquiert dans toute l'Europe une grande réputation, suite aux concerts et aux tournées effectués sous la conduite de Karajan (1934-42). Après la Seconde Guerre mondiale, son renom est tel qu'il se voit offrir la direction musicale de l'Opéra d'Aix-la-Chapelle (1946-60). Il dirige également le Chœur d'hommes de Cologne à partir de 1949. Peu après, sur la recommandation de Karajan, Wieland et Wolfgang Wagner font appel à lui pour former et diriger les chœurs du Festival de Bayreuth (1951-71). Il occupera ce poste jusqu'à la veille de sa mort, secondé par Paul-André Gaillard puis par Norbert Balatsch. Les succès remportés par les chœurs du Festival sont tels que Walter Legge l'invite à Londres, en 1957, pour créer un chœur qui soit digne du Philharmonia Orchestra et puisse l'égaler : le Philharmonia Chorus, qu'il dirige jusqu'en 1971. La musicalité, la précision et l'exigence de Wilhelm Pitz ont fait de cet ensemble (tout comme du chœur de Bayreuth) un des éléments moteurs de la vie musicale européenne sous la conduite des plus grands chefs. Mais Pitz a dirigé lui-même et avec grand succès de nombreux concerts à travers le monde.

Plançon, Pol

Basse française, né à Fumay (Ardennes) le 12 juin 1851, mort à Paris le 11 août 1914.

Il étudie à Paris avec Scriblia et Duprez, et débute à Lyon en 1877 (Saint-Bris des *Huguenots*). Il chante à Paris à partir de 1880, à l'Opéra de 1883 à 1893, au Covent Garden de Londres de 1891 à 1904 et au Met de New York de 1893 à 1908. Le plus célèbre Méphisto de son temps, il chante aussi bien le répertoire français que l'italien ou l'allemand. Il participe aux créations mondiales du *Cid* de Massenet à l'Opéra en 1885 (Don Gormas) et de *La Navarraise* du même

Massenet à Londres en 1894 (Garrado), ainsi que d'*Ascanio* de Saint-Saëns à Paris (François Ier).

Planté, Francis

Pianiste français, né à Orthez le 2 mars 1839, mort à Saint-Avit (Mont-de-Marsan) le 19 décembre 1934.

Enfant prodige, il débute en 1854 salle Pleyel après avoir remporté un 1er prix de piano au Conservatoire de Paris dans la classe de Marmontel en 1850. Il travaille également l'harmonie avec Bazin (2e prix en 1855). Liszt et Rossini facilitent son entrée dans la société musicale parisienne. Il joue en trio avec Alard et Franchomme. Puis, en 1861, il se retire de la scène pour ne réapparaître qu'en 1872 : plus de dix ans de silence et de travail solitaire font de l'enfant prodige l'un des plus étonnants pianistes de sa génération. Il s'impose dans le grand répertoire romantique où sa virtuosité s'épanouit naturellement. Mais il participe aussi au regain d'intérêt que rencontre alors la musique de Mozart. De 1900 à 1915, il se retire à nouveau. Sa carrière aura été une succession de telles éclipses accentuant l'attirance naturelle de tous les pianistes qui viennent chercher conseil auprès de lui. Roger-Ducasse lui a dédié une *Étude* (la bémol majeur).

Plasson, Michel

Chef d'orchestre français, né à Paris le 2 octobre 1933.

Il voit le jour dans une famille de musiciens et travaille très jeune le piano avec Lazare-Lévy. Au Conservatoire de Paris, il reçoit une formation de percussionniste et obtient un 1er prix. Puis il se tourne vers la direction d'orchestre et remporte, en 1962, le 1er prix du Concours international de Besançon. Il passe l'année suivante aux États-Unis où il travaille avec Leinsdorf, Monteux et Stokowski. Il est ensuite nommé directeur de la musique au Théâtre de Metz puis, en 1968, chef permanent au Capitole de Toulouse dont il devient vite directeur musical et directeur général (1973-82). Il suscite des productions lyriques marquantes *(Manon, Fidelio, Salomé, Les Maîtres chanteurs)* et fait de la Halle aux Grains de Toulouse l'un des centres musicaux les plus importants de France. Il contribue à la régionalisation de l'Orchestre du Capitole (1974), auquel il donne une vocation symphonique et une dimension internationale. Invité par les plus grands orchestres et théâtres du monde, il dirige à l'Opéra de Paris *(Faust)*, au Covent Garden *(Werther)*, au Met *(Les Dialogues des Carmélites)* ou à Bercy (*Aïda*, 1984 ; *Turandot*, 1985). Il a créé *Symphonie d'ombre et de lumière* de Daniel-Lesur (1975), *Symphonie n° 1* de Lemeland (1974), *Millions d'oiseaux d'or* de Nigg (1981) *Trois Sonnets de Louise Labbé* de Bon (1983), *Montségur* de Landowski (1985). Il a enregistré l'intégrale des symphonies d'Honegger, l'intégrale de la musique symphonique de Fauré et de nombreuses œuvres françaises méconnues.

Plishka, Paul

Basse américaine, né à Old Forge (Pennsylvanie) le 28 août 1941.

Il étudie le chant au Collège Montclair (New Jersey) et fait ses débuts au sein de la troupe de l'Opéra de Patterson (1961-66). Il est engagé à partir de 1967 par le Metropolitan Opera de New York. Pour sa première apparition en France, en 1975, il est un Philippe II noble et profond dans *Don Carlos* de Verdi, sous la direction d'Alain Lombard, avec qui il enregistre *Faust* et *Turandot.*

Pludermacher, Georges

Pianiste français, né à Guéret le 26 juillet 1944.

Après avoir travaillé avec Lucette Descaves et Jacques Février au Conservatoire de Paris et suivi les cours d'été de Géza Anda à Lucerne, il remporte le 1er prix au Concours international Géza Anda à Zurich en 1979. Il avait déjà obtenu un prix international à Lisbonne en 1968 et à Leeds en 1969. Il joue ensuite avec de grands chefs : Solti, Dohnányi, Boulez...

En soliste ou dans des formations diverses, avec le Domaine Musical ou Musique Vivante, il unit le passé et le présent, Mozart et Xenakis. Il fait connaître nombre de partitions contemporaines et a créé (entre autres) *Archipel I* pour piano, de Boucourechliev (1967) et *Synaphai* de Xenakis (1971). Pianiste soliste à l'Orchestre de l'Opéra de Paris, il joue en duo avec Yvonne Loriod et enseigne au Conservatoire de Paris. On le retrouve avec le Nouveau Trio Pasquier, Portal ou Ivaldi.

Pogorelich, Ivo

Pianiste yougoslave, né à Belgrade le 20 octobre 1958.

Il quitte sa famille à l'âge de onze ans pour aller étudier à l'École centrale de Moscou puis au Conservatoire Tchaïkovski où il travaille avec Timakhin, Gornostaeva et Malinin. En 1977, il rencontre Alice Kezeradze qui lui transmet la tradition de l'école Liszt-Siloti. Il l'épousera d'ailleurs en 1980. En 1978, il remporte le Concours Casagrande à Terni (Italie) et, en 1980, le 1er prix au Concours international de Montréal. Au Concours Chopin de Varsovie (1980), Martha Argerich quitte avec éclat le jury pour protester parce que le 1er prix ne lui est pas décerné.

Polasek, Barbara

Guitariste tchécoslovaque, née à Leberek le 8 mars 1941.

Elle travaille dans son pays puis remporte le 1er prix au 6e Concours international de guitare de Paris en 1964. Dès lors elle se produit sur le plan international. Elle est, depuis 1970, professeur au Conservatoire de Munich. Elle pratique aussi le luth. Elle est mariée au violoncelliste Ján Palacek.

Poli, Liliana

Soprano italienne, née à Florence le 1er janvier 1935.

Elle fait ses débuts aux concerts du Mai Musical Florentin, après avoir étudié dans cette ville et avoir suivi les cours de perfectionnement au Théâtre Communal. Elle chante le répertoire lyrique passé et présent, aime la musique de chambre et la musique symphonique. Connue dans le monde de l'avant-guerre pour ses interprétations de musique contemporaine, elle a créé plusieurs œuvres de Luigi Nono : *L'Usine illuminée* et *Ne consommons pas Marx*, entre autres, et de Sylvano Bussotti : *Il nudo, Torso, Rara Requiem*, après avoir interprété le répertoire viennois. Elle enseigne l'interprétation vocale (musique de chambre) au Conservatoire de sa ville natale.

Pollini, Maurizio

Pianiste italien, né à Milan le 5 janvier 1942.

Pendant toute son enfance, il travaille avec des professeurs particuliers, sans jamais envisager une carrière musicale. C'est Carlo Lonati qui lui enseigne les rudiments du piano, puis Carlo Vidusso au Conservatoire de Milan. Outre de timides débuts à l'âge de neuf ans, c'est en 1957 que la presse remarque son interprétation des *Études* de Chopin à Milan. En 1959, il obtient le 1er prix du Concours Ettore Pozzoli à Seregno, et l'année suivante le Prix Chopin de Varsovie, salué tout particulièrement par le président du jury, Arthur Rubinstein. Renonçant à tous les engagements qu'on lui propose, il se retire de la scène internationale « pour écouter » et méditer, « et pas seulement sur la musique ». Il travaille alors avec Michelangeli. Dès son retour, il triomphe un peu partout sur les scènes internationales. Profondément engagé, aux côtés de son ami Claudio Abbado, contre toutes formes d'élitisme, il va jouer Beethoven et Chopin aux ouvriers des usines, donne des concerts contre les fascismes d'Amérique latine ou la guerre américaine au Vietnam, et participe aux expériences *Musica-Realta* dans les quartiers ouvriers de Reggio nell'Emilia. Par ailleurs, outre le travail de recréation du répertoire romantique qu'il entreprend et dont il existe de nombreux témoignages sur disque (dernières sonates de Beethoven, *Wanderer-Fantasie* de Schubert, *Études* et *Préludes* de Chopin, sans oublier les concertos de Beethoven, Brahms et Mozart), il a mis de longue date son piano au service de la musique contemporaine, interprétant avec brio Boulez, Stockhausen et Nono. Le piano de Pollini pose de nombreuses énigmes aux amateurs de nomenclatures et de terminologies. Il est en effet assez difficile de comprendre comment on peut jouer de façon aussi lyrique et intense, en restant aussi près du texte sans rechercher l'effet. L'interprétation de Pollini est une ascèse qui ne refuse pas le brillant de la virtuosité. Perpétuel paradoxe qui ne cesse de remettre en cause les idées toutes faites de ses contemporains souvent embarrassés devant ce qu'il propose. Pollini a atteint un monde où il n'est même plus permis de parler de technique, tant chacune de ses prestations est une profonde recréation de l'œuvre, un moment unique. Ce grand démystificateur de la musique, avare de sensationnel, s'est fait un mythe de sa propre transparence. En 1982, il fait ses débuts de chef d'orchestre en dirigeant *La Donna del Lago* de Rossini à Pesaro. Pour le tricentenaire de la naissance de J.-S. Bach (1985), il aborde le *Clavier bien tempéré* dont il donne l'intégrale dans les grandes capitales mondiales, se rangeant aux côtés des rares pianistes légendaires (Fischer, Kempff, Richter...) qui ont dominé cette œuvre.

Pommier, Jean-Bernard

Pianiste et chef d'orchestre français, né à Béziers le 17 août 1944.

Son père est organiste. Il fait ses études musicales avec Mina Kosloff (dès l'âge de quatre ans), puis avec Yves Nat et Pierre Sancan (au Conservatoire de Paris jusqu'en 1961). Il se perfectionne avec Eugene Istomin. En 1954, il donne son premier concert à Paris et devient pensionnaire de la Maîtrise Notre-Dame. Il remporte, en 1960, le 1er prix au Concours international des Jeunesses musicales (Berlin) et le prix de la Guilde des artistes solistes français. En 1962, il est lauréat du Concours Tchaïkovski à Moscou. Il est invité par Herbert von Karajan et Pablo Casals. Depuis 1980, il se produit également comme chef d'orchestre, notamment à la tête du Northern Sinfonia, du Scottish Chamber Orchestra et de l'English Chamber Orchestra. Il dirige, depuis 15 ans, les concerts « Renaissances » à Narbonne et Fontfroide. On retiendra dans sa discographie l'intégrale des *Toccatas* et des *Inventions* de Bach. Jean-Bernard Pommier donne des master-classes à Londres, Chicago et Tokyo.

Ponce, Alberto

Guitariste espagnol, né à Madrid le 13 mars 1935.

Il découvre la guitare à l'âge de sept ans ; son père est son premier initiateur. Il fait ensuite ses études au Conservatoire de Barcelone où il étudie – outre la guitare – le piano avec Gibert Camins, la musique de chambre avec Massia. Il travaille l'harmonie et le contrepoint. Millet – directeur de l'Orféo Catalan –, Camacois et Pich Santasusana sont aussi ses maîtres. A quatorze ans, un an après son entrée au Conservatoire, il rencontre Emilio Pujol, auquel il s'attachera profondément. Il devient son élève à Lisbonne, le suit à Sienne, à l'Académie Chigiana, étudie la vihuela et la musique ancienne. Il remporte le 1er prix de vihuela au Concours international Mathilde Cuervas. Puis, en 1962, il obtient le 1er prix du Concours international de guitare de l'O.R.T.F. et est nommé professeur à l'École normale de musique de Paris. Son enseignement est celui d'un humaniste aimant découvrir les œuvres de son temps et s'intéressant aux autres arts. Il fait dans son métier de pédagogue comme dans sa vie d'artiste une heureuse alliance entre l'expression dense et intime de son instrument et la perfection technique nécessaire au jeu. Alberto Ponce donne des cours d'été en France et à l'étranger et fait des tournées de concerts dans le monde. Il est actuellement professeur au Conservatoire d'Aubervilliers. Son répertoire est large : toute la littérature classique pour guitare, de Fernando Sor aux jeunes d'aujourd'hui. Il a créé des œuvres de Maurice Ohana *(Si le jour paraît, Planh et Tiento),* de Charles Chaynes *(Visions concertantes),* de Felix Ibarondo *(Cristal y piedra, Amairuk).* Cet artiste très sobre a un grand rayonnement dans son temps.

Poncet, Tony (Antoine Poncé)

Ténor français, né le 23 décembre 1918 à Maria (Espagne), mort le 13 novembre 1979 à Libourne.

Il chante d'abord dans un chœur de sa région, les chanteurs de Bagnères-de-Bigorre. En 1947, il arrive à Paris et s'inscrit au Conservatoire où il étudie avec Fernand Francell et Mme Vuillermos. En 1954, il obtient le 1er prix du Concours de chant de Cannes et commence l'année suivante sa carrière de chanteur. Il obtient ses premiers succès dans les opéras de Lüttich, de Gand et à la Monnaie. Dès 1958, il est le ténor héroïque de l'Opéra et de l'Opéra-Comique de Paris. Il chante également sur toutes les scènes de province, ainsi qu'en Italie où le public lui fait partout fête. Il donne également de nombreux concerts. Sa voix puissante, aux aigus ahurissants, préfère aux nuances les éclats de la vaillance. Parmi ses principaux rôles il faut citer *Guillaume Tell* (Arnold), *Paillasse* (Canio), *La Juive* (Eleazar), *L'Africaine* (Vasco), *Carmen* (Don José), *Aïda* (Radamès), *Rigoletto* (le Duc), *Faust* et *le Trouvère.*

Pons, Lily (Alice-Joséphine Pons)

Soprano colorature française naturalisée américaine (1940), née à Draguignan le 12 avril 1898, morte à Dallas le 13 février 1976.

Elle étudie le piano et entre à 13 ans au Conservatoire de Paris. Quelques années plus tard, elle découvre sa voix et étudie le chant avec Alberto Di Gorostiaga. Elle joue les ingénues au Théâtre des Variétés puis débute à Mulhouse dans *Lakmé* en 1928 et enregistre ses premiers disques, des duos de *La Bohème* et de *Rigoletto* avec Enrico Di Mazzei, des airs des *Noces de Figaro,* du *Barbier de Séville,* de la *Flûte enchantée,* l'air de la Reine de la nuit, bien sûr... tout cela comme « Mlle Lily Pons, chanteuse légère des Casinos de Cannes et de Deauville ». L'ayant auditionnée, Jacques Rouché lui déclare : « ... Vous n'êtes pas prête pour chanter au Palais Garnier, revenez plus tard. » Elle parcourt la province avec ses contre-fas éblouissants, qui font le bonheur des aficionados. Un soir, à Montpellier, Zenatello et sa femme, Maria Gay, l'entendent et la dépêchent par le premier paquebot à Gatti-Casazza, maître du Met qui l'engage aussitôt. Elle débute dans *Lucia di Lammermoor,* avec pour partenaires Gigli, de Luca et Pinza et pour chef Vincenzo Bellezza (1931). Elle se perfectionne avec Zenatello et Maria Gay et restera au Met jusqu'en 1959, chantant plus de 200 fois les 10 rôles les plus tendus du répertoire. Elle paraîtra aussi au Covent Garden (Rosine, 1935), à l'Opéra-Comique, au Cólon et dans toute l'Amérique latine. En secondes noces, elle épousera le chef d'orchestre André Kostelanetz. Excellente comédienne et douée d'une plastique ravissante, elle fut une star de l'écran. Elle se retira de la scène en 1959.

Ponselle, Rosa (Rosa Ponzillo)

Soprano américaine, née à Meriden (Connecticut) le 22 janvier 1897, morte à Baltimore le 25 mai 1981.

Née de parents immigrés italiens, elle chante dès l'âge de dix ans dans les cinémas et les vaudevilles avec sa sœur Carmella. Elle étudie ensuite à New York avec William Thorner puis Romano Romani. Caruso qui a l'occasion de l'entendre la fait aussitôt engager par le directeur du Met, Gatti-Cavazza : elle débute sur cette scène le 15 novembre 1918 dans Léonore de *La Force du destin* aux côtés de Caruso. Elle sera fidèle au Met puisque, jusqu'en 1937, année de ses adieux à la scène, elle ne chantera avec aucune autre compagnie américaine. Elle n'apparaît d'ailleurs en Europe qu'à Londres de 1929 à 1931 (*Norma, Gioconda,* Fiora de l'*Amore di tre Re* de Montemezzi, sa première Violetta, Léonore de *La Force* et *Fedra* de Romani) et au Mai Florentin en 1933 (Giulia de *La Vestale*). Son répertoire au Met comprend *Norma, Gioconda, La Vestale,* que l'on remonte spécialement pour elle, ainsi que Donna Anna, Rezia (*Obéron*), Mathilde (*Guillaume Tell*), Rachel (*La Juive*), Selika (*L'Africaine*), Elvira (*Ernani*), Elisabeth (*Don Carlo*), Léonore (*Trouvère*), Violetta, Aïda, Rozenn (*Le Roi d'Ys*), Carmen, Santuzza. Elle se retire au sommet de sa gloire et professe à Baltimore où elle devient en 1954 directeur artistique du Civic Opera. Sa voix, d'une exceptionnelle richesse et d'une égalité absolue sur tous les registres, en fait l'une des plus grandes cantatrices de l'histoire du chant.

Sa sœur Carmella Ponselle, mezzo soprano née à Schenectady le 7 juin 1888, morte à New York le 13 juin 1977, débute dans le vaudeville et le music-hall, puis aborde l'opéra dans des compagnies itinérantes avant de chanter au Met de 1925 à 1935 Amneris, Azucena, Santuzza. Elle ne paraît qu'une seule fois en compagnie de sa sœur (*Gioconda*).

Poole, John

Organiste et chef de chœur anglais, né à Birmingham le 5 février 1934.

Il fait ses études au Collège Balliol d'Oxford et au Collège royal d'orgue. A la tête des B.B.C. Singers qu'il dirige à partir de 1972, il se fait connaître par ses interprétations racées du répertoire baroque anglais et italien. Il a dirigé le Chœur Symphonique de la B.B.C. de 1972 à 1976.

Popp, Lucia

Soprano tchécoslovaque naturalisée autrichienne, née à Bratislava le 12 novembre 1939.

Elle suit des cours de chant aux conservatoires de Brünn et de Prague. En 1963, elle débute à Vienne au Théâtre An der Wien. La même année, elle est déjà invitée à l'Opéra de Vienne où la jeune cantatrice remporte un triomphe comme Reine de la Nuit (*La Flûte enchantée*) ; elle y chante ensuite Constance (*L'Enlèvement au sérail*) et Zerbinette (*Ariane à Naxos*). En même temps, l'Opéra de Cologne l'engage. Elle est invitée au Théâtre national de Prague, à Covent Garden et sur plusieurs autres scènes d'importance. En 1967, elle fait un début triomphal au Met comme Reine de la Nuit. Elle a épousé le chef d'orchestre Georg Fischer puis Peter Johnas, le directeur de l'English National Opera. Invitée au Festival de Salzbourg, elle s'y révèle une sensible Pamina (*La Flûte enchantée*). A Paris, elle chante Suzanne, à Londres, Eva. Elle développe son répertoire vers les grands rôles lyriques (Arabella, Daphné...).

Popper, David

Violoncelliste tchécoslovaque, né à Prague le 9 décembre 1843, mort à Baden (Vienne) le 7 août 1913.

Élève de Goltermann au Conservatoire de Prague, il fait, dès 1863, de nombreuses tournées de concerts en Europe. Considéré comme l'un des plus grands violoncellistes de son temps, il est nommé premier soliste à l'Opéra de Vienne, en 1868. Il y reste jusqu'en 1873. Dénué de tous engagements, il vit dans différentes villes (Londres, Paris, Saint-Pétersbourg, Vienne) et fait partie du Quatuor Hubay. En 1896, il est nommé professeur à l'Académie nationale de musique de Budapest où il reste jusqu'à sa mort. Entre 1892 et 1896, il avait été marié à la pianiste Sophie Menter. David Popper a laissé plusieurs œuvres pour son instrument : 4 concertos, 3 suites avec piano et un quatuor à cordes.

Portal, Michel

Clarinettiste français, né à Bayonne le 27 novembre 1935.

1er prix de clarinette du Conservatoire de Paris en 1959, 1er prix du Concours international de Genève et du Jubilé suisse, 1er prix encore à Budapest. Michel Portal étudie la direction d'orchestre avec Pierre Dervaux et entreprend une carrière d'instrumentiste classique, tout en se passionnant pour le jazz. Il fonde un groupe free : Portal Unit. En 1969, avec C. R. Alsina, J. P. Drouet, V. Globokar, il forme le New

Phonic Art. Ils improvisent et créent ensemble. Portal a aussi dirigé un atelier instrumental à Radio France, ouvert aux amateurs. Il cherche à faire tomber les barrières entre les différents genres musicaux. Soliste dans le domaine classique, il participe à tous les festivals contemporains : Donaueschingen, Berlin, Venise, Royan, La Rochelle... Il a travaillé avec Kagel, Stockhausen, Berio, Boulez, Globokar et donné beaucoup de premières auditions. Certaines œuvres lui sont dédiées, ainsi : *Rendez-Vous* d'Alsina, et *Ausstralungen* de Globokar (1971). Portal réalise des musiques de films et de scène. Il a joué et enregistré avec l'Ensemble Musique Vivante de Diego Masson, entre autres *Domaines* de Pierre Boulez. Selon un parcours original, Portal gagne un public qui aime tout ensemble le classique, le contemporain et le jazz.

Postnikova, Victoria

Pianiste soviétique, née à Moscou le 12 janvier 1944.

Issue d'une famille de musiciens, elle est admise à l'âge de six ans à l'École centrale de Moscou, dans la classe de E. B. Musaelian (1950-62). Puis elle suit les cours de Iakov Flier au Conservatoire de la ville (1962-65). Lauréate du Concours de Varsovie en 1965, elle obtient un 2e prix au Concours de Leeds en 1966. L'année suivante Londres lui réserve un accueil triomphal lors des Concerts-promenade, ainsi qu'au Festival Hall. En 1969, elle a épousé le chef d'orchestre Guennadi Rojdestvenski.

Poulet, Gaston

Violoniste et chef d'orchestre français, né à Paris le 10 avril 1892, mort à Paris le 14 avril 1974.

Élève de Lefort et J. Huré au Conservatoire de Paris, il remporte un 1er prix de violon en 1910. Pierre Monteux l'engage comme violon solo dans l'orchestre des Ballets russes : il participe à la création de tous les grands ballets de cette époque (*Pétrouchka, Le Sacre du printemps, Jeux, Daphnis et Chloé*...). En 1914, il fonde un quatuor avec Henri Giraud, Albert Leguillard et Louis Ruyssen qui occupe très vite une place essentielle dans la vie musicale française. Debussy lui confie la création de sa *Sonate pour violon et piano* en 1917 et, deux ans plus tard, il est nommé professeur au Conservatoire. En 1929, il fonde les Concerts Poulet et oriente ainsi sa carrière vers la direction d'orchestre. Cette formation prend le relais des orchestres de Koussevitzki et Golschmann qui viennent de disparaître. Comme eux, Poulet se tourne vers la musique de son temps : il dirige en 1re audition des œuvres de Prokofiev (*L'Amour des trois oranges, Pas d'acier*), Milhaud, Schmitt ou Villa Lobos. En 1932, il est nommé directeur du Conservatoire de Bordeaux, poste qu'il conservera jusqu'en 1944. A ce titre, il dirige les Concerts Symphoniques qu'il anime avec le même enthousiasme. Il effectue ses débuts dans le domaine lyrique à Genève et au Théâtre Colón de Buenos Aires. En 1935, les Concerts Poulet fusionnent avec les Concerts Siohan pour des raisons financières. Pendant l'Occupation, il est à la tête des Concerts Colonne, rebaptisés Concerts Pierné. Entre 1948 et 1962, il est professeur de musique de chambre au Conservatoire de Paris.

Poulet, Gérard

Violoniste français, né à Bayonne le 12 août 1938.

Dès l'âge de cinq ans, il montre pour la musique d'exceptionnelles dispositions que son père, Gaston Poulet, s'emploie à développer. Il donne à dix ans son premier concert privé devant des musiciens comme Georges Enesco, Arthur Honegger, Claude Devincourt, Pierre Fournier et Edwin Fischer. Il entre au Conservatoire de Paris en 1949 et obtient, en 1951, un 1er prix de violon à l'unanimité dans la classe d'André Asselin. Son premier concert parisien a lieu en 1950 sous la direction de son père. Il remporte, en 1956, le 1er prix au Concours international Paganini de Gênes, ce qui lui permet de jouer sur le Guarnerius del Gesù ayant appartenu au grand virtuose italien. Zino

Francescatti, Yehudi Menuhin, Nathan Milstein et surtout Henryk Szeryng, dont il est l'un des disciples préférés, lui prodiguent leurs conseils. Depuis 1979, il est professeur au Conservatoire de Paris. Gérard Poulet joue sur un Guarnerius del Gesù de 1731 qui appartint à Henri Marteau et fait partie du Trio à cordes Stradivarius qui a la particularité d'utiliser trois instruments dus à Stradivarius.

Power-Biggs, Edward
(Edward-Power Biggs)

Organiste anglais naturalisé américain (1937), né à Westcliff le 29 mars 1906, mort à Boston le 10 mars 1977.

De 1917 à 1924, il étudie au Hurstpierpoint College, puis à la Royal Academy of Music de Londres (1925-29). En 1930, il émigre aux États-Unis où il fait ses débuts publics en 1932. Il est organiste à Newport (1930-31), puis à la Christ Church de Cambridge (Massachusetts). Il dirige la Harvard Church à Brookline. Il effectue de nombreuses tournées, jouant notamment des partitions commandées à Piston, Harris, Hanson, Britten et Porter. Il s'attache à faire revivre le répertoire baroque alors presque inconnu aux États-Unis.

Pradella, Massimo

Chef d'orchestre italien, né à Ancone le 5 décembre 1925.

Au Conservatoire Sainte-Cécile de Rome, il étudie le piano, le violon, ainsi que la composition avec Petrassi. Dès 1945, il joue dans différents orchestres, tenant des places de violoniste ou d'altiste. De 1951 à 1953, il travaille la direction d'orchestre avec B. Molinari et F. Previtali et commence à diriger en 1954. De 1959 à 1963, il est à la tête de l'Orchestre Symphonique de la R.A.I. de Milan puis il est nommé chef permanent de l'Orchestre Alessandro Scarlatti de Naples (1964-71). Il poursuit une carrière de chef invité à la tête des principaux orchestres italiens.

Presti, Ida

Guitariste française, née à Suresnes le 31 mai 1924, morte à Rochester (États-Unis) le 24 avril 1967.

Elle travaille la guitare et le piano avec son père dès l'âge de six ans. A huit ans, elle joue pour la première fois en public et à dix ans, elle se produit à Paris. Les brillants débuts de cette enfant prodige sont suivis par des musiciens comme Turina et Rodrigo. En 1936, elle est engagée par la Société des Concerts du Conservatoire. Sa renommée internationale grandit très rapidement. En 1948, elle crée en France le *Concerto de Aranjuez* de Rodrigo. Elle rencontre, en 1950, Alexandre Lagoya avec qui elle se marie deux ans après. C'est alors la naissance du duo de guitare Presti-Lagoya promis à une durable célébrité. De nombreuses pages signées Daniel-Lesur (*Élégie*), Jolivet (*Sérénade*), Poulenc (*Sarabande*), Pierre-Petit (*Concerto pour 2 guitares*), Aubert, Tomasi, Wiéner, Rodrigo, Castelnuovo-Tedesco (*Guitares bien tempérées*), Villa Lobos et Torroba lui sont dédiées. Auteur de plusieurs œuvres pour guitare, Ida Presti disposait d'une technique rare et d'un sens musical peu fréquent.

Preston, Simon

Organiste, claveciniste et chef de chœur anglais, né à Bournemouth le 4 août 1938.

Il étudie, d'une part au King's College de Cambridge, d'autre part à l'Académie royale de musique de Londres, avec Ch. Trevor (1956-58). Il débute comme chef au Festival Hall de Londres en 1962 avec la *Messe glagolitique* de Janáček. De 1962 à 1967, il est organiste suppléant à l'abbaye de Westminster puis devient, entre 1967 et 1968, organiste titulaire de l'abbaye de St. Alban. En 1970, à Oxford, il prend les claviers d'orgue de la Christ. hurch et de 1971 à 1974 il dirige, en outre, le Chœur Bach d'Oxford. Organiste titulaire de l'abbaye de Westminster, depuis 1981, il a enregistré l'intégrale des *Concertos* pour orgue positif et orchestre de Händel.

Prêtre, Georges

Chef d'orchestre français, né à Waziers le 14 août 1924.

Après des études au Conservatoire de Douai, il vient travailler à Paris, au Conservatoire, où il remporte un 1er prix de trompette en 1944. Il étudie l'harmonie avec Henri Challan et Maurice Duruflé avant de se tourner vers la direction d'orchestre : ses maîtres sont André Cluytens, Pierre Dervaux et Richard Blareau. Sous le pseudonyme de Georges Dhérain, il débute dans l'opérette puis aborde l'opéra à l'Opéra de Marseille (1946), de Lille (1948) et de Casablanca (1949-51) avant d'être engagé au Capitole de Toulouse (1951-55). Il effectue ses débuts parisiens en 1956 à l'Opéra-Comique où il reste jusqu'en 1959. Il dirige alors dans les plus grands théâtres du monde : Chicago (1959), Covent Garden (1961), Met (1964), Scala (1965), Vienne... En 1962, il est nommé chef associé du Royal Philharmonic Orchestra et, en 1970, directeur musical de l'Opéra de Paris mais démissionne un an plus tard. Sa carrière se déroule essentiellement hors de France. En 1985, il devient 1er chef invité de l'Orchestre Symphonique de Vienne. Maria Callas et Francis Poulenc le considéraient comme leur chef préféré. Il a créé *La Voix humaine* (1959) et les *Sept Répons des ténèbres* (1963) de Poulenc.

Previn, André (Andreas Ludwig Priwin)

Chef d'orchestre, compositeur et pianiste allemand naturalisé américain (1943), né à Berlin le 6 avril 1929.

Il étudie d'abord aux conservatoires de Berlin et Paris. En 1939 sa famille se fixe aux États-Unis où son grand-oncle, Charles Previn, dirige la musique aux Universal Studios de Hollywood. Il se fait d'abord remarquer comme pianiste de jazz et orchestrateur pour le cinéma alors qu'il termine ses études à l'Université de Californie. En 1951, pendant son service militaire, il travaille la direction d'orchestre avec Pierre Monteux à San Francisco. Ses débuts de chef d'orchestre datent de 1963 à Saint Louis. Il prend la succession de Barbirolli à la tête de l'Orchestre Symphonique de Houston (1967-69). De 1968 à 1979, il est principal chef et directeur musical de l'Orchestre Symphonique de Londres. De 1976 à 1984, il dirige l'Orchestre Symphonique de Pittsburgh. Il prend ensuite la direction du Royal Philharmonic Orchestra (1985). Parmi les partitions dont il est l'auteur, on peut citer une *Symphonie pour cordes* (1965), un *Concerto pour violoncelle* (1967) et un *Concerto pour guitare* (1971).

A Londres, il a joué un grand rôle pour promouvoir la musique anglaise, enregistrant notamment les *9 Symphonies* de Vaughan-Williams. Rachmaninov est un de ses musiciens favoris dont il contribue à faire découvrir la musique symphonique. Il a aussi produit de nombreuses émissions de télévision dans le prolongement de celles de Leonard Bernstein aux États-Unis. André Previn a été marié à la comédienne Mia Farrow.

ÉCRITS : *Orchestra* (1979).

Previtali, Fernando

Chef d'orchestre et compositeur italien, né à Adria le 16 février 1907.

Il fait ses études au Conservatoire de Turin, avec S. Grossi (violoncelle), U. Matthey (orgue), et F. Alfano (composition). Dès 1928, il est violoncelliste à l'Orchestre du Teatro Reggio (Turin) ; auprès du chef d'orchestre Vittorio Gui, il participe à la formation de l'orchestre permanent de Florence dont il devient l'un des chefs jusqu'en 1936, date à laquelle il est nommé chef permanent de l'Orchestre Symphonique de la R.A.I. de Rome et conseiller artistique à la direction générale. Il garde cette responsabilité jusqu'en 1953 (avec un arrêt entre 1943 et 1945). En 1942-43 et 1946-48, il est chef permanent à la Scala. Puis il prend la direction de l'Orchestre de l'Académie Sainte-Cécile de Rome (1953-73). Il enseigne également la direction d'orchestre dans la fameuse académie. En 1971, il est nommé directeur musical du Teatro Regio de Turin.

Parmi ses compositions, le ballet *Hallucinations, Elégie et fugue* pour orchestre, des quatuors et trios, la cantate *Gloria Victis* pour chœur et orchestre. On lui doit plusieurs révisions de musique ancienne et il a publié un *Guide pour l'étude de la direction d'orchestre,* des articles et des essais, spécialement sur Busoni. Il a dirigé en 1ere audition *Le Roi Hassan* (1939) et *Les Bacchantes* (1948) de Ghedini, ainsi que *Vol de nuit* (1940) de Dallapiccola et le *Quarto Concerto* (1956) de Petrassi.

Prey, Hermann

Baryton allemand, né à Berlin le 11 juillet 1929.

A dix ans, il chante dans le Chœur Mozart de sa ville natale. En 1948, il entre à l'Académie de musique et donne en 1951 son premier récital de lieder. L'année suivante, à l'Opéra de Wiesbaden, il est le 2e Prisonnier de *Fidelio.* Dès 1953, il est engagé par Günther Rennert à l'Opéra de Hambourg où il incarne plusieurs personnages mozartiens, dont le Comte Guglielmo, et le Figaro de Rossini. Depuis 1959 il participe au Festival de Salzbourg où son premier rôle est celui du Barbier dans *La Femme silencieuse* de R. Strauss. Le public et la critique aiment ses interprétations de Papageno, dans *La Flûte enchantée.* Il devient l'hôte régulier du Met de New York et y chante aussi Wolfram (*Tannhäuser*) avec succès. Bayreuth, Milan l'accueillent ainsi que le Festival d'Aix-en-Provence en 1962 (*Don Giovanni*). Il consacre beaucoup de temps au lied – sa passion – et a enregistré de nombreux disques. Sa culture musicale étendue et sa curiosité lui permettent d'offrir un large panorama du répertoire mélodique. Il s'intéresse à certains compositeurs délaissés, comme Pfitzner et Loewe. Il ne dédaigne pas l'opéra-comique allemand, l'opérette et participe à des créations, tel *Le Prince de Hombourg* de Henze.

ÉCRITS : *First Night Fever* (1983).

Price, Leontyne

Soprano américaine, née à Laurel (Mississippi) le 10 février 1927.

Musicienne précoce, elle reçoit une bourse pour la Juilliard School (New York) où elle chante Mrs. Ford (*Falstaff*). De 1952 à 1954, elle incarne Bess dans *Porgy and Bess.* En 1953, elle donne la première audition des *Chants de l'ermite* de S. Barber, et un an plus tard son premier récital à New York. En 1955, elle chante à la télévision *La Tosca, La Flûte enchantée, Les Dialogues des Carmélites* et conquiert un grand public. Lorsqu'elle incarne *Aïda* à San Francisco, c'est une révélation. Elle débute au Met en 1961 : Léonore dans *Le Trouvère, Madame Butterfly, La Fille du Far West, Tosca.* Le Met lui offre ensuite les rôles les plus divers : Tatiana d'*Eugène Onéguine,* Leonora de *La Force du destin.* Elle part en tournée avec la Scala (Karajan), ouvre pour la troisième fois la saison du Met, en 1969. Soprano Verdi, elle est considérée comme la plus grande Aïda contemporaine. Elle a créé *Antoine et Cléopâtre* de Barber (1966).

Price, Margaret

Soprano galloise, née à Blackwood le 13 avril 1941.

Après ses études au Trinity College de Londres, elle débute en 1965 avec le Welsh National Opera, comme Cherubin (*Les Noces de Figaro*). Elle remporte son premier succès quand elle remplace dans le même rôle Teresa Berganza au Covent Garden. Depuis lors, elle y chante régulièrement. Au Festival de Glyndebourne, elle chante Constance (*L'Enlèvement au sérail)* et Fiordiligi (*Cosi fan tutte*). En 1969, elle est invitée à l'Opéra de San Francisco où elle débute comme Pamina (*La Flûte enchantée*) et Nanetta (*Falstaff*). En 1971, elle remporte un vrai triomphe comme Donna Anna (*Don Giovanni*) à l'Opéra de Cologne. Dès cet instant, elle est considérée comme une des grandes mozartiennes de sa génération. Elle est invitée à l'Opéra de Munich ; en 1972, à l'Opéra de Chicago pour chanter Fiordiligi ; en 1973, à l'Opéra de Paris pour chanter la Comtesse (*Les Noces de Figaro*) et Fiordiligi. Elle y chantera également Desdémone (*Otello* de Verdi) et accompagnera la troupe de l'Opéra, lors de sa tournée en Amérique du Nord. Elle fera ainsi ses débuts au Met dans la Comtesse. En 1973, elle participe, en Italie, à une représentation télévisée du *Freischütz* (Agathe). Malgré ses tournées et ses succès internationaux, elle demeure au Welsh National Opera.

Příhoda, Vásă

Violoniste tchécoslovaque naturalisé turc (1950), né à Vodňany le 22 août 1900, mort à Vienne le 26 juillet 1960.

Sa carrière se concrétise à Prague où il débute en jouant les Concertos de Beethoven et de Brahms. Il est alors considéré comme « enfant prodige ». Par la suite, il s'élève rapidement au rang des rares élus de réputation mondiale et on doit le placer au même niveau de perfection que Kreisler, Heifetz ou Zimbalist. A partir de 1950, il enseigne à la Musikhochschule de Vienne. Musicien racé, Příhoda était doté d'une virtuosité transcendante, dite « infaillible » (particulièrement lorsqu'il jouait Paganini), mais aussi d'une sensibilité bien réelle, bohémienne peut-être, mais nullement scandaleuse. On lui doit plusieurs arrangements d'œuvres célèbres (par exemple les *Airs bohémiens,* de Sarasate) et des enregistrements remarquables des redoutables *Variations sur le thème « Nel cor piu non mi sento »* de Paganini et du *Concerto* de Dvořák. Il a aussi écrit des cadences (pour le *Concerto* de Beethoven, entre autres). Ruggiero Ricci le considérait comme « le » violoniste dans l'absolu. Váša Příhoda jouait sur un Stradivarius de 1710, le *Camposelice,* qu'il avait vendu à l'État tchécoslovaque peu avant sa mort.

Primrose, William

Altiste écossais, né à Glasgow le 23 août 1903, mort à Provo (Utah) le 1er mai 1982.

Après avoir travaillé le violon avec Camillo Ritter dans sa ville natale, il se perfectionne à la Guildhall School of Music de Londres. Puis il rencontre Ysaÿe avec lequel il étudie pendant deux ans et qui le pousse à renoncer au violon au profit de l'alto (1925-27). De 1930 à 1935, il fait partie du London String Quartet avant de partir pour les États-Unis où il est l'alto solo de Toscanini à l'Orchestre de la N.B.C. (1937-42). Dès 1939 commence pour lui une carrière de soliste. Il fonde aussi son propre quatuor. En 1944, il commande à Bartók son *Concerto pour alto* dont il assurera la création en 1949. Il forme le Festival Quartet au sein de la Faculté du Festival d'Aspen (1955-62), puis développe une importante carrière de pédagogue commencée au Curtis Institute de Philadelphie de 1942 à 1951. De 1961 à 1965 ce sont des cours à l'Université de Californie du Sud (Los Angeles) avec Heifetz et Piatigorsky ; en 1965, il enseigne à l'Université de l'Indiana (Bloomington) ; en 1972, l'Université de Tokyo fait appel à lui et il donne aussi des cours à l'Institut Suzuki à Mutsumoto. Mais une crise cardiaque a presque totalement réduit ses activités d'instrumentiste en 1963. En dehors du *Concerto* de Bartók, Primrose est le dédicataire des concertos de Hartmann, Milhaud (nº 2) et Q. Porter, ainsi que des *Lachrymae op. 48* de Britten (1950). Il a créé de nombreuses œuvres de Rubbra, Fricker, Hamilton... Son alto était un instrument d'Andrea Guarnerius.

ÉCRITS : *Violon et alto* (avec Yehudi Menuhin, 1976), *Walk on the North Side* (1978), Mémoires.

Prin, Yves

Chef d'orchestre français, né à Sainte-Savine le 3 juin 1933.

Il débute le piano en 1940 puis poursuit ses études au Conservatoire de Paris où il remporte dans la classe d'Yves Nat un 1er prix de piano (1956) et dans la classe de Louis Fourestier un 1er prix de direction (1959). De 1966 à 1970, il est chef permanent de la Société des Concerts Populaires d'Angers puis participe à la création de l'Orchestre Philharmonique des Pays de la Loire dont il est 1er chef d'orchestre (1970-74). En 1974, il est nommé directeur musical de l'Atelier Lyrique du Rhin où il assure de nombreuses créations musicales en collaboration avec l'équipe de Pierre Barrat, metteur en scène. En 1981, il est nommé producteur de la Saison Lyrique de Radio France, puis, en1982, directeur artistique du Nouvel Orchestre Philharmonique de Radio France. En 1968, il a été assistant de Bruno Maderna à l'Académie du Mozarteum de Salzbourg et en 1978 il a effectué un stage à l'I.R.C.A.M. avec Pierre Boulez, « Composition et ordinateur ». En tant que chef d'orchestre il a créé *Œdipe* de Boucourechliev (Festival d'Avignon, 1978), *Histoire de loups* d'Aperghis (Festival d'Avignon, 1976), *Procès du jeune chien* de Pousseur (Nanterre, 1978), *Les Mangeurs d'ombre* de Mâche et *Syllabaire pour Phèdre* d'Ohana (Bordeaux, 1979), *Le Nez* de Chostakovitch (1re française, Festival de Lille, 1979), *Les Liaisons dangereuses* de Prey (Aix-en-Provence, 1980). Il est en outre compositeur lui-même.

Principe, Rémy

Violoniste italien, né à Venise le 25 août 1889, mort à Venise le 5 décembre 1977.

Issu de l'école de Bologne, il fait ses études dans la classe de Raffaelo De Guarnieri, héritier de la filiation Federico Sarti – Carlo Verardi. Il suit également l'enseignement de T. Kilian à Munich et de L. Capet à Paris. Prestigieux élément de l'école italienne du milieu du siècle, il mène parallèlement une carrière de concertiste, qui l'amène à participer dès 1947 à la création des 1ers orchestres de chambre italiens, et de théoricien à la vaste culture. Violon solo de l'Orchestre de l'Augusteo de Rome (1928-42), il forme un trio avec A. Rossi et B. Mazzacurati puis patronne les débuts du Quartetto Italiano, d'I Virtuosi di Roma et, en 1952, d'I Musici. Sa carrière de pédagogue, commencée à Pesaro, le mène au Conservatoire Sainte-Cécile de Rome à partir de 1921, à l'Académie Chigiana de Sienne (1945-46), à Ankara (1947), à l'Académie Sainte-Cécile de Rome puis au Conservatoire de Venise à partir de 1956. Il a joué un rôle déterminant dans la formation d'une génération de violonistes italiens.

Printemps, Yvonne

Soprano française, née à Ermont-Eaubonne, le 25 juillet 1894, morte à Neuilly le 18 janvier 1977.

Elle débute en 1910 au music-hall dans des rôles d'enfants et deux ans plus tard aborde la revue satirique, puis la féerie lyrique (*Contes de Perrault*). Sa voix, son jeu, pouvaient la conduire à l'Opéra-Comique, mais c'est dans *La Revue* (1915) que Sacha Guitry la remarque. Grand succès dans *Il faut l'avoir écrit* (Guitry-Willemetz), puis dans *Le Poilu*. Elle entre dans la compagnie de Guitry aux Bouffes-Parisiens. Guitry (qu'elle épouse en 1919) aimera la femme, la comédienne, et suscitera des musiques pour elle. Francis Poulenc compose la musique de *Margot* (Bourdet), *A sa guitare* (Ronsard), *Les Chemins de l'amour* ; André Messager fait la musique de *Debureau* et de L'*Amour masqué*, Reynaldo Hahn celle de *Mozart* (1925) qu'elle incarne et, au cinéma, *La Dame aux camélias* ; ou encore Oscar Straus, Albert Willemetz, Maurice Yvain. Messager la disait *soprano*, Reynaldo Hahn : *falcon*. Elle avait travaillé *Lakmé*, chanté Schubert, Schumann, Händel (Pleyel, avril 1937), Debussy et Fauré. « Il me semble que je suis une *mezzo* qui monte et qui descend... L'habitude du théâtre m'a baissé la voix. » Depuis 1932 sa carrière et sa vie furent liées à celles de Pierre Fresnay. En 1949 elle chanta auprès de lui dans *La Valse de Paris* (Offenbach) et en 1951 dans *Le Voyage en Amérique* (Poulenc).

Prinz, Alfred

Clarinettiste allemand, né à Vienne le 4 juin 1930.

Il fait ses études à l'Académie de Vienne puis entre comme clarinette solo à l'Opéra de Vienne en 1945. Il occupe cette fonction dix années avant de devenir clarinette solo à l'Orchestre Philharmonique de Vienne. Depuis 1972, il est professeur à la Hoschschule für Musik de Vienne. En outre, il est compositeur.

Pritchard, Sir John

Chef d'orchestre anglais, né à Londres le 5 février 1921.

Il est le fils d'un violoniste, qui lui donne ses 1eres leçons. Puis il travaille le piano, l'alto et la direction d'orchestre en Italie. A son retour, il dirige le Derby String Orchestra (1943-45). En 1947, il est répétiteur au Festival de Glyndebourne et, l'année suivante, chef des chœurs. En 1949, il remplace Fritz Busch pour diriger *Don Giovanni.* Désormais sa carrière restera étroitement associée au Festival de Glyndebourne. Entre 1957 et 1963 il est directeur musical du Royal Liverpool Philharmonic Orchestra. Il fonde notamment les Concerts Musica Viva destinés à faire connaître la musique contemporaine. Puis il est directeur musical de l'Orchestre Philharmonique de Londres (1962-66). Il revient à Glyndebourne comme conseiller musical (1963), puis directeur de la musique (1969-78). A la même époque, il prend la direction de la Huddersfield Choral Society (1973). Puis on le trouve directeur musical à l'Opéra de Cologne (1978), 1er chef invité de l'Orchestre Symphonique de la B.B.C. (1979), avant d'être nommé directeur musical du Théâtre royal de la Monnaie de Bruxelles (1981) et chef permanent de l'Orchestre Symphonique de la B.B.C. (1982). John Pritchard a dirigé en première audition plusieurs opéras contemporains : *Gloriana* (Britten, 1953), *The Midsummer Marriage* (1955) et *King Priam* (1962) de Tippett ainsi que la création anglaise de l'*Élégie pour de jeunes amants* de Henze à Glyndebourne. Il a aussi créé la *Symphonie n° 2* de Walton (1960).

Procter, Norma

Contralto anglaise, née à Clethorpes le 15 février 1928.

Élève de Roy Henderson, Alec Redshaw, Hans Oppenheim et Paul Hamburger, elle donne son 1er concert en 1956 et remporte aussitôt de très grands succès en Angleterre. Aussi chante-t-elle très vite et régulièrement sur le continent, en Allemagne de l'Ouest, en Belgique, en France, en Espagne et au Danemark. En 1969-70, elle participe au Festival de Hollande, ainsi qu'aux Semaines Bach à Ansbach et au Festival de Würzburg. Elle s'impose comme une grande interprète de Bach. Son répertoire de concert comprend, outre les mélodies, les parties de contralto dans les oratorios et la musique religieuse de Händel, Beethoven, Mendelssohn, Haydn, Mozart et Britten. En 1960, elle débute à la scène à Covent Garden, dans le rôle-titre d'*Orphée* (Gluck). Depuis, elle a interprété ce rôle sur de nombreuses scènes. Elle compte parmi les cantatrices les plus importantes de sa génération en Angleterre.

Prohaska, Felix

Chef d'orchestre autrichien, né à Vienne le 16 mai 1912.

Il est le fils du compositeur Karl Prohaska et reçoit une très solide formation musicale : piano (avec Fr. Wührer et Eduard Steuermann), violon (avec Gottfried Faist et Oskar Fitz) et écriture (avec Egon Kornauth, Hanns Gál, Joseph Polnauer, Felix Salzer et Oswald Jonas). Nommé professeur au Conservatoire de Graz (1936-39), il débute comme corépétiteur à l'Opéra de cette ville. Il est ensuite nommé chef d'orchestre à l'Opéra de Duisbourg (1939-41) puis à l'Opéra de Strasbourg (1941-43). Dans cette dernière ville, il dirige également la classe d'opéra au Conservatoire. De 1943 à 1945, il est chef d'orchestre à l'Opéra allemand de Prague, puis professeur à l'Académie de musique de Vienne (1945-46) et chef d'orchestre à l'Opéra de Vienne (1945-56). Il enseigne également la direction d'orchestre au Conservatoire de Vienne (1947-50). De 1955 à 1964, il dirige à l'Opéra de Francfort puis revient à l'Opéra de Vienne (1964-67) avant d'être nommé à celui de Hanovre (1965-74) où il dirige également la Musikhochschule (1961-69).

Prohaska, Jaro (Jaroslav Prohaska)

Baryton-basse autrichien, né à Vienne le 24 janvier 1891, mort à Munich le 28 septembre 1965.

De 1898 à 1906, il est membre des Wienersängerknaben, puis, en 1907, il devient organiste, chef de chœurs et d'orchestre à Sainte-Thekla à Vienne. Après la guerre, il suit des cours avec Otto Mueller au Conservatoire de Vienne et à l'Académie. Il débute en concert en 1920 et à la scène en 1922, à Lübeck, où il demeure attaché au Théâtre jusqu'en 1925. Il appartient ensuite aux théâtres de Nuremberg (1925-31) et de Berlin (1931-52). Il apparaît à Bayreuth de 1933 à 1944 et y chante Sachs, Wotan, Gunther, Telramund, Amfortas, le Hollandais, Donner. Il apparaît également à Salzbourg en 1949 (Ochs). En 1947, il est nommé directeur de la Musikhochschule de Berlin-Ouest et en 1952 directeur de l'École d'opéra du même établissement ; il se retire en 1959. Parmi ses élèves on trouve Hermann Prey.

Pugno, Raoul

Pianiste et compositeur français, né à Montrouge le 23 juin 1852, mort à Moscou le 3 janvier 1914.

Il se produit comme pianiste dès l'âge de six ans. Grâce à l'intervention du prince Poniatowski, il entre comme élève à l'École Niedermeyer. Au Conservatoire de Paris (1866-69), il remporte successivement des prix de piano (1866), d'harmonie et de solfège (1867), d'orgue (1869). Il est nommé organiste et maître de chapelle de l'église Saint-Eugène à Paris (1871-92) puis chef de chœur au Théâtre Ventadour en 1874. Enfin, il est nommé professeur au Conservatoire où il assure les classes d'harmonie (1892-96) et de piano (1896-1901). Parallèlement, il se produit comme pianiste en récital ou à partir de 1896 en duo avec Eugène Ysaÿe. On possède quelques témoignages de son jeu sur des rouleaux enregistrés en 1903. On lui doit plusieurs ouvrages lyriques, dont le dernier, d'après *La Ville morte* de d'Annunzio, a été terminé par Nadia Boulanger.

Puig-Roget, Henriette

Pianiste, organiste et compositeur française, née à Bastia le 9 janvier 1910.

Elle entre au Conservatoire de Paris en 1919 où elle travaille le piano avec Sophie Chéné puis en classe supérieure avec Isidore Philipp chez lequel elle obtient un 1er prix en 1926. Elle obtient également des 1ers prix d'harmonie (Jean Gallon), d'histoire de la musique (Maurice Emmanuel), d'accompagnement (Estyle) en 1927, de musique de chambre (Charles Tournemire), de fugue (Noël Gallon) en 1928, d'orgue (Marcel Dupré) en 1930. En 1933, elle remporte le 1er second Grand Prix de Rome. L'année suivante, elle est nommée titulaire de l'orgue de l'Oratoire du Louvre (jusqu'en 1979) et de l'orgue de la Grande Synagogue (jusqu'en 1951). Dès 1935, elle joue à la Radio. Jusqu'en 1975, elle est pianiste, organiste, membre du Comité de lecture à la Radio. De 1937 à 1940 elle est chef de chant à l'Opéra de Paris. Elle reprend cette fonction de 1946 à 1957, année où elle est nommée professeur d'accompagnement au Conservatoire de Paris. Elle quitte ce poste en 1979. Elle enseigne depuis à l'Université nationale de Tokyo. Elle a créé les *Préludes* de Messiaen (1930) et joué dans le cadre d'émissions radiophoniques (Émile Vuillermoz : *Initiation à la Musique,* Jacques Mamy : *Clarté dans la nuit,* Denise Mégevand : *Hors gravure*) un grand nombre de compositeurs mal connus : d'Indy, Pierné, Grovlez, Le Flem, Emmanuel, Roger-Ducasse, Ladmirault, Koechlin (intégrale de son œuvre pour piano), Tournemire, Sauveplane, Hue, Cras, Martelli, Rosenthal, Barraud, Lemeland, Vierne...

Pujol, Emilio

Guitariste et compositeur espagnol, né à Granadella le 7 avril 1886, mort le 15 novembre 1980.

Il fait ses études musicales à Barcelone et, en 1902, devient l'élève de Tarrega. Il se produit alors sur le plan international et est remarqué également pour ses ouvrages pédagogiques sur la guitare : *Escuela razonada de la guitarra* (1932-33). Il publie également l'article sur la guitare dans l'Encyclopédie Lavignac ainsi que *La Bibliothèque de la musique ancienne et moderne pour guitare* (1926). A partir de 1936, il restitue l'usage de la vihuela et édite dans le cadre de l'Institut espagnol de musique les ouvrages du XVIe siècle consacrés à cet instrument (Narvaez 1945, Mudarra 1949). En tant que pédagogue, il joue un grand rôle ayant enseigné à Lisbonne, Sienne (1955-62) et Barcelone. Il a créé l'*Hommage à Debussy* de Manuel de Falla (1922).

Puyana, Rafaël

Claveciniste colombien, né à Bogota le 14 octobre 1931.

Il commence ses études musicales à six ans et les poursuit au Conservatoire de Boston. En 1951, à Lakeville, il travaille avec Wanda Landowska, s'initiant à la musique ancienne. A son tour Rafaël Puyana se consacre à l'enseignement, tout en donnant de nombreux concerts dont le 1er remonte à 1957, à New York. En 1961, il dirige les cours d'été de Saint-Jacques-de-Compostelle, puis enseigne en Angleterre (Darlington Hall), à Fontainebleau (Conservatoire américain), enfin il se consacre au cours Manuel de Falla à Grenade. Il a fondé le Forum du clavecin du Festival estival de Paris. Rafaël Puyana réside en France où il est, depuis 1960, attaché culturel de Colombie auprès de l'U.N.E.S.C.O. Plusieurs compositeurs contemporains ont écrit pour lui : McCabe, Mompou, Evett, Orbon... Il possède cinq instruments différents.

Py, Gilbert

Ténor français, né à Sète le 9 décembre 1933.

Il voit le jour dans la roulotte de ses parents, artistes forains. Son père fait de lui un saltimbanque. Mais des dons chorégraphiques exceptionnels font de lui à 14 ans un danseur demi-caractère à l'Opéra de Montpellier où il débute dans les *Danses polovtsiennes* du *Prince Igor.* La fièvre du chant le prend. Il imite Luis Mariano, son idole, puis prenant conscience de la force de sa voix, il prend çà et là, au hasard des tournées, quelques leçons de chant. A 22 ans, il s'établit à Nice. Las ! il y tombe sur un professeur qui, prématurément, veut en faire un heldentenor wagnérien. Résultats : il perd ses aigus et sort du Conservatoire sans le moindre accessit. Il se remet au travail et en 1964 il débute en Belgique – à Verviers – dans le rôle de Pinkerton, bientôt suivi à Tourcoing d'un Mario Cavaradossi retentissant. La Belgique et le nord de la France en font leur ténor de choc : en Canio, Turridu, Don José, Samson, Otello..., il subjugue les foules par sa voix puissante, son physique d'athlète, sa force dramatique quasi animale. S'il continue à chanter *Fidélio, Hérodiade* et *Otello* à Liège, ainsi qu'*Ernani* et *Faust* à Gand, il crée à Nice le rôle-titre de *Raskolnikoff* de Sutermeister. Cette même année 1969, il débute à l'Opéra-Comique dans *Les Contes d'Hoffmann* et y chante Werther et Canio. A l'Opéra, il paraît en Don José, Faust *(La Damnation)* et Cavaradossi. En 1970, il participe à Toulouse à la reprise de *La Reine de Saba* de Gounod. Puis il chante outre-Rhin *Aïda, Le Trouvère* et *Carmen.* Après deux échappées outre-Atlantique, il débute en Italie, à Palerme, où il est successivement Samson, Don José puis Calaf. En 1973, il chante son 1er Lohengrin à Turin.

Q

Queffélec, Anne

Pianiste française, née à Paris le 17 janvier 1948.

Elle reçoit sa première formation musicale à l'École normale de musique de Paris. En 1964 elle entre au Conservatoire dans la classe de Lélia Gousseau. L'année suivante elle obtient un 1er prix de piano ainsi que son baccalauréat de philosophie. En 1966, dans la classe de Jean Hubeau, elle remporte un 1er prix de musique de chambre. Elle travaille avec Alfred Brendel, Jörg Demus et Paul Badura-Skoda. Les récompenses ne se font pas attendre : 1er prix à l'unanimité à Munich (1968), prix à Leeds (1969). Anne Queffélec est professeur au Conservatoire de Nice.

Queler, Eve

Chef d'orchestre américaine, née à New York en 1936.

Elle commence l'étude du piano dès l'âge de cinq ans puis travaille avec Isabelle Vengerova. Elle est l'élève de la High School of Music and Art puis de la Mannes School of Music de New York où elle suit aussi des cours d'écriture et de direction d'orchestre, notamment avec Joseph Rosenstock. Elle débute comme répétitrice, puis assistante au New York City Opera. Puis elle est nommée au Met. En 1967 elle fonde le Concert Opera Orchestra de New York, composé d'étudiants et de professeurs de musique, destiné à faire connaître, en version de concert, des ouvrages lyriques connus ou oubliés. Elle débute ainsi en 1969 avec *Don Giovanni.* Le succès est tel qu'on enregistre certains ouvrages qu'elle produit : *Le Cid* (Massenet), *Gemma di Vergy* (Donizetti), *Aroldo* (Verdi)...

Quilico, Gino

Baryton canadien, né à New York le 29 avril 1955.

Fils de Louis Quilico, il commence à travailler le chant avec son père, puis il suit les cours de la Faculté de musique de Toronto. Encore étudiant, il chante Figaro *(Le Barbier de Séville)* et *Don Giovanni.* Il débute avec la Canadian Opera Company dans *Le Medium* de Menotti (M. Gobineau) et chante également le Comte *(Les Noces de Figaro),* Escamillo *(Carmen)* et Paolo *(Simon Boccanegra)* aux côtés de son père. Finaliste au Concours Opera America (1978), il est engagé à Milwaukee où il chante Papageno *(La Flûte enchantée),* puis à Vancouver où il est Sylvio *(Paillasse)* et à Calgary où il est Schaunard *(La Bohème).* En 1979, il vient en Europe comme élève de l'École d'art lyrique de l'Opéra de Paris, puis comme membre de la troupe. Il chante Morris Townsend *(L'Héritière),* à l'Opéra-Comique en 1980, puis Florestan *(Véronique).* A l'Opéra de Paris, il chante Ned Keene *(Peter Grimes),* Oreste *(Iphigénie)* et Albert *(Werther).*

Quilico, Louis

Baryton canadien, né à Montréal le 14 janvier 1929.

Il étudie le chant à Québec, New York et Rome. En 1952, il remporte le Concours national de chant du Canada et, en 1955, le Concours du Met « Auditions of the Air ». La même année, il fait ses débuts à la scène, au New York City Opera, comme Germont-père *(La Traviata)*. En 1959, il vient en Europe et fait ses débuts au Festival de Spolète dans *Il Duca d'Alba* (Donizetti). Il remporte un très grand succès au Covent Garden, en 1962, comme *Rigoletto*. Il est invité au Bolchoï de Moscou et à l'Opéra de Paris. Il chante également sur de nombreuses scènes (Opéra-Comique de Paris, Lisbonne, Buenos Aires, Vancouver, etc.). De retour en Amérique du Nord, il est engagé au Met où il chante, entre autres, Golaüd lors de la 1ere première américaine de *Pelléas et Mélisande* en 1962.

Quinet, Fernand

Chef d'orchestre belge, né à Liège le 29 janvier 1898, mort à Liège le 24 octobre 1971.

Il commence ses études à Charleroi. Il les poursuit au Conservatoire de Bruxelles avec Edouard Jacobs pour le violoncelle et Léo Dubois pour la composition. Il est directeur du Conservatoire de Charleroi (1924-38) puis du Conservatoire de Liège (1938-63). Il a occupé les fonctions de 1er chef de l'Orchestre Symphonique de Liège de 1960 à 1964.

R

Rabin, Michael

Violoniste américain, né à New York le 2 mai 1936, mort à New York le 19 janvier 1972.

Fils de George Rabin, membre du New York Philharmonic, et d'une mère pianiste, Michael Rabin travaille avec Ivan Galamian à la Juilliard School de New York. Il fait sa 1re apparition en public en 1947, et ses débuts au Carnegie Hall datent de 1950. Il y obtient un succès extraordinaire, et acquiert rapidement une réputation internationale. On le place d'emblée parmi les plus grands violonistes aux côtés d'Elman ou d'Heifetz. Rabin joua, au cours de sa trop brève existence, non seulement aux États-Unis, mais en Europe et en Israël, terrre à laquelle il était très attaché, comme beaucoup de musiciens juifs.

Doté d'une technique invraisemblable par sa perfection, d'une sonorité ample et chaleureuse, et d'un sens vif de la valeur des choses, Michael Rabin serait peut-être aujourd'hui au sommet de son art. Malheureusement, frappé de dépression nerveuse, il se laissa littéralement mourir, alors qu'il n'avait que 36 ans. Il avait reçu en dédicace le *Deuxième Concerto* de Creston (1960).

Rachmaninov, Serge

Pianiste, chef d'orchestre et compositeur russe, né à Oneg le 20 mars 1873, mort à Beverley Hills le 28 mars 1943.

Il fait ses études au Conservatoire de Saint-Pétersbourg, puis à celui de Moscou où il entre en 1888 : il y est l'élève de Taneiev, Arenski et, pour le piano, de Siloti. Ses premières œuvres sont bien accueillies : *1er Concerto, Prélude en ut dièse* et *Aleko* qui triomphe au Bolchoï en 1893. Il met ses talents de pianiste au service de sa musique et s'oriente vers la direction d'orchestre malgré l'échec de sa *1re Symphonie* (1897) : il est 2e chef à l'Opéra privé de Marmontev (1897-98) puis chef permanent au Bolchoï (1904-08). Il effectue de nombreuses tournées à l'étranger qui réduisent le temps consacré à la composition. En 1917, il quitte son pays pour la France puis la Suisse. Pendant plusieurs années, il mène une vie itinérante au hasard des tournées. A la suite de violentes prises de position contre le régime soviétique, il est banni de son pays en 1933 et décide de se fixer aux États-Unis (1935).

Rachmaninov comptait certainement parmi les pianistes légendaires de son siècle. Sa technique sans faille était servie par sa propre musique, mais il jouait surtout Chopin, Schumann et les innombrables petites pièces qui fleurissaient dans les récitals de l'époque. Ses conceptions de la musique semblent davantage tournées vers le romantisme que vers le XXe siècle. Il possédait une indépendance des doigts qui donnait à son jeu une clarté polyphonique rarement égalée. Son toucher pouvait être d'une délicatesse infinie. Les libertés qu'il prenait avec les textes étaient toujours réfléchies et s'inscrivaient dans le cadre de certaines limites : il se refusait à des excès analogues à ceux de Paderewski et si ses conceptions musicales semblent aujourd'hui difficiles à suivre, il est certain qu'il a ouvert des portes à l'interprétation moderne ; il suffit d'écouter comment il jouait ses propres œuvres : avec une réserve presque pudique qui le place aux antipodes du titan qu'en a fait la légende.

Radulescu, Michael

Organiste roumain, né à Bucarest le 19 juin 1943.

Il est initié à la musique par ses parents, tous deux musiciens. A Bucarest, il commence des études de composition avec Mihail Jora, et d'orgue avec Victor Bickerich ; il part en Autriche à l'Académie de musique de Salzbourg (clavecin et orgue), puis étudie avec Anton Heiller (orgue), Hans Swarowsky (direction d'orchestre) à l'Académie de musique de Vienne. Lauréat de divers concours internationaux de composition (Vienne, 1968 ; Nuremberg, 1971 ; Vienne, 1981) et d'orgue (Pise, 1966 ; Nuremberg, 1967), il obtient le prix de composition de la ville de Stuttgart en 1970. Commence dès lors une intense activité d'interprète, surtout comme organiste ; il parcourt l'Europe, les États-Unis, le Canada. Depuis 1968, il est professeur d'orgue à l'Académie de musique de Vienne. Depuis 1971, il assure les cours d'été pour orgue à Vaduz (Liechtenstein), et depuis 1977 à l'Académie de musique ancienne d'Innsbruck. Au centre de ses activités d'interprète et de pédagogue figure l'œuvre organistique de J.-S. Bach. Il reconnaît l'influence de maîtres tels qu'Anton Heiller, Pierre Boulez, en matière d'interprétation, et comme compositeur, de Paul Hindemith, d'Arnold Schönberg, d'Olivier Messiaen, à quoi s'ajoute la musique modale du Moyen Age. Il a composé de la musique pour orgue, de la musique de chambre, de la musique spirituelle pour chœur (messes, motets, etc.), de la musique symphonique. Enfin, il édite de la musique ancienne d'orgue (œuvres de Paul Hofhaimer, l'*Apparatus Musico-Organisticus* de Georg Muffat, de la musique antérieure à 1453).

Raës, Alain

Pianiste français, né à Roubaix le 26 mars 1947.

Ses parents, professeurs de musique, lui font aborder le solfège, le violon et le piano. A 15 ans, il obtient un 1er prix de piano et un 2e prix de violon au Conservatoire de Roubaix. Après avoir passé son baccalauréat, il entre au Conservatoire de Paris où il remporte des 1er prix de piano (dans la classe de Lélia Gousseau, 1970) et de musique de chambre (dans la classe de Maurice Crut, 1972). Il se perfectionne auprès de José Iturbi, Paul Badura-Skoda et Gyorgy Sebök avant d'enlever le Grand prix au Concours international de Genève (1973). De 1975 à 1978, il suit les cours d'analyse musicale de Jacques Castérède. Passionné de musique de chambre, il fait partie du Trio Alpha (créé en 1977 avec Bernard Wacheux, violon, et Philippe Bary, violoncelle), s'associe avec Claude Faucomprez (depuis 1980) pour constituer un duo piano-clarinette et fonde un duo de piano avec B. Lerouge (1981). Parmi ses enregistrements, il faut citer deux premières discographiques : l'intégrale de l'œuvre pour piano d'Arthur Honegger et d'Albert Roussel. Depuis 1975, il est professeur aux conservatoires de Lille et de Roubaix.

Ragossnig, Konrad

Guitariste autrichien, né à Klagenfurt le 6 mai 1932.

Il commence la musique par l'étude du violoncelle au Conservatoire puis travaille la guitare à l'Académie de musique de Vienne avec Karl Scheit. En 1961, il remporte le Concours international de guitare de Paris, puis est nommé professeur à l'Académie de musique de Vienne jusqu'en 1964. Depuis, il enseigne à l'Académie de musique de Bâle. Il est le maître de Walter Feybli. Il se produit sur le plan international et enregistre de très nombreux disques.

Raimondi, Ruggero

Baryton-basse italien, né à Bologne le 3 octobre 1941.

Son père est passionné d'art lyrique et il fait très jeune ses études musicales, à Rome avec Pediconi et Piervenanzi. Il débute dans *La Bohème* à Spolète où il a remporté le concours en 1964. La même année il chante Procida des *Vêpres siciliennes* à Rome : il remplace Nicolas Rossi-Lemeni. Mario Labroca l'entend et l'engage à la Fenice : il chantera à Venise tous les rôles du répertoire, peu à peu. Ceux qui écoutent cette jeune basse chantante sont aussitôt frappés par la couleur, la vitalité, la somptuosité de cette voix, par son ambivalence. Raimondi cependant semble avoir peur de la scène : il affronte des rôles écrasants mais ses gestes sont d'abord maladroits alors que sa voix est si déployée et libre. A vingt-cinq ans, découragé, il rencontre Piero Faggioni, metteur en scène qui l'aide à travailler son jeu. Raimondi apparaît bientôt sur les grandes scènes italiennes, apprenant vite, pratiquant son métier avec ardeur. Sa carrière internationale commence en 1970 : il fait ses débuts au Met dans *Ernani,* puis dans *Macbeth* (Banco). Il incarne ensuite *Don Giovanni* à Munich. Karajan le dirige vers un travail vocal où le lyrisme, la couleur prendront le pas sur l'énergie, la puissance. Ce chanteur, qui rappelle Cesare Siepi, aborde plusieurs fois le rôle de *Don Giovanni,* mis en scène par Franco Enriquez, Crivelli, Rennert, Béjart, au cinéma par Losey (1978). A l'Opéra de Paris puis à la Scala, il est un Boris Godounov tourmenté. Il aime aussi le rôle comique de Basilio dans *Le Barbier de Séville,* la gravité d'Arkel dans *Pelléas et Mélisande* mais pour le moment n'accepte pas de chanter Wagner...

Ramey, Samuel

Basse américaine, né à Cody (Wyoming) le 28 mars 1942.

Après ses études à l'Université de Wichita (Kansas), il débute dans *Carmen* au New York City Opera (1973), où il fera essentiellement sa carrière dans les rôles italiens et mozartiens qui n'exigent pas une couleur sombre particulière, bien qu'il débute dans *Don Giovanni* avec le rôle du Commandeur ; puis il aborde Masetto et enfin s'impose de façon magistrale dans le rôle-titre auquel il confère un aspect gitan très intelligemment composé. Il chante sur les scènes les plus importantes des États-Unis (Philadelphie, Houston, Boston...). En Europe, il débute au Mai Musical de Florence. Il participe également au Festival de Glyndebourne. Mais il se retrouve chaque année à New York pour la saison du New York City Opera dont il est une des valeurs sûres. A Aix-en-Provence, il apparaît dans *les Noces de Figaro* et *Semiramis,* à Paris dans *Moïse* et à la Monnaie de Bruxelles il incarne Philippe II.

Ramin, Günther

Organiste, chef de chœur et chef d'orchestre allemand, né à Karlsruhe le 15 octobre 1898, mort à Leipzig le 27 février 1956.

A six ans il chante et joue du piano. L'orgue le fascine déjà. A dix ans, il a la révélation de Bach, avec la *Passion selon saint Matthieu* que dirige à Leipzig Karl Straube. Il est admis parmi les Petits Chanteurs de Saint-Thomas. Il travaille l'orgue avec Straube et le piano avec Teichmüller. Rapidement il devient l'assistant du premier. Günther Ramin pratique tout le répertoire de l'orgue, devient l'un des meilleurs interprètes de Reger et se révèle un prodigieux improvisateur. Après avoir participé à la Première Guerre mondiale, il est désigné à l'unanimité organiste de Saint-Thomas (1918), organiste du Gewandhaus de Leipzig et professeur au Conservatoire de cette ville (1921). Il donne alors de très nombreux concerts dans toute l'Allemagne. Grâce à Jahnn, il découvre la facture et la technique baroques de l'orgue, ce qui modifie radicalement sa conception de l'interprétation de l'œuvre de Bach. Ses cours d'interprétation attirent de nombreux jeunes organistes comme Helmut Walcha. Peu à peu il étend ses découvertes au clavecin et au clavicorde. En 1938, il vient à Paris donner avec le Chœur de Saint-Thomas l'*Oratorio de Noël* de Bach. En 1939, Karl Straube, en opposition avec les autorités nazies, quitte son poste de Cantor de Saint-Thomas. Günther Ramin accepte de le remplacer, ce qui mettra fin à leur longue amitié. Lui-même pourtant rencontrera des difficultés du même ordre avec ceux qui gouvernent son pays. Il ne cessera cependant d'interpréter Bach jusqu'en 1945, même sous les bombardements qui s'abattent sur Leipzig. Après la guerre, il restaure le Chœur de Saint-Thomas dans sa splendeur passée et donne une intégrale radiodiffusée des cantates de Bach. Pour le bicentenaire du Cantor (1950), il dirige la moitié des concerts prévus. En 1952 il donne pour la première fois la version originale du *Magnificat* et de la *Passion selon saint Jean* de Bach. Parmi ses très nombreux élèves et disciples, on peut citer Peter Schreier et Karl Richter.

Rampal, Jean-Pierre

Flûtiste français, né à Marseille le 7 janvier 1922.

Son père est professeur de flûte au Conservatoire de Marseille et il mène parallèlement des études musicales et médicales. La musique s'impose à lui : il remporte un 1er prix au Conservatoire de Paris et devient soliste de l'Opéra de Paris en 1955. Ses dons, son intelligence musicale et son goût pour la musique baroque, qui connaît alors une renaissance, le font aussitôt estimer et aimer du public. Il réussit vite, passe chaque année un trimestre aux États-Unis, sillonne l'Europe, se rend au Japon. Il joue seul ou en duo avec Robert Veyron-Lacroix. Il fonde l'Ensemble Baroque de Paris et le Quintette à Vent Français, formations au sein desquelles il fait revivre le répertoire ancien destiné aux instruments à vent. Grâce à lui, la flûte regagne des lettres de noblesse qu'elle avait perdues depuis près de deux siècles : elle sort de l'orchestre et est considérée comme un véritable instrument soliste. Son enthousiasme et son rayonnement font des émules dans le monde entier où il fait autorité. En 1969, il est nommé professeur au Conservatoire de Paris et il donne chaque été à Nice des cours à l'Académie internationale.

Sa flûte, en or, a appartenu au comte de Rémusat ; c'est un instrument très pur dont il ne se sépare pas. Depuis quelques années, il se tourne vers la direction d'orchestre et conduit régulièrement le Scottish Chamber Orchestre à partir de 1981.

Son répertoire et immense, de l'époque baroque à nos jours. Sa discographie, gigantesque, inclut les classiques de la flûte et bon nombre d'œuvres qu'il a redécouvertes : concertos de Benda, Blavet, Devienne, Galuppi, Gianella, Mercadante, Nielsen, Reinecke, pièces de J. Alain, Geminiani, F. Martin ou Schubert, sans oublier tous les concertos pour flûte de Vivaldi qu'il a gravés avec Claudio Scimone. De nombreux compositeurs ont écrit pour lui : Jolivet (*Concerto,* 1950, et *Suite en concert,* 1966), Martinon (*Concerto,* 1971), Rivier (*Concerto,* 1956), Tisné (*Concerto,* 1965), Poulenc (*Sonate pour flûte et piano,* 1957), Françaix (*Concerto,* 1967), Nigg (*Concerto,* 1961), Chaynes (*Illuminations pour la flûte de Jade,* 1960). Jean-Pierre Rampal a également créé les *4 Improvisations* d'Ohana (1962) et la *Sonate pour flûte et clavecin* (1950) de Jolivet.

ÉCRITS : *La flûte* (1978).

Randova, Eva

Mezzo-soprano tchécoslovaque, née à Kolin le 31 décembre 1936.

Après des études scientifiques à Ústi, elle y étudie le chant avec J. Svobová puis entre au Conservatoire de Prague. Elle débute à Ostrava où elle chante les grands mezzo (Eboli, Ortrud, Octavian, Carmen, Amneris, Azucena, Venus, la Sorcière et la Princesse de *Russalka*). A partir de 1969, elle chante à Prague, puis Nuremberg, Stuttgart (dont elle devient membre de la troupe en 1971 et Kammersängerin en 1976), Berlin, Vienne, Hambourg, Munich, Londres... Elle chante à Bayreuth depuis 1973 (Kundry, Fricka, Gutrune, Waltraute) et à Salzbourg depuis 1973 (Flosshilde, Eboli, Amneris), au Met depuis 1980. A Paris, elle chante Kundry en 1975, Ortrud en 1982 et Vénus en 1984.

Ránki, Dezsö

Pianiste hongrois, né à Budapest le 8 septembre 1951.

Il commence la musique à huit ans et entre au Conservatoire Béla Bartók à treize ans. Lauréat de trois concours internationaux (1965-67-69), il est admis à l'Académie de musique Franz Liszt de Budapest et travaille avec Pál Kadosa et Ferenc Rados. En 1969, le 1er prix au concours Robert Schumann de Zwickau (R.D.A.) marque le début de sa carrière. Reconnu par la critique et les musiciens, il suit les cours de Géza Anda à Zurich (1971). Il remplace au pied levé Rubinstein à Milan et Benedetti-Michelangeli à Menton, et joue en soliste avec les plus grands orchestres. En 1973, il est nommé assistant de Pál Kadosa et trois ans plus tard devient professeur de piano à l'Académie de musique Franz Liszt. En 1978, il reçoit le prix Kossuth après s'être vu décerné le prix Liszt en 1973. Son répertoire va de Bach à Bartók. Ses grandes qualités sont la finesse, la sensibilité et le brio.

Rattle, Simon

Chef d'orchestre anglais, né à Liverpool le 19 janvier 1955.

Il étudie la percussion à la Royal Academy of Music de 1971 à 1974. Il est membre du Royal Liverpool Philharmonic Orchestra. Il fonde et dirige le Liverpool Sinfonia (1970-72). En 1973, il remporte le 1er prix au Concours international John Player. Pendant les deux années qui suivent, il est chef assistant de l'Orchestre Symphonique de Bournemouth et du Bournemouth Sinfonietta. Il fait ses débuts à Glyndebourne avec le « Tour » en 1975 et est invité par le Festival en 1977. Chef assistant du B.B.C. Scottish Orchestra et du Royal Liverpool Philharmonic Orchestra en 1977, il devient, en 1980, 1er chef du City of Birmingham Symphony Orchestra. De 1981 à 1983, il est directeur artistique du Festival « South Bank Summer Music » de Londres. Il dirige en 1re audition la *1re Symphonie* de Peter Maxwell-Davies, *Under Neonlight I* de Müller-Siemens (1981), *At first Light* de G. Benjamin (1982), *Through the Rainbow* (1984) et *Riverrum* (1985) de Takemitsu.

Il a épousé la cantatrice Elise Ross.

Ravier, Charles

Chef d'orchestre, chef de chœur et compositeur français, né à Savigny-sur-Grosne, le 5 juin 1934, mort à Paris le 6 mars 1984.

Il travaille le violon puis entre au Conservatoire de Lyon où il reçoit des prix (alto, harmonie, fugue, contrepoint). Il continue seul ses études, passionné par la polyphonie, le langage du XVIIe siècle, début de l'aventure musicale de l'Occident. C'est l'origine de ses travaux sur l'Antiquité musicale d'Occident. Il crée l'Ensemble Polyphonique, qui se consacre au répertoire de la Renaissance et du Moyen Age, et interprète Gesualdo, G. de Machaut, Pierre de La Rue, J. Ockeghem et *El Cancionero* (école espagnole des XVe et XVIe siècles), sans négliger la musique du XXe siècle : il dirige la création d'*Orden* (Arrigo), des *Antiennes à la Vierge* (Ballif), du *Requiem* (Bussotti). Parmi ses compositions, citons : *Les Chemins de l'imaginaire, Les Espaces oubliés, L'Apocalypse d'Angers.*

Reach, Pierre

Pianiste français, né à Neuilly le 14 janvier 1948.

Il fait ses études au Conservatoire de Paris et les prolonge ensuite avec le cycle de perfectionnement. Parmi ses professeurs on peut citer Marcel Beaufils, Germaine Devèze, Yvonne Lefébure, Yvonne Loriod, Jacques Février et Jean Hubeau. Il obtient de nombreuses distinctions et notamment, en 1971, le 1er prix Olivier Messiaen à Royan. Pierre Reach poursuit sa formation avec Maria Curcio Diamand, une disciple d'Artur Schnabel. Sa carrière de soliste et de concertiste ne l'empêche pas de se pencher sur des œuvres oubliées comme la *Grande Sonate op. 33* de Charles-Valentin Alkan, qu'il fait redécouvrir aux mélomanes.

Redel, Kurt

Chef d'orchestre et flûtiste allemand, né à Breslau le 8 octobre 1918.

Au Conservatoire de Breslau, il étudie la direction d'orchestre, la flûte, le violon, la composition et l'histoire de la musique. A l'âge de vingt ans, il est nommé professeur au Mozarteum de Salzbourg, puis à l'Académie de musique de Detmold (1943). Il collabore à de nombreux cours internationaux de musiques anciennes et contemporaines. En 1952 il fonde l'Orchestre Pro Arte de Munich avec lequel il ne cesse de se produire à travers le monde comme chef et flûtiste. Fondateur et directeur artistique du Festival de Pâques à Lourdes, il préside également aux destinées des Nuits Musicales de Châteauneuf-du-Pape. Kurt Redel a réalisé de nombreuses orchestrations et se livre par ailleurs à la composition.

Rehfuss, Heinz

Baryton suisse, né à Francfort le 25 mai 1917.

Son père, Carl Rehfuss (1885-1946) était baryton lyrique, concertiste et pédagogue ; sa mère, Florentine Rehfuss-Peichert, a donné de nombreux concerts comme alto. Il passe sa jeunesse à Neuchâtel où son père enseigne au Conservatoire avant de fonder sa propre école de chant. Entièrement formé par son père, il débute, en 1938, au Théâtre municipal de Bienne-Soleure comme baryton et comme décorateur ! L'année suivante, il est engagé au Théâtre municipal de Lucerne et en 1940 à l'Opéra de Zurich. Il y chante tout le répertoire, à peu près 80 rôles. Dès 1952, il est invité sur toutes les scènes les plus importantes d'Europe, la Scala, l'Opéra de Paris, celui de Vienne, de Munich, de Monte-Carlo, le Liceo, le Mai musical florentin, le Festival d'Edimbourg, la Biennale de Venise et à l'Opéra de Chicago. En 1961, il crée à la Fenice *Intolleranza 60* (Luigi Nono). Il participe aux plus grands festivals, en oratorio ou en récital, et s'impose comme interprète de Bach. Il crée un grand nombre d'œuvres contemporaines, mais il demeure avant tout un interprète idéal de *Don Giovanni* et de *Boris Godounov.* Il habite Zurich, depuis 1940 ; il s'y consacre très tôt au professorat ; il donne aussi des cours magistraux à l'Académie d'été de Dartington, à celle de Darmstadt, au Canada et à l'Eastman School of Music de Rochester.

Rehkemper, Heinrich

Baryton allemand, né à Schwerte le 23 mai 1894, mort à Munich le 30 décembre 1949.

Il fait ses études au Conservatoire de Hagen, puis à Düsseldorf et à l'Académie de musique de Munich. Ses débuts au Landestheater de Coburg en 1919 précèdent ses engagements à la Staatsoper de Stuttgart (1924-26) et à celle de Munich (à partir de 1926). Ce baryton lyrique fut un interprète raffiné et vaillant des grands rôles mozartiens (Don Giovanni, Figaro, Papageno, Guglielmo), mais également de Wolfram de *Tannhäuser* et d'Amfortas de *Parsifal.* Il eut pour partenaires fidèles les plus grands chefs, Richard Strauss, Furtwängler, Klemperer, Walter, Knappertsbusch, et se révéla également, malgré le handicap d'une voix très charnue, un mélodiste intelligent et sensible. Il a enseigné au Mozarteum de Salzbourg, de 1940 à 1945.

Reinemann, Udo

Baryton allemand, né à Labbeck le 6 août 1942.

C'est d'abord au dessin industriel qu'il se destine (1957-62) tout en commençant le piano et le chant avec Geiger-Lindner à Krefeld. Il se perfectionne ensuite à l'Académie de musique de Vienne et au Mozarteum de Salzbourg avec, notamment, E. Werba et W. Steinbrück (1962-67). En 1967, il obtient un 1er prix à Vienne et donne son premier récital à Bordeaux. Il remporte en 1970 le prix de la Fondation Sacha Schneider (Paris) et une médaille au Concours international de Genève. Il achève sa formation à Paris avec Germaine Lubin et Ré Koster, ainsi qu'à Londres avec Otakar Kraus. Sa carrière se développe alors tant dans le domaine du lied que dans celui de l'oratorio et de l'opéra.

Il fonde, en 1975, un quatuor vocal avec Ana-Maria Miranda, Clara Wirtz et Jean-Claude Orliac, le Lieder Quartett, avec lequel il enregistrera, en 1ere mondiale, l'intégrale des trios et quatuors vocaux de Haydn. Il participe en 1978 à la création de *Nietzsche,* opéra d'Adrienne Clostre, et, en 1979, à celle de *My Chau Trong Thuy,* opéra de Dao. Il réalise de très nombreuses premières auditions de mélodies signées Sauguet, Darasse ou Victory. Il effectue le 1er enregistrement mondial des lieder posthumes de Wolf et des lieder de Clara Schumann.

Reiner, Fritz

Chef d'orchestre hongrois naturalisé américain (1928), né à Budapest le 19 décembre 1888, mort à New York le 15 novembre 1963.

C'est en Hongrie qu'il étudie le droit et la musique. A treize ans il fait sa première apparition publique comme pianiste. A seize ans il obtient son diplôme au Conservatoire de Budapest. Il est nommé en 1909 chef d'orchestre assistant à l'Opéra-Comique de Budapest. En 1910, il est chef au Théâtre national de Ljubljana (Yougoslavie). Il est engagé à l'Opéra royal de Dresde, comme chef d'orchestre puis comme directeur (1914-22). Il s'expatrie aux États-Unis en 1922 où il dirige l'Orchestre Symphonique de Cincinnati (1922-31). Il animera ensuite le département orchestre et opéra du Curtis Institute de Philadelphie (1931-41). De 1938 à 1948 il est directeur de l'Orchestre Symphonique de Pittsburgh. Il dirige au Met (1949-53) avant d'être nommé chef permanent de l'Orchestre Symphonique de Chicago (1953-63). Connu pour son caractère tyrannique, il marquait une prédilection particulière pour Strauss, Bartók et Wagner. Il a dirigé la création de l'opéra de Menotti *Amélie va au bal* (1937) et du *Concerto pour deux pianos et orchestre* de Bartók (1943).

Reinhardt, Rolf

Chef d'orchestre allemand, né à Heidelberg le 3 février 1927.

Dans sa ville natale, il est l'élève de Wolfgang Fortner. Il débute comme chef à l'Opéra de Stuttgart en 1945. Il dirige ensuite à Darmstadt et est invité régulièrement au Festival de Bayreuth (1954-57). En 1958, il est nommé directeur général de la musique au Pfalztheater de Kaiserslautern et, de 1959 à 1968, au Théâtre de Trier. Il enseigne également à la Hochschule für Musik de Francfort. Il a participé à la fondation du Collegium Aureum qu'il a dirigé à ses débuts.

Reining, Maria

Soprano autrichienne, née à Vienne le 7 août 1903.

Employée de banque se destinant à l'architecture, elle ne vient au chant qu'à vingt ans passés, entreprenant des études à l'Académie de musique de Vienne de 1928 à 1930. Elle débute à la Staatsoper dans des rôles de soubrette (1930-31), est engagée à Darmstadt (1933-35), puis à la Staatsoper de Munich (1935-36) avant de faire partie, de 1937 à 1958, de la troupe de la Staatsoper de Vienne. Au Festival de Salzbourg, de 1937 à 1941, elle incarne Eva (sous la direction de Toscanini), Euryanthe, Elisabeth, la Comtesse et Pamina. Elle est Elsa au Covent Garden (1938), Ariadne au Met, mais son plus grand rôle reste celui de la Maréchale du *Chevalier à la rose,* qu'elle chante avec une grande prestance. La sûreté et la stabilité de sa voix lui permettent de prolonger jusqu'en 1958 une carrière qui trouve son aboutissement naturel dans l'enseignement, prodigué à partir de 1962 au Mozarteum de Salzbourg.

Remoortel, Edouard Van

Voir à **Van Remoortel, Edouard.**

Renaud, Maurice (Maurice Cronéan)

Baryton français, né à Bordeaux le 24 juillet 1861, mort à Paris le 16 octobre 1933.

Il étudie aux conservatoires de Paris et Bruxelles, débute au Théâtre royal de la Monnaie en 1883, et reste membre de la troupe jusqu'en 1890 : il participe ainsi aux premières de *Sigurd* en 1884 (le Grand Prêtre) et de *Salammbô* de Reyer en 1890 (Hamilcar). En 1890 il entre à l'Opéra-Comique et en 1891 à l'Opéra dont il reste membre jusqu'en 1902 : il sera ainsi le premier Telramund, Alberich, Beckmesser et Chorèbe (*Les Troyens*) français. Il chante à la Scala, au Covent Garden de 1897 à 1904, Monte-Carlo de 1891 à 1907 (il y crée Boniface du *Jongleur de Notre-Dame* en 1902, et *Chérubin* de Massenet en 1905), au Manhattan Opera de New York de 1906 à 1910, puis au Met de 1910 à 1912. Il chante également à Saint-Pétersbourg en 1889, à la Scala, à Berlin, à Chicago et Boston, et est le premier Athanael (*Thaïs*) en Amérique. Il rentre en France en 1912 et se consacre à l'enseignement. Don Giovanni fameux, il est aussi célèbre pour ses interprétations du grand répertoire français que pour ses incarnations de Rigoletto, William Rance, Wolfram...

Renié, Henriette

Harpiste française, née à Paris le 18 novembre 1875, morte à Paris le 1er mars 1956.

Elle étudie avec A. Hasselmans au Conservatoire de Paris où elle obtient un 1er prix de harpe en 1887. Elle fait ses débuts aux Concerts Lamoureux en 1901. Elle travaille les écritures et la composition avec Lenepveu et Dubois. Elle incite nombre de compositeurs à écrire pour la harpe (Fauré, Debussy, Ravel). Elle-même écrit beaucoup pour son instrument *(Contemplation, Ballade fantastique, Légende, Concerto, Trio pour harpe, violon et violoncelle)*. Sa carrière de virtuose lui permet d'imposer la harpe soliste dans les grands concerts symphoniques. Comme professeur, elle fonde une école de harpe réputée dans le monde entier.

Renzetti, Donato

Chef d'orchestre italien, né à Milan le 30 janvier 1950.

Au Conservatoire G. Verdi de Milan, il travaille la composition et la direction d'orchestre. En 1976, il reçoit le 2e prix au Concours international Gino Marinuzzi et suit les cours de Franco Ferrara à Sienne. En 1978, il obtient la médaille de bronze au Concours Ernest Ansermet à Genève. Assistant de Claudio Abbado à la Scala, il remporte, en 1980, le prix Guido Cantelli à Milan. Il débute à Salzbourg dans le *Requiem* de Verdi et, en 1981, à Vérone, dans *Rigoletto*. La plupart des théâtres lyriques italiens font appel à lui. A Paris, il dirige *Macbeth* au Théâtre Musical de Paris. Il crée *Gargantua* de Corghi à Turin (1984). Sa carrière lyrique et symphonique se développe sur les deux continents.

Resnik, Regina

Alto américaine, née à New York le 30 août 1922.

Elle étudie la musique à l'Université de Harvard où elle a comme maître, entre autres, Fritz Busch. Elle parachève ses études avec Giuseppe Danise. En 1942, elle débute au New York City Opera comme soprano dans Santuzza *(Cavalleria Rusticana)*. En 1943, elle est invitée à l'Opéra de Mexico. En 1945, elle débute au Met où elle chante la première de *Peter Grimes* de Britten (Ellen Orford) en 1948. Elle est invitée à Chicago, San Francisco, Londres et Paris. En 1953, elle chante Sieglinde au Festival de Bayreuth *(La Walkyrie)*. C'est l'époque où elle décide de modifier sa voix. Après un assidu travail avec Giuseppe Danise, elle débute comme alto au Met en 1956 dans le rôle de Marina *(Boris Godounov)*. L'année suivante, elle remporte de grands succès au Covent Garden. Et dès 1958, elle est l'invitée permanente de l'Opéra de Vienne. En 1960, elle bouleverse le Festival de Salzbourg par son interprétation de la Princesse Eboli *(Don Carlos)* et le Festival de Bayreuth en interprétant Fricka dans la *Tétralogie*. Elle est invitée au Colón de Buenos Aires et sur toutes les grandes scènes italiennes. La couleur sombre de sa voix, son abattage scénique et son autorité lui ont permis de perdurer, au Met par exemple, où elle apparaît dans *La Fille du régiment*. Elle a participé à la création de *Vanessa* de Barber (la Baronne) en 1958.

Reszké, Édouard de

Voir à **De Reszké, Édouard.**

Reszké, Jean de

Voir à **De Reszké, Jean.**

Rethberg, Elisabeth (Lisbeth Sättler)

Soprano allemande naturalisée américaine, née à Schwarzenberg (Dresde) le 22 septembre 1894, morte à Yorktown/Hyde (États-Unis) le 6 juin 1976.

Après des études à Dresde, elle débute grâce à Fritz Reiner en 1915 à l'Opéra local (Arsena du *Baron tzigane*) et en reste membre jusqu'en 1912. Elle débute alors au Metropolitan Opera de New York *(Aïda)* dont elle sera l'une des étoiles jusqu'en 1942, date de son retrait de la scène. Possédant une voix de soprano lyrico-dramatique exceptionnelle, et considérée comme une des plus grandes Aïda du siècle – on l'appelait la nouvelle Destinn –, elle reste encore célèbre pour ses interprétations du répertoire verdien (Desdémone, Amelia de *Simon Boccanegra*) ou wagnérien (Sieglinde, Eva, Elisabeth ou Elsa) comme du répertoire mozartien (Donna Anna à Salzbourg de 1937 à 1939) ou straussien : elle crée le rôle-titre d'*Hélène l'Égyptienne* à Dresde en 1928. Elle est aussi la même année la créatrice de Rautendelein dans *La Campana Sommersa* de Respighi au Met.

Réti, József

Ténor hongrois, né à Ploësti (Roumanie) le 8 juillet 1925, mort à Budapest le 7 novembre 1973.

Après avoir étudié le piano et la composition au Conservatoire de sa ville natale, il décide en 1948 de travailler sa voix. En 1953, il est engagé à l'Opéra national de Budapest dont il sera un des membres les plus éminents, jusqu'à sa mort, prématurée. En même temps, il fait ses débuts en concert, et remporte un égal succès, en oratorio et en récital de mélodies. Très vite, il est invité dans tous les grands centres de musique d'Europe où il se fait un nom et une solide réputation. Dès 1964, à côté de son activité sur scène et en concert, il se consacre à l'enseignement et il est nommé professeur à l'Académie Franz Liszt de Budapest. Il s'est surtout fait un nom comme interprète des rôles lyriques de Mozart, Donizetti, Rossini et Puccini.

Reuter, Rolf

Chef d'orchestre allemand (R.D.A.), né à Dresde le 7 octobre 1926.

Fils du musicologue Fritz Reuter, il fait ses débuts à 16 ans. Il travaille à l'Académie de musique de Dresde avec Ernst Hintze (1948-51). De 1951 à 1955, il est 2e chef à Eisenach, puis il est directeur général de la musique à Meiningen. En 1961, il est nommé directeur général de la musique à l'Opéra de Leipzig. En 1964, il occupe les fonctions de professeur au Conservatoire de Leipzig. En 1978, il est directeur général de la musique à Weimar mais continue de diriger à Leipzig. En 1981, il est nommé directeur de la musique à l'Opéra-Comique de Berlin-Est.

Revoil, Fanely

Soprano française, née à Marseille le 25 septembre 1910.

Après ses études au Conservatoire de sa ville natale, elle « monte » à Paris où elle est engagée au Théâtre des Champs-Élysées. L'essentiel de sa carrière se déroulera au Châtelet et à l'Opéra-Comique où sa voix légère et cristalline s'adapte merveilleusement au répertoire de l'opérette. Sur la première scène, elle crée *Madame Sans-Gêne* et incarne *Rose-Marie.* Elle est aussi une merveilleuse interprète de *Véronique* de Messager. A l'Opéra-Comique, elle crée *Ciboulette* (R. Hahn) et *Fragonard* (Pierné). Hors de France, elle a notamment chanté à Londres.

Rhené-Bâton (René Bâton)

Chef d'orchestre français, né à Courseulles-sur-Mer le 5 septembre 1879, mort au Mans le 23 septembre 1940.

Après des études au Conservatoire de Paris avec Ch. W. de Bériot (piano) et Gédalge (écritures), il débute comme chef de chant à l'Opéra-Comique en 1907. Puis il est à la tête des concerts de la Société Sainte-Cécile de Bordeaux et de la Société des Concerts Populaires d'Angers (1910-12). En 1910, il dirige à Munich le premier festival de musique française donné en Allemagne. Diaghilev l'appelle aux Ballets russes qu'il conduit à Londres et en Amérique du Sud (1912-13) puis, pendant la guerre, il est à la tête de l'Opéra Royal Hollandais (1916-18) et des concerts d'été de l'Orchestre de la Résidence de La Haye à Scheveningen (1914-19). A son retour en France, Serge Sandberg lui confie la direction des Concerts Pasdeloup qu'il vient de faire renaître. Si Sandberg a été l'artisan matériel de cette résurrection, Rhené-Bâton en est l'âme : il reconstitue l'orchestre et lui redonne une homogénéité. Il n'hésite pas à inscrire des œuvres de Wagner à ses programmes ni à les faire chanter en allemand, ce qui provoque certaines réactions. Il restera à la tête des Concerts Pasdeloup jusqu'en 1932 et continuera à diriger cet orchestre en tant qu'invité jusqu'à la fin de ses jours. On lui doit de nombreuses créations : la *Habanera* de Louis Aubert (1919), *Printemps* de Debussy (1913), *Les Agrestides* et la *Symphonie avec orgue* de Migot, les *Évocations* de Roussel (1912), *l'Alborada del gracioso* (1919) et *Le Tombeau de Couperin* de Ravel (1920), le *Requiem* de Guy-Ropartz (1939) ainsi que la 1re audition en France des *Fonderies d'acier* de Mossolov (1931). Roussel lui a dédié sa *2e Symphonie* (1922) et Honegger *Le Chant de Nigamon* (1918).

Rhodes, Jane

Soprano française, née à Paris le 13 mars 1929.

Elle débute en 1953 à l'Opéra de Nantes, dans *La Damnation de Faust.* L'année suivante, elle crée le rôle de Renata (*L'Ange de feu* de Prokofiev) à l'Opéra-Comique et peu après *Le Fou* de Marcel Landowski (1956). Elle appartient à la troupe de l'Opéra et de l'Opéra-Comique, mais ce n'est qu'en 1959 qu'elle s'impose mondialement en interprétant *Carmen,* dans la production de Raymond Rouleau et sous la direction de celui qui deviendra son mari, en 1966, Roberto Benzi. Depuis, sa carrière devient flamboyante. Elle demeure attachée à l'Opéra de Paris où elle chante *Tosca* et *Salomé.* En 1962, elle débute au Met avec *Salomé.* Elle participe au Festival d'Aix-en-Provence où elle chante *Le Couronnement de Poppée* (Monteverdi, 1961). Parallèlement, elle aborde l'opérette *(La Belle Hélène, La Grande Duchesse de Gérolstein, La Périchole...)* et également le récital où elle excelle dans les mélodies françaises.

Ricci, Ruggiero (Rich Wilson)

Violoniste américain d'origine italienne, né à San Francisco le 24 juillet 1918.

Il commence l'étude du violon à l'âge de cinq ans avec Louis Persinger et débute dans sa ville natale à dix ans. En 1929, il se présente au Carnegie Hall de New York, avec le *Concerto* de Mendelssohn. Fritz Kreisler l'entend et lui prédit un grand avenir. Il travaille avec Kulenkampff, puis avec Paul Stassevitch (1933-37). Sa première apparition en Europe se situe en 1932 : il joue alors sous la direction de chefs tels Molinari, George Szell ou Paul Paray et acquiert vite une réputation internationale, surtout par ses ahurissantes interprétations d'œuvres de Paganini, dans lesquelles il semble s'amuser des difficultés et des pièges qui s'y trouvent. Mais il joue aussi Saint-Saëns, Tchaïkovski, Brahms. Après une interruption due à la Deuxième Guerre mondiale, Ricci se produit à nouveau au Carnegie Hall, en 1946, et il y récolte un immense succès, confirmé par une nouvelle tournée en Europe (dont en Allemagne, en 1949). Il enseigne à l'Université de l'Indiana (1970-73) puis à la Juilliard School (depuis 1975). Ruggiero Ricci a fait plusieurs fois le tour du monde. Il a créé le *Concerto pour violon* de Ginastera (1963) ainsi que des œuvres de Einem et Schumann. Il joue sur un Guarnerius del Gesù de 1734 qui appartint naguère à Bronislaw Hubermann.

Ricciarelli, Katia

Soprano italienne, née à Rovigo le 18 janvier 1946.

Elle a une enfance difficile ; son père mort, elle doit chanter dans un cirque puis parvient à gagner de quoi payer ses cours de chant. Élève d'Iris Adami Corradetti, elle obtient ses diplômes au Conservatoire de Venise. En 1969, lauréate du Concours Aslico à Milan, elle chante *Mimi* dans *La Bohème* à Mantoue. Un an plus tard, à Parme, elle remporte le prix international Verdi. Invitée à la Fenice, à l'Opéra de Rome, à la Scala (*Requiem* de Verdi), à Munich, elle s'attache surtout au répertoire verdien. En 1971, elle remporte le Concours des jeunes chanteurs verdiens organisé par la R.A.I. Elle a chanté les opéras de jeunesse de Verdi (Médora dans *Le Corsaire*), puis *Un Bal masqué, Aïda* (qu'elle enregistre avec Abbado). Elle a interprété *Tosca* sous la direction de Karajan. Elle chante aussi Donizetti et Rossini (*Sémiramis, Tancrède*, à Aix-en-Provence). Au Met, elle fait ses débuts dans *La Bohème* en 1974. A l'Opéra de Paris, elle incarne Mimi, Amélia, Élisabeth de Valois.

Richter, Hans (Janos Richter)

Chef d'orchestre austro-hongrois, né à Györ le 4 avril 1843, mort à Bayreuth le 5 décembre 1916.

Son père est maître de chapelle à la cathédrale de sa ville natale (qui s'appelle alors Raab), sa mère est la cantatrice Josephine Csarinsky. Il fait ses études musicales au Löwenburg Konvikt de Vienne et chante pendant quatre ans, comme choriste, à la chapelle impériale. Puis il travaille au Conservatoire de Vienne le violon avec Heissler, le cor avec Kleinecke et la théorie avec Sechter. Entre 1862 et 1866, il est corniste au Kärntnertor Theater. Il rencontre alors Wagner qui l'emmène à Lucerne comme copiste pour préparer l'édition des *Maîtres chanteurs* (1866-67). Bülow l'engage comme chef de chœurs à l'Opéra de Munich où il devient chef d'orchestre en 1868-69. En 1870, il est à Bruxelles pour diriger *Lohengrin* puis revient à Tribschen pour assister de nouveau Wagner. Il joue notamment la partie de trompette (et non de cor) lors de la création de *Siegfried Idyll.* De 1871 à 1875, il est chef d'orchestre au Théâtre national de Pest et à la Philharmonie : il y présente *Christus* de Liszt en 1873 lors de l'unification des villes de Buda et de Pest. En 1875, il est appelé à Vienne où il demeurera à la tête de la Philharmonie et à l'Opéra jusqu'en 1899. Mais l'apogée de sa carrière se situe en 1876, lorsqu'il dirige la création complète de la *Tétralogie* lors de l'ouverture du Théâtre de Bayreuth, créant *Siegfried* et *Le Crépuscule des dieux.* Il restera l'un des chefs réguliers de cette maison. Ses activités viennoises se développent : il est à la tête de la Société des Amis de la Musique (1880-90), 2e (1878), puis 1er chef (1893) à l'Orchestre de la Cour, directeur musical à l'Opéra (1893-97). A la même période, il entreprend une carrière active en Angleterre, dirigeant les Orchestral Estival Concerts à Londres (1879-97), le Festival de Birmingham (1885-1909), le Hallé Orchestra de Manchester (1899-1911) et l'Orchestre Symphonique de Londres dont il est le premier chef permanent (1904-11). Il assure également la direction de tous les opéras allemands au Covent Garden. Sa dernière apparition a lieu en 1912 dans *Les Maîtres chanteurs.*

Richter a été, aux côtés de von Bülow, l'un des permiers chefs d'orchestre modernes. Sa personnalité intransigeante lui permettait d'obtenir un travail approfondi et de servir la musique de son temps en toutes circonstances. Il excellait dans les répertoires allemand et autrichien, se faisant aussi bien le champion de Wagner que de Brahms et, plus tard, de Bruckner (après bien des réticences). Ses seules incursions en dehors du répertoire germanique concernaient la musique hongroise (notamment le jeune Bartók), Dvořák et Elgar. Quant à la musique française, il considérait qu'elle n'existait pas ! Il a créé notamment les *Symphonies nos 2 et 3* de Brahms (1877 à 1883), les *Symphonies nos 1, 3, 4 et 8* de Bruckner (1891, 1890, 1888 et 1892), *Enigma Variations* (1899) et *Le Rêve de Gerontius* (1900) d'Elgar. Elgar lui a dédié sa *Symphonie no 1* qu'il a créée en 1908.

Richter, Karl

Chef de chœur, chef d'orchestre, organiste et claveciniste allemand, né à Plauen le 15 octobre 1926, mort à Munich le 15 février 1981.

Fils d'un pasteur de l'Erzgebirge, Karl Richter étudie d'abord à la Kreuzschule de Dresde, puis à Leipzig. Il y travaille avec Rudolf Mauersberger et, pour l'orgue et l'improvisation, avec le professeur Kobler. Il rencontre à cette époque des maîtres tels que Karl Straube et Günther Ramin qui lui transmettent la grande tradition allemande de l'interprétation des œuvres de Bach. A vingt ans, il obtient la direction du chœur de l'église du Christ à Leipzig. De 1949 à 1950, il est organiste à Saint-Thomas. Il est alors appelé (1951) à devenir le Cantor de l'église Saint-Marc à Munich. Il sera, en 1956, le plus jeune professeur de l'École supérieure de musique de cette même ville. Il fonde le Chœur (1951) et l'Orchestre Bach de Munich (1953), formations composées de professeurs et de solistes de la ville et destinées à assurer le commentaire instrumental et vocal des cantates de Bach. Leur célébrité devient vite mondiale et, si leur répertoire s'élargit quelque peu, les œuvres du Cantor de Leipzig restent leur domaine d'élection. On verra même Karl Richter diriger, en 1968, la *Passion selon saint Jean* et *la Messe en si* à Moscou et Leningrad. Les révolutions musicologiques n'atteindront pas ce grand chef d'orchestre qui restera jusqu'au bout fidèle aux instruments modernes et recherchera toujours ce supplément d'âme que réclame la musique de Bach dans la grandeur de la tradition germanique.

Richter, Sviatoslav

Pianiste soviétique, né à Jitomir le 20 mars 1915.

Issu d'une famille d'origine germano-slave, il est le fils d'un compositeur et organiste. Sa première passion est l'opéra et il débute comme accompagnateur. A vingt-deux ans il devient l'élève de H. Neuhaus qui découvre aussitôt sa nature. Doué d'une incroyable facilité de déchiffrage, il a déjà été répétiteur (1930) et chef assistant à l'Opéra d'Odessa (1933). Richter travaille sept ans dans la célèbre classe de Neuhaus, avec pour compagnon Emil Guilels. Il devient aussi l'ami de Rostropovitch et de Prokofiev dont il crée la *6e Sonate* en 1942. Il créera ensuite la *7e* et la *9e Sonate*, celle-ci lui étant dédiée, ainsi que la *Symphonie concertante* pour violoncelle et orchestre du même compositeur, avec Rostropovitch (1952) – sa dernière apparition comme chef d'orchestre. Son incroyable mémoire lui permet de préparer dix à quinze programmes par saison. Il dit : « Généralement je travaille en suivant les voies de l'intuition et du cœur. J'entends quelque chose, cela me fascine, je m'en empare. Parfois un compositeur me paralyse un peu. J'ai mis longtemps à aborder Mozart, alors que j'étais à l'aise avec Haydn et Bach. Chopin fut le déclic de mon enfance. c'est en entendant mon père jouer le *5e Nocturne* que je fus frappé, ému et que je choisis la musique. » A huit ans, Richter composait. A vingt ans il s'arrête. Il dit aussi avoir été influencé par la peinture : Robert Falk, Mondrian, Malévitch. Richter est peintre. Artiste complet, sensible, intelligent, il ne cesse depuis son 1er prix au Concours de piano de l'U.R.S.S. à Moscou (1935) de jouer partout où il peut servir la musique, salles de concert, conservatoires, lieux de travail dans son pays.

En 1960, il joue pour la 1re fois en Amérique, en 1961 en Angleterre et en France, puis en Autriche. Il est à l'origine de la fondation du Festival de la Grange de Meslay en Touraine (1964) où il vient jouer chaque année. Son répertoire est immense et recouvre aussi bien les œuvres les plus connues que des partitions qu'il fait découvrir : il a joué notamment l'intégrale du *Clavier bien tempéré* de J.S. Bach, mais aussi les *Préludes et fugues* de Chostakovitch. Chaque interprétation est une recréation de l'œuvre. Richter ne cesse de chercher la perfection, l'absolu. Il a le trac, il est tout ensemble angoissé et serein.

Acharnement au travail, insatisfaction toujours, passion cachée sous la pudeur. On voit en lui un monstre sacré. Pour lui les problèmes de l'interprétation – sous cette sonorité claire, cette vision parfaite de l'œuvre, chaque détail éclairé, chaque pensée approfondie – se résument dans la sincérité. « On doit retrouver intacte la pensée, le cœur, la vérité nue de l'auteur qui créa cette œuvre. Il faut la méditer, la sentir, mettre sa technique au service de cet ancien ami. » Il pratique la musique de chambre avec D. Oïstrakh, Rostropovitch ou Kagan, et accompagne Schwarzkopf, Fischer-Dieskau, ou sa femme Nina Dorliac.

Richter-Haaser, Hans

Pianiste allemand né à Dresde le 6 janvier 1912, mort le 13 décembre 1980.

Ses parents pianistes lui apprennent les rudiments de l'instrument, et tout particulièrement l'art des doigtés et de la construction musicale. Admis au Conservatoire de Dresde à l'âge de 13 ans, il est l'élève de Hans Schneider, recevant également un enseignement de violon et de direction d'orchestre. En 1930, il obtient le prix Bechstein, après avoir fait ses débuts deux ans plus tôt avec la *Wanderer-Fantaisie* de Schubert à Dresde. Sa carrière, interrompue par la guerre, ne reprend qu'en 1946 où il dirige l'Orchestre Symphonique de Detmold. L'année suivante il enseigne le piano, l'accompagnement et la musique de chambre à la Nord-West Deutsche Akademie für Musik récemment créée. Sa carrière prend une dimension réellement internationale en 1953, lors d'un concert en Hollande sous la direction de Paul Van Kempen. Il compte alors parmi les « grands » du piano allemand et ses interprétations de Beethoven sont reconnues pour leur puissance et leur sobriété.

Ridderbusch, Karl

Basse allemande, né à Recklinghausen le 29 mai 1932.

Après des études au Conservatoire de Duisbourg, il débute en 1961 à Munster (Philippe II, le Commandeur, Mathis) et chante ensuite à Essen et Düsseldorf (Sparafucile, Boris, Hunding). Le départ de sa carrière internationale correspond à ses débuts à Bayreuth en 1967. Il y chante jusqu'en 1977 Henry l'Oiseleur, Fasolt, Pogner, Hunding, Fafner, Sachs, Daland, Titurel, Hagen et Mark, rôle dans lequel il débute à l'Opéra de Paris en 1967, où il chante également Ochs en 1978. En 1968, il participe au Festival de Pâques de Salzbourg, où il chante Wagner et Beethoven, et paraît depuis à Vienne, à la Scala, au Met, à Munich, Berlin, Hambourg...

Riefling, Robert

Pianiste norvégien, né à Oslo le 17 septembre 1911.

Après ses études musicales à Hanovre et à Berlin, où il fréquente les cours d'Edwin Fischer, il va se perfectionner à la Hochschule für Musik de Stuttgart, sous la direction de Wilhelm Kempff. En 1925, ses débuts ont lieu à Oslo. Ainsi commence une carrière de concertiste bien remplie, où Riefling se révélera un ardent défenseur de la musique scandinave contemporaine. De 1967 à 1973, il enseigne au Conservatoire de Copenhague, puis dès 1973 au Conservatoire d'Oslo. Il a créé de nombreuses œuvres de musique contemporaine dont celles de Klaus Egge, de Rivertz et de Saevernd.

Riegel, Kenneth

Ténor américain, né le 29 avril 1938.

Il débute à l'Opéra de Santa Fé, en 1965, dans *Le Roi Cerf* (Henze) et trois ans plus tard, à New York, dans *L'Heure espagnole* (Ravel). Peu à peu, toutes les grandes scènes des États-Unis font appel à lui, dans le répertoire le plus large puisqu'il interprète aussi bien Alfredo (*La Traviata*), Ferrando (*Cosi fan tutte*), le rôle-titre du *Jeune Lord* (Henze) que plusieurs parties de ténor dans l'œuvre de Berlioz. Il débute au Met précisément dans *Les Troyens* (Berlioz) et chante désormais dans cette troupe. En 1978, il débute à l'Opéra de Paris dans *Les Contes d'Hoffmann*, puis tourne le film de *Don Giovanni* dans la réalisation de Losey (Don Ottavio). L'année suivante, il crée le rôle d'Alwa dans la version en trois actes de *Lulu* sous la direction de Pierre Boulez. Il participe à la nouvelle production d'*Œdipus-rex* à l'Opéra de Paris, sous la direction d'Ozawa, avec lequel il donne *La Damnation de Faust* (Berlioz) à Tanglewood, Salzbourg et Berlin. Au Palais Garnier, il participe à la création de l'opéra de Messiaen *Saint-François d'Assise* (1983).

Rieger, Fritz

Chef d'orchestre allemand, né à Oberaltstadt (Bohême) le 28 juin 1910.

Au Conservatoire de Prague, il travaille avec F. Finke et G. Szell. Il commence très tôt une carrière de pianiste interrompue lorsqu'il est nommé chef d'orchestre au Théâtre allemand de Prague (1931-38). Puis il dirige à Aussig (1939-41), Brême (1941-45) et au Théâtre de Mannheim (1947-49). Pendant la guerre, il a repris ses activités de pianiste et fondé un trio. Il succède à Rosbaud à la direction musicale de l'Orchestre Philharmonique de Munich (1949-67), puis il prend la tête de l'Orchestre Symphonique de Melbourne (1968-71).

Rigutto, Bruno

Pianiste français, né à Charenton le 12 août 1945.

Il fait ses études au Conservatoire de Paris où il travaille dans la classe de Lucette Descaves. Il obtient des 1ers prix de piano (1962) et de musique de chambre (1963). Parallèlement, il suit des cours avec Marguerite Long et reçoit des conseils de Samson François. En 1965, il obtient un 1er prix au Concours Marguerite Long-Jacques Thibaud et en 1966 un prix au Concours Tchaïkovski. Il se produit alors un peu partout, en récital ou dans le cadre de la musique de chambre avec Jean-Pierre Wallez, Pierre Amoyal, Augustin Dumay, Arto Noras... Il enseigne à Maisons-Alfort et est compositeur de nombreuses partitions pour la télévision et le cinéma (*Faustine ou le bel été* de Nina Companeez).

Rilling, Helmuth

Chef d'orchestre, chef de chœur et organiste allemand, né à Stuttgart le 29 mai 1933.

Il naît dans une famille de musiciens. Il travaille l'orgue avec Karl Gerock, la composition avec Johann Nepomuk David, la direction chorale avec Hans Grischkat de 1952 à 1955 à la Musikhoschschule de Stuttgart. Il poursuit sa formation d'organiste à Rome auprès de Fernando Germani et à l'Académie Chigiana de Sienne. Encore étudiant, en 1954, il fonde un premier chœur de 40 voix, le Gächinger Kantorei, avec lequel il se produit sur le plan international. A partir de 1957, il cumule les fonctions d'organiste et de chef de chœur à la Gedächtniskirche. De 1963 à 1966, il reconstitue le Spandauer Kantorei à Berlin tout en enseignant la direction chorale et l'orgue à la Spandau Kirchenmusikschule. En 1969, il prend la succession de Kurt Thomas à la direction des Chœurs de Francfort et professe à la Frankfurt Musikhochschule. Depuis 1965, il anime le Bach Collegium de Stuttgart, ensemble d'instrumentistes qui se produit régulièrement avec le Gächinger Kantorei. A la tête de ces deux ensembles, il se produit dans le monde entier. A partir de 1972, il entreprend l'enregistrement complet des cantates de Jean-Sébastien Bach, actuellement toujours en cours.

Ringart, Anna

Mezzo-soprano française, née à Paris le 15 janvier 1937.

Elle oriente sa formation dans plusieurs directions : piano avec Marcel Ciampi, comédie au cours Charles Dullin, chant avec Irène Joachim et Marguerite Liszt (à Paris), puis avec Giorgina Delvigo (à Milan). En 1966, elle part pour l'Allemagne et travaille à l'École supérieure de Hambourg avec la femme de Peter Anders. Sa carrière démarre assez tardivement sur des scènes allemandes (Lubeck, Coblence, Düsseldorf, Hambourg). Depuis 1973, elle est membre de la troupe permanente de l'Opéra de Paris et chante sous la direction de Solti, Ozawa, Böhm, Boulez... Son répertoire s'étend de Mozart à Schönberg. Elle participe à de nombreux festivals de musique contemporaine. Avec cinq autres musiciens, elle fonde le groupe de musique de chambre Contrastes.

Ringeissen, Bernard

Pianiste français, né à Paris le 15 mai 1934.

A dix ans il commence le piano avec Georges de Lausnay et entre ensuite dans sa classe au Conservatoire de Paris en 1947. Quatre ans plus tard, il obtient un 1er prix et commence à donner des concerts en France et en Europe, tout en suivant les cours d'interprétation de Marguerite Long. Il se perfectionne aussi auprès de Jacques Février. Il a la sagesse d'interrompre ses concerts et ses tournées pour préparer des concours internationaux. Il remporte de nombreux prix : Concours international de Genève en 1954, Concours Long-Thibaud en 1955. Sa technique sert sa sensibilité et vise à la simplicité. Son répertoire comprend de nombreuses pages rarement jouées. Il a enregistré l'intégrale de l'œuvre pianistique de Saint-Saëns, celle de Stravinski, ainsi que des pièces d'Alkan, R. Hahn, C. Cui, Balakirev...

Risler, Édouard

Pianiste français, né à Baden-Baden le 23 février 1873, mort à Paris le 22 juillet 1929.

Son père est alsacien, sa mère allemande. Il travaille au Conservatoire de Paris avec Diémer et Dubois de 1883 à 1890. Puis il se perfectionne en Allemagne avec Klindworth, D'Albert et Stavenhagen. En 1896 et 1897, il est le répétiteur de Mottl à Bayreuth. Son second et son successeur sera Alfred Cortot sur lequel il aura une influence considérable. Il s'impose très vite comme l'un des grands du piano français, ouvert à la musique de son temps comme à l'héritage romantique allemand. Il est le pianiste des grands cycles, présentant en concert les *32 Sonates* de Beethoven (pour la première fois à Paris, mais aussi dans d'autres capitales), l'œuvre intégrale de Chopin ou le *Clavier bien tempéré* de J.S. Bach. Dès 1906, il se consacre aussi à l'enseignement et sera nommé professeur au Conservatoire de Paris en 1923. Chabrier lui a dédié sa *Bourrée fantasque*, Granados *Coloquio en la reja*, extrait des *Goyescas*. Il a créé la *Sonate* (1901) et les *Variations, Interlude et Finale sur un thème de Rameau* (1903) de Dukas, la *Barcarolle n° 8* (1906) de Fauré, *Quelques danses* (1897) de Chausson ainsi que des pièces de Reynaldo Hahn et de Samazeuilh.

Ristenpart, Karl

Chef d'orchestre allemand, né à Kiel le 26 janvier 1900, mort à Lisbonne le 24 décembre 1967.

Son père, astronome connu, l'emmène avec lui au Chili où il s'installe et demeure plusieurs années. En 1913, après la mort du père, la famille Ristenpart revient se fixer en Allemagne. Le jeune Karl vit à Berlin et bénéficie des conseils de son beau-père, Hermann Scherchen. Il fait ses études musicales à l'Université Humbold de Berlin. Il travaille la direction d'orchestre au Conservatoire Stern avec Alexander von Fielitz et la composition à Vienne avec Hugo Kauder. En 1930 il épouse une claveciniste et fonde son 1er orchestre de chambre. Ristenpart traverse une période difficile sous le régime hitlérien. En 1946, les autorités d'occupation américaines lui confient la création d'un orchestre de chambre et d'un chœur pour l'émetteur R.I.A.S. de Berlin. Il en assurera l'animation pendant près de sept ans, se consacrant largement à l'œuvre de Bach. Il enregistre nombre de cantates avec un jeune baryton encore inconnu : Dietrich Fischer-Dieskau. En 1953, il accepte de constituer l'Orchestre de Chambre de la Sarre qui deviendra plus tard l'Orchestre de Chambre de la Radio Sarroise. Se consacrant essentiellement à cette formation, Ristenpart illustrera surtout les périodes baroque et classique, jouant notamment avec de très nombreux solistes français. Il jouera un rôle essentiel dans le renouveau de l'interprétation de la musique de J.S. Bach après la guerre.

Ritter-Ciampi, Gabrielle

Soprano française, née à Paris le 2 novembre 1886, morte à Paimpol le 18 juillet 1974.

Fille de Cécile Ritter, soprano vedette du Trianon-Lyrique, et du baryton Ezio Ciampi qui avait été l'un des partenaires favoris de la Patti, mais aussi nièce du pianiste Théodore Ritter, elle débute à seize ans comme pianiste. C'est pourtant au chant qu'elle se destine. En 1917, elle débute au Trianon-Lyrique dans *Paul et Virginie* que sa propre mère avait créé sur cette même scène quarante ans plus tôt. Elle chante *Le Pré aux clercs, Le Barbier de Séville, La Traviata* et se fait remarquer dans une reprise de l'*Impresario* de Mozart par Albert Carré qui s'empresse de lui faire chanter la Comtesse des *Noces de Figaro* en 1919. C'est une révélation. Elle est engagée à l'Opéra-Comique et y chante Rosine, Philine, les trois rôles des *Contes d'Hoffmann*, Louise, Manon et Eurydice. Elle y crée les versions françaises de *Cosi fan tutte* (Fleurdelyse) sous la direction d'André Messager et de *L'Enlèvement au Sérail* (Constance) sous la direction de Reynaldo Hahn qui compose pour elle le rôle de Dona Irène de son *Oui des Jeunes Filles.* Après l'avoir testée lors de deux mémorables *Rigoletto* aux côtés de Battistini, Jacques Rouché l'engage à l'Opéra où elle ne tarde pas à s'illustrer dans des rôles aussi variés que Marguerite, Thaïs, Mathilde, Esclarmonde, Elvire ou la Reine des *Huguenots* et celle du *Coq d'Or.* Elle sera la première Pamina du Palais Garnier. Les nombreux disques qu'elle a gravés nous laissent autant de témoignages d'un art du chant parfait, d'un style raffiné, d'un timbre plein de charme.

Rivoli, Gianfranco

Chef d'orchestre italien, naturalisé français, né à Milan le 6 juin 1921.

Il fait ses études musicales au Conservatoire de Milan et remporte, en 1937, le Concours national de composition pour piano, à Bologne. En 1940, il devient responsable de l'Orchestre universitaire de Milan. Très vite, il est engagé pour diriger le répertoire italien (lyrique et symphonique), aussi bien en Italie que dans les plus grands théâtres internationaux. Pendant quatre ans, il est, de surcroît, directeur artistique et chef permanent de l'Orchestre de chambre de la Fondation Gulbenkian de Lisbonne. Il participe à de nombreux festivals, dont celui de Lisbonne, auquel il prend une part active. A la radio, à la télévision (tant en Amérique qu'en Europe) et en concert, il fait montre d'un goût certain pour le répertoire contemporain et crée un grand nombre d'œuvres de Chailly, Malipiero, Bettinelli, etc. Il est venu souvent diriger à l'Opéra de Paris. A Aix-en-Provence, il participe au Festival et dirige *Le Couronnement de Poppée* de Monteverdi. A Carnegie Hall, il dirige en version de concert plusieurs ouvrages de Bellini. En 1982, il est chargé de mission auprès de l'Opéra d'Avignon pour préparer la régionalisation de l'orchestre. Mais il quitte ses fonctions après quelques mois tout en continuant à diriger régulièrement en France.

Robert, Georges

Organiste français, né à Saint-Paul-de-Léon le 12 avril 1928.

Fils de l'organiste de la cathédrale de Saint-Paul-de-Léon, Georges Robert entreprend ses études musicales tout d'abord sous la direction de son père, puis, en octobre 1941, se rend à Paris où il est l'élève de Gaston Litaize et de Gaston Régulier à l'Institut national des jeunes aveugles. Dans ce même Institut, en 1943, il entre à la classe d'orgue d'André Marchal. En 1946, il est admis au Conservatoire de Paris où il est l'élève d'Yves Nat. Il remporte des 1ers prix de piano (1950), contrepoint (1951), fugue (classe de Simone Plé-Caussade) et orgue (classe de Marcel Dupré, 1953). En 1954, il est nommé professeur de piano puis d'orgue à l'Institut national des jeunes aveugles. Il est organiste titulaire du grand orgue de Notre-Dame de Versailles depuis 1948 et professeur au Conservatoire de cette ville.

Robert, Guy

Luthiste français, né à Tarbes le 22 mars 1943.

C'est un parfait autodidacte qui travaille la guitare puis le luth en liaison avec les musicologues de la Société de musique d'autrefois (Antoine Geoffroy Dechaume et B. de Chambure). Il est lauréat de la Fondation de la vocation (1967). Il se produit avec des chanteurs mais également comme soliste. En 1974, il fonde avec Jean Belliard l'Ensemble Guillaume de Machaut. Il a participé à des créations d'Aperghis, Guézec, Couroupos... et est l'auteur de la musique du film *Perceval le Gallois.*

Robeson, Paul

Basse américaine, né à Princeton le 9 avril 1898, mort à Philadelphie le 23 janvier 1976.

Fils d'un pasteur méthodiste noir, rapidement en butte au racisme quotidien, il abandonne le droit, après des études à l'Université Rutgers et à Columbia, pour faire du théâtre en amateur. Le dramaturge O'Neill lui fait jouer le rôle-titre de *The Emperor Jones* en 1923. Trouvant dans le negro-spiritual l'arme idéale pour le combat civique des Noirs, il donne son premier concert en 1925 à New York. Une seule chanson, *Ol' Man River*, qu'il interprète dans la comédie musicale *Show Boat* en 1928, suffit à faire connaître dans le monde entier cette voix authentique de basse aux accents pleinement émouvants. Que ce soit à Carnegie Hall ou à Londres, il chante devant des salles combles. Il incarne l'Othello de Shakespeare et paraît dans plusieurs films avant de se voir écarté de toute activité artistique dans les années 50, du fait de son adhésion au parti communiste et de son dévouement à la cause de la Paix et des Noirs.

Robillard, Louis

Organiste français, né à Beyrouth le 10 décembre 1939.

Après ses études secondaires et une année de droit, Louis Robillard, fils d'organiste, entre à la Schola Cantorum puis au Conservatoire de Paris. Il y obtient les 1ers prix d'harmonie, d'orgue et d'improvisation à l'unanimité en 1967. La même année, il se voit confier la classe d'orgue au Conservatoire de Lyon et entreprend une brillante carrière de virtuose et d'improvisateur, invité par les grands festivals français et étrangers. Ses enregistrements de pièces pour orgue de Liszt et de Max Reger sont considérés comme des références. Il est titulaire de l'orgue de Saint-François de Sales à Lyon.

Robin, Jacqueline

Pianiste française, née à Saint-Ashen le 11 décembre 1917.

A l'âge de 10 ans, elle entre au Conservatoire de Paris où elle travaille avec Henri Rabaud, Jean et Noël Gallon, le piano avec Lazare Lévy. Elle y obtient cinq 1ers prix. Elle forme dès 1945 un duo de piano avec Geneviève Joy. Interprète privilégiée de Gabriel Fauré, elle assure la création de nombreuses œuvres de compositeurs français. Elle est professeur au Conservatoire de Paris depuis 1966. Elle a enregistré de nombreux disques dont deux récents consacrés à Boëly.

Robin, Mado

Soprano colorature française, née à Tours le 29 décembre 1918, morte à Paris le 10 décembre 1960.

Elle n'a pas encore treize ans lorsque l'on se rend compte qu'elle a une voix ravissante. Titta Ruffo l'ayant entendue lors d'une audition amicale aurait perçu le premier l'étendue de ses dons. Ses parents la confient aux soins éclairés de Madame Fourestier. A 19 ans, elle est lauréate du concours de sopranos de l'Opéra de Paris. La guerre remet à plus tard un engagement qui s'imposait. Loin de se décourager la jeune fille travaille sa voix avec Mario Podesta. Au cours d'exercices de plus en plus aigus, le maître découvre que son élève peut chanter sans effort le contre-contre-ut (ut^6), note jamais atteinte par un gosier humain. Il s'attache à construire des bases larges et solides à ce phénomène de la stratosphère vocale et y parvient au point de pouvoir présenter son élève salle Gaveau en 1942. Le public, médusé, n'en croit pas ses oreilles et tout le monde parle de cette cantatrice si étrangement douée et, au demeurant, si charmante de timbre et sympathique de maintien. En 1945, elle est engagée à l'Opéra où elle est affichée dans *Rigoletto, Castor et Pollux, La Flûte enchantée* et *L'Enlèvement au sérail.* Engagée un an plus tard à l'Opéra-Comique, elle en devient rapidement la coqueluche, y chantant Leïla, Olympia, Lakmé et surtout Rosine. Toutes les scènes de province se l'arrachent et sa première Lucia à Marseille – avec le ténor Giuseppe Traverso – restera l'un des grands moments de l'Opéra phocéen. Elle fait ses débuts américains à San Francisco en 1954 dans les rôles de Gilda et de Lucia. Elle est invitée sur toutes les grandes scènes européennes et en 1959 fait une tournée triomphale en U.R.S.S. Elle paraît pour la dernière fois sur scène dans *Lakmé* à Vichy durant l'été 1960. Surnaturellement douée, Mado Robin était la femme la plus simple et la moins « star ».

Robles, Marisa

Harpiste espagnole naturalisée anglaise, née à Madrid le 4 mai 1937.

Elle suit ses études musicales au Conservatoire de Madrid où elle remporte des prix de harpe, d'écriture et de composition (1953). Elle se produit en 1954 avec l'Orchestre National d'Espagne. Après avoir enseigné brièvement la harpe au Conservatoire de Madrid, elle s'établit en Angleterre (1959). Elle fait ses débuts à Londres en 1963. Depuis 1971, elle enseigne son instrument au Royal College of Music de Londres.

Elle pratique la musique de chambre en duo avec son mari Christopher Hyde-Smith ou encore avec le Trio Robles ou l'ensemble Robles-Delmé.

Rodde, Anne-Marie

Soprano française, née à Clermont-Ferrand le 21 novembre 1943.

Dans sa ville natale, elle fait ses études à la faculté des lettres. Dès sa plus tendre enfance, elle voulait être chanteuse d'opéra. Elle entre donc, dès ses quinze ans révolus, au Conservatoire local, où elle est confiée à Madame Passani. Nantie des 1ers prix de chant et d'opéra, elle entre au Conservatoire de Paris, dans la classe d'Irène Joachim et de Louis Noguéra. Elle en sort aussi avec des 1ers prix de chant et d'opéra. Sa silhouette fine et sa jolie voix lui valent de faire ses premiers pas sur scène dans des rôles travestis : l'Amour dans *Orphée*, Yniold et le Premier Génie dans *La Flûte enchantée* du Festival d'Aix-en-Provence 1971. Son 1er rôle féminin sera la Barberine des *Noces de Figaro* à Grenoble, à Angers, puis à Aix (1972). La même année, elle se fait remarquer à Paris dans la *Cantate nuptiale* de Darius Milhaud et surtout dans *Le Rossignol* de Stravinski, rôle périlleux entre tous et qui constitue sa véritable rampe de lancement.

Si les théâtres parisiens semblent ignorer son existence, il n'en est pas de même avec les scènes lyriques de province et de l'étranger. Les Anglais en ont fait l'une de leurs cantatrices favorites. A Londres elle a participé à la création des *Boréades*, le dernier opéra de Rameau. Elle possède un répertoire considérable, qui va du *Messie* de Händel à *L'Enfant et les sortilèges*, en passant par Zerbinette, Oscar, Nanetta ou Pamina.

Rodzinski, Artur

Chef d'orchestre polonais naturalisé américain (1933), né à Split (Dalmatie) le 1er janvier 1892, mort à Boston le 27 novembre 1958.

Il fait ses études musicales et juridiques à Lvóv, puis à Vienne, où il travaille la composition avec Marx et Schreker, la direction avec Schalk et le piano avec Sauer et Lalewicz. Il revient à Lvóv où il est engagé comme chef de chœur à l'Opéra. Il y fait ses débuts de chef d'orchestre et, de 1921 à 1925, il se fixe à Varsovie où il dirige à l'Opéra et à la Philharmonie. Puis il quitte son pays pour les États-Unis : il est chef assistant de l'Orchestre de Philadelphie auprès de Stokowski (1926-29) tout en s'occupant du département opéra et orchestre du Curtis Institute. Il est ensuite nommé à la tête de l'Orchestre Philharmonique de Los Angeles (1929-33) puis de l'Orchestre de Cleveland (1933-43). La nouveauté de ses programmes est très remarquée : il dirige pour la 1re fois aux États-Unis *Lady Macbeth de Mtsensk* de Chostakovitch en 1935. Il est invité à Salzbourg et à Vienne et dirige régulièrement la Philharmonie de New York. En 1937, il est chargé de recruter et de préparer l'Orchestre Symphonique de la N.B.C. pour Toscanini. En 1942, il prend la direction de l'Orchestre Philharmonique de New York qu'il remanie profondément. Mais il est amené à démissionner en 1947 à la suite d'un désaccord avec le manager. Il prend alors la direction de l'Orchestre Symphonique de Chicago (1947-48) et mènera une carrière de chef invité jusqu'à la fin de sa vie.

Rodzinski était considéré comme un grand constructeur d'orchestres, qui a joué un rôle important dans l'histoire des formations qu'il a dirigées. C'est lui qui a conduit pour la 1re fois hors d'U.R.S.S. *Guerre et Paix* de Prokofiev (Florence, 1953). On lui doit la création des *Métamorphoses* d'Hindemith (1934), de *Mémorial à Lidice* de Martinů (1943), de l'*Ode à Napoléon* de Schönberg (1944).

Roesgen-Champion, Marguerite

Claveciniste et compositeur suisse née à Genève le 25 janvier 1894, morte à Genève le 30 juin 1976.

Élève d'Ernest Bloch et de Jaques-Dalcroze au Conservatoire de Genève, elle se spécialise dans le clavecin et donne de nombreux récitals, tout particulièrement à Paris. Elle a créé de nombreuses œuvres de sa composition dont le *Concerto moderne* pour clavecin et orchestre, à Paris en 1931.

Rogé, Pascal

Pianiste français, né à Paris le 6 avril 1951.

Avec lui, sa famille compte trois générations de musiciens : son grand-père est violoniste, sa mère organiste. C'est cette dernière qui lui donne ses premières leçons de piano alors qu'il atteint à peine ses quatre ans. Il donne son 1er concert avec orchestre à dix ans et entre, la même année, au Conservatoire de Paris. Il en sort, en 1966, nanti d'un 1er prix de piano (classe de Lucette Descaves) et de musique de chambre (classe de Pierre Pasquier). Il devient alors, et ce pendant trois ans, l'élève de Julius Katchen. Il remporte, en 1967, le prix Enesco au Concours international de Bucarest. En 1971, il est le premier Français, depuis 1951 à, enlever le 1er grand prix Marguerite Long – Jacques Thibaud. Sa carrière se développe alors tant en France qu'à l'étranger. Il enregistre notamment l'œuvre pour piano de Ravel et celle de Debussy.

Rogg, Lionel

Organiste et claveciniste suisse, né à Genève le 21 avril 1936.

Il suit au Conservatoire de Genève les classes d'harmonie, de contrepoint, de composition (Charles Chaix), d'orgue (Pierre Segond, avec un 1er prix de virtuosité en 1956), de piano (André Perret, Nikita Magaloff, 1er prix de virtuosité en 1957). Il se perfectionne auprès d'André Marchal (Paris), et obtient des prix aux concours internationaux de Munich (1959) et de Gand (1963). En 1961, il donne au Victoria Hall de Genève l'intégrale de l'œuvre pour orgue de J.S. Bach, qu'il enregistrera par trois fois. Tous les grands festivals l'ont accueilli. Il a surtout enregistré Bach, Buxtehude (intégrale), F. Couperin, Grigny, Händel, Liszt, Mozart (*Sonates d'église*). Il est professeur de contrepoint et de fugue au Conservatoire de Genève (1960-72), de formes et de styles (1971-79), d'orgue (depuis 1965). Il assure des cours d'interprétation à Cambridge, Oxford, Harthwestern University, Colorado State University... Comme claveciniste, il a surtout donné l'intégrale du *Clavier bien tempéré* (Genève) et s'est produit avec de nombreux artistes (Michel Debost, Danielle Borst, Bernard Schenkel...), ou assuré le continuo sous la direction de Michel Corboz, Horst Stein... Son répertoire, sans exclusive, s'étend de Sweelinck, Scheidt et Frescobaldi, à J. Alain, Hindemith et Ligeti. De même, il aime l'extrême variété de la facture d'orgue, la qualité intrinsèque d'un instrument lui important plus que son esthétique théorique ; mais il désapprouvre la transmission électrique. Il a développé un style personnel, se perfectionnant en autodidacte, alliant la recherche sur la manière de jouer des instruments anciens à un rapport plus spontané à la musique qu'il interprète ou improvise.

Rohan, Jindřich

Chef d'orchestre tchécoslovaque, né à Brno le 14 mai 1919, mort à Prague le 14 février 1978.

Il fait ses études au Conservatoire et à l'Académie des arts musicaux de Prague. Puis il entre dans la vie musicale en dirigeant l'Orchestre Symphonique de l'armée. En 1954, il est chef assistant de l'Orchestre Symphonique de Prague dont il deviendra l'un des chefs permanents. En 1960, il est nommé assistant-professeur à l'Académie de Prague. Fervent défenseur de la musique contemporaine de son pays, il a créé ou imposé des œuvres de Tausinger, Havelka, Zelezny...

Rojdestvenski, Guennadi

Chef d'orchestre soviétique, né à Moscou le 4 mai 1931.

Il est le fils du chef d'orchestre Nicolai Anosov (1900-62) et de la cantatrice Natalya Rojdestvenskaia dont il garde le nom. Il étudie le piano avec Lev Oborin et la direction d'orchestre avec son père, au Conservatoire de Moscou. Il débute à vingt ans au Bolchoï en dirigeant *Casse-Noisette*. Pendant 10 ans, il y sera l'assistant de Iouri Faïev et dirigera les ballets. Puis il est nommé directeur artistique de l'Orchestre Symphonique de la Radio de l'U.R.S.S. (1961-74) avant de revenir au Bolchoï, comme directeur de la musique (1964-70). Il prend ensuite la direction musicale de l'Opéra de Chambre de Moscou (1972), avant d'être nommé directeur artistique de l'Orchestre Philharmonique de Stockholm (1974-77). De 1978 à 1981, il est le chef permanent de l'Orchestre Symphonique de la B.B.C. (Londres). De 1981 à 1983, il est à la tête de l'Orchestre Symphonique de Vienne et enseigne la direction d'orchestre au Conservatoire de la capitale autrichienne. En 1982, il est nommé directeur du nouvel Orchestre Symphonique du Ministère de la Culture de Moscou. Rojdestvenski s'est imposé comme l'un des plus grands interprètes de la musique russe. Il a enregistré l'intégrale des *Symphonies* de Prokofiev et est devenu le champion de la musique soviétique contemporaine. Il a épousé la pianiste Victoria Postnikova.

Il a créé plusieurs œuvres de Chtchedrine et de Schnittke.

Rollez, Jean-Marc

Contrebassiste français, né à Croix le 7 juillet 1931.

Il étudie tout d'abord le piano, mais éprouvant une véritable passion pour la contrebasse, il en commence l'étude au Conservatoire de Roubaix où il obtient un 1er prix deux ans plus tard, développant déjà des dons naturels peu communs. Admis au Conservatoire de Paris, il obtient également au bout de deux ans un 1er prix. Il fait partie successivement de l'Orchestre National de l'Opéra de Monte-Carlo, de l'Orchestre Philharmonique de l'O.R.T.F., des Concerts Lamoureux, Pasdeloup (contrebasse solo), du Théâtre National de l'Opéra-Comique, de l'Opéra de Paris (contrebasse solo) et est nommé professeur à l'Institut des Hautes Études Musicales à Montreux. Parallèlement à son travail d'orchestre, il acquiert une renommée de soliste, en apportant à ce géant des instruments à cordes ses lettres de noblesse. Ses 1ers concerts ont lieu à Paris. La beauté des sonorités qu'il tire de la contrebasse, sa dextérité et sa musicalité lui apportent bientôt une célébrité internationale, couronnée par des enregistrements qui font revivre notamment des partitions oubliées de Bottesini.

Romero, Pepe

Guitariste espagnol naturalisé américain, né à Málaga le 11 mars 1944.

Il travaille son instrument avec son père, Celedonio Romero, professeur et concertiste, et fait sa 1re apparition en public avec lui au Teatro Lope de Vega à Séville. Il se fait d'abord connaître au sein du célèbre quatuor de guitares *Los Romeros,* réunissant son père, Pepe et ses deux frères Celin et Angel, fondé vers 1968 et fixé maintenant aux U.S.A. où on l'a surnommé « la famille royale de la guitare ». Pepe Romero poursuit parallèlement une carrière de soliste, alternant dans ses récitals les œuvres classiques et le répertoire flamenco qu'il a travaillé avant de quitter l'Espagne pour la côte ouest des U.S.A., et des activités d'enseignement. Il est titulaire de la classe de guitare de l'Université de Californie du Sud.

Parmi les nombreuses œuvres composées spécialement pour Los Romeros, on trouve, en 1967, le *Concerto andalou* de Rodrigo et, en 1976, le *Concerto iberico* de Moreno Torroba. Pepe Romero a créé le *Concierto para una Fiesta* de Rodrigo (1983).

Ronald, Sir Landon (Landon Ronald Russell)

Chef d'orchestre et compositeur anglais, né à Londres le 7 juin 1873, mort à Londres le 14 août 1938.

Il est le fils du compositeur Henry Russell (1812-1900). Au Royal College of Music, il reçoit une formation de pianiste et de compositeur (1884-91) qui lui permet d'être engagé par Mancinelli comme répétiteur à Covent Garden en 1891. Il y débutera dans *Faust* en 1896. Auparavant, il dirige les tournées de l'Augustus Harris Opera Company et est engagé au Théâtre de Drury Lane. En 1894, il effectue une tournée aux États-Unis comme accompagnateur de Nellie Melba. De 1898 à 1902, il dirige des opérettes à Londres. Puis il est l'invité régulier de l'Orchestre Symphonique de Londres (1904-07), dirige la Philharmonie de Berlin, celle de Vienne, à Paris... Il est chef permanent de l'Orchestre du Royal Albert Hall (1909-14) et de l'Orchestre National d'Écosse (1916-20). Par la suite, il mènera une carrière de chef invité, accompagnant les plus grands solistes, notamment Kreisler et Cortot. Il se consacre également à l'enseignement et sera « Principal » de la Guildhall School of Music de 1918 à 1938. Elgar lui a dédié son poème symphonique *Falstaff.* Comme compositeur, on lui doit surtout des opérettes et des mélodies qui ont connu un succès considérable au début du siècle.

ÉCRITS : *Variations on a personal theme* (1922), *Myself and others* (1931).

Rooley, Antony

Luthiste anglais, né à Leeds le 10 juin 1944.

Il étudie la guitare à la Royal Academy of Music de Londres avec Hector Quine (1965-68), avant d'y être nommé professeur l'année suivante (jusqu'en 1971). Comme nombre de ses contemporains qui découvrent les instruments anciens renaissants et baroques, c'est en autodidacte qu'il apprend le luth. Avec James Tyler, il fonde en 1969 le Consort of Musicke, un groupe de dimension variable qui comprend essentiellement des violes et des instruments à cordes pincées. La musique de la Renaissance est devenue « une seconde nature », a-t-on pu dire, des interprètes engagés par le Consort de Rooley, qu'il dirige seul depuis 1972. Il est alors le 1er luthiste anglais de la jeune génération des années soixante-dix, spécialisé dans la musique de la Renaissance. Il forme de nombreux élèves et a publié notamment les œuvres complètes de Dowland. En 1976, il prend la direction du Early Music Centre de Londres.

Rooy, Anton Van

Voir à **Van Rooy, Anton.**

Rosand, Aaron

Violoniste américain, né à Hammond (Indiana) le 15 mars 1927.

Attiré très jeune par le violon, ses parents l'envoient travailler avec Leon Sametini, puis à l'Institut Curtis de Philadelphie où il devient le disciple d'Efrem Zimbalist. Il travaille aussi avec William Primrose. Zimbalist s'attache au jeune artiste, de la même manière qu'un peu plus tard Antoine Ysaÿe qui le considérait comme son « fils spirituel ». Bien que donnant récitals et concerts aux États-Unis depuis de longues années, l'Europe ne découvre réellement Aaron Rosand qu'en 1963 : son talent y est immédiatement apprécié, tout spécialiement lors de concerts en Allemagne fédérale. Dès cette année 1963, Rosand est considéré comme l'un des « plus habiles manieurs d'archet » actuels. Sa sonorité n'est pas étrangère à sa notoriété : il a la chance de jouer sur le Guarnerius de Kochanski (1741) qui, fait très rare, n'a jamais été restauré. Rosand, qui excelle dans les musiciens romantiques (Sibelius, Mendelssohn, etc.), a su échapper, parfois mieux que certains de ses rivaux ou aînés, au *presto agitato* cher aux virtuoses d'outre-Atlantique.

Rosbaud, Hans

Chef d'orchestre autrichien, né à Graz le 22 juillet 1895, mort à Lugano le 29 décembre 1962.

A la Hochschule de Francfort, il est l'élève d'Alfred Hoehn (piano) et Bernhard Sekles (composition). Il occupe ses 1res fonctions à Mayence où il est à la tête de la Städtische Musikschule tout en assurant la direction des concerts symphoniques (1921-30). Il s'enthousiasme pour la musique contemporaine. De 1929 à 1937, il est directeur musical à la Radio de Francfort et dirige ses 1res créations importantes (Schönberg, Bartók). Puis il est nommé directeur général de la musique à Münster (1937-41), Strasbourg (1941-44) et à la Philharmonie de Munich (1945-48). En 1948, il prend la direction de l'Orchestre du S.W.F. de Baden-Baden, qui vient d'être formé, et le dirigera jusqu'à sa mort, en en faisant l'un des plus précieux outils au service de la musique contemporaine. Il apparaît régulièrement au Festival de Donaueschingen et contribue largement à la réussite du Festival d'Aix-en-Provence auquel il est associé dès sa fondation. Il prend aussi la tête de l'Orchestre de la Tonhalle de Zurich (1950) dont il devient directeur musical en 1958.

Rosbaud a joué un rôle essentiel en faveur de la musique de son temps, mais il n'est pas resté enfermé dans ce répertoire : ses interprétations mozartiennes à Aix ont marqué une génération. Sa direction était très intellectuelle et contrastait fortement avec celle de ses aînés, dominée par l'instinct. La liste des créations qu'il a dirigées est impressionnante et révèle, par sa diversité, la curiosité et l'ouverture intellectuelle qui étaient les siennes : *4 Chants op. 22* (Schönberg, 1932), *Concerto pour piano n° 2* (Bartók, 1933), *Monopartita* (Honegger, 1951), *Concerto pour harpe* (Jolivet, 1952), *Symphonies n° 2 et 4* (Hartmann, 1950 et 1948), *Sinfonia-partita* (Mihalovici, 1951), *Polyphonie* et *2 Improvisations sur Mallarmé* (Boulez, 1951 et 1958), *Récréation concertante* (Petrassi, 1953), *Fantaisie sur B.A.C.H.* et *Impromptus* (Fortner, 1950 et 1957), *Symphonie n° 3* (Henze, 1951), *An Mathilde* et *Tartiniana* (Dallapiccola, 1955 et 1951), *Metastasis* (Xenakis, 1955), *Le Réveil des oiseaux* et *Chronochromie* (Messiaen, 1953 et 1960). Boulez lui a dédié *Le Marteau sans maître,* Zimmermann son opéra *Die Soldaten.*

Rosé, Arnold

Violoniste autrichien, né à Iaşi (Roumanie) le 24 octobre 1863, mort à Londres le 25 août 1946.

Il est l'élève, au Conservatoire de Vienne, de Heissler et donne son 1er concert en 1879, avec l'Orchestre du Gewandhaus de Leipzig. Il devient, en 1881, violon solo de l'Orchestre de l'Opéra de Vienne. Il occupe le même poste à la

Philharmonie de Vienne pendant 57 ans (1881-1938) et régulièrement à Bayreuth à partir de 1888. De 1893 à 1918, il enseigne à la Musikhochschule de Vienne. En 1902, il épouse Justine, la sœur de Mahler, dont il devient l'un des proches collaborateurs à l'Opéra de Vienne. Rosé reste avant tout connu par le Quatuor portant son nom, qu'il fonde en 1882 et qui se fait entendre, pour la 1re fois, à Vienne, l'année suivante. Le Quatuor Rosé fut considéré comme le successeur des quatuors Joachim et Hellmesberger. Lors de l'annexion de l'Autriche par le Reich allemand, Rosé s'expatrie en Angleterre (1938) où il continue à jouer jusqu'en 1945. Il a publié des éditions des *Sonates* de Bach et de Beethoven, ainsi que du *Quatuor op. 18* de ce dernier. Reger lui a dédié sa *Suite dans le style ancien* pour violon et piano.

Rose, Leonard

Violoncelliste américain, né à Washington le 27 juillet 1918, mort à Cronton-on-Hudson (N.Y.) le 16 novembre 1984.

Après des études au Conservatoire de Miami et à New York, il est l'élève, au Curtis Institute de Philadelphie (1934-38), de Felix Salmond. Il est engagé comme 2e soliste à l'Orchestre de la N.B.C. (1938), puis devient violoncelle solo de l'Orchestre de Cleveland (1939-43) et de l'Orchestre Philharmonique de New York (1943-51). Sa carrière de soliste débute en 1944 à New York et ne cesse de croître. Il forme par la suite un trio avec Isaac Stern et Eugene Istomin. On l'entend aussi en sonate avec Gary Graffman. Il consacre une part importante de ses activités à l'enseignement et peut être considéré comme le chef de file de l'école de violoncelle américaine. Il a été professeur à l'Institut de Cleveland, au Curtis Institute (1936-63) et enseignait depuis 1948 à la Juilliard School. Son instrument était un violoncelle de Nicola Amati de 1662. Il avait créé *Un chant d'Orphée* de W. Schuman (1962).

Rosen, Albert

Chef d'orchestre tchécoslovaque, né à Vienne le 14 février 1924.

Il fait ses études musicales à Vienne et à Prague où il débute. De 1949 à 1956, il est assistant et chef des chœurs à l'Opéra de Plzeň. Puis il est nommé à l'Opéra National de Prague (1960-71) avant de devenir, de 1965 à 1967, 1er chef au Théâtre Smetana, dans cette même ville. En 1968, après de nombreux succès comme chef invité à la tête des orchestres britanniques, il est nommé chef permanent de l'Orchestre Symphonique de la Radiotélévision irlandaise à Dublin, fonction qu'il occupe jusqu'en 1980. Parallèlement, il dirige à l'Opéra de Dublin où il introduit le répertoire tchèque. En 1981, il débute à l'Opéra de San Francisco dans *Jenůfa.* La même année, il devient principal chef invité du Western Australian Symphony Orchestra (Perth).

Rosen, Charles

Pianiste américain, né à New York le 5 mai 1927.

Il commence le piano à 4 ans puis, de 1934 à 1938, travaille à la Juilliard School. De 1938 à 1944, il est l'élève de Moritz Rosenthal puis de Hedwig Kanner-Rosenthal (jusqu'en 1952). Il est étudiant à l'Université de Princeton où il est bachelor of arts (1947), master of arts (1949) et docteur en philosophie (1951). Il étudie également les mathématiques. Après Princeton et un bref séjour à Paris, il enseigne les langues modernes au Massachusetts Institute of Technology (1953-55). L'année de son doctorat (1951) marque ses débuts de pianiste. Il enregistre les *Préludes* de Debussy. Il se produit alors aux États-Unis et en Europe. Il enseigne depuis 1971 à l'Université d'État de New York à Stony Brook. Il s'impose surtout dans les œuvres d'un caractère « intellectuel » (Bach, dernières sonates de Beethoven, Schönberg, Boulez...). En 1961, il crée le *Concerto pour piano* et le *Concerto pour piano et clavecin* (avec Ralph Kirkpatrick) d'Eliott Carter.

ÉCRITS : *Le Style classique, Haydn, Mozart, Beethoven* (1971), *Arnold Schönberg* (1978), *La Forme sonate* (1980).

Rosenfeld, Edmond

Pianiste et chef d'orchestre français, né à Paris le 27 juin 1938.

Il aborde l'étude du piano à Agen avec Pierino Lunghi et la poursuit au Conservatoire de Paris avec Marcel Ciampi, Jacques Février, Aline Van Barentzen et Nadia Boulanger. Julius Katchen l'encourage à se lancer dans une carrière de soliste. Il donne son premier récital parisien en 1959. Il crée en France *L'Age d'anxiété* de Leonard Bernstein (1967). Après avoir effectué de nombreuses tournées aux États-Unis, il est chargé, en 1972, de la programmation musicale de la Maison de la Culture d'Amiens. Il fonde l'Ensemble de solistes Pupitre 14. Depuis 1959, il est marié à Isabelle Aboulker, compositeur lyrique, nièce de Jacques Février.

Rosenthal, Manuel

Chef d'orchestre et compositeur français, né à Paris le 18 juin 1904.

Dès l'âge de neuf ans, il commence l'étude du violon. La mort de son père l'oblige à faire vivre sa famille et il abandonne ses études générales pour la musique. Tout en continuant de travailler le violon avec Alterman, il joue dans un orchestre de cinéma. Il entre au Conservatoire en 1918 où il est l'élève de Jules Boucherit. Il fait partie des orchestres Pasdeloup et Lamoureux avant d'entrer à l'Orchestre Symphonique de Paris. Il se tourne à cette époque vers la composition. Ravel entend ses 1res œuvres, jouées à la S.M.I. et décide de lui faire travailler la composition tandis que Jean Huré lui enseigne le contrepoint et la fugue. Il sera l'un des très rares élèves de Ravel. En 1928, il fait ses débuts de chef d'orchestre aux Concerts Pasdeloup. A la fondation de l'Orchestre National, en 1934, il est 4e percussionniste. Mais très vite, Inghelbrecht le remarque et en fait son adjoint. Après la guerre, il est directeur musical de cet orchestre (1944-47), puis chef permanent de l'Orchestre Symphonique de Seattle aux États-Unis (1948-51). Il mène alors une carrière de chef invité avant d'être nommé professeur de direction d'orchestre au Conservatoire de Paris (1962-74) et directeur musical de l'Orchestre Symphonique de Liège (1964-67).

La liste des œuvres qu'il a créées est considérable, partitions de Mihalovici, Rivier, Milhaud, Koechlin, Messiaen, Jolivet. Il a aussi dirigé pour la première fois en France des œuvres de Bartók (*Divertimento, Le Prince de bois, Concerto pour violon n° 2*), Stravinski (*Symphonie en ut*), R. Strauss (*Métamorphoses*), Prokofiev (*Symphonie n° 2*) et Britten (*Interludes de Peter Grimes*). L'œuvre de Manuel Rosenthal est très abondant et varié : des pages symphoniques, des mélodies et surtout des ouvrages lyriques qui ont connu un grand succès (*Rayon de soieries,* 1928, *La Poule noire,* 1937, *Hop Signor,* 1961). Son ballet, *Gaîté parisienne* (1938), sur des thèmes d'Offenbach, a fait le tour du monde.

Rosenthal, Moritz

Pianiste polonais, né à Lvóv le 17 décembre 1862, mort à New York le 3 septembre 1946.

Il étudie au Conservatoire de Lvóv avec Karol Mikuli qui sera son partenaire pour le 1er concert qu'il donne à l'âge de dix ans. Il se rend à Vienne en 1875 et suit les cours de Joseffy. Liszt lui prodigue ses conseils à Weimar et à Rome (1876-78). Il étudie la philosophie à Vienne (1880-86). En 1884, il reprend les tournées de concert. Il se fixe aux États-Unis en 1938 où il est nommé professeur au Curtis Institute.

ÉCRITS : *Schule des höheren Klavierspiels* (1892).

Ros-Marbà, Antoni

Chef d'orchestre espagnol, né à Barcelone le 2 avril 1937.

Il fait ses études musicales au Conservatoire de sa ville natale avec Eduardo Toldrà avant d'aller travailler à Sienne avec Celibidache et à Düsseldorf avec Martinon. En 1965, il est l'un des chefs permanents de l'Orchestre Symphonique de la Radiotélévision Espagnole. En 1967, il prend la direction de l'Orchestre de Barcelone. Sa carrière se développe hors d'Espagne. Au Mexique, il est pendant deux ans 1er chef invité de l'Orchestre National de Mexico. De 1978 à 1981, il est directeur musical de l'Orchestre National d'Espagne et, en 1979, il prend la direction de l'Orchestre de Chambre Néerlandais.

Ross, Elise

Soprano américaine, née à New York le 28 avril 1947.

Sa carrière commence en 1970 : elle interprète des œuvres de Berio avec le Juilliard Ensemble et l'Orchestre Philharmonique de Los Angeles. Elle vient ensuite en Europe, en tournée avec le London Sinfonietta. Dans l'opéra de Berio, *Passagio* (1962-63), elle chante le rôle principal « Elle », à Rome et enregistre la musique de chambre du compositeur italien, avec le London Sinfonietta. Au Festival de Royan, en France, à Bath, à Venise, à Varsovie, elle crée des œuvres contemporaines, interprète intelligente de théâtre musical (*Passion selon Sade* de Bussotti). En 1981, en création mondiale, elle est *Phèdre* dans *Le Racine* de Bussotti, à la Piccola Scala. Elle sait aussi se constituer un repertoire très personnel, chantant des œuvres écrites entre 1900 et 1933, selon la seconde école viennoise et le cabaret berlinois. Elle est une excellente actrice, possédant charme et ironie, étrangeté, sens dramatique. Elle travaille souvent avec l'Ensemble Intercontemporain. Les lieder de Berg, de Webern, les mélodies de Debussy et Ravel, mais aussi en remontant le temps Strauss, Schumann, Mozart prouvent qu'elle n'est pas seulement cantatrice de l'avant-garde. Elle a épousé le chef d'orchestre Simon Rattle.

Ross, Scott

Claveciniste et organiste américain, né à Pittsburgh le 1er mars 1951.

À l'âge de 14 ans, il se fixe en France et étudie au Conservatoire de Nice (1965-68) : classes d'orgue (René Saorgin), de clavecin (Huguette Grémy-Chauliac, 1er prix en 1968). Puis il travaille au Conservatoire de Paris (1969-71) : classe de clavecin (Robert Veyron-Lacroix) et de basse chiffrée (Laurence Boulay). À Anvers – classe de clavecin (Kenneth Gilbert) – il remporte le diplôme supérieur (Speciaal Hoger Diploma, 1972). Au Concours international de Bruges, il obtient le 1er prix en 1971. Occasionnellement il suit les cours de Michel Chapuis (orgue). Depuis lors, il a donné de nombreux concerts. Parmi les enregistrements qui l'ont rendu célèbre, les deux intégrales de Rameau (1975) et de F. Couperin (1978), et 30 sonates de D. Scarlatti (1976). Son répertoire l'ouvre pour l'instant essentiellement aux compositeurs du XVIIIe siècle (Bach, Couperin, Scarlatti, Rameau), mais il se spécialise plus particulièrement dans la musique française des XVIIe et XVIIIe siècles. Professeur à l'Université Laval à Québec (Canada) depuis 1973, il est professeur invité à l'Académie de musique ancienne en Occitanie (1974-80), à l'Académic dc musique ancienne de Bourgogne (Semur-en-Auxois, 1980). En collaboration avec K. Gilbert, il a édité des *Pièces de clavecin* de J.H. d'Anglebert, et les œuvres complètes de Scarlatti (en cours de parution). Sa facture préférée, tant pour le clavecin que pour l'orgue est celle des XVIIe et XVIIIe siècles. Profondément influencée par la pensée philosophique du XVIIIe siècle français, son approche de l'interprétation se veut à la fois très rigoureuse, fondée sur les travaux musicologiques concernant les techniques anciennes, et la plus vivante qui soit, recherchant à communiquer par leur musique ce que se proposaient de faire les compositeurs eux-mêmes.

Rössel-Majdan, Hildegard

Alto autrichienne, née le 21 janvier 1921 à Moosbierbaum.

Elle étudie le chant à l'Académie de musique de Vienne. Ses apparitions en concert et en oratorio ont fait plus pour sa renommée que ses prestations lyriques à la Staatsoper de Vienne où elle fait partie de la troupe depuis 1951. Chantant sous la direction de Karajan, Scherchen, Klemperer, elle se révèle une interprète sensible des cantates de Bach comme des symphonies de Mahler. Nommée Kammersängerin en 1962, elle enseigne jusqu'en 1972 à l'Académie de Graz, puis au Conservatoire de Vienne.

Rossi, Mario

Chef d'orchestre italien, né à Rome le 29 mars 1902.

Il fait ses études musicales au Conservatoire Sainte-Cécile de sa ville natale, travaillant notamment avec Respighi et G. Setaccioli jusqu'en 1925. De 1926 à 1936, il est second chef à l'Augusteo de Rome que dirige alors Bernardino Molinari. Il enseigne la direction d'orchestre au Conservatoire Sainte-Cécile de 1931 à 1936. Puis il prend la direction musicale du Mai Florentin (1936-44), avant d'être nommé à la tête de l'Orchestre Symphonique de la R.A.I. de Turin (1946-69). Il enseigne également au Conservatoire de cette ville. Il a remporté le prix Schönberg pour son action en faveur de la musique contemporaine.

Rossi-Lemeni, Nicola

Basse italienne, né à Istanbul le 6 novembre 1920.

Son père est italien et sa mère, Xenia Lemeni-Macedon, professeur au Conservatoire d'Odessa. Il est élevé en Italie où il étudie le droit. Sans formation particulière, il débute à la Fenice comme Varlam (*Boris Godounov*). En 1946, il s'impose à l'Opéra de Trieste comme Philippe II (*Don Carlos*). Sa carrière est marquée par la personnalité de Tullio Serafin dont il épouse la fille Vittoria, en 1949. Habitué du Festival de Vérone, depuis 1946, il débute à la Scala en 1950, ainsi qu'à l'Opéra de Rome. Il sera régulièrement invité par ces deux théâtres. En 1951, il débute en Amérique du Nord, d'abord à San Francisco, où il triomphe en *Boris Godounov*. En 1953, il est appelé au Met où sa carrière est éblouissante. En 1956, il chante à l'Opéra de Chicago. En 1958, il crée à la Scala *Meurtre dans la cathédrale* de Pizzetti, dans le rôle de Thomas Becket. En 1958, il épouse en secondes noces la cantatrice Virginia Zeani. Sa carrière mondiale se dessine très brillante, autant sur scène qu'en concert. Il s'impose également comme poète, publie deux volumes de vers (*Impeti*, *Le Orme*) et collabore à plusieurs revues littéraires.

Rostal, Max

Violoniste autrichien naturalisé anglais, né à Teschen le 7 août 1905.

Max Rostal étudie à Vienne avec Arnold Rosé, puis à Berlin avec Carl Flesch. Sa 1re apparition publique se situe à l'âge de six ans. Dans le même temps, il étudie la composition à la Hochschule für Musik de Berlin, avec Emil Bohnke et Matyas Seibel. En 1927, il est violon solo de l'Orchestre Philharmonique d'Oslo. Puis Carl Flesch le prend comme assistant à la Musikhochschule de Berlin (1928-30) avant qu'il soit nommé professeur dans la même école (1930-33). Peu après 1933, Rostal quitte l'Allemagne et s'installe à Londres où il est professeur à la Guildhall School of Music (1934-58) ; il y a notamment comme élèves les membres de l'Amadeus Quartet. En 1957, il revient en Allemagne pour enseigner à l'Académie de Cologne, puis en Suisse au Conservatoire de Berne. Max Rostal, qui a énormément influencé toute une génération de violonistes, a révélé au public anglais le *Concerto* de Khatchaturian et le *Second Concerto* de Bartók. Il possède un Stradivarius de 1698 et un Guarnerius del Gesù de 1733, le *Charles Reade*.

ÉCRITS : *Beethoven, die Sonaten für Klavier und Violine* (1981).

Rostropovitch, Mstislav

Violoncelliste, chef d'orchestre et pianiste soviétique, naturalisé suisse (1982), né à Bakou le 27 mars 1927.

Fils et petit-fils de violoncellistes, il apprend le piano avec sa mère à l'âge de 4 ans. À 8 ans, son père le fait entrer à l'École centrale puis au Conservatoire de

Moscou (1937-48) : il étudie le piano, le violoncelle, la direction et la composition. Il a pour professeurs V. Chebaline, Kozoloupov et D. Chostakovitch. En 1942, il donne son 1er concert. En 1945, il obtient le 1er prix au Concours général de Moscou et, en 1947 et 1949, est lauréat des Concours internationaux de Prague et de Budapest. Un an plus tard, encore à Prague, il partage son 1er prix avec un autre violoncelliste soviétique D. Shafran. Il enseigne au Conservatoire de Leningrad. Ce n'est qu'en 1964 que commence sa carrière internationale, grâce à un concert en Allemagne fédérale ; cependant, son activité a déjà été très importante dans son pays : chargé de cours au Conservatoire de Moscou en 1953, puis nommé six ans plus tard professeur de violoncelle et de contrebasse. En 1955, il épouse Galina Vichnievskaia, soprano au Bolchoï. L'opéra l'attire et, en 1967, il dirige *Eugène Onéguine* au Bolchoï. Sa nature de chef ne demandait qu'à s'exprimer et, déjà lorsqu'il jouait en soliste avec un orchestre, on sentait sa passion. Très vite, il dirige régulièrement au Bolchoï.

Sa vie est liée totalement à son art ; Rostropovitch poursuit à travers la voix solo du violoncelle, l'accompagnement au piano de mélodies russes ou de lieder et la direction, le même idéal passionné, courageux, celui-là même qui le fait prendre parti pour Soljenitsyne, pour la liberté d'expression, pour l'art sans frontière. Ceux qui l'ont vu jouer n'oublient pas son visage qui reflète chaque émotion, ses mains grandes et fines, son ardeur. Rostropovitch est aussi un excellent professeur. Après avoir enseigné à ses élèves la technique du violoncelle, il leur donne le sens de l'interprétation au piano, afin de ne pas les influencer. Les compositeurs d'aujourd'hui qui l'écoutent et le voient vivre désirent écrire pour lui. Il a suscité plus d'une soixantaine d'œuvres : *Concertos n° 1 et 2*, *Sonate pour violoncelle et piano* (Chostakovitch), *Concerto n° 2* (Jolivet), *Symphonie concertante*, *Sonate pour violoncelle et piano* (Prokofiev), *Concerto* (Khrennikov), *Symphonie concertante*, *Sonate pour violoncelle et piano*, les *3 suites* (Britten), *Sonate* (Ohana), *Concerto* (Bliss), *Tout un monde lointain* (Dutilleux), *Concerto* (Lutoslawski), *Sonate* (J. Wiener), *Mélodie concertante* (Sauguet), *Variations* pour violoncelle et orchestre (Piston), *Concerto per Mstislav Rostropovitch* (Mortari), *Concerto* (Titchenko), *Hommage à Paul Sacher*, 12 pièces écrites pour les 70 ans du grand chef suisse par Beck, Berio, Britten, Boulez, Dutilleux, Fortner, Ginastera, Halffter, Henze, Holliger, Huber et Lutoslawski, *Passacaglia* (Walton). Chostakovitch a écrit : « Quoi que joue Rostropovitch, Bach ou Hindemith, c'est toujours l'expression intense de notre temps que nous entendons, claire, puissante. C'est toujours l'interprétation d'un homme d'aujourd'hui. »

Merveilleux partenaire de musique de chambre, il a longtemps joué en trio avec Guilels et Kogan, en sonate avec Richter. Ses partenaires sont maintenant Horowitz, Menuhin ou Argerich. En 1974, il quitte l'U.R.S.S. et sera déchu de la nationalité soviétique en 1978 « pour actes portant systématiquement préjudice au prestige de l'Union soviétique ». Il commence courageusement une nouvelle carrière et prend, en 1977, la succession d'Antal Dorati à la tête de l'Orchestre National de Washington. La même année, il est nommé directeur artistique du Festival d'Aldeburgh, fondé et dirigé jusqu'à sa mort par Britten. Le chef d'orchestre a aussi un nombre impressionnant de créations à son actif : *Symphonie n° 2* (1965), *Carmen-Suite* (1967) et *Poetoria* (1968) de Chtchedrine, *Trois Méditations* (1977) de Bernstein, *Un Enfant appelle* (1979) et *La Prison*, pour soprano, violoncelle et orchestre (1983) de Landowski, *Timbre, espace, mouvement* (1979) de Dutilleux, *Novelette* (1980) de Lutoslawski, *Symphonie n° 9* (1982) de Mennin, *Prologue et fantaisie* (1982) de Walton, « *Seid nüchtern und wachet* » (1983) de Schnittke, *Requiem polonais* (1984) de Penderecki. Son violoncelle, un Stradivarius de 1711, a appartenu à Duport (dont il porte le nom) et à Franchomme.

Roswaenge, Helge

Ténor danois, né à Copenhague le 29 août 1897, mort à Munich le 19 juin 1972.

Diplômé de l'École polytechnique de Copenhague pour la fabrication d'un succédané du café, il s'oriente vers la carrière de chanteur après avoir travaillé avec différents professeurs danois et allemands. Il est engagé successivement à Neustrelitz (1921-22), Altenburg (1922-24), Bâle (1924-26), Cologne (1926-29) et à la Staatsoper de Berlin en 1929. Mais c'est à la Staatsoper de Vienne qu'il accomplit l'essentiel de sa carrière, de 1930 à la fin des années 50, y chantant aussi bien les grands rôles mozartiens que l'*Opéra de Quat'Sous*. Il débute en 1932 au Festival de Salzbourg où il est un incomparable Tamino (notamment en 1937 sous la direction de Toscanini), et en 1934 à Bayreuth dans le rôle de Parsifal. Il a également servi avec ferveur la cause du lied, contribuant à faire redécouvrir ceux de Wolf et des compositeurs scandinaves.

Roth, Daniel

Organiste français, né à Mulhouse le 31 octobre 1942.

Il commence l'étude de l'orgue par admiration pour Albert Schweitzer. Après ses études au Conservatoire de sa ville natale, il entre en 1960 au Conservatoire de Paris où il obtient des 1ers prix d'harmonie (classe de Maurice Duruflé, 1962), contrepoint et fugue (Marcel Bitsch, 1963), orgue et improvisation (Rolande Falcinelli, 1963), accompagnement au piano (Henriette Puig-Roget, 1970). Il travaille également la musique ancienne et son interprétation avec Marie-Claire Alain. Lauréat de plusieurs prix internationaux, prix S.A.C.E.M. de composition pour orgue (Nice, 1964), prix d'interprétation de Arnhem (1964), prix d'exécution et d'improvisation des Amis de l'Orgue (Paris, 1966), il remporte, en 1971, le 1er prix du Concours international de Chartres.

Membre de la Commission des orgues de la Ville de Paris et organiste titulaire du Cavaillé-Coll de la basilique du Sacré-Cœur depuis 1973, où il fut le suppléant de Rolande Falcinelli de 1963 à 1973, Daniel Roth est aussi pédagogue. Il est professeur d'orgue au Conservatoire de Marseille de 1973 à 1979, puis au Conservatoire de Strasbourg. Il professe régulièrement à l'Académie d'été de Haarlem (Hollande). De 1974 à 1976, il est professeur à l'Université catholique d'Amérique et artiste résident au National Shrine à Washington. En 1978, il a enregistré l'intégrale de l'œuvre pour orgue de Saint-Saëns.

Rothenberger, Anneliese

Soprano allemande, née à Mannheim le 19 juin 1924.

Elle étudie le chant au Conservatoire de Mannheim puis avec, entre autres, Erika Müller. Elle débute au Théâtre municipal de Coblence en 1943, où elle doit également tenir les emplois de comédienne. Puis elle est engagée à l'Opéra de Hambourg, en 1946, et appartient à cette troupe jusqu'en 1956. Avec ce théâtre, elle remporte un grand succès au Festival d'Édimbourg, en 1953. Durant sa période hambourgeoise, elle apparaît fréquemment dans des émissions de radio. En 1956, elle est engagée à l'Opéra de Düsseldorf-Duisbourg. Mais, dès 1953, elle est fréquemment invitée à l'Opéra de Vienne dont elle devient pensionnaire dès 1958. Depuis 1954, elle participe chaque année au Festival de Salzbourg où elle tient le rôle d'Agnès lors de la première européenne de *L'École des Femmes* (Liebermann), en 1957. En 1960, elle triomphe à la Scala et peu après au Met, en Zdenka (*Arabella*). Elle est invitée dans toutes les grandes capitales d'Europe, d'Amérique du Nord et du Sud. Très populaire, elle tourne en Allemagne et en Autriche plusieurs films musicaux. En Grande-Bretagne, elle tourne en anglais le film d'opérette *Fledermaus 1955*. En 1967, elle crée à l'Opéra de Zurich le rôle-titre de *Madame Bovary* de Sutermeister. En 1970, elle entreprend une tournée triomphale en Russie. Elle est une des sopranos les plus ravissantes de notre époque, autant par son colorature, que par son charme et son aisance dans les rôles lyriques.

Rother, Arthur

Chef d'orchestre allemand, né à Stettin le 12 octobre 1885, mort à Aschau le 22 septembre 1972.

Il travaille d'abord avec son père puis avec Hugo Kann à Berlin. En 1905, il débute comme pianiste. L'année suivante, il est répétiteur à Wiesbaden puis chef des chœurs. De 1907 à 1914, il est assistant à Bayreuth. Après avoir dirigé dans différents théâtres allemands, il est nommé directeur général de la musique à Dessau (1927-34) puis 1er chef à la Städtische Oper de Berlin (1938-61), devenue après la guerre la Deutsche Oper. Il dirige également l'Orchestre Symphonique de la Radio de Berlin-Est de 1946 à 1949.

Rouleau, Joseph

Basse canadienne, né à Matane (Québec) le 28 février 1929.

Il commence très jeune à donner une série de récitals pour les Jeunesses musicales, durant ses études au Conservatoire de la Province de Québec. Ayant obtenu plusieurs prix, au sortir du Conservatoire, il peut, grâce à une bourse du gouvernement provincial, poursuivre ses études à Milan. Aux États-Unis, il est le lauréat du Concours « New Orleans Experimental Theatre of Opera », ce qui lui permet de débuter, en 1956, avec le New Orleans Opera Co. Puis il est engagé sur audition au Covent Garden où, la première saison, il tient sept rôles et participe à 35 spectacles avec, entre autres, Maria Callas, Joan Sutherland et Marilyn Horne. Il chante également avec le Scottish Opera. Il est invité à l'Opéra de Paris, à la Monnaie, en Hollande et en Allemagne. Il chante également au Liceo et au Théâtre Colón. De retour en Amérique du Nord, il est invité par le New York City Opera, ainsi que par le Canadian Opera Co. et par l'Opéra du Québec. Il a effectué trois tournées importantes en U.R.S.S., où la critique l'a comparé à Chaliapine.

Sa haute stature et sa voix profonde lui ont permis de s'imposer avec force dans tout le répertoire russe et italien, mais également dans les œuvres de Berlioz, Charpentier, Debussy, Offenbach, Delibes...

Roussel, Jacques

Chef d'orchestre français, né à Paris le 12 novembre 1911.

Il fait ses études musicales, d'abord en France, avec Marc de Rance et Eugène Bigot, à Paris, et avec Hans Swarowsky, à Nice ; puis en Autriche, avec Fritz Weidlich, au Conservatoire d'Innsbrück. En 1961, il crée l'ensemble Antiqua Musica de Paris, dont il est le directeur depuis cette date : plus de 1 000 concerts en France et à l'étranger, avec les plus grands solistes. De 1966 à 1974, Jacques Roussel est animateur musical, délégué du ministère des Affaires culturelles. En 1968, il fonde le Festival « Les heures musicales du Mont-Saint-Michel » dont il est le directeur artistique. Il a également fondé, au sein de ce festival, une session d'orchestre de jeunes (orchestre symphonique), en 1977, et un Concours international de trio à cordes.

Rouvier, Jacques

Pianiste français, né à Marseille le 18 janvier 1947.

Après avoir étudié au Conservatoire de Paris, avec Alice Van Barentzen et Jean Hubeau, il obtient des 1ers prix de piano (1965) et de musique de chambre (1967). Il entre ensuite chez Vlado Perlemuter et Pierre Sancan, en cycle de perfectionnement, et travaille plus tard avec Jean Fassina. Les prix se succèdent : 1er prix du Concours Viotti à Vercelli et du Concours de Barcelone (1967), 1er prix du Concours Marguerite Long-Jacques Thibaud (1971), prix Ravel de l'Union Européenne de Radio. J. Rouvier est aussi lauréat de la Fondation de la Vocation. En 1970, il fonde un trio avec Jean-Jacques Kantorow et Philippe Muller. Parmi ses réalisations discographiques, l'intégrale de l'œuvre pour piano de Ravel ainsi que les sonates pour violon et piano de Debussy et Ravel (avec Kantorow), couronnées par un Grand prix du disque. Il assure des master-classes au Canada et à l'Académie Ravel de Saint-Jean-de-Luz et est professeur au Conservatoire de Paris depuis 1979.

Rowicki, Witold

Chef d'orchestre polonais, né à Taganrog (Russie) le 26 février 1914.

Il étudie le violon avec A. Malawski et la composition avec M.J. Piotrowski et

B. Wallek-Walewski au Conservatoire de Cracovie. Il obtient son diplôme de violon en 1938 mais il a déjà fait ses débuts de chef d'orchestre cinq ans plus tôt. Jusqu'en 1945, il mène une carrière d'instrumentiste, fait beaucoup de musique de chambre et travaille avec le frère de Paul Hindemith, Rudolf (1942-44). Puis il est chargé de faire renaître l'Orchestre Symphonique de la Radio Polonaise qui avait disparu pendant la guerre (1945-50). Il prend ensuite la direction artistique de la Philharmonie Nationale de Varsovie (1950-55 puis 1958-77). En même temps, il enseigne à l'École supérieure de musique de Varsovie (1952-54). De 1965 à 1970, il est directeur du Théâtre Wielki. Il mène une carrière internationale qui l'a amené à diriger et à enregistrer avec les plus grands orchestres. Lutoslawski lui a dédié son *Concerto pour orchestre* (1954) et Baird ses *4 Essais* (1958). Il a dirigé en 1re audition les *Jeux vénitiens* de Lutoslawski (1961), la plupart des œuvres de Baird, ainsi que des pages de Bacewicz et F.B. Mâche. De 1983 à 1985, il est à la tête de l'Orchestre Symphonique de Bamberg.

Rubinstein, Arthur

Pianiste polonais naturalisé américain (1946), né à Lódź le 28 janvier 1886, mort à Genève le 20 décembre 1982.

C'est un enfant prodige qui donne son premier concert à cinq ans. Il étudie à Varsovie avec A. Rózycki et a l'occasion de travailler avec Pâderewski. Il se rend ensuite à Berlin où il se perfectionne avec Heinrich Barth, Robert Kahn et Max Bruch. Pour son 1er concert important, il joue un concerto de Mozart sous la baguette de Joachim (1897). Il effectue une tournée en Russie avec Koussevitzky, fait ses débuts américains en 1906 et se fixe à Paris. Pendant la guerre de 1914-1918, il vit en Angleterre. Il donne des séances de sonates avec Eugène Ysaÿe. En 1932 il épouse Aniela, fille d'Emil Mlynarski, chef d'orchestre polonais (1870-1935). Il atteint une véritable notoriété internationale à partir de 1937. Il s'illustre dans le grand répertoire traditionnel, notamment dans Chopin qui lui vaut ses succès les plus mérités. Souvent plus heureux au concert qu'au disque, il est l'un des rares pianistes à être connu des non-mélomanes. Après s'être établi à Hollywood, il retourne à Paris où il vit actuellement. A l'approche de son 90e anniversaire, il donnait encore des récitals, donnant l'image d'une vitalité rare. Stravinski a transcrit pour lui trois danses de *Petrouchka* et écrit à son intention *Piano Rag Music.* Parmi les partitions qui lui sont dédiées, il convient de retenir la *Symphonie concertante* de Szymanovski, des œuvres de Villa Lobos, Tailleferre et, surtout, la *Fantaisie Beatica* de De Falla.

ÉCRITS : *Mes longues années* (1973-80).

Rubio, Consuelo

Soprano espagnole, née à Madrid le 15 mars 1927, morte le 1er mars 1981.

Elle étudie au Conservatoire de Madrid dont elle sort en 1948 avec un 1er prix. Elle débute la même année à Madrid et remporte un certain succès en Espagne, tant au Festival de Grenade qu'au Liceo de Barcelone. En 1953, elle obtient le 1er prix du Concours international de Genève. L'année suivante, elle remporte au Colón un immense succès comme Mimi (*La Bohème*) et Eva (*Maîtres chanteurs*). Sa carrière n'est qu'une suite de succès, invitée – soit sur scène, soit en concerts – dans toute l'Europe. Elle chante à l'Opéra de Paris et au Festival d'Aix-en-Provence (Donna Elvira de *Don Giovanni,* en 1958). Elle élargit son répertoire et aborde les grands rôles dramatiques. Ainsi en 1957, au Festival de Glyndebourne, elle chante *Alceste* (Gluck) et en 1959, elle triomphe au Teatro Massimo de Palerme dans le rôle-titre de *Beatrice di Tenda* (Bellini) et en Rosario de *Goyescas* (Granados). En 1960-61, elle chante à l'Opéra de Vienne ; en 1962, à l'Opéra de Chicago. En décembre 1962, elle chante Eboli (*Don Carlos*) pour la réouverture du Grand Théâtre de Genève. Elle s'impose également comme interprète de mélodies, spécialement de mélodies espagnoles (de Falla) et comme spécialiste de zarzuela.

Rudel, Julius

Chef d'orchestre autrichien naturalisé américain (1944), né à Vienne le 6 mars 1921.

Il commence ses études à l'Académie de musique de Vienne puis émigre aux États-Unis en 1938. Il est étudiant à la Mannes School of Music de New York. En 1943, il est pianiste répétiteur au New York City Opera. Il y fait ses débuts comme chef d'orchestre dans *Le Baron tzigane* de Johann Strauss en 1944. De 1957 à 1979, il est directeur artistique de la Compagnie et lui donnera une grande renommée en produisant un répertoire très large de Monteverdi à Janáček. Il en reste le 1er chef après 1979. Il est également remarqué comme directeur musical du Caramoor Festival (État de New York), comme conseiller musical du Wolf Trap Farm Park for the Performing Arts (district de Columbia) et enfin comme directeur du Kennedy Center à Washington (1974-78).

Il se produit dans tous les États-Unis, en Israël et dans les capitales européennes. De 1980 à 1983, il dirige l'Orchestre Philharmonique de Buffalo. Il a créé de nombreux opéras de compositeurs américains.

Rudolf, Max

Chef d'orchestre allemand naturalisé américain (1946), né à Francfort le 15 juin 1902.

A la Hochschule de Francfort, il travaille le piano avec Eduard Jung et la composition avec Bernhard Sekles (1914-22) avant de débuter comme chef des chœurs à Fribourg. Il est ensuite nommé à l'Opéra de Darmstadt où il devient 1er chef (1927-29). On le trouve ensuite à l'Opéra Allemand de Prague (1929-35), invité régulier de l'Orchestre Symphonique de Göteborg (1935-40) et de l'Orchestre Symphonique de la Radio Suédoise. En 1940, il se fixe aux États-Unis où sa carrière sera liée au Metropolitan Opera de New York : il y dirige de 1945 à 1958 et y est conseiller artistique de 1950 à 1958. Il prend ensuite la direction de l'Orchestre Symphonique de Cincinnati (1958-70) et dirige le Mai Musical de cette ville (1963-70). Fixé à Philadelphie, il enseigne au Curtis Institute (1970-73) avant de prendre la direction de l'Orchestre Symphonique de Dallas (1973-74). Il revient au Met comme invité (1973-75) et est nommé conseiller musical de l'Orchestre Symphonique de New Jersey (1976).

ÉCRITS : *The Grammar of conducting* (1950).

Rudy, Michael

Pianiste soviétique, naturalisé français, né à Tachkent le 3 avril 1953.

Il commence la musique à l'âge de cinq ans et entre au Conservatoire de Moscou en 1969 dans la classe Jakov Fliere. Lauréat du Concours Bach à Leipzig (1972), il termine ses études en 1975 et reçoit, la même année, le 1er grand prix Marguerite Long à Paris. En 1975-76, Michael Rudy donne plus de cent concerts dans les grandes villes d'U.R.S.S. et d'Europe orientale. En 1976, il se fixe à Paris. La clarté de son jeu, sa ferveur, son intelligence des œuvres contemporaines (Messiaen), lui gagnent l'estime des grands chefs d'orchestre avec lesquels il joue. Il fait alors de nombreuses tournées en Europe et participe au concert commémorant le 90e anniversaire de Marc Chagall où il interprète le *Triple Concerto* de Beethoven avec Mstislav Rostropovitch et Isaac Stern.

Ruffo, Titta
(Ruffo Cafiero Titta)

Baryton italien, né à Pise le 9 juin 1877, mort à Florence le 5 juillet 1953.

A l'Académie Sainte Cécile de Rome, il travaille avec Persichini puis, à Milan, avec Sparapane et Cassini. En 1898, il fait ses débuts à Rome dans *Lohengrin* (le Héraut). Après avoir chanté dans différents théâtres italiens, il passe plusieurs années en Amérique du Sud d'où il revient auréolé : en 1903, il débute à la Scala dans *Rigoletto.* La même année, il chante Enrico et Figaro (*Le Barbier de Séville*) à Covent Garden. Il est invité à Paris et à Vienne. De 1908 à 1931, il sera l'hôte régulier du Colón tout en chantant à Philadelphie (*Rigoletto*, 1912), Chicago (1912-14 puis 1919-21), New York (au Met où il débute dans Figaro en 1922 et où il paraît jusqu'en 1929). De retour à Rome, il s'impose comme l'un des plus grands interprètes de Verdi. En 1937, il est arrêté pendant quelque temps pour ses activités anti-fascistes. A sa libération, il se fixera à Florence et se consacrera surtout à l'enseignement. Parmi ses élèves figure Mado Robin. Il laisse le souvenir d'un inoubliable Scarpia (*La Tosca*).

ÉCRITS : *La mia parabola* (1937).

Ruhland, Konrad

Chef de chœur et musicologue allemand, né à Landau-sur-l'Isar.

Il a ses premières impressions musicales comme choriste à la cathédrale de Passau. Après des études classiques, il étudie la musicologie à l'Université de Munich où il est l'élève de Georgiades et Göllner. Il approfondit les problèmes de la notation musicale dans la monodie et la polyphonie du Moyen Âge et s'intéresse aux questions de morphologie musicale et de pratiques d'exécution de la même époque. Son étude sérieuse du bas latin, de la théologie, de l'histoire et de l'évolution des rites liturgiques participe étroitement à sa recherche proprement musicologique, et se trouve en prise directe sur les interprétations qu'il propose, non seulement en participant à de multiples colloques, séminaires, cours internationaux (académies estivales à l'Université de Philadelphie, par exemple), mais en tant que chef de chœur. Il est le fondateur et le directeur de la Cappella Antiqua de Munich (1956). Le répertoire de cet ensemble vocal et instrumental aborde une vaste période, s'étendant des monodies religieuses (grégoriennes et assimilées) aux madrigaux du premier Baroque, avec une prédilection marquée pour la musique du Moyen Âge et de la Renaissance dont il renouvelle l'approche stylistique.

Rühlmann, François

Chef d'orchestre belge, né à Bruxelles le 11 janvier 1868, mort à Paris le 8 juin 1948.

Au Conservatoire de Bruxelles, il reçoit une formation de hautboïste et travaille la direction d'orchestre avec Joseph Dupont. Pendant sept ans, il fait partie de l'Orchestre du Théâtre Royal de la Monnaie. En 1892, il fait ses débuts de chef d'orchestre à Rouen et, trois ans plus tard, il est nommé chef d'orchestre au Grand Théâtre de Liège. En 1896, il occupe les mêmes fonctions à Anvers puis, de 1898 à 1904, à la Monnaie. En 1905, il vient à Paris où il est 1er chef à l'Opéra-Comique. L'année suivante, il est nommé directeur musical (1906-08, puis 1910-13). A la veille de la guerre, André Caplet l'appelle à l'Opéra où il n'aura pas le loisir d'exercer longtemps. En 1920, il revient en Belgique où il est nommé directeur musical à la Monnaie. Il prend également en charge les Concerts populaires de Bruxelles. En 1923, il est à nouveau 1er chef d'orchestre à l'Opéra-Comique. C'est lui qui dirigea la création d'*Ariane et Barbe-Bleue* de Dukas (1907), de *L'Heure espagnole* de Ravel (1911), de *Marouf* de Rabaud (1914) et, à l'Opéra, de *La Légende de saint Christophe* de d'Indy (1920), de *Guercœur* de Magnard (1931) et de *Maximilien* de Milhaud (1932).

Ruiz-Pipo, Antonio

Pianiste, compositeur et musicologue espagnol naturalisé français en 1979, né à Grenade le 7 avril 1934.

Il fait, de 1948 à 1950, ses études musicales à Barcelone (chant grégorien, orgue, harmonie, musique de chambre) et travaille le piano avec Alicia de Larrocha. Parallèlement, il aborde la composition avec Blancafort, Montsalvage et Ohana. A cette époque, il est membre du Cercle Manuel de Falla qui regroupe, à Barcelone, des jeunes compositeurs. Il se fixe en France en 1951. Il y rencontre Yves Nat et se perfectionne avec Alfred Cortot (1952). Ses travaux de musicologie lui permettent d'asseoir sa carrière de soliste sur le XVIIIe et le romantisme espagnol. Il réalise le 1er enregistrement de l'intégrale de l'œuvre pour piano de Georges Bizet. Fondateur et directeur musical du Festival des Nuits Musicales de Bonaguil (Lot) de 1962 à 1974, il obtient, en 1976, le prix international de composition Zaragoza, ainsi que le prix national Padre Soler. Professeur de piano et d'esthétique musicale à l'École normale de musique de Paris, il donne des cours d'interprétation de musique espagnole à Vienne (Autriche). Producteur d'émissions musicales à Radio France et à la Radio Nationale de Madrid, il collabore également à Radio Canada. Parmi les nombreuses partitions qu'il écrit pour la guitare, la harpe, le piano, la voix, le quatuor et l'orchestre, on peut citer : une musique de scène pour Jean-Louis Barrault, *Tablas* pour guitare et orchestre, créé en 1975 par Narciso Yepes, le concertino *Tres en Raya* pour guitare et orchestre (1979) et *Le Livre du lointain* pour orchestre.

Rupp, Franz

Pianiste allemand naturalisé américain, né à Schongau le 24 février 1901.

Il entre à l'Académie de musique de Munich en 1915 où il travaille le piano avec August Schmid-Lindner. Il donne son 1er concert trois ans plus tard et commence une carrière marquée par l'accompagnement et la musique de chambre : il est le partenaire de Lotte Lehmann, Elisabeth Schumann, Heinrich Schlusnus, Kulenkampff, Casals, Kreisler (avec qui il enregistre la première intégrale des *10 Sonates pour violon et piano* de Beethoven en 1935-36). En 1938, il quitte l'Allemagne et se fixe à New York où il sera l'accompagnateur de Marian Anderson pendant 25 ans. Il enseigne au Curtis Institute de Philadelphie, titulaire d'une classe de lieder et de musique de chambre.

Russell-Davies, Dennis

Chef d'orchestre américain, né à Toledo (Ohio) le 16 avril 1944.

A la Juilliard School, il travaille le piano avec Goldsand, Epstein et Gordnitzk et la direction d'orchestre avec Mester et Morel. Il fait ses débuts de pianiste en 1961 et enseigne à la Juilliard School de 1968 à 1971. En 1968, il fonde avec Luciano Berio The Ensemble in New York avec lequel il se consacre à la musique de son temps. En 1972, il est nommé directeur musical de l'Orchestre de Chambre de Saint-Paul. Deux ans plus tard, il prend la direction du Festival de Cabrillo et, en 1975, du White Mountain Festival of the Arts. Simultanément, il dirige l'Orchestre Symphonique de Norwalk (1968-72) et le Juilliard Ensemble (1968-74). En 1974, il fait ses débuts lyriques en Europe. Régulièrement invité à l'Opéra de Stuttgart, il en prend la direction musicale en 1978. La même année, il dirige *le Vaisseau fantôme* à Bayreuth. Il est le dédicataire et le créateur de nombreuses œuvres contemporaines de Henze, Berio (*Opera,* 1970), Cage, Maderna, Carter, Feldman.

Růžičková, Zuzana

Claveciniste tchécoslovaque, née à Plzeň, le 14 janvier 1927.

Entre 1947 et 1951, elle étudie le piano en compagnie de A. Šín et Friedrich Rauch, et le clavecin avec O. Kredba, à l'Académie des arts de Prague. En 1956, sa carrière internationale débute par son prix obtenu au Concours de Munich. Deux ans plus tard, elle vient travailler à Paris avec Marguerite Roesgen-Champion. Elle donne ses premiers concerts sous la direction de Jean Witold. En 1961, elle fonde avec Václav Neumann l'Ensemble des Solistes de Prague. Son répertoire baroque (Couperin, Purcell et Bach) lui permet de jouer avec Josef Suk, Janós Starker, Pierre Fournier et Jean-Pierre Rampal. En dix ans, elle enregistre l'intégrale de l'œuvre pour clavecin de J.-S. Bach. Mais elle ne dédaigne pas pour autant Bartók, Martinů et Poulenc. Depuis 1951 elle enseigne le clavecin à l'Académie des arts de Prague, ainsi qu'à l'École supérieure de musique de Bratislava. Elle dirige les cours d'études supérieures à Prague et à Zurich. Son mari, le compositeur Viktor Kalabis, lui a dédié ses *Six Inventions canoniques pour 2 voix* en 1963, ainsi que son *Concerto pour clavecin*. Elle est aussi dédicataire des *Hommaggi gravicembalistici* de J. Rychlik (1960). Elle prépare actuellement une nouvelle intégrale de l'œuvre de J.-S. Bach, enregistrement numérique réalisé au Japon.

Rysanek, Leonie

Soprano autrichienne, née à Vienne le 14 novembre 1926.

Elle étudie avec Alfred Jerger et Rudolf Grossmann qui sera son premier mari. Elle débute à Innsbruck en 1949 (Agathe) et appartient à l'Opéra de Sarrebruck de 1950 à 1952. Son incarnation de Sieglinde lors de la réouverture du Festival de Bayreuth en 1951 la rend célèbre et lui ouvre les portes des opéras de Munich (1952) et Vienne (1954). Elle paraît au Covent Garden depuis 1953, à San Francisco depuis 1957, au Met depuis 1959. Wagnérienne célèbre (à Bayreuth, elle a chanté Elsa, Elisabeth, Senta et la Kundry du centenaire de *Parsifal* en 1982), elle est aussi une Leonore (*Fidelio*) intense, une grande verdienne (Amelia, Élisabeth de Valois, Lady Macbeth, Desdemona) et une interprète idéale de Richard Strauss : elle a ainsi chanté l'Impératrice de *La Femme sans ombre* (notamment à l'Opéra de Paris en 1972), Hélène l'Égyptienne, Danae, Chrisothémis, la Maréchale, Ariane, plus récemment Salomé (en particulier à Orange en 1974) et le rôle-titre du film *Elektra* réalisé sous la direction de Karl Böhm en 1981.

Sa sœur Lotte Rysanek, née le 18 mars 1928, est soprano lyrique à l'Opéra de Vienne.

S

Sabata, Victor de

Voir à **De Sabata, Victor.**

Sabran, Gersende de

Pianiste française, née à Ansouis le 29 juillet 1942.

Issue d'une famille de musiciens, elle reçoit un enseignement musical dès l'âge de six ans. Élève d'Yvonne Lefébure au Conservatoire de Paris, elle obtient des 1ers prix de musique de chambre et de piano. Très tôt, elle éprouve une grande affinité avec la musique de Mozart qu'elle donne assez souvent en concert. Elle a épousé le duc d'Orléans, fils du comte de Paris.

Sacher, Paul

Chef d'orchestre suisse, né à Bâle le 28 avril 1906.

Il travaille la direction d'orchestre avec Weingartner au Conservatoire de Bâle et la musicologie avec Karl Nef à l'Université. En 1926, il fonde l'Orchestre de Chambre de Bâle avec lequel il fait revivre des partitions anciennes. Deux ans plus tard, il lui adjoint le Chœur de Chambre de Bâle et, en 1933, il fonde la Schola Cantorum Basiliensis qui associe les recherches musicologiques à des exécutions toujours plus fidèles de la musique ancienne. Il commence déjà à s'intéresser à la musique contemporaine dont il sera l'un des plus fervents défenseurs. En 1931, il est membre du Comité de l'Association des musiciens suisses (dont il sera le président de 1946 à 1955). Entre 1935 et 1946, il préside la section suisse de la S.I.M.C. En 1941, il fonde le Collegium Musicum de Zurich, un nouvel orchestre de chambre qui complète les activités de l'Orchestre de Bâle. En 1954, il réunit la Schola Cantorum Basiliensis, le Conservatoire et la Musikschule de Bâle en un seul organisme, la Musikakademie der Stadt Basel dont il est le directeur jusqu'en 1969.

Paul Sacher a consacré une part très importante de sa carrière à la musique de son temps, commandant des partitions à des compositeurs d'esthétiques très diverses et les imposant au public. Il a une centaine de commandes à son actif et près de 200 créations. Parmi ses commandes, les plus marquantes sont signées Bartók (*Musique pour cordes, percussion et célesta*, 1937, *Sonate pour deux pianos et percussion*, 1938, *Divertimento*, 1940), Honegger (*Danse des morts*, 1940, *Symphonies nos 2* et *4*, 1942 et 47, *Une cantate de Noël*, 1953), Stravinski (*Concerto pour cordes*, 1947, *A Sermon, a narrative and a prayer*, 1962), R. Strauss (*Métamorphoses*, 1946), Martinů (*Double Concerto*, 1940, *Concerto de camera*, 1942, *Toccata e due canzoni*, 1947), Hindemith (*Symphonie Harmonie du monde*, 1952), F. Martin (*Der Cornet*, 1945, *Petite Symphonie concertante*, 1946, *Concerto pour violon no 1*, 1952, *Études pour cordes*, 1956, *Concerto pour violoncelle*, 1967), Petrassi

(*Concerto pour orchestre n° 2*, 1952), Ibert (*Symphonie concertante pour hautbois*, 1951), Malipiero (*Symphonie n° 6*, 1949), Mihalovici (*Sinfonia giocosa*, 1951), Fortner (*Prismen*, 1975, *Variations pour orchestre de chambre*, 1980), Holliger (*Quatuor*, 1973, *Atembogen*, 1975), Henze (*Sonata per archi*, 1958, *Cantata della fiaba estrema*, 1965, *Double Concerto pour hautbois et harpe*, 1966, *Concerto pour violon n° 2*, 1972), Berio (*Corale*, 1982), Lutoslawski (*Double Concerto pour hautbois et harpe*, 1980), Beck (*Lichter und Schatten*, 1982), Rihm (*Gebild*, 1984), Blacher, Bennett, Burkhard, Casella, Krenek, Liebermann, Marescotti, Tippett... Paul Sacher a également dirigé la 1re audition de *Jeanne au bûcher* (Honegger, 1938), *La Passion grecque* (Martinů, 1961) et la *Cantata academica* (Britten, 1960). A l'occasion de son 70e anniversaire, 12 compositeurs lui ont offert des pièces pour violoncelle seul commandées par Rostropovitch (Beck, Berio, Boulez, Britten, Dutilleux, Fortner, Ginastera, C. Halffter, Henze, Holliger, Huber et Lutoslawski).

Sack, Erna (Erna Weber)

Soprano colorature allemande, née à Berlin-Spandau le 6 février 1898, morte à Wiesbaden le 2 mars 1972.

Elle étudie le chant à Prague et à Berlin. En 1928, elle est engagée à l'Opéra de Berlin en qualité d'élève pour un petit rôle d'alto. En 1930, elle entre au Théâtre municipal de Bielefeld où elle change de registre et devient soprano colorature. En 1932, elle est reçue dans la troupe du Théâtre d'État de Wiesbaden, puis elle passe en 1934 à l'Opéra de Breslau et en 1935, à celui de Dresde. Là, elle crée le rôle d'Isotta dans *La Femme silencieuse* de Richard Strauss. Depuis 1933, elle est invitée par l'Opéra de Berlin où elle remporte de grands succès. On la fête à Milan, à Londres, à Paris et à Vienne, à Hambourg et à Munich, ainsi qu'au Festival de Salzbourg. En 1936, elle entreprend une tournée triomphale en Amérique du Nord. Pendant la guerre, elle se produit surtout en Suède, en Suisse et en Turquie. En 1947, elle commence, au Brésil, une tournée mondiale de cinq ans qui la conduit à travers l'Amérique du Sud, le Canada, l'Afrique du Sud et l'Australie. En 1954-55, elle donne deux grandes séries de concerts à travers l'Amérique du Nord. Depuis 1953, elle retourne chaque année, à nouveau, en Allemagne car depuis la guerre, elle habite la Californie. Puis en 1956, elle s'installe à Murnau (Haute-Bavière). Elle a tourné dans plusieurs films. Sa voix de colorature passait pour un phénomène, puisqu'elle avait une tessiture de quatre octaves. On l'appelait « le rossignol allemand ». Aucun rôle ne comprenant tant de notes, c'est dans les chansons et les mélodies coloratures qu'elle pouvait donner la pleine mesure de ses possibilités. L'histoire du chant ne compte qu'un seul autre phénomène semblable, la soprano Lucrezia Agujari (1743-83). Une ville des États-Unis porte son nom.

Sádlo, Miloš (Miloš Zàtvrzskỳ)

Violoncelliste tchécoslovaque, né à Prague le 13 avril 1912.

Il étudie le violon puis le violoncelle avec P. Sádlo (1928-30), pédagogue éminent dont il adopte le nom en reconnaissance (1929). Il entre dans sa classe au Conservatoire dix ans plus tard (1938-41). Il suivra les cours de Pablo Casals à Prades (1955). Sa carrière commence dans le domaine de la musique de chambre : il est membre du Quatuor de Prague (1931-33), puis il fonde le Trio Tchèque (avec Plocek et Páleníček) auquel il appartient de 1944 à 1954. Il fait ensuite partie du Trio Suk (1956-60) et du Trio de Prague (1966-73) avant de revenir au Trio Tchèque en 1973. De 1949 à 1953, il est violoncelle solo de la Philharmonie Tchèque et, depuis 1950, professeur à l'Académie des arts musicaux de Prague. Il mène en outre une carrière de soliste qui lui a permis de révéler de nombreuses œuvres du répertoire tchèque ancien et romantique, dont le *Concerto en la majeur*, œuvre de jeunesse de Dvořák. Il a été le premier interprète moderne du *Concerto en ut* de J. Haydn (1962). Khatchaturian lui a dédié son *Concerto pour violoncelle* (1947). V. Dobiáš, J. Kalaš, V. Sommer, V. Kalabis, E. Axman et I. Řezáč ont également composé pour lui. Il a créé en outre des œuvres de Vladiguerov et de Bacewicz. Il joue sur un Gagliano de 1750.

Safonov, Vassili

Pianiste et chef d'orchestre russe, né à Irkoustk (Staniza Ischerskaia) le 6 février 1852, mort à Kislovodsk le 27 février 1918.

Au Conservatoire de Saint-Pétersbourg, il travaille le piano avec Leschetizky et Brassin ainsi que les écritures et la composition avec N. Zaremba et Sieke, jusqu'en 1880. Il fait alors ses débuts de pianiste et effectue plusieurs tournées avec le violoncelliste Davidov. De 1881 à 1885, il enseigne au Conservatoire de Saint-Pétersbourg avant d'être nommé au Conservatoire de Moscou (1885-1905) où il succède à Taneiev comme directeur (1889-1905). Parmi ses élèves, on compte Lhévinne, Scriabine et Medtner. A cette époque, il se tourne vers la direction d'orchestre et dirige les concerts de la Société Impériale Russe à Moscou (1890-1905). Il est l'un des fervents défenseurs de la musique de Tchaïkovski qu'il impose chez lui comme à l'étranger : au début du siècle, il effectue ses premières tournées de chef d'orchestre et devient chef permanent de la Philharmonie de New York (1906-09). Il dirige simultanément le Conservatoire national de New York. De retour dans son pays, il dirige les concerts de la Société Impériale de Musique Russe à Saint-Pétersbourg. Il a été l'un des premiers chefs d'orchestre à abandonner la baguette.

ÉCRITS : *A New Formula for the Piano Teacher and Piano Student* (1916).

Sage, Joseph

Haute-contre français, né à Paris le 10 juin 1935.

Il possède une étendue vocale de plus de trois octaves, d'où la largeur de son répertoire qui va des polyphonies anciennes à la musique contemporaine. Il a travaillé avec Charles Ravier, à qui il dit « tout devoir ». Depuis 1959, il est haute-contre titulaire de l'Ensemble Polyphonique de Paris. Il a participé aux plus importants festivals de musique ancienne en Europe. Il a aussi créé des opéras modernes, *Orden* et *Addio Garibaldi* de G. Arrigo, *Le Diable dans la bouteille* de Sutermeister, ainsi que des drames liturgiques revus par Ravier. Il a fondé avec Michel Sanvoisin l'ensemble Ars Antiqua de Paris (plus de 2 000 concerts) et a enregistré (télévision) le rôle de Chérubin à l'octave réelle.

Saint-Martin, Léonce de

Organiste et compositeur français, né à Albi le 31 octobre 1886, mort à Paris le 10 juin 1954.

Après des études de solfège et de piano, à partir de l'âge de cinq ans, il devient, à 14 ans, le suppléant de l'organiste de l'église Sainte-Cécile de sa ville natale. Après des études de droit, il revient à la musique et est l'élève, pour l'orgue, d'Adolphe Marty, professeur à l'Institution Nationale des Jeunes Aveugles et organiste à Saint-François-Xavier à Paris. Après la guerre 1914-18, durant laquelle il est mobilisé, il travaille avec Vierne, pour l'orgue, et Berdelin pour la composition. Dès 1920, il est intérimaire à Notre-Dame de Paris et c'est en 1924 qu'il est officiellement nommé organiste suppléant de Louis Vierne aux claviers du grand Cavaillé-Coll de la cathédrale. A la mort de Vierne (1937), Léonce de Saint-Martin est nommé titulaire de la tribune de Notre-Dame. Il y demeure jusqu'à sa mort. Organiste connu surtout grâce à son poste à Notre-Dame, il donne également de nombreux concerts en France et à l'étranger. Pour la France, il se fait entendre particulièrement sur les ondes de la Radio d'État où il donne 50 auditions entre janvier 1936 et avril 1937. Interprète des maîtres anciens, tels Bach, Mendelssohn, Liszt et Franck, Léonce de Saint-Martin a composé de nombreuses pièces pour son instrument dont *Suite cyclique, Offertoire pour la fête simple de la Vierge* (1930), *Passacaille* (1940), *Pastorale* (1942) – et aussi des pages pour voix et orgue, clavecin, orchestre et orgue (*Poème symphonique*, 1940), pour chœurs, etc.

Saint-Saëns, Camille

Pianiste, organiste et compositeur français, né à Paris le 9 octobre 1835, mort à Alger le 16 décembre 1921.

Enfant prodige, il travaille le piano avec Stamaty puis, à 7 ans, commence l'étude de la composition avec Pierre Maleden et de l'orgue avec Alexandre Boëly. En 1846, il donne son 1er concert salle Pleyel où il joue des concertos de Mozart et Beethoven. Il poursuit ses études générales en faisant preuve de la même précocité. En 1848, il entre au Conservatoire où il est l'élève de François Benoist (orgue) et Halévy (composition). Dès 1853, il est nommé organiste à Saint-Séverin, où il ne reste que quelques mois, puis à Saint-Merri. Quatre ans plus tard, il s'installe derrière l'orgue de la Madeleine où il restera près de 20 ans (1857-76). Liszt l'entend improviser sur cet instrument et le considère comme le plus grand organiste du monde. De 1861 à 1865, il enseigne le piano à l'École Niedermeyer où il a notamment comme élèves Fauré et Messager. En 1871, il fonde avec Romain Bussine la Société Nationale de Musique qu'il dirige jusqu'en 1886.

Saint-Saëns possédait une technique pianistique peu commune qu'il garda jusqu'à la fin de sa vie ; certains enregistrements en conservent le souvenir. Son jeu était très dépouillé et contrastait, par sa sobriété un peu sèche, avec la générosité parfois excessive des pianistes romantiques. Proust appréciait particulièrement la grâce avec laquelle il jouait Mozart. Il fit revivre Bach et Mozart ainsi que plusieurs musiciens français du XVIIIe siècle : il fut l'un des premiers à jouer l'intégrale des *Concertos* de Mozart et on lui doit une édition de l'œuvre pour clavecin de Rameau (17 volumes publiés entre 1895 et 1914). Son répertoire était aussi ouvert à certaines nouveautés comme les œuvres de Schumann, dont il se fit le champion, ou celles de Liszt. Saint-Saëns a reçu en dédicace *Prélude, choral et fugue* et le *Quintette* de Franck, *Méphisto-valse nº 2* de Liszt, la *Sonate* de Dukas, *Pénélope* de Fauré et *Le Bal de Béatrice d'Este* de Reynaldo Hahn.

Salminen, Matti

Basse finlandaise, né à Turku le 7 juillet 1945.

Il étudie le chant à l'Académie Sibelius de Helsinki, à Rome et en Allemagne. Il débute en 1969 à l'Opéra national finlandais (Philippe II de *Don Carlos*), et appartient à la troupe de l'Opéra de Cologne de 1972 à 1976. En 1973, il débute à la Scala (Fafner), en 1976 à Bayreuth (où il chante Fasolt, Hunding, Daland, Mark...). Il chante Seneca dans *Le Couronnement de Poppée* du célèbre cycle monteverdien de Zurich, Fasolt et Hunding à l'Opéra de Paris en 1977-78, et apparaît à Hambourg, Munich, Savonlinna, Wexford, Vienne...

Salmond, Felix

Violoncelliste anglais, né à Londres le 19 novembre 1888, mort à New York le 19 février 1952.

Il étudie au Royal College of Music de Londres avec N.E. Whitehouse et à Bruxelles avec Edouard Jacobs. Il joue occasionnellement avec le Quatuor à cordes de Londres et crée avec cette formation le *Quatuor en mi mineur* et le *Quintette* d'Elgar (1919) avant d'être le premier interprète de son *Concerto pour violoncelle* la même année. Il mènera parallèlement une carrière de soliste et de musicien de chambre. Fixé aux États-Unis en 1922, il fonde, en 1937, le Trio de New York avec Carl Friedberg et Daniil Karpilovsky. Il mène également une grande carrière pédagogique au Curtis Institute (1925-42) et à la Juilliard School (1924-52).

Sammons, Albert

Violoniste anglais, né à Londres le 23 février 1886, mort à Londres le 24 mai 1957.

Il travaille avec son père et différents professeurs de Londres. Mais sa formation est plutôt celle d'un autodidacte. Il est 1er violon dans le Quatuor à Cordes de

Londres (1908-17). Beecham l'entend jouer dans un café et l'engage dans son orchestre comme violon solo. Il deviendra par la suite violon solo de l'Orchestre Philharmonique de Londres. Il crée le *Concerto* de Delius qui lui est dédié (1919) et enseigne au Royal College of Music de Londres (1939-56). Il a d'abord joué sur un Guadagnini, puis sur un Stradivarius avant d'adopter un Gofriller de 1696.

Samossoud, Samuel

Chef d'orchestre soviétique, né à Tbilissi le 14 mai 1884, mort à Moscou le 6 novembre 1964.

Au Conservatoire de sa ville natale, il travaille le violoncelle avec V. Dobroholov et la composition avec Z. Paliasjvili. Il est diplômé en 1906 et se perfectionne à Prague puis à Paris. Il commence à jouer dans différents orchestres et débute à l'Opéra de Saint-Pétersbourg (1910). De 1917 à 1919, il est chef d'orchestre au Théâtre Mariinski de Petrograd ; puis il devient directeur artistique au Théâtre Maly de cette même ville, qui s'appelle alors Leningrad (1918-36). Il s'impose dès cette époque comme l'un des plus grands chefs d'opéra de son pays. Il est nommé directeur artistique et 1er chef au Bolchoï (1936-43) puis au Théâtre Stanislavski-Nemirovitch-Danchenko de Moscou (1943-50). Il se tourne alors vers le domaine symphonique : de 1953 à 1957, il est à la tête de la Philharmonie de Moscou puis 1er chef à la Radio. Sa carrière se double d'une activité pédagogique importante, notamment à Leningrad entre 1929 et 1936. Paralysé à la fin de sa vie, il cesse de diriger. Il a formé la plupart des chefs d'orchestre soviétiques de la génération suivante. Ardent défenseur de la musique de son temps, il a créé *Le Nez* (1930), *Lady Macbeth de Mtsensk* (1934) et la *Symphonie n° 7* de Chostakovitch, *La Famille de Taras* (1947) de Kabalevski, les 8 premières scènes de *Guerre et Paix* (1944) et la *Symphonie n° 7* (1952) de Prokofiev.

Sancan, Pierre

Pianiste français, né à Mazamet le 24 octobre 1916.

Il commence le piano à l'École de musique de Meknès (Maroc). A 15 ans – alors qu'il est champion du Maroc de basket-ball... – il obtient un 1er prix de piano. Il travaille ensuite au Conservatoire de Toulouse (1932-34). En 1934 il entre au Conservatoire de Paris où il étudie le piano avec Yves Nat, la fugue avec Noël Gallon, la composition avec Henri Büsser et la direction d'orchestre avec Charles Münch – qui lui proposera en 1943 de devenir son assistant à la Société des Concerts – et Roger Désormière. Il obtient une moisson de 1ers prix : piano (1937), harmonie (1938), fugue (1938), accompagnement (1939), composition (1939). En 1943 il remporte le 1er Grand Prix de Rome. Outre ses activités de soliste, il se produit en duo avec Madame Gallois-Montbrun et succède à Yves Nat, en 1956, au Conservatoire de Paris. Parmi les pianistes qu'il forme, on peut retenir les noms de Jean-Bernard Pommier, Michel Beroff, Jean-Philippe Collard, Jacques Rouvier, Daniel Varsano, Olivier Gardon. Il est l'auteur d'un opéra (*Ondine*), de plusieurs ballets (*Reflets, Commedia del Arte, Les Fourmis*), d'une *Symphonie pour cordes* et de nombreuses pages pour piano.

Sanderling, Kurt

Chef d'orchestre allemand (R.D.A.), né à Arys le 19 septembre 1912.

Il fait ses études musicales à Königsberg et à Berlin (1922-31) où il devient répétiteur à la Städtische Oper dès 1931. Cinq ans plus tard, il quitte l'Allemagne pour Moscou où il est l'assistant de Georges Sébastian à la Radio (1936-37). Puis il est chef permanent de la Philharmonie de Karkov (1939-42) avant d'être nommé à la tête de l'Orchestre Philharmonique de Leningrad conjointement avec Mravinski (1942-60). Il revient alors en R.D.A. pour prendre la direction de l'Orchestre Symphonique de Berlin (1960-77) et, de 1964 à 1967, celle de Staatskapelle de Dresde. Depuis 1977, il mène une carrière internationale de chef invité. Il a créé plusieurs partitions de compositeurs est-allemands (Matthus, Wagner-Régeny, Zechlin, Meyer...).

Sándor, György

Pianiste hongrois naturalisé américain, né à Budapest le 21 septembre 1912.

Il travaille le piano avec Béla Bartók et la composition avec Zoltán Kodály au Conservatoire Liszt de Budapest. Il fait ses débuts dans sa ville natale en 1930, joue au Wigmore Hall à Londres en 1937 et s'installe aux États-Unis où il fait ses débuts en 1939. Il se produit également en Amérique du Sud, en Australie (1950). En 1946, il crée le *Concerto n° 3* de Bartók avec l'Orchestre de Philadelphie sous la direction d'Eugene Ormandy et donne la 1ere exécution publique de la *Suite de danses* dans sa version pour piano au Carnegie Hall de New York. Il a enregistré l'intégrale de l'œuvre pour piano de Prokofiev (1967), de Bartók (grand prix du Disque 1965) et de Kodály Il a également édité des œuvres de Prokofiev, de Khatchaturian et une transcription très brillante de l'*Apprenti sorcier* de Dukas.

Santi, Nello

Chef d'orchestre italien, né à Adria le 22 novembre 1931.

Il fait ses études de composition au Lycée musical de Padoue avec Coltro et Pedrollo. Très vite attiré par le théâtre lyrique, il travaille les œuvres du répertoire et débute en 1951 avec *Rigoletto*, au Théâtre Verdi de Padoue. Il se rend en Espagne avec B. Gigli en 1956, puis dirige au Covent Garden en 1960. Chef invité à Vienne, dès 1960, il dirige (Verdi toujours) *La Traviata* et, à Salzbourg, la même année, *Don Carlos*. De 1962 à 1964, Nello Santi dirige au Met, et donne des concerts dans le monde. A Paris, il vient avec *Les Vêpres siciliennes*. De 1958 à 1969, il est directeur musical de l'Opéra de Zurich. En 1986, il prend la direction de l'Orchestre Symphonique de la Radio de Bâle. Spécialisé dans les ouvrages de Verdi, il est l'un des rares chefs d'orchestre d'opéra à pouvoir en chanter tous les rôles : il est vrai qu'il avait commencé une carrière de chanteur. Il dirige la plupart de ses répétitions sans partition.

Santos, Turibio

Guitariste brésilien, né à Sao Luis, Maranhao le 7 mars 1943.

C'est à l'âge de dix ans qu'il est attiré par la guitare. Il travaille alors avec Antonio Rebello et Oscar Caceres. Son 1er récital (à Rio de Janeiro) date de 1962. L'année suivante il joue les *Douze Études* pour guitare de Villa Lobos – dont il réalisera le premier enregistrement mondial – et crée son *Sextuor mystique*. En 1964, il fonde un duo de guitare avec Oscar Caceres. Il se fixe en Europe en 1965 et gagne, la même année, le 1er prix au Concours international de guitare de l'O.R.T.F. Il poursuit alors sa formation avec Andrès Segovia et Julian Bream. Une intense activité de concertiste ne l'empêche pas de se consacrer avec énergie au renouvellement du répertoire de son instrument. Parmi les compositeurs qui ont écrit pour lui : Nobre, Krieger, Brouwer, Migot et Jolivet dont il a créé les *2 Études de concert* (1970).

Sanvoisin, Michel

Flûtiste français, né à Sartrouville le 28 octobre 1943.

Il étudie la flûte à bec et la musique ancienne avec Jean Henry, Carl Dolmetsch et Antoine Geoffroy Dechaume. Il donne ses 1ers concerts dès 1960 et effectue de nombreuses transcriptions pour son instrument. A la demande de Charles Ravier, il devient membre de l'Ensemble Polyphonique de la Radio. En 1965, il crée, avec Joseph Sage et Guy Robert, l'Ensemble Ars Antiqua de Paris avec lequel il effectue de nombreuses tournées et réalise des enregistrements. Il publie plusieurs volumes de flûte à bec. Il est l'auteur de la musique de scène de *Peines de cœur d'une chatte anglaise* d'après Balzac (1975) et de la musique du film *The Nightingale*. Michel Sanvoisin a été professeur au Conservatoire de Rouen pendant deux ans.

Sanzogno, Nino

Chef d'orchestre et compositeur italien, né à Venise le 13 avril 1911, mort à Milan le 4 mai 1983.

Il fait ses études au Lycée musical de Venise avec F. De Guarnieri et M. Agostini, puis se perfectionne auprès de Scherchen et Malipiero. Il est violoniste dans le Quatuor Guarneri puis dirige le Groupe Instrumental Italien, devient chef permanent à la Fenice et aux Après-Midi musicaux de Milan. Dès 1939, il dirige à la Scala où il sera directeur musical de 1962 à 1965. Il dirige les tournées à Vienne (1955), Johannesburg (1956), Édimbourg (1957), Bruxelles (1958), Moscou (1964). En 1955, il inaugure la Piccola Scala avec *Le Mariage secret* de Cimarosa. Il défend avec finesse et intelligence la musique contemporaine. A la Biennale de Venise ou à la Scala, il réalise plusieurs créations : *Le Cordouan* (Petrassi, 1949), *La Joyeuse Bande* (Malipiero, 1950), *David* (Milhaud, 1955), *L'Ange de feu* (Prokofiev, 1re représentation en 1955), *Symphonie no 1* (Hartmann, 1957), *Les Dialogues des Carmélites* (Poulenc, 1957). Parmi ses compositions, citons : *Les Quatre Cavaliers de l'Apocalypse* (1930), *Concerto pour alto* (1935), *Introduction pour 10 instruments* (1936) et *Octuor* pour cordes et vents (1934).

Saorgin, René

Organiste français, né à Cannes le 31 octobre 1928.

Il effectue ses études musicales au Conservatoire de Nice puis au Conservatoire de Paris où il étudie l'harmonie dans la classe de Maurice Duruflé et obtient un 1er prix de contrepoint et de fugue dans la classe de Noël Gallon. Durant le même temps, il perfectionne son jeu à l'orgue avec Maurice Duruflé et Gaston Litaize, puis avec Fernando Germani à l'Académie de Sienne. Au Concours international d'orgue de Gand, il remporte le 1er prix J. S. Bach (1958). De 1951 à 1954, il est organiste à Saint-Pierre-de-Montmartre (Paris) puis assure les cours d'orgue au Conservatoire de Nice. Depuis 1954 encore, il est titulaire du grand orgue de l'église Saint-Jean-Baptiste (Nice). De 1969 à 1971, il dirige le Conservatoire d'Ajaccio. En ce qui concerne la connaissance de son instrument et l'interpétation du répertoire classique, il est en grande partie un autodidacte qui a su tirer profit, comme bien des organistes de sa génération, du mouvement de rénovation et du retour aux sources qu'a connu l'interprétation à l'orgue à partir des années 1955-60. Il est l'un des rares organistes français à s'être intéressé de manière approfondie à l'orgue italien et à sa musique. C'est notamment ce que révèlent ses premiers disques (orgues de Bastia et de Brescia, 1963) consacrés à l'œuvre de Frescobaldi et d'auteurs italiens classiques. Avec le disque enregistré à Tende en 1973, il est à l'origine de l'intérêt nouveau pour les intruments et la musique insolite du XIXe siècle. Son intégrale de l'œuvre d'orgue de Buxtehude enregistrée sur les orgues de Alkmaar et Zwolle (Hollande), Altenbruch (Allemagne), Arlesheim (Suisse) est citée en référence (1966-73). Il est l'un des 1ers organistes français à avoir révélé les étonnantes *Toccatas* de Georg Muffat (*Apparatus musico-organisticus*) sur l'orgue italianisant de Malaucène (1974). Président-fondateur de l'Association des amis de l'orgue de Nice et de la Côte d'Azur, il est membre fondateur de l'Académie internationale d'orgue de Saint-Maximin-du-Var qu'il anima pendant plusieurs années. Il est membre de la Commission supérieure des Monuments historiques (section orgue) auprès du ministère de la culture.

ÉCRITS : *Les orgues historiques du comté de Nice* (1980).

Sarasate, Pablo de

Violoniste et compositeur espagnol, né à Pampelune le 10 mars 1844, mort à Biarritz le 20 septembre 1908.

Il commence l'étude du violon à l'âge de 5 ans et donne ses 1ers concerts à 8 ans. Une bourse lui permet d'aller travailler à Madrid avec M.R. Sáez et M. Rodriguez. Puis la reine Isabelle l'aide à poursuivre ses études au Conservatoire de Paris où il est l'élève d'Allard : il obtient un 1er prix de violon en 1857 et un 1er prix d'harmonie en 1859. Il effectue des tournées dans toute l'Europe et, à deux reprises, en Amérique (1867-71 et 1889-90). Il s'impose par une technique fabuleuse et un style nouveau : son vibrato est beaucoup plus large que celui de ses prédécesseurs, il recherche un son très pur et est souvent critiqué pour son manque de sensibilité. Mais ses possibilités techniques enthousiasment les compositeurs qui écrivent à son intention : Saint-Saëns (*Concertos n° 1* et *3, Introduction et Rondo Capriccioso*), Bruch (*Concerto n° 2, Fantaisie écossaise*), Lalo (*Symphonie espagnole, Concerto en fa min.*), Wieniawski (*Concerto n° 2*), Joachim (*Variations pour violon et orchestre*), Dvořák (*Mazurek op. 49*). Toutes ces œuvres témoignent des possibilités techniques de Sarasate, très en avance sur son temps. En marge de sa carrière de soliste, Sarasate avait formé un quatuor avec Turban (puis A. Parent), L. Van Waefelghem et J. Delsart. Ils jouèrent notamment les quatuors de Brahms, compositeur dont Sarasate refusa toujours de jouer le *Concerto*.

Comme compositeur, il laisse des pièces pour violon dans le style espagnol qui réclament une haute virtuosité (*Fantaisie sur Carmen, Jota aragonaise, Airs bohémiens...*). Il possédait deux Stradivarius dont l'un lui avait été offert par la reine Isabelle : le Boissier et celui sur lequel il jouait régulièrement, daté de 1724 et conservé maintenant au Musée instrumental du Conservatoire de Paris. Il jouait également sur un Guarnerius del Gesù de 1742 ayant appartenu à Ferdinand David et que possède maintenant Jascha Heifetz.

Sargent, Sir Malcolm

Chef d'orchestre anglais, né à Ashford le 29 avril 1895, mort à Londres le 3 octobre 1967.

Son père est organiste et chef de chœur amateur. Il travaille le piano, l'orgue, et il chante dans les chœurs. A seize ans, il est organiste à la cathédrale de Peterborough puis, de 1914 à 1924, à l'église de Melton Mowbray. Il poursuit en même temps ses études universitaires et reçoit le titre de docteur en musique à Durham en 1919. Il travaille alors le piano avec Benno Moïseiwitch (1919-21) avant que Sir Henry Wood l'invite à diriger son orchestre à Leicester et aux Proms. Il se tourne définitivement vers la direction d'orchestre. En 1923, il est professeur au Royal College of Music de Londres, en 1927-28, chef assistant aux Ballets russes de Londres et, de 1929 à 1940, directeur musical des Courtauld-Sargent Concerts. Une maladie interrompt sa carrière qu'il reprend avec quelques concerts à la tête de l'Orchestre Philharmonique de Londres. Il est successivement à la tête du Hallé Orchestra de Manchester (1939-42), du Royal Liverpool Philharmonic Orchestra (1942-48) et de l'Orchestre Symphonique de la B.B.C. (1950-57). De 1948 à sa mort, il animera les fameux *Proms* de Londres. Il est aussi un chef de chœur très recherché et dirige, de 1928 à 1967, la Royal Choral Society. Il sera aussi à la tête de la Huddersfield Choral Society (à partir de 1932), de la Liverpool Welsh Choral Union (à partir de 1941) et de la Leeds Philharmonic Society (à partir de 1947).

Véritable ambassadeur de la musique anglaise, il a un nombre impressionnant de créations à son actif. Parmi elles, *A Pastoral Symphony, Hugh the Drover* (1924), *Sir John in Love* (1929), *Riders to the Sea* (1937) et la *Symphonie n° 9* (1958) de Vaughan-Williams, *Belshazar's Feast* (1931) et *Troïlus and Cressida* (1954) de Walton, *At the Boar's Head* (1925) de Holst.

Sarroca, Suzanne

Soprano française, née à Carcassonne le 21 avril 1927.

C'est en voyant le film de Sacha Guitry *La Malibran* qu'à l'âge de quinze ans elle prend la décision de devenir chanteuse. En 1946, elle entre au Conservatoire de Toulouse et en sort deux ans plus tard avec deux 1ers prix. En 1949, elle fait ses débuts au théâtre de sa ville natale dans le rôle de Charlotte, reprenant peu après ce rôle au Capitole de Toulouse avant d'être Carmen à la Monnaie de Bruxelles. Engagée à la R.T.L.N. en 1952, elle débute à l'Opéra-Comique dans *La Tosca* et à l'Opéra dans *Les Indes galantes*. Très vite, on lui confie les premiers rôles où sa grande voix et son physique splendide lui valent la faveur du public : Marina, Senta, Rézia, Aïda, Kerkeb, Marguerite de *La Damnation de Faust*... Mais c'est un incident peu banal qui jette sur elle les feux des projecteurs. Depuis deux ans, à cause des événements du canal de Suez, *Aïda* avait été retiré de l'affiche lorsque l'ouvrage est repris en 1958. Par hasard Suzanne est dans la salle, simple spectatrice. A la fin du 1er acte l'Aïda de service se trouve mal. Mandée d'urgence, Suzanne est sur scène un quart d'heure plus tard et obtient un triomphe. Le lendemain, elle est lancée. La révélation de son Octave du *Chevalier à la rose* et un triomphal remplacement « au pied levé » de Renata Tebaldi dans *Aïda* achèvent de faire d'elle une vedette à part entière. C'est la carrière internationale : Genève, New York, Londres, Vienne, Hambourg, Lisbonne, Rio de Janeiro... lui font fête dans des rôles dont la liste ne cesse de s'allonger. Elle n'en abandonne pas pour autant Paris, Marseille, Toulouse ou l'Opéra du Rhin, ajoutant récemment à son impressionnant répertoire la Maréchale du *Chevalier à la rose, La Voix humaine* et *Erwartung*. En 1983, elle prend la direction du Centre d'insertion professionnelle d'art lyrique de Strasbourg.

Sass, Sylvia

Soprano hongroise, née à Budapest le 21 juillet 1951.

Diplomée de l'Académie de musique F. Liszt où elle étudie avec Olga Revghegyi, elle est engagée à l'Opéra d'État de Budapest (Frasquita dans *Carmen*) et, en 1971, obtient 6 prix au Concours international de Vienne. Un an plus tard, elle partage avec Ilona Tokody le grand prix du Concours Kodály. La liste de ses prix est étonnante. Médaille d'argent au Concours de Moscou, elle est invitée ensuite dans les grands Opéras du monde : Covent Garden (*Les Lombards*, 1976), au Met de New York (*Tosca*, 1977)... Elle rencontre Maria Callas qui la fait travailler. Son répertoire va de Bach à Messiaen, de Bellini à Bartók. On l'entend – dans le lied, l'oratorio, le théâtre lyrique – dans les festivals internationaux, Salzbourg, Prague, Aix-en-Provence où elle incarne Violetta dans *La Traviata* en 1976.

Sauer, Emil von

Pianiste allemand, né à Hambourg le 8 octobre 1862, mort à Vienne le 27 avril 1942.

En 1879, il travaille avec Nikolaï Rubinstein à Moscou, puis devient l'élève de Deppe et de Franz Liszt à Weimar. C'est là qu'il acquiert la puissance de son jeu. Dès 1882 commencent ses innombrables tournées de virtuose adulé par les foules, qui ne devaient s'interrompre qu'en 1936. En 1901, il est nommé à la tête de la Meisterschule für Klavierspiel de l'Académie impériale à Vienne. Il restera à ce poste jusqu'en 1907. Après de nombreuses tournées, il reprendra ses fonctions en 1915, pour les interrompre à nouveau en 1921. Entre-temps, il s'est installé à Dresde, sans jamais cesser de jouer et de donner des cours. Son admirable technique et son jeu éblouissant attirent de nombreux jeunes pianistes vers le maître de Vienne auréolé du nom de Franz Liszt. Parmi ses élèves, Elly Ney, Stefan Askenaze et Jorge Bolét. En 1930, il reprend son poste à Vienne et le conservera jusqu'à sa mort. Les enregistrements que nous possédons d'Emil von Sauer ne sont qu'un pâle reflet de son art. Le disque est venu trop tard. Le maître, déjà âgé, ne possédait plus sa virtuosité d'antan. Il a laissé une édition de l'œuvre pour piano de Brahms, ainsi que de quelques pièces de Chopin. Il a édité également des œuvres pédagogiques de Kullak, de Pischna et de Plaidy. Granados lui a dédié *Los Requiebros* dans ses *Goyescas.*

ÉCRITS : *Meine Welt* (1901).

Savall, Jordi

Gambiste espagnol, né à Ignalada (Barcelone) le 1er août 1941.

Il étudie au Conservatoire de Barcelone jusqu'en 1966, puis, de 1966 à 1970, à la Schola Cantorum Basiliensis. Il épouse la soprano Montserrat Figueras. Sa carrière le conduit à travers toute l'Europe. Il joue un rôle important dans le renouveau de l'interprétation de la musique ancienne. Il est actuellement professeur à la Schola Cantorum Basiliensis et dirige l'ensemble Hesperion XX dont il est le fondateur.

Sawallisch, Wolfgang

Chef d'orchestre allemand, né à Munich le 26 août 1923.

A l'Académie de musique de sa ville natale, il étudie le piano, la théorie (avec Hans Sachsse et Wolfgang Ruoff) et la composition (avec Josef Haas). En 1947, il est nommé répétiteur à Augsbourg où il fait rapidement ses débuts et devient 1er chef d'orchestre. En 1949, il remporte, au Concours international de Genève, le 1er prix de sonate avec le violoniste Gerhard Seitz. En 1951, il est l'élève de Markevitch au Festival de Salzbourg, puis son assistant en 1952 et 1953. Il débute à la Philharmonie de Berlin en 1952. L'année suivante, il quitte Augsbourg pour Aix-la-Chapelle où il est nommé directeur général de la musique (1953-58). Il occupe ensuite les mêmes fonctions à Wiesbaden (1958-60) et Cologne (1960-63). Dans cette dernière ville, il enseigne également à la Musik Hochschule. Les frères Wagner l'appellent à Bayreuth en 1957 pour diriger *Tristan.* Il y retourne régulièrement jusqu'en 1962. De 1960 à 1970, il est 1er chef de l'Orchestre Symphonique de Vienne et, de 1961 à 1972, directeur musical de la Philharmonie de Hambourg, ce qui ne l'empêche pas d'accepter, en 1963, le poste de conseiller musical à la Deutsche Oper de Berlin où il dirige plusieurs opéras chaque saison. Au début des années soixante-dix, il quitte Vienne et Hambourg pour Genève et Munich : on le retrouve directeur musical de l'Orchestre de la Suisse Romande (1970-80) puis directeur général de la musique (depuis 1971) et intendant de l'Opéra de Munich (depuis 1982). Sawallisch est un chef doué d'une puissance de travail considérable. Sa vision de la musique est avant tout rigoureuse, prolongée par des recherches musicologiques comme celles qu'il a effectuées sur les symphonies de Schubert pour en réaliser une nouvelle édition. Sa discographie, très abondante, est dominée par ses intégrales des symphonies de Schubert, Mendelssohn et Schumann, et les enregistrements réalisés sur le vif à Bayreuth de *Tannhäuser* et du *Vaisseau fantôme.* Il aime accompagner les chanteurs au piano (Schwarzkopf, Fischer-Dieskau, Prey). Il a dirigé en 1re audition des œuvres de Yun, von Einem et Ferrero.

Sayão, Bidu (Baldwin de Oliveira)

Soprano brésilienne, née à Rio de Janeiro le 11 mai 1902.

Elle termine ses études de chant à Nice avec Jean De Reszké (1923-25), puis débute en 1928 au Théâtre Costanzi de Rome dans le rôle de Rosine. Après avoir chanté sur les plus grandes scènes d'Europe et d'Amérique du Sud, elle est engagée au Metropolitan Opera de New York dont elle est pendant plus de quinze ans l'une des vedettes les plus choyées. Dotée d'une voix au timbre joli et frais, d'une présence attrayante et d'un vrai tempérament dramatique, elle est plus vraie que nature, tour à tour Mimi, Manon, Mélisande ou Juliette. En pleine possession de son radieux talent, elle fait en 1938 à Rio ses adieux à la scène.

Schaer, Hanna

Mezzo-soprano suisse, née à Olten le 15 mars 1944.

Elle fait ses études au conservatoire de Bâle avec Joseph Cron, puis à Genève avec Heidi Raymond. Débutant dans le domaine de l'oratorio, elle s'impose rapidement dans un répertoire allant de Monteverdi et M. A. Charpentier à Mahler et Saint-Saëns. Abordant l'opéra, elle chante à Bâle en 1974 puis à Rouen, Strasbourg *(le Prince Orlofsky),* Bordeaux. A l'Opéra de Paris, elle incarne Annina dans *Le Chevalier à la rose* (1984). Elle a participé aux enregistrements de *Parsifal* et d'*Ariane et Barbe-Bleue.*

Schalk, Franz

Chef d'orchestre autrichien, né à Vienne le 27 mai 1863, mort à Edlach le 3 septembre 1931.

Au Conservatoire de Vienne, il travaille avec Heissler, Hellmesberger (père), Epstein et Bruckner (1875-81). Il fait ses débuts à Czernowitz. Puis il est nommé chef d'orchestre à Reichenberg (1888), Graz (1890-95) et Prague (1895-98). Pendant une saison, il dirige au Met (1898-99). On le trouve ensuite à l'Opéra de Berlin (1899-1900) et enfin à l'Opéra de Vienne où il est chef d'orchestre sous la direction de Mahler (1900-18). Il est invité régulier à la Philharmonie et prend la direction de la Société des Amis de la Musique (1904-21). De 1909 à 1919, il enseigne à la Staatsakademie et, de 1918 à 1929, il est directeur musical à l'Opéra, poste qu'il partage avec R. Strauss de 1919 à 1924. Il participe à la fondation du Festival de Salzbourg où il dirigera jusqu'à sa mort. Il a créé *Ariane à Naxos* (2e version, 1916) et *La Femme sans ombre* (1919) de R. Strauss ainsi que la *Symphonie n° 5* de Bruckner (1894). Il s'est tristement rendu célèbre par les coupures et réinstrumentations qu'il a pratiquées dans les *Symphonies n° 3, 4 et 5* de ce musicien dont il aimait sincèrement la musique et qu'il a contribué à faire connaître. Il a également terminé, avec Schreker, l'orchestration des deux seuls mouvements complètement écrits de la *Symphonie n° 10* de Mahler.

ÉCRITS : *Briefe und Betrachtungen* (1935).

Scheit, Karl

Guitariste autrichien, né à Schönbrunn le 21 avril 1909.

Fils d'un chef d'orchestre de musique militaire, il se rend à Vienne où il travaille avec Miguel Llobet puis avec Andres Segovia et Népomucède David. A 24 ans, il est nommé professeur à l'Académie de musique de Vienne, fonction qu'il occupe encore aujourd'hui. Il a de nombreux élèves dont Konrad Ragossnig. Il a publié une méthode de guitare et de nombreuses transcriptions exhumant des œuvres méconnues.

Scherbaum, Adolf

Trompettiste autrichien naturalisé allemand, né à Eger le 23 août 1909.

Il fait ses études au Conservatoire de Prague de 1923 à 1929 et obtient un poste dans un orchestre de Moravie. Il est nommé (1929) trompette solo de l'Orchestre de l'Opéra de Brno puis trompette solo de l'Orchestre de Brünn (1931-39), de la Philharmonie Tchèque (1939-41), de la Philharmonie de Berlin (1941-45), de la Philharmonie Slovaque de Bratislava (1946-51) et de l'Orchestre N.D.R. de Hambourg (1951-67). Sa carrière de soliste débute après la Seconde Guerre mondiale. Il s'attache à accroître les possibilités de jeu dans les registres aigus ce qui lui permet de jouer avec aisance Bach et tout le répertoire baroque. Il compte parmi les principaux artisans du renouveau de la musique ancienne. Il est le 1er à utiliser la trompette piccolo en si bémol pour les parties de trompette en ré. Il fonde un ensemble baroque et joue le *Concerto brandebourgeois n° 2* plus de 400 fois ! Par ailleurs, il s'intéresse à la facture instrumentale et fonde l'entreprise Scherbaum und Göttner qui poursuivra ses activités jusqu'en 1971. Il y fabrique notamment une trompette à pavillon détachable comportant une embouchure en trois parties.

Scherchen, Hermann

Chef d'orchestre allemand, né à Berlin le 21 juin 1891, mort à Florence le 12 juin 1966.

Sa formation et sa carrière sont celles d'un autodidacte. Il joue de l'alto dans l'Orchestre Blüthner à Berlin et participe parfois aux concerts de la Philharmonie (1907-10). Puis il travaille avec Schönberg (1910-12) qui lui fait faire ses débuts de chef d'orchestre dans *Le Pierrot lunaire* (1912) peu après sa création. En 1914, il est nommé à la tête de l'Orchestre Symphonique de Riga. Mais il est fait prisonnier par les Russes (1914-18). A sa libération, il revient à Berlin pour fonder la Neue Musikgesellschaft et un Quatuor à cordes qui porte son nom (1918).

L'année suivante, il fonde la revue *Melos*, destinée à la musique contemporaine et, un an plus tard, il est lecteur à la Musikhochschule. En 1921, on le trouve à Leipzig à la tête de l'Orchestre du Konzertverein puis, de 1922 à 1924, à Francfort où il remplace Furtwängler à la tête des Museumkonzerten. Il lie alors des liens très étroits avec la ville de Winterthur où il viendra diriger régulièrement jusqu'en 1947, prenant même un moment la direction du Collegium Musicum. En 1923, il participe à la fondation de la S.I.M.C. dont il va diriger régulièrement les concerts. En 1928, il se fixe à Königsberg où il est directeur général de la musique (jusqu'en 1931) et chef de l'Östfunks Orchester (jusqu'en 1933). Il quitte l'Allemagne en 1933 et va mener une carrière itinérante pendant quelques années. A Bruxelles, à Vienne, en Suisse, il fonde des orchestres et des revues destinés à promouvoir la musique nouvelle et qui portent tous le nom de Musica Viva ou Ars Viva. Il commence également à enseigner en Suisse où il se fixe. Il dirige l'Orchestre de la Radio de Zurich (qui devient Radio-Beromünster) dont il sera le directeur musical de 1944 à 1950. Après la guerre, il donne des cours à la Biennale de Venise et à Darmstadt. En 1950, il fonde les éditions Ars Viva à Zurich (reprises par Schott en 1953) destinées à faire connaître des œuvres anciennes et modernes oubliées. Il s'intéresse aux recherches électro-acoustiques : c'est la création, en 1954, du studio de Gravesano (en Suisse), grâce au concours de l'U.N.E.S.C.O. Il prend enfin la direction de la Nordwestdeutsche Philharmonie (1959-60).

Curieux et enthousiaste, Scherchen a certainement compté parmi les figures essentielles de la musique du XXe siècle. Il avait le don pour découvrir les talents nouveaux mais surtout une parfaite connaissance de la musique et de toutes les recherches auxquelles se livraient les compositeurs. Animateur infatigable, il était ouvert à toute nouveauté sans jamais couper les racines qui l'unissaient à la tradition. Ses interprétations de Mozart et des romantiques déroutaient car l'homme était avant tout passionné et sincère. Il dirigeait sans baguette. La liste des créations qu'il a dirigées est considérable. On peut retenir : *Symphonie de chambre n° 1* (1911) de Schönberg, *3 Fragments de Wozzeck* (1924), *Le Vin* (1930) et *Concerto pour violon* (1936) de Berg, *Symphonie pour 13 instruments à vent* (1946) de R. Strauss, *Aeneas* (1935) de Roussel, *Variations op. 30* (1943) de Webern, *Miserae* (1934) et *Symphonische Ouvertüre* (1947) de Hartmann, *Déserts* (1954) de Varèse, *Matka* (1930) de Hába, *La Condamnation de Lucullus* (1951) de Dessau, *Le Prisonnier* (1950) et les *Chants de libération* (1955) de Dallapiccola, *Kontrapunkte n° 1* (1953) de Stockhausen, *Le Roi Cerf* (1956) de Henze, *Opéra abstrait n° 1* de Blacher (1957), *A Cor et à cri* (1962) de Ballif, *Pithoprakta* (1957), *Achorripsis* (1958) et *Terretektorh* (1966) de Xenakis.

ÉCRITS : *Lehrbuch des Dirigierens* (1929), *Das moderne Musikempfinden* (1946), *Musik für jedermann* (1950), *Vom Wesen der Musik* (1955), *Alles hörbach machen* (lettres, 1976).

Schic, Anna-Stella

Pianiste brésilienne, née à Campinas le 30 juin 1925.

Elle étudie au Brésil avec Jose Kliass, lui-même élève de Martin Kraus, l'un des disciples de Liszt les plus connus. Elle se perfectionne ensuite avec Marguerite Long à Paris. Elle avait donné son premier récital à six ans dans sa ville natale. Michel Philippot, Villa-Lobos, Camargo Guarnieri, Garcia Morillo, Claudio Santoro et Almeida Prado lui dédient des partitions. Elle crée sous la direction du compositeur le *Concerto n° 2* et *Momo precoce* de Villa-Lobos et donne la 1ere audition hors de l'U.R.S.S. du *3e Concerto* de Kabalevski (1955). Une active carrière internationale lui donne l'occasion de réaliser de nombreuses premières locales dans les pays qui l'accueillent. Elle enseigne à l'Université musicale internationale de Paris, et à l'Université de l'État de Sao Paulo (1976-79), puis devient professeur d'interprétation et d'esthétique musicales à l'Université fédérale de Rio de Janeiro (1980). Elle a enregistré notamment l'intégrale de l'œuvre pour piano de Villa-Lobos. Anna-Stella Schic a épousé le compositeur Michel Philippot.

Schiff, András

Pianiste hongrois, né à Budapest le 21 décembre 1953.

Après avoir commencé des études musicales très tôt, il gagne le 1er prix du Concours de jeunes talents de la Télévision hongroise, en 1968, puis il est lauréat du Concours Tchaïkovski à Moscou (1974), ainsi que du Concours de Leeds (1975). Il acquiert ainsi très rapidement une réputation mondiale. Ce pianiste, qui a travaillé avec Pál Kadosa et Ferenc Rados (1968-75) puis avec George Malcolm est à l'heure actuelle professeur adjoint à l'Académie Franz Liszt de Budapest.

Schiff, Heinrich

Violoncelliste autrichien, né à Gmunden le 18 novembre 1952.

Élève de la Hochschule de Vienne, il se perfectionne auprès de Kuhne et de Navarra, avant de faire ses débuts de concertiste en 1972. Familier des festivals de Salzbourg, Édimbourg, Berlin, il joue et enregistre les grandes pages du répertoire (Haydn, Lalo, Saint-Saëns), mais également des œuvres contemporaines, par exemple le *Concerto pour violoncelle et instruments à vent* de Friedrich Gulda. Il a créé des œuvres de Eder (« ... *wo die Trompete das Thema beginnt* », 1981), Henze (*Capriccio*, 1983) et Killmayer (*Sostenuto*, 1984). Il joue sur un Stradivarius de 1698.

Schillings, Max von

Chef d'orchestre et compositeur allemand, né à Düren le 19 avril 1868, mort à Berlin le 23 juillet 1933.

Il fait ses études musicales à Bonn et à Munich et est engagé à Bayreuth comme régisseur (1892) puis comme chef des chœurs (1902). Dès 1903, il est professeur à la Hochschule de Munich où il compte parmi ses élèves Furtwängler et Heger. Engagé à l'Opéra de Stuttgart comme assistant de l'intendant, il y devient chef permanent puis directeur général de la musique (1911-18). En 1912, il est annobli par l'Empereur. De 1919 à 1925, il est intendant de l'Opéra de Berlin. Puis il dirige à plusieurs reprises aux États-Unis, entre 1924 et 1931, avec la Compagnie d'Opéra Allemand. Il est ensuite directeur de la Zoppoter Waldoper (1926-33) et intendant général de la Städtische Oper de Berlin (1933). Figure dominante du monde lyrique allemand, il était également président de la Société des compositeurs depuis 1932. A la fin de sa vie, il réalisa de nombreux enregistrements d'extraits d'opéras. Sa femme était la soprano Barbara Kemp (1881-1959). Plus connu comme compositeur, on lui doit 4 opéras, dont *Mona Lisa* (1915), des musiques de scène, un *Concerto pour violon*, un *Quatuor* et de nombreuses mélodies et chœurs.

Schiøtz, Aksel

Ténor danois, né à Roskilde le 1er septembre 1906, mort à Copenhague le 19 avril 1975.

Étudiant en langues, il entre dans l'enseignement en 1929, avant d'obéir à une vocation tardive, préparée par son passage dans la Chorale Universitaire de Copenhague et dans la Chorale Palestrina (1931) dirigée par Mogens Wöldike, qui l'initie aux beautés du chant. Il suit également l'enseignement de Agnete Zacharian et de Valdemar Lincke, impressionnés par sa voix. Il se produit à la Radio danoise de 1936 à 1938 où il est remarqué par des responsables de la Voix de Son Maître, et part à Stockholm travailler avec John Forsell (le professeur de Jussi Bjoerling). Pour ses débuts, il chante le rôle de Ferrando de *Cosi fan tutte* à l'Opéra royal de Copenhague, et la partie de ténor des *Saisons* de Haydn, sous la direction de F. Busch. Il fait son premier séjour américain à l'occasion de l'Exposition Universelle de 1939. Dans le Danemark occupé, chacune de ses apparitions, le plus souvent dans un programme de mélodies danoises, prend valeur de symbole, est une démonstration de résistance, et lui vaut de devenir un véritable héros national. Il enregistre en 1945 pour E.M.I. une centaine de disques (dont *La Belle meunière* avec Gerald Moore) avant d'être victime d'une tumeur du nerf acoustique, qui lui laisse une moitié de visage paralysée. Après deux années de rééducation, il chante de nouveau, en 1948, à Copenhague et à New York. La paralysie progressant, il devient baryton. Continuant à donner des récitals de lieder, il enseigne aux États-Unis et au Canada à partir de 1955.

ÉCRITS : *The Singer and his Art* (1969).

Schipa, Tito (Raffaele Schipa)

Ténor italien, né à Lecce le 2 janvier 1889, mort à New York le 16 décembre 1965.

Il compose différentes pièces pour piano et pour voix avant de faire ses débuts de chanteur en 1911, à Vercelli, dans le rôle d'Alfred de *La Traviata*. Il fait la majeure partie de sa carrière aux États-Unis, au Civic Opera de Chicago (1920-32), puis au Met (1932-35 et 1940-41). De retour en Italie en 1941, il chante encore à la Scala de Milan et à Rome jusqu'en 1950. Il a donné des cours de chant en Italie, aux États-Unis et à Budapest. Ténor lyrique, il compte parmi ses meilleures créations Cavaradossi de *Tosca*, Edgar de *Lucia di Lammermoor*, le Duc de Mantoue de *Rigoletto*.

Schippers, Thomas

Chef d'orchestre américain, né à Kalamazoo (Michigan) le 9 mars 1930, mort à New York le 16 décembre 1977.

Il travaille au Curtis Institute de Philadelphie (1944-45), à l'Université de Yale, à la Juilliard School et avec Olga Samaroff (1946-47). En 1947, il est répétiteur au Met et, l'année suivante, remporte le 2e prix à un concours de chefs d'orchestre à Philadelphie. Il fait alors ses débuts dans la Lemonade Opera Company. En 1950, Menotti lui confie la direction du *Consul* pour la tournée européenne effectuée après la création. De 1951 à 1954, il est chef d'orchestre au New York City Opera. En 1955, il débute à la Philharmonie de New York, au Met et à la Scala où il va revenir régulièrement, notamment pour diriger *Médée* avec Maria Callas (1962). A Spolete, il participe à la fondation du Festival des Deux Mondes avec Menotti qui le nomme directeur musical (1958-76). En 1963, il débute à Bayreuth dans *Les Maîtres chanteurs*. Il est l'un des chefs permanents au Met lorsqu'il est choisi pour diriger la création d'*Antoine et Cléopâtre* de Barber, pour l'inauguration du Lincoln Center (1966). Puis il se tourne davantage vers le concert, acceptant la direction musicale de l'Orchestre Symphonique de Cincinnati (1970-77). A partir de 1972, il enseigne au College Conservatory of Music de cette même ville. Sa carrière est interrompue prématurément par la maladie. On lui doit la création d'*Amélie et les visiteurs du soir* (1951), *La Sainte de Bleecker street* (1954) et *La Mort de l'évêque de Brindisi* (1963) de Menotti, *The tender land* (1954) de Copland, *Andromache's Farewell* (1963) de Barber et l'*Atlantide* de M. de Falla (Scala, 1962).

Schlusnus, Heinrich

Baryton allemand, né à Braubach le 6 août 1888, mort à Francfort le 18 juin 1952.

Il travaille dans les postes pour payer ses études de chant avec Louis Bachner à Berlin et fait des débuts tardifs d'abord en concert à Francfort (1912), puis, après avoir été blessé en août 14, sur scène à Hambourg, où il est le Héraut de *Lohengrin* (1915). Membre de l'Opéra de Nuremberg (1915-17) et surtout de la Staatsoper de Berlin (1917-45), il y devient rapidement le principal baryton-Verdi. Parallèlement à une carrière lyrique qui le fait inviter à Amsterdam (1919), Barcelone (1922), Chicago (1927), Bayreuth (1933), Paris (1937), il donne à partir de 1918 des récitals de lieder. Une voix radieuse à l'aigu facile, et une grande sobriété font oublier certaines libertés expressives pratiquées à l'époque. Après guerre, Schlusnus se fera encore entendre jusqu'en 1949, notamment en Amérique du Sud.

Schmidt, Annerose

Pianiste allemande (R.D.A.), née à Wittenberg le 5 octobre 1936.

Elle étudie d'abord avec son père, directeur de la Hochschule de Wittenberg, puis avec Hugo Steurer, à la Hochschule de Leipzig (1956-59). Sa carrière se développe, à compter de 1959, essentiellement en Allemagne de l'Est mais aussi à l'étranger. Diplômée du Concours international Chopin de Varsovie (1955), elle a remporté en 1956 le 1er prix du Concours Robert Schumann de Berlin. Le Kunstpreis de la République Démocratique Allemande, le prix Schumann de la Ville de Zwickau et le Prix national de son pays lui sont décernés en 1961, 1964 et 1965. Elle donne la 1ere audition de concertos signés Siegfried Thiele et Siegfried Matthus, compositeurs est-allemands. Elle réalise l'intégrale au disque des concertos pour piano de Mozart.

Schmidt, Trudeliese

Mezzo-soprano allemande, née à Sarrebrück le 7 novembre 1941.

Ayant entrepris un apprentissage de vendeuse, elle ne peut travailler le chant que pendant ses heures de liberté. En 1965, elle fait ses débuts au Théâtre de Sarrebrück. Après avoir chanté à l'Opéra de Wiesbaden, elle est engagée à l'Opéra de Düsseldorf-Duisbourg. Alors commence pour elle une brillante carrière internationale. Les opéras de Hambourg et de Munich l'engagent dans leurs troupes respectives. Sa spécialité est le travesti (Octavian du *Chevalier à la rose*, Chérubin des *Noces de Figaro*, Hänsel de *Hänsel et Grëtel*, le Compositeur d'*Ariane à Naxos*...). En 1972, elle est invitée régulièrement à l'Opéra de Francfort. En 1974, elle participe au Festival de Hollande et, en 1975, au Festival de Bayreuth. Elle chante avec un très grand succès à Moscou et Leningrad, puis en 1974, avec la troupe de l'Opéra de Munich, elle effectue une importante tournée au Japon. Le grave naturel de sa voix et son apparence de jeune adolescent la rendent crédible dans tous les travestis, mais elle est encore plus ravissante en femme, exquise Dorabella (*Cosi fan tutte*), Colombina (*Arlequino* de Busoni) et le rôle-titre de *La Petite renarde rusée* de Janáček.

Schmidt-Isserstedt, Hans

Chef d'orchestre allemand, né à Berlin le 5 mai 1900, mort à Holm-Holstein (Hambourg) le 28 mai 1973.

Il commence ses études musicales à Heidelberg puis les poursuit à Münster et à la Musikhochschule de Berlin où il travaille avec Schreker. Il suit en même temps les cours de l'Université et soutient une thèse sur l'influence italienne dans l'orchestration des 1ers opéras de Mozart. En 1923, il est répétiteur à Wuppertal. Puis il est nommé chef d'orchestre à l'Opéra de Rostock (1928-31) et à l'Opéra de Darmstadt (1931-33). En 1935, il est 1er chef à l'Opéra de Hambourg, poste qu'il quitte en 1943 pour prendre la direction artistique de la Deutsche Oper à Berlin. Un an plus tard, il en est le directeur général de la musique. En 1945, il retourne à Hambourg pour fonder l'Orchestre Symphonique du N.D.R. (Radio) dont il fera l'une des meilleures formations allemandes. Il restera à la tête de son orchestre jusqu'en 1971. Parallèlement, il dirige l'Orchestre Philharmonique de Stockholm de 1955 à 1964. Sa carrière de chef invité est tout aussi brillante : plus de 120 orchestres ont joué sous sa direction.

Grand interprète du répertoire romantique allemand, il accordait aussi une grande importance à la musique contemporaine. Il a notamment créé la *Symphonie nº 7* de Hartmann (1959) et la *Symphonie nº 2* de Jolivet (1959).

Schnabel, Artur

Pianiste autrichien, naturalisé américain en 1944, né à Lipnik le 17 avril 1882, mort à Axenstein (Suisse) le 15 août 1951.

A Vienne, il est l'élève de Leschetizky (piano) et de Mandyczewski (théorie) de 1891 à 1897. Celui-ci le présente à Brahms. Très vite, il refuse les œuvres dominées par la seule virtuosité pour chercher la musique seule. Son répertoire s'enrichit de pages peu jouées comme les *Sonates* de Schubert ou les *Bagatelles* et *Variations* de Beethoven. Le piano est pour lui un moyen et non un but. En 1900, il s'installe à Berlin où il vivra jusqu'en 1933. Il épouse Thérèse Behr (1876-1959) un contralto avec laquelle il donne de nombreux concerts. Il fait aussi de la musique de chambre avec Flesch et Becker, avec Casals, Feuermann, Fournier, Hindemith, Hubermann, Szigeti, Primrose et surtout le Quatuor Pro Arte avec lequel il a gravé quelques disques mémorables (*Quintette* de Schumann, *Quatuors* de Mozart). Il participe à la 1ere exécution du *Pierrot lunaire* de Schönberg. Entre 1925 et 1930, il enseigne à la Hochschule de Berlin : parmi ses élèves, Clifford Curzon, Peter Frankl... A l'occasion du centenaire de la mort de Beethoven, en 1927, il donne l'intégrale des *32 Sonates* à Berlin. Il les rejouera en 1932 puis en 1934 à Londres et en 1936 à New York. C'est au cours des années trente qu'il commence à enregistrer : Beethoven (la 1re intégrale des *Sonates* et des *Concertos* au disque), Schubert, Schumann, Mozart... En 1933, il quitte l'Allemagne et se fixe en Angleterre. Il donne des cours d'interprétation l'été à Tremezzo, sur les bords du lac de Côme. En 1939, il émigre aux U.S.A. où il enseigne à l'Université du Michigan, à Ann Arbour (1940-45). Mais il a moins de succès qu'en Europe car il refuse d'adapter son répertoire aux goûts de l'époque. Après la guerre, il se fixe en Suisse et continuera à jouer et enregistrer jusqu'à la fin de sa vie. Son fils, Karl-Ulrich (1909) est également pianiste et mène sa carrière essentiellement aux U.S.A. où il enseigne. Comme compositeur Artur Schnabel a laissé des pièces pour piano, des symphonies et un concerto pour piano.

ÉCRITS : *Reflections on music* (1933), *Music and the line of most resistance* (1942), *My life and music* (1961).

Schneeberger, Hansheinz

Violoniste suisse, né à Berne le 16 octobre 1926.

Dès l'âge de 6 ans, il joue du violon. Il entre à l'École de musique de Berne, puis au Conservatoire de sa ville natale, où il obtient son diplôme en 1944. Il se perfectionne avec L. Balmer, avec Carl Flesch à Lucerne, puis de 1946 à 1947 à Paris avec Boris Kamensky. Il est nommé professeur à Biel (1948-58). C'est à cette époque qu'il fonde son propre quatuor dont la vie s'étendra sur sept années (1952-59). Il est successivement professeur au Conservatoire de Berne (1952-58) puis violon solo à l'Orchestre de la N.D.R. à Hambourg. Depuis 1961, il est professeur à l'Académie de musique de Bâle. Au cours d'une carrière bien remplie, il a été le créateur de pages importantes comme le *1er Concerto pour violon* de Bartók (1958) et le *Concerto pour violon* de Frank Martin (1952).

Schneevoigt, Georg

Chef d'orchestre et violoncelliste finlandais, né à Viipuri (actuellement Vyborg en URSS) le 8 novembre 1872, mort à Malmö le 28 novembre 1947.

Élève de Schröder à Helsinki, de Klengel à Leipzig, de Robert Fuchs à Vienne, il occupe le poste de violoncelle solo à l'Orchestre Philharmonique d'Helsinki de 1895 à 1903 et enseigne le violoncelle au Collège Musical. Il fait ses débuts de chef d'orchestre à Riga en 1901 et se produit régulièrement comme tel à l'Orchestre Kaim à Munich (1904-08) et à l'Orchestre Symphonique de Kiev (1908-09). Il fonde l'Orchestre Symphonique de Riga qu'il dirige de 1909 à 1914 et celui d'Helsinki (1912-14) qu'il associe à l'Orchestre Philharmonique fondé par Kajanus pour former l'orchestre de la ville d'Helsinki. Il dirige cette formation, conjointement avec Kajanus, jusqu'en 1941. De 1915 à 1924 il est également le chef principal de l'Orchestre Symphonique de Stockholm. Il fonde l'Orchestre Philharmonique d'Oslo en 1918 et le dirige jusqu'en 1927. Il occupe également des fonctions à Düsseldorf (1924-26), Los Angeles (1927-29) et Malmö (1930-47). En 1907, il avait épousé la pianiste Sigrid Ingeborg Sungren (1878-1953) qui fut professeur au Collège Musical d'Helsinki à partir de 1910.

Schneider, Alexander

Violoniste russe naturalisé américain, né à Vilna le 21 octobre 1908.

Il fait ses études musicales au Conservatoire de Vilna, à partir de l'âge de dix ans, puis au Conservatoire de Francfort, avec Adolph Rebner et à Berlin avec Carl Flesch. Il devient violon solo du Frankfurt Museum Orchester (1925-33). Après avoir joué à Sarrebrück et à Hambourg, il rejoint le Quatuor de Budapest, où il est second violon (1933-44). En 1933, il se fixe aux États-Unis. En 1944, il devient membre de l'Albeneri Trio, auquel collaborent Benar Heifetz (frère du violoniste Jascha Heifetz) et Erich Itor Kahn, puis du New York Quartet, avec Horszowski, Katims et Frank Miller. Dans le même temps, il joue en sonate avec Ralph Kirkpatrick ou avec Eugene Istomin. En 1950, il participe à la commémoration du bicentenaire de la mort de Jean-Sébastien Bach au Festival de Prades, avec Pablo Casals, avec lequel il poursuivra une intime collaboration, non seulement à Prades, mais aux festivals de Perpignan, de Marlboro, d'Israël et à Porto Rico où il organise le Festival Casals en 1957. Il rejoint une nouvelle fois le Quatuor de Budapest en 1955, avec lequel il donne des concerts jusqu'en 1964, tout en poursuivant son activité de soliste. En 1972, il a fondé l'ensemble de chambre « Brandenburg Players ». Il a créé la *Sonate pour violon et clavecin* de Milhaud (1946).

Schneiderhan, Wolfgang

Violoniste autrichien, né à Vienne le 28 mai 1915.

Enfant prodige, il fait ses études avec Julius Winkler et, surtout, avec Ottokar Ševčik, considéré comme le fondateur de l'École tchéco-viennoise. A 17 ans, il est premier violon de l'Orchestre Symphonique de Vienne (1932-36), puis de l'Orchestre Philharmonique de la même ville, poste qu'il occupe de 1937 à 1950. A la même époque, il se consacre beaucoup à la musique de chambre, aussi bien au sein du quatuor qu'il fonde, et qui porte son nom (1937-51), qu'au sein du trio qu'il forme avec Edwin Fischer et Enrico Mainardi (1949-56). Il joue également en duo, avec Carl Seeman, Wilhelm Kempff et, ces dernières années, avec Walter Klien. Interprète par excellence de Mozart – dont il grave pour le disque l'intégrale des concertos pour violon, à la fois comme soliste et comme chef –, Wolfgang Schneiderhan participe, en 1955, à la fondation des Festivals Strings de Lucerne, en Suisse, ville où il réside. L'enseignement occupe une place importante tout au long de sa carrière : au Mozarteum de Salzbourg (1936-56), à l'Académie de Vienne (1939-51), au Conservatoire de Lucerne (depuis 1949) ou à Stockholm (1964). Marié à la cantatrice Irmgard Seefried (1948), plusieurs compositeurs ont écrit à leur intention : Henze (*Ariosi*, 1964), F. Martin (*Maria Triptychon*, 1968)...

Schnitzler, Claude

Chef d'orchestre et organiste français, né à Eckbolsheim (Strasbourg) le 3 septembre 1949.

Au Conservatoire de Strasbourg, il étudie l'orgue, le clavecin, l'écriture et la direction d'orchestre, discipline dans laquelle il se perfectionne au Mozarteum de Salzbourg avec Bruno Maderna. En 1971, il est nommé organiste titulaire des grandes orgues de la cathédrale de Strasbourg et commence une carrière d'instrumentiste. L'année suivante, il devient chef de chant à l'Opéra du Rhin puis, de 1975 à 1979, chef assistant d'Alain Lombard. De 1980 à 1982, il est chef d'orchestre à l'Opéra du Rhin avant de diriger régulièrement à l'Opéra de Paris et à l'Opéra-Comique. Il a créé l'Opéra de Hasquenoph *Comme il vous plaira* (1981) et celui de Prodromidès *H. H. Ulysse* (1984).

Schock, Rudolf

Ténor allemand, né à Duisbourg le 4 septembre 1915.

Après des études musicales à Cologne et à Hanovre, il est engagé dans les chœurs de l'Opéra de Duisbourg (1933-37), chante ses 1ers rôles au Théâtre de Braunschweig

(1937-40), puis au Théâtre allemand de Berlin (1940-43), à l'Opéra de Hanovre (1945-46), et à la Staatsoper de Berlin (1946-48). Il est également invité à Vienne, Hambourg, Munich, Londres, et participe aux festivals de Salzbourg (à partir de 1948), Édimbourg (1952), Bayreuth (1959). Après 1953, il fait partie de la Staatsoper de Vienne, dont il est Kammersänger. Ses incursions au cinéma (on tourne même un film sur sa vie) et dans l'opérette lui ont valu une popularité supplémentaire.

Schöffler, Paul

Baryton autrichien, né à Dresde le 15 septembre 1897, mort à Amersham (Angleterre) le 21 novembre 1977.

Après avoir fait des études musicales au Conservatoire de Dresde, il étudie le chant avec Staegemann à Dresde, Grenzebach à Berlin et Sammarco à Milan. Il fait partie de la troupe de la Staatsoper de Dresde (1925-37), puis de celle de la Staatsoper de Vienne jusqu'à la fin de sa carrière. Son répertoire comprend les rôles de Hans Sachs (pour ses débuts à Bayreuth en 1943-44), Kurwenal, le Hollandais (son dernier rôle à Bayreuth en 1956), Scarpia, Figaro, Don Giovanni, Wotan (quatre parmi ses interprétations au Covent Garden où, pour ses débuts en 1934, il chante *Schwanda* de Weinberger et Donner de *l'Or du Rhin*), *Cardillac* (qu'il crée en 1926 à Dresde, dir. F. Busch) et *Mathis le peintre* de Hindemith, *La Mort de Danton* de von Einem (création au Festival de Salzbourg 1947, dir. F. Fricsay), Jokanaan de *Salomé* (pour ses débuts au Met en 1950), Jupiter dans *l'Amour de Danae* (création à Salzbourg en 1952), Günther du *Crépuscule des dieux* (à l'Opéra de Paris notamment, en 1950 et 1955), Barak de *La Femme sans ombre*, etc. Jusque dans les petits rôles qu'il chante encore dans les années 70, Schöffler fait étalage d'une musicalité et d'une présence scénique étonnantes, n'utilisant une voix chaude et richement timbrée qu'en vue de l'expression. Cet idéal esthétique en a fait un chanteur de lieder accompli.

Schöne, Lotte (Charlotte Bodenstein)

Soprano autrichienne naturalisée française, née à Vienne le 15 décembre 1891, morte à Paris le 22 décembre 1978.

Elle étudie à Vienne avec Johannes Rees, Luise Ress et Maria Brossement, et débute à la Volksoper en 1912 en demoiselle d'honneur du *Freischütz*. Elle y reste attachée jusqu'en 1925 tout en paraissant également à la Hofoper à partir de 1917. Tandis que Salzbourg la voit triompher en Zerline, Blondchen et Despina de 1922 à 1934, Bruno Walter l'appelle en 1927 à la Städtlicher Oper de Berlin qu'elle quitte en 1933 pour l'exil en France où sa carrière à l'Opéra et à l'Opéra-Comique (Mélisande, Zerline, Suzanne) est interrompue par la guerre. En 1945, elle reprend une carrière de concertiste et revient même à Berlin en 1948. A partir de 1953, elle se consacre à l'enseignement. A son répertoire on trouve aussi Liu, Marcelline, Oskar, Olympia, Micaela, Sophie, Gilda, Pamina, Mimi...

Schorr, Friedrich

Basse hongroise naturalisé américain, né à Nagyvárad le 2 septembre 1888, mort à Farmington (Connecticut) le 14 août 1953.

Il étudie à Vienne avec Adolf Robinson, et débute à Graz en 1911 (Wotan de *La Walkyrie*). Il chante à Prague (1916-18), à Cologne (1918-23) et à Berlin (1923-31). Il débute à New York en 1923, au Met en 1924 et y chante jusqu'en 1943 ; il y apparaît comme le plus grand Wotan de l'époque, rôle qu'il chante également à Bayreuth de 1925 à 1931. Célèbre Sachs et Hollandais, il chante également au Covent Garden entre 1924 et 1933, et se retire en 1943 pour s'adonner à la mise en scène et au professorat.

Schreier, Peter

Ténor lyrique allemand (R.D.A.), né à Meissen (Saxe) le 29 juillet 1935.

Son père, instituteur, dirige une chorale et reconnaît très vite ses dons. Dès la fin de la guerre, Peter Schreier entre au Kreuzchor de Dresde où il étudie durant huit ans. Rudolf Mauersberger le pousse vers une carrière de soliste. Il travaille au Conservatoire avec H. Winkler (1956-60) et, dès 1959, est engagé par l'Opéra-Studio de Dresde, où il débute deux ans plus tard dans le rôle du premier prisonnier de *Fidelio.* En 1963, il signe un contrat avec la Staatsoper de Berlin. En 1966, on l'entend à Bayreuth dans un rôle effacé : le marin de *Tristan.* Le timbre clair de sa voix de ténor lyrique le prédestinait au répertoire mozartien ; sa formation au Kreuzchor – fidélité à la tradition de Bach – fait de lui un chanteur d'oratorios. On l'entend pour la première fois en Europe Occidentale dans la *Passion selon saint Matthieu* (l'Évangéliste) à Perugia. Depuis 1967, il participe au Festival de Salzbourg où il a tenu tous les grands rôles de ténors mozartiens. Il y a aussi chanté David (*Les Maîtres chanteurs,* sous la direction de Karajan) et Loge. Depuis 1969, il exerce une activité de chef d'orchestre. Il consacre aussi une grande partie de sa carrière au lied, domaine dans lequel il excelle.

Schröder-Feinen, Ursula

Soprano allemande, née à Gelsenkirchen le 21 juillet 1936.

Elle étudie le chant à l'École Folkwang d'Essen et débute à Gelsenkirchen. Elle est engagée à l'Opéra de Düsseldorf-Duisbourg, à l'Opéra de Berlin, à celui de Hambourg et à celui de Munich. Spécialiste des grands rôles wagnériens, elle est invitée par les plus grands théâtres européens. Elle est engagée au Met et à l'Opéra de Vienne. Elle chante à Prague et participe au Festival de Salzbourg. En 1971, elle chante pour la 1re fois au Festival de Bayreuth, Senta, puis Ortrud. Deux ans plus tard, elle chante Brünnhilde (*Siegfried*) en remplacement d'une collègue aphone le matin même. Dès lors elle fera partie du Festival jusqu'en 1975, où elle incarne Brünnhilde, Kundry... Elle retourne aux États-Unis chanter à l'Opéra de San Francisco et à celui de Los Angeles. Elle interprète Isolde à Montréal.

Schuch, Ernst von

Chef d'orchestre autrichien, né à Graz le 23 novembre 1846, mort à Kötzschenbroda (Dresde) le 10 mai 1914.

Il mène de front des études juridiques et musicales, à Graz où il étudie le violon et le piano, notamment avec Eduard Stolz, et à Vienne où il travaille avec Otto Dessoff. Il dirige à Würzburg (1862-67), Breslau (1867-70), Graz (1870-71), Bâle (1871-72) avant d'être nommé à Dresde où se déroulera la majeure partie de sa carrière : en 1872, il est chef d'orchestre, l'année suivante chef permanent (en même temps que Rietz, jusqu'en 1879, et Wüllner, jusqu'en 1882), puis directeur général de la musique (1889-1914). Il dirige également les concerts de la Chapelle royale (l'actuelle Staatskapelle) à partir de 1877. Figure marquante de sa génération, il a créé plusieurs ouvrages de Richard Strauss (*Feuersnot,* 1901, *Salomé,* 1905, *Élektra,* 1909, *Le Chevalier à la rose,* 1911). Pendant sa direction, l'Opéra de Dresde a donné 51 ouvrages en 1re audition. Il a aussi joué un rôle essentiel pour faire connaître la musique française contemporaine en Allemagne. Sa femme était la soprano colorature Clémentine Schuch-Proska (1850-1932). Il a été anobli en 1898.

Schüchter, Wilhelm

Chef d'orchestre allemand, né à Bonn le 15 décembre 1911, mort à Dortmund le 27 mai 1974.

Il fait ses études musicales à Cologne avec Abendroth et Jarnach avant de débuter à Coburg en 1937. Il est aussitôt engagé à l'Opéra de Würzburg (1937-40) puis succède à Karajan comme directeur général de la musique à Aix-la-Chapelle (1940-42). Il est ensuite chef permanent à la Städtische Oper de Berlin (1942-43), adjoint de Schmidt-Isserstedt à Hambourg (N.D.R.) à partir de 1947, chef permanent de l'Orchestre Symphonique de la Radio de Cologne (W.D.R.), directeur artistique de l'Orchestre Symphonique de la N.H.K. à Tokyo (1959-62), directeur général de la musique (1962), puis directeur artistique de l'Opéra de Dortmund (1965-74). Dans cette dernière période de sa vie, il contribue à faire de l'Opéra de Dortmund l'un des meilleurs d'Allemagne.

Schumann, Elisabeth

Soprano allemande, naturalisée américaine (1944), née à Merseburg sur la Saal le 13 juin 1885, morte à New York le 23 avril 1952.

Son père organiste lui inculque ses premières notions de musique. Elle manifeste dès son plus jeune âge des dons naturels disciplinés par son travail avec Natalie Hänisch à Dresde, Marie Dietrich à Berlin et surtout Alma Shadow à Hambourg. Elle débute à l'Opéra de Hambourg dans le rôle du Berger de *Tannhäuser* (1909), qui la fait engager de façon permanente (1909-19). Son incarnation de Sophie dans *Le Chevalier à la rose* lui ouvre les portes de la renommée : elle le chante pour ses débuts au Met (1914-15) et au Covent Garden (1924, avec Lotte Lehmann et Richard Mayr, dir. Bruno Walter) ; Richard Strauss, dans son admiration, lui demande de venir rejoindre la troupe de l'Opéra de Vienne (où elle se produit de 1919 à 1938) et l'accompagne dans une tournée américaine de récitals (1921). Mozartienne ineffable, elle participe au premier Festival de Salzbourg, chantant Despina, Suzanne et Blonde (1922). En 1930, à Londres, elle personnifie Adèle dans une représentation historique de *La Chauve-Souris*, une première pour Covent Garden, réunissant Maria Olczeewska, Gerhard Hüsch et Bruno Walter. Forcée de quitter l'Autriche en 1938, elle part vivre aux États-Unis et enseigne au Curtis Institute de Philadelphie, plus tard à l'Académie d'été de Bryanston. Elle participe encore au 1er Festival d'Édimbourg (1947) et chante et enregistre, à 60 ans passés, avec une voix qui semble insensible au temps. De petites dimensions, mais remarquablement placée, avec un aigu cristallin et une souplesse constante, elle ne fut jamais une fin en soi, mais un moyen de transmettre le message musical de la façon la plus humaine possible. Le phrasé, émouvant jusque dans les plus infimes pianissimos, la respiration naturelle du chant était accordée au pouvoir d'identification de l'interprète avec la musique, toujours « dans un sourire » (dixit Gerald Moore). Cette faculté d'enthousiasme a trouvé dans le lied un terrain d'élection, particulièrement chez Schubert, Strauss, Wolf et Robert Franz.

ÉCRITS : *German Song* (1948).

Schumann-Heink, Ernestine (Ernestine Rössler)

Contralto tchécoslovaque, naturalisée américaine (1908), née à Lieben le 15 juin 1861, morte à Hollywood le 17 novembre 1936.

Après avoir étudié à Graz et à Dresde, elle débute en 1878 à Dresde (Azucena). Elle appartient successivement aux Opéras de Hambourg (1883-98) et Berlin avec lequel elle rompt pour se produire en Amérique, d'abord à Chicago (1898) et ensuite au Met (1899-1932). A Bayreuth, elle chante Erda, Waltraute, Magdalena, Mary entre 1896 et 1914. Son répertoire (plus de 150 rôles) et son tempérament dramatique en font l'une des plus grandes cantatrices de son époque. Elle est la créatrice de Klytemnestre dans l'*Élektra* de Strauss à Dresde en 1909 et la dédicataire des *3 Gesänge* op. 43 du même musicien (1899).

Schunk, Robert

Ténor allemand, né en 1949.

De 1966 à 1973, il étudie au Conservatoire de Francfort, dans la classe de Martin Gründler, et obtient son premier engagement à l'Opéra de Karlsruhe, dès la fin de ses études. En 1975, à l'Opéra de Bonn, il chante Hoffmann des *Contes d'Hoffmann*, l'Empereur de *La Femme sans ombre* et Florestan de *Fidelio*. De 1977 à 1979, il appartient à la troupe de l'Opéra de Dortmund où il aborde le grand répertoire wagnérien (*Parsifal*, le Pilote du *Vaisseau fantôme*, Melot de *Tristan*, Walther de *Tannhäuser*). Il chante également

Max du *Freischütz* et Don José de *Carmen.* Dès 1979, il est invité sur toutes les grandes scènes d'Europe. Il participe au Festival de Bayreuth depuis 1977, où il incarne successivement Walther de *Tannhäuser,* Siegmund de *Walkyrie* dans la production du Centenaire (Boulez-Chéreau) et Erik dans le *Vaisseau fantôme* mis en scène par Harry Kupfer.

Schuricht, Carl

Chef d'orchestre allemand, né à Dantzig le 3 juillet 1880, mort à Corseau-sur-Vevey (Suisse) le 7 janvier 1967.

Il voit le jour dans une famille de musiciens : son père est facteur d'orgues, sa mère la cantatrice Amanda Wusinowska. Dès l'âge de onze ans, il commence à composer. Ses parents lui donnent une formation de pianiste avant de l'envoyer à Berlin où il étudie la composition avec Humperdinck et le piano avec E. Rudorff à la Hochschule für Musik (1901-03). Puis il travaille à Leipzig avec Reger. C'est Franz Mannstädt qui l'initie à la direction d'orchestre à Wiesbaden. Il débute comme chef des chœurs à l'Opéra de Mayence, puis suit la carrière traditionnelle des chefs de théâtre allemands : Kapellmeister à Mayence, il passe successivement par Dortmund, Goslar et Zwickau avant d'être nommé à la tête de la Rühl'schen Gesangverein de Francfort en 1909. Trois ans plus tard, il est chef d'orchestre au Théâtre de Wiesbaden dont il sera directeur musical entre 1922 et 1944. Pendant la même période, il dirige les concerts symphoniques d'été à Scheveningen (1930-39) et le chœur de la Philharmonie de Berlin (1933-34). De 1937 à 1944, il est également 1er chef invité de l'Orchestre Symphonique de la Radio de Francfort et, en 1943-44, directeur de l'Orchestre Philharmonique de Dresde. En 1944, il quitte l'Allemagne pour des raisons politiques et s'installe en Suisse, où Ansermet l'accueille très chaleureusement. Il mène alors une carrière de chef invité jusqu'à la fin de sa vie enregistrant notamment la 1re intégrale des *Symphonies* de Beethoven avec un orchestre français, la Société des Concerts du Conservatoire (1957).

Schwalbé, Michel

Violoniste français, né à Radom (Pologne) le 27 octobre 1919.

Élève de Moritz Frenkel, il fait partie du petit nombre d'héritiers de l'école d'Auer. Il fait ses études à l'Académie de musique de Varsovie et les poursuit à Paris avec Georges Enesco et Pierre Monteux. Il donne son 1er concert à l'âge de dix ans. Il travaille ensuite avec Jules Boucherit (école franco-belge), et réunit ainsi les qualités des deux grandes écoles de violon. Sa formation s'achève en 1938 avec de nombreux prix, mais la guerre ne permet qu'un épanouissement tardif de ses dons et de sa carrière. Alors qu'il était 1er violon solo de l'Orchestre de la Suisse Romande (1944-46), il remporte le Concours de Scheveningen. Il fonde le Quatuor Schwalbé à Zürich (1946-48), puis est nommé professeur au Conservatoire de Genève comme successeur de Joseph Szigeti (1948-57). Il se produit en soliste avec de nombreux orchestres. En 1957, Karajan l'appelle au poste de 1er violon solo de l'Orchestre Philharmonique de Berlin. Depuis 1960, il donne des cours à l'Académie d'été du Mozarteum de Salzbourg et, depuis 1963, il est professeur au Conservatoire d'État de Berlin. Son instrument est le Stradivarius « King Maximilian » de 1709.

Schwarz, Hanna

Mezzo-soprano allemande, née à Hambourg le 15 août 1943.

Elle étudie à Essen et débute en 1970 à Hanovre (Maddalena de *Rigoletto*). Elle chante au Festival de Eutin en 1972, et devient membre de l'Opéra de Hambourg en 1973 ; elle y chante Chérubin, Dulcinée, Cenerentola, Dorabella, Mrs. Quickly, Marfa (*Khovantchina*) et Octavian. Elle débute à Bayreuth en 1975 dans des petits rôles et y chante dès 1976 Erda, puis Fricka et Brangäne. En 1976, elle débute à l'Opéra de Paris (Preziosilla de *La Force du destin*) et participe en 1979 à la création de l'intégrale de *Lulu* de Berg. Elle chante à San Francisco depuis 1977 (Fricka), à Berlin depuis 1978 (Chérubin), Washington, Stuttgart, Londres...

Schwarz, Rudolf

Chef d'orchestre autrichien naturalisé anglais (1952), né à Vienne le 29 avril 1905.

Après des études musicales dans sa ville natale, il est altiste à l'Orchestre Philharmonique de Vienne. A 18 ans, il débute comme répétiteur à l'Opéra de Düsseldorf où, un an plus tard, il est nommé chef d'orchestre. Entre 1927 et 1933, il dirige à l'Opéra de Karlsruhe alors conduit par Josef Krips. Le régime nazi interrompt sa carrière : en 1936, il est directeur de l'Organisation culturelle juive de Berlin puis il est interné dans un camp de travail à Belsen (1943-45). Il se fixe ensuite en Angleterre où il est nommé à la tête de l'Orchestre Symphonique de Bournemouth qu'il réorganise (1947-51). Il prend la direction musicale du City of Birmingham Symphony Orchestra (1951-57) avant d'être nommé chef permanent de l'Orchestre Symphonique de la B.B.C. (1957-62). A partir de 1964, il est l'invité régulier de l'Orchestre Symphonique de Bergen (Norvège), et est nommé chef d'orchestre permanent puis directeur musical (1967-74) du Northern Sinfonia à Newcastle.

Schwarzkopf, Elisabeth

Soprano allemande naturalisée anglaise, née à Jarotschin (Poznán) le 9 décembre 1915.

Son père instituteur... Une enfance disciplinée et sage... Elisabeth fait ses études musicales à la Hochschule de Berlin où elle travaille avec Lula Mysz-Gmeiner, chanteuse de lieder. Elle apprend aussi le piano, l'harmonie, le contrepoint. Quelques années plus tard, le docteur Egenolf lui signe un 1er engagement à l'Opéra d'État de Berlin. Elle débute alors dans le rôle d'une fille-fleur de *Parsifal* en 1938, puis chante le premier garçon de *La Flûte enchantée*, l'Oiseau des bois de *Siegfried* et Valencienne de *La Veuve joyeuse*. Dès 1941, on lui offre des rôles plus importants : Oscar dans *Un Bal masqué*, Zerbinette dans *Ariane à Naxos*. Maria Ivogün la remarque et la fait travailler. Elle l'initie à l'art du lied et de la musique de chambre. En 1942 à Vienne, dans un récital, elle touche un autre public. La pureté de sa voix, son intimisme frappent la critique. Cependant, alors que Karl Boehm l'invite à l'Opéra de Vienne, elle tombe malade et doit se reposer dans un sanatorium des monts Tatras. C'est en 1944 qu'elle fait ses débuts véritables à Vienne, comme soprano-colorature. Elle chante Rosine, Blonde, Zerbinetta. Walter Legge révèle dans la période de l'après-guerre ses talents musicaux. Il est à l'origine de ses 1ers enregistrements et il l'épousera. En 1947, elle fait des tournées en Angleterre, et obtient un grand succès – auprès de Seefried – dans *Don Giovanni*. Engagée régulièrement au Covent Garden, elle s'y produit jusqu'en 1951. C'est en 1947 aussi qu'elle apparaît à Salzbourg en Suzanne des *Noces de Figaro*. Karajan, chef d'orchestre et producteur, l'entraîne à la Scala de Milan où elle chante Pamina, Fiordiligi, Elsa, Elvira, Mélisande, Elisabeth (*Tannhäuser*), Marguerite, Alice Ford, la Maréchale... En 1950, sous la direction de Furtwängler, elle chante Marceline dans *Fidelio*.

En 1951, à la demande de Stravinski, elle crée à Venise Anne Trulove du *Rake's Progress*. Pour le cinquantenaire de la mort de Verdi elle chante le *Requiem* sous la baguette de V. De Sabata. En 1953, elle crée *Le Triomphe d'Aphrodite* de Carl Orff. En 1955, c'est *Le Chevalier à la rose* à San Francisco. Elle ne chante au Met qu'en 1964, sa carrière étant plus lente en Amérique qu'en Europe. A quarante-cinq ans, Elisabeth Scharzkopf se dépouille et choisit les rôles qu'elle aime par-dessus tout, refusant les autres : Elvira, la Comtesse, Fiordiligi, la Maréchale... A partir de 1971, elle ne chante plus qu'en récital et elle fait ses adieux à la scène à la mort de son mari (1979). Elle donne alors une grande part d'elle-même à l'enseignement et aborde la mise en scène (*Le Chevalier à la rose* à la Monnaie, 1981). Maîtrise parfaite qui jamais ne nie l'émotion, élégance qui demeure chaude, ligne pure de la mélodie, elle laisse une longue trace dans son temps.

ÉCRITS : *La Voix de mon maître, Walter Legge* (1982).

Schweitzer, Albert

Organiste, musicologue, philosophe, pasteur, théologien et médecin français, né à Kaysersberg le 14 janvier 1875, mort à Lambaréné (Gabon) le 4 septembre 1965.

Hors sa carrière de pasteur, de philosophe et de médecin, Albert Schweitzer est à Paris l'élève de Charles-Marie Widor (1893-98), avec lequel il collabore pour l'édition de l'œuvre d'orgue de Bach.

Organiste passionné, malgré une technique qu'on a pu juger « rudimentaire », Schweitzer a une influence considérable, en son temps, sur la facture de l'instrument : c'est ainsi qu'il prône, avant beaucoup d'autres, le retour à la facture polyphonique, opposée à la facture symphonique (caractérisée par Aristide Cavaillé-Coll), tout en souhaitant conserver à l'orgue le grand clavier de Récit expressif, précisément instauré par Cavaillé-Coll. En cela, Albert Schweitzer encouragea des organiers tels Victor Gonzalez ou Edmond-Alexandre Rœthinger. Comme organiste, il ne fut certainenement pas un maître, dans le sens actuel du terme, mais il reste un « initiateur » dont les écrits, les dires, aussi bien sur l'art d'interpréter Bach que sur l'art de la facture de l'orgue, demeurent une incontestable bible.

ÉCRITS : *J.-S. Bach, le musicien-poète* (1905) ; *Ma vie et ma pensée* (1960).

Scimone, Claudio

Chef d'orchestre italien, né à Padoue le 23 décembre 1934.

Il étudie avec Zecchi, Mitropoulos et Ferrara. De 1952 à 1957, il est critique dans la Gazzetta del Veneto. Il fonde, en 1959, l'ensemble I Solisti Veneti dont il est, depuis l'origine, le chef permanent. Professeur au Conservatoire de Venise (1961-67), puis professeur de musique de chambre au Conservatoire de Vérone (1967-74), il est, de 1974 à 1983, directeur du Conservatoire de Padoue. Il se livre à d'actives recherches pour étendre le répertoire habituel des orchestres de chambre. Il s'intéresse, bien sûr, particulièrement au XVIIIe siècle – en liaison avec le musicologue Pietro Spada – mais aussi aux partitions symphoniques italiennes du XIXe siècle. C'est ainsi qu'il joue fréquemment des ouvertures de Cherubini, Puccini ou Bellini et enregistre, en première mondiale, l'intégrale des symphonies de Clementi. Il se fait par ailleurs un ardent défenseur de Tartini et restitue *Orlando Furioso* de Vivaldi. Parallèlement, à la direction des Solisti Veneti, il mène une active carrière de chef invité. En 1978, il prend la direction de l'Orchestre de la Fondation Gulbenkian de Lisbonne. Il est appelé, en 1981, au Covent Garden pour diriger l'*Elisir d'amore* de Donizetti. L'importance même de sa discographie témoigne d'une curiosité toujours en éveil. Il manifeste un goût constant pour la musique contemporaine. Il se produit régulièrement au Festival de Royan. De nombreuses pages lui sont dédiées, signées Constant (*Traits*), De Pablo (*Dejame hablar*), Chaynes (*Visions concertantes*), Aperghis (*Ascoltare stanca*), Masson, Renosto, Guaccera, Sturzenegger, Bon, etc.

Sciutti, Graziella

Soprano italienne, née à Turin le 17 avril 1932.

Elle fait ses études à Rome. A Aix-en-Provence, en 1951, on la découvre dans *Le Téléphone* de Menotti. Spécialisée dans le répertoire mozartien et la musique du XVIIIe siècle, elle chante aussi avec bonheur Rossini et Donizetti. Dès 1955, elle chante à la Scala et à la Piccola Scala (très remarquée dans *Le Mariage secret*), à l'Opéra de Vienne, au Covent Garden et au Met. Elle est invitée souvent aux festivals de Salzbourg, Glyndebourne (1954-59), Édimbourg, Hollande. Sa technique parfaite et sa grâce particulière en scène en font une excellente interprète de certains opéras contemporains tels *Les Caprices de Marianne* de Sauguet (Aix-en-Provence, 1954), *La Donna è mobile* de R. Malipiero (Piccola Scala, 1957) et *l'École des femmes* de Mortari (1959). Elle excelle dans les rôles de soubrettes.

Scotti, Antonio

Baryton italien, né à Naples le 25 janvier 1866, mort à Naples le 26 février 1936.

Il étudie à Naples avec Triffani Paganini et débute à Malte en 1889 (Amonasro de *Aïda*). Il chante en Italie, en Espagne et en Amérique du Sud, puis débute à la Scala en 1899 (*Don Giovanni*) et la même année au Met où il chantera jusqu'en 1933. A son répertoire Iago, Falstaff, Scarpia, Scharpless... De 1919 à 1922, il dirigea la Scotti Grand Opera Compagny aux U.S.A.

Scotto, Renata

Soprano italienne, née à Savone le 24 février 1933.

Enfant, sa jolie voix lui vaut de chanter à l'église dans un chœur ou en solo. Ayant vu Tito Gobbi dans *Rigoletto*, elle décide qu'elle sera cantatrice. Elle n'a que onze ans mais veut déjà passer une audition. A l'âge de quinze ans, elle affronte le public avec le terrible « Stride la vampa » d'Azucena dans *Le Trouvère* : elle se croyait contralto ! Le jour de ses seize ans, elle arrache à ses parents l'autorisation d'aller étudier le chant à Milan. Elle a pour professeurs Ghirardini, Merlini et surtout la grande soprano espagnole Mercedes Llopart. A 19 ans, elle remporte un 1er prix au Conservatoire de Milan et chante une mémorable *Traviata* au Teatro Nuovo. En décembre 1954, elle paraît pour la 1re fois sur la scène de la Scala dans le rôle travesti de Walter de *La Wally* de Catalani, sous la direction de Giulini, avec pour partenaires principaux Tebaldi et Del Monaco. Très vite, elle est engagée dans tous les théâtres de la péninsule. C'est pourtant hors d'Italie, à Édimbourg, le 3 septembre 1957, que vient la gloire : elle remplace Maria Callas, souffrante, pour la dernière d'une série de représentations de *La Somnambule*. La Scotto devient une grande vedette internationale, chantant et enregistrant Mimi, Gilda, Butterfly, Lucia, Violetta,...

Elle pourrait se contenter de ce répertoire brillant, mais elle veut aller plus loin : l'évolution de sa voix et l'affirmation de son tempérament dramatique la portent vers des rôles plus lourds qu'elle aborde avec un succès total : Leonora du *Trouvère*, Maria Boccanegra, Desdémone, Narguerite de *Faust*, Norma, Abigaïl, Manon Lescaut, Elena des *Vêpres siciliennes*. Dans ces rôles plus lourds comme dans des remakes de ses premiers succès, elle redevient la star du disque, ajoutant à son répertoire Nedda, Santuzza et Tosca.

Sébastian, Georges (György Sebestyén)

Chef d'orchestre hongrois naturalisé français, né à Budapest le 17 août 1903.

Dans sa ville natale, il étudie le piano et le violon avant de se tourner vers la composition. Il travaille alors avec Leó Weiner, Zoltán Kodály et Béla Bartók. En 1921, il est engagé comme chef de chant à l'Opéra de Munich. Bruno Walter l'initie à l'art de la direction d'orchestre, et, l'année suivante, il est nommé chef assistant. Après avoir quitté Munich en 1923, il passe une saison au Metropolitan Opera de New York (1923-24). Puis on le retrouve à Hambourg, à Leipzig où il est 1er chef et à l'Opéra de Berlin où l'appelle Bruno Walter (1927-30). Puis il passe six ans à Moscou (1931-37) comme directeur musical de la Radio et de l'Orchestre Philharmonique. En 1935, il y dirige pour la 1re fois *Boris Godounov* dans la version originale. En 1938, il retourne en Amérique où il passe les années de guerre, se partageant entre l'Opéra de San Francisco, la responsabilité d'un programme musical à la C.B.S. et le Théâtre Municipal de Rio de Janeiro. Parallèlement, il assure la direction de l'Orchestre Philharmonique de Scranton (1940-45). Il revient en Europe après la guerre et effectue ses débuts à l'Opéra de Paris en 1947 : invité régulier au Palais Garnier, il dirige notamment les débuts parisiens de Maria Callas et de Renata Tebaldi. A la Radio, il fait entendre pour la première fois en France l'intégrale des *Symphonies* de Bruckner et de Mahler. Georges Sébastian s'est imposé comme spécialiste du répertoire wagnérien et du post-romantisme allemand.

Sebastiani, Pia

Pianiste et compositeur argentine, née à Buenos Aires le 27 février 1925.

Son père, le harpiste et pédagogue d'origine italienne Augusto Sebastiani, lui enseigne le piano avant de lui faire suivre les cours de Lalewicz au Conservatoire de Buenos Aires. A Paris, Pia Sebastiani vient étudier la composition, avec Messiaen et Gilardi. Par la suite, elle travaillera aux U.S.A. avec Copland et Milhaud, au Berkshire Music Center de Tanglewood. Après ses débuts de pianiste au Teatro Colón de Buenos Aires, elle triomphe à Carnegie Hall de New York. Elle vient alors travailler, enseigner en privé et composer à Paris, durant quelques années. Elle a écrit de nombreuses œuvres pour orchestre, de la musique de chambre, des lieder, ainsi que des pièces pour piano, dont une *Canción de cuna para Bibí*.

Sebestyén, János

Organiste et claveciniste hongrois, né à Budapest le 2 mars 1931.

Il étudie l'orgue et le clavecin à l'Académie Franz Liszt de Budapest où il obtient ses diplômes en 1955. Dans le but d'adapter la musique moderne au clavecin, il transcrit de nombreuses œuvres pianistiques pour son instrument. Parallèlement, plusieurs compositeurs hongrois écrivent des œuvres pour clavecin à son intention. En 1971, il est nommé professeur de clavecin à l'Académie Franz Liszt de Budapest, classe qu'il crée pour lui. On lui doit la 1ère édition complète des œuvres pour orgue de Liszt. Il a reçu le Prix Liszt et le Prix Erkel.

Sebök, György

Pianiste hongrois naturalisé américain (1970), né à Szeged le 2 novembre 1922.

Il étudie avec György Sándor, Arnold Székely, Leó Weiner, Zoltán Kodály et Paul Weingartner. Il donne son 1er concert public à l'âge de 14 ans avec Ferenc Fricsay. En 1942, il obtient son diplôme de pédagogie à l'Académie Franz Liszt de Budapest. Il donne son 1er concert à l'étranger avec Georges Enesco en 1946. En 1951, il remporte le 1er prix au Concours international de Berlin et le Prix Liszt. Sa carrière internationale se développe alors très rapidement. Il donne notamment de nombreux concerts de musique de chambre avec Arthur Grumiaux et János Starker. Professeur au Conservatoire Béla Bartók de 1948 à 1956, il est, depuis 1962, professeur à l'Université de l'Indiana (U.S.A.). Il donne de nombreux cours d'interprétation dans le monde entier.

Seefried, Irmgard

Soprano allemande, née à Köngetried le 9 octobre 1919.

Elle fait des études de chant à Augsbourg et Munich et est engagée par Karajan pour chanter la prêtresse d'*Aïda* à Aix-la-Chapelle, en 1938. En 1943, elle chante le rôle d'Eva (*Les Maîtres chanteurs*) à l'Opéra de Vienne (direction K. Böhm). Richard Strauss la choisit pour incarner le Compositeur (*Ariane à Naxos* en 1944). Il fête ses 80 ans...

Irmgard Seefried émerveille le public de Salzbourg, dès 1946, dans Suzanne, Pamina, Zerline : charme, beauté de sa voix, sens mozartien très vif. Elle se rend au Met de New York en 1953. Elle élargit ensuite son répertoire, découvre Händel (*Jules César*), Purcell (*Didon et Enée*). Dans le monde contemporain elle chante Poulenc (*Les Dialogues des Carmélites*) et vient, très tard, à Berg (*Wozzeck*). Elle se retire de la scène et se consacre aux lieder et à l'enseignement. Elle a donné des cours d'été en France à Royaumont. Elle dit devoir beaucoup à des chefs comme Karajan, Krips et Kleiber : renouvellement de l'art lyrique, besoin de communion. Sa voix, chaude et expressive, prend des couleurs très diverses. Irmgard Seefried a épousé le violoniste Wolfgang Schneiderhan. Henze a écrit pour eux *Ariosi* (1964) et Frank Martin *Maria Triptychon* (1968).

Seeman, Carl

Pianiste allemand, né à Brême le 8 mai 1910, mort à Fribourg le 26 novembre 1983.

Après avoir été l'élève de Ramin, de Martienssen et de Thomas au Kirchenmusikalischen Institut du Conservatoire de Leipzig, il tient les orgues de l'église Saint-Nicolas de Flensbourg puis de la cathédrale de Verden an der Aller. Ce n'est qu'en 1936 qu'on reconnaît son talent de grand pianiste. A partir de cette date, il enseigne le piano à Kiel. En 1942, il est nommé directeur de la section de piano de la Landesmusikschule de Strasbourg. En 1946, il occupe la même fonction à la Musikhochschule de Fribourg-en-Brisgau, en même temps qu'il y enseigne. Il a souvent joué avec la pianiste Edith Picht-Axenfeld et le violoniste Wolfgang Schneiderhan. Vice-président du Deutsche Musikrate en 1972, il enseigne à Fribourg jusqu'en 1974 tout en assurant la direction de la Musikhochschule (1964-74).

Segal, Uri

Chef d'orchestre israélien, né à Jérusalem le 7 mars 1944.

Il commence l'étude du violon à l'âge de sept ans puis travaille à la Rubin Academy of Music de Jérusalem où Mendi Rodan l'initie à la direction d'orchestre. Il se perfectionne à la Guildhall School of Music de Londres et à Sienne avant de remporter, en 1969, le Prix Mitropoulos à New York. Pendant un an, il assiste Leonard Bernstein et George Szell à la Philharmonie (1969-70). La saison suivante, il fait ses débuts avec les plus grands orchestres du monde (Berlin, Chicago, Amsterdam, Israël). Il mène pendant plusieurs années une carrière de chef invité et dirige pour la première fois dans la fosse à l'Opéra de Santa Fe (*Le Vaisseau fantôme*, 1973). De 1979 à 1985, il est 1er chef de la Philharmonia Hungarica et, de 1979 à 1982, 1er chef de l'Orchestre Symphonique de Bournemouth. En 1982, il est nommé chef permanent de l'Orchestre de chambre d'Israël.

Segerstam, Leif

Chef d'orchestre et compositeur finlandais, né à Vaasa le 2 mars 1944.

A l'Académie Sibelius d'Helsinki, il travaille le violon, le piano, la direction d'orchestre et la composition, notamment avec Englund et Kokkonen (1952-63). Il poursuit ses études à la Juilliard School de New York (1963-65) avec Overton et Persichetti. Dès 1965, il est chef d'orchestre à l'Opéra Finlandais où il reste trois ans. Puis il est nommé à l'Opéra Royal de Stockholm (1968-71) dont il devient le directeur musical (1971-72). Il est ensuite 1er chef à l'Opéra de Berlin (1972-73) avant de revenir à Helsinki comme directeur général de la musique à l'Opéra (1973-74). De 1975 à 1982, il est chef permanent de l'Orchestre Symphonique de la Radio Autrichienne à Vienne (O.R.F.) et, à partir de 1977, 1er chef de l'Orchestre Symphonique de la Radio d'Helsinki. Invité régulièrement au Festival de Salzbourg depuis 1972, il prend la direction de la Philharmonie du Palatinat (Ludwigshaffen) en 1983. Son œuvre comprend un Concerto pour violon, 4 Quatuors, un essai pour orchestre, *Pandora*, et des mélodies.

Segovia, Andrès

Guitariste espagnol, né à Linarès le 21 février 1893.

Son oncle, qui l'élève, lui fait étudier la musique à l'Institut de Grenade, à l'âge de dix ans. Il apprend la guitare avec des maîtres privés. Encouragé par un élève d'Eugène D'Albert, Rafael de Montis, il donne son 1er récital au Centre artistique de Grenade en 1909. En 1916, il joue à Barcelone et à Madrid. Il a très vite conscience de la nécessité d'un nouveau répertoire pour son instrument. Il approfondit seul son art, s'imposant des exercices à partir desquels il improvise. Lorsqu'il découvre les manuscrits de Tarrega – l'un des 1ers guitaristes qui transcrivit des œuvres du répertoire classique – Segovia travaille sur des pièces de Bach, des mazurkas de Chopin, de Schumann et de Mendelssohn. Il fait des tournées en Amérique latine ; en 1924, obtient un grand succès à Paris, et depuis lors donne des concerts et enseigne (notamment à Sienne à l'Académie Chigiana de 1950 à 1964) et transcrit des œuvres qu'il aime.

Segovia a sorti la guitare de ses limites et a montré qu'elle peut voisiner avec la guitare flamenca, harmonieusement. A Séville, à Madrid, il se heurte d'abord à l'incompréhension. Le luthier Ramirez lui offre un instrument rare. Il joue au fameux Café du Levante, se rend à Valence, est critiqué par les disciples de Tarrega. Toutes ses innovations (la guitare pincée avec les ongles entre autres) sont mal jugées. On lui reproche ses visions nouvelles. Mais il devient l'ami de Miguel Llobet, disciple de Tarrega. Llobet a connu Albeniz, Granados, Debussy. Il fait ensuite la connaissance de Gaspar Cassadó. Leur amitié renforce cet esprit de découverte ; puis il rencontre Paquita Madriguera, pianiste élève de Granados, qu'il épouse.

La guitare est un instrument intime. Pourtant Segovia donne des récitals dans de grandes salles, dans le silence : des milliers de spectateurs comprennent. Il s'attache ensuite au répertoire, demande à Torroba d'écrire pour lui. Il compose lui aussi *Hommage à Turina*, *Sévillane*. Il suscite des œuvres nouvelles dans le monde entier : Roussel (*Segovia*), Villa-Lobos (*Douze études*, *Concerto*), Ponce (*Concerto du Sud*, *Six Préludes*, *Suite en la mineur*, *Trois Sonates*, *Variations sur la Folia*), Castelnuovo-Tedesco (*Concertos nº 1 et 2*, *Variations plaisantes*), F. Martin (*Guitare*), Migot (*Hommage à Claude Debussy*), Milhaud (*Segoviana*), Jolivet (*Le Tombeau de Robert de Visée*), Tansman (*Variations sur un thème de Scriabine*), Rodrigo (*Tres piezas españolas*, *Fantaisie pour un gentilhomme*), Falla, Turina...

La guerre civile espagnole l'oblige à quitter sa maison de Barcelone en juillet 1938. Résidant à Genève, il ne cesse de voyager confirmant ce renouveau de la guitare dont il est le principal artisan. A travers tout cela Segovia reste andalou.

ÉCRITS : *An Autobiography of the years 1893-1920* (1977).

Seidel, Toscha

Violoniste russe naturalisé américain, né à Odessa le 17 novembre 1899, mort à Rosemead (Californie) le 15 novembre 1962.

Il étudie très tôt le violon, d'abord avec Max Fiedelmann à Odessa, puis, jusqu'en 1912, avec Auer à Saint-Pétersbourg. Il se fixera aux États-Unis. C'est – au même titre que Heifetz ou Milstein – l'un des plus grands représentants de l'école russe du violon. Sa carrière a été, hélas !, prématurément interrompue par une maladie mentale. C'est interné qu'il finira sa vie.

Seifert, Gerd

Corniste allemand, né en 1931.

Il étudie avec Döscher et remporte en 1956 le 1er prix au Concours international de Munich. La même année, il est nommé cor solo à l'Orchestre Symphonique de Düsseldorf. En 1964, il devient cor solo à l'Orchestre Philharmonique de Berlin. Il est également membre de l'Octuor Philharmonique de Berlin. Professeur à la Hochschule de Berlin, il tient régulièrement la partie de cor de *Siegfried* à Bayreuth.

Šejna, Karel

Chef d'orchestre tchécoslovaque, né à Zálezly le 1er novembre 1896, mort à Prague le 17 décembre 1982.

Au Conservatoire, il reçoit une formation de contrebassiste et travaille avec F. Černý de 1914 à 1920. Il étudie séparément la composition avec K. B. Jirák. En 1921, il est contrebasse solo de la Philharmonie Tchèque et fait ses débuts de chef d'orchestre l'année suivante. De 1929 à 1936, il dirige le Chœur Hlahol. A partir de 1935, il monte occasionnellement au pupitre de la Philharmonie Tchèque. Dès 1937, il en est le 2e chef et, en 1949, le directeur artistique intérimaire. De 1950 à 1965, il reste 2e chef de cet orchestre sous la direction artistique de Karel Ančerl.

Selva, Blanche

Pianiste française, née à Brive le 29 janvier 1884, morte à Saint-Amand-Tallende le 3 décembre 1942.

Elle travaille le piano au Conservatoire de Paris où elle remporte un 1er prix en 1895. Puis elle donne son 1er concert à l'âge de 13 ans et s'impose comme enfant prodige. Elle travaille la composition avec Vincent d'Indy à la Schola Cantorum : l'auteur de *Fervaal* aura une influence déterminante sur la suite de sa carrière et elle sera sa principale interprète. En 1904, elle joue à Paris l'intégrale de l'œuvre pour clavecin de J.-S. Bach (au piano) en 17 concerts : c'est une révélation ! Puis elle partage son temps entre les concerts et l'enseignement, à la Schola Cantorum, de 1901 à 1922, puis à Strasbourg, à Prague et à Barcelone où elle fonde sa propre académie. Dévouée à la cause de la musique de son temps, elle impose la jeune musique aussi bien que J.-S. Bach et participe à la plupart des concerts de la Société Nationale. D'Indy lui a dédié sa *Sonate pour piano* (créée en 1908) et *Thème varié, Fugue et Chanson* (créé en 1926), Roger-Ducasse ses *Rythmes*. Elle a également créé *Ibéria* d'Albéniz (1906, 1907 et 1909, étant dédicataire du 2e cahier), le *Quintette* de d'Indy (1925), la *Suite pour piano* de Roussel et de nombreuses pièces de Déodat de Séverac dont elle a été la fidèle interprète.

ÉCRITS : *La Sonate* (1913), *L'Enseignement musical de la technique de piano* (1922), *Las Sonatas de Beethoven* (1927), *Déodat de Séverac* (1930).

Semkov, Jerzy

Chef d'orchestre polonais, né à Radomsko le 12 octobre 1928.

Au Conservatoire de Cracovie, il travaille avec Artur Malawski (1946-51) avant de partir pour Leningrad où il est l'élève de Boris Khaikin au Conservatoire (1951-53). Mravinski le prend comme assistant (1954-56). A la même époque, il complète sa formation avec Erich Kleiber, à Prague, et avec Bruno Walter. De 1956 à 1958, il est chef d'orchestre au Bolchoï puis il revient à Varsovie où il prend la direction artistique de l'Opéra National Polonais (1959-61). Sa carrière se développe sur le plan international, et, de 1966 à 1975, il est chef d'orchestre permanent à l'Opéra de Copenhague. On le trouve ensuite à la Fenice (Venise). Il dirige dans les grands festivals, notamment à Aix-en-Provence, avant de prendre la direction de l'Orchestre Symphonique de Saint Louis aux U.S.A. (1975-79). Il est ensuite directeur de l'Orchestre Symphonique de la R.A.I. à Rome (1979-82).

Sénéchal, Michel

Ténor français, né à Paris le 11 février 1927.

Dès l'enfance, il chante, avec une voix d'alto dans la chorale d'un collège des Maristes puis dans celle de l'église de Taverny. A la mue, l'alto devient un ténor à la voix claire et bien timbrée. Au Conservatoire de Paris, il est l'élève de Gabriel Paulet. En 1950, il obtient un 1er prix dans la Cavatine de *Faust*. Le directeur de la Monnaie de Bruxelles, présent au concours, l'engage immédiatement pour chanter les jeunes premiers. Deux ans plus tard, la Monnaie doit fermer ses portes. Michel rentre en France et cherche des emplois en province. Il se présente au Concours de Genève et obtient, à la seconde reprise, le 1er prix, décerné pour la première fois à un chanteur français (1952). Il est engagé au Festival d'Aix, dont il sera 23 années durant le pensionnaire le plus fidèle et sans doute le plus fêté, notamment lorsque Gabriel Dussurget lui confia le rôle-titre de *Platée* de Rameau. Il ne faut pas oublier qu'au temps de la R.T.L.N., il remplit avec succès maints emplois, dont un désopilant et séduisant Almaviva du *Barbier de Séville* ou un inimitable Comte Ory, ainsi qu'un Vincent, merveilleux de fraîcheur. Et puis c'est Salzbourg où Karajan ne peut plus se passer de lui. C'est l'Opéra de Liebermann où il est de toutes les créations et reprises. Et maintenant, tout en poursuivant sa carrière de chanteur d'opéra et de concert, c'est l'enseignement, la direction de l'École de chant de l'Opéra.

Sennedat, André

Bassoniste français, né à Ligny-le-Ribault le 2 août 1929.

Il étudie au Conservatoire du Mans (1940-47) puis au Conservatoire de Paris (1947-51) où il travaille avec G. Dhérin et F. Oubradous. Il y obtient un 1er prix de basson (1949) et un 1er prix de musique de chambre (1951). Avec le Trio d'anches français – où il joue en compagnie de Gaston Maugras (hautbois) et de Claude Desurmont (clarinette) – il obtient en 1956 un 1er prix d'interprétation Mozart à l'occasion du bicentenaire de la naissance du compositeur. Avec cette formation, il crée les trios de Denise Roger et de Claude Ballif. Basson solo des Concerts de chambre de Fernand Oubradous (années 1950), des Concerts Lamoureux (années 1960), il est soliste de l'Orchestre de l'Opéra de Paris (1954-67). Depuis la création de l'Orchestre de Paris (1967) il y occupe les fonctions de basson solo. Il est professeur à l'École normale de musique de Paris et au Conservatoire américain de Fontainebleau. Il a été, en 1970, le premier à jouer dans un orchestre français le basson « Système Heckel » (*fagott*).

Serafin, Tullio

Chef d'orchestre italien, né à Rottanova di Carvazere le 8 décembre 1878, mort à Rome le 2 février 1968.

Il étudie à Milan et joue comme violoniste dans l'Orchestre de la Scala ; puis il débute à Ferrare en 1900, dirige à Turin en 1903 et à la Scala à partir de 1909. En 1913, il inaugure le Festival de Vérone. Dès lors, il suscite une renaissance de l'opéra italien et révèle au monde de grands interprètes : Beniamino Gigli, Rosa Ponselle, entre les deux guerres, puis Maria Callas. C'est à Vérone qu'il entend celle-ci pour la 1re fois et lui assure aussitôt des engagements. Il fait d'elle « La Callas ». Plus tard, il aidera Joan Sutherland à Palerme. De 1934 à 1943, puis à partir de 1962, il est chef permanent et directeur artistique de l'Opéra de Rome. Durant l'occupation allemande, il y donne une saison d'opéras contemporains (*Wozzeck*, *Vol de nuit*). Il dirige régulièrement au Met de 1924 à 1934 et à l'Opéra de Chicago de 1956 à 1958. Sous l'impulsion de Walter Legge, il enregistre une grande part du répertoire italien : Bellini, Donizetti, Leoncavallo, Mascagni, Puccini, Verdi, avec de grands chanteurs : Callas, Los Angeles, Ludwig, Schwarzkopf, Raimondi, Corelli, Gobbi. Au Covent Garden, il dirige *Lucia* (avec J. Sutherland), au Met, il assure plusieurs créations mondiales (*Emperor Jones*, *The King's Henchman* ou *Merry Mount*) et des premières américaines (*Turandot*, *La Vie brève*). Sa femme Elena Rakowska chanta à la Scala et au Met.

Sérébrier, José

Chef d'orchestre et compositeur uruguayen naturalisé américain, né à Montevideo le 3 décembre 1938.

Il travaille d'abord le violon avec Juan Fabbri puis étudie au Conservatoire de Montevideo avec Santórsola et Estrada. En 1949, il fait ses études de chef d'orchestre dans sa ville natale qu'il quitte pour les États-Unis en 1956. Il travaille au Curtis Institute de Philadelphie avec Vittorio Giannini (composition) de 1956 à 1958. Puis il suit les cours d'Antal Dorati à l'Université du Minnesota (1958-60) et devient son assistant. Il se perfectionne avec Pierre Monteux, dans le Maine, puis, pendant quatre ans, à Tanglewood où il travaille avec Copland. De 1962 à 1966, il est chef assistant de l'American Symphony Orchestra à New York. Simultanément, il est directeur musical de l'American Shakespeare Festival (1962-64). Il débute en public à New York en 1965. Il enseigne ensuite à l'Université du Michigan-Est (1966-68) puis est nommé compositeur-résident de l'Orchestre de Cleveland (1968-70), ce qui lui permet de diriger régulièrement le célèbre orchestre. Il poursuit une active carrière de chef invité, tout en assurant la direction de l'Orchestre Symphonique d'Adélaïde (Australie). Il a épousé en 1946 la soprano américaine Carole Farley.

Serkin, Peter

Pianiste américain, né à New York le 24 juillet 1947.

Fils du pianiste Rudolf Serkin, il fait sa 1re apparition publique à douze ans, au Festival de Malboro, suivie d'un 1er concert à New York (1959). Pendant six ans, il étudie au Curtis Institute de Philadelphie avec son père, Lee Luvisi et Mieczyslaw Horszowski. Son 1er concert avec l'Orchestre de Philadelphie date de 1961. Il joue ensuite avec Ozawa, Ormandy et les Quatuors Guarneri, Galimir et de Budapest, sans pour autant oublier la musique de chambre avec son père. Il crée, en 1971, une œuvre écrite par Berio pour piano et clavecin électriques. En compagnie du clarinettiste Richard Stoltzman, de la violoniste Ida Kavafian et du violoncelliste Fred Sherry, il a fondé le groupe Tashi pour lequel plusieurs compositeurs ont déjà écrit. Il a créé des œuvres de Lieberson (*Concerto*, 1983) et de Takemitsu (*Riverrun*, 1985).

Serkin, Rudolf

Pianiste autrichien naturalisé américain, né à Eger (Bohême) le 28 mars 1903.

Élève à Vienne, il travaille très jeune le piano avec Richard Robert. Dès l'âge de cinq ans, c'est un enfant prodige qui stupéfie son entourage par l'évidence de ses dons. Plus tard, il travaille la composition avec Arnold Schönberg. Il fait ses débuts avec l'Orchestre Philharmonique de Vienne, en 1915. Le grand violoniste Adolf Busch le rencontre alors qu'il atteint sa 17e année. L'entente et l'admiration réciproques sont immédiates. Rudolf Serkin s'installe dans la famille Busch. Il multiplie les récitals avec Adolf et Hermann Busch. En 1933, Serkin et les Busch se fixent en Suisse. C'est cette année-là qu'il fait ses débuts en Amérique. Arturo Toscanini le retient comme soliste en 1934, puis en 1936. Il épouse, en 1935, Irène, fille aînée d'Adolf Busch. En 1939, il s'établit aux États-Unis dont il adoptera la nationalité. Pablo Casals l'engage, en 1950, au 1er Festival de Prades. A la même époque, en compagnie d'Adolf Busch, il crée et dirige le Festival et l'École de musique de Marlboro (Vermont, U.S.A.). Dès 1939, il enseigne au Curtis Institute de Philadelphie dont il sera directeur de 1968 à 1977. Rudolf Serkin compte certainement parmi les plus grands poètes de l'histoire du piano. Son jeu, d'une lumineuse simplicité que l'on a souvent qualifiée de solaire, fait merveille de Bach aux grandes pages du romantisme allemand. Il continue à se dévouer à la cause de la musique de chambre. Martinů lui a dédié sa *Sonate pour piano* qu'il a créée en 1957.

Setrak

Pianiste turc naturalisé français en 1967 sous le nom d'Yves Petit, né à Istanbul le 17 mars 1931.

Après avoir fait ses études à Istanbul, il vient à Paris en 1946 où il travaille à l'École normale de musique avec Alfred Cortot puis au Conservatoire avec Marguerite Long. Il obtient en 1953 un 1er prix de piano dans la classe d'Yvonne Lefébure, puis se perfectionne avec Georges de Lausnay. Il remporte également un 1er prix de direction d'orchestre dans la classe d'Eugène Bigot. Dès lors, il entame une carrière internationale à la recherche d'œuvres peu jouées du répertoire. Il tire de l'oubli en 1981 au Festival de Lyon la *Fantaisie sur des thèmes de Lelio* de Liszt d'après Berlioz. Il dispose d'un très vaste répertoire et a le souci de recourir aux textes originaux.

Ševčik, Otokar

Violoniste tchécoslovaque, né à Horaždowitz le 22 mars 1852, mort à Pisek le 18 janvier 1934.

Il étudie d'abord avec son père, puis avec Anton Bennewitz au Conservatoire de Prague (1866-70). Il est violon solo au Mozarteum de Salzbourg (1870-73) puis au Théâtre An der Wien. Ses débuts à Vienne datent de 1873. Ses tournées établissent sa réputation de grand violoniste. Il mène parallèlement une importante carrière de pédagogue au Conservatoire de Kiev (1875-92), au Conservatoire de Prague (1892-1906), à l'Académie de Vienne (1908-18), à nouveau au Conservatoire de Prague (1919-24). Considéré comme le père de l'école tchèque du violon, il a formé des élèves aussi prestigieux que Jan Kubelík, Kolisch, Zimbalist, Marie Hall et Erica Morini.

Sgrizzi, Luciano

Claveciniste italien, né à Bologne le 30 octobre 1910.

Son oncle, musicien autodidacte, lui donne ses 1res leçons de musique. D'abord destiné au violon, il se tourne dès ses sept ans vers le piano. Ses progrès sont si rapides qu'à douze ans il obtient son diplôme à l'Academia Filarmonica de Bologne. Au Conservatoire de Bologne, il travaille le piano et l'harmonie (1920-21), puis l'orgue et la composition. Ses études se déroulent de manière assez désordonnée, Luciano Sgrizzi héritant d'un goût familial pour le travail en autodidacte. Il donne beaucoup de récitals en Italie mais aussi en Amérique latine, et continue à se livrer à la composition qu'il pratique depuis l'âge de neuf ans. Entre 1927 et 1931, il étudie l'orgue et la composition avec Luigi Ferrari-Trecate au Conservatoire de Parme où il obtient une nouvelle fois un prix de piano (1931). Mais, dégoûté de la vie de musicien d'estrade, rebelle au climat fasciste qui règne alors en Italie, il accepte, pour faire face à des difficultés financières croissantes, un engagement en Suisse. Suit une longue période d'activités assez mélangées où le piano et la composition se mêlent à la littérature et à l'histoire. Pendant trois hivers (1934-37), il vient étudier à Paris avec Albert Bertelin. Il rencontre alors Léonce de Saint-Martin, organiste à Notre-Dame, et Georges Migot. Ses œuvres commencent à être jouées (un *Concerto pour piano*, une ouverture). Luciano Sgrizzi passe toute la guerre en Suisse et semble perdre le goût de la musique. En 1947, il arrive à la Radio de Lugano pour y faire des chroniques littéraires, des présentations musicales et des feuilletons. Il reprend alors ses activités de compositeur et d'interprète et donne de nombreuses 1res auditions de pages suisses et italiennes. En 1948, il joue pour la 1ere fois sur un clavecin et commence rapidement à donner des récitals. En 1958-60, il effectue pour Edwin Loehrer et la Societã Cameristica di Lugano des réalisations de musique ancienne qui lui ouvrent les portes des maisons de disques. Malgré le succès de ses 1ers enregistrements, il restera fidèle à la Radio de Lugano jusqu'en 1974. Depuis 1965, il pratique également le piano-forte. En 1970, il perd l'usage d'un œil, ce qui ne l'empêche pas de poursuivre ses recherches musicologiques et de tirer de l'oubli de nombreux compositeurs italiens et français. Luciano Sgrizzi a entrepris l'enregistrement de la monumentale intégrale des *Sonates pour clavecin* de Domenico Scarlatti. Il a édité les *Sonates* de Marcello et *Ercole amante* de Cavalli.

Shaffer, Elaine

Flûtiste américaine, née à Altoona (Pennsylvanie) en 1925, morte à Londres en 1973.

Elle fait ses études à l'Institut Curtis de Philadelphie puis est nommée flûte solo à l'Orchestre Symphonique de Houston. Parallèlement, elle se produit en soliste, notamment au Festival de Bath avec Yehudi Menuhin. Ernest Bloch écrit pour elle sa *Suite modale* pour flûte et orchestre à cordes. Elle était mariée au chef d'orchestre Efrem Kurtz.

Shafran, Daniil

Violoncelliste soviétique, né à Leningrad le 13 novembre 1923.

Il étudie d'abord avec son père, Boris Shafran puis avec Strimer. Il fait ses débuts publics à l'âge de dix ans avec l'Orchestre Philharmonique de Leningrad sous la direction d'Albert Coates. Il remporte le 1er prix aux Concours de Moscou (1937) et Prague (1950). Il est le dédicataire du *Concerto* de Kabalevski qu'il crée en 1949. Celui qui demeure l'un des plus importants violoncellistes soviétiques est pratiquement inconnu en France malgré une intense carrière internationale.

Shallon, David

Chef d'orchestre israélien, né à Tel Aviv le 20 avril 1948.

Il étudie le violon alto et le cor, jouant au sein de différentes formations orchestrales. Il travaille la composition et la direction avec Noam Sheriff puis à Vienne avec Hans Swarowsky, où il reçoit son diplôme après deux années. Il débute en dirigeant le Tonkünstler Orchester de Vienne. En 1979, il dirige *Fidelio* à la Staatsoper de Vienne. En 1980, il fait ses débuts aux États-Unis à San Francisco avec Isaac Stern en soliste, dirige l'Orchestre Philharmonique de Munich et crée le dernier opéra de Gottfried von Einem au Festival de Vienne en 1980. En marge de sa carrière personnelle, il est assistant de Leonard Bernstein à partir de 1974, notamment pour des œuvres de Beethoven et Brahms avec la Philharmonie de Vienne et de la Radio Bavaroise dans le cadre de productions télévisées.

Shicoff, Neil

Ténor américain, né à New York le 2 juin 1949.

Après des études de chant avec L. Richie à Delaware et Jenny Tourel à la Juilliard School, il fait ses débuts professionnels en 1975 au Kennedy Center, de Washington, dans *Salomé* (Narraboth). En 1976, il débute au Met (Rinuccio de *Gianni Schicchi*) où il chante depuis *Rigoletto, La Bohème*, le Chanteur Italien du *Chevalier à la rose* et Werther, rôle qui contribue à sa réputation internationale et qu'il chante également à Aix-en-Provence (1979), Munich et Paris (1984). Il apparaît sur les scènes du Covent Garden depuis 1977 (*Butterfly, Bohème, Macbeth*), de Vienne (*Rigoletto*), San Francisco (*Lucia*). Ses débuts à l'Opéra de Paris ont lieu en 1982 (*Roméo et Juliette*). Il chante également Hoffmann, aussi bien dans la version Choudens (Hambourg, Toronto), que dans la version Oeser dont il assure la 1re exécution intégrale à Florence en 1979.

Shirley-Quirk, John

Baryton anglais, né à Liverpool le 28 août 1931.

Il étudie avec Roy Henderson et débute au Festival de Glyndebourne en 1961 (Le docteur de *Pelléas*). Il chante au Scottish Opera, puis appartient à l'English Opera Group de 1964 à 1976, apparaît au Covent Garden à partir de 1973, et entame alors une carrière internationale. Il participe aux créations des *Church Parables*, d'*Owen Wingrave* (Coyle), ainsi que de divers rôles de *Death in Venice* de Britten et de *The Ice Break* de Tippett (Lev). Son répertoire comporte aussi bien Alfonso et Don Giovanni qu'Onéguine, Pimen ou Arkel.

Siepi, Cesare

Basse italienne, né à Milan le 10 février 1923.

Autodidacte, il aime à l'adolescence la boxe et le chant grégorien. Il débute à Schio, près de Venise, dans le rôle de Sparafucile (*Rigoletto*). En 1944, antifasciste, il est interné en Suisse. Il chante dans son camp et plus tard travaille sa voix à Lugano. On l'entend à Venise, puis à la Scala, en 1946, sous la direction de Tullio Serafin. En 1948, il participe à l'hommage rendu à Boïto par Toscanini. En 1950, il est Pistol (*Falstaff*) au Covent Garden. Les grandes scènes du monde le réclament. Il chante au Met (1950) et à Salzbourg (1953 à 58) Mozart et Verdi. Il est un étonnant Philippe II, un profond Don Giovanni qu'il chante à plusieurs reprises avec Furtwängler. Il aborde plus tard Wagner au Met. Il est considéré comme l'une des plus grandes basses italiennes depuis Pinza.

Siki, Béla

Pianiste hongrois, naturalisé suisse, né à Budapest le 21 février 1923.

Il travaille à l'Académie de musique de Budapest avec Dohnányi et Weiner, puis au Conservatoire de Genève avec Dinu Lipatti. Il obtient le Prix Franz Liszt en

1943 et le 1er prix au Concours de Genève en 1948. Il fait ses débuts à Budapest en 1945. En 1965, il est nommé professeur à l'Université du Washington à Seattle. Il passe pour un grand spécialiste de l'œuvre de Bartók et de Liszt.

Silja, Anja
(Anja Silja Regina Langwagen)

Soprano allemande, née à Berlin le 17 avril 1935.

Ses parents étant comédiens, c'est son grand-père qui découvre les possibilités de sa voix. A huit ans, elle prend ses 1res leçons et à dix ans, elle donne son 1er concert au Titania-Palast, suivi d'un 2e à Hambourg. A quinze ans, elle donne son 1er récital de mélodies. En 1956, elle fait des débuts remarqués au Théâtre d'État de Braunschweig comme Rosine (*Le Barbier de Séville*). Après un passage à la Städtische Oper de Berlin, elle est engagée en 1958 à l'Opéra de Stuttgart et l'année suivante à l'Opéra de Francfort. La même année, elle chante la Reine de la Nuit (*La Flûte enchantée*) au Festival d'Aix-en-Provence. En 1960-61, elle fait sensation à Bayreuth, comme Senta (*Le Vaisseau fantôme*) ; depuis, elle participe à chaque festival jusqu'à la mort de Wieland Wagner, qui crée ses mises en scène autour de sa personnalité et en fait l'héroïne wagnérienne type. Elle chante ensuite Elisabeth (*Tannhäuser*), Eva (*Les Maîtres chanteurs*), Elsa (*Lohengrin*), ainsi que Freia (*L'Or du Rhin*) qu'elle interprète pour la dernière fois en 1967 à Bayreuth. Cette même année, elle chante Brünnhilde (*La Walkyrie*) à l'Opéra de Paris et au Grand-Théâtre de Genève. Depuis 1962, elle appartient à la troupe de l'Opéra de Stuttgart où elle interprète d'autres mises en scène de Wieland Wagner : *Salomé*, qu'elle chante également à Vienne, à Bruxelles, à Paris ; puis, sur la scène de Francfort, c'est *Lulu* (Alban Berg), rôle dans lequel elle triomphe, en 1966, au Festival d'Edimbourg. Elle chante également à la Monnaie de Bruxelles et sur d'autres scènes importantes. Engagée dans la troupe de l'Opéra de Francfort, elle en suivra le directeur – le chef d'orchestre Christoph von Dohnányi – quand celui-ci, dont elle est désormais l'épouse, deviendra intendant général de l'Opéra de Hambourg. Sur cette scène, elle reprend *Lulu*, *Salomé*, et d'autres rôles de grand soprano dramatique. (Marie, Médée, Renata dans *l'Ange de feu*...)

Sills, Beverly
(Belle Silbermann)

Soprano colorature américaine, née à New York le 25 mai 1929.

On découvre très tôt sa voix, et à 17 ans chante Micaëla dans un spectacle d'élèves. Elle étudie le chant avec Estelle Liebling à New York, mais elle se tourne vers la radio et chante avec succès des opérettes et des comédies musicales. En 1955, elle est engagée au New York City Opera et débute avec *La Traviata* ; depuis, avec cette compagnie, elle remporte de très grands succès comme Reine Elisabeth dans *Roberto Devereux* et Reine Marie dans *Maria Stuarda*, ainsi que dans le rôle-titre d'*Anna Bolena*, de *Lucia di Lammermoor*, de *Norma* et dans la Reine du *Coq d'or*. Invitée par tous les opéras importants d'Amérique du Nord, elle se rend en Europe où elle débute en 1967 comme Reine de la nuit à l'Opéra de Vienne. En 1969, elle triomphe à la Scala dans un ouvrage oublié de Rossini, *Le Siège de Corinthe*. En 1971, elle chante à l'Opéra de Boston. Elle est considérée comme une des grandes coloratures de ce siècle. En 1974, le Met l'appelle et remontera peu à peu pour elle plusieurs opéras, dont *Thaïs* (Massenet). Peu après, elle se retire de la scène et prend la direction du New York City Opera (1979). Ayant chanté sur toutes les scènes importantes du monde, elle a ainsi des liens qui lui ont permis de rendre à son ensemble une place toute particulière sur la scène lyrique internationale. Elle a créé de nombreuses œuvres contemporaines et fondé un concours d'opéras en un acte, réalisant chaque saison les œuvres primées.

Siloti, Alexandre

Pianiste et chef d'orchestre russe, né à Kharkov le 9 octobre 1863, mort à New York le 8 décembre 1945.

Il fait ses études au Conservatoire de Moscou (1876-81) avec Zverev et N. Rubinstein (piano) et Tchaïkovski (écriture). En 1880, il débute à Moscou puis travaille avec Liszt à Weimar (1883-86). De retour à Moscou, il y est nommé professeur au Conservatoire (1886-90) : l'un de ses plus illustres élèves sera Rachmaninov. Suit une période de tournées et de brefs séjours dans différentes capitales européennes : Francfort, Anvers, Leipzig (1897). En 1901-02, il prend la direction des concerts de la Philharmonie de Moscou puis, en 1903, il fonde à Saint-Pétersbourg son propre orchestre qui fonctionnera jusqu'à la révolution, donnant de nombreux concerts populaires et diffusant la musique en dehors de la cour. En 1919, il quitte son pays natal et, après un court séjour à Londres, se fixe à New York en 1922. Il se consacre alors essentiellement à la pédagogie, enseignant à la Juilliard School de 1925 à 1942. Il a transcrit de nombreuses pages de Bach et Vivaldi.

ÉCRITS : *Meine Erinnerungen an Franz Liszt* (1912).

Silvestri, Constantin

Chef d'orchestre et compositeur roumain naturalisé anglais (1967), né à Bucarest le 31 mai 1913, mort à Londres le 21 février 1969.

Il fait ses études musicales à Bucarest jusqu'en 1935 où il travaille le piano avec Fiorica Muzicescu et la composition avec Mihail Jora et Constantin Brailoiu. De 1935 à 1946, il commence une carrière de pianiste et devient répétiteur puis chef d'orchestre à l'Opéra de Bucarest (1939-44). Après la guerre, il prend la direction artistique de la Philharmonie de Bucarest (1947-53) et enseigne au Conservatoire (1948-59). Il revient à l'Opéra comme directeur artistique (1955-57) avant d'être nommé 1er chef de l'Orchestre Symphonique de la Radio Roumaine (1958-59). Il quitte alors la Roumanie pour Paris. Il mène une carrière de chef invité et enregistre à cette époque la plupart des disques qu'il nous a laissés. De 1961 à sa mort, il est à la tête de l'Orchestre Symphonique de Bournemouth. Son œuvre comporte notamment une *Toccata* pour orchestre, 3 Quatuors et des sonates. Parmi les pages qu'il a créées figurent l'*Ouverture tragique* de Mihalovici (1958) et la *Symphonie n° 2* de Migot (1961).

Simionato, Giulietta

Mezzo-soprano italienne, née à Forli le 12 mai 1910.

Ses dons vocaux sont très vite reconnus par son entourage. Elle étudie le chant avec Ettore Lucatello puis Gino Palumbo. En 1935, elle obtient, devant 385 concurrents, le 1er prix du concours de chant organisé par le Théâtre communal de Florence, théâtre qui l'engage immédiatement pour la création de l'*Orseolo* de Pizzetti : grand succès pourtant suivi d'une longue période d'attente. Stignani, Elmo et Barbieri monopolisaient les classiques et les romantiques et Pederzini les colloratures, et il n'y avait pas de place pour une téméraire concurrente. Seul le déclin de Gianna Pederzini lui permet d'accéder aux 1ers rôles et c'est la mémorable soirée du 2 octobre 1947 à la Scala où son interprétation de Mignon lui gagne la célébrité. Elle s'impose dans tous les rôles de mezzo-colorature que Rossini avait écrits pour Isabelle Colbran : Rosine, Isabelle de l'*Italienne à Alger*, Isolier du *Comte Ory*, Tancrède et surtout Cendrillon. Progressivement, elle reprend les grands rôles de ses illustres devancières : Charlotte, Amnéris, Azucena, Dalila, Carmen (un rôle qu'elle a chanté plus de 200 fois), Adalgisa, Santuzza, Jane Seymour d'*Anna Bolena*, et cette extraordinaire Valentine des *Huguenots*, dont la reprise en 1962, avec Joan Sutherland et Franco Corelli, restera l'un des grands moments de la Scala. Des nerfs d'acier, une musicalité sans faille, une technique vocale à toute épreuve et une voix puissante et très étendue, tels étaient les atouts de cette remarquable cantatrice par ailleurs douée d'une vis comica et d'une vis dramatica également convaincantes.

Simon, Abbey

Pianiste américain, né à New York le 8 janvier 1922.

Au Curtis Institute de Philadelphie, il travaille avec David Saperton et Joseph Hofman. Puis il prend des leçons de Leopold Godowsky à New York avant de débuter en 1940. Pianiste à la virtuosité étonnante, il enseigne à la Juilliard School depuis 1977.

Simon, Albert

Chef d'orchestre hongrois, né à Makó le 18 août 1926.

Il travaille à l'Académie de musique Franz Liszt de Budapest avec János Ferencsik et László Somogyi puis au Conservatoire de Bucarest avec Georges Georgescu et Constantin Silvestri. De 1953 à 1955, il est chef d'orchestre à Szeged, de 1955 à 1958 à l'Opéra National de Budapest puis, de 1959 à 1969, il dirige un orchestre de jeunes à Budapest. En 1969, il est nommé professeur, titulaire de la classe de musique symphonique à l'Académie Franz Liszt et chef de l'Orchestre de Chambre de l'Académie de Budapest. Parallèlement, il fonde le Uj Zenei Stúdio, ensemble de musique nouvelle grâce auquel il popularise la musique contemporaine hongroise et les classiques du XXe siècle.

Simoneau, Léopold

Ténor canadien, né à Québec le 3 mai 1919.

Il fait ses études au Levis College et à l'Université de sa ville natale avant de travailler le chant à New York avec Paul Althouse. Il débute à l'Opéra de Montréal en 1943. De 1948 à 1951, il fait partie de la troupe de l'Opéra de Paris. Dès 1950, il est l'une des vedettes du Festival d'Aix-en-Provence et, l'année suivante, il débute à Glyndebourne. Il se distingue particulièrement dans tous les rôles de ténors mozartiens qu'il incarne sur les plus grandes scènes. Il marque aussi le rôle d'*Orphée* de Gluck dont il a laissé un très bel enregistrement. Il participe, en 1953, à l'Opéra-Comique, à la création française du *Rake's Progress* de Stravinski.

Simonov, Yuri

Chef d'orchestre soviétique, né à Saratov le 4 mars 1941.

Fils d'un chanteur d'opéra, il travaille au Conservatoire de Leningrad avec N. Rabinovitch et Kramarov (1956-68), recevant une formation d'altiste et de chef d'orchestre. En 1966, il remporte le 1er prix au Concours national des chefs d'orchestre de l'U.R.S.S. et, deux ans plus tard, au Concours international de l'Académie Sainte-Cécile de Rome. Il débute comme chef permanent de l'Orchestre Philharmonique de Kislovodsk (1967-69) tout en étant l'assistant de Mravinski à Leningrad (1968-69). Puis il est nommé au Bolchoï où il dirige d'abord les ballets (1969-70) avant de devenir 1er chef (1970). En 1975, il est nommé professeur de direction d'orchestre au Conservatoire de Moscou. Il a créé *Anna Karenina* de Chtchedrine (1972).

Singher, Martial

Baryton français, né à Oloron-Sainte-Marie le 14 août 1904.

Il étudie d'abord la philologie puis il travaille le chant au Conservatoire de Paris dans la classe d'André Gresse. Il débute en 1930, à l'Opéra d'Amsterdam, avec la troupe de l'Opéra de Paris, et chante Oreste d'*Iphigénie en Tauride* (Gluck). Jusqu'en 1940, il est un des barytons les plus populaires de l'Opéra de Paris. Depuis 1937, il appartient à la troupe de l'Opéra-Comique. Il a créé le cycle de mélodies *Don Quichotte à Dulcinée* de Ravel en 1934. En 1937, il participe au Festival de Glyndebourne et chante au Covent Garden. L'année suivante, il est l'invité du Mai Musical florentin. Il chante en Hollande, en Belgique, en Suisse, Suède, Portugal et dans les deux Amériques. De 1936 à 1940, il est invité au Colón, chaque année. En 1940, il épouse Margareta Rut Busch, la fille du chef d'orchestre Fritz

Busch. Pendant l'occupation de la France par les Allemands, il préfère gagner l'Amérique du Nord. Bien qu'il ait été aussitôt engagé au Met, il ne reçoit son permis de travail qu'en 1943. Il obtient aussitôt tant en concert que sur scène d'inestimables succès. Il vit à Scarsdale, près de New York, et enseigne au Mannes College de New York (1951-55) ainsi qu'au Curtis Institute de Philadelphie (1954-68). En 1962, il prend la direction du département lyrique à l'Université de Santa Barbara.

Sinopoli, Giuseppe

Chef d'orchestre et compositeur italien, né à Venise le 2 novembre 1946.

Il étudie au conservatoire de Venise et mène de front des études médicales à l'université de Padoue (1971) : thèse en anthropologie criminelle et en psychiatrie, recherche sur la physiologie de l'appareil acoustico-mental. Déçu par ses études musicales à Venise (1965-67), il gagne Darmstadt (1968) où il travaille avec Maderna et Stockhausen. De 1969 à 1973 il est élève de Donatoni puis son collaborateur aux cours d'été de Sienne. A partir de 1972, il suit les cours de direction d'orchestre de Hans Swarowsky à Vienne – où il réside désormais – tout en enseignant la composition et la musique contemporaine au Conservatoire B. Marcello à Venise. En 1975, il fonde l'Ensemble Bruno Maderna. Sinopoli, à l'instar de Boulez dont il a particulièrement étudié l'œuvre, poursuit désormais une double carrière de chef et de compositeur. Il est nommé chef permanent de l'Orchestre de l'Académie Sainte-Cécile à Rome (1983) et de l'Orchestre Philharmonia (1984). En 1985, il fait ses débuts au Met en dirigeant *la Tosca*.

Siohan, Robert

Chef d'orchestre, compositeur et critique musical français, né à Paris le 27 février 1894.

Il fait ses études musicales au Conservatoire de Paris (1909-22) et reçoit les Prix Halphen et Blumenthal. Il débute comme altiste à la Société des Concerts et se tourne vers la direction d'orchestre. Il donne l'audition parisienne du *Roi David* d'Honegger (1924) puis fonde, en 1929, son propre orchestre : les Concerts Siohan seront l'une des formations les plus dynamiques de la capitale, ouverts à la musique moderne et aux jeunes interprètes. En 1935, ils fusionnent avec les Concerts Poulet pour faire face à des difficultés financières avant de disparaître l'année suivante. C'est notamment aux Concerts Siohan qu'est créée, en 1934, l'*Ascension* de Messiaen. De 1932 à 1947, Robert Siohan est chef des chœurs à l'Opéra de Paris puis professeur au Conservatoire (1945-62) et inspecteur général de la musique (1964). Comme compositeur, on lui doit un *Quatuor*, une *Symphonie*, des concertos pour piano, violon, violoncelle, un opéra, *Le Baladin de satin cramoisi*, et un ballet, *Hypérion*. Auteur de nombreux écrits, il a été pendant plusieurs années critique musical au journal *Le Monde* et à *Combat*. En 1954, il a soutenu une thèse : *Les Théories nouvelles de l'harmonie.*

ÉCRITS : *Évolution actuelle de l'art musical* (1956), *Stravinski* (1959), *Histoire du public musical* (1967).

Sitkovetski, Dmitri

Violoniste soviétique, né à Bakou le 27 septembre 1954.

C'est le fils de Bella Davidovitch et du violoniste Julian Sitk, artiste mort prématurément. De 7 à 18 ans, il étudie à l'École centrale de Moscou avec Jankelevitch. Il remporte le 1er prix au Concours de Prague. A partir de 1972, il travaille au Conservatoire de Moscou, toujours avec Jankelevitch, mais aussi avec Besrodny. Il étudie en outre la composition et la philosophie avec Josef Andrassian. En 1977, il émigre aux États-Unis. Il se perfectionne avec Ivan Galamian à la Juilliard School (1977-79). En 1979, il obtient le 1er prix au Concours Kreisler de Vienne.

Skowron, Julien

Chanteur et instrumentiste français spécialisé dans la musique médiévale et renaissante, né à Rethel (Ardennes) le 11 février 1940.

Après des études musicales au Conservatoire de Reims (prix de violon et d'harmonie en 1959), il prépare le professorat d'éducation musicale (Lycée La Fontaine, 1960-63) et passe avec succès le C.A.E.M. (1963) ainsi qu'un mémoire de maîtrise en musicologie à la Sorbonne. Il enseigne dans plusieurs lycées (1963-76) et se spécialise dans le jeu sur instruments à archet du monde médiéval (Crwth gallois, rebecs, rubèbe, kamançé turc, vièles à archet, violes, maurache, citole, ravanastron, guitare mauresque) et fait partie de plusieurs ensembles français : Les Ménestriers (1969-77), l'Ensemble Guillaume de Machaut (1974-80), le Florilegium Musicum de Paris (1977-79). En 1978, il fonde la Maurache, équipe de musiciens-jongleurs (ménestrels) qui a sillonné la France et la Suisse. Il organise des stages avec la F.N.A.Mu. (Fédération nationale d'activités musicales). Il enseigne depuis 1980 la musique ancienne au Centre Musical Edgar Varèse (Conservatoire de Gennevilliers). Outre sa thèse, *Instruments à archets du Moyen Age*, il est l'auteur de *L'Art du Viellateur*. Compositeur de musiques de films, il a participé également à de nombreuses émissions de radio et de télévision. Il s'intéresse en outre à la musique contemporaine (créations de Kagel).

Skrowaczewski, Stanislaw

Chef d'orchestre et compositeur polonais naturalisé américain, né à Lvóv le 3 octobre 1923.

Il fait ses études musicales à l'académie de sa ville natale et au Conservatoire de Cracovie avant de venir à Paris où il travaille avec Nadia Boulanger, Honegger et Klecki (1947-49). Sa carrière de chef d'orchestre a déjà commencé en 1946 lorsqu'il a pris la direction de l'Orchestre Philharmonique de Wroclaw (Breslau). A son retour en Pologne, il est à la tête de l'Orchestre Philharmonique de Katowice (1949-54) puis de l'Orchestre Philharmonique de Cracovie (1954-56). En 1956, il remporte le 1er prix au Concours international de l'Académie Sainte-Cécile de Rome, ce qui lui permet d'être, pendant deux ans, l'un des principaux chefs de la Philharmonie nationale de Varsovie (1957-59). Il quitte alors la Pologne et prend, en 1960, la succession d'Antal Dorati à la tête de l'Orchestre de Minneapolis (qui deviendra Orchestre du Minnesota). Il conserve ce poste jusqu'en 1979 où il se retire pour mener une carrière de chef invité et se consacrer à la composition. En 1983, il reprend un poste permanent à la tête du Hallé Orchestra de Manchester.

Il est l'auteur de 4 symphonies, d'un quatuor, d'un concerto pour cor anglais, de mélodies et musiques de film. On lui doit la création de *Als Jakob erwachte* (Penderecki, 1974) et de la *Wiener Symphonie* (Einem, 1977).

Slatinaru, Maria (Nistor)

Soprano roumaine, née à Iaşi le 25 mai 1938.

Elle étudie au Conservatoire de Bucarest avec Arta Florescu et Aurel Alexandrescu, et débute en 1969 à l'Opéra de Bucarest (Elisabeth de Valois). Elle chante alors sur de nombreuses scènes allemandes, à Zürich, à Liège et en France à Toulouse (Léonore) en 1977 et à l'Opéra de Paris où elle débute en 1982 dans *Il Tabarro* avant d'y chanter *Tosca*.

Son répertoire comprend les grands rôles de spinto italiens, mais aussi Elsa, Sieglinde et Elisabeth de Wagner, et c'est sur les grandes scènes internationales qu'elle le présente enfin : Vienne, Munich, Hambourg, Venise et, en 1983, San Francisco.

Slatkin, Leonard

Chef d'orchestre américain, né à Los Angeles le 1er septembre 1944.

Il est le fils de Felix Slatkin, violoniste et chef d'orchestre, et de Eleanor Aller, violoncelliste. Il étudie à Los Angeles le piano et le violon dès l'âge de trois ans. Il travaille la direction d'orchestre avec son père, puis avec Walter Süsskind, directeur de l'Aspen Festival. Il entre à la Juilliard School où il se perfectionnera jusqu'en 1968 avec Jean Morel et, pour la composition, Castelnuovo-Tedesco. Il fait ses débuts au Carnegie Hall. A 23 ans, il devient chef assistant à l'Orchestre Symphonique de Saint Louis. En 1974, il remplace au pied levé Riccardo Muti à la tête de l'Orchestre Philharmonique de New York. Sa carrière à l'Orchestre Symphonique de Saint Louis se poursuit : chef titulaire (1971), chef permanent (1974), principal chef invité (1975). Il est nommé directeur musical de l'Orchestre Philharmonique de la Nouvelle Orléans (1977-80), de l'Orchestre Symphonique de Saint Louis (1979) et des saisons d'été de l'Orchestre du Minnesota. Il devient conseiller musical de l'Orchestre Philharmonique de la Nouvelle Orléans. Il a créé la Symphonie nº 2 de Ginastera (1983).

Slezak, Leo

Ténor autrichien, né à Mährisch-Schönberg (Moravie) le 18 août 1873, mort à Rottbach-Egern le 1er juin 1946.

Découvert par le baryton Adolf Robinson, avec qui il fait de brèves études, il débute en 1896 à Brno dans *Lohengrin*. Cantonné dans des rôles secondaires à la Hofoper de Berlin (1898-99), il est engagé par le Théâtre de Breslau (1899) où il fait la connaissance de sa future femme, l'actrice Elsa Wertheim. Ses débuts au Covent Garden en 1900, toujours dans *Lohengrin*, passent inaperçus en pleine guerre des Boers. En 1901, appelé par Mahler à l'Opéra de Vienne, il y commence une longue et brillante carrière de Heldentenor. Il éprouve le besoin de venir à Paris en 1907 parfaire auprès de Jean De Reszké une technique parfois aléatoire. Il revient à Londres en triomphateur dans *Othello* (1909), rôle de ses débuts au Met la même année, où, pendant quatre saisons, sous la direction de Toscanini et de Mahler, il chante *Tannhäuser*, *Lohengrin*, Walther des *Maîtres chanteurs*, Manrico, Radamès, Hermann de *La Dame de pique*, etc. Il se produit avec cette troupe du Met à Paris en 1910. Pour ses adieux à la scène en 1933, il chante Paillasse à Vienne. La vaillance et la chaleur de la voix, la beauté de l'articulation en ont fait un excellent diseur de lieder, malgré une sensiblerie certaine, qu'il exploitera dans sa seconde carrière, au cinéma, au même titre que ses grands comiques. Ses nombreux livres de Mémoires témoignent de ce dernier trait de sa personnalité, comme le célèbre « A quelle heure le prochain cygne ? » qu'il aurait lancé un soir sur scène, dans *Lohengrin*.

Slobodianik, Alexandre

Pianiste soviétique, né à Kiev le 5 septembre 1941.

Il travaille au Conservatoire de Moscou sous la direction de Gornostaeva et de Heinrich Neuhaus. Encore étudiant, il remporte un prix au Concours Chopin de Varsovie (1960). En 1964, il obtient son diplôme et l'Organisation anglaise des prix internationaux de musique, présidée à l'époque par Zoltán Kodály, lui décerne un prix spécial pour récompenser ses brillants débuts. En 1966, il est lauréat du Concours Tchaïkovski à Moscou. Son répertoire illustre essentiellement les œuvres de Chopin, Scriabine et Prokofiev.

Smetáček, Václav

Chef d'orchestre tchécoslovaque, né à Brno le 30 septembre 1906.

Au Conservatoire de Prague, il étudie le hautbois, la composition et la direction d'orchestre avec L. Skuhrovský, J. Křička, M. Doležil et P. Dědeček (1922-30). Il travaille également la philosophie à l'Université de Prague où il obtient un doctorat (1933). En 1928, il fonde le Quintette à vent de Prague dont il fera partie jusqu'en 1955. De 1930 à 1933, il fait partie de l'Orchestre Philharmonique Tchèque avant d'être nommé à la tête de l'Orchestre de la Radio de Prague (1934-43) et du Chœur Hlahol (1934-46). En 1942, il est

1er chef de l'Orchestre F.O.K. de Prague, qui deviendra l'Orchestre Symphonique de Prague en 1952, et conserve ce poste jusqu'en 1972. De 1945 à 1966, il enseigne au Conservatoire de Prague. Figure majeure de la vie musicale tchécoslovaque, il s'est largement consacré à la diffusion de la musique de son pays, créant notamment des œuvres de Kabeláč, Pauer ou Sommer. Il a réalisé une orchestration de *La Jeunesse* de Smetana.

Smith, Hopkinson

Luthiste américain, né à New York le 7 décembre 1946.

Après avoir terminé ses études à l'Université Harvard en 1972, il se perfectionne dans la connaissance de la musique ancienne et de l'esthétique auprès d'Emilio Pujol et Alfred Deller, et suit les leçons d'Eugen M. Dombois à la Schola Cantorum de Bâle (1973-75). Ses activités de soliste le conduisent partout en Europe et en Amérique en compagnie de différents ensembles. Il participe à plus de 30 enregistrements de musique ancienne, avec notamment l'intégrale des œuvres pour luth de J.-S. Bach et une série consacrée aux luthistes français. Il joue sur différents instruments anciens à cordes pincées. Depuis 1976, il enseigne à la Schola Cantorum de Bâle la technique du luth, la basse continue, l'improvisation et l'interprétation.

Södergren, Inger

Pianiste suédoise, née à Köping le 25 janvier 1947.

Après avoir commencé le piano en Suède, elle vient se perfectionner à Paris où elle suit d'abord les cours de Nadia Boulanger, puis d'Yvonne Lefébure. Révélée au grand public par le Printemps Musical 1977, c'est essentiellement au disque qu'elle triomphe en 1979, grâce à une interprétation tout à fait remarquable du *Carnaval* de Schumann. Pianiste au jeu inégal, qui se situe dans la lignée d'un Gould, elle peut s'enflammer pour le 1er mouvement d'une sonate de Beethoven, ou pour quelques mesures de Berg, et s'absenter pour le restant de l'œuvre. Inger Södergren, de ce fait, se situe radicalement en marge de toute la génération de pianistes à laquelle elle appartient.

Söderström, Elisabeth

Soprano suédoise, née à Stockholm le 7 mai 1927.

Elle fait ses études à l'Académie royale suédoise de musique et débute à Stockholm en 1947 dans *Bastien et Bastienne*, avant d'entrer en 1950 à l'Opéra royal. Elle y chante *Mathis le peintre* d'Hindemith (Regina). En 1955, elle est à Salzbourg et deux ans plus tard à Glyndebourne où elle chante régulièrement : Mozart (Suzanne), Strauss (le Compositeur d'*Ariane à Naxos*, Octavian, la Comtesse de *Capriccio*). En 1959, elle débute au Met. Très vite attirée par la musique de son temps, elle émeut dans *L'Élégie pour de jeunes amants* de Henze ou dans *Le Tour d'écrou* de Britten. Au Covent Garden, elle sera une bouleversante Mélisande, sous la direction de Pierre Boulez (1969). Sa voix est limpide, souple, sa nature la porte aux rôles dramatiques. Elle sert la musique de Leoš Janáček (l'*Affaire Makropoulos*, *Katya Kabanova*, *Jenůfa*) et celle de Berg (*Wozzeck*). Tout cela ne l'écarte pas d'un répertoire ancien, Beethoven (*Missa Solemnis*), Monteverdi (*Le Couronnement de Poppée*, sous la direction de Harnoncourt) ou Mozart (elle incarnait la Comtesse dans l'enregistrement des *Noces de Figaro* dirigé par Klemperer). Elle débute à l'Opéra de Paris en 1984 dans *Le Chevalier à la rose*.

Sofronitski, Vladimir

Pianiste soviétique né à Leningrad le 8 mai 1901, mort à Moscou le 29 août 1961.

Il est l'élève de L. Nikolaiev. Il travaille au Conservatoire de Leningrad où il obtient son diplôme en 1921. Il épouse la fille d'Alexandre Scriabine, dont il sera l'un des meilleurs interprètes. Il manifeste son opposition aux directives officielles en matière de musique, ce qui explique peut-être qu'il se soit fort peu produit en

Occident (en France entre les deux guerres). Il mène une active carrière professorale au Conservatoire de Leningrad (1936-42) puis au Conservatoire de Moscou (1942-61). Cette figure marquante du piano en U.R.S.S., morte d'un usage abusif de la drogue et de l'alcool, demeure, hélas ! pratiquement inconnue en Europe occidentale.

Solchany, Georges

Pianiste hongrois naturalisé français (1967), né à Budapest le 13 septembre 1922.

Il effectue ses études musicales, jusqu'en 1940, au Conservatoire de sa ville natale. Il suit ensuite la Meister-Klasse de piano de Ernst von Dohnányi à l'Académie Franz Liszt (1941-43) et remporte, en 1942, le Grand Prix Liszt. C'est à Paris qu'il se fixe en novembre 1946 et commence une brillante carrière internationale. En 1952, il se voit décerner le 1er Grand Prix au Concours international Alfredo Casella. Se consacrant tout particulièrement à la musique de chambre, Georges Solchany a été le partenaire de David Oïstrakh, Leonid Kogan, du Quatuor Vegh et du Quatuor Hongrois. Il a été le pianiste du Trio Hongrois.

Solomon (Solomon Cutner)

Pianiste anglais, né à Londres le 9 août 1902.

Fréquentant très tôt le concert en compagnie de son père, celui-ci le fait entrer à la Royal Academy of Music, où il aura comme professeur une élève de Clara Schumann, Mathilde Verne. C'est elle qui imprimera le plus profondément sa marque sur le jeune pianiste de huit ans qui donne son 1er concert au Queen's Hall de Londres en 1910, en jouant le *1er Concerto* de Tchaïkovski. Il commence dès lors une carrière d'enfant prodige très chargée.

En 1917, ses parents décident d'interrompre cette carrière un peu trop brillante, afin de permettre à Solomon d'approfondir ses connaissances. Ils l'envoient travailler à Paris avec Lazare Lévy et Marcel Dupré. Au terme de cinq ans d'études, Solomon (qui a fait de son prénom un pseudonyme) éprouve une forme de répulsion pour le piano : résultat logique d'un travail trop intense. Son ami, Henry Wood, lui conseille de se retirer pendant quelque temps. Dès son retour, il reconquiert son public enthousiaste, et enregistre son premier disque en 1928. Pendant la guerre, il transforme ses tournées de concerts en concerts de charité, et va jouer pour les troupes alliées sur tous les fronts. En 1955, il forme avec Francescatti et Fournier un magnifique trio à l'occasion du Festival d'Edimbourg. Très affecté par la mort de son père, il est frappé d'hémiplégie en 1955 et cesse de jouer en public. Pianiste salué par les plus grands comme un modèle de clarté et de pudeur, Serkin a souvent proclamé qu'il voyait en lui un très grand maître de ce siècle. Lorsque Solomon jouait, il donnait l'impression de ne rien ajouter à ce qui était écrit, préférant l'humilité de l'interprète à la recherche de l'effet et au calcul trop voyant. Il se disait « pianiste classique », refusant toute exhibition virtuose. Il a marqué de son raffinement et de son enthousiasme les concertos de Beethoven, mais surtout de Mozart et de Brahms dont il nous reste des souvenirs au disque. En 1939, il a créé le *Concerto* de Bliss qui lui est dédié comme la *Sonate pour alto et piano* du même compositeur.

Solti, Sir Georg (Georg Stein)

Chef d'orchestre hongrois naturalisé anglais (1972), né à Budapest le 21 octobre 1912.

À l'Académie Franz Liszt de Budapest, il travaille le piano et la composition avec Dohnányi, Kodály et Bartók. Il donne son 1er concert à l'âge de 12 ans. En 1930, il est assistant à l'Opéra de Budapest puis chef d'orchestre entre 1934 et 1939. Deux années consécutives (1936-37), il est l'assistant de Toscanini au Festival de Salzbourg. Cette rencontre sera décisive et marquera profondément le jeune musicien. La guerre l'oblige à se réfugier en Suisse : il s'installe à Zürich en 1939 et reprend une activité de pianiste. En 1942, il remporte le 1er prix au Concours international de Genève.

La carrière de Georg Solti ne commence effectivement qu'après les hostilités. Pendant 25 ans, il dirige presque exclusivement au théâtre : directeur général de la musique à Munich (1947-51) et à Francfort (1951-61), il occupe ensuite les fonctions de directeur musical au Covent Garden (1961-71) où il donne à ce théâtre un essor nouveau. En 1951, il fait ses débuts à Salzbourg en dirigeant *Idoménée.* Á la fin des années cinquante et au début des années soixante, il réalise le 1er enregistrement en studio de *La Tétralogie* de Richard Wagner avec l'Orchestre Philharmonique de Vienne. Nommé directeur musical de l'Orchestre Philharmonique de Los Angeles en 1961, il résilie son contrat avant d'entrer en fonction car l'orchestre avait engagé un assistant sans le consulter : il s'agissait de Zubin Mehta ! En 1969, Solti accepte la direction musicale de l'Orchestre Symphonique de Chicago : c'est le début d'une nouvelle période de sa carrière qui sera tournée vers le concert. De 1972 à 1975, il est directeur de l'Orchestre de Paris ; en 1973, Rolf Liebermann le nomme conseiller musical à l'Opéra de Paris et, de 1979 à 1983, il est directeur de l'Orchestre Philharmonique de Londres. En 1983, il dirige à Bayreuth la *Tétralogie* pour le centenaire de la mort de Wagner, prestation dans laquelle il ne se montre pas à la hauteur de lui-même et qui reste sans lendemain. Spécialiste du post-romantisme allemand et autrichien, Solti a enregistré l'intégrale des *Symphonies* de Beethoven, Brahms et Mahler. Ses interprétations de la musique hongroise contemporaine (Bartók, Kodály) sont considérées comme des références.

Parmi les œuvres dont il a assuré la création : *Philadelphia Symphony* (von Einem, 1961), *Heliogabalus* (Henze, 1972), *D'un espace déployé* (Amy, 1973), *Noomena* (Xenakis, 1974), *Final Alice* (Del Tredici, 1976), *Symphonie n° 4* (Tippett, 1977).

Somogyi, László

Chef d'orchestre hongrois, né à Budapest le 25 juin 1907.

À l'Académie Franz Liszt de sa ville natale, il travaille notamment avec Kodály et Leo Weiner avant de devenir lui-même professeur de direction d'orchestre. Il dirige la plupart des orchestres de son pays mais c'est surtout après la guerre que commence sa carrière : il est l'un des artisans de la reconstruction musicale de la Hongrie. De 1945 à 1950, il est à la tête de la Philharmonie Nationale Hongroise puis, de 1951 à 1956, 1er chef de l'Orchestre Symphonique de Budapest (Radio). En même temps, il dirige régulièrement à l'Opéra et forme, à l'Académie Franz Liszt, la jeune génération des chefs d'orchestre hongrois. En 1956, il quitte définitivement son pays et mène une carrière de chef invité en Europe. Il fait ses débuts aux États-Unis en 1961 et prend, peu après, la direction de l'Orchestre Philharmonique de Rochester (1965). Il vit actuellement à Genève.

Soriano, Gonzalo

Pianiste espagnol, né à Alicante le 14 mars 1913, mort à Madrid le 14 avril 1972.

Après avoir pratiqué la peinture et la sculpture il opte pour la musique. Il travaille à Madrid avec José Cubiles et au Conservatoire de Paris avec Alfred Cortot puis avec Wanda Landowska. Il fait ses débuts à Alicante en 1929 mais sa carrière est interrompue par la guerre civile en 1939. Il se produit en soliste mais aussi comme accompagnateur de Victoria de Los Angeles. Il est spécialisé dans le répertoire espagnol. De nombreux compositeurs ont écrit à son intention : Esplà, Rodrigo, Mompou, E. Halffter.

Sotin, Hans

Basse allemande, né à Dortmund le 10 septembre 1939.

Il fait d'abord des études de chimie puis s'oriente vers le chant. Il débute à

Essen et à Eutin, est engagé à l'Opéra d'État de Hambourg où il interprète les principaux rôles de basse du répertoire. À Glyndebourne, en 1970, il chante Sarastro dans *La Flûte enchantée* et, l'année suivante, à Chicago, incarne Le grand Inquisiteur (*Don Carlos*). Wolfgang Wagner l'invite à Bayreuth où il est tour à tour Fafner dans l'*Or du Rhin* et le Landgrave de *Tannhäuser* en 1972. En 1973, il chante à Vienne (Le roi Mark), en 1976, à la Scala (le Baron Ochs). Considéré comme l'une des basses les plus sûres du répertoire wagnérien, Hans Sotin a une voix ample et de la présence en scène. Il a enregistré avec Bernard Haitink des œuvres de Mahler.

Soudant, Hubert

Chef d'orchestre néerlandais, né à Maestricht le 16 mars 1946.

Il étudie le cor puis décide de se consacrer à la direction d'orchestre. À 21 ans, il est nommé chef assistant des orchestres de la Radio Hollandaise (1967-70). Parallèlement, il achève sa formation auprès de Franco Ferrara en Italie et de Spaanderman aux Pays-Bas. Plusieurs prix internationaux (Besançon 1971, Concours Karajan 1973, Prix Cantelli 1975) lui valent des engagements en Hollande, Angleterre, Allemagne, Belgique, Italie, Scandinavie, Afrique du Sud et Japon. Il enregistre quelques disques avec l'Orchestre Philharmonique de Londres. Il dirige à plusieurs reprises les orchestres de Radio France et donne, avec le Nouvel Orchestre Philharmonique, la 1re audition intégrale en France de la *Symphonie n° 10* de Mahler au Festival de Strasbourg en 1979. En 1981, il est nommé 1er chef du Nouvel Orchestre Philharmonique de Radio France. L'année suivante, il prend la direction de l'Orchestre d'Utrecht. On lui doit la création de l'opéra de Kœring, *Elseneur* (1980), de la *Nana-Symphonie* de M. Constant (1980), ainsi que de partitions signées G. Masson, B. Jolas, M. Philippot ou Miroglio.

Soukupová, Věra

Mezzo-soprano tchécoslovaque, née à Prague le 12 avril 1932.

Elle est l'élève de l'École supérieure pédagogique de musique de Prague, puis travaille le chant avec L. Kadeřábek et A. Mustanová-Linková. Elle passe l'examen d'État de chant en 1956. Lauréate du Concours international de Toulouse en 1958, elle remporte le 1er prix au Concours international de Rio de Janeiro en 1963. Elle chante au Théâtre J. K. Tyl de Plzeň (1957-60) puis à l'Opéra de Prague (1960-63). Sa carrière s'oriente davantage vers le concert et elle est sollicitée par les plus grandes scènes européennes. En 1966, elle chante à Bayreuth. À partir de 1968, elle est invitée permanente de l'Opéra de Hambourg. Au début de sa carrière, elle chante Dalila, Aïda, Amneris, Carmen. Puis ce sont la *Messe glagolithique* de Janáček *Oedipus-Rex*, les œuvres de Dvořák et de Mahler. Elle se consacre très largement à la musique du XXe siècle et fait connaître des œuvres de compositeurs de son pays (Křička, Kaláb, Eben, Suchoň).

Soustrot, Bernard

Trompettiste français, né à Lyon le 3 septembre 1954.

Frère de Marc Soustrot, il entre au Conservatoire de sa ville natale à neuf ans. En 1970, il est élève au Conservatoire de Paris dans la classe de Maurice André. Avant d'obtenir un 1er prix au Conservatoire (1975), il remporte un 1er prix au Concours international de Prague (1974). En 1975, il obtient également un prix d'interprétation au Concours de Genève. L'année suivante, il remporte un 1er prix au Concours du Festival des jeunes solistes à Paris (Concours Maurice André). En 1975 et 1976, il est super-soliste à l'Orchestre Radio Symphonique de Stuttgart puis, de 1976 à 1981, au Nouvel Orchestre Philharmonique de Radio France. Dès lors, il se produit sur le plan international et enregistre de nombreux disques. Il a créé en 1977 l'œuvre de Landowski *Au bout du chagrin une fenêtre ouverte.*

Soustrot, Marc

Chef d'orchestre français, né à Lyon le 15 avril 1949.

Issu d'une famille de musiciens – son frère, Bernard, est trompettiste –, il fait ses 1res études musicales au Conservatoire de Lyon (1962-69). Il y travaille le piano, le trombone et la musique de chambre. Il les poursuit ensuite au Conservatoire de Paris (1969-76) avec Paul Bernard (trombone), Christian Lardé (musique de chambre), Claude Ballif (analyse musicale), Manuel Rosenthal et Georges Tzipine (direction d'orchestre). Il obtient le 1er prix au Concours international de Londres (1974) puis au Concours international de Besançon (1975). De 1974 à 1976, il est l'assistant d'André Previn à l'Orchestre Symphonique de Londres. De retour en France, il est nommé 2e chef (1976) puis directeur musical (1978) de l'Orchestre Philharmonique des Pays de la Loire.

Marc Soustrot a tiré de l'oubli *Le Sorcier*, opéra de Philidor. En 1981, il crée à Nantes *1er Concerto pour piano* de Maurice Ohana.

Souzay, Gérard (Gérard Tisserand)

Baryton français, né à Angers le 8 décembre 1918.

Il étudie le chant avec Pierre Bernac et au Conservatoire de Paris. Il fait en 1945 des débuts de concertiste. Mélodiste, il chante aussi bien le lied (comme en témoignent ses enregistrements de Schubert, et la version des *Amours du Poète* réalisée avec Alfred Cortot en 1956) que les poèmes de Ravel, Poulenc, Fauré, avec intelligence et sensualité. En oratorio, il a interprété *la Danse des Morts* de Honegger (à Boston sous la direction de Münch), le Christ des Passions de Bach, et créé le *Canticum Sacrum* de Stravinski, sous la direction du compositeur (1956). Sur scène, ses grands rôles sont l'Orphée de Gluck et l'Orfeo de Monteverdi (chanté à New York sous la direction de Stokowski, en 1960), Golaud (joué notamment à l'Opéra de Rome et à l'Opéra-Comique, en 1962, pour le 1er centenaire de Debussy), Don Juan (Opéra de Paris, 1963), le Comte Almaviva (rôle de ses débuts au Met en 1965), Wolfram de *Tannhäuser*, Méphisto de *La Damnation de Faust*, Pollux de Rameau (enregistré avec Harnoncourt), etc. Il donne des cours d'interprétation, notamment au Mannes College de New York.

Soyer, Roger

Basse française, né à Paris le 1er janvier 1939.

Il fait ses études avec G. Daum, puis entre au Conservatoire de Paris à 19 ans dans les classes de G. Jouatte et L. Musy. Il obtient des 1ers prix de chant et d'opéra comique (1962) puis d'Opéra (1963). Il avait remporté le prix du Palmarès de la Chanson à l'O.R.T.F. dans un extrait de l'*Opéra d'Aran* de Gilbert Bécaud. C'est dans *Les Mamelles de Tiresias* de Poulenc qu'il débute à la Piccola Scala de Milan, en 1962. On lui confie des rôles mineurs mais il travaille auprès de Maria Callas (Sciarrone) dans *La Tosca* et apprend beaucoup d'elle. En 1964, il chante Pluton dans l'*Orfeo* à Aix-en-Provence, et la même année paraît dans *Hyppolite et Aricie* sous la direction de Boulez, à Paris. Il revient plusieurs fois au Festival d'Aix, interprétant Arkel dans *Pelléas et Mélisande*, *Don Giovanni* (qui deviendra l'un de ses rôles préférés), Basilio. En 1968, il fait ses débuts au Wexford Festival dans le rôle de Balph de *La Jolie fille de Perth* de Bizet. Puis il se rend à Miami, chante le Frère Laurent de *Roméo et Juliette*. En 1973, à Edimbourg, c'est le retour à Mozart : *Don Giovanni*. À l'Opéra, durant la direction de Liebermann, il chante Ferrando (*Le Trouvère*), Procida (*Les Vêpres siciliennes*), Méphisto... En 1972, à l'Opéra de Paris, il crée l'opéra de Stanton Coe, *Sud*.

Spalding, Albert

Violoniste américain, né à Chicago le 15 août 1888, mort à New York le 26 mai 1953.

Il étudie à la fois à Florence et à Paris. Il débute dans la capitale française en 1905 et à New York en 1908. Son style discret, sobre et sensible lui vaut de réaliser une grande carrière entre les deux guerres. Il a créé le *Concerto* de Barber en 1941.

ÉCRITS : *Rise to follow* (1943), autobiographie, *A Fiddle, a sword and a lady* (1953), biographie romancée de Tartini.

Spencer, Robert

Luthiste, guitariste et baryton anglais, né à Ilford le 9 mai 1932.

Après une courte carrière comme bibliothécaire, il commence l'étude du luth en 1955 (avec Walter Gerwig et Julian Bream) et le chant au Guildhall School of Music de Londres. Il se perfectionne pendant trois années à la Dartington School of Music. En 1960, il se joint au Julian Bream Consort comme luthiste et se produit parallèlement en soliste en Europe et aux États-Unis. La même année, il épouse la mezzo-soprano Jill Nott-Bower avec laquelle il se produit désormais en concert. Il est également le partenaire de James Bowman et enregistre régulièrement avec le Early Music Consort de Londres au théorbe ou à la chitaronne. Il possède de nombreux instruments anciens et a écrit de nombreux articles sur le luth dans des revues spécialisées. Alan Ribout a écrit pour lui et sa femme un cycle de mélodies.

Spivakov, Vladimir

Violoniste soviétique, né à Oufa le 12 septembre 1944.

Né dans une famille de musiciens, il commence l'étude du violon à l'âge de sept ans au Conservatoire de Leningrad, avec L. Sigal, un élève de Leopold Auer. En 1957, il remporte le 1er prix au Concours Noptile albe de Leningrad. La même année, il entre au Conservatoire Tchaïkovski de Moscou dans la classe de perfectionnement Jankelevitch. Les concours internationaux lui sont ouverts : 3e prix au Concours Marguerite Long-Jacques Thibaud en 1965 ; prix d'interprétation à Montréal en 1968 ; 2e prix au Concours Paganini en 1969 ; 2e prix au Concours Tchaïkovski de Moscou en 1970. Il enregistre alors 14 disques en U.R.S.S. pour la firme Melodya. Sa carrière occidentale prend un essor spectaculaire en 1975, lors d'une tournée aux U.S.A. Son interprétation du *Concerto* de Tchaïkovski à Londres en 1977 conduit E.M.I. à commencer avec Spivakov une série d'enregistrements. Sa renommée est maintenant mondiale. C'est un pur produit de l'école soviétique, qui possède une technique prodigieusement maîtrisée. Il a créé en U.R.S.S. une pièce pour violon et piano du compositeur Arvo Pärt. Il joue sur un violon du XVIIIe siècle signé Francesco Gobetti.

Spivakovsky, Tossy

Violoniste russe naturalisé américain, né à Odessa le 4 février 1907.

Il étudie à la Hochschule de Berlin avec Arrigo Serato et Willy Hess. Il donne son 1er concert d'enfant prodige en 1917. Il multiplie les tournées entre 1920 et 1933. En 1928, il devient violon solo de l'Orchestre Philharmonique de Berlin que dirige Wilhelm Furtwängler. Il le restera jusqu'en 1933, date à laquelle il reprend ses tournées. A la même époque, il forme un trio avec son frère Jascha (piano) et Edmond Kurtz (violoncelle). De 1933 à 1939, il est professeur au Conservatoire de Melbourne. En 1940, il se fixe aux États-Unis, et devient violon solo de l'Orchestre de Cleveland (1942-45). En 1943, il donne à Cleveland la première américaine du 2e *Concerto pour violon* de Bartók, seule exécution entendue par Bartók lui-même. Il crée des pages de Bernstein, Frank Martin, Menotti, Nielsen, William Schuman, Rozsa, Sessions, Kirchner... Il est professeur à l'Université Fairfield et, depuis 1974, à la Juilliard School.

Spoorenberg, Erna

Soprano néerlandaise, née à Djokjakarta (Java) le 11 avril 1925.

Elle étudie le chant avec Aaltje Noordewier – Reddingius, à Hilversum et Berthe

Seroen, à Amsterdam. Elle travaille également le violon au Conservatoire d'Amsterdam. En 1947, elle débute avec le motet *Exultate Jubilate* (Mozart), lors d'un concert radiodiffusé. Deux ans plus tard, elle fait ses débuts sur scène, à l'Opéra de Vienne. Elle remporte à Vienne d'importants succès, aussi bien à l'Opéra qu'en concert. Elle est invitée sur toutes les scènes autrichiennes, en Allemagne et dans les pays scandinaves, mais elle revient toujours à l'Opéra de Vienne. En 1958, elle est engagée à l'Opéra d'Amsterdam. En 1961, elle triomphe à l'Opéra de Hambourg comme Mélisande, sous la direction d'Ernest Ansermet.

Stabile, Mariano

Baryton italien, né à Palerme le 12 mai 1888, mort à Milan le 11 janvier 1968.

Après des études à Rome avec Cotogni, il débute à Palerme en 1909 (Amonasro dans *Aïda*). Il chante à la Scala à partir de 1922, au Covent Garden de 1926 à 1931, à Salzbourg de 1935 à 1939. Son répertoire de plus de 60 rôles culmine dans Falstaff dont il est l'un des plus grands interprètes. Il crée le rôle-titre du *Belfagor* de Respighi (1923).

Stade, Frederica von

Mezzo-soprano colorature américaine, née à Somerville (New Jersey) le 1er juin 1945.

A 20 ans, elle décide de chanter et travaille avec M. Engelbert à New York. Engagée au Met par Rudolf Bing, elle incarne un des génies de *La Flûte enchantée* et, durant trois ans, avant de venir en Europe, elle chante une vingtaine de rôles. Chérubin, à l'Opéra de Paris (*Les Noces de Figaro,* mise en scène de Strehler), la consacre en 1973. Elle interprète le rôle à Glyndebourne, puis à Salzbourg avec Karajan. En 1975, elle débute au Covent Garden (Rosine), chante Octavian au Hollande-Festival en 1976 et revient à Paris, pour la *Cenerentola.* Elle est Mélisande, dans la mise en scène de Lavelli à l'Opéra, et l'enregistre avec Karajan. Sa voix est légère et elle peut aborder des rôles de Soprano ; elle est à l'aise dans Mozart et Rossini. Elle s'intéresse à la renaissance d'une certaine musique française, Massenet surtout (Charlotte, Cendrillon). En 1985, elle incarne Mélisande à la Scala.

Stader, Maria

Soprano suisse, née à Budapest le 5 novembre 1911.

Elle arrive à l'âge de quatre ans en Suisse. De 1933 à 1939, elle étudie le chant à Karlsruhe avec H. Keller, puis à Zürich avec Ilona Durigo, à Milan avec Lambardi et à New York avec Therese Schnabel Behr. En 1939, elle remporte le 1er prix du Concours international de Genève mais la guerre met un frein à sa carrière. Sur scène, elle n'a fait que d'épisodiques apparitions, telle sa Reine de la nuit au Covent Garden (1949-50) ; mais toute sa carrière s'est déroulée en concerts et en récitals. Elle est invitée dans tous les grands centres européens de musique et entreprend plusieurs tournées aux États-Unis et au Canada. Parmi ses plus grands succès, il faut citer ses concerts au Festival de Salzbourg. En 1950, la ville de Salzbourg lui remet la Médaille Lilli Lehmann. Si elle n'a pas beaucoup chanté sur scène, elle a en revanche enregistré, soit à la radio, soit sur disque, un grand nombre d'airs et d'extraits d'opéras. On la considère à juste titre comme une des meilleures interprètes de Mozart. Elle enseigne le chant au Conservatoire de Zürich. Elle a épousé le chef d'orchestre Hans Erismann.

Stadlmair, Hans

Chef d'orchestre et compositeur autrichien, né à Neuhofen le 3 mai 1929.

Élève d'Alfred Uhl, pour la composition, et de Clemens Krauss, pour la direction d'orchestre, il dirige le Chœur de Stuttgart avant de devenir, en 1956, chef de l'Orchestre de Chambre de Munich, créé par Christoph Stepp en 1950. Il se produit à la tête de son ensemble presque partout dans le monde. On lui doit une réalisation pour cordes de l'*Adagio* de la *10e Symphonie* de Mahler qu'il a enregistrée. En tant que compositeur, on lui doit un *Concerto profane pour violon et violoncelle,* écrit sur le thème de « O Du lieber Augustin ».

Stapp, Olivia

Soprano américaine, né à New York le 31 mai 1940.

Ses professeurs sont Ettore Campogalliani, Rodolfo Ricci et Oren Brown. Elle débute au Festival de Spolete en 1960 (Beppe de l'*Amico Fritz*), et appartient au New York City Opera à partir de 1972 avant de développer une carrière internationale qui la conduit sur toutes les grandes scènes mondiales. Son répertoire très varié s'oriente actuellement vers les grands sopranos dramatiques verdiens : elle a été notamment une Lady Macbeth très remarquée au Théâtre Musical de Paris en 1982.

Elle a créé le rôle de Dejarine dans l'*Héraclès* de Eaton à Bloomington en 1971.

Starker, János

Violoncelliste hongrois naturalisé américain (1948), né à Budapest le 5 juillet 1924.

Il commence à étudier la musique à l'âge de six ans, à Budapest. Dès 1933, il joue pour la 1re fois en public. Il est pendant deux ans violoncelle solo de l'Opéra de Budapest et de l'Orchestre Philharmonique de cette ville (1945-46). Il quitte la Hongrie en 1946 et, après de nombreux concerts et récitals dans les principales villes européennes, il se fixe en 1948 aux U.S.A., où il est violoncelle solo de l'Orchestre Symphonique de Dallas (1948-49), au Met (1949-53) et à l'Orchestre Symphonique de Chicago (1953-58). Il mène ensuite une carrière de soliste et enseigne à l'Université de l'Indiana depuis 1958 tout en assumant les fonctions de conseiller artistique de nombreuses formations symphoniques américaines. Il enseigne également au Festival de Lucerne à partir de 1973. A l'aise dans le concerto comme dans la musique de chambre, il s'intéresse à toute la littérature du violoncelle de Vivaldi à Bartók, mais il s'est particulièrement consacré à faire connaître la musique des compositeurs magyars, notamment Bartók et Kodály, dont il est le promoteur de la *Sonate pour violoncelle seul* op. 8.

Il a joué en sonate avec Julius Katchen et György Sebök. Son célèbre violoncelle Matteo Gofriller (Venise, vers 1705) semble lui offrir une virtuosité digne d'un violoniste.

Stefanov, Vassil

Chef d'orchestre bulgare, né à Choumène le 24 avril 1913.

Il étudie le violon avec Sacha Popov à l'Académie de musique de Sofia (1929-33), et travaille la direction d'orchestre à Prague avec Vaclav Talich (1947). Après des débuts de violoniste, il est nommé 2e chef de la Philharmonie de Sofia (1946-54). En 1948, il fonde l'Orchestre Symphonique de la Radio Bulgare dont il est le 1er chef jusqu'en 1980. Il fonde également l'Orchestre Symphonique de Choumène en 1954 et prend la direction de l'Orchestre à cordes féminin du Conservatoire de Sofia en 1957. En 1961, il devient directeur du Chœur masculin de Sofia. Depuis 1981, il assume aussi la direction artistique de la Philharmonie de Bourgas.

Stein, Horst

Chef d'orchestre allemand, né à Elberfeld le 2 mai 1928.

Il fait ses études musicales aux Conservatoires de Francfort et de Cologne où il est notamment l'élève de Kurt Thomas (1940-47). En 1947, il débute comme chef d'orchestre au Théâtre de Wuppertal. Puis il est nommé à l'Opéra de Hambourg (1951-55). L'été, il est assistant à Bayreuth (1952-54). Il passe ensuite six ans à la Staatsoper de Berlin (1955-61) avant de revenir à Hambourg (1961-64) et d'être nommé directeur général de la musique à Mannheim (1963-70). En 1969, il dirige *Parsifal* et, l'année suivante, son premier *Ring* à Bayreuth et devient 1er chef à l'Opéra de Vienne (1970-72). Puis il retourne à Hambourg, comme directeur général de la musique (1972-77). A partir de 1975, il est le conseiller musical de Wolfgang Wagner à Bayreuth. De 1980 à 1985, il est directeur musical de l'Orchestre de la Suisse Romande. Puis il prend la direction de l'Orchestre Symphonique de Bamberg (1985). Il a créé *La Visite de la vieille dame* de G. von Einem (1971).

Steinbach, Fritz

Chef d'orchestre allemand, né à Grünsfeld le 17 juin 1855, mort à Munich le 13 août 1916.

Il fait ses études musicales au Conservatoire de Leipzig avant de se perfectionner avec Vincenz Lachner à Karlsruhe et Gustav Nottebohm à Vienne. Nommé 2e chef à Mayence (1880-86), il enseigne simultanément à Francfort (1883-86). Puis il prend la tête de l'Orchestre de Meiningen où il remplace Hans von Bülow et Richard Strauss (1886-1902) : il emmène notamment son orchestre à Londres en 1902 où il donne l'œuvre symphonique de Brahms. L'année suivante, il succède à Franz Wüllner à la tête de l'Orchestre du Gürzenich de Cologne (1903-14). Il prend aussi la direction du Conservatoire où il compte Fritz Busch parmi ses élèves. Fervent défenseur de Brahms, il dirige le 1er festival qui lui est consacré, en 1909 à Munich. Reger lui a dédié les *Variations sur un thème de Hiller* qu'il a créées en 1907.

Steinberg, William (Hans Wilhelm)

Chef d'orchestre allemand naturalisé américain, né à Cologne le 1er août 1899, mort à New York le 16 mai 1978.

Après avoir étudié le piano et le violon, il travaille la direction d'orchestre avec Abendroth au Conservatoire de Cologne. En 1924, il est l'assistant de Klemperer à l'Opéra de Cologne. L'année suivante, il dirige à l'Opéra allemand de Prague puis, de 1929 à 1933, il est directeur de la musique à Francfort. Il dirige en 1re audition *Von heute auf morgen* de Schönberg (1930). A la même époque, il est invité régulièrement à la Staatsoper de Berlin. Le régime nazi réduit ses activités à de seuls concerts pour les Juifs dans le cadre de la Ligue culturelle israélienne. Il quitte l'Allemagne et fonde, en 1936, l'Orchestre Symphonique de Palestine avec Bronislav Hubermann. Pendant deux ans, il en est le 1er chef ; puis Toscanini l'appelle à New York comme chef associé de l'Orchestre de la N.B.C. (1938-41). De 1944 à 1948, il est invité régulièrement à l'Opéra de San Francisco. Puis on le trouve à la tête de l'Orchestre Philharmonique de Buffalo (1945-53), de l'Orchestre Symphonique de Pittsburgh (1952-76) et de l'Orchestre Philharmonique de Londres (1958-60) ; de 1964 à 1968, il est senior guest conductor de l'Orchestre Philharmonique de New York et, de 1969 à 1972, directeur musical de l'Orchestre Symphonique de Boston. Parmi les œuvres qu'il a créées figurent la *Pittsburgh Symphony* d'Hindemith (1959) et la *Symphony of Chorales* de Foss (1958).

Stern, Isaac

Violoniste américain, né à Kremenets (Ukraine) le 21 juillet 1920.

Il a un an lorsque sa famille s'installe en Amérique. Il commence le piano à l'âge de 7 ans, puis le violon avec N. Blinder et L. Persinger. A onze ans, il donne son 1er concert avec l'Orchestre Symphonique de San Francisco. Deux ans plus tard, il débute à New York, sous la direction de Pierre Monteux. En 1937, au Carnegie Hall, il conquiert son public. Pendant deux ans, ensuite, il se consacre au perfectionnement de sa technique, puis en 1939, il joue à nouveau à New York. Ses curiosités vont de Vivaldi à Stravinski. Il s'attache de plus en plus à la vie musicale de son temps. Responsable de la musique au Conseil national des Arts, il crée le Comité de Sauvegarde de Carnegie Hall et soutient les jeunes musiciens, compositeurs et interprètes. Il devient un merveilleux interprète de musique de chambre. On l'écoute aux Festivals de Prades (1950-52) et de Porto Rico (1953-67) avec Pablo

Casals. Il forme ensuite (1961) un trio, avec Eugene Istomin et Leonard Rose.

Comme certains interprètes ardents du XXe siècle, Isaac Stern suscite de nouvelles œuvres : concertos de Rochberg et de Penderecki. Il a également créé le *Concerto* de W. Schuman (1950) et la *Sérénade* de Bernstein (1954). Il joue sur un Guarnerius del Gesù.

Sternefeld, Daniel

Chef d'orchestre belge, né à Anvers le 27 novembre 1905.

Il travaille au Conservatoire d'Anvers. Il se perfectionne ensuite à Bruxelles avec Paul Gilson, puis au Mozarteum de Salzbourg avec Paumgartner, Krauss et Karajan. Il débute à l'Opéra d'Anvers. Il y est nommé 1er chef en 1935. On le retrouve 2e chef à l'Orchestre Symphonique de la Radio Télévision Belge (R.T.B.) – de 1947 à 1958 – puis 1er chef (1958-70). Il a été professeur au Conservatoire d'Anvers de 1949 à 1971.

Stevens, Denis

Musicologue et chef de chœur anglais, né à High Wycombe le 2 mars 1922.

Il fait ses études musicales au Jesus College d'Oxford avec R.O. Morris (1940-42), Egon Wellesz (1946-49) et Hugh Allen (chez qui il obtient ses grades de maîtrise en 1947). Violoniste et altiste (il joue au Philharmonia Orchestra de Londres, 1946-49), il fait aussi de la musique de chambre et produit des émissions de radio (B.B.C., 1949-54), surtout sur la musique ancienne de la fin du Moyen Age, de la Renaissance et de l'époque Baroque. Il collabore à la réédition du *Dictionnary of Music and Musicians* de Grove, puis, en 1962, est professeur invité à l'Université Berkeley de Californie et, en 1963-64, à l'Université d'État de Pennsylvanie. Devenu professeur de musicologie à l'Université de Columbia (1964-74), il donne des cours en 1974 à l'Université Santa Barbara de Californie, puis à Seattle en 1976 et 1977 où il enseigne l'histoire de la musique. Il est cofondateur des Ambrosians Singers (qu'il dirige de 1956 à 1960), président et directeur artistique de l'Accademia Monteverdiana. Il travaille avec des groupes tels que la Schola Cantorum de Londres (Adam de la Halle), le Jaye Consorts of Viols (Gesualdo, Pièces instrumentales), et bien sûr les ensembles qu'il a fondés. Son influence est considérable, surtout aux États-Unis, où il fut un véritable pionnier de la redécouverte de la musique ancienne. Il a écrit de nombreuses études musicologiques, publié des éditions critiques de Machaut et de Monteverdi ; il dirige les collections musicales *The Mulliner Book* et *Early Tudor organ music.* Il est membre de la Plainsong and Mediaeval Music Society, et membre honoraire de la Royal Academy of Music de Londres (depuis 1961).

Stewart, Thomas

Baryton-basse américain, né à San Saba (Texas) le 29 août 1928.

Il fait ses études à la Baylor University puis à la Juilliard School (avec Marck Harrell) où il débute dans *Capriccio* (Laroche). Il entre au New York City Opera et obtient une bourse Fullbright qui lui permet de se rendre en Europe où il chante à l'Opéra de Berlin en 1958 (Escamillo) et incarne notamment Don Giovanni. Il débute en 1960 au Covent Garden (Escamillo) ainsi qu'à Bayreuth (Amfortas) où il chante Donner, Wotan, le Hollandais, Günther, Wolfram, le Héraut jusqu'en 1975. Sa carrière désormais internationale l'amène entre autres à l'Opéra de Paris en 1967 (Wotan), au Festival de Pâques à Salzbourg (Wotan, Gunther) de 1967 à 1973, au Met, où il chante Kurwenal et Sachs, aux Chorégies d'Orange (Jokhanaan en 1974, le Hollandais en 1980). Il se consacre également au concert et à l'oratorio. Il est l'époux de la cantatrice Evelyn Lear.

Stich-Randall, Teresa

Soprano américaine, née à West Hartfort (Connecticut) le 24 décembre 1927.

Elle a 11 ans lorsqu'elle entre à l'École musicale de Hartford, 15 ans lorsqu'elle chante *Aïda*. Sa carrière de soliste commence dans les églises de sa ville natale. En 1945, elle fait ses études à l'Université Columbia de New York. Elle prend part à la création de *Notre mère à tous* de Thomson, *Evangelina* de Luening et *Macbeth* de Bloch. Toscanini l'engage à la N.B.C. pour chanter dans *Aïda* et *Falstaff* (1946), puis elle obtient la bourse Fulbright. En 1951, Teresa Stich-Randall est lauréate au Concours de chant de Lausanne et à celui de Genève. La même année, elle chante à Florence (*Obéron*). En 1952, elle participe au Festival de Salzbourg, puis débute à l'Opéra de Vienne dans *La Traviata* et se voit engagée pour huit opéras dans la même saison. On la découvre au Festival d'Aix-en-Provence en 1953 : elle y chantera la plupart des rôles mozartiens avec un égal bonheur. En 1955, elle débute à l'Opéra de Chicago et, en 1961, au Met (dans Fiordiligi). Elle chante volontiers Schubert et R. Strauss. Elle a reçu, en 1962, le titre de Kammersängerin.

Stiedry, Fritz

Chef d'orchestre autrichien naturalisé américain, né à Vienne le 11 octobre 1883, mort à Zürich le 9 août 1968.

A Vienne, il étudie le droit et, à l'Académie de musique, l'écriture et la composition avec Mandyczewski. Mahler le recommande à Ernst von Schuch qui l'engage comme assistant à l'Opéra de Dresde (1907-08). Il occupe ensuite des postes à Teplice, Poznań et Prague. En 1913, il est 2e chef à l'Opéra de Kassel, l'année suivante 1er chef à l'Opéra Royal de Berlin (1914-23). Il succède ensuite à Weingartner à la direction artistique de la Volksoper de Vienne (1924-25) avant de revenir à Berlin, mais à la Städtische Oper, comme 1er chef (1928-33). Les événements politiques l'amènent à quitter l'Allemagne : il se fixe d'abord à Leningrad où il est directeur artistique de la Philharmonie (1933-37) avant de partir pour les États-Unis en 1938. Il dirige à la New Opera Company de New York (1941), à l'Opéra de Chicago (1945-46) et surtout au Met (1946-58), où il conduit tout le répertoire wagnérien et les principaux ouvrages de Verdi. Il revient occasionnellement en Europe, notamment à Glyndebourne en 1947, pour un inoubliable *Orphée et Eurydice* de Gluck avec Kathleen Ferrier. Il crée *Die Bürgschaft* de Kurt Weill (1932), *La Main heureuse* (1924), la *Symphonie de chambre n° 2* (1940) de Schönberg et le *Concerto pour piano et trompette* de Chostakovitch (1933).

Stignani, Ebe

Mezzo-soprano italienne, née à Naples le 11 juillet 1904, morte à Imola le 5 octobre 1974.

Elle étudie le chant au Conservatoire San Pietro a Majella de Naples avec Agostino Roche. L'ayant entendue à un concert d'élèves, le directeur du Théâtre San Carlo l'engage immédiatement et la fait débuter en 1925 dans le rôle d'Amnéris. Son triomphe est tel que les échos en parviennent aux oreilles de Toscanini qui l'appelle à la Scala, après lui avoir fait chanter Meg lors d'une représentation donnée en septembre 1926 à Busseto en l'honneur de Verdi. Elle débute donc à la Scala en décembre 1926 dans le rôle d'Eboli. Après « O don fatale », la représentation est stoppée pour de longues minutes. Le public est médusé. Elle sera le mezzo vedette de la Scala jusqu'en 1953. Si la Scala reste donc son point d'ancrage, elle chante sur toutes les grandes scènes des deux continents. Son répertoire comporte plus de 60 rôles allant des vocalises d'Arsace aux élans dramatiques de Santuzza. Les Parisiens qui l'ont entendue en 1951 dans le rôle d'Ulrica, lors d'une représentation *d'Un Bal masqué* donnée par la troupe du San Carlo de Naples, ne sont pas près d'oublier l'impression que leur firent la splendeur et l'immensité de sa voix.

Stilwell, Richard

Baryton américain, né à Saint Louis, en 1942.

Il étudie le chant à l'Université de l'Indiana, à Bloomington, puis à New York, avec Daniel Ferro. Dès qu'il a terminé son service militaire, il débute au New York City Opera qui lui propose *Pelléas*, en 1970. Il est invité au Covent Garden pour y tenir le même rôle sous la direction de Colin Davis. Il chante ensuite à l'Opéra de Houston *La Bohème* et revient en Europe pour le Festival de Glyndebourne où il chante en russe le rôle-titre d'*Eugène Onéguine*. Invité à l'Opéra de San Francisco pour *Le Couronnement de Poppée* sous la direction de Raymond Leppard, il débute au Met dans *Cosi fan tutte* dans la production de John Dexter. En 1976, le N.Y.C.O. lui propose *Il Ritorno d'Ulisse in Patria* de Monteverdi, puis la même année, il crée à l'Opéra de Baltimore le principal rôle masculin d'*Ines de Castro* de Pasatieri. Jean-Pierre Ponnelle le fait revenir à Glyndebourne pour y tenir de façon nouvelle, car très jeune, le rôle de Ford dans un mémorable *Falstaff*. C'est enfin le Festival d'Aix-en-Provence qui lui offre son premier *Don Giovanni*. Il chante également à la Scala, au Grand-Théâtre de Genève, à la Fenice et sur plusieurs autres grandes scènes européennes et américaines.

Stilz, Manfred

Violoncelliste et flûtiste allemand, né à Sarrebrück le 13 septembre 1946.

Son père occupe les fonctions de directeur de l'École de musique de sa ville natale. De brillantes études universitaires en Allemagne sont sanctionnées par le Prix Scheffel de littérature allemande. Il commence à étudier la flûte puis le violoncelle. Dans ces deux disciplines, il obtient plusieurs 1ers prix aux Concours J.M.F. En 1966, il remporte le 1er prix international de flûte à bec de R.F.A. En 1970, il reçoit des 1ers prix de violoncelle et de musique de chambre au Conservatoire de Paris où il a été l'élève d'André Navarra. C'est l'époque où il fonde le Trio Ravel avec lequel il remportera le Concours de Belgrade (1972) et se produit à travers le monde entier. Cela ne l'empêche pas de poursuivre sa double carrière de soliste qui l'amènera, notamment, à Carnegie Hall (1981). Parallèlement, il est professeur de flûte à bec à l'École normale de musique de Paris et professeur de violoncelle aux Conservatoires de Moulin, Boulogne, Châteauroux et Rouen. Enfin, il est membre de l'Ensemble Instrumental de France et de l'Ensemble Orchestral de Paris. Manfred Stilz a même réussi à jouer simultanément du violoncelle et de la flûte à bec au cours d'une soirée organisée par France Musique... Il joue sur un violoncelle Lorenzo Ventapane (Naples, 1810) et des flûtes à bec Dolmetsch, Coolsma et von Hueue.

Stock, Frederick

Chef d'orchestre allemand naturalisé américain (1919), né à Jülich le 11 novembre 1872, mort à Chicago le 20 octobre 1942.

Il travaille au Conservatoire de Cologne le violon et la composition avec Humperdinck et Franz Wüllner. De 1891 à 1895, il est violoniste à Cologne puis à Chicago où il devient chef-assistant assurant tous les concerts hors de Chicago à partir de 1903. A la suite de Theodor Thomas, il devient en 1905 chef de l'Orchestre Symphonique de Chicago, fonction qu'il occupe jusqu'à sa mort. Il interprète la musique de son temps, Debussy, Ravel, Mahler, Hindemith, Prokofiev dont il crée le *Concerto n° 3* à Chicago avec le compositeur au piano (1921). Il ne dédaigne pas pour autant la recherche d'un plus large public instituant des concerts pour enfants. Il fut également compositeur, notamment d'un *Concerto pour violon* créé par Efrem Zimbalist en 1915. Busoni lui a dédié son *Rondino arlechinesco*. A Chicago, il a créé de nombreuses œuvres de compositeurs américains et commandé, pour le 50e anniversaire de l'orchestre, des partitions à Milhaud, Stravinski, Kodály, Walton, Glière, Casella, Harris et Miaskovski.

Stokowski, Leopold

Chef d'orchestre anglais naturalisé américain (1915), né à Londres le 18 avril 1882, mort à Nether Wallop (Hampshire) le 13 septembre 1977.

Son père est polonais, sa mère irlandaise. Il fait ses études à l'Université d'Oxford puis au Royal College of Music de Londres où il travaille avec Parry et Stanford. Il se perfectionne ensuite à Paris et à Munich. Il débute comme organiste en 1900 lorsqu'il est nommé titulaire à l'église St. James de Londres. Puis il part pour New York où il est organiste à St. Bartholomew (1905-08). Sa carrière se tourne assez rapidement vers la direction d'orchestre, à Paris d'abord, où il remplace un chef malade, à Londres, où il dirige quelques concerts et à Cincinnati où il est nommé à la tête de l'Orchestre Symphonique (1909-12). Il prend ensuite la direction de l'Orchestre de Philadelphie (1912-38) dont il va faire l'une des plus prestigieuses formations américaines, créant notamment cette sonorité spectaculaire qui sera l'apanage des orchestres outre-Atlantique. Il s'intéresse aux recherches acoustiques et améliore considérablement les conditions dans lesquelles jouent les orchestres. A la même époque (1924-27), il enseigne également au Curtis Institute. Très ouvert à la musique de son temps, il dirige pour la 1re fois aux États-Unis *Le Sacre du printemps* et *Œdipus-Rex* (Stravinski), les *Gurrelieder* (Schönberg), *Wozzeck* (Berg) ou la *Symphonie des mille* (Mahler). Il s'intéresse également au cinéma et participe au film de Walt Disney *Fantasia* (1940). Il fonde et dirige l'All American Youth Orchestra (1939-41), l'un des tous 1ers orchestres de jeunes créés au monde. Toscanini l'invite régulièrement à la N.B.C. de 1941 à 1944, puis il fonde et dirige le New York City Symphony Orchestra (1944-45). On le trouve ensuite à la tête du Hollywood Bowl Symphony Orchestra (1945-47). Il est guest conductor de la Philharmonie de New York (1946-50) avant de prendre la direction de l'Orchestre Symphonique de Houston (1955-61) puis de l'American Symphony Orchestra de New York (1962-72). Il revient en Angleterre en 1972 où il réalise encore de nombreux disques. Entre 1911 et 1923, il a été marié à la pianiste Olga Samaroff (1882-1948), l'une des plus éminentes pédagogues du clavier outre-Atlantique.

Personnalité complexe, Stokowski s'est surtout imposé par son enthousiasme à faire connaître la musique. Le chef d'orchestre se permettait de grandes libertés à l'égard des partitions qu'il dirigeait, justifiables dans le contexte de ses débuts, mais beaucoup plus critiquées à la fin de sa carrière. Il a réalisé plusieurs transcriptions d'œuvres de Bach pour orchestre symphonique. Pionnier dans de nombreux domaines, il a signé son premier disque en 1917. Au cours de sa carrière, il a dirigé plus de 2 000 créations ou 1res auditions américaines. Il a notamment révélé l'œuvre de Charles Ives dont il a dirigé la 1re audition intégrale de la *4e Symphonie* (1965). Parmi ses créations importantes, *Intégrales* (1925), *Amériques* (1926) et *Arcana* (1927) de Varèse, le *Concerto no 4* (1927), la *Rhapsodie sur thème de Paganini* (1934) et la *Symphonie no 3* (1936) de Rachmaninov, le *Concerto pour violon* (1940) de Schönberg, *Quattro poemi* (1955) de Henze, *Sinfonia elegiaca* (1957) et *Universal prayer* (1970) de Panufnik.

ÉCRITS : *Music for all of us* (1943).

Stolz, Robert

Chef d'orchestre et compositeur autrichien, né à Graz le 25 août 1880, mort à Berlin le 27 juin 1975.

C'est de son père, Jacob Stolz (chef d'orchestre et élève de Bruckner), et de sa mère, la pianiste Ida Bondy, qu'il reçoit sa 1re formation musicale. Il donne son 1er récital à 7 ans devant Brahms. Il travaille ensuite au Conservatoire de Vienne avec Fuchs et à celui de Berlin avec Humperdinck. En 1897, il est répétiteur à Graz et, en 1898, 2e chef à Marburg. Il rencontre à cette époque (1899) Johann Strauss qui le pousse à écrire de la musique légère. Robert Stolz se consacrera à défendre la musique de ce compositeur dont il possédait la baguette cerclée d'argent. Cette même année il publie sa 1re opérette. En 1902, il devient 1er chef au Théâtre de Salzbourg et épouse Grete Holm, étoile du Théâtre de Brno, dont il prend la direction en 1903. En 1907, il est chef au Théâtre An der Wien où il dirige les 1res séries de *La Veuve joyeuse.* C'est l'âge d'or de l'opérette viennoise. Il continue à composer, s'intéresse à la chanson populaire et compte parmi les 1ers compositeurs de musique de film. Après un grave revers de fortune, il s'installe à Berlin qui accueille ses nouveaux ouvrages. *L'Auberge du cheval blanc,* créée en 1930, contient deux mélodies dues à sa plume. Il remporte le Prix de la Biennale de Venise pour la musique de film *Parade de Printemps* et produit, en 1936, *Rise and Shine* avec Fred Astaire. Il fuit Hitler à Vienne, à Paris puis aux États-Unis (1940). Il remplace Bruno Walter au pied levé et donne d'éblouissantes séries de concerts. En 1946, il écrit la musique de *C'est arrivé demain,* film de René Clair. Il retourne à Vienne en 1946. Il reprend alors la plume et la baguette malgré son âge avancé.

Stolze, Gerhard

Ténor allemand, né à Dessau le 1er octobre 1926, mort à Partenkirchen le 11 mars 1979.

Après avoir été soldat durant la deuxième guerre mondiale, il veut tout d'abord être comédien. Il est engagé au Théâtre municipal de Bautzen, à la Comédie de Dresde et dans une troupe itinérante. C'est alors qu'il travaille sa voix avec Willy Bader et Rudolf Dittrich à Dresde. En 1949, il débute à l'Opéra de Dresde comme un des *Maîtres chanteurs.* Mais ses 1ers grands succès, il les remporte à Bayreuth où il participe au Festival dès la réouverture de 1951. Pendant quelque dix années, il s'est révélé comme Mime *(Tétralogie)* et David *(Les Maîtres chanteurs).* Pensionnaire de l'Opéra de Dresde jusqu'en 1953, il est ensuite engagé à l'Opéra de Berlin, de 1953 à 1961. Dès 1956, il est invité régulièrement par les opéras de Vienne et de Stuttgart. En 1960, il crée *Le Mystère de la Nativité* de F. Martin (Satan) et, l'année suivante à l'Opéra de Vienne, le rôle-titre d'*Œdipus der Tyrann* de Carl Orff. Depuis 1959, il participe régulièrement au Festival de Salzbourg et depuis 1961, il est pensionnaire de l'Opéra de Vienne. Il a chanté sur toutes les grandes scènes d'Allemagne, d'Europe et d'Amérique du Nord. Son grand talent de comédien et la mobilité de sa voix l'ont prédisposé pour les rôles de ténor-bouffe où il excellait.

Stoutz, Edmond de

Chef d'orchestre suisse, né à Zürich le 18 décembre 1920.

A l'âge de 3 ans, il prend ses 1res leçons de piano, avec Amie Münch à Niederbronn (Alsace). Plus tard, il étudie également le hautbois, le violoncelle et la percussion. Pendant sa scolarité, il dirige l'Orchestre du Gymnase, à Zürich. Il étudie ensuite pendant deux ans le droit, mais opte définitivement pour la musique, s'inscrit au Conservatoire de Zürich où il obtient un diplôme d'enseignement du violoncelle et de théorie. Il poursuit ses études de chef d'orchestre à Lausanne, Salzbourg et Vienne. En 1946, il fonde un orchestre de chambre privé qui, en 1951, prend le nom d'*Orchestre de Chambre de Zürich.* Avec son orchestre, il se produit en Suisse, enregistre des disques et participe à de très nombreuses émissions de radio et de télévision. Très vite il est invité dans le monde entier. En 1962, il fonde également un chœur mixte à Zürich. Il a créé un certain nombre d'œuvres contemporaines : Walter Gieseler (*Concerto pour orchestre à cordes,* 1958), Paul Huber (*Divertimento pour cordes,* 1959), Peter Mieg (*Concerto da camera per archi, pianoforte e percussione,* 1953 ; *Concerto pour clavecin,* 1954 ; *Concerto Veneziano,* 1955 ; *Mit Nacht und Nacht,* 1962), Paul Müller (*Sinfonia en ré,* op. 53, 1953), Giovanni Ugolini (*Concerto pour orchestre à cordes,* 1961), Wladimir Vogel (*Goethe-Aphorismen* pour soprano et cordes, 1955), Ernst Widmer (*Hommages,* 1961) et Mario Zafred (*Sinfonia breve per archi, 1955).*

Stracciari, Riccardo

Baryton italien, né à Casalecchio le 26 juin 1875, mort à Rome le 10 octobre 1955.

Après ses études au Conservatoire de Bologne, il débute avec succès dans sa ville natale en interprétant l'oratorio *La Résurrection du Christ* de Perosi, en 1899. L'année suivante, il débute sur scène dans le rôle de Marcel (*La Bohème*). Aussitôt il est invité par d'autres théâtres italiens, ainsi qu'au San Carlos de Lisbonne, en Égypte et au Chili. Depuis 1904, il chante fréquemment à la Scala. De 1906 à 1908, il appartient à la troupe du Met, où il débute dans le rôle de Germont-Père (*La Traviata*). Il y chante tous les grands rôles du répertoire de baryton. Toutefois les grands moments de sa carrière se sont déroulés à la Scala ainsi qu'au Théâtre Costanzi à Rome. A la Scala, il chante en 1906, la première de *La Dame de pique* de Tchaïkovski. Il était très aimé en Amérique du Sud où il se produisait régulièrement sur les plus grandes scènes, particulièrement au Colón. De 1917 à 1919, il appartient à la troupe de l'Opéra de Chicago. Il ne cessera de chanter qu'en 1939 pour se consacrer à la pédagogie. Il fut le professeur de Boris Christoff et d'Alexander Svéd.

Straram, Walter
(Walter Marrast)

Chef d'orchestre français, né à Londres le 9 juillet 1876, mort à Paris le 24 novembre 1933.

Il reçoit une formation de violoniste qui lui permet de se faire engager dans l'orchestre de Charles Lamoureux en 1892. En 1896, il est chef des chœurs à l'Opéra de Lyon, puis il revient à Paris comme chef de chant à l'Opéra-Comique et à l'Opéra. Caplet l'emmène à Boston où il est son assistant à l'Opéra (1909-13). A son retour, c'est lui qui crée les *Inscriptions Champêtres* de Caplet (1914). Après la guerre, il dirige au Théâtre des Champs-Élysées et au Vieux-Colombier où il crée *Le Dit des jeux du monde* d'Honegger (1918). Puis il fonde, en 1925, son propre orchestre. Pendant huit ans, il va réunir autour de lui l'élite des instrumentistes parisiens et servir la musique nouvelle. Son orchestre est alors considéré comme l'un des meilleurs de la capitale, et Toscanini le choisit pour y faire ses débuts à Paris. Straram remporte, en 1931, le 1er prix de l'histoire du disque, le Prix Candide, pour son enregistrement du *Prélude à l'après-midi d'un faune* de Debussy. La partie de flûte était tenue par Marcel Moyse.

Parmi les créations figurant à l'actif de Straram, des œuvres d'Honegger (*Prélude pour la Tempête,* 1923), Milhaud (*Agamemnon,* 1927), Roussel (*Concert op. 34,* 1927 et *Petite suite,* 1930), Delvincourt (*Le Bal vénitien,* 1930), Ropartz (*Prélude, marine et chanson,* 1931), Messiaen (*Offrandes oubliées,* 1931, et *Hymne,* 1933), Rivier, Beck, Casella, Dupré... Il a dirigé la 1re audition en France du *Kammerkonzert* de Berg (1927), de la *Passacaille* (1923) et des *5 Pièces op. 10* de Webern (1929), de la *Kammermusik pour piano et orchestre* (1929) et du *Concerto pour orgue op. 46 n° 2* d'Hindemith (1930). A l'Opéra, il a dirigé la création du *Boléro* de Ravel (1928).

Stratas, Teresa
(Anastasia Strataki)

Soprano canadienne, née à Toronto le 26 mai 1938.

D'origine grecque et américaine, elle étudie le chant au Conservatoire de Toronto, ainsi qu'avec Herman Gerger-Torel. En 1958, elle débute à Toronto et l'année suivante remporte le concours du Met « Auditions of the Air ». Elle obtient ainsi un engagement au Met pour la saison 1960-61. Elle remporte aussitôt de grands succès. En 1961, elle participe au Festival d'Athènes, au Théâtre d'Hérode-Atticus. En 1963, elle chante au Bolchoï de Moscou ; en 1966, à l'Opéra de Berlin comme *Traviata.* Cette même année, elle chante à l'Opéra de Paris et en 1967, au San Carlos de Lisbonne. En 1966, elle chante avec l'American Opera Society le rôle-titre de *Giovanna d'Arco* (Verdi). Invitée, elle remporte d'incontestables succès au Covent Garden, à l'Opéra de Munich et, en 1974, à l'Opéra de Hambourg. De cette époque, date la place privilégiée que le Met et toutes les grandes scènes ainsi que les salles de concert d'Amérique du Nord lui octroient : véritable star de l'univers lyrique nord-américain, elle chante aussi bien l'opéra que l'opérette. Mais sa carrière atteindra son apogée avec son incroyable création du rôle-titre de *Lulu* à l'Opéra de Paris (version intégrale), sous la direction de Pierre Boulez et dans la production de Patrice Chéreau (1979). En 1982, elle incarne Violetta dans le film de Zeffirelli, *La Traviata.*

Strauss, Paul

Chef d'orchestre américain, né à Chicago le 29 juin 1922.

Il reçoit d'abord une formation de violoniste qu'il complète en étudiant le piano et l'alto. Il travaille l'écriture, la composition et la direction d'orchestre à la North Western University et devient assistant à cette université de 1939 à 1941. Il est l'élève de Frederick Stock pour la direction d'orchestre. De 1946 à 1948, il est l'assistant de Mitropoulos à Minneapolis puis il est nommé directeur musical de l'American Ballet Theatre (1953). Il vient en Europe où il dirige pendant deux ans à la Radio de Zürick (1954-56). Il est invité dans les principaux centres musicaux et dirige notamment pour la 1re fois en Italie *Katerina Ismaïlova* de Chostakovitch à Florence. De 1967 à 1977, il est directeur musical de l'Orchestre Symphonique de Liège. Puis il reprend ses activités de chef invité.

Strauss, Richard

Chef d'orchestre et compositeur allemand, né à Munich le 11 juin 1864, mort à Garmisch-Partenkirchen le 8 septembre 1949.

Fils d'un corniste à la cour de Munich, il étudie simultanément le piano avec A. Tombo, le violon avec Benno Walter, puis l'écriture et la composition avec F.W. Meyer. Sa rencontre avec Hans von Bülow jouera un rôle décisif dans sa carrière : il est son assistant puis son successeur à Meiningen (1885-86). Il revient à Munich comme 3e chef d'orchestre à l'Opéra (1886-89). Hermann Levi le prend alors comme assistant au Festival de Bayreuth en 1889. Puis il est 3e chef à l'Opéra de Weimar. A Munich, où on le retrouve en 1894, il remplace Levi comme 1er chef d'orchestre à l'Opéra. Simultanément, il dirige la Philharmonie de Berlin (1893-95) et fait ses débuts à Bayreuth dans *Tannhäuser* (1894). Il n'y reviendra qu'en 1933 et 1934 pour diriger *Parsifal.* En 1898, il succède à Weingartner comme 1er chef d'orchestre à l'Opéra Royal de Berlin dont il devient directeur général de la musique (1908-18). Il enseigne à la Hochschule de Berlin (1917-20) puis s'installe à Vienne où il est directeur musical de l'Opéra entre 1919 et 1924. Après cette date, il se consacre à une carrière de chef invité. Les nazis le nomment président du Reichsmusikkammer (1933-35), mais il est vite évincé à cause de sa collaboration avec Stefan Zweig (*La Femme sans ombre*). Après, sa présence sera tolérée en Allemagne, sous étroite surveillance car sa belle-fille était juive. Il passera les dernières années de sa vie en Suisse (1945-49) et ne reviendra en Allemagne que quelques mois avant sa mort.

Le chef d'orchestre Richard Strauss servait surtout sa propre musique (il a enregistré la plupart de ses poèmes symphoniques) et le répertoire romantique allemand. Grand interprète de Mozart et de Beethoven, il donnait à leurs œuvres un souffle et une vitalité qui allaient à l'encontre de la tradition germanique, plus calme et réfléchie. Il a dirigé en 1re audition le *Concerto pour violon* de Sibelius et l'opéra de Humperdinck, *Hänsel et Gretel.*

Streich, Rita

Soprano colorature allemande, née à Barnaul (Sibérie) le 18 décembre 1920.

Son père, prisonnier de guerre, était interné en Sibérie. Enfant, elle arrive en Allemagne et étudie le chant avec Willy Domgraf-Fassbänder, Maria Ivogün et Erna Berger à Berlin. Elle débute en 1943 au Théâtre municipal d'Aussig. En 1946, elle est engagée à l'Opéra de Berlin où elle remporte ses 1ers succès avec Olympia (*Les Contes d'Hoffmann*) et Blondine (*L'Enlèvement au sérail*). Jusqu'en 1950, elle chante à l'Opéra de Berlin, puis elle passe à la Städtische Oper où elle reste jusqu'en 1953. En 1952, elle participe au Festival de Bayreuth. Et en 1953, elle est engagée comme pensionnaire de l'Opéra de Vienne. A partir de la saison suivante, elle participera chaque année au Festival de Salzbourg. En 1954, elle est invitée à l'Opéra de Rome pour chanter Sophie (*Le Chevalier à la rose*). La Scala, Covent Garden, l'Opéra de Chicago, les festivals d'Aix-en-Provence et de Glyndebourne consacrent son grand talent de soprano colorature, son aisance et son abattage de soubrette ; en 1957, elle effectue une importante tournée en Amérique du Nord où elle se produit sur toutes les scènes importantes. Parallèlement, elle se révèle une sensible interprète des mélodies, en récitals et en concert. Son humour ajoute une touche d'impertinence qui lui est très particulière et colore ses interprétations. Depuis 1974, elle enseigne au Conservatoire d'Essen (Folkwangschule). Elle donne également des cours au Mozarteum, durant le Festival de Salzbourg. En 1983, elle prend la direction du Centre de perfectionnement d'art lyrique de Nice.

Suitner, Otmar

Chef d'orchestre autrichien, né à Innsbrück le 16 mai 1922.

Il fait ses études musicales au Conservatoire de sa ville natale puis au Mozarteum de Salzbourg où il travaille notamment avec Clemens Krauss (1940-42). Il fait ses débuts au Landestheater d'Innsbrück où il dirige de 1942 à 1944. Puis il mène une carrière de pianiste avant d'être nommé directeur de la musique à Remscheid, en Allemagne (1952). Il est ensuite directeur général de la musique à Ludwigshafen (Orchestre du Palatinat) de 1957 à 1960. Puis, il prend les mêmes fonctions à Dresde où il dirige la fameuse Staatskapelle (1960-64). De 1964 à 1971, puis à partir de 1974, il est directeur général de la musique à la Staatsoper de Berlin. Il dirige à Bayreuth *Le Vaisseau fantôme* et *La Tétralogie* de 1965 à 1967. On lui doit la création de *Puntila* (1966), *Einstein* (1974), *Leonce und Lena* (1979) de Dessau. Il enseigne la direction d'orchestre à la Hochschule für Musik de Vienne.

Suk, Josef

Violoniste tchécoslovaque, né à Prague le 8 août 1929.

Né dans une célèbre famille de musiciens, il est arrière-petit-fils de Dvořák et petit-fils du compositeur Josef Suk. Il prend des leçons particulières de violon avec J. Kocian jusqu'en 1950. Il suit des études de violon au Conservatoire de Prague dans la classe de N. Kubát et K. Šneberg (1945-51) et à l'Académie des Arts de Prague sous la direction de M. Hlouňová et A. Plocek (1951-53). 1er violon du Quatuor de Prague (1950-51), du Trio Suk (1952-81), il poursuit, depuis 1954, une carrière internationale de concertiste au violon comme à l'alto. Jusqu'en 1968, il joue régulièrement en sonate avec Julius Katchen. En 1974, il fonde l'Orchestre de Chambre Suk de Prague, composé de 12 cordes, dont il assure la direction artistique. Son répertoire couvre la musique classique et romantique, et la musique tchèque. Ses violons ont été successivement un Guarnerius del Gesù (*Prince d'Orange*) et un A. Stradivarius ayant appartenu à Jan Kubelík, le *Libon* (1729). Il a créé le *Concerto n° 1* de Martinů en 1973.

Suliotis, Elena

Soprano grecque, née à Athènes le 28 mai 1943.

Elle étudie à Buenos Aires et à Milan avant de faire ses débuts en 1964 au Théâtre San Carlo de Naples dans *Cavalleria Rusticana.* Viennent ensuite *Un Bal masqué* à Trieste, *Nabucco* à la Scala, Lady Macbeth au Covent Garden..., etc. Actrice consommée, à la forte personnalité, sa voix a été prématurément fragilisée par l'abus de rôles trop lourds pour une jeune cantatrice.

Supervia, Conchita

Mezzo-soprano colorature espagnole, née le 8 décembre 1895, morte à Londres le 30 mars 1936.

Après avoir étudié à Barcelone, elle fait ses débuts en 1910 à Buenos Aires dans *Los Amantes de Teruel* de Breton. Elle est en cette même ville l'Octave du premier *Chevalier à la rose.* Après avoir beaucoup chanté aux États-Unis elle conquiert Milan et toute l'Italie, s'imposant dans *Le Chevalier à la rose, L'Italienne à Alger, Cenerentola, Le Barbier de Séville* et *Carmen.* Puis c'est Paris dont elle devient la véritable coqueluche. Sa pétulante Carmen est parfois discutée (à tort), mais jamais ses personnages rossiniens qu'elle chante dans leur tessiture originale avec un extraordinaire abattage. Son talent d'actrice, son tempérament passionné, son timbre très personnel et sa gentillesse ont fait d'elle l'une des cantatrices les plus attachantes de son époque.

Süsskind, Walter

Chef d'orchestre et pianiste tchécoslovaque naturalisé anglais, né à Prague le 1er mai 1913, mort à Berkeley le 25 mars 1980.

Il fait ses études musicales à l'Académie de Prague avec Suk et Hába, puis il travaille la direction d'orchestre à Berlin avec George Szell. De 1934 à 1938, il dirige au Théâtre allemand de Prague où il est d'abord l'assistant de Szell. Il se fixe ensuite à Londres où il mène surtout une carrière de pianiste au sein du Trio Tchèque de Londres (1938-42). De 1943 à 1945, il est 1er chef de la Carl Rosa Opera Company ; puis il dirige simultanément au Sadler's Wells Theater de Londres (1946-54) et à Glasgow où il est 1er chef permanent du Scottish National Orchestra (1946-52). On le trouve ensuite en Australie, à la tête de l'Orchestre Symphonique de Melbourne (1953-55), au Canada, directeur musical de l'Orchestre Symphonique de Toronto (1956-65), et aux États-Unis, directeur musical de l'Orchestre Symphonique de Saint Louis (1968-75), directeur du Festival d'Aspen (1962-68), du Festival du Mississippi (1969) et de l'Orchestre Symphonique de Cincinnati (1978-80). Au Canada, il a dirigé en 1re audition la plupart des symphonies de Bruckner et Mahler alors inconnues dans ce pays.

Suthaus, Ludwig

Ténor allemand, né à Cologne le 12 décembre 1906, mort à Berlin le 9 septembre 1971.

De 1922 à 1928, il étudie au Conservatoire de Cologne, et débute au Théâtre municipal d'Aix-la-Chapelle comme Walther (*Les Maîtres chanteurs*). Il reste à Aix-la-Chapelle jusqu'en 1931 puis, de 1932 à 1941, chante à l'Opéra de Stuttgart. En 1941, il est appelé à l'Opéra de Berlin dont il est pensionnaire jusqu'en 1948. C'est là qu'il chante la première allemande de *Sadko* (Rimski-Korsakov). Depuis 1948, il appartient à la troupe de la Städtische Oper et en même temps à l'Opéra de Vienne. En 1955, il effectue une tournée triomphale en Russie, durant laquelle il chante à Moscou Florestan (*Fidelio*), Loge (*L'Or du Rhin*) et Walther (*Les Maîtres chanteurs*). En 1950, il participe au Festival de Glyndebourne, comme Bacchus (*Ariane à Naxos*), rôle qu'il chante ensuite à l'Opéra de San Francisco. Ténor wagnérien par excellence, il fut invité à de nombreuses reprises au Covent Garden, à l'Opéra de Paris, à la Scala de Milan, aux opéras de Munich et de Hambourg. Il demeure le grand Siegmund du Festival de Bayreuth.

Sutherland, Dame Joan

Soprano australienne, née à Point Piper (Sydney) le 7 novembre 1926.

Elle étudie le chant avec John et Aïda Dickens, à Sydney. En 1950, elle chante *Judith* (Eugene Goossens) ; l'année suivante elle vient à Londres où elle étudie avec Clive Carey. En 1952, elle débute au Covent Garden comme première Dame (*La Flûte enchantée*). En 1953, elle chante Clothilde dans *Norma* aux côtés de Callas. Peu à peu, elle s'impose comme *Aïda*, Amelia (*Un Bal masqué*), Agathe (*Le Freischütz*) et Eva (*Les Maîtres chanteurs*). En 1958-59, elle développe sa voix et aborde les rôles de colorature : *Lucia di Lammermoor*, Amina (*Somnambula*) et *Traviata.* En 1959, elle est invitée à l'Opéra de Vienne, et la même année interprète *Giulio Cesare* (Händel) à l'Opéra de Hambourg. En 1960, elle chante à Gênes, Palerme et Venise. En 1961, elle triomphe à la Scala comme *Lucia di Lammermoor* et comme *Beatrice di Tenda* (Bellini). Le succès s'amplifie, elle chante à l'Opéra de Paris, au Festival de Glyndebourne, à celui d'Edimbourg, à l'Opéra de Cologne, à celui de Barcelone et à celui de San Francisco. Elle s'impose comme un des plus grands sopranos de ce siècle. En 1961, elle est appelée au Met où elle débute comme *Lucia di Lammermoor.* Elle a épousé le chef d'orchestre Richard Bonynge, avec lequel elle enregistre désormais un grand nombre de disques où alternent les œuvres du répertoire et les œuvres inconnues (*Montezuma* de Carl Heinrich Graun, *Griselda* de Bononcini, etc.) dans lesquelles on peut admirer la perfection de sa technique de l'ornement et la virtuosité de ses vocalises, ce qui fait oublier que le matériau n'est pas uniformément beau et que les notes hautes de cette tessiture particulièrement étendue souffrent d'un rien d'acidité. Cette réserve minime ne doit pas céler l'extraordinaire curiosité de cette cantatrice qui ne cesse de faire remonter pour elle des ouvrages inconnus ou oubliés. Elle a créé *The Midsummer Marriage* de Tippett (1955).

Suzuki, Shin'ichi

Violoniste et pédagogue japonais, né à Nagoya le 17 octobre 1898.

Fils d'un facteur d'instruments japonais qui devint le plus grand fabricant de violons du pays (Masakichi Suzuki), il fait des études commerciales dans sa ville natale jusqu'en 1915 tout en étudiant le violon avec un disciple de Joachim, Ko Ando. Puis il se fixe à Berlin de 1921 à 1929 où il travaille avec Karl Klinger, un autre disciple de Joachim. A son retour au Japon, il fonde, en 1929, le Quatuor Suzuki avec trois de ses frères. En 1930, il est nommé président de l'École de musique Teikoku puis il fonde l'Orchestre à cordes de Tokyo qu'il dirige lui-même, révélant au public japonais la musique occidentale classique et baroque. Il commence à enseigner en 1933. Après la guerre, il fonde le Yoji Kyoiku Doshirai (Groupe pour l'éducation des enfants) à Matsumoto. Puis, en 1950, il fonde le Saino Kyoiku Kenkyu-Kai : il enseigne le violon à des classes de 60 enfants en basant son enseignement sur le principe de l'imitation collective appliqué dans l'enseignement des langues. Le succès de sa méthode est considérable ; elle s'applique vite au violoncelle, à la flûte, au piano et à d'autres instruments. A partir de 1964, il effectue des tournées en Occident pour faire connaître sa méthode pédagogique.

Svanholm, Set

Ténor suédois, né à Västeras le 2 septembre 1904, mort à Saltsjö-Duvnäs (Stockholm) le 4 octobre 1964.

Après avoir été organiste à Tillberga (1922) et Säby (1924) il entreprend des études de chant à Stockholm en 1927, qu'il complète avec John Forsell en 1929-30. Il débute comme baryton à l'Opéra royal de Stockholm en 1930 (Silvio de *Paillasse*), et chante Figaro de Rossini. Après quelques années, il reprend ses études et débute comme ténor en 1936 (Radames). En 1937, il aborde le répertoire wagnérien qui le rend vite célèbre. Il apparaît à Salzbourg en 1938 *(Tannhäuser),* à Vienne la même année, puis à Berlin, Budapest, Milan, et enfin à Bayreuth en 1942 (Siegfried, Erik). Il chante au Met de 1946 à 1956, à Rio, San Francisco, au Covent Garden de 1948 à 1957. De 1956 à 1963, il est directeur de l'Opéra royal de Stockholm et enseigne le chant. Outre tous les grands rôles wagnériens, il chante aussi Otello, Radames et Peter Grimes.

Svetlanov, Evgeni

Chef d'orchestre et compositeur soviétique, né à Moscou le 6 septembre 1928.

Il reçoit sa formation musicale dans la capitale soviétique à l'École Gnessine (jusqu'en 1951) puis au Conservatoire (jusqu'en 1955) où il travaille notamment avec A. Gaouk et Y. Shaporin. Il effectue ses débuts de chef d'orchestre à la Radio en 1953 où il reste pendant deux ans. En 1955, il est nommé assistant au Théâtre Bolchoï et gravit progressivement les différents échelons pour devenir 1er chef (1962-65). Depuis 1965, il est le chef permanent de l'Orchestre Symphonique de l'État de l'U.R.S.S. Champion du répertoire romantique russe, il a présenté un visage dépouillé de l'œuvre de Tchaïkovski qui fut une révélation en Occident. Compositeur fécond, on lui doit des poèmes symphoniques, une *Fantaisie sibérienne*, une *Rhapsodie*, 5 Sonates, 5 Sonatines et des mélodies.

Swarowsky, Hans

Chef d'orchestre autrichien, né à Budapest le 16 septembre 1899, mort à Salzbourg le 10 septembre 1975.

Il vient à Vienne pour y faire ses études musicales avec R. Strauss, Schönberg et Webern (1920-27). Puis il dirige à l'Opéra de Stuttgart, Hambourg (1932), Berlin (1935) et Zürich (1937). De 1940 à 1944, il est régisseur au Festival de Salzbourg, puis il passe une saison à la tête de la Philharmonie de Cracovie (1944-45) avant de diriger régulièrement l'Orchestre Symphonique de Vienne (1945-47). De 1947 à 1950, il est directeur musical de l'Opéra de Graz. En 1949, il est nommé professeur de direction d'orchestre à la Hochschule de Vienne : pédagogue remarquable, il attirera l'élite des jeunes chefs d'orchestre du monde entier qui viendront travailler avec lui. Abbado, Mehta et Weikert comptent parmi ses élèves. De 1957 à 1959, il est à la tête du Scottish National Orchestra, mais la fin de sa vie est surtout consacrée à l'enseignement et à la réalisation de nombreuses éditions de partitions anciennes. Il a créé la *Grande Suite du Chevalier à la rose* de R. Strauss (1946).

ÉCRITS : *Wahrung der Gestalt* (1979).

Székely, Zoltán

Violoniste hongrois naturalisé néerlandais puis américain (1960), né à Kocs le 8 décembre 1903.

Élève de J. Hubay et de Kodály à l'Académie de Budapest, jusqu'en 1921, il est choisi par Bartók dès l'âge de 18 ans, comme partenaire. Leur 1re apparition en duo a lieu à Budapest en 1923. Ils jouent ensemble pendant quinze ans créant notamment en Hongrie la *Sonate* de Debussy. Quelques mois après la fondation du Quatuor Hongrois, Székely remplace Végh comme 1er violon (1935-70). Il se fixe, avec le Quatuor, en Hollande à la fin des années trente. L'occupation de la Hollande met fin à sa carrière de soliste marquée par la création de la *Rhapsodie n° 2* (1932) et du *Concerto pour violon n° 2* (1939) de Bartók, œuvres qui lui sont dédiées. Pendant trente ans, il se consacre à la musique de chambre, haussant le Quatuor Hongrois au rang des plus grands quatuors du siècle créant un nouvel idéal stylistique dans la musique de Beethoven et Bartók. Le Quatuor est dissous d'un commun accord en 1970. Il joue alors de nouveau les grandes œuvres pour violon de Bartók et enregistre les 2 *Rhapsodies* (1974). Son violon est un Stradivarius de 1718, le *Michelangelo.* Comme compositeur, on lui doit une *Sonate pour violon seul*, un *Quatuor*, un *Duo pour violon et violoncelle* et un arrangement des *Danses populaires roumaines* de Bartók.

Szell, George

Chef d'orchestre hongrois naturalisé américain (1946), né à Budapest le 7 juin 1897, mort à Cleveland le 30 juillet 1970.

Il fait ses études musicales à Vienne avec Richard Robert, Mandyczewski et Prohaska, puis à Leipzig avec Reger. Dès l'âge de dix ans, il fait ses débuts de pianiste avec l'Orchestre Symphonique de Vienne et, à dix-sept ans, il dirige l'une de ses œuvres à la Philharmonie de Berlin. R. Strauss l'encourage dans cette voie et le prend comme assistant à l'Opéra de Berlin (1915-17). Il est ensuite nommé à l'Opéra de Strasbourg où il remplace Klemperer (1917-19), puis au Théâtre allemand de Prague (1919-21), à Darmstadt (1921-22) et à Düsseldorf (1922-24). De 1924 à 1929, il est 1er chef à la Staatsoper de Berlin. Il dirige également l'Orchestre Symphonique de la Radio et enseigne à la Musikhochschule (1927-30). Puis il retourne à Prague, comme directeur général de la musique (1930-36). A Glasgow, il dirige le Scottish National Orchestra (1936-39) et est l'invité régulier de l'Orchestre de la Résidence de La Haye (1937-39). Après un séjour aux États-Unis où il enseigne à la Mannes School (1939), il se trouve bloqué à New York par la déclaration de guerre et s'y installe en 1941. Il dirige au Met de 1942 à 1946 avant de prendre la direction de l'Orchestre de Cleveland (1946-70). Pendant près d'un quart de siècle, il le forgera à son image et en fera l'un des meilleurs orchestres du monde. Après la guerre, il est invité régulièrement au Festival de Salzbourg où il crée notamment *Pénélope* (1954) et l'*École des femmes* (1957) de Liebermann ainsi que *Irische Legende* (1955) de Egk. En 1958, il est 1er chef invité du Concertgebouw d'Amsterdam et, en 1969, conseiller artistique et 1er chef invité de la Philharmonie de New York.

Szell était un chef très exigeant avec lui-même comme avec ses musiciens. Sa nature très autoritaire était parfois mal acceptée des orchestres mais conduisait à des résultats exceptionnels. Il a créé la *Symphonie nº 7* de Mennin (1964), la *Partita* de Walton (1958), les *Métaboles* de Dutilleux (1965) ainsi que des œuvres de Creston, Einem et Martinů.

Szeryng, Henryk

Violoniste polonais naturalisé mexicain (1946), né à Zelazowa Wola le 22 septembre 1918.

L'enfant préfère très vite le violon au piano dont sa mère lui donne les 1ers rudiments. Hubermann l'entend et insiste pour qu'on l'envoie étudier à Berlin auprès de Carl Flesch (1928-32). Ses 1ers récitals datent de 1933. En 1935, il joue à Varsovie, sous la direction de Bruno Walter, le *Concerto* de Beethoven. Il poursuit ses études au Conservatoire de Paris avec Gabriel Bouillon et Nadia Boulanger avant d'obtenir, en 1937, un 1er prix. A la déclaration de la guerre, il est volontaire dans l'armée polonaise en France et occupe les fonctions d'officier de liaison et d'interprète (il parle huit langues) auprès du Premier ministre, le général Sikorski. Il joue de nombreuses fois pour les unités combattantes alliées et se consacre avec ardeur à des œuvres de bienfaisance. Enchanté de l'accueil généreux que réserve le Mexique aux réfugiés polonais, il en prend la nationalité (1946) et dirige l'enseignement du violon à l'Université de Mexico. Nommé en 1956 « Ambassadeur de bonne volonté » du Mexique, Henryk Szeryng voyage muni d'un passeport diplomatique. Après sa rencontre avec Arthur Rubinstein (1954), sa carrière internationale a pris un essor qui ne s'est jamais démenti. Outre le grand répertoire où il s'illustre à travers le monde, il crée en 1971 le *3e Concerto* de Paganini après la découverte de la partition. Il fait connaître de nombreuses œuvres nouvelles, souvent écrites à son intention, signées Ponce, R. Halffter, Martinon, Chavez, Carillo, Haubenstock-Ramati, Maderna et Penderecki. Il possède un Guarnerius del Gesù de 1743 et un Stradivarius. Détenteur du Stradivarius de Charles Münch, *Kinor David*, il en a fait don à l'Etat d'Israël en 1972.

Szidon, Roberto

Pianiste brésilien, né à Porto Alegre le 21 septembre 1941.

Ses parents sont d'origine hongroise. Il se fait remarquer très jeune pour ses dons musicaux mais évite la carrière d'enfant prodige. Il suit des études classiques qui le conduisent au grade de médecin-lieutenant dans l'armée brésilienne. Toutefois, contre la volonté de ses parents, il décide de se consacrer à la carrière musicale. Il étudie la composition avec Karl Faust, le piano à New York avec Claudio Arrau et Ilona Kabos, reçoit des conseils d'Arthur Rubinstein. Le prix « Cidade de Sao Sebastiao de Rio de Janeiro » qu'il obtient en 1965 marque le début de sa carrière internationale dans les deux Amériques et en Europe. Il est représentant culturel officiel de son pays et réside alternativement au Brésil et en Allemagne. Il a enregistré notamment les *Rhapsodies hongroises* de Liszt et les *Sonates* de Scriabine.

Szigeti, Joseph

Violoniste hongrois naturalisé américain (1951), né à Budapest le 5 septembre 1892, mort à Lucerne le 19 février 1973.

A l'académie de musique de Budapest, il est l'élève de Jenö Hubay. Il tire son pseudonyme du nom de la ville hongroise où vivaient ses grands-parents : Maramos-Sziget. Il fait ses débuts en 1905 à Berlin mais refuse de travailler avec Joachim qui le lui propose. Il se fixe en Angleterre entre 1907 et 1913 : il crée notamment le *Concerto* de Harty (1909) et joue en sonate avec Myra Hess et Busoni. Celui-ci exerce une grande influence sur le jeune musicien. Il s'installe ensuite en Suisse où il enseigne au Conservatoire de Genève (1917-24). Sa carrière prend alors un essor considérable. En 1924, il donne la 1re audition en Russie du *Concerto nº 1* de Prokofiev. Il joue avec les plus grands musiciens de l'époque, dont Egon Petri et Horszowski avec lesquels il réalise plusieurs disques. En 1938, il crée le *Concerto* d'Ernest Bloch à Cleveland, œuvre qui lui est dédiée. Deux ans plus tard, il se fixe définitivement aux États-Unis où il passait, depuis plusieurs années, la majeure partie de son temps. Il participe en 1940 au concert mémorable de Washington avec Béla Bartók et donne la 1re audition des *Contrastes* avec Benny Goodman (1939). Après la guerre, il retourne en Europe pour participer notamment au Festival de Prades (1950) avec Pablo Casals. Il joue avec N. Magaloff et C. Arrau avec lequel il enregistre les dix sonates de Beethoven. En 1952, il crée le *Concerto* de Frank Martin. A la fin de sa vie, il consacre une partie de ses activités à l'enseignement, acceptant quelques élèves seulement et présidant de nombreux jurys de concours. En 1960, il se fixe en Suisse. Bartók lui a dédié sa *Rhapsodie nº 1* et les *Contrastes*, Bloch son *Concerto* et *La Nuit exotique*, Prokofiev la *Mélodie op. 35 nº 5*, Rawsthorne sa *Sonate*, Ysaÿe sa *Sonate op. 27 nº 1*, Casella et Harty leur *Concerto*. Son répertoire était très ouvert à la musique du XXe siècle : il jouait volontiers le *Concerto* de Busoni, ceux de Berg, Milhaud, les œuvres de Roussel, Stravinski ou Prokofiev. On lui doit aussi la résurrection de l'œuvre de Berlioz, *Romance, rêverie et caprice*. Il avait conservé tout au long de sa vie une tenue d'archet ancienne, le coude près du corps. Szigeti jouait sur un Guarnerius qui avait appartenu à Henri Petri.

ÉCRITS : *With Strings attached* (1949), autobiographie. *A Violonist's Note-book* (1964).

Szostek-Radkowa, Krystina

Mezzo-soprano polonaise, née à Katowice le 14 mars 1936.

Après ses études au Conservatoire de sa ville natale, elle est lauréate des Concours internationaux de chant de Toulouse, Vercelli et Sofia. Engagée à l'Opéra de Varsovie, elle acquiert aussitôt une réputation internationale et est invitée à Vienne, à Moscou, à Leningrad, à Hambourg, Budapest et Bucarest. Engagée comme soliste par l'Orchestre de Chambre de la Philharmonie de Varsovie, elle effectue de nombreuses tournées (Amérique du Sud, France...). Elle participe également à un grand nombre de festivals internationaux (Montreux, Rome, Zagreb ainsi qu'au Festival d'Automne de Varsovie). Elle a chanté en récital à Paris, à la Monnaie (Eboli de *Don Carlos*, Ortrud de *Lohengrin*, Amnéris de *Aïda*) ainsi qu'à l'Opéra de Lyon (Kundry de *Parsifal*, Preziosilla de *La Force du destin...*). En 1981, elle chante Ulrica d'*Un Bal Masqué* à l'Opéra de Paris.

T

Tabachnik, Michel

Chef d'orchestre et compositeur suisse, né à Genève le 10 novembre 1942.

Il étudie la théorie musicale et la direction d'orchestre au Conservatoire de Genève et suit les cours d'été de Darmstadt en 1964, puis en 1965 entre dans la classe de Pierre Boulez à Bâle. Boulez prend aussitôt une grande importance dans son univers musical. Il devient son assistant jusqu'en 1971 ; ses 1[eres] compositions (*Supernovae* ou *Frise*) portent la marque boulézienne. Puissamment attiré par le métier de chef, ayant la lucidité, l'autorité et le goût de la découverte, il se spécialise vite dans le répertoire contemporain et la création d'œuvres nouvelles. Il dirige *Gruppen* de Stockhausen avec Boulez. En 1970, à Royan c'est la création de son œuvre *Fresque.* La même année, il compose *Mondes* pour deux orchestres, s'attachant au mouvement des sons dans l'espace. En 1973-75, il dirige l'Orchestre de la Fondation Gulbenkian à Lisbonne, puis en 1976-77, l'Ensemble Intercontemporain (Paris), et, de 1975 à 1981, l'Orchestre Philharmonique de Lorraine, à Metz.

Parmi ses œuvres citons encore *Movimenti* (1973), *Éclipses* pour piano (1974), *Les Perseides* (1976). On lui doit la création des principales œuvres de Xenakis (*Synaphaï*, 1971, *Cendrées, Antikhton,* 1974, *A Colone, Epei, Jonchaies,* 1977, *Ais,* 1981), Boulez (*Messagesquisses,* 1977), Alsina (*Approach,* 1973, *Señales,* 1977), Boucourechliev (*Concerto pour piano,* 1975), Méfano (*Signes-oubli,* 1972), de Pablo (*Éléphants ivres,* 1974)...

Tacchino, Gabriel

Pianiste français, né à Cannes le 4 avril 1934.

Il étudie au Conservatoire de Nice et se perfectionne au Conservatoire de Paris de 1947 à 1953. Il travaille avec Jean Batalla, Jacques Février, Marguerite Long et Francis Poulenc. Il remporte de nombreux prix : Concours Viotti à Vercelli (1953), Concours Busoni (1954), Concours de Genève (ex æquo avec Malcolm Frager, en 1955), Concours Casella à Naples (1956). Karajan l'entend et l'engage à la Philharmonie de Berlin. C'est le début de sa carrière internationale qui le voit jouer avec Monteux et Cluytens. Il pratique la musique de chambre, notamment avec Jean-Pierre Wallez. Professeur au Conservatoire de Paris depuis 1975, il donne des cours à l'Académie d'été de Nice. Conseiller musical de la ville de Cannes, il est directeur depuis sa création (1975) du Festival des Nuits du Suquet (Cannes). Parmi ses nombreux enregistrements, il faut citer l'intégrale de l'œuvre pour piano et orchestre de Saint-Saëns et l'intégrale de l'œuvre pour piano de Poulenc, actuellement en cours.

Tachezi, Herbert

Organiste autrichien, né à Wiener Neustadt (Vienne) le 12 février 1930.

Il étudie l'orgue, le piano, la composition et la pédagogie musicale au Conservatoire de Vienne. En même temps, il fait des études de philologie allemande à l'Université. Par la suite, il étudie le clavecin à Fribourg chez Fritz Neumeyer. Il est lauréat de concours internationaux d'orgue à Genève (1955), Innsbrück (1958) et Vienne (1963, 1965). Distingué par Nikolaus Harnoncourt, il entre au Concentus Musicus de Vienne où il assure régulièrement la partie de *continuo* soit au clavecin, soit à l'orgue. Il commence une carrière de soliste et enregistre l'intégrale des *Concertos pour orgue* de Händel (1975). Nombre de prix discographiques récompensent sa manière de renouveler l'approche des œuvres de la Renaissance, baroques, rococos et classiques (ainsi l'intégrale de l'œuvre pour orgue de Carl-Philip-Emanuel Bach ou l'*Art de la fugue* de J.-S. Bach). Il est professeur d'orgue, de théorie musicale et d'improvisation au Conservatoire de Vienne. En outre, il est organiste de la Hofmusikkapelle et a composé des œuvres pour orgue, pour piano et de la musique de chambre.

Taddei, Giuseppe

Baryton italien, né à Gênes le 26 juin 1916.

A vingt ans, il débute à l'Opéra de Rome. On reconnaît aussitôt son talent, mais la guerre interrompt sa carrière. Il ne recommence à chanter qu'en 1945.

Engagé à l'Opéra de Vienne, il y apparaît jusqu'en 1948, puis chante avec succès dans les grands théâtres italiens et européens (Londres, Cambridge Theater, 1947). Il se rend à Salzbourg en 1948, puis à San Francisco en 1957. Son répertoire est vaste (environ 70 rôles). Parmi ses prédilections et ses interprétations les plus heureuses, Mozart : Papageno (*La Flûte enchantée*), Leporello (*Don Giovanni*), Rossini (*Le Barbier de Séville*). Taddei est à l'aise et convaincant dans l'opéra bouffe mais aussi dans les opéras de Puccini (il est un étonnant Scarpia) et de Verdi (l'un des meilleurs Falstaff de notre époque, choisi par Karajan pour sa production de Salzbourg en 1981).

Taffanel, Paul

Flûtiste et chef d'orchestre français, né à Bordeaux le 16 septembre 1844, mort à Paris le 22 novembre 1908.

Venu à Paris étudier au Conservatoire, il travaille avec Dorus et Reber. En 1860, il obtient un 1er prix de flûte suivi des 1ers prix d'harmonie (1862) et de fugue (1865). De 1862 à 1864, il joue dans l'Orchestre de l'Opéra-Comique. Puis, en 1864, il est 2e flûte à l'Opéra. Il passera soliste en 1870 et restera dans cet orchestre jusqu'en 1890. Il est également 2e flûte (1865) puis flûte solo à la Société des Concerts (1869-92) et mène une carrière de soliste dans toute l'Europe. En 1879, il fonde la Société de Musique de Chambre pour Instruments à Vent, ensemble d'une dizaine d'instrumentistes qui met à l'honneur tout un répertoire ignoré et l'enrichit de nouvelles œuvres qu'écrivent pour lui Gounod (*Petite symphonie pour instruments à vent*), d'Indy (*Chansons et danses*), Lazzari ou Th. Dubois.

La carrière de chef d'orchestre de Taffanel commence en 1890 lorsqu'il est nommé 3e chef à l'Opéra. De 1892 à 1901, il est à la tête de la Société des Concerts du Conservatoire et, de 1893 à 1905, il remplace Colonne comme directeur de la musique à l'Opéra. La même année, il est nommé professeur de flûte au Conservatoire. Taffanel est considéré comme le père de l'école française moderne de flûte. Il a donné à l'instrument ses lettres de noblesse en se penchant notamment sur les problèmes de sonorité, et il a été l'un des 1ers flûtistes à mener une carrière de soliste, avant lui la flûte étant cantonnée dans les limites de l'orchestre. Il a été notamment le professeur de Gaubert. Fauré a écrit pour lui sa *Fantaisie.* Enesco, Saint-Saëns et Benjamin Godard ont également composé à son intention. Taffanel a dirigé en 1re audition les trois dernières *Pièces sacrées* de Verdi (1898).

Tagliaferro, Magda

Pianiste française, née à Petropolis (Brésil) le 19 janvier 1894.

Son père lui apprend le piano dès l'âge de cinq ans. Enfant prodige, elle devient l'élève d'Antonin Marmontel au Conservatoire de Paris. Après ses débuts triomphaux, Salle Erard, et un 1er prix obtenu en 1908 ; elle devient l'élève d'Alfred Cortot « pour le restant de ses jours ». Elle est la plus ancienne de ses élèves. Adoptée par Cortot, Thibaud et Casals, elle part en tournée avec Gabriel Fauré. Elle joue également avec le Quatuor Capet. Envoyée aux États-Unis par le gouvernement français en 1940, pour faire de la propagande pour la musique française, elle passera les années de la guerre à Rio de Janeiro, donnant d'innombrables cours et concerts de musique française. Cette période est appelée par les musiciens brésiliens « la révolution Tagliaferro ». Revenue en France, elle donne des cours publics salle Cortot depuis 1959. Après avoir refusé pendant 39 ans de jouer pour le public américain, un article du critique new-yorkais Harold Schonberg, paru dans le *New York Times* en mai 1979, la convainc d'accepter un engagement pour Carnegie Hall où elle remporte un succès digne d'Horowitz. Reynaldo Hahn lui a dédié son *Concerto*, Villa-Lobos, *Momo precoce* et Migot une pièce extraite du *Zodiaque*.

Tagliavini, Luigi-Ferdinando

Organiste, claveciniste et musicologue italien, né à Bologne le 7 octobre 1929.

Il étudie la musique aux conservatoires de Bologne puis de Paris (1947-52), travaillant avec Ireneo Fuser et Marcel Dupré (orgue), Napoleone Fanti (piano) et Riccardo Nielsen (composition). A l'Université de Padoue, il devient docteur en philosophie (1951) avec une thèse portant sur les textes des cantates de Bach. De 1952 à 1954, il enseigne l'orgue au Conservatoire Martini à Bologne et est bibliothécaire de cet établissement de 1953 à 1960. Il est professeur d'orgue au Conservatoire Monteverdi de Bolzano de 1954 à 1964 puis au Conservatoire Boïto de Parme. A partir de 1959, il enseigne régulièrement l'orgue l'été à Haarlem et l'histoire de la musique à l'Université de Bologne. Il est invité comme professeur à l'Université de Cornell (1963) et à l'Université de l'État de New York à Buffalo (1969). A partir de 1965, il enseigne également l'histoire de la musique à l'Université de Fribourg. Il partage désormais son temps entre Fribourg et Bologne où il a réuni une belle collection d'instruments anciens. Il contribue à l'édition de trois volumes de la Neue Mozart Ausgabe (*Ascanio in Alba* 1956, *Betulia liberata* 1960, *Mitridate re di Pinto* 1966) et est éditeur du *Monumenti di Musica Italiana* et de l'*Organo* qu'il fonde en 1960 avec R. Lunelli. Il s'est produit à deux orgues avec Marie-Claire Alain.

Taillon, Jocelyne

Mezzo-soprano française, née à Doudeville le 19 mai 1941.

En 1966, elle remporte le 1er prix de chant du Concours de Monte-Carlo, elle se fait aussitôt connaître comme concertiste. En 1968, elle fait des débuts prometteurs dans *Ariane et Barbe-Bleue* à l'Opéra de Bordeaux. Elle chante avec grand succès *Macbeth* d'Ernest Bloch à Genève, puis elle est engagée, à Nantes, Marseille, ainsi qu'à l'Opéra de Paris. En 1970, elle participe au Festival de Hollande, en 1971, au Festival de Glyndebourne (Geneviève de *Pelléas et Mélisande*). Cette même année, elle est engagée à la Monnaie de Bruxelles pour tenir le même rôle, qu'elle interprète encore au Met, à Göteborg et à Genève. A l'Opéra de Paris, elle chante dans *Le Trouvère, Parsifal, Elektra, Faust* (Dame Marthe), *Moïse et Aaron, La Forza del Destino, Ariane et Barbe-Bleue, Madame Butterfly...* A l'Opéra-Comique, elle chante *Le Comte Ory, Rake's Progress, Le Médecin malgré lui.* Sa voix grave et chaleureuse, sa belle intensité dramatique lui permettent de s'imposer dans des rôles, qui ne sont pas toujours de premiers plans, et de leur conférer une couleur très intéressante. Elle chante Mrs. Quickly

(*Falstaff*) au Colón, à l'Opéra de Paris. Elle chante Erda (*L'Or du Rhin*) à Marseille, au Met, à San Francisco. Elle participe au Festival de Salzbourg (*Les Contes d'Hoffmann* et *Sant'Alessio*). Elle fait l'ouverture du Met (1983) comme Anna des *Troyens.*

Talich, Václav

Chef d'orchestre tchécoslovaque, né à Kroměříž (Moravie) le 28 mai 1883, mort à Brno le 16 mars 1961.

Au Conservatoire de Prague, où il étudie avec O. Ševčík et J. Mařák, il reçoit une formation de violoniste (1897-1903). Puis il va travailler la direction d'orchestre et la composition à Leipzig avec Nikisch et Reger. Dès 1903, il est violon solo à la Philharmonie de Berlin. De 1905 à 1907, il est professeur de violon à Tiflis et, en 1908, il est nommé chef d'orchestre de la Philharmonie Slovène de Ljubljana ainsi, en 1911, qu'à l'Opéra de cette même ville. Il quitte ces fonctions en 1912 pour l'Opéra de Plzeň où il dirige jusqu'en 1915. En 1919, il prend la direction de la Philharmonie Tchèque de Prague qu'il conservera jusqu'en 1941, faisant de cet orchestre l'une des plus prestigieuses formations du monde. A la même époque, il est aussi à la tête de l'Orchestre Philharmonique de Stockholm (1926-36). De 1935 à 1945, il est administrateur-directeur artistique de l'Opéra National de Prague. Congédié en 1945, il revient en 1947-48. Puis, en 1949, il fonde la Philharmonie Slovaque de Bratislava qu'il dirige pendant trois ans. Il revient à Prague en 1952 comme conseiller artistique de l'Orchestre de la Radio et de la Philharmonie Tchèque (1952-54).

Václav Talich a consacré une part importante de sa carrière à l'enseignement de la direction d'orchestre : aux Conservatoires de Prague (1932-45) et de Bratislava, à l'Académie de musique de Prague (1946-48), il a formé la nouvelle génération des chefs tchécoslovaques. Parmi ses élèves figurent K. Ančerl, L. Slovák et Ch. Mackerras. Talich a également réorchestré certaines parties d'opéras de Janáček. Martinů lui a dédié *Julietta* et Suk *Épilogue.*

Talmi, Yoav

Chef d'orchestre israélien, né à Kibbutz-Merhavia le 28 avril 1943.

Il étudie à l'Académie Rubin de Tel Aviv puis à la Juilliard School avant de se perfectionner à Tanglewood et à Salzbourg. De 1968 à 1970, il est chef associé de l'Orchestre de Louisville puis, de 1970 à 1972, de l'Orchestre de Chambre d'Israël. En 1969, il remporte le Prix Koussevitzki à Tanglewood et, en 1973, il est lauréat du Concours de la Fondation Rupert à Londres. De 1974 à 1980, il est directeur artistique du Gelders Orkester à Arhnem (Hollande). Il est alors l'invité des principaux orchestres hollandais et, en 1979-80, 1er chef invité et conseiller artistique de l'Orchestre Philharmonique de Munich.

Talvela, Martti

Basse finlandaise, né à Hiitola le 4 février 1935.

Après ses études avec C.M. Oehmann à Stockholm, il débute à l'Opéra Royal de Stockholm en 1961 (Sparafucile) et est remarqué par Wieland Wagner qui l'engage pour Bayreuth où il chante de 1962 à 1970 Titurel, Hunding, Mark, Daland, le Landgrave, Fasolt... En 1963, il débute à la Scala, en 1967, au Festival de Pâques de Salzbourg (Hunding, Fasolt) et au Festival d'été en 1968 (Le Commandeur, Sarastro, Osmin...). Il chante au Met depuis 1968, au Covent Garden depuis 1970 (Hunding, Hagen, Dosifey, Gurnemanz), à l'Opéra de Paris depuis 1974 (Gurnemanz, Padre Guardiano de *La Force du destin*, Sarastro). De 1973 à 1979, il est directeur du Festival de Savonlinna en Finlande où il chante Boris et Paavo des *Last Temptations* de J. Kokkonen qu'il a créé à Helsinki en 1975.

Tamagno, Francesco

Ténor italien, né à Turin le 28 décembre 1850, mort à Varese le 31 août 1905.

Il étudie à Turin avec Pedrotti, à Milan avec Vannuccini et débute à Palerme en

1869. Sa renommée commence là en 1874 avec son interprétation de Riccardo d'*Un Bal masqué.* Il débute alors à la Scala (1877) où il chantera jusqu'en 1901 ; il y crée Azael dans *Le Fils prodigue* de Ponchielli (1880), Adorno dans la version remaniée de *Simon Boccanegra* de Verdi (1881), Didier dans *Marion Delorme* de Ponchielli (1885) et *Otello* de Verdi en 1887. Il chante à Londres de 1889 à 1901, à New York de 1891 à 1895, à Monte-Carlo de 1894 à 1903. Il est aussi célèbre dans Samson, Ernani, Don Carlos, Radamès, Faust, Arnold... et est considéré comme le plus grand *ténor di forza* de l'histoire.

Tappy, Éric

Ténor suisse, né à Lausanne le 19 mai 1931.

Après des études pédagogiques et l'obtention d'un brevet d'enseignement primaire, il entre au Conservatoire de Genève (classe de Fernando Capri) dont il sort en 1958 avec un 1er prix (virtuosité). Il poursuit ses études avec Ernst Reichert au Mozarteum de Salzbourg et Éva Liebenberg à Hilversum. En concert, il débute sous la direction de Fritz Münch à Strasbourg, comme Évangéliste dans *La Passion selon saint Jean.* La même année, il participe à la création, à Genève, du *Mystère de la Nativité* de Frank Martin, sous la direction d'Ernest Ansermet. En 1964, il débute à l'Opéra-Comique de Paris dans le rôle-titre de *Zoroastre* (Rameau). En 1972, il est engagé à l'Opéra de Cologne où il chante Tamino (*La Flûte enchantée*). En 1973-74, il chante la *Clémence de Titus* au Covent Garden, rôle qu'il chante également au Festival d'Aix-en-Provence. En 1975-76, il fait ses débuts en Amérique, dans le rôle de Néron (*Le Couronnement de Poppée*) à l'Opéra de San Francisco. L'année suivante, il chante pour la 1re fois au Festival de Salzbourg où, désormais, il sera invité chaque année pour interpréter *Le Martyre de Sant Elessio,* puis *La Flûte enchantée* (Tamino), dans la version de Ponnelle. En 1977-78, il chante *Idomeneo* à San Francisco et Chicago puis l'*Ormindo* (Cavalli) à Lyon et *Iphigénie en Tauride* à Genève. C'est au Grand-Théâtre de cette ville qu'il s'est fait à la grande tradition viennoise avec Herbert Graf qui, après ses débuts en Siébel (*Faust*), lui confie Pelléas, Lenski (*Onéguine*), Belmonte (*L'Enlèvement au sérail*), Ferrando (*Cosi fan tutte*), Don Ottavio (*Don Giovanni*) qu'il interprétera également dans la production de Béjart, en 1980, ainsi que quelques opérettes avec Teresa Stich-Randall, dont *La Veuve joyeuse, La Chauve-Souris...* etc. En 1980, il tourne à Rome *La Clémence de Titus,* sous la direction de Jean-Pierre Ponnelle.

Ayant travaillé le répertoire baroque avec Hugues Cuénod, il possède pour le concert un des répertoires les plus étendus qui soit, allant de Monteverdi aux chefs de file de l'avant-garde suisse, comme Klaus Huber dont il crée *Soliloquia,* en 1962, à Berne. Il crée *Monsieur de Pourceaugnac* de Frank Martin et réalise, dans le rôle de Tristan, la 1re gravure du *Vin Herbé* de Frank Martin. En été 1981, il décide au faîte de sa carrière d'arrêter de chanter et de ne se consacrer désormais qu'à la mise en scène et à la pédagogie, dirigeant le Centre professionnel d'art lyrique de Lyon.

Tarr, Edward

Trompettiste et musicologue américain, né à Norwich le 15 juin 1936.

Il travaille la trompette avec Roger Voisin à Boston (1953), puis avec Adolph Herseth à l'Université de Chicago de 1957 à 1959. Il quitte alors les États-Unis et se rend à Bâle où il entreprend des études de musicologie avec Leo Schrade (1959-64). Dans le même temps, il fait partie de la Schola Cantorum Basiliensis. Son répertoire va de la musique baroque à la musique contemporaine (Kagel, Berio, Stockhausen). En 1967, il crée le Edward Tarr Brass Ensemble qui se consacre à la musique baroque et de la Renaissance, avec utilisation d'instruments anciens. Il a à son répertoire l'œuvre complète pour trompette de Torelli.

ÉCRITS : *La trompette* (1977).

Tate, Jeffrey

Chef d'orchestre anglais, né à Salisbury le 28 avril 1943.

Médecin de formation, il participe aux cours du London Opera Center (1970-71) et opte pour la musique. De 1971 à 1977, il est chef de chant, puis chef assistant au Covent Garden, travaillant avec Georg Solti, Colin Davis, Rudolf Kempe et John Pritchard. Assistant de Karajan à Salzbourg, de Levine au Met, de Boulez à Bayreuth (pour la *Tétralogie*, 1976-80) et à Paris (pour *Lulu*, 1979), de Pritchard à Cologne (pour le cycle Mozart), il se voit confier plusieurs productions importantes : *Don Giovanni* au Met (1983), *Parsifal* à Nice et *Ariane à Naxos* à Paris (1984), ouvrage qu'il reprend à Covent Garden l'année suivante, ainsi que la création du *Retour d'Ulysse* de Monteverdi/Henze au festival de Salzbourg (1985). Elu chef d'orchestre principal de l'English Chamber Orchestra, il a entrepris avec cet ensemble l'enregistrement intégral des symphonies de Mozart. Handicapé par les séquelles d'une poliomyélite, il dirige assis.

Tauber, Richard (Ernst Seiffert)

Ténor autrichien naturalisé anglais (1940), né à Linz le 16 mai 1891, mort à Londres le 8 janvier 1948.

Fils d'une cantatrice et d'un acteur, il se destine à la direction d'orchestre et fait des études musicales à Francfort avant d'aborder le chant avec Carl Beines à Fribourg. Il dirige son 1er orchestre en 1910 et trois ans plus tard débute à l'Opéra de Chemnitz dans le rôle de Tamino, qui va lui apporter la consécration internationale et un engagement de cinq ans à l'Opéra de Dresde. Pour ses débuts à l'Opéra de Berlin, il chante Bacchus dans *Ariane à Naxos.* Richard Strauss l'engage pour incarner Don Ottavio au 1er Festival de Salzbourg en 1922. Il y chante également Belmonte et récidive en 1926. Habitué des opéras de Munich et de Vienne (où il est en 1926 Calaf dans la première locale de *Turandot*), il connaît une popularité grandissante, alimentée par de fréquentes apparitions dans le répertoire de l'opérette viennoise, à partir de 1925 (avec *Paganini*). Lehar écrit pour lui *Le Tsarevitch* (Berlin, 1927), *Frederique* (Berlin, 1928), *Le Pays du sourire* (Berlin, 1929), qu'il chantera plus de 700 fois !, *Le Monde est beau* (Berlin, 1930), *Judith* (Vienne, 1934). Succès à double tranchant puisqu'il lui ferme les portes du Covent Garden où il ne réapparaît qu'en 1938-39 et pour ses adieux à l'Opéra en 1947 (dans Don Ottavio), et par l'effet néfaste sur la voix d'une activité aussi disparate. Car Tauber enregistre énormément (plus de 400 disques) et fait du cinéma (en particulier *Paillasse* et une *Vie de Schubert*) et se produit en récital (d'admirables enregistrements de Schumann et de Schubert datant de 1922 et de 1927 témoignent du raffinement de son art). Avec son éternel monocle et sa rondeur, une voix subtile et chaleureuse, il a personnifié le Viennois, à la fois bonhomme et aristocrate, enjoué dans sa mélancolie.

Tchakarov, Emil

Chef d'orchestre bulgare, né à Burgas le 29 juin 1948.

Il fait ses études au Conservatoire de Sofia et dirige l'Orchestre des jeunes du Conservatoire de 1965 à 1972. De 1968 à 1970, il prend la direction de l'Orchestre de Chambre de la Radio-Télévision. Après avoir remporté le 1er prix au Concours Karajan à Berlin en 1971, il travaille avec Karajan, l'assiste au Festival de Salzbourg et dans les tournées de l'Orchestre Philharmonique de Berlin. En 1972, il travaille avec Ferrara et en 1974 avec Jochum tout en entamant une carrière internationale. Chef permanent de la Philharmonie d'État de Plovdiv, il prend en 1985 la direction musicale de l'Orchestre Philharmonique de Flandre (Anvers).

Tear, Robert

Ténor gallois, né à Barry, Glamorgan, le 8 mars 1939.

Il appartient pendant trois ans au chœur du King's College de Cambridge (1957-60) et, tout en poursuivant ses études, pendant presque deux ans au chœur de la cathédrale Saint-Paul de

Londres. C'est alors qu'il commence une carrière de concertiste, tenant les parties de ténor dans les oratorios. Comme tel, il remporte un certain succès en Angleterre. En 1968, il entreprend une tournée en Amérique du Nord (États-Unis et Canada), durant laquelle il se produit surtout comme soliste dans *L'Enfance du Christ* (Berlioz). Il parcourt ensuite le Japon et l'Extrême-Orient. Cette même année, il participe pour la 1re fois au Festival d'Edimbourg. Bientôt il développe une carrière tout aussi éblouissante à l'Opéra et chante surtout au Covent Garden. Il travaille également avec l'English Opera Group qu'a fondé Benjamin Britten (à partir de 1964). Spectacles et concerts le conduisent en France, Belgique, Italie, mais avant tout en Allemagne de l'Ouest. En 1974, il participe au Festival de Hollande. En 1975, il entreprend une importante tournée en Allemagne. Il participe à la création à l'Opéra de Paris de la version intégrale de *Lulu* (Berg) et à celle de *The Knot Garden* de Tippett.

Tebaldi, Renata

Soprano italienne, née à Pesaro le 1er février 1922.

Elle étudie au Conservatoire de Parme avec Brancucci et Campoliani, puis avec Carmen Melis, à Pesaro. Elle débute à Rovigo, en 1944, dans le rôle d'Elena (*Mefistofele*) et, la même année, chante à Parme et à Trieste (*Otello*). Toscanini la choisit pour chanter lors de la réouverture de la Scala en 1946. Elle y apparaîtra régulièrement de 1949 à 1954, puis en 1959. Très vite elle enrichit son répertoire (Puccini, Giordano, Spontini, Wagner, Boïto, Verdi), devient une extraordinaire Violetta, une émouvante Élisabeth (*Don Carlos*). A Lisbonne, en 1949, dans *Don Giovanni*, au Covent Garden en 1950, à Paris, au Colón de Buenos Aires, au Met de New York en 1955, elle remporte des triomphes. Lyrique, élégiaque, musicienne parfaite (elle ne songeait pas à la scène en ses débuts et avait étudié le piano), on l'oppose à la Callas. Elle se retire un temps, revient en 1959 et s'impose à nouveau par la beauté de son phrasé et la profondeur de ses interprétations. « La Tebaldi » a chanté avec les plus grands chefs actuels, Solti, De Sabata, Toscanini, Karajan.

Te Kanawa, Dame Kiri

Soprano néo-zélandaise, née à Gisborne le 6 mars 1944.

Elle commence ses études musicales à Auckland où elle demeure jusqu'en 1966. Dès l'âge de 15 ans, elle participe à nombre de concours de chant, dans un répertoire de mezzo ! Elle obtient un 1er prix à Melbourne et une bourse pour aller étudier au London Opera Center. Véra Rosza, l'un des plus grands artisans de la voix, la prend en charge et lui donne ce surcroît de perfection vocale qui marque les plus grands. Et c'est l'événement : la Comtesse des *Noces de Figaro*, le 1er décembre 1971 au Covent Garden, la découverte par un public stupéfait d'une artiste alliant une voix radieuse, à la beauté du visage, à la grâce des attitudes et au naturel du jeu. Festivals et théâtres se la disputent. A l'Opéra de Paris, elle triomphe dans Donna Elvire sous la direction de Solti (1975). Puis c'est le 3e grand rôle mozartien : Fiordiligi, autre triomphe, suivi de Pamina. Et viennent les grands Verdi : Desdémone – un personnage auquel elle donne une nouvelle dimension tragique –, Maria Boccanegra, Violetta qui devrait, au fil des ans, devenir son plus grand rôle. Mais il y a aussi Micaëla et Marguerite, encore que la langue française lui pose quelques problèmes, les Puccini (*La Bohème* et *La Tosca*) et les Richard Strauss. Ennemie du vedettariat, Kiri Te Kanawa conduit prudemment sa carrière, laissant se développer l'ampleur d'une voix de soleil et de velours.

Encore trop peu nombreux, ses disques ne restituent que la beauté du timbre et la musicalité, négligeant l'impact de l'ampleur de la colonne sonore.

Temirkanov, Youri

Chef d'orchestre soviétique, né à Zaragej le 10 décembre 1938.

A sept ans, il suit des cours de violon puis se perfectionne au Conservatoire de

Leningrad (1953). Il étudie l'alto (1957) puis aborde la direction d'orchestre avec Moussine. Il suit le cycle de perfectionnement. En 1966, il remporte le 1er prix au 2e Concours soviétique des chefs d'orchestre et est nommé au théâtre Maly de Leningrad. Il devient l'adjoint de Mravinski à la Philharmonie de Leningrad (1968-76) avant d'être nommé 1er chef au Théâtre Kirov (1976). En 1985, il est principal chef invité du Royal Philarmonie Orchestra de Londres.

Tennstedt, Klaus

Chef d'orchestre allemand, né à Merseboug le 6 juin 1926.

Au Conservatoire de Leipzig, il reçoit une formation de violoniste avec Davisson et travaille aussi le piano avec A. Rhoden. En 1948, il est violon solo de l'Orchestre de Halle dont il devient 1er chef en 1952. Il est ensuite nommé 1er chef à l'Opéra de Karl-Marx-Stadt (1954-57), directeur général de la musique de la Landesoper de Dresde (1958-62) et de l'Orchestre d'État de Schwerin (1962-71). Il quitte alors l'Allemagne de l'Est pour la Scandinavie. Il dirige à l'Opéra de Göteborg et à la Radio Suédoise avant de se fixer en Allemagne Fédérale où il est nommé directeur général de la musique à Kiel (1972). De 1979 à 1981, il est chef permanent de l'Orchestre Symphonique du N.D.R. de Hambourg. Spécialiste de Mahler, dont il a enregistré l'intégrale des *Symphonies*, sa carrière bénéficie soudain d'un essor international à la fin des années soixante-dix : il devient 1er chef invité de l'Orchestre Philharmonique de Londres et de l'Orchestre du Minnesota. A partir de 1983, il est à la tête de l'Orchestre Philharmonique de Londres.

Tertis, Lionel

Altiste anglais, né à Hartlepool le 29 décembre 1876, mort à Wimbledon le 22 février 1975.

Fils d'un père russe et d'une mère polonaise naturalisés anglais, il fait ses 1res études au Trinity College de Londres où il travaille le piano puis le violon avec Carrodus. Il étudie ensuite au Conservatoire de Leipzig et à la Royal Academy of Music de Londres avec Alexander Mackenzie. A 19 ans, il se tourne vers l'alto pour faire du quatuor. Il est alto solo de l'Orchestre du Queen's Hall (1900-04) puis l'alto solo de Sir Thomas Beecham à partir de 1909. Dès 1901, il est professeur d'alto à la Royal Academy of Music de Londres où il formera plusieurs générations d'altistes anglais. De 1924 à 1929, il est responsable de la classe d'ensemble dans la même école. Il joue un rôle essentiel pour donner à l'alto ses lettres de noblesse. De nombreux compositeurs écrivent pour lui : Bax, Bridge, Vaughan-Williams (*Suite pour alto et orchestre*), Walton (*Concerto*, 1930), Bliss... Partisan d'un instrument de grande taille, il joue d'abord sur un Montagnana avant de faire réaliser un modèle spécial sur ses propres indications, le « Modèle Tertis », d'environ 43 cm de long. Il est l'auteur de nombreux arrangements pour alto.

ÉCRITS : *Beauty of tone in string playing* (1938), *Cinderella no more* (1953), *My viola and I* (1974).

Teyte, Dame Maggie (Margaret Tate)

Soprano anglaise, née à Wolverhampton le 17 avril 1888, morte à Londres le 26 mai 1976.

Issue d'un milieu musical, elle étudie le chant au Royal College of Music de Londres et à Paris, auprès de Jean De Reszké et de Reynaldo Hahn (1903-07). C'est dans le rôle de Zerline qu'elle débute, en 1905, en concert, à Paris, puis à l'Opéra de Monte-Carlo en 1907 (Zerline). Engagée par l'Opéra-Comique de 1908 à1910, elle y joue les utilités jusqu'à ce qu'elle soit choisie et préparée par Debussy pour succéder à Mary Garden, la créatrice du rôle de Mélisande, en 1908, rôle qu'elle reprend à Londres en 1910 sous la direction de Beecham. Après avoir créé *Circé* de Hillemacher (Opéra-Comique, 1908) et *Le Secret de Suzanne* de Wolf-Ferrari (Munich, 1909, dir. F. Mottl), elle débute à Philadelphie en 1911 dans le rôle de Chérubin et fait partie, de 1912 à 1914, de la troupe de l'Opéra de Chicago. Elle chante également en 1915-16 à l'Opéra de Boston. Dans l'immédiate après-guerre, elle se consacre essentiellement à la mélodie française, en particulier celle de Debussy en Europe comme en Amérique (Alfred Cortot puis Gerald Moore l'accompagnent fréquemment). Après une brillante saison (1922-23) au Covent Garden, chantant *Madame Butterfly, Hänsel et Gretel,* Chérubin, et créant *The Perfect Fool* de Holst, elle se marie et se retire presque complètement. Plus que les quelques tentatives de retour à Londres en 1930 et 1937, aux États-Unis en 1938-39, ce sont ses disques de mélodies françaises qui rétablissent sa renommée. Par ailleurs, son comportement exemplaire durant la seconde guerre mondiale, chantant pour les troupes alliées, donnant un concert pour célébrer en 1944 la Libération de la France lui valent un surcroît d'admiration et la Croix de Lorraine. A soixante ans passés, elle triomphe encore à New York, dans le rôle de ses débuts, Mélisande (City Opera, 1948), et chante, pour sa dernière apparition lyrique, *Didon et Enée* à Londres avec Flagstad (1951, Mermaid Theater). Elle donne encore quelques concerts jusqu'en 1954 en Angleterre et en Amérique du Nord. On a pu dire d'elle qu'elle comprenait mieux la musique française que celle de son propre terroir, devant la perfection de ses interprétations, révélant de sa voix limpide et prenante toute l'émotion suggérée par les mots. Canteloube et Enesco lui ont dédié des mélodies.

ÉCRITS : *Star on the door* (1958), Mémoires.

Thibaud, Jacques

Violoniste français, né à Bordeaux le 27 septembre 1880, mort dans un accident d'avion près de Barcelonnette le 1er septembre 1953.

Il est l'élève de Marsick au Conservatoire de Paris, où il remporte son 1er prix en 1896. Après avoir été violoniste dans l'orchestre du Châtelet, il est bientôt engagé par Edouard Colonne dans son orchestre. C'est à la faveur d'une circonstance providentielle qu'il devient violon solo : Rémy, alors titulaire du poste, se trouvant souffrant, Thibaud doit le remplacer au pied levé dans le prélude du *Déluge* de Saint-Saëns. Il obtient un triomphe et c'est alors le départ de sa prodigieuse carrière. Après Paris et Berlin (où il joue sous la baguette d'Arthur Nikisch), toutes les grandes capitales veulent entendre le violoniste français dont les qualités majeures sont la pureté du style, le jeu racé et la sonorité enchanteresse, quoique peu puissante. Très lié avec Ysaÿe, il reçoit ses conseils pendant de nombreuses années et peut être considéré comme l'un de ses héritiers. Son tempérament libre le tourne naturellement vers la musique française, Mozart et les petites pièces qu'il transcende. Jacques Thibaud est aussi un inoubliable musicien de chambre : il forme, en 1905, un trio avec Alfred Cortot et Pablo Casals qui compte parmi les formations majeures de la première moitié du XXe siècle. En 1943, il fonde, avec Marguerite Long, le fameux concours d'exécution musicale (violon et piano) qui porte leur nom. Thibaud consacre aussi une part importante de son temps à l'enseignement, à l'École normale de musique de Paris ou à l'occasion de cours d'interprétation à l'Académie Chighiana de Sienne (1951-52).

Plusieurs compositeurs ont écrit à son intention : Enesco (*Sonate pour violon et piano n° 2*), Ysaÿe (*Sonate pour violon n° 2*), Granados (*Danse espagnole* et *Sonate pour violon et piano*). Jacques Thibaud a créé, en 1925, le *Quatuor à cordes* de Fauré avec Krettly, Vieux et A. Hekking. Son instrument, un Stradivarius de 1709 ayant appartenu à Baillot, a été détruit dans l'accident où il a trouvé la mort.

ÉCRITS : *Un violon parle,* souvenirs recueillis par Jean-Pierre Dorian (1953).

Thibaud, Pierre

Trompettiste français, né à Proissans le 22 juin 1929.

Il commence ses études au Conservatoire de Bordeaux où il remporte un 1er prix de violon et un 1er prix de trompette. Il travaille ensuite au Conservatoire de Paris dans la classe d'Eugène Foveau où il enlève un 1er prix de cornet à l'unanimité. Puis il est succesivement trompette solo de l'Orchestre de l'Opéra de Paris, de l'Ensemble Ars Nova, du Domaine Musical, de l'Ensemble Musique vivante, de l'Ensemble Itinéraire, de l'Ensemble Musique Plus, de l'Orchestre de chambre Fernand Oubradous, des Concerts Lamoureux, des Concerts Colonne, de la Musique de la Garde Républicaine. Fondateur du Brass Quintet Ars Nova, il a fait partie de la Société des Concerts du Conservatoire, et a été soliste à l'I.R.C.A.M. En marge de sa vie de musicien d'orchestre, il mène une active carrière de soliste, invité par les plus grands orchestres européens. Sa discographie illustre le répertoire traditionnel de l'instrument mais aussi la musique contemporaine puisque l'on y retrouve les noms d'Enesco, Constant, Tisné, Xenakis, Messiaen, Varèse, Berio et Honegger.

Thibaudet, Jean-Yves

Pianiste français, né à Lyon le 7 septembre 1961.

Il commence très jeune ses 1[eres] études de piano et, dès sept ans, joue en public. Prix européen à 14 ans, 1er prix du Conservatoire de Paris à 15 ans, il remporte à 17 ans le 2e prix au Conservatoire Viotti à Vercelli et au Concours Robert Casadesus à Cleveland. A 19 ans, il se classe 1er au Concours international de Tokyo et gagne les « Young Concert Artists International Auditions » à New York.

Thill, Georges

Ténor français, né à Paris le 14 décembre 1897, mort à Lorgues (Var) le 16 octobre 1984.

Après deux années passées au Conservatoire de Paris, il étudie à Naples avec Fernando De Lucia (1921-23) afin d'éliminer le point faible d'une voix à l'aigu insolent, son manque de stabilité dans le grave. Ses deux 1ers rôles à l'Opéra de Paris, Nicias de *Thaïs* et surtout le Duc de Mantoue de *Rigoletto* lui apportent en 1924 la consécration. Au long des seize années de sa carrière sur la scène nationale, il aborde des rôles de plus en plus lourds : Admetus d'*Alceste*, Aeneas, Parsifal, Tannhäuser, Samson. Il chante à la Scala (1929), à Vérone (1928), au Colón de Buenos Aires (1929 : le même rôle sur ces trois scènes : Calaf de *Turandot*), au Met (1931-32 : Roméo, Lakmé), au Covent Garden (1928 : Samson), etc. En tout 50 rôles de premier plan, essentiellement des répertoires français et italien. Il a créé *Naïla* de Gaubert (1927), *Le Miracle* de Hue (1927), *La Tour de feu* de Lazzari (1928), *Satan* de Guinsbourg (Monte-Carlo, 1930), *Vercingétorix* de Canteloube (1933) et *Rolande* de Rabaud (1934). Pour ses adieux à l'Opéra en 1953, il chante *Paillasse*. Enregistrant près de 150 pages, tournant plusieurs films (dont une *Louise* avec Abel Gance), le plus grand ténor français du XXe siècle laisse le souvenir d'une voix lumineuse, à l'articulation et au phrasé exemplaires, égale sur toute son étendue, mise au service d'un art élégant et nuancé.

Thiollier, François-Joël

Pianiste français et américain, né à Paris le 12 novembre 1943.

Sa famille compte plusieurs générations de musiciens. Sa mère, pianiste, guide ses premiers pas musicaux. A cinq ans, il donne son 1er concert à New York. De 1951 à 1953, il travaille au Conservatoire de Paris, notamment avec Robert Casadesus. Il entre ensuite à la Juilliard School (1953-62) où il étudie avec Sascha Gorodnitzki et dont il sort à 18 ans muni de toutes les distinctions. Il remporte un grand nombre de prix internationaux : Casella, Viotti et le 1er prix Busoni en 1964, Milan et Montréal en 1965, Tchaïkovski (premier non soviétique) en 1966, reine Élisabeth de Belgique en 1968. Il joue avec le violoniste Augustin Dumay et a participé à certaines productions de l'I.R.C.A.M. Il a enregistré la 1re intégrale de l'œuvre pour piano seul de Rachmaninov, ainsi que l'œuvre pour piano de Gershwin.

Thiry, Louis

Organiste français, né à Fléville (Nancy) le 15 février 1935.

Il obtient un 1er prix d'orgue au Conservatoire de Nancy (1952) puis vient se perfectionner à Paris avec André Marchal. Il travaille la fugue et le contrepoint avec Simone Plé-Caussade au Conservatoire de Paris où il obtient un 2e prix dans les deux disciplines. De 1956 à 1958, il est élève de Rolande Falcinelli et remporte un 1er prix d'orgue et d'improvisation. Organiste titulaire de Saint-Martin de Metz (1951-72), il est, depuis 1971, professeur d'orgue au Conservatoire de Rouen. Louis Thiry a enregistré l'essentiel de l'œuvre pour orgue d'Olivier Messiaen après avoir travaillé les partitions avec le compositeur. Il ne dédaigne pas pour autant le répertoire traditionnel de l'instrument qu'il aborde parfois avec une originalité certaine, témoin cette intégrale du *Clavier bien tempéré* qu'il a enregistrée à l'orgue.

Thomas, Bernard

Chef d'orchestre français, né à Limoges le 24 février 1937.

Diplômé de l'École supérieure de notariat d'Angers, Bernard Thomas mène de front jusqu'en 1967 carrière juridique et formation musicale. Il étudie pendant cette période le piano et le trombone ; il se perfectionne dans la direction d'orchestre avec Eugène Bigot. 1967 est l'année de la fondation de l'orchestre à qui il donne son nom et auquel il se consacrera entièrement. Essentiellement centré sur la musique baroque et la musique sacrée, le répertoire de Bernard Thomas s'étend parfois à la musique contemporaine. On relèvera en effet la création de plusieurs œuvres de Roger Calmel (*Requiem*, *Symphonie des lumières, Sinfonia sur le Cantique des Cantiques*, *Passion selon le livre de Jean*).

Thomas, Jess Floyd

Ténor américain, né à Hot Springs (South Dakota) le 4 août 1927.

Diplômé de psychanalyse de l'Université de Stanford, il décide de se consacrer au chant sous l'influence de Otto Schulman. Il débute en 1957 à San Francisco (Malcolm), passe ensuite l'Atlantique, reste un an et demi à Karlsruhe, puis chante en 1960 à Stuttgart et Munich, et débute à Bayreuth en 1961 où il chante jusqu'en 1976 (Parsifal, Lohengrin, Stolzing, Tannhäuser, Siegfried). En 1961, il débute également à Berlin (Radamès dans l'*Aïda* de Wieland Wagner), en 1962 au Met (Stolzing), en 1964 à Vienne (L'Empereur de *La Femme sans ombre*) et à Salzbourg (Bacchus). Il y chante aussi au Festival de Pâques Siegfried en 1969 et 1970. A l'Opéra de Paris, il paraît dans Siegmund en 1967 et Tristan en 1972. Son répertoire est essentiellement wagnérien et straussien. Pour la soirée d'inauguration de la nouvelle salle du Met au Lincoln Center, il participe à la création de *Antony and Cleopatra* de Barber en 1966.

Thomas, Kurt

Chef de chœur et compositeur allemand, né à Tönning le 25 mai 1904, mort à Bad Oeyhausen le 31 mars 1973.

Il étudie la musique d'église à Leipzig sous la direction de Straube, Grabner, Hochkofler ainsi que la composition à Darmstadt avec Arnold Mendelssohn. En 1925, il donne des cours (théorie et composition) au Conservatoire de Leipzig. Il remporte le Prix Beethoven en 1927. En 1928, il dirige le Chœur de l'Institut de Musique d'église de Leipzig. Il occupe successivement les postes de professeur à la Musikhochschule de Berlin (à partir de 1934), de directeur du Musiche Gymnasium à Francfort (1939-45), de cantor de la Dreikönigskirche (1945-46) à Francfort, de professeur puis maître de chœur à la Nordwestdeutsche Musik Akademie à Detmold (1947-55) et enfin de cantor à Saint-Thomas de Leipzig (1955-61). Il quitte l'Allemagne de l'Est et devient chef de la Société Bach à Cologne. Il a publié *Lehrbuch der Chorleitung* (Leipzig 1935-rév. 1948) ainsi que de nombreuses compositions.

Thorborg, Kerstin

Mezzo-soprano suédoise, née à Venjan le 19 mai 1896, morte à Stockholm le 12 avril 1970.

Elle fait ses études au Conservatoire royal de Stockholm et débute, en 1924, à l'Opéra royal de Stockholm comme Ortrude (*Lohengrin*). Elle y reste jusqu'en 1930. De 1932 à 1933, elle chante à l'Opéra de Prague, de 1933 à 1935, à la Städtische Oper de Berlin, puis elle est invitée à l'Opéra de Vienne, au Festival de Salzbourg où elle chante, en 1935, Brangäne (*Tristan*) ; en 1936, *Orphée* (Gluck) et Magdalena (*Les Maîtres chanteurs*) ; en 1937, Églantine (*Euryanthe*). Jusqu'en 1938, elle est pensionnaire de l'Opéra de Vienne. De 1936 à 1950, elle appartient au Met où elle débute avec Fricka (*La Walkyrie*). Elle est invitée au Covent Garden, à Paris, Bruxelles, Berlin, Munich où partout elle remporte de grands succès. Elle entreprend une grande tournée de concerts en Europe, aux États-Unis et au Canada. A partir de 1950, elle se consacre à la pédagogie, à Stockholm. La beauté de son timbre et l'expression puissante de son chant font merveille dans les rôles wagnériens, ainsi que dans certains cycles de mélodies de Mahler comme *Le Chant de la terre* qu'elle a enregistré avec Bruno Walter.

Tibbett, Lawrence

Baryton américain, né à Bakersfield le 16 novembre 1896, mort à New York le 15 juillet 1960.

Après avoir étudié le chant avec Frank La Forge et Basil Ruysdael, il obtient une 1re audition au Metropolitan Opera, qui est un échec, puis une 2e qui lui vaut un contrat pour la saison 1923-24. Il débute dans le rôle de Lovitsky (! !) de *Boris Godounov*, Chaliapine chantant ce soir-là le rôle-titre, mais six jours après il est Valentin (aux côtés de Frances Alda, Martinelli et Chaliapine). Il reste une 2e saison au Met au même salaire pour jouer les « utilités », la reprise de *Falstaff* en 1925 où, dans le rôle de Ford, il reçoit une mémorable ovation : en une soirée, c'est une star. Il chantera au Met sans interruption jusqu'en 1950 : 50 rôles différents en 396 représentations. Il y créera en 1927, *The King's Henchman* de Taylor (rôle d'Edgar), en 1931, *Peter Ibbetson* du même Taylor (rôle-titre), en 1933 *The Emperor Jones* de Gruenberg et, en 1934, *Merry Mount* de Hanson (Wrestling Bradford).

Célèbre pour sa voix immense au timbre superbe et ses dons d'acteur, il chante sur toutes les scènes du monde, notamment à Paris en 1937 (Iago et Rigoletto). Extrêmement doué, il apprenait très vite mais souvent superficiellement. Se fiant seulement à son instinct, il frôla plus d'une fois le désastre, surtout dans les dix dernières années de sa carrière où il compromit trop souvent son talent dans des émissions et productions d'un goût douteux.

Tietjen, Heinz

Chef d'orchestre allemand, né à Tanger le 24 juin 1881, mort à Baden-Baden le 30 novembre 1967.

Dès ses débuts, il s'intéresse autant à la direction lyrique qu'à la mise en scène. Il exerce ces deux fonctions simultanément au Théâtre de Trier (1904-07) dont il devient ensuite l'intendant (1907-19). Il poursuit sa carrière de directeur de théâtres lyriques à Sarrebrück (1919-22) et Breslau (1922-24) avant d'être nommé intendant à la Deutsche Oper de Berlin (1925-29) puis à la Staatsoper (jusqu'en 1945). A la mort de Siegfried Wagner, il devient directeur artistique du Festival de Bayreuth (1931-44) : il est l'unique metteur en scène et dirige plusieurs ouvrages chaque année. Après la guerre, il retrouve ses fonctions d'intendant à la Städtische Oper de Berlin (1948-54) puis à l'Opéra de Hambourg (1956-59). Tietjen a été l'un des rares chefs d'orchestre capables de concilier sa carrière avec celle de directeur d'opéra. R. Strauss lui a dédié l'*Amour de Danaé*.

Tilney, Colin

Claveciniste anglais, né à Londres le 31 octobre 1933.

Il étudie d'abord le piano puis les langues modernes et la musique au King's

College de Cambridge. Là, il commence l'étude du clavecin avec Mary Potts puis plus tard avec Gustav Leonhardt à Amsterdam. Depuis 1960, il se produit comme soliste. Il débute aux États-Unis en 1971. Il enregistre pour le disque l'œuvre complet de Matthew Locke, les suites de Purcell et de Händel. Par ailleurs, il édite la musique de clavecin d'Antoine Forqueray.

Tilson-Thomas, Michael

Chef d'orchestre et pianiste américain, né à Hollywood le 21 décembre 1944.

A l'Université de Californie du Sud, il étudie la composition avec Ingolf Dahl, le piano avec John Crown et le clavecin avec Alice Ehlers. Il travaille la direction d'orchestre à Bayreuth (1966) et au Berkshire Music Center de Tanglewood où il remporte le Prix Koussevitzky en 1968. Il y dirige l'orchestre des jeunes en 1968 et 1969 avant d'être nommé chef assistant de l'Orchestre Symphonique de Boston (1969-70). La saison suivante, il devient chef associé, et « principal guest » à partir de 1972. En 1971, il est nommé directeur musical de l'Orchestre Philharmonique de Buffalo, poste qu'il conserve jusqu'en 1980, assurant dans cette même ville l'enseignement de la direction d'orchestre. Considéré comme l'étoile montante de la direction d'orchestre américaine, Tilson-Thomas s'intéresse à des musiques très variées, du chant grégorien au jazz, en passant par toutes les formes de musique classique ou contemporaine. Ses programmes font une large place à la musique de son pays. Remarquable pianiste, il a fait partie des Boston Symphony Chamber Players en 1969-70.

Tipo, Maria

Pianiste italienne née à Naples le 23 décembre 1931.

Sa mère, la pianiste Ersilla Cavallo, lui apprend le piano. Ses débuts ont lieu à Naples, en public, alors qu'elle n'a que quatre ans. Après s'être perfectionnée avec Casella et Agosti, elle remporte le Concours de Genève en 1949. Parallèlement à sa carrière de concertiste, elle est actuellement titulaire d'une chaire de piano au Conservatoire de Bolzano.

Toldrá, Eduardo

Chef d'orchestre espagnol, né à Villanueva y Geltrú le 7 avril 1895, mort à Barcelone le 31 mai 1962.

Au Conservatoire de Barcelone, il étudie le violon et la composition avec Morera. Il débute comme instrumentiste dans un orchestre et entame une carrière de soliste dès 1912. A la même époque, il forme le Quatuor Renaixement qui fonctionnera jusqu'en 1921. Il fait ses débuts de chef d'orchestre en 1916 et est nommé professeur de violon au Conservatoire de Barcelone en 1921. De 1924 à 1935, il dirige l'Orchestre Symphonique des Étudiants de Barcelone. Sa carrière internationale ne se développe qu'à partir de 1944, lorsqu'il est nommé chef permanent de l'Orchestre Municipal de Barcelone. En 1961, il dirige pour la première fois, en version de concert, l'œuvre ultime de M. de Falla, *l'Atlantide.*

Tomova-Sintow, Anna

Soprano bulgare, née à Stara Zagara le 22 septembre 1943.

Elle fait ses études au Conservatoire de Sofia et débute, en 1967, à l'Opéra de Leipzig. En 1972, elle est engagée à l'Opéra de Berlin et y chante pour la 1ère fois la Comtesse *(Les Noces de Figaro).* De Mozart, dans le répertoire duquel elle s'impose par la musicalité et l'élégant lyrisme de son chant, elle interprète encore Donna Anna, Fiordiligi. Mais Elsa *(Lohengrin)* ainsi que quelques rôles de Richard Strauss conviennent admirablement à la couleur de sa voix (*Arabella,* la Maréchale, *Ariane*). Dans le répertoire italien, elle s'est imposée comme une fière *Aïda,* une émouvante Desdémone *(Otello)* et une superbe *Tosca.* En 1973, Karajan l'engage pour la création mondiale de *De*

Temporum fine comedia de Carl Orff au Festival de Salzbourg. L'année suivante, elle chante le *Requiem* de Verdi à Paris. Elle débute alors à l'Opéra de Munich en Donna Anna et dans ce même rôle fait ses débuts aux États-Unis, à San Francisco. En 1975, elle chante *Cosi fan Tutte* au Covent Garden, et à la Scala les *4 Derniers Lieder* de R. Strauss qu'elle interprète également au Festival de Pâques 1982 à Salzbourg. En 1977, elle débute à l'Opéra de Vienne, comme Comtesse, et au Met, en 1978, comme Donna Anna. Berlin puis le Met lui confient ses 1res apparitions en Maréchale, alors qu'elle aborde *Aïda* à Munich et *Don Carlos* à San Francisco. A l'Opéra de Paris, elle est une émouvante Léonore *(La Force du destin)* et une très belle Elsa, rôle qu'elle a chanté également à la Scala, sous la direction de Claudio Abbado. En 1984, toujours à la Scala, elle incarne Elisabeth (Tannhäuser).

Töpper, Herta

Alto autrichienne, né le 19 avril 1924 à Graz.

Elle fait ses études au Conservatoire de Graz. En 1945, elle débute au Théâtre municipal de sa ville natale, auquel elle appartient jusqu'en 1951. Dès 1952, elle est engagée à l'Opéra de Munich où elle créera *Harmonie du monde* (Hindemith) en 1957. En 1951-52, elle participe au Festival de Bayreuth comme Brangäne *(Tristan)* et tient plusieurs parties d'alto dans la *Tétralogie.* Elle participe également au Festival de Salzbourg. Elle est liée à l'Opéra de Vienne par un contrat d'artiste-invitée. Mais elle est également invitée à la Scala, au Covent Garden, à la Monnaie, à Amsterdam, Rome et Zürich où elle remporte partout de très grands succès. En 1960, elle chante Octavian *(Le Chevalier à la rose)* à l'Opéra de San Francisco. L'année suivante, elle est engagée au Met. Depuis 1949, elle est l'épouse du compositeur Franz Mixa. A côté de sa brillante carrière sur scène, elle s'est imposée comme une admirable interprète de Bach et d'autres compositeurs d'oratorios. Parmi ses rôles préférés, il faut citer *Carmen* et Judith dans *Le Château de Barbe-Bleue* (Bartók).

Torkanovsky, Werner

Chef d'orchestre allemand naturalisé américain, né à Berlin le 30 mars 1926.

Il n'a que six ans lorsque sa famille émigre en Israël. Il travaille le piano avec sa mère puis le violon avec des musiciens de l'Orchestre Symphonique de Palestine, récemment fondé. Fixé à New York en 1948, il continue l'étude du violon avec Raphaël Bronstein, un membre de l'Orchestre Symphonique de Pittsburgh, puis travaille la direction d'orchestre avec Pierre Monteux (1954-59). Il débute en 1960 et, dès 1963, prend la direction de l'Orchestre Philharmonique de la Nouvelle Orléans qu'il conserve jusqu'en 1977.

Tortelier, Maud (Maud Martin)

Violoncelliste française, née à Paris le 26 septembre 1926.

A douze ans, elle entre au Conservatoire de Paris où elle reçoit l'enseignement de Pierre Fournier et Maurice Maréchal pour le violoncelle et celui de Joseph Calvet pour la musique de chambre. En 1945, elle obtient son 1er prix dans les deux disciplines et commence sa carrière. C'est en 1946 qu'elle épouse le grand violoncelliste Paul Tortelier. Elle remporte en 1947 le prix Victor Lyon (attribué tous les six ans lors d'un concours auquel seuls participent les lauréats du Conservatoire de Paris). Au cours d'une carrière qui l'a amenée dans de nombreux pays, elle joue le *Concerto* de Khatchaturian sous la direction du compositeur (1964) et se montre une partenaire remarquée de Paul Tortelier dans les concerts qui réclament deux violoncelles. Elle a enseigné au Conservatoire de Paris (1956-69). De son mariage sont nés plusieurs enfants qui se consacrent à la musique : Yan-Pascal, Maria (de La Pau) et Pomone (née le 4 février 1959) qui a obtenu en 1981 son prix de flûte au Conservatoire de Paris dans la classe de Jean-Pierre Rampal.

Tortelier, Paul

Violoncelliste et chef d'orchestre français, né à Paris le 21 mars 1914.

Il joue du violoncelle depuis l'âge de six ans. Au Conservatoire de Paris, il travaille le violoncelle avec Feuillard et Gérard Hekking, l'harmonie avec Jean Gallon et le contrepoint avec Noël Gallon. C'est en 1930 qu'il remporte des 1ers prix de violoncelle (1930) et d'harmonie (1935). Il occupe d'abord des postes dans les orchestres : 1er violoncelle solo à l'Orchestre de Monte-Carlo (1935-37), 3e violoncelle solo à l'Orchestre Symphonique de Boston (1937-40), 1er violoncelle solo à la Société des Concerts du Conservatoire (1946-47). Il épouse, en 1946, une violoncelliste, Maud Martin. Sa carrière de soliste débute véritablement à cette époque. Il joue avec les plus grands et forme un trio avec Arthur Rubinstein et Isaac Stern. Il se produit fréquemment avec sa femme et ses enfants. Il enseigne au Conservatoire de Paris (1957-69), à l'École supérieure de Musique Folkwang de Essen (1972-75), au Conservatoire de Nice (1978-80). Depuis 1980, il est professeur honoraire du Conservatoire central de Pékin. Parallèlement, il développe ses activités de chef invité. Il est le dédicataire et le créateur des concertos de Hartmann (joué sous la direction de Koussevitzky), Hubeau, Passani et Lavagne. Sa méthode de violoncelle *How I play, How I teach* (1975) fait autorité. Il écrit de nombreuses pièces pour un et deux violoncelles mais aussi une symphonie, des mélodies et des concertos pour piano et pour violon. Il est l'inventeur d'une pique spéciale pour violoncelle dont l'angle permet de tenir l'instrument beaucoup plus incliné.

Tortelier, Yan-Pascal

Violoniste et chef d'orchestre français, né à Paris le 19 avril 1947.

Fils du violoncelliste Paul Tortelier, il entreprend ses études musicales dès l'âge de quatre ans, travaillant simultanément le piano et le violon, puis l'harmonie, la fugue et le contrepoint avec Henri Challan et Nadia Boulanger. Il se perfectionne plus particulièrement dans le violon avec André Proffit, Line Talluel et Dominique Hoppenot. En 1961, il obtient un 1er prix de violon dans la classe de René Benedetti. Il étudie la direction d'orchestre avec Franco Ferrara à l'Académie Chigiana de Sienne et remporte en 1970 le C.D. Jackson Prize (Tanglewood, U.S.A.). Il est, en 1972, lauréat du Concours international Tibor Varga. Depuis, il mène une triple carrière de violoniste, de chef d'orchestre et de membre du Trio Tortelier. Comme chef invité, il se produit notamment en Angleterre. De 1974 à 1982, il est violon solo puis chef associé à l'Orchestre National du Capitole de Toulouse. Il donne, avec le Trio Tortelier, la 1re audition mondiale du *Trio en do mineur* de Grieg (Festival de Lucerne, 1977). Yan Pascal Tortelier joue sur un violon de Carlo Bergonzi (Crémone, 1727).

Toscanini, Arturo

Chef d'orchestre italien, né à Parme le 25 mars 1867, mort à Riverdale (U.S.A.) le 16 janvier 1957.

Il naît dans une famille modeste nourrie d'idéal républicain, et entre au Conservatoire de sa ville natale (1876) où il étudie le violoncelle avec Leandro Carini et la composition avec Giusto Dacci. Il se produit pour la 1ere fois en public comme violoncelliste, chef et compositeur, en 1884. Répétiteur d'harmonie (1884-85), il obtient son diplôme de sortie du Conservatoire en 1885 et est engagé comme répétiteur par une troupe lyrique pour une tournée au Brésil. Le 30 juin 1886, après la défaillance de plusieurs chefs, il prend la baguette et dirige *Aïda* de mémoire. Devant le triomphe obtenu l'imprésario lui confie les douze autres opéras représentés jusqu'à la fin de la tournée ! De retour en Italie, il dirige la création d'*Edmea* de Catalani (1886), mais se fait engager comme 2e violoncelle à la Scala de Milan pour participer à la création d'*Otello* de Verdi. Pendant les années qui suivent, il dirige en Italie tous les opéras du répertoire avec des troupes et des orchestres médiocres. C'est à cette dure école qu'il fortifie sa volonté de ne jamais transiger avec le respect de l'œuvre. Au cours de la saison 1890-91, il est chef adjoint au Teatro Liceo de Barcelone. En 1892, il crée *Paillasse* de Leoncavallo à Milan. Il joue de plus en plus à Turin, y donne son 1er concert symphonique (1896), y dirige, la même année, la 1ere audition de *La Bohème* de Puccini ainsi que la création italienne de trois des *Quatre Pièces sacrées* de Verdi, compositeur qu'il a la joie de rencontrer. Il est directeur de la Scala de Milan (1898-1903) où il donne de nombreuses œuvres pour la 1ere fois en Italie (*Les Maîtres chanteurs,* 1898, *Siegfried,* 1899, *Eugène Onéguine,* 1900, *Euryanthe,* 1902, *Pelléas et Mélisande,* 1908). Il crée *Zaza* de Leoncavallo 1900) et dirige les débuts de Caruso et Chaliapine. Les inimitiés que lui vaut son intransigeance artistique lui font abandonner ce poste qu'il retrouve en 1906-08. Il quitte cette scène lyrique après l'avoir portée au plus haut niveau pour prendre la direction artistique du Metropolitan Opera de New York (1908-15). Les créations mondiales – *La Fanciulla del West* de Puccini (1910), *Madame Sans Gêne* de Leoncavallo (1915) – et les premières américaines – *Ariane et Barbe-Bleue* de Dukas (1911), *Boris Godounov* de Moussorgski (1913), *L'amore dei tre re* de Montemezzi (1914) – se multiplient. A la suite de différends inexpliqués, il démissionne et retourne en Europe. Il dirige au front et, malgré l'hostilité du public italien, maintient les œuvres allemandes à ses programmes. Il reprend ses fonctions de directeur de la Scala (1920-29) et fera triompher la création de *Néron* de Boïto (1925) et de *Turandot* que Puccini avait laissé inachevé (1926). Son 1er enregistrement date de 1919. Son hostilité au fascisme l'amène à diriger de plus en plus à l'étranger. Il est nommé directeur de l'Orchestre Philharmonique de New York (1928-36) et donne son 1er concert radiodiffusé en 1927. Il fait ses débuts à Bayreuth (1929), triomphe à Paris, Vienne et Berlin (1930). Il crée les *Fêtes romaines* de Respighi (1929). En protestation devant les persécutions raciales il refuse de retourner à Bayreuth. Il se produit pendant trois ans au Festival de Salzbourg, jusqu'à l'Anschluss. En 1937, il se brouille avec Furtwängler qu'il soupçonne d'indulgence envers le nouveau régime allemand et va diriger l'Orchestre Symphonique de Palestine. La N.B.C. décide alors de recruter pour lui un orchestre. Pierre Monteux en assure les premières séances de travail. Le soir de Noël 1937 a lieu, sous sa direction, le 1er concert diffusé de la nouvelle formation. Pendant 17 ans, au rythme d'une émission par semaine, Toscanini va offrir aux foyers américains toute l'étendue de son répertoire (117 opéras de 53 compositeurs, 480 œuvres symphoniques de 175 compositeurs...). Il encourage les jeunes compositeurs (création du *Ier Essai* et de l'*Adagio* de Barber en 1938, 1re audition américaine de la *Symphonie n° 7* de Chostakovitch en 1942). Il revient en Italie, donne un concert pour la réouverture de la Scala (1945), est nommé sénateur à vie par la République Italienne (1948) et encourage les débuts du jeune chef Guido Cantelli. Il dirige son dernier concert le 4 avril 1954. On ne parle pas de Toscanini en termes ordinaires. Ses colères sont passées à la postérité, mais aussi la rigueur et la passion de sa direction. Incomparable chef lyrique, notamment pour les opéras de Verdi, il demeure un des tout premiers chefs symphoniques de notre temps. Busoni lui a dédié son opéra *Turandot,* Kodály sa *Symphonie « in memoriam »* et la 2e version de *Soir d'été,* écrite à sa demande.

Tourel, Jennie
(Jennie Davidson)

Mezzo-soprano russe naturalisée américaine (1946), née à Saint-Pétersbourg le 22 juin 1900, morte à New York le 23 novembre 1973.

Montrant des dons précoces, elle apprend à six ans la flûte et à huit le piano qu'elle envisage de continuer professionnellement, avant la révélation de ses dons vocaux. De 1926 à 1928, elle suit à Paris l'enseignement de Anna El-Tour, et débute en 1931 avec l'Opéra russe de Paris. Engagée à l'Opéra-Comique de 1933 à 1940, elle y chante *Carmen* et *Mignon,* rôle de ses débuts au Met en 1937. Réfugiée aux États-Unis, elle trouve difficilement des engagements à l'Opéra de Montréal, à la New Opera Company et au New York City Opera, avant de chanter *Roméo et Juliette* avec Toscanini (1942) et Koussevitzky et *Alexandre Newski* avec Stokowski. Des débuts brillants en concerts au Town Hall de New York lui ouvrent enfin les portes du Met (1944) où elle chante *Carmen, Mignon,* Adalgisa de *Norma* et Rosine (1945, première mezzo à oser le chanter au Met, conformément au souhait de Rossini). Son retour en Europe est salué par les éloges de la critique. Elle chante à Londres (1947), en Israël (1949), à Venise (1951, pour la création de *Rake's Progress* de Stravinski), crée également la *Jeremiah Symphony* de Bernstein (qui l'accompagne souvent en récital) et la nouvelle version de *Das Marienleben* de Hindemith. Elle joint à une voix d'une qualité et d'une étendue remarquables (du sol grave au contre-ut) une musicalité profonde. Elle a enseigné à la Juilliard School.

Tournemire, Charles

Organiste et compositeur français, né à Bordeaux le 22 janvier 1870, mort à Arcachon le 3 novembre 1939.

Il est l'élève de Bériot pour le piano, de Taudou pour l'harmonie, de Franck et de Widor pour l'orgue (1er prix au Conservatoire en 1891). Après un rapide passage à la tribune de Saint-Nicolas-du-Chardonnet, il succède à Gabriel Pierné à Sainte-Clotilde, en 1898 ; il y restera jusqu'à sa mort. A partir de 1919, il enseigne au Conservatoire de Paris dans une classe de musique d'ensemble. Imprégné de la souple beauté des monodies grégoriennes, qu'il aime aller méditer à l'Abbaye de Solesmes, il veut doter l'orgue catholique d'un corpus musical liturgique : c'est ainsi que naît, de 1927 à 1932, *L'Orgue Mystique,* divisé en cinquante et un offices pour les dimanches de l'année et les fêtes essentielles. En paraphrases libres, tantôt majestueuses, tantôt douces et recueillies, toujours d'un coloris harmonique varié, où l'influence debussyste tempère ce qu'aurait de plus sévère celle d'un Widor ou d'un Vincent d'Indy, cette œuvre donne une idée juste de ce qu'a pu être le talent d'improvisateur de Tournemire. Esthétique de la séduction, du flamboiement, de l'orgue symphonique devenu vitrail, tel est sans doute ce qui a marqué l'apport essentiel de l'art de Tournemire et que deux de ses disciples, Daniel-Lesur (qui fut son suppléant à Sainte-Clotilde) et surtout Olivier Messiaen ont reconnu.

Tournier, Marcel

Harpiste français, né à Paris le 5 juin 1879, mort à Paris le 12 mai 1951.

Il travaille au Conservatoire de Paris avec R. Martenot et A. Hasselmans et y remporte un 1er prix de harpe en 1899. Élève de Caussade et de Lenepveu, il obtient le 2e grand prix de Rome avec sa cantate *La Roussalka* (1909) et le prix Rossini pour une autre cantate *Laure et Pétrarque.* Il est nommé professeur de harpe au Conservatoire de Paris (1912-48) et forme pratiquement tous les harpistes contemporains. Il a considérablement augmenté les possibilités de l'instrument (accords glissés, glissés de pédale, combinaisons d'homophones, d'harmoniques). On lui doit également la simplification de l'écriture des glissandos. Il nous laisse un important catalogue d'œuvres pour la harpe (*Étude de concert, Vers la source dans le bois,* 2 *Sonatines, Jazz Band,* 12 *Images, Féerie* avec quatuor à cordes) mais aussi pour le piano, le violon, le violoncelle et les voix.

Touvron Guy

Trompettiste français, né à Vichy le 15 février 1950.

Élève, à partir de l'âge de 16 ans, de Maurice André au Conservatoire de Paris, il voit ses études sanctionnées par deux 1ers prix : cornet en 1968 et trompette en 1969. Il obtient ensuite trois grands prix internationaux : 1971 à Munich, 1974 à Prague et 1975 à Genève.

Guy Trouvon donne de nombreux concerts dans le monde entier, malgré ses obligations de professeur au Conservatoire de Lyon où il enseigne depuis 1974. Successivement, il occupe les fonctions de trompette solo à l'Opéra de Lyon (1969-72), à l'Orchestre Philharmonique de Radio France (1972-75), et à l'Orchestre de Lyon, depuis 1975.

Traubel, Helen

Soprano américaine, née à Saint Louis le 20 Juin 1899, morte à Santa Monica (Californie) le 28 juillet 1972.

Elle travaille le chant avec Vetta Karst et débute en concert en 1925 avec l'Orchestre Symphonique de Saint Louis. Ses débuts sur scène ne datent que de 1937, lors de la création de l'opéra de Walter Damrosch, *The man without a country*, au Met. Deux ans plus tard, elle chante Sieglinde à Chicago. Après le départ de Flagstad du Met, elle devient la 1re soprano wagnérienne de la compagnie (1941-53). C'est surtout dans ce répertoire qu'elle s'impose. En 1950, elle aborde le rôle de la Maréchale dans *Le Chevalier à la rose*. Elle chante également à Chicago, San Francisco, Philadelphie et au Colón de Buenos Aires. En Europe, elle ne se produit qu'en concert, après la guerre. À partir de 1953, elle chante dans des cabarets, ce qui provoque une rupture avec Rudolf Bin. Elle quitte le Met et se consacre à ce nouveau répertoire : on la voit, en 1955, dans *Pipe dream* de Hammerstein, à Broadway.

ÉCRITS : *Saint Louis Woman* (1959), autobiographie, et de nombreux romans policiers, dont *Meurtre au Met* qui remporte un certain succès.

Tretiakov, Victor

Violoniste soviétique, né en Sibérie le 17 octobre 1946.

Sa mère lui donne ses 1eres leçons de musique. À partir de six ans, il travaille à l'École de musique de Irkoutsk. Son professeur de violon est Y. Gordin. Celui-ci l'envoie à Moscou à l'École centrale de musique un an plus tard (1953). Il travaille avec Yuri Jankelevitch dans cette école puis au Conservatoire de Moscou. Il remporte un 1er prix au Concours Tchaïkovski (1966), puis entame une carrière internationale. En 1983, il est nommé à la tête de l'Orchestre de Chambre d'État de l'U.R.S.S. (ancien Orchestre de Chambre de Moscou).

Trillat, Ennemond

Pianiste et compositeur français, né à Lyon le 5 décembre 1890, mort à Lyon le 10 juillet 1980.

Élève de Philipp, Risler et Vierne, professeur de piano pendant 20 ans au Conservatoire de Lyon, il devait en devenir le directeur en 1941. Connu comme concertiste – encore qu'il ne quitta guère sa cité natale –, Ennemond Trillat fut aussi un musicologue éminent. Il s'attacha, en particulier, à la réalisation d'œuvres françaises et italiennes, dont celles de Jean-Marie Leclair et d'Alessandro Scarlatti. Il a créé *Menuet sur le nom de Haydn* de Ravel et *Hommage à Haydn* de Debussy (1911). Comme compositeur, Trillat laisse quelques mélodies, des œuvres chorales et des pièces pour piano et pour orgue.

Trouard, Raymond

Pianiste français, né à Étampes le 9 août 1916.

Il entre au Conservatoire de Paris en 1929 où il obtient un 1er prix de piano en 1933 et un 2e prix de direction d'orchestre en 1937. Ses professeurs sont André Bloch, Joseph Mozpain, Victor Staub, Émil Sauer, Marcel Dupré, Paul Dukas, Philippe Gaubert et Bruno Walter. Il bénéficie des conseils d'Yves Nat, de Serge Rachmaninov, de Manuel Infante et de Maurice Ravel. Son 1er récital date de 1935. En 1939, il remporte le 1er Grand Prix Louis Diémer. Il joue à ses débuts sous la direction de Philippe Gaubert et de Pierre Monteux. En 1969, il est nommé professeur au Conservatoire de Paris. Il s'illustre dans le répertoire traditionnel de l'instrument au cours d'une brillante carrière internationale.

Troyanos, Tatiana

Mezzo-soprano américaine, née à New York le 9 décembre 1939.

Formée à la Juilliard School, elle est engagée en 1963 au New York City Opera, auquel elle appartient pendant deux ans. C'est là que Rolf Liebermann l'entend et l'engage, dès 1965, à l'Opéra de Hambourg dont elle devient très vite une des cantatrices les plus fêtées. Elle y débute comme Compositeur (*Ariane à Naxos*). L'année suivante, elle tient le même rôle au Festival d'Aix-en-Provence. Elle apparaît également à l'Opéra de Paris, avec lequel elle reste très liée. En 1967, elle remporte d'importants succès à Montréal. Elle fait ensuite, la même année, ses débuts au Met. Au Festival de Tanglewood, elle chante la partie d'alto du *Requiem* de Verdi. Au Festival de Salzbourg, elle incarne Chérubin (*Les Noces de Figaro*) et Sextus (*La Clémence de Titus*), rôle qui lui vaut un triomphe sans précédent. Actrice consommée, elle est aussi à l'aise et impressionnante en Miss Baggott, la vieille gouvernante (*Albert Herring*) qu'en Jeanne, la Prieure des *Diables de Loudun* (Penderecki) qu'elle crée à Hambourg en 1969, ou en travesti, Octavian, Chérubin, le Compositeur. Elle est invitée dans tous les grands centres de musique du monde entier – soit en concert, soit sur scène – comme le mezzo le plus fêté de sa génération. À souligner que sa *Carmen* est un événement scénique et musical. En 1984, elle chante Charlotte (*Werther*) à Paris.

Tucker, Richard (Reuben Ticker)

Ténor américain, né à Brooklyn le 28 août 1913, mort à Kalamazoo le 8 janvier 1975.

Fils d'un émigrant roumain, il prend ses 1res leçons de chant avec le cantor d'une synagogue de New York où il chante depuis l'âge de six ans. Il entre dans le commerce des vêtements et épouse la sœur du ténor Jan Peerce. Les succès de son beau-frère le poussent et il se met sérieusement à l'étude du chant avec Martino, Borghetti et Paul Althouse. À deux reprises il auditionne au Met où il finit par se faire engager et débute le 25 janvier 1945 dans *La Gioconda*. Il restera jusqu'à sa mort le plus solide pilier de cette institution, participant durant ces trente ans à plus de 600 représentations dans plus de trente rôles différents. Ses débuts italiens datent de 1947, il est alors Enzo dans *La Gioconda*, pour les débuts italiens de Maria Callas.

Toute sa vie Richard Tucker a été un juif très dévot, ne chantant pas le jour du Sabbat et officiant comme cantor lors des grandes fêtes religieuses. Parmi ses très nombreux disques se distinguent les intégrales d'*Aïda* dirigée par Toscanini, d'*Aïda* et de *La Force du destin* aux côtés de Maria Callas.

Tuckwell, Barry

Corniste australien, né à Melbourne le 5 mars 1931.

Il débute à l'âge de 15 ans à Melbourne et à Sydney, alors même qu'il étudie au Conservatoire de cette dernière ville avec Alan Mann. Il fait partie de l'Orchestre Symphonique de Sydney (1947-50). En 1950, il se rend en Angleterre où il profite des conseils de Dennis Brain. Il fait partie du Hallé Orchestra de Manchester (1951-53), du Scottish National Orchestra (1953-54) avant d'être cor solo à l'Orchestre Symphonique de Bournemouth (1954-55) et à l'Orchestre Symphonique de Londres (1955-68). Il fonde en 1948 le Tuckwell Wind Quintet et crée de nombreuses pages dont la *Sonate pour cor et piano* de Hamilton (*Notturna and Voyage*), *Actaeon* de Bennett, et les concertos de Musgrave, Hoddinott et Don Bankes. De 1963 à 1974, il enseigne à la Royal Academy of Music de Londres avant de se consacrer totalement à une carrière de soliste particulièrement brillante. Il est considéré comme l'un des meilleurs représentants actuels de l'École de cor anglaise, dans la tradition de Dennis Brain. Invité comme chef d'orchestre en Australie, il y dirige l'Orchestre Symphonique de Tasmanie (1981).

ÉCRITS : *Playing the horn* (1978).

Tureck, Rosalyn

Pianiste américaine, née à Chicago le 14 décembre 1914.

Elle fait ses débuts à neuf ans. Elle étudie avec Sophia Brilliant Liven (1925-29), Jan Chiapusso (1929-31) et Gavin Williamson (1931-32). Elle entre à la Juilliard School de New York et s'y perfectionne avec Olga Samaroff (1932-35). Sa carrière est essentiellement consacrée à Bach qu'elle joue surtout au piano mais aussi au clavecin, à l'orgue électronique et même au synthétiseur ! Elle occupe de nombreuses fonctions professorales : Conservatoire de Philadelphie (1935-42), Mannes School de New York (1940-43), Juilliard School (1943-55 puis à partir de 1972), Université de Californie (1966-72). Elle fonde en 1966 l'International Bach Society.

ÉCRITS : *An Introduction to the performance of Bach* (1959-60).

Turner, Dame Eva

Soprano anglaise, née à Oldham le 10 mars 1892.

Elle étudie à la Royal Academy of Music de Londres et entre dans les chœurs de Carl Rosa en 1916. Elle débute à la scène dans *Tannhäuser* (un page). Elle étudie ensuite avec Richard Broad le répertoire de soprano dramatique, et est auditionnée par Toscanini qui l'engage pour la Scala en 1924 (Freia de *L'Or du Rhin*). Elle chante au Covent Garden de 1928 à 1948, à Chicago, Buenos Aires, Lisbonne... À son répertoire on trouve essentiellement Wagner et Verdi, et elle est aussi l'une des plus grandes Turandot de l'histoire. Elle enseigne à l'Université d'Oklahoma de 1950 à 1959 et à la Royal Academy of Music à partir de 1959. Elle a participé à la création de la *Sérénade à la musique* de Vaughan-Williams en 1938.

Turnovský, Martin

Chef d'orchestre tchécoslovaque, né à Prague le 28 septembre 1928.

À l'Académie de musique de Prague, il étudie le piano avec Robert Brock et la direction d'orchestre avec Karel Ančerl (1948-52). Par la suite, il recevra les conseils de George Szell (1956). Il débute en 1952 à la tête de l'Orchestre Symphonique de Prague et remporte, en 1958, le 1er prix au Concours international de Besançon. De 1960 à 1963, il est à la tête de l'Orchestre Philharmonique de Brno, puis il est nommé directeur musical de l'Orchestre Symphonique de la Radio de Plzeň (1963-67). À la même époque (1965-68), il effectue de nombreuses tournées à l'étranger avec les orchestres praguois. De 1966 à 1968, il dirige à l'Opéra de Dresde et est nommé directeur musical de la Staatskapelle de cette ville (1967-68). Il quitte son pays natal en 1968 et se fixe en Autriche où il mène une carrière de chef invité jusqu'en 1975 où il est nommé 1er chef à l'Opéra d'Oslo. Il est ensuite chef permanent à l'Opéra de Bonn (1978-83).

U

Ughi, Uto

Violoniste italien né à Busto Arsizio (Varese) le 21 janvier 1944.

Il étudie le violon dès son plus jeune âge, en Italie du Nord, encouragé par ses parents. Il rencontre Enesco à l'Accademia Chigiana de Sienne, et reçoit son enseignement à Paris pendant deux ans, dès l'âge de 12 ans. Il donne son 1er concert à 14 ans. Il étudie ensuite au Conservatoire de Genève, avec un élève de Carl Flesch, principalement sa technique, puis complète sa formation de musique de chambre à Vienne où il pratique en particulier la discipline du quatuor. Désirant, suivant les conseils d'Enesco, ne pas commencer une carrière trop tôt, Ughi se consacre alors aux tournées de concerts, le menant aux U.S.A., en Amérique du Sud et en Afrique du Sud, souvent accompagné par le pianiste Lamar Crowson. Sa renommée internationale est désormais assurée. Élite de la jeune génération italienne, il participe depuis 1979 à l'organisation d'un festival de musique à Venise. Il joue sur un Stradivarius de 1701, le *Kreutzer*.

Uhde, Hermann

Baryton allemand, né à Brême le 20 juillet 1914, mort à Copenhague le 10 octobre 1965.

Après des études dans sa ville natale avec Philip Kraus, il y débute en 1936 (Titurel) et chante d'abord les rôles de basse à Brême (1936-38), à Fribourg (1938-40) et à Munich (1940-42). De 1942 à 1944, il entame sa carrière de baryton (Figaro, Scarpia, Escamillo, Don Giovanni) aux Pays-Bas. Enrôlé et capturé par les Alliés, il est libéré en 1947 et reprend sa carrière à Hanovre, appartenant successivement aux opéras de Hambourg (1948-50), Vienne (1950-51) et Munich (1951-60). Bayreuth l'invite de 1951 à 1960. Il y chante Gunther, Kurwenal, Telramund, le Hollandais, Klingsor et le Wotan de l'*Or du Rhin*. Il participe également au Festival de Salzbourg de 1949 à 1961 et y crée le rôle de Creon dans l'*Antigone* de Carl Orff (1949) et celui d'Elis Fröbom dans *Das Bergwerk zu Falun* de Rudolf Wagner-Régeny. Il est invité régulièrement au Met de New York (1955-60) et au Covent Garden (1953-60). Son répertoire comporte, outre les rôles wagnériens (il chante le Wanderer de *Siegfried* à l'Opéra de Paris en 1959), Pizzaro, Wozzeck, le Grand Inquisiteur... Il meurt en scène pendant une représentation de *Faust III* de Bentzon au Théâtre royal de Copenhague.

Uhl, Fritz

Ténor autrichien, né à Vienne-Matzleinsdorf, le 2 avril 1928.

En 1947, il commence l'étude du chant avec Élisabeth Rado à Vienne. Pendant ses études, il entreprend une tournée d'opérette en Hollande. En 1950, il fait ses vrais débuts au Théâtre municipal de Graz. Après ce premier succès, il est engagé au Théâtre municipal de Lucerne, en 1952, et l'année suivante au Théâtre municipal d'Oberhausen. C'est alors qu'il commence à aborder les rôles de fort-ténor et se fait connaître comme interprète de Wagner. En 1957, il est engagé à l'Opéra de Munich, tout en chantant épisodiquement, mais avec grand succès, à l'Opéra de Vienne et à l'Opéra de Stuttgart. En tant que grand ténor wagnérien, il est appelé au Festival de Bayreuth, en 1958, où il s'impose en Erik (*Le Vaisseau fantôme*) et comme Loge puis Siegmund (*Tétralogie*). Il participe également au Festival de Salzbourg de 1968 à 1972.

Unger, Gerhard

Ténor allemand, né à Bad Salzungen, le 26 novembre 1916.

Il étudie au Conservatoire de Berlin, mais ses débuts sont retardés à cause de la guerre. Dès 1945, il s'impose comme concertiste et spécialiste d'oratorios. En 1947, il débute au Théâtre national de Weimar où il reste cinq ans. En 1952, il est appelé à l'Opéra de Berlin où il remporte un succès aussi populaire comme ténor-bouffe que comme ténor lyrique. Il est invité à l'Opéra de Vienne, à l'Opéra de Dresde et dans plusieurs autres importantes maisons européennes. En 1951-52, on l'admire au Festival de Bayreuth dans un de ses meilleurs rôles, David (*Les Maîtres chanteurs*). Il participe également au Festival de Salzbourg. Il entreprend alors une grande carrière de concertiste à travers l'Europe, tout particulièrement dans les œuvres de Bach. En 1961, il est engagé comme pensionnaire de l'Opéra de Stuttgart, tout en étant invité permanent de l'Opéra de Hambourg.

Uninsky, Alexandre

Pianiste russe naturalisé américain, né à Kiev le 2 février 1910, mort à Dallas le 19 décembre 1972.

Il travaille d'abord au Conservatoire de Kiev, puis au Conservatoire Chopin de Varsovie où il remporte un 1er prix de piano en 1932. Sa carrière commence alors, essentiellement dédiée à Chopin. En 1955, il est nommé professeur au Conservatoire de Toronto puis à l'Université de Dallas.

Ursuleac, Viorica

Soprano roumaine, née à Czernowitz le 26 mars 1894.

Elle étudie à Vienne auprès de Philip Forster et de Franz Steiner, et reçoit plus tard des conseils de Lilli Lehmann. Elle fait ses débuts en 1922 à Agram dans le rôle de Charlotte. Elle se produit successivement à Czernowitz (1923-24), à la Volksoper de Vienne (1924-26, avec Weingartner), à l'Opéra de Francfort (1926-30) avec Clemens Krauss qu'elle épouse, à l'Opéra de Vienne (1930-35), à la Staatsoper de Berlin (1935-37) et enfin à l'Opéra de Munich (1937-44) où elle se dévoue avec son mari à la cause de leur ami Richard Strauss. Elle crée ainsi *Arabella* (Dresde, 1933), *Jour de paix* (1938), *Capriccio* (1942), *l'Amour de Danae* (1944, au cours d'une « couturière », avant la fermeture des théâtres par les nazis) et chante également *Élektra, Le Chevalier à la rose, La Femme sans ombre, Ariane à Naxos, Hélène l'Égyptienne.* Strauss lui dédie en remerciement *Jour de paix* et plusieurs lieder. Elle chante également Wagner (Senta et Sieglinde), Puccini (Tosca et Turandot), Verdi (Elisabeth de Valois), crée des opéras de Sekle, Krenek, D'Albert, en tout plus de 80 rôles chantés presque exclusivement en Allemagne et en Autriche (elle participe notamment au Festival de Salzbourg de 1930 à 1934, en 1942 et 1943), avec de rares apparitions au Covent Garden (1934) et au Colón de Buenos Aires (1948). Portée aux nues par Richard Strauss, Ursuleac eut la chance de voir ses rivales virtuelles éliminées à l'avènement du nazisme. Son art, sacrifiant toute exigence dramatique et musicale à la réalisation de belles sonorités, semble d'un autre temps.

V

Valdes, Maximiano

Chef d'orchestre chilien, né à Santiago le 17 juin 1949.

Il commence ses études musicales au Conservatoire de sa ville natale (piano, violon et histoire de la musique). Puis, à partir de 1971, il travaille en outre la composition et la direction d'orchestre au Conservatoire Santa Caecilia de Rome. Après l'obtention d'un prix de piano en 1973, il se consacre exclusivement à la direction d'orchestre, suivant les cours de Franco Ferrara à Bologne, Sienne et Venise. De 1976 à 1980, il est assistant à la Fenice. En 1977, il travaille à Tanglewood avec Bernstein et Ozawa. L'année suivante, il est lauréat du Concours de la Fondation Rupert à Londres et, en 1980, il remporte le 1er prix au Concours Malko de Copenhague et au Concours Vittorio Gui de Florence. Il est invité en Angleterre et en Scandinavie. En France, il dirige *La Traviata* à Nice et accompagne Jessye Norman. Il est 1er chef de l'Orchestre National d'Espagne.

Valentini-Terrani, Lucia

Mezzo-soprano italienne, née à Padoue le 29 août 1946.

C'est à Padoue qu'elle fait ses études générales avant d'entreprendre des études musicales. Bardée de diplômes et ceinte de lauriers, elle fait ses débuts en 1969 au Teatro Grande de Brescia dans le rôle-titre de *La Cenerentola* de Rossini. En 1972, elle obtient le 1er prix du Concours Rossini organisé par la R.A.I. En 1973, elle est appelée à interpréter *La Cenerentola* à la Scala dans la nouvelle production de Jean-Pierre Ponnelle et Claudio Abbado. Elle y obtient un triomphe. A partir de là, elle chante dans les plus grands théâtres lyriques du monde.

En 1974, elle est Isabelle de *l'Italienne à Alger* au Met puis à la Scala. Ensuite, elle ajoute à son répertoire Rosine du *Barbier de Séville* et Charlotte de *Werther*. En 1979, à Los Angeles, elle chante pour la 1re fois le *Requiem* de Verdi, sous la direction de Carlo-Maria Giulini. Par la suite, elle fait l'ouverture de la saison 1979-80 de la Scala dans le rôle de Marina, dans la nouvelle production de *Boris Godounov*, sous la direction de Claudio Abbado. Parallèlement, elle poursuit une brillante carrière de concertiste. Très jeune encore, Lucia Valentini-Terrani a déjà la virtuosité d'une Isabelle Colbran et la puissance dramatique d'une Marie Delna.

Valletti, Cesare

Ténor italien, né à Rome le 18 décembre 1921.

Il commence ses études à Rome et les poursuit avec Tito Schipa. Il débute en 1946 et sa carrière est très rapide, sur les plus grandes scènes italiennes, particulièrement dans le répertoire mozartien, ainsi que dans les rôles de la littérature bel canto classique. Après avoir remporté de très grands succès à la Scala (à partir de 1950) et à l'Opéra de Rome, il est invité au Covent Garden, à l'Opéra de Vienne, au Colón, à Paris et à Amsterdam, à San Francisco, Chicago et Rio de Janeiro. En 1953, il est appelé par le Met où il débute comme Don Ottavio (*Don Giovanni*). Il y chante jusqu'en 1962. Il participe triomphalement aux Festivals de Glyndebourne, Aix-en-Provence et Vérone. En 1960, il se présente pour la 1re fois au Festival de Salzbourg dans un récital de mélodies allemandes où il remporte un succès sans précédent. En 1967, il décide d'arrêter de chanter mais se produit une fois encore, l'année suivante, au Carramoor Festival dans *Le Couronnement de Poppée.*

Vallin, Ninon
(Eugénie Vallin-Pardo)

Soprano française, née à Montalieu le 8 septembre 1886, morte à Lyon le 22 novembre 1961.

Fille d'un père notaire, elle est élevée dans un milieu provincial où la stricte obédience était de règle. Elle apprend le chant « chez les sœurs ». Elle chante à l'église. Sa voix est si jolie que, courageusement, ses parents l'exilent à Lyon où elle entre au Conservatoire. Gédalge, en inspection à Lyon, l'entend et l'encourage à poursuivre ses études musicales à Paris. Nouvel exil, mais combien fructueux. Gabriel Pierné, alors directeur des Concerts Colonne l'engage « à l'essai ». Elle est une fille-fleur dans un *Parsifal*, où Félia Litvinne est Kundry. On la remarque. Elle hérite de quelques phrases dans le *Faust* de Schumann ou dans les grands oratorios de Bach. On lui donne Plamondon pour professeur ; le meilleur et le plus attentif qui soit. Elle chante dans quelques concerts en province. Et puis, c'est la chance : on cherche sept Coryphées pour la création du *Martyre de saint Sébastien* au Châtelet. Elle se présente devant un jury impressionnant qui l'engage. Le matin même de la création, elle apprend que Debussy exige qu'elle chante tous les soli. En un soir, elle est célèbre. Albert Carré l'engage à l'Opéra-Comique. Elle y débute en 1912 dans le rôle de Micaëla auprès de Marthe Chenal et de Léon Beyle, puis y chante avec un franc succès Mignon puis Mimi. Mais Albert Carré meurt. Il est remplacé par Gheusi. Elle ne s'entend pas avec lui et va chanter au Colón de Buenos Aires. C'est le départ d'une fulgurante carrière internationale qui conduira la petite et charmante provinciale française de Montevideo à New York, en passant par l'Europe entière. De loin en loin, les Parisiens l'applaudissent salle Favart dans *Manon, Werther, Les Noces de Figaro, le Roi d'Ys, Paillasse* ou *La Vie brève.* Elle y crée les *Cadeaux de Noël* de Xavier Leroux (Clara), *Marie l'Égyptienne* de Respighi (Marie) et *La Sorcière* de Camille Erlanger (Manuella). A l'Opéra, où elle fit sa 1re apparition en 1920, on ne l'applaudit que dans *Thaïs* et dans *La Damnation de Faust* et puis, en 1935, dans un mémorable *Requiem* de Fauré. Elle a créé les *3 Poèmes de Mallarmé* de Debussy (1914).

Van Barentzen, Aline

Pianiste américaine naturalisée française, né à Somerville (U.S.A.) le 7 juillet 1897, morte à Paris le 30 octobre 1981.

Enfant prodige, elle est admise au Conservatoire de Paris à l'âge de neuf ans, dans la classe de Marguerite Long et de E.-M. Laborde. A sa sortie, après un 1er prix, elle part se perfectionner avec Dohnányi à l'Académie impériale de Berlin, puis avec Leschetizky à Vienne. De retour aux U.S.A., elle enseigne à Philadelphie au Conservatoire, avant d'être nommée professeur de virtuosité au Conservatoire de Buenos Aires. Installée en France, après de multiples tournées internationales, elle est nommée professeur au Conservatoire de Paris en 1954. Villa-Lobos lui a dédié *A Prole do Bébé nº 2.* Elle a participé à la création des *Hasards* de Schmitt en 1943.

Van Beinum, Eduard

Chef d'orchestre néerlandais, né à Arnhem le 3 septembre 1900, mort à Amsterdam le 13 avril 1959.

Il étudie le violon, l'alto et piano au Conservatoire d'Amsterdam et à 17 ans est engagé comme violoniste dans l'Orchestre d'Arnhem. Il reçoit des cours de composition de Sem Dresden. Il devient chef d'orchestre à Schiedam, à Zutphen puis en 1927 se fixe à Haarlem où il défend notamment la jeune musique hollandaise. En 1931, il est nommé 2e chef du Concertgebouw d'Amsterdam, en 1938 chef associé puis il succède à Mengelberg (1945-49). Il se produit alors fréquemment en tournée à l'étranger et enregistre de nombreux disques. En 1946, il remplace Albert Coates à la tête de l'Orchestre Philharmonique de Londres au Théâtre Stoll. Cela lui vaut plusieurs engagements à la tête de cet orchestre dont il est finalement nommé 1er chef (1948-50) tout en restant étroitement associé au Concertgebouw. Il fait ses débuts aux États-Unis à la tête de l'Orchestre de Philadelphie en 1954. En 1956, il est nommé directeur musical de l'Orchestre Philharmonique de Los Angeles. Une fondation E. Van Beinum est établie après sa mort. Elle organise un centre international de rencontres de musiciens à Brenkelen. Les compositeurs hollandais, Andriessen, Badings, Henkemans, Van der Horst, Orthel, Pijper, Vermeulen, ont entendu leurs œuvres créées par Beinum. De même, en Angleterre, Arnold et Britten (*Spring Symphony*, 1949).

Van Cliburn (Harvey Lavan jr.)

Pianiste américain, né à Shreveport (Louisiane) le 12 juillet 1934.

Sa mère lui enseigne le piano jusqu'à l'âge de 17 ans. Elle était l'élève de Friedheim. Ses débuts ont lieu alors qu'il est âgé de quatre ans, et il remporte un concours local au Texas à l'âge de 13 ans. L'année suivante, il obtient le 1er prix au National Musical Festival à Carnegie Hall. Désormais célèbre, il suit les cours de Rosina Lhévinne à la Juilliard School dès 1951. A partir de cette date il collectionne les prix, qui lui procurent une célébrité tout à fait moyenne, ce faisant. C'est son 1er prix au Concours Tchaïkovski de Moscou qui lui assure un triomphe. En pleine « Guerre Froide », peu de temps après le succès soviétique du « Spoutnik », le public américain a accueilli ce prix comme une victoire nationale. Van Cliburn eut droit à un triomphe new-yorkais digne de Lindberg après sa traversée de l'Atlantique, lors de la traditionnelle « ticker-tape parade ». Curieusement, à partir du milieu des années soixante, le style parfaitement maîtrisé du pianiste a perdu ses couleurs et sa grandeur, tandis que son répertoire s'amenuisait considérablement. Là où l'on admirait la richesse sonore du phrasé de Van Cliburn, on ne trouvait plus qu'affectation et emphase un peu ridicule. C'est à cette époque que chacun de ses récitals commençait par l'hymne au drapeau américain. Après s'être essayé sans succès à la direction d'orchestre, Van Cliburn s'est retiré, non sans avoir fondé auparavant le Concours de Fort Worth au Texas qui porte son nom.

Van Dam, José

Baryton belge, né à Bruxelles le 25 août 1940.

Il étudie au Conservatoire de sa ville natale avec Frederic Anspach, et sitôt sa sortie, en 1960, est engagé dans la troupe de l'Opéra de Paris, où il chante des petits rôles puis Escamillo en 1965. De 1965 à 1967, il est en troupe à Genève, puis de 1967 à 1973 à la Deutsche Oper de Berlin où il chante Figaro et Leporello entre autres. En 1968, il débute au Festival de Salzbourg (Tempo dans la *Rappresentazione di Anima e di Corpo* d'Emilio de Cavalieri) ; il y chante depuis régulièrement, aussi bien l'été (Jochanaan de *Salomé*, Figaro, le Sprecher de *La Flûte enchantée*, les quatre rôles de baryton des *Contes d'Hoffmann...*) qu'à Pâques (Rocco, Don Fernando de *Fidelio*, Ferrando du *Trouvère*, Amfortas, le Hollandais...). A partir de 1970 sa carrière devient internationale, avec ses débuts à la Scala et au Covent Garden, chaque fois dans Escamillo, comme encore au Met en 1975. Il chante également à Vienne depuis 1970 (Leporello), à San Francisco, et en concert à Chicago, Boston, Los Angeles, Tokyo...

Il revient à l'Opéra de Paris à partir de 1973 pour y chanter cette fois les 1ers rôles :

Colline (de *La Bohème*), Méphisto, les quatre rôles des *Contes*, Leporello, Figaro, Isménor de *Dardanus* de Rameau et *Le Vaisseau fantôme.* Son répertoire comprend également Athanael, Golaud, Wozzeck, Philippe II. En 1983, il créé l'opéra de Messiaen, *Saint François d'Assise,* au Palais Garnier.

Vandernoot, André

Chef d'orchestre belge, né à Watermael-Boitsfort (Bruxelles) le 2 juin 1927.

Il effectue ses études musicales au Conservatoire de Bruxelles. Lauréat du Concours international de Besançon (1951), il part se perfectionner à Vienne, à l'Académie de musique. De 1954 à 1960, il dirige régulièrement l'Orchestre National de Belgique. Puis il est chef permanent à la Monnaie et au Koninklijke Vlaamse Opera avant de prendre la direction de l'Orchestre National de Belgique (1973-75) puis de l'Orchestre Symphonique de Haarlem, aux Pays-Bas. De 1977 à 1983, il est 1er chef invité de la Philharmonie d'Anvers.

Vandeville, Jacques

Hautboïste français, né à Paris le 16 octobre 1930.

Jacques Vandeville n'a pas commencé le hautbois dans son enfance, n'a pas étudié au Conservatoire de Paris, n'a obtenu aucun 1er prix dans la classe d'un illustre professeur. Il commence par faire des études supérieures comptables... Simultanément, depuis 1949, il apprend le hautbois tout seul et, en quelques années, se retrouve au niveau des plus grands. En 1954, il tente sa chance au Concours international de Munich où il remporte un 2e prix. En 1957, il obtient le Prix et la Médaille d'argent au Concours international de Moscou. En 1959, il triomphe en s'emparant de trois 1ers prix aux Concours internationaux de Prague, Vienne et Genève. Soliste du Nouvel Orchestre Philharmonique de Radio France, il se passionne aussi pour la musique de chambre et fait partie de l'Ensemble à vent de Paris. Jacques Vandeville a créé un duo hautbois-luth avec Daniel Fournier et s'intéresse tout particulièrement aux œuvres du XVIIIe siècle. Il se fait également remarquer dans le domaine de la musique contemporaine par des créations françaises (*3e Concerto* de Maderna, *Capriccio* de Penderecki) et des premières mondiales de partitions dont il est le dédicataire (*Sarc* de Maurice Ohana, *Solfegietto* de Claude Ballif, *Dora* de François Serrette, *Dinos* d'Antoine Tisné, *Concerto* de J. Charpentier...).

Van de Wiele, Aimée

Claveciniste belge, née à Bruxelles le 8 mars 1907.

Après des études musicales faites au Conservatoire de sa ville natale, elle vient à Paris étudier le clavecin auprès de Wanda Landowska et la musicologie avec André Pirro. Elle compose également des pièces pour son instrument où se retrouve son goût des registrations colorées et de la précision rythmique. Elle créa le *Concerto pour clavecin* de Migot (1967).

Van Dyck, Ernest

Ténor belge, né à Anvers le 2 avril 1861, mort à Berlaer-lez-Lierre le 31 août 1923.

Il s'essaye d'abord au droit et au journalisme, puis étudie le chant avec Saint Yves Bax et débute en 1884 à Anvers (*Lohengrin*). En 1887, il participe à la célèbre première française de *Lohengrin* à l'Eden Théâtre à Paris. Il se perfectionne alors auprès de Felix Mottl et débute triomphalement à Bayreuth en 1888 dans *Parsifal* qu'il chante jusqu'en 1912 (son seul autre rôle sur la « colline verte » est Lohengrin en 1894). Il est attaché à l'Opéra de Vienne à partir de 1888 et y reste célèbre plus encore comme Werther ou Des Grieux que comme Tristan, Tannhäuser, Stolzing ou Loge qu'il chante entre autres à Londres de 1891 à 1907 et à New York de 1898 à 1902. Il se retire en 1914. Il a participé à la création de *Werther* en 1892.

Van Egmond, Max

Baryton-basse néerlandais, né à Semarang (Java) le 1er février 1936.

Rentré en Hollande, il hésite entre plusieurs disciplines, étudie la sociologie et la psychologie, puis il est présentateur à Radio Hilversum. Pendant ce temps, il étudie le chant avec Tine Van Willingen et, dès 1959 décide de se consacrer totalement à la musique. Cette même année, il remporte le Concours de chant de 's-Hertogenbosch ; en 1962, celui de Bruxelles ; en 1964, il remporte un prix à celui de Munich. Entretemps, il a commencé une brillante carrière au concert (comme interprète d'oratorios) ce qui peu à peu l'entraîne dans le monde entier. Il se rend plusieurs fois aux États-Unis et au Canada. Il est fort apprécié comme interprète de Bach ; quant à son répertoire d'oratorios, il comprend aussi bien les œuvres baroques que les créations contemporaines. Il se spécialise également dans la mélodie. A quelques occasions particulières, il apparaît sur la scène d'un opéra, particulièrement dans des œuvres classiques.

Van Immerseel, Jos

Claveciniste belge, né à Anvers le 9 novembre 1945.

Au Conservatoire royal d'Anvers, il reçoit une formation très complète. Il est le 1er musicien belge à obtenir un 1er prix pour trois instruments : piano (1963), orgue (1967), clavecin (1971). Ses professeurs sont : Eugène Traey (piano), Flor Peeters (orgue) et Kenneth Gilbert (clavecin). Il est lauréat de plusieurs concours internationaux : Munich (lecture à vue, 1963), Anvers (Prix Mortelmans de composition, 1966, Prix Annie Rutzky d'orgue, 1967). Par goût, il s'intéresse de plus en plus à la musique ancienne et il se perfectionne dans la classe de clavecin de K. Gilbert où il obtient le diplôme supérieur (1973).

Jos Van Immerseel est professeur au Conservatoire Royal d'Anvers (basse-continue et clavecin) depuis 1972. En 1973, il remporte le 1er prix au Concours international de clavecin de Paris.

Van Kempen, Paul

Chef d'orchestre néerlandais, né à Zoeterwoude (Leiden) le 16 mai 1893, mort à Hilversum le 8 décembre 1955.

Il reçoit une formation de violoniste et commence une carrière d'instrumentiste : à 17 ans, il fait partie du Concertgebouw d'Amsterdam dont il sera le violon solo. Il occupe auparavant (à partir de 1916) les mêmes fonctions à Posen et à Bad Nauheim. En 1932, se tournant vers la direction d'orchestre, il est nommé directeur musical à Oberhausen. Il enseigne également à Dortmund. Il est ensuite à la tête de la Philharmonie de Dresde (1934-42) avant de succéder à Karajan comme directeur général de la musique à Aix-la-Chapelle (1942-44). De 1949 à 1955, en marge d'une carrière de chef invité très intense, il enseigne la direction d'orchestre à l'Académie Chigiana de Sienne. De 1949 à 1955, il dirige l'Orchestre Philharmonique de la Radio d'Hilversum et, de 1953 à 1955, il est également directeur musical à Brême. Considéré comme l'un des successeurs de Mengelberg, Van Kempen est mort trop tôt pour voir sa renommée confirmée sur le plan international. Ses enregistrements sont rares mais témoignent d'un sens musical profond, comme l'intégrale des *Concertos pour piano* de Beethoven où il accompagne Wilhelm Kempff.

Van Mill, Arnold

Basse néerlandaise, né à Schiedam le 26 mars 1921.

Il suit les cours des conservatoires de Rotterdam et de La Haye puis termine sa formation avec de Beyl. Il débute en 1946, à la Monnaie. Il est ensuite invité en Hollande et en Belgique avant d'être engagé à l'Opéra d'Anvers, en 1950. Il appartiendra de 1951 à 1953 à la troupe de l'Opéra de Wiesbaden, mais dès 1952, il remporte son 1er grand succès à l'Opéra de Berlin comme Zaccaria (*Nabucco*). En 1953, il chante au Mai musical de Florence dans *Agnese di Hohenstaufen* (Spontini). En 1958, il chante au Colón de Buenos

Aires. A partir de 1951, il participe au Festival de Bayreuth où il tient les divers emplois de basse profonde. Depuis 1953, il appartient à la troupe de l'Opéra de Hambourg, où il remporte de grands succès, et participe à de nombreuses créations dont *Les Diables de Loudun*. Il est invité fréquemment par l'Opéra de Vienne, l'Opéra de Paris, le San Carlos de Lisbonne, à l'Opéra de Rio de Janeiro... Il participe également aux festivals de Hollande et d'Edimbourg où il interprète, entre autres, en 1956, Abul Hassan (*Le Barbier de Bagdad* de Cornelius). Sa voix puissante et grave, à l'expression intense d'intériorité, lui permet d'enregistrer avec autant de bonheur le roi Marke (*Tristan*), Ramphis (*Aïda*), Osmin (*L'Enlèvement au Sérail*) et le Commandeur (*Don Giovanni*), autant de rôles qu'il a chantés dans le monde entier.

Van Otterloo, Willem

Chef d'orchestre néerlandais, né à Winterwijk le 27 décembre 1907, mort à Melbourne le 28 juillet 1978.

Il s'oriente d'abord vers la médecine qu'il étudie à Utrecht puis il reçoit une formation de violoncelliste et de compositeur à Amsterdam avec Dresden (1928-32). Il débute comme violoncelliste dans l'Orchestre d'Utrecht dont il devient chef assistant en 1933, puis 1er chef en 1937. Sa carrière prend son véritable essor après la guerre lorsqu'il est nommé à la tête de l'Orchestre de la Résidence (Philharmonique) de La Haye (1949-73). De 1952 à 1955, il dirige également l'Orchestre Philharmonique de la Radio d'Hilversum. A partir de 1967, sa carrière se partage entre les deux hémisphères : il prend la direction de l'Orchestre Symphonique de Melbourne (1967-68) puis de l'Orchestre Symphonique de Sydney tout en conservant ses fonctions à La Haye puis à Düsseldorf où il est directeur général de la musique (1974-77). Le chef d'orchestre se doublait d'un compositeur qui a surtout écrit pour l'orchestre et pour son instrument de prédilection, le violoncelle.

Van Remoortel, Edouard

Chef d'orchestre belge, né à Bruxelles le 30 mai 1926, mort à Paris le 16 mai 1977.

Au Conservatoire de Bruxelles il travaille l'harmonie, le violoncelle et la musique de chambre (1945-49). Il est notamment l'élève de Gaspar Cassadó et Alceo Galliera. Puis il étudie la direction d'orchestre au Conservatoire de Genève et travaille en privé avec Josef Krips. Il fait ses débuts à Genève et, dès 1951, il dirige au Festival de Salzbourg et effectue des tournées avec l'Orchestre du Mozarteum. De 1958 à 1962, il est directeur musical de l'Orchestre Symphonique de Saint Louis puis, de 1964 à 1970, conseiller musical de l'Orchestre National de l'Opéra de Monte-Carlo. A partir de 1974, il est chef invité permanent de l'Orchestre Symphonique National de Mexico.

Van Rooy, Anton

Baryton-basse néerlandais, né à Rotterdam le 1er janvier 1870, mort à Munich le 28 novembre 1932.

Il étudie à Francfort avec Stockhausen et débute au concert en 1894. Ses débuts à la scène ont lieu à Bayreuth en 1897 dans le rôle de Wotan qui le rend célèbre partout dans le monde : il est considéré comme le plus grand Sachs, Wotan et Kurwenal du début du siècle. Il paraît entre autres à Covent Garden de 1898 à 1913 et au Met de 1898 à 1908. Il est chassé de Bayreuth en 1904 pour avoir participé aux représentations pirates de *Parsifal* à New York en 1903.

Vanzo, Alain

Ténor français, né à Monaco le 2 avril 1928.

Il chante comme soprano-enfant dans sa paroisse. A 18 ans, il fonde un petit orchestre « le bastringue ». Il s'intègre ensuite dans l'orchestre Vinitzky, y passe d'un instrument à l'autre, y chante des airs « à voix » et de l'opérette. S'il gagne ainsi sa vie, il a d'autres ambitions et travaille le chant d'arrache-pied. Il sert de doublure à Luis Mariano au Châtelet dans *Le Chanteur de Mexico.* Vient le fameux concours de chant organisé à Cannes en 1954 par Mario Podesta, un concours qui vaudra à nos scènes lyriques la révélation de cinq ténors d'un seul coup ! Alain Vanzo en est lauréat « cum laude ». Il est aussitôt engagé à la R.T.L.N., se rôdant dans de petits rôles. Il devient vite le plus suave, le plus sensible, le plus persuasif des Nadirs, des Ducs de Mantoue, des Ottavios, des Géralds, des Rodolphes de *La Traviata* ou de *La Bohème.* Toutes les scènes francophones se disputent ce nouveau Schipa. Peu à peu, sa voix se corsant, il aborde des rôles plus lourds avec un égal succès : Des Grieux, Edgardo, Torrido, Mylio, Roméo, Werther, Don José et Faust. A l'étranger, il chante notamment au Covent Garden. Compositeur de talent, on lui doit nombre de chansons et mélodies, une opérette *Le Pêcheur d'étoiles,* (Lille, 1972), et un opéra *Les Chouans,* (Avignon, 1982).

Varady, Julia

Soprano roumaine naturalisée allemande, née à Oradea le 1er septembre 1941.

Elle étudie le violon à l'âge de six ans et suit les cours du Conservatoire de Cluj. A quatorze ans, elle découvre le chant et travaille sa voix ainsi que la pédagogie musicale au Conservatoire George Dima de Cluj pendant six ans. Elle débute comme alto à l'Opéra de Cluj (chante *Orphée* de Gluck puis Fiordiligi de *Cosi fan tutte*). En 1970, elle est engagée à l'Opéra de Francfort et remporte l'année suivante au Festival de Munich un succès déterminant pour sa carrière comme Vitellia de *La Clémence de Titus.* Elle est aussitôt engagée à l'Opéra de Munich et dès lors se produit presque exclusivement en Allemagne fédérale, ainsi qu'au Met, au Covent Garden, au Colón, à l'Opéra de Paris... Elle appartient également à la troupe de l'Opéra de Berlin-Ouest. Son répertoire mozartien est des plus étendus (Fiordiligi, Dona Elvira, la Comtesse, Vitellia, Elektra d'*Idomeneo,* Cecilio – rôle de castrat – de *Lucio Silla...*). Elle a enregistré la plupart de ces rôles avec Karl Boehm. Elle s'est également imposée dans le répertoire italien comme *Madame Butterfly,* Liu (*Turandot*), Léonore (*Le Trouvère et La Force du destin*), Elisabeth (*Don Carlos*). Elle interprète également avec bonheur *Arabella, Ariane à Naxos* et Tatiana d'*Eugène Onéguine.* En 1977, elle a épousé Dietrich Fischer-Dieskau. Elle a créé le *Requiem* de Reimann (1982).

Varga, Tibor

Violoniste hongrois naturalisé anglais, né à Györ le 4 juillet 1921.

Il fait ses études à l'Académie Liszt de Budapest, entre 1931 et 1938, avec Hubay et à Berlin avec Carl Flesch. Il débute sa carrière de concertiste à travers le monde alors qu'il n'a que 12 ans. Puis il étudie la philosophie à Budapest (1939-43). Son répertoire, fort vaste, va des classiques aux romantiques, sans négliger les musiciens contemporains, en particulier Schönberg, Bartók et Alban Berg. En 1954, Tibor Varga fonde à Detmold (Allemagne) un orchestre de chambre, qui porte son nom et avec lequel il entreprend de nombreuses tournées. En 1964, il fonde le Festival Tibor Varga qui a lieu chaque année en Suisse, à Sion, et se double d'une académie d'été. Il joue sur un Guarnerius datant de 1733. Il a créé le *Concerto* de Blacher (1950).

Son fils, Gilbert Varga, a commencé une carrière de chef d'orchestre, à la tête de l'Orchestre Symphonique de Hof puis de la Philharmonia Hungarica.

Varnay, Astrid

Soprano puis mezzo-soprano suédoise naturalisée américaine, née à Stockholm le 25 avril 1918.

Son père, Alexandre Varnay (1889-1924), était un ténor hongrois, devenu metteur en scène à Stockholm et Oslo ; sa mère, Maria Yavor-Varnay, était une grande soprano colorature. Elle a deux ans quand ses parents se rendent aux États-Unis. Elle étudie le chant d'abord avec sa mère, puis avec Hermann Weigert (1890-1955) qu'elle épouse en 1944. En 1941, elle débute au Met pour remplacer Lotte Lehmann malade, dans Sieglinde (*La Walkyrie*). Aussitôt, elle s'impose comme une des grandes wagnériennes de notre temps, une des plus incroyables sopranos dramatiques du XXe siècle. Au Met, année après année, son succès va grandissant. En 1948, elle vient en Europe où elle se produit d'abord au Covent Garden puis au Mai musical de Florence. Dès 1951, lors de la réouverture de Bayreuth, elle appartient à la troupe et, pendant près de vingt ans, tiendra chaque année les rôles principaux : Brünnhilde, Isolde, Ortrude... Elle est l'une des chanteuses privilégiées de Wieland Wagner dont elle interprète les mises en scène un peu partout dans le monde. Elle est invitée à la Scala, au Covent Garden, à l'Opéra de Vienne, à Buenos Aires, à Chicago, à San Francisco et sur d'autres scènes importantes où partout elle triomphe. En 1951, elle chante Lady Macbeth au Mai musical de Florence. Elle participe également au Festival de Salzbourg où elle chante une incroyable *Elektra*. Plus tard, elle tient le rôle de Clytemnestre avec la même puissance dramatique (Opéra de Paris – 1976). Parmi ses dernières créations, il faut citer Claire, lors de la première suisse à l'Opéra de Zürich de *La Visite de la vieille dame* (von Einem) et la création mondiale de *Lear* (Reiman, 1978).

Varsano, Daniel

Pianiste français, né à Paris le 7 avril 1954.

Il travaille à l'Académie Marguerite Long (1963) puis part aux États-Unis en 1969 et se fixe à Los Angeles. En 1973, il obtient son diplôme de concertiste et de musicologie à l'Université de Californie du Sud. De 1972 à 1976, il étudie avec Pierre Sancan et Magda Tagliaferro à Paris, et Rosalyn Tureck aux U.S.A. Ses débuts parisiens datent de 1974. Daniel Varsano joue également du clavecin et du synthétiseur. Ses chevaux de bataille demeurent les *Variations Goldberg* de Bach et les *Variations Diabelli* de Beethoven. Parmi ses enregistrements il est permis de retenir ceux qu'il consacre à Satie.

Varsi, Dinorah

Pianiste uruguayenne, née à Montevideo le 15 novembre 1939.

Au terme de ses études de piano au Conservatoire de sa ville natale, elle vient se perfectionner à l'École normale de musique de Paris, puis en Suisse auprès de Geza Anda. En 1962, elle remporte le Concours de Barcelone et en 1967 elle obtient le 1er prix du Concours Clara Haskil de Lucerne.

Varviso, Silvio

Chef d'orchestre suisse, né à Zürich le 26 février 1924.

Fils d'un chanteur, il fait ses études à l'Université de sa ville natale et travaille, au Conservatoire, le piano avec W. Frey et la direction d'orchestre avec H. Rogner. Il se perfectionne ensuite à Vienne avec Clemens Krauss. Il fait ses débuts au Théâtre de Saint-Gall en 1944 où il est nommé chef d'orchestre deux ans plus tard. Il est ensuite assistant à l'Opéra de Bâle, théâtre où il est 1er chef de 1950 à 1956, puis directeur musical de 1956 à 1962. Sa carrière prend alors un essor international ; il est l'invité des principaux opéras du monde : Berlin (1958-61), Met (1962-83), Paris, Covent Garden. Il est 1er chef à l'Opéra de Stockholm (1965-71). De 1969 à 1974, il dirige régulièrement à Bayreuth. En 1972, il est nommé directeur général de la musique à Stuttgart, poste qu'il abandonne en 1980 lorsque Bernard Lefort l'appelle à l'Opéra de Paris comme directeur musical. Mais les difficultés inhérentes à cet établissement l'amènent à résilier son contrat l'année suivante.

Vásáry, Tamás

Pianiste et chef d'orchestre hongrois, né à Debreczen le 11 août 1933.

Il appartient à une famille de notables : son père est sénateur au Parlement, son oncle bourgmestre. Dès l'âge de huit ans il se produit en public. Ernst von Dohnányi se déclare prêt à l'admettre en classe de maîtrise à l'Académie de musique de

Budapest et à s'occuper personnellement de sa formation, mais les circonstances ne permettront pas de réaliser la première partie de ce programme. A la fin de la guerre, la famille se fixe à Budapest : son père est nommé secrétaire d'État et son oncle ministre. Tamás Vásáry travaille avec Kodály et Dohnányi. En 1948, il remporte le 1er prix au Concours Liszt de Budapest. La même année, son père et son oncle sont démis de leurs fonctions. Tamás Vásáry doit désormais subvenir aux besoins de sa famille qui sera bientôt (1951) assignée à résidence. Il joue alors dans des cabarets, se produit dans les formations de jazz et accompagne des chanteurs d'opérettes. Kodály obtient qu'on lui confie une classe à l'Académie de musique et, avec un grand désintéressement, lui cède la moitié de ses élèves. Il réussit néanmoins à remporter de nombreuses distinctions : Varsovie et Paris (1955), Bruxelles (1956), Rio de Janeiro (1957). Mais, après le soulèvement hongrois de 1956, sa famille et lui-même s'expatrient. Il se fixe en Suisse en 1958.

Malgré les encouragements de Clara Haskil, sa carrière semble tourner court et il est bien près d'abandonner la musique. Annie Fischer le présente alors à Ferenc Fricsay. La Deutsche Grammophon lui accorde une bourse. Il fait de seconds débuts très remarqués à Londres en 1961, puis à New York sous la baguette de George Szell. Une seconde carrière s'ouvre devant lui, largement consacrée aux œuvres de Chopin et Liszt. Depuis 1979, il est chef associé du Northern Sinfonia.

Vaurabourg, Andrée

Pianiste et compositeur française, née à Toulouse le 8 septembre 1894, morte à Paris le 18 juillet 1980.

Elle fait ses études au Conservatoire local puis à Paris, de 1908 à 1913, auprès de Raoul Pugno (piano) et, au Conservatoire, avec Gédalge. Dans sa classe de contrepoint, elle rencontre Arthur Honegger qu'elle épouse en 1926, interrompant son œuvre propre (des lieder, des pièces pour chant et quatuor, ou pour piano et quatuor, des pages pour orchestre, *Intérieur, Prélude*, etc.) pour se consacrer à celle de son mari. Elle crée ainsi *Toccata et Variations* pour piano (1916), *7 Pièces brèves* (1920), *Le Cahier romand* (1924), *Chanson de Fagus* (1926), *Rapsodie* pour deux flûtes, clarinette et piano (1917), les deux *Sonates* pour piano et violon (1918 à 1920), celle pour violoncelle et piano (1921), le *Concertino* pour piano et orchestre qui lui est dédié (1925, dir. Koussevitzky), etc. Elle a enseigné la fugue et le contrepoint au Conservatoire de Paris, notamment à Pierre Boulez, et créé, en 1971, un Prix Arthur Honegger destiné à récompenser une ou l'ensemble de l'œuvre d'un compositeur.

Veasey, Josephine

Mezzo-soprano anglaise, née à Peckham le 10 juillet 1930.

Elle fait ses études musicales avec Audrey Langford et en 1949 devient choriste au Covent Garden. En 1955, elle débute dans le rôle du jeune berger de *Tannhäuser.* Plus tard, elle chante *La Force du destin* (Preziosilla) et incarne Carmen avec un pouvoir dramatique déjà affirmé. Lorsque Solti l'entend, en 1960, il l'encourage à aborder le répertoire wagnérien. En 1963, elle est Waltraute, en 1964, Fricka (*L'Or du Rhin* et *La Walkyrie*). Dans la juste maîtrise de sa voix, qui est riche et chaleureuse, flexible et expressive, elle se sent à l'aise dans Dorabella (qu'elle chantera aussi au Festival d'Aix-en-Provence) ; tour à tour Princesse Eboli (*Don Carlos*), Iphigénie (*Iphigénie en Tauride*) puis Octavian, Marina, Brangaene, sous la direction de Solti au Covent Garden, elle élargit son répertoire. Invitée au Festival de Glyndebourne en 1969, elle y chante dans *Werther* ; puis au Festival de Salzbourg redevient Fricka, cette fois sous la direction de Karajan. En 1968, elle chante au Met. Lorsque Colin Davis devient directeur musical du Covent Garden, elle chante en alternance les rôles de Didon et Cassandre dans *Les Troyens* (1972). L'année suivante, elle est Kundry à l'Opéra de Paris (où elle fit ses débuts en 1969 dans Didon). Elle paraît peu dans la recherche contemporaine mais crée

King Priam de Tippett (1962) et incarne l'Empereur dans *We come to the river* de Henze (1976). En concert, elle chante le *Requiem* de Verdi, *La Damnation de Faust* (Marguerite), l'*Enfance du Christ, Les Nuits d'été*, semblant aimer particulièrement Berlioz. Elle se retire en 1982.

Vecsey, Franz von

Violoniste hongrois, né à Budapest le 23 mars 1893, mort à Rome le 6 avril 1935.

Élève de Jenö Hubay, il est héritier de la filiation Joachim-Boehm-Rode-Viotti. Virtuose du violon au talent précoce, il connaît un succès prodigieux à l'âge de dix ans, et gagne l'amitié de Joachim sous la direction duquel il joue en 1904 le *Concerto* de Beethoven. Pur virtuose à la technique parfaite, il connaît dès lors un succès qui le conduit comme soliste sur les principales scènes mondiales du siècle naissant. Une mort prématurée, à 42 ans, brise une carrière parvenue à son faîte. Sibelius lui a dédié son *Concerto pour violon.*

Vedernikov, Alexandre

Basse soviétique, né à Mokino le 23 décembre 1927.

Diplômé de l'École des Mines, il entre au Conservatoire de Moscou en 1949 et étudie avec R. Alpert-Khassina ; il est engagé au Théâtre Kirov de Leningrad en 1956, puis en 1958 au Bolchoï où il débute dans le rôle d'Ivan Soussanine.

Il se spécialise dans les répertoires russe et italien (qu'il étudie à la Scala), et est un remarquable interprète de mélodies et d'oratorios.

Végh, Sándor

Violoniste hongrois, naturalisé français (1953), né à Kolozsvár (Cluj-Napoca) le 17 mai 1912.

Il prend ses 1[eres] leçons de piano à six ans puis entre en 1924 au Conservatoire de Budapest où il travaille avec Zsolt, Waldbauer et Weiner. Dès 1926, il étudie le violon avec Jenö Hubay et la composition avec Zoltán Kodály. Il donne, en 1927, un concert Strauss sous la direction du compositeur. La même année, il remporte le 1er prix Hubay et le 1er prix Reményi. A la fin de ses études (1930), il se lance, jusqu'en 1934, dans une carrière de soliste. De 1931 à 1933, il participe au Trio Hongrois en compagnie de Ilonka Krauss et Lászlo Vincze. Il est l'un des membres fondateurs (1er puis 2e violon) du Quatuor Hongrois (1934). C'est avec lui qu'il crée le 5e *Quatuor* de Bartók (Barcelone, 1936). En 1940, il fonde son propre quatuor, le Quatuor Végh. De 1941 à 1946, il est professeur à l'Académie de musique de Budapest. En 1946, le quatuor obtient le 1er prix à l'unanimité du concours de Genève et Sándor Végh émigre en France. Il rencontre Pablo Casals en 1952. Sous son patronage, il donne des cours d'été à Zermatt (1952-62) et collabore au Festival de Prades (1953-69). Parallèlement à ses activités de leader de quatuor, il mène une carrière professorale bien remplie qui le conduit aux conservatoires de Bâle (1953-63), de Fribourg (1954-62), Düsseldorf (1962-1979) et, depuis 1971, au Mozarteum de Salzbourg. Sa carrière se confond très largement avec celle de son quatuor. Il ne faut pas cependant négliger ses activités de soliste pour lesquelles il a eu comme partenaires des musiciens comme Dohnányi, Richard Strauss, Mengelberg, Fricsay, Krips, Kertész, Kempff, Serkin, Casals, etc. Il aborde également la direction d'orchestre à la tête de l'Orchestre de Chambre Sándor Végh (1968-71), de l'Orchestre du Festival de Marlboro (1974-77) et, depuis 1979, de la Camerata Academica du Mozarteum de Salzbourg. Il fonde enfin le Festival de musique de chambre de Cervo (Italie) en 1962 et le Séminaire international des musiciens à Prussia Cove (Angleterre) en 1971. Sándor Végh joue sur un Antonio Stradivarius de 1724 nommé Paganini car il a appartenu au grand violoniste.

Veilhan, Jean-Claude

Flûtiste et clarinettiste français, né à Nice le 9 février 1940.

Après un 1er prix de clarinette et un 1er prix d'excellence au Conservatoire de

Versailles (1960), il obtient la licence de concert de musique de chambre à l'École normale de musique (classe de Jean Françaix, 1961). Attiré par la musique ancienne et désirant jouer d'un instrument qui lui corresponde, il étudie la flûte en autodidacte, tout en lisant les traités d'époque. A partir de 1970, il fait partie de l'Ensemble polyphonique de Charles Ravier et entre à la Société de Musique Ancienne créée par la comtesse de Chambure ; il joue à la Grande Écurie et la Chambre du Roy (J.C. Malgoire). En outre, comme flûtiste (flûte à bec), il fait plusieurs tournées en Europe et en Amérique. Il grave l'opus 10 de Vivaldi (6 concertos), 1er enregistrement en France sur instruments anciens, ainsi que des disques de musique française de chambre (R. de Visée, Marin Marais, Hotteterre). Avec des instruments anciens, il participe à la création d'œuvres contemporaines (Domaine Musical, Ars Nova). Il remet en honneur dans le même esprit la clarinette ancienne de l'époque mozartienne. Outre des éditions critiques de musique ancienne pour flûte, il a écrit *Les Règles de l'interprétation musicale à l'époque baroque* (1977) ainsi qu'une méthode : *La flûte à bec.*

Vejzovic, Dunja

Soprano yougoslave, née à Zagreb le 20 octobre 1943.

Diplômée de l'Académie des Beaux-Arts de Zagreb comme graphiste, elle suit les cours de l'Académie de musique et opte finalement pour le chant. Elle parachève ses études au Conservatoire de Stuttgart, au Mozarteum de Salzbourg et à Weimar. Elle débute au Théâtre national de Zagreb. Elle est ensuite engagée à l'Opéra de Nüremberg puis, en 1978-79, à l'Opéra de Francfort. Cette même année, elle débute au Festival de Bayreuth comme Kundry, rôle qu'elle chantera également sous la direction de Karajan, au Festival de Pâques à Salzbourg. Elle retourne, comme invitée, à l'Opéra de Zagreb et se produit également à Hambourg, Düsseldorf, Stuttgart, au Mai musical de Florence et à l'Opéra de Vienne.

Verdière, René

Ténor français, né à Tournehem le 26 juillet 1899, mort à Paris le 6 mai en 1981.

Après avoir fait des études destinées à faire de lui un technicien, il s'engage en 1917. A son retour du front, il entreprend des études à l'École de musique de Calais, qu'il quitte pour entrer au Conservatoire de Paris. Il obtient en 1926 trois 1ers prix : chant, opéra et opéra-comique. La même année, il débute à l'Opéra de Paris dans le rôle de Max lors de la reprise du *Freischütz.* Son succès immédiat lui vaut de participer à la reprise de *Padmavâti* de Roussel et de chanter ensuite Samson et Siegmund. En 1930, il est engagé à l'Opéra-Comique, dont il devient très vite l'une des vedettes d'un public, à l'époque, fort connaisseur. Il y chante *Carmen, Werther, Louise, Paillasse, Cavalleria Rusticana, La Tosca,...* Il y crée *Gargantua* de Mariotte, *« 93 »* de Silver et participe à la reprise de *Quand la cloche sonnera* de Bachelet. Mobilisé en 1940, il ne reviendra à l'Opéra-Comique qu'en 1945. Puis ce sera de nouveau le grand vaisseau de l'Opéra qui rayonnera des nobles accents de sa grande voix. Il reprendra *Les Maîtres chanteurs, Le Vaisseau fantôme, Boris Godounov, Hérodiade, Lohengrin, Samson et Dalila, La Damnation de Faust, Les Indes Galantes* et *Tannhäuser.*

Sans ces deux guerres, René Verdière, avec son timbre héroïque, sa superbe ligne de chant et son maintien sur scène à la fois plein de noblesse et de fougue, aurait fait une très grande carrière internationale.

Verlet, Blandine

Claveciniste française, née à Paris le 27 février 1942.

Elle suit les classes d'écriture, d'esthétique (Marcel Beaufils), d'histoire de la musique (Norbert Dufourcq) et de clavecin (Marcelle Delacour) au Conservatoire de Paris. En 1963, elle obtient un 1er prix de clavecin et le Prix spécial du concours international de Munich. De 1962 à 1964, elle suit les cours d'Huguette Dreyfus à l'Académie d'été de Saint-Maximin-la-

Sainte-Baume. Elle rencontre aussi Michel Chapuis, qui y enseigne l'orgue. De 1958 à 1968, elle fréquente l'Académie Chighiana de Sienne (cours de Ruggero Gerlin) ; elle profite également des leçons de direction qu'y donne Sergiù Celibidache. En 1968-69, elle travaille à l'Université de Yale (États-Unis) avec Ralph Kirkpatrick. Depuis 1963, elle poursuit une carrière de soliste à travers l'Europe et l'Amérique. Depuis 1970, elle a enregistré une cinquantaine de disques, dont les intégrales de F. Couperin et de Rameau. Son répertoire s'étend du XVIe siècle anglais à des compositions contemporaines (Ligeti, Boucourechliev). En outre, elle se produit épisodiquement avec des ensembles de musique de chambre (chanteurs, instrumentistes) qu'elle dirige du clavier (*Leçons de ténèbres* de Charpentier ou de Delalande). Depuis 1972, elle enseigne à l'Académie de musique ancienne de Semur-en-Auxois (clavecin, musique de chambre). Elle étend son répertoire et son jeu au piano-forte. Un de ses soucis majeurs reste la recherche de l'authenticité pour une lecture moderne des œuvres, de manière à servir la musique, en restant le moins possible enfermée dans le seul champ du clavecin.

Verrett, Shirley

Mezzo-soprano américaine, née à La Nouvelle-Orléans le 31 mai 1931.

Elle passe sa jeunesse en Californie et commence, en 1955, à prendre des cours de chant avec Anna Fitziu, à Chicago, puis à la Juilliard School de New York avec Mme Székély-Freschl. Ayant obtenu le Prix Marian Anderson, réservé aux chanteurs de couleur, elle débute au Festival de Spoleto, comme *Carmen* (1962). En 1963, elle est invitée à l'Opéra de Kiew, ainsi qu'au Bolchoï de Moscou où elle remporte un triomphe exceptionnel. En même temps, elle commence une éblouissante carrière de concertiste et d'interprète de mélodies dans son pays et en Europe. En 1964, elle chante à la Scala et au Covent Garden. En 1972, elle interprète le rôle de Selika (*L'Africaine*) à l'Opéra de San Francisco. Elle appartient à la troupe du Met depuis une mémorable *Carmen* de 1964. Son incroyable voix de mezzo lui permet d'aborder aussi bien *Les Dialogues des Carmélites*, que Preziosilla (*La Force du destin*), Frederica (*Luisa Miller*), Orsini (*Lucrezia Borgia*), Eboli (*Don Carlos*)... A l'Opéra de Paris, elle chante *Le Trouvère* avant de revenir, en 1984, pour *Iphigénie en Tauride.* Elle a enregistré de nombreux disques, au début de sa carrière sous le nom de Shirley Verrett-Carter.

Veyron-Lacroix, Robert

Claveciniste français, né à Paris le 13 décembre 1922.

Il fait au Conservatoire de Paris des études (avec Samuel Rousseau et Yves Nat) couronnées par des 1ers prix de piano, de clavecin et de théorie. Depuis son 1er concert en 1949 à la radio française, il se produit en soliste ou en musique de chambre, principalement avec Jean-Pierre Rampal. Il a enseigné à la Schola Cantorum (1956), à l'Académie internationale d'été de Nice (1959) avant d'être nommé professeur au Conservatoire de Paris. Il a publié en 1955 un ouvrage sur la musique ancienne, qu'il interprète ainsi que les classiques du XXe siècle (Falla, Poulenc) avec un art consommé du rythme et de la couleur. Il a créé le *Concerto pour clavecin* de Milhaud (1969), la *Sonate pour flûte et piano* de Jolivet (1958) et *Carillons* d'Ohana (1961).

Vezzani, César

Ténor français, né à Bastia le 8 août 1886, mort à Marseille le 11 novembre 1951.

Après avoir fait ses premières armes vocales à vingt ans, il débute, avant d'avoir terminé ses études au Conservatoire, en 1911 à l'Opéra-Comique, dans le rôle-titre de *Richard Cœur de Lion* de Grétry. Jusqu'à la déclaration de guerre, il est en Don José, Torrido, Canio, Des Grieux et Cavaradossi la grande vedette de la deuxième scène parisienne. De retour du front, il reparaît sur scène à Marseille. A partir de là, c'est de la Belgique aux grandes villes d'Afrique du Nord en passant par toutes les scènes de la métropole, à l'exception de l'Opéra de Paris où il ne sera jamais engagé, une ronde sans fin. Il chante *Manon, Faust, Werther, Hérodiade, Carmen,...* jouant peu ou mal mais bissant, trissant tous les grands airs et régalant de sérénades impromptues ses admirateurs à la sortie de ses spectacles. Mais, à vrai dire, son vrai bonheur, il le trouve dans les rôles où il peut donner libre court à la vaillance inépuisable de sa voix d'airain : Eléazar, Vasco de Gama, Arnold, Lohengrin, Siegmund, Siegfried et Sigurd, son rôle favori. C'est à Toulon, au cours d'une répétition de cet opéra, qu'il est terrassé par une attaque faisant taire à jamais une voix que plus de quarante ans d'une carrière sans repos ni répit n'avaient en rien altérée.

Vianna da Motta, José

Pianiste, chef d'orchestre et compositeur portugais, né à San Tomé le 22 avril 1868, mort à Lisbonne le 31 mai 1948.

Après ses études au Conservatoire de Lisbonne, il travaille à Berlin où il prend des leçons avec Xaver Scharwenka pour le piano et Philippe Scharwenka pour la composition. Il travaille avec Liszt à Weimar (1885), Schäfer à Berlin (1886) et von Bülow à Francfort (1887). A partir de 1902, il se produit en Europe et en Amérique du Sud. De 1915 à 1917, il remplace Stavenhagen comme directeur du Conservatoire de Genève. Il est l'ami de Busoni. D'une grande culture, il est un interprète privilégié de Bach et de Beethoven dont il interprète les *32 Sonates* à Lisbonne à l'occasion du centenaire de la mort du compositeur (1927). De 1919 à 1938, il est directeur du Conservatoire de Lisbonne. Comme chef, il a dirigé les Concerts Symphoniques de Lisbonne. Il a édité l'œuvre pour piano de Liszt et des transcriptions d'œuvres d'Alkan. Un important concours international porte son nom à Lisbonne.

Viardot, Pauline (Pauline Garcia)

Mezzo-soprano française, née à Paris le 18 juillet 1821, morte à Paris le 18 mai 1910.

Fille du ténor espagnol Manuel Garcia, sœur de La Malibran, Pauline semble elle-même parée de tous les dons dès le plus jeune âge. Elle étudie le chant avec son père, le piano avec Meysenberg et Liszt, et la composition avec Reicha. Quelques concerts à Bruxelles (1837) et à Paris (1838) précèdent ses débuts lyriques, en Desdémone dans l'*Otello* de Rossini (1839, Londres et Paris, au Théâtre Italien). Elle y fait la conquête des écrivains et des artistes de son temps, qu'elle accueillera dans son salon, une fois mariée avec Louis Viardot en 1840. Trois ans plus tard, elle fait un premier séjour en Russie, au cours duquel elle noue des relations privilégiées avec le monde musical et artistique qu'elle fait connaître en France (en particulier Tourgueniev). Meyerbeer compose pour elle *Le Prophète* et le personnage de Fides qu'elle crée en 1849 à l'Opéra. En 1859, Berlioz adapte à sa voix l'*Orphée* de Gluck, son plus beau rôle, où elle se révèle une tragédienne de haute lignée. Elle crée encore *Sapho* de Gounod (1851), chante *Sémiramis, Norma, Lucia di Lammermoor, Don Pasquale, La Juive, Don Giovanni* (Zerline et Donna Anna), *Iphigénie en Tauride,* etc., quitte la scène en 1861 après avoir encore interprété *Alceste, La Favorite, Le Trouvère* et *Fidelio.* Mélodiste raffinée s'accompagnant elle-même au piano, elle a chanté Marcello, Paisiello, Schubert, Tchaïkovski, etc. Elle se retire en 1863 à Baden-Baden, vit à partir de 1871 à Paris et à Bougival où elle compose, enseigne et encourage les jeunes talents, notamment Massenet et Fauré, qui lui dédie ses 1res mélodies. Comme compositeur, elle a laissé plusieurs opérettes (la plus célèbre, *Cendrillon*, a été reprise en 1971 à Newport), des mélodies et des arrangements vocaux de *Mazurkas* que Chopin ne méprisait pas. Ses élèves les plus célèbres sont Désiré Artôt, Aglaja Orgeni, Marianne Brandt et Antoinette Sterling. Plus que la qualité de la voix, naturellement étendue du do au fa [3], mais trop sollicitée à différentes époques vers les registres extrêmes pour ne pas révéler des faiblesses, c'est les dons de tragédiennes qui ont fait le renom de la Viardot. Moins brillante que sa sœur, la Malibran, inégale dans le répertoire italien, elle possédait, comme le dit Alfred de Musset « le grand secret des artistes : avant d'exprimer, elle sent ». Saint-Saëns lui a dédié *Samson et Dalila* et plusieurs mélodies (dont *La Cloche*), Fauré *La Chanson du pêcheur* et *Barcarolle op. 2 nº 3*, Franck *Souvenance*.

Vichnievskaia, Galina

Soprano soviétique, naturalisée suisse (1982), née à Leningrad le 25 octobre 1926.

Ses parents meurent durant le siège de Leningrad. Elevée par sa grand-mère, elle se passionne pour l'opéra, apprend le chant et l'art de la scène en jouant l'opérette (Zeller ou Sterlnikov), puis elle a enfin pour professeur la cantatrice Vera Garina. Elle passe une audition au Bolchoï en 1953 et obtient un engagement immédiat ; elle chante de petits rôles mais un jour incarne cette Tatiana dont elle rêvait depuis longtemps. Son succès est grand ; elle devient vite célèbre et chante Butterfly, Chérubin, Léonore, Aïda, Marguerite. En 1962, elle se rend à la Scala. En 1963-64 au Covent Garden, elle paraît aux côtés de J. Vickers et de Simoniato. Pendant vingt ans, au Bolchoï, elle fait revivre le grand répertoire russe, italien, français, allemand. Elle a le sens de la tradition, de la rigueur, un pouvoir dramatique très sûr, elle est lyrique. Merveilleuse dans *Eugène Onéguine,* tragique dans *Katerina Ismaïlova* (dont elle a fait un film), elle a aussi créé *Guerre et Paix* de Prokofiev. Des compositeurs écrivent pour elle (Britten : *L'Écho du Poète,* Chostakovitch : *Satires op. 109* et *Sept Romances* sur des poèmes d'A. Block). Elle a épousé Rostropovitch qui l'accompagne au piano dans ses récitals de mélodies. Elle crée en 1963 à Londres le *Requiem de guerre* de Britten (la partie de soprano est écrite pour elle). L'amitié avec Soljenitsyne mettra une ombre définitive sur sa carrière en U.R.S.S.

En 1974, elle s'exile. Elle chante en récital, paraît à Édimbourg en 1976 (*Katerina Ismaïlova*) puis à Paris (*La Tosca*) en concert sous la direction de Rostropovitch. Elle fait ses adieux à la scène à l'Opéra de Paris en 1982, dans *Eugène Onéguine*. Elle a créé la *Symphonie nº 14* de Chostakovitch (1969), *Un enfant appelle* (1979) et *La Prison* (1983) de Landowski, *Requiem polonais* (1984) de Penderecki. Elle a été déchue de la nationalité soviétique pour « propagande antisoviétique » (1978).

Vickers, Jon

Ténor canadien, né à Prince Albert le 29 octobre 1926.

Il chante en amateur, tout en se lançant dans les affaires. La musique l'emporte vite, il entre au Conservatoire de Toronto et travaille avec George Lambert. Dans les années cinquante il chante au Canada. En 1955, il passe une audition à Londres et, en 1956, débute au Covent Garden dans *Un Bal Masqué,* puis est remarqué dans son interprétation de l'Énée (*Les Troyens* de Berlioz). Il fait très vite une carrière internationale, chante Siegmund à Bayreuth en 1958, débute l'année suivante à Vienne et à la Scala et, en 1960, au Met de New York. Il est ensuite invité à l'Opéra de Paris, y interprète Parsifal, Otello et Néron dans *Le Couronnement de Poppée.* Au Festival d'Orange, il impressionne le public dans les rôles d'Hérode (*Salomé*), Tristan, Florestan, Pollione (*Norma*), Otello. Il n'a participé que deux fois au Festival de Bayreuth (1958 et 1964) et n'a incarné que trois héros wagnériens (Siegmund, Parsifal et Tristan). Hostile au culte de la personnalité, la musique et la spiritualité pour lui ne font qu'un, aussi est-il intransigeant dans ses choix. Beethoven, Verdi, Berlioz, Puccini, Britten (*Peter Grimes*) font partie de son univers. Il donne la plus grande part à l'émotion profonde, à l'expressivité, ayant un sens dramatique inné et une prédilection pour les personnages tourmentés, inquiets, qui correspondent à sa propre recherche. Sa voix, au timbre très particulier, n'a pas le brio des ténors italiens ; elle est convaincante, venue des profondeurs, chargée de passion.

Vidal, Pierre

Organiste français, né à Clichy le 7 avril 1927.

Bien qu'attiré par l'orgue dès l'âge de six ans, ce n'est qu'à seize qu'il peut suivre les leçons de Marcel Dupré (piano et orgue, pendant quatre ans). A 20 ans, il suit les cours d'harmonie au Conservatoire de Paris (classe d'Henri Challan). Pour l'essentiel cependant, il est un autodidacte dont l'orientation fut éclairée notamment par la lecture de la littérature d'orgue, celle de J.-S. Bach au premier chef, introduit à son style par les textes de Schweitzer (repris de Spitta) et de Boris de Schloezer. Il analyse les interprétations de Furtwängler, Mengelberg, Landowska, et du premier Münchinger. A l'orgue, les récitals d'André Marchal au Palais de Chaillot, après la seconde guerre mondiale, lui ouvrent des perspectives de mobilité, mais la révélation de l'orgue baroque lui vient des 1ers enregistrements monophoniques d'Helmut Walcha dont la science du toucher permet un approfondissement de la technique organistique. Michel Chapuis l'emmène à Strasbourg où l'une des quatre classes d'orgue du Conservatoire lui est confiée (1967), poste qu'il occupe depuis lors. Il est titulaire de l'orgue de Saint-Jean-Baptiste de Belleville (1956-70). Ses trop rares enregistrements (Buxtehude, Bach, Frescobaldi, Scheidt et Lübeck), sur des instruments encore peu révélés (Marienthal, Saint-Andreos d'Hildesheim, N.-D.-des-Blancs-Manteaux) illustrent ses principes d'interprétation, tels qu'il les a fondés dans deux ouvrages : *Bach et la machine orgue* (1973) et *Bach, les Psaumes ; Passions, images et structures dans l'œuvre d'orgue* (1977). Ses compositions (*Magnificat, Pièces pour orgue*) illustrent son art personnel qui va droit à l'essentiel, par des chemins non officiels, qui renouvellent profondément l'approche organistique, dont on a pu dire qu'elle « subordonne impitoyablement le détail à l'ensemble et parvient, par une mobilité calculée des tempos et une grande diversité d'attaques, à rendre éloquent le moins sensible des instruments » (D. Merlet). Toutes les œuvres que Vidal aborde semblent retrouver une nouvelle jeunesse et laissent rarement l'auditeur insensible.

Viderø, Finn

Organiste danois, né à Fuglebjerg le 15 août 1906.

Il apprend l'orgue et la composition au Conservatoire de Copenhague qu'il quitte avec les plus hautes récompenses en 1926. Il est titulaire de plusieurs tribunes de Copenhague : 1928-39 à l'église réformée franco-allemande ; 1940-46, à la Jaegersborg ; 1947-70, à l'église de la Trinité ; depuis 1971, à l'église Saint-André. Docteur en musicologie de l'Université de Copenhague (1929), il enseigne la théorie de la musique (1935-45), fait de nombreuses conférences sur la musique d'orgue et de clavecin (1949-74) à l'université et est fréquemment invité à enseigner l'orgue à l'Université de Yale (U.S.A.) où il est également organiste (1959-60), ainsi qu'à l'Université d'État du Nord Texas (1967-68). Depuis 1968, il enseigne au Conservatoire Royal de Copenhague. C'est sans nul doute l'organiste danois le plus célèbre de son temps. En 1961, il a reçu la Médaille Bach Harriet Cohen, le Prix Buxtehude en 1964, le Prix du Memorial Ludwig Schytte en 1970, le Prix Gramex en 1973. En 1964, il a été déclaré docteur honoraire en théologie de l'Académie de Turku (Finlande). Ayant étudié le chant grégorien, il en publie des adaptations, sur des textes danois (*Det Danske Antifonale*, 1971-77). On lui doit plusieurs articles sur l'interprétation de la musique aux XVIe et XVIIe siècles, ainsi que des éditions de musique ancienne pour orgue. Parmi ses compositions, citons deux cantates (*Den Ømskindede brudgom*, 1937 ; *Kom Hedningers Frelsermand*, 1938), et pour orgue, sa *Passacaglia* (1946), *Trois chorals-partitas* (1952), des *Préludes de Choral* (1946, 1966). Le style organistique de Viderø serait à rapprocher de celui d'un André Marchal : limpidité, clarté, noblesse, au service d'un instrument de type néo-classique.

Vierne, Louis

Organiste et compositeur français, né à Poitiers le 8 octobre 1870, mort à Paris le 2 juin 1937.

Il est initié à la musique par son oncle, Charles Collin, organiste à Saint-Denis-du-Saint-Sacrement. Il entre à l'Institution Nationale des Jeunes Aveugles, suit l'enseignement de Louis Lebel et d'Adolphe Marty. C'est là qu'il rencontre César Franck dont il va suivre la classe au Conservatoire ; il restera toujours profondément attaché au style de ce maître. Après sa mort, il parachève sa formation avec Charles-Marie Widor et obtient son 1er prix en 1894. Widor reconnaît son talent et lui offre de le suppléer à la tribune de Saint-Sulpice ; il le fait nommer également suppléant à la classe d'orgue du Conservatoire, poste où il s'illustre jusqu'en 1911. En 1900, il est nommé aux claviers de Notre-Dame de Paris. Pendant quelques années, il est aussi titulaire de la classe supérieure d'orgue à la Schola Cantorum. Ainsi nombre d'organistes français de renom auront-ils subi son influence esthétique. Sa célébrité comme exécutant et comme improvisateur dépasse rapidement les frontières françaises : il commence des tournées internationales (1920-30). Parmi ses nombreux élèves, citons Joseph Bonnet, Marcel Dupré, Maurice Duruflé, Albert Schweitzer, Nadia Boulanger, Edouard Souberbielle, André Fleury, Bernard Gavoty. Son style lyrique, empreint d'un romantisme parfois tragique, toujours coulé dans une écriture ferme et variée, dont l'éclat mélodique est nettement reconnaissable, demeure un témoin distingué de l'esprit organistique du premier tiers de ce siècle. De sa production importante comme compositeur, on retiendra les *Six symphonies*, les *24 Pièces de fantaisie*, et, destinées à des plus jeunes exécutants, les *24 Pièces en style libre.*

Vieux, Maurice

Altiste français, né à Valenciennes le 14 avril 1884, mort à Paris le 28 avril 1951.

Il commence ses études musicales sous la direction de son père. Elève, ensuite, de Leport et Laforge, il est admis au Conservatoire de Paris où il obtient, en 1902, un 1er prix d'alto à l'unanimité. En 1907, il entre à l'Orchestre de l'Opéra de Paris, où il devient soliste l'année suivante. Il reste au Palais Garnier jusqu'en 1949. En outre, il est alto solo à la Société des Concerts du Conservatoire et joue aussi aux Concerts Pasdeloup, Colonne, Walter Straram et à l'Orchestre Radio symphonique, tout en faisant partie du Quatuor Firmin Touche. En 1918, il succède à son professeur, Laforge, à la classe d'alto du Conservatoire de Paris. Il forme dans cette maison une pléiade de grands altistes. Maurice Vieux fait aussi une carrière internationale, où ses tournées le font considérer comme l'un des plus grands spécialistes de l'instrument. Il joue avec Fritz Kreisler, Eugène Ysaÿe, Pablo de Sarasate, Marguerite Long, George Enesco, Pablo Casals, Jacques Thibaud, etc.

Artiste exceptionnellement doué, virtuose sans égal, Maurice Vieux fait de l'alto un instrument de premier plan, alors qu'avant lui on considérait ce « violon baryton » comme le parent pauvre d'un trio ou d'un quatuor. Grâce à lui la littérature de l'alto s'enrichit : Saint-Saëns, Fauré, Debussy, Milhaud, Samazeuilh, Françaix, écrivent pour lui. En tant que compositeur, Maurice Vieux qui a transcrit des concertos de Tartini et Hoffmeister, laisse 20 *Études* pour alto, 10 *Études* sur des traits d'orchestre, 10 *Études* sur les intervalles, un *Scherzo* pour alto et piano, etc.

Villabella, Miguel

Ténor espagnol, né à Bilbao le 20 décembre 1892, mort à Paris le 28 juin 1954.

Son père, baryton d'opéra réputé, lui fait faire de solides études, mais pas de chant. Il part pour la France où il fera toute sa carrière et deviendra le plus français des ténors.

Pour payer ses études, il est « calicot », rue des Jeûneurs. Parallèlement, il s'adonne aux joies sportives du patin à roulettes, spécialité dans laquelle il devient recordman du monde, parcourant 28,767 km dans l'heure. Vient la guerre, il repart en Espagne et travaille avec Lucien Fugère. Après six mois de dur labeur, il se présente au public de San Sebastian dans une sélection de *Rigoletto.* Revenu en France en 1917, il chante dans les hôpitaux et dans les ambulances du front. A Paris, il travaille avec Isnardon et fait ses débuts en 1918 à Poitiers dans le rôle de Mario Cavaradossi. C'est aussi dans *La Tosca* qu'il débute à l'Opéra-Comique en 1920, mais dans le rôle de Spoletta. La même année, il est Fortunio lors d'une reprise de la comédie musicale de Messager. En une soirée il devient la coqueluche de la salle Favart. On se bat pour l'entendre dans *Lakmé, La Bohème, Manon, Le Roi d'Ys, Le Barbier de Séville, Mignon, La Tosca, La Traviata, Mireille* et cette *Dame Blanche* où nul ne fut plus finement George Brown. Sur cette scène, il crée Tacimon dans *Les Indes galantes* et Mezzetin dans *Les Uns et les autres* de Max d'Ollone. En 1928, il débute à l'Opéra en chantant *Madame Butterfly* lors d'une soirée de gala. Il y chantera Faust, Rodolphe d'Orbel, le Duc de Mantoue, Roméo, Castor et Ottavio lors de la mémorable reprise de *Don Juan*, en 1934, sous la direction de Bruno Walter. Il y créera *Persée et Andromède* d'Ibert, *Virginie* de Bruneau et *L'Illustre Frégona* de Laparra.

Vilma, Michèle

Mezzo-soprano française, née à Rouen le 23 février 1932.

D'ascendance espagnole, elle fait ses études musicales au Conservatoire de sa ville natale. Ayant obtenu ses 1ers prix elle débute à Verviers (Léonore de *La Favorite*) et à Rouen (Dalila et Amnéris). Invitée dans plusieurs villes du nord de la France et de Belgique, elle se constitue un répertoire important (Charlotte de *Werther*, *Carmen*, *Hérodiade*, Dulcinée de *Don Quichotte*, Azucena du *Trouvère*...). Ces rôles, elle les reprend peu à peu dans toute l'Europe. A Nice, elle chante Dalila avec Mario Del Monaco ; elle chante *Carmen* dans plusieurs villes d'Allemagne. En 1970, elle est engagée à l'Opéra de Paris comme Eboli (*Don Carlos*). A Marseille, Bernard Lefort lui fait chanter Laura de *Gioconda*, aux côtés de R. Crespin qu'elle retrouve à l'Opéra de Paris dans *La Walkyrie* (Fricka). Elle chante également Mère Marie de l'Incarnation dans *Les Dialogues des Carmélites.* Elle est invitée au Festival de Bayreuth (*La Walkyrie*), au Met (*Tristan*). A Toulouse, elle chante pour la 1re fois Klytemnestra (*Elektra*) et à Lyon, puis à Paris la Küsterin (*Jenůfa*). Mezzo à l'intensité remarquable, elle dévore de passion des rôles parfois de second plan mais qui avec elle prennent une densité et une personnalité émouvantes.

Vinay, Ramón

Ténor chilien d'origine franco-italienne, né à Chillan le 31 août 1914.

Après de solides études secondaires menées parallèlement à de non moins solides études musicales et à l'apprentissage du violon, il découvre presque par hasard qu'il possède une voix... de baryton. Ayant gagné un concours d'amateurs, il fait ses débuts à l'Opéra de Mexico dans le Comte di Luna (1938). Peu après, il s'aperçoit que sa voix est celle d'un ténor. Après de nouvelles études, il fait ses seconds débuts en Don José (1943). Si sa voix solide et bien conduite n'était pas d'un timbre exceptionnel, son infaillible musicalité, sa naturelle dignité, sa présence, son extraordinaire intelligence dramatique ont fait de lui pendant plus de vingt ans l'interprète le plus fêté d'Otello (il le chanta plus de 250 fois), Tristan, Canio ou Samson. Il chante au Met (1946-61), à Covent Garden (1953-60) et, de 1952 à 1962, au Festival de Bayreuth, notamment Parsifal, Siegmund, Tristan et Telramund. A la fin de sa carrière, il revient aux rôles de baryton, s'illustrant particulièrement en Telramund, Bartholo ou Iago. Il a enregistré le rôle-titre dans la fameuse intégrale d'*Otello* dirigée par Arturo Toscanini.

Vincent, Jo (Johanna Marie Van Ijzer-Vincent)

Soprano néerlandaise, née à Amsterdam le 6 mars 1898.

Fille de Jacobus Vincent, carillonneur du Palais Royal, elle étudie le chant avec Catherina Van Rennes et Cornélie Van Zanten, débute en 1921 et devient rapidement la soprano de concert la plus réputée de son pays. Sa seule apparition sur scène aura lieu en 1939, à Scheveningen, dans le rôle de la Comtesse des *Noces de Figaro.* Son répertoire centré autour de Bach, Beethoven et Mahler la fit connaître aussi en Grande-Bretagne.

Elle se retire en 1953 pour se consacrer au professorat.

Viñes, Ricardo

Pianiste espagnol, né à Lérida le 5 février 1875, mort à Barcelone le 29 avril 1943.

Son père est avocat, sa mère musicienne. Dès 1882, il commence l'étude du solfège et du piano avec un organiste de Lérida, Joaquin Terraza. Puis il entre au Conservatoire de Barcelone (1885) où il remporte un 1er prix de piano dans la classe de Juan Pujol (1887). Il vient alors à Paris où il travaille au Conservatoire le piano avec Charles de Bériot (1er prix en 1894), la musique de chambre avec Godard et les écritures avec Lavignac. Il y fait ses débuts en 1895. C'est dans cette ville que va se dérouler l'essentiel de sa carrière. En 1888, il avait rencontré Maurice Ravel qui restera l'un de ses meilleurs amis. Il se lie avec tous les jeunes compositeurs du moment dont il deviendra l'un des meilleurs et plus fervents interprètes. En 1905, il donne quatre concerts historiques couvrant l'évolution de la musique pour piano de Cabezon à Debussy. L'année suivante, il est membre du Conseil supérieur du Conservatoire de Paris. De 1930 à 1935, il vivra en Amérique du Sud. De retour à Paris, il créera les œuvres du jeune Messiaen avant de se retirer à Barcelone.

Parmi les œuvres qu'il a reçues en dédicace : *Pièces froides* (Satie), *Nuits dans les jardins d'Espagne* (Falla), *Menuet antique* (création en 1898) et *Oiseaux tristes* (création en 1906) (Ravel), *Poissons d'or* (création en 1908) (Debussy), *El Fandango de Candill,* extrait des *Goyescas* (Granados), *Rigaudon* (Delannoy), *Eau courante* et *Romance sans paroles op. 21* (Durey), *Vers le mas en fête* et *Loin du cimetière au printemps,* extraits de *En Languedoc* (Séverac). Il a également créé *Pour le piano* (1902), *Estampes* (1904), *Masques* et l'*Isle joyeuse* (1905), *Images I* (1906) et *II* (1908), *3 Préludes* du 1er livre (1911) et *3 Préludes* du 2e livre (1913) de Debussy, *Sites auriculaires* (1898), *Pavane pour une infante défunte* et *Jeux d'eau* (1902), *Miroirs* (1906) et *Gaspard de la nuit* (1909) de Ravel, *Pièces espagnoles* (1908) de M. De Falla ainsi que plusieurs pages d'Albeniz.

ÉCRITS : *Journal inédit* (1980).

Vinogradow, Boris de

Chef d'orchestre français, né à Meknès le 7 août 1929.

Il fait des études de violon puis de piano au Conservatoire de Paris où il obtient ses 1ers prix de musicologie (classe de N. Dufourcq) et de percussion (F. Passeronne), tout en poursuivant des études de contrepoint et de fugue dans la classe de S. Pré-Caussade, et de direction d'orchestre avec E. Bigot. En 1959, il est lauréat du Concours international de Besançon. Il entre alors dans la classe de L. Fourestier au Conservatoire, travaille à Bâle avec Pierre Boulez et à Sienne avec B. Rigacci. Grand prix de Rome, passionné par la musique du XXe siècle, mais refusant la spécialisation, il se penche sur les différents courants de son époque, des indépendants aux post-sériels. Il suit les cours de composition de Darmstadt (Maderna et Boulez). Dès 1966, il dirige parallèlement la musique classique et la musique d'avant-garde. En 1973, Boris de Vinogradow quitte son poste de chef d'orchestre titulaire à l'Opéra de

Paris pour fonder l'ensemble de l'Itinéraire. Il joue alors un rôle actif dans la vie musicale contemporaine, assurant une centaine de créations et de premières auditions : *Well met* de Betsy Jolas, *Partiel* de Grisey, *Rimbaud* de Ferrero (1978), *Kamakala* de J.C. Eloy, l'*Office des Oracles* de Ohana et des œuvres de Globokar, C. R. Alsina, C. Halffter, F. B. Mâche, D. Schnebel, etc. Chef d'orchestre au Théâtre Populaire des Flandres, il a monté *La mère* (Brecht-Eisler) et écrit une musique pour *Le Roi se meurt* de Ionesco. Il a aussi travaillé avec des cinéastes (Clouzot, Rivette), des hommes de théâtre (Pintillie, Bourseiller), des chorégraphes (Cunningham).

Vintschger, Jürg von

Pianiste suisse, né à Saint-Gall le 23 mai 1934.

De 1952 à 1954, il étudie à l'Académie de musique de Vienne où il est l'élève de Seidlhofer pour le piano, de Ratz et Schiske pour la théorie ainsi qu'avec Carlo Zecchi à Rome. Il fait ses débuts à Vienne en 1954, aux U.S.A. en 1963, et en Amérique du Sud en 1969. Il s'attache à faire connaître des répertoire peu connus et impose la musique pour piano des compositeurs suisses, notamment Honegger et Frank Martin.

Vinzing, Ute

Soprano allemande, née à Wuppertal le 9 septembre 1936.

Après des études musicales dans sa ville natale et de chant à Düsseldorf, elle remporte le Concours de chant de Berlin en 1966 et débute à Lübeck (Marie dans *La Fiancée vendue*) où elle chante ses 1res héroïnes wagnériennes (Senta, Elisabeth). En 1971, elle aborde le répertoire dramatique à Wuppertal : Brünnhilde, Kundry, et débute à partir de 1972 à Hambourg, Munich, Berlin, Vienne, Genève, Buenos Aires, Seattle, Bolchoï... A l'Opéra de Paris, elle chante Brünnhilde lors d'une représentation de *La Walkyrie* en 1977 et Isolde en 1985. Elle débute au Met en 1984, dans Elektra.

Vischer, Antoinette

Claveciniste suisse, née à Bâle le 13 février 1909, morte à Bâle le 28 décembre 1973.

Ses dons musicaux sont encouragés de très bonne heure. Elle travaille le solfège et la théorie, se constituant une solide formation musicale. Elle se perfectionne, pour le piano, avec Melle Schradeck et rencontre même Egon Petri. Elle donne son premier concert en 1929 sous la baguette de Paul Sacher. Dès 1931, sous l'influence de Wanda Landowska dont elle deviendra l'élève, elle se tourne vers le clavecin. Antoinette Vischer ne mènera en réalité qu'une carrière de soliste très épisodique. Si l'histoire retient son nom, c'est moins pour son talent d'amateur éclairé que pour les œuvres qu'elle aura su susciter.

Menant une vie mondaine très active, ouvrant ses salons avec un goût particulier à la musique de son temps, elle offre l'occasion aux compositeurs marquants de son temps de consacrer au clavecin de nombreuses partitions, et la moisson est abondante : *Musique pour clavecin* (Liebermann, 1952), *Sonate pour clavecin et 2 Impromptus* (Martinů, 1958 et 1959), *Carillons pour les heures du jour et de la nuit* (Ohana, 1960), *Dialogues* (Malec, 1961), 6 Absences (*Henze,* 1961), « *La Chace* » (Huber, 1963), *Rounds* (Berio, 1964), *Babaï* (Donatoni, 1964), *Étude* (Blacher, 1964), *A single petal of a rose* (Duke Ellington, 1965), *9 Rare bits* (E. Brown, 1965), *Petite pièce pour piano, clavecin et contrebasse* (Solal, 1966), *Siu Yang Yin* (Yun, 1966), *Suite op. 100* (A. Tcherepnine, 1966), *Imaginario I* (de Pablo, 1967), *Continuum* (Ligeti, 1968), *Mutações* (Santoro, 1968), *Labyrinthos* (Aperghis, 1968), *Catch* (Haubenstock-Ramati, 1968), *Morsicat(h)y* (Berberian, 1969), *HPSCHD* (Cage, 1969), *2 Caprices* (von Einem, 1969), *Recitativarie* (Kagel, 1973).

Vito, Gioconda de

Voir à **De Vito, Gioconda.**

Vix, Geneviève

Soprano française, née à Nantes le 31 décembre 1879, morte à Paris le 25 août 1939.

Elle obtient en 1904 au Conservatoire de Paris un 1er prix d'opéra et un 2e prix d'opéra-comique (1908). Elle débute salle Favart dans *Louise* (1906). Elle y crée *L'Heure espagnole* (1911) et *Francesca da Rimini* de Leoni (1913). Elle se produit en Espagne pendant la guerre, à l'Opéra de Chicago en 1917 où elle chante *Manon, Monna Vanna, Thaïs* (et épouse en 1918 le prince Narychkine). En 1921, elle crée *Les Demoiselles de Saint-Cyr* de Chapuis à Monte-Carlo, où elle interprète en 1923 *Paillasse* et *La Navarraise,* en 1925 Mélisande, qu'elle chante également à Rio de Janeiro. De retour à Paris, elle chante à l'Opéra-Comique *Gismonda* et *Angelo,* et, à l'Opéra, *Salomé* (1926, dir. Ph. Gaubert) et Catarina de *La Mégère apprivoisée* de Goetz.

Vlassenko, Lev

Pianiste soviétique, né à Tbilissi le 24 décembre 1928.

Sa mère est son 1er professeur jusqu'à son entrée au Conservatoire de Moscou dans la classe de Jakob Flier. En 1956, il est lauréat du Concours international Franz Liszt à Budapest et, deux ans plus tard, obtient le 2e prix au Concours Tchaïkovski à Moscou. Sa carrière, déjà largement engagée dans son pays, s'ouvre au monde occidental pendant un temps assez limité. Nommé professeur au Conservatoire de Moscou, il ne se produit guère plus hors de l'U.R.S.S.

Vogel, Siegfried

Basse allemande, né à Chemnitz le 6 mars 1937.

Il a dix-huit ans quand on découvre sa voix. Il prend des cours privés à Dresde (1955-56) et postule au Conservatoire de Dresde pour entrer dans la classe de chœur, mais il est aussitôt admis dans la classe de chant ! Il parachève sa formation à l'Opéra-Studio de l'Opéra de Dresde où il commence sa carrière en 1961. Avant tout, il s'impose comme interprète mozartien. En 1965, il est engagé à l'Opéra de Berlin-Est pour tenir les rôles de Figaro (*Les Noces de Figaro*), Leporello (*Don Giovanni*), Don Alfonso (*Cosi fan tutte*), mais aussi Hunding (*La Walkyrie*), Don Basile (*Le Barbier de Séville*) et Escamillo (*Carmen*). Avec la troupe de l'Opéra de Berlin-Est, il fait de nombreuses tournées en Europe, tout particulièrement à Paris où il remporte un grand succès. Peu à peu, il est invité en Europe occidentale, à la Monnaie de Bruxelles où il est le *Don Giovanni* dans la production de Béjart en 1980. Il se signale également comme un brillant interprète en concert, oratorios et cantates, tout particulièrement de J.-S. Bach.

Voicu, Ion

Violoniste roumain, né à Bucarest le 8 octobre 1925.

A partir de 1938, il fait ses études musicales au Conservatoire de Bucarest avec Georges Enacovici. Il débute à Bucarest aux Concerts de la Radio en 1940. Puis il étudie, de 1955 à 1957, au Conservatoire de Moscou avec Abram Yampolski et David Oïstrakh. Il devient soliste de l'Orchestre Philharmonique de Bucarest à partir de 1949 et se produit en tournées avec orchestre. Il débute en Angleterre en 1963. Nommé directeur artistique de la Philharmonie Georges Enesco en 1973, il a déjà fondé l'Orchestre de Chambre de Bucarest en 1969. Il joue sur un violon d'Anton Stradivarius. Il a composé pour son instrument des pièces de virtuosité.

Völker, Franz

Ténor allemand, né à Neu Isenburg le 31 mars 1899, mort à Darmstadt le 4 décembre 1965.

D'abord caissier dans une banque, il remporte un concours de chant local et suit alors un an et demi de formation de chant. Clemens Krauss l'auditionne et l'engage immédiatement à l'Opéra de Francfort où il débute en 1926 (Florestan). En 1931, Krauss quitte Francfort pour Vienne, Völker l'y suit et demeure attaché à l'Opéra jusqu'en 1935, date à laquelle il devient membre de l'Opéra de Berlin. Il débute au Festival de Salzbourg en 1931 et y chante jusqu'en 1939 Florestan, Belmonte, Huon de Bordeaux (*Obéron*), Max (*Freischütz*), l'Empereur (*La Femme sans ombre*), Ménélas (*Hélène l'Égyptienne*). A Bayreuth, il assure les rôles de Siegmund, Lohengrin, Parsifal et Erik de 1933 à 1942. Il reste considéré comme le plus grand interprète de l'histoire de Lohengrin qu'il présente sur toutes les grandes scènes internationales (Scala, Covent Garden, Opéra de Paris...). En 1942, il quitte Berlin pour Munich où il reste pensionnaire jusqu'en 1952. Il donne ensuite des cours et devient, en 1958, titulaire d'une chaire au Conservatoire de Stuttgart. Parmi ses grands rôles, on peut encore citer Otello, Radames et Don Carlos, Alvaro et Manrico, Don José, Bacchus et Dalibor.

Vonk, Hans

Chef d'orchestre néerlandais, né à Amsterdam le 18 juin 1942.

Il mène de front des études juridiques et musicales. Au Conservatoire d'Amsterdam, il travaille le piano et la direction d'orchestre et obtient ses diplômes en 1964. Il se perfectionne ensuite avec Scherchen et suit les cours internationaux de Sienne, Salzbourg et Hilversum. De 1966 à 1969, il est chef d'orchestre du Ballet National Néerlandais. Puis Bernard Haitink l'engage comme assistant au Concertgebouw (1969-73). Il est l'invité des différents orchestres de son pays et prend la tête de l'Orchestre Philharmonique de la Radio d'Hilversum (1973-79). En 1976, il est nommé directeur musical de l'Opéra Néerlandais et chef associé du Royal Philharmonic Orchestra. En 1980, il prend la tête de l'Orchestre de la Résidence de La Haye. La même année, il fait ses débuts à la Scala en dirigeant *The Rake's progress* de Stravinski. En 1985, il est nommé directeur musical de la Staatskapelle et de la Staatsoper de Dresde.

Votto, Antonino

Chef d'orchestre italien, né à Plaisance le 30 octobre 1896.

A Naples, il travaille le piano avec A. Longo et la composition avec C. De Nardis. Il débute comme pianiste à Trieste (1919) où il est professeur au Conservatoire. Puis il est nommé au Conservatoire de Milan (1919-21). Il devient le répétiteur de Toscanini à la Scala et y fait ses débuts de chef d'orchestre en 1923 en dirigeant *Manon Lescaut* de Puccini. De 1925 à 1929, il est 2e chef dans l'illustre maison. Sa carrière s'étend vite hors des frontières italiennes : dès 1924, il est invité au Covent Garden. Rapidement, les plus grandes scènes lyriques d'Europe font appel à lui pour diriger le répertoire italien. En 1928, il est nommé chef permanent à Trieste. De 1941 à 1967, il enseigne au Conservatoire de Milan et, à partir de 1948, il est chef permanent à la Scala. Il accompagne régulièrement Maria Callas au début de sa carrière. Il fait ses débuts américains à Chicago en 1960.

Vronsky, Vitya
(Victoria Vronsky)

Pianiste russe naturalisée américaine, née à Ievpatoria (Crimée) le 22 août 1909.

Elle étudie le piano à Berlin avec Egon Petri et Artur Schnabel, et la composition avec Franz Schreker. Puis elle vient suivre à Paris l'enseignement d'Alfred Cortot. Elle épouse Victor Babin, avec qui elle joue en duo à partir de 1933.

W

Waart, Edo de

Voir à **De Waart, Edo.**

Waechter, Eberhard

Baryton autrichien, né à Vienne le 9 juillet 1929.

Après son baccalauréat, en 1947, il étudie le piano et la théorie au Conservatoire de Vienne où soudain, en 1950, il opte pour le chant qu'il étudie avec Elisabeth Rado. Il débute à la Volksoper de Vienne, en 1953, comme Silvio *(Paillasse)*. En 1955, il est engagé à l'Opéra de Vienne et aborde dès lors une brillante carrière internationale. Il est invité à la Scala, au Covent Garden, aux opéras de Munich, Stuttgart, Rome, Berlin et Bruxelles. Chaque année, il participe au Festival de Salzbourg où on le considère comme un des grands interprètes mozartiens. Depuis 1958, il s'impose à Bayreuth comme un exceptionnel Amfortas *(Parsifal)* et comme Wolfram (*Tannhäuser*). Il est invité également par les festivals d'Edimbourg et de Glyndebourne. En 1956, il crée à l'Opéra de Vienne *La Tempête* de Frank Martin. En 1960, il est appelé au Met. En 1971, il crée à l'Opéra de Vienne *La Visite de la vieille dame* (von Einem). Remarquable interprète de Richard Strauss (*Salomé, Arabella, Capriccio*... etc.), il s'est également distingué dans quelques grandes opérettes, tout particulièrement *La Chauve-Souris,* qu'il a enregistrée avec Karajan. Il devient intendant de la Volksoper de Vienne en 1987.

Wagner, Robert

Chef d'orchestre autrichien, né à Vienne le 20 avril 1915.

Après avoir fait ses études à Vienne sanctionnées par une thèse sur la création musicale de Franz Schmidt, il est nommé directeur général de la musique à Münster jusqu'en 1961, puis à Innsbrück de 1960 à 1966. Il est président du Mozarteum de Salzbourg de 1965 à 1970. Il dirige comme chef invité en Autriche et à l'étranger.

Wagner, Roger

Chef de chœur américain, né au Puy (France) le 16 janvier 1914.

Son père est compositeur et organiste de la cathédrale de Dijon. En 1921, il émigre avec sa famille aux États-Unis à New York puis à Los Angeles où son père est organiste et directeur de la chorale de l'église Saint-Brendan. Il revient en France en 1932 où il poursuit ses études musicales à Montmorency et avec Marcel Dupré. De retour aux États-Unis en 1937, il est membre de la chorale de la Metro Goldwyn Mayer puis chef de chant à l'église Saint-Joseph à Los Angeles, poste qu'il occupe pendant plus de vingt ans. En 1946, il crée la Chorale Roger Wagner appelée à se produire dans tous les États-Unis et avec les plus grands orchestres. Des chanteurs tels que Marilyn Horne, Caroll Neblett, Karen Amstrong, Theodore Uppman ont appartenu à sa chorale. En 1953, il dirige au Festival Hall les festivités du couronnement de la Reine Elizabeth. En 1956, il effectue sa 1ere tournée dans les États-Unis avec sa chorale puis en 1959 en Amérique centrale, en Amérique du Sud et au Mexique, en 1965 au Japon. Cette même année, il fonde la chorale de l'Orchestre Symphonique de Los Angeles. En 1973, il dirige le concert d'inauguration du Kennedy Center de Washington. De 1977 à 1979, il vient régulièrement diriger les chœurs de Radio France. Outre ses activités musicales, il est un grand sportif ayant participé au décathlon des Jeux Olympiques de 1936.

Wagner, Siegfried

Chef d'orchestre et compositeur allemand, né à Triebschen (Lucerne) le 6 juin 1869, mort à Bayreuth le 4 août 1930.

Siegfried est le seul fils de Richard Wagner et de Cosima. Par sa mère, il est le petit-fils de Liszt. Sa naissance est généralement associée à la composition de *Siegfried-Idyll* qui vit en réalité le jour pour l'anniversaire de Cosima un an plus tard. Il se destine d'abord à l'architecture et à la peinture qu'il étudie à Berlin. Puis il effectue un voyage en Asie. Ce n'est qu'en 1892 qu'il vient à la musique. Il travaille avec Julius Kniese à Bayreuth, Humperdinck à Francfort et Mottl à Karlsruhe. Il reçoit aussi les conseils d'Hans Richter, l'un des chefs préférés de son père. En 1894, il est chef adjoint à Bayreuth où il dirige la *Tétralogie* en 1896, comme doublure de Richter. Ses 1res mises en scène datent de 1901 et, en 1906, il remplace sa mère à la direction artistique du Festival. En 1915, il épouse Winifred Williams-Klindworth qui dirigera le Festival de 1930 à 1944. Après elle, ses deux fils Wieland et Wolfgang poursuivront la tradition familiale. Siegfried Wagner a été un chef souvent contesté. Élevé dans le sérail, il était surtout le détenteur de traditions familiales que seuls ses fils parviendront à écarter. Le metteur en scène a apporté de grandes innovations à la scénographie de l'époque, notamment la troisième dimension et des recherches de couleurs dans les décors. Il a su attirer à Bayreuth l'élite musicale de son temps.

Wakasugi, Hiroshi

Chef d'orchestre japonais, né à Tokyo le 31 mai 1935.

Il effectue ses études musicales dans sa ville natale avec Noboru Kaneko et Hideo Saitô. Il dirige, de façon permanente, le Yomiuri Symphony Orchestra (dès 1967), le Japon Choir et la Bach Guilde avant de se fixer en Allemagne où se déroule la suite de sa carrière : il prend la direction de l'Orchestre Symphonique de la Radio de Cologne (W.D.R.) (1977-83), et assure la direction musicale de l'Opéra du Rhin (Düsseldorf-Duisbourg), à partir de 1982. Puis il est nommé directeur musical de l'Orchestre de la Tonhalle de Zürich (1986). Il a créé des œuvres de Yun, Gœhr et Killmayer.

Walcha, Helmut

Organiste et claveciniste allemand, né à Leipzig le 27 octobre 1907.

Fils d'un fonctionnaire des postes, Helmut Walcha devient aveugle à l'âge de seize ans. Il est alors l'élève de Günther Ramin au Conservatoire de Leipzig où il découvre très vite son attachement pour la musique de Bach sous toutes ses formes. Choisi en 1929 comme titulaire des orgues de l'église de la Paix à Francfort (orgues dont il restera l'officiant jusqu'en 1938), c'est dans cette ville qu'il commence à déployer une débordante activité. Ainsi, il crée – et en cela il est une sorte de novateur pour l'époque – des soirées d'orgue. En 1938, il est appelé à enseigner à la Musikhochschule de Francfort où il a fondé, après la dernière guerre, un Institut pour la musique d'église. Depuis 1946, Walcha, dont les récitals, les disques et les conférences-auditions rencontrent une large audience, est également organiste de l'église des Trois-Rois à Francfort. Il s'est fait connaître dans le monde entier, avant tout comme interprète de l'œuvre de Bach. Il a joué à Paris maintes fois et a enregistré une grande partie de l'œuvre du cantor de Leipzig à Strasbourg.

On doit à Helmut Walcha, en dehors de rééditions de partitions de Bach et de Händel (les *12 Concertos* pour orgue), des compositions propres, dont *25 Choralvorspiele* et des ouvrages musicologiques sur l'orgue et les organistes, dont une étude sur Max Reger.

Walevska, Christine

Violoncelliste américaine, née à Los Angeles 8 mars 1948.

Sa mère lui donne ses 1res leçons et son père, expert en instruments anciens, lui offre son 1er violoncelle (un Bernardel de 1842). Elle travaille d'abord avec Piatigorsky avant de venir au Conservatoire de Paris étudier dans la classe de Maurice Maréchal. En 1962, elle obtient un 1er prix de violoncelle et un 1er prix de musique de chambre. Commence alors une carrière qui la mène tant en Europe, qu'en Orient et en Amérique. Depuis 1972, elle vit aux États-Unis. Elle crée en Europe la *Fantaisie pour violoncelle et orchestre* de William Schuman sous la direction de Schmidt-Isserstedt (1968) et des œuvres de Jesse Erlich (1970), L. Almeida (1969) et Khatchaturian (*Pièce pour violoncelle seul,* 1975, qui lui est dédiée). Elle a enregistré l'intégrale de l'œuvre pour violoncelle de Saint-Saëns. Son instrument est un Carlo Bergonzi de 1740.

Wallat, Hans

Chef d'orchestre allemand, né à Berlin le 18 octobre 1929.

Il fait ses études musicales au Conservatoire de Schwerin puis est nommé 1er chef à Stendal (1950-51), à Meiningen (1951-52), au Théâtre de Schwerin (1953-56) avant de prendre la direction musicale du Théâtre de Cottbus (1956-58). Il est ensuite 1er chef à l'Opéra de Leipzig (1958-61), à celui de Stuttgart (1961-64) puis à la Deutsche Oper de Berlin (1964-65). De 1965 à 1970, il est directeur général de la musique à Brême et, à partir de 1970, à Mannheim. Invité régulier à l'Opéra de Vienne dès 1968, il débute à Bayreuth en 1970 et au Met en 1971. Il s'impose surtout dans le répertoire lyrique allemand. Directeur général de la musique à Dortmund jusqu'en 1985, il est ensuite chef permanent à l'Opéra de Hambourg.

Wallberg, Heinz

Chef d'orchestre allemand, né à Herringen le 16 mars 1923.

Après des études musicales effectuées à Dortmund et à Cologne, il débute comme instrumentiste (violon et trompette solo) dans des orchestres de Cologne et de Darmstadt. Puis il occupe différentes fonctions de chef d'orchestre à Münster, Trier et Hagen. En 1954, il est directeur de la musique à Augsburg, l'année suivante directeur général de la musique à Brême, puis, de 1961 à 1974, à Wiesbaden et, à partir de 1975, à Essen. En même temps, il est à la tête du Niederösterreichisches Tonkünstlerorchester de Vienne (1964-75) et chef invité à l'Opéra de cette ville. De 1975 à 1982, il dirige l'Orchestre de la Radio de Munich.

Wallenstein, Alfred

Chef d'orchestre américain, né à Chicago le 7 octobre 1898, mort à New York le 8 février 1983.

Il reçoit une formation de violoncelliste et débute à Los Angeles en 1912. Quatre ans plus tard, il fait partie de l'Orchestre Symphonique de San Francisco et, en 1919, de l'Orchestre Philharmonique de Los Angeles. Il effectue un séjour à Leipzig pour faire des études musicales, mais surtout pour travailler avec Julius Klengel. Rapidement, il s'impose comme l'un des plus grands violoncellistes américains de son époque : il est nommé violoncelle solo de l'Orchestre Symphonique de Chicago (1922-29), puis de l'Orchestre Philharmonique de New York (1929-36) où il joue sous la direction de Toscanini. C'est seulement à cette époque qu'il s'oriente vers la direction d'orchestre : il est engagé à la Radio puis il prend la direction de l'Orchestre Philharmonique de Los Angeles (1943-56) et de l'Orchestre Symphonique de l'Air (1961-63). A la fin de sa vie, il se tourne vers l'enseignement et sera notamment professeur à la Juilliard School.

Wallez, Jean-Pierre

Violoniste et chef d'orchestre français, né à Lille le 18 mars 1939.

Né dans une famille de musiciens, il obtient à douze ans un 1er prix de violon au Conservatoire de Lille. Il entre au Conservatoire de Paris où il étudie avec Gabriel Bouillon, Jacques Février et Joseph Calvet. Il en sort en 1956 nanti de 1ers prix de violon et de musique de chambre. Il travaille également avec Léon Nauwinck et reçoit les conseils d'Henryk Szeryng et de Yehudi Menuhin. Lauréat du Concours Marguerite Long-Jacques Thibaud (1957) et du Concours international de Genève (1958), il remporte le 1er prix au Concours Paganini de Gênes (1960). Membre de la Société des Concerts du Conservatoire (1961-63), puis de l'Orchestre de l'Opéra-Comique et de l'Opéra de Paris (1962-74), il occupe les fonctions de 1er violon solo à l'Orchestre de Paris (1975-77). Leader de l'Ensemble Instrumental de France depuis sa création en 1968, directeur du Festival d'Albi depuis son origine (1974), Jean-Pierre Wallez est directeur de l'Ensemble Orchestral de Paris depuis sa naissance en 1978. Il est par ailleurs directeur de l'Académie d'été d'Albi où il enseigne, ainsi que dans divers pays. Grâce à lui et aux ensembles qu'il dirige de nombreuses pages de Rameau, Dauvergne, Monsigny, Philidor, Aubert et Gossec sortent de l'oubli. Parmi les 1res discographiques qu'il réalise, on peut citer le *2e Concerto* de Viotti, et le *Concerto en fa* de Lalo. Il a créé le *Concerto de Molines* de Bondon (1968) et le *Concerto* de Nikiprowetzki (1982).

Avec l'Ensemble instrumental de France, il a créé des œuvres de Martinů (*Suite enchaînée*), Jolivet (*Yin-Yang*) et Bon. Avec l'Ensemble Orchestral de Paris, des œuvres de Florentz (*Magnificat*), Capdenat, Sciortino, Landowski (*Un enfant appelle*), Louvier, Guillou, Finzi et Bolling. Jean-Pierre Wallez est marié à la cantatrice Michèle Pena.

Walter, Bruno
(Bruno Schlesinger)

Chef d'orchestre allemand, naturalisé autrichien (1911), français (1938) et américain (1946), né à Berlin le 15 septembre 1876, mort à Beverly Hills le 17 février 1962.

Il fait ses études musicales au Conservatoire Stern à Berlin où il reçoit une formation de pianiste. Dès l'âge de 9 ans, il se produit en public. Mais en 1889, il entend Hans von Bülow et décide de devenir chef d'orchestre. Il est répétiteur à Cologne (1893) où il fait ses débuts à l'Opéra. L'année suivante, il est engagé à l'Opéra de Hambourg où il rencontre Mahler, alors directeur musical dans le même théâtre. Les deux hommes se lient d'une amitié profonde et c'est Mahler qui lui suggère de changer de nom. Malgré la réussite de leur collaboration, Bruno Walter refuse de le suivre à l'Opéra de Vienne. Il effectue une saison à Breslau, une à Presbourg et une à Riga avant d'être nommé à Berlin en 1900. Finalement, devant l'insistance de Mahler, il cède et accepte un poste de chef d'orchestre à l'Opéra de Vienne (1901-13). Il est associé à toutes les grandes réalisations de l'époque et participe au renouveau du théâtre lyrique prôné par Mahler. A la mort de son ami, en 1911, il crée ses deux œuvres posthumes : *Le Chant de la terre* (1911) et la *Symphonie n° 9* (1912). Puis il prend la direction musicale de l'Opéra de Munich (1913-22) : il est enfin son propre maître et c'est à cette époque que commence à se révéler sa véritable personnalité, dégagée de la tutelle artistique de Mahler. Il élargit considérablement le répertoire tant vers la musique contemporaine (il crée *Violanta* et *Polykrates* de Korngold en 1916 puis *Palestrina* de Pfitzner en 1917) qu'au-delà des frontières du monde germanique. En 1922 et 1923, il est à la tête de l'Orchestre Symphonique de Minneapolis. A partir de 1919, il est l'invité régulier de l'Orchestre Philharmonique de Berlin qu'il dirige chaque saison pour un cycle de concerts jusqu'en 1933. C'est au cours de l'un d'eux qu'il présente Yehudi Menuhin au public allemand. L'Angleterre fait appel à lui : de 1924 à 1931, il dirige le répertoire germanique au Covent Garden. En 1925, il est directeur musical de la Städtische Oper de Berlin où il réalise aussi quelques mises en scène.

Il participe à la fondation du Festival de Salzbourg où il dirigera régulièrement jusqu'à ce que le régime nazi le force à quitter l'Europe. En 1928, les Parisiens découvrent les opéras de Mozart sous sa direction. L'année suivante, il quitte Berlin pour prendre la succession de Furtwängler au Gewandhaus de Leipzig (1929-33). En 1933, il doit se réfugier en Autriche. Il est chef associé de l'Orchestre du Concertgebouw d'Amsterdam (1934-39), chef invité (1935) puis conseiller artistique (1936) de l'Opéra de Vienne. En 1938, il doit quitter l'Autriche pour la France puis, l'année suivante, pour les États-Unis. Il ouvre son répertoire à la jeune musique américaine, créant notamment la *Symphonie n° 2* (2e version, 1944) et le *2e Essai* (1942) de Barber. Il crée aussi la Symphonie n° 2 de K. Weill au Concertgebow (1934).

De 1947 à 1949, il sera conseiller artistique de l'Orchestre Philharmonique de New York ; mais il mène surtout une carrière de chef invité au Met, à la N.B.C., à Philadelphie ou à Los Angeles. En Europe, il revient diriger régulièrement à Vienne et à Salzbourg. A la fin de sa vie, on forme spécialement pour lui un orchestre d'élite, composé des meilleurs musiciens de New York, le Columbia Symphony Orchestra, avec lequel il réenregistre en stéréophonie l'essentiel de son répertoire.

Bruno Walter a été souvent considéré comme la figure intermédiaire d'une grande triologie de chefs d'orchestres, entre Furtwängler et Toscanini. Son sens de la mesure le situait peut-être à mi-chemin de ses deux aînés mais rien dans son tempérament ne le rapprochait d'eux. La musique reste avec lui profondément humaine. Il disait de certains mouvements rapides de Mozart qu'il cherchait à les rendre si gais qu'on en ait envie de pleurer. En le dégageant de la tutelle des interprétations romantiques, il a rendu justice à Mozart et ouvert la voie à la rigueur actuelle. Il a également joué un rôle essentiel en faveur de la musique de Mahler qu'il a imposée tout au long de sa vie malgré l'incompréhension générale.

ÉCRITS : *Thème et variations* (1952), *Gustav Mahler* (1936), *Les Forces morales de la musique.*

Wand, Günter

Chef d'orchestre allemand, né à Elberfeld le 7 janvier 1912.

Il commence ses études à Wuppertal puis vient à Cologne où il travaille à l'Université et à la Hochschule avec Jarnach, von Hoesslin et P. Baumgartner. Il est répétiteur puis chef d'orchestre à Wuppertal et Allenstein, 1er chef à Detmold, chef permanent puis 1er chef à l'Opéra de Cologne (1939-44). En 1944-45, il dirige l'Orchestre du Mozarteum de Salzbourg puis est nommé directeur général de la musique à Cologne (1945-75), assurant les concerts du Gürzenich dès 1946. Il reconstitue l'Opéra et l'Orchestre de Cologne qu'il hisse au niveau des meilleurs ensembles allemands. Il est même nommé chef à vie mais se retire lorsqu'il devient 1er chef invité de l'Orchestre Symphonique de Berne (1974). En 1982, il prend la direction de l'Orchestre Symphonique du N.D.R. de Hambourg. Chef de grande stature, discret, ennemi de toute publicité, il est loin d'être reconnu à sa juste valeur car sa carrière de chef invité l'a rarement mené hors d'Allemagne. Il a réalisé un enregistrement intégral des *Symphonies* de Bruckner qui a fait sensation lors de sa distribution en France. Il a créé les *Noces de Sang* de Fortner (1957).

Warren, Leonard
(Leonard Varenov)

Baryton américain, né à New York le 21 avril 1911, mort à New York le 4 mars 1960.

Fils d'un émigré russe, il est destiné à reprendre le magasin de fourrure de son père. A l'âge de 24 ans, il découvre qu'il a une voix : il auditionne au Radio City Music Hall et est admis dans les chœurs. Parallèlement, il suit des cours à la Greenwich House Music School. Il se présente en 1937 à une audition du Met et est engagé sur-le-champ. Mais il n'a aucun répertoire. Il va travailler à Rome avec Giuseppe Païs et à Milan avec Riccardo Piccozzi avant de débuter sur la scène du Met en 1938 dans le rôle de Paolo

Albiani de *Simon Boccanegra.* La gloire lui vient en 1943 lorsqu'il remplace au pied levé Tibbett et chante pour la 1ere fois Rigoletto, rôle dans lequel il n'a jamais été égalé. En 21 saisons au Met, il ne chante que 25 rôles, dont les mieux adaptés à sa voix et à son tempérament sont, outre le bouffon, Amonasro, Falstaff, Boccanegra, Scarpia, Tonio, Barnaba et cet inoubliable Macbeth, dont il assure une reprise éclatante en 1959, véritable couronnement de sa carrière. Le 4 mars 1960, il chante Don Carlo de *La Force du destin.* Après l'air « Urna fatale », il s'abat, foudroyé.

Sa voix immense et longue (du sol grave au si bémol aigu) s'enregistrait bien et il nous reste d'inestimables échos de son art dont les intégrales de *Rigoletto* et *Macbeth.*

Watanabe, Akeo

Chef d'orchestre japonais, né à Tokyo le 5 juin 1919.

Il commence ses études à l'Académie de musique de Tokyo où il travaille avec Hideo Saito puis les complète à la Juilliard School de New York (1950-52) avec E. Moguilevski, J. Rosenstock, Manfred Gurlitt, Helmut Fellmer et Jean Morel. Ses débuts de chef d'orchestre remontent à 1945-46 à la tête de l'Orchestre Symphonique de Tokyo.

De 1948 à 1954, il est à la tête de l'Orchestre Philharmonique de Tokyo. Puis il fonde le Japan Philharmonic Symphony Orchestra qu'il dirige de 1956 à 1968 avant d'être nommé directeur musical de l'Orchestre Symphonique de Kyoto (1970-72), du Tokyo Metropolitan Symphony Orchestra (1972), puis du Japan Philharmonic Symphony Orchestra et de l'Orchestre Symphonique de Hiroshima.

Akeo Watanabe est l'un des fondateurs de l'école de direction d'orchestre japonaise. Il consacre une part importante de son temps à la pédagogie, enseignant d'abord le violon puis la direction d'orchestre à l'Université des Arts de Tokyo (1962-67).

Watkinson, Carolyn

Mezzo-soprano anglaise, née à Preston le 19 mars 1949.

Elle fait ses études au Royal Manchester College of Music, puis au Muziek-lyceum et au Conservatoire de La Haye. Concertiste spécialisée dans la musique baroque, elle apparaît dans l'ensemble Syntagma Musicum, et le Gächinger Kantorei d'Helmuth Rilling, ainsi qu'avec la Grande Écurie et la Chambre du Roi de J.C. Malgloire. A la scène, elle paraît dans Phèdre d'*Hyppolyte et Aricie* de Rameau au Covent Garden, et au Festival de Versailles (1978), au Netherlands Opera, à la Monnaie de Bruxelles (Neron du *Couronnement de Poppée,* repris à Spolète, 1979), Rosine à Stuttgart et Chérubin au Festival de Ludwigsburg (1980) et à Glyndebourne (1984), Ariodante de Händel à la Scala en 1981.

Watson, Claire

Soprano américaine, née à New York le 3 février 1927.

Elle prend ses premières leçons de chant avec Élisabeth Schumann à New York et travaille au Conservatoire d'Amsterdam, avec Eduard Lichtenstein. En 1951, elle fait ses débuts au Théâtre municipal de Graz, auquel elle appartient jusqu'en 1956. De 1956 à 1958, elle chante à l'Opéra de Francfort. En 1958, elle est appelée à l'Opéra de Munich, auquel elle restera attachée jusqu'à la fin de sa carrière. Elle est invitée dans le monde entier : à l'Opéra de Vienne, au Covent Garden, à la Monnaie, aux Opéras de Hambourg et de Stuttgart. Elle se fait apprécier aussi bien dans le répertoire mozartien que dans le répertoire wagnérien, où elle tient avec charme les rôles d'Eva, d'Elsa... Mais elle excelle surtout dans les œuvres de Richard Strauss, tout particulièrement dans *Capriccio,* où elle interprète une comtesse subtile et raffinée. En 1964, elle est invitée au Met. Elle a épousé le ténor américain David Thaw.

Watts, André

Pianiste américain, né à Nuremberg (Allemagne) le 20 juin 1946.

Fils d'une mère hongroise et d'un père noir américain, il fait ses études à l'Institut Peabody de Baltimore avec Leon Fleischer et à Philadelphie. Il donne son premier concert à neuf ans et fait ses débuts en 1963 sous la baguette de Leonard Bernstein. Sa carrière le conduit en Europe à partir de 1966.

Watts, Helen

Contralto anglaise, née à Milford Haven le 7 décembre 1927.

Elle étudie le chant à la Royal Academy of Music de Londres auprès de Caroline Hatchard et de Frederick Jacobson. Elle chante pour la B.B.C. *Orphée et Eurydice* de Gluck en 1953. Dès ses débuts en 1955 dans le cadre des Concerts Promenades, elle se montre remarquable interprète de Bach et de l'oratorio en général. Membre de la Haendel Opera Society, elle chante le rôle de Didyme dans *Theodora* (1958), *Semele* (1959) et *Rinaldo* (1961). Elle est l'interprète du *Viol de Lucrèce* en 1964 en Union soviétique, sous la direction de Britten. Elle aborde le répertoire wagnérien au Covent Garden, chantant la Première Norne (1965-66), puis Erda (1967 à 1971). En 1966, elle chante à New York *A Mass of Life* de Delius. Elle se révèle également interprète de lieder lors de ses débuts au Carnegie Hall en 1970, chantant les *Kindertotenlieder* de Mahler, sous la direction de Solti. Elle possède une voix pure, menée avec fermeté.

Wayenberg, Daniel

Pianiste néerlandais, né à Paris le 11 octobre 1929.

Son père était journaliste et sa mère, russe de naissance, avait étudié le violon avec Leopold Auer au Conservatoire de Saint-Petersbourg. Il commence ses études de piano dès l'âge de cinq ans. Il travaille à La Haye avec Ary Verhaar et, à partir de 1947, à Paris avec Marguerite Long. Sa carrière débute en 1949, lorsqu'il remporte le 2e prix au Concours Marguerite Long-Jacques Thibaud. En 1951, il donne en 1re audition le *Concerto pour piano* de Stallaert sous la direction de Kubelík au Festival de Besançon. Ses débuts américains datent de 1953.

Daniel Wayenberg se livre à la composition. Parmi ses œuvres, on peut retenir le *Concerto pour instruments à vent et piano*, le *Concerto pour 3 pianos*, la *Symphonie « Capella »* et le ballet *Solstice*. Dans une discographie largement consacrée au grand répertoire, il faut distinguer l'enregistrement des deux *Sonates* de Jolivet et la *Sonate pour violon et piano* de Janáček.

Weber, Ludwig

Basse autrichienne, né à Vienne le 29 juillet 1899, mort à Vienne le 9 décembre 1974.

Il étudie à Vienne avec Alfred Roller la technique théâtrale et avec Alfred Boruttan le chant tout en appartenant aux Chœurs de la Société d'Oratorio de Vienne. Il débute à la Volksoper en 1920 et y demeure cinq ans avant d'appartenir aux opéras de Wuppertal (1925-27), Düsseldorf (1927-32) et Cologne (1932-33). Après avoir chanté au Festival Wagner de Munich en 1931, il est membre de la troupe de la Bayerischer Staatsoper de 1933 à 1945, et achève sa carrière à Vienne.

Wagnérien célèbre (il apparaît à Paris dans ce répertoire au Théâtre des Champs-Élysées dès 1930), il chante à Bayreuth de 1951 à 1961 (Gurnemanz, Fasolt, Hagen, Mark, Pogner, König Heinrich, Daland, Titurel, Kothner), ainsi qu'à la Scala, au Covent Garden, au Colón de Buenos Aires, au Maggio Musicale de Florence... Mais il est aussi un immense mozartien, qui paraît à Salzbourg de 1939 à 1947 dans le Commandeur, Sarastro et Osmin, et un célèbre récitaliste et chanteur d'oratorios. A partir de 1961, il se consacre au professorat au Mozarteum de Salzbourg. Il a participé à la création de *Friedenstag* de R. Strauss en 1938 (Holsteiner).

Weber, Margrit

Pianiste suisse, née à Ebnat-Kappel (Saint-Gall) le 24 février 1924.

Elle commence par étudier l'orgue à Zürich avec Heinrich Funk puis le piano avec Max Egger et Walter Lang. Elle commence une brillante carrière européenne qui s'étend à l'Amérique à partir de 1956. La musique contemporaine occupe une place importante dans ses programmes. Martinů lui dédie sa *Fantaisie concertante* (1958) et Stravinski ses *Mouvements pour piano et orchestre* (1965). Elle crée également le *Concerto* de Moeschinger (1962), la *Ballade op. 78* de Schibler (1963), les *Épigrammes* de Fortner (1964) et le *Concerto n° 6* d'Alexandre Tcherepnine (1965). En 1971, elle est nommée professeur à la Hochschule de Zürich.

Weikert, Ralph

Chef d'orchestre autrichien, né à Saint-Florian le 10 novembre 1940.

Au Conservatoire de Linz, il travaille le piano et la direction d'orchestre avant de venir à Vienne en 1960 où il étudie, à l'Académie de musique, la direction avec Swarowsky et la composition avec Jelinek. En 1965, il remporte le 1er prix au Concours international Nicolaï Malko de Copenhague. L'année suivante, il est nommé 1er chef d'orchestre à Bonn où il devient chef permanent en 1968. A partir de 1972, il dirige régulièrement à l'Opéra de Copenhague. En 1975, il reçoit le Prix Karl Böhm à Vienne et, de 1977 à 1981, il est directeur général adjoint de la musique à l'Opéra de Francfort. En 1981, il prend la direction de l'Orchestre du Mozarteum de Salzbourg et, en 1983, devient directeur musical de l'Opéra de Zürich.

L'essentiel de sa carrière se déroule dans le domaine lyrique mais il consacre une place plus importante au concert depuis sa nomination à Salzbourg. Il s'est fait une réputation de chef mozartien.

Weikl, Bernd

Baryton allemand, né à Vienne le 29 juillet 1942.

Après des études d'économie politique, il entre au Conservatoire de Mayence, puis en 1965 à celui de Hanovre. En 1968, il est lauréat du Concours de chant de Berlin et entre dans la troupe de l'Opéra de Hanovre. Suivent diverses activités de concert et de disques, que couronnent ses engagements en 1972 au Festival de Pâques à Salzbourg (Melot dans *Tristan*), au Festival de Bayreuth (Wolfram dans *Tannhäuser*) et aux Opéras de Vienne et de Prague. Il paraît à Hambourg depuis 1974, à Munich, au Met depuis 1977. Son répertoire comprend essentiellement les grands barytons wagnériens (Amfortas, Sachs, le Hérault).

Weingartner, Felix
(Felix Edler von Münzberg)

Chef d'orchestre autrichien naturalisé suisse (1933), né à Zara (Dalmatie) le 2 juin 1863, mort à Winterthur le 7 mai 1942.

A la mort de son père, en 1868, Felix Weingartner et toute sa famille viennent s'établir à Graz (Autriche). Son premier professeur est le Dr Wilhelm Mayer-Remy. Il effectue sa scolarité (philosophie et musique) à Leipzig et rédige ses premières compositions. Il rencontre Richard Wagner à la première de *Parsifal* à Bayreuth (1882). L'année suivante il devient l'élève et ami de Franz Liszt à Weimar. C'est dans cette ville qu'a lieu la création de son premier opéra *Sakuntala* (1884). La même année, il est nommé chef en second de l'Opéra de Königsberg. Il obtient pendant cette période des engagements dans plusieurs villes d'Allemagne.

De 1891 à 1898, il occupe les fonctions de Hofkapellmeister à l'Opéra de Berlin. Il est alors appelé à diriger l'Orchestre Kaim de Munich (1898-1903). En 1902, au Festival de Mayence, il dirige l'intégrale des *Symphonies* de Beethoven. Avec ce dernier, Berlioz est très certainement l'un de ses compositeurs favoris : il collabore à l'édition de l'œuvre complète de Berlioz

– comme il le fera aussi pour celle de Haydn – et se rend en 1903 à Grenoble où il dirige l'Orchestre du Festival à l'occasion du centenaire de la naissance de Berlioz. En 1904, il est invité en Amérique. En 1908, il succède à Gustav Mahler à la tête de l'Opéra de Vienne ; il conservera ce poste jusqu'en 1911. De 1908 à 1928, il est chef principal de l'Orchestre Philharmonique de Vienne. De 1912 à 1914, il mène une active carrière de chef invité. De 1914 à 1919, il est directeur général de la musique à Darmstadt. Il se fixe à cette époque en Suisse et continue de se livrer à la composition. De 1919 à 1924, il assume la direction de la Volksoper de Vienne. Il est professeur à l'Académie Franz Liszt de Budapest. La Russie soviétique l'invite. Il est nommé, en 1927, directeur de l'Orchestre Municipal de Bâle et, en 1933, directeur de son École de musique où il anime un cours de direction d'orchestre. Il crée, en 1935, la *Symphonie* de Bizet récemment redécouverte. En 1935, il est nommé directeur de la Staatsoper de Vienne mais abandonne ces fonctions en 1936 pour se retirer à Lausanne.

En 1941, il bâtit un opéra *Schneewitchen* sur une musique de scène inconnue de Schubert et un texte du critique Otto Mag. Il doit à la création passer la baguette à son disciple Alexander Krannhals (il avait donné son dernier concert public à Londres en 1940). Il nous laisse une œuvre abondante : plusieurs opéras dont un *Oreste*, plusieurs poèmes symphoniques dont *Le Séjour des bienheureux* d'après Böcklin, 7 *Symphonies*, une *Sinfonietta* ainsi que de nombreux lieder, concertos, ouvertures et pages de musique de chambre. Il a réalisé par ailleurs plusieurs orchestrations dont celle de la *Sonate Hammerklavier* et de la *Grande Fugue* de Beethoven. Il est l'auteur de plusieurs ouvrages : *Sur l'art de diriger, La Symphonie après Beethoven* et nombreux autres non traduits.

Weir, Gillian

Organiste et claveciniste néo-zélandaise, née à Martinborough le 17 janvier 1941.

Elle est l'élève de Ralph Downes au Royal College of Music de Londres, avant de travailler avec Anton Heiller (Vienne) et Marie-Claire Alain (Paris). En 1964, elle obtient le 1er prix au Concours international d'orgue de Saint-Albans et joue, l'année suivante, le *Concerto* de Poulenc au Royal Festival Hall de Londres. Sa carrière la conduit alors en Europe, aux États-Unis, en Australie et en Nouvelle-Zélande, où elle interprète de nombreuses œuvres de musique contemporaine. En 1973, elle crée en Grande-Bretagne les *Méditations sur le mystère de la Trinité* d'Olivier Messiaen. Depuis cette même année, elle enseigne à l'Université de Cambridge. Son jeu de haute virtuosité s'accompagne d'une compréhension intelligente des œuvres qu'elle sert. Parmi ses enregistrements, il faut citer les deux *Messes* de François Couperin (1973) sur l'orgue de la Prediger Kirche de Zürich. Elle pratique aussi le clavecin et a joué notamment l'intégrale de la *Klavierübung* de J.-S. Bach en concert public.

Elle est l'une des premières organistes à défendre sa préférence pour les orgues à transmission mécanique, dans les pays de tradition anglo-saxonne jusqu'ici fortement attachés aux transmissions modernes électriques et électropneumatiques.

Weissenberg, Alexis

Pianiste bulgare naturalisé français (1956), né à Sofia le 29 juillet 1929.

Éveillé à la musique par sa mère, il étudie d'abord le piano et la composition avec Pantcho Wladigerow. En 1943, il entre au Conservatoire de Jérusalem où il travaille avec le professeur Schröder, élève de Schnabel. En 1946 et 1947, il se perfectionne à la Juilliard School de New York avec Olga Samarov et bénéficie des conseils d'Artur Schnabel et de Wanda Landowska. La même année (1947), il remporte le Prix Leventritt, le 1er prix du Youth Competition de l'Orchestre de Philadelphie et fait ses débuts au Carnegie Hall de New York sous la baguette de George Szell. Ses premiers concerts européens datent de 1950. Il se produit ensuite au Festival de Salzbourg (1968) après avoir été choisi comme soliste par Herbert von Karajan et l'Orchestre Philharmonique de Berlin (1967).

Alexis Weissenberg joue avec les plus grands chefs. Il enseigne à Harvard, à Tanglewood et à Ravina. Dans une importante production discographique on peut retenir l'intégrale des *Partitas* de Bach, celle des *Nocturnes* de Chopin et celle des *Concertos* de Beethoven avec l'Orchestre Philharmonique de Berlin sous la direction d'Herbert von Karajan.

Il compose *La Fugue*, œuvre de théâtre musical (1979) et prépare une *Sonate pour piano.*

Welitsch, Ljuba
(Ljuba Velichkova)

Soprano bulgare, née à Borisovo le 10 juillet 1913.

Elle étudie le chant à Sofia avec Zlateff, et débute en 1934 à l'Opéra de cette ville. Elle se perfectionne auprès de Lierhammer à Vienne, et débute à Graz en 1937 (Nedda, Musette). Sa carrière passe alors par Hambourg (1940-43), Dresde, Berlin, Munich (1943-46), où elle travaille avec Clemens Krauss. Elle s'installe ensuite à Vienne définitivement, chante à la Volksoper dès 1945, et à la Staatsoper dès 1946. Elle paraît à Salzbourg de 1946 à 1950 (Donna Anna), au Covent Garden de 1947 à 1952, notamment dans la célèbre production de *Salomé* due à P. Brook et S. Dali, à Glyndebourne en 1948-49 et au Met de 1949 à 1952. Tosca, Aïda, Amelia très originale, elle reste surtout connue comme la plus grande interprète de Salomé qu'elle chante pour la première fois en 1944 lors d'une représentation spéciale dirigée par Strauss lui-même.

Elle se retire tôt de la scène, pour se consacrer à une intense activité cinématographique et télévisuelle.

Weller, Walter

Chef d'orchestre et violoniste autrichien, né à Vienne le 30 novembre 1939.

Il fait ses études musicales à la Hochschule de sa ville natale où il est l'élève de Moravec et Samohyl pour le violon. Puis il se tourne vers la direction d'orchestre qu'il travaille avec Böhm et Stein ; il recevra également les conseils de Krips et Szell. Dès 1956, il entre à la Philharmonie de Vienne dont il devient violon solo (1961-69).

En 1958, il fonde le Quatuor Weller dont l'activité est importante sur le plan international. Il enseigne la musique de chambre à l'Académie de musique de Vienne (1964-66). Ses débuts de chef d'orchestre datent de 1968, à la tête de la Philharmonie de Vienne. L'année suivante, il est engagé à l'Opéra et à la Volksoper de Vienne. En 1971, il est directeur général de la musique à Duisbourg puis, de 1975 à 1978, directeur artistique du Niederösterreichisches Tonkünstlerorchester de Vienne. Parallèlement, sa carrière se développe en Angleterre où il est nommé à la tête du Royal Liverpool Philharmonic Orchestra (1977-80) puis du Royal Philharmonic Orchestra de Londres (1980-85).

Wenkel, Ortrun

Contralto allemande, née à Buttstädt le 25 octobre 1942.

Elle étudie à la Franz Liszt Hochschule de Weimar et à la Staatlichen Hochschule für Musik de Francfort avec P. Lohmann ; elle débute comme concertiste et participe à partir de 1964 à de nombreuses exécutions de musique ancienne (English Bach Festival, Festival des Flandres, Festival du Marais, Amsterdam, Berlin, Buenos Aires, Hambourg, Londres, New York). En 1971, elle suit des cours d'opéra avec Elsa Cavelti, et chante *Orphée* de Gluck à Heidelberg. En 1975, elle chante à la Staatsoper de Munich et à Bayreuth (Schwertleite, Erda, 1re Norne). Son répertoire comprend *Le Retour d'Ulysse* de Monteverdi, *Daphné* de Strauss, *Xerxès* de Händel...

Wenzinger, August

Violoncelliste et gambiste suisse, né à Bâle le 14 novembre 1905.

Il suit à l'Université de Bâle des cours de philologie classique, de philosophie et de musicologie. C'est comme violoncelliste qu'il entre, en 1915, au Conservatoire de sa ville natale. Il en sortira en 1927 après s'être familiarisé avec la viole de gambe. De 1927 à 1929, il étudie à la Musikhochschule de Cologne avec Paul Grümmer et Philipp Jarnach, puis à Berlin avec Emanuel Feuermann. On le retrouve, de 1929 à 1934, premier violoncelliste de l'Orchestre Municipal de Brême. Pendant cette période, il se fait connaître comme spécialiste de la viole de gambe grâce au Cercle de musique de chambre Scheck-Wenzinger, premier ensemble voué à la musique baroque sur instruments anciens. Il dirige également à cette époque l'ensemble Kabeler Kammermusik à Hagen (Westphalie). En 1934, la Schola Cantorum Basiliensis (Bâle) l'appelle comme professeur, chef de l'ensemble instrumental et animateur du quatuor de violes de gambe. Il devient, en 1936, violoncelle solo de l'Allgemeine Musikgesellschaft, professeur de violoncelle à l'Académie de Bâle et membre du Quatuor de Bâle. Il visite les U.S.A. (1953-1954) pour des conférences et des concerts de musique ancienne. De 1954 à 1958, il dirige à la Radio de Cologne la Cappella Coloniensis, toujours spécialisé dans la musique ancienne sur instruments d'époque. Depuis, il organise des représentations d'opéras baroques à Hanovre et dirige l'Orchestre de Chambre de Hambourg. Auteur d'une méthode de viole de gambe, il écrit de nombreuses pages pour le violoncelle.

Werba, Erik

Pianiste et compositeur autrichien, né à Baden (Vienne) le 23 mai 1918.

Élève à l'Académie de musique de Vienne, de Oskar Dachs (piano) et de Josef Marx (composition), et à l'Université de Robert Lach, Egon Wellesz et Erich Schenk (y soutenant en 1940 un mémoire sur le rôle du chantre chez Homère, Hésiode et Pindare), il mène de front depuis 1949 une carrière d'enseignant du lied et de l'oratorio à la Musikakademie de Vienne (et à celle de Graz, de 1964 à 1971), de critique musical de 1945 à 1965 (dans *Musikerziehung* en 1950, dans la *Österreischiche Musikzeitung* en 1953), s'attachant particulièrement à Mozart, Wolf, Marx et Mahler, et d'accompagnateur (en particulier d'Irmgard Seefried, Christa Ludwig, Walter Berry, Peter Schreier et Nicolaï Gedda), discipline qu'il a également enseignée à Salzbourg, Gand, Stockholm, Tokyo et Helsinki. Le compositeur a écrit essentiellement pour la voix, notamment un Singspiel, *Trauben für die Kaiserin* (1949).

Werner, Fritz

Chef d'orchestre et chef de chœur allemand, né à Berlin le 15 décembre 1898, mort à Heilbronn le 22 décembre 1977.

Issu d'une famille de musiciens, il étudie à compter de 1920 le piano, l'orgue, le violon et l'histoire de la musique au Conservatoire de Berlin notamment avec Egidi, Heitmann et K. Schubert. Il approfondira la composition, de 1932 à 1935, avec G.A. Schumann. De 1936 à 1940, il est organiste et maître de chapelle à Saint-Nicolas de Potsdam. Puis il occupe les fonctions de directeur musical à la Radio en France occupée. De 1946 à 1964, il est organiste à l'église Saint-Kilian de Heilbronn. En 1947, il fonde la Chorale Heinrich Schütz avec laquelle il enregistrera, à partir de 1956, l'essentiel de l'œuvre choral de J.-S. Bach. Dans ce domaine, il fait alors figure de novateur et ressuscite de nombreuses pages oubliées. Il œuvre aussi beaucoup en faveur d'Heinrich Schütz. Ses conceptions de l'interprétation allaient dans le sens d'une reconstitution du contexte historique tout en conservant la vie de la grande tradition chorale allemande. Il se retire en 1973.

Comme compositeur, on lui doit plusieurs œuvres, dont une *Suite concertante* pour trompette écrite à l'intention de Maurice André.

Werthen, Rudolf

Violoniste belge, né à Malines le 16 juillet 1946.

Il commence ses études musicales au Conservatoire de Gand où il est l'élève de

Robert Hosselet. Puis il vient à Bruxelles où il travaille, au Conservatoire, avec André Gertler. En 1968, il est lauréat de la Chapelle de la reine Élisabeth. Il reçoit les conseils d'Henryk Szeryng et remporte plusieurs 1ers prix dans des concours internationaux (Bruxelles, Amsterdam, Vienne...). Il est lauréat de la Tribune internationale des jeunes interprètes à Bratislava. Rudolf Werthen a réalisé le premier enregistrement mondial du *Concerto nº 7* de Vieutemps et du *Concerto Russe* de Lalo.

Il est actuellement 1er violon solo de l'Orchestre Symphonique du N.D.R. de Hambourg.

Wich, Günter

Chef d'orchestre allemand, né à Bamberg le 23 mai 1928.

Après avoir étudié la flûte avec Gustav Scheck à Fribourg de 1948 à 1952, il s'oriente vers la direction d'orchestre. Il fait ses débuts au Théâtre de Fribourg dont il occupe la place de chef permanent jusqu'en 1959. A partir de 1961, il est directeur général de la musique à Hanovre et à partir de 1965 à l'Opéra allemand du Rhin Düsseldorf-Duisbourg. Par ailleurs, il assure la classe de direction à la Folkswang Hochschule à Essen de 1969 à 1973. Son activité à Düsseldorf est particulièrement marquée par la création d'opéras contemporains tel que *Die Soldaten* de Zimmermann (1965). Il en assure la première française à la tête du Nouvel Orchestre Philharmonique de Radio France en 1979. Son répertoire est très vaste couvrant également la musique ancienne à la tête de l'ensemble Cappella Coloniensis.

Widor, Charles-Marie

Organiste et compositeur français, né à Lyon le 24 février 1845, mort à Paris le 12 mars 1937.

Fils d'organiste, il remplace son père à l'âge de douze ans avant de devenir titulaire de sa tribune à Saint-François (Lyon). D'origine hongroise, son grand-père était facteur d'orgue en Alsace. Grâce à Cavaillé-Coll, Ch.-M. Widor part à Bruxelles étudier auprès de Fétis et de Lemmens, puis à Paris où il succède à Lefébure-Wély à Saint-Sulpice (1869) ; il y restera pendant 64 ans. Au Conservatoire de Paris, il succède à C. Franck (classe d'orgue, 1890-96) et à Th. Dubois (classe de contrepoint et de fugue, 1896-04) ; il enseigne la composition à partir de 1905. Entré à l'Académie des Beaux-Arts en 1910, il en est nommé secrétaire perpétuel en 1914. Son influence fut considérable sur l'art de l'improvisation et de l'interprétation à l'orgue, dans la tradition franckiste ; avec lui l'orgue symphonique atteint l'un de ses sommets. Parmi ses élèves, retenons les noms de Ch. Tournemire, L. Vierne, M. Dupré (son successeur à Saint-Sulpice). Il se voulait héritier de la tradition de Bach à travers Lemmens, élève de Hesse, lui-même disciple de Forkel qui avait travaillé avec J.-S. Bach. L'histoire critique n'a guère retenu la validité de cette tradition.

ÉCRITS : *La Musique grecque et les chants de l'Église latine* (in « Revue des deux Mondes », 1895). *La Technique de l'orchestre moderne* (1904). *Initiation musicale* (1923). Préface au *Bach* d'A. Schweitzer, édition de l'œuvre d'orgue de Bach (5 vol., en collaboration avec A. Schweitzer).

Wiele, Aimée Van de

Voir à **Van de Wiele, Aimée.**

Wiener, Jean

Pianiste et compositeur français, né à Paris le 19 mars 1896, mort à Paris le 7 juin 1982.

A 15 ans, il fait la connaissance de Darius Milhaud qui sera son guide et son ami toute sa vie. En 1913, il entre au Conservatoire de Paris dans la classe de Gédalge. Il découvre le jazz et, dès 1920, tente de le faire connaître. Il fonde les Concerts Wiener (premier concert le 6 décembre 1921). Il compose (en 1921, la *Sonatine syncopée* pour piano) ; son écriture est marquée par le jazz. En 1922, c'est la première audition intégrale du *Pierrot Lunaire* de Schönberg aux Concerts Wiener (direction Milhaud, au piano Wiener). La même année, il commence à jouer en duo avec Clément Doucet. Le duo, dès 1925, présente des œuvres classiques et du jazz (plus de 2 000 concerts avant 1939). En 1928, il joue pour la première fois en France *Rhapsody in blue* de Gershwin. En 1933, Wiener compose pour le cinéma et, en 1943, il signe la cantate *Lamento pour les enfants assassinés.* Après les musiques de scène pour les *Mystères de Paris* (Vidalie), l'*Épouse injustement soupçonnée* (Cocteau), l'opéra-bouffe *La Belle rombière* (Hanoteau, créé à la Huchette en 1952), Wiener ne cesse d'écrire dans des styles très divers. En 1958 : *Mort de Lénine* ; en 1961 : *Concerto pour accordéon et orchestre* ; en 1963 : *Printemps 1871* d'Adamov. Poésie, verve, pudeur, humour... Il a 74 ans lorsque Mstislav Rostropovitch donne la première audition de son *Concert pour violoncelle et piano.* Parmi les musiques de films citons *Le Crime de M. Lange* de J. Renoir, *Touchez pas au Grisbi* de Becker, *Notre-Dame de Paris* de Franju.

L'extraordinaire toucher de Wiener, son sens inné de l'improvisation (qui remonte à sa petite enfance), son imagination intarissable étonnent les plus grands pianistes d'aujourd'hui. Son nom reste lié au *Bœuf sur le toit,* ce cabaret ouvert avec Cocteau en 1923 : Wiener y jouait avec le saxophoniste noir B. Lowry.

ÉCRITS : *Allegro appassionato* (1978).

Wiliams, John

Guitariste australien, né à Melbourne le 24 avril 1942

A sept ans, son père, professeur de guitare, commence à lui apprendre l'instrument. En 1952, sa famille vient à Londres. Il rencontre Andrès Segovia qui lui donne des leçons. En 1954, il remporte un prix à l'Académie Chigiana de Sienne. De 1956 à 1959, il étudie le piano, l'harmonie et l'histoire de la musique au Collège Royal de Musique à Londres. Il donne son premier récital en 1958 à Wigmore Hall. Sa carrière internationale prend alors très vite son essor. De 1960 à 1973, il est professeur au Collège Royal de Musique. Il joue en duo avec Julian Bream et Rafaël Puyana. Il constitue le Trio Paganini (violon, violoncelle et guitare). Dogson, Duarte, Previn et Torroba ont écrit des partitions pour lui. Il a fondé l'ensemble The Height Below avec lequel il joue aussi bien du jazz et de la musique pop que le répertoire classique.

Wilkomirska, Wanda

Violoniste polonaise, née à Varsovie le 11 janvier 1929.

Née dans un milieu musical, elle prend ses premières leçons de violon avec son père à cinq ans et fait ses débuts deux ans plus tard. Elle se forme avec Eugenia Umińska, Irena Dubiska et Tadeusz Wroński. Après avoir remporté un diplôme d'honneur à l'École supérieure de musique de Lódź, elle se perfectionne à Budapest avec Ede Zathureczky et à Paris avec Henryk Szeryng. Elle est lauréate aux concours de Genève (1947), Budapest (1949), Leipzig (1950) et au Concours Wieniawski de Poznan (1952). A partir de 1945, elle fait revivre le Trio Wilkomirski qui existait dans sa famille depuis 1915, avec d'abord Marie W. (piano), Micha (violon) et Kazimierz (violoncelle), puis, à partir de 1945, avec Maria (piano), Wanda (violon) et Kazimierz (violoncelle).

Une active carrière de soliste lui permet de créer *Expressioni Varianti* de Baird (1958) et *Capriccio* de Penderecki et de jouer de nombreuses pages de Szymanowski. Elle joue sur un Gagliano de 1747.

Willcocks, Sir David

Chef d'orchestre, chef de chœur et organiste anglais, né à Newquay le 30 décembre 1919.

D'abord choriste à Westminster Abbey (1929-33), il fréquente ensuite le Clifton College puis le Royal College of Music et enfin le King's College à Cambridge comme étudiant organiste. Après son service militaire, il retourne au King's

College (1945-47) puis devient organiste de la cathédrale de Salisbury (1947-50) et de la cathédrale de Worcester (1950-57). A trois reprises, il conduit le Three Festival Choirs (1951-54-57). Il dirige pour la première fois en Angleterre le *Requiem* de Duruflé (1952) et crée le *Requiem* de Julius Harrison. Parallèlement il est chef du Chœur de la ville de Birmingham (1950-57) et de la Bradford Festival Choral Society (1956-74). En 1957, il retourne à Cambridge où il succède comme organiste à Boris Ord ; il prend aussi la direction du Chœur du King's College (1957-73). Il se produit avec cet ensemble aux États-Unis, au Canada, en Afrique. En 1960, il prend la direction des Chœurs Bach de Londres et donne les premières exécutions d'œuvres de Fricker Matthias, Hamilton et Kelly. Il dirige aussi le *War Requiem* de Britten à Milan (Scala, 1963) et au Japon (1965). De 1966 à 1968, il a été président du Royal College of Organists et, depuis 1974, il est directeur du Royal College of Music.

Windgassen, Wolfgang

Ténor allemand, né à Annemasse le 26 juin 1914, mort à Stuttgart le 8 septembre 1974.

Il étudie avec son père, le ténor Fritz Windgassen, puis avec Maria Ranzow et Alfons Fischer. Après ses débuts à Pforzheim en 1941 (Alvaro de *La Force du Destin*), il devient en 1945 membre de l'Opéra de Stuttgart où il chante régulièrement les rôles de ténors héroïques et dont il sera nommé directeur en 1972. Il débute à Bayreuth en 1951, devient l'un des piliers du Neues Bayreuth, et y chante jusqu'en 1970 tous les rôles de ténor wagnérien, à l'exception de Rienzi qu'il interprète toutefois à Stuttgart. Pratiquement le seul Helden-ténor de son époque, il chante Siegfried, Tristan et Tannhäuser partout dans le monde : au Met (1954), au Covent Garden (1955), à Vienne, Milan, Paris (Tristan en 1966-68). A son répertoire wagnérien, il ajoute notamment Otello, Don José, l'Empereur de *La Femme sans ombre*, Eisenstein de *La Chauve-Souris*, Florestan. Au cours des dernières années de son existence, il s'essaye à la mise en scène notamment lorsqu'il était intendant de l'Opéra de Stuttgart (1972-74).

Winschermann, Helmut

Hautboïste et chef d'orchestre allemand, né à Mülheim le 22 mars 1920.

Il travaille à Essen puis à Paris. Il est nommé hautboïste à l'Orchestre d'Oberhausen en 1939 puis hautbois solo de l'Orchestre de la Radio de Francfort (1945-51). En 1948, il commence à enseigner à l'Académie de musique de Detmold comme assistant (1951) puis comme professeur (1956). Il fonde le Collegium Pro Arte avec Kurt Redel et Konrad Lechner, ensemble qui prend en 1954 le nom de Collegium Instrumental de Detmold. Il joue au sein de la Capella Coloniensis, de l'Orchestre de Chambre de la Sarre et de l'Orchestre de Chambre de Stuttgart. En 1960, il fonde les Deutsche Bachsolisten, orchestre de chambre, avec lequel il se produit en Allemagne et à l'étranger.

Wislocki, Stanislaw

Chef d'orchestre polonais, né à Rzeszów le 7 juillet 1921.

Il fait ses études musicales au Conservatoire de Lvóv avec Seweryn Barbag, puis en Roumanie (1939-45) avec Georges Simonis et F. Mihail, avant de se perfectionner avec Georges Enesco (1942-45). A cette époque, il est déjà connu à Bucarest comme pianiste et comme chef d'orchestre, y ayant débuté en 1940. De retour en Pologne en 1945, il organise l'Orchestre de Chambre de Varsovie. En 1947, il fonde l'Orchestre Philharmonique de Poznań dont il reste directeur artistique jusqu'en 1958. A la même époque, il enseigne à Poznań (1948), puis au Conservatoire de Varsovie (1955-58). Sa carrière se développe sur le plan international et il est nommé second chef de la Philharmonie Nationale de Varsovie (1960-68) puis directeur artistique de l'Orchestre Symphonique de la Radio Polonaise à Katowice (1978-81).

Wit, Antoni

Chef d'orchestre polonais, né à Cracovie le 7 février 1944.

A l'École supérieure de musique de sa ville natale, il travaille la direction d'orchestre avec H. Czyż et la composition avec Penderecki, jusqu'en 1967. Puis il vient à Paris où il est l'élève de Nadia Boulanger et de Pierre Dervaux. Parallèlement, il poursuit des études juridiques à l'Université Jagiellonien jusqu'en 1969. En 1964, il débute à Cracovie. De 1967 à 1969, il est assistant à la Philharmonie Nationale de Varsovie. Puis il est nommé chef permanent de la Philharmonie de Poznań (1970-72). A la même époque, il dirige régulièrement au Grand Théâtre de Varsovie. En 1971, il remporte le 2e prix au Concours Karajan à Berlin. En 1973, il séjourne aux États-Unis, à Tanglewood, où il se perfectionne avec Skrowaczewski et Ozawa. De 1974 à 1977, il est directeur artistique de la Philharmonie de Poméranie à Bydgoszcz. Il prend ensuite la direction artistique de l'Orchestre Symphonique de la Radio-Télévision de Cracovie (1977). Il compte à son actif de nombreuses créations de jeunes compositeurs polonais.

Wittgenstein, Paul

Pianiste autrichien naturalisé américain (1946), né à Vienne le 5 novembre 1887, mort à Manhasset (U.S.A.) le 3 mars 1961.

Après avoir été l'élève de Th. Leschetizky et Joseph Labor, il fait ses débuts à Vienne en 1913. Il est le petit-neveu de Joseph Joachim. Au début de la guerre, il est envoyé sur le front russe où il perd le bras droit ; mais il refuse d'abandonner le piano : il développe sa technique de la main gauche, utilisant le maigre répertoire existant et suscitant de nouvelles œuvres. Dès l'hiver 1916-17, il joue avec orchestre à Vienne. Ravel compose à son intention le *Concerto pour la main gauche,* Richard Strauss lui dédie *Parergon sur la Symphonie domestique op. 73* et *Panathenëuzug op. 74,* Franz Schmidt ses *Variations concertantes pour piano et orchestre sur un thème de Beethoven,* Britten ses *Diversions on a theme.* Prokofiev écrit aussi son *Concerto nº 4* à l'intention de Wittgenstein mais celui-ci refuse de le jouer tout en conservant le manuscrit. Par la suite, Prokofiev réécrira son concerto dont il existe donc deux versions. Hindemith et Korngold composeront aussi pour lui. Après une première tournée aux U.S.A. en 1934-35, il se fixe à New York en 1938 et fonde l'École pour la main gauche.

Il publie trois volumes destinés à son enseignement, regroupant des exercices, études et transcriptions.

Wittrich, Marcel

Ténor allemand, né à Anvers le 1er octobre 1901, mort à Stuttgart le 2 juin 1955.

Après des études à Munich et Leipzig, il débute à Halle en 1925 (Konrad dans *Hans Heiling*). Il fait ensuite partie des opéras de Brünswick (1927-29), Berlin (1929-44) et Stuttgart (1950-55). Il paraît régulièrement sur les scènes de Londres, Vienne, Milan, Buenos Aires, Rio, et chante Lohengrin à Bayreuth en 1937. Il tourne de nombreux films autour des opérettes viennoises qui sont à son répertoire, mais est aussi connu comme un grand Tamino, Parsifal et Siegmund.

Wixell, Ingvar

Baryton suédois, né à Luleå le 7 mai 1931

A l'Académie de musique de Stockohlm, il est l'élève de Dagmar Gustafsson et débute en 1952 à Gävle. D'abord attiré par le concert, il ne vient à la scène qu'en 1955, dans Papageno, au Rikstheater de Stockholm. Dès l'année suivante, il appartient à la troupe de l'Opéra royal de Stockholm. Il débute à l'Opéra de Berlin en 1967, année où il chante Belcore (*l'Elixir d'amour*) à Chicago. Dès lors, il est invité à la Scala de Milan, à Covent Garden, au Festival de Salzbourg (1966-69) où il incarne un étonnant Pizarro. Il débute à Bayreuth en 1971, chante Scarpia et Rigoletto à Hambourg, Rigoletto au Met (1973). Il enregistre *Don Giovanni* et Les *Noces de Figaro* (Almaviva) avec Colin Davis.

Wohlfahrt, Erwin

Ténor allemand, né à Nuremberg le 13 janvier 1931, mort à Hambourg le 28 novembre 1968.

Il fait ses études au Conservatoire de sa ville natale avec W. Domgraf-Fassbaender, et débute à Aix-la-Chapelle en 1956 (Adam dans le *Vogelhändler* de Zeller). Il chante à Berlin-Est, Moscou, Paris et, en 1960-61, paraît au Festival de Salzbourg (*La Finta semplice, L'Enlèvement au sérail*). Il entre alors dans la troupe de l'Opéra de Hambourg et chante à Vienne, Milan, Londres... De 1963 à 1967, il chante David, Mime, le Berger et des petits rôles à Bayreuth. Son plus grand rôle reste Mime, qu'il chante aussi au Festival de Pâques à Salzbourg en 1968.

Wolff, Albert

Chef d'orchestre français, né à Paris le 19 janvier 1884, mort à Paris le 21 février 1970.

Après des études au Conservatoire de Paris où il remporte un 1er prix d'harmonie et un 1er prix d'accompagnement, il débute comme pianiste aux Concerts-Rouge. Puis il est nommé organiste à Saint-Thomas-d'Aquin (1907-11) avant d'être engagé comme chef de chant à l'Opéra-Comique en 1908. Trois ans plus tard, il y est nommé chef d'orchestre et effectue la grande tournée en Argentine. La guerre interrompt ses activités et, en 1919, il part pour New York où il dirige les ouvrages français au Met pendant deux saisons. A son retour à Paris, il remplace Messager comme directeur de la musique à l'Opéra-Comique (1922-24). Puis sa carrière s'oriente vers le concert : second chef aux Concerts Pasdeloup (1925-28), président-chef d'orchestre des Concerts Lamoureux (1928-34), président-chef d'orchestre des Concerts Pasdeloup (1934-70). La guerre le surprend en Argentine où il reste jusqu'en 1945, dirigeant régulièrement au Théâtre Colón de Buenos Aires. A son retour, il est directeur de l'Opéra-Comique, mais n'y reste qu'une saison (1945-46). En 1949, il effectue ses débuts à l'Opéra de Paris où il sera régulièrement invité.

Albert Wolff a joué un rôle essentiel en faveur de la musique française de son temps : à New York, il avait assuré la création américaine de 22 ouvrages français. A Paris, il a dirigé en première audition le *Psaume LXXX* (1929) et la *Symphonie nº 4* (dont il est dédicataire, 1935) de Roussel, *La Brebis égarée* de Milhaud (1923), *Les Mamelles de Tiresias* de Poulenc (1947), *Madame Bovary* de Bondeville (1951), la *Symphonie nº 1* de Landowski (1949), et des œuvres de Schmitt, Rivier, Tomasi, Aubert, Coppola, Rabaud...

Comme compositeur Wolff a laissé une production non négligeable : un ouvrage lyrique, *L'Oiseau bleu*, un *Requiem*, un *Concerto pour flûte* et de nombreuses œuvres symphoniques.

Wolff, Fritz

Ténor allemand, né à Munich le 28 octobre 1894, mort à Munich le 18 janvier 1957.

Il étudie avec H. König à Würzburg et débute au Festival de Bayreuth en 1925 dans le rôle de Loge dont il restera l'unique titulaire jusqu'en 1941. Il chante ensuite à Hagen (1925) et entre dans la troupe de l'Opéra de Berlin (1929-38). Ses grands rôles sont alors Parsifal, Stolzing, Melot (tous chantés à Bayreuth) et Lohengrin.

Prisonnier en U.R.S.S. en 1945, il revient presque aveugle et se consacre à l'enseignement de 1946 à sa mort.

Wood, Sir Henry

Chef d'orchestre anglais, né à Londres le 3 mars 1869, mort à Hitchin le 19 août 1944.

Sa mère est son premier professeur. A l'âge de 10 ans, il joue de l'orgue à l'église Sainte-Mary. Trois ans plus tard, il est organiste adjoint à Holborne et, en 1887, il est titulaire de l'orgue de l'église Saint-John à Fulham. Il étudie à la Royal Academy of Music de Londres dès 1886 avec Prout et Garcia. En 1888, il effectue une tournée avec l'Arthur Ronsbey Opera Compagny. Il est ensuite nommé assistant au Savoy Theatre puis dirige les opéras au Cristal Palace. Il rencontre Mottl en 1894 à l'occasion des représentations wagnériennes au Queen's Hall qu'il supervise. L'année suivante, il est engagé pour diriger les nouveaux Promenade-Concerts. L'essentiel de sa carrière (jusqu'en 1944) se déroulera autour de ces concerts estivaux auxquels il donnera la renommée qu'ils possèdent à présent.

En 1899, il fonde le Nottingham City Orchestra. L'année suivante, il est à la tête de la Wolverhampton Festival Choral Society. En 1901 et 1902, il dirige l'Orchestre du Queen's Hall. Puis, de 1902 à 1911, il est à la tête du Festival de Sheffield. En 1908, il forme un orchestre à Birmingham. Il joue ainsi un rôle considérable dans la vie musicale anglaise au début du siècle, fondant puis formant les principales institutions de son pays. A partir de 1923, il enseigne à la Royal Academy of Music. Il initie le public britannique à la nouvelle musique européenne, imposant Debussy, Ravel, Schönberg. Il est aussi l'apôtre de la musique britannique. Il a dirigé pour la première fois en Angleterre les symphonies n° 1, 4, 7 et 8 de Mahler ainsi que *Le Chant de la terre.* Il a créé la version originale des *5 Pièces op. 16* de Schönberg (1912) et, parmi de nombreuses œuvres de compositeurs britanniques, la *Symphonie n° 3* de Bax (1930), le *Concerto pour piano* de Britten (1938) et la *Sérénade à la musique* de Vaughan-Williams (1938) qui lui est dédiée. Il avait épousé la soprano russe Olga Urusova.

ÉCRITS : *The gentle art of singing* (1927-28). *Handbook of miniature orchestral and chamber music scores* (1937). *My life of music* (1938). *About conducting* (1945).

Woodward, Roger

Pianiste australien, né à Sydney le 20 décembre 1944.

Il effectue ses études au Conservatoire de Sydney ainsi qu'à l'Académie de Varsovie. C'est un pianiste qui se consacre essentiellement à la musique contemporaine. Il remporte, en 1970, le Concours international Gaudeamus pour la musique contemporaine (Hollande). Il travaille avec de nombreux compositeurs parmi lesquels on peut citer Boulez, Barraqué, Cage, Xenakis, Penderecki, Bussotti et Stockhausen. Il a réalisé l'enregistrement intégral des *Préludes et fugues* de Chostakovitch. Xenakis lui a dédié *Mists* (1981).

Wöss, Kurt

Chef d'orchestre autrichien, né à Linz le 2 mai 1914.

A Vienne, il travaille avec Weingartner et étudie la musicologie à l'Université avec Haas, Wellesz, Orel et Lach jusqu'en 1938. Il est alors nommé professeur à l'Académie de Vienne (1938-48). Sa carrière de chef d'orchestre débute assez tard : il dirige le Tonkünstler Orchester de Vienne (1948-51), l'Orchestre Symphonique de la N.H.K. à Tokyo (1951-54), l'Orchestre Symphonique de Melbourne et l'Opéra National Australien (1956-60). Revenu dans son pays natal en 1961, il dirige à l'Opéra de Linz puis est nommé directeur musical de l'Orchestre Bruckner de cette même ville (1966-74). Il repart alors au Japon comme directeur musical du Fumiwara Opera et de l'Orchestre Philharmonique de Tokyo (1974).

ÉCRITS : *Ratschläge zur Aufführung der Symphonien Anton Bruckner* (1974).

Wührer, Friedrich

Pianiste autrichien, né à Vienne le 29 juin 1900, mort à Mannheim le 27 décembre 1975.

Pendant cinq ans (1915-20), il étudie le piano avec Franz Schmidt, la théorie avec Joseph Marx et la direction d'orchestre avec Ferdinand Löwe à l'Académie de musique de Vienne. Parallèlement, il étudie le droit et la musicologie à l'université de la ville jusqu'en 1923. A cette date commence sa carrière de concertiste. Il devient presque aussitôt un professeur très recherché, à l'Académie de Vienne, puis en 1934 à la Musikhochschule de Mannheim, en 1936 à Kiel, au Mozarteum de Salzbourg, et enfin en 1955 à Munich, après être retourné enseigner à Vienne et à Mannheim. Il forme notamment des pédagogues recherchés, tel Erich Werba.

Membre de nombreuses associations, telles la Société Max Reger, l'Association Hans Pfitzner, la Société Franz Schmidt, directeur artistique du Wiener Akademischer Richard-Wagner-Verein, il est aussi conférencier attitré de multiples instituts musicaux, comme le Mannheimer Mozart-Verein. Passionné par la musique viennoise (il a enregistré la première intégrale des sonates de Schubert), et le post-romantisme, il a joué de nombreuses œuvres de Schönberg, Webern, Berg, Hindemith, Bartók et Stravinski. Il a également arrangé les œuvres que Franz Schmidt avait écrites pour le pianiste manchot Paul Wittgenstein. Il laisse des cadences pour certains concertos de Mozart, quelques quatuors à cordes et des lieder. Friedrich Wührer est le dédicataire des *Six Études* op. 51 de Pfitzner.

ÉCRITS : *Meisterwerke des Klaviermusik* (1965).

Wüllner, Franz

Chef d'orchestre allemand, né à Münster le 28 janvier 1832, mort à Braunfels le 7 septembre 1902.

Il travaille le piano et la composition avec Carl Arnold et A. Schering, puis avec Kessler, Dehn, Rungenhaven et Grell. Il reçoit aussi les conseils de Brahms et de Joachim. Il fait ses débuts en 1852. De 1856 à 1858, il est professeur au Conservatoire de Munich. Puis il est nommé directeur musical à Aix-la-Chapelle (1858-64) et chef d'orchestre à la cour de Munich (1864). Dans cette ville, il réorganise la Hochschule (1867) avant de prendre la succession de Bülow à la tête de l'Opéra (1869) : il y dirige la création de l'*Or du Rhin* (1869) et de *La Walkyrie* (1870). En 1877, il se fixe à Dresde où il est nommé chef permanent et directeur du Conservatoire. En 1882, il devient en outre directeur musical de l'Opéra. En 1883-84, il dirige plusieurs concerts à la tête du jeune Orchestre Philharmonique de Berlin et, en 1884, il prend la direction du Conservatoire de Cologne et de l'Orchestre du Gürzenich. Il y crée *Till Eulenspiegel* (1895) et *Don Quichotte* (1898) de R. Strauss. Son fils, le baryton Ludwig Wüllner (1858-1938), a fait une carrière en Allemagne.

Wunderlich, Fritz

Ténor allemand, né à Kusel le 26 septembre 1930, mort à Heidelberg le 17 septembre 1966.

Fils d'un chef d'orchestre et d'une violoniste, il se destine d'abord au cor et dirige un orchestre de danse (comme Patzak) pour payer ses études à la Musikhochschule de Fribourg-en-Brisgau avec Margarete von Wintenfeldt (1950-55). Sa brève carrière est marquée par ses incarnations de Tamino, qu'il chante pour ses débuts, à l'Opéra de Stuttgart (1955), et pour sa dernière apparition, au Festival d'Edimbourg (1966) avec la même troupe. Il est invité par l'Opéra de Francfort (1958), par le Festival de Salzbourg où il chante Henri de *La Femme silencieuse* (1959) et Tamino (1960), et fait partie de la troupe de l'Opéra de Munich à partir de 1960. Il y aborde le répertoire italien avec un brio qui lui vaut de recevoir dès 1962 le titre de Kammersänger. A partir de ce jour, il se produit régulièrement à l'Opéra de Vienne, au Covent Garden et à la Städtlische Oper de Berlin. Il chante au Festival d'Aix-en-Provence, à Florence, à Ansbach (l'Évangéliste de *La Passion selon saint Matthieu*), crée le rôle de Tiresias dans *Œdipe le tyran* de Orff (Stuttgart, 1960), le rôle de Christophe dans *Les Noces de Saint-Domingue* de Egk (Munich, 1965) et reprend celui de *Palestrina* de Pfitzner, rôle illustré par ses grands aînés, Erb et Patzak.

Malgré la brièveté de sa carrière, Wunderlich s'était imposé comme le meilleur ténor lyrique léger allemand de sa génération, par l'ampleur de la voix et l'intensité de l'expression, restituant aux héros mozartiens une vitalité et un enthousiasme trop souvent édulcorés.

Y

Yakar, Rachel

Soprano française, née à Lyon le 3 mars 1938.

Elle étudie au Conservatoire de Paris et est quatre ans durant élève de Germaine Lubin. Elle débute en 1963 à Strasbourg et entre dans la troupe de l'Opéra du Rhin à Düsseldorf en 1964 où elle se spécialise d'abord dans le répertoire baroque (Cavalli, Cavalieri, Lully, Purcell, Monteverdi, Händel, Bach). Mais elle chante aussi Freia et Gerhilde à Bayreuth en 1976, Mélisande à Düsseldorf et à Strasbourg en 1978, la Maréchale à Glyndebourne ou Jenůfa à l'Opéra de Paris en 1981. A son répertoire, on trouve également Mozart qu'elle chante à Munich (Elvire en 1974), à Glyndebourne (Elvire en 1977), à Salzbourg (Première Dame de *La Flûte enchantée* en 1978) ainsi qu'à Zürich où, après avoir participé au célèbre cycle Monteverdi de J.-P. Ponnelle et N. Harnoncourt (Poppée), elle chante Constance dans leur cycle Mozart (Ilia, Celia dans *Lucio Silla* et Constance). A Aix-en-Provence, en 1983, elle chante *Hippolyte et Aricie.*

Yankoff, Ventsislav

Pianiste bulgare, né à Sofia le 24 mars 1926.

Il travaille au Conservatoire de sa ville natale jusqu'à l'âge de 11 ans. C'est à Berlin qu'il poursuit ses études avec Martinsen. Il y obtient son diplôme final en 1942. Il se perfectionne ensuite avec Wilhelm Kempff, Marguerite Long et Edwin Fischer. En 1946, il se fixe à Paris. En 1949, il remporte le 1er prix Marguerite Long-Jacques Thibaud. Sa carrière se développe surtout à l'intérieur du grand répertoire traditionnel, ceci tant au disque qu'au concert.

Yepes, Narciso

Guitariste espagnol, né à Lorca (Murcie) le 14 novembre 1927.

Il a quatre ans quand son père lui achète, dans une foire, une guitare. En 1933, il prend ses premières leçons et reçoit sa première « vraie » guitare. Il entre en 1940 au Conservatoire de Valence. En 1943, il étudie avec le pianiste Vicente Asencio. Le chef Ataulfo Argenta le remarque et l'invite, en 1946, à venir à Madrid. L'année suivante, sous sa direction, c'est le premier concert public du jeune guitariste. Il vient à Paris où il travaille avec Georges Enesco et Walter Gieseking (1950). Il compose, en 1952, la musique du film *Jeux interdits* de René Clément. En 1955, il réalise le premier enregistrement du *Concerto de Aranjuez* de Rodrigo.

Il met au point, en 1964, une guitare à 10 cordes qu'il adopte désormais pour tous ses concerts. Il réalise en 1973 le premier enregistrement de l'intégrale de l'œuvre pour luth de J.-S. Bach en deux versions (luth et guitare). Narciso Yepes se livre à la composition et contribue à tirer de l'oubli de nombreuses partitions. Plusieurs pages ont été composées à son intention comme le *Concerto* de Ohana, *Hommage à la Seguédille* de Moreno-Torroba, le *Concertino* de Bacarisse, le *Concerto* de Leonardo Balada, la *Symphonie concertante* d'Ernesto Halffter et le *Concerto* de Jean Françaix.

Yordanoff, Luben

Violoniste bulgare naturalisé monégasque, né à Sofia le 6 décembre 1926.

C'est dans son pays natal qu'il commence ses études musicales. Il arrive en France en 1946 et obtient au Conservatoire de Paris des 1ers prix de violon (classe de René Benedetti) et de musique de chambre (classe de Pierre Pasquier). A deux reprises, il est lauréat du Concours international Reine Élisabeth de Belgique (1951 et 1955). Il entreprend alors une carrière de soliste qui le conduit dans le monde entier. De 1958 à 1967, il occupe le poste de 1er violon solo de l'Orchestre National de l'Opéra de Monte-Carlo. Depuis la création de l'Orchestre de Paris (1967) il y remplit les mêmes fonctions. Luben Yordanoff a fait partie, dès l'origine, du Domaine Musical.

A son actif deux créations : le *Concerto pour violon* d'André Jolivet et le *Concerto royal* de Darius Milhaud. Depuis 1978, il est professeur intérimaire de musique de chambre au Conservatoire de Paris.

Yourlov, Alexandre

Chef de chœur soviétique, né à Leningrad le 11 juillet 1927, mort à Moscou le 2 février 1973.

Il fait ses études musicales à Leningrad puis au Conservatoire de Moscou avant de travailler avec Alexandre Svechnikov dont il devient l'assistant (1949-54) au Chœur Académique de l'U.R.S.S. Professeur au Conservatoire de Bakou (1954-56) puis à celui de Leningrad (1956-57), il enseigne ensuite à l'Institut Gnessine de Moscou. En 1958, il prend la direction du Chœur Académique Russe de l'U.R.S.S. dont il fait la principale formation chorale de son pays. Sviridov a écrit à sa mémoire un *Concerto pour soprano*.

Yo-Yo Ma

Voir à **Ma, Yo-Yo.**

Ysaÿe, Eugène

Violoniste, chef d'orchestre et compositeur belge, né à Liège le 16 juillet 1858, mort à Bruxelles le 12 mai 1931.

Fils d'un violoniste au Théâtre Royal de Liège, il prend ses premières leçons au Conservatoire de sa ville natale avec Massard. Puis il est l'élève de Wieniawski (1873) avant de venir travailler à Paris avec Vieuxtemps (1876-79). Engagé comme violon solo dans l'orchestre de la brasserie Bilse à Berlin, il passe trois ans dans cette ville où il rencontre l'élite musicale du moment (1879-82). Antoine Rubinstein l'emmène en tournée en Scandinavie et en Russie : cette rencontre joue un grand rôle dans la formation musicale d'Ysaÿe. A son retour en 1883, il se fixe à Paris où il se lie d'amitié avec tous les grands compositeurs français du moment (Franck, d'Indy, Chausson, Fauré...). A Bruxelles, il est nommé professeur au Conservatoire (1886-98) et fonde le Quatuor Ysaÿe avec Crickboom, Van Hout et Joseph Jacob (1886). Il joue en sonate avec Raoul Pugno et impose toute une nouvelle littérature pour le violon qu'écrivent pour lui les plus grands compositeurs français.

En 1894, il effectue une première tournée aux États-Unis et refuse la direction de l'Orchestre Philharmonique de New York qu'on lui propose. A son retour, il fonde l'Orchestre des Concerts Ysaÿe à Bruxelles (1895) qui va devenir la plaque tournante de la vie musicale belge. Ses tournées se multiplient et la direction d'orchestre occupe une place sans cesse croissante dans ses activités. En 1918, il prend la direction de l'Orchestre Symphonique de Cincinnati et enseigne au Conservatoire de cette ville. A son retour en

Europe, en 1922, il est nommé maître de la chapelle royale et conseiller musical de la reine Élisabeth de Belgique. Une douleur dans la main droite et l'amputation d'une jambe en 1924 mettent fin à sa carrière de concertiste. Seul Casals obtiendra qu'il reparaisse en public en 1927 pour le centenaire de la mort de Beethoven. Il se consacre désormais à la composition et à l'enseignement. Héritier d'une grande tradition instrumentale, il a su l'adapter aux impératifs de son époque et faire évoluer la technique du violon en rompant avec les excès du romantisme. Ses élèves se sont dispersés dans le monde entier, virtuoses ou pédagogues, et ont transmis aux générations actuelles cet apport inestimable : Louis Persinger, le premier professeur de Menuhin, Mathieu Crickboom, Gabriel Bouillon, Joseph Gingold. Sans avoir été véritablement ses élèves, Thibaud, Milstein, Kreisler et Primrose ont été profondément marqués par son influence.

Ysaÿe s'est vu dédier quantité de partitions importantes qu'il a créées et imposées : la *Sonate* de Franck (1886), celle de Lekeu (1892), le *Concert* (1892) et le *Poème* (1896) de Chausson, *Istar* de Vincent d'Indy (1897), le *Quatuor* de Debussy (1893), le *Quintette n° 1* pour piano et cordes de Fauré (1906), des œuvres de Busoni, Magnard, Lazzari, Kreisler...

Il a écrit *6 Sonates pour violon seul* (1923), plusieurs poèmes pour violon et orchestre et un opéra wallon, *Pier li Houyeû* (*Pierre le mineur*, 1929).

Ysaÿe possédait un Guarnerius del Gesù qui appartient maintenant à Isaac Stern et un Stradivarius de 1732, l'*Hercule*, qui lui fut volé à Saint-Pétersbourg en 1908 et qu'on n'a jamais retrouvé.

Z

Zabaleta, Nicanor

Harpiste espagnol, né à San Sebastian le 7 janvier 1907.

Son père, le peintre Pedro Zabaleta, lui fait cadeau, quand il atteint ses sept ans, d'une petite harpe. Il fréquente successivement le Conservatoire de sa ville natale, puis celui de Madrid et celui de Paris où il arrive en 1923. Protégé par Marcel Tournier, il y étudie également la composition et la direction d'orchestre. Après avoir passé plusieurs années comme harpiste à Bilbao, il entreprend, en 1933, des tournées aux U.S.A. et en Amérique latine qui font reconnaître par le grand public son talent et son insolite instrument. Soliste de renommée mondiale, il dirige entre 1959 et 1962 un cours de maîtrise à l'Académie Chigiana de Sienne. L'influence de ce grand virtuose est considérable sur le répertoire de l'instrument : il redécouvre des œuvres originales des XVIe et XVIIe siècles espagnols, compose des arrangements, suscite de nombreuses œuvres nouvelles. Parmi ces dernières, on peut retenir les sonates de Glanville-Hicks (1951), Tailleferre (1953), Hovhaness (1955) et Krenek (1956), la *Partita* de Bacarisse (1954) et les concertos de Damase (1951), Milhaud (1954), Villa-Lobos (1954), Rodrigo (1955) et Ginastera (1965).

Zacharias, Christian

Pianiste allemand, né à Jamshedpur (Inde) le 27 avril 1950.

Il commence le piano à l'âge de 7 ans. De 1960 à 1969, Irène Slavin, pianiste russe exilée, lui dispense son enseignement à la Hochschule de Karlsruhe. En 1969, il obtient un 2e prix au Concours international de Genève. L'année suivante, il est à Paris et travaille pendant trois ans avec Vlado Perlemuter en privé. Lauréat du Concours Van Cliburn en 1973, il remporte également un prix spécial de musique de chambre. Deux ans plus tard il remporte le Concours Maurice Ravel à Paris.

Zacher, Gerd

Organiste allemand, né à Meppen le 6 juillet 1929.

Il fait ses études à Detmold avec Günther Bialas, Hans Heintze, Michael Schneider et K. Thomas. Élève de Theodor Kaufmann pour le piano et la composition à Hambourg, il suit les cours d'Olivier Messiaen à Darmstadt.

Maître de chapelle et organiste de l'église évangéliste allemande de Santiago du Chili, il fait ses débuts dans cette ville comme pianiste et chef d'orchestre. Il retourne en Allemagne et demeure maître de chapelle et organiste de l'église luthérienne de Hambourg Wellingsbüttel (1957-70). Il dirige ensuite l'Institut évangéliste de musique d'église à la Hochschule d'Essen et tient l'orgue de l'Immanuel Kirche à Wuppertal. Interprète incomparable des œuvres contemporaines il suscite de nombreuses partitions pour son instrument. Il crée des œuvres diverses, depuis les journées Pro Musica nova de Brême

(1962) où furent révélées *Volumina* de Ligeti, *Improvisation ajoutée* de Kagel, *Interferenzen* de Hambraüs. Les compositeurs cherchent des sonorités nouvelles, libérées de la structure thématique et contrapuntique d'abord, de la structure sérielle ensuite. Là se confirme le rôle de l'interprète dans le mouvement de la création. Parmi les créations et premières auditions données par Gerd Zacher : *Intersection 3* de Feldmann (1953), *Vagas animula* de Englert (1969), *Variations III* de Cage (1963), des œuvres de Allende-Blin, Schnebel, Yun, Schönbach...

Le répertoire de Gerd Zacher comprend aussi des musiques rares du XIVe siècle, Cabezon, Frescobaldi, et aussi Bach, Liszt, Brahms, Ives, Schönberg et Messiaen.

Il compose pour l'orgue dans la Tradition sérielle. Il est l'un des premiers à rallier à la musique contemporaine un public nombreux, non spécialisé, en jouant ces pièces souvent, dans sa paroisse, les plaçant dans des contextes différents, les rapprochant du passé.

Zagrosek, Lothar

Chef d'orchestre autrichien, né à Salzbourg.

Né dans une famille de musicien, il entre dans le Chœur des Petits Chanteurs de Ratisbonne. En 1955 et 1956, Georg Solti l'engage dans *la Flûte enchantée* à Salzbourg. Il travaille la direction d'orchestre à Vienne avec Swarowsky puis à Munich et à Salzbourg. En 1972, il est nommé directeur général de la musique à Solingen. Depuis six ans déjà, il a été assistant à l'Opéra de Salzbourg, à ceux de Kiel et de Darmstadt et a remporté des prix aux Concours internationaux de Rome, Milan et Copenhague. En 1977, il est nommé directeur général de la musique à Krefeld/Mönchen-Gladbach où, pendant cinq ans, il dirige notamment un cycle Mozart et un cycle Wagner. En 1982, il est nommé chef permanent de l'Orchestre Symphonique de la Radio Autrichienne (O.R.F.) à Vienne. Il a créé *Salammbô* (1983) de Hauer, la *Markus Passion* (1983) de Schollum et le *Requiem* (1985) d'Urbanner.

Zanelli, Renato

Baryton puis ténor italien, né à Valparaiso (Chili) le 1er avril 1892, mort à Santiago du Chili le 25 mars 1935.

Son plus jeune frère a fait, sous le nom de Carlo Morelli, une belle carrière de baryton. Il est élève dans des internats en Suisse et en Italie. En 1915, il commence ses études de chant avec Angelo Querze à Santiago du Chili et débute comme baryton, en 1916, à l'Opéra de Santiago dans le rôle de Valentin de *Faust*. Après ses premiers succès sur cette scène, puis sur celle de Montevideo, il arrive en 1918 en Amérique du Nord où il est découvert par Andrea De Segurola. En 1919, il débute au Met avec Amonastro (*Aïda*). Il reste au Met jusqu'en 1923, tout en se produisant à l'Opéra d'été de Ravinia, près de Chicago ainsi qu'avec la Scotti Opera Company, en 1922. Il reprend ses études à Milan, avec Lari et Yanara et débute au San Carlo de Naples, comme ténor héroïque, dans le rôle de Raoul (*Les Huguenots*). Dans cet emploi, il remporte aussitôt un grand succès et voit une carrière brillante s'ouvrir devant lui, avant tout comme interprète du rôle-titre d'*Otello* (Verdi). En 1927, il chante *Lohengrin* à Parme (Teatro Regio). En 1928, il chante *Otello* au Covent Garden. Dès lors il est invité régulièrement à la Scala, au Teatro Costanzi de Rome ainsi qu'au Colón. Chaque année, il est également invité à l'Opéra de Santiago. En 1934, malgré une grave maladie, il donne une tournée de concerts en Amérique du Nord. L'année suivante, il se produit encore sur la scène de l'Opéra de Santiago du Chili et meurt quelques semaines plus tard. C'est un cas car il a passé à la fois pour une des plus belles voix de barytons de son époque puis pour le plus grand ténor héroïque de son temps.

Zecchi, Carlo

Pianiste et chef d'orchestre italien, né à Rome le 8 juillet 1903, mort à Salzbourg le 1er septembre 1984.

Après avoir suivi les cours de Francesco Bajardi pour le piano, de Settacioli, de Bustini et de Licinio Refice pour la composition, il va se perfectionner en 1923 avec Busoni et Schnabel à Berlin. Or, il était déjà célèbre à cette époque pour ses interprétations des sonates de Scarlatti, des concertos de Mozart, et d'œuvres de Chopin, Schumann, Liszt et Debussy. En 1938, il se met à travailler la direction d'orchestre avec Hans Münch et Guarnieri et délaisse un peu le piano, avant d'abandonner complètement sa carrière concertiste. Parallèlement à son activité de chef, il joue en sonate avec le violoncelliste Mainardi et avec l'Orchestre de Chambre de Vienne, dont il est le chef permanent (1964-76). Chaque été, il donne des master classes à l'Académie Sainte-Cécile de Rome et à l'Académie d'été de Salzbourg à partir de 1948. Il a également édité de nombreuses œuvres de Scarlatti et de Schumann.

Zedda, Alberto

Chef d'orchestre italien, né à Milan le 2 janvier 1928.

Au Conservatoire de sa ville natale, il étudie l'orgue avec A. Galliera, la composition avec R. Faït et la direction d'orchestre avec A. Votto et Giulini. Il suit également les cours de l'École de paléographie musicale de Crémone. Ses débuts datent de 1956. De 1957 à 1959, il dirige l'Orchestre Symphonique d'Oberlin College à Cincinnati où il enseigne. Puis il est chef permanent à la Deutsche Oper de Berlin (1961-63). Il mène ensuite une carrière de chef invité, dans les principaux théâtres lyriques italiens et américains, notamment au New York City Opera. Dès le milieu des années soixante, il se consacre à des recherches musicologiques et entreprend une édition intégrale des opéras de Rossini d'après les textes originaux (Ricordi). Abbado enregistre aussitôt les nouvelles versions du *Barbier de Séville* (publiée en 1969) et de *Cenerentola*. Il est directeur musical de l'Orchestre Symphonique de San Remo jusqu'en 1980.

Zednik, Heinz

Ténor bouffe autrichien, né à Vienne le 21 février 1940.

Il étudie le chant avec Maria Wissmann et au Conservatoire de Vienne avec Klein et Hudez, et débute en 1964 au Théâtre de Graz (Trabucco dans *La Force du destin*). Il appartient depuis à l'Opéra de Vienne, et paraît sur les plus grandes scènes internationales. Il chante à Bayreuth à partir de 1970 (David, un berger et d'autres petits rôles) et y devient vite le plus grand Mime de notre époque, ainsi qu'un remarquable Loge. Ses dons de comédien lui assurent de grands succès dans tous les rôles de composition.

Zeitlin, Zvi

Violoniste soviétique naturalisé américain, né à Dubrovna le 21 février 1923.

Il étudie à la Juilliard School de New York et à l'Université de Jérusalem. A New York, il travaille avec Jacobson, Persinger et Galamian. Il fait ses débuts en 1939 avec l'Orchestre Symphonique de Palestine. Son premier concert américain date de 1951 (New York). Il est professeur à l'Eastman School of Music de Rochester, à l'Académie Santa Barbara, à l'Université de Rochester (depuis 1975). Le *Concerto* de Ben Haïm lui est dédié. Il aborde fréquemment un répertoire rarement joué : les concertos de Rochberg, Schönberg, de Nardini (dont il a édité 6 concertos pour violon). Il joue sur un Stradivarius de 1734, le *Comte Doria*. Il a constitué un trio avec le pianiste Barry Snyder et le violoncelliste Robert Sylvester, l'Eastman Trio.

Zeltser, Mark

Pianiste soviétique, né à Kischiniev (Moldavie) le 3 avril 1947.

Issu d'une famille de musiciens (son grand-père, violoniste et chef d'orchestre, ami de Heifetz, dirigeait Chaliapine à Paris et à Berlin), sa mère, pianiste et chanteuse, professeur du Conservatoire de Kischiniev, lui apprend le piano. Après ses débuts remarqués dans sa ville natale à l'âge de neuf ans, Jacob Flier le fait venir au Conservatoire de Moscou où il enseigne. Il remporte entre autres les Concours Marguerite Long et Busoni, puis quitte le Conservatoire en 1971 et part en tournée. En 1976, il s'installe avec toute sa famille aux U.S.A. après avoir obtenu un visa d'émigration des autorités soviétiques. En 1977, il remplace Martha Argerich au Festival de Salzbourg, sous la baguette de Karajan. En 1979, il est à Berlin où l'a invité Karajan pour toute la saison d'abonnements. L'année suivante, il débute à New York avec la Philharmonie.

Zenatello, Giovanni

Ténor italien, né à Vérone le 22 février 1876, mort à New York le 11 février 1949.

Après de solides études dans sa ville natale, il fait ses débuts comme baryton à Naples dans le rôle de Tonio de *Paillasse*. Appelé peu après à chanter Canio, il devient très vite l'un des ténors les plus fêtés des scènes sud-américaines et italiennes (il fait ses débuts à la Scala en 1903 dans *La Damnation de Faust*). Pendant vingt ans, il est l'une des principales vedettes internationales. Son rôle le plus fameux est Otello, qu'il chante plus de cinq cents fois, et il s'illustre dans *Carmen*, *Un Bal masqué*, *Les Huguenots*, *André Chénier* et *Aïda*. Il est le Pinkerton de la création de *Madame Butterfly* à la Scala le 17 février 1904 et participe de même aux créations de *La Figlia di jorio* de Franchetti, de *Siberia* de Giordano et de *Gloria* de Cilea. La maladie l'ayant obligé à une retraite prématurée, il consacre la fin de sa vie à l'enseignement du chant. Bien que baryton d'origine, Zenatello n'avait pas un timbre de « baryton monté » mais bien de ténor héroïque à la quinte aiguë triomphante. Dès l'aube du phonographe il fit de très nombreuses gravures, raretés particulièrement recherchées des amateurs de beau chant.

Zender, Hans

Chef d'orchestre et compositeur allemand, né à Wiesbaden le 22 novembre 1936.

Il effectue ses études musicales à la Hochschule de Francfort (1956-59) puis à celle de Fribourg (1959-63) où il travaille le piano, la composition et la direction d'orchestre, notamment avec Edith Picht-Axenfeld et Wolfgang Fortner. En 1959, il est engagé comme chef assistant au Théâtre de Fribourg. Pendant deux ans, il travaille à Rome avec B. A. Zimmermann (1963-64). Puis, on le trouve à Bonn où il est 1er chef (1964-68), à Kiel où il est directeur général de la musique (1969-72) et à Sarrebruck où il est chef permanent de l'Orchestre Symphonique de la Radio Sarroise (1972-84). Il est ensuite directeur général de la musique à Hambourg. Sa carrière se développe sur le plan international et les plus grands orchestres font appel à lui, notamment pour des programmes de musique nouvelle dont il est l'un des plus éminents spécialistes en Allemagne. Il dirige régulièrement à l'Opéra de Hambourg à partir de 1976 et conduit *Parsifal* au Festival de Bayreuth en 1975. Son œuvre, marquée par l'influence de Boulez, touche à tous les domaines.

Parmi les œuvres dont il a dirigé la création : *Refrains* (Amy), *Time Spans* (Brown), *To Earle Two* (Donatoni), *Machaut Balladen* (Fortner), *Der Magische Tänzer* (Holliger), *Wolkenloses Christfest* (Reimann), *Compositio*, *Webern-Variationen* (Schnebel), *Jumeaux* (Takemitsu), *Ich wandte mich...* (Zimmermann), *Ouvertüre*, *Teile dich Nacht*, *Geisterliebe* (Yun), *Elegia* (Rihm), *Abgesangsszene* (Rihm)...

Zimbalist, Efrem

Violoniste et compositeur russe naturalisé américain, né à Rostov le 21 avril 1889, mort à Reno (Nevada) le 22 février 1985.

A partir de 1901, il commence ses études musicales, de violon tout spécialement, au Conservatoire de Saint-Pétersbourg avec Leopold Auer. Premier prix Rubinstein en 1907, il débute une carrière internationale la même année, à Berlin, en jouant le *Concerto* de Beethoven, puis à Londres. En 1910, il joue sous la direction d'Arthur Nikisch, au Gewandhaus de Leipzig, le *Concerto* de Tchaïkovski, puis, un an plus tard, il émigre aux États-Unis où il joue pour la première fois à Boston le *Concerto* de Glazounov. En 1928, il est nommé professeur de violon à l'Institut Curtis de Philadelphie dont il devient le directeur de 1941 à 1968. Considéré, avec Jascha Heifetz et Mischa Elman, comme le plus éminent représentant de l'école russe de Leopold Auer, il donne son concert « d'adieux » à New York en 1949. Toutefois, il se produira encore deux fois : en 1952, pour créer le *Concerto* de Menotti, qui lui est dédié, et en 1955 à Philadelphie, avec le *Concerto* de Beethoven.

En tant que compositeur, Efrem Zimbalist est l'auteur d'un opéra, *Landara* (1962), d'une *Rapsodie américaine* (1936-43), d'un *Concerto pour violon* (1947), de *Trois danses* pour violon et orchestre (1911) et de pages de musique de chambre.

Possesseur d'une collection d'instruments illustres, il avait acquis notamment le dernier violon de Stradivarius, *Le Cygne* (1735).

Zimerman, Krystian

Pianiste polonais, né à Zabrze le 7 décembre 1956.

Il commence le piano dès l'âge de cinq ans. A Katovice, il devient l'élève de son seul et unique professeur, Andrej Jasinski. Révélé au grand public par sa participation au Concours Beethoven de Vienne, il obtient le 1er prix au Concours Chopin de Varsovie la même année (1975). Il se retire de la scène internationale pendant un an, afin d'élargir son répertoire alors uniquement consacré à Chopin, à quelques exceptions près. Dès son retour, il triomphe à Stuttgart, à Munich et à Berlin. Il rencontre Arthur Rubinstein à Paris en 1976. Au terme d'une année de concentration et de travail à Londres en 1980, il donne de nombreux concerts, notamment avec Karajan, et s'impose comme l'un des grands du piano de demain.

Zimmermann, Erich

Ténor allemand, né à Meissen le 29 novembre 1892, mort à Berlin le 24 février 1968.

D'abord peintre sur porcelaine, il devient élève à l'Opéra de Dresde et y débute en 1918. Après des séjours à Dortmund, Braunschweig et Leipzig, il appartient aux compagnies des Opéras de Munich (1925-31), de Vienne (1931-34) et de Berlin (1934-44) dont il devient le premier ténor bouffe en 1936. Bayreuth, où il paraît de 1925 à 1944, le consacre le plus grand Mime et le plus grand David de son temps. Il y chante également Loge et le Pilote du *Vaisseau fantôme.* Il revient à Dresde après la guerre (1946-50) puis à Berlin où il ne cesse pratiquement ses activités que peu avant sa mort.

Outre ses rôles wagnériens, on trouve à son répertoire Mozart (Monostatos, Pedrillo), Beethoven (Jaquino), Strauss (Valzachi)...

Zinman, David

Chef d'orchestre américain, né à New York le 9 juillet 1936.

Il travaille à l'Oberlin Conservatory jusqu'en 1958 où il reçoit une formation de violoniste, puis à l'Université du Minnesota (jusqu'en 1963) où il suit les classes d'écriture. Il étudie la direction d'orchestre avec Pierre Monteux (1958-62) et devient son assistant (1961-64). De 1964 à 1969, il est chef permanent de l'Orchestre de Chambre des Pays-Bas. Il mène une carrière de chef invité et prend, en 1977, la direction musicale de l'Orchestre Philharmonique de Rochester et, de 1979 à 1982, celle de l'Orchestre Philharmonique de Rotterdam. En 1985, il est nommé directeur musical de l'Orchestre Symphonique de Baltimore.

Zöller, Karlheinz

Flûtiste allemand, né à Höhn-Grenzhausen le 24 août 1928.

Il travaille à la Musikhochschule de Francfort et à Detmold. Encore étudiant, il remporte un 1er prix dans un concours organisé par la Radio de Francfort. A partir de 1950, il commence à se produire comme soliste et musicien de chambre. De 1960 à 1969, il est flûte solo à l'Orchestre Philharmonique de Berlin et devient membres des Solistes de la Philharmonie de Berlin. Il enseigne également à la Hochschule de Berlin. En 1969, il quitte l'Orchestre Philharmonique et devient professeur à la Musikhochschule à Hambourg. Il poursuit dès lors une carrière de soliste puis revient à la Philharmonie de Berlin où il est à nouveau flûte solo. Il a créé le *Double Concerto* pour flûte et hautbois de Ligeti (1972), le *Concerto* de Yun (1977) et celui de Trojahn (1983).

Zukerman, Pinchas

Violoniste, altiste et chef d'orchestre israélien, né à Tel-Aviv le 16 juillet 1948.

Sa famille est rescapée du ghetto de Varsovie et du camp de concentration d'Auschwitz. Il fréquente, dès l'âge de huit ans, le Conservatoire d'Israël et peut poursuivre ses études, grâce à l'aide de la Fondation America-Israël, à l'Académie de musique de Tel-Aviv. Il travaille le violon, notamment avec Ilona Feher. A l'occasion du premier Festival d'Israël (1961), il rencontre Pablo Casals et Isaac Stern. Sur leurs conseils, il s'inscrit en 1962 à Juilliard School. Il s'y perfectionne, grâce à une bourse de la Fondation Rubinstein, avec Ivan Galamian puis Isaac Stern lui-même. Ses débuts publics ont lieu en 1966 au Festival des Deux Mondes à Spolète. En 1967, il remporte le Prix Leventritt. Il participe au Festival Pablo Casals de Porto Rico et fait ses débuts européens en 1969. Il se consacre désormais à une brillante carrière internationale de violoniste, d'altiste mais aussi de chef d'orchestre, notamment avec l'English Chamber Orchestra avec lequel il entretient une étroite collaboration depuis 1971 et avec l'Orchestre de Chambre de Saint Paul (U.S.A.) dont il a pris la direction musicale.

Il a épousé une jeune flûtiste prénommée Eugenia et s'est fixé à Londres. Amateur de musique de chambre, il joue souvent avec Daniel Barenboim et tous deux formaient un trio avec la violoncelliste Jacqueline Du Pré. Il joue alternativement sur un Stradivarius et sur un Guarnerius del Gesù daté 1739.

Zylis-Gara, Teresa

Soprano polonaise, née à Landvarov (Wilna) le 23 janvier 1935.

Elle suit pendant neuf ans les cours du Conservatoire de Lódź, où elle est l'élève d'Olga Ogina. En 1954, elle remporte le 1er prix du Concours de chant de Varsovie, ce qui la fait engager à la Radio polonaise et à la Philharmonie de Cracovie. En 1956, elle débute à l'Opéra de Cracovie comme *Madame Butterfly*. En 1958, elle est lauréate du Concours de Toulouse, puis en 1960, elle remporte le 1er prix du Concours de chant de la Radio bavaroise, à Munich. Elle décide désormais de se fixer en Allemagne. Elle est engagée à Oberhausen, puis en 1962 à Dortmund, et en 1965 à l'Opéra de Düsseldorf. Elle est dès lors invitée par les opéras de Francfort, Hambourg, Cologne, Hanovre, Munich et Vienne, où elle remporte de grands succès. Elle chante également en concert, où son soprano délicat et mélodieux fait merveille, tant dans les œuvres de Bach que de Händel, Mozart ou Brahms. A l'opéra, son répertoire comprend aussi bien les œuvres de Mozart que les véristes italiens, Richard Strauss et Tchaïkovski. En 1967, elle remporte un véritable triomphe au Festival de Glyndebourne, dans le rôle de Donna Elvira (*Don Giovanni*). En 1967-68, elle chante au Covent Garden ainsi qu'au Colón. En 1970, elle est invitée au Met. En 1973-74, elle se produit au Liceo de Barcelone. En 1979, elle chante Liu (*Turandot*) aux Chorégies d'Orange et donne un récital de mélodies de Chopin. Elle reste en effet très liée à son pays d'origine, où elle retourne fort souvent, tout particulièrement à l'Opéra de Varsovie.

TROISIÈME PARTIE

Ensembles
(musique ancienne et contemporaine, musique de chambre, orchestres, chœurs, opéras)

A

Academy of Ancient Music (Cambridge)

Fondée en 1973 par Christopher Hogwood, elle reprend le nom d'une institution du XIXe siècle dont le but était de jouer la musique ancienne. Elle se consacre à la musique baroque et classique. Les instrumentistes sont des spécialistes de la musique des XVIIe et XVIIIe siècles et ils jouent sur des instruments d'époque. L'effectif varie en fonction des œuvres. Les musiciens sont dirigés, selon la tradition de l'époque, par le claveciniste Christopher Hogwood.

Academy of St Martin in the Fields

Fondée en 1956.

Chefs permanents : Neville Marriner (grande formation, depuis 1956), Iona Brown et Kenneth Sillito (violons solos en alternance de la petite formation, depuis respectivement 1974 et 1980). Cet orchestre de chambre a été fondé à Londres pour donner des concerts à l'heure du déjeuner en l'église St Martin in the Fields. La grande formation compte 40 à 50 musiciens, la petite 16 cordes. Depuis 1975, l'Académie s'est adjointe un chœur dirigé par Laszlo Heltay.

PRINCIPALES CRÉATIONS : *Sonata for strings* (Walton, 1972), *Métamorphoses* (Bennett, 1980), *Sinfonia concertante* (Maxwell-Davies, 1983).

Amadeus Quartet

Voir à **Quatuor Amadeus.**

Ambrosian Singers

Fondé en 1952.

Chef de chœur : John McCarthy. Chœur mixte pour 450 chanteurs professionnels. Il débute en 1952 pour l'illustration d'une série radiophonique *The History of Western Music* avec Denis Stevens. Limité d'abord à la musique ancienne, le répertoire s'enrichit progressivement et couvre tout le répertoire jusqu'à la musique moderne, réalisant de nombreux enregistrements pour la télévision, la radio, le disque, ainsi que de fréquentes tournées de concerts. Suivant sa formation, l'ensemble a pris pour nom Ambrosian Opera Chorus, Ambrosian Consort, John McCarthy Singers...

Antiqua Musica de Paris

Fondé en 1962 par Jacques Roussel, cet ensemble est dirigé depuis lors par son fondateur. Il réunit 12 cordes et 1 clavecin, et se consacre à la musique des XVIIe et XVIIIe siècles, plus particulièrement au répertoire français. Depuis l'origine, la partie de clavecin est tenue par Huguette Grémy-Chauliac.

Ars Antiqua de Paris

Fondé en 1965.

Les effectifs peuvent varier entre 3 et 10 personnes. Il est actuellement composé de Michel Sanvoisin, cofondateur (instruments à vent), de Joseph Sage, cofondateur (contre-ténor et percussions), Raymond Cousté (luth) et Elisabeth Matiffa (famille des violes). Marielle Nordmann, harpe (1968-69), Jean et Mireille Reculard, violes (1968-74), Jean-Patrice Brosse, clavecin (1974), Philippe Matharel, instruments à vent (1974-75), Kléber Besson, luth (1972-77), Lucie Valentin, violes (1975-76) et Jean-Pierre Nicolas, instruments à vent (1975-76), ont fait partie d'Ars Antiqua de Paris. La formation marie les voix (jusqu'au quatuor) aux instruments anciens (flûtes à bec, cromornes, musettes, cervelas, hautbois du Poitou, luth, psaltérion, violes, percussions, etc.) dans un répertoire qui s'étend des airs de troubadours aux pièces instrumentales des XVIIe et XVIIIe siècles. L'ensemble a fêté son 2 000e concert en 1980.

Ars Rediviva (Paris)

Ensemble de musique ancienne fondé en 1935 par Claude Crussard (1893-1947). A l'origine, il comporte 6 instrumentistes (3 violons, 1 alto, 1 violoncelle et 1 piano). Claude Crussard assure le continuo du piano, plus tard du clavecin, Dominique Blot (1912-47) est le violon solo. L'effectif s'élargit par la suite. Ars Rediviva est l'un des premiers ensembles qui se soient consacrés au renouveau de la musique des XVIIe et XVIIIe siècles. De nombreux inédits, copiés par les musiciens eux-mêmes d'après les manuscrits, ont été ainsi révélés (Leclair, Campra, Telemann, Lully, Vivaldi, Pergolèse...). Parmi les solistes qui ont joué régulièrement avec Ars Rediviva : René Le Roy, Isabelle Nef, Irène Joachim, Fernand Caratgé, Germaine Cernay. Tous les membres de l'ensemble sont morts dans un accident d'avion au-dessus de Cintra (Portugal) le 1er février 1947.

Ars Rediviva (Prague)

Fondé en 1951 par Milan Munclinger qui en est le directeur artistique. Répertoire baroque et classique, du trio à l'orchestre de chambre. Une très large part est faite aux compositeurs tchécoslovaques (Mysliveček, Benda, Rössler, Stamitz...).

Arts Florissants (Les)

Ensemble vocal et instrumental de musique baroque et classique, **fondé en 1978** et dirigé par William Christie. Le style de son interprétation se fonde sur les caractères de la rhétorique déclamatoire telle que les auteurs anciens en décrivent les principes. Le nom de l'ensemble est celui d'une œuvre de M. A. Charpentier créée précisément trois siècles avant la fondation des Arts Florissants.

Membres permanents : Jill Feldman et Agnès Mellon (sopranos), Dominique Visse (haute-contre), Michel Laplenie et Ian Honeyman (ténors), Philippe Cantor (baryton), François Fauche et Antoine Sicot (basses), Daniel Cuiller (violon solo), Elisabeth Matiffa (viole de gambe), Yvon Repérant (clavecin).

Atrium Musicae de Madrid

Fondé en 1964, dirigé par Gregorio Paniagua. Répertoire : musique du Moyen Age et de la Renaissance jouée sur des instruments d'époque ou reconstitués. Les interprètes eux-mêmes effectuent ces reconstitutions d'après des miniatures polychromes de manuscrits anciens, des bas-reliefs, des sculptures romanes ou gothiques et l'organographie existante. Depuis 1971, un quatuor s'est fondé au sein de l'ensemble, le Quatuor Paniagua.

B

B.B.C. Chorus

Fondé en 1928.

Chefs permanents : Stanford Robinson (1928-32), Cyril Dalmaine (1932-34), Leslie Woodgate (1934-61), Peter Gellhorn (1961-72), John Poole (1972-76), Brian Wright (depuis 1976). Il réalise au cours de son premier concert, le 23 novembre 1928, la création de *The pilgrim's progress* de Sir Granville Bantock sous la direction du compositeur. Il porte alors le nom de Chœur National. Il choisit de s'appeler Chœur de la B.B.C. (1932), Société chorale de la B.B.C. (1935) et Choeur Symphonique de la B.B.C. (1977). Son effectif atteint 170 membres amateurs.

B.B.C. Singers

Fondé en 1924.

Chefs permanents : Stanford Robinson (1924-32), Cyril Dalmaine (1932-34), Leslie Woodgate (1934-61), Peter Gellhorn (1961-72), John Poole (depuis 1972). Chœur professionnel de 28 membres. Fondé sous le nom de Wireless Chorus, il s'appellera B.B.C. Chorus en 1935, avant de retenir, en 1973, sa dénomination actuelle.

Beaux-Arts Trio

Fondé en 1955.

Violon : Daniel Guilet (1955-68), Isidore Cohen depuis 1968.

Violoncelle : Bernard Greenhouse depuis 1955.

Piano : Menahem Pressler depuis 1955.

Menahem Pressler (Magdebourg, 16 décembre 1923) est un ancien élève d'Egon Petri : Bernard Greenhouse (Newark, 3 janvier 1916) a travaillé avec Pablo Casals et joue sur un Stradivarius de 1707. Isidore Cohen (New York, 16 décembre 1922) a appartenu au Quatuor Juilliard de 1958 à 1966. Le Trio a enregistré à partir de 1970 l'intégrale des Trios de Haydn.

Bolchoï (Moscou)

En 1776, Catherine II fonde une troupe d'artistes, chanteurs et comédiens, qui reçoivent un théâtre, le Petrovsky (premier théâtre public de Moscou) en 1780. Il est construit par un Anglais, Maddox. Précédemment, l'opéra était donné à la Cour. En 1805, un incendie détruit le théâtre et c'est en 1825 qu'est inauguré le Bolchoï Petrovsky où sont créés *Une vie pour le tsar* et *Russlan et Ludmilla* de Glinka. En 1853, un nouvel incendie détruit la salle qui est restaurée par Cavos et réouverte au public en 1856. Si la salle comprend près de 2 000 places, la scène en revanche est d'une grandeur impressionnante. Après la révolution de 1917, l'opéra rouvre le 8 avril 1918. On joint au Bolchoï le Théâtre Filial où travaillait la Compagnie d'Opéra Russe (fondée en 1880), ainsi que l'Opéra Zimin, entreprise expérimentale et coopérative qui dure jusqu'en 1924. Parmi les grands directeurs qui ont fait la réputation du Bolchoï, il faut citer Mamontov qui a réussi à supprimer le style pompier et officiel et à inviter de grands artistes internationaux. Lui a succédé Mikhaïl Tchoukali, secondé par Joseph Toumanov (directeur artistique). En 1960, le Filial est reconstruit. Quatre ans plus tard, le Bolchoï fait sa première tournée européenne et se présente à la Scala. La compagnie de ballet est plus importante que la troupe lyrique. A partir de 1961, les spectacles sont aussi donnés à la Kramlevskoh Dvortze, une salle de 6 000 places et à la Piatijrousnia (2 155 places).

Depuis le début du siècle, les directeurs musicaux ont été Suk (1906-33), Samuel Samossoud (1936-43), Arii Pazovski (1943-48), Nicolaï Golovanov (1948-53), Alexandre Melik-Pachaiev (1953-62), Guennadi Rojdestvenski (1964-70) et Youri Simonov (depuis 1970). Parmi les directeurs, Stanislas Louchine et Boris Pokrovski (1952-63 et 1967-83). Depuis 1983, la direction est assurée par un collège artistique réunissant les principaux solistes, chefs d'orchestre, chefs de chœur et quelques personnalités.

Bournemouth Sinfonietta

Fondé en 1968.

Directeurs musicaux : George Hurst (1968-71), Maurice Gendron (1971-73), Kenneth Montgomery (1973-76), Volker Wangenheim (1977-80), Ronald Thomas (1980-83), Norman Del Mar (depuis 1983).

Effectifs : 35 musiciens qui n'appartiennent pas à l'Orchestre Symphonique de Bournemouth. Le Bournemouth Sinfonietta participe depuis 1974 à la tournée d'automne du Festival de Glyndebourne.

C

Cambridge Buskers

Duo humoristique britannique réunissant un flûtiste (Michael Copley), qui joue de 33 flûtes différentes, et un accordéoniste, Dag (David) Ingram. Tous deux se sont rencontrés à Cambridge où Michael Copley étudiait la musique et Dag Ingram le français et le russe (1975). Leur carrière commence un soir sur le quai de la gare de King's Cross, à Londres : ils n'avaient pas un sou en poche pour regagner Cambridge. Jouant des arrangements des grands airs du répertoire classique, ils se forgent un répertoire qu'ils présentent dans les rues, le métro, les salles de sports, clubs ou – plus tard – salles de concerts. Leur carrière ne se déroule pas sans mésaventure, puisque leur première apparition en France se termina au commissariat ! Sollicités dans le monde entier, ils ont à leur actif plusieurs enregistrements. Ils effectuent eux-mêmes leurs transcriptions à l'exception de celle que leur a dédiée Stockhausen, rencontré par hasard dans un centre commercial à Cologne. A leur répertoire, l'intégrale des symphonies de Beethoven en 45 secondes, la musique que Louis XIV commanda à M. A. Charpentier pour l'Eurovision, les *Concertos brandebourgeois...*

Camerata Academica du Mozarteum de Salzbourg

Fondé en 1952 par Bernhard Paumgartner, cet orchestre de chambre réunit des membres du Mozarteum et des élèves. *Chefs permanents :* Bernhard Paumgartner (1952-69), Antonio Janigro (1971-74), Sándor Végh depuis 1979.

Camerata de Boston

Fondée en 1954 par Narcissa Williamson. Pendant plusieurs années, elle est le prolongement de la collection d'instruments anciens du Musée des Beaux-Arts de Boston. Dirigée par Joel Cohen depuis 1968, elle prend son essor comme entité autonome : son répertoire s'ouvre au Moyen Âge et à la Renaissance et devient rapidement l'ensemble de musique ancienne le plus important des États-Unis. La Camerata tient ses quartiers d'hiver au Conservatoire de la Nouvelle Angleterre (Boston) et vient en Europe chaque été depuis 1975. L'effectif, instrumental et vocal, varie de 6 à 12 instruments et peut atteindre 16 voix. Parmi ses enregistrements majeurs : *Didon et Enée* (Purcell), *Messe de Minuit* (M. A. Charpentier).

Capitole

Voir à **Théâtre du Capitole.**

Cappella Academica de Vienne

Fondée en 1965 par Eduard Melkus. Cette formation de chambre se consacre à la musique du XVIIIe siècle qu'elle joue, sans chef, sous la conduite de son violon solo, sur des instruments d'époque et dans un style qui cherche à reconstituer celui du XVIIIe siècle.

Cappella Antiqua de Munich

Ensemble vocal et instrumental, fondé en 1956 et dirigé par Konrad Ruhland. Le nombre des choristes et celui des instrumentistes peut varier, en fonction des œuvres à interpréter, allant par exemple de douze choristes/solistes pour le grégorien (et monodies assimilées) à seize instrumentistes (madrigaux italiens). Ses enregistrements d'Hymnes, Séquences, Répons sont parmi les rares disponibles à refuser radicalement « l'égalitarisme » de l'interprétation solesmienne. Tout en reconnaissant qu'il ne s'agit pas de la seule manière possible dans l'approche si vivement controversée de cette musique, l'adoption de la rythmique modale de la fin du Moyen Âge semble aller de soi dans le chant des formes lyriques (hymnes, séquences,...).

Cappella Coloniensis

Fondée en 1954.

Ensemble de 40 musiciens financé par la Radio de Cologne (W.D.R.) et qui se consacre à la musique du XVIIIe siècle. Principaux chefs : August Wenzinger (1954-58), Eigel Kruttge, Marcel Couraud, Ferdinand Leitner, Hanns-Martin Schneidt, John Eliot Gardiner, Gabriele Ferro...

Chœur de l'abbaye de Kergonan

Chœur des moines bénédictins qui suivent l'école de Solesmes pour l'interprétation du répertoire de chant grégorien. Quelques enregistrements illustrent la manière de ce chœur aux voix moins apprêtées que celles de Solesmes.

Chœur de l'abbaye de Ligugé

Chœur des moines de l'abbaye bénédictine qui, à l'instar de celui de Solesmes, interprète le répertoire grégorien traditionnel, aujourd'hui sous la direction d'Olivier Bossard.

Chœur de l'abbaye Notre-Dame d'Argentan

Chœur de moniales bénédictines, dont le répertoire liturgique est le grégorien romain traditionnel et qui obéit à l'influence solesmienne. Dom Gajard a souvent dirigé ce chœur ; mais plusieurs disques laissent dans l'ignorance de l'anonymat la direction effective.

Chœur de l'abbaye Saint-Martin de Beuron

Chœur des moines bénédictins allemands, dirigé par Dom Maurus Pfaff, et dont le répertoire essentiel est grégorien. Une certaine tradition rythmique, plus souple que celle née en France à l'initiative de Solesmes, anime les interprétations de cette abbaye.

Chœur de l'abbaye de Santo Domingo de Silos

Chœur des moines espagnols dont le répertoire vocal, outre celui de la liturgie romaine traditionnelle, comporte les pièces du vieux fonds ibérique, caractéristique d'un style haut en couleur. Ce chœur est aujourd'hui dirigé par Dom Ismael Fernandez de La Cuesta.

Chœur de l'abbaye de Solesmes

Chœur des moines dont le répertoire se compose uniquement de chant grégorien. C'est l'école de cette abbaye qui, dès la fin du XIXe siècle, sous l'impulsion de Dom Pothier (1835-1923), de Dom Mocquereau (1849-1930), Dom Gajard (1885-1972) et aujourd'hui de Dom Claire, à la fois comme théoriciens et chefs de chœur, a redonné son importance à ces mélodies liturgiques du Haut Moyen Âge. Depuis 1930, plusieurs dizaines d'enregistrements ont assuré la renommée internationale de l'interprétation de ce chœur. On peut entendre l'ensemble de la communauté monastique qui se différencie d'un petit chœur de voix choisies pour assurer les chants mélismatiques. L'école de Solesmes est le chef de file des chœurs monastiques répandus dans le monde chrétien.

Chœur Académique de Chambre de Moscou

Fondé en 1972.

Directeur : Vladimir Minin.

PRINCIPALES CRÉATIONS : œuvres de Sviridov, Gavrilin, Rubin, Ledenev...

Chœur Alexandre Yourlov (Moscou)

Chefs de chœur : Alexandre Svechnikov (1941-58), Alexandre Yourlov (1958-73), Youri Oukhov (1973-81), Stanislas Gousev (depuis 1981).

Chœur mixte d'une centaine de chanteurs amateurs qui porte jusqu'à la mort de Yourlov en 1973 le nom de *Chœur Académique Russe de l'U.R.S.S.* Créations de Sviridov *(Oratorio Pathétique),* Palacio, Chtchedrine, Chostakovitch, Khrennikov, Echpaï...

Chœur des Amis de la Musique de Vienne (Wiener Singverein)

Fondé en avril 1858.

Directeurs Johann von Herbeck (1858, 1860-70), Josef Hellmesberger (1859, 1870-71), Anton Rubinstein (1871-72), Johannes Brahms (1872-75), Johann von Herbeck (1876-78), Eduard Kremser (1878-80), Wilhelm Gericke (1881-84), Hans Rochter (1884-90), Wilhelm Gericke (1890-95), Richard von Perger (1895-1900), Ferdinand Löwe (1900-04), Franz Schalk (1904-21), Wilhelm Furtwängler (1921-30), Leopold Reichwein (1921-28), Robert Heger (1928-34), Oswald Kabasta (1934-45), Wilhelm Furtwängler (1946-50), Herbert von Karajan (directeur à vie depuis 1950). Ce dernier est assisté par Helmuth Froschauer.

PRINCIPALES CRÉATIONS : *Requiem allemand, Rhapsodie pour alto, Schicksalslied* de Brahms, *Messe en la* de Schubert, *Te Deum* et *Psaume 150* de Bruckner, *Symphonie n° 8* de Mahler (sous la direction du compositeur), *Le livre des 7 sceaux* de Franz Schmidt, *Gilgamesch* et *Wer einsam ist, der hat es gut* de Uhl.

Chœur mixte amateur de 240 membres.

Chœur Bach de Londres

Fondé en 1876.

Chefs permanents : Otto Goldschmidt, Charles Villiers Stanford, Walford Davies, Hugh Allen, Ralph Vaughan-Williams (1920-28), Sir Adrian Boult (1929-31), Reginald Jacques (1932-60) et, depuis 1960, Sir David Willcocks.

Composé d'environ 300 choristes, il a donné la première audition anglaise de la *Messe en si* de J.-S. Bach, d'où son nom. Chaque année, il donne une exécution de la *Passion selon saint Matthieu.*

Chœur de Budapest

Fondé en 1941 par Lajos Bárdos.

Il est né de la réunion du Chœur Palestrina (créé en 1916) et du Chœur Cecilia (créé en 1921). En 1948 il est rejoint par la Société Chorale de Budapest (créée en 1918). *Chefs de chœur* : Miklós Forrai (1948-78), Sándor Margittay (1978-83), Mátyás Antal (depuis 1983).

Chœur de la cathédrale Sainte-Hedwige de Berlin

Fondé en 1800, ce chœur est exclusivement masculin jusqu'en 1933. En 1930, il devient le chœur officiel de la cathédrale Sainte-Hedwige. Après la guerre de 1939-45, la cathédrale se trouve à l'Est et le chœur s'attache à la basilique Saint-Jean tout en conservant son nom. Il est le partenaire privilégié des grands orchestres berlinois.

Chefs de chœur : Pius Kalt (1900-14), Karl Forster (1934-63), Anton Lippe (1964-74), Roland Bader (depuis 1974).

Chœur de Düsseldorf

Fondé en 1818.

Chorale d'amateurs de 200 choristes qui constitue l'un des piliers de la vie musicale de Düsseldorf. Mendelssohn et Schumann ont compté parmi ses principaux chefs au siècle dernier. Cette chorale est actuellement l'une des plus importantes d'Allemagne. Elle est dirigée depuis 1964 par Hartmut Schmidt.

Chœur de la Fondation Gulbenkian (Lisbonne)

Fondé en 1964.

Il comporte une centaine de choristes. Répertoire : de la musique polyphonique a capella aux œuvres contemporaines. *Directeurs artistiques :* Olga Violante (1964-69), Michel Corboz (depuis 1969). Créations d'œuvres de compositeurs portugais, de *La Transfiguration* de Messiaen (1969) et de *Cendrées* de Xenakis (1974).

Chœur des Instituteurs Moraves

Fondé en 1903.

Chefs de chœur : Ferdinand Vach (1903-36), Jan Šoupal (1936-1964), Oldřich Halma (1964-73), Lubomír Mátl (depuis 1975).

Chœur amateur composé de 70 voix d'hommes, financé par le Comité tchèque du Syndicat des enseignants scientifiques. Outre des œuvres vocales de Smetana, Janáček, Dvořák, Suk, Foerster, Novák, son répertoire s'étend à des partitions de compositeurs tchèques et étrangers contemporains.

Chœur John Alldis

Fondé en 1962 par John Alldis.

Chef de chœur : John Alldis (depuis 1962).

Composition : 16 choristes.

Son répertoire est vaste, notamment en musique contemporaine. Il a enregistré l'intégrale des œuvres pour chœur de Webern sous la direction de Pierre Boulez. Schönberg, Ligeti, Stravinski, Bussotti, Varèse, mais aussi de plus jeunes comme Bedford ou Finissy, sont au programme des concerts à Londres et Paris. Le Chœur John Alldis vient souvent à l'I.R.C.A.M.

Chœur du King's College (Cambridge)

Fondé au XVe siècle par le roi Henry VI, il comporte actuellement 30 choristes, 16 enfants qui assurent les parties de soprano et 14 adultes. Tous font leurs études au collège. 12 des 14 adultes reçoivent des bourses. Ils ont remplacé progressivement au début du siècle les ecclésiastiques qui chantaient les parties masculines. Le dernier d'entre eux a quitté l'ensemble en 1928. Le principe même du recrutement au sein du collège assure un renouvellement permanent, les enfants chantant en moyenne pendant 4 ou 5 ans, avant la mue, les étudiants pendant 3 ans. L'âge maximum est 23 ans.

Chefs de choeur : A.H. Mann (1876-1929), Boris Ord (1929-57), Sir David Willcocks (1957-73), Philip Ledger (1973-82), Stephen Cleobury (depuis 1982).

Chœur Madrigal de Bucarest

Fondé en 1963 par Marin Constantin.

Il est né dans le cadre du Conservatoire de Bucarest. Il est actuellement dirigé par son fondateur. Parmi les œuvres qui lui sont dédiées figurent des partitions signées A. Vieru, S. Niculescu, M. Marbe, T. Olah.

Chœur du monastère Maria Einsiedeln

Chœur des moines bénédictins, placé sous la direction du Père Roman Bannwart et consacré au répertoire liturgique grégorien. La tradition d'interprétation d'Einsiedeln diffère sur plusieurs points, notamment rythmiques, de celle de Solesmes. Cette recherche actuelle tend à privilégier plus qu'ailleurs la participation de solistes entraînés, et chantant à voix pleine.

Chœur Monteverdi de Hambourg

Dirigé depuis 1955 par Jürgen Jürgens. Répertoire centré sur l'œuvre de Monteverdi, dont il renouvelle l'interprétation à la lumière des recherches musicologiques de son chef.

Chœur national (Paris)

Fondé en 1967.

Chœur mixte d'amateurs de 60 à 70 membres. Il est né de la volonté d'anciens choristes de la célèbre chorale d'étudiants « La Faluche » de continuer à chanter après leur entrée dans la vie professionnelle. En 1966, ils choisissent leur nom et leur chef, Jacques Grimbert, directeur de l'ensemble depuis l'origine. Il est destiné à offrir son concours aux orchestres créés par la direction de la musique et notamment à l'Orchestre de Paris.

PRINCIPALES COMMANDES : *Canto General* de Theodorakis, *Te Deum* de Jacques Charpentier.

Chœur de l'Orchestre de Lyon

Fondé en 1979.

Il obtient en 1981 le statut de chœur régional. Son chef permanent est depuis l'origine Bernard Tétu. Il se compose d'un chœur de chambre de 30 membres et d'un chœur d'oratorio dont les effectifs pourront aller jusqu'à 90 choristes amateurs.

Chœur de l'Orchestre de Paris

Fondé en 1975.

Chef de chœur : Arthur Oldham.

Chœur mixte de 220 chanteurs amateurs dont le financement est assuré par l'Orchestre de Paris. Il a créé la *Messe de l'aurore* de Landowski (1980) et participé au Festival d'Orange 1980 (Saint-Saëns : *Samson et Dalila*). Il est dirigé le plus souvent par Daniel Barenboim, chef permanent de l'orchestre mais aussi par Abbado, Boulez, Giulini, Mehta, Ozawa...

Chœur Orphei Drängar d'Uppsala (Suède)

Fondé le 30 octobre 1853.

Chefs de chœur : J.A. Josephson (1853-80), J.E. Hedenblad (1880-1909), Hugo Alfven (1910-47), Carl Sordin (1947-51), Eric Ericson (depuis 1951). Chœur d'hommes amateurs (10 à 20 % de professionnels) de 70 membres. Son titre se traduit par « les serviteurs d'Orphée ». Il a remporté deux années de suite le 1er prix toutes catégories du Concours international « Let the people sing » de la B.B.C. De nombreuses commandes ont été passées à des compositeurs suédois.

Chœur Philharmonia

Voir à **Philharmonia Chorus.**

Chœur Philharmonique national de Varsovie

Fondé en 1952 par Zbigniew Soja.

Pendant 15 ans, Roman Kuklewicz a été son directeur. Sa succession a été assurée par Jósef Bok, Antoni Szaliński et, en 1978, par Henryk Wojnarowski.

Chœur Philharmonique Tchèque

Fondé en 1935.

Chefs de chœur : Jan Kühn (1935-58), Joseph Veselka (1958-81), Lubomír Mátl (depuis 1981).

Chœur mixte de 80 chanteurs professionnels dont le répertoire porte surtout sur les grandes œuvres vocales avec orchestre (oratorios, cantates, opéras...). Ce chœur, issu du Chœur de la Radio Tchèque, s'en est détaché en 1951 et fait actuellement partie de la Philharmonie Tchèque.

Chœurs de Radio-France

Fondé en 1947.

Chefs de chœur : René Alix (1947-66), Marcel Couraud (1967-75), Jacques Jouineau (depuis 1977). Ensemble de 120 chanteurs professionnels recrutés sur concours, consacrant ses activités aux concerts organisés par Radio-France. De nombreux chefs ont dirigé cet ensemble sans avoir de fonction officielle : Yvonne Gouverné, Jean Gitton, Jean-Paul Kreder, Stéphane Caillat... Les chœurs se produisent avec toutes les formations de Radio-France assurant une quarantaine de concerts par saison.

Chœur de la Radio-Télévision Hongroise

Fondé en 1950.

Chœur professionnel de 75 membres. Depuis 1958 son directeur est Ferenc Sapszon. Il est établi à Budapest.

Chœur de la Radio de Leipzig

Fondé en 1946.

Chefs permanents: Heinrich Werle (1946), Karl Hessel (1947-48), Herbert Kegel (1949-78), Wolf-Dieter Hauschild (1978-80), Jörg-Peter Weigle (depuis 1980). Ce chœur professionnel mixte, né du Chœur de chambre de la Radio de Leipzig, compte 62 membres.

PRINCIPALES CRÉATIONS : des pages de Blacher, Dessau, Eisler, Geissler, etc.

Chœur de la Radio Tchécoslovaque

Fondé en 1935.

Chefs de chœur: Jan Kühn (1935-45), Jiří Pinkas (1945-56), Jan Kasal (1957-59), Václav Jiráček (1960-61), Jan Tausinger (1962), Milan Malý (1963) assisté de Ladislav Cerny.

Chœur mixte de 80 chanteurs professionnels travaillant pour la Radio de Prague. Il s'est produit sous l'autorité des plus grands chefs d'orchestre tchèques et étrangers. Milan Malý, l'actuel directeur, assume également les fonctions de chef de chœur à l'Opéra national de Prague.

Chœur Roger Wagner

Fondé en 1946 et dirigé par Roger Wagner.

Chœur mixte* d'une centaine de chanteurs professionnels, connu également comme Chœur de Los Angeles, dont le répertoire s'ouvre à la musique américaine moderne et fait une large part à la musique française de la Renaissance et du XXe siècle.

Chœur du Saint John's College (Cambridge)

Fondé vers 1511, ce choeur réunit des voix masculines (actuellement 20 garçons assurant les parties soprano, 4 hautes-contre, 4 ténors et 5 basses). Tous ses membres sont élèves ou étudiants au Saint John's College dont ils reçoivent une bourse. Le chœur est lui-même subventionné par le collège.

Chefs de chœur: Lusmere (vers 1661-81), Hawkins (1681-82), Thomas Williams (1682-1729), Bernard Turner (1729-77), William Tireman (1777), Jonathan Sharpe (1777-99), John Clarke-Whitfeld (1799-1820), William Beale (1820-21), Samuel Matthews (1821-32), Thomas Attwood Walmisley (1832-56), Alfred Bennet Jr. (1856-57), George Mursell Garrett (1857-97), Edward Thomas Sweeting (1897-1901), Cyril Bradley Rootham (1901-38), Robin Orr (1938-51), George Guest (depuis 1951).

CRÉATIONS : *3 Motets* (Berkeley), *Magnificat et nunc dimittis* (Tippett), *A sequence for Saint Michael* (Howells), *Solomon ! where is thy throne* (McCabe).

Le répertoire du choeur comporte un millier d'oeuvres du XVe siècle à nos jours, dont une soixantaine de messes.

Chœur Saint-Thomas de Leipzig

Voir **Thomannerchor Leipzig.**

Chorale Elisabeth Brasseur

Fondée en 1920.

Chefs de chœur: Elisabeth Brasseur (1920-72), Catherine Brilli (1972-82),

Michel Aunay (depuis 1982). E. Brasseur fonde la Chorale féminine de l'église Sainte-Jeanne d'Arc de Versailles dont elle est organiste. Elle donne un premier concert hors de l'église en 1934. En 1943 la chorale devient mixte et prend son nom définitif.

PRINCIPALES CRÉATIONS : Schmitt (*A Contre-voix*, 1947), Milhaud (*Symphonie nº 3*, 1953), Jolivet (*La Vérité de Jeanne*, 1959), Bécaud (*Cantate de l'Enfant à l'étoile*, 1962), Petridis (*Oratorio byzantin*, 1964), J. Charpentier (*4 Psaumes de Toukaram*, 1967), Alix (*2 Motets*, 1967). Créations françaises du *Requiem canticles* de Stravinski (1967) et de *La Licorne, la gorgone et la manticorne* de Menotti (1974).

Chorale de Pampelune (Agrupacion coral de camara de Pamplona)

Fondée en 1946.

Chef de chœur : Luis Morondo. Ensemble mixte de 18 chanteurs amateurs dont le répertoire est particulièrement consacré à la musique ancienne avec cependant quelques œuvres contemporaines (Arrano Beltza). Il se produit dans toute l'Europe et a obtenu de nombreux prix de chant choral.

Chorale Philippe Caillard

Fondée en 1944, elle se fait connaître, de 1955 à 1970, par les nombreuses premières discographiques qu'elle réalise avec l'Orchestre Jean-François Paillard, dans le domaine de la musique de la Renaissance et du pré-Baroque français, couronnées par plusieurs prix du disque (pour la Messe *Pangue Lingua* de Josquin des Prés notamment). Le chœur est refondu en 1977, devenant l'Ensemble Jean Bridier.

Chorale Vittoria d'Argenteuil

Fondée en 1974.

Chef de chœur : Michel Piquemal. Chœur mixte de 180 chanteurs amateurs formé par Michel Piquemal dans le cadre de son activité à l'École de musique d'Argenteuil. La Chorale Vittoria se produit régulièrement avec l'Orchestre de Chambre Bernard Thomas, l'Ensemble Orchestral de Paris, le Nouvel Orchestre Philharmonique de Radio France.

City of Birmingham Symphony Orchestra

Fondé en 1920.

Chefs permanents : Appleby Matthews (1920-24), Sir Adrian Boult (1924-30), Leslie Heward (1930-43), George Weldon (1944-51), Rudolf Schwarz (1951-57), Andrzej Panufnik (1957-59), Sir Adrian Boult (1959-60), Hugo Rignold (1960-68), Louis Frémaux (1969-78), Simon Rattle (depuis 1980).

PRINCIPALES COMMANDES : *Meditations on a Theme of John Blow* de Bliss (1955), *Concerto pour piano* de Tippett (1956), *Symphonie nº 2* de Berkeley (1959), *Symphonie nº 2* de Rawsthone (1959), *Concerto pour violon* de Hoddinott (1961), *Symphonie nº 4* (1962) et *Labyrinth* (1971) de Humprey Searle, *Concerto pour violon* de Rodney Bennett (1975).

PRINCIPALES CRÉATIONS : *War Requiem* (1962) et *Suite « Gloriana »* de Britten, *Symphonie nº 3* de Gál, *Sinfonietta nº 3* de Jacob, *Notturni ed Alba* de McCabe, *Symphonie nº 7* de Wellesz, *An American Overture* de Britten, *Through the Rainbow* de Takemitsu.

Clemencic Consort

Fondé en 1969 par René Clemencic. Fixé à Vienne.

L'ensemble se consacre à la musique médiévale, à la musique de la Renaissance, baroque et contemporaine. Cet ensemble comprend des chanteurs (Zeger Vandersteene et Hans Breitschopf, contre-ténors ; Pedro Liendo et Gustav Bauer, barytons ; Pilar Figueras, soprano ; Franz Händlos, basse) dont le nombre peut varier, et des musiciens jouant des instruments anciens : René Clemencic, flûtes ; Walter Schiefer, tympanon, percussions ; René Zosso, vielle à roue ; Michael Dietrich, vielle ; Andrés

Kecskes, guitare mauresque, etc., musiciens dont le nombre est aussi variable selon les œuvres.

Le Clemencic Consort explore le répertoire du XVIIe siècle et réalise des opéras peu connus, tels : *L'Eternité assujettie au temps* d'Antonin Draghi, *Le Deuil de l'Univers* de l'empereur Léopold Ier, l'*Euridice* de Péri. Le Clemencic Consort revèle aussi des *Cantates d'église*, *Le Jeu de Daniel*, anonyme du XIIe siècle, *Ludus Paschalis* de Cividale del Friuli et *Le Roman de Fauvel.*

Collectif Musical 2e 2m

Fondé en 1971 à Champigny.

Directeur musical : Paul Méfano. Ensemble à effectif variable qui se consacre essentiellement à la musique contemporaine. Il tire son titre des initiales d'une phrase qui lui sert de programme : Étude et Expression des Modes Musicaux.

CRÉATIONS : Amy (*Seven Sites*, 1975), Auric (*Imaginées III*, 1981), Ballif (*5e Imaginaire*, 1979), Berio (*O King*, 1974), Chaynes (*Caractères illisibles*, 1980) A. Clementi (*Concerto 2e 2m, 1983),* Dao (*Nho*, 1973), Darasse (*Romanesque*, 1980, *Organum IV*, 1981), Denisov (*Quintette*, 1980), Dittrich (*Die anonyme Stimme*, 1974, *Concerto pour hautbois*, 1976, *Kammermusik IV*, 1981), Donatoni (*Diario*, 1978, *Le Ruisseau sur l'escalier*, 1981, *Small*, 1982), Dutilleux (*Ainsi la nuit*, 1977) Ferneyhough (*Funérailles I et II*, 1977 et 1980), Globokar (*Limites*, 1976), Huber (*Senfkorn*, 1982), Malec (*Vox Vocis F*, 1979), Méfano (*Eventails*, 1977, *Madrigal*, 1977, *A Bruno Maderna*, 1980, *Traits suspendus*, 1980), Schnittke (*Dialogue*, 1980), Sinopoli (*Concerto pour piano*, 1978), Taïra (*Eveil*, 1974), Xenakis (*Komboï*, 1981) Yun (Octuor, 1978)...

Au sein du Collectif s'est créé en 1975 un quatuor à cordes, le *Quatuor Français 2e 2m* (Daniel Rémy et Alain Chomarat, violons, Jean-François Benatar, alto, David Simpson, violoncelle).

CRÉATIONS : Méfano (*Mouvement calme*), C. Halffter (*Quatuor n° 3*, 1979), B. Jolas (*Quatuor n° 3*), Baird (*Variations pour un rondo*), Lefebvre, Payne...

Collegium Aureum

Fondé en 1964 par Harmonia Mundi et Franzjosef Maier qui en est le violon solo.

Répertoire classique et baroque qu'il joue sur des instruments anciens (l'un des pionniers en la matière). Souvent associé au Deller Consort. Depuis 1976, s'oriente vers le répertoire du XIXe siècle qu'il joue sur des instruments modernes, mais dans un style ancien.

Collegium Musicum de Zürich

Fondé en 1941.

Cet orchestre à cordes d'une vingtaine de membres a été constitué par Paul Sacher, qui le dirige depuis l'origine pour compléter les activités de l'Orchestre de Chambre de Bâle, destiné aux œuvres de plus grande envergure. Comme lui, le Collegium Musicum joue aussi bien la musique classique et baroque que la musique contemporaine.

CRÉATIONS : Beck (*Lichter und Schatten*, 1982), Burkhard (*Piccola Sinfonia Giocosa*, 1949, *Concerto pour violon*, 1945), Fortner (*Ballet blanc*, 1958), Henze (*Sonata per archi*, 1958, *Concerto pour hautbois et harpe*, 1966, *Cantata della fiaba estrema*, 1965), Honegger (*Symphonie n° 2*, 1942, *Concerto da camera*, 1949), Keltelborn (*4 Nachstücke*, 1963), F. Martin (*Ballade pour violoncelle*, 1950, *Petite Symphonie concertante*, 1946, *3 Danses*, 1970), R. Strauss (*Métamorphoses*, 1946), Takemitsu (*Eucalypts*, 1970), Tippett (*Divertimento « Sellinger's Round »*, 1954), Lutoslawski (*Double Concerto pour hautbois et harpe*, 1980), Berio (*Corale*, 1982).

Concentus Musicus de Vienne

Ensemble orchestral fondé en 1953 par Nikolaus Harnoncourt à Vienne. A partir d'éléments appartenant à l'Orchestre Symphonique de cette ville et se donnant pour but de retrouver un contact plus vivant avec la musique ancienne, de la fin du Moyen Age à l'époque baroque. Pour ce faire, il est décidé de redonner vie à des instruments anciens ou copies d'anciens.

Pendant quatre années, les musiciens travaillent sur ces bases nouvelles et ne donnent leurs premiers concerts qu'en 1957. Les tournées ne commenceront qu'à partir de 1960. L'enregistrement des *Concertos brandebourgeois* de J.-S. Bach (1962) assure le premier véritable succès international de cet ensemble, devenu l'une des formations les plus célèbres pour l'interprétation de la musique baroque. D'autres interprètes, animés d'un souci analogue, tel Gustav Leonhardt, se sont associés à Nikolaus Harnoncourt dans ses recherches. Tous deux ont entrepris l'enregistrement intégral des *Cantates* de Bach ainsi que des grands oratorios de Bach et Händel. A côté de ces deux grands classiques, leur répertoire comporte aussi des œuvres de Monteverdi, Rameau, Couperin, Purcell, Fux, Biber ou Mozart.

Consort of Musicke (Londres)

Ensemble de musique ancienne **fondé en 1969** par Anthony Rooley et James Tyler.

A partir de 1972, Rooley en assure seul la direction. L'effectif est variable. La partie vocale a été assurée d'emblée par Martin Hill.

Les Cosaques du Don

Fondé en 1920 par Serge Jaroff. Ce chœur fut recruté parmi les Cosaques, restés fidèles à la cause du tsar et de la contre-révolution. Des tournées en Europe et aux Etats-Unis (où il émigre en 1939) font connaître ces voix à l'âpre beauté. Après guerre, leur style a tendance à s'édulcorer, au fur et à mesure de la disparition des éléments authentiquement russes.

Covent Garden

Construit en 1858, au même emplacement que ses deux prédécesseurs. Depuis 1946, il est la résidence de l'Opéra royal (jusqu'en 1968, Covent Garden Opera) et du Ballet royal (jusqu'en 1956, Sadler's Wells Ballet). Le 7 décembre 1732 fut construit le premier théâtre, où furent créées plusieurs œuvres de Händel (*Ariodante, Alcina, Atalante, Bérénice...*) et la première du *Messie,* en 1743. Le 18 septembre 1809 fut inauguré le second théâtre (le premier ayant brûlé le 19 septembre 1808) où fut créé *Obéron*, le 12 avril 1826. Le 5 mars 1856, le théâtre brûle et rouvre le 15 mai 1858 avec *Les Huguenots.* De 1896 à 1924, le Syndicat du Grand Opéra contrôle le théâtre, sous la direction de plusieurs imprésarios et directeurs musicaux. De 1897 à 1900, Maurice Grau dirige Covent Garden et le Met ; de 1901 à 1904, André Messager dirige Covent Garden et l'Opéra-Comique ; il continue trois ans comme imprésario, avec comme directeur, successivement, Neil Forsythe, Hans Richter et Percy Pitt. Ces deux derniers, chefs d'orchestre, élaborent le plan d'un opéra anglais, concrétisé par une représentation historique de la *Tétralogie*, en janvier 1908, sous la direction de Richter. En 1910, Thomas Beecham, inaugure une série de saisons de printemps et d'automne, où il crée en Angleterre les opéras de Richard Strauss, ainsi que *Roméo et Juliette au Village* (Delius) et *The Wreckers* (Ethel Smyth). Fermé pendant la Première Guerre mondiale, il rouvre avec Beecham, qui avait pendant les hostilités fondé la Beecham Opera Company. Suite à des difficultés financières, la British National Opera Company prend possession de Covent Garden de 1922 à 1924. On crée alors *The perfect fool* de Holst (1923). On décide alors de revenir à l'ancienne idée de l'opéra international. De 1924 à 1931, Bruno Walter compose des brillantes saisons d'opéras allemands avec Lotte Lehmann, Elisabeth Schumann, Melchior, Schorr, Mayr... Entre 1929 et 1931, l'opéra italien est également très bien représenté avec Rosa Ponselle, Gigli, Pertile, Stabile et Pinza. A la suite de la dépression, Beecham revient et dirige en 1932 une saison Wagner. De 1933 à 1939, la direction est assurée par Beecham et Geoffrey Toye. Mozart et Wagner sont dirigés par Furtwängler, Weingartner, Reiner et Beecham.

Durant la Deuxième Guerre mondiale, Covent Garden devient une salle de bal.

Entre 1945 et 1975, il y eut une troupe de chanteurs anglais qui, selon le système de la *saison*, donnèrent plus de 4 000 spectacles : Joan Sutherland, Josephine Veasey, Gwyneth Jones, Yvonne Minton, Jon Vickers, Geraint Evans... s'imposèrent à l'échelon international.

Directeurs : David Webster (1946-71), John Tooley (depuis 1971).

Directeurs de la musique : Karl Rankl (1946-51), Rafael Kubelik (1955-58), Sir Georg Solti (1961-71), Sir Colin Davis (1971-86), Bernard Haitink (à partir de 1988).

PRINCIPALES CRÉATIONS : *Billy Budd* et *Gloriana* (Britten, 1951 et 1953), *Troïlus et Cressida* (Walton, 1954), *The Olympians* (Bliss, 1949), *The Pilgrim's Progress* (Vaughan-Williams, 1951), *The Mid-summer Marriage, The Knot Garden* et *The Ice-Break* (Tippett, 1955, 1970 et 1976), *Victory* (Bennett 1970), *Taverner* (Maxwell Davies, 1972) et *We Come to the River* (Henze, 1976). Il y eut également de très nombreuses premières en Angleterre de Berg, de Janáček, de Schönberg... Plusieurs des réalisations de Covent Garden demeurent historiques : le *Don Carlos* du centenaire (Giulini-Visconti), les représentations de Callas, *les Troyens* (Berlioz) dirigés par Kubelík puis par Davis, le *Pelléas et Mélisande* dirigé par Boulez ainsi que les productions de Peter Hall, entre 1965 et 1971.

D

Deller Consort

Fondé en 1950 par Alfred Deller.

Chefs de chœur : Alfred Deller (1950-79), Mark Deller depuis 1979.

Composition : 5 à 6 chanteurs, un luth. Rosemary Hardy, Elisabeth Lane, Paul Elliott, Maurice Bevan et Robert Spencer, placés sous la direction de Mark Deller. Le Deller Consort a vu, avec le temps, ses membres changés, mais le style et le répertoire se sont enrichis. Cet ensemble défend un répertoire de qualité qui va de la musique élisabéthaine à la musique d'aujourd'hui, de Monteverdi à Britten. Mark Deller continue à approfondir la musique médiévale et baroque et porte une attention toute particulière au répertoire du madrigal des XVIe et XVIIe siècles. Le Deller Consort est fixé dans le Kent, à Ashford.

Deutsche Bachsolisten

Orchestre de chambre **fondé en 1960** et dirigé par Helmut Winschermann. Répertoire : musique du XVIIIe siècle.

Deutsche Oper (Opéra de Berlin-Ouest)

L'histoire de cette scène commence en 1912 lorsque est inaugurée la Deutsches Opernhaus à Charlottenburg, alors en dehors de Berlin. En 1925, elle devient Städtische Oper lors du rattachement de Charlottenburg à la capitale. En 1933, la scène de Charlottenburg reprend son nom d'origine, Deutsches Opernhaus, protégée par Goebbels, alors que la Staatsoper bénéficie des attentions de Goering. Le bâtiment est détruit dans les bombardements de 1943 ; les représentations ont lieu à l'Admiralspalast jusqu'en 1945, puis au Theater des Westens. Le nouveau régime de Berlin en fait l'opéra de Berlin-Ouest qui prend le nom de Deutsche Oper en 1961 lors de l'inauguration du nouveau bâtiment sur les lieux mêmes du premier théâtre de Charlottenburg.

Intendants : Georg Hartmann (1912-22), Leo Blech (1922-24), Heinz Tietjen (1925-29), Carl Ebert (1931-33), Max von Schillings (1933), Wilhelm Rode (1934-43), Hans Schmidt-Isserstedt et Günther Rennert (1943-45), Michael Bohnen (1945-47), von Hamm, Kelch et Heger (1947), Paproth (1948), Heinz Tietjen (1948-54), Carl Ebert (1954-61), Gustav-Rudolf Sellner (1961-72), Egon Seefehlner (1972-76), Siegfried Palm (1976-81), Götz Friedrich (depuis 1981).

Directeurs musicaux : Leo Blech (1922-24), Bruno Walter (1925-29), Fritz Stiedry (1929-33), Paul Breisach, Hans Schmidt-Isserstedt (1943-45), Robert Heger (1948), Leo Blech (1949-54), Ferenc Fricsay (1961-63), Heinrich Hollreiser (1er chef, 1961-64), Wolfgang Sawallisch (conseiller musical, 1963-65), Lorin Maazel (1965-71), Gerd Albrecht (1972-74), Jesus Lopez-Cobos (depuis 1981).

CRÉATIONS : Weill (*Die Bürgschaft*), Schreker (*Der Schmied von Gent*, 1932), Egk (*Circe*, 1948), Henze (*Le jeune Lord*, 1965 ; *Le Roi Cerf*, 1956), Milhaud (*l'Orestie*, intégrale, 1963), Dallapiccola (*Ulysse*, 1968), Fortner (*Corinna*, 1958, *Elisabeth Tudor*, 1972), Blacher (*Preussisches Märchen*, 1952 ; *Rosamunde Floris*, 1960), Kagel (*Aus Deutschland*, 1981), Debussy (*La Chute de la Maison Usher*, 1979), Rihm (*Tutuguri*, 1982), Kelterborn (*Ophelia*, 1984), Reimann (*Die Gespenstersonate*, 1984).

Deutsches Opernhaus

Voir à **Deutsche Oper.**

Deutsche Staatsoper (Opéra de Berlin-Est)

L'Opéra Royal « unter den Linden » est inauguré en 1742 avec *Cleopâtre et César* de Graun. Le bâtiment restera le même pendant plus de deux siècles. En 1919, l'Opéra Royal devient Opéra d'État (Staatsoper). Un premier bombardement détruit partiellement le théâtre en 1941, mais il rouvre quelques mois plus tard. En 1945, c'est la destruction complète. Le nouvel opéra sera inauguré en 1955. Pendant ces dix ans, les représentations ont lieu à l'Admirals palast. La séparation en plusieurs zones de la ville de Berlin fait de la Staatsoper l'Opéra de Berlin-Est, lors de la fondation de la R.D.A. en 1949. L'Opéra Royal a connu des directeurs et maîtres de chapelle illustres : Carl Heinrich Graun (1742-59), Johann Friedrich Reichardt (1775-94), August Wilhelm Iffland (1796-1814), Carl von Brühl (1815-28, le premier à porter le titre d'intendant), Gasparo Spontini (1819-41, directeur général de la musique), Giacomo Meyerbeer (1842-46), Otto Nicolaï, Felix Mendelssohn (chefs d'orchestre), Botho von Hülsen (1851-86, directeur), Bolko von Hochberg (1886-1903), Georg von Hülsen-Haeseler (1903-14). A la fin du XIXe siècle, les directeurs musicaux sont Felix Weingartner (1891-98), Karl Muck (1898-1912), Richard Strauss (1er chef dès 1898, directeur musical en 1912 et intendant de 1914 à 1918).

Intendants : Franz Winter (1918-19), Max von Schillings (1919-25), Heinz Tietjen (1925-45), Ernst Legal (1945-52), Heinrich Allmeroth (1952-54), Max Burghardt (1954-63), Hans Pischner (1963-84), Günter Rimkus (depuis 1984).

Directeurs musicaux : Leo Blech (1918-23), Erich Kleiber (1923-34), Wilhelm Furtwängler (1934-35), Clemens Krauss (1935-36). A partir de 1936, la direction musicale n'est plus concentrée entre les mains d'un seul homme. Plusieurs chefs permanents jouent un rôle prépondérant dans la maison véritablement dirigée par Tietjen : Rober Heger (1933-45), Werner Egk (1935-38, puis 1940-41), Hans Swarowski (1935-36), Johannes Schuler (1935-49), Karl Elmendorff (1938-42), Herbert von Karajan (1939-45), Paul Van Kempen (1940-42). Après la guerre, différents chefs permanents se succèdent : Karl Schmidt (1945-46), Joseph Keilberth, Leopold Ludwig et Karl Fischer (1948-51), Arnold Quennet et Hans Lowlein (1950-51), Karl-Egon Glückselig (1951-53), Walter Lutze (1951-54) avant la nomination d'un nouveau directeur général de la musique, Erich Kleiber (1954-55), qui démissionne aussitôt pour raisons politiques. Franz Konwitschny lui succède (1955-62), secondé par Lovro von Matačič (1956-58) et Horst Stein (1955-61). De 1962 à 1964, Heinz Fricke assure l'interrègne. Depuis 1964, le directeur musical est Otmar Suitner.

CRÉATIONS : A la fin du XIXe siècle, le théâtre vit surtout sur son répertoire : 3 créations seulement entre 1850 et 1919. Mais les choses changent dès 1919 : 12 créations en 12 ans, dont *Wozzeck* (Berg, 1925), *Zwingburg* (Křenek, 1924), *Der Singende Teufel* (Schreker, 1928), *Christophe Colomb* (Milhaud, 1930), *Das Herz* (Pfitzner, 1931). A l'époque nazie, on crée le *Prince de Hombourg* de Graener (1935) et *Peer Gynt* de Egk (1938). Depuis la guerre : *Die Verurteilung des Lukullus* (1951), *Puntila* (1966) et *Einstein* (1974) de Dessau, *Der Revisor* (1957) de Egk.

Pendant les années vingt, la Staatsoper a été l'une des plus brillantes scènes du monde, introduisant en Allemagne bon nombre d'ouvrages qui n'y avaient jamais été représentés. Kleiber s'était entouré de chefs comme Szell (1923-27), Klemperer (1931-33), Zemlinsky (1931-33) ou Fritz Zweig (1931-33), et avait su attirer des chanteurs comme Ivogün, Leider, Roswänge ou Schlusnus. La troupe actuelle comporte environ 80 chanteurs dont 30 invités permanents. L'Orchestre de la Staatskapelle compte 142 instrumentistes et le chœur 107 choristes.

Domaine Musical (Paris)

Fondé en 1954, dissous en 1973.

Directeurs : Pierre Boulez (1954-67), Gilbert Amy (1967-73). Orchestre dont l'effectif variait selon les besoins et qui s'est consacré à la diffusion de la musique du XXe siècle, des classiques (Ecole de Vienne, Varèse...) à l'avant-garde.

PRINCIPALES CRÉATIONS : Messiaen (*Oiseaux exotiques,* 1956 ; *Catalogue d'oiseaux,* 1959 ; *Haï-Kaïs,* 1966), Xenakis (*Eonta,* 1964), Roque Alsina (*Textes,* 1968), Bussotti (*Rara Requiem,* 1969), Arrigo (*La Cantata Hurbinek,* 1970), Mestral (*Unité,* 1970), Jolas (*D'un opéra de voyage,* 1967 ; *Lassus Ricercare,* 1971), Méfano (*Paraboles,* 1965), Eloy (*Etude III,* 1962 ; *Equivalences,* 1963 ; *Polychromies,* 1964), Amy (*Jeux et formes,* 1972).

E

Early Music Consort de Londres

Fondé en 1967.

Ensemble de musique ancienne fondé par David Munrow, comprenant cinq interprètes dont James Bowman et Oliver Brookes (violes), Christopher Hogwood (clavecin), puis, à partir de 1969, James Tyler (luth), D. Munrow jouant des instruments à vent. Un public enthousiaste accueillit ses interprétations de musique médiévale et de la Renaissance, dont il reste plusieurs enregistrements célèbres. L'ensemble s'est aussi intéressé à la musique contemporaine, créant des œuvres de Dickinson, Lutyens et Maxwell-Davies.

English Chamber Orchestra

Fondé en 1948 par Arnold Goldsbrough, Lawrence Leonard et Quintin Ballardie, il ne prend son nom actuel qu'en 1960. C'est le seul orchestre de chambre permanent de Londres. Depuis 1960, il n'a eu aucun chef permanent mais certains sont des invités privilégiés comme Britten, Barenboïm, Perahia, Leppard ou Ashkenazy. Depuis 1961, il joue régulièrement au Festival d'Aldeburgh. Depuis sa fondation, il n'a connu que trois violons solos : Emanuel Hurwitz, Kenneth Sillito et José Luis Garcia.

PRINCIPALES CRÉATIONS : de nombreuses pages de Britten (*Le Songe d'une nuit d'été, Owen Wingrave, Paraboles, Symphonie concertante*), Maw, Tavener, Birtwistle, Bennett (*Concerto pour contrebasse*, 1978), Holst (*Capriccio*, 1968), Holloway (*Ode*, 1980 ; *Second Idyll*, 1983), Arnold, Blake, Henze, Goehr, (*Sinfonia*, 1980).

English Concert

Fondé en 1973 et dirigé par Trevor Pinnock. Initialement constitué de 7 musiciens (5 cordes, 1 flûte et 1 clavecin), l'ensemble s'est progressivement étoffé pour devenir un orchestre de chambre. Répertoire : musiques des XVIIe et XVIIIe siècles dirigées, du clavecin, par Trevor Pinnock.

English National Opera (Londres)

Le Théâtre de Sadler's Wells a été construit en 1765. Restauré en 1925, il devient une scène lyrique en 1931 et fusionne avec l'Old Vic Opera. Il s'impose comme le deuxième théâtre lyrique anglais, orientant ses activités vers la production de spectacles en langue anglaise, la présentation d'œuvres contemporaines et les tournées en province qui en font un opéra itinérant. La plupart des chanteurs britanniques ont fait partie de cette troupe avant d'aller au Covent Garden. En 1968, il s'installe dans la salle du London Coliseum et prend en 1974 le nom d'English National Opera.

Directeurs : Lilian Baylis (1931-37), Tyrone Guthrie, Joan Cross (1943-45), Clive Carey (1946-47), Norman Tucker (1948-66), avec James Robertson et Michael Mudie (1953) et James Robertson (1953-54), Stephen Arlen (1966-72), comte de Harewood (1972-85), Peter Johnas (à partir de 1985).

Directeurs musicaux : Charles Corri (1er chef, 1931-35), Warwick Braithwaite (1er chef, 1932-40), Lawrance Collingwood (1er chef, 1940-47), James Robertson (1946-54), Sir Alexander Gibson (1957-59), Sir Colin Davis (1961-65), Sir Charles Mackerras (1970-78), Sir Charles Groves (1978-79), Mark Elder depuis 1979.

CRÉATIONS : Britten (*Peter Grimes*, 1945), Berkeley (*Nelson*, 1953), Bennett (*The Mines of sulphur*, 1965).

Des cycles d'opéras de Janáček et la *Tétralogie*, dirigée par Goodall en anglais, en 1973, comptent parmi les dates marquantes de ce théâtre.

Ensemble Ars Nova

Fondé en 1963 et dirigé par Marius Constant. Attentif aux courants esthétiques de l'époque, cet ensemble fait des improvisations collectives et se présente ensuite sous le nom de Ars Nova de l'O.R.T.F. *1967* : début d'une série d'enregistrements de disques. *1968* : premiers concerts-lectures, concerts-initiation, spectacles audiovisuels. L'ensemble participe à tous les festivals d'avant-garde. *1969 :* formation d'un second ensemble : *le Quintette de cuivres* Ars Nova, qui ne dépend plus de M. Constant.

PRINCIPALES CRÉATIONS : 1965 : *Signes* de Ohana ; 1966 : *Imaginaire I* de Ballif ; 1967 : *12 Inventions* de Jolivet ; 1968 : *Polytope* de Xenakis ; 1969 : *Parafrasis* de Luis de Pablo, *Lumina* de Malec, *Concerto pour violoncelle* et *Ramifications* de Ligeti ; 1970 : *Rituel d'oubli* de F. B. Mâche, *Pièce de chair II* et *Rara Requiem* de Bussotti ; 1971 : *Nho* de Dao, *Faisceaux-diffractions* d'Eloy, *Chiffres* d'Ohana ; 1972 : *Souvenir* de Donatoni, *Séquences pour l'Apocalypse* de Chaynes ; 1973, *Maya* de Taïra ; 1974 des œuvres d'Antunès, d'A. Escobar ; 1975 : *Des Canyons aux étoiles* de Messiaen (création en Europe) et *La Nouvelle Babylone* de Chostakovitch (film avec accompagnement symphonique, joué une fois en 1929) ; 1980 : *Hoang-Hon* de Dao ; 1982 : *Stress* de M. Constant et M. Solal, et de nombreuses œuvres de Constant, enregistrées aussi au disque (*Chants de Maldoror, 14 Stations, Éloge de la Folie*). Milhaud a dédié à l'ensemble *Musique pour Ars Nova* (1970).

Ensemble Baroque de Paris

Fondé en 1952.

Flûte : Jean-Pierre Rampal, puis Maxence Larrieu.

Clavecin : Robert Veyron-Lacroix.

Hautbois : Pierre Pierlot.

Violon : Robert Gendre.

Basson : Paul Hongne.

Répertoire : musique du XVIIIe et du début du XIXe siècle.

Ensemble 2e 2m

Voir à **Collectif Musical 2e 2m.**

Ensemble Guillaume Dufay

Ensemble vocal et instrumental français, fondé en 1973 par Arsène Bedois, maître de chapelle et organiste du grand orgue de l'église Saint-Thomas-d'Aquin à Paris ; il est spécialisé dans le répertoire du Moyen Âge et de la Renaissance et se compose de 6 chanteurs (2 contre-ténors, 2 ténors, 2 barytons) et d'un nombre variable d'instrumentistes suivant les œuvres à interpréter, soit un musicien pour vièle à archet et luth, un deuxième pour flûtes, cromornes, chalémies, ou même l'Ensemble d'instruments anciens Les Sacqueboutiers de Toulouse (2 cornets, 2 sacqueboutes).

Ensemble Guillaume de Machaut de Paris

Ensemble vocal et instrumental. **Fondé (en 1973) et dirigé par Jean Belliard,** haute-contre, Guy Robert et Elisabeth Robert, luthistes, avec Julien Skowron, vièles, Bernard Huneau, instruments à vent (flûtes, anches). Depuis 1979, il comprend Odile Jutten, orgue, Pascale Boquet, luth, Anne-Marie Lasla, vièles et violes, Pierre Hamon, flûtes et anches, François Février, sacqueboute, Kléber Besson, luths, Frédéric Richard, flûtes et anches. Son répertoire va du chant grégorien à la Renaissance.

Ensemble Instrumental de France

Fondé en 1968.

Effectif : 11 cordes et 1 clavecin dirigés par le violon solo Jean-Pierre Wallez. Il a servi de base à l'Ensemble Orchestral de Paris tout en conservant sa propre activité et son autonomie. Créations : *Yin-Yang* (Jolivet, 1975), *Suite enchaînée* (Martinon), *Concertare* (Bon, 1976).

Ensemble Instrumental de Grenoble

Fondé en 1972.

Dirigé par Stéphane Cardon (1972-84) puis par Alain Dubois, cet ensemble de 24 cordes et 1 clavecin participe aussi à la vie symphonique et lyrique grenobloise, renforcé par des professeurs de Conservatoire. Il possède le statut d'orchestre de région.

Ensemble Intercontemporain (Paris)

Fondé en 1976.

Directeur musical : Michel Tabachnik (1976-77), Peter Eötvös depuis 1979.

Fondé à l'initiative de Pierre Boulez (président du Conseil d'administration) et de Jean Maheu (directeur de la musique) l'Ensemble Intercontemporain (31 musiciens) a pour mission la recherche de nouvelles formes de manifestations musicales, l'information du public sur les techniques instrumentales et le travail d'orchestre propres au répertoire contemporain, l'aide à la formation des jeunes instrumentistes, l'exploration des nouvelles techniques de jeu instrumental, en relation étroite avec l'IRCAM.

PRINCIPALES CRÉATIONS : Alsina (*Senales*), Aperghis (*Je vous dis que je suis mort*), Bancquart (*Symphonie concertante*), Birtwistle (*...agm...*), Boesmans (*Doublures*), Boucourechliev (*Lit de neige*), Boulez (*Répons*), Cohen (*Concerto de chambre*), Corghi (*Sinfonia*), Donatoni (*Tema*), Dufourt (*Antiphysis*), Gaussin (*Éclipse*), Globokar (*To Whom it may Concern*), Grisey (*Modulations*), Halffter (*Mizar*), Holliger (*Va-et-vient*), Jolas (*11 lieder*), Krauze (*Tableau vivant*), Marcland (*Versets*), Méfano (*Espaces-Mouvants*), Mestral (*Fusions-diffusions*), Nunes (*Music der Frühe*), Pasquet (*Les Ondes, les ondes remplissent le cœur du désert, Atemkristall*), Prey (*Les mots croisés*), Rihm (*Cuts and dissolves, Chiffre V*), Risset (*Mirages*), Stockhausen (*Michaels reise um die erde, Inori*), Taïra (*Transapparence*), Vandenbogaerde (*Masses/Fluides*).

Formations issues de l'ensemble : *Quatuor Intercontemporain* (fondé en 1979 : Jacques Ghestem et Sylvie Gazeau, violons, Gérard Caussé, alto, Philippe Muller, violoncelle), *Trio Intercontemporain* (fondé en 1980 : Maryvonne Le Dizès-Richard, violon, Jean Sulem, alto, Pierre Strauch, violoncelle, créations de Devillers et Kanach), *Sextuor Schoenberg* (fondé en 1981 : Maryvonne Le Dizès-Richard et Marie-Josèphe Calvi, violons, Davia Binder et Michel Pons, altos, Pierre Strauch et Dominique Mougin, violoncelles).

Ensemble Instrumental de Picardie

Fondé en 1972, il porte le nom de **Pupitre 14** jusqu'en 1984. Composé de 14 musiciens (2 violons, alto, violoncelle, contrebasse, flûte, hautbois, clarinette, basson, cor, piano, harpe, guitare et percussion), il a obtenu le statut d'orchestre régional en 1974. Parmi les compositeurs qui ont écrit pour lui : Chaynes, Hasquenoph, Tansman.

Directeurs musicaux : Edmond Rosenfeld (1972-83), Alexandre Myrat (depuis 1984).

Ensemble Musique Vivante

Fondé en 1966 par Diego Masson, qui en est le chef permanent, pour jouer la musique contemporaine.

PRINCIPALES CRÉATIONS : Stockhausen (*Stop*, 1969, *Tends la voile dans le soleil*, 1972, *Momente*, 1972), Boulez (*Domaines*, 1970, *Explosante fixe*, 1972), Globokar (*Fluide*)...

Ensemble Orchestral de Haute-Normandie

Fondé en 1984, il remplace l'Orchestre de Chambre de Rouen dont la constitution remonte à 1963.

Chefs permanents : Albert Beaucamp (1963-67), Jean-Sébastien Béreau (1967-73), Jean-Claude Bernède (1973-81), Jean-Pierre Berlingen (depuis 1982).

Ensemble Orchestral de Paris

Fondé en 1978.

Directeur artistique : Jean-Pierre Wallez (depuis 1978). Effectif : 32 musiciens.

CRÉATIONS : Florentz (*Ténéré*, 1979, *Magnificat*, 1980), Capdenat (*Cassation*, 1979), Sciortino (*Kaleïdophone*, 1979), Guillou (*Concerto grosso*, 1981), Bolling (*Suite pour orchestre de chambre et piano-jazz-trio*, 1981), Finzi (*Concerto pour 2 violons*, 1981).

Ensemble « Per Cantar e Sonar »

Fondé en 1978.

Directeur : Stéphane Caillat. Ensemble de 5 à 10 solistes professionnels (chanteurs et instrumentistes) dont le répertoire est consacré aux œuvres de la Renaissance.

Ensemble Ricercare de Zürich

Voir à **Schola Cantorum Basiliensis.**

Ensemble Vocal de Lyon

Fondé en 1962.

Chef de chœur : Guy Cornut. Ensemble mixte de 60 choristes amateurs qui se produit a cappella ou avec orchestre de chambre.

Ensemble Vocal Michel Piquemal

Fondé en 1978.

Chef de chœur : Michel Piquemal. Ensemble mixte composé de 16 à 20 chanteurs non professionnels issus du Quatuor Vocal M. Piquemal et de la Chorale Vittoria d'Argenteuil. Son répertoire s'étend de la Renaissance aux œuvres romantiques avec piano et aux œuvres contemporaines. Calmel (*Cantate des Chemins retrouvés* et *Passion selon le livre de Jean*), Casterède (*Liturgie de la vie et de la mort*), Florentz (*Magnificat*), Vercken (*Six instants poétiques*) ont écrit pour l'Ensemble qui a enregistré un disque consacré à Rossini.

Ensemble Vocal Stéphane Caillat

Fondé en 1954.

Chef de chœur : Stéphane Caillat. Chœur mixte composé actuellement de 25 chanteurs amateurs. L'effectif a varié de 20 à 120 voix. Le répertoire s'étend du XVe au XXe siècle (œuvres de Bayle, Bon, Duruflé, Malec, Ohana, Reibel, Zbar...).

F

Festival de Glyndebourne

Fondé en 1934 par John Christie et sa femme, Audrey Mildmay. Les représentations ont lieu dans un petit théâtre (de 300 places à l'origine, 800 places aujourd'hui) situé au cœur même de la propriété du fondateur. À l'origine consacré aux opéras de Mozart, le répertoire s'élargit progressivement jusqu'aux ouvrages contemporains, cinq productions différentes étant présentées chaque année. Après l'interruption de la guerre, les représentations reprennent en 1946 et 1947, cessent à nouveau, et ne retrouvent leur rythme véritable qu'en 1950, lorsque les problèmes de financement sont résolus. Le Festival fonctionne grâce au mécénat privé et au mécénat d'entreprises. Depuis 1968, les 11 semaines de la saison (mai-août) sont prolongées par le Glyndebourne Touring Opera qui effectue une tournée en Grande-Bretagne à l'automne. Le Festival fait appel à de jeunes chanteurs dont la plupart sont devenus illustres, Kathleen Ferrier notamment. Jusqu'en 1964, le Royal Philharmonic Orchestra assurait les services d'orchestre. Il a été remplacé depuis par l'Orchestre Philharmonique de Londres, le Northern Sinfonia (1968-73) et le Bournemouth Sinfonietta (depuis 1974) assurant la tournée d'automne.

Directeurs de production : Carl Ebert (1934-59), Günther Rennert (1960-67), Franco Enriquez (1968-69), John Cox (1970-81), Sir Peter Hall (depuis 1983).

Directeurs musicaux : Fritz Busch (1934-51), Vittorio Gui (1951-60), John Pritchard (1960-77), Bernard Haitink depuis 1977.

Administrateurs : Alfred Nightingale (1934-35), Rudolf Bing (1935-49), Moran Caplat (1949-81), Brian Dickie (depuis 1982).

CRÉATIONS : Britten (*Le Viol de Lucrèce*, 1946, *Albert Herring*, 1947), Maw (*The Rising of the moon*, 1970). R. Strauss a réalisé spécialement pour le Festival de Glyndebourne une version à effectif réduit du *Chevalier à la rose.*

Festival Strings Lucerne

Fondé en 1955.

Chef permanent et cofondateur : Rudolf Baumgartner. L'ensemble, composé de 13 cordes et de 1 clavecin, ne reçoit pratiquement pas de subventions. Ses membres sont très jeunes. Ils restent de 3 à 10 ans dans la formation avant de se joindre à un grand orchestre symphonique.

PRINCIPALES CRÉATIONS (pour la plupart dédiées à Rudolf Baumgartner) : *Prologo, Aria e Finale* de Mainardi, *Lumina* de Malec, *Et la vie l'emporta* de Frank Martin, *Concerto pour trio* de Martinů, *Silenciaire* de Ohana, *Capriccio* de Penderecki, *Vom Spass und vom Ernst* de Tcherepnine, *Avrovra* de Xenakis, ainsi que de nombreuses pages signées Bamert, Beck, Françaix, Goehr, Huber, Kaegi,

Kelemen, Kelterborn, Kokkonen, Kubelík, Kunz, Markovits, Mieg, Mihalovici, Moeschinger, Müller, Rosenberg, Sutermeister, Schibler, Schoeck, Veress, Vogel.

Fine Arts Quartet

Fondé en 1946.

1er Violon : Leonard Sorkin depuis 1946.
2e Violon : Joseph Stepansky (1946-54), Abram Loft depuis 1954.
Alto : Shepard Lehnhoff, Irving Ilmer, Gerald Stanick, Bernard Zaslav depuis 1968.
Violoncelle : George Sopkin depuis 1946.

De 1946 à 1954 le Quatuor dépend de l'American Broadcasting Company de Chicago. Il a enregistré des œuvres de compositeurs américains tels que Babbitt, Wuorinen, Husa, Shifrin, Crawford.

Fistulatores et Tubicinatores Varsovienses

Fondé à Varsovie en 1964 par Kazimierz Piwkowski. Répertoire : musique médiévale, renaissance et baroque jouée sur des copies d'instruments anciens réalisées par Piwkowski lui-même d'après les originaux et les traités de Virdung (1510) et Praetorius (1619). L'ensemble (vocal et instrumental) joue en costume d'époque.

Florilegium Musicum de Paris

Ensemble vocal et instrumental **fondé à Paris en 1970** par Jean-Claude Malgoire, dans le but d'aborder principalement mais non exclusivement le répertoire polyphonique du Moyen Age et de la Renaissance. Parmi les enregistrements : Musique au temps des croisades ; Musique au temps des papes en Avignon. A participé à la création mondiale de la *Messe des voleurs* de Paul Méfano (Festival de Royan, 1972).

Frankfurter Kantorei

Chorale mixte dirigée par Kurt Thomas jusqu'en 1969 puis par Helmuth Rilling.

G

Gächinger Kantorei (Stuttgart)

Fondé en 1954.

Chef de chœur : Helmuth Rilling. Chorale mixte d'une centaine de chanteurs amateurs dont le répertoire couvre l'ensemble de la production chorale. Elle se produit le plus souvent accompagnée par le Bach Collegium sous la direction du même chef. Ils ont enregistré l'intégrale des cantates de Bach.

Grand Théâtre de Genève

Inauguré le 2 octobre 1879 avec *Guillaume Tell,* il remplace l'ancien théâtre construit en 1782-83. Il passe en administration municipale en 1889-91 puis en régie municipale de 1926 à 1934 avant d'être contrôlé par la Société Romande de Spectacles (1934-62). Le 1er mai 1951, le Grand Théâtre est détruit dans un incendie. Il ne rouvre ses portes qu'en décembre 1962. Pendant cette période les spectacles sont donnés au Grand Casino.

Directeurs : Louis Bernard (1879-81), Tancrède Gravière (1881-82), Louis Bellier (1882-83), Olive Lafon (1883-84), Tancrède Gravière (1884-85), Louis Bernard (1885-86), J. Gally, puis artistes en société (1886-87), F. Eyrin-Ducastel (1887-89), administration municipale de la Ville de Genève, direction : François Dauphin (1889-91), François Dauphin (1891-96), Marius Poncet (1896-1901), Emile Huguet et Sabin-Bressy (1901-04), Emile Huguet (1904-08), Constantin Bruni (1908-17), Michel Chabance (1917-20), Société Genevoise, direction : Emile Huguet (1920-21), Louis Barras (1921-25), Constantin Bruni (1925-26). Régie municipale de la ville de Genève, direction : Guy Beckmans-Charles Denizot-Albert Paychère (1926-32), Victor Andréossi-Henri Peillex, Oreste Tempia (1932-34). Société Romande de Spectacles, présidents : Philippe Albert (1935-1941, puis 1944-54), Edouard Naville (1941-1943), Marius Bertherat (1943-1944). Grand Casino, direction : Gilbert Burnand (1954-62), Marcel Lamy (1962-65), Herbert Graf (1965-73), Jean-Claude Riber (1973-80), Hugues Gall depuis 1980.

CRÉATIONS : F. Martin (*Monsieur de Pourceaugnac,* 1963), Sutermeister (*Raskolnikov,* 1965), Milhaud (*La Mère coupable,* 1966), Arrigo (*Le Retour de Casanova,* 1985).

Le théâtre fonctionne selon le système de la stagione (représentations en série d'un même ouvrage). Il n'y a pas de troupe lyrique permanente mais une troupe chorégraphique. La saison regroupe environ 90 représentations. L'Orchestre de la Suisse Romande assure l'essentiel des spectacles.

Grande Écurie et la Chambre du Roy (La)

Ensemble intrumental fondé en 1967 à Paris par Jean-Claude Malgoire, du nom d'un ensemble réputé du temps de

Louis XIV. Son répertoire essentiel concerne la musique baroque. Peu à peu, les violons baroques ont remplacé les instruments modernes et l'évolution du style d'interprétation s'est poursuivie parallèlement. Premier prix national des Arts du Japon (1974) pour *Les Indes Galantes* de Rameau, Deutschschalplatten Preis (1978) pour *Les Leçons de Ténèbres* de Marc-Antoine Charpentier, son but est de parvenir à enregistrer une discographie caractéristique des compositeurs des XVIIe et XVIIIe siècles. On remarquera, à ce jour, la place importante qu'occupe Händel dans sa production enregistrée.

Groupe Vocal de France

Fondé en 1976 par le Ministère de la Culture et la Ville de Paris.

Chefs de chœur: Marcel Couraud (1976-78), John Alldis (1978-83), Michel Tranchant (depuis 1983).

Composition : 12 chanteurs permanents et 4 chanteurs complémentaires.

Le Groupe Vocal de France a un large répertoire qui va de Josquin des Prés à Xenakis.

COMMANDES : Œuvres de Bancquart, Marcland, Dusapin, Lenot, Dufourt, Méfano, Miroglio.

H

Hallé Orchestra (Manchester)

Fondé en 1858.

Chefs permanents : Sir Charles Hallé (1858-95), Sir Frederic Cowen (1896-99), Hans Richter (1899-1911), Michael Balling (1912-14), Sir Thomas Beecham (1914-20), Sir Hamilton Harty (1921-33), Sir Thomas Beecham et Sir Malcolm Sargent (1933-39), Sir Malcolm Sargent (1939-42), Sir John Barbirolli (1943-70), James Loughran (1970-83), Stanislaw Skrowaczewski (depuis 1984).

PRINCIPALES CRÉATIONS : Symphonie nº 1 d'Elgar (1908), *Symphonies nº 7* (1953) et *nº 8* (1956) de Vaughan-Williams, *Concerto pour cordes* (2e version) de Howells (1974), *Symphonies nº 3* (1968) et *nº 4* (1969) de Hoddinott, *Rio Grande* (1929) de Lambert, *The Chagall Windows* (Mc Cabe, 1975).

Hesperion XX

Voir à **Schola Cantorum Basiliensis.**

K

King's Singers

Ensemble vocal masculin fondé en 1968.

Contre-ténors : Nigel Perrin, Alastair Hume.

Ténor : Alastair Thompson (jusqu'en 1978) puis Bill Ives.

Barytons : Anthony Holt et Simon Carrington.

Basse : Brian Kay.

Les membres sont issus du King's College de Cambridge sauf Anthony Holt qui vient de la Christ Church d'Oxford. Le répertoire porte sur les œuvres de la Renaissance mais aussi sur la période contemporaine (Krzysztof Penderecki, Luciano Berio, Richard Rodney Bennett, Paul Patterson, Malcolm Williamson, Peter Dickinson).

Kroll Oper (Berlin)

Fondé en 1927 et dissous en 1931.

Cet opéra a joué un rôle essentiel dans la vie musicale berlinoise. Son nom exact était Staatsoper am Platz der Republik. Il était dirigé par Otto Klemperer qui avait su s'entourer des meilleurs metteurs en scène (Ernst Legal, Hans Curjel, Gustav Gründgens) et décorateurs (Téo Otto, Oskar Schlemmer, László Moholy-Nagy) pour proposer un renouveau des conceptions scéniques de l'opéra. Le répertoire allait du XVIIIe siècle aux ouvrages d'Hindemith, Stravinski ou Weill. Janáček fut révélé aux Berlinois sur cette scène. Mais l'expérience tourna court à la fois pour des raisons économiques (conséquences de la crise de 1929) et politiques (opposition farouche de la droite).

L

Linde Consort

Voir à **Schola Cantorum Basiliensis.**

London Early Music Group

Fondé en 1976 par James Tyler (directeur artistique). Répertoire : musique de la Renaissance et du début de l'ère baroque (1590-1690). La formation de base réunit James Tyler, Oliver Brookes, Alan Lumsden, Duncan Druce, Nicholas Parker et Ian Gammie auxquels s'ajoutent éventuellement quelques instrumentistes et 1 à 3 chanteurs.

London Mozart Players

Fondés en 1949.

Directeurs musicaux : Harry Blech (1949-84), Jane Glover (depuis 1984). Mark Elder est le principal chef invité.

PRINCIPALES COMMANDES : des pages signées Jacob, Rawsthorne, Mathias, Hoddinott, Patterson, Williamson.

L'Itinéraire

Ensemble de musique contemporaine **fondé en 1973** par un groupe de compositeurs et d'instrumentistes. Il rassemble trois formations : un ensemble « classique » d'une vingtaine de musiciens, un ensemble d'instruments électroniques, un groupe de musique de chambre. La direction est assurée par Tristan Murail, Michaël Levinas, Roger Tessier, Hugues Dufourt, Patrice Bocquillon, Pierre-Yves Artaud, Jean-Max Dussert. L'Itinéraire a donné plus de 200 créations. Parmi elles : Bancquart *(L'Amant déserté, Ma Manière d'oiseau),* Murail *(Les Nuages de Magellan, Mémoire/Érosion),* Levinas *(Concerto pour un piano-espace),* Grisey, Lefebvre, Tessier, Bousch, de Pablo, Dufourt, Dusapin...

London Sinfonietta

Orchestre de 14 musiciens **fondé en 1968** pour jouer le répertoire contemporain. Son effectif peut varier en fonction des œuvres.

Chefs permanents : David Atherton (1968-73). Depuis 1973, l'ensemble travaille principalement avec Elgar Howarth, David Atherton, Simon Rattle, Oliver Knussen et Lothar Zagrosek. La direction artistique est assurée par Michael Vyner. Le répertoire s'élargit depuis quelques années aux siècles passés.

COMMANDES : Amy *(Seven Sites),* Banks, Bedford, Bennett *(Jazz Pastoral),* Berio *(Chemins IV),* Birtwistle *(Meridian, Verses),* Connolly, Dalby, Finnissy *(World),* Goehr *(Lyric Pieces),* Hamilton, Hoddinott *(Ritornelli),* Holloway *(Concertino n° 3),* Lutyens, Maxwell Davies, Patterson, Rihm (*Silence to be beaten*), Tavener, Xenakis *(Phlegra)...*

CRÉATIONS : Bennett *(Commedia I, Sonnet Sequence)*, Berio *(E Vo, Recital)*, Birtwistle *(Prologue, Épilogue)*, Boulez *(Explosante-Fixe, Dérive)*, Denisov *(Canon)*, Gerhard *(Sardana nº 1)*, Henze *(Voices, We Come to the River)*, Ligeti *(Kammerkonsert)*, Lutoslawski *(Chain I)*, Reimann *(Invenzioni for 12 players)*, Stockhausen *(Ylem)*, Tavener *(Chamber Concerto, The Whale)*, Tippett *(Songs for Dov)*, Stravinski *(Song Without a name)*...

London String Quartet

Voir à **Quatuor de Londres.**

M

Madrigalistes de Prague

Fondé en 1956.

Directeurs : Miroslav Venhoda (1956-81), Svatopluk Jánýš (1981). Depuis 1977, les Madrigalistes de Prague constituent l'ensemble de musique de chambre de la Philharmonie Tchèque. Ils sont composés de huit chanteurs et instrumentistes jouant sur des instruments anciens et modernes. C'est un ensemble professionnel dont le répertoire s'étend de la musique ancienne à la musique contemporaine. Des compositeurs tels que J. Rychlík, L. Vycpálek, V. Kučera, L. Fišer, P. Eben, Bořkovec ont écrit à leur intention.

Mai Musical Florentin

Fondé en 1933 par Vittorio Gui, il vient compléter la saison du Teatro Communale fondé en 1864 sous le nom de Teatro Politeama Fiorentino Vittorio Emmanuele.

Surintendant : Massimo Bogianckino (1976-83), Francesco Romano (depuis 1983).

Directeurs artistiques : G.M. Gatti (1933-37), Mario Labroca (1937-44), Francesco Siciliani (1950-56), Dott. Mariani, Roman Vlad (depuis 1964), Luciano Alberti (depuis 1978).

Directeurs de la musique : Vittorio Gui (1933-36), Mario Rossi (1936-44) , Ettore Gracis (1948-50), Bruno Bartoletti (1957-64), Riccardo Muti (1973-82), Zubin Mehta (à partir de 1985).

CRÉATIONS : Dallapiccola *(Vol de Nuit,* 1940, *Le Prisonnier,* 1950), Malipiero, Pizzetti, Badings (*Orestes*, 1954), Nono (*Das Atmende Klarsein*, 1981)...

Maîtrise Gabriel Fauré

Fondée en 1963.

Chef de chœur : Thérèse Farré-Fizio. Maîtrise de 40 jeunes filles non professionnelles se produisant sur le plan international (États-Unis 1968-76-80, U.R.S.S. 1971-72, Afrique du Sud 1970, Japon 1981). Le répertoire s'étend du XVIe siècle à nos jours (Messiaen, Migot, Poulenc, Milhaud...).

Maîtrise de Radio France

Fondée le 19 avril 1946.

Directeurs : Jacques Besson, Marcel Couraud, Jacques Jouineau, Henri Farge (1979-84), Michel Lasserre de Rozel (depuis 1984). Fondée à l'initiative de Henry Barraud, et Maurice David, la Maîtrise prodigue un enseignement général (1er et 2e cycle) lié à un enseignement musical à mi-temps. A partir de 16 ans, les jeunes filles constituent la Maîtrise qui se produit, sous l'autorité de son directeur, a cappella ou au sein des formations de la Radio avec lesquelles elle travaille en étroite liaison. Une partie des jeunes filles, leurs études terminées, rentrent dans les chœurs de Radio France ou se présentent à des concours pour l'obtention d'un diplôme d'enseignement de chant choral ou d'éducation musicale.

CRÉATIONS : Prey (*Le Cœur révélateur,* 1964, *Ionas,* 1966), Barraud (*La Fée aux Miettes,* 1968, *Enfance à Combourg,* 1977), Saguer (*l'Ombre d'un froid,* 1969), Komives (*Nikita,* 1970), Reibel (*Oracle* et *Empreinte,* 1975), Kagel (*vom Hörenzagen,* 1977), Matsumoto (*Tô-i-Koé,* 1976).

Manécanterie Concinite de Louvain

Fondée en 1972.

Chef de chœur : Karel Aerts. Chorale d'enfants fondée pour assurer la partie musicale des services religieux de l'église Saint-Quentin de Louvain. A partir de 1974, elle étend son activité au concert. Son chef, diplômé de philosophie et de lettres des Universités de Louvain, de Cologne et de Salzbourg, est actuellement conseiller artistique du Festival de Flandres et directeur du programme culturel de la B.R.T.

Maurache (La)

Ensemble instrumental et vocal de musique médiévale et renaissance **fondé en 1978** par Julien Skowron (voix, instruments à archet), Francisco Orozco (instruments à cordes pincées), Hervé Barreau (instruments à vent anciens), auquel participent aussi Nicole Robin (soprano), Claudine Prunel (claviers) et cinq membres de l'Ensemble Mélusine : Jean-François Dutertre (chant, vielle à roue, percussions), Jean-Loup Baly (chant, épinette des Vosges, cromorne, aérophone), Yvon Guilcher (chant, flûtes à bec, hautbois divers, cromorne, percussions), Dominique Dufour (chant, rebec, vielle à roue) et Mône Dufour (danse populaire et ancienne).

Les Ménestriers

Ensemble de musique ancienne **constitué en 1970** à l'occasion du 7e centenaire de la mort de Saint Louis. Répertoire : musiques du XIIe au XVe siècle. Effectif : 5 musiciens (Bernard Pierrot, luth, baryton, Yves Audard, flûtes à bec, cromornes, cervelas, ténor, Jean-Pierre Batt, basse de viole, cromornes, guimbarde, Julien Skowron, dessus de viole, vièle, rebec, haute-contre, Daniel Dossmann, pandore, cistre, percussions, baryton). Ils jouent sur des copies d'instruments d'époque. Ils ont réalisé la partie musicale du film de Bertrand Tavernier *Que la fête commence.*

Metropolitan Opera de New York

L'ancienne salle avait été inaugurée le 22 octobre 1883 avec *Faust.* Depuis septembre 1966, le Met dispose d'une nouvelle salle au Lincoln Center d'une capacité de 3 800 places.

Directeurs : Henry Abbey (1883-84), Leopold Damrosch (1884-85), Anton Seidl et Walter Damrosch (1885-92), Henry Abbey (1892-98), Maurice Grau (1898-1903), Heinrich Conried (1903-08), Andreas Dippel (1908-10) et Giulio Gatti-Casazza (1908-35), Herbert Witherspoon (1935), Edward Johnson (1935-50), Rudolf Bing (1950-72), Göran Gentele (1972, mort avant de prendre effectivement ses fonctions), Schuyler Chapin (depuis 1973).

Chefs d'orchestre : Leopold Damrosch (1884-85), Anton Seidl (1885-91), Walter Damrosch (1885-96 puis 1900-03), Felix Mottl (1904), Gustav Mahler (1907-08), Arturo Toscanini (1908-15), Arthur Bodansky (1915-39), Albert Wolff (1919-21), Tullio Serafin (1924-34), Sir Thomas Beecham (1941-44), Bruno Walter (1941-46 puis 1955-59), Max Rudolf (conseiller artistique, 1950-58), George Szell (1942-45), Fritz Stiedry (1946-58), Fritz Busch (1945-50), Fritz Reiner (1949-53).

Directeurs musicaux : Rafael Kubelík est le premier titulaire de ce nouveau poste mais il démissionne aussitôt (1973-74). James Levine lui succède en 1975.

CRÉATIONS : Puccini (*La Fille du Far West,* 1910, *le Triptyque,* 1918), Granados (*Goyescas,* 1916), Humperdinck (*Die Königskinder,* 1910), Giordano (*Madame

Sans-Gêne, 1915), Menotti (*Amélie va au bal,* 1937), Barber (*Vanessa,* 1958, *Antoine et Cléopâtre,* 1966 pour l'inauguration du Lincoln Center). Le Met a accueilli la première représentation de *Parsifal* en dehors de Bayreuth (1896). Considéré comme la première scène lyrique américaine, il a d'abord centré son répertoire sur les ouvrages allemands, chantés en langue originale avec les plus grandes voix du moment (fin XIXe-début XXe siècle). Gatti-Casazza et Toscanini ouvrent la scène aux ouvrages et aux chanteurs italiens tandis que Wolff impose le répertoire français. Sous la direction de Gatti-Casazzan le Met donne 17 ouvrages en création mondiale et 103 en création américaine. Johnson s'appuie sur les chanteurs et les compositeurs américains : le Met prend alors sa véritable identité et n'est plus seulement une terre d'accueil pour les plus grands chanteurs européens. Bing lui donne une dimension nouvelle, imposant des conditions de travail qui cassent la routine et renouvellent les conceptions théâtrales. La saison passe de 30 à 45 semaines. Pour le centenaire du Met, deux commandes ont été passées à Corigliano (*La Mère coupable*) et à Druckman (*Medea*).

La Monnaie (Bruxelles)

En 1700, construction de la première salle de la Monnaie, ainsi nommée d'après l'atelier monétaire qui occupait le site au XVIIe siècle. L'inauguration a lieu en présence du roi, par une représentation d'*Atys* (Lully) que l'on appelle « l'opéra du roi ». En 1830, la Monnaie est le théâtre de la Révolution belge, suite à une représentation de *La Muette de Portici.* La Monnaie brûle en 1855. L'actuelle Théâtre de la Monnaie date de 1856. C'est la troisième salle du nom. On y crée *Hérodiade* (Massenet) en 1881, *Sigurd* (Reyer) en 1884, *Salammbô* (Reyer) en 1890... De 1900 à 1914, la Monnaie est dirigée par Kufferath et Guidé qui créent *l'Étranger* (d'Indy, 1903) et le *Roi Arthus* (Chausson, 1904). De 1914 à 1918, le théâtre est occupé et fermé ; de décembre 1918 à 1919, Kufferath reprend la direction qu'il partage avec De Thoran et Van Glabbeke ; de décembre 1919 à 1921, De Thoran et Van Glabbeke dirigent seuls ; de 1921 à 1936, ils dirigent avec Paul Spaak (créations des *Malheurs d'Orphée* de Milhaud, 1926, d'*Antigone* d'Honegger, 1927, et du *Joueur* de Prokofiev, 1929) ; de 1936 à 1943, ils dirigent à nouveau seuls ; de 1943 à 1953, De Thoran est seul directeur ; à sa mort, Georges Dalman assure l'intérim, de janvier à août 1953 ; de 1953 à 1959, la Monnaie est dirigée par Rogatchewsy ; de 1959 à 1981, Maurice Huisman qui nomme chef permanent André Vandernoot et confie à Maurice Béjart le soin de créer le Ballet du XXe siècle qui devient une des grandes compagnies mondiales. En 1981, Gérard Mortier prend la direction de la Monnaie et décide de lui rendre son lustre d'antan, en accordant un soin tout particulier à la restructuration de l'orchestre (il nomme deux directeurs de la musique : John Pritchard et Sylvain Cambreling) et des chœurs. Il passe commande de plusieurs œuvres nouvelles à des compositeurs belges. La première création est la *Passion de Gilles de Rais* (Boesmans-Mertens), en 1983.

Monteverdi Chorus

Fondé en 1964.

Chef de chœur : John Eliot Gardiner. Chœur mixte d'une trentaine de chanteurs semi-professionnels réuni à l'occasion d'une exécution des *Vêpres* de Monteverdi au King's College de Cambridge et qui depuis n'a cessé de se produire dans un répertoire qui va jusqu'à Händel.

Museumsorchester (Francfort)

Fondé en 1808.

Il tire son nom de la Museumsgesellschaft, une fondation culturelle du XVIIIe siècle. Après la disparition de cette institution, les activités musicales se poursuivent, indépendantes des autres arts, avec les musiciens de l'orchestre de l'Opéra. Parmi les principaux chefs d'orchestre au XIXe siècle figurent Louis Spohr (1818-19) et Carl Guhr (1821-48). En

1924, Clemens Krauss rétablit le lien d'origine entre le musée, où ont lieu les concerts, et le théâtre. L'orchestre a donc une double vocation, symphonique et lyrique. Son chef permanent est, depuis 1924, le directeur général de la musique de l'Opéra de Francfort : Kogel (1891-1903), Siegmund von Hausegger (1903-06), Willem Mengelberg (1907-20), Wilhelm Furtwängler (1920-22), Hermann Scherchen (1922-24), Clemens Krauss (1924-29), Georg-Ludwig Jochum (1934-37), Franz Konwitschny (1937-45), Bruno Vondenhoff, Sir Georg Solti (1952-61), Lovro von Matačić (1961-66), Theodore Bloomfield (1966-68), Christoph von Dohnányi (1968-75), Michael Gielen (1975-87), Gary Bertini (à partir de 1987).

PRINCIPALES CRÉATIONS : *Ainsi parla Zarathoustra* (1896) et *La Vie d'un héros* (1899) de R. Strauss.

Musica Antiqua de Cologne

Ensemble de musique ancienne **fondé en 1973** qui se consacre à la restitution du répertoire classique et baroque sur des instruments originaux. Le noyau de l'ensemble comporte deux violons, un clavecin et une viole de gambe (ou un violone), selon l'effectif de la sonate en trio classique. Mais il peut s'élargir à des formations plus importantes. Reinhard Goebel, 1er violon de l'ensemble, en est le directeur artistique.

Musica Antiqua de Vienne

Ensemble de musique ancienne **fondé en 1959,** réunissant une vingtaine d'instrumentistes et chanteurs. Répertoire : musique du Moyen Age au prébaroque jouée sur des instruments d'époque ou des copies. *Directeur artistique :* Bernhard Klebel.

Musica Reservata (Londres)

Ensemble de musique ancienne **fondé au milieu des années cinquante** par le musicologue Michael Morrow qui en est le directeur artistique. John Beckett dirige du clavecin un ensemble à effectif variable où l'on retrouve John Sothcott (flûte à bec) et Grayston Burgess (haute-contre).

I Musici (Rome)

Ensemble de 11 instruments à cordes et 1 clavecin, **fondé en 1952** par des étudiants de l'Académie Sainte-Cécile de Rome sous les auspices de leur professeur, Remy Principe. Ils jouent sans chef, sous la conduite de leur violon solo : Felix Ayo (1952-67), Roberto Michelucci (1967-72), Salvatore Accardo (1972-77), Pina Carmirelli depuis 1977. Jusqu'en 1977, la formation est restée stable, ancrée par la basse continue (Lucio Buccarella, contrebasse, et sa femme, Maria-Teresa Garatti, clavecin). Depuis 1977, les différents pupitres se sont progressivement renouvelés.

D'emblée, ils apportent un visage nouveau à l'exécution de la musique italienne baroque, en pleine découverte. Leur répertoire s'étend aussi à la musique du XXe siècle.

N

New Philharmonia Orchestra

Voir à **Philharmonia Orchestra.**

New Phonic Art

En 1969, quatre musiciens, Carlos Alsina (piano), Vinko Globokar (trombone), Jean-Pierre Drouet (percussions) et Michel Portal (clarinette), fondent cet ensemble qui donne son premier concert le 18 avril 1969 à l'Akademie der Kunste de Berlin. Depuis il se produit en Europe et en Amérique Nord et Sud. Les programmes du New Phonic Art sont composés d'œuvres écrites pour l'ensemble ou pour solistes – souvent par les deux compositeurs du groupe : Alsina et Globokar – et d'improvisations. Les musiciens portent leurs efforts sur l'improvisation : s'ils jouent des œuvres écrites, il font un choix parmi leur répertoire peu de temps avant le concert selon le public venu les écouter. Divers compositeurs ont écrit pour le *New Phonic Art,* Kagel, Kessler, Globokar (*Correspondances pour quatre solistes,* 1969), Alsina (*Étude pour Zarb solo*). A leur répertoire, Stravinski, Berg, Berio, Stockhausen, Reibel, Zonn...

New York City Opera

Fondé en 1943, il est installé au Lincoln Center depuis 1966. Cette deuxième scène lyrique new-yorkaise se consacre plus particulièrement aux ouvrages rarement joués et au répertoire contemporain, présentant régulièrement depuis plusieurs saisons des opéras américains.

Directeurs musicaux : László Halász (1943-51), Joseph Rosenstock (1951-55), Erich Leinsdorf (1956), Julius Rudel (1957-79), Beverly Sills depuis 1979. La personnalité de Julius Rudel domine l'histoire de ce théâtre : il y a fait toute sa carrière, engagé comme chef assistant à la fondation et conservant les fonctions de 1er chef depuis 1979.

CRÉATIONS : D. Tomkin (*The Dibbuk,* 1951), Copland (*The tender Land,* 1954), Floyd (*Susannah,* 1958), Menotti (*The Most Important Man,* 1971). Le NYCO a donné les premières représentations américaines du *Château de Barbe-bleue* (Bartók), du *Procès* (von Einem), de *La Tempête* (F. Martin), de *La Femme silencieuse* (R. Strauss) et de *La Lune* (Orff).

Niederösterreichisches Tonkünstlerorchester (Vienne)

Fondé en 1945.

Chefs permanents : Kurt Wöss (1948-51), Gustav Koslik (1952-63), Heinz Wallberg (1964-75), Walter Weller (1975-79), Miltiades Caridis (depuis 1979).

Nordwestdeutsche Philharmonie (Herford, R.F.A.)

Chefs permanents : Hermann Scherchen (1959-60), Richard Kraus (1963-69), Erich Bergel (1972-79), János Kulka depuis 1976.

Nouveau Quatuor de Budapest

Fondé en 1971.

1er Violon : András Kiss.
2e Violon : Pál Andrassy.
Alto : László Barsony.
Violoncelle : Tibor Parkanyi.

L'année de sa création, il obtient le 3e prix au Concours international Haydn de Vienne et le 2e prix au Concours international Carlo Jachino de Rome. En 1973, il remporte le 3e prix au Concours international Leo Weiner de Budapest. En 1972, il suit les cours du Quatuor Hongrois à Waterville (États-Unis). Ses membres font partie des principaux orchestres de Budapest.

Nouveau Quatuor Hongrois

Fondé en 1977.

1er Violon : Andor Toth.
2e Violon : Richard Young.
Alto : Dénes Koromzay.
Violoncelle : Andor Toth (jr.)

Constitué par D. Koromzay qui fut alto du Quatuor Hongrois de 1935 à sa dissolution en 1970. Quatuor résident de l'Université d'Oberlin aux États-Unis.

Nouveau Quatuor de Prague

Voir à **Quatuor de Prague.**

Nouveau Trio Pasquier

Fondé en 1970.

Violon : Régis Pasquier.
Alto : Bruno Pasquier.
Violoncelle : Roland Pidoux.

Il donne ses premiers concerts à partir de 1972 et se produit régulièrement en France puis à l'étranger. Il s'associe couramment au pianiste Jean-Claude Pennetier.

Nouvel Orchestre Philharmonique de Radio France

Fondé le 1er janvier 1976.

Directeurs musicaux : Gilbert Amy (1976-81), Yves Prin (1982-83).
1ers chefs d'orchestre : Gilbert Amy (1976-81), Hubert Soudant (1981-83), Marek Janowski (depuis 1983).
Chef associé : Emmanuel Krivine (1981-83).

Formation de 137 musiciens pouvant se démultiplier afin d'assurer simultanément des programmes musicaux de genres et d'effectifs très divers, le N.O.P. participe au sein de Radio France à quatre cycles de concerts : symphonique, Musique Sacrée, Saison Lyrique, Musique au Présent et, parallèlement, aux Concerts-Lectures, Perspectives du XXe siècle, Prestige de la Musique et Festivals extérieurs. Les trois violons solos sont actuellement Roland Daugareil, Marie-Annick Nicolas et Jacques Prat. Il donne une cinquantaine de concerts par saison. Outre un grand nombre de premières auditions en France, le N.O.P. a assuré la création d'œuvres de Chaynes (*Pour un monde noir*), Mâche (*Andromède*), Barreau (*Océanes*), Koering (*Elseneur*), Nigg (*Mirrors for William Blake*), Tamba (*Chréode*), Sciortino (*l'Hystoyre Yncroyable*), Solal (*Concerto pour piano*), Finzi (*Trames*), Ton That Tiet (*Kiem Aï*), Constant (*Nana-Symphonie*), Miroglio (*Magnétiques*), Krauze (*Arabesque*).

Nouvel Orchestre Symphonique de la R.T.B.F. (Bruxelles)

Fondé en 1935.

Il succède à l'Orchestre de l'I.N.R. fondé lui-même en 1923. Jusqu'en 1960, il porte le nom de l'I.N.R. puis devient le Grand Orchestre Symphonique de la R.T.B.-B.R.T.

Chefs permanents : Franz André (1935-58), Daniel Sternefeld (1958-70), Irwin Hoffman (1973-76), Edgard Doneux (1978-84), Alfred Walter (depuis 1984). En 1978, le Grand Orchestre Symphonique est scindé en deux formations distinctes, l'une wallonne, l'autre flamande, à partir desquelles sont reconstitués deux orchestres symphoniques, le Nouvel Orchestre Symphonique de la R.T.B.F. et l'Orchestre Philharmonique de la B.R.T.

PRINCIPALES CRÉATIONS : *Les Euménides* (1949), *Symphonie n° 7* (1955) de Milhaud, *Concerto pour percussions* (1959) de Jolivet, *Le Livre de la jungle* (1946), *Le Docteur Fabricius* (1949), *Symphonie n° 1* (1946) et *Le Buisson ardent* (1957) de Koechlin, *Concerto pour piano n° 1* et *Symphonie I.N.R.* (Sauguet), *Concerto pour orchestre* (Tansman), *Poèmes pour mi* (Messiaen), *le Roi des étoiles* (Stravinski) et de nombreuses œuvres belges.

O

Octuor de Paris

Fondé en 1965.

1er Violon, Jean Leber.
2e Violon : Alain Moglia (1965-70), Jean Verdier (1970-74), Gérard Klam.
Alto : Michel Valès (1965-69), Jean-Louis Bonafous.
Violoncelle : Michel Renard (1965-70), Michel Tournus (1970-75), Philippe Muller (1975-78), Paul Boufil.
Contrebasse : Jacques Cazauran (1965-68), Gabin Lauridon.
Clarinette : Guy Deplus.
Cor : Daniel Bourgue.
Basson : Jean-Pierre Laroque.

L'Octuor de Paris est le premier ensemble français à associer de manière permanente – à l'image des grandes formations berlinoises et viennoises – cordes et vents. Son répertoire s'étend du quatuor à l'octuor et recouvre des œuvres d'une grande diversité. Cet ensemble, constitué de musiciens appartenant, pour la plupart, à l'Orchestre de l'Opéra, est subventionné dès l'origine par le Ministère de la Culture. Le XVIIIe et le XIXe siècle ont une part de choix dans les programmes, mais ce n'est pas au détriment de la musique contemporaine. Ainsi, de nombreuses pages signées Ballif (*Septuor*), Bancquart (*Octuor « made in USA »*), M. Constant, Françaix, Betsy Jolas (*Octuor « How now »*), Martinon, Philippot, Mâche, Sciortino et Xenakis (*Anactoria*) ont été dédiées à l'Octuor.

Octuor Philharmonique de Berlin

Voir à **Orchestre Philharmonique de Berlin.**

Octuor de Vienne

Fondé en 1948 par Willi Boskovsky, son premier violon, cet ensemble originellement prévu pour jouer le *Septuor* de Beethoven et l'*Octuor* de Schubert (un ou deux violons, alto, violoncelle, contrebasse, clarinette, cor et basson) s'est adjoint des instrumentistes supplémentaires pour jouer aussi bien les quintettes et les sextuors du répertoire classique que le contemporain (notamment l'*Octuor* de Hindemith et la *Sinfonietta* de Britten). L'ossature de l'ensemble était assurée par Philippe Mattheis (2e violon), Günther Breitenbach (alto), Nikolaus Hübner (cello), Johann Krump (contrebasse), Joseph Veleba (cor) et Alfred Boskovsky (clarinette), tous membres de la Philharmonie de Vienne.

Un *Nouvel Octuor de Vienne* s'est constitué autour du violoniste Erich Binder et du clarinettiste Peter Schmidl avec d'autres membres de la Philharmonie.

Opéra de Berlin-Est

Voir à **Deutsche Staatsoper.**

Opéra de Berlin-Ouest

Voir à **Deutsche Oper.**

Opéra de Budapest

Fondé en 1837.

Il donne ses représentations au Théâtre National jusqu'en 1884, date de la construction de l'Opéra Royal Hongrois devenu Opéra National.

Directeurs : Pál Komáromi (1945-46), Aladár Tóth (1946-56), Imre Palló (1957-58), Kálmán Nádasdy (1959-66), Miklós Lukács (1967-78), András Mihály (depuis 1978).

Directeurs musicaux et chefs permanents : Ferenc Erkel (1834-74), Hans Richter (1871-75), Sándor Erkel (1876-86, 1er chef de 1874 à 1900), Gustav Mahler (1888-91), Arthur Nikisch (1893-95), Kerner (1895-1929, directeur de l'Opéra en 1919-20, directeur de la musique en 1927-29), Egisto Tango (1913-19), Sergio Failoni (1928-48), Issaï Dobrowen (1936-39), Otto Klemperer (directeur de la musique, 1947-50), János Ferencsik (directeur de la musique, (1950-73 et 1978-84), István Kertész (1955-58), András Kórody (1946-73, 1er chef depuis 1973).

CRÉATIONS : Bartók (*Le Château de Barbe-Bleue,* 1918), Kodály (*Hary János,* 1926), Dohnányi (*Le Ténor,* 1929), Petrovics, Szokolay (*Les Noces sanglantes,* 1964), Durkó (*Moïse,* 1977), Balassa (*The Man outside,* 1978).

Les services d'orchestre sont assurés depuis 1884 par l'Orchestre Philharmonique de Budapest. Entre 1948 et 1955 fut constituée une troupe itinérante qui se produisait dans toute la Hongrie.

Opéra de Chicago

Fondé en 1910 par Andreas Dippel, il prend le nom de Civic Opera Company de 1922 à 1932. Le nouveau bâtiment est inauguré en 1929, mais la crise économique contraint l'Opéra à cesser ses activités en 1932. Pendant une vingtaine d'années, seules se produisent des compagnies itinérantes. En 1954, Carol Fox forme le Lyric Opera of Chicago qui s'impose rapidement comme l'un des principaux théâtres lyriques américains. La saison d'hiver est complétée par des représentations au Festival de Ravinia.

Directeurs : Andreas Dippel (1910-21), Mary Garden (1921-22), Samuel Insull (1922-32), Fausto Cleva (1944-46), Carol Fox (1954-81), Ardis Krainik (depuis 1981).

Directeurs musicaux : Cleofonte Campanini (1910-19), Gino Marinuzzi (1919-20), Giorgio Polacco (1920-30), Nicola Rescigno (1954-56), Bruno Bartoletti (depuis 1956).

PRINCIPALES CRÉATIONS : *L'Amour des trois oranges* (Prokofiev, 1921), *Edipo Re* (Leoncavallo, 1920), *Le Paradis perdu* (Penderecki, 1978).

Opéra de Cologne

Le premier théâtre lyrique permanent de Cologne remonte à 1822. Il est dirigé par Sobald Ringelhardt (1822-32) et surtout par Hiller (1850-84). En 1872 est construit le Theater in der Glockengasse auquel succède le Theater am Habsburger Ring en 1902 (Opernhaus am Rudolfplatz), inauguré avec le 3e acte des *Maîtres chanteurs.* Détruit dans les bombardements le 14 mai 1944, il est remplacé par le bâtiment actuel de l'Offenbachplatz inauguré le 18 mai 1957 avec *Obéron.* Pendant la reconstruction, les représentations ont lieu à l'Université et dans la Kammerspielen.

Intendants : Otto Purschian (1903-05), Max Martersteig (1905-11), Fritz Rémond (1911-28), Max Hofmüller (1928-33), Alexander Spring (1933-44), Karl Pempelfort (1945-47), Herbert Maisch (1947-59), Oscar Fritz Schuh (1959-65), Arno Assmann (1965-70), Claus Helmut Drese (1970-75), Michael Hampe (depuis 1975).

Directeurs musicaux : Oho Lohse (1904-11), Gustav Brecher (1911-16), Otto Klemperer (1917-24), Fritz Zaun (1929-39), Günter Wand (1939-44), Richard Kraus (1948-53), Otto Ackermann (1953-58), Joseph Rosenstock (1958-60), Wolfgang Sawallisch (1960-63), István Kertész (1964-73), John Pritchard (depuis 1977).

CRÉATIONS : Korngold (*La Ville morte*, 1929), Zemlinsky (*Der Zwerg*, 1921), Schreker (*Irrelohe*, 1924), Fortner (*Noces de sang*, 1957), Wellesz (*Die Opferung des Gefangenen*, 1926), Hartmann (*Simplicius simplicissimus*, 1949), Nabokov (*La Mort de Raspoutine*, 1959), Zimmermann (*Die Soldaten*, 1965).

En 1962 et 1963, Wieland Wagner produit le cycle complet de la *Tétralogie*, et, de 1969 à 1975, Jean-Pierre Ponnelle assure un cycle Mozart repris en 1982.

La saison comporte environ 185 représentations d'opéras et 25 représentations de ballets. La troupe a compté des chanteurs comme Peter Anders, Edith Mathis, Lucia Popp, Gerard Hüsch, Margaret Price, Friedrich Schorr ou Ludwig Weber.

Opéra-Comique de Berlin (Est)

Fondé en 1905 par Hans Gregor, il ferme ses portes en 1911 non sans avoir présenté la première allemande de *Pelléas et Mélisande* de Debussy (1908) et la création de *Roméo et Juliette au village* de Delius (1907). Il rouvre en 1913 sous le nom de Kurfürstenoper et est dirigé par Viktor Moris. On y crée *Neues vom Tage* de Hindemith (1929). Le véritable essor de cette scène date de l'après-guerre : en 1947, elle se trouve en secteur est-allemand et Walter Felsenstein en prend la direction. Il sera remplacé par Joachim Herz et, en 1981, par Harry Kupfer. Parmi les directeurs musicaux : Meinhard von Zallinger (1953-56), Václav Neumann (1956-60), Kurt Masur (1960-64), Zdeněk Kŏsler (1967-71), Rolf Reuter (depuis 1981).

Cette scène se caractérise par un travail de troupe en profondeur, les ouvrages étant rodés pendant plusieurs mois avant d'être présentés au public.

Opéra-Comique de Paris

Fondé en 1715, il rencontre d'emblée un succès considérable. Fermé de 1745 à 1752, il reparaît à Saint-Germain avant de fusionner avec la Comédie Italienne en 1762. Il s'installe rue Favart en 1783, d'où son nom. La Salle Favart ayant brûlé le 25 mai 1887, les spectacles se donnent au Théâtre Sarah Bernhardt (1887-98) puis au Théâtre du Château d'Eau (1898) en attendant l'inauguration de la nouvelle salle Favart le 7 décembre 1898.

Directeurs : Carvalho (1876-87 et 1891-98), Albert Carré (1898-1913), P.B. Gheusi, Emile et Vincent Isola (1914-18), Albert Carré et les frères Isola (1919-25), Louis Masson et Georges Ricou (1925-31), Louis Masson (1931-32), P.B. Gheusi (1932-36), comité de 14 membres présidé par Antoine Mariotte (1936-39), Henri Büsser (1939-40). L'Opéra-Comique fait alors partie de la R.T.L.N. et dépend du même administrateur que l'Opéra de Paris, tout en gardant un directeur propre : Max d'Ollone (1941-44), Lucien Muratore (1944), Roger Désormière, Pierre Jamin, Louis Musy et Emile Rousseau (1944), Albert Wolff (1945-46), Henry Malherbe (1946-48), Emmanuel Bondeville (1948-51), Louis Beydts (1952-53), Maurice Defers (1953), François Agostini (1954-59), Marcel Lamy (1959-62), Hervé Dugardin (1962-65), Eugène Germain (1965-68), Jean Giraudeau (1968-71), Bernard Lefort (1971-72).

Directeurs de la musique : André Messager (1898-1904), Alexandre Luigini (1904-06), François Rühlmann (1906-08 puis 1910-13), Gustave Doret (1909), Paul Vidal (1914-19), André Messager (1919-22), Albert Wolff (1922-24), D.E. Inghelbrecht (1924-25 puis 1932-33), Maurice Frigara (1925-32), Paul Bastide (1932-36), Eugène Bigot (1936-44), André Cluytens (1947-53), Jean Fournet (1953-57), poste vacant (1957-68), Jean-Claude Hartemann (1968-72).

PRINCIPALES CRÉATIONS : *La Dame blanche* (1825), de Boïeldieu, *Fra Diavolo* (1830) d'Auber, *Le Chalet* (1834) et *Le Postillon de Longjumeau* (1836) d'Adam, *La Damnation de Faust* (en concert, 1846) de Berlioz, *Dinorah* (1859) de Meyerbeer, *Mignon* (1886) d'Ambroise Thomas, *Carmen* (1875) de Bizet, *Les Contes d'Hoffmann* (1881) d'Offenbach, *Lakmé* (1883) de Delibes, *Manon* (1884) et *Griselidis* (1901) de Massenet, *Le Roi malgré lui* (1887) de Chabrier, *Le Roi d'Ys* (1888) de Lalo, *Louise* (1900) de G. Charpentier, *Pelléas et Mélisande* (1902) de Debussy,

Ariane et Barbe-Bleue (1907) de Dukas, *l'Heure espagnole* (1911) de Ravel, *Bérénice* (1911) de Magnard, *Macbeth* (1910) de Bloch, *Marouf* (1914) de Rabaud, *La Brebis égarée* (1923) et *Le Pauvre matelot* (1927) de Milhaud, *Persée et Andromède* (1929) d'Ibert, *L'École des maris* (1935) et *Madame Bovary* (1951) de Bondeville, *La Farce de Maître Pathelin* (1948) de Barraud, *Les Mamelles de Tirésias* (1947) et *La Voix humaine* (1959) de Poulenc, *Le Dernier sauvage* (1963) de Menotti, *My Chau Trong Thuy* (1978) de Dao, *Mots croisés* (1978) de Prey, *Jahreslaus* (1979) de Stockhausen, *Je vous dis que je suis mort* (1979) d'Aperghis, *Les Noces chymiques* (1980) de Pierre Henry, *Stradella* (1985) de C. Franck.

En 1972, le ministère des Affaires Culturelles décide de fermer l'Opéra-Comique. Sous l'appellation de salle Favart, il abritera pendant quelques saisons l'Opéra-Studio dirigé par Louis Erlo puis, sous l'administration de Liebermann, il servira d'annexe au Palais Garnier, présentant quelques spectacles d'ouvrages français oubliés, des créations et du théâtre musical. En 1982, il reprend une activité régulière sous la responsabilité artistique d'Alain Lombard et de ses successeurs au Palais Garnier.

Opéra de Dresde

Les premières représentations lyriques remontent à 1627 mais l'Opéra Royal n'est construit qu'en 1841. Il brûle en 1869 et est reconstruit en 1878. Détruit dans les bombardements de 1945, il rouvre ses portes en 1948.

Intendants : Hans Dieter Mäder, Heinrich Allmeroth, Horst Seeger (1973-84), Siegfried Köhler (1984), Gerd Schönfelder (depuis 1985).

Directeurs musicaux : Ernst von Schuch (1889-1914, 1er chef dès 1873), Fritz Reiner (1914-21), Fritz Busch (1922-33), Karl Böhm (1934-42), Karl Elmendorff (1943-44), Joseph Keilberth (1945-50), Rudolf Kempe (1950-53), Franz Konwitschny (1953-55), Rudolf Neuhaus (1955-60, avec Lovro von Matačič comme 1er chef, 1956-58), Otmar Suitner (1960-64), Kurt Sanderling (1964-67), Martin Turnovski (1967-68), Siegfried Kurtz (1971-75), Herbert Blomstedt (1975-85), Hans Vonk (à partir de 1985).

CRÉATIONS : Wagner (*Rienzi*, 1842, *Le Vaisseau fantôme*, 1843, *Tannhäuser*, 1845), R. Strauss (*Feuersnot*, 1901, *Salomé*, 1905, *Elektra*, 1909, *Le Chevalier à la rose*, 1911, *Intermezzo*, 1924, *Hélène d'Egypte*, 1928, *Arabella*, 1933, *La Femme silencieuse*, 1935, *Daphné*, 1938), Sutermeister (*Roméo et Juliette*, 1940), Busoni (*Docteur Faust*, 1925), Hindemith (*Cardillac*), Weill (*Le Protagoniste*).

Opéra de Francfort

Doté d'un passé historique remontant au XIXe siècle, cet opéra compte parmi les plus importants d'Allemagne. Le bâtiment actuel a été inauguré en 1981.

Directeurs généraux de la musique : Ludwig Rottenberg (1893-24), Clemens Krauss (1924-29, également intendant), William Steinberg (1929-33), Bertil Wetzelsberger (1933-37), Franz Konwitschny (1937-45), Bruno Vondenhoff (1945-51), Sir Georg Solti (1951-61), Lovro von Matačič (1961-66), Theodore Bloomfield (1966-68), Christoph von Dohnányi (1968-75), Michael Gielen (1975-87, également intendant), Ralph Weikert (1977-81, directeur général de la musique adjoint), Gary Bertini (à partir de 1987).

CRÉATIONS : Schönberg (*Von Heute auf Morgen*, 1930), Egk (*Die Zaubergeige*, 1935), *Colombus*, (1942), Orff (*Carmina Burana*, 1937, *Die Kluge*, 1943), Reutter (*Odysseus*, 1942), Henze (*Das Ende einer Welt*, *Ein Landarzt*, 1965).

Opéra de Hambourg

Le clergé hambourgeois s'oppose à l'ouverture, en novembre 1678, de l'Opéra, sous la direction de Gerhard Schott et Johann Adam Reinken. De 1703 à 1705, Händel y dirige et y crée *Almira* et *Nero*. En 1721, Telemann est engagé comme directeur de la musique d'église et responsable de l'Opéra. Il y crée *Sacrate, Ulysse...* Jusqu'en 1738, on donne presque chaque année une œuvre de Händel et une de Telemann, même s'ils ne dirigent plus. En 1748, Gluck dirige l'orchestre et y crée *Ezio* (1751). En 1767, Lessing est nommé conseiller pour le théâtre et y crée *Minna von Barnhelm* (1767), publie *La Dramaturgie de Hambourg* (1767-69), y crée *Émilia Galotti* (1772). En 1891, sous la direction du Hofrath B. Pollini, Gustav Mahler est nommé directeur musical (en même temps on installe l'électricité à l'Opéra). Il y dirige jusqu'en 1897. La première saison, sur les 277 spectacles, il en dirige 142 (25 ouvrages). Il assure la « première » allemande d'*Eugène Onéguine*, de *Yolantha* (Tchaïkovski)...

En 1898, la direction est confiée à Max Bachur et Franz Bittong. Y dirigent comme invités D'Albert, Nikisch, Siegfried Wagner... En 1912, Hans Loewenfeld est nommé directeur et Felix Weingartner 1er chef d'orchestre. Le 13 janvier 1913, Loewenfeld obtient de Cosima Wagner la partition de *Parsifal* qu'il donne le 23 janvier 1914 dans sa propre mise en scène. 1917, Egon Pollak est nommé directeur musical. En 1920, il devient exclusivement un théâtre musical. En 1922, Leopold Sachse devient directeur et Egon Pollak directeur général de la musique. En 1926, construction de la nouvelle salle d'opéra au Dammtor. Création de *La Ville morte* (1920) et du *Miracle de Héliane* (Korngold, 1927), de *La Cloche engloutie* (Hauptmann, 1927), de *Debora et Jaël* (Pizzetti, 1928). En 1931, Karl Böhm est directeur général de la musique. En 1933, l'Opéra est restructuré et devient un Théâtre d'État avec Heinrich K. Strohm comme intendant général ; Böhm reste jusqu'au 31 décembre, date à laquelle Eugen Jochum lui succède (1.1.34). Création de *Son Ombre* (Flotow) en 1934 ; en 1940, Alfred Noller est intendant général. En 1943, l'Opéra est détruit par un bombardement. Les spectacles ont lieu au Thalia-Theater. En 1945, Albert Ruch est intendant général. Le 9 janvier 1946, réouverture de l'Opéra avec *les Noces de Figaro* dirigées par Jochum. Le 17 juillet 1946, Günther Rennert est appelé comme directeur de l'Opéra, Albert Ruch demeure responsable de l'administration. En 1948, Rennert est nommé intendant général. En 1950, Arthur Grüber est 1er chef d'orchestre. En 1954, création du *Mariage* (Martinů). En 1955, création de la nouvelle version du *Retour* (Mihalovici) et de *Pallas Athénée pleure* (Krenek). En 1956, Heinz Tietjen est nommé intendant. En 1958, création du *Vert Kakadu* (Mohaupt). En 1959, Rolf Liebermann est nommé intendant. De 1951 à 1970, Leopold Ludwig est responsable musical de l'Opéra ; en 1970, il est nommé directeur général de la musique et prend sa retraite pour raison de santé, en 1972. Sous l'intendance de Rennert, il y eut de nombreuses « premières » pour l'Allemagne, des œuvres de Menotti, von Einem, Liebermann, Dvořak, Honegger, Mannino, Ibert, Egk, Dallapiccola, Peragallo, Hindemith... Dès son arrivée, Rolf Liebermann passe commande aux meilleurs musiciens de l'heure d'œuvres qui seront créées durant les quatorze années de son mandat.

D'autre part, il appelle, comme directeur de la danse Peter Van Dyk (le premier danseur étoile allemand à avoir fait une carrière internationale, alors premier danseur étoile à l'Opéra de Paris) qui, en ballet, fera lui aussi d'importantes créations mondiales comme la *Turangalîla-Symphonie* (Messiaen) en 1960 et *Pinocchio* (Bibalo) en 1969... Le ballet devient international. Parmi les créations lyriques importantes, il faut citer : *Le Prince de Hombourg* (Henze) en 1960, *le Déluge* (Stravinski) en 1963, *Figaro divorce* (Klebe) en 1963, *le Bélier d'or* (Krenek) en 1964, *le Sourire au pied de l'échelle* (Bibalo) en 1965, *Jacobowski et le Colonel* (Klebe) en 1965, *Incidents lors d'un atterrissage forcé* (Blacher) en 1966, *la Visitation* (Schuller) en 1966, *Arden doit mourir* (Goehr) en 1967, *Hamlet* (Searle) en 1968, *le Voyage* (Werle) en 1969, *les Diables de Loudun* (Penderecki) en 1969, *l'État de Siège* (Kelemen) en 1970, *Théâtre d'État* (Kagel) en 1971, *Kyldex I* (Pierre Henry) en 1973...

En août 1973, August Everding est nommé intendant de l'Opéra qui engage John Neumeier comme directeur de la danse. On compte alors comme créations lyriques *Pound-Villon-Testament* (Pound-Hirsch) en 1973, *D'une façon ou d'une autre* (de la Motte) en 1975, *les Aventures de Tartarin de Tarascon* (Niehaus) en 1977. Horst Stein est directeur général de la musique de 1972 à 1977. Christoph von Dohnányi lui succède et cumule ces fonctions avec celles d'intendant (1977-84). En 1984, Kurt Horres est nommé intendant et Hans Zender directeur général de la musique. Dès le début de l'année 1985, Kurt Horres quitte son poste, remplacé par Rolf Liebermann.

Opéra de Karlsruhe

En 1787 est contruit le Markgräflich-Badischen Hoftheater, mais Karlsruhe possède déjà une tradition lyrique de près d'un siècle. L'Opéra de la cour fonctionne jusqu'en 1790 sous ce nom avant de devenir le Grossherzoglich-Badischen Hoftheater. En 1919, il prend le nom de Badisches Landestheater et, en 1933, de Badisches Staatstheater. Ces différents titres correspondent à la construction de nouvelles salles, la principale, due à Hübsch, datait de 1853. Elle fut détruite dans les bombardements de 1944. La salle actuelle, un complexe ultra-moderne, a été inaugurée en 1975.

Intendants (depuis 1852) : Eduard Devrient (1852-70), Wilhelm Kaiser (1870-72), George Köberle (1872-73), Gustav Gans Edler Herr zu Putlitz (1873-89), Albert Büklin (1889-1904), August Bassermann (1904-19), Stanislas Fuchs (1919-20), Hans Bartnins (1920-21), Robert Volkner (1921-26), Hans Waag (1926-33), Karl Asal (1933), Thur Himmighoffen (1933-44), Hans Herbert Michels (1945-46), Erich Weidner (1946), Erwin Hahn (1946-47), Otto Matzerath (1946-48), Hanns Schulz-Dornburg (1948), Heinrich Köhler-Helffrich (1948-49), Heinz Wolfgang Wolff (1949-53), Paul Rose (1953-62), Waldemar Leitgeb (1962-63), Hans-George Rudolph (1963-77), Günter Könemann (depuis 1977).

Directeurs généraux de la musique (le poste n'a pas toujours été pourvu) : Johann Brandl (1810-24), Ferdinand Simon Gassner (1830-51), Wilhelm Kalliwoda (1853-75), Felix Mottl (1880-1903), Fritz Cortolezis (1913-25), Ferdinand Wagner (1925-26), Josef Krips (1926-33), Klaus Nettstraetter (1933-35), Joseph Keilberth (1935-40, chef d'orchestre dès 1931), Otto Matzerath (1940-55), Alexandre Krannhals (1955-61), Arthur Grüber (1962-76), Hector Urbón (1976-77), Christof Prick (1977-84), José Maria Collado (depuis 1984).

Parmi *les chefs permanents*, on compte Johann Melchior Molter (1722-33 et 1743-65), Franz Danzi (1812-24), Hermann Levi (1863-72), Otto Dessoff (1875-80) et Rudolf Schwarz (1927-33).

Opéra de Lyon

Le 17 septembre 1687, les héritiers de Lully accordent le droit à la ville de Lyon de représenter des œuvres lyriques. Le premier ouvrage qui y sera donné est *Phaëton* (Lully), le 3 ou le 7 janvier 1688. Un premier théâtre est construit par Soufflot (1754-56). L'actuel théâtre est construit, de 1826 à 1831, par Chenavart et Pollet. On l'a baptisé « le berceau du wagnérisme français » car c'est là qu'y fut créée la version française des *Maîtres chanteurs.* De 1898 à 1902, le Théâtre est dirigé par Tournié ; de 1902 à 1903, par le baryton Mondaud ; de 1903 à 1906, par Broussman ; de 1906 à 1909, par Flon et Landouzy ; de 1909 à 1912, par Valcourt ; de 1912 à 1920, par Beyle ; de 1920 à 1924, par Moncharmont et, de 1924 à 1927, par Moncharmont et Valcourt qui dirigera seul de 1927 à 1933 ; de 1933 à 1939, Carrié prend la direction ; de 1939 à 1941, Boucoiran ; à la fin de l'année 41, un intérim est assuré par Billet. De 1941 à 1942, Romette dirige le Théâtre ; de 1942 à 44, l'Opéra qui est en régie municipale est dirigé par Lalande ; de 1944 à 1946, Maurice Carrié lui succède puis, de 1946 à 1947, son fils (portant le même nom) dirige l'opéra avec Deloger ; de 1947 à 1949, Camille Boucoiran reprend la direction qu'il cède à Louis Camerlo. Celui-ci, pendant vingt ans, fait de l'Opéra de Lyon un foyer de wagnérisme mais aussi de création. Il confie certaines mises en scène à son fils Humbert qui y réalise un très bel *Erwartung* (Schönberg) et surtout à son neveu Louis Erlo qui, en 1969, lui succède. Louis Erlo crée « le nouvel opéra », supprime le trop grand nombre de spectacles pour donner davantage de représentations du même ouvrage et minimise l'importance et le nombre des opérettes. Il conquiert tout un public nouveau à l'art lyrique et développe le ballet de Lyon. Il fait un certain nombre de créations d'œuvres d'Antoine Duhamel, de Jean Prodromidès, etc. Lyon a accueilli de grands chefs d'orchestre, particulièrement André Cluytens qui dirigea de 1942 à 1944, puis Otto Ackermann. Depuis l'arrivée de Louis Erlo, la direction musicale a été assurée par Serge Baudo (1969-71), Theodor Guschlbauer (1971-75) et, depuis 1983, par John Eliot Gardiner qui a formé un nouvel orchestre qui s'est substitué à l'Orchestre de Lyon pour les services lyriques.

Opéra de Munich

Les premières représentations lyriques ont lieu en 1651 dans une halle aux grains transformée. Le Théâtre Cuvillies (Théâtre de la Résidence), construit en 1753, accueille les représentations jusqu'à l'ouverture du Théâtre de la Cour en 1818. Détruit dans un incendie en 1823, il est reconstruit en 1852. Il sera bombardé en 1943 et le bâtiment actuel verra le jour en 1963. De 1945 à 1963, les représentations auront lieu au Prinzregentheater.

Au XIXe siècle, Franz Lachner, directeur musical de 1852 à 1867, donne une impulsion profonde à ce théâtre qui devient l'une des principales scènes lyriques allemandes. Hans von Bülow (1867-69) et Franz Wüllner (1869-71) prolongent son action. On y crée *Tristan et Isolde* (1865), *Les Maîtres chanteurs* (1868), *L'Or du Rhin* et *La Walkyrie* (1869). En 1872, Hermann Levi est nommé 1er chef. Il deviendra directeur général de la musique en 1894, assurant effectivement ses fonctions jusqu'en 1896 (il conserve le titre jusqu'à sa mort en 1900). R. Strauss est chef permanent de 1886 à 1889 puis de 1894 à 1898. Munich est le haut lieu de l'art wagnérien. Depuis, les directeurs musicaux ont été : Felix Mottl (1907-11, 1er chef dès 1903), Bruno Walter (1913-22), Hans Knappertsbusch (1922-36), Clemens Krauss (1937-43), Ferdinand Leitner (1944-46), Georg Solti (1947-51), Rudolf Kempe (1952-54), Ferenc Fricsay (1955-59), Joseph Keilberth (1959-68, 1er chef dès 1951), Wolfgang Sawallisch depuis 1971.

Intendants : Rudolf Hartman (1952-67), Günther Rennert (1967-77), August Everding (1977-82), Wolfgang Sawallisch depuis 1982.

CRÉATIONS : Wolf-Ferrari (*Le Secret de Suzanne,* 1909), Pfitzner (*Palestrina,* 1917), R. Strauss (*Friedenstag,* 1938, *Capriccio,* 1942), Orff (*La lune,* 1939), Hindemith (*Harmonie du monde,* 1957), Henze (*Elégie pour de jeunes amants,* 1961), Egk (*Die Verlobung in San Domingo,* 1963), Tomasi (*Miguel Manara,* 1965), Yun (*Sim Tjong,* 1972), Reimann (*Lear,* 1978), Sutermeister (*König Béranger I,* 1985).

Bruno Walter avait ressuscité le répertoire mozartien, assisté de Karl Böhm. Clemens Krauss introduisit les ouvrages de R. Strauss et une tradition dans ce domaine qui subsiste toujours.

Opéra de Paris

Fondation, en 1661, de l'*Académie royale de Danse* et, en 1669, de l'*Académie royale de Musique.* En 1672, Lully prend possession de l'*Académie royale de Musique et de Danse.* Dès 1673, la grande salle du Palais royal abrite les productions de l'*Académie royale de Musique* (Opéra) ; *1791,* prend le nom de Théâtre de l'Opéra ; *1794,* Théâtre des Arts ; *1804,* Académie impériale de Musique ; *1814,* Académie royale de Musique (sauf durant les Cent Jours). Mais dès les réformes de Napoléon Ier, en 1807, les deux principaux théâtres lyriques de Paris prennent les noms d'Opéra et d'Opéra-Comique. Dans plusieurs langues, on continue d'appeler l'Opéra de Paris le Grand Opéra, pour le différencier des autres scènes lyriques.

L'Opéra de Paris a changé plusieurs fois d'adresse : depuis 1781, il occupe le Théâtre de la Porte-Saint-Martin, depuis 1794, il occupe le Théâtre Montansier, puis, durant les années 1820-21, la première salle Favart et le Théâtre Louvois ; depuis le 16 août 1821, la salle de la rue

Le Peletier, où en 1822 on introduit le gaz. Il brûle le 29 octobre 1873 et le Palais Garnier sera inauguré le 5 janvier 1875.

Directeurs : Halanzier (1875-79), Vaucorbeil (1879-84), Ritt et Pedro Gailhard (1885-91), Bertrand (1892-93), Bertrand et Pedro Gailhard (1893-98), Pedro Gailhard (1898-1906), P.B. Gheusi et Pedro Gailhard (1907), Broussan et André Messager (1908-14), Jacques Rouché (1915-39). En 1939 est créée la Réunion des Théâtres Lyriques Nationaux (R.T.L.N.) regroupant l'Opéra et l'Opéra-Comique sous une même administration.

Administrateurs : Jacques Rouché (1940-44), Maurice Lehmann (1945-46), Georges Hirsch (1946-51), Maurice Lehmann (1951-55), Jacques Ibert (1955-56), Georges Hirsch (1956-59), A.M. Julien (1959-62), Georges Auric (1962-68), André Chabaud (1968-69), René Nicoly (1969-71), Daniel-Lesur (1971-72), Rolf Liebermann (1973-80), Bernard Lefort (1980-82), Paul Puaux, Jean-Pierre Leclerc, Alain Lombard et Georges-François Hirsch (1982-83), Massimo Bogianckino (depuis 1983).

Directeurs artistiques : Philippe Gaubert (1940-41), Marcel Samuel-Rousseau (1942-44), Reynaldo Hahn (1945-46), Henri Büsser (1946-51), Emmanuel Bondeville (1951-59), Bernard Lefort (1971-72).

Directeurs de la musique : Édouard Deldevez (1875-76), Charles Lamoureux (1877-78), Ernest Altes (1878-87), Auguste Vianesi (1887-91), Édouard Colonne (1892-93), Paul Taffanel (1893-1905), Paul Vidal (1906-14), Camille Chevillard (1915-23), Philippe Gaubert (1924-39), François Rühlmann (1940-46), Henri Büsser (1947-51), personne jusqu'en 1959, Emmanuel Bondeville (1959-70), Sir Georg Solti (conseiller musical, 1973-74), personne jusqu'en 1980, Silvio Varviso (1980-81), Alain Lombard (1981-83).

PRINCIPALES CRÉATIONS : *Hippolyte et Aricie* (1733), *Les Indes galantes* (1735), *Castor et Pollux* (1737), *Les Fêtes d'Hébé* (1739) de Rameau, *Iphigénie en Tauride* (1779) de Gluck, *La Vestale* (1807) de Spontini, *Le Comte Ory* (1828) et *Guillaume Tell* (1829) de Rossini, *La Muette de Portici* (1828) d'Auber, *Robert le diable* (1831), *Les Huguenots* (1836), *Le Prophète* (1849) et *l'Africaine* (1865) de Meyerbeer, *La Juive* (1835) de Halévy, *Benvenuto Cellini* (1838) de Berlioz, *La Favorite* (1840) de Donizetti, *les Vêpres siciliennes* (1855) et *Don Carlos* (1867) de Verdi, *Tannhäuser* (version de Paris, 1861) de Wagner, *Hamlet* (1868) de A. Thomas, *Henri VIII* (1883) et *Ascanio* (1890) de Saint-Saëns, *Le Cid* (1885) et *Thaïs* (1894) de Massenet, *Messidor* (1897) de Bruneau, *Le Rossignol* (1914), *Renard* (1922), *Mavra* (1922) et *Perséphone* (1934) de Stravinski, *La Légende de saint Christophe* (1920) de d'Indy, *Padmâvati* (1923) et *La Naissance de la Lyre* (1925) de Roussel, *Salamine* (1929) de M. Emmanuel, *Guercœur* (1931) de Magnard, *Maximilien* (1932) et *Bolivar* (1950) de Milhaud, *Le Marchand de Venise* (1935) de R. Hahn, *Oedipe* (1936) d'Enesco, *La Chartreuse de Parme* (1939) de Sauguet, *Numance* (1955) de Barraud, *Lulu* (1979, version en 3 actes complétée par Friedrich Cehra) de Berg, *Ondine* (1982) de Daniel-Lesur, *Erzsebet* (1983) de Chaynes, *Saint François d'Assise* (1983) de Messiaen, *Docteur Faustus* (1985) de Boehmer.

PRINCIPAUX BALLETS CRÉÉS À L'OPÉRA DE PARIS : *Giselle* (1841) de A. Adam, *Le Papillon* (1860) d'Offenbach, *Coppelia* (1870) et *Sylvia* (1876) de Delibes, *Namouna* (1882) de Lalo, *Les deux Pigeons* (1886) de Messager, *l'Oiseau de Feu* (1910) et *Pulcinella* (1920) de Stravinski, *La Légende de Joseph* (1914) de R. Strauss, *Cydalise et le chèvrepied* (1923) de Pierné, *Boléro* (1928) de Ravel, *Bacchus et Ariane* (1931) et *Aeneas* (1938) de Roussel, *Oriane et le prince d'amour* (1938) de Schmitt, *Les Animaux modèles* (1942) de Poulenc, *Guignol et Pandore* (1944) de Jolivet, *Le Chevalier errant* (1950) d'Ibert, *Hop frog* (1953) de Loucheur.

Opéra de Prague

Fondé en 1881, le Théâtre National de Prague succède à une longue tradition lyrique : *Don Giovanni* et *la Clémence de Titus* y avaient été créés, Weber et Smetana y avaient été directeurs musicaux. Le Théâtre allemand, construit en 1887, fonctionna jusqu'en 1945 sous la direction d'Angelo Neumann (1887-1910) et d'Alexander von Zemlinsky (1911-27) avec des chefs comme Anton Seidl, Gustav Mahler, Otto Klemperer, William Steinberg, George Szell, Joseph Keilberth. Depuis, il est devenu le Théâtre Smetana et sert de seconde salle à l'Opéra de Prague. Une autre salle, le Théâtre Tyl, construit en 1783, est également utilisée.

Directeurs artistiques : František Šubert (1883-1900), Karel Kovařovic (1900-20), Otakar Ostrčil (1921-35), Vāclav Talich (1935-44), Otakar Jeremiāš (1945-47), Vāclav Talich (1947-48), Otakar Jeremiáš (1948-49), Ladislav Boháč (1950), Jaroslav Vogel (1950-51), V. Kašlík, M. Budíková, O. Kozák (1951), Jiří Pauer (1952-53), Ladislav Boháč (1953-55), Jiří Pauer (1956-58), Jaroslav Vogel (1958-64), Jan Seidel, Hanuš Thein (1964-65), Jiří Pauer (1965-67), Hanuš Thein (1967-68), Jaroslav Krombholc (1968-71), Václav Holzknecht (1971-73), Ladislav Šín (1973-76), Milŏs Konvalinka (1976-79), Zdeněk Košler (depuis 1980).

CRÉATIONS : Smetana (*La Fiancée vendue*, 1866), Dvořák (*Russalka*, 1901), Martinů (*Istar*, ballet, 1924, *Julietta*, 1938, *Mirandolina*, 1959), Pauer, Bořkovec, Vostřak...

La troupe permanente comporte 70 solistes, 223 chanteurs et 2 chorales de 82 et 71 membres. La saison comporte environ 300 représentations.

Opéra du Rhin (Düsseldorf-Duisbourg)

L'Opéra du Rhin allemand (Deutsche Oper am Rhein), **fondé en 1956**, réunit les deux scènes lyriques voisines de Düsseldorf et Duisbourg, la première surtout comptant une tradition importante. L'Opéra de Düsseldorf a été construit en 1875, transformé en 1906, détruit dans les bombardements de 1944 et reconstruit en 1956.

Intendants : Karl Scherbarth (1873-76), Karl Erdmann (1876-77), Albert Schirmer (1877-80), Karl Simons (1881-89), Frau Simons et Rainer Simons (1889-90), Eugen Staegemann (1891-98), Frau Staegemann (1898-1900), Heinrich Gottinger (1900-03), Ludwig Zimmermann (1903-20), Willi Becker (1920-25), Heinz Hille (1925-27), Walter Bruno Iltz (1927-36), Otto Krauss (1937-44), Wolfgang Langhoff (1945-46), Gustaf Gründgens (1947-51), Walter Bruno Iltz (1951-55), Eugen Szenkar, Walter Schoppmann, Fritz Landsittel (1955-56), Hermann Juch (1956-64), Grischa Barfuss (1964-85), Kurt Horres (depuis 1985).

Directeurs musicaux : Heinrich Hollreiser (1942-45), Eugen Szenkar, Alberto Erede (1958-62), Günter Wich (1965-80), Hiroshi Wakasugi (depuis 1982).

Plusieurs cycles importants ont été présentés (opéras de Janáček, Mozart, Wagner, une série consacrée à la création lyrique du XXe siècle : Schönberg, Berg, Hindemith, Dallapiccola, Brecht-Weill, Stravinski, Zimmermann et un cycle d'inspiration religieuse : Rossini, Puccini, R. Strauss).

CRÉATIONS : *Die Räuber* (1957), *Die tödlichen Wünschen* (1959) et *Das Märchen von der schönen Lilie* (1969) de Klebe, *Die Ameise* (1961) de Ronnefeld. *Schet die Sonne* (1985) de Goehr (commande pour le 25e anniversaire de l'Opéra du Rhin.

Opéra du Rhin (Strasbourg)

En 1603 est édifié le premier théâtre de Strasbourg, le « Zimmerhof », alors que l'on donnait déjà des représentations lyriques depuis le milieu du XVIe siècle. Différents établissements se succèdent jusqu'à la construction (1805-21) du théâtre, place de Broglie. L'inauguration a lieu le 23 mai 1821. Incendié le 10 septembre 1870 pendant le siège de Strasbourg, seuls restent les murs. Le bâtiment est reconstruit au même endroit d'après d'anciens plans et la décoration exactement reconstituée (1872-73). La réouverture a lieu le 4 septembre 1873. Le théâtre est exploité en concession à partir de 1876 et en régie directe à partir de 1886. En 1888, la façade arrière est modifiée.

Directeurs : Alexandre Hessler (1873-81 et 1886-90), Alois Prasch (1890-92), Franz

Krükl (1892-99), Joseph Engel (1899-1903), Maximilian Wilhelmi (1903-13), Anton Otto (1913-16), Paul Legband (1916-19), Henri Villefranck (1919-26), André Calmettes (1927-32), Albert Pfrimmer (1932-34), Paul Bastide (1934-39). Le théâtre est fermé en 1939-40, puis passe sous une direction allemande (1940-44) avant d'être à nouveau fermé en 1944-45. Paul Bastide (1945-48), Roger Lalande (1948-53), Pierre Deloger (1953-55), Frédéric Adam et Ernest Bour (1955-60), Frédéric Adam (1960-72). En 1972, le Théâtre de Strasbourg devient l'Opéra du Rhin, subventionné par l'État, par les villes de Strasbourg, de Mulhouse et de Colmar qu'il dessert également (à Mulhouse est sis le Ballet du Rhin et à Colmar l'Atelier lyrique voué à la création), par le Conseil régional d'Alsace et les Conseils généraux du Bas et du Haut-Rhin. De 1972 à 1974, il est dirigé par Pierre Barrat qui, dès 1974, prend en charge exclusivement l'Atelier lyrique à la tête duquel il fait de nombreuses créations de Claude Prey, Aperghis... De 1974 à 1980, Alain Lombard dirige l'Opéra du Rhin auquel il donne un essor international. En 1980, René Terrasson lui succède, démocratisant avec intelligence l'Opéra du Rhin qu'il consacre à l'épanouissement du chant français. En 1983, Theodor Guschlbauer devient directeur de la musique.

Chefs d'orchestre : Otto Lohse (1897-1904), Wilhelm Furtwängler (1910-11), Hans Pfitzner (1908-19), Ernest Münch (1910-14), Otto Klemperer (1914-17), George Szell (1917-19), Josef Krips (1932-33), Hermann Scherchen (1933-34), Hans Rosbaud (1942-43), Paul Bastide (1945-48), Ernest Bour (1955-60), Frédéric Adam (1960-72), Alain Lombard (1972-82), Theodor Guschlbauer (depuis 1983).

CRÉATIONS : *Les Noces de cendre* (Tomasi, 1954), *Hécube* (Martinon, 1956), *Le Feu* (Landowski, 1956), *Addio Garibaldi* (Arrigo, 1972), *Les Liaisons dangereuses* (Prey, 1973), *Medis et Alyssio* (Delerue, 1975), *Liebestod* (Aperghis, 1982), *Comme il vous plaira* (Hasquenoph, 1982), *H.H. Ulysse* (Prodromidès, 1984).

Opéra de San Francisco

Fondé en 1923 par Gaetano Merola. Le bâtiment actuel, le War Memorial Opera House, a été inauguré en 1932. L'Opéra de San Francisco a accueilli ou fait débuter les plus grandes voix européennes et américaines (Muzio, Gigli, Pons, Pinza, Tebaldi, Flagstad, Schorr, Melchior).

Directeurs : Gaetano Merola (1923-53), Kurt Herbert Adler (1953-81), Terence McEwen (depuis 1982).

CRÉATIONS : *Blood Moon* (1961) de Dello Joio et *Angle of Repose* (1976) de Imbrie. L'Opéra de San Francisco a donné pour la première fois aux États-Unis *l'Affaire Makropoulos* de Janáček (1966), *Les Dialogues des carmélites* de Poulenc (1957), *Katerina Ismailova* de Chostakovitch (1964), *La Femme sans ombre* de R. Strauss (1959) et *Lear* de Reimann (1981).

Opéra de Sofia

Fondé en 1891, il cesse son fonctionnement l'année suivante pour n'ouvrir véritablement qu'en 1907. Il entretien une troupe permanente dont sont issus des chanteurs comme Ghiaurov, Ghiuzelev, Christoff... A côté du répertoire, chanté en bulgare, de nombreux ouvrages de compositeurs nationaux sont représentés (Manolov, Pipkov, Goleminov, Iliev, Levi...). Constantin Iliev a été directeur artistique de 1949 à 1952. Actuellement, le directeur est Svetozar Donev, le directeur musical Ruslan Raitchev.

Opéra de Stuttgart

Au XVIe siècle, on y donne les premières représentations d'opéra au Neues Lusthaus. De 1753 à 1771, le duc de Wurtemberg engage comme Kapellmeister Jommelli. Entre 1812 et 1815, on édifie un Hoftheater, détruit par un incendie en 1902. L'actuel théâtre est inauguré en 1912 et cette même année y est créée la 1ere version d'*Ariane à Naxos* (Strauss). Dès la fin des hostilités, la troupe est à nouveau mise sur pied et, en décembre 1946, c'est la « première » en Allemagne de *Mathis le Peintre* (Hindemith). Début 1947, on y crée *La Bernauerin* (Carl Orff). Parmi les metteurs en scène qui font le renom de la maison, il faut citer Wieland Wagner et Günther Rennert. *Volpone* (Francis Burt) y est créé en 1960.

Intendants : Albert Kehm (1945-46), Bertil Wetzelsberger (1946-49), Walter Erich Schäfer, (1949-72), Wolfgang Windgassen (1972-74) Wolfram Schwinger, Hans-Peter Doll.

Directeurs-généraux de la musique : Max von Schillings (1908-18), Fritz Busch (1918-22), Carl Leonhardt (1922-37), Herbert Albert (1937-44), Philipp Wüst (1944-45), Bertil Wetzelsberger (1946-49), Ferdinand Leitner (1949-69), Václav Neumann (1970-73), Silvio Varviso (1972-80), Dennis Russell Davies (depuis 1980).

PRINCIPALES CRÉATIONS : *Comoedia de Christi resurrectione* (1957), *Oedipe le tyran* (1959), *Ludus de nato Infante mirificus* (1960), *Ein Sommernachtstraum* (1964) et *Prométhée* (1968) de Orff, *Le Violon enchanté* (2e version, 1954) et *17 jours et 4 minutes* (1963) de Egk, *Don Juan et Faust* (1950) de Reutter, *La Chatte anglaise* (1983) de Henze.

Opéra de Varsovie

La tradition lyrique dans la capitale polonaise remonte à la fin du XVIIIe siècle. A partir de 1833, les représentations ont lieu au Théâtre Wielki qui brûle en 1945. L'Opéra émigre alors dans la salle Roma, rebaptisée Opéra National en 1948, jusqu'à l'inauguration de l'actuel théâtre le 18 novembre 1965.

Directeur artistique : Antoni Wicherek (1973-81), Robert Satanowski (depuis 1981).

Directeurs musicaux : Joseph Elsner (jusqu'en 1824), Karol Kurpiński (1824-40), Nidecki (1840-52), Ignacy Dobrzyński (1852-53), Stanislaw Moniuszko (1858-72), Minchejmer (1882-90), Emil Mlynarski (1898-1903, 1919-29, 1932-33), Jerzy Semkov (1959-61), Bohdan Wodiczko (1961-64), Zdzislaw Górzynski (1966-68), Ján Krenz (1968-73), Antoni Wicherek (1973-81), Robert Satanowski (depuis 1981).

CRÉATIONS : Szymanowski (*Hagith*, 1913, *Le Roi Roger,* 1926), Rogowski, Rytel...

Opéra de Vienne

Les premières représentations lyriques ont lieu en 1641 à la Cour. En 1668, s'achève la construction du Theater an der Cortina inauguré avec *Il Pomo d'Oro* de Cesti. En 1748 est inauguré le Théâtre du Hofburg avec *Semiramide Riconosciuta* de Gluck qui devient maître de chapelle de la Cour (1754-70) et compose 10 opéras à son intention. Mozart y présente *L'Enlèvement au sérail, Les Noces de Figaro, Cosi fan tutte*, Cimarosa *Le Mariage secret*. Dès la fin du XVIIIe siècle, les représentations lyriques sont données au Theater am Kärntnerthor qui avait été construit en 1708. En 1869 est inauguré le nouvel opéra, l'Oper am Ring, qui sera bombardé en 1944 et reconstruit pour ouvrir ses portes en 1955. Pendant ces dix années, les représentations auront lieu à la Volksoper et au Theater an der Wien.

Directeurs : J.-F. von Herbeck (1869-75), Franz Jauner (1875-80), Wilhelm Jahn (1880-96) secondé par Hans Richter (directeur général de la musique), Gustav Mahler (1897-1907), Felix Weingartner (1907-11), Hans Gregor (1911-18), Franz Schalk (1918-29) qui partage son poste avec Richard Strauss (1920-24), Clemens Krauss (1929-34), Felix Weingartner (1934-36), Erwin Kerber (1936-42), secondé par Bruno Walter (conseiller musical, 1936-38) puis par Hans Knappertsbusch (1937-45), Karl Böhm (1943-44), Franz Salmhofer (1945-54), Karl Böhm (1954-56), Herbert von Karajan (1956-64), Egon Hilbert (1964-67), Heinrich Reif-Gintl (1967-72), Rudolf Gamsjäger (1972-77), Egon Seefehlner (1977-82), Lorin Maazel (1982-84), Egon Seefehlner (1984-86), Claus-Helmut Drese (intendant) et Claudio Abbado (directeur de la musique) à partir de 1986.

CRÉATIONS : Offenbach (*Les Fées du Rhin*, 1862), Goldmark (*La Reine de Saba*, 1875), Massenet (*Werther*, 1892), R. Strauss (*Ariane à Naxos*, 2e version, 1916, *La Femme sans ombre*, 1919),

F. Martin (*La Tempête,* 1956), von Einem (*La Visite de la vieille dame,* 1971, *Intrigue et amour,* 1977).

La troupe de l'Opéra de Vienne, qui compte environ 120 chanteurs, est l'une des plus prestigieuses du monde. Les plus grands noms de l'art lyrique y ont figuré ou y figurent encore, chantant parfois jusqu'à un âge avancé. Mahler, au début du siècle, et Karajan avaient renouvelé profondément le style et la qualité des représentations, mais une routine de tradition a assimilé leur apport sans en conserver la vie. L'orchestre est celui de la Philharmonie de Vienne. La saison comporte environ 300 représentations.

Opéra de Zürich

Fondé en 1833, il ne s'installe dans l'actuel théâtre qu'en 1891.

Directeurs : Paul Schroetter (1891-96), Alfred Reucker (1901-21), Paul Trede (1921-32), Karl Schmid-Bloss (1932-47), Hans Zimmermann (1947-56), Karl-Heinz Krahl (1956-60), Herbert Graf (1960-62), Hermann Juch (1964-75), Claus-Helmut Drese (1975-86), Christoph Gosze (à partir de 1986).

Directeurs musicaux : Max Conrad (chef permanent), Victor Reinshagen (chef permanent), F. Widmer, Robert Denzler (1934-47, chef permanent en 1915-27), Hans Swarowsky (1937-40), Otto Ackermann (1948-53), Hans Rosbaud (1955-58), Christian Vöchting, Ferdinand Leitner (1969-83), Ralph Weikert (depuis 1983).

CRÉATIONS : Busoni (*Arlequin,* 1917, *Turandot,* 1917), Berg (*Lulu,* 1937), Hindemith (*Mathis le peintre,* 1938, *Cardillac,* 2e version 1952), Honegger (*Jeanne au bûcher,* 1re représentation scénique, 1942), Schönberg (*Moïse et Aaron,* 1957), Sutermeister (*Niobe,* 1946 ; *Madame Bovary,* 1947), Martinů (*La Passion grecque,* 1961), Kelterborn (*Die Errettung Thebens,* 1963 ; *Ein Engel kommt nach Babylon,* 1977 ; *Der kirschgarten,* 1984), Klebe (*Ein wahrer Held,* 1975). Première représentation européenne de *Porgy and Bess* de Gershwin (1945).

Les services d'orchestre sont assurés par l'Orchestre de la Tonhalle. Ces dernières années ont été marquées par le cycle d'opéras de Monteverdi et de Mozart réalisés par Jean-Pierre Ponnelle sous la direction de Nikolaus Harnoncourt.

Orchestre de l'Académie Sainte-Cécile de Rome

Fondé en 1908.

Il joue à l'Augusteo jusqu'en 1936 et porte le nom de ce théâtre. Puis il se produit au Théâtre Adriano (1936-46), au Théâtre Argentina (1946-58) et à l'Auditorio della Conciliazione. Parmi les chefs permanents, Bernardino Molinari (1912-43), Fernando Previtali (1953-73), Igor Markevitch (1973-75), Giuseppe Sinopoli (depuis 1983).

CRÉATIONS : *Les Pins de Rome* (Respighi, 1924), *Symphonie no 1* (Barber, 1re version, 1936), *Magnificat* (Petrassi, 1941), *Symphonie no 6* (Bettinelli, 1977).

Orchestre de l'Angelicum de Milan

Fondé en 1941 par le Padre Enrico Zucca.

Directeurs artistiques : Ennio Gerelli (1941-50), Umberto Cattini (1950-59), Riccardo Allorto (1959-67), Bruno Martinotti (1967-72), Luciano Chailly (1973-76), Gianfranco Rivoli (1976-77), Riccardo Allorto (depuis 1977).

Chefs permanents : Carlo Felice Cillario (1959-64), Antonio Janigro (1965-67), Bruno Martinotti (1967-72), Gianfranco Rivoli (1976-77), Angelo Ephrikian (1977-82), Vittorio Parisi (depuis 1984).

Orchestre de Bordeaux-Aquitaine

Fondé en 1974.

Directeur artistique : Roberto Benzi (depuis 1974). Cet orchestre régional assure la saison symphonique et lyrique de Bordeaux ainsi que les concerts de décentralisation dans la région Aquitaine.

Orchestre de Cannes – Provence-Côte d'Azur

Fondé en 1975 à Nice sous le nom d'Orchestre de Provence-Côte d'Azur, il succède à l'Orchestre de Chambre Nice-Côte d'Azur de l'O.R.T.F. Fixé à Cannes depuis 1980. *Effectif:* 40 musiciens. *Chef permanent:* Philippe Bender depuis 1975.

CRÉATIONS : œuvres de Ballif, Ohana, J.-E. Marie, J. Charpentier, Fourchotte, Fouad...

Orchestre du Capitole de Toulouse

Fondé en 1974 comme orchestre régional.

Directeur musical: Michel Plasson depuis 1974. Il assure la saison symphonique (à la Halle aux Grains) et lyrique (au Capitole) et participe à plusieurs festivals (Aix-en-Provence, Bordeaux...).

CRÉATIONS : *Symphonie n° 1* (Lemeland, 1975), *Millions d'oiseaux d'or* (Nigg, 1981).

Orchestre du Centre National des Arts d'Ottawa (Canada)

Fondé en 1969.

L'ensemble compte 46 musiciens, dirigés, de 1969 à 1982, par Mario Bernardi, puis, depuis 1982, par Franco Mannino.

CRÉATION : *Elégie* (Baird, 1973).

Orchestre de Chambre de Bâle

Fondé en 1926 et dirigé par Paul Sacher. Composé d'une trentaine de musiciens, son effectif peut atteindre celui d'un orchestre symphonique. Son répertoire comporte aussi bien de la musique du XVIIIe siècle que des œuvres contemporaines. Dans ce domaine, il joue un rôle essentiel, et le nombre de créations figurant à son actif est considérable : Bartók (*Musique pour cordes, percussions et célesta*, 1937, *Divertimento*, 1940, *Concerto pour violon n° 1*, 1958), Beck (*Symphonie n° 5*, 1930, *Hommages*, 1966, *Suite n° 2*, 1946...), Blacher (*Dialog*, 1951), Boulez (*Figures, Doubles, Prismes*, extrait, 1964), Britten (*Cantata academica*, 1960), Fortner (*Triplum*, 1966, *Prismen*, 1975, *La Création*, 1955...), Henze (*Concerto pour violon n° 2*, 1972, *Compases para preguntas ensimismadas*, 1971), Hindemith (*Symphonie « Harmonie du monde »*, 1952), Holliger (*Atembogen*, 1975), Honegger (*Symphonie n° 4*, 1947, *Jeanne au bûcher*, 1938, *La Danse des morts*, 1939, *Une Cantate de Noël*, 1953), Ibert (*Symphonie concertante pour hautbois*, 1951), Malipiero (*Symphonie n° 6*, 1949), F. Martin (*Etudes pour cordes*, 1956, *Concerto pour violon n° 1*, 1952, *Concerto pour violoncelle*, 1967, *Der Cornet*, 1945), Martinů (*Toccata e due e canzoni*, 1947, *Double concerto*, 1940, *Symphonie concertante*, 1950, *Concerto da camera pour violon*, 1942, *l'Epopée de Gilgamesch*, 1958), Meale (*Evocations pour hautbois*, 1975), Mihalovici (*Sinfonia giocosa*, 1951), Petrassi (*Concerto pour orchestre n° 2*, 1952), Stravinski (*Concerto pour cordes*, 1947, *A Sermon, a Narrative and a Prayer*, 1962), Tippett (*Ritual dances*, 1953)...

Orchestre de Chambre de Berlin (Est)

Fondé en 1945.

Chef permanent: Helmut Koch (1945-75). Joue sans chef depuis.

Orchestre de Chambre Bernard Thomas

Fondé en 1967 à Paris par Bernard Thomas. Orchestre à cordes auquel s'adjoignent des instruments à vent en fonction des besoins. Répertoire centré sur la musique du XVIIIe siècle et les classiques du XXe siècle, mais qui commence à s'élargir à des œuvres réclamant un effectif plus important, notamment dans le domaine choral (Berlioz, Puccini...).

Orchestre de Chambre de Bucarest

Fondé en 1969 par Ion Voicu, qui le dirige, avec des membres de la Philharmonie Georges Enesco.

Orchestre de Chambre Franz Liszt (Budapest)

Fondé en 1963.

Directeurs artistiques : Frigyes Sándor (1963-79), János Rolla depuis 1979. 16 cordes et 1 clavecin, à l'origine des étudiants de l'Académie Franz Liszt de Budapest. Plus tard, l'orchestre devient indépendant. Il joue sans chef, entraîné par son violon solo, János Rolla.

Orchestre de Chambre Hongrois (Budapest)

Fondé en 1957 par Vilmos Tátrai. 11 cordes sans chef.

Orchestre de Chambre d'Israël

Fondé en 1960 à Tel-Aviv.

Chefs permanents : Sergiu Comissiona (1960-64), Gary Bertini (1965-75), Luciano Berio (1975-77), Rudolf Barshaï (1977-81), Uri Segal (depuis 1982). Un orchestre de Chambre d'Israël avait été fondé en 1933 à Jérusalem par Karel Salmon.

Orchestre de Chambre Jean-François Paillard

Fondé en 1953.

Chef permanent et fondateur : Jean-François Paillard. L'ensemble compte 13 musiciens. Il reçoit une subvention du gouvernement français. Se reporter à l'article Jean-François Paillard.

CRÉATIONS : œuvres de Zbar, Miroglio, Murail.

Orchestre de Chambre de Lausanne

Fondé en 1942.

Chefs permanents : Victor Dezarsens (1942-73), Armin Jordan (1973-85), Lawrence Foster (à partir de 1985).

Concerts de la Ville de Lausanne, du canton de Vaud, du Théâtre municipal et de la Radio-Télévision Suisse Romande. Effectif : 42 musiciens.

CRÉATIONS : œuvres de F. Martin, Zbinden (*Symphonie n° 1*, 1953 ; *Orchalau*, 1963), Berio (*Requies*, 1984).

Orchestre de Chambre de Los Angeles

Fondé en 1969.

Chefs permanents : Neville Marriner (1969-79), Gerard Schwarz depuis 1979. Effectif : 35 musiciens.

Orchestre de Chambre de Moscou (Orchestre de Chambre d'État de l'U.R.S.S.)

Fondé en 1956.

Chefs permanents : Rudolf Barshaï (1956-77), Igor Besrodny (1977-83), Victor Tretiakov (depuis 1983). L'ensemble compte de 11 à 16 cordes.

PRINCIPALES CRÉATIONS : *Symphonie n° 14* de Chostakovitch, et des pages signées B. Tchaïkovski, Sviridov, Weinberg et Schnittke.

Orchestre de Chambre de Munich

Fondé en 1950.

Chefs permanents : Christof Stepp (1950-56), Hans Stadlmair (depuis 1956).

Orchestre de Chambre National de Toulouse

Fondé en 1953 par Louis Auriacombe qui le dirige jusqu'en 1971. Depuis, l'orchestre joue sans chef, entraîné par son violon solo Georges Armand. 11 instruments à cordes et 1 clavecin. Répertoire baroque et du XXe siècle. Boucourechliev lui a dédié *Ombres*, Guézec *Successif-simultané*. Premier orchestre occidental invité en Chine (1976).

Orchestre de Chambre Néerlandais

Fondé en juin 1955.

Chefs permanents : Szymon Goldberg (1955-79), Antoni Ros-Màrba (depuis 1979). *Principaux chefs invités :* David Zinman (1964-69) et Kees Bakels.

PRINCIPALES COMMANDES : *Six one act plays* de Kox, *Omaggio a Sweelinck* d'Andriessen, *Styx* de Douw.

Orchestre de Chambre de l'O.R.T.F. (Paris)

Fondé en 1952 par Pierre Capdevielle, il reprend l'effectif des 24 violons du Roi (24 cordes). Il joue un rôle essentiel dans la promotion de la musique contemporaine. A la disparition de l'O.R.T.F. il prend le nom d'Orchestre de Chambre de Radio France (1975) avant d'être intégré au Nouvel Orchestre Philharmonique de Radio France (1976). *Chefs permanents* : Pierre Capdevielle (1952-64), André Girard (1964-73).

Orchestre de Chambre Paul Kuentz

Fondé en 1951.

Effectif : 11 cordes et 1 clavecin. Répertoire centré sur la musique du XVIIIe siècle et les œuvres pour orchestre à cordes du XXe siècle. Créations de Castérède, Sbar, J. Charpentier, Dubois, Hugon, Serrette, Chaynes. Depuis 1972, travaille en liaison avec la Chorale Paul Kuentz.

Orchestre de Chambre de Prague

Fondé en 1951 dans le cadre de l'Orchestre Symphonique de la Radio Tchécoslovaque. L'orchestre se produit sans chef. Il collabore occasionnellement avec des chefs invités notamment pour certains enregistrements. En 1965, il devient formation indépendante et orchestre d'État. A ses débuts, il se consacre surtout à la musique tchécoslovaque du XVIIIe siècle, jouant ainsi un rôle considérable dans le renouveau de la musique ancienne locale. Son répertoire s'ouvre rapidement à la musique du XXe siècle.

PRINCIPALES COMMANDES : *Symphonie-Musique de chambre* de Bartoš, *Symphonie n° 4* « Camerata » de Kabeláč, *Discours* de Reiner, *Furiant* de Vačkář, *Mozartiana* de Jirásek, *Concerto da camera* de Ceremuga, *Partita* de Flosman, *Concerto grosso* de Lukáš, *Musique d'été* de Kurz, etc.

Orchestre de Chambre de Rouen

Fondé en 1963.

Voir à **Ensemble Orchestral de Haute-Normandie.**

Orchestre de Chambre de la R.T.B. (Bruxelles)

Fondé en 1932 sous le nom d'Orchestre Radio.

Chefs permanents : Franz André, Paul Gason, André Souris, André Joassin, Georges Béthume, Edgard Doneux (1949-77). Cesse ses activités à la fin de 1977 lorsque ses membres sont intégrés au Nouvel Orchestre Symphonique de la R.T.B.F.

Orchestre de Chambre de la Sarre

Fondé en 1954, dissous en 1971.

Chefs permanents : Karl Ristenpart (1954-67), Antonio Janigro (1968-71). En 1960, il prend le nom d'Orchestre de Chambre de la Radiodiffusion Sarroise. Son premier violon, Georg-Friedrich Hendel, fait une carrière de soliste. La formation fusionne en 1971 avec l'Orchestre Symphonique de la Radio Sarroise.

CRÉATION : *Ramifications* (2e version, 1969) de Ligeti.

Orchestre de Chambre Slovaque (Bratislava)

Fondé en 1960 dans le cadre de la Philharmonie Slovaque. Formation indépendante depuis 1966. 11 cordes jouant sans chef. *Directeur artistique et violon solo* : Bohdan Warchal, qui est aussi violon solo de la Philharmonie Slovaque.

Orchestre de Chambre de Sofia

Fondé en 1962, il porte aussi le nom de Solistes de Sofia. *Chefs permanents* : Dobirne Petkov, Michaïl Anguélov, Vassil Kazandjiev (1963-79), Emil Tabakov depuis 1979. Effectif : 15 cordes et 1 clavecin. Il a réalisé 200 exhumations ou créations (baroques et modernes) dont plus de 60 créations de compositeurs bulgares (Nikolov, Vladiguerov, Goleminov, Kurktchiiski, Pironkov...).

Orchestre de Chambre de Stuttgart

Fondé en 1947.

Depuis sa création, son chef permanent est Karl Münchinger. Il compte 17 musiciens. Parmi les œuvres commandées par l'orchestre, on peut citer *Herr Russ* de Wanager. Le financement de l'ensemble est assuré par la ville de Stuttgart et le Land de Bade-Würtemberg. Son réperoire recouvre essentiellement la musique baroque. Son enregistrement, en 1949, des *Concertos brandebourgeois* de Bach marque durablement l'interprétation de ces pages.

Orchestre de Chambre Tchécoslovaque

Fondé en 1957 par Otokar Stejskal. Regroupe 12 instrumentistes à cordes issus des classes de violon et de musique de chambre d'Otokar Stejskal au Conservatoire de Prague. Les compositeurs Bartoš, Kalach et Fišer ont écrit des œuvres dédiées à cet orchestre.

Orchestre de Chambre Tchèque

Fondé en 1946 par Václav Talich.

Pendant la maladie de Václav Talich, l'orchestre cesse ses activités. Ses membres fondent alors l'ensemble Ars Rediviva et les quatuors Vlach, Smetana, Czapari et Kocia. En 1957, il se reconstitue autour de Joseph Vlach. Il comporte actuellement 24 cordes.

Orchestre de Chambre de Varsovie

Fondé en 1972 par Jerzy Maksymiuk qui en assure la direction. L'orchestre assure les spectacles de l'Opéra de Chambre de Varsovie.

CRÉATIONS : K. Meyer (*Symphonie nº 5*, 1979), A. Bloch, Matsudaira, Sikorski (*Strings in the earth*, 1981), Bujarski, Patterson (*Sinfonia for strings*, 1983) Birtwistle (*Still Movement*, 1984)...

Orchestre de Chambre de Vienne

Fondé en 1946.

Chefs permanents : Franz Litschauer (1946-52), Heinrich Hollreiser (1952-56), Paul Angerer (1956-63), Carlo Zecchi (1964-76), Philippe Entremont depuis 1976. *Effectif* : 18 musiciens (cordes et vents).

Orchestre de Chambre de Zürich

Fondé en 1951 par Edmond de Stoutz, il existait déjà depuis 1946 sous forme d'orchestre privé. Orchestre à cordes. Créations de Giesler, P. Huber, Mieg, Müller, Vogel, Zafred, Penderecki (*Intermezzo*, 1973). Dédicataire du Polyptyque de F. Martin (1973).

Orchestre de Cleveland

Fondé en 1918.

Directeurs musicaux : Nikolai Sokoloff (1918-33), Artur Rodzinski (1933-43),

Erich Leinsdorf (1943-46), George Szell (1946-70), Lorin Maazel (1972-82), Christoph von Dohnányi à partir de 1984.

CRÉATIONS : *Ouverture pour un Don Quichotte* (Rivier, 1929), *Concerto pour violon* (Bloch, 1938), *Concerto pour violon* (Walton, 1939), *Symphonie n° 4* (W. Schuman, 1942), *Symphonie n° 2* (Martinů, 1943), *Concerto pour piano* (Hindemith, 1947), *Symphonie n° 7* (Mennin, 1964), *Burchfield Gallery* (Gould, 1981).

COMMANDES pour le 40e anniversaire de l'orchestre : Dutilleux (*Métaboles*), Walton (*Partita*), Creston (*Toccata op. 68*), Martinů (*Le Rocher*), Mennin (*Concerto pour piano*), Hanson (*Mosaics*), Einem, Etler, Blacher, Moevs. Pour le 50e anniversaire : Erb. Depuis, Humel, Druckman, Harris, Premru, Walker, Wuorinen.

Orchestre Colonne (Paris)

Fondé à Paris en 1873 par Georges Hartmann sous le nom de Concert National, devient l'Association Artistique un an plus tard, l'Orchestre des Concerts Colonne en 1910 et l'Orchestre Colonne en 1979.

Présidents-chefs d'orchestre : Édouard Colonne (1873-1910), Gabriel Pierné (1910-34), Paul Paray (1934-40), Gaston Poulet (1940-44), Paul Paray (1944-56), Charles Münch (1956-58), Pierre Dervaux depuis 1958.

CRÉATIONS : Saint-Saëns (*Concerto pour piano n° 4*, 1875, *Danse macabre*, 1875, *Suite algérienne*, 1886), Chausson (*Soir de fête*, 1898), Rabaud (*Procession nocturne*, 1899), Ravel (*Rhapsodie espagnole*, 1908, *Une barque sur l'océan*, 1907, *Tzigane*, 1924), Debussy (*Danses pour harpe*, 1904, *Khamma*, 1924), d'Indy (*Jour d'été à la montagne*, 1906), Enesco (*Poème roumain*, 1898, *Symphonie n° 1*, 1906, *Symphonie concertante pour violoncelle*, 1909), Milhaud (*Protée*, suite n° 2, 1920, *Suite pour harmonica*, 1947), Roussel (*Pour une fête de printemps*, 1921), Caplet (*Le Mystère de Jésus*, 1923), Schmitt (*In memoriam*, 1935), Ibert (*Ballade de la geôle de Reading*, 1922), A. Tcherepnine (*Symphonie n° 1*, 1927), M. Emmanuel (*Symphonie n° 2*, 1935), Duruflé (*3 Danses*, 1936), Paray, Delvincourt, Samazeuilh, Landowski (*Edina*, 1946), Jolivet (*Guignol et Pandore*, 1949), Bondeville (*Symphonie chorégraphique*, 1965), Bancquart (*Baroques*, 1974), Ohana (*L'Anneau du Tamarit*, 1977).

L'orchestre fonctionne en autogestion et participe aux principaux spectacles lyriques et chorégraphiques du Théâtre Musical de Paris (Châtelet) depuis 1980.

Orchestre du Concertgebouw d'Amsterdam

Fondé en 1888.

Directeurs : Willem Kes (1888-95), Willem Mengelberg (1895-1945), Eduard Van Beinum (1945-49), Paul Van Kempen (1949-55), Eduard Van Beinum (1955-59), Bernard Haïtink et Eugen Jochum (1961-64), Bernard Haïtink depuis 1964. Kyrill Kondrachine a été 1er chef de 1979 à 1981. L'orchestre porte le nom de la salle où il donne ses concerts, construite en 1888.

CRÉATIONS : *Concerto pour alto n° 1* (Milhaud, 1929), *Concerto pour alto* (1935), *Concerto pour violon* (1940, Hindemith), *Concerto pour violon n° 2* (Bartók, 1939), *Variations sur une chanson populaire hongroise* (Kodāly, 1939), *Spring Symphony* (Britten, 1949), *Mi-Parti* (Lutoslawski, 1976).

Orchestre des Concerts Lamoureux (Paris)

Fondé en 1881 par Charles Lamoureux.

Chefs permanents : Charles Lamoureux (1881-97), Camille Chevillard (1897-1923), Paul Paray (1923-28), Albert Wolff (1928-34), Eugène Bigot (1935-51), Jean Martinon (1951-57), Igor Markevitch (1957-62), Jean-Baptiste Mari (1962-69). Chefs invités depuis 1969 : Jean-Pierre Jacquillat (1975-77), Jean-Claude Bernède (conseiller artistique depuis 1979).

CRÉATIONS : Franck (*Les Éolides*, 1882), Chabrier (*España*, 1883, *La Sula-*

mite, 1885, *Joyeuse marche*, 1890, *Briséis*, 1897, *Bourrée fantasque*, 1898), d'Indy (*Saugefleurie*, 1885, *Le Chant de la cloche*, 1886, *Symphonie sur un chant montagnard français*, 1887, *Wallenstein*, 1888, *La Forêt enchantée*, 1891, *Symphonie n° 2*, 1904), Fauré (*Pavane*, 1888, *Dolly*, 1907), Chausson (*Viviane*, 1888), Debussy (*3 Nocturnes*, 1901, *La Mer*, 1905, *l'Enfant prodigue*, 1908), Magnard (*Symphonie n° 3*, 1904, *Hymne à Vénus*, 1906), Schmitt (*Le Palais hanté*, 1905, *Musique en plein air*, 1906, *Rhapsodie viennoise*, 1911, *Rêves*, 1918, *Antoine et Cléopâtre*, suites, 1920), Ravel (*Valses nobles et sentimentales*, 1912, *La Valse*, 1920, *Menuet antique*, 1930, *Concerto en Sol*, 1932), Caplet (*Prières*, 1922), L. Boulanger (*2 Psaumes*, 1923), Ibert (*Escales*, 1924, *Concerto pour violoncelle*, 1926), Pierné (*Paysages franciscains*, 1924), Canteloube (*Chants d'Auvergne*, 1924), Roussel (*Psaume 80*, 1929), Tomasi, Rivier, Poulenc, Françaix, Boulez (*Doubles*, 1958), Mihalovici (*Esercizio per archi*, 1962), Duruflé (*Messe cum Jubilo*, 1966), Amy (*Refrains*, 1972), Chaynes (*Peintures noires*, 1975).

A ses débuts, l'orchestre a joué un rôle essentiel en faveur de la musique de Wagner dont il a présenté de nombreuses pages en 1re audition française. Il fonctionne en autogestion.

Orchestre des Concerts Pasdeloup (Paris)

Fondé en 1861 par Jules Pasdeloup sous le nom de Concerts Populaires, il fonctionne jusqu'en 1884 et renaît en 1919 sous l'impulsion de Serge Sandberg, portant son nom actuel. *Chefs permanents* : Jules Pasdeloup (1861-84), Rhené-Bâton (1919-33), Albert Wolff (1934-70), Gérard Devos (depuis 1970). André Caplet a été 2e chef de 1922 à 1925, Albert Wolff de 1925 à 1928, D.E. Inghelbrecht de 1928 à 1932 et Gérard Devos de 1963 à 1970.

CRÉATIONS : Saint-Saëns (*Le Rouet d'Omphale*, 1872), Lalo (*Ouverture du Roi d'Ys*, 1876), Duparc (*Lénore*, 1877), Ravel (*Ma Mère l'Oye*, 1912, *Alborada del gracioso*, 1919, *Le Tombeau de Couperin*, 1929), Aubert (*Habanera*, 1919), Migot (*Symphonie n° 1*, 1922), Roussel (*Symphonies n° 2*, 1922, et *n° 4*, 1935) Milhaud (*Concerto pour piano n° 1*, 1931), Martinon (*Symphonie n° 2*, 1946), Landowski (*Symphonie n° 1*, 1949) ; *Les Noces de la nuit*, 1962), Tomasi (*Chant pour le Viet-Nam*, 1969), Sauguet (*Symphonie n° 4*, 1971), J. Charpentier (*Symphonie n° 5*, 1977).

Orchestre des Concerts Straram (Paris)

Fondé en 1925 par Walter Straram qui le dirige jusqu'à sa mort en 1933. L'orchestre est alors dissous. Composé des meilleurs instrumentistes des autres orchestres parisiens, il se consacre essentiellement à la musique de son temps et réalise de nombreuses créations (*cf.* article Walter Straram). Il fonctionnait uniquement à l'aide du mécénat privé. Toscanini l'a choisi pour diriger son premier concert parisien et Stravinski a réalisé avec lui le premier enregistrement du *Sacre du printemps.*

Orchestre du Festival de Bayreuth

Orchestre réuni pendant l'été à l'occasion des représentations wagnériennes de Bayreuth et composé d'instrumentistes des principaux orchestres allemands (à l'exception de ceux de la Philharmonie de Berlin dont les dates de vacances ne coïncident pas avec le Festival).

Orchestre du Festival de Lucerne

Orchestre réuni à l'occasion du Festival et composé d'instrumentistes des principaux orchestres suisses. A l'origine, cet orchestre avait été constitué en 1943 par Ernest Ansermet pour procurer du travail aux instrumentistes en dehors de la saison d'hiver : ceux étant alors rémunérés au cachet trouvaient ainsi un précieux complément d'activités.

Orchestre de la Fondation Gulbenkian (Lisbonne)

Fondé en 1962.

Chefs permanents: Urs Vöegelin, Renato Ruotolo, Adrian Sunshine, Gianfranco Rivoli, Werner Andreas Albert, Michel Tabachnik (1973-75), Juan Pablo Izquierdo (1976-78), Claudio Scimone depuis 1978. Constitué au départ de 11 cordes et 1 clavecin, il comporte, dès 1971, 40 instrumentistes.

PRINCIPALES CRÉATIONS : *Cendrées* (Xenakis, 1974), *Concerto pour piano* (Boucourechliev, 1975). COMMANDES : *Variations pour orchestre* (Bozay), *Musique pour Lisbonne* (Milhaud), *Canticum Canticorum Salomonis* (Penderecki), *Concerto pour violon* (Krauze), *Purlieu, Dan Wo, Fermata, Es webt, Ruf Stretti* (Nunes), œuvres de Braga Santos, Brandao, Capdeville, Peixinho...

Orchestre du Gewandhaus de Leipzig

Fondé en 1781, date de la construction de la salle du Gewandhaus dans la partie supérieure de la halle aux tissus. Il existait déjà depuis 1743 une société des Grands Concerts. Effectif initial, 27 musiciens dirigés par le violon solo (Konzertmeister). *Konzertmeister:* Johann Adam Hiller (1781-85), Johann Gottfried Schicht (1785-1810), Johann Philipp Schulz (1810-27), Christian August Pohlenz (1827-35).

Chefs permanents: Felix Mendelssohn-Bartholdy (1835-48), Julius Rietz (1848-52), Niels Gade et Ferdinand David (1852-53), Ferdinand David (1853-54), Julius Rietz (1854-60), Carl Reinecke (1860-95), Arthur Nikisch (1895-1922), Wilhelm Furtwängler (1922-28), Bruno Walter (1929-33), Hermann Abendroth (1934-45), Herbert Albert (1946-48), Franz Konwitschny (1949-52), Václav Neumann (1964-68), Kurt Masur depuis 1970.

Effectif: environ 200 musiciens qui assurent les concerts symphoniques, les concerts spirituels (à Saint-Thomas) et l'opéra. L'Orchestre Bach, formé en 1963, réunit des instrumentistes de l'Orchestre du Gewandhaus, sous la direction du violon solo Gerhard Bosse. La salle du Gewandhaus, détruite pendant la dernière guerre, a été reconstruite et inaugurée en 1981 pour le bicentenaire de l'orchestre.

CRÉATIONS : *Concerto pour piano nº 5* (Beethoven, 1811), *Symphonie nº 9* (Schubert, 1839), *Symphonies nº 1 et 4* (1841), *nº 2* (1846), *Concerto pour piano* (1846), de Schumann, *Symphonie nº 3* (1842) et *Concerto pour violon nº 2* (1845) de Mendelssohn, *Ouverture des Maîtres chanteurs* (Wagner, 1868), *Concerto pour violon* (Brahms, 1879), *Symphonie nº 7* (Bruckner, 1884), *Concertos pour violon* (1908) et *pour piano* (1910) de Reger, *Konzertstück pour piano* (Busoni, 1890), *5 pièces op. 16,* 2ᵉ version (Schönberg, 1922), *Variations sur un thème de Paganini* (Blacher, 1947), *Symphonie nº 1* (Schnittke, 1981), *Symphonie Nº 2* (Lombardi, 1983). Commandes pour le 200ᵉ anniversaire : *Gesänge an die Sonne* (Thiele), *4 pièces* (Bredemeyer), *Symphonie nº 6* (Kantschelli), *Kyu-no-Kyoku* (Miki), *Holofernes* (Matthus).

Orchestre du Gürzenich de Cologne

Fondé en 1857 à l'occasion de la création de la salle du Gürzenich. Succède à la Musikalische Gesellschaft (1812) qui avait fusionné en 1827 avec le Singverien pour former la Konzertgesellschaft.

Directeurs musicaux: Konradin Kreutzer (1840-42), Heinrich Dorn (1843-49), Ferdinand Hiller (1850-84), Franz Wüllner (1884-1902), Fritz Steinbach (1902-14), Hermann Abendroth (1915-34), Eugen Papst (1936-44), Günter Wand (1946-75), Youri Ahronovitch (1975-86), Marek Janowski (à partir de 1986). Le bâtiment du Gürzenich a été détruit pendant la dernière guerre et reconstruit en 1955. L'orchestre assure les services de l'Opéra de Cologne.

CRÉATIONS : *Till Eulenspiegel* et *Don Quichotte* (R. Strauss, 1895 et 1898), *Double Concerto* (Brahms, 1887), *Variations sur un thème de Hiller* (Reger, 1907).

Orchestre de l'Ile-de-France

Fondé en 1974.

Directeurs : Jean-Fournet (1974-82), Jacques Mercier depuis 1982. Orchestre régional chargé d'assurer la saison symphonique dans les sept départements de la région Ile-de-France. Il participe à des spectacles lyriques depuis 1983.

CRÉATIONS : œuvres de Brenet, Fusté-Lambezat, Tansman, Sciortino, Arrachart.

Orchestre de Louisville

Fondé en 1866.

Chefs permanents : Robert Whitney (1937-66), Jorge Mester (1967-79), Akira Endo (depuis 1980).

CRÉATIONS : l'Orchestre de Louisville est l'un des orchestres américains qui joue le plus grand rôle en faveur de la musique contemporaine par une politique de commandes et d'enregistrements très intense. Parmi elles : *Kentuckiana* (1949) et *Ouverture méditerranéenne* (1954) de Milhaud, *Sinfonietta* (1950) de Hindemith, *Érosion* (1950) de Villa-Lobos, *Suite archaïque* (1951) de Honegger, *Symphonie n° 4* (1953) de Chavez, *Louisville concert* (1953) de Ibert, *Variations pour orchestre* (1954) de Dallapiccola, *Méditations* (1954) de von Einem, *Study in pianissimo* (1954) de Blacher, *Suite transocéane* (1955) de Jolivet, *Variations pour orchestre* (1956) de Carter, *Variations pour orchestre* (1958) de Copland, *Trois Estampes* (1958) de Martinů.

Orchestre de Lyon

Fondé en 1969 sous le nom d'Orchestre Philharmonique Rhône-Alpes. *Directeurs :* Louis Frémaux (1969-71), Serge Baudo depuis 1971. *Chefs permanents :* Jacques Houtmann (1969-71), Sylvain Cambreling (1975-81), Claude Gaultier (1981-82), Emmanuel Krivine (1er chef invité depuis 1983). Orchestre régional, il assure les concerts symphoniques à Lyon et dans la région. Jusqu'en 1983, il participait aux spectacles lyriques à l'Opéra de Lyon. Il participe au Festival de Lyon et au Festival Berlioz. En 1979, il a effectué une tournée en Chine et en Extrême-Orient. La salle de l'orchestre, l'Auditorium Maurice Ravel, a été inauguré en 1975.

CRÉATIONS : Nigg (*Fastes pour l'imaginaire,* 1974), Bailly, Ohana (*Autodafé,* 1972, *Le Livre des prodiges,* 1979).

Différentes formations sont nées au sein de l'orchestre : l'Orchestre de Chambre de Lyon, le Quintette à Vent de Lyon, l'Ensemble Quadriphonia et le Quintette de Cuivres Jung.

Orchestre Lyrique de Radio France

Fondé en 1941, dissous en 1975.

Chefs permanents : Jules Gressier (1941-58), Pierre-Michel Le Conte (1960-73). Composé d'une soixantaine de musiciens, l'Orchestre Lyrique a eu pour buts la reprise d'ouvrages négligés, la création d'œuvres inédites, l'exécution de commandes passées par la radio. Il porte successivement le nom d'Orchestre Radio-Lyrique, d'Orchestre Lyrique de la R.T.F., de l'O.R.T.F., puis de Radio France avant d'être refondu dans le Nouvel Orchestre Philharmonique de Radio France.

PRINCIPALES CRÉATIONS : Inghelbrecht (*De l'autre côté du miroir,* 1968), Desportes (Le *rossignol et l'Orvet,* 1959), Büsser (*Le Carrosse du saint Sacrement,* 1959), *La Vénus d'Ille,* 1962), Ganne (*Rhodope,* 1962); Tomasi (*Princesse Pauline,* 1962, *Le Silence de la mer,* 1963, *l'Elixir du Révérend Père Gaucher,* 1969), Bondon (*La Nuit foudroyée,* 1964, *Mélusine au rocher,* 1969, *Ana et l'Albatros,* 1972), Kelkel (*La Mandragore,* 1965), Casanova (*Le Livre de la Foi jurée,* 1966), Prey (*Jonas,* 1966, *La Noirceur du lait,* 1975), Capdevielle (*La Fille de l'Homme,* 1967), Le Flem (*La Maudite,* 1967), Martelli (*La Chanson de Roland,* 1967), Sauguet (*Chant pour une ville meurtrie,* 1968), Sciortino (*Atsmoek,* 1968), Carles (*Métaphonies,* 1969), Victory (*Chatterton,* 1970), Malec (*Un contre tous,* 1971), Aubin (*Goya,* 1973), Decoust (*Et, ée,* 1973), Arrigo (*Nel Fuggi del Tempio,* 1975).

Orchestre du Mai musical Florentin

Fondé en 1929 par Vittorio Gui sous le nom d'Orchestre Stabile de Florence. Il ne prend son nom actuel qu'en 1933. *Chefs permanents :* Vittorio Gui (1929-36), Mario Rossi (1936-44), Igor Markevitch (1944-46), Bruno Bartoletti (1957-64), Riccardo Muti (1973-82), Zubin Mehta (à partir de 1985). Saison symphonique et saison lyrique, en dehors du Mai musical proprement dit.

Orchestre de Meiningen

Attaché à la cour de Meiningen, disparaît en 1918. *Chefs permanents :* Jean-Joseph Bott (1857-66), Adolf Büchner (1866-80), Hans von Bülow (1880-85), Richard Strauss (1885-86), Fritz Steinbach (1886-1902), Wilhelm Berger (1903-11), Max Reger (1911-14), Fritz Stein (1914-18).

CRÉATIONS : *Symphonie* n° 4 (Brahms, 1885), *Concerto pour cor n° 1* (R. Strauss, 1885).

Orchestre du Minnesota (Minneapolis)

Fondé en 1903 par Emil Oberhoffer sous le nom d'Orchestre Symphonique de Minneapolis qu'il conserve jusqu'en 1968. *Chefs permanents et directeurs musicaux :* Emil Oberhoffer (1903-22), Henry Verbrugghen (1923-31), Eugene Ormandy (1931-36), Dimitri Mitropoulos (1937-49), Antal Dorati (1949-60), Stanislaw Skrowaczewski (1960-79), Neville Marriner (depuis 1979).

CRÉATIONS : *Symphonie en mi bémol* (Hindemith, 1941), *Rounds* (Diamond, 1942), *Concerto pour piano n° 3* (Krenek, 1946), *Concerto pour alto* (Bartók, 1949), *Wiener Symphonie* (von Einem, 1977), *Casa Guidi* (Argenta, 1983).

Orchestre du Mozarteum de Salzbourg

Fondé en 1922 par Bernhard Paumgartner.

Directeurs artistiques : Bernhard Paumgartner (1922-38 et 1945-69), Günter Wand (1944-45), Leopold Hager (1969-81), Ralph Weikert (1981-84), Hans Graf (depuis 1984). A l'origine, il comporte une quarantaine de musiciens. En 1938, il absorbe l'Orchestre du Domverein (fondé en 1841) et s'élargit aux dimensions d'un orchestre symphonique. Il assure la saison symphonique et lyrique.

Orchestre National de Belgique

Fondé en 1936.

Chefs permanents : Erich Kleiber (1936-39, seulement pour les concerts de la Société Philharmonique de Bruxelles), Désiré Defauw (1937) André Cluytens (1960-67), Michael Gielen (1969-72), André Vandernoot (1973-75), Georges Octors (1975-83), Mendi Rodan (depuis 1983). De la fin de la guerre à 1960, l'orchestre n'a reçu que des chefs invités, Edouard Van Remoortel et André Vandernoot le plus souvent.

Orchestre National d'Écosse (Scottish National Orchestra)

Fondé en 1890 à Glasgow sous le nom de Scottish Orchestra. Il prend son nom actuel en 1950. *Chefs permanents :* Sir Georg Henschel (1893-95), Willem Kes (1895-98), Max Bruch (1898-1900), Sir Frederic Cowen (1900-10), Emil Mlynarski (1910-16). Interruption de 1916 à 1919. Sir Landon Ronald (1916-20), Václav Talich (1926), Sir John Barbirolli (1933-36), George Szell (1936-39), Aylmer Buesst (1939-40), Warwick Braithwaite (1940-45), Walter Süsskind (1946-52), Karl Rankl (1952-57), Hans Swarowsky (1957-59), Sir Alexander Gibson (1959-84), Neeme Järvi (depuis 1984). Il participe à quelques spectacles de l'Opéra Écossais (fondé en 1962). En 1960, Gibson crée les concerts Musica Nova où sont présentées de nombreuses œuvres contemporaines. L'orchestre a joué pour la première fois en Grande-Bretagne plusieurs œuvres de Henze et *Gruppen* de Stockhausen.

Orchestre National d'Espagne (Madrid)

Fondé en 1940, il remplace l'Orchestre National de Concerts constitué pendant la guerre civile à Barcelone (1938) et que dirigeait Bartolomé Pérez Casas. *Chefs permanents:* Bartolomé Pérez Casas (1940-47), Ataulfo Argenta (1947-58), Rafael Frühbeck de Burgos (1962-78), Antoni Ros Marbá (1978-81), Jesus López-Cobos depuis 1981.

Orchestre National de France

Fondé le 18 février 1934.

Chefs permanents: Désiré-Émile Inghelbrecht (1934-44), Manuel Rosenthal (1944-47), Roger Désormière (1947-51). *Directeurs musicaux:* Maurice Le Roux (1961-67), Jean Martinon (1968-73), Serge Blanc (1973-75), Alain Bancquart (1975-76), Alain Moène (1977-83). *1er chef invité:* Lorin Maazel depuis 1977.

Fondé à l'initiative du ministre des postes Jean Mistler, l'Orchestre National (80 musiciens) donne son premier concert le 13 mars 1934, salle de l'Ancien Conservatoire. Dès 1936, Toscanini le dirige à deux reprises à l'Opéra. Durant la guerre, l'Orchestre se replie à Rennes puis à Marseille. Il regagne Paris en 1943. Dès lors, il se produit régulièrement une fois par semaine au Théâtre des Champs-Élysées sous l'autorité des plus grands chefs, notamment Charles Münch qui deviendra son président d'honneur et André Cluytens. Depuis sa création, l'Orchestre National a une vocation double à la fois comme orchestre de radio et comme orchestre de prestige représentant la musique française à l'étranger, d'où sa participation à de nombreux festivals internationaux et de fréquentes tournées. Entre 1973 et 1975, Sergiù Celibidache a dirigé de nombreux concerts et, en mai-juin 1980, Isaac Stern a donné une importante série. Il comprend actuellement 116 musiciens.

PRINCIPALES CRÉATIONS : Milhaud (*Symphonies n° 3,* 1947, *n° 4,* 1948, *Pacem in Terris,* 1963), Jolivet (*Concerto pour ondes Martenot,* 1949, *Symphonie n° 1,* 1954, *Symphonie pour cordes,* 1962, *Concerto pour violoncelle n° 1,* 1962), Rivier (*Symphonies n° 6,* 1958, *n° 7,* 1962), Loucheur (*Symphonie n° 3,* 1945), Constant *(24 Préludes,* 1958, *Les Chants de Maldoror,* 1964*)*, Le Flem (*Symphonie n° 2,* 1958), Boulez (*Le Soleil des eaux,* 1949), Dutilleux (*Symphonie n° 1,* 1951), Bondeville (*Gaulthier-Garguille,* 1953), Martinet (*Mouvements symphoniques n° 3,* 1956, *n° 4,* 1961, *n° 5,* 1961, *n° 6,* 1963, *Symphonie,* 1964), Poulenc (*Concerto pour piano,* 1949, *7 Répons des ténèbres,* 1963), Françaix (*La Dame dans la lune,* 1960), Delannoy (*Abraham et l'Ange,* 1960), Chaynes (*Concerto pour violon* 1961), Lajtha (*Symphonie n° 8,* 1961), Koechlin (*La Cité nouvelle,* 1962), Tansman (*Le Faux Messie,* 1961), Hasquenoph (*Symphonie n° 4,* 1961), Milhalovici (*Sinfonia Variata,* 1962), Hugon (*Concerto pour piano,* 1962), Charpentier (*Concerto pour ondes Martenot,* 1964, *Symphonie n° 6,* 1979), Malec (*Sygma,* 1964, *Ottava bassa,* 1984), Ohana (*3 Graphiques,* 1964), Tomasi (*Concerto pour violon,* 1964), Ballif (*A Cor et à cri,* 1965), Landowski (*Symphonie N° 2,* 1965, *Concerto pour trompette,* 1977, Amy (*Antiphonies,* 1965), Guézec (*Suite pour Mondrian,* 1965), Arrigo (*Thamos,* 1966, *Solarium,* 1982), Brown (*Modul 1 et 2,* 1967), Xenakis (*S-T-48,* 1968, *Jonchaies,* 1977), Méfano (*La Cérémonie,* 1970), Eloy (*Kamakala,* 1971), Rosenthal (2 *Études en Camaïeu,* 1972), Nigg (*Concerto pour piano n° 2,* 1973), Masson (*Concerto pour piano,* 1978), Taira (*Méditations,* 1978), C. Halffter (*Officium defunctorum,* 1979), Tremblay (*Fleuves,* 1980), Bancquart (*Symphonie,* 1981), Ferrari (*Histoire du plaisir et de la désolation,* 1982), Bon (*Trois Sonnets de Louise Labbé,* 1983), Dusapin (*Tre Scalini,* 1983), Gagneux (*Concerto pour tuba, piano et orchestre,* 1984), Capdenat (*Nadira,* 1984), Levinas (*La Cloche fêlée,* 1984), Monnet (*Pouf !,* 1984).

Orchestre National de Lille

Fondé en 1975, il succède à l'Orchestre Radio-Symphonique de Lille, constitué en 1928, et qui avait été dirigé par Henri

Hestel, Maurice Soret, Victor Clovez (1953-?), Jean Giardino et Maurice Suzan (1968-73). Jusqu'en 1982, il porte le nom d'Orchestre Philharmonique de Lille.

Directeur : Jean-Claude Casadesus depuis 1975.

CRÉATIONS de Lancen, Nachon, Bancquart (*Simple,* 1977), Malec (*Arco 22,* 1977), Bousch, Bozza, Serocki (*Forte et piano,* 1978), Tessier, Bon (*Ode,* 1979), Kelemen (*Mageïa* (1979), Jolas (*Liring Ballade,* 1980), Taïra (*Erosion 1*), Ton Tha Tiet, Lenot, Capdenat, Yoshida, Bozic, Zbar (*Cérémonial nocturne*), Landowski (*La Prison,* 1983), Gagneux (*l'Ombre du souvenir*).

L'orchestre assure la saison symphonique de Lille et de l'ensemble de la région Nord-Pas-de-Calais.

Orchestre National de l'Opéra de Monte-Carlo

Voir à **Orchestre Philharmonique de Monte-Carlo.**

Orchestre de Paris

Fondé en 1967, il remplace l'Orchestre de la Société des Concerts du Conservatoire. *Directeurs :* Charles Münch (1967-68), Herbert von Karajan (conseiller musical, 1969-71), Sir Georg Solti (1972-75), Daniel Barenboim depuis 1975. Serge Baudo a été 1er chef de 1967 à 1971, Jean-Pierre Jacquillat assistant de 1967 à 1970.

CRÉATIONS : Messiaen (*La Transfiguration,* 1969), M. Constant (*Par le feu,* 1969), Pierre-Petit (*Storia,* 1971), Barboteu (*Limites,* 1971), Dutilleux (*Tout un monde lointain,* 1971), Capdenat (*Wahazzin,* 1972), Jolivet (*Concerto pour violon,* 1973), Amy (*D'un espace déployé,* 1973), Pichaureau (*La Grande Menace,* 1974), Xenakis (*Noomena,* 1974), Daniel-Lesur (*D'ombre et de lumière,* 1975), Bondon (*Concerto solaire,* 1976), Eloy (*Fluctuante immuable,* 1977), Crumb (*Starchila,* 1977), Landowski (*Messe de l'aurore,* 1977), Boulez (*Notations II,* 1984), Dufourt (*Surgir,* 1985), Wagner (La Descente de la courtille, 1983), Berio (*Bewegung III,* 1983).

A partir de 1975, les solistes de l'Orchestre participent à une série de concerts de musique de chambre, le cycle Barenboim.

Orchestre de Philadelphie

Fondé en 1900 par Fritz Scheel.

Directeurs : Fritz Scheel (1900-07), Carl Pohlig (1907-12), Leopold Stokowski (1912-38), Eugene Ormandy (1936-80), Riccardo Muti depuis 1980.

CRÉATIONS : Varèse (*Amériques,* 1926, *Arcana,* 1927), Rachmaninov (*Symphonie n° 3,* 1936, *Danses symphoniques,* 1941), Schönberg (*Concerto pour violon,* 1940), Martinů (*Concerto pour 2 pianos,* 1943, *Symphonie n° 4,* 1945), Barber (*Symphonie n° 1,* 1944, *Concerto pour violon,* 1941), Britten (*Diversions on a theme,* 1942), Bloch (*Suite symphonique,* 1945), Milhaud (*Suite pour violon et orchestre,* 1945), Bartók (*Concerto pour piano n° 3,* 1946), Creston (*Symphonie n° 3,* 1950), Barber (suite de *Médée,* 1947), Piston (*Symphonie n° 7,* 1960, *Lincoln Center Festival overture*), Françaix (*l'Horloge de Flore,* 1961), Harris (*Symphonie n° 9,* 1963), Nabokov (*Studies in solitude,* 1961), Ginastera (*Concerto pour harpe,* 1965, *Concerto per corde,* 1966, *Popul Vuh*), W. Schuman (*Symphonie n° 9,* 1969), M. Constant (*Chaconne et marche militaire,* 1968), Menotti (*Apocalypse,* 1952, *Concerto pour violon,* 1952, *Symphonie n° 1,* 1977).

L'orchestre réalise son premier disque en 1917 sous la direction de Stokowski.

Orchestre de la Philharmonie Nationale Hongroise (Budapest)

Fondé en 1923, il est réorganisé après la guerre par Ferenc Fricsay et László Somogyi et devient orchestre d'État en 1949.

Directeurs musicaux : László Somogyi (1945-52), János Ferencsik (1952-84).

Orchestre de la Philharmonie Nationale de Varsovie

Fondé en 1901, il devient orchestre d'État en 1948.

Directeurs artistiques : Jan Maklakiewicz (1947), Wladyslaw Raczkowski et Zdzislaw Górzynski (1948-50), Witold Rowicki (1950-55), Bohdan Wodiczko (1955-58), Witold Rowicki (1958-77), Kazimierz Kord (depuis 1977).

Chefs permanents : Emil Mlynarski (1901-07), Grzegorz Fitelberg (1907-11 puis 1924-34), Mieczyslaw Mierzejewski (1947-50), Tadeusz Wilczak (1947-50), Witold Rowicki (1950-55), Arnold Rezler (1955-57), Stanislaw Skrowaczewski (1957-59), Witold Rowicki (1958-77), Stanislaw Wislocki (2e chef, 1960-68), Andrzej Markowski (2e chef, 1971-78), Kazimierz Kord (depuis 1977).

CRÉATIONS : Baird (*Cassation,* 1956, *4 Essais,* 1958, *Expressions,* 1959, *Exhortation,* 1960, *Symphonie nº 3,* 1968), Lutoslawski (*Jeux vénitiens,* 1961), Bacewicz (*Concerto pour orchestre,* 1962), Cehra (*Spiegel I,* 1968), Gorecki (*Symphonie nº 2,* 1973), Mâche (*La Peau du silence,* 1969).

En 1962 a été fondé l'Orchestre de Chambre de la Philharmonie nationale de Varsovie, réunissant des instrumentistes à cordes de la Philharmonie sous la direction de Karol Teutsch.

Orchestre Philharmonique d'Anvers (De Philharmonie)

Voir à **Orchestre Philharmonique de Flandre.**

Orchestre Philharmonique de Belgrade

Fondé en 1923.

L'ensemble devient orchestre d'État en 1951. *Chefs permanents :* Stefan Hristić (1923-38), Josef Krips (1938-39), Krešimir Baranović (1951-61), Zivojin Zdravković, Angel Surer et Anton Kolar (depuis 1961).

Orchestre Philharmonique de Berlin

Fondé en 1882.

Chefs permanents : Franz Wüllner (1883-84), Karl Klindworth, Hans von Bülow (1887-93), Richard Strauss (1893-95), Arthur Nikisch (1895-1922), Wilhelm Furtwängler (1922-45, puis 1948-54), Leo Borchard (1945), Sergiù Celibidache (1945-48), Herbert von Karajan (depuis 1955).

CRÉATIONS : *Concerto pour piano* (1904), *Turandot-Suite* (1905) de Busoni, *La Fille de Pohjola* (Sibelius, 1908), *Variations op. 31* (Schönberg, 1928), *Soir d'été* (Kodály, 1931), *Philharmonisches Konzert* (1932), *Mathis le peintre,* symphonie (1934) de Hindemith, *Concerto pour piano nº 5* (Prokofiev, 1932), *Mouvement symphonique nº 3* (Honegger, 1933), *Concerto pour violon* (Schumann, 1937), *Kleine Symphonie* (Pfitzner, 1939), *Symphonie nº 2* (Furtwängler, 1948), *Capriccio* (Einem, 1943), *Ein Totentanz* (1960), *Concerto pour piano nº 1* (1962) et *Concerto pour violoncelle* (1962) de Reimann, *Antigone* (1962), *Symphonie nº 4* (1963) et *Telemanniana* (1967) de Henze, *Passacaille* (F. Martin, 1963), *Concerto pour flûte* (Martinon, 1971), *Ouverture* (1973) et *Double Concerto pour hautbois et harpe* (1977) de Yun, *Double Concerto pour flûte et hautbois* (Ligeti, 1972), *Les Espaces du sommeil* (Lutoslawski, 1978), *Symposion* (Vlachopoulos, 1984), *Concerto pour violon* (Kirchner, 1984), *Concerto pour violon nº 4* (Schnittke, 1984)

Commandes pour le centenaire de l'orchestre : 3 Lieder nach Gedichten von Edgar Allan Poe (Reimann, 1982), *Pax Questuosa* (U. Zimmermann, 1982), *Concerto pour violoncelle nº 2* (Penderecki, 1983), *Concerto pour trompette, timbales et orchestre* (Matthus, 1983), *Concerto pour violon en violoncelle* (Schnittke, 1983), *Idyllen* (v. Bose, 1983), *Concerto pour flûte* (Trojahn, 1983), *Symphonie nº 1* (Yun, 1984), *Concerto pour orchestre* (Schuller, 1984), *Concerto pour alto* (Müller-Siemens, 1984), *Symphonie nº 7* (Henze, 1984), ainsi qu'une œuvre commandée à Henri Dutilleux.

Le bâtiment de la Philharmonie, détruit dans les bombardements de 1945, a été reconstruit et inauguré en 1963. Sous-formations : *Octuor Philharmonique de Berlin, Solistes de la Philharmonie de Berlin, Quatuor Brandis* (fondé en 1976 : Thomas Brandis, Peter Brem, Wilfried Strehle, Wolfgang Boettcher), *12 Violoncelles de la Philharmonie de Berlin* (qui ont suscité des œuvres de Blacher, Fortner, Eder, Thärichen, Françaix, Rubin, Xenakis...). L'orchestre n'a accueilli pour la première fois une femme dans ses rangs qu'en 1982 : une violoniste suisse de 26 ans, Madeleine Caruzzo, suivie, peu après, de la clarinettiste Sabine Meyer qui est restée un an clarinette-solo.

Orchestre Philharmonique de Brno

Fondé en 1956.

Chefs permanents : Břetislav Bakala (1956-58), Jaroslav Vogel (1959-61), Jiří Waldhans (1961-78), Františec Jílek (1978-83), Petr Vronsky (depuis 1983). L'orchestre s'intéresse essentiellement aux compositeurs moraves d'hier et d'aujourd'hui.

Orchestre Philharmonique de la B.R.T. (Bruxelles)

Fondé en 1978, il réunit les musiciens flamands du Grand Orchestre Symphonique de la R.T.B.-B.R.T. et ceux de l'Orchestre de Chambre de la B.R.T., formations qui disparaissent à cette date. *Chef permanent :* Fernand Terby depuis 1978. Créations de Weddington, Guerrero, Laporte, Goeyvaerts...

Orchestre Philharmonique de Budapest

Fondé en 1853.

Chefs permanents : Ferenc Erkel (1853-71), Hans Richter (1871-75), Sándor Erkel (1875-1900), István Kerner (1900-18), Ernö von Dohnányi (1919-44), Otto Klemperer (1947-50), János Ferencsik (1960-68), András Kórodi depuis 1968. Dès la fondation de l'Opéra de Budapest en 1884, l'orchestre participe à ses spectacles. Nikisch, Colonne, Richter, Löwe, Muck, Mottl et Mahler dirigent régulièrement à la fin du XIXe siècle.

PRINCIPALES CRÉATIONS : *Symphonie n° 1* (Mahler, 1889), *Kossuth* (1904), *Suite n° 2* (1909), *Images* (1913), *4 pièces op. 12* (1922), *Suite de danses* (1923), suite du *Mandarin merveilleux* (1928), suite du *Prince de bois* (1931), *Images hongroises* (1932) de Bartók, *Psalmus hungaricus* (1923) et *Danses de Galantha* (1933, pour le 80e anniversaire de l'orchestre) de Kodály.

Orchestre Philharmonique de Buffalo.

Fondé en 1937.

Chefs permanents : Franco Autori (1937-45), William Steinberg (1945-53), Josef Krips (1954-63), Lukas Foss (1963-70), Michael Tilson-Thomas (1971-78), Julius Rudel (1980-83), Gary L. Good (depuis 1983).

Orchestre Philharmonique de Cluj-Napoca

Fondé en 1955, il prolonge une ancienne tradition symphonique de la capitale de la Transylvanie illustrée notamment par l'Orchestre Symphonique Ardealul (1935-40).
Chefs permanents : Antonin Ciolan (1955-70), Emil Simon (depuis 1960), Erich Bergel (1959-72), Cristian Mandeal (depuis 1982).

Orchestre Philharmonique de Dresde

Fondé le 29 novembre 1870.

Chefs permanents : H. Mannsfeldt, Willy Olsen, Eduard Mörike (1924-29), Paul Van Kempen (1934-42), Carl Schuricht (1943-44), Heinz Bongartz (1947-64),

Horst Förster (1964-67), Kurt Masur (1967-72), Günther Herbig (1972-77), Herbert Kegel (depuis 1977).

PRINCIPALES CRÉATIONS : *Symphonie alpestre* de R. Strauss (1915), *Symphonie n° 5 « Pro Pace »* de Kohler (1984), *Frühlingssinfonie* de Theodorakis (1984).

Orchestre Philharmonique Georges Enesco de Bucarest

Fondé en 1868 sous le nom de Société Philharmonique Roumaine. De 1906 à 1920, il devient Orchestre du Ministère de l'Instruction Publique, de 1920 à 1945, Orchestre Philharmonique de Bucarest, de 1945 à 1955, Philharmonie d'État de Bucarest et, depuis 1955, il porte son titre actuel.

Directeurs musicaux : Georges Cocea (1944-45), Emanoil Ciomac (1945-47), Constantin Silvestri (1947-53), Georges Georgescu (1954-64), Mircea Basarab (1964-68), Dumitru Capoianu (1968-73), Ion Voicu (1973-82), Mihaï Brediceanu (depuis 1982).

Chefs permanents : Eduard Wachmann (1868-1906), Dimitri Dinicu (1906-20), Georges Georgesco (1920-44), Constantin Silvestri (1947-53), Theodor Rogalski (1950-54), Mircea Basarab depuis 1954, Mihaï Brediceanu depuis 1958, Mircea Cristescu.

Enesco a dirigé cet orchestre régulièrement tout au long de sa vie, mais plus particulièrement pendant les deux guerres mondiales. En 1917-18, il fonde, avec les musiciens de l'orchestre réfugiés à Iaşi, l'Orchestre Symphonique de Iaşi. De 1926 à 1928, Hermann Scherchen a dirigé 22 concerts.

PRINCIPALES CRÉATIONS : *Rhapsodies roumaines n°s 1 et 2* (1903), *Suite n° 1* (1903), *Intermezzos* (1903), *Symphonie n° 2* (1915), *Suite n° 2* (1916), *Symphonie n° 3* (1919) d'Enesco, œuvres de Lipatti, Jora (*Symphonies en ut,* 1937), Silvestri, Gheorgiu, Constantinescu (*Oratorio byzantin,* 1946)...

Orchestre Philharmonique de Flandre

Fondé en 1955, il porte jusqu'en 1983 le nom d'Orchestre Philharmonique d'Anvers.

Chefs permanents : Steven Candael (1956-59), Eduard Flipse (1959-70), Enrique Jordá (1970-75), Valère-Xavier Lenaerts (1975-77). André Vandernoot (1er chef invité, 1977-83), Emil Tchakarov (depuis 1985).

PRINCIPALES CRÉATIONS : *Monographie* de Decadt, *Mouvements symphoniques* de Delvaux, *Praeludia* de R. D'Haene, *Manhattan* de Glorieux, *Symphonie n° 4* de Kersters, *Symphonies n° 2* et *3* de Maes, *Symphonie n° 3* de Veremans, *Preludio e Narrazione* de Celis, *Kerstsymfonie* de Marischal.

Orchestre Philharmonique de Hambourg

Fondé en 1828.

Directeurs musicaux et chefs permanents : Friedrich Wilhelm Grund (1828-63), Julius Stockhausen (1863-67), Julius von Bernuth (1867-95), Richard Barth (1895-1904), Max Fiedler (1904-08), José Eibenschütz (1908-10), Siegmund von Hausegger (1910-20), Gerhard von Keussler (1920-22), Eugen Papst et Karl Muck (1922-33), Eugen Jochum (1934-49), Joseph Keilberth (1950-59), Wolfgang Sawallisch (1961-72), Aldo Ceccato (1972-83), Hans Zender (depuis 1984).

Il porte à l'origine le nom de Philharmonische Konzertgesellschaft. En 1934, après la fusion avec l'orchestre de l'Opéra, il devient Philharmonie d'État. De 1886 à 1910, il se livre à une rude concurrence avec les concerts organisés par l'agence Wolff de Berlin, dirigés par von Bülow et R. Strauss avec l'orchestre de l'Opéra puis avec la Philharmonie de Berlin. Composé actuellement de 134 musiciens, il assure la vie symphonique et lyrique. Créations de Braunfels, Höller, Sutermeister, Zilcher, Hindemith, Kagel, Nono, Yun, Schnebel, Pousseur, Rihm, Ruzicka, K. Huber, Reimann...

Orchestre Philharmonique d'Helsinki

Fondé en 1882.

Chefs permanents: Robert Kajanus (1882-1932), Georg Schneevoigt (en 1914-16 puis en 1932-41), Armas Järnefelt (1941-45), Martti Similä (1944-50), Tauno Hannikainen (1951-65), Jorma Panula (1965-72), Paavo Berglund (1975-79), Ulf Söderblom (1978-79), Okko Kamu (depuis 1981). *Principales commandes: Concerto pour alto* de Nordgren (1979), *Concerto pour 12 violoncelles* de Englund (1981), *Requiem* de Kokkonen (1981).

PRINCIPALES CRÉATIONS : *Symphonie n° 1* (1899), *n° 2* (1902), *n° 6* (1923) de Sibelius. La musique finlandaise occupe le quart de ses programmes. Son financement est assuré à 98,5 % par la ville d'Helsinki et à 1,5 % par le Ministère de l'Education.

Orchestre Philharmonique d'Israël

Fondé à Tel-Aviv en 1936 par Bronislaw Hubermann sous le titre d'Orchestre Symphonique de Palestine. Toscanini dirige le premier concert. En 1946, il devient Orchestre Philharmonique de Palestine avant d'adopter son nom actuel en 1948. Aucun chef permanent avant 1969. Certains chefs sont engagés pour de longues séries de concerts ou des tournées comme Dean Dixon (1950-51), Jean Martinon (1958-60), Carlo-Maria Giulini, Josef Krips et Gary Bertini (à l'occasion d'un tour du monde, 1960). William Steinberg (1936-38), Leonard Bernstein (1947-49), Bernardino Molinari, Jean Martinon (1958-60), Zubin Mehta (1968-77) sont conseillers musicaux. Mehta est le premier chef permanent de l'histoire de cet orchestre dont il devient directeur musical en 1977.

Les membres du *New Israel Quartet* (formé en 1959) font partie de l'orchestre.

CRÉATIONS*: The Sweet Psalmist of Israel* (Ben-Haïm, 1956), *Symphonie n° 3* (1963), *Sérénade* (1954), *Ode pour Jerusalem* (1973) et *Musical Toastet-Halif* (1982) de Bernstein.

Orchestre Philharmonique de La Haye

Voir à **Orchestre de la Résidence de La Haye.**

Orchestre Philharmonique de Leningrad

Fondé en 1921, il succède à l'orchestre de la cour, formé en 1883, et dirigé par Gugo Varlikh. De 1917 à 1920, il est Orchestre symphonique d'Etat et dirigé par Serge Koussevitzky.

Chefs permanents : Emil Cooper (1921-23), Nikolaï Malko (1926-29), Alexandre Gaouk (1930-33), Fritz Stiedry (1933-37), Evgeny Mravinski (depuis 1938), Kurt Sanderling (1941-60). Depuis 1953, la Philharmonie de Leningrad regroupe deux orchestres symphoniques (l'Orchestre Philharmonique, dirigé par E. Mravinski, et l'Orchestre Symphonique, dirigé par Arvid Jansons, Youri Temirkanov (1968-76) puis Alexandre Dmitriev), l'Orchestre de Chambre de Leningrad (dirigé par Alexandre Serov) et le Quatuor Taneiev.

CRÉATIONS*: Symphonie n° 6* (Prokofiev, 1944), *Symphonies n° 1* (1926), *n° 3* (1930), *n° 5* (1937), *n° 6* (1945), *n° 9* (1945), *n° 10* (1953), *Le Chant des forêts* (1949), *Concertos pour violon n° 1* (1955) et *pour violoncelle n° 1* (1959) de Chostakovitch.

Orchestre Philharmonique de Liège

Fondé en 1960.

D'abord appelé Orchestre de Liège, il prend sa dénomination actuelle en 1980. Il est souvent associé au Chœur Philharmonique de Liège que dirige Ph. Herreweghe. Philharmonietta Nova, ensemble de 10 musiciens, est issu de ses rangs.

Chefs permanents: Fernand Quinet (1960-64), Manuel Rosenthal (1964-67), Paul Strauss (1967-77), Pierre Bartholomée (depuis 1977).

PRINCIPALES CRÉATIONS : *Cena* de Berio (1979), *Concerto pour violon* de Boesmans (1980), *Symphonie n° 10* de Schubert (1983), *Lichens I* de Xenakis (1984). L'Orchestre est financé par moitié par le Ministère et la ville de Liège.

Orchestre Philharmonique de Liverpool

Voir à **Royal Liverpool Philharmonic Orchestra.**

Orchestre Philharmonique de Londres

Fondé le 7 octobre 1932 par Sir Thomas Beecham. *Chefs permanents* : Sir Thomas Beecham (1932-39), Eduard Van Beinum (1948-50), Sir Adrian Boult (1951-57), William Steinberg (1958-60), John Pritchard (1962-66), Bernard Haitink (1967-79), Sir Georg Solti (1979-83), Klaus Tennstedt (à compter de 1983). L'orchestre est autogéré par les musiciens depuis 1939. Il assure les représentations de Covent Garden de 1933 à 1939 et, depuis 1964, celles du Festival de Glyndebourne.

PRINCIPALES COMMANDES : *Symphonie n° 3* de Fricker (1960), *Second Fantasia on John Taverner's « in Nomine »* de P. M. Davies (1965), *Star clusters, nebulae and places in Devon* de Bedford (1972), *Concerto pour orchestre* de Hamilton (1973), *Metamorphosis/Dance* de Goehr (1974), *Concerto pour orchestre* de Mayer (1976), *Philharmonic Concerto* d'Arnold (1976), *Symphonie n° 6* de Simpson (1980), *Concerto pour orchestre* de McCabe (1983).

PRINCIPALES CRÉATIONS : *Symphonie Pastorale* (1922) et *Symphonie n° 5* (1943) de Vaughan-Williams, *Our hunting fathers* de Britten (1936), *A child of our time* de Tippett (1944), *English dances* d'Arnold (1952), *Paroles tissées* de Lutoslawski (1965), *Suite « The rising of the moon »* de Maw (1972), *For Ophelia* de De Banfield (1977).

Orchestre Philharmonique de Lorraine (Metz)

Fondé en 1975, il résulte de la fusion de l'Orchestre Radio-Symphonique de Strasbourg et de l'Orchestre Municipal de Metz. *Directeurs :* Michel Tabachnik (1975-81), Emmanuel Krivine (1981-83), Gérard Akoka (1983-84), Jacques Houtmann (depuis 1984).

CRÉATIONS : *A Colone* (Xenakis, 1977), *l'Aveu* (Dusapin, 1982), *Rosenzeit* (Mireanu, 1982).

Orchestre Philharmonique de Los Angeles

Fondé en 1919 par William Andrew Clark Jr. Il remplace l'Orchestre Symphonique de Los Angeles fondé lui-même en 1898 par Harley Hamilton.

Directeurs musicaux : Walter Henry Rothwell (1919-27), Georg Schneevoigt (1927-29), Artur Rodzinski (1929-33), Otto Klemperer (1933-39), chefs invités pendant 10 ans, Alfred Wallenstein (1943-56), Eduard Van Beinum (1956-59), Zubin Mehta (1962-77), Carlo-Maria Giulini (1978-84), André Previn (à partir de 1986).

Depuis 1922, l'orchestre assure les concerts d'été au Hollywood Bowl, série fondée par Alfred Hertz.

CRÉATIONS : *Concerto pour violon n° 2* (Creston, 1960), *Suite pour cordes* (Schönberg, 1935), *Hexameron* (von Einem, 1970), *Kosmogonia* (Penderecki, 1970), *Symphonie n° 4* (Ladermann, 1981), *Riverrun* (Takemitsu, 1985).

Orchestre Philharmonique de Mexico

Fondé en 1978.

Créé à l'initiative de Carmen Romano de Lopez Portillo, épouse du Président de la République mexicaine, il est subventionné par le ministère des Affaires Sociales. Son directeur est depuis l'origine Fernando Lozano.

Orchestre Philharmonique Moldave de Iaşi

Fondé en 1942 comme orchestre d'État, il prend la succession de différentes expériences symphoniques réalisées dans la capitale moldave depuis 1893 sous la direction d'Eduard Caudella, Antonin Ciolan et, en 1918, de Georges Enesco qui y fonda un orchestre symphonique avec les musiciens de la Philharmonie de Bucarest réfugiés dans cette ville.

Directeur musical : Ion Baciu.

Orchestre Philharmonique de Monte-Carlo

Fondé en 1856 par Alexandre Hermann, il prend son véritable essor en 1863 sous la direction de Eusèbe Lucas et porte le nom d'Orchestre National de l'Opéra de Monte-Carlo jusqu'en 1980. Il participe aux spectacles lyriques et chorégraphiques tout en assurant une saison symphonique et discographique importante. Son histoire est étroitement associée aux Ballets russes de Diaghilev puis à ceux de René Blum.

Chefs permanents : Alexandre Hermann (1856-59), Carlo Allegri (1860), Eusèbe Lucas (1861-76), Roméo Accursi (1877-85), Arthur Steck (1886-94), Léon Jehin (1895-1928), Paul Paray (1929-45), Henri Tomasi (1946-53), Louis Frémaux (1956-65), Edouard Van Remoortel (1966-68), Igor Markevitch (1968-73), Lovro von Matačič (1973-79), Lawrence Foster (depuis 1979).

CRÉATIONS : *Le Jongleur de Notre-Dame* (1902), *Chérubin* (1905), *Thérèse* (1907), *Don Quichotte* (1910) de Massenet, *Pénélope* (Fauré, 1913), *La Rondine* (Puccini, 1917), *Masques et bergamasques* (Fauré, 1919), *l'Enfant et les sortilèges* (Ravel, 1925), *l'Aiglon* (Honegger-Ibert, 1937), *Sinfonia sacra* (Panufnik, 1964), *La Reine morte* (Rossellini, 1973), *Le Songe de Jacob* (Penderecki, 1974).

Orchestre Philharmonique de Montpellier

Fondé en 1979.

Constitué à l'origine comme un orchestre Mozart (40 musiciens), cet ensemble regroupe maintenant 75 instrumentistes. Il assure la saison symphonique et lyrique de Montpellier ainsi que la décentralisation dans la région Languedoc-Roussillon.

Directeur musical : Louis Bertholon (1979-83), Cyril Diederich (depuis 1984).

Orchestre Philharmonique de Moscou

Fondé en 1926.

Chefs permanents : Nicolaï Golovanov (1926-29), Samuel Samossoud (1953-57), Eugen Szenkar (1934-37), Abram Stasevitch (1937), Kyrill Kondrachine (1957-60, puis directeur artistique, 1960-76), Dmitri Kitayenko depuis 1976.

CRÉATIONS : Prokofiev (*Ivan le terrible, Alexandre Nevski*, 1939), Chostakovitch (*Symphonies nº 4*, 1961, et *13*, 1962, *Stepan Razine*, 1964, *Concerto pour violon nº 2*, 1967), Miaskovski (*Symphonie nº 21*, 1940), Chtchedrine (*Symphonie nº 1*, 1958, *Concerto pour orchestre nº 1*, 1963), Weinberg (*Symphonie nº 4*), Kabalevski (*Symphonie nº 2*, 1934).

Orchestre Philharmonique de Munich

Fondé en 1893 par Franz Kaim, il porte alors le titre de Kaim Orchester. En 1908, il devient le Konzertvereins Orchester.

Chefs permanents et directeurs musicaux : Hans Winderstein (1893-95), Herman Zumpe (1895-97), Ferdinand Löwe (1897-98), Felix Weingartner et Siegmund von Hausegger (1898-1903), Raabe (1903-04), Georg Schneevoigt (1904-07), Hans Pfitzner (1907-08), Ferdinand Löwe et Prill (1908-14), Hans Pfitzner (1919-20), Siegmund von Hausegger (1920-38), Oswald Kabasta (1938-45), Hans Rosbaud (1945-48), Fritz Rieger (1949-67), Rudolf Kempe (1967-76), Sergiu Celibidache (depuis 1980).

CRÉATIONS : Mahler (*Symphonies nºs 4* et *8*, *Le Chant de la terre*), Bruckner (*Symphonies nºs 5, 6 et 9*, versions originales), Egk (*Italienische Lieder, Colombus*), Pfitzner (*Symphonie*), A.

Tcherepnine (*Concerto pour piano, Symphonie en mi*), Bialas (*Concertos pour violon et pour clarinette, Preisungen*), Tüzün, Winterberg, Kaminski...

Orchestre Philharmonique de New York

Fondé en 1842, il porte le nom de Société Philharmonique de New York jusqu'en 1892. Parmi les chefs qui se succèdent à sa tête, Leopold Damrosch et Theodore Thomas (1877-78 puis 1879-91). *Chefs permanents et directeurs musicaux* : Anton Seidl (1892-98), Emil Paur (1898-1902), Walter Damrosch (1902-03). Chefs invités pendant 3 ans (notamment Henry Wood, Felix Weingartner, Richard Strauss et Fritz Steinbach). Vasily Safonov (1906-09), Gustav Malhler (1909-11), Josef Stransky (1911-23), Willem Mengelberg (1923-29), Arturo Toscanini (1928-36), Sir John Barbirolli (1936-42), Artur Rodzinski (1943-47), Bruno Walter (1947-49), Leopold Stokowski et Dimitri Mitropoulos (1949-51), Dimitri Mitropoulos (1951-57), Leonard Bernstein (1958-69), George Szell (conseiller, 1969-70), Pierre Boulez (1971-77), Zubin Mehta depuis 1978.

En 1928, il fusionne avec l'Orchestre Symphonique de New York et porte le nom d'Orchestre Philharmonique Symphonique de New York jusqu'au début des années cinquante.

CRÉATIONS : Dvořák (*Symphonie du nouveau monde*, 1893), R. Strauss (*Symphonie op. 12*, 1884), Debussy-Caplet (*Children's corner*, 1910), Kodály (suite de *Hary Janós*, 1927), Milhaud (*Carnaval d'Aix*, 1926, *Concerto pour violoncelle n° 2* et *Le Bal martiniquais*, 1945), Respighi (*Concerto pour piano*, 1925, *Fêtes romaines*, 1929), Bloch (*America*, 1928), W. Schuman (*Symphonies n° 1*, 1936, *n° 2*, 1938, *Song of Orpheus*, 1962), Walton (*Façade*, suite n° 2, 1938), Bliss (*Concerto pour piano*, 1939), Enesco (*Suite n° 3 « Villageoise »*, 1939), Britten (*Concerto pour violon*, 1940, *Sinfonia da requiem*, 1951), Castelnuovo-Tedesco (*Concerto pour violon n° 2*, 1933), Chávez (*Concertos pour piano n° 1*, 1942, et *pour violon*, 1965, *Symphonie n° 6*, 1964), Martinů (*Mémorial à Lidice*, 1943), Hindemith (*Métamorphoses*, 1944), Stravinski (*Symphonie en 3 mouvements*, 1946), Messiaen (*Hymne*, 1947), Mennin (*Symphonie n° 3*, 1947), Krenek (*Symphonie n° 4*, 1947), Creston (*Symphonie n° 2*, 1945), Barber (*2e Essai*, 1942), Bartók (*Concerto pour 2 pianos*, 1943), Schönberg (*Ode à Napoléon*, 1944), Ives (*Symphonie n° 2*, 1951), Villa-Lobos (*Concerto pour violoncelle n° 2*, 1954), Bernstein (*Chichester Psalms*, 1965, *Candide, ouv.* 1957), Rorem (*Symphonie n° 3*, 1959), Diamond (*Symphonie n° 5*, 1966), Penderecki (*Symphonie n° 2*, 1980), W. Schuman (*Three Colloquies*, 1980), Rands (*Canti del sole*, 1983), Menotti (*Concerto pour violoncelle*, 1983, Crumb (1983), Schuller (*Concerto quaternio*, 1984).

COMMANDES pour l'inauguration du Lincoln Center (1962) : *Connotations* (Copland), *Concerto pour violon* (Ginastera), *Symphonie n° 8* (W. Schuman), *Andromache's Farewell* (Barber), *Ouverture Philharmonique* (Milhaud), *Symphonie n° 5* (Henze). COMMANDES pour le 125e anniversaire de l'orchestre (1967) : *Symphonie n° 4* (Gerhard), *Concerto pour orchestre* (Carter), *Inscape* (Copland), *Capriccio burlesco* (Walton), *Promenade concert* (Milhaud), *Concerto pour orchestre n° 2* (Chtchédrine). COMMANDE pour le bicentenaire des U.S.A. (1976) : *Symphonie pour 3 orchestres* (Carter).

Orchestre Philharmonique de La Nouvelle-Orléans

Fondé en 1936.

Connu à l'origine sous le nom de New Orleans Civic Symphony Orchestra, il prend en 1940 l'appellation de New Orleans Symphony Association avant de choisir, en 1951, sa dénomination actuelle.

Chefs permanents : Arthur Zack (1936-39), Ole Windingstad (1939-44), Massimo Freccia (1944-52), Alexander Hilsberg (1952-61), Werner Torkanowsky (1962-77), Leonard Slatkin (1977-80), Philippe Entremont (depuis 1980).

PRINCIPALES CRÉATIONS : *Musique pour La Nouvelle-Orléans* de Milhaud (1968), *American Triptych* de Schuller (1965).

Orchestre Philharmonique d'Oslo

Fondé en septembre 1919.

Chefs permanents : Georg Schneevoigt (1919-21), Johan Halvorsen (1919-20), Ignaz Neumark (1919-21), Jose Eibenschütz (1921-27), Issay Dobrowen (1927-1931), Odd Grüner-Hegge (1931-33), Olav Kielland (1933-1945), Odd Grüner-Hegge (1945-62), Øivin Fjeldstad (1962-69), Herbert Blomstedt (1962-68), Miltiades Caridis (1969-76), Okko Kamu (1976-79), Mariss Jansons (depuis 1979).

Orchestre Philharmonique des Pays de la Loire

Fondé en 1971.

Directeurs : Pierre Dervaux (1971-78), Marc Soustrot depuis 1978. *Chefs permanents* : Jean-Claude Casadesus (1971-75), Yves Prin (1971-73), André Girard (1976-78), Marc Soustrot (1976-78), Patrick Juzeau (1978-80), François Bilger depuis 1978.

Partagé entre les villes d'Angers et de Nantes, l'orchestre se produit en grande formation (100 musiciens) ou en deux formations distinctes de 60 musiciens. Il assure les saisons symphoniques et lyriques des deux villes et joue dans toute la région. Il a succédé à la Société des Concerts Populaires d'Angers. Créations d'œuvres de Tisné, Tessier, Constant, Ohana (*Concerto pour piano*, 1981), Yun, Dusapin (*La Rivière*, 1983) et Scelsi (*Hymnos*, 1983).

Orchestre Philharmonique de Paris

Fondé en 1935, dissous en 1938.

Chef permanent : Charles Münch (1935-38).

CRÉATIONS : *Oriane et le prince d'amour* (Schmitt, 1937), *Rhapsodie flamande* (Roussel, 1937), *Concerto pour piano* (Françaix, 1937), *Symphonie n° 2* (Rivier, 1938).

Orchestre Philharmonique de Radio-France

Fondé en 1937.

Chefs permanents : Eugène Bigot (1945-65), Charles Bruck (1965-70). Baptisée successivement Orchestre Radio-Symphonique (1937-55), Orchestre Symphonique de Radio-Paris (pendant l'Occupation), Orchestre Radio-Symphonique de Paris (1955-59), Orchestre Philharmonique de la R.T.F. (1960-63) puis de l'O.R.T.F. (1964-75), cette formation se joindra aux autres ensembles de la Radio pour former le Nouvel Orchestre Philharmonique à partir du 1er janvier 1976.

Répondant à sa vocation d'orchestre de radio, il a donné de nombreuses œuvres contemporaines soit en 1re audition française, soit en création. Parmi celles-ci on relève les œuvres de Clostre (*De Patribus Deserti*, 1962), Martinet (*Les Amours*, 1962), Milhaud (*Invocation à l'Ange Raphaël*, 1962), Migot (*Suite en 5 parties*, 1962), Tansman (*Psaumes*, 1963), Landowski (*Concerto pour piano n° 2*, 1963), Malec (*Séquences*, 1963, *Oral*, 1967), Saguer (*Suite Sefardi*, 1963), Bondon (*Concerto pour violon*, 1964, *Lumières et formes animées*, 1970), Chaynes (*Concerto n° 2 pour orchestre*, 1964, *Concerto pour orgue*, 1970), Inghelbrecht (*Les Heures claires*, 1964), Tcherepnine (*Concerto pour piano n° 5*, 1964), Tisné (*Concerto pour piano*, 1964, *Symphonie n° 2*, 1966, *Concerto pour violoncelle*, 1969), Wissmer (*Symphonies n° 4*, 1965, et *n° 5*, 1971), Nigg (*Le Chant du dépossédé*, 1965, *Visages d'Axel*, 1967, *Fulgur*, 1969), Jolivet (*Le Cœur de la matière*, 1965, *Songe à nouveau rêvé*, 1971), Barraud (*Symphonie concertante pour trompette*, 1966, *3 Études*, 1969, *Ouverture pour un opéra interdit*, 1972), Guézec (*Formes*, 1967), Méfano (*Incidences*, 1967), Nikiprowetzki (*Hommage à Antonio Gaudi*, 1967), Ballif

(*Voyage dans mon oreille*, 1968), Drogoz (*Soleil*, 1968, *Antinomies II*, 1970), Rivier (*Christus Rex*, 1968), Aperghis (*Libretto*, 1969), Casanova (*Règnes, Symphonie n° 3*, 1973), Feldmann (*The Viola in my life*, 1971), Cage (*The Seasons*, 1971), Vieru (*Ecran*, 1971), Guillou (*Judith Symphonie*, 1971), Dao (*Koskom*, 1972), Decoust (*Si...et si...seulement*, 1972), Loucheur (*Symphonie n° 3*, 1972), Martelli (*Suite symphonique n° 3*, 1972), Moène (*Chroniques*, 1972), Komivès (*Concerto pour quatuor à cordes*, 1970), Le Flem (*Symphonie n° 3*), Abbott (*Nombres invisibles*, 1973), Koering (*Vocero*, 1973), Mestral (*Dimensions-insertions*, 1973), Tabachnik (*Mondes*, 1973, *Movimenti*, 1974), Antunes (*Catastrophe ultra-violette*, 1974), Druckman (*Windows*, 1974), Pablo (*Eléphants ivres III et IV*, 1974), Ton That Tiet (*Ngu Hanh II*, 1974), Xenakis (*Erichton, Nommos Gamma*, 1974).

Orchestre Philharmonique de la Radio Néerlandaise (Hilversum)

Fondé en 1945.

Chefs permanents : Albert Van Raalte (1945-52), Paul Van Kempen et Willem Van Otterloo (1952-55), Bernard Haïtink (1957-61), Jean Fournet (1961-73), Hans Vonk (1973-79), Sergiu Comissiona (depuis 1982).

CRÉATIONS : œuvres de Stockhausen, Xenakis (*Empreintes*, 1975, *Anemoessa*, 1979), Maderna (*Concerto pour hautbois*, 1973), de Pablo (*Adagio*, 1984).

Orchestre Philharmonique de Rochester

Fondé en 1922 par George Eastman, il succède à l'Orchestre Symphonique de Rochester constitué un an plus tôt.

Chefs permanents : Albert Coates et Sir Eugene Goossens (1923-24), Sir Eugene Goossens (1924-31), José Iturbi (1935-44), Erich Leinsdorf (1947-56), Theodore Bloomfield (1958-64), Lászlo Sómógyi (1965-), Walter Hendl, David Zinman (depuis 1977).

Orchestre Philharmonique de Rotterdam

Fondé le 10 juin 1918 sur l'initiative de Jules Zagwijn.

Chefs d'orchestre permanents : Willem Feltzer (1918-28), Alexander Schmuller (1928-30), Eduard Flipse (1930-62), Franz-Paul Decker (1962-68), Jean Fournet (1968-73), Edo De Waart (1973-79), David Zinman (1979-82), James Conlon (depuis 1983).

Le bombardement allemand du 14 mai 1940 détruit sa salle de concert, sa bibliothèque ainsi qu'une bonne partie de ses instruments. Il dispose actuellement d'une salle nommée « de Doelen ». Un tiers de ses membres, les cordes notamment, est d'origine étrangère.

COMMANDES : *Sinfonia breve* de Baird (1968), *Erasmi Monumentum* de Frank Martin (1968), *Le Tombeau d'Erasme* de Tansman (1970), *Chemins IIc* (1974), et *Encore* (1978) de Berio, *Twilight* de Per Nørgård (1977), ainsi que de nombreuses pages hollandaises.

PRINCIPALES CRÉATIONS : *Sumařovo dítě* (1930) et *Suite* extraite de l'opéra *Souvenir de la maison des morts* (1933) de Janáček, *Missa hispanica* de Michael Haydn (1966), *Gitimalya* de Takemitsu (1974). L'orchestre est subventionné à 85 % par l'Etat et la ville de Rotterdam.

Orchestre Philharmonique de la Scala (Milan)

Fondé en 1982 et dirigé par Claudio Abbado, cet orchestre regroupe essentiellement des instrumentistes de la Scala. Son financement est autonome et il ne dépend pas du théâtre. Il a été constitué pour compléter l'activité des musiciens de l'illustre opéra et prolonger la saison symphonique de la Scala.

Orchestre Philharmonique Slovaque (Bratislava)

Fondé en 1949 par Václav Talich.

Chefs permanents : Václav Talich (1949-

52), Ludovít Rajter (1954-60), Tibor Frešo (1952-53), Ladislav Slovák depuis 1961.

Sous-formation : Quatuor Slovaque. Le Chœur Philharmonique Slovaque (120 membres) travaille régulièrement avec l'orchestre. La musique du XXe siècle occupe 50 % des programmes. Créations de Suchoň, Cikker, Kardoš, Moyzes...

Orchestre Philharmonique de Sofia

Fondé en 1928.

Chefs permanents : Sacha Popov, Vladi Simeonov, Dimiter Manolov, Constantin Iliev (depuis 1956).

La formation, de 70 musiciens à l'origine, prend le nom (de 1928 à 1935) d'Orchestre Symphonique Académique, puis, de 1936 à 1944, d'Orchestre Symphonique Royal Militaire. Depuis 1944, il est orchestre d'État. Son effectif atteint actuellement 110 membres.

Orchestre Philharmonique de Stockholm

Fondé le 27 mai 1902.

Chefs d'orchestre permanents : Tor Aulin (1902-09), Erich Ochs (1914-15), Georg Schneevoigt (1915-24), Wilhelm Sieben (1925-26), Václav Talich (1926-36), Adolf Wiklund (1936-37), Fritz Busch (1937-40), Carl Garaguly (principal chef invité de 1936-1937), Carl Garaguly (principal chef invité de 1940 à 1942, puis chef permanent de 1942 à 1955), Hans Schmidt-Isserstedt (1955-64), Sergiu Comissiona (principal chef invité de 1964 à 1966), Antal Dorati (1966-74), Guennadi Rojdestvenski (1974-77), Yuri Ahronovitch (depuis 1982).

Le financement de l'orchestre est assuré par le gouvernement (40 %), la municipalité (38 %), la vente de billets et abonnements (22 %).

COMMANDES : *Poesis* (1964) et *Kontakinn* (1979) de Lidholm, *Symphonie n° 4* de Börtz (1977), *Requiem suédois* de Welin (1977), *Symphonie n° 14* de Petterson (1981), concertos pour orgue de Morthenson et Rosell (1982), *Concerto pour flûte* de Sandström (1981).

CRÉATIONS : *Symphonie Singulière* de Berwald (1905), *Symphonie n° 7 « Fantasia Sinfonica »* de Sibelius, ainsi que de nombreuses pages signées Alfvén, Blomdahl, Bucht, Eklund, de Frumerie, Holewa, Karkoff, Larsson, Nystroem, Pergament, Peterson-Berger, Pettersson et Rosenberg.

Orchestre Philharmonique de Strasbourg

Fondé en 1872, il succède à l'Orchestre Municipal (fondé en 1855) qu'avaient dirigé notamment Franz Stockhausen (1875-1907), Robert Heger (1907-08), Hans Pfitzner (1908-14), Otto Klemperer (1914-17), George Szell (1917-19), Guy Ropartz (1919-29), Hans Rosbaud (1941-44), Fritz Münch (1945-49), Ernest Bour (1950-64), Alceo Galliera (1964-72).

Directeurs musicaux : Alain Lombard (1972-1983) Theodor Guschlbauer (à partir de 1983).

L'orchestre assure la saison symphonique et lyrique (dans le cadre de l'Opéra du Rhin) ainsi que les concerts de décentralisation.

Orchestre Philharmonique de Stuttgart

Fondé en 1924.

Chefs permanents: Leo Blech (1924-29), Efrem Kurz et Emil Kahn (1929-33), Albert Hitzig (1933-38), Gerhard Maasz (1938-44), Willy Steffen et Hermann Hildebrandt (1946-49), Willem Van Hoogstraten (1949-54), Hans Hörner (1954-63), Antonio de Almeida (1963-64), Alexander Paulmüller (1964-70), Hans Zanotelli (1971-84).

Orchestre Philharmonique Tchèque

Fondé en 1894 dans le cadre de l'Orchestre du Théâtre National. Son premier concert officiel a lieu le 4 janvier 1896 sous la baguette de Dvořák. Depuis 1945, il est orchestre d'Etat.

Chefs permanents : Ludvík Vítězslav Čelanský (1901-1902), Vilém Zemánek (1903-18), Oskar Nedbal et Karel Kovarovic (1918-1919), Václav Talich (1919-41), Rafael Kubelík (1942-48), Karel Sejna (directeur intérimaire en 1949), Karel Ančerl (1950-68, Václav Talich étant conseiller de 1952 à 1954), Václav Neumann (depuis 1968).

Un très grand nombre de partitions tchèques, de Dvořák à nos jours, ont été créées par l'orchestre.

Principales créations : *Symphonie nº 7* de Mahler (1908), *Sinfonietta* de Janáček (1926) et de très nombreuses pages signées Martinů comme la *Symphonie nº 5* (1947), le *Concerto pour violoncelle* (1949), *Schwindende Mitternacht* (1923), les *Concertos pour piano nº I* (1926) et *nº 2* (1934), *Messe de campagne* (1946) et *Partita pour cordes* (1932).

Orchestre Philharmonique de Tokyo

Fondé en 1940, il s'appelle d'abord Central Symphony Orchestra, puis Orchestre Symphonique de Tokyo (1941), puis adopte son nom actuel en 1948.

Chefs permanents : Akeo Watanabe (1948-54), Kurt Wöss (1974), Tadaaki Otaka, Tsuneo Iso.

Orchestre Philharmonique de Vienne

Fondé en 1842.

Chefs permanents : Otto Nicolaï (1842-48). Entre 1848 et 1860, l'orchestre connaît de graves difficultés et se produit occasionnellement sous la direction de Carl Eckert (1854-57), Otto Dessoff (1860-75), Hans Richter (1875-98), Gustav Mahler (1898-1901), Joseph Hellmesberger Jr. (1901-03), Felix Weingartner (1908-27). Depuis cette date, l'orchestre n'a plus de chef permanent mais travaille avec des invités réguliers : Wilhelm Furtwängler (1927-28, et 1933-54), Clemens Krauss (1929-33), Bruno Walter (1933-38), Karl Böhm (1954-56 et 1971-81), Herbert von Karajan (1956-64), Claudio Abbado (depuis 1971) et Lorin Maazel (1982-84).

L'orchestre fonctionne en autogestion et assure aussi les services de l'Opéra de Vienne (140 musiciens). Il participe au Festival de Salzbourg depuis 1925. Hans Richter (cor), Arthur Nikisch (violon) et Franz Schmidt (violoncelle) ont appartenu à la Philharmonie.

Créations : Brahms (*Symphonies nº 2*, 1877, et *nº 3*, 1883, *Ouverture tragique*, 1880, *Variations sur un thème de Haydn*, 1873), Bruckner (*Symphonies nº 3*, 1877, *nº 4*, 1888, *nº 6*, 1899, *nº 8*, 1892), R. Strauss (*Divertimento op 86*, 1943, *Concerto pour cor nº 2*, 1943), Schoñberg (*Symphonie de chambre op. 9*, 1907), Bartók (*Suite nº 1*, 1905), Bliss (*Music for strings*, 1935), Einem (*Concerto pour violon*, 1970, *Philadelphia Symphony*, 1961), Casella (*Paganiniana*, 1942), Rubin (*Symphonie nº 6*, 1975), Eder (*Symphonie nº 4*, 1977). Arnold Rosé, Walter Weller, Wolfgang Schneiderhan, Willy Boskowsky ont été violons solo de cet orchestre.

Orchestre Philharmonique de Zagreb

Fondé en 1919.

Chefs permanents : chefs invités jusqu'en 1956, Milan Horvat (1956-70), Lovro von Matačič (1970-80), Pavle Dèspalj (depuis 1980). Il se consacre essentiellement au répertoire slave.

Orchestre Radio Symphonique de Berlin

Fondé en 1946.

Chefs permanents : Ferenc Fricsay (1948-54 puis 1959-63), Lorin Maazel (1964-75), Riccardo Chailly depuis 1982. Porte jusqu'en 1956 le nom d'Orchestre R.I.A.S. de Berlin.

Créations : Egk (*Suite française*, 1950), Henze (*Scènes de ballet*, 1950),

Reimann (*Lieder auf der Flucht*, 1960), Blacher (*Concerto pour piano n° 3*, 1961), Yun (*Bara*, 1962 ; *Fluktuationen*, 1964 ; *Namo*, 1971 ; *Symphonie n° 2*, 1984), Zimmermann (*Antiphonen*, 1962 ; *Musique pour le souper du Roi Ubu*, 1968), Trojahn (*Erstes Seebild*, 1980), Hindemith (*Lustige Sinfonietta*, 1980), Mahler (*Symphonisches Präludium*, 1981), Rihm (*Abgesangsszenen*, 1983 ; *Roter und schwarzer Tanz*, 1985), L. Chailly (*Es Konzert*, 1984).

Orchestre Radio Symphonique de Francfort (Hessischer Rundfunk)

Fondé en 1929.

Chefs permanents : Hans Rosbaud (1929-37), Otto Frickhoeffer (1937-45), Kurt Schröder (1946-53), Otto Matzerath (1955-61) Dean Dixon (1961-74), Eliahu Inbal (depuis 1974).

Carl Schuricht a été l'un de ses principaux chefs invités. L'orchestre s'intéresse de très près à la musique contemporaine et a passé de très nombreuses commandes. Parmi les plus importantes : *Abstrakte Oper n° 1* de Blacher, *Der Wald* de Fortner, *Die Brücke von San Louis Rey* de Reutter, *Le Retour* de Mihalovici, *5 Chants napolitains* de Henze, *Diario polacco 1958* de Nono, *Réponse pour 7 musiciens* de Pousseur, *Présence* de Zimmermann, *Gesangszene* pour baryton de Hartmann, *Air* de Lachenmann, *Arioso* de Ferrero, *Concerto pour violon* de Yun, *Octuor* de Reich.

Principales créations : *Concerto pour alto n° 1* de Milhaud (1930), *Musique d'accompagnement pour spectacle de cinéma* (1930) et *4 Lieder* op. 22 de Schönberg (1932), *6 Danses allemandes* de Schubert-Webern (1932), *Concerto pour piano n° 2* de Bartók (1933), *Schachspiel* de Zender (1970), *Offrande musicale sur le nom de Bach* de Kœchlin (1973), *Concerto pour contrebasse* de Françaix (1974), *Concerto pour percussion de* Benguerel (1977), *La Chute de la maison Usher* de Debussy (1977), *Schubert-Fantasie* de Schnebel (1979), *Symphonie n° 1* de Müller-Siemens (1981), *Concerto pour violon* (1982) de Yun, *Violon and orchestra* (1984) de Feldman.

Orchestre Radio Symphonique de Sarrebruck

Fondé en 1936. Reconstitué en 1946.

Chefs permanents : Rudolf Michl (1946-71), Hans Zender (1971-84), Myung-Whun Chung (depuis 1984). L'orchestre a commandé les œuvres suivantes : *Accanto* de Lachenmann, *Ohne Grenze und Rand* de Huber, *He, très doulz roussignol joly* de Rolf Riehm, *Phase und Prototypen* de Gasser, *Variations pour violoncelle* de Sciarrino, *Concerto pour flûte* de Feldman et *Concerto pour violoncelle* de Döhl, *Loqui* de Reimann (1969), *Monodram* pour violoncelle de Rihm (1983).

Principales créations : *Concerto pour clavecin « Couplets »* de Castiglioni, *Mitbestimmungsmodell* de Gielen, *Concerto pour piano* de Schweinitz, *Lo-Shu III* de Zender (1983), *Concerto pour violon* de Kelemen (1982), *Chiffre* de Rihm (1983), *Concerto pour violon* de Bolcom (1984).

Orchestre Radio-Symphonique de Strasbourg

Fondé en 1930, il est dispersé en 1939 et reconstitué par étapes après la guerre. A la disparition de l'O.R.T.F., en 1975, il fusionne avec l'Orchestre Municipal de Metz pour former l'Orchestre Philharmonique de Lorraine.

Chefs permanents : René Montfeuillard, Maurice Devillers, Ernest Bour. Après la guerre : Victor Clovez, Louis Martin, Jean Périsson (1955-56), Jacques Pernoo (1956-57), Charles Bruck (1957-66), Roger Albin (1966-73).

Il se consacre surtout à la musique contemporaine. Parmi ses créations : *Symphonie n° 2* (Koechlin, 1958), *Jérôme Bosch-Symphonie* (Nigg, 1960), *Symphonie n° 3* (Landowski, 1965), *Faces* (Boucourechliev, 1972).

Orchestre de la Résidence de La Haye

Fondé en 1904 ; appelé parfois Orchestre Philharmonique de La Haye.

Chefs permanents : Henri Viotta (1904-17), Peter Van Anrooy (1917-35), George Szell (invité, 1937-38), Frits Schuurman (1938-49), Willem Van Otterloo (1949-73), Jean Martinon (1974-76), Ferdinand Leitner (1976-80), Hans Vonk (depuis 1980).

Les concerts d'été de Scheveningen, assurés par l'orchestre, ont été dirigés notamment par Rhené-Baton (1915-19) et Carl Schuricht (1924-39). Theo Olof et Hermann Krebers ont été violon solo de cet orchestre..

Orchestre de la Société des Concerts du Conservatoire (Paris)

Fondé en 1828, dissous en 1967, remplacé par l'Orchestre de Paris.

Chef permanents : François Habeneck (1828-49), Narcisse Girard (1849-60), Alexandre Tilmant (1860-68), Georges Hainl (1868-72), Edouard Deldevez (1872-85), Jules Garcin (1885-92), Paul Taffanel (1895-1901), Georges Marty (1901-08), André Messager (1908-18), Philippe Gaubert (1918-38), Charles Münch (1938-46), André Cluytens (1949-67).

CRÉATIONS : Saint Saëns (*Concerto pour violoncelle n° 1*, 1873), Franck (*Symphonie*, 1889), Chabrier (*Ode à la musique*, 1893), Magnard (*Symphonie n° 3*, 1906), Fauré (*Masques et bergamasques*, 1919), d'Indy (*Diptyque méditerranéen*, 1926), Ibert (*Concerto pour flûte*, 1934), Gaubert, Ropartz, Aubin, Emmanuel, Martinon (*Psaume*, 1943), Jolivet (*Complaintes du soldat*, 1943, *Poèmes intimes* et *Danses rituelles*, 1944), Landowski, Rivier, Messiaen (*3 petites liturgies de la Présence divine*, 1945, *3 Tâlâ*, 1948, *Et Expecto resurrectionem mortuorum*, 1965), Françaix (*l'Apocalypse*, 1942), Bondeville (*Gaultier-Garguille*, 1952).

L'orchestre fonctionnait en autogestion.

Il a participé au Festival d'Aix-en-Provence de 1949 à 1967, où il assurait les spectacles lyriques et les concerts symphoniques.

Orchestre de la Staatskapelle de Dresde

Sa fondation remonte à 1548 sous la forme des Hofkantorei (Chanteurs de la Cour). Le premier maître de chapelle est Johann Walter, suivi de Matthaeus le Maistre (1554-68), Scandello (1568-80), G.B. Pinello di Ghirardi (1580-84) – les instruments apparaissent alors dans l'effectif de la chapelle –, Michael (1587-1613), Michael Praetorius (1613-17), Heinrich Schütz (1617-55), G.A. Bontempi, Albrici, Carlo Pallavicino, C.C. Dedekind (1666-72), M.G. Peranda (1672-75), Sebastiano Cherici (1675), Vincenzo Albrici (1675-80), Bernhard (1681-92), Strungk (1692-97), Jan Zelenka, Ristori, Antonio Lotti (1717-19), Heinichen, Johann Hasse (1731-63), Schürer, Domenico Firschietti, J.G. Naumann (1776-1801), Schuster, Seydelmann, Ferdinando Paer (1802-06), Francesco Morlacchi (1810-17), Carl Maria von Weber (1817-24), Heinrich Marschner (1824-26), Karl Gottlieb Reissiger (1826-59, secondé par Richard Wagner, 1843-49, et Karl August Krebs, 1850).

Directeurs musicaux : Julius Rietz (1874-77), 1er chef dès 1860, Franz Wüllner (1877-84), Ernest von Schuch (1884-1914), Fritz Reiner (1914-21), Fritz Busch (1922-33), Karl Böhm (1934-42), Karl Elmendorff (1943-44), Joseph Keilberth (1945-50), Rudolf Kempe (1950-53), Franz Konwitschny (1953-55), Lovro von Matáčič (1956-58), Otmar Suitner (1960-64), Kurt Sanderling (1964-67), Martin Turnovsky (1967-68), Herbert Blomstedt (1975-85), Hans Vonk (à partir de 1985).

PRINCIPALES CRÉATIONS : *Danses de Marosszék* (Kodály, 1930), *Sonate pour 13 instruments à vent* (R. Strauss, 1944), *Concert avec plusieurs instruments n° 3* (Dittrich, 1979)...

L'orchestre assure les services symphoniques et ceux de l'Opéra de Dresde. Les **Dresdner Kammersolisten** (fondés en 1965) réunissent 7 solistes de la Staatskapelle sous la direction de Johannes Walter, flûte solo de l'orchestre.

Orchestre de la Suisse Romande

Fondé à Genève en 1918 par Ernest Ansermet.

Chefs permanents : Ernest Ansermet (1918-67), Paul Kletzki (1967-70), Wolfgang Sawallisch (1970-80), Horst Stein (1980-85), Armin Jordan (à partir de 1985). Composé de 115 musiciens, l'O.S.R. assure ses concerts d'abonnement à Genève, Lausanne et autres villes romandes, ainsi que les services symphoniques de la ville de Genève, de la Radio-Télévision Suisse Romande et les services lyriques au Grand Théâtre.

CRÉATIONS : *Horace victorieux* (1921) et *Chant de joie* (1923), de Honegger, *Concerto pour piano nº 1* (1936), *Symphonie* (1938), *In Terra pax* (1945), *Golgotha* (1948), *Le Mystère de la Nativité* (1959) et *Les 4 Eléments* (1964), de F. Martin, *Concerto pour violoncelle nº 2* (1974), *Ecclesia* (1975), *Concerto pour clarinette* (1979) et *Consolatio Philosophiae* (1980), de Sutermeister, *Concerto pour violon et flûte* (Milhaud, 1940), *Cantata misericordium* (Britten, 1963).

Orchestre Symphonique de l'Air

Voir à **Orchestre Symphonique de la N.B.C.**

Orchestre Symphonique d'Atlanta

Fondé en 1944.

Chefs permanents : Henry Sopkin (1944-66), Robert Shaw (depuis 1967). Principal orchestre symphonique du sud-ouest des États-Unis, il joue un rôle d'orchestre régional. 12 commandes ont été passées à des compositeurs pour les prochaines saisons, dont *Peaceful Warrior* de B. Taylor (1983).

CRÉATIONS : *Treemonisha* (Joplin), *Soundings* (M. Gould, 1969), *Address for orchestra* (Walker, 1981), *Symphonic Suite* (Husa, 1984).

Orchestre Symphonique de Baltimore

Fondé en 1914.

Chefs permanents : Gustave Strube (1914-30), George Siemonn (1930-35), Ernest Schelling (1935-38), Werner Janssen (1938-41), Howard Barlow (1941-42), Reginald Stewart (1942-52), Massimo Freccia (1952-59), Peter Herman Adler (1959-68), Brian Prestman (1968-69), Sergiu Comissiona (1970-84), Leon Fleisher (chef d'orchestre résident, 1974-77), David Zinman (à partir de 1985).

PRINCIPALES COMMANDES : *Rhapsodie* de Sessions (1970), *Symphonie nº 2* de Lewis (1971), *Symphonie nº 4* de Finney (1974).

Orchestre Symphonique de Bamberg

Fondé en 1946.

Il prend la suite de l'ancien Orchestre Philharmonique Allemand de Prague (1939-45). *Chefs permanents* : Joseph Keilberth (1940-45), Herbert Albert (1947-48), Georg-Ludwig Jochum (1948-50), Joseph Keilberth (1950-68), Eugen Jochum (1969-71), James Loughran (1978-83), Witold Rowicki (1983-85), Horst Stein (à partir de 1985).

Orchestre Symphonique de la B.B.C.

Fondé en 1930.

Chefs permanents : Sir Adrian Boult (1930-50), Sir Malcolm Sargent (1950-57), Rudolf Schwarz (1957-63), Antal Dorati (1963-67), Sir Colin Davis (1967-71),

Pierre Boulez (1971-75), Rudolf Kempe (1975-76), Guennadi Rojdestvenski (1978-81), John Pritchard depuis 1982.

CRÉATIONS : *Cantate profane* (Bartók, 1934), *Symphonie nº 4* (Vaughan-Williams, 1935), *Symphonie nº 1* (Walton, 1935), *Concerto pour cordes* (Howells, 1938), *Concerto pour piano* (1938) et *Nocturne pour ténor* (1958, Britten), *Sinfonia breve* et *Concerto grosso nº 2* (Bloch, 1953), *Fantaisie concertante* (Tippett, 1953), *Sinfonietta* (Poulenc, 1948), *Collages* (1961) et *Concerto pour orchestre* (1965, Gerhard), *Eclat-Multiples* (1970), *Cummings ist der Dichter* (1972), *Rituel* (1975) de Boulez.

Orchestre Symphonique de Berlin (Est)

Fondé en 1952.

Chefs permanents : Hermann Hildebrandt (1952-59), Gerhard Hergert (1959-60), Kurt Sanderling (1960-77), Günther Herbig (1977-83) qui est aussi directeur artistique, Claus-Peter Flor (depuis 1984). Václav Smetacek a été 1er chef invité en 1959-60.

CRÉATIONS : œuvres de Butting, M. Schubert, Wagner-Régeny (*Einleitung und Ode*, 1967), S. Kurz, Zechlin, Matthus, Bredemeyer...

Les membres du Berliner Oktett (fondé en 1964) font partie de l'orchestre.

Orchestre Symphonique de Berlin (Ouest)

Fondé en 1966.

Chefs permanents : Carl A. Bünte (1966-73), Theodor Bloomfield (1973-82), Daniel Nazareth depuis 1982.

Orchestre Symphonique de Birmingham

Voir **City of Birmingham Symphony Orchestra.**

Orchestre Symphonique de Boston

Fondé en 1881 par Henry Lee Higginson.

Chefs permanents et directeurs musicaux : Georg Henschel (1881-84), Wilhelm Gericke (1884-89), Arthur Nikisch (1889-93), Emil Pauer (1893-98), Wilhelm Gericke (1898-1906), Karl Muck (1906-08), Max Fiedler (1908-12), Karl Muck (1912-18), Henri Rabaud (1918-19), Pierre Monteux (1919-24), Serge Koussevitzky (1924-49), Charles Münch (1949-62), Erich Leinsdorf (1962-69), William Steinberg (1969-72), Seiji Ozawa depuis 1973.

COMMANDES : pour le 50e anniversaire de l'orchestre : *Symphonie nº 4* (Prokofiev), *Symphonie nº 1* (Honegger), *Symphonie nº 3* (Roussel), *Konzertmusik* (Hindemith), *Symphonie de psaumes* (Stravinski), *Métamorphoses* (Respighi), *Symphonie nº 2* (Hanson), *Symphonie en la* (Ferroud), *Symphonie concertante* (Schmitt) ; pour le 75e anniversaire de l'orchestre : *Symphonie nº 2* (Dutilleux), *Symphonie nº 6* (Martinů), *Symphonie nº 6* (Piston), *Symphonie nº 11* (Villa-Lobos), *Symphonie nº 6* (Milhaud), *Die Natali* (Barber), *Symphonie nº 3 « Kaddisch »* (Bernstein), *Scènes symphoniques* (von Einem), *Elégie* (Hanson), *Symphonie nº 7* (W. Schuman), *Symphonie nº 3* (Sessions), *Bostoniana* (Ibert), *Ode* (Hill) ; pour le centenaire de l'orchestre : *Fanfare* (Bernstein), *Symphonie nº 2* (Maxwell-Davies), *Concerto pour orchestre* (Sessions), *Symphonie nº 1* (Harbison), *Concerto pour piano* (Lieberson), *The Mask of Time* (Tippett), *Calls and cries* (Balassa), *Sinfonia votiva* (Panufnik), *Sinfonia* (Wilson), *Promenade Overture* (Corigliano), et des œuvres de Kirchner et Martino.

Pour les autres créations, *cf.* articles Koussevitzky et Ch. Münch. Le Symphony Hall, où joue l'orchestre, a été inauguré en 1900. L'orchestre assure la saison d'été au Festival de Tanglewood. Ses principaux solistes enseignent au Berkshire Music Center à cette occasion. Sont issus de ses rangs le Boston Pops Orchestra qui donne des concerts de musique légère (dirigé de 1929 à 1979 par Arthur Fiedler puis par John Williams), et les Boston Symphony Chamber Players. Le premier disque de l'orchestre a été enregistré en 1917, sous la direction de Karl Muck.

Orchestre Symphonique de Bournemouth

Fondé en 1893 par Dan Godfrey.

Chefs permanents : Dan Godfrey (1893-1934), Richard Austin (1934-38), Rudolf Schwarz (1947-51), Sir Charles Groves (1951-61), Constantin Silvestri (1962-69), George Hurst (1969-71), Paavo Berglund (1972-79), Uri Segal (1980-82), Rudolf Barshaï (depuis 1982).

Orchestre Symphonique de Budapest (Orchestre Symphonique de la Radio Hongroise)

Fondé en 1947.

Chefs permanents : Ludovít Rajter (1947-51), László Somogyi (1951-56), György Lehel depuis 1962.

Orchestre Symphonique de Chicago

Fondé en 1891 par Ferdinand W. Peck.

Chefs permanents et directeurs musicaux : Theodore Thomas (1891-1905), Frederick Stock (1905-42), Désiré Defauw (1943-47), Artur Rodzinski (1947-48), Rafael Kubelík (1950-53), Fritz Reiner (1953-63), Jean Martinon (1963-68), Sir Georg Solti depuis 1969.

A l'origine, il porte le nom d'Orchestre de Chicago puis, en 1906, d'Orchestre Theodore Thomas. Il n'adopte son nom actuel qu'en 1912. L'Orchestra Hall où il se produit, une salle de 2 600 places, est inauguré en 1904.

COMMANDES : 50e anniversaire de l'orchestre : *Symphonie nº 3* (Casella), *Symphonie en ut* (Stravinski), *Symphonie nº 1* (Milhaud), *Concerto pour orchestre* (Kodály), *Scapino, ouverture* (Walton), *La Fête ferganaise, ouverture* (Glière), *American Creed* (Harris), *Symphonie nº 22* (Miaskovski) ; pour le 75e anniversaire de l'orchestre : *Symphonie nº 4* (Martinon), *Gala Music* (Schuller) ; pour le 80e anniversaire : *Aura* (Maderna), *Ottavo Concerto* (Petrassi), *Heliogabalus* (Henze), *Symphonie nº 4* (Tippett), et des œuvres de Carter, Ligeti, Stout et Blackwood.

L'orchestre a également créé le *Concerto pour piano nº 3* (Prokofiev, 1921), le *Concerto pour piano nº 2* (Milhaud, 1941), la *Symphonie nº 7* (Harris, 1952), *Final Alice* (Del Tredici, 1976), *Concerto pour contrebasse* (1967) et *Arien des Orpheus* (1982) de Henze, *Occasional Overture* (1983) de Britten.

Orchestre Symphonique de Cincinnati

Fondé en 1895.

Chefs permanents : Anton Seidl et Henry Schradieck (1895-96), Frank Van der Stucken (1896-1907). L'orchestre est dissous entre 1907 et 1909. Leopold Stokowski (1909-12), Ernst Kunwald (1912-17), Eugène Ysaÿe (1918-22), Fritz Reiner (1922-31), Sir Eugene Goossens (1931-47), Thor Johnson (1947-58), Max Rudolf (1958-70), Thomas Schippers (1970-77), Walter Süsskind (1978-80), Michael Gielen depuis 1980.

PRINCIPALES CRÉATIONS : *Lincoln Portrait* (Copland, 1942), *Moralities* (Henze, 1968).

Orchestre Symphonique de Dallas

Fondé en 1900.

Chefs permanents : Hans Kreisig (1900-05), Walter Fried (1905-11 et 1918-24), Carl Venth (1911-14), Paul Van Katwijk (1925-38), Jacques Singer (1938-42). L'orchestre, qui comptait alors une quarantaine de membres, est réorganisé à partir de 1945 en formation symphonique, dirigé par Antal Dorati (1945-49), Walter Hendl (1949-58), Paul Kletzki (1958-61), Sir Georg Solti (1961-62), Donald Johanos

(1962-70), Anshel Brusilow (1970-73), Max Rudolf (1973-74). Pendant une saison, il cesse ses activités puis reprend sous la direction de Louis Lane (1975-77), Eduardo Mata (depuis 1977).

CRÉATIONS : *Sinfonia serena* (Hindemith, 1947), *Symphonie nº 6* (W. Schuman, 1949), *Symphonie nº 1* (Schuller, 1965), *Sirocco* (Kotonski, 1981).

COMMANDES : *Symphonie nº 5* (Mennin, 1950), *Symphonie nº 11* (Milhaud, 1960).

Orchestre Symphonique de Detroit

Fondé en 1914.

Jusqu'en 1942 il a été géré par la Detroit Symphony Society. Il connaît une période difficile pendant les années 40. Il est restauré en 1951 sous l'impulsion de l'industriel John B. Ford Jr.

Chefs permanents : Weston Gales (1914-17), Ossip Gabrilowitsch (1918-36), Franco Ghione (1936-40), Victor Kolar (1940-42), Karl Krueger (1943-49), Paul Paray (1951-63), Sixten Ehrling (1963-73), Aldo Ceccato (1973-77), Antal Dorati (1977-81), Gary Bertini (1981-84), Günther Herbig (depuis 1984).

PRINCIPALES CRÉATIONS : *Ora* de Berio (1971), *Horizon circled* de Krenek (1967), *Three New England sketches* de Piston (1959), *Lions* de Rorem (1965), ainsi que des pages signées Creston, Egge, Erb, Flanagan, Holmboe, Kay, Surinach, Weinberger et Zador.

Orchestre Symphonique de Düsseldorf

Fondé en 1864. Il remplace alors la Société de concerts privée qu'avaient dirigée Mendelssohn à partir de 1833, puis Schumann à partir de 1850.

Chefs permanents : Julius Tausch (1864-90), Julius Buths (1890-1908), Karl Panzner (1908-24), Georg Schneevoigt (1924-26), Hans Weisbach (1926-33), Hugo Balzer (1933-45), Heinrich Hollreiser (1945-54), Eugen Szenkar (1954-60), Jean Martinon (1960-66), Rafael Frühbeck de Burgos (1966-71), Henryk Czyz (1971-74), Willem Van Otterloo (1974-77), Bernhard Klee (depuis 1977). L'orchestre, composé de 130 musiciens, assure la saison symphonique et les spectacles lyriques de la Deutsche Oper am Rhein (Opéra du Rhin Allemand).

Orchestre Symphonique d'État du Ministère de la Culture de l'U.R.S.S.

Fondé en 1982.

Directeur et chef d'orchestre permanent : Guennady Rojdestvenski. Activités consacrées aux enregistrements sous forme de grands cycles. L'orchestre donne aussi quelques concerts et a effectué sa première tournée hors d'U.R.S.S. en 1984 (Finlande).

Orchestre Symphonique d'État de l'U.R.S.S. (Moscou)

Fondé en 1936.

Chefs permanents : Erich Kleiber (1936), Alexandre Gaouk (1936-41), Nathan Rakhlin (1941-45), Konstantin Ivanov (1946-65), Evgeny Svetlanov depuis 1965.

CRÉATIONS : Chostakovitch (*Symphonies nºs 8*, 1943, *11*, 1957, et *12*, 1961, *Concertos pour piano nº 2*, 1957, et *pour violoncelle nº 2*, 1966, *Octobre*, 1966, *Ouverture sur des thèmes russes et kirghises*, 1963), Schnittke (*Concerto pour violon nº 3*, 1980)...

Orchestre Symphonique de la Garde Républicaine (Paris)

Fondé en 1948 par adjonction d'instruments à cordes à la Musique de la Garde Républicaine formée elle-même en 1848.

Chefs permanents : Jean Paulus (1871-73), Sellenick (1873-84), Wettge (1884-93), Philippe Parès (1893-1910), Guillaume

Balay (1911-27), Dupont (1927-45), François-Julien Brun (1945-69), Raymond Richard (1969-72), Roger Boutry depuis 1973.

Outre l'Orchestre Symphonique, la Musique de la Garde Républicaine comporte un orchestre d'harmonie de 75 musiciens, un orchestre à cordes de 13 musiciens et un Quatuor de saxophones.

Orchestre Symphonique de Houston

Fondé en 1913.

Chefs permanents: Julian Paul Blitz (1913-16), Paul Berge (1916-17). Réorganisation en 1930. Frank Saint-Leger (1931-35), Ernst Hoffmann (1936-47), Efrem Kurtz (1948-54), Ferenc Fricsay (1954), Sir Thomas Beecham (1954-55), Leopold Stokowski (1955-61), Sir John Barbirolli (1961-67), André Previn (1967-69), Lawrence Foster (1971-78), Sergiu Comissionna depuis 1980.

Orchestre Symphonique de Jérusalem

Fondé en 1936 comme Orchestre de Chambre de Radio Palestine. En 1938, il est élargi et réorganisé par Crawford McNair et Karel Salmon. En 1948, il devient le Kol Israel Orchestra avant de prendre son titre actuel. C'est l'orchestre de la Radio Israélienne. Il joue beaucoup de musique contemporaine et fait surtout appel à des chefs et solistes locaux.

Chefs permanents: Michael Taube, Georg Singer, Heinz Freudenthal, Shalom Ronly-Riklis, Mendi Rodan (1963-72), Lukas Foss (1972-75), Gary Bertini depuis 1975.

CRÉATIONS : *David* (Milhaud, 1954), *Abraham et Isaac* (Stravinski, 1964), *Exhortatio* (Dallapiccola, 1971).

Orchestre Symphonique de Leningrad

Voir à **Orchestre Philharmonique de Leningrad.**

Orchestre Symphonique de Londres

Fondé en 1904.

Chefs d'orchestre permanents: Hans Richter (1904-11). Pas de chef permanent jusqu'en 1950, Edward Elgar, Albert Coates et Sir Hamilton Harty dirigeant la plupart des concerts. Josef Krips (1950-54), Pierre Monteux (1961-64), Istvan Kertesz (1965-68), André Previn (1968-79), Claudio Abbado depuis 1979.

L'orchestre a été fondé par des musiciens qui quittèrent celui du Queen's Hall, en désaccord avec son chef, Sir Henry Wood. D'emblée, le système de l'autogestion a été pratiqué. En 1912, l'Orchestre Symphonique de Londres a été le premier orchestre européen à effectuer une tournée aux Etats-Unis, sous la direction d'Arthur Nikisch. Le financement est assuré pour 70 % par les recettes, 20 % par des subventions gouvernementales et 10 % par le mécénat privé.

PRINCIPALES CRÉATIONS : *Concerto pour violoncelle* (Elgar, 1919), *Belshazzar's Feast*, 1931, *Symphonie n° 1*, 1934, *Varii Capricii*, 1976 (Walton), *Symphonie des couleurs*, 1922, *Metamorphic variations*, 1973 (Bliss), *Ariosi*, 1964, *Tristan*, 1974 (Henze), *Symphonie n° 1* (Penderecki, 1973), *Music for a great city* (Copland), *Triple Concerto* (Tippett, 1980), *Concertino* (Panufnik, 1980).

Orchestre Symphonique de Melbourne

Fondé vers 1895.

Chefs permanents: Alberto Zelman (1906-27), Fritz Hart (1927-32), Sir Bernard Heinze (1933-49), Alceo Galliera (1950-51), Juan-José Castro (1951-53), Walter Süsskind (1953-55), Kurt Wöss (1956-60), Georges Tzipine (1960-65), Willem Van Otterloo (1967-68), Fritz Rieger (1968-71), Hiroyuki Iwaki (depuis 1974). Depuis 1932, la radio australienne (A.B.C.) a pris en main les destinées de cet orchestre.

Orchestre Symphonique de Minneapolis

Voir à **Orchestre du Minnesota.**

Orchestre Symphonique de Montréal

Fondé en 1934.

Fondé sous le nom de Société des Concerts symphoniques de Montréal, il ne prend son nom actuel qu'en 1953. Dès 1937 est créé le Concours OSM. *Chefs permanents* : Wilfrid Pelletier (1935-40), Désiré Defauw (1940-48), Igor Markevitch (1958-1961), Zubin Mehta (1961-67), Franz-Paul Decker (1967-75), Rafaël Frühbeck de Burgos (1975-77), Charles Dutoit (depuis 1977).

PRINCIPALES CRÉATIONS : *Orion* de Clauve Vivier, *Lignes et points* de Pierre Mercure, *Phrases II* de Serge Garant, *Fantasmes* d'André Prévost.

Orchestre Symphonique de Moscou

Fondé en 1943, il comporte à l'origine 25 musiciens avant d'être élargi aux dimensions symphoniques. *Chefs permanents* : Leo Steinberg, Nikolaï Anosov, Leo Guinzbourg, Veronika Dudarova depuis 1960.

Orchestre Symphonique National de Washington

Fondé en 1931.

Chefs permanents : Hans Kindler (fondateur, 1931-48), Howard Mitchell (1948-69), Antal Dorati (1970-76), Mstislav Rostropovitch (depuis 1977).

PRINCIPALES CRÉATIONS : *Zodiac* de Bennett (1976), *Symphonie n° 10* de W. Schuman (1976), *Ouverture de concert* d'Enesco (1949), *Un enfant appelle, loin, très loin* de Landowski (1979), *Timbres, Espace, Mouvement* de Dutilleux (1979), *Symphonies n° 4* (1952) et *n° 6* (1956) de Creston, *Symphonie n° 5* de Tansman (1943), *Novelette* de Lutosławski (1980), *Prologue et fantaisie* de Walton (1982), *Symphonie n° 5 « Isaiah »* de Laderman (1983), *Lux Aeterna* de Penderecki (1983) ; ainsi que des pages signées Bernstein, Ginastera, Schuller, Makris, Hovhaness, Dorati, Burton, Haines.

Orchestre Symphonique de la N.B.C. (New York)

Fondé en 1937 par la National Broadcasting Corporation (la principale radio américaine) à l'intention d'Arturo Toscanini qui en assure la direction jusqu'en 1954. A son départ, l'orchestre est dissous mais les musiciens se constituent en coopérative sous le nom d'*Orchestre Symphonique de l'Air*, formation qui donnera des concerts pendant une dizaine d'années et dont Léon Barzin prendra la direction musicale en 1956.

CRÉATIONS : *Concerto pour piano n° 2* (Schönberg, 1944), *Concerto pour clarinette* (Copland, 1950).

Orchestre Symphonique du N.D.R. de Hambourg (Norddeutsche Rundfunk)

Fondé en 1945.

Chefs permanents: Hans Schmidt-Isserstedt (1945-70), Moshe Atzmon (1972-75), Klaus Tennstedt (1979-81), Günter Wand (depuis 1982).

PRINCIPALES COMMANDES : *Threni* de Stravinski.

PRINCIPALES CRÉATIONS : *Moïse et Aaron* de Schönberg (1954), *Mouvements* de Stravinski (1960), *Deux improvisations sur Mallarmé* de Boulez (1958), *Concerto pour piano n° 2* de Sutermeister (1954), *Chant de naissance* de Fortner (1959), *Symphonie n° 7* de Hartmann (1959), *Ein Landarzt* (1951), *La fin d'un monde* (1953), *3 Etudes symphoniques* (1956), *Tancrède* (1953), *Le Radeau de la Méduse* (1968) de Henze, *Ad libitum* de Serocki (1977), *Das Stundenlied op. 26* de von Einem (1959), *Symphonie n° 2* de Jolivet

(1959), *Mixtur* de Stockhausen (1965), *Apparitions* de Ligeti (1960), *Concerto pour flûte* de Petrassi (1961), *Colloïdes sonores* (1961) et *Figures concertantes* (1973) de Yun, *Bergkristall* de Bussotti (1973).

Orchestre Symphonique de New York

Fondé en 1878 par Leopold Damrosch sous le nom de New York Symphony Society.

Chefs permanents : Leopold Damrosch (1878-85), Walter Damrosch (1885-94, puis 1902-28). En 1928, cet orchestre fusionne avec l'Orchestre Philharmonique de New York.

CRÉATIONS : *Concerto nº 3* (Rachmaninov, 1909), *Poème des rivages* (d'Indy, 1921), *Concerto en fa* (1924) et *Un Américain à Paris* (1928) (Gershwin), *Tapiola* (Sibelius, 1926).

Orchestre Symphonique de la N.H.K. (Tokyo)

Fondé en 1926.

Chefs permanents : Joseph König (1927-29), Hidemaro Konoe (1926-35), Nicolai Schifferblatt (1929-35), Joseph Rosenstock (1936-46), Kazuo Yamada et Hisatada Otaka (1942-51), Kurt Wöss (1951-54), Niklaus Aeschbacher (1954-56), Joseph Rosenstock (1956-57), Wilhelm Loibner (1957-59), Wilhelm Schüchter (1959-62), Alexander Rumpf (1964-65), Hiroyuki Iwaki (1969). Actuellement, les chefs permanents sont Futato Tokunaga, Masafumi Hori et Hiroyuki Yamaguchi. Il est fondé par Hidemaro Konoe sous le nom de Nouvel Orchestre Symphonique. En 1927, il devient l'orchestre de la radio. En 1942, il prend le nom d'Orchestre Symphonique Japonais avant de retenir, en 1951, sa dénomination actuelle.

Orchestre Symphonique de Paris

Fondé en 1928 par la princesse Edmond de Polignac et Gabrielle Chanel, dissous en 1938. Fonctionne grâce au mécénat privé.

Chefs permanents : Alfred Cortot, Ernest Ansermet et Louis Fourestier (1928-29), Pierre Monteux (1929-38), Jean Morel (1938).

CRÉATIONS : Honegger (*Rugby*, 1928), Prokofiev (*Symphonies n 2*, 1930 et *nº 3*, 1929), Poulenc (*Concert champêtre*, 1929) Stravinski (*Capriccio pour piano*, 1929), Ferroud (*Symphonie en la*, 1931), Rivier (*Symphonie nº 1*, 1932), Delannoy (*Symphonie*, 1934), Kœchlin (*La Course de printemps*, 1932), Ibert (*Divertissement*, 1930), Markevitch (*Concerto grosso*, 1930), Nabokov (*Symphonie lyrique* 1930), Martelli, Sauguet, Rosenthal, Schmitt...

Orchestre Symphonique de Pittsburgh

Fondé en 1895.

Chefs permanents : Frédéric Askar (1895-98), Victor Herbert (1898-1904), Emil Paur (1904-10), dissous de 1910 à 1926, Antonio Modarelli (1930-37), Otto Klemperer (1937-38), Fritz Reiner (1938-48), William Steinberg (1952-76), André Previn (1976-84), Lorin Maazel (conseiller musical, 1984-86).

CRÉATIONS : *Concerto pour 2 pianos* de Milhaud (1942), *Pittsburgh Symphony* d'Hindemith (1959), *Symphony of chorales* de Foss (1958), *Jeremiah Symphony* (1944) et *Fancy Free Suite* (1945) de Bernstein.

Orchestre Symphonique de Prague « Fok »

Fondé en 1934.

36 musiciens en chômage créent l'Association libre des musiciens sans travail. C'est d'abord un orchestre de salon. Puis il se spécialise dans la musique de film et les opéras, prenant en 1938 le nom d'Assocation Film Radio Concert, d'où le sigle « FOK » qu'il porte encore. Au cours de ses 8 premières années, il enregistre la musique de plus de 800 films.

Malgré la concurrence sévère de deux grandes formations symphoniques à Prague, il se développe, prenant en 1946 le titre d'Orchestre Symphonique FOK. Depuis 1952 il est orchestre d'Etat.

Chefs permanents : Rudolf Pekárek (1934-48), Václav Smetáček (1942-72), Ladislav Slovák (1972-75), Jindřich Rohan (1975-78), Jiři Bělohlávek (depuis 1978).

PRINCIPALES CRÉATIONS : *Vox clamantis* de Eben, *Symfonietta* de Dvořáček, *Vivace* de Rezáč, *Les musiques* de Fischer, *Preludio deciso* de Zámečník.

Orchestre Symphonique de la Radio Autrichienne (O.R.F.)

Fondé à Vienne en 1969.

Il prend la suite du Grand Orchestre Symphonique de la Radio de Vienne (fondé en 1945).

Chefs permanents : Max Schönherr (1945-69), Milan Horvat (1969-75), Leif Segerstam (1975-81), Lothar Zagrosek (depuis 1982).

PRINCIPALES CRÉATIONS : *Magnificat* de Penderecki (1974), *Concerto Wolfgang Amadeus* d'Urbanner, *Ballade pour alto et orchestre* de Frank Martin (1973), *Clocks and Clouds* de Ligeti, *Spiegel* de Cehra, *Concerto pour ondes Martenot* de Jolivet (1948), *Il vitalino Raddoppiato* de Henze (1978), *Non sum qualis eram* (1976) et *Concerto pour violon n° 3* (1983) de Eder, *Markus Passion* de Schollum (1983), *Requiem für Hollensteiner* de Cehra (1984).

Orchestre Symphonique de la Radio Bavaroise (Bayerische Rundfunk)

Fondé en 1949.

Chefs permanents : Eugen Jochum (1949-60), Rafael Kubelík (1961-79), Sir Colin Davis (à compter du printemps 1983). Le Quatuor Koeckert et le Nonetto de Munich sont issus de ses rangs.

PRINCIPALES CRÉATIONS : *Symphonies n° 3* (1948), *n° 4* (1948), *n° 6* (1953), *Symphonische Hymnen* (1975) de Hartmann, *Tanz-Rondo* op. 27 de von Einem (1959), *Symphonie n° 1* de von Bose (1978), *Aïs* de Xenakis (1981), *4 Poèmes Symphoniques* de Killmayer (1981), *Concerto pour piano* (1981) de Schuller.

Orchestre Symphonique de la Radio de Berlin (R.D.A.)

Fondé en 1925.

Chefs permanents : Arthur Rother (1946-49), Hermann Abendroth (1953-56), Rolph Kleinert (1956-75), Heinz Rögner.

Orchestre Symphonique de la Radio Bulgare (Sofia)

Fondé en 1948 par Vassil Stefanov qui en est chef permanent jusqu'en 1980. Vassil Kasandjiev lui succède. Il accorde une très large place à la musique contemporaine dans ses programmes.

Orchestre Symphonique de la Radio Danoise (Copenhague)

Fondé en 1925.

Chefs permanents : Launy Grøndahl, Erik Tuxen, Nicolai Malko (1929-32), Fritz Busch, Thomas Jensen, Lamberto Gardelli (1955-61), Miltiades Caridis (1962-66), Jan Krenz (1966-68), Herbert Blomstedt (1968-78).

COMMANDES ET CRÉATIONS : Œuvres de Norgard, Norby, Lannard, Holmboe, Bentzon, Jørgensen...

Orchestre Symphonique de la Radio-Télévision Espagnole (Madrid)

Fondé en 1965.

Chefs permanents : Igor Markevitch (1965-72), Enrique Garciá-Asensio (depuis 1966), Antoni Ros Marbá (1966-68), Odón Alonso (depuis 1968).

Orchestre Symphonique de la Radio Finlandaise (Helsinki)

Fondé en 1927 comme orchestre de studio, il donne ses premiers concerts publics en 1929.

Chefs permanents : Erkki Linko (1927-29), Toivo Haapanen (1929-50), Nils-Eric Fougstedt (1950-61), Paavo Berglund (1962-71), Okko Kamu (1971-77), Leif Segerstam (depuis 1977).

Orchestre Symphonique de la Radio-Télévision Irlandaise (Dublin)

Fondé en 1946.

Chefs permanents: Michel Bowles (1946-47), Jean Martinon (1947-50), Milan Horvat (1952-60), Tibor Paul (1961-67), Albert Rosen (1968-80), Colman Pearce (1979-84), Bryden Thomson (depuis 1984).

COMMANDES ET CRÉATIONS d'œuvres de Bodley, Victory (*Symphonie n° 2*), Kinsella, Schurmann (*7 Etudes*), Boydell, O' Riada. L'orchestre participe à la saison lyrique de Dublin et au Festival de Wexford.

Orchestre Symphonique de la Radio de Leipzig

Fondé en 1924, il prend la succession de l'Orchestre du Konzertverein, formé en 1915, et dirigé en 1921-22 par Hermann Scherchen.

Chefs permanents: Alfred Sendrey (1924-32), Carl Schuricht (1931-33), Hans Weisbach (1934-39), Fritz Schröder (1945-46), G. Wiensenhütter (1946-48), Hermann Abendroth et G. Pflüger (1949-56), Herbert Kegel (1953-77), Horst Neumann (depuis 1977).

Orchestre Symphonique de Radio-Télé Luxembourg

Fondé en 1933.

Chefs permanents : Henri Pensis (1933-58), Louis de Froment (1958-80), Leopold Hager (depuis 1980).

Orchestre Symphonique de la Radio-Télévision Polonaise (Katowice)

Fondé à Varsovie en 1935 par Grzegorz Fitelberg.

Chefs permanents et directeurs: Grzegorz Fitelberg (1935-39). Dissous de 1939 à 1945. Réorganisé à Katowice : Witold Rowicki (1945-47), Grzegorz Fitelberg (1947-53), Jan Krenz (1953-68), Bohdan Wodiczko (1968-69), Kazimierz Kord (1969-73), Tadeusz Strugula (1975-76), Jerzy Maksymiuk (1976-77), Stanislaw Wislocki (1978-81), Jacek Kasprzyk depuis 1981.

CRÉATIONS : *Symphonie n° 1* (1947), *Musique funèbre* (1958) de Lutoslawski, *Variations symphoniques* (1958), *Musique pour cordes* (1959) de Bacewicz, *Symphonie « 1959 »* et *Scontri* (1960) de Gorecki, *Canon* (Penderecki, 1962), *Concerto pour hautbois* (Baird, 1973), *Exodus* (Kilar, 1981).

Orchestre Symphonique de la Radio de Prague

Fondé en 1926.

Il était à l'origine l'Orchestre du Radio-Journal. Son nom a été plusieurs fois modifié. A ses débuts, il comptait 22 musiciens ; actuellement son effectif se monte à 105. *Chefs permanents* : Otakar Jeremiáš (1929-47), Karel Ančerl (1947-1950), Aloïs Klíma (1952-72), Jaroslav Krombholc (1973-77), František Vajnar (depuis 1980). *Principales commandes : La comédie sur le pont* de Martinů (1937), *Triptyche symphonique* de Sokola et *Musique concertante* de Minčev (1976, pour le cinquantenaire de l'orchestre). Au cours de son existence il réalise plus de 500 premières auditions.

PRINCIPALES CRÉATIONS : *Musique radiophonique* de Bartŏs, *Symphonie n° 2* de Doubrava, *Concerto pour orchestre* de Hurník, poème symphonique *Le vieil homme et la mer* de Joaroch, *Symphonie n° 2* de Sesták, Suite de l'opéra *Lady Macbeth* de Chostakovitch (1935).

Orchestre Symphonique de la Radio-Télévision roumaine (Bucarest)

Fondé en 1928 comme orchestre de studio, donne son 1er concert public en 1932. *Chefs permanents :* Theodor Rogalski (1930-51), Constantin Bobescu, Ionel Perlea (1936-44), Emanuel Elenescu (1952), Mendi Rodan (1953-58), Constantin Silvestri (1958-59), Iosif Conta.

PRINCIPALES CRÉATIONS : *Vox Maris* (Enesco, 1964), *Ouverture tragique* (Mihalovici, 1958), œuvres de Jora, Niculescu, Petrescu...

Orchestre Symphonique de la Radio de Stockholm

Fondé en 1936.

Composé à l'origine de 20 musiciens, il s'élargit rapidement aux dimensions d'un orchestre symphonique. Au cours de ses premières années, il est principalement dirigé par Nels Grevilius.

Chefs permanents : Sergiu Celibidache (1962-71), Herbert Blomstedt (1977-82), Esa-Pekka Salonen (1er chef invité depuis 1984).

Orchestre Symphonique de la Radio-Télévision de l'U.R.S.S. (Moscou)

Fondé en 1930.

Directeurs artistiques : Alexandre Orlov (1930-37), Nicolaï Golovanov (1937-53), Alexandre Gaouk (1953-61), Guennadi Rojdestvenski (1961-74), Vladimir Fedosseiev (depuis 1974). Parmi les chefs permanents attachés à la Radio de l'U.R.S.S. figurent Alexandre Gaouk (1933-36), Kurt Sanderling (1936-41), Konstantin Ivanov (1941-46), Samuel Samossoud (1943-50), Youri Ahronovitch (1964-72), et Maxime Chostakovitch (1971-81).

CRÉATIONS : Prokofiev (*Symphonie n° 7*, 1952), Chostakovitch (*Symphonie n° 15*, 1972, *Suite sur des poèmes de Michel Ange*, 1975), Miaskovski (*Symphonie n° 27*), Khatchaturian (suite de *Spartacus*), Chtédrine (*Symphonie n° 2*), B. Tchaïkovski, Boutsko, Taktakachvili, Babadjanian...

Orchestre Symphonique de la R.A.I. de Milan

Fondé en 1950.

Chefs permanents : Carlo-Maria Giulini (1950-51), Nino Sanzogno, Massimo Pradella (1959-63), Franco Caracciolo (1964-71), Bruno Maderna (1971-73), Zoltán Pesko (1978-82).

CRÉATIONS : *Le favole di Esopo* (Castiglioni), *Il catalogo è questo* (Bussotti), *Three questions and two answers* (Dallapiccola), *Symphonie n° 5* (Bettinelli). COMMANDES : *Salammbô* (orchestration par Z. Pesko de l'opéra inachevé de Moussorgski, 1980), *In Cauda* (Donatoni, 1982), *Ode per orchestra* (Manzoni, 1983), *Concerto pour basson et violoncelle* (Denisov, 1984), *Sinfonia* (Testoni, 1984).

Orchestre Symphonique de la R.A.I. de Rome

Orchestre de studio dans un premier temps, il ne se produit en public que depuis 1958. *Chefs permanents* : Fernando Previtali (1936-53), Ferrucio Scaglia, Massimo Freccia (1959-65), Armando La Rosa-Parodi (1965-77), Thomas Schippers (1977), Peter Maag (1978-79), Jerzy Semkov (directeur général, 1979-82), Gianluigi Gelmetti (directeur artistique, 1980-84).

CRÉATIONS : Petrassi (*Quatro Concerto*, 1956 ; *Orationes Christi*, 1975), Bussotti (*I Semi di Gramsci*, 1972), Castiglioni (*Sacro Concerto*, 1982).

Orchestre Symphonique de la R.A.I. de Turin

Fondé en 1932.

Chefs permanents : Attilio Parelli et Arrigo Pedrollo (1932-34), Armando La Rosa Parodi (1934-44), Alberto Erede

(1945-46), Mario Rossi (1946-69), Piero Bellugi (1969-72). Wilfried Boettcher est premier chef invité et conseiller artistique (1974-76). Roman Vlad est directeur artistique de 1976 à 1981. Depuis cette date, l'orchestre n'a plus de chef permanent.

CRÉATIONS : Dallapiccola (*Le Prisonnier*, 1949), Milhaud (*Symphonie n° 5*, 1953), Manzoni (*Suite Robespierre*, 1976), Chailly (*Kinder Requiem*, 1979), Castiglioni (*Sinfonia con giardino*, 1979), Dao (*Concerto pour violoncelle*, 1983).

Orchestre Symphonique du Rhin (Mulhouse)

Fondé en 1972, il succède à l'Orchestre Municipal et porte jusqu'en 1979 le nom d'Orchestre Régional de Mulhouse. Il assure une saison symphonique, les concerts de décentralisation et participe aux spectacles de l'Opéra du Rhin. Effectif : 56 musiciens. *Directeurs* : Serge Zehnacker (1972-75), Paul Capolongo (1975-85), Luca Pfaff (depuis 1985).

Orchestre Symphonique de Saint Louis

Fondé le 24 mars 1881.

Chefs permanents : Joseph Otten (1881-94), Alfred Ernst (1894-1907), Max Zach (1907-21), Rudolph Ganz (1921-27), divers chefs invités (1927-31), Vladimir Golschmann (1931-58), Edouard Van Remoortel (1958-62), divers chefs invités (1962-63), Eleazar de Carvalho (1963-68), Walter Süsskind (1968-75), Jerzy Semkov (1975-79), Leonard Slatkin (depuis 1979). Il occupe le second rang dans l'ancienneté des orchestres américains. Les chefs les plus fréquemment invités ont été Erich Leinsdorf, Erich Bergel, Max Rudolf et Raymond Leppard. En 1978, il a été « orchestre in residence » au Festival d'Athènes. Il a passé des commandes à Del Tredici, Schuman, Ginastera et Wykes. Martinů lui dédie en 1950 son *Intermezzo.*

PRINCIPALES CRÉATIONS : *Concerto pour marimba et vibraphone* (1949) et *Introduction et Allegro sur un thème de Couperin* (1941) de Milhaud, *Suite concertante pour violon* de Martinů (1945), *Symphonie n° 7* de Tansman (1947), concertos pour violon de John Williams et de David Amram.

Orchestre Symphonique de San Francisco

Fondé en 1911.

Chefs permanents : Henry Hadley (1911-15), Alfred Hertz (1915-29), Basil Cameron et Issaïe Dobrowen (1929-31), Issaïe Dobrowen (1931-34), Pierre Monteux (1935-52), Enrique Jordà (1954-63), Josef Krips (1963-70), Seiji Ozawa (1970-76), Edo De Waart (1976-85), Herbert Blomstedt (à partir de 1985). En quelques années, Monteux en a fait l'une des meilleures phalanges américaines.

PRINCIPALES CRÉATIONS : *San Francisco Polyphony* de Ligeti (1975), *Improvisation sur un Impromptu de Britten* de Walton (1970), *Symphonie n° 8* de Harris (1961), *A Flock descends in the pentagonal garden* de Takemitsu (1977), *Musique pour San Francisco* de Milhaud (1972).

Orchestre Symphonique du S.D.R. de Stuttgart (Süddeutsche Rundfunk)

Fondé en 1946.

Chefs permanents : Hans Müller-Kray (1948-69), chefs invités (1969-83) dont Sergiu Celibidache et Michael Gielen, Neville Marriner (depuis 1983).

PRINCIPALES CRÉATIONS : *Figurationen zu Hofmannsthals Jedermann* d'Hermann Reutter, *Dis-Konter* de Wolfgang Rihm, *Consolation I-IV* d'Helmut Lachenmann. *Symphonie n° 5* de Hartmann (1951), *Symphonie n° 2* (1949) et *Ondine* (1959) de Henze, *Kammerkonzert* de Sinopoli (1979), *Variations pour orchestre* de Febel (1980), la suite *Der Revisor* de Egk (1981), *Requiem polonais* de Penderecki (1985). L'orchestre est financé par la Radio de Stuttgart (Süddeutsche Rundfunk).

Orchestre Symphonique du S.W.F. de Baden-Baden (Südwestfunk)

Fondé en 1946 par Heinrich Ströbel.

Chefs permanents : Gotthold Ephraim Lessing (1946-48), Hans Rosbaud (1948-62), Ernest Bour (1964-79), Kazimierz Kord (1980-86), Michael Gielen (à partir de 1986). L'un des plus ardents défenseurs de la musique contemporaine. Il participe au Festival de Donaueschingen.

COMMANDES : *Concerto pour piano nº 1* (1947), *Symphonie nº 3* (1951), *Nachstücke und Arien* (1957) de Henze, *An die Nachgeboren* (1948), *Fantaisie sur Bach* (1950), *Mouvements* (1954), *Impromptus* (1957) de Fortner, *Concerto pour harpe* (1952) de Jolivet, *Spiel* (1952), *Punkte* (1963), *Trans* (1971) de Stockhausen, *Concerto pour hautbois* (1952) de Zimmermann, *Réveil des oiseaux* (1953), *Chronochromie* (1960) de Messiaen, *Récréation concertante* (1953) de Petrassi, *An Mathilde* (1955) de Dallapiccola, *Due espressioni* (1953), *Incontri* (1955), *Varianti* (1957) de Nono, *Le Marteau sans maître* (1953), *Poésie pour pouvoir* (1958), *Portrait de Mallarmé* (1960), *Figures-doubles-prismes* (1964) de Boulez, *Quaderni* (1960), *Epifanie* (1961), *Chemins* (1965) de Berio, *Anaklasis* (1960), *Fluorescences* (1962), *Sonate pour violoncelle* (1964), *Capriccio pour violon* (1967) de Penderecki, *Atmosphères* (1961), *Lontano* (1967) de Ligeti, *Iniciativas* (1966), *Heterogeneo* (1970) de Pablo, *Réak* (1966) de Yun, *Assemblages* (1967) de Guézec, *Lineas y puntos* (1967), *Planto por las victimas de la violencia* (1971), *Variationen über den Nachhal eines Schreis* (1977) de C. Halffter, *Chant* (1968) de Amy, *Pneuma* (1970) de Holliger, *Musique d'hiver* (1971) de B. Jolas, *Tombeau d'Armor I* (1975) et *III* (1978) de Sinopoli, *Diapason* (1977) et *Jowaergerli* (1983) de Schnebel, *Mosaik* (1979) de Globokar, *Opus Cygne* (1979) de Bussotti, *Symphonie nº 2* (1979) de Wittinger, *Passacaglia* (1981) de Schnittke...

CRÉATIONS : *La tentation de saint Antoine* (1947), *Abraxas* (1948), *Sonate pour orchestre* (1948) et *Allegria* (1952) de Egk, *Symphonie nº 2* (1950) de Hartmann, *Concerto pour cor* (1949) de Hindemith, *Metastasis* (1954) de Xenakis, *Canto di speranza* (1958), *Concerto pour violoncelle* (1968) de Zimmermann...

Orchestre Symphonique de Sydney

Fondé en 1946.

Chefs permanents : Sir Eugene Goosens (1947-56), Nicolai Malko (1956-61), Dean Dixon (1964-67), Moshe Atzmon (1969-72), Willem Van Otterloo (1972-78), Louis Frémaux (1979-82), Sir Charles Mackerras (1982-85), Zdeněk Maćal (à partir de 1986).

PRINCIPALES CRÉATIONS : des pages signées Sculthorpe, Williamson, Hill et Meale.

Orchestre Symphonique de Toronto

Fondé en 1923.

Chefs permanents : Luigi von Kunits (1923-31), Sir Ernest MacMillan (1931-56), Walter Süsskind (1956-65), Seiji Ozawa (1965-69), Karel Ancerl (1969-73), Victor Feldbrill (1973-74), Andrew Davis (depuis 1975).

PRINCIPALES CRÉATIONS : *Per Bastiana Tai-Yang Cheng* de Nono (1967), ainsi que des pages signées Van Dijk, Surdin, Klein, Symonds, Somers et Beckwith.

Orchestre Symphonique de Vienne

Fondé en 1900.

Il porte le nom d'Orchestre du Konzert-verein. De 1914 à 1919, il fusionne avec le Verein Wiener Tonkünstler Orchester. En 1919, chaque société reprenant son indépendance, le Konzert-verein adopte le nom d'Orchestre Symphonique de Vienne. En 1922, les deux orchestres fusionnent définitivement, mais les deux sociétés gardent leur indépendance pour l'organisation des concerts.

Chefs permanents : Ferdinand Löwe (1900-25, Konzertverein), Wilhelm Furtwängler (1919-20, Tonkünstler), Clemens Krauss (1923-24, Tonk.), Rudolf Nilius et Leopold Reichwein (1927-28), Oswald Kabasta, Hans Weisbach, Hans Swarowsky (1946-47), Herbert von Karajan (1948-49), chefs invités pendant dix ans, Wolfgang Sawallisch (1960-70), Josef Krips (1970-73), Carlo-Maria Giulini (1973-76), chefs invités pendant cinq ans, Guennadi Rojdestvenski (1981-83). Rares ont été les chefs qui ont effectivement exercé des fonctions permanentes à la tête de cet orchestre. L'usage associe davantage un chef à l'orchestre pour un certain nombre de concerts, mais la gestion lui échappe. Seuls Sawallisch et Giulini ont eu une emprise plus forte que leurs confrères sur cette formation.

CRÉATIONS : *Symphonie n° 9* (1903, Bruckner), *Pelléas et Mélisande* (1905, Schönberg), *Gurrelieder* (1913, Schönberg), grande suite du *Chevalier à la rose* (1946, R. Strauss), *Symphonie n° 1* (1957, Hartmann), *Concerto pour la main gauche,* (1932 Ravel).

Formations issues de l'orchestre : Trio Haydn, Concentus Musicus, Johann Strauss Ensemble.

Orchestre Symphonique du W.D.R. de Cologne (Westdeutscherundfunk)

Fondé en 1945.

Il prend la succession de l'Orchestre du Reichssender constitué en 1926 et dirigé par Wilhelm Buschkötter (1926-36).

Chefs permanents : Wilhelm Schüchter, Christoph von Dohnányi (1964-69), Zdeněk Mácal (1970-74), Hiroshi Wakasugi (1977-83), Gary Bertini (depuis 1983).

CRÉATIONS : *Canti di liberazione* (Dallapiccola, 1955), *Modern Psalm op. 50 C* (Schönberg, 1956), *Visage nuptial* (Boulez, 1957), *Symphonie n° 8* (Hartmann, 1963), *Antikhton* (Xenakis, 1974), *Concerto pour piano* (Ligeti, 1980), *Exemplum* (Yun, 1981), *Miserere* (Globokar, 1982), *The desert Music* (Reich, 1984), *Te Deum* (Pärt, 1985).

COMMANDES : *Coro* (Berio, 1976), *Double Concerto pour flûte et hautbois* (Denisov, 1979).

Orchestre de la Tonhalle de Zurich

Fondé en 1868.

Chefs permanents : Friedrich Hegar (1868-1906), Volkmar Andreae (1906-49), Erich Schmid (1949-57), Hans Rosbaud (1950-62), Rudolf Kempe (1965-72), Gerd Albrecht (1975-80), Christoph Eschenbach (1982-86), Hiroshi Wakasugi (à partir de 1986).

COMMANDES : *Canzona* de Baird (1982), *Fantasia Mattutina* de Burkhard (1950), *Barcarola* de Henze (1980), *Monopartita* d'Honegger (1951), *Concerto 77* de Schibler (1978), *Modigliani Kantate* de Vogel (1966), *Eindrücke* de Berio (1974), *Marcia funebre* de Suter (1982), *Nocturne* de Haselbach (1984).

PRINCIPALES CRÉATIONS : *Concertino pour clarinette* (1918) et *Sarabande et Cortège* (1919) de Busoni, *Symphonie liturgique* d'Honegger (1946), *Concerto pour hautbois* de R. Strauss (1946), *Concerto pour violoncelle* de Schoeck (1948), *Concerto pour violoncelle n° 1* de Sutermeister (1956), *Symphonie de jeunesse en la* de Saint-Saëns (1974), *Te Deum* de Sutermeister (1975), *Lear Symphony* (1980) et *Variations pour orchestre* (1976) de Reimann, *Portsmouth point ouverture* de Walton (1926), *Kammerkonzert* de Hartmann (1969), *Sinfonia variata* de Mihalovici (1962).

Orféon Donostiarra

Chœur mixte amateur fondé en 1897 à San Sebastián. A l'origine, ensemble vocal masculin.

Chefs de chœur : Onâte, Luzuriaga, Esnaola (1902-29), Juan Gorostidi (1930-68), Antonio Ayestaran (depuis 1968).

P

Percussions de Strasbourg

Fondées en 1961.

L'ensemble regroupe six percussionnistes : Jean Batigne, Georges Van Gucht, Jean-Paul Finkbeiner et Claude Ricou – membres depuis la fondation – bientôt rejoints par Gabriel Bouchet (1963) et Olivier Dejours (1975). Restructuré en 1983, l'ensemble se compose de Georges Van Gucht (directeur), Gabriel Bouchet, Jean-Paul Finkbeiner ou Jean-Pierre Bedoyan, Christian Hamouy, Keiko Nakamura, Claude Ricou ou Pierre Gasquet. Ils jouent sur environ 500 instruments (poids 3,5 t., volume 25 m^3) appartenant à quatre familles principales : les peaux, les bois, les métaux et les instruments anciens folkloriques ou religieux. Le groupe s'est formé sur les conseils de Pierre Boulez alors qu'aucun répertoire n'existait pour lui. Mais très rapidement de nombreux compositeurs écrivent des pages pour percussions (seules ou associées à d'autres instruments) qui sont autant de créations mondiales et qui constituent actuellement un répertoire de 120 partitions. Parmi eux, Aperghis, Ballif (*Cendres*, 1972), Barraqué (*Chant après chant*, 1966), Boulez, Boucourechliev, Cage, Eloy, Jolas, Jolivet (*Cérémonial*, 1969), Malec, Messiaen (*7 Haï Kaï*, 1963, *Couleurs de la cité céleste*, 1964, *Et expecto resurrectionem mortuorum*, 1965), Nigg, Ohana (*Etudes chorégraphiques*, 1963), de Pablo, Penderecki, Serocki, T. Scherchen, Stockhausen, Taïra et Xenakis (*Pléiades*, 1979). Varèse les autorise personnellement à jouer à six *Ionisation*, alors que la partition exige 13 percussionnistes. En 1965, le groupe réalise le premier récital de percussions de l'histoire du concert. Xenakis imagine pour eux un ensemble instrumental de 109 sons métalliques (le Si-Xen). En outre, les membres du groupe participent à la vie de l'Orchestre Philharmonique de Strasbourg et enseignent au Conservatoire de région, diffusant une méthode d'initiation musicale (Percustra). Les Percussions de Strasbourg ont également créé leur propre école de percussion.

Persimfans (Moscou)

Pervïy Simfonicheskiy Ansamble Dirizhora. Orchestre symphonique jouant sans chef (1922-32). Les plus grands solistes de l'époque ont participé à ses concerts qui réclamaient un nombre exorbitant de répétitions.

Petite Bande

Orchestre baroque fondé en 1972 et dirigé par Sigiswald Kuijken, et auquel participent ses frères, ainsi que des artistes comme G. Leonhardt. Le souci de faire revivre la musique dans l'authenticité baroque retrouvée anime cet ensemble.

Petits Chanteurs à la Croix de Bois

Manécanterie fondée en 1907 par des étudiants parisiens. Dirigée par Monseigneur Maillet jusqu'à sa mort, en 1963, elle est devenue l'une des chorales les plus célèbres du monde. Depuis 1963, elle est dirigée par l'abbé Delsinne. Répertoire religieux et profane (chansons populaires particulièrement).

Petits Chanteurs de Vienne (Wiener Sängerknaben)

Fondés en 1924.

Ensemble créé dans sa forme actuelle en 1924 par Josef Schnitt mais il se réfère à près de 500 ans d'une tradition conservée par la Chapelle impériale (née en 1498). Le nombre de ses directeurs atteindrait plusieurs centaines. Il est composé de 4 chœurs d'enfants de 10 à 14 ans (chaque chœur a 24 membres) qui poursuivent parallèlement leurs études. Cette formation n'est pas subventionnée. *Directeurs artistiques :* Ferdinand Grossmann, Hans Gillesberger, Uwe Christian Harrer.

Philharmonia Chorus

Fondé en 1957 par Walter Legge.

Chefs de chœur : Wilhelm Pitz (1957-71), Walter Hagen Groll (1971-74), Norbert Balatsch (1974-79), Heinz Mende (depuis 1980). Chœur mixte de 250 chanteurs amateurs réuni notamment à l'occasion des enregistrements de l'Orchestre Philharmonia. De 1964 à 1977, l'ensemble porte le nom de New Philharmonia Chorus puis reprend son nom d'origine.

Philharmonia Hungarica

Fondé en mai 1957.

Chefs permanents : Zoltán Rozsnyai (1957-60), Miltiades Caridis (1960-67), Alois Springer (1968-75), Reinhard Peters (1975-79), Uri Segal (1979-85), Gilbert Varga (depuis 1985).

Son financement est assuré par l'État, le Land Nordrhein-Westphalen et la ville de Marl. La Philharmonia Hungarica a été fondée par des musiciens hongrois réfugiés à Vienne après les événements de 1956. Pendant deux ans, elle donne ses concerts à Vienne avant de se fixer, en 1959, à Marl. Son activité discographique est très importante (entre autres, l'intégrale des symphonies de J. Haydn avec Antal Dorati).

Philharmonia Orchestra

Fondé en 1945 par Walter Legge, cet orchestre a, à l'origine, pour seule mission d'enregistrer des disques, réunissant les meilleurs instrumentistes des orchestres londoniens. Il travaille sous la direction de Toscanini, Furtwängler, Giulini, Cantelli... Ses chefs permanents sont Herbert von Karajan (jusqu'en 1959), Otto Klemperer (1955-73), Riccardo Muti (1973-82, directeur musical à partir de 1979), Giuseppe Sinopoli (depuis 1984). De 1971 à 1973, Lorin Maazel a été chef associé. En 1964, il prend le nom de New Philharmonia Orchestra et commence à se produire en public. En 1977, il reprend son nom d'origine.

CRÉATIONS : *Suite de valses* du *Chevalier à la rose* (1946), *4 derniers Lieder* (1950) de R. Strauss, *Livre pour cordes* (Boulez), *Symphonie n° 1* (Maxwell Davies).

Pro Cancione Antiqua de Londres

Fondé en 1968 par Mark Brown, Paul Esswood et James Griffett. Ensemble vocal masculin de hautes-contres auxquels s'associent parfois des instrumentistes. Effectif : de 4 à 15 participants. Répertoire : musique religieuse et profane du IXe siècle à l'époque baroque. Joue sous la direction des plus grands spécialistes de musique ancienne, mais travaille surtout avec Bruno Turner, son conseiller musical depuis 1969.

Pupitre 14

Voir à **Ensemble Instrumental de Picardie.**

Q

Quartetto Italiano

Fondé en 1945.

1er Violon : Paolo Borciani depuis 1945.
2e Violon : Elisa Pegreffi depuis 1945.
Alto : Lionello Forzanti (1945-46), Piero Farulli (1946-79), Dino Asciolla (1979-81).
Violoncelle : Franco Rossi depuis 1945.

A sa fondation, il porte le nom de Nuovo Quartetto Italiano pour se distinguer du premier Quartetto Italiano (Remy Principe, Ettore Gardini, Giuseppe Matteucci et Luigi Chiarappa). Il n'adopte son nom définitif qu'en 1951.

CRÉATIONS : Ghedini, Bucchi, Bussotti (*I Semi di Gramsci*, version solo et version avec orchestre).
ÉCRIT : P. Borciani : *Le Quatuor,* 1973.

Quatuor Aeolian

Fondé en 1927.

1er Violon : George Stratton (1927-44), Max Salpeter (1944-46), Alfred Cave (1946-52), Sydney Humphreys (1952-70), Emanuel Hurwitz depuis 1970.
2e Violon : William Manuel (1927...), Raymond Keenlyside depuis 1970.
Alto : Lawrence Leonard (1927-32), Watson Forbes (1932-64), Margaret Major depuis 1964.
Violoncelle : John Moore (1927-56), Derek Simpson depuis 1956.

A l'origine le quatuor s'appelle le quatuor Stratton puis prend son nom actuel en 1944. Depuis 1927, 11 seconds violons se sont succédés. Le Quatuor a enregistré à partir de 1976 l'intégrale des quatuors de Haydn. Il donne des concerts et des cours à l'Université de Newcastle upon Tyne. Hurwitz joue sur un violon des frères Amati qui fut aussi joué par Cave. Keenlyside joue un Pietro Guarneri. Major joue un alto des frères Amati et Simpson un violoncelle d'Andrea Guarneri.

Quatuor Alban Berg

Fondé en 1970.

1er Violon : Günter Pichler depuis 1970.
2e Violon : Klaus Mätzl (1970-78), Gerhard Schulz depuis 1978.
Alto : Hatto Beyerle (1970-81), Thomas Kakuska depuis 1981.
Violoncelle : Valentin Erben depuis 1970.

Le nom retenu par ce quatuor illustre sa volonté d'affirmer ses racines viennoises, que ce soit dans le répertoire des XVIIIe et XIXe siècles ou dans les œuvres contemporaines. Jusqu'en juin 1971 il achève sa formation avec le Quatuor LaSalle à Cincinnati (U.S.A.). Il donne son 1er concert à Vienne en 1971. Très vite le Quatuor se place parmi les plus marquants de sa génération, à la fois dans le répertoire traditionnel (Haydn, Mozart, Beethoven,

Dvořák, Janáček) et dans la musique de l'École de Vienne. En outre, il se consacre largement à la défense de partitions récentes. Parmi les quatuors dont il assure la 1re audition, on retiendra celui de Wimberger (1980), le *3e* de Urbanner (dédié au Quatuor Alban Berg et créé en 1973), les *1er* et *2e* de Haubenstock-Ramati (1974 et 1978, le premier étant une commande du quatuor), le *3e* de Fritz Leitermeyer (1974), le 1er de von Einem (1976) et le 4e de Rihm (commande, 1983).

Quatuor Allegri

Fondé en 1953.

1er Violon : Eli Goren (1953-68), Hugh Maguire (1968-77), Peter Carter depuis 1977.
2e Violon : James Barton (1953-63), Peter Thomas (1963-68), David Roth depuis 1968.
Alto : Patrick Ireland (1953-77), Prunella Pacey depuis 1977.
Violoncelle : William Pleeth (1953-68), Bruno Schrecker depuis 1968.

Il donne des concerts et des cours sous l'égide du Radcliffe Trust et commande des œuvres à des compositeurs tels que Sherlaw-Johnson, Maconchy, Forbes, Scurlthorpe, Le Fanu. Britten lui confie l'enregistrement de ses deux quatuors. En 1975, il joue l'intégrale des quatuors de Beethoven au Cheltenham Festival.

Quatuor Amadeus

Fondé en 1947.

1er Violon : Norbert Brainin.
2e Violon : Siegmund Nissel.
Alto : Peter Schidlof.
Violoncelle : Martin Lovett.

En mars 1938, trois jeunes Viennois émigrent en Angleterre. Ils rencontrent un jeune violoncelliste anglais et forment alors un quatuor auquel ils donnent un nom qui témoigne à la fois de leur origine et de leur amour de Mozart. L'essor du quatuor, après leur premier concert en 1948, est très rapide. A partir de 1952, il se produit dans le monde entier. Il enregistre et donne en concert l'intégrale des quatuors de Beethoven. En 1967, il est quatuor-résident de l'Université d'York. Le répertoire de l'ensemble est essentiellement centré sur la musique des XVIIIe et XIXe siècles. Il s'associe à des musiciens comme Cecil Aronowitz, William Pleeth, Hephzibah Menuhin, Christoph Eschenbach ou Emil Guilels pour explorer plus largement le domaine de la musique de chambre. Chaque membre du quatuor joue sur un instrument précieux (trois Stradivarius et un Guarnerius). Leurs *Mémoires* ont paru en 1981. Le Quatuor Amadeus compte parmi les formations majeures de l'après-guerre. Britten lui a dédié son *Quatuor nº 3* (1975).

Quatuor Arcana

Fondé en 1975.

1er violon : Dominique Barbier depuis 1975.
2e violon : Hubert Chachereau depuis 1975.
Alto : Serge Soufflard depuis 1975.
Violoncelle : Willie Guillaume (1975-82), Michel Poulet depuis 1982.

Lauréat de la Fondation Menuhin, il est primé au Concours international Carlo Jachino à Rome (1976). Le quatuor développe un très large répertoire témoignant d'un goût très vif pour la musique française et les partitions contemporaines. Il réalise le premier enregistrement intégral des quatuors de Darius Milhaud et crée le *Quatuor nº 4* de Mihalovici (1983).

Quatuor Barchet

Fondé en 1952, dissous en 1962.

1er Violon : Reinhold Barchet.
2e Violon : Will Beh.
Alto : Herman Hirschfelder.
Violoncelle : Helmut Reiman.

Ce quatuor a notamment enregistré l'intégrale des quatuors à cordes de Mozart à la fin des années cinquante.

Quatuor Bartholdy

Fondé en 1968.

1er violon : Antonio Perez.
2e violon : Max Speermann.
Alto : Jörg-Wolfgang Jahn.
Violoncelle : Anne-Marie Dengler.

Ses membres enseignent aux Conservatoires de Würzburg et Karlsruhe, ville où ils animent ensemble une classe de quatuor. Un goût particulier pour les quatuors de Mendelssohn – dont ils ont enregistré une intégrale – les amène à baptiser leur quatuor du nom de Bartholdy. Ils jouent respectivement un J.F. Guidantus (Bologne, 1738), un J.B. Guadagnini (Turin, 1779), un J.B. Ceruti (Crémone, 1798), et un J.B. Guadagnini (Parme, 1762).

Quatuor Bartók

Fondé en 1957.

1er Violon : Péter Komlós.
2e Violon : Sándor Devich (1957-82), Béla Banfalvy (depuis 1982).
Alto : Géza Németh.
Violoncelle : Károly Botvay (1957-77), László Mezö depuis 1977.

Formé par quatre étudiants de Leo Weiner à l'Académie Franz Liszt de Budapest, il se nomme Quatuor Komlos avant d'obtenir en 1963 de la veuve de Bartók l'autorisation de porter son nom. Il remporte en 1964 le Concours international de Liège. Depuis, il se consacre à la défense de l'École contemporaine hongroise, Durkó, Bozay, Kadosa, Soproni, Farkas, Szabó, Láng, etc. ; et donne dans le monde entier l'intégrale des quatuors de Bartók et de Beethoven. En 1981, il remporte le prix de l'U.N.E.S.C.O. Les instruments sont signés Guarnerius del Gèsu (1736), Guadagnini (1774), Storioni (1787) et Montagnana (1730).

Quatuor Beethoven

Fondé en 1923, dissous en 1975.

1er Violon : Dmitry Tzïganov (1923-75).
2e Violon : Vasily Shirinski (1923-60), Nicolas Zabaknikov (1960-75).
Alto : Vadim Borisovski (1923-60), Fedor Druyinin (1960-75).
Violoncelle : Sergei Shirinski (1923-75).

Créé comme Quatuor à cordes du Conservatoire de Moscou, il n'adopte son nom actuel qu'à partir de 1931. En 1927 il avait donné une intégrale des quatuors de Beethoven pour le centenaire de la mort du compositeur. Il a créé presque toutes les œuvres de Chostakovitch, le *Quintette* et le *Trio nº 2* (1944) avec le compositeur au piano (1940), les *quatuors nº 2* (1944), *nº 3* (1946), *nº 4 et 5* (1953), *nº 6* (1956), *nºs 7 et 8* (1960), *nºs 9 et 10* (1964), *nº 11* (1966), *nº 12* (1968), *nº 13* (1970), *nº 14* (1973). Le quatuor est dédicataire des *Quatuors nº 3 et 5,* Borisovski du *Quatuor nº 13,* Vasily Shirinski du *Quatuor nº 11,* Tziganov du *Quatuor nº 12,* Sergei Shirinski des *Quatuors nºs 14 et 15.*

En 1980 a été formé un *Nouveau Quatuor Beethoven* autour de l'altiste Fedor Druyinin.

Quatuor Bernède

Fondé en 1963.

1er Violon : Jean-Claude Bernède (depuis 1963).
2e Violon : Jacques Prat (1963-67), Gérard Montmayeur (1967-70), Marcel Charpentier (depuis 1970).
Alto : Bruno Pasquier (1963-67), Guy Chêne (1967-70), Michel Laléouse (depuis 1970).
Violoncelle : Paul Boufil (1963-76), Jean-Claude Ribéra (1976-79), Pierre Penassou depuis 1979.

CRÉATIONS : Ballif (*Quatuor nº 3,* 1970), Philippot (*Quatuor nº 2,* 1983), Xenakis.

Quatuor Bohémien

Fondé en 1892, dissous en 1933.

1er Violon : Karel Hoffmann.
2e Violon : Josef Suk.
Alto : Oskar Nedbal (1892-1906), Jiri Herold (1902-33).
Violoncelle : Otto Berger (1892-97),

Hanuš Wihan (1897-1913), Ladislav Zelenka (1913-33).

Créé par quatre élèves de Hanus Wihan au Conservatoire de Prague, il acquiert une réputation internationale par ses interprétations de musique tchèque, notamment du *2e Quatuor* de Smetana, qu'il popularise. Il se produit en France en 1896, donne son millième concert en 1902 et se sépare en 1933. Ses quatre membres étaient depuis 1922 professeurs au Conservatoire de Prague.

Quatuor Borodine

Fondé en 1946.

1er Violon : Rostislav Doubinski (1946-76), Michail Kopelman (depuis 1976).
2e Violon : Iaroslav Alexandrov.
Alto : Dmitri Chebaline.
Violoncelle : Valentin Berlinski.

Il se produit jusqu'en 1955 sous le nom de Quatuor Philharmonique de Moscou. Il a enregistré l'intégrale des quatuors de Chostakovitch.

Quatuor Brandis

Voir à **Orchestre Philharmonique de Berlin.**

Quatuor de Budapest

Fondé en 1917, dissous en 1967.

1er Violon : Emil Hauser (1917-32), Joseph Roïsman (1932-67).
2e Violon : Alfred Indig (1917), Imre Pogányi (1917-27), Joseph Roïsman (1927-32), Jac Gorodetzky (1932-33), Alexandre Schneider (1933-45, 1955-67).
Alto : István Ipolyi (1917-36), Boris Kroyt (1936-67).
Violoncelle : Hary Són (1917-30), Mischa Schneider (1930-67).

Formé à l'origine de musiciens de l'Orchestre de l'Opéra de Budapest, il garde son nom malgré l'arrivée dans les années trente de musiciens russes. Installé aux États-Unis depuis 1938, il est quatuor-résident de la Library of Congress de Washington (1940-62), où il a le privilège de jouer sur les Stradivarius de la Collection Whittall (*Betts* de 1704, *Castelbarco* de 1699 et 1697, *Cassavetti* de 1727). De 1962 à 1967, il est quatuor-résident de l'Université de Buffalo, où ses membres enseignent également. Dans ses meilleures interprétations, beethoveniennes notamment, l'intensité expressive trouve sa source dans une virtuosité rayonnante.

CRÉATIONS : *Quatuors no 11* (1942), *no 12* (1945), *no 13* (1947), *no 14* (1948) et *no 17* (1951) de Milhaud.
DÉDICACES : *Quatuor no 5* (Bartók), *Quatuor no 5* (Hindemith, 1945).

Quatuor Bulgare

Voir à **Quatuor Dimov.**

Quatuor Busch

Fondé en 1913, dissous en 1952.

1er Violon : Adolf Busch (1913-52).
2e Violon : Fritz Rothschild (1913), Karl Reitz (1919-21), Gösta Andreasson (1921-45), Ernest Drucker (1946), Bruno Straumann (1946-52).
Alto : Karl Doktor (1913), Emil Bohnke (1919-21), Karl Doktor (1921-45), Hugo Gottesmann (1946-52).
Violoncelle : Paul Grümmer (1913-30), Hermann Busch (1930-52).

L'ensemble prend d'abord le nom de Quatuor du Konzertverein car tous ses membres appartiennent au Wiener Konzertverein Orchester dont le chef, Ferdinand Löwe, a été à l'origine de la formation du quatuor. Dissous au début de la guerre de 1914-18, il est reformé en 1919 sous le nom de Quatuor Busch. Au début de la Seconde Guerre mondiale, Adolf Busch et son frère Hermann émigrent aux États-Unis, bientôt rejoints par les autres membres du quatuor. La maladie de Karl Doktor et le travail excessif qu'accepte Gösta Andreasson amènent sa dissolution en 1945. Il sera recréé en 1946 et ne disparaîtra qu'à la mort d'Adolf Busch en 1952. Digne successeur du légendaire Quatuor Joachim, le Quatuor Busch est sans nul doute l'un des plus grands quatuors de la première moitié de ce siècle. Il connaît son âge d'or au cours des années 1920-30 et se fait par sa sensibilité et la qualité de son inspiration collective le quasi inégalable défenseur du grand répertoire romantique allemand (Beethoven, Schubert, Brahms, Reger, etc.). Rudolf Serkin s'associe souvent à lui pour de mémorables séances de musique de chambre.

Quatuor Calvet

Fondé en 1919, dissous en 1950.

1er Violon : Joseph Calvet (1919-50).
2e Violon : Léon Pascal (1919-40), Jean Champeil (1944-50).
Alto : Daniel Guilevitch (1919-40), Maurice Husson (1944-50).
Violoncelle : Paul Mas (1919-40), Manuel Recasens (1944-50).

Sur l'initiative de Nadia Boulanger le quatuor donne en 1928 deux intégrales des Quatuors de Beethoven en France. Il défend la musique française de son époque et crée des œuvres de Françaix (1937), le *Sextuor* (1929) et le *3e Quatuor* de D'Indy (1930), les quatuors de Schmitt (1948), de Sauguet (1949), de Guy-Ropartz, de Delannoy et de Reynaldo Hahn. Après l'interruption de la guerre, le quatuor a repris une brève activité en 1945.

Quatuor Capet

Fondé en 1893, dissous en 1928.

1er Violon : Lucien Capet (1893-1928).
2e Violon : Giron (1893-99), Firmin Touche (1903), André Touret (1903-09), Maurice Hewitt (1909-28).
Alto : Henri Casadesus (1893-99, 1903-05 et 1909-14), Édouard Nadaud (1903), Louis Bailly (1906-09), Henri Benoit (1918-28).
Violoncelle : Charles-Joseph Furet (1893-99), Cros Saint-Ange (1903), Louis Hasselmans (1903-09), Marcel Casadesus (1909-14), Camille Delobelle (1918-28).

Lucien Capet forme son quatuor personnel dès qu'il obtient son 1er prix au Conservatoire (1893). Celui-ci se produira dès lors sous quatre formations. La première (1893-99) est interrompue lorsque Capet est nommé professeur à Bordeaux. A son retour à Paris (1903) le quatuor se produit avec Touche, Nadaud et Saint-Ange, formation éphémère qui devait aboutir à la troisième formation (1903-09). En 1909 Touret part pour le Quatuor Marsick, Bailly pour le Quatuor Boucherit-Hekking tandis que Hasselmans se consacre à la direction d'orchestre. La quatrième formation (1909-14) est dissoute par la guerre où Marcel Casadesus trouve la mort. La cinquième formation est la plus célèbre (1918-28). On peut encore l'entendre grâce à quelques enregistrements gravés à Londres entre 1925 et 28. Le Quatuor Capet s'est rendu célèbre par ses interprétations des Quatuors de Beethoven dont il a assuré très régulièrement l'intégrale y compris la *Grande Fugue*. Henri Benoit a consigné dans son carnet de bord 1069 exécutions d'un quatuor de Beethoven de 1918 à 1928.

Quatuor Chilingirian

Fondé en 1971.

1er Violon : Levon Chilingirian.
2e Violon : Mark Butler.
Alto : Csaba Erlelyi.
Violoncelle : Philip De Groote.

Après avoir suivi les cours d'interprétation de Siegmund Nissel du Quatuor Amadeus et reçu les conseils du musicologue H. Keller, il devient quatuor-résident de l'Université de Liverpool. En 1976, il revient à Londres. La même année, il remporte à New York le Concours international des jeunes artistes de concerts. Il donne régulièrement des cours d'interprétation dans le cadre de l'Université du Sussex.

Quatuor de Cleveland

Fondé en 1969.

1er Violon : Donald Weilerstein.
2e Violon : Peter Salaff.
Alto : Martha Strongin-Katz (1969-80), Atar Arad.
Violoncelle : Paul Katz.

De 1969 à 1971, le quatuor est artiste-résident à l'Institut de musique de Cleveland d'où son nom. Ses premiers récitals datent de la saison 1971-72. Le quatuor accepte, en 1971, de remplacer le Nouveau Quatuor de Budapest comme ensemble-résident à l'Université d'État de New York à Buffalo. Son répertoire se partage entre les partitions traditionnelles des XVIIIe et XIXe siècles et les œuvres de musiciens plus contemporains (Ives, Barber, Slonimsky). Le Quatuor de Cleveland a enregistré l'ensemble des quatuors de Beethoven et de Brahms. Martha Strongin-Katz est l'épouse de Paul Katz. Un premier Quatuor de Cleveland avait été fondé par Maurice Hewitt (1930-34).

Quatuor Danois

Fondé en 1956.

1er Violon : Anne Svendsen.
2e Violon : Palle Heichelmann.
Alto : Knud Frederiksen.
Violoncelle : Pierre-René Honnens.

Quatuor Dimov (Sofia)

Fondé en 1956.

1er Violon : Dimo Dimov.
2e Violon : Alexandre Tomov (1956-78), Nanko Stefanov depuis 1978.
Alto : Dimitri Tchilikov.
Violoncelle : Dimitri Kozev.

Appelé aussi Quatuor Bulgare. Quatuor d'État depuis 1964. Il a remporté le 2e prix du Concours Leo Weiner à Budapest en 1963, le 2e prix à Liège en 1964, le 1er prix à Munich en 1965.

Quatuor Drolc

Fondé en 1947, dissous en 1973.

1er Violon : Eduard Drolc.
2e Violon : Walter Peschke.
Alto : Stefano Passagio.
Violoncelle : Georg Donderer.

Quatuor Éder

Fondé en 1972.

1er Violon : Pál Éder.
2e Violon : Ildikó Hegyi, Erika Tóth.
Alto : Zoltán Tóth.
Violoncelle : György Éder.

Ce quatuor réunit quatre élèves d'András Mihály à l'Académie Franz Liszt de Budapest. Il a obtenu le 1er prix au Concours international d'Évian (1976) et le 2e prix au Concours international de Munich (1977). En 1978, les quatre musiciens ont suivi les cours de Raphael Hillyer et du Quatuor de Tokyo à l'Université de Yale. Le Quatuor Éder a enregistré les *6 Quatuors* de Bartók.

CRÉATION : *Quatuor No 2* (Cr. Halffter, 1979).

Quatuor Esterházy (Amsterdam)

Fondé en 1976.

1er Violon : Jaap Schröder.
2e Violon : Alda Stuurop.
Alto : Linda Ashwoth, Wiel Peeters.
Violoncelle : Wouter Möller.

Ce quatuor joue sur des instruments anciens précieux : violons de Januarius Gagliano (Naples, 1730), Francesco Gobetti (Venise, 1710), Antonio Stradivarius (Crémone, 1709), Domenico Montagnana (Venise, 1730), altos de Joseph Klotz (1780), Joannes Tononi (Bologne, 1699), violoncelle de Joannes Franciscus Celoniatus (Turin, 1742). Jaap Schröder, fondateur du quatuor, a fait des études de musicologie à Paris (Sorbonne) et à Amsterdam. Il enseigne à la Schola Cantorum Basiliensis de Bâle.

Quatuor Fitzwilliam

Fondé en 1975.

1er Violon : Christopher Rowland.
2e Violon : Jonathan Sparey.
Alto : Alan George.
Violoncelle : Ioan Davies.

Ce jeune quatuor a fait des débuts remarqués en enregistrant l'intégrale des quatuors de Chostakovitch sous l'égide du compositeur.

Quatuor Flonzaley

Fondé en 1902, dissous en 1928.

1er Violon : Adolfo Betti (1902-28).
2e Violon : Alfred Pochon (1902-28).
Alto : Ugo Ara (1902-17), Louis Bailly (1917-24), Félicien d'Archambeau (1924-28).
Violoncelle : Iwan d'Archambeau (1902-24), N. Moldavan (1924-28).

Formé par un banquier américain, Edward J. de Coppet, pour des exécutions à son usage privé ; le nom du quatuor est celui de la résidence suisse du banquier, près de Lausanne. Dès 1904, il effectue ses premières tournées en Europe et fera l'essentiel de sa carrière aux États-Unis, enregistrant notamment avec Harold Bauer et Ossip Gabrilovitch. Enesco lui a dédié son *1er Quatuor* qu'il a créé en 1921 ainsi que le *Concertino* de Stravinski et le *1er Quatuor* de Bloch (1916).

Quatuor Français 2e 2m

Voir à **Collectif Musical 2e 2m.**

Quatuor Franz Schubert

Fondé en 1972.

1er Violon : Florian Zwiauer.
2e Violon : Michel Gebauer.
Alto : Thomas Riebl.
Violoncelle : Rudolf Leopold.

Il remporte le 1er prix au Concours international des radios européennes en 1974 puis, l'année suivante, le 1er prix de la Société Mozart pour son interprétation des quatuors de Mozart. Depuis 1978, il participe régulièrement aux Schubertiades Hohenems.

Quatuor Gabrieli

Fondé en 1966.

1er Violon : Kenneth Sillitoe.
2e Violon : Claire Simpson (1966-69), Brendan O'Reilly (1969).
Alto : Ian Jewel.
Violoncelle : Keith Harvey.

Il débute en 1967 à Londres et est nommé, en 1971, quatuor-résident de l'Université d'Essex. Il se consacre à la musique du XXe siècle, avec le soutien de la Fondation Gulbenkian, créant des pages de William Alwyn, Britten, Alan Bush, Daniel Jones, Gordon Cross, etc.

Quatuor Guarneri

Fondé en 1964.

1er Violon : Arnold Steinhardt.
2e Violon : John Dalley.
Alto : Michael Tree.
Violoncelle : David Soyer.

Ce quatuor s'est réuni à l'initiative de son 1er violon lors du Festival de Marlboro 1964. Steinhardt était 1er violon de l'Orchestre de Cleveland, Dalley venait du Quatuor Oberlin, Tree du New Music Quartet, Soyer du New Music Quartet et du Malboro Trio. Le quatuor a enregistré l'intégrale des *17 Quatuors* de Beethoven et le *Quintette* de Schumann avec Arthur Rubinstein.

Quatuor de Hollywood

Fondé en 1948, dissous en 1961.

1er Violon : Felix Slatkin (1948-61).
2e Violon : Paul Shure (1948-61).
Alto : Paul Robyn (1948-54), Alvin Dinkin (1954-61).
Violoncelle : Eleanor Aller (1948-61).

Après avoir joué dans l'Orchestre Symphonique de Saint-Louis, Felix Slatkin, le fondateur du quatuor, a dirigé l'Orchestre de studio de la 20th Century Fox. Tous les membres de la formation sont d'ailleurs issus des principaux orchestres de studio d'Hollywood. La violoncelliste du quatuor est l'épouse du 1er violon.

Quatuor Hongrois

Fondé en 1935, dissous en 1970.

1er Violon : Sándor Végh (1935), Zoltan Székely (1935-70).

2e Violon : Péter Szervánsky (1935), Sándor Végh (1935-40), Alexandre Moskowsky (1940-59), Michael Kuttner (1959-70).

Alto : Dénes Koromzay (1935-70).

Violoncelle : Vilmos Palotaï (1935-56), Gabriel Magyar (1956-70).

Dès sa fondation à Budapest, il s'illustre en défendant la musique contemporaine, notamment celle de Bartók dont il donne la première audition hongroise du *Quatuor nº 5* au cours de sa première saison. En 1936 et 1937, il participe au Festival de la S.I.M.C. Il réside en Hollande à partir de 1937, puis aux États-Unis dès 1950 où il devient quatuor-résident de l'Université de Californie du Sud. Son répertoire va des classiques au XXe siècle : Pijper, Castelnuovo-Tedesco, Van Dieren, Szervansky ont écrit pour lui. Le Quatuor Hongrois a créé le *1er Quintette* de Milhaud avec Egon Petri (1952). Ses interprétations de la musique de Bartók font autorité. Il n'a abordé les quatuors de Beethoven qu'en 1944-45 et les a enregistrés à deux reprises, en 1953 et 1966. Székely jouait sur un Stradivarius de 1718, le *Michelangelo*, Kuttner sur un P. Guarnerius de 1704, le *Santa Theresa*, Koromzay sur un Michele Deconet de 1766 et Magyar sur un Alessandro Gagliano de 1706.

Un premier *Quatuor Hongrois* avait été fondé en 1910 à la demande de Bartók et de Kodály avec Imre Waldbauer et Janós Temesvary (violons), Antal Molnar puis, de 1912 à 1923, Egon Kenton (alto), Janö Kerpely (violoncelle).

Quatuor Intercontemporain

Voir à **Ensemble Intercontemporain.**

Quatuor Janáček

Fondé en 1947.

1er Violon : Jiří Trávníček (1947-73), Bohumil Smejkal depuis 1973.

2e Violon : Miroslav Matyás (1947-52), Adolf Sýkora depuis 1952.

Alto : Jiří Kratochvíl depuis 1947.

Violoncelle : Karel Krafka depuis 1947.

Les quatuors de Janáček apparaissent très fréquemment dans ses programmes. Depuis 1956, il est l'ensemble de musique de chambre de l'Orchestre Philharmonique de Brno.

Quatuor Joachim

Joseph Joachim a fondé quatre quatuors portant son nom, à Weimar (1851-52), Hanovre (1852-66), Londres (1859-97) et Berlin (1869-1907). À Londres, bien que Joachim n'y séjourne que six semaines par an, le quatuor a une activité régulière avec Franz Ries (*2e violon*, 1859-97), Ludwig Straus (*alto*, 1871-93), Johann Kruse (*alto*, 1893-97) et Alfredo Piatti (*violoncelle*, 1859-97). Pendant l'absence de Joachim, la partie de *1er violon* est tenue par Wilma Norman-Neruda. La principale formation est celle de Berlin :

1er Violon : Joseph Joachim (1869-1907).

2e Violon : Ernst Schiever (1869-70), Heinrich De Ahna (1871-92), Johann Kruse (1892-97), Karol Halíř (1897-1907).

Alto : Heinrich De Ahna (1869-70), Eduard Rappoldi (1871-77), Emmanuel Wirth (1877-1906), Karl Klinger (1906-07).

Violoncelle : Wilhelm Müller (1869-79), Robert Hausmann (1879-1907).

Avec ses différents quatuors, Joachim a donné à plusieurs reprises l'intégrale des quatuors de Beethoven. Il a créé des quatuors de Brahms, Cherubini, D'Albert, Dohnányi, Dvořák et Gade.

Quatuor Juilliard

Fondé en 1946.

1er Violon : Robert Mann depuis 1946.

2e Violon : Robert Koff (1946-58), Isidore Cohen (1958-66), Earl Carlyss depuis 1966.

Alto : Rafaël Hillyer (1946-69), Samuel Rhodes depuis 1969.

Violoncelle : Arthur Winograd (1946-55), Claus Adam (1955-74), Joël Krosnick depuis 1974.

Fondé, sous l'impulsion de William Schuman, par Robert Mann, le quatuor est exclusivement composé de professeurs de la Juilliard School de New York. Le premier concert a lieu le 10 octobre 1946 devant Yehudi Menuhin et Zoltán Kodály. Le premier récital public enthousiasme Artur Schnabel. Dès ces manifestations on remarque dans le programme la présence de partitions contemporaines et d'œuvres des musiciens américains. Cette tendance ne se démentira plus. Sa renommée dépasse très vite les limites du continent américain. En 1961 il est le premier quatuor américain à effectuer une tournée en U.R.S.S. Depuis 1962, il est le quatuor de la Library of Congress à Washington, ce qui lui donne le privilège envié de jouer sur les prestigieux Stradivarius donnés aux États-Unis en 1936 par Gertrude Clark Whittall. De nombreux musiciens comme Myra Hess, Leonard Bernstein, Claudio Arrau, Rudolf Firkusny, Dietrich Fischer-Dieskau, Jean-Pierre Rampal, Benny Goodman, Artie Shaw ou Albert Einstein ont réclamé son concours. De nombreux jeunes quatuors se sont mis à son école. Le répertoire du Quatuor Juilliard compte plus de 400 œuvres. Ses enregistrements des *Quatuors* de Beethoven et de Bartók figurent parmi les plus parfaites réussites de l'histoire du disque.

CRÉATIONS : Mennin (*Q. nº 2*, 1952), Fine (*Q.*, 1953), Cowell (*Q. nº 5*, 1956), Ginastera (*Q. nº 2*, 1959), Carter (*Q. nº 2*, 1960), Blackwood (*Q. nº 2*, 1960), Shifrin (*Q. nº 3*, 1967), Frohne (*Q.*, 1969).

Quatuor Kneisel

Fondé en 1886 à Boston, dissous en 1917.

1er Violon : Franz Kneisel.
2e Violon : Emmanuel Fiedler.
Alto : Louis Svecsenski.
Violoncelle : Fritz Giese.

Il joua un rôle considérable pour faire connaître la musique de chambre aux États-Unis.

Quatuor Kodály

Fondé en 1966.

1er Violon : Attila Falvay (1966-70), Károly Duska (1970-75), Mihály Barta (1975-79), Attila Falvay (depuis 1979).
2e Violon : Tamás Szabó.
Alto : Gábor Fias.
Violoncelle : János Devich.

Tous les quatre sont diplômés de l'Académie Franz Liszt de Budapest. Szabó, Fias et Devich ont reçu le prix spécial du jury du Concours international de Genève en 1966 comme membres du Quatuor Sebestyen. En 1968, ils remportent le 1er prix du concours Leo Weiner de Budapest. En 1970, ils adoptent alors le nom de Quatuor Kodály.

Quatuor Koeckert

Fondé en 1939.

1er Violon : Rudolf Koeckert (1939-82), Rudolf Joachim Koeckert (depuis 1982).
2e Violon : Willi Buchner (1939-65), Rudolf Joachim Koeckert (1965-82), Antonio Spiller (depuis 1982).
Alto : Franz Schessl (1939-65), Oskar Riedl (1965-75), Franz Schessl Jr. (depuis 1975).
Violoncelle : Josef Merz (1939-76), Hermar Stiehler (depuis 1976).

La formation s'appelle d'abord Sudetendeutsches Quartet ou Quatuor Allemand de Prague et, à partir de 1947, Quatuor Koeckert. Il a créé des œuvres de Bialas, Ginastera, Hindemith, Křenek, Zilling. R. Koeckert a édité en 1956 le *Quatuor en ut mineur* de Bruckner, découvert à Bamberg en 1950. Rudolf Joachim Koeckert est son fils. Les membres de ce Quatuor sont des solistes de l'Orchestre Symphonique de la Radiodiffusion bavaroise et de l'Orchestre Philharmonique de Munich.

Quatuor Kolisch

Fondé en 1922, dissous en 1939.

1er Violon : Rudolf Kolisch.
2e Violon : Félix Khuner.
Alto : Jenö Léner.
Violoncelle : Bénard Heifetz.

Connu tout d'abord sous le nom de Wiener Quartet, ce quatuor a créé un grand nombre d'œuvres modernes : *Suite lyrique* de Berg (1927), *Quatuors nº 3* (1927) et *nº 4* (1937) de Schönberg, *Trio op. 20* de Webern (1927), *La Création du monde* (version piano et quatuor) de Milhaud, *Quatuor nº 5* de Bartók (1935), *Concerto pour quatuor à cordes* de Händel-Schönberg, *Quatuor nº 4* de Tansman, qui lui est dédié. Il s'est installé aux États-Unis à partir de 1935.

Quatuor Krettly

1er Violon : Robert Krettly.
2e Violon : René Costard, Max Bigot.
Alto : François Broos, G. Taine, M. Quattrocchi, Roger Metchen.
Violoncelle : André Navarra (1928-35), Jules Lemaire, Jacques Neilz.

Ce quatuor défendit beaucoup la musique française d'après la Première Guerre mondiale : Honegger, Milhaud. Il enregistra notamment le *Quatuor* de Fauré en décembre 1928, œuvre dont Robert Krettly avait assuré la création. Il a également créé le *Quatuor nº 3* de Charles Kœchlin.

Quatuor Kreuzberger

Fondé en 1970.

1er Violon : Friedegund Riehm (1970-80), Winfried Rüssman (depuis 1980).
2e Violon : Rainer Johannes Kimstedt (1970-80), Friedegund Riehm (depuis 1980).
Alto : Hans Joachim Greiner.
Violoncelle : Barbara Brauckmann (1970-76), Peter Gerschwitz (depuis 1976).

Tirant son nom d'un quartier de Berlin, le quatuor travaille avec Johannes Bastian à Berlin, Dusan Pandula à Prague, Raphaël Hillyer et Sándor Végh à l'Université de Yale et obtient un 1er prix en 1974 au Concours international de Genève. A son répertoire figurent des œuvres de compositeurs contemporains tels que Kopelent, Gehlhaar, Heider, Henze.

CRÉATIONS : *Unrevealed* (Reimann, 1981), *Quatuor* (Kirchner, 1984).

Quatuor LaSalle

Fondé en 1946.

1er Violon : Walter Levin.
2e Violon : Henry Meyer.
Alto : Peter Kamnitzer.
Violoncelle : Richard Kapuscinski (1946-55), Jack Kirstein (1955-75), Lee Fiser depuis 1975.

Élèves de la Juilliard School of Music, ils forment le premier quatuor obtenant le diplôme supérieur de quatuor qui fut créé à leur demande. Quatuor-résident du Colorado College (1949-53), puis de l'Université de Cincinnati, ils y enseignent la musique de chambre (au futur Quatuor Alban Berg par exemple). L'Europe découvre en 1969, au cours du Festival de Vienne, leurs interprétations dépouillées et intérieures de Schönberg et de son école.

Ils ont suscité et créé un nombre important d'ouvrages de Apostel, Brün, Brown, Pousseur, Rosenberg, Kagel, Ligeti (*Quatuor nº 2*), Penderecki (*Quatuor nº 1*, 1962), Lutoslawski (*Quatuor nº 1*, 1965), Evangelisti, Englert, Kœnig, Nono (*Fragmente-Stille, an Diotima*). Depuis 1958, ils jouent sur quatre Amati (1648, 1682, 1619 et 1670).

Quatuor Léner

Fondé en 1918, dissous en 1948.

1er Violon : Jenö Léner.
2e Violon : Joseph Smilvitz.
Alto : Sándor Roth.
Violoncelle : Imre Hartman.

Tous les membres de ce quatuor sont d'origine hongroise et tous sont nés en 1894 ou 1895. Ils étudient à l'Académie de musique de Budapest avec Jenö Hubay pour Léner, Smilvitz et Roth, avec David Popper pour Hartman. Ils deviennent ensuite membres de l'Orchestre de l'Opéra de Budapest puis se consacrent enfin au quatuor. Ils débutent à Vienne en 1920 puis se produisent en Europe et en Amérique.

Ils ont enregistré le *Quatuor avec hautbois* de Mozart (avec Leon Goossens, 1er mars 1933), et le *Quintette avec clarinette* de Mozart (avec Charles Draper, 2 novembre 1928). La pianiste Olga Hoeser-Léner s'est souvent jointe à eux.

Quatuor Loewenguth

Fondé en 1929, dissous en 1983.

1er Violon : Alfred Loewenguth (1929-83)
2e Violon : Maurice Fueri (1929-58), Jacques Gotkovski (1958-68), Jean-Pierre Sabouret (1968-76), Philippe Langlois (1976-83)
Alto : Jack Georges (1929-41), Roger Roche (1941-74), Jean-Claude Dewaele (1974-79), Jacques Borsarello (1979-83)
Violoncelle : Jacques Neilz (1929-32), Pierre Basseux (1932-59), Roger Loewenguth (1959-83)

Il s'est consacré depuis plus d'un demi-siècle à la défense de l'école française du quatuor, de Debussy à Martinon.

CRÉATIONS : Roger-Ducasse (*Quatuor nº 2,* 1953), Milhaud (*Quatuor nº 3,* 1956), Migot (*Quatuor nº 2,* 1959), Delerue (*Quatuor,* 1950), Martinon (*Quatuor nº 1,* 1954)...

Quatuor de Londres (London String Quartet)

Fondé en 1908, dissous en 1935.

1er Violon : Albert Sammons (1908-17), James Levey (1917-27), John Pennington (1927-35).
2e Violon : Thomas W. Petre (1908-14), H. Wynn Reeves, Herbert Kinsey, Edwin Virgo, Thomas W. Petre (1919-35).
Alto : H. Waldo-Warner (1908-29), Philip Sainton (1929-30), William Primrose (1930-35).
Violoncelle : C. Warwick-Evans (1908-35).

Formé par C. Warwick-Evans, il donne son premier concert en 1910 après deux ans de travail et porte alors le nom de New String Quartet. Un an plus tard, il prend sa dénomination définitive. Dès 1917, il grave le premier enregistrement du *Quatuor* de Ravel. A partir de 1920, il effectue une tournée annuelle en Amérique du Nord. Champion de la musique anglaise, il a créé des quatuors de Delius et Howells et présenté pour la première fois en Angleterre le *2e Quatuor* de Schönberg.

Entre 1958 et 1961, un nouveau quatuor portant le même nom a été formé par Erich Gruenberg, Lionel Bentley, Keith Cummings et Douglas Cameron ; il s'était fait connaître de 1950 à 1956 sous le nom de Nouveau Quatuor de Londres.

Quatuor Margand

Fondé en 1958.

1er Violon : Michèle Margand.
2e Violon : Thérèse Rémy, Marie-Christine Desmonts.
Alto : Sylvie Dambrine, Nicole Gendreau.
Violoncelle : Claudine Lasserre.

Ce quatuor (féminin) remporte au Conservatoire de Paris un 1er prix de musique de chambre dans la classe de Joseph Calvet (1958) puis un 1er prix au Concours Viotti à Vercelli (1960). Il crée et interprète de nombreuses œuvres de compositeurs français (Chaynes, Bailly, Bancquart, Lemeland...).

Quatuor Melos de Stuttgart

Fondé en 1965.

1er Violon : Wilhelm Melcher.
2e Violon : Gerhard Ernst Voss.
Alto : Hermann Voss.
Violoncelle : Peter Buck.

A peine formé, le quatuor remporte le Concours de Genève 1966 après s'être distingué au Concours Villa Lobos de Rio de Janeiro, et représente l'Allemagne à Paris au Congrès mondial des Jeunesses musicales. Il s'impose par une remarquable intégrale des quatuors de Schubert et le premier enregistrement des quatuors de Cherubini. Ses membres jouent sur des violons de Montagnana (1731) et de Tononi, un alto de Landolfi et un violoncelle de Ruggieri (1682).

CRÉATIONS : Fortner (*Quatuor n° 4*, 1977), von Bose (*Quatuor n° 2*, 1978).

Quatuor du Musikverein de Vienne (Quatuor Küchl)

Fondé en 1973.

1er Violon : Rainer Küchl.
2e Violon : Peter Wächter (1973-80), Eckard Seifert (depuis 1980).
Alto : Peter Götzel.
Violoncelle : Franz Bartolomey.

Fondé par R. Küchl, jeune konzertmeister de l'Orchestre Philharmonique de Vienne, ce quatuor travaille deux années avant de se produire en remportant de grands succès aux festivals de Vienne et de Salzbourg. Ses quatre membres font partie de la Philharmonie de Vienne.

Quatuor Orlando

Fondé en 1975.

1er Violon : Istvan Parkanyi.
2e Violon : Heinz Oberdorfer.
Alto : Ferdinand Erblich.
Violoncelle : Stefan Metz.

Créé à l'initiative du Roumain Stefan Metz, il rassemble deux Allemands et un Hongrois et réside en Hollande. En 1976, il remporte le 1er prix au Concours international Carlo Jachino de Rome. Il travaille avec Zoltán Szekély, Sándor Végh et Joseph Calvet. Il remporte à Helsinki en 1978 le 1er prix de l'Union européenne de radiodiffusion.

Quatuor de l'O.R.T.F.

Fondé en 1941, dissous en 1973.

1er Violon : Jacques Dumont (1941-73).
2e Violon : Maurice Crut (1941-57), Louis Perlemuter (1957-67), Jacques Dejean (1967-73).
Alto : Léon Pascal (1941-70) Serge Collot (1970), Marc Carles (1970-73).
Violoncelle : Robert Salles (1941-67), Jean-Claude Ribeira (1967-73).

Ce quatuor formé par Léon Pascal à Marseille se produit d'abord sous le nom de Quatuor Pascal puis de Quatuor Pascal de la R.T.F. puis de Quatuor de l'O.R.T.F. Il exerce une grande activité au sein de la radio française où il enregistre plus de 138 quatuors. Pour le disque, il enregistre notamment l'intégrale des *Quatuors* de Mozart et de Beethoven. Il créé des œuvres de Hasquenoph, Rivier, Dandelot, Jolivet, Martelli, Capdevielle, Moreau, Sauguet, Murgier, Guarnieri, Lancen...

Quatuor Panocha

Fondé en 1971.

1er Violon : Jiří Panocha.
2e Violon : Pavel Zejfart.
Alto : Miroslav Sehnoutka.
Violoncelle : Jaroslav Kuhlan.

Ses membres se recrutent dans l'Orchestre de chambre du Conservatoire de Prague sous l'influence de J. Micka. En 1971 il obtient le 3e prix au Concours de Kromöříž (Tchécoslovaquie). Après avoir fait des stages à Weimar, il remporte en 1974 le 1er prix au même concours. En 1975 il enlève le 2e prix au Concours international de Prague et en 1976, la médaille d'or du Festival des jeunes musiciens à Bordeaux. Il a enregistré l'intégrale des quatuors de Martinů.

Quatuor Parent

Fondé en 1892, dissous en 1913.

1er Violon : Armand Parent.
2e Violon : Fernand Luquin (1901), Émile Loiseau (1903-13).
Alto : Charles Baretti (1897-1903), Maurice Vieux (1904-06).
Violoncelle : Frédéric Denayer (1897-1901), Louis Fournier (1904-13).

Quatuor Parrenin

Fondé en 1944.

1er Violon : Jacques Parrenin depuis 1944.
2e Violon : Marcel Charpentier (1944-70), Jacques Ghestem (1970-80), John Cohen depuis 1980.

Alto : Serge Collot (1944-57), Michel Walès (1957-64), Denes Marton (1964-70), Gérard Caussé (1970-80), Jean-Claude Dewaele depuis 1980.
Violoncelle : Pierre Penassou (1944-80), René Benedetti depuis 1980.

Les fondateurs sont tous issus de la classe de musique de chambre de Joseph Calvet. De 1944 à 1949, il est le quatuor à cordes de Radio Luxembourg. Au rythme d'un concert diffusé par semaine, il passe en revue tout le répertoire classique, romantique et contemporain. Il est très vite le seul quatuor français à avoir à son répertoire l'intégrale des quatuors de l'École de Vienne et de Bartók. Plusieurs accidents de voiture ainsi que la création de l'I.R.C.A.M. imposent de fréquentes reconstitutions à un quatuor qui en est à sa cinquième formation. Il a été membre du Domaine musical ainsi que de l'Ensemble international de musique contemporaine de Darmstadt. Le Quatuor Parrenin a joué plus de 150 œuvres en première audition. On peut citer des pages de Ballif, Bayle, Berio, Bloch, Boucourechliev, Boulez, Britten, Copland, Ginastera, Cristobal Halffter, Henze, Betsy Jolas, Ligeti, Maderna, Méfano, Milhaud, Ohana, Penderecki, Rivier, Xenakis.

Quatuor Pascal

Voir à **Quatuor de l'O.R.T.F.**

Quatuor de Prague.

Fondé en 1956.

1er Violon : Břetislav Novotny.
2e Violon : Karel Přibyl.
Alto : Jaroslav Karlovarsky (1956-68), Lubomír Malý (1968).
Violoncelle : Zdeněk Konicek (1956-68), Jan Širc (1968-84), Saša Večtomov (depuis 1984).

Vainqueur en 1958 du Concours de Liège, il est nommé en 1961 Ensemble de musique de chambre de l'Orchestre Symphonique de Prague, et défend tout le répertoire tchèque, particulièrement Dvořák dont il a enregistré tous les quatuors. L'altiste et le violoncelliste d'origine ont créé en Allemagne fédérale un *Nouveau Quatuor de Prague*, aux côtés des violonistes Stefan Czapany et Adolphe Mandeau.

Quatuor Pro Arte

Fondé en 1912.

1er Violon : Alphonse Onnou (1912-40), Antonio Brosa (1940-44), Rudolf Kolisch (1944-47).
2e Violon : Laurent Halleux.
Alto : Germain Prévost.
Violoncelle : Robert Maas.

Fondé à Bruxelles, il débute en 1913 mais doit interrompre ses activités pendant la guerre. A partir de 1921, il donne les Concerts Pro Arte dans la capitale belge grâce à l'appui de Paul Collaer et Arthur Prévost. La musique contemporaine occupe une place prépondérante dans ses programmes. En 1923, il participe au Festival de la S.I.M.C. à Salzbourg. Elisabeth Sprague-Coolidge commande à son intention des œuvres à Milhaud, Honegger, Casella, Martinů... En 1932, il devient quatuor de la Cour de Belgique avant d'émigrer aux États-Unis en 1940 où il devient quatuor-résident de l'Université du Wisconsin. Après 1944, Kolisch forme à l'Université du Madison un nouveau quatuor portant le même nom.

A ses débuts, le Quatuor Pro Arte avait une réputation de spécialiste de la musique contemporaine qui s'est modifiée au fil des années, surtout avec les enregistrements de quatuors et quintettes de Mozart et Schumann réalisés avec Artur Schnabel. Son style, précis et raffiné, était opposé à la chaleur romantique des Quatuors Busch ou Léner. Le Quatuor Pro Arte a créé les *Quatuors no 2 et 3* d'Honegger, *no 6, 7, 8 et 9* (1923, 1925, 1933, 1935) de Milhaud et le *Quintette* de Martinů. Bartók a écrit pour lui son *Quatuor no 4* (1928). Martinů son *Concerto pour quatuor et orchestre* (créé en 1931) et son *Quatuor no 5* (1938).

Quatuor de la Radiodiffusion Bulgare

Fondé en 1973.

1er Violon : Gueorgui Tilev, Vassil Valtchev.
2e Violon : Vladimir Lazov, Peter Monouilov.
Alto : Svetoslav Marinov, Dimitre Penkov, Dragomir Sakariev.
Violoncelle : Iontcho Bairov.

En 1978, il obtient un 2e prix au Concours international de quatuor à cordes de Colmar ainsi que le prix de l'Union des compositeurs bulgares. Des œuvres de Marine Goléminov, Jules Levy, Pentcho Stoyanov, Dimiter Sagaev, Mikhail Pekov lui sont dédiées.

Quatuor Rosé

Fondé en 1882, dissous en 1945.

1er Violon : Arnold Rosé (1882-1945).
2e Violon : Julius Eggard (1882-84), Anton Loh (1884-90), August Siebert (1890-97), Siegmund Bachrich (1897-1905), Paul Fischer (1905-38).
Alto : Anton Loh (1882-84), Siegmund Bachrich (1884-95), Hugo von Steiner (1895-1901), Anton Ruzitska (1901-30), Max Handl (1930-38).
Violoncelle : Eduard Rosé (1882-84), Reimhold Hummer (1884-1901), Friedrich Buxbaum (1901-21), Anton Walter (1921-30), Friedrich Buxbaum (1930-45).

Ce quatuor joue un rôle prédominant en faveur de la nouvelle musique à Vienne, tout en créant des œuvres de Brahms, Pfitzner ou Reger. En 1938, Rosé et Buxbaum se fixent à Londres et reconstituent le quatuor qui fonctionnera jusqu'en 1945.

CRÉATIONS : Schönberg (*La Nuit transfigurée*, 1903, *Symphonie de chambre n° 1*, 1907, *Quatuor n° 1 op. 7*, 1907, *n° 2 op. 10*, 1908), Webern (*5 Mouvements op. 5*, 1910).

Quatuor Smetana

Fondé en 1940 (sous le nom de Quatuor du Conservatoire tchèque) **et 1945** (Quatuor Smetana).

1er Violon : Václav Neumann (1940-43), Jaroslav Rybenský (1943-47), Jiři Novák (1947).
2e Violon : Joseph Vlach (1940-43), Lubomir Kostecký (1943).
Alto : Jiři Neumann (1940-43), Václav Neumann (1943-47), Milan Škampa (1947).
Violoncelle : Antonín Kohout.

3e prix au Concours de Genève 1946, 1er prix au Concours de Prague 1951, il est nommé la même année Ensemble de musique de chambre de la Philharmonie tchèque. Son répertoire comprend, outre Smetana qu'il interprète avec une virtuosité enthousiasmante, les œuvres de Dvořák, Janáček, Martinů, Sommer, Pauer, Prokofiev, Chostakovitch, etc. Jouant jusqu'en 1972 sur des instruments tchèques (dont l'alto Homolka de Dvořák, 1859), il s'est vu prêter par l'État des instruments italiens, Stradivarius de 1729 (le *Libon*), Ruggieri de 1694, alto de 1680, cello de Grancino (1710). Les quatre membres du quatuor enseignent depuis 1967 à l'Académie des Arts de Prague.

Quatuor Suk

Fondé en 1968.

1er Violon : Antonín Novák (1968-79), Ivan Štraus depuis 1979.
2e Violon : Vojtěch Jousa.
Alto : Karel Řehák.
Violoncelle : Jan Štros.

Il enregistre l'intégrale des quatuors de Josef Suk et se consacre beaucoup aux compositeurs contemporains tchèques comme : Martinů, Hába, Foerster, Pauer, Bárta, Klusák, Slavický.

Quatuor Talich

Fondé en 1962.

1er Violon : Jan Talich (1964-75), Petr Messiereur depuis 1975.
2e Violon : Jan Kvapil depuis 1962.
Alto : Karel Dolezal (1964-75), Jan Talich depuis 1975.
Violoncelle : Evzen Rattay depuis 1962.

Le quatuor est fondé au Conservatoire de Prague sous la direction de Josef Micka qui avait été à l'origine du Quatuor Smetana. Jan Talich est le neveu de Václav Talich.

Quatuor Taneiev

Voir à **Orchestre Philharmonique de Leningrad.**

Quatuor Tátrai

Fondé en 1946.

1er Violon : Vilmos Tátrai.
2e Violon : Albert Rényi (1946-55), Mihály Szücs (1955-68), István Várkonyi (depuis 1968).
Alto : Jószef Ivanyi (1946-59), György Konrád depuis 1959.
Violoncelle : Vera Denes (1946-52), Ede Banda (depuis 1952).

Fondé par quatre solistes de l'Orchestre Municipal de Budapest, il remporte en 1948 le Concours Bartók. Ardent propagandiste de la musique hongroise contemporaine (plus de 70 œuvres à son répertoire), il a entrepris l'enregistrement intégral des quatuors de Haydn.

Quatuor Tel Aviv

Fondé en 1962.

1er Violon : Chaim Taub.
2e Violon : Uri Pianka (1962-63), Menahem Brener (1963-71), Yefim Boyco depuis 1971.
Alto : Daniel Benyamini.
Violoncelle : Uzi Wiesel.

Taub, Boyco et Benyamini sont membres de l'Orchestre Philharmonique d'Israël.

CRÉATIONS : *Quatuor nº 1* de Josef Tal, *Ricercar, Élégie* et *Quatuor nº 1* de Mordecai Seter, ainsi que des œuvres de Tzvi Avni, Zeev Steinberg, Yardena Alotin. Il se produit régulièrement avec le clarinettiste Yona Ettlinger.

Quatuor de Tokyo

Fondé en 1969.

1er Violon : Koichiro Harada (1969-81), Peter Oundjian depuis 1981.
2e Violon : Yoshiko Nakura (1969-74), Kikuei Ikeda depuis 1974.
Alto : Kazuhide Isomura.
Violoncelle : Sadao Harada.

Fondé par quatre étudiants de l'Académie Toho de musique ayant achevé leur formation auprès de Robert Mann et de Raphael Hillyer du Quatuor Juilliard, il remporte en 1970 les 1ers prix des Concours Coleman de Pasadena et de celui de Munich. Il se fait connaître par ses interprétations précises et vives des quatuors de Haydn. Pour son dixième anniversaire, le quatuor a passé commande à quatre compositeurs, Takemitsu (1er quatuor *A way a done*, créé en 1980), Machover (*Quatuor*, 1982), Penderecki et Lees. Quatuor-résident de l'Université de Yale depuis 1978, il joue sur quatre Amati prêtés par la Corcoran Gallery de Washington (respectivement de 1656, 1662, 1663 et 1677). Le premier violon est une pièce unique destinée à la cour de Louis XIV, rehaussée de rubis et d'émeraudes.

Quatuor Végh

Fondé en 1940, dissous en 1980.

1er Violon : Sándor Végh (1940-80).
2e Violon : Sándor Zöldy (1940-78), Philip Naegele (1978-80).
Alto : Georges Janzer (1940-78), Bruno Giuranna (1978-80).
Violoncelle : Paul Szabó (1940-80).

Dès 1946 le quatuor remporte le 1er prix à l'unanimité du Concours de Genève. Dans sa discographie, on retiendra deux intégrales successives des quatuors de Mozart, Schubert et Brahms. Le Quatuor Végh compte parmi les grandes formations de musique de chambre de sa génération.

En 1978, la NASA a envoyé dans l'espace un de ses enregistrements à destination des autres systèmes solaires. Il crée le *Quatuor nº 2* de K.A. Hartmann (1949).

Quatuor Via Nova

Fondé en 1968.

1er Violon : Jean Mouillère depuis 1968.
2e Violon : Jean-Pierre Sabouret (1968), Hervé Le Floch (1968-71), Alain Moglia (1971-75), Jean-Pierre Sabouret depuis 1975.
Alto : René Jeannerey (1968-69), Gérard Caussé (1969-71), Claude Naveau depuis 1971.
Violoncelle : René Benedetti (1968-71), Roland Pidoux (1971-78), Jean-Marie Gamard depuis 1978.

C'est au Festival de Cyrnearte que se réunissent pendant près de quatre ans de jeunes musiciens qui décident de former un quatuor. Cette formation prendra d'abord le nom du Festival avant de se baptiser, en 1968, Quatuor Via Nova. Il est subventionné par le ministère de la Culture à partir de 1976. Outre le répertoire traditionnel dans lequel il s'illustre, il choisit de défendre des partitions peu jouées (Chausson, Roussel, Caplet). La musique contemporaine occupe une grande place dans ses programmes. Il crée notamment des quatuors de Ligeti, Tisné, Claoué, Holstein, Finzi.

Quatuor Vlach

Fondé en 1949, dissous en 1975.

1er Violon : Josef Vlach.
2e Violon : Václav Snítil (1949-70), Jiří Hanzl (1970-75).
Alto : Soběslav Soukup (1949-53), Josef Kodousek (1953-75).
Violoncelle : Viktor Moučka.

Il se distingue au Concours international de Liège en 1955. De 1957 à 1967 il est l'ensemble de musique de chambre de l'Orchestre de la Radio Tchécoslovaque de Prague. Outre le répertoire traditionnel, il se consacre beaucoup à la musique contemporaine tchécoslovaque (Martinů, Janáček, Hlobil, Krejčí, Hurník, Rychlík, Kalabis, Bárta).

Quatuor Voces

Fondé en 1969.

Il prend son nom actuel en 1973.
1er Violon : Bujor Prelipcean.
2e Violon : Anton Diaconu.
Alto : Gheorghe Haag.
Violoncelle : Dan Prelipcean.

Ce quatuor, qui réside à Iaşi (Roumanie) a reçu les conseils de W. Berger, V. Tatraï, U. Wiesel et des membres de l'Amadeus Quartet. Il a remporté le 1er prix au concours international de Colmar (1974) et le 2e prix au concours Karl Klinger de Hanovre (1979). Plusieurs compositeurs roumains ont écrit des œuvres à son intention (Bughici, Păutza, Spătărelu). Il a enregistré l'intégrale de la musique de chambre d'Enesco.

Quatuor Ysaÿe

Fondé à Bruxelles en 1886, dissous dans les premières années du XXe siècle.

1er Violon : Eugène Ysaÿe.
2e Violon : Mathieu Crickboom.
Alto : Lucien Van Hout.
Violoncelle : Joseph Jacob.

Il joue un rôle essentiel dans la vie musicale belge et parisienne, créant le *Quatuor* de Debussy (1893), le *Concert* de Chausson (1893), le *1er Quatuor* de d'Indy (1891), le *1er Quatuor* de Ropartz. Il a été reconstitué en 1906 pour la création du *1er Quintette* avec piano de Fauré, Edouard Dern ayant remplacé Mathieu Crickboom.

Quintette de cuivres Ars Nova

Fondé en 1964, issu de l'Ensemble Ars Nova.

Trompettes : Pierre Thibaud puis Jacques Lecouintre et Bernard Jeannouteau.
Cor : Georges Barboteu.
Trombone : Camille Verdier.
Tuba : Élie Reynaud.

Une grande partie de l'activité du quintette est consacrée à l'animation musicale, à la meilleure connaissance des œuvres classiques, du XVIIe à aujourd'hui.

CRÉATIONS : Koering, Ballif, Legey, Loucheur, A. Weber, Barboteu.

Quintette Marie-Claire Jamet

Fondé en 1959, il succède au Quintette Pierre Jamet et cesse ses activités en 1976.

Violon : Henri Roses, José Sanchez, Hervé Le Floch (1970).
Alto : Colette Lequien.
Violoncelle : Pierre Degenne.
Flûte : Christian Lardé.
Harpe : Marie-Claire Jamet.

CRÉATIONS : Malipiero, Damase, Castérède, Giovaninetti, Ferrari...

Quintette Pierre Jamet

Fondé en 1922, par Pierre Jamet, dissous en 1958. Il porte le nom de *Quintette Instrumental de Paris*, jusqu'en 1940.

Flûte : René Le Roy (1922-40), Gaston Crunelle (1945-58).
Violon : René Bas (1922-58).
Alto : Pierre Grout (1922-40), Georges Blanpain, Pierre Ladhuie.
Violoncelle : Roger Boulmé (1922-40), Marcel Flécheville, Robert Krapansky.
Harpe : Pierre Jamet (1922-58).

CRÉATIONS : Pierné (*Variations libres et final* et *Voyage au pays du tendre*, 1926), d'Indy (*Suite en parties*, 1925), Roussel (*Sérénade*, 1925), Françaix (*Quintette*, 1927), Cras (*Quintette*, 1928), Ropartz (*Préludes, Marine et Chansons*, 1928), Schmitt (*Suite en rocaille*, 1937), Malipiero (*Sonate a cinque*, 1934), Jolivet (*Chant de Linos*, 1945), Koechlin (*Primavera*).

Quintette à Vent Français

Fondé en 1945, cesse ses activités régulières en 1968.

Flûte : Jean-Pierre Rampal (1945-65), Maxence Larrieu (1965-68).
Hautbois : Pierre Pierlot (1945-68).
Clarinette : Jacques Lancelot (1945-68).
Cor : Manem (1945-48), Gilbert Coursier (1948-68).
Basson : Maurice Allard (1945-48), Paul Hongne (1948-68).

CRÉATIONS : œuvres de Migot, Damase, Bitsch, Arrieu.

Quintette à Vent de Paris

Fondé en 1944.

Flûte : Jacques Castagnier.
Hautbois : Robert Casier.
Clarinette : André Boutard.
Cor : Michel Bergès.
Basson : Gérard Faisandier (1944-69), Paul Hongne depuis 1969.

La formation porte à l'origine le nom d'Ensemble Instrumental à Vent de Paris. Il existait en effet à cette époque un autre Quintette à Vent de Paris, fondé en 1929, qui regroupait Roger Cortet (flûte), Louis Grommer (hautbois), André Vacellier (clarinette), René Reumont (cor) et Gabriel Grandmaison (basson). A sa dissolution (1964), il offre son nom à l'ensemble actuel. Outre les partitions du répertoire traditionnel de cette formation instrumentale, le quintette s'intéresse de près à la musique de son temps et donne la première audition de pages signées Rivier, Desportes, Chaynes et Boutry. Il s'attache également à faire redécouvrir la musique française pour ensemble à vent. Il enregistre l'intégrale des quatuors de Rossini. Il a remporté le prix de la critique instrumentale de Buenos Aires (1951) et le prix du Concours international de Genève (1954).

Quintette à Vent Taffanel

Fondé en 1970.

Flûte : Jean-François Blondeau (1970-83), Maurice Pruvot (depuis 1983).
Hautbois : Jean-Claude Jaboulay.
Clarinette : Richard Vieille.
Cor : Jacques Adnet.
Basson : François Carry.

Cet ensemble a remporté un 1er prix de musique de chambre au Conservatoire de Paris, le 1er prix du Concours de musique de chambre de Colmar 1973 et du Concours international de Belgrade (1974).

R

Royal Choral Society

Fondée en 1871.

Chefs permanents : Charles Gounod (1871-73), Joseph Barnby (1873-96), Frank Bridge (1896-1922), Sir Malcolm Sargent (1928-67), Wyn Morris (1968-69), Meredith Davies (depuis 1973). Son premier concert en 1873 regroupait 1 000 choristes dirigés par Gounod. Appelé à l'origine Royal Albert Hall Choral Society, elle prend sa dénomination actuelle en 1888. Elle donne la 1re audition anglaise du *Requiem* de Verdi (sous la direction du compositeur) et de *Parsifal*. De nombreuses commandes sont passées auprès de compositeurs anglais. Son effectif atteint 250 choristes.

Royal Liverpool Philharmonic Orchestra

Fondé en 1840.

Chefs permanents : John Russell (1840-44), Zeugheer Herrman (1844-65), Alfred Melon (1865-1867), Julius Benedict (1867-1880), Max Bruch (1880-83), Sir Charles Halle (1883-95), Sir Frederic Cowen (1895-1913), Sir Henry Wood et Sir Thomas Beecham (chefs invités de 1913 à 1942), Sir Malcolm Sargent (1942-48), Hugo Rignold (1948-1954), Paul Kletzki (1954-55), Efrem Kurtz (1955-57), John Pritchard (1957-63), Sir Charles Groves (1963-77), Walter Weller (1977-80), David Atherton (1980-83), Marek Janowski (depuis 1983).

PRINCIPALES COMMANDES : *Symphonie n° 2* de Walton (1960), *Concerto pour orchestre* de Cowie (1982).

PRINCIPALES CRÉATIONS : *Pomp and circumstance n° 1* d'Elgar et *Variations sur un thème de Purcell* de Britten (1946).

Royal Philharmonic Orchestra

Fondé à Londres en 1946 par Sir Thomas Beecham.

Chefs permanents : Sir Thomas Beecham (1946-61), Rudolf Kempe (1961-63, puis directeur 1964-75), Antal Dorati (1975-78), Walter Weller (1980-85), André Prévin (à partir de 1985). L'orchestre assurait les spectacles lyriques au Festival de Glyndebourne de 1947 à 1963.

CRÉATIONS : *Variations sur un thème de Hindemith* (Walton, 1963), *Investiture dances* (1969) et *Symphonie n° 5 (*Hoddinott 1973), *Persephone dream* (Harvey, 1972), *The Triumph of time* (Birtwistle), *Symphonie n° 3* (1978) et *The Shadow of light* (McCabe, 1979).

S

Sadler's Wells Theater

Voir à **English National Opera.**

San Carlo (Naples)

Le théâtre est inauguré en 1737. Il brûle en 1816 mais, rebâti en six mois, est remplacé par l'édifice actuel modernisé en 1844 et 1929. La direction est assurée par Pasquale Di Costanzo (surintendant, 1946-75), puis par Carlo Lessona (commissaire extraordinaire) et, depuis 1983, par Francesco Canessa (surintendant).

Directeurs artistiques : Francesco Siciliani (1941-43 et 1948-49), Ugo Rapalo (1946-47), Carlo Jachino, Guido Pannain, Lucio Parisi, Elio Boncompagni, Roberto De Simone (depuis 1983).

Directeur musical : Daniel Oren (depuis 1984).

CRÉATIONS : Rossini *(Otello, Elizabeth reine d'Angleterre, Armida, Moïse, Mahomet II, La Donna del Lago)*, Donizetti (*Lucia di Lammermoor*), Verdi *(Oberto, Luisa Miller)*, Moussorgski (*Salammbô,* version scénique).

Scala de Milan

Fondé en 1778, le Teatro alla Scala remplace le théâtre ducal qui avait brûlé deux ans plus tôt. L'inauguration a lieu le 3 août 1778 avec *Europa riconosciuta* de Salieri. Il tire son nom de celui de la femme du duc, Regina della Scala. L'édifice restera intact juqu'au bombardement d'août 1943 mais sera reconstruit à l'identique et inauguré à nouveau en 1946. Depuis 1921, la Scala est administrée par une Ente Autonomo qui regroupe les différents organismes qui la subventionnent. En 1955 a été ouverte la Piccola Scala, théâtre réservé aux opéras de chambre fondé par Paolo Grassi. La personnalité d'Arturo Toscanini a marqué profondément la Scala pendant un demi-siècle. Il y est chef permanent de 1898 à 1903, puis de 1906 à 1908 avant de revenir comme directeur artistique au sein d'un triumvirat regroupant également Emilio Caldara et Luigi Albertini (1921-29).

Surintendants : Erardo Trentinaglia (1931-35), Jenner Mataloni (1935-41), Carlo Gatti (1941-44), Gino Marinuzzi (1944-45, 1er chef en 1934-35) Antonio Ghiringhelli (1948-72, commissaire extraordinaire de 1945 à 1948), Paolo Grassi (1972-77), Carlo-Maria Badini depuis 1977.

Directeurs artistiques : Mario Rossi (1945), Tullio Serafin (1946-47), Mario Labroca (1947-49), Francesco Siciliani (1957-66), Victor De Sabata (surintendant artistique, 1953-57 ; conseiller artistique, 1957-63), Gianandrea Gavazzeni (1966-68), Luciano Chailly (1968-71), Massimo Bogianckino (1972-75), Francesco Siciliani (1976), Claudio Abbado (1977-79), Francesco Siciliani (1980-83), Cesare Mazzonis (depuis 1983).

Directeurs de la musique : Franco Capuana (1949-51), Carlo-Maria Giulini

(1951-56), Guido Cantelli (1956), Nino Sanzogno (1962-65), Claudio Abbado (1968-86), Riccardo Muti (à partir de 1986).

Parmi les chefs permanents qui ont fait l'essentiel de leur carrière à la Scala, Tullio Serafin (de 1910 à 1947, directeur musical 1910-13), Franco Ghione, Antonio Guarnieri (1929-50), Franco Capuana (1937-40 puis 1946-52), Fernando Previtali (1942-43, puis 1946-48), Francesco Molinari-Pradelli (depuis 1946), Antonino Votto (depuis 1948), Nello Santi, Alberto Erede...

CRÉATIONS : Rossini (*Le Turc en Italie*, 1814, *La Pie voleuse*, 1817), Bellini (*Le Pirate*, 1827, *La Norma*, 1831), Donizetti (*Lucrèce Borgia*, 1833, *Gemma di Vergy*, 1834), Verdi (*Oberto*, 1839, *Un Jour de règne*, 1840, *Nabucco*, 1842, *Les Lombards*, 1843, *Otello*, 1887, *Falstaff*, (1893), Boïto (*Mefistofele*, 1868, *Néron*, 1924), Ponchielli (*La Gioconda*, 1876), Puccini (*Edgar*, 1889, *Madame Butterfly*, 1904, *Turandot*, 1926), Giordano (*André Chénier*, 1896), Cilea (*Adrienne Lecouvreur*, 1902), Montemezzi (*L'Amour des trois rois*, 1913), Pizzetti (*Phèdre*, 1915, *Deborah et Jahel*, 1922, *l'Oro*, 1947, *Meurtre dans la cathédrale*, 1958, *Il Calzare d'argento*, 1961), Respighi (*Belfagor*, 1923), Mascagni (*Néron*, 1935), Ghedini (*Les Bacchantes*, 1948), Petrassi (*Il Cordovano*, 1949), Malipiero (*l'Allegra Brigata*, 1950), Orff (*Le Triomphe d'Aphrodite*, 1953), Milhaud (*David*, 1954), Poulenc (*Les Dialogues des carmélites*, 1957), Rotà (*La Notte di un nevrastenico*, 1960), Chailly (*Era proibito*, 1961), Falla (*L'Atlantide*, 1962), Berio (*Passaggio*, 1963, *La Vera Storia*, 1982), Nono (*Au grand soleil d'amour chargé*, 1975), Bussotti (*Le Racine*, 1980), Bussotti (*Cristallo di Rocca*, 1983), Stockhausen (*Samstag aus Licht*, 1984), Donatoni (*Atem*, 1985).

La saison, qui commence en décembre, comporte environ 150 représentations et est suivie d'une saison symphonique (été et automne). L'orchestre donne également des concerts décentralisés, dans des usines ou d'autres lieux de Milan et de la région. Il se compose de 137 instrumentistes. Le chœur (105 membres), dirigé par Vittore Veneziani à l'époque de Toscanini (1921-53), a été dirigé ensuite par Roberto Benaglio, Romano Gandolfi (1971-83), Giulio Bertola (1983-85) et Gerhard Schmidt-Gaden (depuis 1985).

Schola Cantorum Basiliensis

Fondée en 1933 par Paul Sacher, cette institution est une académie de musique ancienne à laquelle viennent s'adjoindre différentes formations musicales. En 1954 elle a fusionné avec l'Ecole de Musique et le Conservatoire de Bâle pour former la « Musik-Akademie der Stadt Basel ».

Pendant de longues années c'est la « Konzertgruppe » qui présentait au public le travail de l'Institut. August Wenzinger puis Hans-Martin Linde ont été à la tête de cette formation.

A partir des années 1970, en raison d'une spécialisation toujours plus poussée, plusieurs ensembles succèdent à ce premier groupe : l'Ensemble du Moyen Age, l'Ensemble à cordes et beaucoup d'autres. Plusieurs professeurs de la Schola Cantorum Basiliensis dirigent leur propre ensemble comme Hans-Martin Linde (Linde-Consort), Michel Piguet (Ensemble Ricercare), Edward H. Tarr (Edward Tarr Brass Ensemble), Jordi Savall (Ensemble Hespérion XX), Jaap Schröder (Smithson String Quartett), René Jacobs (Concerto Vocale) etc.

Schola Cantorum de Stuttgart

Fondée en 1960 et dirigée par Clytus Gottwald. Chœur dont le répertoire s'étend de la polyphonie des XVe et XVIe siècles aux œuvres d'avant-garde.

CRÉATIONS : Schnebel, Ligeti (*Lux aeterna*, 1966 ; *Papainé*, 1983), Kagel (*Hallelujah*, 1969), Stockhausen Cehra, Feldman, Holliger, Boulez (*Cummings ist der Dichter*, 1970), Bussotti (*Rara Requiem*, 1971), Zender, Cage (*Song Books I-II*, 1972), Globokar, Dittrich, Penderecki (*Canticum canticorum Salomonis*, 1974 ; *Magnificat*, 1974), Denisov, Marco, Huber...

Schola du monastère de Montserrat

Ensemble choral de voix masculines qui exécute le répertoire grégorien soit traditionnel, soit plus spécifiquement ibérique, placé sous la direction du père Gregori Estrada. La célèbre abbaye catalane possède en outre une Escolania composée de jeunes enfants, à laquelle peuvent s'adjoindre des instrumentistes recrutés ou non parmi les moines musiciens, et qui, sous la direction de Don Ireneu Segarra, exécutent le répertoire de musique sacrée de toutes les époques, et en particulier celui qui fut composé tout particulièrement pour l'abbaye elle-même. Sa renommée est internationale.

Scottish Chamber Orchestra

Fondé en 1974.

Directeurs artistiques : Roderick Brydon (1974-83), Raymond Leppard (1er chef invité depuis 1979).
Effectif : 37 musiciens.
CRÉATIONS : œuvres de Hamilton, Harper, Maxwell Davies, Crosse *(Dreamways, Symphonie nº 1),* Benjamin.

Sextuor Schoenberg

Voir à **Ensemble intercontemporain.**

Société des Chanteurs de Saint-Eustache

Fondée en 1944.

Ce choeur d'amateurs compte une centaine de membres, Le R.P. Émile Martin, fondateur de l'ensemble, est toujours à sa tête. La société est subventionnée depuis 1980 par la ville de Paris.

PRINCIPALES CRÉATIONS : *Psaume 41* de Lavagne (1968), *La Résurrection* de Bondon (1975) et une centaine d'œuvres du R.P. Émile Martin.

Solistes de Zagreb

Fondé le 6 janvier 1954.

Fondateur et chef permanent : Antonio Janigro (1954-68). Depuis 1968 l'orchestre joue sans chef sous la direction du violon solo Dragutin Hrdjok (1968-74), Tonko Ninič depuis 1974. L'ensemble comporte 12 cordes et un clavecin. Des compositeurs comme Šulek, Kelemen, Malec, Parać et Horvat ont écrit pour lui.

I Solisti Veneti

Fondé à Padoue en 1959 par Claudio Scimone qui en assure la direction musicale. Ensemble de 11 cordes et un clavecin qui se consacre essentiellement à la musique de Vivaldi et des maîtres vénitiens.

CRÉATIONS : Donatoni, Bussotti, Aperghis (*Ascoltare stanca*, 1972), M. Constant (*Traits, Strings*, 1972), de Pablo (*Dejame hablar*), Capdenat (*Tahar*), Chaynes (*Visions concertantes*), Renosto, Guaccera, R. Malipiero, Benguerel, Chailly, Masson (*Bleu loin*, 1973).

Staatskapelle de Dresde

Voir à **Orchestre de la Staatskapelle de Dresde.**

Städtische Oper

Voir à **Deutsche Oper.**

Studio der frühen Musik

Fondé à Munich en 1960 et dirigé à l'origine par Thomas Binkley, luthiste pour l'essentiel, et Sterling Jones, interprète de plusieurs instruments à cordes anciens, ayant tous deux étudié la musicologie à l'Université d'État de l'Illinois (Urbana), cet ensemble vocal et instrumental a acquis une renommée considérable dans le domaine de l'interprétation de la musique du Moyen Age. Th. Binkley et St. Jones participèrent au Collegium Musicum de George Hunter et enregistrèrent avec lui Guillaume de Machaut. Thomas Binkley développa son jeu sur instruments à cordes pincées et instruments à vent (luths, vihuela da mano, guitare sarrasine, flûtes, cromornes, sacqueboutes, douçaines...). Il est responsable de l'aspect historique et musicologique des programmes ainsi que des transcriptions. Sterling Jones, sur la lyre, la vielle, le rebec, la viole, mais aussi les cromornes ou les douçaines, paracheva sa formation auprès de Nadia Boulanger à Paris, à l'École normale, ainsi qu'à Heidelberg. À Munich, la rencontre d'Andrea von Ramm (d'origine estonienne), mezzo-soprano ayant étudié à Fribourg, Milan et Munich, fut déterminante lors de la fondation de ce quatuor. Elle s'est spécialisée dans l'interprétation de la musique du Moyen Age et de la Renaissance à ses débuts ; sa technique vocale virtuose est alliée à un timbre de voix particulièrement original. Elle tient à l'occasion un clavier d'orgue portatif (organetto) et joue également du cromorne ou de la douçaine. Le quatrième partenaire a été successivement Nigel Rogers (1960-64), Willard Cobb (1964-70), puis Richard Lewitt (depuis 1970), tous trois ténors, capables de chanter en voix d'altus (haute-contre). Partout dans le monde, après avoir été parrainé par le Goethe-Institut, cet ensemble a donné des concerts fort appréciés. On lui doit pour l'heure près d'une cinquantaine de disques, depuis les chansons de troubadours jusqu'à John Dowland, en passant par Machaut, Landini, Abélard, Ciconia, Dufay... À l'occasion, il a joué avec la Schola Cantorum Basiliensis entre 1972 et 1977. A cette époque l'ensemble a cessé ses activités. Le style d'interprétation de la musique moyenâgeuse était fondé sur ses liens supposés avec les traditions proche-orientales arabes, venues chez nous par l'Andalousie. La liberté d'expression était grande, chacun des membres jouant de mémoire, ce qui permettait d'improviser et accentuait d'autant l'impression de fluidité et de vie qu'on se plaît à reconnaître à leur style de jeu.

T

Teatro Colón (Buenos Aires)

L'ancien Colón, construit en 1857, fonctionne jusqu'en 1888, date de sa démolition. Il est remplacé par le théâtre actuel, plus vaste (4 000 places) et plus moderne, inauguré le 25 mai 1908 avec *Aïda*. Le système de la *stagione* est en vigueur depuis cette date, le Colón faisant appel aux plus grands artistes européens et nord-américains pour participer à une saison qui dure, dans un premier temps, de mai à août. Depuis 1936, elle s'est étendue d'avril à novembre, complétée par une saison d'été hors les murs du théâtre (février-mars). Cette extension de la saison correspond à la création de corps permanents dans le théâtre : un orchestre de 98 musiciens, un chœur de 100 voix et un corps de ballet (1925). L'orchestre participe aussi à une saison symphonique ; jusqu'en 1948, il était le seul orchestre de Buenos Aires. Erich Kleiber et Fritz Busch sont les deux chefs qui y ont dirigé le plus grand nombre de concerts. Jusqu'en 1930, la salle est louée à des imprésarios qui font venir des troupes européennes. Une tentative d'administration municipale (1925) se solde par un échec. Le théâtre devient autonome en 1931, engageant directement les artistes et produisant lui-même ses spectacles. En 1967 a été créé l'Opéra de Chambre du Théâtre Colón. La saison comporte environ 90 spectacles lyriques, 30 ballets et 80 concerts.

Directeurs : César Ciacchi (1908-13), Leopoldo Longinotti (1914), Walter Mocchi et Faustino Da Rosa (1915-18 puis 1922-24), Camillo Bonetti (1919-21), Ottavio Scotto (1926-28), Faustino Da Rosa (1929), Emilio Ferone (1930), Max Hofmüler (1931), Juan José Castro (1933), Athos Palma (1934-36), Floro M. Ugarte (1937-43 puis 1946) Ferrucio Calusio (1944), Luis V. Ochaa (1945), Cirilo Grass Díaz (1946-49), Horacio Caillet Bois (1949-50), Julio C. Traversa (1950-51), Ferrucio Calusio (1952), Pedro Valenti Costa (1952-54), Arturo López (1954), Eduardo Castillo (1954-55), Floro M. Ugarte (1956), Jorge d'Urbano (1956-1957), Orlando Tarrió (1958), Ernesto S. Goldenstein (1958), Juan P. Montero (1958-66), Enzo Valenti Ferro (1967-72), Félix Perez Costanzó (1973), Bruno C. Jacovella (1973), Elvio H. Romeo (1973-74), Enrique Sivieri (1974-75), Pedro I. Calderón (1976-78), Guillermo Gallacher (1978-82), Leandro Vivet (1982-83), Alberto B. Alonso (1983), Cecilio Madanes (depuis 1984).

Directeurs artistiques (les directeurs généraux ont souvent cumulé les deux fonctions ; seuls sont indiqués les noms des directeurs artistiques qui n'ont pas été directeurs généraux simultanément) : Emile A. Napolitano (1946-48), Ferrucio Calusio (1948-49), Pedro Valenti Costa (1949), Carlos Suffern (1949-50), Juan Emilio Martini (1955), Rafael González (1956-57), Roberto Caamaño (1961-63), Robert Kinsky (1964), Ferrucio Calusio

(1965-1966), Carlos Suffren (1970-72), Antonio Pini (1973), Luis Zubillaga (1973), Carlos Malloyer (1973), Claudio Guidi-Drei (1976), Juan Emilio Martini (1976-77), Enzo Valenti Ferro (1978-82), Renato Cesari (1982-83), Antonio Pini (depuis 1984).

1ers chefs : le système de la *stagione* est complété par l'engagement de chefs à la saison, assurant chacun une partie du répertoire et complétant l'activité des directeurs artistiques. Les principaux sont Luigi Mancinelli (1908-09 et 1913), Edoardo Vitale (1910-11), Arturo Toscanini (1912), Tullio Serafin (1914-51 de façon irrégulière), Felix Weingartner (1922), Fritz Reiner (1926), Emil Cooper Grzegorz Fitelberg (1929 et 1948), George Sébastian (1931 et 1964-65), Ernest Ansermet (1931), Fritz Busch (1933-45), Erich Kleiber (1937-49), Albert Wolff (1938-46), Karl Böhm (1950-53), Alberto Erede (1953-56), Carlo-Felice Cillario (1954-62), Sir Thomas Beecham (1958), Ferdinand Leitner (1958-67), Fernando Previtali (1960-67), Jean Fournet (1961-66), Bruno Bartoletti depuis 1963, István Kertesz, John Pritchard, Georges Prêtre... Les principaux chefs argentins sont Ferrucio Calusio, Paolantonio, Héctor Panizza, Robert Kinsky, Juan Emilio Martini, Juan José Castro, Mario Benzecry, Miguel Angel Veltri.

Chefs de chœur : Achille Consoli et César A. Stiattesi, Rafael Terragnolo (1926-57), Tullio Buni (1951-67), Romano Gandolfi (1968-70), Tulio Boni (1971-73), Alberto Balzanelli (1974-82), Andrès Maspero (depuis 1983).

CRÉATIONS : Panizza (*Aurora*), Buchardo (*Sueño de Alma*, 1914), de Rogatis (Huemac, 1916), Frenos (*Espoile*, 1928), Boero (*Tucumán*, 1918, *El Matrero*, 1929), Ginastera (*Don Rodrigo*, 1964).

Théâtre du Capitole (Toulouse)

Fondé en 1736.

Le bâtiment est reconstruit en 1880. Il brûle en 1917. Seule la facade est sauvée. Une rénovation complète intervient en 1974. L'une des plus illustres scènes de France qui a vu débuter la plupart des grandes voix françaises.

Directeurs : Maurice Carrier (1924-32), Campo-Casso (1933-34), Henri Combaux et Jean Cadayé (1935-37), Jean Cadayé (1937-41), Jeanne Bourguignon et Valentin Marquety (1942-44), Jean Boyer (1944-45), Claudine Rougenet (1945-47), Louis Izar (1947-67), Gabriel Couret (1967-71), Auguste Rivière, Gérard Serkoyan et Michel Plasson (1971-73), Michel Plasson (1973-82), Jacques Doucet (depuis 1982).

Parmi les chefs permanents qui ont dirigé depuis 1945 : Jean Triq, Georges Prêtre, Roger Albin, Paul Ethuin, Henri Gallois.

CRÉATIONS : *Hop Signor* (Rosenthal, 1962), *L'Elixir du Révérend Père Gaucher* et *Le Silence de la mer* (Tomasi, 1964), *Le Bonheur dans le crime* (Casanova, 1973), *Les Noces d'Ombre* (Nikiprowetzki, 1974), *Montségur* (Landowski, 1985).

Théâtre de la Fenice (Venise)

Inauguré le 16 mai 1792 avec *I Giuochi d'Agrigento* de Paisiello, il brûle en 1836, est reconstruit l'année suivante, modernisé et restauré en 1854 et 1938. Depuis 1936, il fonctionne comme Ente Autonomo. Sa saison est courte (environ trois mois), complétée par des concerts symphoniques et la Biennale de Venise. La tradition lyrique était solidement implantée à Venise depuis près de deux siècles au moment de la construction de la Fenice. L'actuel théâtre a remplacé l'ancien théâtre San Benedetto, détruit en 1774, où avaient lieu les représentations d'opéra.

Surintendants : Virgilio Mortari (1955-63), Lamberto Trezzini. *Directeurs artistiques* : Mario Labroca (1946-47 et après 1959), Floris Luigi Ammannati, Sylvano Bussotti (1976-77), Italo Gomez. *1ers chefs* : Oliviero de Fabritiis, Ettore Gracis (1959-71), Zoltán Pesko (1976-78), Eliahu Inbal (depuis 1985).

CRÉATIONS : Cimarosa (*Les Horace et les Curiace*, 1796), Rossini (*Tancrède*, 1813, *Sémiramis*, 1823), Bellini (*Capulets et Montaigus*, 1830, *Béatrice de Tende*, 1833), Donizetti (*Anna Bolena*, 1830, *Belisario*, 1836, *Maria di Rudenz*, 1838),

Verdi (*Nabucco*, 1842, *Ernani*, 1844, *Attila*, 1846, *Rigoletto*, 1851, *La Traviata*, 1853, *Simon Boccanegra*, 1857), Leoncavallo (*La Bohème*, 1897), Mascagni (*Le Maschere*, 1901), Ghedini (*Re Hassan*, 1939), Dallapiccola (*Marsia*, 1948), Stravinski (*The Rake's progress*, 1951), Britten (*Le Tour d'écrou*, 1954), Prokofiev (*L'Ange de feu*, 1955), Nono (*Intolleranza*, 1960), Bussotti (*Lorenzaccio*, 1973), Castiglioni (*The fair Prince*, 1981).

Théâtre Kirov (Leningrad)

Le Théâtre Mariinski est **fondé à Saint-Pétersbourg en 1757.** Il est l'un des artisans de la création d'un répertoire lyrique russe dès la fin du XVIIIe siècle. Le bâtiment actuel est construit en 1860. En 1917, il devient théâtre d'État en étant rebaptisé Théâtre Kirov. Le corps de ballet du Kirov est l'un des plus illustres, sa notoriété remontant au siècle dernier lorsque Petipa était directeur de la danse.

Directeurs de la musique : Eduard Napravnik (1869-1916), Vladimir Dranichnikov (1916-30), Daniil Pokhitonov, Ary Pazovski (1936-43), Boris Khaikin (1943-54), Eduard Grikourov (1956-60), Konstantin Simeonov (1966-75), F. Fedotov (1973-76), Iouri Temirkanov depuis 1976. Parmi les *chefs permanents*, on compte Nicolaï Malko (1908-18), Albert Coates (1911-18), Grzegorz Fitelberg (1914-21), Alexandre Gaouk (1923-31), Evgeni Mravinski (1932-38), Alexandre Dmitriev.

CRÉATIONS : Glinka (*Une Vie pour le Tsar*, 1836, *Russlan et Ludmilla*, 1842), Verdi (*La Force du destin*, 1862), Dargomijski (*Le Convive de pierre*, 1872), Rimski-Korsakov (*Snegourotchka*, 1882, *Kiteje*, 1907), Moussorgski (*Boris Godounov*, 2e version 1874, *La Khovantchina*, 1886), Rubinstein (*Le Démon*, 1876), Borodine (*Le Prince Igor*, 1890), Tchaïkovski (*La Pucelle d'Orléans*, 1881, *La Dame de Pique*, 1890), Chostakovitch (*Lady Macbeth du district de Mzensk*, 1934), Prokofiev (*Guerre et Paix*, 1946). Dans le domaine chorégraphique, plusieurs partitions importantes ont été créées au Kirov : *Roméo et Juliette* (1940) de Prokofiev, *Gayaneh* et *Spartacus* de Khatchaturian.

Théâtre Mariinski

Voir à **Théâtre Kirov.**

Théâtre Musical de Chambre de Moscou

Fondé en 1972.

Directeur musical : Boris Pokrovsky (depuis 1972).

Chef permanent : Guennady Rojdestvenski (depuis 1972).

Cette compagnie s'est particulièrement fait connaître avec des représentations du *Nez* de Chostakovitch.

PRINCIPALES CRÉATIONS : *Van'ka* et *Noces* (Holminov), *Much noise because of... the Hearts* (Khrennikov).

Thomannerchor Leipzig

Fondé en 1212.

Le 20 mars 1212 est fondé ce chœur en liaison avec une école pour 12 garçons. En 1519, le conseil de la ville prend la direction de l'École et du Chœur de Saint-Thomas. La liste des cantors de Saint-Thomas de Leipzig peut être établie à compter du XVe siècle : Ludwig Götze (1470 ?-1505 ?), Johannes Scharnagel (1505 ?-1515 ?), Georg Rhau (1519-1520), Johannes Herrmann (1531-36), Wolfgang Jünger (1536-39), Johann Bruckner (vers 1540), Ulrich Lange (1540-49), Wolfgang Figulus (1549-51), Melchior Heger (1553-64), Valentin Otto (1564-94), Sethus Calvisius (1594-1615), Johann Hermann Schein (1616-30), Tobias Michael (1631-57), Sebastian Knüpfer (1657-76), Johann Schelle (1677-1701), Johann Kuhnau (1701-22), Johann-Sebastian Bach (1723-50), Gottlob Harrer (1750-55), Johann Friedrich Doles (1756-89), Johann Adam Hiller (1789-1800), August Eberhard Müller (1801-10), Johann Gottfried Schicht (1810-23), Christian Theodor Weinlig (1823-42), Moritz Hauptmann (1842-68), Ernst Friedrich Richter (1868-79), Friedrich Wilhelm Rust (1880-92), Gustav Schreck (1892-1918), Karl Straube (1918-39), Günther Ramin (1940-56), Kurt Thomas (1957-60), Erhard Mauersberger (1961-72), Hans-Joachim Rotzsch (depuis 1972). Constitué exclusivement de voix de jeunes garçons, il a maintenu à travers les siècles une grande tradition d'interprétation, notamment pour la musique religieuse.

Tokyo Metropolitan Symphony Orchestra

Fondé en 1965, dirigé par Akeo Watanabe, Moshe Atzmon puis Ken-Ichiro Kobayashi.

Trio de Bolzano

Fondé en 1941, dissous en 1974.

Violon : Giannino Carpi (1941-74).
Violoncelle : Antonio Valisi (1941-53), Sante Amadori (1953-74).
Piano : Nunzio Montanari (1941-74).

Trio à Cordes de Paris

Fondé en 1966.

Violon : Charles Frey depuis 1966.
Alto : Davia Binder (1966-71), Jean Verdier (1971-82), Michel Michalakakos (depuis 1982).
Violoncelle : Bernard Escavi (1966-68), Jean Grout depuis 1968.

Le trio constitue le noyau de formations variables qui peuvent aller jusqu'au quintette et qui lui permettent d'accueillir des artistes comme Maurice Bourgue, Guy Dangain, Alain Marion ou Dominique Merlet. Dans les concerts qu'il donne dans les grands festivals ou dans les villages les plus reculés, le trio a toujours soin de jouer une œuvre contemporaine. D'où le grand nombre de partitions écrites pour lui et qu'il a créées : *Trio op 28* (1968), *Trio op. 43 nº 2* (1969), *Quatuor avec percussion* (1977) de Ballif, *Thrène I* (1968), *Jeux pour lumière* pour trio à cordes et orchestre (1969), *Écorces III* (1969), *Une et désunie* pour 2 trios à cordes (1970), *Thrène II* (1977) de Bancquart, *Trio* (1969), *Quatuor* avec soprano (1980) de Denisov, *Stream* pour trio et basse (1971) de Ohana, *Diaptase* (1974) de Taïra, *Trio* de Darasse (1981), ainsi que de nombreuses pages signées Massias, Nunès, Tessier, Aperghis, Ton That Tiet, Aldo Clementi, Dusapin. Charles Frey est dédicataire et créateur du *Cahier de violon* de Ballif (1980) et de *Einspielung* de Nunès.

Depuis 1983, ce trio est en France la première formation permanente se consacrant exclusivement à la musique de chambre, grâce à un accord entre Radio-France et le Ministère de la Culture.

Trio à Cordes Français

Fondé en 1959.

Violon : Gérard Jarry.
Alto : Serge Collot.
Violoncelle : Michel Tournus.

CRÉATIONS : *Quatuor II* (B. Jolas), *4 Poèmes de Sappho* (Chaynes).

Trio Deslogères

Fondé en 1968.

Ondes Martenot : Françoise Deslogères.
Piano : Anne-Marie Lavilléon, Claude Bonneton, Guy Teston, Gilles Bérard.
Percussions : Alain Jacquet, Michel Gastaud.

L'originalité de la formation créée par Françoise Deslogères a suscité l'imagination créatrice de nombreux compositeurs, notamment Tisné (*Visions des temps immémoriaux*, 1967), Depraz (*Trio*, 1968), Bussotti (*Brève*, 1969), A. Weber (*Syllepse*, 1970), Louvier (*Houles*, 1971), Goldmann (*Hevel 4*, 1971), Lachartre (*Résonance et paradoxe*, 1972), Pichaureau (*Nepenthèse*, 1972), Chaynes (*Tarquinia*, 1973), Calmel (*Stabat Mater*, 1972), Mari (*Les Travaux d'Hercule*, 1973), Holstein (*Suite en bleu*, 1974), Marcel Landowski (*Concerto en trio*, 1976), Tessier (*Cheliak*, 1977), Ancelin (*Ombres et silhouettes*, 1977), Piechowska (*Illuminations*, 1978), etc. L'adjonction au trio de la voix humaine et de percussions supplémentaires élargit ses perspectives futures.

Trio Hongrois

Piano : Georges Solchany.
Violon : Arpad Gerecz.
Violoncelle : Vilmos Palotaï.

Martinů lui a dédié son *Concertino pour trio et orchestre* (créé en 1933).

Trio Intercontemporain

Voir à **Ensemble Intercontemporain.**

Trio Italiano d'Archi

Fondé en 1958.

Violon : Franco Gulli (depuis 1958).
Alto : Bruno Giuranna (depuis 1958).
Violoncelle : Amedeo Baldovino (1958-62), Giacinto Caramia (depuis 1962).

L'un des rares trios à cordes qui se soit imposé sur le plan international, notamment avec l'intégrale des trios de Beethoven qu'il a enregistrée.

Trio de Mannheim

Fondé au début des années soixante.

Violon : Dieter Vorholz.
Violoncelle : Reinhold Johannes Buhl.
Piano : Günter Ludwig.

Trio Pasquier

Fondé en 1927, dissous en 1974.

Violon : Jean Pasquier.
Alto : Pierre Pasquier.
Violoncelle : Étienne Pasquier.

Formé sur l'initiative de Pierre Pasquier, il se consacre surtout à la défense de la musique française. Il assure la création du *Trio* de Françaix (1934), du 2e *Trio* de Martinů (1935), des trios de Jolivet (1938), de Milhaud (1947), de Schmitt (1948). Pierné a écrit son *opus 90* sur les noms de Jean-Pierre-Étienne-Pasquier.

Occupant une place essentielle dans la vie musicale française, il a joué avec de nombreux partenaires, notamment Marguerite Long et Jean-Pierre Rampal.

Trio de Trieste

Fondé en 1933.

Violon : Renato Zanettovich (depuis 1933).
Violoncelle : Libero Lana (1933-62), Amadeo Baldovino (depuis 1962).
Piano : Dario De Rosa (depuis 1933).

Constitué par trois étudiants du Conservatoire de Trieste, le trio donne ses premiers concerts en 1937 et s'affirme rapidement en Europe puis, en 1948, aux États-Unis et en Extrême-Orient, défendant surtout le répertoire romantique, Haydn et Mozart. Renato Zanettovich joue sur un Guarnerius del Gesù. Amadeo Baldovino sur un Stradivarius de 1711.

Trio Ravel

Fondé en 1969.

Piano : Chantal de Buchy
Violon : Christian Crenne.
Violoncelle : Manfred Stilz.

Pendant deux ans, le trio parachève sa formation avec Maurice Crut, Mstislav Rostropovitch, Yehudi Menuhin, Janos Starker, Joseph Gingold et Gyorgy Sebök. En 1972, il remporte un Grand Prix au Concours international de Belgrade.

Trio Suk

Fondé en 1951.

Violon : Josef Suk.
Violoncelle : Sasá Večtomov (1951-52), Josef Chuchro (1952-56), Miloš Sádlo (1956-60), Josef Chuchro (depuis 1960).
Piano : Jiří Hubička (1951-52), Josef Hála (1952-56), František Maxián (1956-57), Jan Panenka (1957-79), Josej Hála (depuis 1979).

Trio Tchèque

Fondé en 1934.

Violon : Alexander Plocek (1934-67), Ivan Štraus (1967-79), Jiří Tomášek (depuis 1979).

Violoncelle : František Smetana (1934-44), Miloš Sádlo (1944-54), Saša Večtomov (1954-77), Marek Jerie (1977-79), Saša, Večtomov (depuis 1979).

Piano : Josef Páleníček (depuis 1934).

De nombreux enregistrements, notamment en matière de musique slave. Fondé sous le nom de Trio Smetana, il prend son nom actuel en 1945.

Trio Yuval

Fondé en 1969.

Violon : Uri Pianka.
Violoncelle : Simca Heled.
Piano : Jonathan Zak.

Trio israélien connu notamment par ses enregistrements des trios de Dvořák, Smetana et Tchaïkovski.

V

I Virtuosi di Roma

Fondé en 1947.

Renato Fasano créa cet ensemble avec des instrumentistes de la Scuola Veneziana (le premier ensemble à cordes italien formé peu auparavant par Angelo Ephrikian). Contrairement à l'Ensemble I Musici, ils jouent avec un chef, Renato Fasano (jusqu'à sa mort, en 1980). Ils s'opposent aux conceptions « à l'allemande » de la musique baroque illustrées par Münchinger. Luigi Ferro, maître de la plupart des instrumentistes de l'ensemble, reste violon solo jusqu'au début des années soixante. Il est remplacé par Ferraresi et Mozzatto. Dès la fin des années soixante, l'ensemble stagne et semble vivre sur son passé au cours des années suivantes.

En 1980, il se scinde en deux formations : I nuovi Virtuosi di Roma, qui joue sans chef, et l'Ensemble Boccherini dirigé par un chef roumain, Octavian Anghel.

Volksoper de Vienne

Fondé en 1898 pour le 50e anniversaire de François-Joseph, il s'appelle alors Kaiserjubiläums-Stadttheater.

Directeurs : Adam Müller-Guttenbrunn (1898-1903 : le théâtre est alors uniquement dramatique), Rainer Simons (1903-17 : le théâtre se consacre à l'art lyrique), Raoul Mader (1917-19), Felix Weingartner (1919-24), August Markowsky et Fritz Stiedry (dir. artistique) (1924-25), Hugo Gruder-Guntram (1925), Hermann Fischler (1925-28), fermeture du théâtre (1928-29) Otto Ludwig (1929-31 : le théâtre est rebaptisé Neues Wiener Schauspielhaus et se consacre au répertoire dramatique), Leo Kraus (1931-34 : retour à l'opéra), Karl Lustig-Prean et Jean Ernest (1934-38). En 1938, la municipalité reprend le théâtre qui devient la Städtische Volksoper, *Directeur :* Anton Baumann (1938-41). En 1941, la Volksoper devient Opernhaus der Stadt Wien (directeur Oskar Jölli, 1941-45) pour concurrencer la Staatsoper. En 1945, la Staatsoper s'installe, après les bombardements, dans les murs de la Volksoper sous la direction de Alfred Jerger (1945), Franz Salmhofer (1945-46) et Hermann Juch (1946-55). En 1955, la Staatsoper reconstruite abrite à nouveau l'Opéra de Vienne et la Volksoper reprend son autonomie sous la direction de Franz Salmhofer (1955-63), Albert Moser (1963-73), Karl Dönch (1973-87), Eberhard Waechter (à partir de 1987).

La Volksoper a vu les débuts de nombreux chanteurs de renom (von Manowarda, Jeritza, Slezak, Bahr-Mildenburg, Tauber, List, Welitsch...). Plusieurs ouvrages majeurs y ont été joués pour la première fois à Vienne (*Tosca,* 1907 ; *Salomé,* 1910...). Le théâtre a été entièrement rénové en 1957.

W

Wiener Singakademie

Fondée en 1858.

Directeurs : Johannes Brahms (1863-72), puis Richard Heuberger, Hermann Grädener, Ferdinand Löwe, Bruno Walter, Anton Konrath, Hans Gillesberger, Agnes Grossmann (depuis 1983). Depuis 1971, sa direction est assurée par Hermann Furthmoser.

Chœur mixte de 120 membres.

PRINCIPALES CRÉATIONS : *Christus* de Liszt, *Das klagende Lied* et *Symphonie n° 8* de Mahler, *Requiem* de Hindemith.

Y

Yomiuri Nippon Symphony Orchestra (Tokyo)

Fondé en 1962 par le journal Yomiuri.

Chefs permanents : W. Page, Otto Matzerath, W. Steiner, Jindřich Rohan (1964-65), Hiroshi Wakasugi (1965-77), Rafael Fruhbeck de Burgos, Heinz Rögner. Actuellement dirigé par Kiyoshi Okayam, Kiyomitsu Obana et In-rin Pan.

Index

Classement par discipline instrumentale

Cet index recense tous les interprètes du XXe siècle qui figurent dans la deuxième et troisième partie du dictionnaire. Cependant, ceux qui font l'objet d'une biographie dans la deuxième partie ne sont à l'index qu'au titre de cette biographie et non pour leur appartenance aux formations de la troisième partie.

ACCORDÉON

ALTO

BASSON

CHANT : Sopranos

CHANT : Mezzo-sopranos

CHANT : Altos

CHANT : Contraltos

CHANT : Hautes-contre

CHANT : Ténors

CHANT : Barytons

CHANT : Baryton-basses

CHEFS D'ORCHESTRE

CLARINETTE

CLAVECIN

CONTREBASSE

COR

CYMBALIUM

FLÛTE

GUITARE

HARMONICA

HARPE

HAUTBOIS

LUTH

ONDES MARTENOT

ORGUE

PERCUSSION

PIANO

SAXOPHONE

TROMBONE

TROMPETTE

TUBA

VIELLE

VIOLE DE GAMBE

VIOLON

VIOLONCELLE

Table des matières

ACHEVÉ D'IMPRIMER POUR
LES ÉDITIONS ROBERT LAFFONT
SUR LES PRESSES DE
MAURY IMPRIMEUR S.A.
45330 MALESHERBES
N° D'IMPRIMEUR : C85/16497

DÉPOT LÉGAL : JUIN 1985

N° D'ÉDITEUR : S 661